MERRY Christ

May all your New Years
be happy ones.

I'll miss you . .

Always & Always
:) Joy

GYLDENDALS ORDBØKER

ENGELSK NORSK

VED

BJARNE BERULFSEN

OG

TORKJELL K. BERULFSEN

GYLDENDAL NORSK FORLAG

OSLO 1974

Ny revidert utgave

© Gyldendal Norsk Forlag A/S 1974

Printed in Norway
A/S Nationaltrykkeriet & Forlagsbokbinderiet
Oslo 1974

ISBN 82-05-07005-9

Forord

Engelsk-norsk ordbok i serien *Gyldendals blå ordbøker* ble første gang utgitt i 1933. Siden da har den med nokså jevne mellomrom kommet i nye opplag og utgaver. For hver gang har den da vært gjenstand for til dels gjennomgripende revisjon på grunnlag av innhøstede erfaringer. Det har særlig vært lagt vekt på å trekke inn aktuelt ordtilfang, samtidig med at ordforklaringer og definisjoner etter hvert har fått et mer moderne preg. Denne utgaven er en grundig nybearbeidelse med støtte i nyere ordbokslitteratur. Ordboken har da også økt betydelig i leksikalsk omfang.

For god hjelp med lydskrift rettes en spesiell takk til Arnhild Mæhle Chaffey.

Uttalebetegnelsen

(Uttalebetegnelsen står i skarpe klammer [ ] i begynnelsen av artikkelen).

['] betegner trykk (aksent); det settes foran begynnelsen av den sterke aksentuerte stavelse, f. eks. *city* ['siti] med trykk på første, *insist* [in'sist] med trykk på andre stavelse. Står tegnet to ganger, betyr det likelig eller vaklende aksentuasjon, som *inside* ['in'said] med trykk på første eller andre stavelse (eller på begge).

[:] betegner lydlengde; f. eks. *seat* [si:t] mens *sit* [sit] uttales med kort vokal.

[ɑ] som i *far* [fɑ:].
[e] som i *let* [let].
[ə] som i *china* ['tʃainə], *cathedral* [kə'θi:drəl].
[ə:] som i *hurt* [hə:t], *her* [hə:].
[i] som i *fill* [fil].
[i:] som i *feel* [fi:l].
[ɔ] som i *cot* [kɔt].
[ɔ:] som i *caught* [kɔ:t], *saw* [sɔ:].

[u] som i *full* [ful].
[u:] som i *fool* [fu:l].
[æ] som i *hat* [hæt].
[ʌ] som i *cut* [kʌt].
[ai] som i *eye* [ai].
[au] som i *how* [hau].
[ei] som i *hate* [heit]
[əu] som i *no* [nəu].
[ɔi] som i *boy* [bɔi].
[iə] som i *hear, here* [hiə].
[ɛə] som i *hair* [hɛə], *there* [ðɛə].
[uə] som i *sure* [ʃuə].
[b] som i *bed* [bed], *ebb* [eb].
[d] som i *do* [du:], *bed* [bed].
[ð] som i *then* [ðen].
[θ] som i *thin* [θin].
[f] som i *find* [faind].
[g] som i *go* [gəu].
[h] som i *hat* [hæt].
[j] som i *you* [ju:].
[k] som i *can* [kæn].
[l] som i *low* [ləu], *ell* [el].
[m] som i *man* [mæn].
[n] som i *no* [nəu].
[ŋ] som i *singer* ['siŋə], *finger* ['fiŋgə].

[p] som i *pea* [pi:].
[r] som i *red* [red], *vary* ['vɛəri].
[s] som i *so* [səu].
[ʃ] som i *she* [ʃi:].
[tʃ] som i *chin* [tʃin].
[ʒ] som i *measure* ['meʒə].
[dʒ] som i *join* [dʒɔin].
[t] som i *toe* [təu].
[v] som i *vivid* ['vivid].
[w] som i *we* [wi:].
[z] som i *zeal* [zi:l].
‿ over en vokal betegner nasal uttale.
( ) omslutter tegn for lyd som kan tas med eller utelates, f. eks. *empty* [em(p)-ti].
(:) angir vaklende lengde, f. eks. *soft* [sɔ(:)ft] med lang eller kort [ɔ].
Hvor et ord blir oppført med to eller flere uttaler, er den første i alminnelighet den som anses for den vanligste.

Liste over tegn og forkortinger

ɔ: det vil si.
≈ kan gjengis med.
— (lang strek) betegner at ordet gjentas: account; on — of.
- (kort strek) betegner at ordet gjentas som del av et sammensatt ord uten bindestrek eller foran en avledningsending: any, -body (=anybody), approach, -ing (= approaching).
— - (lang og kort strek) betegner at ordet gjentas med bindestrek: air, — -conditioned (= air-conditioned).
| (loddrett strek) betegner at bare den del av ordet som står foran streken, gjentas i det følgende ved - eller — -, f. eks. water|melon, — pipe, -proof, — -soluble (= watermelon, water pipe, waterproof, water-soluble), whim|sey, -sical, -sicality (= whimsical, whimsicality).

adj.	adjektiv.	gml.	gammelt.
adv.	adverb.	imperf.	imperfektum.
alm.	alminnelig.	ind.	indikativ.
amr.	amerikansk.	inf.	infinitiv.
anat.	anatomi	interj.	interjeksjon.
ark.	arkitektur.	iron.	ironisk.
ass.	forsikring.	istf.	istedenfor.
astr.	astronomi.	jfr.	jevnfør, jamfør.
bet.	betydning, betegnelse.	jur.	juridisk uttrykk.
bil.	billedlig.	kjem.	kjemi.
bl. a.	blant annet.	lat.	latin.
brit.	britisk.	lign.	lignende.
dial.	dialekt.	m.	med.
d. s. s.	det samme som.	mar.	sjøuttrykk.
egl.	egentlig.	med.	medisin.
eks.	eksempel.	merk.	handelsuttrykk.
el.	eller.	m.h.t.	med hensyn til.
e. l.	eller lignende.	mil.	militært.
eng.	engelsk.	mots.	motsatt.
etc.	et cetera.	mus.	musikk.
f.	for.	nml.	nemlig.
fig.	figurlig.	ogs.	også.
fk.	forkortet.	o. l.	og lignende.
flgd.	følgende.	osv.	og så videre.
forb.	forbindelsen.	ovf.	ovenfor.
fork.	forkorting.	oppr.	opprinnelig.
fr.	fransk.	p.	på; person.

perf.	perfektum.
pl.	pluralis, flertall.
poet.	poetisk.
prep.	preposisjon.
pres.	presens.
pts.	partisipp.
relig.	religiøs(t).
s.	som.
sb.	somebody.
s. d.	se dette.
sg.	singularis, entall.
skot.	skotsk.
sl.	slang (daglig uttrykk med vulgært anstrøk).
smnl.	sammenlign.
smstn.	sammensetning(er).
srl.	særlig.
st.	something.
subst.	substantiv.
sup.	superlativ.
sv.	svarende.
t.	til.
v.	verb; ved.
vulg.	vulgært.
årh.	århundre.

A

A, a [ei] A, a.
A fk. f. Academician; Academy; America; Anno; Associate; Adult. **A 1** [ei wʌn] (first-class, No. 1) første klasses skip i Lloyd's register. **A flat** ass; **A major** A-dur; **A minor** a-moll; **A sharp** aiss.

a. fk. f. **aere; adjective; anno; ante.**
A. A. fk. f. **Associate in Arts; American Academy; anti-aircraft; Automobile Association.**
A. A. A. fk. f. **Agricultural Adjustment Administration; American Automobile Association.**

a [ei; oftest ubetont ə], **an** [æn, oftest ubetont ən], en, et; undertiden én, ett; på; pr.; om; **two at a time** to på én gang; **at a blow** med ett slag; **a shilling a day** en shilling om dagen.

a [ə] på, i, til; oftest sammenskrevet med det følgende ord; **aflame** i flammer, i lys lue.
A. A. F. fk. f. **Auxiliary Air Force.**
aardwark ['ɑːdwɑːk] jordsvin.
aardwolf ['ɑːdwulf] dverghyene.
Aaron ['ɛərən] Aron; **Aaron's rod** Arons stav; kongelys.
A. B. fk. f. **able-bodied** (seaman); (amr.) **Bachelor of Arts.**
aback [ə'bæk] bakover, bakk; **take — bakke** seil; forvirre, forfjamse, klumse, gjøre målløs.
abacus ['æbəkəs], pl. **abaci** ['æbəsai] abakus (øverste del av søylekapitél); kuleramme, regnebrett.
abaft [ə'bɑːft] akter(ut); aktenfor, bak.
abandon [ə'bændən] forlate, svikte; oppgi; frafalle, gi avkall på; avstå (skip); løssloppenhet, overgivenhet, villskap. **-ed** [ə'bændənd] forlatt, herreløs; forvorpen, ryggesløs. **-ment** [ə'bændənmənt] oppgivelse, forlatthet; avståelse.
abase [ə'beis] ydmyke, fornedre, nedsette. **-ment** [ə'beismənt] ydmykelse, fornedrelse.
abash [ə'bæʃ] gjøre skamfull. **-ment** [-mənt] skam, skamfølelse, skamkjensle.
abate [ə'beit] nedslå, minske, sløve, døyve; få slutt på, stanse; slå av (om prisen); (jur.) omstøte, gjøre ugyldig, vrake; avta, minke. **-ment** [-mənt] minking, mink; avslag, rabatt.
abatis [sg. 'æbətis, pl. 'æbətiz] forhogning; bråte.
abattoir ['æbətwɑː] slakteri, slaktehus.
abb [æb] renning (i en vev).
abbacy ['æbəsi] abbedverdighet, abbedi.
abbatial [ə'beiʃəl] abbed-, som hører til en abbed.
abbé ['æbei] pastor. **abbess** ['æbis] abbedisse; bordellvertinne.
abbey ['æbi] abbedi, klosterkirke.
abbot ['æbət] abbed. **abbotship** ['æbətʃip] abbedverdighet.
abbr. fk. f. **abbreviated, abbreviation.**
abbreviate [ə'briːvieit] forkorte. **abbreviation** [ə'briːviˈeiʃn] forkorting, forkortelse; abbreviatur.
ABC abc, alfabet; (fig.) begynnelses-, grunn-, fk. f. **American Broadcasting Company.**
A. B. C. E. fk. f. **Aerated Bread Company,** se **aerate;** (alfabetisk) jernbane-rute.
A. B. C. warfare fk. f. **Atomic-Biological-Chemical Warfare.**
abdicate ['æbdikeit] frasi seg (trone el. embete), nedlegge, abdisere. **abdication** [æbdi'keiʃən] fratredelse, tronfrasigelse.

abdomen ['æbdəmən] underliv, buk. **abdominal** [æb'dɔminəl] buk-, underlivs-.
abduct [æb'dʌkt] bortføre, kidnappe. **abduction** [æb'dʌkʃən] bortføring. **abductor** [æb'dʌktə] bortfører; abduktor.
abeam [ə'biːm] tvers, tverrskips.
abecedarian [eibiːsiːˈdɛəriən] alfabetisk; elementær; nybegynner.
abed [ə'bed] i seng.
abele [ə'biːl] sølvpoppel.
Aberd|een [æbə'diːn]. Aberdeen. **-onian** [æbədounjən] (en) som er fra Aberdeen.
aberrance [æ'berəns] avvik, villfarelse. **aberrant** [æ'berənt] avvikende, villfarende; variant, varietet. **aberration** [æbə'reiʃən] avvik, villfarelse, forvirring.
Aberystwyth [æbə'ristwiθ].
abet [ə'bet] tilskynde, hjelpe, medvirke. **-ment** [ə'betmənt] tilskynding, medvirkning, delaktighet. **-ter, -tor** [ə'betə] tilskynder, medskyldig (of i).
abeyance [ə'beiəns] midlertidig herreløs; **in — i** bero, i ro så lenge, midlertidig herreløs.
abhor [əb'hɔː] avsky, se på med forakt. **-rence** [əb'hɔrəns] avsky, vemmelse. **-rent** [əb'hɔrənt] avskyelig, ekkel, vemmelig; uforenelig (to med).
abide [ə'baid] bli; bo; holde fast (by ved), stå ved; underkaste seg, rette seg (by etter); vente på, avvente; utstå, tåle. **abiding** [ə'baidiŋ] vedvarende, permanent, varig; **law- —** lovlydig.
Abigail ['æbigeil] kammerpike.
ability [ə'biliti] evne, dugelighet, dyktighet; (pl.) talenter, (ånds)evner.
abject ['æbdʒekt] lav, foraktelig, ynkelig, nedrig, ussel, krypende. **-ion** [æb'dʒekʃən] ydmykelse; ynkelighet, usselhet. **-ness** ['æbdʒektnis] nedrighet, lavhet, servilitet.
abjuration [æbdʒuˈreiʃn] avsverging.
abjure [æb'dʒuə] avsverge.
ablactation [æblæk'teiʃən] avvenning.
ablate [æb'leit] fjerne; avsmelte. **ablation** [æb'leiʃən] fjerning; avsmelting.
ablative ['ablətiv] ablativ; **— absolute** dobbelt ablativ.
ablaut ['æblaut] avlyd, lydsprang.
ablaze [ə'bleiz] i lys lue, flammende; (fig.) blussende, strålende.
able [eibl] dugelig, dyktig, habil; sterk; **be — to** kunne, være i stand til.
able-bodied ['eibl'bɔdid] rask, rørig, arbeidsfør, fullbefaren (om sjømann).
ablet ['æblit] løye (fisk).
abloom [ə'bluːm] i blomst.
ablution [æb'luːʃən] rensing, tvetting, vask (ofte religiøst).
ably ['eibli] dyktig; **— edited** godt redigert.
abnegate ['æbnigeit] nekte, fornekte. **abnegation** [æbni'geiʃən] fornektelse, selvfornektelse; avkall.
abnormal [æb'nɔːml] abnorm, uregelmessig, vanskapt, unaturlig, sykelig. **abnormity** [æb'nɔːmiti] uregelmessighet; vanskapthet.
aboard [ə'bɔːd] ombord; ombord på.
abode [ə'baud] bolig, bosted, opphold; **take up one's — slå** seg ned.
abode [ə'baud] imperf. og perf. pts. av **abide.**
abolish [ə'bɔliʃ] avskaffe, oppheve. **abolishment** [ə'bɔliʃmənt], **abolition** [æbə'liʃən] avskaffelse,

opphevelse, nedleggelse. **abolitionist** [æbə'liʃənist] abolisjonist (motstander av negerslaveriet).
A-bomb ['eibɔm] atombombe.
abominable [ə'bɔminəbl] avskyelig, fæl, motbydelig. **abominate** [ə'bɔmineit] avsky. **abomination** [əbɔmi'neiʃən] avsky, avskyelighet; styggedom.
aboriginal [æbə'ridʒinəl] opprinnelig, opphavlig; urinnvåner. **aborigines** [æbə'ridʒini:z] opprinnelige innbyggere, urinnvånere, urfolk.
abort [ə'bɔ:t] abortere; stanse, avbryte; ikke fullført oppgave el. oppdrag. **-ion** [ə'bɔ:ʃən] abort; misfoster. **-ionist** [ə'bɔ:ʃənist] kvaksalver, klok kone. **-ive** [ə'bɔ:tiv] som fremkaller abort; for tidlig født, mislykt, forgjeves, forfeilet.
abound [ə'baund] være rik på; ha overflod (**in** el. **with** av, på).
about [ə'baut] omkring; på, hos; omtrent; i nærheten, ved hånden; omkring i el. på; omtrent ved; angående, om; **all** — overalt; **he** — **to** være i begrep med, være i ferd med, skulle til å; **go** — baute; **how** — hvordan går det med?
about|-face helomvending; (fig.) kuvending; vende, snu. — **hammer** forhammer. — **-turn** gjøre helomvending, snu.
above [ə'bʌv] over, ovenfor; ovenpå; (fig.) over, mer enn; — **all** framfor alt; **he was** — **suspicion** han var hevet over mistanke; **hardly** — **his breath** neppe hørlig.
above-board [ə'bʌv'bɔ:d] uten fusk, åpen, ærlig. **above-deck** på dekk; ærlig. **above-mentioned** [ə'bʌv'menʃənd] ovennevnt, førnevnt. **above-stairs** ovenpå.
abr. fk. f. **abridged; abridgement.**
abrade [əb'reid] skrape av, gnure, slipe.
Abraham ['eibrəhæm]
abrasion [æb'reiʒən] (hud)avskrapning; slitasje, slit; skramme.
abrasive [ə'breisiv] slipemiddel; slipe-; — **paper** sandpapir.
abreact [æbri'ækt] avreagere. **abreaction** [æbri-'ækʃən] avreagering.
abreast [ə'brest] ved siden av hverandre, side om side; — **of** à jour med, på høyde med; **keep** — **of** (el. **with**) **the times** følge med tiden.
abridge [ə'bridʒ] forkorte, sammendra.
abridgement [-mənt] forkorting; utdrag, sammendrag.
abroach [ə'brəutʃ] anstukket (om tønne); sette i gang, utbre.
abroad [ə'brɔ:d] ute, ut; utenlands; **at home and** — hjemme og ute; **from** — fra utlandet.
abrogate ['æbrəgeit] oppheve, avskaffe. **abrogation** [-'geiʃən] opphevelse, avskaffelse.
abrupt [əb'rʌpt] avbrutt; (stup)bratt, steil; brå, plutselig; springende, usammenhengende. **-ness** [-nis] bratte, bryskhet.
abs. fk. f. **absent; absolute; abstract.**
abscess ['æbsis] svull, svulst, byll.
abscission [æb'siʒən] avskjæring.
abscond [æb'skɔnd] lure seg unna, rømme, stikke av.
absence ['æbsəns] fravær; uteblivelse; mangel, skort; åndsfraværelse; **lawful** — lovlig forfall; **in the** — **of proof** i mangel av bevis. **absent** ['æbsənt] fraværende, borte; atspredt, åndsfraværende, distré; — **without leave** på tjuvperm; **be** — mangle. **absent** [æb'sent] holde seg borte.
absentee [æbsən'ti:] (embetsmann) som er mye borte fra sitt embete, (godseier) som ikke bor på sitt gods. **absenteeism** [æbsən'ti:izm] forsømmelse(r), skort; varamanns-styre.
absent-minded ['æbsənt'maindid] åndsfraværende, distré. **-ly** i distraksjon. **-ness** åndsfraværelse, uoppmerksomhet, distraksjon.
absinth ['æbsinθ] malurt; absint.
absolute ['æbsəl(ju)u:t] absolutt, uinnskrenket; egenmektig; fullstendig, hel, ubetinget, kategorisk; gjennomført; — **monarch** enevoldskonge. **-ly** aldeles, plent, ubetinget. **absolution** [æbsə-'l(j)u:ʃən] frikjenning; absolusjon; tilgivelse.

absolutism ['æbsəl(j)u:tizm] enevelde; predestinasjonslæren. **absolutist** ['æbsə(l)u:tist] tilhenger av eneveldet; absolutistisk.
absolve [əb'zɔlv] frikjenne (**from** fra), gi absolusjon, løse.
absorb [əb'sɔ:b] suge inn, sluke, oppta (i seg), absorbere; tilegne seg; dempe. **-ed in** (el. **with** el. **by**) helt opptatt av; **-ed in thoughts** i dype tanker; **of -ing interest** som helt opptar ens interesse. **absorbent** [əb'sɔ:bənt] absorberende, som suger opp (el. i seg).
absorption [əb'sɔ:pʃən] innsuging; opptatthet.
absquatulate [əb'skwɔtjuleit] stikke av.
abstain [æb'stein] avholde seg, holde seg borte (**from** fra); unnlate å stemme.
abstainer [æb'steinə] avholdsmann; hjemmesitter (ved valg).
abstemious [æb'sti:mjəs] måteholden, edruelig.
abstention [æb'stenʃən] avholdenhet, avhold; det å stå utenfor noe, ikke bruke sin stemme.
abstinence ['æbstinəns] avhold; total — totalavhold. **abstinent** ['æbstinənt] avholdende.
abstract [æb'strækt] abstrakt begrep; utdrag; abstrakt; **in the** — in abstracto, i sin rene alminnelighet; **an** — **of the accounts** et utdrag av regnskapene, kontoutdrag; — **number** ubenevnt tall.
abstract [æb'strækt] utdra, fradra; abstrahere, skille ut, resymere; stjele, kvarte. — **from** fra. **-ed** [æb'stræktid] fradratt; abstrakt; lutret, forfinet; atspredt. **-ion** [æb'strækʃən] avsondring, abstraksjon; atspredthet, distraksjon.
abstractor [æb'stræktə] kalkulatør, kostnadsberegner.
abstruse [æb'stru:s] dunkel, uforståelig, dyp.
absurd [əb'sə:d] absurd, urimelig, meningsløs, tåpelig. **-ity** [əb'sə:diti] urimelighet, meningsløshet.
abt. fk. f. **about.**
Abukir [æbu'kiə].
abundance [ə'bʌndəns] mengde, overflødighet, overflod (**of** på). **abundant** [ə'bʌndənt] rikelig, rik; som det er nok el. mer enn nok av, overveldende.
abusage [ə'bju:sidʒ] feilaktig språkbruk, forvansking.
abuse [ə'bju:z] misbruke, skjelle ut; skade; voldta; [ə'bju:s] misbruk; skjellsord. **abusive** [ə'bju:siv] uriktig; grov; korrupt.
abut [ə'bʌt] støte el. grense (**on** til); ligge an mot.
abysm [ə'bizm] avgrunn. **-al** [ə'bizməl] bunnløs, avgrunnsdyp.
abyss [ə'bis] avgrunn, bunnløst dyp. **-al** [ə'bisəl] dypvanns-.
Abyssinia [æbi'sinjə] Abessinia (= Etiopia).
A. C. fk. **Aero Club; Alpine Club; alternating current** vekselstrøm; **ante Christum** før Kristi fødsel; **Appeal Court; Athletic Club; Atlantic Charter.**
a/c fk. f. **account.**
acacia [ə'keiʃə] akasie.
academic [ækə'demik] akademisk; akademiker; teoretiker. **-als** akademisk drakt. **academician** [əkædə'miʃən] akademiker, medlem av et akademi, især av the **Royal Academy of Fine Arts; Royal Academician** medlem av the **Royal Academy.**
academy [ə'kædəmi] akademi, høyskole, høyere fagskole f. eks. **Royal Military A.;** selskap for vitenskap el. kunst, især the **Royal Academy of Fine Arts;** dette selskaps årlige utstilling i Burlington House.
acanthus [ə'kænθəs] akantus.
acarid ['ækərid] midd.
acatalectic [ækætə'lektik] akatalektisk.
acatalepsy [æ'kætələpsi] uforståelighet.
acc. fk. f. **according (to); account; acceptance.**
A|CC fk. f. **Aircraft Carrier** hangarskip.
accede [æk'si:d] tiltre, overta (ogs. **accede to**

an office); bestige (tronen); gå inn på; samtykke, innvilge (**to** i).

accelerate [æk'seləreit] fremskynde; påskynde; sette opp farten, akselerere.

acceleration [ækselə'reiʃen] akselerasjon.

accelerator [æk'seləreitə] gasspedal.

accent ['æksnt] aksent, trykk; lesetegn; tonelag, uttale; tonefall; uttrykk, ordlag, ordleiing.

accent [æk'sent] aksentuere, betone, markere, fremheve.

accentuate [æk'sentjueit] betone, fremheve.

accentuation [æksentju'eiʃen] aksentuering, betoning.

accept [æk'sept] motta; godta; godkjenne; finne seg i; ta imot, si ja (til); akseptere. **-ability** [ækseptə'biliti] antakelighet. **-able** [æk'septəbl] antakelig, akseptabel. **-ance** [æk'septəns] mottaking; godtaking, bifall, aksept; akseptert veksel; **find -ance** vinne bifall; **-ance trials** opptakingsprøve. **acceptation** [æksəp'teiʃən] betydning, mening (et ords). **accepted** [æk'septid] hevdvunnen, gjengs; **duly** — i akseptert stand. **acceptor** [æk'septə] akseptant.

access ['ækses, æk'ses] adgang; vei (til); tilgjengelighet; anfall, ri; **easy of** — lett å komme til, lett å få i tale.

accessary [æk'sesəri] medskyldig, f. eks. — **to a crime.**

accessibility [æksesi'biliti] tilgjengelighet; mottakelighet; omgjengelighet.

accessible [æk'sesibl] tilgjengelig; mottakelig (**to** for); omgjengelig.

accession [æk'seʃən] tiltredelse, overtakelse; tronbestigelse; tilgang, forøkelse, tilvekst; anfall, ri.

accessory [æk'sesəri] underordnet, bi-; delaktig, medskyldig (**to** i); pl. **accessories** tilbehør, rekvisitter, ekstrautstyr.

access road tilkjørselsvei, adgangsvei.

accidence ['æksidəns] formlære, bøyningslære.

accident ['æksidənt] tilfelle, slump, uhell, ulykke; **railway** — jernbaneulykke; **by** — tilfeldigvis; — **insurance** ulykkesforsikring; **accidental** [æksi'dentl] tilfeldig; uvesentlig. **accidentally** [æksi'dentəli] tilfeldigvis.

accident-prone (som gjerne er) utsatt for ulykker; ulykkesfugl.

accipiter [æk'sipitə] spurvehauk, hønsehauk.

acclaim [ə'kleim] hilse med bifallsrop, tiljuble, hylle. **acclamation** [æklə'meiʃən] akklamasjon, bifallsrop, håndklapp, fagning. **acclamatory** [ə'klæmətəri] bifalls-.

acclimat|isation [əklaimət(a)i'zeiʃən] akklimatisering. **-ise** [ə'klaimətaiz] akklimatisere.

acclivity [ə'kliviti] motbakke, stigning.

accolade [ækə'leid] ridderslag, seremoniell hilsen; (fig.) anerkjennelse; (i musikk) klamme.

accommodate [ə'kɔmədeit] tillempe, tilpasse; bilegge, forlike; hjelpe, tjene; forsyne; huse, skaffe husrom. **accommodating** [ə'kɔmədeitiŋ] imøtekommende, hjelpsom, medgjørlig, føyelig. **accommodation** [əkɔmə'deiʃən] elskverdighet, imøtekommenhet; forlik; tilpassing, innretning, bekvemmelighet, husrom, losji. — **bill** akkommodasjonsveksel, proformaveksel. — **address** postadresse (hvor man ikke bor). — **ladder** fallrepstrapp. — **train** somletog.

accomodative [ə'kɔmədeitiv] adj. lempelig, rimelig.

accompaniment [ə'kʌmpənimənt] ledsagende omstendighet; ledsagelse, akkompagnement; tilbehør, pynt. **accompanist** [ə'kʌmp(ə)nist] akkompagnatør. **accompany** [ə'kʌmpəni] ledsage, følge, akkompagnere; vedlegge.

accomplice [ə'kʌmplis] medskyldig (**in, of** i).

accomplish [ə'kʌmpliʃ] fullføre, utføre, utrette; oppnå; tilbakelegge (om distanse). **-ed** [ə'kʌmpliʃt] dannet, talentfull, fullendt; fullført; **an — ed fact** en fullbyrdet kjensgjerning. **-ment** [-mənt] fullføring, fullending; utrettelse, resultat,

---

bedrift; (pl.) talenter; ferdigheter, selskapelige evner (især i musikk, sang, dans).

accord [ə'kɔ:d] samklang, akkord; overensstemmelse, samsvar; forlik, overenskomst; **of his own** — av egen drift. **accord** [ə'kɔ:d] stemme; forsone; stemme overens; tilstå, innvilge i. **-ance** [-əns] overensstemmelse, samsvar; **in** — **with** ifølge. **according to** [ə'kɔ:diŋ] etter, i samsvar med, ifølge; **the Gospel** — **Saint John** Johannes evangelium; **according as** liksom, etter, alt etter som. **accordingly** [ə'kɔ:diŋli] i samsvar med det, deretter; følgelig, altså.

accordion [ə'kɔ:djən] trekkspill; trekkspill-.

accost [ə'kɔst] henvende seg til; snakke til; antaste.

accoucheur [æku'ʃə:] fødselshjelper. **accoucheuse** [æku'ʃə:z] jordmor.

account [ə'kaunt] beregning, regning, utregning; konto, regnskap, mellomværende, avregning; redegjørelse, forklaring, beretning; grunn; hensyn; omsyn, kunde; **call to** — kreve til regnskap; **find one's** — **in** se sin fordel i; **give an** — gjøre rede for, avlegge regnskap for; **render an** — avlegge regnskap; **as per** — ifølge regning; **pay to account** betale à konto, betale i avdrag; **settle an** — gjøre opp et mellomværende; **turn to** — dra fordel av; **on that** — derfor, av den grunn; **on our** — for vår skyld; **on** — **of** på grunn av; **on no** — på ingen måte; **to his** — på hans konto; **take into** — ta i betraktning, ta omsyn til, regne med. **account** [ə'kaunt] beregne, regne; gjøre avregning; mene; — **for** gjøre regnskap for, gjøre greie for; forklare seg. **accountability** [əkauntə'biliti] ansvar, ansvarlighet; tilregnelighet; forklarlighet. **accountable** [-əbl] ansvarlig. **accountancy** [ə'kauntənsi] regnskapsføring, bokføring (faget).

accountant [-ənt] regnskapsfører, revisor, bokholder. **accountant-general** hovedbokholder.

account|book regnskapsbok. — **holder** kontoinnehaver.

accounting [ə'kauntiŋ] regnskapsføring, bokholderi; oppgjør. — **clerk** regnskapsassistent. — **machine** bokholderimaskin; hullkortmaskin. **account sales** salgsregning, mellomregning.

accouplement [ə'kʌplmənt] forening, sammenslutning.

accoutre [ə'ku:tə] ruste ut, stase opp. **-ments** [-mənts] utrustning, utstyr, mundering.

accredit [ə'kredit] akkreditere, bemyndige, gi fullmakt, godkjenne, autorisere. **-ed** ansatt, offisielt godkjent. **letter of accreditation** [ækredi-'teiʃən] kreditiv.

accretion [ə'kri:ʃən] tilvekst, forøkelse, tilføyelse; sammenvoksing.

accrue [ə'kru:] (til)flyte, tilfalle; samle sammen, akkumulere; **accruing interest** påløpende renter; **advantages accruing from this** derav flytende fordeler; — **to** tilfalle, tilhøre.

accumulate [ə'kju:mjuleit] dynge sammen, hope opp; samle, spare (sammen), lagre; ta flere universitetsgrader samtidig; tilta. **accumulation** [əkju:mju'leiʃən] opphoping, samling, lagring. **accumulative** [ə'kju:mjulativ] ivrig etter å erverve; kumulativ. **accumulator** [ə'kju:mjuleitə] opphoper; akkumulator, batteri.

accuracy ['ækjurəsi] nøyaktighet, presisjon, treffsikkerhet.

accurate ['ækjurət] nøyaktig, presis, omhyggelig, treffsikker.

accursed [ə'kə:sid, ə'kə:st] forbannet, nederdrektig, avskylig.

accusable [ə'kju:zəbl] lastverdig, som kan anklages. **accusation** [ækju'zeiʃən] beskyldning, anklage, klagemål. **accusative** [ə'kju:zətiv] akkusativ. **accusatory** [ə'kju:zətəri] anklagende, klage-. **accuse** [ə'kju:z] anklage, beskylde (**of** for); **the accused** anklagede. **accuser** [ə'kju:zə] anklager.

accustom [ə'kʌstəm] venne. **-ed** vant; tilvant, vanlig, sedvanlig. **he is -ed to** han pleier å, han er vant til å.

ace [eis] ess (i kortspill); fremragende; mester-flyger; sportshelt, stjerne-; — **of diamonds** ruter ess; — **high** meget høy (i aktelse); **within an** — på et hengende hår, nær ved; **not an** — ikke det minste.

acedia [əˈsiːdjə] (relig.) livslede; sløvhet, apati.

acephalous [əˈsefələs] hodeløs; som mangler første staving.

acerbate [əˈsəːbeit] gjøre bitter; ergre, irritere.

acerbity [əˈsəːbiti] bitterhet, skarphet.

acetic [əˈsiːtik] sur.

acetone [ˈæsitəun] aceton.

acetose [ˈæsitous], **acetous** [ˈæsitəs] sur, eddik-.

acetylene [əˈsetiliːn] acetylen.

ache [eik] smerte, -pine, -smerter, -verk; være øm, verke, gjøre vondt; lengte voldsomt etter, være helt syk etter å; **my head aches** jeg har vondt i hodet; **with an aching heart** med sorg i hjertet.

ache [eitʃ] (bokstaven) h; **drop one's -s** ikke uttale h på de riktige steder, tale «halvemål»; tale udannet.

achievable [əˈtʃiːvəbl] som kan utføres, oppnåelig. **achieve** [əˈtʃiːv] utføre, fullende; oppnå. **-ment** [-mənt] utførelse; bedrift, storverk, dåd, bragd.

Achilles [əˈkiliːz] Akilles. **Achilles' heel** akilleshæl. **Achilles' tendon** akilles-sene.

achromatic [ækrəˈmætik] akromatisk, fargeløs.

acid [ˈæsid] syre; sur, syrlig; (fig.) skarp, bitende. **acidity** [əˈsiditi] surhet, syreinnhold. — **-resisting** syrefast. — **test** syreprøve; (fig.) avgjørende prøve.

acidulate [əˈsidjuleit] gjøre syrlig. **acidulous** [əˈsidjuləs] syrlig; sur, gretten.

aciform [ˈæsifɔːm] nålformet.

ack [æk] (signaleringsspråk) a; **ack-ack gun** (for **anti-aircraft gun**) luftvernkanon.

acknowledge [əkˈnɔlidʒ] anerkjenne, erkjenne, tilstå, godta, innrømme, vedgå, gå med på; kvittere for, besvare (et brev), takke for. **-d!** forstått! **acknowledgment** [-mənt] innrømmelse; anerkjennelse, erkjennelse, erkjentlighetsbevis; besvarelse, bekreftelse; takk.

acme [ˈækmi] topp; kulminasjon; topp-punkt; krise.

acne [ˈækni] filipenser, finner, kviser.

acock [əˈkɔk] på skrå, på skakke.

acolyte [ˈækəlait] akolytt, messehjelper, korgutt; følgesvenn, hjelper.

aconite [ˈækənait] stormhatt (en giftplante).

acorn [ˈeikɔːn] eikenøtt.

acoustic [əˈkuːstik] akustisk, lyd-, høre-. — **feedback** akustisk tilbakekopling, runddans. **acoustics** [əˈkuːstiks] akustikk, (læren om) lydforhold.

acquaint [əˈkweint] gjøre kjent, underrette, sette seg inn i, lære å kjenne. **acquaintance** [-əns] bekjentskap, kjennskap; kunnskap; bekjent, kjenning. **acquaintanceship** [-ʃip] kjennskap. **acquainted** [-id] bekjent.

acquest [æˈkwest] vinning, ervervelse.

acquiesce [ækwiˈes] akkviescere (in ved), slå seg til ro (**in** med), samtykke, finne seg (**in** i). **acquiescence** [-əns] innvilgning, samtykke; føyelighet. **acquiescent** [-nt] føyelig.

acquirable [əˈkwaiərəbl] oppnåelig.

acquire [əˈkwaiə] erverve (seg), oppnå, få, tilegne seg, samle; **-d** tillært, ervervet; — **knowledge** lære noe; **he -d his letters** han lærte alfabetet. **-ment** [-mənt] ervervelse, dugelighet, dyktighet, dugleik; **-ments** kunnskaper; talenter.

acquisition [ækwiˈziʃən] ervervelse, tilegnelse; vinning, akkvisisjon. **acquisitive** [əˈkwizitiv] ivrig etter å erverve, havesyk, begjærlig; foretaksom.

acquit [əˈkwit] frikjenne, frita, frigjøre; betale, innfri; — **oneself** skille seg ved el. fra (**of**); skru seg for (**from**). **-tal** [əˈkwitl] frikjennelse. **-tance** [əˈkwitəns] klarering, betaling (av gjeld), kvittering.

acrawl [əˈkrɔːl] kravlende; **be — with** vrimle av.

acre [ˈeikə] acre (engelsk flatemål 4046,9 m²); **broad acres** stor eiendom; **God's** — kirkegården; **-s** eiendom, jorder; **-s of** ≈ kilometervis av.

acreage [ˈeikəridʒ] flateinnhold, jord som ligger til en gård.

acrid [ˈækrid] skarp, bitende, besk. **-ity** [æˈkriditi] skarphet, beskhet; (fig.) eiter, galle.

acrimonious [ækriˈməunjəs] skarp, bitter. **acrimony** [ˈækriməni] skarphet; bitterhet.

acrobat [ˈækrəbæt] akrobat. **-ic** [ækrəˈbætik] akrobatisk. **-ics** akrobatikk.

acronym [ˈækrə(u)nim] bokstavord, kortord (dannet av forbokstaver f. eks. NATO).

Acropolis [əˈkrɔpəlis] Akropolis.

across [əˈkrɔ(ː)s] på tvers; tvers over, over; tvers for, overfor; på den andre siden (av); (i kryssord) vannrett; **come** — **one** treffe en, støte på.

acrostic [əˈkrɔstik] akrostikon.

act [ækt] virke, fungere; handle, opptre; innvirke (**on** på); spille, opptre (som skuespiller), for-stille seg; fremstille (på scenen), oppføre; handling, gjerning; forordning, vedtak, lov; akt; nummer (i skuespill); avhandling, disputas; dokument; — **a part** spille en rolle; **-ing** skuespill-kunst; fungerende; **-ing copy** eksemplar til bruk for skuespillerne, rollehefte; **-ing manager** aktiv (virkelig fungerende) direktør; — **on** rette seg etter, følge, virke på; — **on your advice** rette seg etter ditt råd; **caught in the** — grepet på fersk gjerning; **Act of God** uforutsett hending, force majeure; **the Acts of the Apostles** Apostlenes Gjerninger; **Act of Par-liament** lov. **act-drop** [ˈæktdrɔp] mellomaktsteppe.

actinia [ækˈtinjə] aktinie, sjøanemone.

actinic [ækˈtinik] aktinisk, kjemisk virksom.

action [ˈækʃən] handling, gjerning; virkning, påvirkning; bevegelse, gang; trefning, slag; prosess, klage, søksmål; **take** — skride til handling. — **for damages** erstatningssøksmål; **in** — i gang, i funksjon; i kamp. **actionable** [-əbl] som kan påtales, som det kan reises sak om.

activate [ˈæktiveit] aktiv(is)ere; gjøre radio-aktiv. **activation** [æktiˈveiʃən] aktivering.

active [ˈæktiv] virksom, sprek; rask, flink; praktisk; aktiv. **activity** [ækˈtiviti] virksomhet; raskhet; aktivitet, drift, tak.

actor [ˈæktə] skuespiller; deltaker, utfører; gjerningsmann.

actress [ˈæktris] skuespillerinne.

actual [ˈæktjuəl] virkelig, egentlig, faktisk, reell, selve; foreliggende, nåværende, aktuell; **in** — **fact** i virkeligheten. **-ity** [æktjuˈæliti, æktˈʃuˈæliti] virkelighet, aktualitet. **actualize** [ˈæktjualaiz] realisere, virkeliggjøre. **actually** virkelig, i virkeligheten.

actuary [ˈæktjuəri, ˈæktˈʃuəri] aktuar, for-sikringsmatematiker.

actuate [ˈæktjueit, ˈæktˈʃueit] drive, sette i gang, påvirke, utløse, tilskynde.

acuity [əˈkjuːiti] skarphet, kvasshet.

aculeate [əˈkjuːliit] med brodd; spiss, skarp.

acumen [əˈkjuːmən] skarpsindighet, gløggskap.

acute [əˈkjuːt] spiss; fin, gløgg, skarpsindig; intens, inderlig, hissig, akutt. — **accent** accent aigu. **-ness** [-nis] skarphet; skarpsindighet; gløggskap; heftighet.

ad [æd] annonse; **small -s** rubrikkannonser.

ad. [æd] fk. f. **advertisement.**

ad [æd] (lat.) ad, til; **ad libitum** etter behag.

A. D. fk. f. **Anno Domini** etter Kristi fødsel, i det Herrens år.

adage [ˈædidʒ] ordspråk, ordtak.

adagio [əˈdɑːdʒiəu] adagio.

Adam [ˈædəm] Adam; **I don't know him from** — jeg aner ikke hvordan han ser ut. **-'s ale** vann. **-'s apple** adamseple.

adamant [ˈædəmənt] steinhard, ubøyelig;

diamant. **adamantine** [ædə'mæntain] av diamant; hard som flint.

adapt [ə'dæpt] avpasse, innrette etter, lempe til,'tilpasse, gjøre egnet til, tilrettelegge, bearbeide **(from** etter). **-ability** [ə'dæptə'biliti] tilpasningsevne, anvendelighet, smidighet, **-able** [ə'dæptəbl] anvendelig, som kan tilpasses; smidig. **-ation** [ædæp'teiʃən] tillemping, avpassing; bearbeiding; brukbarhet. **-ed** [ə'dæptid] egnet **(for** til). **adapter** tilrettelegger; elektrisk overgangskontakt; mellomstykke.

A. D. C. fk. f. Aide-de-Camp adjutant.

add [æd] tilføye, legge til, tilsette, bygge til, skjøte på; legge sammen, addere; — **in** medregne, inkludere; — **to** forøke, øke, auke, utvide; — **together** forene, forenes; — **up** addere, legge sammen; **it -s up right** det stemmer.

addendum [ə'dendəm], i plur. **addenda** [ə'dendə] addend, tilføyelse, tillegg.

adder ['ædə] hoggorm. — **fly** gullsmed, libelle.

addict [ə'dikt] hengi, overgi, vie **(to** til), gjøre henfallen, tilvenne, gjøre til narkoman; narkoman, en som er henfallen til; — oneself to hengi seg til, slå seg på; **-ed to** især; henfallen til (f. eks. **whisky** el. **drink**). **-edness** [-idnis], **-ion** [ə'dikʃən] tilbøyelighet, henfallenhet, sykelig hang til.

addition [ə'diʃən] tilføyelse, forøkelse, utvidelse; tilsetning, iblanding, tillegg; addisjon; **in** — dessuten, omfram, attpå. **-al** [-əl] forøkt, ekstra, ny, tilleggs-, mer-. **-ally** [-əli] som tilføyelse, i tilgift, attpå.

additive ['æditiv] tilsetningsstoff, additiv.

addle ['ædl] fordervet; tom, hul; gold; forderve. **-brain, -head, -pate** fehode, tosk. **-d egg** råttent egg.

address [ə'dres] henvende, vende seg til; tale til, tiltale, adressere, anrope; titulere; — oneself **to** gi seg i kast med, legge i vei med; **address** [ə'dres] henvendelse, adresse; (høytidlig) tale; bopel; behendighet; vesen, kur; **pay one's addresses to** gjøre kur til. **addressee** [ædre'si:] adressat.

adduce [ə'dju:s] legge fram, føre fram, anføre. **adduction** [ə'dʌkʃən] framføring, anførelse.

Adelaide ['ædileid] (kvinne el. by).

Adelphi [ə'delfi] teater og kvarter i London.

ademption [æ'dem(p)ʃ(ə)n] (jur.) tilbakekalling.

Aden ['eidn].

adenoids ['ædinɔidz] adenoide vegetasjoner, polypper.

adept [ə'dept] adept, gullmaker; kunsterfaren, helt innvidd **(in** i), mesterlig.

adequacy ['ædikwəsi] riktig forhold; tilstrekkelighet, tjenlighet, nøgd.

adequate ['ædikwət] tilstrekkelig, som holder mål, passende, formålstjenlig, fullgod; egnet, adekvat.

adhere [əd'hiə] henge fast, henge ved, klebe **(to** til); fastholde, vedstå; overholde; være tilhenger av. **adherence** [əd'hiərəns] gripeevne, det å henge fast, det å holde fast; troskap. **adherent** [əd'hiərənt] vedhengende, fastsittende; tilhenger. **adhesion** [əd'hi:ʒən] vedheng, adhesjon, det å holde (fast) på; sammenklebing, fastklebing; **give in one's** — to gi sin tilslutning til. **adhesive** [əd'hi:siv] klebemiddel, lim, vedhengende, klebrig; — **plaster** heftplaster; — **tape** klebebånd, limbånd, tape; — **envelope** gummiert konvolutt.

ad hoc [æd hɔk] til dette, med dette for øye.

adiaphora [ædi'æfərə] adiafora.

adieu [ə'dju:] far vel; farvel, avskjed.

adipose ['ædipəus] fet, fetladen, fettholdig; fett, nyrefett. **adiposity** [ædi'pɔsiti] fedme.

adit ['ædit] adgang, gang, inngang, stoll.

adjacency [ə'dʒeisənsi] beliggenhet like ved, grannelag. **adjacent** [ə'dʒeisənt] tilgrensende, nærliggende, sammenstøtende; — **angle** nabovinkel.

adjective ['ædʒektiv] adjektiv; adjektivisk.

adjoin [ə'dʒɔin] legge el. sette til, tilføye;

grense til, støte til; **the -ing room** værelset ved siden av.

adjourn [ə'dʒə:n] oppsette, utsette, heve møtet. — **to** begi seg til.

adjournment [ə'dʒə:nmənt] utsettelse; mellomtid mellom parlamentsmøter, tingferie.

adjudge [ə'dʒʌdʒ], **adjudicate** [ə'dʒu:dikeit] tildømme, tilkjenne; dømme. **adjudgement** [ə'dʒʌdʒmənt], **adjudication** [ədʒu:di'keiʃən] tilkjennelse; dom, kjennelse, avgjørelse.

adjunct ['ædʒʌŋkt] tilføyd, tilleggs-; tillegg; tilbehør, medhjelper, hjelpesmann. **-ion** [æ'dʒʌŋkʃən] tilføyelse. **-ive** [æ'dʒʌŋktiv] tilføyd, tilleggs-; tillegg.

adjuration [ædʒu'reiʃən] besvergelse.

adjure [ə'dʒuə] besverge, bønnfalle.

adjust [ə'dʒʌst] beriktige; greie, skipe, ordne; bringe i overensstemmelse; stille, innstille, justere; korrigere, rette; utjevne; — **things to** our point of view ordne forholdene slik at de tilfredsstiller våre synspunkter. **-able** [ə'dʒʌstəbl] som kan avpasses; stillbar, regulerbar, justerbar; **-able spanner** skiftenøkkel. **-er** [ə'dʒʌstə] beriktiger; skadetakstmann. **-ing** stille-, innstillings-. **-ment** [-mənt] beriktigelse; innstilling, tilpasning; justering, rettelse, korreksjon; ordning, bilegging.

adjutancy ['ædʒutənsi] adjutantpost. **adjutant** ['ædʒutənt] adjutant; marabustork (også kalt **adjutant bird**).

adjuvant ['ædʒuvənt] hjelpende, hjelpes-; medhjelp, hjelperåd.

ad lib [æd'lib] fk. f. **ad libitum** [æd'libitəm] etter behag; improvisasjon. **ad-lib** improvisere.

adman ['ædmæn] reklamemann, reklameagent, tekstforfatter (av annonser).

admeasure [æd'meʒə] tilmåle, fordele. **admeasurement** [-mənt] tilmåling; mål, størrelse, omfang.

adminicle [əd'minikl] hjelpemiddel, hjelp.

administer [əd'ministə] administrere, forvalte, styre, utdele, meddele, gi, yte; bruke, nytte; — **the oath** la avlegge ed; — **the Sacrament** gi sakramentet; — **to** bidra til, avhjelpe, **administration** [ədmini'streiʃən] styre, styring, forvaltning, ledelse; tildeling; regjering; **the** — myndighetene. **administrative** [əd'ministrətiv] forvaltende, styrings-. **administrator** [əd'ministreitə] bestyrer, administrator.

admirable ['ædmirəbl] beundringsverdig, fortreffelig, framifrå.

admiral ['ædmirəl] admiral (de 4 grader ovenfra: **A. of the Fleet, Admiral, Vice-A., Rear-A.**). **admiralship** [-ʃip] admiralsverdighet. **Admiralty** [-ti] admiralitet, marineministerium, bestående av 7 Lords Commissioners, hvorav the **First Lord of the Admiralty** er marineminister. **A. knot** engelsk sjømil: 5900 fot.

admiration [ædmi'reiʃən] beundring **(of** for); **note of** — utropstegn; **do it to** — gjøre det utmerket. **admire** [əd'maiə] beundre. **admirer** [əd'maiərə] beundrer, tilhenger, ynder. **admiringly** [əd'maiəriŋli] med beundring.

admissibility [ədmisi'biliti] antagelighet; adgangsrett. **admissible** [əd'misibl] tillatelig, tilstedelig- antagelig; som har adgangsrett.

admission [əd'miʃən] adgang; innrømmelse; — **fee,** — **charge** inngangspenger, entré; **pay for** — betale entré; **by general** — som det innrømmes fra alle sider. — **port** dampport.

admit [əd'mit] gi adgang, slippe inn; innrømme, vedgå, tilstå; gi rom for, romme. **admittance** [əd'mitəns] adgang; **no** — adgang forbudt. **admittedly** [əd'mitidli] riktignok, ganske visst, sannelig, nok, vel.

admix [əd'miks] tilsette, blande. **admixture** [əd'miktʃə] blanding, tilsetning. **admonish** [əd'mɔniʃ] påminne; formane, advare. **admonition** [ædmə'niʃən] påminning, advarsel. **admonitory** [əd'mɔnitəri] advarende, formanings-.

ado [ə'du:] ståk, kluss, bry, besvær; ståhei; **much — about nothing** stor ståhei for ingenting.

adobe [ə'dəubi] ubrent soltørket leirstein.

adolescence [ædə'lesəns] ungdomsalder, oppvekst.

adolescent [ædə'lesənt] i oppveksten, halvvoksen, ungdommelig.

Adolphus [ə'dɔlfəs] Adolf.

Adonais [ædə'neiis]. **Adonis** [ə'dəunis].

adopt [ə'dɔpt] adoptere, ta til seg, ta i barns sted; anta, velge; ta i bruk, benytte, vedta. **-ion** [ə'dɔpʃən] adopsjon; antagelse; vedtakelse, godkjenning. **-ive** [ə'dɔptiv] adoptiv-, foster-.

adorable [ə'dɔ:rəbl] tilbedelsesverdig, guddommelig, henrivende. **adoration** [ædɔ:'reiʃən] tilbedelse. **adore** [ə'dɔ:] tilbe, dyrke, forgude, (i daglig tale) holde mye av. **adorer** [ə'dɔ:rə] tilbeder.

adorn [ə'dɔ:n] smykke, pryde, være en pryd for. **-ment** [-mənt] prydelse, smykke.

adrenal [ə'dri:nl] binyre-.

adrenalin [ə'drenəlin] adrenalin.

Adriatic [eidri'ætik, æd-]; **the — Adriater**havet.

adrift [ə'drift] i drift, drivende for vind og vær; på lykke og fromme; **turn — la** seile sin egen sjø.

adroit [ə'drɔit] behendig, dyktig, smidig.

adscript ['ædskript] livegen, stavnsbunden.

adsmith ['ædsmiθ] (amr.) annonseforfatter, tekstforfatter.

adulate ['ædjuleit] smigre grovt, smiske for. **adulation** [ædju'leiʃən] smigreri, smisking. **adulator** ['ædjuleitə] smigrer. **adulatory** ['ædjulətəri] smigrende, slesk, krypende.

adult [ə'dʌlt] el. ['ædʌlt] voksen, moden, myndig; voksen person.

adulterate [ə'dʌltəreit] forfalske. **-ation** [ədʌltə'reiʃən] forfalsking. **-er** [ə'dʌltərə] ekteskapsbryter, horkar. **-ess** [ə'dʌlt(ə)res] ekteskapsbryterske, horkvinne. **-ous** [ə'dʌlt(ə)rəs] skyldig i hor. **-y** [ə'dʌltəri] ekteskapsbrudd, utroskap, hor.

adumbral [ə'dʌmbrəl] overskyggende, skyggefull.

adumbrate ['ædʌmbreit] ymte om, slå på, skissere. **-ion** [ædʌm'breiʃən] ymt, løst henkastet bilde, utkast.

adust [ə'dʌst] mørk, trist; svidd, brent.

Adv. fk. f. **Advent; Advocate.**

advance [əd'va:ns] fremskritt, framsteg, framgang; fremrykning; avansement, forfremmelse; forskudd; avanse, stigning, pristillegg. **-s** pl. tilnærmelser; **in — på** forhånd. **advance gå** fremad, rykke fram; (om pris) stige; heve; forfremme, framskynde; nærme seg; framføre; gi på forskudd, forstrekke. **advanced** fremskreden, tilårskommen; fremskutt; ultramoderne, ytterliggående; fremmelig, bråmoden. **advance guard** forspiss, avantgarde. **-ment** [-mənt] forfremmelse, avansement; fremme, framhjelp. **— money** forskudd. **— sheets** prøveark.

advantage [əd'va:ntidʒ] fordel, fortrinn; overlegenhet; nytte; gunstig leilighet; gagne, hjelpe; **something greatly to his — noe** meget fordelaktig for ham; **— of the ground** terrengforhold; **take — of** benytte seg av; snyte; **you have the — of me** De kjenner meg, og jeg kjenner ikke Dem; **sell to — selge** med fordel; **to the best — med** størst fordel, i det fordelaktigste lys; **turn to — utnytte, dra fordel av. advantageous** [ædvən'teidʒəs] fordelaktig.

advene [æd'vi:n] komme (til).

advent ['ædvent] komme, tilkomst; advent. **Adventist** ['ædvəntist] adventist.

adventitious [ædven'tiʃəs] som kommer til, ekstra, ytterlig(ere), attpå-; tilfeldig.

adventure [əd'ventʃə] hending; vågestykke; eventyr; spekulasjon; våge seg ut på, sette på spill. **-er** [əd'ventʃərə] vågehals; eventyrer; lykkeridder. **-ess** [əd'ventʃəris] eventyrerske.

-ism eventyrlyst. **-ous** [əd'ventʃərəs] dristig, vågsom, forvoven; eventyrlig.

adverb ['ædvə:b] adverbium, adverb. **adverbial** [əd'və:bjəl] adverbiell.

adversary ['ædvəsəri] motstander; motspiller; fiende; **the Adversary** djevelen. **-ative** [əd'və:sətiv] motsetnings-, mot-. **-e** ['ædvə:s] motsatt, som er imot; fiendtlig, ugunstig, skadelig, uheldig; — **fortune** motgang. **-ity** [æd'və:siti] motgang, ulykke.

advert ['ædvə:t] annonse, reklame.

advert [əd'və:t] henvise, antyde, hentyde (**to** til); beskjeftige seg med. **-ence** [əd'və:təns], **-ency** [əd'və:tənsi] oppmerksomhet.

advertise ['ædvətaiz] bekjentgjøre, kunngjøre, reklamere, avertere, lyse; **— for** avertere etter; — **oneself** gjøre reklame for seg selv.

advertisement [əd'və:tismənt] avertering, reklamering; avertissement, annonse, reklame. **advertiser** ['ædvətaizə] averterende; lysningsblad. **advertising** ['ædvətaiziŋ] reklame. **— agency** reklamebyrå. **— artist** reklametegner. **— copy** reklametekst. **— drive** reklamekampanje. **— stunt** reklameknep. **— tape** limbånd med påtrykt tekst.

advice [əd'vais] råd; advis, melding; etterretning; **a piece** (el. **bit**) **of** — et råd; **obtain medical** — søke legehjelp. **-boat** avisobåt.

advisability [ədvaizə'biliti] tilrådelighet. **-able** [əd'vaizəbl] rådelig. **advise** [əd'vaiz] underrette (**of om**); råde; advisere, gi melding om; overlegge; **— with** rådføre seg med; **be advised** ta imot råd. **-edly** [əd'vaizidli] med vilje, med velberådd hu. **-edness** [əd'vaizidnis] betenksomhet. **-er** [əd'vaizə] rådgiver, konsulent. **legal — juridisk** konsulent. **-ement** veiledning, råd. **-ory** [əd'vaizəri] rådgivende.

advocacy ['ædvəkəsi] advokatvirksomhet; prosedyre, forsvar. **advocate** ['ædvəkət] talsmann; advokat, forsvarer; **Lord Advocate** (i Skottland) riksadvokat. **advocate** ['ædvəkeit] være talsmann for, forsvare, forfekte. **advocateship** ['ædvəkətʃip] advokatur, sakførsel; forsvar.

advowee [ædvau'i:] kirkepatron (med kallsrett).

advowson [əd'vauzn] kallsrett.

adynamic [ædai'næmik] kraftløs, veik.

adytum ['æditəm] helligdom, det aller helligste (i tempel).

adz(e) [ædz] teksel, diksel, bøkkerøks.

A.E.C. fk. f. **Atomic Energy Commission.**

aeger ['i:dʒə] sykeattest.

aegis ['i:dʒis] egide; skjold, vern.

Aeneid ['i:niid, 'injid] Eneiden.

Aeolian [i'əuljən] eolisk; — **harp** eolsharpe.

aeon ['i:ən] evighet.

aerate ['eiəreit, 'eəreit] forbinde med kullsyre, gjennomlufte. **-d bread** kullsyrehevet brød. **Aerated Bread Company** selskap som driver **A.B.C. shops** billige restauranter. **— concrete** lettbetong. **-d water** kullsyreholdig vann. **aeration** [e(i)ə'reiʃ(ə)n] utlufting, gjennomlufting.

aerial ['eəriəl] luftig; eterisk; høy; luft-, fly-; lett; antenne. **— contact wire** kjøreledning (luftledning). **— ladder** motorstige. **aerial railway**, luftbane, ogs. løypestreng. **aerie** ['eəri, 'iəri] ørnereir; rovfuglhull.

aeriform ['eərifɔ:m] luftformig; uvirkelig. **aerify** ['eərifai] forvandle til luft; forbinde med luft.

aero- ['eəro] i smstn. luft- (jfr. **air-**).

aerobatics [eərə'bætiks] kunstflyvning, luftakrobatikk.

aerodrome ['eərədrəum] flyplass, lufthavn. **aerodynamics** [eərədai'næmiks] aerodynamikk. **aerofoil** ['eərəfɔil] aeroplans bæreflate. **aerogram** ['eərəgræm] aerogram. **aerogun** ['eərəgʌn] antiluftskanon. **aerolite** ['eərəlait] meteorsten. **aerology** [eə'rɔlədʒi] luftlære. **aerometer** [eə'rɔmitə] luftmåler.

aeronaut ['ɛərənɔ:t] luftskipper, flyver.
aeronautical [ɛərə'nɔ:tikl] som har med luftseilas å gjøre, luftfarts-.
aeronautics [ɛərə'nɔ:tiks] luftseilas, luftfart.
aeroplane ['ɛərəplein] flyvemaskin, fly.
aerostat ['ɛərəstæt] luftballong.
aerostatics [ɛərə'stætiks] aerostatikk.
æruginous [iə'ru:dʒinəs] irrgrønn, irret. ærugo [iə'ru:gəu] irr.
aery ['ɛəri] d. s. s. aerie.
Aesop ['i:sɔp] Æsop.
aesthete ['i:sθi:t] estetiker. aesthetic [i:s'θetik] estetisk. aesthetics [i:s'θetiks] estetikk.
aestival [i:s'taivəl] sommer-, sommerlig.
afar [ə'fɑ] fjernt, langt borte.
a.f.c. fk. f. automatic frequency control.
affability [æfə'biliti] vennlighet, nedlatenhet.
affable ['æfəbl] omgjengelig, hyggelig, forekommende; nedlatende.
affair [ə'fɛə] forretning, sak, greie, affære, anliggende, ting; historie; løs forbindelse, forhold; that is my — det blir min sak.
affect [ə'fekt] strebe etter, virke på, angripe, affisere; berøre; like; foretrekke, ynde; affektere, hykle. -ation [æfek'teiʃən] affektasjon; påtatt vesen. -ed [-id] affektert, kunstlet, jålet; påtatt; stemt, innstilt. -ing [-iŋ] gripende.
affection [ə'fekʃən] affeksjon; sinnsbeskaffenhet; sinnsbevegelse; kjærlighet, ømhet, hengivenhet; demonstrative of — som viser sin hengivenhet. -ate [ə'fekʃənit] kjærlig, hengiven; Yours affectionately Deres hengivne.
affiance [ə'faiəns] forlove; forlovelse.
affiche [ə'fi:ʃ] oppslag, plakat.
affidavit [æfi'deivit] beediget erklæring.
affiliate [ə'filieit] ta til seg, knytte (to til); tilsluttet organisasjon, filial.
affiliation [əfili'eiʃən] opptakelse, tilslutning. — ease farskapssak.
affinity [ə'finiti] svogerskap, slektskap; likhet; affinitet.
affirm [ə'fə:m] påstå; bekrefte, erklære, sanne, stadfeste. -ance [-əns] stadfesting. -ation [æfə'meiʃən] bekreftelse; stadfesting, forsikring. -ative [ə'fə:mətiv] bekreftende; in the — bekreftende. -atory [ə'fə:mətəri] stadfestings-.
affix [ə'fiks] tilføye, feste, knytte til, vedføye; affiks, prefiks, suffiks.
afflatus [ə'fleitəs] guddommelig inspirasjon.
afflict [ə'flikt] bedrøve; hjemsøke, plage, tynge. affliction [ə'flikʃən] sorg, lidelse.
afflu|ence ['æfluəns] tilstrømming; overflod; rikdom. -ent ['æfluənt] overflødig; sideelv, tverrelv; velstående, rik; The Affluent Society velstandssamfunnet.
afflux ['æflʌks] tilstrømning.
afford [ə'fɔ:d] frembringe, yte, gi, levere; makte, greie, ha råd til; kunne selge (for en viss pris); cannot — it har ikke råd til det.
afforest [ə'fɔrist] plante til med skog. -ation skogplanting, nyplanting.
affranchise [æ'fræntʃaiz] frigjøre, gi fri.
affray [ə'frei] slagsmål, tumult, oppløp.
affreight [ə'freit] befrakte, chartre.
affright [ə'frait] skremme; skrekk, støkk.
affront [ə'frʌnt] fornærme, krenke; fornærmelse, krenkelse.
affusion [ə'fju:ʒ(ə)n] overøsing, overhelling.
Afghan ['æfgæn] afghansk. -istan [æf'gænistæn] Afghanistan.
afield [ə'fi:ld] i el. ut på marken, i felten; på villstrå; far — langt borte.
afire [ə'faiə] i brann; set — stikke i brann.
A. F. L. fk. f. American Federation of Labor.
aflame [ə'fleim] i flammer, i lys lue.
afloat [ə'fləut] flytende, flott; ombord, til sjøs; i fart; i drift; i full gang.
afoot [ə'fut] til fots; i gjære, på bena, på ferde.
afore [ə'fɔ:] før; foran. -mentioned [-men'ʃənd] førnevnt. -said [-sed] førnevnt, omtalt. -thought [-θɔ:t] overtenkt. -time [-taim] før i tiden.

a fortiori ['eifɔ:ti'ɔ:rai] (latin) med så mye mer grunn, enn mer, så mye mer, ikke å tale om.
afraid [ə'freid] redd (of for); — for engstelig, bekymret for; — of death redd for å dø; — of doing it el. to do it redd for å gjøre det; — for his life redd for livet sitt; I'm — you are right jeg frykter for at du har rett, du har rett, dessverre.
afreet ['æfri:t] troll (i muhamedansk mytologi).
afresh [ə'freʃ] på ny, på nytt lag, igjen.
Africa ['æfrikə] Afrika.
African ['æfrikən] afrikansk; afrikaner.
Afrikaans [æfri'kɑ:ns] afrikaans, boerspråket.
Afrikander [æfri'kændə] afrikander (etterkommer av hollandske kolonister i Sør-Afrika).
aft [ɑ:ft] akter, akterut.
aft. fk. f. afternoon.
after ['ɑ:ftə] etter, etterat; baketter, senere; nest etter. — all når alt kommer til alt, egentlig, men likevel; be — være ute etter, være i ferd med å; — that dernest, deretter. -birth etterbyrd. -body akterende. -brain bakhjerne, den forlengede marg. -burner etterbrenner. -care ettervern, etterbehandling. -clap baksmell, etterspill. -cost senere utgift; etterveer. -crop etterhøst. -damp gruvegass etter sprengning. -day senere tid. — -dinner speech skåltale, bordtale. — -effect ettervirkning; etterveer. -glow etterglød; aftenrøde; gjenskinn. -grass etterslått. — -hours som foregår etter normal stengetid; fritid. -life livet etter døden; in -life senere i livet. -math etterslått; ettervirkning, følger. -most akterst. -noon ettermiddag. -pains etterveer. -s dessert, etterrett. — shave (lotion) etterbarbering(svann). -thought ettertanke; senere tilføyelse. -treat etterhandle. -ward(s) etterpå, senere, baketter. -wisdom etterpåklokskap. the — world livet etter døden, neste verden.
aftosa [æf'təuzə] munn- og klovsyke.
again [ə'gen] igjen, atter; på den annen side; dessuten; as much — dobbelt så mye. half as much — halvannen gang så mye. — and — gang på gang, om og om igjen; now and — nå og da; ring — gi gjenlyd, atterljom, lyde sterkt, ljome drønne.
against [ə'genst] mot, imot; bortimot (om tiden); over — like overfor; sammenlignet med.
agape [ə'geip] gapende, måpende, kopende.
agate ['ægət, 'ægit] agat.
agave [ə'geivi] agave.
agaze [ə'geiz] stirrende.
AGC fk. f. automatic gain control.
age [eidʒ] elde; bli gammel, eldes; få til å se gammel ut; lagre, modne.
age [eidʒ] alder, menneskealder, alderstrinn; alderdom, tidsavsnitt; tidsalder, tid; hundreår; lang tid, evighet; full — myndighetsalderen (21 år); be of — være myndig; come of — bli myndig; be your — oppfør deg som et voksent menneske; of an — jamgamle; live to a great — leve meget lenge; under — umyndig, mindreårig; the Middle Ages middelalderen, mellomalderen; the present — nåtiden; I have not seen you for ages jeg har ikke sett deg på lange tider, på år og dag; — -composition aldersfordeling.
aged [eidʒd] twenty 20 år gammel. aged ['eidʒid] gammel, tilårskommet; vellagret.
age|less tidløs, evig, uten noen alder. — limit aldersgrense. -long uendelig, evig.
agency ['eidʒensi] virksomhet; middel; agentur, representasjon; kontor; Reuter's Agency Reuters byrå.
agenda [ə'dʒendə] notisbok; dagsorden.
agent ['eidʒənt] agent, forretningsfører, fullmektig; handlende (den som handler); he is a free — han står fritt til å gjøre hva han vil; virkemiddel.
agglomerate [ə'glɔmereit] hauge opp, klumpe sammen, bli sammendynget, klumpe seg sammen.
agglomeration [əglɔmə'reiʃən] sammenhoping.
agglutinat|e [ə'glu:tinit] sammenlimt; agglu-

tinerende. [ə'glu:tineit] lime sammen, klumpe i hop; bli til lim el. klister. **-ion** [əgluti'neiʃən] sammenliming, agglutinasjon. **-ive** [ə'glu:tinətiv] agglutinerende.

aggrandize [ə'grændaiz] forstørre, utvide. **-ment** [ə'grændizmənt] forstørrelse, utvidelse.

aggravate ['ægrəveit] forverre; skjerpe; ergre. **aggravating** ergerlig, harmelig; irriterende; — **circumstances** skjerpende omstendigheter. **aggravation** [ægrə'veiʃən] forverring; skjerpelse.

aggregat|e ['ægrigeit] samle; samlet. ['ægrigət] samling, aggregat. **-ion** [ægri'geiʃən] samling.

aggress|ion [ə'greʃən] angrep. **-ive** [ə'gresiv] angripende, pågående, uteskende. **-or** [ə'gresə] angriper.

aggrieved [ə'gri:vd] forurettet, krenket.

aghast [ə'gɑ:st] forferdet, forstøkt, fælen.

agile ['ædʒail] rask, kvikk, lett og ledig.

agility [ə'dʒiliti] raskhet, smidighet, sprekhet.

Agincourt ['ædʒinkɔ:t].

agio ['ædʒiəu].

agiotage ['ædʒətidʒ] børsspill, børsspekulasjoner.

agitat|e ['ædʒiteit] bevege, ryste; opphisse, skake opp; agitere, propagandere; drøfte. **-ion** [ædʒi'teiʃən] bevegelse; diskusjon; sinnsbevegelse, opphisselse, oppskaking. **-or** ['ædʒiteitə] agitator; trommel (i vaskemaskin).

agitprop ['ædʒitprɔp] agitasjon og propaganda.

aglare [ə'glɛə] strålende.

aglet ['æglit] dopp på frynse eller snor, aiguillette, dupp, adjutantsnor.

agley [ə'gli:] (skotsk) skjevt, galt, på skjeve.

aglitter [ə'glitə] funklende, strålende.

aglow [ə'gləu] glødende, opphisset.

agnail ['ægneil] neglesvull; neglerot.

agnate ['ægneit] beslektet på farssiden; agnat.

agnation [æg'neiʃən] slektskap på mannssiden.

Agnes ['ægnis].

agnomen [æg'nəumən] oppnavn, tilnavn.

agnostic [æg'nɔstik] agnostisk; agnostiker.

agnosticism [æg'nɔstisizm] agnostisisme.

ago [ə'gəu] for … siden; **long** — for lenge siden; **as long** — **as 1935** allerede i 1935.

agog [ə'gɔg] ivrig, oppsatt, spent (**on** på).

agone [ə'gɔn] for … siden.

agonize ['ægənaiz] pines, pine; **-d** forpint; **agonizing** ['ægənaiziŋ] pinefull.

agony ['ægəni] dødsangst, sjeleangst; kval, pine, smerte; — **column** del av avis hvor det blir innrykket kunngjøringer om savnede pårørende, private meldinger, anmodning om hjelp osv., svarende omtrent til «Personlig»; **an** — **of tears** en fortvilet gråt.

agoraphobia [ægərə'fəubiə] plassangst.

agrarian [ə'grɛəriən] agrarisk, landbruks-; agrar.

agree [ə'gri:] stemme overens; passe sammen; bli enig (**upon** om), være enig; samtykke, forlikes, gå med (**to** på). **-able** [-əbl] overensstemmende; behagelig. **-ably** [-əbli] i overensstemmelse, i samsvar (**to** med). **-ment** [-mənt] overensstemmelse, samsvar, enighet; avtale, forlik, overenskomst; **come to an -ment** slutte forlik.

agrestic [ə'grestik] landlig; bondsk, rå.

agricultur|al [ægri'kʌltʃərəl] jordbruks-. **-e** ['ægrikʌltʃə] jordbruk, landbruk. **-ist** [ægri'kʌltʃərist] jordbruker, bonde, agronom.

aground [ə'graund] på grunn.

agt. fk. f. **agent.**

ague ['eigju] koldfeber; kuldegysning, kulsing.

ah [ɑ:] ah! akk! **aha** [ɑ'hɑ:] aha!

Ahab ['eihæb] Akab.

Ahasuerus [əhæzju'iərəs] Ahasverus.

ahead [ə'hed] forut; fremad, fram, framover; **be** — være forut; være forestående; **go** — gå på, klem i vei; gå i forveien; **plan** — legge planer for fremtiden.

ahem [m'mm] hm!

aheap [ə'hi:p] i én haug, opphopet, under ett.

ahoy [ə'hɔi] ohoi!

aid [eid] hjelpe; hjelp, bistand, tilskudd, støtte, hjelpemiddel; hjelper, assistent; **hearing** — høreapparat. **by (the)** — **of** med hjelp av (el. fra), takket være.

aide-de-camp ['eiddəkɑ:ŋ] adjutant(hos general.

aid station forbindingsplass.

aigrette ['eigret] heire; hodepynt av fjær, blomster eller edelsteiner; fjærbusk.

aiguillette [eigwi'let] aiguillette, adjutantsnor.

ail [eil] plage; være syk, hangle; **what ails you?** hva feiler deg? hva er det i veien med deg?

aileron ['eilərɔn] aileron, balanseror anbrakt på flyets bæreflater.

ailing ['eiliŋ] skrantende, skral, utilpass, syk.

ailment ['eilmənt] illebefinnende, sykdom.

aim [eim] sikte (**at** på); trakte, strebe (**at** etter); sikte; mål, formål, hensikt.

aimless formålsløs, ørkesløs.

ain't [eint] fk. f. **am not, is not, are not, have not, has not.**

air [ɛə] luft, luftning; lufte (ut), gi luft, tørke; komme med, diske opp med; **open** — fri luft; **castles in the** — luftkasteller, luftslott; **go by** — reise med fly; **it would be beating the** — det ville være et slag i luften; **take the** — trekke frisk luft; — **oneself** få seg frisk luft, gå (kjøre, ri) en tur.

air [ɛə] melodi, arie.

air [ɛə] mine, utseende, holdning; pl. **airs** viktig vesen; **give oneself airs** el. **put on airs** gjøre seg viktig; skape seg.

air | activity flyvirksomhet. — **alert** flyalarm. — **attaché** flyattaché. — **attack** flyangrep. — **base** flybase, luftbase. — **bends** dykkersyke. — **bladder** svømmeblære. — **blast gas** trykkluft. **-borne** flybåren, som føres gjennom luften. — **brake** stupbrems, luftbrems; trykkluftbrems. — **bubble** luftblære. — **cleaner** luftrenser, luftfilter. — **command** flykommando. — **-conditioned** luftkondisjonert. — **conditioning** luftkondisjonering. — **course** ventilasjonskanal. — **cover** flybeskyttelse. **-craft** fly, luftfartøy. **-craft carrier** hangarskip. — **control** flyledelse. — **engine** flymotor. — **cushion** luftpute. — **drag** luftmotstand. — **duct** luftkanal, luftavtrekk. — **force** luftvåpen, flyvåpen. — **freight** godstransport med fly. — **gun** luftgevær; trykklufthammer. — **hostess** flyvertinne.

airily ['ɛərili] luftig, flyktig; nonchalant; tilgjort.

airing ['ɛəriŋ] utlufting, gjennomlufting; ta en luftetur, spasertur.

air|-land landsette fra luften. — **letter** aerogram; luftpostbrev. **-line** flyrute; flyselskap. — **lock** luftsluse. — **mail** luftpost. **-man** flyger; flysoldat. — **marshal** flymarskalk. — **-minded** flyinteressert. — **minister** luftfartsminister. — **pocket** lufthull; luftsekk. **-port** lufthavn, flyplass. — **raid** luftangrep. — **raid shelter** tilfluktsrom. — **scoop** luftinntak. **-screw** propell. — **service** flyrute; luftfart; luftvåpen. — **space** luftterritorium; hulrom. **-strip** start og landingsbane. **-tight** lufttett. — **trap** vannlås; lufthull. **-worthiness** flydyktighet, luftdyktighet.

airy ['ɛəri] luft-, flyktig, luftig, lett, tom.

aisle [ail] sideskip (i en kirke); gang, midtgang, korridor.

ait [eit] liten øy, holme (srl. i en elv).

aitch [eitʃ] (bokstaven) h; **drop one's aitches** tale halvemål, snakke cockney.

aitch-bone ['eitʃbəun] halestykke.

Aix-la-Chapelle ['eiksla:'fæ'pel] Aachen.

ajar [ə'dʒɑ:] på klem, på gløtt.

ajoint [ə'dʒɔint] smidig; svingbar.

akimbo [ə'kimbəu] med hendene i siden.

akin [ə'kin] beslektet, skyldt (**to** med).

Alabama [ælə'bæmə].

alabaster ['æləbəːstə] alabast.

alack [ə'læk] akk!

alacrity [ə'lækriti] livlighet, sprekhet, djervskap, iver, raskhet.

alarm [ə'lɑ:m] alarm; skrekk, angst; uro, bekymring; vekker (i et ur), vekkerur; alarmere; forurolige, uroe, engste, skremme; **give the — slå alarm; take** (el. **catch**) — bli urolig. **alarm | bell** alarmklokke. — **clock** vekkerur.

alarming [ə'lɑ:miŋ] foruroligende, alarmerende.

alarmist [ə'lɑ:mist] ulykkesprofet.

alarum [ə'lærəm] vekkerur; hurlumhei; kamptummel.

alas [ə'lɑ:s] akk! dessverre!

Alaska [ə'læskə].

alb [ælb] (katolsk) messeserk.

Albania [əl'beinjə]. **-n** albaner, albansk.

albatross ['ælbətrɔs] albatross.

albeit [ɔ:l'bi:it] enskjønt, om enn.

albert ['ælbət] kort klokkekjede.

Albert ['ælbət].

albinism ['ælbinizm] albinisme.

albino [æl'binəu] albino.

Albion ['ælbjən] Albion, England.

album ['ælbəm] stambok; album.

albumen [æl'bju:mən] eggehvite. **albumin** ['ælbjumin] eggehvitestoff.

alchem|ist ['ælkimist] alkymist. **-istic** [ælki'mistik] alkymistisk. **-y** ['ælkimi] alkymi, gullmakeri.

alcohol ['ælkəhɔl] alkohol, sprit. **-ic** [ælkə-'hɔlik] alkoholisk, alkoholholdig; alkoholiker. **-ism** ['ælkəhɔlizm] alkoholisme. **-ization** [ælkə-hɔlai'zeiʃən] alkoholisering. **-ize** ['ælkəhɔlaiz] alkoholisere. **-ometer** ['ælkəhɔ'lɔmitə] alkoholometer.

alcove ['ælkəuv] alkove, kleve, nisje; lysthus.

alder ['ɔ:ldə] older, or.

alderman ['ɔ:ldəmən] rådmann, formannskapsmedlem.

Aldershot ['ɔ:ldeʃɔt].

Aldgate ['ɔ:ldg(e)it].

Aldwych ['ɔ:ldwitʃ].

ale [eil] øl.

alee [ə'li:] i le.

alembic [ə'lembik] destillerkolbe.

alert [ə'lə:t] rask, årvåken; alarmere, sette i beredskap; beredskap, alarm, flyalarm; **on the — på post, årvåken.**

A level fk. f. **advanced level.**

alevin ['æləvin] (nyklekket) fiskeyngel.

Alexandria [ælig'zɑ:ndriə] Alexandria. **alexandrine** [ælig'zændrain] aleksandriner.

alfa ['ælfə] alfagras.

alga ['ælgə] alge; **freshwater alga** grønske; **sea** (el. **maritime**) **alga** tang og tare (pl. **algæ**).

algebra ['ældʒibrə] algebra.

algebraic [ældʒi'breiik] algebraisk.

Algeria [æl'dʒiəriə] Algerie.

Algiers [æl'dʒiəz] Alger.

alias ['eiljəs] alias, ellers; påtatt navn.

alibi [æ'libai] alibi; unnskyldning; **a cast-iron — et vanntett alibi.**

Alice ['ælis].

alien ['eiljən] fremmed, utenlandsk; utlending, innflytter; **— from** forskjellig fra; som ikke vedkommer. **-able** [-əbl] avhendelig. **-ate** [-eit] avhende; skille seg med; støte fra seg. **-ation** [eiljə'neiʃən] avhending; fremmedgjøring; **— of mind** galskap.

alienist ['eiljənist] psykiater.

alight [ə'lait] stige ned, stige av (hesten), stige ut av (vognen); dale, falle ned.

alight [ə'lait] opplyst; i brann.

align [ə'lain] stille opp i linje, rette inn. **-ment** oppstilling, innretting; hjulinnstilling, sporing (om bil).

alike [ə'laik] på samme måte, ens, lik, i samme grad, like mye.

aliment ['ælimənt] nære, ernære; næring, føde, livsnødvendighet; underholdningsbidrag. **alimental** [æli'mentl] nærende. **alimentary** [æli'mentəri] nærings-, ernærings-; fordøyelses-. **alimentation** [ælimen'teiʃən] næring; ernæring.

alimony ['æliməni] underhold(sbidrag).

alive [ə'laiv] i live, levende; mottagelig; oppmerksom; yrende full; **be — to** være klar over, innse; **be — and kicking** leve i beste velgående; **come — sette liv i; look — skynd deg.**

alkal|escent [ælkə'lesənt] lett alkalisk. **-i** ['ælkəlai] alkali. **-ine** ['ælkəlain] alkalisk. **-oid** ['ælkəlɔid] alkaloid.

Alkoran [ælkə'rɑ:n] Koranen.

all [ɔ:l] all, hel; helt; ganske, aldeles; alt; **it is — one** det kommer ut på ett; **above — framfor alt; after — når alt kommer til alt; at — i det hele tatt; first of — først og fremst; not at — slett ikke; ingen årsak; in — alt iberegnet; — about overalt; — the same likevel; it is — the same to me det er det samme for meg; — but nesten; på . . . . nær; — day, — the day hele dagen; — at once med en eneste gang; — of us alle vi; — in helt utkjørt, dødstrett; be — that is amiable være ytterst elskverdig; be — affability være lutter elskverdighet; — over overalt (i), by — means framfor alt, endelig; — right I orden, ferdig; riktig; ja vel; det er godt; I am — right jeg har det godt; — set fiks og ferdig, startklar; — that alt det som; — the better så mye bedre; — too altfor; it was — up spillet var slutt, alt var over; with — his eyes med store øyne; alt hva han kunne.**

Allah ['ælə].

allay [ə'lei] dempe, lindre; legge seg, stilne av. **all-clear** [ɔ:l'kliə] faren over (etter flyalarm). **all-day** heldags-.

allegation [æli'geiʃən] påstand, beskyldning.

allege [ə'ledʒ] anføre; hevde; påstå; vise til. **alleged** [ə'ledʒd] påstått, angivelig; såkalt.

Alleghany ['æligeini] Allegany.

allegiance [ə'li:dʒəns] troskap, lydighet.

allegor|ic(al) [æli'gɔrik(l)] allegorisk. **-ize** ['æligɔraiz] forklare el. fremstille allegorisk; allegorisere. **-y** ['æligɔri] allegori.

allegr|etto [æli'gretəu] allegretto. **-o** [ə'leigrəu] allegro.

all-embracing altomfattende.

allergic [ə'lə:dʒik] allergisk; **be — to** avsky.

allergy ['ælədʒi] allergi.

alleviate [ə'li:vieit] lette, lindre.

alleviation [əli:vi'eiʃən] lettelse, lindring.

alley ['æli] allé; smug; **skittle-alley** kilebane; **blind — blindgate, blindvei; — cat herreløs (vill) katt.**

alleyway ['æliwei] gang, passasje.

All Fools' Day 1. april.

alliance [ə'laiəns] forbund, forbindelse, allianse; giftermål; slektskap, svogerskap.

allied [ə'laid, (attributivt) 'ælaid] alliert, beslektet, forbundet.

alligation [æli'geiʃən] forbindelse, legering.

alligator ['æligeitə] alligator, kaiman.

all-important (som er) av den største viktighet.

all-in ['ɔ:l'in] alt innbefattet; **— wrestling** fribryting.

alliterat|e [ə'litəreit] allitterere. **-ion** [əlitə-'reiʃən] allitterasjon, bokstavrim.

allocate ['æləkeit] tildele, anvise, allokere; gi; fordele; dele ut. **allocation** [ælə'keiʃən] tildeling, anvisning, utdeling, allokering.

allocution [ælə'kju:ʃən] tale, henvendelse.

allodi|al [ə'ləudiəl] odels-. **— farm** odelsgård. **— law** odelsrett. **-um** [-əm] odel, odelsjord.

allot [ə'lɔt] tildele ved lott; deie ut; skifte ut; tilstå, skjenke. **-ment** [-mənt] tildeling ved lott; del; lott; tilskikkelse; jordlott, parsell.

all-out ['ɔ:l'aut] for full kraft, av alle krefter, total.

allow [ə'lau] tillate; innrømme; tilstå; gi; godkjenne, ta til følge; **— for** ta omsyn til, regne med; **— of** åpne mulighet for, tillate; **be allowed** få lov til, ha lov til. **-able** [-əbl] tillatelig; rettmessig. **-ance** [-əns] innrømmelse; tilståelse; det som innrømmes til underhold; understøttelse; tildeling, rasjon, porsjon; lønn; rabatt; toleranse; spillerom; **make — for** ta hensyn til.

alloy ['ælɔi] legering, tilsetning; blande.
all|-points generell-, general-. — **-powerful**
allmektig. — **-purpose** som kan brukes til alle
formål, universal-. — **right** i orden, som det skal
være; utmerket, fint; **he fell** — **right** han falt,
det skal være sikkert og visst; **it's** — **right with
me** gjerne for meg.
All Saints' Day allehelgensdag, helgemess,
(1. november).
All Souls' Day allesjelesdag (2. november).
allspice ['ɔ:lspais] allehånde.
all-time alle tiders, toppmål; lavmål.
allude [ə'lju:d] hentyde, alludere (**to** til), ymte
(**to** om), slå (**to** på).
allure [ə'ljuə] lokke; forlokke. **-ment** [-mənt]
tillokking; lokkemiddel, lokkemat, fristelse.
allusion [ə'lju:ʒən] hentydning, ymt, allusjon.
allusive [ə'lju:siv] hentydende, ymtende.
alluvial [ə'lju:vjəl] oppskylt, alluvial.
all|-welded helsveiset. — **-wool** helull(s). —
-year helårs-.
ally [ə'lai] forbinde, forene, alliere; ['ælai] for-
bundsfelle, alliert.
almanac(k) ['ɔ:lmənæk] almanakk.
almighty [ɔ:l'maiti] allmektig.
almond ['ɑ:mənd] mandel.
almoner ['ælmənə, 'ɑ:mnə] almisse-utdeler.
almost ['ɔ:lməust] nesten.
alms [ɑ:mz] (pl. = sg.) almisse.
alms|house ['ɑ:mzhaus] fattighus, stiftelse.
-man fattiglem.
aloe ['æləu] aloe.
aloft [ə'lɔft] høyt, i været; til værs, til topps.
alone [ə'ləun] alene; **let me** — el. **leave me** —
la meg være; **let** — enn si, for ikke å tale om.
along [ə'lɔŋ] langs, langs med; av sted, fram;
all — hele veien, hele tiden, helt igjennom; **come**
— kom med! kom nå! — **with** sammen med, med.
alongside [ə'lɔŋsaid] side om side.
aloof [ə'lu:f] på avstand, langt borte; reservert.
aloofness [ə'lu:fnis] reserverthet.
aloud [ə'laud] lytt, høyt; **read** — lese høyt.
alow [ə'ləu] nede; ned.
alp [ælp] berg, fjell; the **Alps** Alpene.
alpen|horn ['ælpinhɔːn] lur; **-stock** [-stɔk]
alpestokk, fjellstav.
alpestrian [æl'pestriən] fjellklatrer.
alpha ['ælfə] alfa; — **plus** av høyeste kvalitet.
alphabet ['ælfəbet] alfabet; abc, begynnelses-
grunner. **-ic(al)** [ælfə'betik(l)] alfabetisk.
Alpine ['ælpain] alpe-. — **combined** de alpine
grener (i sport). — **garden** steinbed.
alpinist ['ælpinist] fjellklatrer, alpinist.
already [ɔl:'redi] allerede, alt.
Alsace ['ælsæs].
also ['ɔ:lsəu] også, og.
alt. fk. f. **alternate; alternative; altitude.**
altar ['ɔ:ltə] alter. — **cloth** alterduk; **-piece**
altertavle. — **rail** knefall. — **vessels** alterkar.
alter ['ɔ:ltə] forandre, endre, brigde, forandre
seg; sy om. **-able** foranderlig. **-ability** [ɔ:ltərə'biliti]
foranderlighet. **-ation** [ɔ:ltə'reiʃən] forandring.
altercate ['ɔ:ltəkeit] kives, trette.
altercation [ɔ:ltə'keiʃən] trette, ordstrid, kran-
gel.
alternate ['ɔ:ltəneit] alternere, skifte, veksle,
avveksle; skiftes.
alternate [ɔ:l'tə:nit] vekselvis, gjensidig; veks-
lende; — **angles** vekselvinkler; **on** — **nights**
hverannen aften.
altern|ately [ɔl'tə:nitli] skiftevis; **-ateness** av-
veksling. **-ation** [ɔltə'neiʃən] omskifting, av-
veksling; vekselspill. **-ative** [ɔl'tə:nətiv] veks-
lende; alternativ; valg; **there was no -ative left
to us** vi hadde ikke noen annen utvei.
alternating current vekselstrøm.
alternator ['ɔ:ltəneitə] vekselstrømgenerator.
althea [æl'θi:ə] altea, vill kattost.
although [ɔ:l'ðəu] skjønt, enskjønt, selv om.
altitude ['æltitju:d] høyde.
alto ['æltəu] alt (stemme).

altogether [ɔ(:)ltə'geðə] aldeles, ganske; i det
hele tatt, alt i alt.
altruism ['æltruizm] altruisme, uegennytte.
altruist ['æltruist] altruist. **altruistic, altruistic-
ally** ['æltru'istik(əli)] altruistisk, uegennyttig.
alum ['æləm] alun.
aluminium [ælju'minjəm] aluminium.
aluminous [ə'lju:minəs] alunaktig, alunholdig.
aluminum [ə'lu:minəm] (amr.) aluminium.
alumnus [ə'lʌmnəs], fl. **alumni** [ə'lʌmnai]
alumnus.
always ['ɔ:lwiz] alltid, støtt, stadig.
am [æm, əm] 1. person presens av **to be; I** —
jeg er; **I** — **to say nothing** jeg skal ikke si noe;
I — **not one to** (med infinitiv) jeg hører ikke
til dem . . .
AM fk. f. **amplitude modulation.**
A. M. ['ei'em] fk. f. **anno mundi** (i året . . .)
etter verdens skapelse; (i Skottland) **Master of
Arts** (egl. artium magister; i England: M. A.).
a. m. ['ei'em] fk. f. **ante meridiem** ['ænti
mi'ridjəm] før middag, om formiddagen.
A.M.A. fk. f. **American Medical Association.**
amadou ['æmədu:]knusk.
amain [ə'mein] av alle krefter, av all makt.
amalgam [ə'mælgəm] amalgam. **-ate** [-eit]
amalgamere, blande, blande seg. **-ation** [əmæl-
gə'meiʃən] amalgamasjon, sammenslutning. **-ator**
[ə'mælgəmeitə] sammensmelter.
amanuens|is [əmænju'ensis] pl. **-es** [-i:z] pri-
vatsekretær, skriver, amanuensis.
amaranth ['æmərænθ] amarant.
amass [ə'mæs] dynge sammen, hauge opp,
samle.
amateur ['æmətə:] kunstelsker, dilettant, ama-
tør; **he is an** — **musician** han dyrker musikk
som hobby; — **photographer** amatørfotograf.
amateurish [æmə'tə:riʃ] dilettantisk, amatør-
messig.
amative ['æmətiv] erotisk.
amaze [ə'meiz] forbause, forbløffe, forstøkke.
-ment [-mənt] bestyrtelse, forbauselse, undring.
Amazon ['æməzən] amasone; **the** — Amasonas.
ambassador [æm'bæsədə] ambassadør; — **-at-
large** reisende ambassadør.
amber ['æmbə] rav; (om trafikklys) gult lys.
-gris ['æmbəgri:s] ambra.
ambidexter ['æmbi'dekstə] som bruker begge
hender like godt; som heller til begge sider,
værhane.
ambience ['æmbiəns] omgivelser, atmosfære,
miljø.
ambient ['æmbjənt] omgivende, omsluttende.
ambiguity [æmbi'gju:iti] tvetydighet.
ambiguous ['æm'bigjuəs] tvetydig, dunkel.
ambit ['æmbit] område, virkefelt; omkrets.
ambition [æm'biʃən] ambisjon, ærgjerrighet.
ambitious [æm'biʃəs] ærgjerrig; begjærlig (of
etter).
ambivalence ['æmbi'veilans] ambivalens, mot-
stridende følelser; usikkerhet.
amble ['æmbl] passgang; gå (el. ri) i passgang;
slentre. **ambler** ['æmblə] passgjenger.
ambulance ['æmbjuləns] ambulanse; — **unit**
sanitetskorps.
ambulatory ['æmbjulətəri] vandrende, flak-
kende, omgangs-; som kan flyttes; — **patient**
oppegående pasient.
ambuscade [æmbə'skeid] = **ambush** ['æmbuʃ]
bakhold, bakholdsangrep; ligge (legge) i bakhold,
lokke i bakhold.
ameer [ə'miə] emir.
ameliorate [ə'mi:ljəreit] bedre, forbedre.
amelioration [ə'mi:ljə'reiʃən] forbedring, bed-
ring.
amen ['ɑ:'men, ei'men] amen.
amenability [əmi:nə'biliti] ansvarlighet; med-
gjørlighet, føyelighet. **amenable** [ə'mi:nəbl] an-
svarlig; medgjørlig; — **to reason** mottagelig for,
tilgjengelig for fornuft.
amend [ə'mend] rette på, forbedre; endre; for-

bedre seg, bli bedre. **-able** [-əbl] forbederlig.
-ment [-mənt] forbedring; rettelse, tilføyelse,
endring, endringsforslag.
amends [ə'mendz] erstatning, oppreisning;
skadebot; **make — for** gjøre godt igjen.
amenity [ə'meniti] behagelighet, skjønnhet,
elskverdighet; **amenities** bekvemmeligheter, be-
hageligheter; høfligheter, formaliteter.
ament ['æmənt] rakle.
amerce [ə'mɔ:s] bøtelegge, mulktere. **-ment**
[-mənt] pengebot, mulkt.
America [ə'merikə] Amerika.
American [ə'merikən] amerikansk; amerikaner.
Americanism [ə'merikənizm] amerikanisme.
amethyst ['æmiθist] ametyst.
AMGOT. fk. f. **Allied Military Government of
Occupied Territory** alliert militærstyre av besatt
område.
amiability [eimjə'biliti] elskverdighet, vennlig-
het.
amiable ['eimjəbl] elskverdig, vennlig.
amicable ['æmikəbl] vennskapelig; fredelig.
amicably ['æmikəbli] i minnelighet.
amice ['æmis] (prests) skuderklede, akselklede.
amid [ə'mid], **amidst** [-st] midt; mıdt iblant.
amigo [æ'mi:gəu] venn (fra spansk).
amir [ə'miə] emir.
amiss [ə'mis] uriktig; feil; galt; **not — ikke av
veien; to do — handle uriktig; take — ta ille opp.
amity ['æmiti] vennskap.
ammeter ['æmitə] ampèremeter.
ammo ['æməu] ammunisjon.
ammonia [ə'məunjə] ammoniakk.
ammunition [æmju'niʃən] ammunisjon. **— boots**
militærstøvler.
amnesia [æm'ni:ziə] hukommelsestap.
amnesty ['æmnisti] amnesti.
amoeba [ə'mi:bə], pl. **amoebae** [ə'mi:bi:]
amøbe.
amok [ə'mɔk] amok; **run — gå amok.
among [ə'mʌŋ], **amongst** [-st] iblant, blant,
mellom.
amoral [æ'mɔrəl] amoralsk.
amorce [ə'mɔ:s] knallhette, tennladning; krutt-
lapp.
amorous ['æmərəs] forelsket; som lett blir
forlibt; kjærlighets-, elskovs-, erotisk.
amortizable [ə'mɔ:tizəbl] amortisabel.
amortization [əmɔ:ti'zeiʃən] amortisasjon.
amortize [ə'mɔ:tiz] amortisere.
amount [ə'maunt] beløp, mål, sum; mengde,
omfang; beløpe seg, stige; bety; **this — of
confidence** denne store tillit; **— to** beløpe seg til.
ampere [æm'pɛə] ampère.
ampersand [æmpə'sænd] tegnet &.
amphibious [æm'fibjəs] amfibisk. **amphibium**
[æm'fibjəm], pl. **amphibia** [æm'fibiə] amfibium.
amphitheatre ['æmfi'θi:ətə] amfiteater. **amphi-
theatrical** [æmfiθi'ætrikl] amfiteatralsk.
amphora ['æmfərə] amfora.
ample ['æmpl] vid, stor, utførlig; rikelig, fyldig,
raus. **amplification** [æmplifi'keiʃən] utviding; ut-
førlig skildring; forsterking. **amplifier** forsterker.
amplify ['æmplifai] utvide; øke; være vidløftig;
forøkes, forsterke.
amplitude ['æmplitju:d] vidde, utstrekning;
rommelighet; rikelighet, fylde; evne; amplityde.
amply ['æmpli] rikelig.
ampulla [æm'pulə] ampulle.
amputate ['æmpjuteit] amputere.
amputation [æmpju'teiʃən] amputasjon.
AM receiver AM-mottaker.
amtrack ['æmtræk] pansret amfibielandstig-
ningsfartøy.
amuck [ə'mʌk] amok.
amulet ['æmjulət] amulett.
amuse [ə'mju:z] more, underholde; oppholde
(med løfter). **-ment** [-mənt] underholdning, tids-
fordriv, morskap, fornøyelse; **— park** fornøyelses-
park. **amusing** [ə'mju:ziŋ] underholdende, mor-
som.

an [ən, æn] (ubestemt artikkel foran vokallyd)
en, et.
anabaptism [ænə'bæptizm] anabaptisme.
anabaptist [ænə'bæptist] anabaptist.
anachronism [ə'nækrənizm] anakronisme. **ana-
chronistic** [ənækrə'nistik] anakronistisk.
anaconda [ænə'kɔndə] anakonda.
Anacreontic [ənækri'ɔntik] anakreontisk.
anaemia [ə'ni:mjə] anemi, blodmangel.
anaemic [ə'ni:mik] anemisk.
anaesthesia [ænis'θi:ziə] bedøvelse, anestesi,
narkose. **anaesthetize** [æ'ni:sθitaiz] bedøve.
anagram ['ænəgræm] anagram, bokstavgåte.
analgesia [ænæl'dʒi:ziə] smertefrihet, anal-
gesi.
analog|ic(al) [ænə'lɔdʒik(l)] analogisk. **-ism**
[ə'nælədʒism] analogisk slutning. **-ous** [ə'næləgəs]
analog. **-y** [ə'nælədʒi] analogi, overensstemmelse.
analy|se ['ænəlaiz] analysere; spalte, oppløse.
-sis [ə'nælisis] analyse. **-st** analytiker, psyko-
analytiker; kommentator. **-tic** [ænə'litik] analy-
tisk.
anapaest ['ænəpi:st] anapest.
anarch ['ænɑ:k] anarkist; tyrann.
anarchic(al) [ə'nɑ:kik(l)] anarkisk, lovløs.
anarchist ['ænəkist] anarkist.
anarchy ['ænəki] anarki.
anastrophe [ə'næstrəfi] anastrofe.
anat. fk. f. **anatomical, anatomy.**
anathema [ə'næθimə] bann; bannstråle, bann-
lysing; forbannelse. **anathematize** [ə'næθimataiz]
bannlyse.
anatomic(al) [ænə'tɔmik(l)] anatomisk.
anatomist [ə'nætəmist] anatom, dissekerer.
anatomy [ə'nætəmi] anatomi; skjelett.
ancestor ['ænsistə] stamfar; (pl.) forfedre, aner.
ancestral [æn'sestrəl] fedrene, nedarvet; **— estate**
fedregård. **ancestry** ['ænsistri] aner; ætt, her-
komst, byrd.
anchor ['æŋkə] anker; ankre; **drop — kaste
anker; **weigh — lette anker. **-age** ['æŋkəridʒ]
ankerplass; avgift. **— man** ankermann.
anchoret ['æŋkərət] anakoret, eremitt, eneboer.
anchovy [æn'tʃəuvi] ansjos.
ancient ['einʃənt] gammel, fra gamle tider,
oldtids-; the **-s** de gamle, folk i oldtiden; klas-
sikerne.
ancillary [æn'siləri] (underordnet) hjelper. **—
science** hjelpevitenskap.
and [ænd, ən] og.
Andalusia [ændə'lu:ziə].
andante [æn'dænti] andante.
andiron ['ændaiən] bukk (til et stekespidd).
Andrew ['ændru:] Andreas. **St. Andrew's cross**
andreaskors: X.
anecdote ['ænekdəut] anekdote.
anelastic [æni'læstik] uelastisk.
anemia [ə'ni:miə] anemi.
anemometer [æni'mɔmitə] vindmåler.
anemone [ə'neməni] anemone; symre; **blue —
blåveis; **white — hvitveis.
anent [ə'nent] likeoverfor; angående, om.
anew [ə'nju:] på ny, på nytt, igjen.
anfractuosity [ænfræktju'ɔsiti] buktning, krok.
angel ['eindʒəl] engel. **— food** (amr.) luftig
bløtkake.
angelic [æn'dʒelik] engleaktig, engle-.
angelus ['ændʒiləs] angelus, angelusklokke.
anger ['æŋgə] vrede, sinne; gjøre sint.
angina [æn'dʒainə] angina.
angle ['æŋgl] vinkel, hjørne, synsvinkel; gi en
viss dreining, fordreie.
angle ['æŋgl] angel; fiske med snøre, angle.
angler ['æŋglə] fisker, stangfisker.
Angles ['æŋglz] angler (folkenavn).
Anglican ['æŋglikən] som hører til den engelske
statskirke, høykirkelig. **Anglicanism** ['æŋgli-
kənizm] anglikanisme. **anglicism** ['æŋglisizm]
anglisisme. **anglicize** ['æŋglisaiz] anglisere.
Anglo-Indian anglo-inder; anglo-indisk.
Anglo-Norse ['æŋgləu'nɔ:s] norsk-britisk.

2. Engelsk–Norsk

Anglo-Saxon ['æŋgləu-'sæksən] angelsaksisk; angelsakser.
angry ['æŋgri] vred, sint (at over, with på); truende; øm, betent.
anguish ['æŋgwiʃ] angst, kval, pine, smerte.
angular ['æŋgjulə] vinkeldannet; kantet; knoklet; vinkel-. -ity [æŋgju'læriti] kantethet.
angulate [-lət] kantet.
anile ['einail] senil (om kvinne); kjerringaktig.
aniline ['ænilain] anilin.
animadversion [ænimæd'və:ʃən] irettesetting, kritikk, daddel. animadvert [ænimæd'və:t] dadle, laste, kritisere.
animal ['æniməl] dyr; dyrisk; — husbandry krøtterhold, feavl; the — kingdom dyreriket; — spirits livskraft, livsglede.
animate ['ænimeit] besjele, gjøre levende, oppildne, animere. -d ivrig, livlig.
animate ['ænimət] levende; livlig, munter; dyre-.
animation [æni'meiʃən] levendegjøring; liv; livlighet; tegnefilm.
animosity [æni'mɔsiti] hat, fiendskap, voldsom uvilje. animus ['æniməs] ånd; drivkraft; hensikt, vilje, uvilje, agg, nag.
anise ['ænis] anis. aniseed ['ænisi:d] anis (frukten). anisette [æni'zet] anislikør.
anker ['æŋkə] anker (som mål); kagge, dunk.
ankle ['æŋkl] ankel; — boot halvstøvel. — -deep opp til anklene.
anklet ['æŋklit] ankelring; ankelsokk.
ankus ['æŋkəs] piggstav (til elefant).
annalist ['ænəlist] annalist, årbokforfatter.
annals ['ænəlz] årbøker, annaler.
Anne [æn] Anna, Anne.
anneal [ə'ni:l] utgløde (om metall); avkjøle (om glass); (fig.) stålsette, herde.
annelid worm ['ænəlid wə:m] leddorm.
annex [ə'neks] knytte til; legge ved; forene, annektere. -ation [ænek'seiʃən] tilknytting, vedlegging; forening, innlemming.
annex(e) ['æneks] anneks, tilbygg; tillegg, bilag.
Annie Oakley ['æni 'aukli] (amr.) fribillett.
annihilate [ə'naiəleit] tilintetgjøre, utslette, knuse. annihilation [ənaiə'leiʃən] tilintetgjøring.
anniversary [æni'və:səri] årsdag, årsfest; årlig.
Anno Domini ['ænəu 'dɔminai] Anno Domini.
annotate ['ænəteit] skrive merknader til, kommentere. -ation [ænə'teiʃən] anmerkning, merknad, kommentar.
announce [ə'nauns] forkynne, tilkjennegi, melde, kunngjøre, gjøre kjent. -ment [-mənt] tilkjennegivelse, bekjentgjørelse, kunngjøring, bud, melding. -r hallomann (i radio).
annoy [ə'nɔi] plage, bry; erte, ergre; irritere; sjenere, forulempe. -ance [-əns] plage; bry.
annoyed [ə'nɔid] ergerlig, misnøyd, irritert.
annual ['ænjuəl] årlig, års-; årsskrift, årbok.
annuitant [ə'nju:itənt] livrenteeier, pensjonist.
annuity [ə'nju:iti] livrente.
annul [ə'nʌl] tilintetgjøre, oppheve, annullere.
annular ['ænjulə] ringformet, ring-.
annulated ['ænjuleitid] forsynt med ringer.
annulment [ə'nʌlmənt] opphevelse, annullering, tilbakekalling, omstøting.
annum ['ænəm] år; per — om året.
annunciate [ə'nʌnʃieit] forkynne, bebude, melde.
annunciation [ənʌnsi'eiʃən] bebudelse; the A. Marias budskapsdag, marimess (25. mars). annunciator [ə'nʌnsieitə] forkynner; nummertavle.
anode ['ænəud] anode, positiv pol.
anodize ['ænə(u)daiz] anodisere, eloksere.
anodyne ['ænədain] smertestillende; smertestillende middel.
anoint [ə'nɔint] salve, smøre. -ment [-mənt] salving.
anomalous [ə'nɔmələs] uregelmessig, uregelrett, avvikende. anomaly [ə'nɔməli] anomali, uregelmessighet, avvik.

anon [ə'nɔn] snart, straks, øyeblikkelig; ever and — nå og da; i ett vekk.
anon. fk. f. anonymous.
anonymity [ænə'nimiti] anonymitet.
anonymous [ə'nɔniməs] unevnt, anonym.
anopheles [ə'nɔfəli:z] malariamygg.
anorak ['ænəræk] anorakk.
anormal [ə'nɔ:məl] anormal.
another [ə'nʌðə] en annen, en ny; en til, enda en; one — hinannen, hverandre; many — battle mange flere slag; you are an Englishman, . . . I am another De er engelskmann, . . . det er jeg også; you are — det kan du selv være.
answer ['ɑ:nsə] svar; svare; svare seg; svare på, besvare; reflektere på; passe til, egne seg for; svare til; stå til ansvar for; a plain — klar beskjed; in — to som svar på; — to the name of lyde navnet; — the bell lukke opp når det ringer; — the helm lystre roret; — for svare for, innestå for.
answerable ['ɑ:nsərəbl] ansvarlig (to overfor); som kan besvares.
ant [ænt] maur; have -s in one's pants ha lopper i blodet.
antagon|ism [æn'tægənizm] strid, motsetningsforhold, motvilje, fiendtlig holdning. -ist [æn-'tægənist] motstander. -ize [æn'tægənaiz] motvirke, motarbeide; støte fra seg, pådra seg fiendskap hos.
antarctic [ænt'ɑ:ktik] antarktisk, sydpols-.
the Antarctic, Antarctica Antarktis, sydpolsområdet.
ant bear [ænt bɛə] maurbjørn, maursluker.
ant cow bladlus.
ante ['ænti] foran, før; forhåndsinnbetaling; bidra med; betale. -act [-'ækt] foregående handling. -cedence [ænti'si:dəns] det å gå forut; presedens. -cedent [ænti'si:dənt] foregående; det foregående; forsetning; korrelat; forgjenger, forløper. -cessor [ænti'sesə] forgjenger; tidligere eier. -chamber ['æntitʃeimbə] forværelse. -date ['æntideit] oppgi for tidlig datum for, gå forut for, foregripe. -diluvian [æntidi'lju:vjən] antediluviansk, fra før syndfloden.
antelope ['æntiləup] antilope.
antemeridian [æntimə'ridjən] før middag.
ante meridiem ['ænti mi'ridjəm] før middag, formiddags-, om formiddagen.
antemundane [ænti'mʌndein] som var før verden ble skapt.
antenatal [ænti'neitl] som er forut for fødselen.
antenna [æn'tenə], pl. -e [-i:] følehorn; antenne.
antepenult(imate) ['æntipi'nʌlt(imit)] tredje siste stavelse.
anterior [æn'tiəriə] foregående, tidligere, forrest, for-.
anteroom ['æntiru(:)m] forværelse.
anthem ['ænθem] kirkesang; hymne; the national — nasjonalsangen.
anther ['ænθə] støvknapp; -dust blomsterstøv.
anthill ['ænθil] maurtue.
anthology [æn'θɔlədʒi] antologi.
Anthony ['æntəni]; St. -'s fire rosen.
anthracite ['ænθrəsait] antrasitt.
anthrax ['ænθræks] brannbyll; miltbrann.
anthropology [ænθrə'pɔlədʒi] antropologi.
anti ['ænti] imot, mot. antiaircraft luftvern.
antibiotic ['æntibai'ɔtik] antibiotikum; antibiotisk.
antibody ['æntibɔdi] antistoff.
antic ['æntik] grotesk, fantastisk.
Antichrist ['æntikraist] Antikrist.
anticipate [æn'tisipeit] antesipere, foregripe; ta på forskudd; komme i forkjøpet; regne med, imøtese; fremskynde; forutføle; glede seg til.
anticipation [æntisi'peiʃən] antesipering, foregriping; forutfølelse, forsmak, forutnyting.
anticlimax ['ænti'klaimæks] antiklimaks.
anticorrosive ['æntikə'rəusiv] rusthindrende.
antics ['æntiks] narrestreker, krumspring, fakter.

antidotal ['æntidəutl] som inneholder motgift.
antidote ['æntidəut] motgift.
antifreeze ['ænti'fri:z] frostfri, frosthindrende; frysevæske.
Antilles [æn'til(i:)z]: **the** — Antillene.
antimacassar [æntimə'kæsə] antimakassar.
antimony ['æntiməni] antimon.
antipathetic [æntipə'θetik] antipatisk.
antipathy [æn'tipəθi] antipati.
antiphony [æn'tifəni] vekselsang.
antipodal [æn'tipədəl] antipodisk, motsatt.
antipodes [æn'tipədi:z] antipoder; motsetning.
antipyretic ['æntipai'retik] feberstillende (middel).
antiquarian [ænti'kwɛəriən] som angår oldgransking; arkeolog, oldgransker. **antiquarianism** interesse for oldsaker. **antiquary** ['æntikwəri] oldgransker.
antiquated ['æntikweitid] antikvert, foreldet.
antique [æn'ti:k] fra oldtiden, antikk; gammeldags; kunstverk fra oldtiden; i pl. oldsaker.
antiquity [æn'tikwiti] elde; oldtid; antikvitet.
anti-Semite [ænti'si:mait] antisemitt. **anti-Semitic** [æntisi'mitik] antisemittisk. **anti-Semitism** [ænti'semitizm] antisemittisme.
antiseptic [ænti'septik] antiseptisk
antiskid ['ænti'skid]; — **chain** snøkjetting.
antithesis [æn'tiθisis] motsetning, antitese.
antitype ['æntitaip] motbilde, den til bildet svarende virkelighet.
antler ['æntlə] hjortetakk, takk, på horn.
anvil ['ænvil] ambolt.
anxiety [æŋ'zaiiti] iver; engstelse, uro, bekymring.
anxious ['æŋkʃəs] ivrig (**for** etter; **to do** etter å gjøre); engstelig, urolig (**about** for); engstende, urovekkende; — **bench** botsbenk.
any ['eni] noen, noen som helst, hvilken som helst; enhver, enhver som helst; eventuell; **hardly** — nesten ingen; **at** — **rate** i hvert fall; — **way** på noen måte, i hvert fall; — **longer** lenger; — **more** mer; **-body** [-bɔdi] noen, noen som helst; enhver, enhver som helst; hvem som helst; **-how** [-hau] på enhver el. noen som helst måte, i ethvert tilfelle; likevel; **-one** [-wʌn] noen som helst; enhver som helst; — **one** en (hvilken som helst) enkelt; **-thing** [-θiŋ] noe; alt (**anything but** alt annet enn); **-way** [-wei] på noen måte; på hvilken som helst måte; i ethvert tilfelle; **-where** [-wɛə] hvor som helst, alle steder, overalt; **-wise** [-waiz] på noen måte, overhodet.
Anzac ['ænzæk] fk. f. **Australian and New Zealand Army Corps**; (soldat) i hæren fra Australia el. New Zealand.
a.o. fk. f. **and others, among others, account of.**
aorta [ei'ɔ:tə] aorta.
apace [ə'peis] rask, snøgg, hurtig.
Apache [ə'pætʃi] apasjeindianer.
apache [ə'pɑ:ʃ] apasje, utskudd og forbrytere i Paris' underverden.
apanage se **appanage.**
apart [ə'pɑ:t] avsides, avsondret; atskilt fra hverandre; for seg; — **from** bortsett fra; **come** — gå fra hverandre; **tell them** — skjelne mellom dem, skjelne dem fra hverandre.
apartheid [ə'pɑ:thait] apartheid.
apartment [ə'pɑ:tmənt] værelse, rom; **-s** leilighet; husvære; — **house** leiegård.
apathetic [æpə'θetik] følelsesløs, kald; sløv.
apathy ['æpəθi] apati.
ape [eip] ape; etteraper; ape, ape etter, herme.
apeak [ə'pi:k] (rett) opp og ned, loddrett.
Apennines ['æpinainz]: **the** — Apenninene.
aperient [ə'piəriənt] avføringsmiddel. **aperitive** [ə'peritiv] avføringsmiddel.
aperture ['æpətʃə] åpning; hull; blenderåpning.
apex ['eipeks] topp, spiss, toppunkt.
aphasia [æ'feiziə] afasi.
aphis ['æfis] bladlus.
aphorism ['æfərizm] aforisme.
aphoristic [æfə'ristik] aforistisk, fyndig.

aphrodisiac [æfrə(u)'diziæk] afrodisiakum, elskovsmiddel.
apia|n ['eipiən] bie-. **-rian** [eipi'ɛəriən] birøkter. **-ry** ['eipiəri] bigård, bikube.
apical ['æpik(ə)l] topp-, spiss-; tungespiss.
apiculture ['eipikʌltʃə] biavl.
apiece [ə'pi:s] for stykket; til hver person, hver.
apish ['eipiʃ] ape-; etterapende; narraktig.
aplenty [ə'plenti] rikelig, flust med.
aplomb [æ'plɔm] selvbeherskelse, sikkerhet, aplomb.
apocalypse [ə'pɔkəlips] åpenbaring.
apocope [ə'pɔkəpi] apokope.
apocryphal [ə'pɔkrifəl] apokryfisk.
apod(e)ictic [æpəu'daiktik] overbevisende, uimotsigelig.
apogee ['æpədʒi:] punkt fjernest fra jorda; høyde, topp.
apollinaris [əpɔli'nɛəris] apollinaris.
apolog|etic [əpɔlə'dʒetik] forsvarende, unnskyldende. **-etically** [əpɔlə'dʒetikəli] til sin unnskyldning, unnskyldende. **-ia** apologi, forsvarsskrift, forsvarstale. **-ize** [ə'pɔlədʒaiz] gjøre, be om unnskyldning. **-y** [ə'pɔlədʒi] forsvar, unnskyldning; surrogat, nødhjelp, som skal gjelde for.
apophthegm ['æpəθem] fyndord, tankespråk.
apoplectic [æpə'plektik] apoplektisk.
apoplexy ['æpəpleksi] apopleksi.
aport [ə'pɔ:t] til babord.
apostasy [ə'pɔstəsi] frafall. **apostate** [ə'pɔstit] apostat, frafallen.
a posteriori ['eipɔsteri'ɔ:rai] a posteriori.
apostle [ə'pɔsl] apostel. **apostolic** [æpə'stɔlik] apostolisk.
apostrophe [ə'pɔstrəfi] apostrof; apostrofe. **apostrophize** [ə'pɔstrəfaiz] apostrofere.
apothecary [ə'pɔθikəri] apoteker (som også har lov til å ordinere medisin); **-'s shop** apotek.
apotheosis [əpɔθi'ousis] apoteose, forherligelse.
app. fk. f. **appendix; appointed.**
appal [ə'pɔ:l] forskrekke, skremme, forferde.
appanage ['æpənidʒ] apanasje; privilegium.
apparatus [æpə'reitəs] apparat, innretning, hjelpemidler, instrument, mekanisme; apparatsamling; **teaching** — skolemateriell.
apparel [ə'pærəl] kledning, drakt; klede; kle.
apparent [ə'pærənt] øyensynlig; tilsynelatende; åpenbar, tydelig; **heir** — nærmeste arving; tronarving. **-ly** tilsynelatende; øyensynlig.
apparition [æpə'riʃən] tilsynekomst; syn, skikkelse; gjenferd, skrømt.
appeal [ə'pi:l] påberope seg; henvende seg til; appellere, innanke (**to** til); henvendelse; appell; innanking, anke, kjæremål; — **to the country** (appellere til velgerne ved å skrive ut nye valg; **does it** — **to you?** liker du det?
appealable [ə'pi:ləbl] appellabel.
appealing tiltalende, tiltrekkende; bedende, bønnlig.
appear [ə'piə] vise seg, komme fram; møte opp, stille; opptre; komme ut, offentliggjøre (om en bok); bli tydelig, finnes; stå (i en avis); synes, forekomme; **it -s** that det fremgår at, det viser seg at; **to** — **in court** å møte for retten. **-ance** [ə'piərəns] tilsynekomst, fremkomst, opptreden; nærvær, tilstedeværelse; møte (for retten); syn, åpenbaring; utseende; skinn, sannsynlighet; **make one's** — vise seg, tre inn, komme til stede; **put in an** — komme til stede, møte; **save -s** redde skinnet; **judge from** — dømme etter utseendet; **keep up -s with** holde gode miner til; **to all** — etter alt å dømme.
appease [ə'pi:z] berolige, formilde, forsone, pasifisere, dempe, døyve, stille.
appeasement [ə'pi:zmənt] fredeliggjøring, pasifisering, formildelse; ettergivenhet.
appeaser [ə'pi:zə] ettergivenhetspolitiker.
appell|ant [ə'pelənt] appellant. **-ation** [æpe-'leiʃən] benevnelse. **-ative** [ə'pelətiv] felles-; fellesnavn, appellativ. **-ee** [æpe'li:] innstevnte.

append [ə'pend] henge på, feste ved, tilføye, vedlegge. **-age** [ə'pendidʒ] vedheng, tillegg, tilbehør, underbruk (under **to**). **-ant** [ə'pendənt] som følger med. **-icitis** [əpendi'saitis] blindtarmbetennelse. **-ix** [ə'pendiks] bilag, tillegg; vedheng; **the vermiform** — blindtarmens ormeformede vedheng, blindtarmen.

appertain [æpə'tein] tilhøre, høre til, vedrøre.

appetence, appetency ['æpitəns, -si] begjær, lyst.

appetise ['æpitaiz] gi appetitt. **appetising** appetittlig, fristende. **appetite** ['æpitait] begjærlighet, begjær, lyst, hug; appetitt.

applaud [ə'plɔ:d] klappe i hendene, applaudere; rose, prise. **applause** [ə'plɔ:z] applaus, bifall; ros.

apple ['æpl] eple; — **of the eye** øyeeple; øyestein; — **of discord** stridens eple. — **core** epleskrott. — **dumpling** eple bakt i deig. — **-pie bed** seng med laken lagt dobbelt, så en ikke kan få strakt ut bena. — **-pie order** skjønneste orden. **-sauce** eplemos; (amr.) vrøvl.

appli|able [ə'plaiəbl] anvendelig. **-ance** [ə'plaiəns] anvendelse; innretning, redskap, materiell. **applie|ability** [æplikə'biliti] anvendelighet. **-able** ['æplikəbl] anvendelig. **-ant** ['æplikənt] ansøker; reflekterende. **-ation** [æpli'keiʃən] anvendelse; anbringelse; omslag; søknad; flid; åndsanstrengelse; økning, pålegg; strøk (maling); **-ation form** søknadsskjema. **-ative** ['æplikeitiv] anvendelig, praktisk. **-atory** ['æplikətəri] utøvende.

applied [ə'plaid] anvendt. — **art** brukskunst.

apply [ə'plai] sette til. legge på, anbringe; bruke; anvende; (hen)vende seg (**to** til); søke; gjelde, ha gyldighet (**to** for); pålegge, påføre; stryke på (maling); passe (**to** på); — **for** søke; — **oneself to** legge seg etter; — **to me for help be** meg om hjelp; — **myself to her assistance** tilby henne min hjelp.

appoint [ə'pɔint] bestemme, fastsette, velge ut; tilsette, ansette, utnevne; anvise; utruste. **-ee** [əpɔin'ti:] (den) utnevnte. **-ment** [ə'pɔintmənt] bestemmelse, avtale, anordning, tilvisning; utnevning; ansettelse, oppnevning; foranstaltning; avtale; forslag; utrustning, utstyr; lønning; **by** — etter avtale; **purveyor by** — hoffleverandør; **when you make an** —, **keep it** når du gjør en avtale, så hold den.

apportion [ə'pɔ:ʃən] fordele; tilmåle. **-ment** [-mənt] fordeling; tilmåling.

apposite ['æpəzit] passende, skikket, velanbrakt, treffende.

apposition [æpə'ziʃən] tillegg, økning; apposisjon.

appraise [ə'preiz] vurdere, taksere, besiktige. **-r** takstmann.

appreci|able [ə'pri:ʃjəbl] merkbar, kjennelig, vesentlig. **-ate** [ə'pri:ʃieit] vurdere, skatte; sette pris på; forstå å verdsette, gutere; være takknemlig for; forstå, være klar over. **-ation** [ə'pri:ʃi-'eiʃən] vurdering, verdsetting; skjønn; forståelse; påskjønnelse. **-ative** [ə'pri:ʃiətiv] el. **-atory** [ə'pri:ʃiətəri] som påskjønner; skjønnsom; takknemlig.

appre|hend [æpri'hend] ta fatt på; gripe; pågripe, anholde; fatte, oppfatte, forstå, skjønne, begripe; frykte for, frykte; anta, mene. **-hensible** [æpri'hensibl] begripelig, fattelig. **-hension** [-ʃən] pågripelse, fatteevne, begrep; frykt, engstelse. **-hensive** [-siv] redd, fryktsom; intelligent; — **faculty** oppfattelse(sevne).

apprentice [ə'prentis] lærling, elev, læregutt; sette i lære; **bind one** — **to** sette en i lære hos. **-ship** [ə'prentisʃip] lære, læretid, læreår.

apprise [ə'praiz] underrette (**of** om).

apprize [ə'praiz] prise, verdsette.

approach [ə'prəutʃ] nærme seg, komme nær; bringe nær; henvende seg til; det å nærme seg; anmarsj; adgang; innkjørsel; tilnærming; fremgangsmåte; innstilling, holdning. **-es** tilnærmelser. **-ing** forestående, nær.

approach | lane tilkjørselsvei (til motorvei). — **light** innseilingsbøye; innflygingslys.

approbat|e ['æprəbeit] godta, gå med på. **-ion** [æprə'beiʃən] bifall, samtykke; bekreftelse. **-ive** ['æprəbeitiv] som billiger, samtykker.

appropriat|e [ə'prəuprieit] tilegne seg, annektere; overdra, bestemme (til et visst bruk); gjøre særegen; særegen, egen; passende, skikket, hensiktsmessig. **-ion** [əprəupri'eiʃən] tilegnelse; anvendelse; henleggelse, hensettelse, bestemmelse; bevilling. **-ive** [ə'prəupriətiv] det som kan tilegnes.

approval [ə'pru:vəl] bifall, billigelse, samtykke, godkjenning, approbasjon; **on** — til prøve, til gjennomsyn.

approve [ə'pru:v] billige; bifalle; approbere, godkjenne, vedta; — **of** bifalle.

approximate [ə'prɔksimət] omtrentlig; **-ly** tilnærmelsesvis, omtrent. **approximate** [ə'prɔksimeit] nærme, bringe nær; nærme seg. **approximation** [əprɔksi'meiʃən] tilnærming. **approximative** [ə'prɔksimətiv] som nærmer seg (sannheten), nesten nøyaktig.

appulse [ə'pʌls] sammenstøt, berøring.

appurtenance [ə'pə:tinəns] tilbehør; (jur.) tilliggende herlighet.

apricot ['eiprikɔt] aprikos.

April ['eipril] april; — **fool** aprilsnarr.

a priori ['ei-prai'ɔ:rai] a priori.

apron [ə'eiprən] forkle; fangskinn; skvettlær (på en vogn); forscene (på teater); parkeringsplass for fly. **-string** [-striŋ] forklebånd.

apropos ['æprəpəu] apropos, beleilig, passende, forresten; det faller meg inn; hva jeg vil si; — **of** angående.

apt [æpt] skikket, høvelig, passende (**for** til, to m. inf.: til å); (om bemerkning) treffende; lærenem, dyktig, flink (**at** i, to m. inf.: til å); tilbøyelig (**to** m. inf.: til å); — **to forget** glemsom. **-itude** [-itju:d]. **-ness** [-nəs] skikkethet; tilbøyelighet; hang; anlegg; dugelighet.

aqua ['ækwə] vann. — **fortis** [-'fɔ:tis] salpetersyre. **-lung** vannlunge (oksygenapparat for undervannssvømming). — **marine** [-mə'ri:n] akvamarin, beryll (sjøgrønn edelsten). — **regia** [-'ri:dʒə] kongevann. — **vitae** [-'vaiti:] akevitt.

aquarelle [ækwə'rel] akvarell.

aquarium [ə'kwɛəriəm] akvarium.

aqueduct ['ækwidʌkt] vannledning, akvadukt.

aqueous ['eikwiəs] vannrik; vannaktig.

aquiline ['ækwilain] ørne-.

A. R. A. fk. f. **Associate of the Royal Academy.**

Arab ['ærəb] araber; (især om befolkningen) arabisk; — **sheikh** a. sjeik; — **horse** a. hest; **(city el. street) Arabs** hjemløse gategutter.

arabesque [ærə'besk] arabesk.

Arabia [ə'reibjə].

Arabian [ə'reibjən] arabisk; araber; — **bird** føniks; — **nights** tusen og én natt.

Arabic ['ærəbik] arabisk (om språk, skrift og litteratur); arabisk.

arable ['ærəbl] som kan pløyes; oppdyrket.

Aragon ['ærəgən] Aragonia.

arbiter ['ɑ:bitə] voldgiftsmann; dommer; enerådig hersker.

arbitrage ['ɑ:bitridʒ] arbitrasje, kursspekulasjon.

arbit|ral ['ɑ:bitr(ə)l] meklings-, voldgifts-. **-rariness** ['ɑ:bitrərinis] vilkårlighet. **-rary** ['ɑ:bitrəri] arbitrær, vilkårlig; egenmektig; skjønnsmessig. **-rate** ['ɑ:bitreit] avgjøre, dømme. **-ration** [ɑ:bi'treiʃən] voldgift. **-rator** ['ɑ:bitreitə] voldgiftsmann, makthaver. **-ress** ['ɑ:bitris] kvinnelig voldgiftsdommer.

arboreal [ɑ:'bɔ:riəl] som lever på trær, tre-. **arboreous** [ɑ:'bɔ:riəs] treaktig; skogkledd. **arboretum** [ɑ:bə'ri:təm] arboretum.

arbour ['ɑ:bə] løvhytte, lysthus.

arc [ɑ:k] bue; — **light** buelys.

arcade [ɑ:'keid] buegang.

Arcadian [ɑ:'keidjən] arkadisk; landlig.

arcanum [ɑːˈkeinəm] arkanum, hemmelighet; vidundermiddel.

arch [ɑːtʃ] bue; hvelving; bue, hvelve, bue seg, hvelve seg. (Court of) Arches høyeste geistlige rett.

arch [ɑːtʃ] erke-, hoved-; skjelmsk.

arch. fk. f. archaic; archipelago; architect(ure).

archaeological [ɑːkiəˈlɔdʒikl] arkeologisk.

archaeologist [ɑːkiˈɔlədʒist] arkeolog.

archaeology [ɑːkiˈɔlədʒi] arkeologi.

archaic [ɑːˈkeiik] foreldet, gammeldags, arkaisk. archaism [ˈɑːkeiizm] gammeldags uttrykk.

archaistic [ɑːkeiˈistik] arkaiserende.

archangel [ˈɑːkˈeindʒəl] erkeengel.

arch|bishop [ˈɑːtʃˈbiʃəp] erkebiskop. -bishopric erkebispedømme. -deacon erkedegn, -diakon (i geistlig rang nærmest under bispene). -duchess erkehertuginne. -duke erkehertug.

arched [ɑːtʃt] med buer; krum, buet.

archer [ˈɑːtʃə] bueskytter.

archery [ˈɑːtʃəri] bueskyting.

archetype [ˈɑːkitaip] grunntype, mønster, original.

archipelago [ɑːkiˈpeləgəu] arkipel; the Archipelago Egeerhavet.

architect [ˈɑːkitekt] byggmester, arkitekt. -onic [ɑːkitekˈtɔnik] arkitektonisk. -ure [ˈɑːkitektʃə] bygningskunst, arkitektur. -ural [ɑːkiˈtektʃurəl] arkitektonisk.

archives [ˈɑːkaivz] arkiv; dokumenter. archival [ɑːˈkaivl] arkiv-.

archivist [ˈɑːkivist] arkivar.

archness [ˈɑːtʃnis] lureri, skjelmskhet.

arch support innleggssåle.

archway [ˈɑːtʃwei] overhvelvet gang, hvelv, portrom, æresport.

arc lamp [ˈɑːklæmp] buelampe.

arc light [ˈɑːklait] buelys.

arctic [ˈɑːktik] arktisk, nordlig, nord-, polar-. the Arctic Circle den nordlige polarsirkel.

ardency [ˈɑːdnsi] varme, inderlighet; iver.

ardent [ˈɑːdnt] het, brennende, fyrig, ivrig; — spirits brennevin.

ardour [ˈɑːdə] hete; varme; iver; begjærlighet.

arduous [ˈɑːdjuəs] bratt, steil; vanskelig, besværlig; iherdig, energisk.

are [ɑː, ə; foran vokal ɑːr, (ə)r] er (pl. og 2. person sg. av to be å være).

area [ˈɛəriə] flateinnhold, areal; innhegnet plass; lite inngjerdet rom mot gaten foran et hus (lavere enn gatelegemet); område, egn, felt. — bell kjøkkenklokke. — steps trapp ned til kjøkkenet.

arena [əˈriːnə] kampplass, arena.

argand [ˈɑːgənd] argandbrenner, rundbrenner.

argent [ˈɑːdʒənt] sølv-; sølvklar.

Argentin|a [ɑːdʒənˈtiːnə, -ˈtainə] Argentina. -e [ˈɑːdʒəntain] argentinsk; argentiner; the -e Argentina.

argentine [ɑːdʒənˈtain] sølv-; av sølv.

argil [ˈɑːdʒil] pottemakerleire.

argillaceous [ɑːdʒiˈleiʃəs] leiret.

argon [ˈɑːgən] argon.

argonaut [ˈɑːgənɔːt] eventyrer.

argosy [ˈɑːgəsi] rikt lastet skip.

argot [ˈɑːgəu] argot, slang, fagsjargong.

argu|e [ˈɑːgju] bevise; strides om; drøfte; gjøre innvendinger, si imot, hevde, påstå. -ment [ˈɑːgjumənt] bevis, prov, argument, slutning; drøfting; strid. -mentation [ɑːgjumenˈteiʃən] bevisføring, argumentasjon. -mentative [ɑːgjuˈmentətiv] som skal bevise el. som tjener til bevis (of for); stridslysten.

Argyle [ɑːˈgail] Argyle, (skotsk grevskap).

aria [ˈɑːriə] arie.

Arian [ˈɑːriən] arier; arisk.

arid [ˈærid] tørr, skrinn, uttørret, tørrlendt; (fig.) gold, åndløs. -ity [əˈriditi] tørrhet, tørke.

aright [əˈrait] riktig, rett, korrekt.

arise [əˈraiz] reise seg, stå opp; oppstå (fra de

døde); opptre; framtre; komme opp; komme av, skyldes.

arisen [əˈrizn] perf. pts. av arise.

aristocracy [æriˈstɔkrəsi] aristokrati.

aristocrat [ˈæristəkræt] aristokrat.

aristocratic [æristəˈkrætik] aristokratisk. Aristotle [ˈæristɔtl] Aristoteles.

arithmetic [əˈriθmitik] regning; aritmetikk.

arithmetical [æriθˈmetikl] aritmetisk; — progression aritmetisk rekke.

Ariz. fk. f. Arizona.

ark [ɑːk] ark; (amerikansk) flodbåt; Noah's — Noas ark; også et slags leketøy med dyr i en ark; the Ark of the Covenant paktens ark.

arm [ɑːm] arm; kraft, velde; infant in -s spebarn som ennå må bæres, også reivebarn; keep at -'s length holde seg fra livet.

arm [ɑːm] (som subst. oftest i pl.) våpen, våpenart, våpenskjold; bevæpne, væpne; ruste ut; forsyne; ruste seg, gripe til våpen; armere, bestykke; small -s håndvåpen; in -s væpnet, kampberedt; under -s under våpen; companion in -s våpenbror; coat of -s våpenskjold; -ed neutrality væpnet nøytralitet.

armada [ɑːˈmɑːdə] krigsflåte, armada.

armadillo [ɑːməˈdiləu] beltedyr.

Armageddon [ɑːməˈgedn] Harmageddon, ragnarokk.

armament [ˈɑːməmənt] krigsmakt, utrustning, bestykning; kampstyrke; -s race rustningskappløp.

armature [ˈɑːmətʃə] bevæpning, våpen; beslag; armatur, armering, anker (i dynamo).

armchair [ˈɑːmˈtʃɛə] armstol, lenestol.

armed [ɑːmd] væpnet, utrustet. — forces væpnede styrker. — robbery væpnet ran.

Armenian [ɑːˈmiːnjən] armensk; armener.

armistice [ˈɑːmistis] våpenstillstand. Armistice Day dagen for våpenstillstanden (11. nov. 1918).

armlet [ˈɑːmlit] liten arm, f. eks. fjordarm, vik; armbånd, armbind; armring.

armoire [ɑːmˈwɑː] (stort) klesskap, linnetskap.

armorial [ɑːˈmɔːriəl] våpen-, heraldisk; — bearings våpenmerke.

armory [ˈɑːməri] heraldikk, vitenskapen om våpenmerker; (amr.) våpenfabrikk, arsenal.

armour [ˈɑːmə] bevæpning; hærbunad, harnisk; rustning; panser (et skips); panserstyrke, tanks. — -clad pansret; panser(skip). -er [ˈɑːmərə] våpensmed, våpenfabrikant; bøssemaker. armoury [ˈɑːməri] rustkammer, arsenal.

arm|pit [ˈɑːmpit] armhule; — rest armlene.

army [ˈɑːmi] hær; (fig.) sverm, hærskare; armé-, hær-. — chaplain feltprest. — corps armékorps. — list liste over offiserene i hæren. — officer offiser i hæren. (Royal) Army Service Corps trenkorpset.

arn't [ɑːnt] sammentrukket av are not.

aroma [əˈrəumə] aroma, duft, ange. -tic [ærəˈmætik] aromatisk.

arose [əˈrəuz] imperf. av arise.

around [əˈraund] rundt, rundt omkring; om; i nærheten (av).

arousal [əˈrauz(ə)l] vekkelse.

arouse [əˈrauz] vekke.

arow [əˈrəu] i rekke, på rad.

A. R. P. fk. f. Air Raid Precautions luftvern.

arr. fk. f. arranged; arrangement; arrival.

arrack [ˈæræk] arak.

arrah [ˈærə] (irsk utrop) kjære! ja så!

arraign [əˈrein] stevne for retten; sikte, anklage; beskylde. -ment anklage.

arrange [əˈreindʒ] ordne, bringe i orden, stille opp, arrangere; bestemme, avtale; bilegge; bearbeide. -ment [-mənt] ordning; avtale, overenskomst, forlik; akkord; bestemmelse, foranstaltning; make -ments for treffe foranstaltninger til, få i stand.

arrant [ˈærənt] åpenbar, vitterlig; notorisk; beryktet; erke-, toppmålt.

array [əˈrei] kle, smykke; stille i orden, fylke,

stille opp; klededrakt; orden, slagorden, fylking; jury.

arrears [ə'riəz] restanse, etterskudd.

arrest [ə'rest] stanse; arrestere, fengsle; ta arrest i; arrestasjon; arrest, beslag; — **of judgment** innsigelse mot dom (etter at lagretten har sagt skyldig. Er dommeren enig i innsigelsene, blir det ikke avsagt dom); **put under** — arrestere.

arresting [ə'restiŋ] fengslende, interessant.

arrival [ə'raivəl] ankomst (NB. med påstedspreposisjon). **an** — **en** (noen) som kommer.

arrive [ə'raiv] komme (**at, in** til).

arrogance ['ærəgəns] hovmod, anmasselse.

arrogant ['ærəgənt] hovmodig, hoven, stolt.

arrogate ['ærəgeit] anmasse seg; kreve, tilskrive seg (med urette).

arrogation [ærə'geiʃən] anmasselse, uberettiget krav.

arrow ['ærou] pil; **the broad** — den brede pil (statens merke på dens eiendeler, også på fangetøy). — **head** pilspiss.

arrowroot ['ærəuru:t] salep.

arrowy ['ærəui] pile-; pilsnar.

arse [ɑ:s] rumpe.

arsenal ['ɑ:sənəl] arsenal.

arsenic ['ɑ:snik] arsenikk. **arsenic** [ɑ:'senik] som inneholder arsenikk, arsenikkholdig. **arsenicate** [ɑ:'senikeit] blande med arsenikk.

arson ['ɑ:sən] brannstiftelse, ildspåsetting.

art [ɑ:t]: **thou** — du er (høyere, religiøs el. bibelsk stil), av **to be**.

art [ɑ:t] kunst; kunstferdighet; list, knep; **the -s** de skjønne kunster, kunst(en); **the** — **of** . . . **ing** kunsten å . . .; **have the** — **to** være listig nok til; **have no** — **nor part in** it ingen som helst andel ha i det; **master of -s** magister (også om lag svarende til cand. philol.). — **dealer** kunsthandler. — **director** kunstnerisk leder.

arterial [ɑ:'tiəriəl] arteriell, pulsåre-.

artery ['ɑ:təri] pulsåre, arterie; hovedtrafikkåre.

Artesian [ɑ:'ti:ʒən] artesisk.

artful ['ɑ:tful] kunstig; sinnrik, listig, slu.

art handicraft kunsthåndverk, kunstindustri.

arthritic [ɑ:'θritik] giktbrudden.

arthritis [ɑ:'θraitis] (ledd)gikt.

artichoke ['ɑ:titʃəuk] artisjokk.

article ['ɑ:tikl] ledd, del; vare; punkt; artikkel, gjenstand, ting, (pl.) vilkår, betingelser; kontrakt, overenskomst; beskylde, anklage; sette i lære; **-d clerk** advokatfullmektig.

articular [ɑ:'tikjulə] ledd-; — **rheumatism** leddgikt.

articulate [ɑ:'tikjulət] ledd-; tydelig, distinkt. **articulate** [ɑ:'tikjuleit] uttale tydelig; artikulere; forbinde; koordinere.

articulation [ɑ:tikju'leiʃən] tydelig uttale; artikulasjon; leddannelse; koordinasjon, forbindelse.

artifact ['ɑ:tifækt] artifakt, kulturgjenstand.

artifice ['ɑ:tifis] kunstgrep, list, knep; kunst, ferdighet, håndverk. **artificial** [ɑ:ti'fiʃəl] kunstig; kunstlet. **artificiality** [ɑ:tifiʃi'æliti] kunstighet; kunstprodukt; kunstlethet.

artillerist [ɑ:'tilərist] artillerist. **artillery** [ɑ:'tiləri] artilleri.

artisan [ɑ:ti'zæn, 'ɑ:tizən] håndverker. **artist** ['ɑ:tist] kunstner; — **-craftsman** kunsthåndverker. **artiste** [ɑ:'ti:st] artist. **artistic** [ɑ:'tistik] kunstnerisk.

artless ['ɑ:tlis] ukunstlet, naturlig; som mangler kunst. **-ness** [-nis] naturlighet, naivitet.

art master ['ɑ:tmɑ:stə] tegnelærer.

arty ['ɑ:ti] (forskrudd) kunstnerisk, kunstlet; overdrevent bohemaktig. — **-crafty** forlorent modernistisk.

Aryan ['ɛəriən, 'ɑ:riən] arier; arisk, indoeuropeisk.

A. S. [ei es] fk. f. **Anglo-Saxon.**

as [æz, əz] liksom, som, da, idet; ettersom; så sant; etter hvert som; som om; likså; **as soon as, as well as** etc. så snart som, så vel som

osv.; — **from** fra og med; — **if** som om; — **if to** som for å; — **it were to meet** som for å møte; **as for, as to** hva angår, med hensyn til; **as it were** så å si; **as though** som om; **as yet** ennå, hittil; **fool** — **he** was tosk som han var; **help such** — **are poor** hjelp dem som er fattige; **so kind** — **to** så vennlig å; — **I live** så sant jeg lever.

asafoetida [æsə'fetidə] dyvelsdrek.

asbestos [æz'bestəs] asbest.

ascend [ə'send] stige opp; heve seg; stige opp etter el. på, bestige. **-ancy** overtak, overherredømme. **-ant** [ə'sendənt] oppstigende, oppgående; overlegen, overveiende; overlegenhet, innflytelse, overmakt; ascendent, slektning i oppstigende linje. **-ency** [ə'sendənsi] overlegenhet, innflytelse, makt.

ascension [ə'senʃən] oppstigning; himmelfart; **A. (Day)** [-dei] Kristi himmelfartsdag.

ascent [ə'sent] oppstigning; oppgang, opptur; hall, motbakke; høyde, høgd, høyt sted. **a steep** — en brekke, en drøy stigning.

ascertain [æsə'tein] bringe på det rene; forvisse seg om, konstatere, få full greie på, få fastslått. **-ment** [-mənt] bestemmelse, det å få noe fastslått, konstatering.

ascetic [ə'setik] asketisk; asket. **asceticism** [ə'setisizm] askese.

Ascot ['æskət] Ascot (veddeløpsbane).

ascribable [ə'skraibəbl] som kan tilskrives.

ascribe [ə'skraib] tilskrive, henføre (**to** til).

asdic ['æzdik] fk. f. **Anti Submarine Detection Investigation Control** undervannslytteapparat.

asexual [ei'sekʃuəl] kjønnsløs.

ash [æʃ] ask; asketre.

ash [æʃ] oftest i pl. **ashes** aske. **ashes to ashes, dust to dust** av jord er du kommet, til jord skal du bli; **in sackcloth and ashes** i sekk og aske; **the Ashes** om seier i cricketkamp mellom England og Australia.

ashamed [ə'ʃeimd] skamfull; **be** — **of** skamme seg (of over).

ash|-bin søppelbøtte, bossbøtte. — **box** askeskuff.

ashlar ['æʃlə] kvaderstein; støtte under loftsbjelke.

ashore [ə'ʃɔ:] i land; **run** — sette på grunn.

ashpan ['æʃpæn] askeskuff.

ashtray ['æʃtrei] askebeger.

Ash Wednesday askeonsdag.

ashy ['æʃi] askegrå, aske-.

Asia ['eiʃə] Asia. — **Minor** [-mainə] Lilleasia.

Asiatic [eiʃi'ætik] asiatisk; asiat.

aside [ə'said] til side; avsides; avsides replikk; **joking** — spøk til side; **set** — fjerne; **put** — legge på hylla, oppsette; **stand** — stå utenfor; — **from** bortsett fra.

asinine ['æsinain] eselaktig, dum, tåpelig.

ask [ɑ:sk] forlange; spørre om; be om; innby; be; spørre; — **about** forhøre seg om; — **for** be om, spørre etter, spørre om; **he -ed for it** han ville det slik, det har han fortjent; — **for trouble** være ute etter bråk; — **a question** stille et spørsmål; — **someone's leave** be en om lov; — **one's** way spørre seg fram; — **the banns** lyse til ekteskap; **they were -ed in church** det ble lyst for dem i kirken.

askance [ə'skæns, ə'skɑ:ns] på skjeve, til siden; **look** — skotte; **look** — **at** se skjevt til.

askew [ə'skju:] skjevt, på skrå, på snei; **hang** — henge skjevt.

aslant [ə'slɑ:nt] på skrå, på snei.

asleep [ə'sli:p] i søvn; sovende; **fall (fast)** — falle i (dyp) søvn; **go** — falle i søvn; **be** — sove.

aslope [ə'sləup] hellende, på hall, skrånende.

asocial [æ'səuʃəl] asosial.

asp [æsp] osp.

asp [æsp] giftslange (srl. egyptisk brilleslange).

asparagus [ə'spærəgəs] asparges.

aspect ['æspekt] utseende; aspekt; side (av en sak), synspunkt; beliggenhet; **have a southern** — vende mot sør.

aspen ['æspən] osp; ospe-; — leaf ospeløv.
asperge [əs'pə:dʒ] skvette, vanne, srl. med vievann.
aspergillum [æspə'dʒiləm] vievannskost.
asperity [ə'speriti] ujevnhet; barskhet.
asperse [ə'spə:s] stenke; bakvaske. **aspersion** [ə'spə:ʃən] overstenkning; bakvasking, nedrakking.
aspersorium [æspə'sɔ:riəm] vievannskar.
asphalt ['æsfælt] asfalt; asfaltere.
asphyxiate [æs'fiksieit] kvele; gass- el. røykforgifte; **-d** skinndød; **asphyxiating gas** giftig gassart.
aspic ['æspik] gelé; — of eggs egg i gelé.
aspirant ['æspirənt] aspirant, streber.
aspiration [æspi'reiʃən] aspirasjon, (inn)ånding; lengsel, attrå, streben, forhåpning. **aspire** [ə'spaiə] hige, trakte, strebe, stunde (to etter); stige; gjøre krav (to på).
aspirin ['æspərin] aspirin (varemerke).
asquint [ə'skwint] skjevt, skjelende.
ass [ɑ:s, æs] esel; (fig.) esel; tosk.
ass. fk. f. **assistant; associated.**
assagai ['æsəgai] assagai.
assail [ə'seil] angripe, overfalle. **-ant** [-ənt] angriper, voldsmann.
assassin [ə'sæsin] (snik)morder. **-ate** [-eit] (snik)myrde. **-ation** [əsæsi'neiʃən] (snik)mord, attentat.
assault [ə'sɔ:lt] angripe; overfalle; angrep; overfall; storm; **carry by** — ta med storm. **-er** overfallsmann. — party stormtropp.
assay [ə'sei] prøve; probere; prøve; probering; justering. **-er** [ə'seiə] myntguardein.
assembl|age [ə'semblidʒ] samling; sammenkomst; sammensetting, montering. **-e** [ə'sembl] samle (seg); komme sammen til møte; montere. **assembly** [ə'sembli] forsamling, møte, sammensetting, montering. — hall forsamlingssal, festsal. — line samlebånd. — plant samlefabrikk. — point samlingssted.
assent [æ'sent] samtykke, bifall; samtykke; **the royal** — kongelig sanksjon; — to samtykke i, være med på.
assert [ə'sə:t] påstå; forfekte, hevde; forsvare; — oneself gjøre seg gjeldende. **-ion** [ə'sə:ʃən] påstand, bedyrelse, forsvar. **-ive** [ə'sə:tiv] påståelig.
assess [ə'ses] pålegge skatt, ligne, beskatte, skattlegge, vurdere, taksere, avgjøre; **-able to tax** skattepliktig. **-ment** [-mənt] beskatning, skattlegging; skatteligning; vurdering, taksering. **-or** [-ə] dommer, bisitter; ligningsmann.
asset ['æsit] aktivum; oftest i pl.; en persons (et firmas, selskaps) bruttoformue; **-s** and **liabilities** aktiva og passiva; i aviser brukes asset ofte i bet. fordel, verdi, nyttig egenskap.
asseverate [ə'sevəreit] høytidelig forsikre. **asseveration** [ə'sevə'reiʃən] høytidelig forsikring.
assiduity [æsi'dju:iti] stadig flid, iherdighet, iver; i pl. oppmerksomhet, ære, hyllest.
assiduous [ə'sidjuəs] flittig, iherdig.
assign [ə'sain] anvise; utpeke; pålegge, tildele; foreskrive; anføre; bestemme, overdra; avhende; en som en fordring er overdratt til; — motives tillegge motiver. **-able** [ə'sainəbl] som kan anvises, utpekes. **-ation** [æsig'neiʃən] avtale å møtes, stevnemøte; anvisning; avhending; overdragelse; tildeling. **-ee** [æsi'ni:] fullmektig. **-ment** tildeling, anvisning; utnevnelse; oppgave, oppdrag, lekse. **-or** [ə'sainə] den som anviser el. overdrar; avhender.
assimilable [ə'similəbl] som kan assimileres; fordøyelig. **assimilate** [ə'simileit] assimilere, oppta; assimilere seg. **assimilation** [əsimi'leiʃən] assimilasjon; fordøyelse; likhet.
assist [ə'sist] hjelpe, støtte, bistå, medvirke; — at være til stede ved. **-ance** [ə'sistəns] hjelp, bistand; lend **-ance** yte hjelp. **-ant** [ə'sistənt] medhjelper, assistent; **-ant professor** universitetslektor.

assize [ə'saiz] sesjon, rett, lagrett; forordning; pris el. takst (på matvarer); i flertall: (distrikts-)ting, rett(smøte) (som holdes på regelmessige tingreiser rundt om i England av dommere i High Court of Justice). **assizor** [ə'saizə] jurymann, lagrettemann.
assn. fk. f. **association.**
associable [ə'səuʃəbl] forenlig; omgjengelig.
associate [ə'səuʃieit] knytte til, assosiere; forbinde, forene; slutte seg sammen (with med). **associate** [ə'səuʃiət] tilknyttet, med-; kamerat, felle, medhjelper; medlem; — judge meddommer; — professor dosent.
association [əsəuʃi'eiʃən] forening; selskap, klubb; forbund; idéassosiasjon; — football vanlig fotball (som i Norge, forskjellig fra rugby). **associative** [ə'səuʃjativ] som fremkaller assosiasjoner.
assoil [ə'sɔil] frita, tilgi, frikjenne.
assonance ['æsənəns] assonans, halvrim.
assort [ə'sɔ:t] ordne, sortere; assortere, forsyne med varesorter; stemme overens; egne seg. **-ment** [-mənt] sortering; forråd av mange slag, utvalg, kolleksjon.
assuage [ə'sweidʒ] lindre. **-ment** [-mənt] lindring.
assume [ə's(j)u:m] anta, tro, mene; tilta seg; påta seg; anmasse seg; være anmassende, være stor på det. **assumption** [ə'sʌmʃən] antakelse, tro; påtatthet; viktighet; forutsetning; opptakelse, (jomfru Marias) himmelfart; **with an** — of indifference med påtatt likegyldighet.
assur|ance [ə'ʃuərəns] forsikring, trygd; forvissning; tillit; selvtillit, suffisanse. **-e** [ə'ʃuə] forsikre, trygde; forvisse; sikre; tilsikre. **-edly** [ə'ʃuəridli] sikkert. **-er** [ə'ʃuərə] assurandør; livsforsikret person.
Assyria [ə'siriə].
aster ['æstə] asters.
asterisk ['æstərisk] stjerne (*).
asterism ['æstəriz(ə)m] stjernebilde, stjerneklynge.
astern [ə'stə:n] akterut.
asthma ['æsmə] astma. **-tic** [æs'mætik] astmatisk.
astir [ə'stə:] i bevegelse, på bena.
astonish [ə'stɔniʃ] forbause, overraske, gjøre bestyrtet. **-ment** [-mənt] forbauselse, bestyrtelse, undring.
astound [ə'staund] gjøre forbauset, forfjamset, forbløffet, målløs.
astraddle [ə'strædl] skrevs over.
astrakhan [æstrə'kæn] astrakan(skinn).
astral ['æstrəl] stjerneformig; stjerne-, astral-.
astray [ə'strei] på villstrå; på avveier; galt, feilaktig; **go** — fare vill, komme bort; lead — føre på villspor.
astriction [ə'strikʃən] sammentrekning.
astride [ə'straid] på skrevs, skrevs over.
astringe [ə'strindʒ] trekke sammen. **astringent** [-ənt] sammensnerpende; astringerende middel.
astrologer [ə'strɔlədʒə] astrolog, stjernetyder. **astrological** [æstrə'lɔdʒikl] astrologisk. **astrology** [ə'strɔlədʒi] astrologi.
astronaut ['æstrənɔ:t] astronaut, romfarer.
astronomer [ə'strɔnəmə] astronom. **astronomical** [æstrə'nɔmikl] astronomisk. **astronomy** [ə'strɔnəmi] astronomi.
astrophysics ['æstrəu'fiziks] astrofysikk.
astute [ə'stju:t] slu, dreven, listig, skarpsindig.
asunder [ə'sʌndə] i stykker, i sund; atskilt.
asylum [ə'sailəm] asyl, fristed, tilfluktssted; **orphan** — barnehjem; **lunatic** — sinnssykehus.
asymmetrical [æsi'metrikl] asymmetrisk.
At [æt] bet. for **A. T. S.** (s. d.); **an** — **secretary** en sekretær som tilhører **A. T. S.**
at [æt, ət] til, ved, i, hos, på; **at best** i beste fall; **he is at it** han holder på med det, opptatt av; **at last** til sist; **at least** i det minste; **at length** omsider, til sist; **at once** på én gang, straks; **at worst** i verste fall.

ate [et, eit] imperf. av to eat.
atelier ['ætəliei] atelier.
atheism ['eiθiizm] ateisme. atheist ['eiθiist] ateist. atheistic [eiθi'istik] ateistisk.
Athena, Athene [æ'θi:nə, -ni] Atene.
Athenian [æ'θi:njən] atensk; atener.
Athens ['æθinz] Athen.
athirst [ə'θə:st] tørst (for etter).
athlete ['æθli:t] bryter, atlet, idrettsmann. -s' foot fotsopp.
athletic [æθ'letik] atletisk; sports-, idretts-.
athletics [æθ'letiks] legemsøvelser, (fri-)idrett, gymnastikk.
at-home [ət'həum] åpent hus, mottakelse(sdag).
athwart [ə'θwɔ:t] tvers over; tvers for.
atilt [ə'tilt] på skrå, hellende.
Atkins ['ætkinz] Atkins; Tommy — den britiske soldat.
Atlantic [æt'læntik] atlantisk; the —, the — ocean Atlanterhavet.
atlas ['ætləs] atlas.
atmosphere ['ætməsfiə] atmosfære; luft; stemning. atmospheric(al) [ætməs'ferik(l)] atmosfærisk.
atmospherics atmosfæriske forstyrrelser (i radio).
atoll [ə'tɔl] atoll, ringøy, korallrev.
atom ['ætəm] atom. atomic [ə'tɔmik] atom-; — age atomalderen; — bomb atombombe; — nucleus atomkjerne; — pile atom-mile; — power plant atomkraftverk; — structure atombygning; — submarine atomdrevet undervannsbåt; — theory atomteori; — war atomkrig; — weapon atomvåpen; — weight atomvekt.
atomization [ætəmai'zeiʃən] forstøvning.
atomize ['ætəmaiz] forstøve; pulverisere.
atonal [æ'təunl] atonal.
atone [ə'təun] sone; — for bøte for, utsone. -ment [-mənt] soning, utsoning; make -ment for gjøre godt igjen.
atrocious [ə'trəuʃəs] fryktelig, avskyelig, opprørende; redselsfull.
atrocity [ə'trɔsiti] avskyelighet, grusomhet; — propaganda skrekkpropaganda.
atrophy ['ætrəfi] atrofi, svinn.
A. T. S. fk. f. Auxiliary Territorial Service bet. for de britiske lotter som er tilknyttet hæren, flåten og luftvåpnet; lottekorps.
att. fk. f. attorney; attention.
attaboy ['ætəbɔi] flott; glimrende! gå på!
attach [ə'tætʃ] sette fast, beslaglegge; feste, knytte; fengsle, tiltrekke, vinne.
attaché [ə'tæʃei] attaché. — case attachémappe, liten håndkoffert. -ship attachépost.
attachment [ə'tætʃmənt] hengivenhet, sympati; fastgjøring, festing; beslaglegging, arrest; -s pl. tilbehør, utstyr.
attack [ə'tæk] angripe; anfalle; angrep; fremgangsmåte; tilfelle, anfall.
attain [ə'tein] nå til; oppnå.
attainable [ə'teinəbl] oppnåelig.
attainder [ə'teində] skamplett, vanære, ærestap.
attainment [ə'teinmənt] oppnåelse; talent, ferdighet; resultat.
attaint [ə'teint] besmitte, sette en skamplett på.
attar ['ætə] rosenolje.
attempt [ə'tem(p)t] prøve, forsøke; gjøre attentat på; forsøk; prøve (at på); attentat; — his life strebe ham etter livet; — upon his life attentat mot ham.
attend [ə'tend] legge merke til; varte opp; passe; pleie; betjene; besørge; forrette; ledsage, følge; være til stede ved; vente på; skjenke oppmerksomhet, gi akt; innfinne seg, besøke, frekventere; vente; — on oppvarte; — to høre etter; vareta; ekspedere. -ance [-əns] oppmerksomhet, pleie; oppvartning, betjening; frem-møte, tilslutning, nærvær; følge, oppvartende personer; møte (for retten). -ant [-ənt] oppvarter, tjener; deltager; ledsager; tilstedeværende. -ants betjening.
attention [ə'tenʃən] oppmerksomhet; omsorg; aktpågivenhet; he was all — han var lutter øre;

call el. draw one's — to gjøre en oppmerksom på; pay one's — to gjøre kur til; stand at — stå rett. attentive [ə'tentiv] oppmerksom, aktpågivende.
attenuate [ə'tenjueit] fortynne, pulverisere; svekke.
attest [ə'test] bevitne; ta til vitne; ta i ed; vitnemål. -ation [æte'steiʃən] vitnesbyrd; vitnemål, bevitnelse.
Attic ['ætik] attisk.
attic ['ætik] kvist; kvistværelse; loft.
attire [ə'taiə] kle; pynte, smykke; klær, drakt; change of — sett tøy.
attitude ['ætitju:d] stilling, holdning; innstilling (to til); strike an — innta en teatralsk stilling, gjøre seg til.
attorney [ə'tə:ni] sakfører, advokat. — -at-law (amr.) advokat, sakfører. Attorney-General (eng.) regjeringsadvokat; (amr.) justisminister.
attract [ə'trækt] tiltrekke, samle, tiltrekke seg; (fig.) henrive. -ion [ə'trækʃən] tiltrekning(skraft); tillokking, tiltrekkende egenskap. -ive [ə'træktiv] tiltrekkende, tiltalende, vakker.
attributable [ə'tribjutəbl] som kan tilskrives el. tillegges. attribute [ə'tribjut] tilskrive, tillegge.
attribute ['ætribjut] egenskap; attributt, kjennetegn. attribution [ætri'bju:ʃən] tillagt egenskap.
attributive [ə'tribjutiv] som tillegg, attributiv.
attrition [ə'triʃən] slit; sønderknuselse, anger; utmattelse.
attune [ə'tju:n] stemme, stille, bringe i harmoni.
A. T. V. fk. f. Associated Television.
auburn ['ɔ:bən] brun, kastanjebrun.
auction ['ɔ:kʃən] auksjon. auction bridge auksjonsbridge. auctioneer [ɔ:kʃə'niə] auksjonarius; selge ved auksjon.
audacious [ɔ:'deiʃəs] dristig, vågsom, vågal; frekk. audacity [ɔ:'dæsiti] dristighet; frekkhet.
audible ['ɔ:dibl] hørlig, tydelig, lydelig.
audience ['ɔ:djəns] audiens; tilhørere, tilskuere, publikum.
audio-visual aids ['ɔ:diəu 'viʒuəl 'eidz] audio-visuelle hjelpemidler.
audit ['ɔ:dit] revisjon; revidert regnskap. -or ['ɔ:ditə] tilhører; revisor. -ory ['ɔ:ditəri] høre-; tilhørere; auditorium.
Audrey ['ɔ:dri].
Aug. fk. f. August.
Augean [ɔ:'dʒi:ən]: cleanse the — stables rense augiasstallen.
auger ['ɔ:gə] bor, naver.
aught [ɔ:t] noe; fdr — I know for alt det jeg vet.
augment [ɔ:g'ment] forøke; øke, vokse. augment ['ɔ:gmənt] forøkelse, økning; tilvekst, auke. -ation [ɔ:gmənt'teiʃən] forøkelse, økning, auke.
augur ['ɔ:gə] augur, spåmann; forutsi ved tegn; spå, varsle. -y ['ɔ:gəri] spådom, varsel.
August ['ɔ:gəst] august (måned).
august [ɔ:'gʌst] ærverdig, opphøyd.
Augustan [ɔ'gʌstən] augusteisk (som angår keiser Augustus); augsburgsk; the — Confession den augsburgske bekjennelse.
Augustin(e) [ɔ:'gʌstin] Augustin(us); augustinermunk.
Augustus [ɔ:'gʌstəs] August(us).
auk [ɔ:k] alke; great — geirfugl.
aula ['ɔ:lə] aula.
auld [ɔ:ld] gammel; — lang syne [læŋ sain] de gode gamle dager, for lenge siden.
aunt [ɑ:nt] tante, faster, moster; Aunt Sally, en markedslek (man kaster til måls mot et kvinnehode av tre).
auntie, aunty ['ɑ:nti] kjære (gode, søte, snille) tante; Auntie kjælenavn på B.B.C.
aura ['ɔ:rə] aura, nimbus; luftning, utstråling, lysning; utdunstning.
aural ['ɔ:rəl] øre-. — surgeon ørelege.
aureate ['ɔ:riit] strålende, flott, gyllen.
aureola [ɔ'ri:ələ], aureole ['ɔ:riəul] glorie, ring.
auricula [ə'rikjulə] aurikkel.

auricular [ɔ'rikjulə] øre-; muntlig.
aurist ['ɔ:rist] ørelege.
Aurora [ɔ:'rɔ:rə] morgenrøde. — **borealis** nordlys; — **australis** sydlys.
auscultate ['ɔ:skəlteit] avlytte, auskultere.
auscultation [ɔ:skəl'teiʃən] auskultasjon.
auspice ['ɔ:spis] varsel, auspisium; **under his -s** under hans auspisier. **auspicious** [ɔ'spiʃəs] lykkevarslende; gunstig, heldig.
Aussie ['ɔzi] australsk soldat.
austere [ɔ'stiə] streng, barsk. **austerity** [ɔ'steriti] strenghet, barskhet.
austral ['ɔ:strəl] sydlig, sørlig.
Australasia [ɔ:strəl'eiʃə] Australasia (ɔ: fastland med omliggende øyer). **Australia** [ɔ'streiljə] Australia (fastlandet).
Austria ['ɔ:striə] Østerrike. **Austrian** ['ɔ:striən] østerriksk, østerriker.
authentic [ɔ'θentik] pålitelig, autentisk; ekte. **-ate** [ɔ'θentikeit] stadfeste, lovfeste; bekrefte ektheten av. **-ation** [ɔθenti'keiʃən] stadfesting, legalisering. **authenticity** [ɔ:θən'tisiti] ekthet, pålitelighet.
author ['ɔ:θə] opphavsmann; forfatter. **-ess** [-res] forfatterinne. **-itative** [ɔ'θɔritətiv] autoritativ, som har autoritet, offisiell; myndig, bydende. **-ity** [ɔ'θɔriti] autoritet, myndighet; anseelse, innflytelse; vitnesbyrd; kilde; gyldighet; hjemmel; bemyndigelse, fullmakt. **-ize** ['ɔ:θəraiz] bemyndige, gi fullmakt, tillate; gjøre rettsgyldig, autorisere; **authorized version** autorisert oversettelse, bibeloversettelsen av 1611. **-ship** ['ɔ:θəʃip] forfatterskap; opphav, opprinnelse.
auto ['ɔ:təu] automobil, bil.
auto-bike ['ɔ:təubaik] knallert, moped.
autobiography [ɔ:təbai'ɔgrəfi] selvbiografi.
autocar ['ɔ:təukɑ:] automobil, bil.
autochthon [ɔ:'tɔkθən] autokton.
auto|cracy ['ɔ:tɔkrəsi] autokrati, enevelde. **-crat** ['ɔ:təkræt] selvhersker, enevoldsherre. **-cratic** [ɔ:tə'krætik] uinnskrenket, autokratisk.
auto-da-fé [ɔ:tədɑ'fei, au-] autodafé.
autogenous [ɔ'tɔdʒənəs] autogen-; — **welding** autogensveising.
autograph ['ɔ:təgrɑ:f] autograf, egen håndskrift, egenhendig skrivelse; egenhendig. **-ic** [ɔ:tə'græfik] egenhendig. **-y** [ɔ'tɔgrəfi] egenhendig skrift, original; litografering; litografi.
automatic [ɔ:tə'mætik] automatisk; automatisk pistol. — **rifle** maskingevær, automatisk rifle. — **ticket machine** billettautomat.
automation [ɔ:tə'meiʃən] automasjon.
automaton [ɔ:'tɔmətən], i pl. også **automata** automat.
automobile ['ɔ:təməbi:l] automobil, bil; bile.
autonomy [ɔ:'tɔnəmi] autonomi, selvstyre.
autopsy ['ɔ:təpsi] obduksjon, autopsi.
autumn ['ɔ:təm] høst.
autumnal [ɔ:'tʌmnəl] høst-, høstlig.
auxiliary [ɔg'ziljəri] hjelpe-; hjelper. **auxiliaries** hjelpetropper.
Av. fk. f. **Avenue.** av. fk. f. **average.**
avail [ə'veil] nytte, være til nytte, gagne, hjelpe; nytte, fordel, gagn, hjelp; **of no** — til ingen nytte; — **oneself of** benytte seg av. **-ability** [-ə'biliti] anvendelighet, nytte. **-able** [-əbl] disponibel, ledig, tilgjengelig; anvendelig, gyldig, som gjelder.
avalanche [ævə'lɑ:nʃ] lavine, snøskred.
avarice ['ævəris] griskhet; gjerrighet. **avaricious** [ævə'riʃəs] gjerrig; havesyk.
avast [ə'vɑ:st] stopp!
avaunt [ə'vɔ:nt] bort! gå fra meg!
Ave. fk. f. **Avenue.**
avenge [ə'vendʒ] hevne.
avenue ['ævənju] vei; allé; (amr.) bulevard.
aver [ə'və:] erklære, forsikre.
average ['ævəridʒ] beregne gjennomsnitt av; utlikne, utjevne; middeltall, gjennomsnitt; havari; gjennomsnittlig, gjennomsnitts-; **on an** —

i gjennomsnitt, gjennomsnittlig; — **marks** hovedkarakter; **general** (el. **gross**) — grosshavari; **particular** — partielt havari; **statement of** — dispasje; **state -s** dispasjere.
averment [ə'və:mənt] erklæring, påstand.
averruncator [ævərʌŋ'keitə] toppsaks.
averse [ə'və:s] utilbøyelig, uvillig. **-ness** [-nəs] uvilje. **aversion** [ə'və:ʃən] uvilje, avsky; gjenstand for avsky.
avert [ə'və:t] vende bort; avvende; forhindre.
aviary ['eivjəri] fuglehus, stort fuglebur.
aviate ['eivieit] drive flyvning.
aviation [eivi'eiʃən] flyvning, flyteknikk, luftfart; fly-.
aviator ['eivieitə] flyver, aviatiker.
avid ['ævid] grisk.
avidity [ə'viditi] griskhet, begjærlighet.
avocation [ævə'keiʃən] yrke, (bi)beskjeftigelse, hobby.
avoid [ə'vɔid] sky, unngå, unnvike. **-able** [-əbl] unngåelig. **-ance** [-əns] unngåelse; ledighet (srl. av presteembete).
avoirdupois [ævədə'pɔiz] handelsvekt.
Avon ['eivən]; **the Swan of** — Shakespeare.
avouch [ə'vautʃ] erklære, påstå; stadfeste.
avow [ə'vau] erklære åpent, tilstå, vedkjenne seg. **-al** [-əl] åpen erklæring, tilståelse. **-edly** [-idli] åpent, uforbeholdent.
avuncular [ə'vʌŋkjulə] som hører til en onkel, onkel-.
await [ə'weit] bie, vente på, avvente, oppebie; vente, forestå.
awake [ə'weik] vekke; våkne, våken; **wide** — lys våken; **awaken** [ə'weikn] vekke.
award [ə'wɔ:d] tilkjenne, tildømme; tildele; kjennelse; bedømmelse; karakteristikk; pris, premie, diplom.
aware [ə'wɛə] vitende (**of** om), oppmerksom, merksam (**of** på); **be** — vite; **be** — **of** kjenne; **become** — **of** bli oppmerksom på. **-ness** bevissthet, viten, forståelse.
awash [ə'wɔʃ] i vannskorpen, overskylt.
away [ə'wei] bort; unna; borte; av sted! bort!
awe [ɔ:] ærefrykt, age, hellig redsel; respekt; inngyte ærefrykt; imponere.
awe-inspiring ['ɔ:inspaiəriŋ] ærefryktinngytende.
awe-stricken ['ɔ:strikən], **awe-struck** ['ɔ:strʌk] redselslagen, fylt av ærefrykt.
awful ['ɔ:ful] fryktinngytende, imponerende; fryktelig; ['ɔ:fl] skrekkelig, fæl.
awfully ['ɔ:fuli] fryktelig; ['ɔ:fli] meget; — **nice** forferdelig hyggelig.
awhile [ə'wail] en stund, litt.
awkward ['ɔ:kwəd] keitet, ubehendig, klosset; vanskelig, ubekvem, flau; kjedelig. **-ness** [-nəs] keitethet; klossethet.
awl [ɔ:l] syl.
A. W. L. fk. f. **absence with leave.**
awn [ɔ:n] snerp (på korn).
awning ['ɔ:niŋ] solseil; markise.
awoke [ə'wəuk] imperf. og perf. pts. av **awake.**
A. W. O. L., **awol** fk. f. **absent without leave** tjuvperm(isjon).
awry [ə'rai] skjevt, skeivt, til siden, på skakke.
axe [æks] øks. **-head** økseblad, øksehammer.
axial ['æksiəl] aksial, akse-.
axiom ['æksiəm] aksiom.
axis ['æksis] akse; **the A. Powers** aksemaktene.
axle ['æksl] aksel, hjulaksel.
ay(e) [ai] ja; **the ayes** (i Parlamentet) stemmene for; **the ayes have it** forslaget er vedtatt.
aye [ei] bestandig, alltid.
azalea [ə'zeiljə] asalea.
azimuth ['æzimʌθ] asimut.
Azores [ə'zɔ:z]: **the** — Asorene.
azure ['eiʒə, 'æʒə] asur-, himmelblå.

B

B [bi:] b; (tonen) h. **B flat** b; **B-flat major** B-dur; **B-flat minor** b-moll; **B sharp** hiss.
B. A. fk. f. Bachelor of Arts, laveste akademiske grad i England. **B a** fk. f. **British airways.**
baa [bɑ:] breke; breking, brek.
Baal ['beiəl] (guden) Baal.
Babbit ['bæbit] amerikansk besteborger.
babble ['bæbl] bable, pludre; pjatte.
babe [beib] pattebarn, spebarn, (amr.) pike.
Babel ['beibl] Babel, Babylon.
baboo ['bɑ:bu:] (indisk) herr.
baboon [bə'bu:n] bavian; idiot.
baby ['beibi] pattebarn, spebarn; (amr.) pike, skatt. — **buggy** (amr.) barnevogn. — **-calf** spekalv. — **car** minste biltype. — **carriage** (amr.) barnevogn. — **farm** barnehjem, — **farmer** en som tar barn i pleie for betaling; englemaker. **-hood** første barndom. **-ish** barnaktig. — **linen** barnetøy.
Babylon ['bæbilən] Babylon.
Babylonian [bæbi'ləunjən] babylonsk; babylonier.
babysit ['beibisit] være baby-sitter.
babysitter ['beibisitə] baby-sitter; barnevakt.
baccalaureate [bækə'lɔ:riit] universitetsgrad som bachelor.
bacchanal ['bækənəl] bakkant, bakkantinne; bakkantisk; bakkanal, svirelag. **bacchant** ['bækənt] bakkant. **bacchante** [bə'kænt(i)] bakkantinne.
baccy ['bæki] for **tobacco** tobakk.
bachelor ['bætʃələ] ungkar; kandidat (den laveste akademiske grad); — **girl**, — **woman** ugift, selververvende kvinne.
bacillus [bə'siləs], pl. **bacilli** [bə'silai] basill.
back [bæk] bak, rygg, bakside, bakdel, baktropp; akterkant; back (i fotball); bak-, bakre, tilbake-; etterliggende; bevege (skyve, trekke) seil); kaste (anker); stige opp på (en hest); hamle, skåte. **-bite** [-bait] baktale. **-biter** [-baitə] baktaler. **-board** [-bɔ:d] ryggstøe. **-bone** [-bəun] ryggrad; fasthet; **to the -bone** helt igjennom. **-door** bakdør; bakdørs-.
backer ['bækə] hjelper, beskytter.
backfire ['bækfaiə] tilbakeslag (i motor); gå i vasken.
backgammon [bæk'gæmən] trikktrakk (brettspill).
back|ground [-graund] bakgrunn; miljø; utdannelse, forutsetninger. **-hand, -handed** bakvendt, med handbaken, indirekte. **-house** do. — **kitchen** oppvaskrom. — **lash** dødgang. — **number** eldre nummer (av .avis); foreldet metode o. l. **-pay** etterbetaling. **-pedal** bremse. — **rent** resterende avgift. — **-room** (om politikere) som arbeider bak kulissene. — **seat** baksete; **take a** — **seat** tre i bakgrunnen. — **-seat driver** bilpassasjer som gir føreren råd om hvordan han skal kjøre. — **settlements** grensekolonier.
backside ['bæk'said] bakdel, ende, rumpe.
back|slide ['bæk'slaid] falle fra. **-slider** frafallen. **-stairs** [-stɛəz] baktrapp. **-stay** [-stei] bardun. **-ward** ['bækwəd] bakvendt; som slår tilbake; tungnem, langsom, sein, uvillig; unnselig. **backwards** ['bækwədz] tilbake, baklengs.
backwash ['bækwɔʃ] motsjø, dragsug, kjølvannsbølger.
backwater ['bækwɔ:tə] stillestående vann, bakevje, høl; stagnasjon, dødvann; hamle, skåte.
backwoods ['bækwudz] urskog (i det vestl. Nord-Amerika); (fig.) fra bondelandet; hinsides folkeskikken.

backwoodsman ['bækwudzmən] rydningsmann, nybrottsmann, pioner; overhusmedlem som sjelden tar del i møtene.
bacon ['beikn] bacon, sideflesk.
bacteria [bæk'tiəriə] pl. av **bacterium.**
bacteriology [bæk'tiəri'ɔlədʒi] bakteriologi.
bacterium [bæk'tiəriəm] bakterie.
bad [bæd] vond, slett, slem; skadelig; syk, dårlig; råtten; falsk; **a** — **cheque** en sjekk uten dekning; — **language** skjellsord, banning.
bade [bæd] imperf. av **bid.**
Baden ['bɑ:dn].
badge [bædʒ] kjennetegn, merke, ordenstegn, emblem, skilt.
badger ['bædʒə] grevling; pensel av grevlinghår; erte, forfølge, plage. **-legged** [-legd] låghalt.
badinage [bædi'nɑ:ʒ] skjemt, spøk.
badly ['bædli] slett; slemt; dårlig; — **wounded** hardt såret; **I want it** — jeg trenger det sårt.
badminton ['bædmintən] badminton.
badness ['bædnis] sletthet, ondskap.
bad-tempered ['bædtempəd] oppfarende, sur.
Baedeker ['beidikə] Baedeker. — **raids** (slang) tyske luftangrep våren 1942 som hevn for Lübeck, fortrinnsvis rettet mot de engelske byer med to stjerner i Baedekers reisehåndbok.
baffle ['bæfl] narre, drive gjøn med; forvirre, forbløffe; avlede, snu; forpurre; trosse.
bag [bæg] sekk; pose; veske; taske; legge i sekk; skyte (vilt), nedlegge; svulme opp, pose; pose seg.
bagasse [bə'gæs] bagasse, utpressede sukkerrør.
bagatelle [bægə'tel] bagatell, småting.
baggage ['bægidʒ] tross; tøyte; bagasje, reisetøy; **bag and** — (med) rubb og stubb, med pikk og pakk; — **check** reisegodsbevis.
bagging ['bægiŋ] sekkestrie.
bagging ['bægiŋ] svulmende.
baggy ['bægi] poset, pløset; **his trousers were** — **at the knees** han hadde knær i buksene, folder.
bagman ['bægmən] handelsreisende.
bagpipe ['bægpaip] sekkepipe.
bagpiper ['bægpaipə] sekkepiper.
bag snatcher ['bæg'snætʃə] veskenapper.
bah [bɑ:] pytt! blås! snakk!
Bahamas [bə'hɑ:məz]: **the** —.
bail [beil] kausjon; kausjonist; løslate mot kausjon; gå god for; — **out** få løslatt ved å stille kausjon; (fig.) hjelpe ut av en knipe.
bail [beil] øse; — **out** hoppe ut i fallskjerm.
bailer ['beilə] øsekar.
Bailey ['beili]: **the Old** — rettslokale i London.
bailiff ['beilif] lensmann, foged, fut, stevnevitne, rettsbetjent, underordnet gårdsbestyrer.
bailiwick ['beiliwik] område, jurisdiksjon.
bailment ['beilmənt] løslating mot kausjon.
bailsman ['beilzmən] kausjonist.
bairn [bɛən] (skotsk) barn.
bait [beit] lokkemat, beite, agn, åte; sette agn på, agne, egne; egge, terge; **swallow the** — **bite** på kroken.
baiter ['beitə] plageånd, ertekrok.
baize [beiz] bai (slags flanell).
bake [beik] bake; steke; brenne.
baker ['beikə] baker; —**'s dozen** tretten. **-legged** ['beikəlegd] kalvbeint.
baking ['beikiŋ] baking; bakst, bake-; stekende. — **tin** kakeform. — **tray** stekeplate.
baksheesh, bakshish ['bækʃi:ʃ] drikkepenger, gave; bestikkelse.
balalaika [bælə'laikə] balalaika.
balance ['bæləns] vektskål; likevekt; balanse;

motvekt; sammen igning; overskudd, saldo; svinghjul (i et ur); veie; holde i likevekt; gjøre opp, saldere (regnskap); overveie; være rådvill; **a pair of balances** en vekt. — **sheet** status(oppgjør).

balcony ['bælkəni] altan, balkong.

bald [bɔ:ld] skallet; naken; fargeløs, fattig.

baldachin ['bɔ:ldəkin] baldakin, tronhimmel.

baldly ['bɔ:ldli] uten omsvøp, likefrem, endefram.

baldness ['bɔ:ldnis] skallethet, nakenhet.

balderdash ['bɔ:ldədæʃ] lapskaus; tøv, tull, vrøvl.

baldric ['bɔ:ldrik] belte, bandolær.

Baldwin ['bɔ:ldwin].

bale [beil] balle; pakke inn, emballere.

bale [beil] øse (en båt), lense.

bale [beil] kval, elendighet.

baleen [bə'li:n] barde (på hval), fiskebein. — **whale** bardehval.

baleful ['beilf(u)l] ødeleggende, dødbringende.

Balfour ['bælfuə].

Baliol ['beiljəl].

balk [bɔ:k] skuffe, narre; spotte; bjelke, ås; åkerrenne; hindring, sperre; tabbe, feil.

Balkan ['bɔ:lkən].

ball [bɔ:l] ball, kule; jark, ball (på fot, hånd); kneskjell; nøste; **the — of the eye** øyeeplet; **we had a —** vi hadde det fantastisk hyggelig.

ball [bɔ:l] ball; danselag.

ballad ['bæləd] ballade, folkevise; gatevise. — **-monger** ['mʌŋgə] viseselger, visedikter. **-ry** [ri] visediktning.

ballast ['bæləst] ballast; gruslag, grusing (på jernbanelinjen); ballaste, gruse.

ball bearing kulelager.

ballet ['bælei] ballett.

ballistics [bə'listiks] ballistikk.

balloon [bə'lu:n] ballong. — **barrage** ballongsperring. — **ear** ballongkurv.

ballot ['bælət] stemmeseddel, skriftlig avstemning; stemmetall; loddtrekning; stemme med sedler; **vote by —** stemme med sedler. — **box** valgurne. — **rigging** valgfusk.

ball | pen, — -point (pen) kulepenn.

ballroom ['bɔ:lrum] ballsal.

bally ['bæli] fordømt, helvetes.

ballyhoo ['bælihu:] reklamebrøl, larm, bråk, ballade.

ballyrag ['bæliræg] pøbelstreker.

balm [ba:m] balsam; balsamere; lindre.

Balmoral [bæl'mɔrəl].

balmy ['ba:mi] balsamisk, velluktende; legende.

balsam ['bɔ:lsəm] balsam. **-ic** [bɔ:l'sæmik, bæl-] balsamisk.

Baltic ['bɔ:ltik] baltisk; **the —** Østersjøen.

Baltimore ['bɔ:ltimɔ:].

baluster ['bæləstə] sprosse i rekkverk. **balustrade** [bælə'streid] rekkverk, gelender.

bamboo [bæm'bu:] bambus.

bamboozle [bæm'bu:zl] snyte, jukse, bedra.

ban [bæn] bann; lysing, kunngjøring, forbannelse, forbud; forby, bannlyse.

banal [bə'na:l] banal.

banality [bə'næliti] banalitet.

banana [bə'na:nə] banan.

band [bænd] bånd; bind; flokk, bande; glatt ring; forbindelse, forening; band, musikk-korps. **bandage** ['bændidʒ] bind, bandasje, forbinding; forbinde.

bandbox ['bændbɔks] hatteske, pappeske.

bandeau [bæn'dəu] (hår)bånd, pannebånd.

banderole ['bændərəl] vimpel, banderole.

bandicoot ['bændiku:t] punggrevling, punghare.

bandit ['bændit] banditt, røver. **banditti** [bæn-'diti] røvere, røverfølge.

bandmaster ['bændma:stə] musikkdirigent.

bandog ['bændɔg] båndhund.

bandoleer [bændə'liə] skulderreim, bandolær.

bandwagon ['bændwægən] orkestervogn i et

opptog; **join the —, jump on the —** slutte seg til en populær bevegelse.

bandy ['bændi] bandykølle; bandy, et ballspill; kaste fram og tilbake; diskutere; utveksle. **bandy-legged** ['bændilegd] hjulbeint.

bane [bein] gift; bane, banesår; undergang.

bang [bæŋ] banke, slå; dundre med; denge; pryle; slag, dunder, smell, brak. **bang!** bang!

Bangkok ['bæŋkɔk].

bangle ['bæŋgl] armring; ankelring.

bang-on ['bæŋɔn] i orden; rett på.

banian ['bæniən] kjøpmann (i India); (indisk) kjortel; indisk fikentre. — **day** fastedag. — **hospital** dyrehospital.

banish ['bæniʃ] bannlyse; forvise. **-ment** [-mənt] landlysing, forvisning, utlegd.

banister ['bænistə] se **baluster.**

banjo ['bændʒəu] banjo.

bank [bæŋk] banke, haug, bakke, voll; kant, bredd; bank. — **account** bankkonto. — **bill** [-bil] bankveksel; (amr.) pengeseddel. **-book** bankbok. — **deposit** bankinnskudd. **-draft** bankanvisning. **banker** ['bæŋkə] bankier. **banker's** | **acceptance** bankaksept. — **bank** sentralbank. — **cheque** reisesjekk. — **credit** remburs.

bank holiday ['bæŋk'hɔlədi] alminnelig fridag (dager da bankene er lukket, i England: 2. påskedag, 2. pinsedag, siste mandag i august, 1. og 2. juledag; i Skottland: nyttårsdag, første mandag i mai og første mandag i august).

banking ['bæŋkiŋ] bankvesen, bankforretninger, bank-. **bank|note** ['bæŋknəut] pengeseddel. — **rate** bankdiskonto. **bankrupt** ['bæŋkrəpt] fallent. **bankruptcy** ['bæŋkrəpsi] bankerott, fallitt. — **act** konkurslov. — **petition** konkursbegjæring.

bank | safe bankboks. **-side** skrent, skråning.

banner ['bænə] banner, merke, fane; (amr.) veldig fin.

bannock ['bænək] lefse, flatbrød.

banns [bænz] lysing (til ekteskap).

banquet ['bæŋkwit] bankett, festmiddag, fest; beverte, feste. **-ing hall** festsal.

banquette [bæŋ'ket] skytevatsats; fotgjengerbru.

banchee ['bænʃi] spøkelse, draug.

bant [bænt] ta avmagringskur.

bantam ['bæntəm] dverghøne; (i boksing) vektklasse som ikke overstiger 116 pounds; liten, kvikk fyr; — **battalion** (av særlig små menn i verdenskrigen).

banter ['bæntə] spøke med; erte; godmodig gjøn, erting.

banzai ['ba(:)n'zai] (orientalsk) hurra. — **attack** voldsomt (selvmorderisk) angrep.

baptism ['bæptizm] dåp; — **of fire** ilddåp. **baptismal** [bæp'tizməl] dåps-, døpe-. **baptist** ['bæptist] baptist, døper. **St. John the Baptist** døperen Johannes. **baptistery** ['bæptistəri] dåpskapell, (bl. baptister) baptisterium. **baptize** [bæp'taiz] døpe.

bar [ba:] stang, slå, bom, skranke; tverrtre; sprosse; stengsel, hindring, skille; sandbanke; rettsskranke; skjenk, disk; bar, skjenkestue; taktstrek; tverrbjelke (heraldisk); spak; stenge, sette slå for; hindre, forby; stenge ute; unnta; underbinde; unntatt, så nær som; **below the —** nedenfor skranken (i Underhuset); **a — of soap** en stykke såpe; **examination for the —** juridisk eksamen; **go to (study for) the —** studere jus; **be admitted (be called el. go) to the bar** bli advokat; **-s and studs** lærknotter på fotballstøvler; — **none** uten unntak; — **one** på én nær.

Barabbas [bə'ræbəs].

barb, [ba:b] skjegg el. snerp (på plantedeler); stråle (på fjær); mothake, agnor (på en krok el. pil), brodd; **barbed wire fence** piggtrådgjerde.

Barbados [ba:'beidauz].

barbarian [ba:'bɛəriən] barbarisk; barbar. **barbaric** [ba:'bærik] barbarisk. **barbarism** ['ba:bərizm] barbari. **barbarous** ['ba:bərəs] barbarisk.

Barbary ['ba:bəri] Berberiet (i Nord-Afrika).

barbecue ['bɑːbikjuː] friluftsgrill (til steking), stekerist, hagegrill, barbecue(-mat).
barbel ['bɑːbəl] skjeggkarpe.
barber ['bɑːbə] barber. **barber's block** parykkblokk. **barber's pole** barberskilt (en rød- og hvitstripet stang).
barberry ['bɑːbəri] berberiss.
bard [bɑːd] barde, skald.
bare [bɛə] bar, naken, snau; barhodet; blottet; **lay — blotte. -backed** uten sal. **— -bones** skjelett, beinrangel; sakens kjerne. **— conductor** uisolert ledning. **-faced** frekk; skjeggløs; åpen og utilslørt. **-foot(ed)** barbeint. **barely** neppe, med nød og neppe.
bargain ['bɑːgin] handel, kjøp; god handel, godt-kjøp; spottpris; tinge, kjøpslå; bli enig; selge, avhende; forhandle; **— for** regne med; **into the —** attpå kjøpet; **make, strike a —** gjøre en handel, slutte en overenskomst. **— away** handle bort, tinge bort; **that is a —** det er en avtale; **-ing power** sterk forhandlingsposisjon.
barge [bɑːdʒ] sjefsbåt (på orlogsskip), lystbåt; pram, lekter. **bargee** [bɑː'dʒiː] lektermann.
barge pole stag; **I wouldn't touch him with a —** jeg ville ikke ta på ham med en ildtang.
bar iron ['bɑːraiən] stangjern.
baritone ['bæritəun] baryton.
bark [bɑːk] bark; barkskip.
bark [bɑːk] gjø, bjeffe, søke; gjøing, glam.
bark [bɑːk] bark; kinabark; avbarke.
barkeeper ['bɑːkiːpə] barkeeper, vertshusholder.
barker ['bɑːkə] (sl.) pistol; utroper.
barley ['bɑːli] bygg. **-corn** [-kɔːn] byggkorn; **John Barleycorn** whisky **— sugar** brystsukker, kandis, drops.
barm [bɑːm] berme, gjær.
barmaid ['bɑːmeid] oppvartningspike, barpike.
barman ['bɑːmən] bartender.
barmy ['bɑːmi] gjærende, skummende; gal, vill, sprø.
barn [bɑːn] lade, løe, låve; (amr.) stall, fjøs; rønne.
barnacle ['bɑːnəkl] andeskjell (langhals); fagergås; pl. nesejern, grime (til hest), (sl.) neseklemmer.
barnstormer omreisende skuespiller, foredragsholder.
barnyard tun, plass rundt låve. **— humour** drengestuehistorier. **— fowl** fjærfe, høns.
barometer [bə'rɔmitə] barometer.
baron ['bærən] baron (laveste grad av nobility). **-ess** [-nis] baronesse. **-et** [-net] baronett (høyeste grad av gentry).
baroque [bə'rɔk] barokk.
barouche [bə'ruːtʃ] firhjult kalesjevogn.
barrack(s) ['bærək(s)] kaserne, brakke.
barrage ['bæraːʒ, 'bæridʒ] demning, stengsel; sperreild. **— balloon** sperreballong.
barratry ['bærətri] svik, forfalskning; baratteri.
barred [bɑːd] stripet, tverrstripet; tilgitret.
barrel ['bærəl] tønne, fat, hul ting; løp (på en børse); trommel; valse; legge el. pakke i tønne. **-led** med løp. **— organ** lirekasse.
barren ['bærən] gold; ufruktbar; tørr; **— of** blottet for.
barricade [bæri'keid] barrikade; barrikadere.
barrier ['bæriə] barriere; bom; grense; skranke; hindring. **— wall** brystning.
barring ['bɑːriŋ] unntatt; **— accidents** om ikke noe uforutsett hender.
barrister ['bæristə] advokat, sakfører.
barroom skjenkestue.
barrow ['bærəu] trillebår, dragkjerre; kjempehaug.
barrowman gateselger.
bartender bartender.
barter ['bɑːtə] tuske, bytte; tuskhandel, byttehandel.
Bartholomew [bɑː'θɔləmjuː] Bartolomeus.
bartizan [bɑːti'zæn] hjørnetårn.
barytone ['bæritəun] baryton.

basal ['beisl] fundamental, basal, grunn-.
basalt ['bæsəlt, bə'sɔːlt] basalt.
base [beis] lav; dyp (om toner); uedel (om metaller); lav, simpel; nedrig, foraktelig. **base** [beis] basis; grunnflate; fotstykke; nederste ende; base; basere, grunnlegge; gjøre ringere. **-ment** [-mənt] kjelleretasje; sokkel, basis. **-ness** [-nəs] dybde (en tones); ringhet; nedrighet, sletthet, gemenhet.
baseball ['beisbɔːl] baseball, amerikansk ballspill.
base camp hovedleir.
bash [bæʃ] slå, dra til.
bashful ['bæʃful] skamfull, unnselig, sjenert.
basic ['beisik] basisk; grunn-; **Basic English** et forenklet engelsk. **— industries** råvareindustrier.
basilisk ['bæzilisk] basilisk (et fabeldyr).
basin ['beisn] kum; vannfat, basseng, bekken.
basis ['beisis] basis; fotstykke; (fig.) grunnvoll, grunnlag.
bask [bɑːsk] bake, varme seg; sole, varme.
basket ['bɑːskit] kurv, ballongkurv; pakke i kurv. **— chair** kurvstol. **basketry, basketwork** kurvarbeid, kurvfletting.
Basque [bæsk] basker; baskisk.
bas-relief ['bæsriliːf] basrelieff.
bass [beis] bass.
Bass [bæs] slags øl (etter fabrikanten).
bassinet [bæsi'net] barnevogn, babykurv.
bassoon [bə'suːn] fagott.
basswood ['beiswud] amerikansk lind.
bast [bæst] bast.
bastard ['bæstəd] uekte barn, bastard; slubbert; imitert, uekte.
baste [beist] dryppe (en stek).
baste [beist] neste, tråkle.
baste [beist] pryle, smøre opp.
bastinado [bæsti'neidəu] bastonade; stokkeslag, pryl; pryle.
bastion ['bæstiən] bastion.
bat [bæt] balltre; stykke (murstein), kølle (i cricket, baseball); slå med et balltre.
bat [bæt] flaggermus.
bat [bæt]; **— the eyes** blunke; **without batting an eyelid** uten å blunke, uten å fortrekke en mine.
batata [bæ'tɑːtə] søtpotet.
Batavia [bə'teivjə].
batch [bætʃ] bakning, bakst; samling; flokk; lag; sleng, slump.
batchy ['bætʃi] tosket.
bate [beit] forminske, minke på, slå av.
bath [bɑːθ] bad; badekar; badeværelse; badeanstalt; badested; bade (i badekar).
Bath [bɑːθ]; **— brick** pussestein; **— chair** rullestol.
bathe [beiδ] bade; bade seg; bad (i det fri). **bathing — costume** badedrakt. **— machine** ['beiδiŋmə'ʃiːn] badevogn. **— suit** badedrakt. **— wrap** badekåpe.
bathos ['beiθɔs] antiklimaks, flau avslutning.
bath robe badekåpe; slåbrok. **-room** badeværelse; toalett. **-tub** badekar.
batiste [bə'tiːst] batist (slags stoff).
batman ['bætmən] opp-passer for rytteroffiser.
baton ['bætən] taktstokk; kommandostav; politikølle; stafett(pinne).
batsman ['bætsmən] forsvarer i cricket.
battalion [bə'tæljən] bataljon.
batten ['bætn] meske, gjø, fete, meske seg.
batten ['bætn] planke; skalke.
batter ['bætə] slå; skamslå; beskyte; røre, deig; **battered** medtatt (bulet), ramponert, ødelagt.
batterpudding ['bætəpudiŋ] en slags pudding laget av mel, egg og melk.
battery ['bætəri] batteri; gruppe, sett; (jur.) overfall, vold.
battle ['bætl] slag; kamp; kjempe, stride; **fight a — levere et slag; lose the — tape slaget, forspille seieren; pitched — regulært slag; recover the — gjenvinne seieren. — array** [-ə'rei] slag-

orden. — **-axe** [-æks] stridsøks; sint kvinnfolk, gammelt rivjern. — **-bowler** (sl.) soldats stålhjelm. — **cruiser** slagkrysser. **-dore** [-dɔ:] racket. — **fatigue** kamptretthet. **-field** [-fi:ld] slagmark. **-ment** [-mənt] murtind; brystvern. — **piece** slagmaleri. **-plane** stort kampfly. — **royal** kamp der flere parter deltar; voldsom kamp. **-ship** slagskip. **-some** stridslysten. **-wise** krigstrent. — **-worthy** slagkraftig.

battue [bə'tu:] klappjakt; nedslakting.

batty ['bæti] skrullet, dum, skjør.

bauble ['bɔ:bl] barneleke; tufs.

bauxite ['bɔ:ksait] bauxitt.

Bavaria [bə'vɛəriə] Bayern. **Bavarian** [bə'vɛəriən] bayersk; bayrer.

bawbee [bɔ:'bi:] halvpenny (skotsk); pl. penger, gryn.

bawd [bɔ:d] rufferske.

bawdy ['bɔ:di] slibrig. **-house** horehus.

bawl [bɔ:l] skråle, skrike, vræle; skrål, skrik, vræl.

bay [bei] bukt, vik; kverndam; rom, avdeling, bås (i restaurant); dør- el. vindusåpning; mave.

bay [bei] rødbrun; rødbrun hest.

bay [bei] gjø; halse; gjøing; nødverge; nød; **be** (el. **stand) at** — gjøre fortvilet motstand (om vilt, som vender seg mot hundene); **keep at** — holde unna, holde fra seg, holde fra livet.

bay [bei] laurbærtre, laurbær.

bayadere [ba:jə'diə] bajadere.

bayonet ['beiənit] bajonett.

bay | window ['bei'windəu] karnappvindu. — **yarn** [-jɑ:n] ullgarn.

bazaar [bə'zɑ:] basar.

bazooka [bə'zu:kə] bazooka, rekylfri panservernrakettkaster.

B. B. C. fk. f. **British Broadcasting Corporation.**

bb(s) fk. f. **barrel(s).**

B. C. fk. f. **before Christ; British Council; British Canada; British Columbia.**

B. C. L. fk. f. **Bachelor of Civil Law.**

B. D. fk. f. **Bachelor of Divinity.**

be [bi:] være, være til; skje, finne sted; koste; bli (srl. til å danne passiv); — in være hjemme; — **in for it** ha innlatt seg på det; — **right, wrong** ha rett, urett; **I must** — **off** jeg må av sted.

B. E. fk. f. **British Empire.**

B. E. A. fk. f. **British East Africa; British European Airways.**

beach [bi:tʃ] strand, strandbredd, fjære; sette på land, legge til land, hale i land. **-comber** ['bi:tʃkəumə] stor, lang bølge som ruller inn fra havet mot stranden; løsgjenger som lever av å bomme sjøfolk i havnebyer. — **grass** marehalm. **-head** fotfeste, bruhode.

beach-la-mar [bi:tʃlɑ'mɑ:] engelsk hjelpespråk som tales i det vestlige Stillehavet.

beacon ['bi:kən] sjømerke, båke; baun; varde; fyr, trafikkfyr; veilede; lyse for.

bead [bi:d] liten kule; perle; rosenkrans; knopp; siktekorn; **tell one's -s** lese sin rosenkrans; **draw a** — **on** sikte på, ta på kornet; **string -s** træ perler.

beadle ['bi:dl] kirketjener; universitetspedell.

beadroll ['bi:drəul] liste, fortegnelse.

beadsman ['bi:dzmən] fattiglem, tigger.

beadwork ['bi:dwə:k] perlebroderi; perlebrodert.

beady ['bi:di] perleaktig, perlebrodert; perlende.

beagle ['bi:gl] liten harehund; (fig.) snushane.

beak [bi:k] nebb; snabel; snyteskaft; tut.

beaker ['bi:kə] beger.

beam [bi:m] bjelke; ås; veverbom; vektstang; vognstang; skåk; dekksbjelke, dekksbredde; stråle, lysstråle; **high** — fjernlys (bil); **kick the** — vippe i været, bli funnet for lett; **on the weather** — tvers til lovart; — **on** se på med et strålende smil.

beam end bjelkehode, skipsside; **on her** — på siden, ligge helt over; være nedfor.

beamy ['bi:mi] bred, brei, svær; strålende.

bean [bi:n] bønne; **-s** (sl.) gryn, penger; **give him -s** (sl.) straffe ham, skjenne på ham. **-feast** personalfest. **-less** pengelens, blakk. — **stalk** bønnestengel.

bear [bɛə] bjørn; baissespekulant; **the Great Bear** (stjernebildet) Store bjørn.

bear [bɛə] bære; bringe; føre; støtte; utholde, tåle; oppføre seg; føde (perf. pts. **borne**; i betydn. født: **born**, unntatt etter **have** og foran **by**); **I was born in 1914** jeg er født i 1914; **born of, borne by** født av; — **one a grudge** bære nag til en; — **a part in** ha del i; — **witness to** vitne om; — **one company** holde en med selskap; **he bore himself** han førte seg, hans holdning var; — **against** ligge an mot; — **down** overvelde, overvinne; renne i senk; — **down upon** seile mot; — **in mind** huske på; — **on** vedrøre, angå; — **out** støtte; stadfeste; — **up** holde oppe, ikke fortvile; — **up under afflictions** holde seg oppe i motgang; — **with** bære over med.

bearable ['bɛərəbl] utholdelig.

beard ['biəd] skjegg (især om hakeskjegg; ogs. om skjegg på aks, snerp); trosse. **-ed** [-id] skjegget. **-less** [-lis] skjeggløs.

bearer ['bɛərə] bærer (f. eks. av kiste); overbringer (f. eks. av brev el. anvisning), ihendehaver.

bear garden ['bɛəgɑ:dən] rabaldermøte.

bearing ['bɛəriŋ] holdning; retning; peiling; avling; lager (i maskin); **the question in all its -s** saken fra alle sider; **have lost my -s** kan ikke orientere meg.

bearish ['bɛəriʃ] grov, plump; pessimistisk.

bear leader ['bɛə'li:də] bjørnetrekker.

beast [bi:st] dyr (firbent); best, udyr. — **fable** dyrefabel. **-ings** råmelk. **-liness** [-linəs] råskap. **-ly** dyrisk, bestialsk; avskyelig; **-ly drunk** full som et svin.

beat [bi:t] slå; pryle; banke; bane (sti el. vei); slag; taktslag; tikking (av klokke); distrikt (en politimanns), runde; overvinne; slå på; gjennomstreife; treske; hamre ut; snyte, komme i forkjøpet; (fig.) gjennomtråle, søke; — **a way** bane seg vei; — **about** prøve på forskjellige måter; — **the air** fekte i luften; — **one's brains out** vri hjernen; — **about the bush** gå som katten om den varme grøten; søke høyt og lavt; — **down** slå til jorda, slå over ende; **beaten down** nedslått; **the sun was beating down on my head** solen stekte på hodet mitt; — **into** innprente; — **time** slå takt.

beat [bi:t] slått, utkjørt; **I'm dead** — jeg er helt ferdig, utkjørt.

beaten ['bi:tn] perf. pts. av **beat**; pisket, slått; hamret; opptråkket; **the** — **track** den slagne landevei; — **-up** ødelagt, ramponert.

beater ['bi:tə] klapper (på jakt); eggepisker.

beatify [bi'ætifai] gjøre lykkelig; erklære (en avdød) for salig.

beating ['bi:tiŋ] banking; bank; drakt pryl; nederlag; **take a** — få bank, lide nederlag.

beatitude [bi'ætitju:d] salighet; saligprisning.

beatnik ['bi:tnik] (amr.) bohemungdom (bevegelse med en viss samfunnsfiendtlig innstilling).

beau [bəu] laps, sprett, motenarr; kjæreste.

beauteous ['bju:tiəs] skjønn, fager.

beautician [bju:'tiʃən] skjønnhetsekspert, skjønnhetssalong.

beautiful ['bju:tiful] skjønn, fager, deilig, fin.

beautify ['bju:tifai] forskjønne, smykke.

beauty ['bju:ti] skjønnhet; praktgjenstand, prakteksemplar. — **culture** skjønnhetspleie. — **parlour** skjønnhetssalong. — **preparation** skjønnhetsmiddel. — **sleep** skjønnhetssøvn (før midnatt). — **spot** skjønnhetsplett; naturskjønt sted.

beaver ['bi:və] bever; beverskinn; kastorhatt (av beverhår); hjelmgitter, visir; fullskjegg; mann med fullskjegg. — **lodge** beverhytte.

beavery ['bi:vəri] beverhytte.

bebop ['bi:bɔp] en slags jazzmusikk, bebop.

becalm [bi'kɑ:m] berolige; **be -ed** få vindstille.

became [bi'keim] imperf. av **become.**

because [bi'kɔz] fordi, da, ettersom; — **of** på grunn av.

beck [bek] bekk.

beck [bek] vink.

becket ['bekit] knebel; stropp.

beckon ['bekən] vinke, vinke til. -**ing** dragende.

become [bi'kʌm] bli; sømme seg; kle; passe seg. **becoming** [-iŋ] passende; kledelig.

bed [bed] seng; bed; elvefar, leie; lag; vange (i dreiebenk); underlag; plante i bed; — **and board** kost og losji; **in** — i sengen; **go to** — gå til sengs; **keep one's** — holde sengen; **take to one's** — gå til sengs (om en syk); **make a** — reie opp en seng; **you must lie in the** — **you have made** som man reier, så ligger man; **be brought to** — **of** bli forløst med; nedkomme med; **the** — **of the sea** havbunnen; — **of coal** kull-leie; — **of ashes** askelag.

bedaub [bi'dɔ:b] søle til, smøre til.

bed|**bug** ['bedbʌg] vegglus. -**cap** nattlue. -**chamber** soveværelse. — **chart** temperaturkurve ved sykeseng. -**clothes** sengeklær. — **cot** køye. -**cover** sengeteppe.

bedding ['bediŋ] sengklær; underlag; bedding.

Bede [bi:d] Beda.

bedeck [bi'dek] pynte, pryde, utstaffere.

bedevil [bi'devl] forhekse; plage; forkludre.

bedew [bi'dju:] dogge, dugge.

bed|**fast** sengeliggende. -**fellow** sengekamerat; (fig.) medarbeider. -**head** hodegjerde.

bedim [bi'dim] fordunkle, dimme.

bedizen [bi'daizn] jugle til, spjåke ut.

bedlam ['bedləm] sinnssykeanstalt, galehus; kaos, skrik og skrål.

bedlamite ['bedləmait] sinnssyk, forrykt person.

bed|**maker** rengjøringskone.-**mate** sengekamerat. -**pan** (syke)bekken. -**post** sengestokk; **in the twinkling of a -post** på røde rappet.

bedraggle [bi'drægl] søle til, rakke til.

bed|**ridden** sengeliggende. -**rock** grunnfjell, fjellgrunn; det faste grunnlag. -**room** soveværelse, soverom. -**room town** soveby. -**side** sengekant; **at the -side** ved sengen. -**sore** liggesår. -**spread** sengeteppe. -**stead** ['bedsted] seng. -**straw** (plante) fegre. -**strings** stropper (som bærer madrassen). -**tick** dynetrekk. -**time** sengetid. — **wetter** sengevæter.

bee [bi:] bie; (amr.) sammenkomst til felleshjelp (dugnad, døning) el. i velgjørende øyemed; **have a** — **in one's bonnet** ha en skrue løs; ha dilla. -**bread** biebrød.

beech [bi:tʃ], -**tree** bøk.

beef [bi:f] oksekjøtt, okseslakt; okse; futt og kraft; slakte; — **up** forsterke, styrke.

beefeater ['bi:fi:tə] oppsynsmann (i Tower), livgardist.

beefsteak ['bi:fsteik] biff.

beeftea ['bi:f'ti:] kjøttekstrakt, sodd, buljong.

beehive ['bi:haiv] bikube.

beeline ['bi:'lain] luftlinje, beinvei; **make a** — **for** sette kursen rett mot.

Beelzebub [bi'elzibʌb] Beelsebul.

beemaster birøkter.

been [bi:n, bin] perf. pts. av **be.**

beer [biə] øl; **small** — tynt øl; småting.

beestings ['bi:stiŋz] råmelk.

beeswax ['bi:zwæks] bievoks; bone (med boks).

beet [bi:t] bete (plante).

beetle ['bi:tl] bille, tordivel; kølle; jomfru (til brulegging); liten bil, asfaltblemme; rage fram, true. -**browed** med buskete øyebryn.

beet|**radish** alm. bete (plante). -**root** rødbete. — **sugar** roesukker.

B. E. F. fk. f. **British Expeditionary Force.**

befall [bi'fɔ:l] tilstøte, times, hende, vederfares.

befit [bi'fit] passe for, sømme seg.

befog [bi'fɔg] omtåke; forvirre.

befool [bi'fu:l] holde for narr.

before [bi'fɔ:] før, foran; i nærvær av; overfor; fram for; førenn; — **Christ** før Kristi fødsel;

— **God** ved Gud; **sail** — **the mast** være menig matros; — **long** om en liten stund; **come** — **the House** tre fram for tinget; **this war which is** — **Europe** denne krig, som Europa står overfor.

beforehand [bi'fɔhænd] på forhånd; i forveien; på forskudd; tidligere; **be** — **with** komme i forkjøpet.

beforementioned [bi'fɔ:menʃənd] før nevnt.

befoul [bi'faul] sulke til, grise til, gjøre uren.

befriend [bi'frend] vise velvilje imot; hjelpe.

befuddle [bi'fʌdl] gjøre omtåket.

beg [beg] be om, anmode om, utbe seg; tigge; — **off** be seg fritatt, trekke seg tilbake; — **one's leave** be en om tillatelse; **I** — **you a thousand pardons** jeg ber Dem tusen ganger om forlatelse; **(I)** — **your pardon** unnskyld; hva behager? — **the question** ta som selvsagt nettopp det som skulle bevises; **I** — **to . . .** jeg tillater meg å . . .

begad [bi'gæd] min santen, sannelig.

began [bi'gæn] imperf. av **begin.**

beget [bi'get] avle.

beggar ['begə] tigger; bringe til tiggerstaven; -**s can't be choosers** fattigfolk får ta hva de får; **lucky** — heldiggris; **poor little** — stakkars liten; — **all description** være over all beskrivelse. -**ly** fattig, ussel.

beggary ['begəri] armod, tigging; bosted for tiggere.

begin [bi'gin] begynne, begynne på, ta til med. -**ner** begynner. -**ning** begynnelse, førstning.

begird [bi'gə:d] omgjorde, omgi.

begone [bi'gɔn] ut! gå med deg! forsvinn!

begonia [bi'gəunjə] begonia.

begot [bi'gɔt] imperf. av **beget.**

begrime [bi'graim] grime til, søle til.

begrudge [bi'grʌdʒ] misunne.

beguile [bi'gail] lokke, forlokke, friste, narre; fordrive (tiden).

begum ['bi:gəm] (indisk) fyrstinne.

begun [bi'gʌn] perf. pts. av **begin.**

behalf [bi'ha:f] nytte, beste; vegne; **in his** — til hans beste; **on his** — på hans vegne.

behave [bi'heiv] oppføre seg, oppføre seg skikkelig; **ill-behaved** uoppdragen; **well-behaved** veloppdragen. **behaviour** [bi'heivjə] oppførsel, atferd; holdning. **behaviourism** [bi'heivjərizm] behaviorisme, atferdspsykologi.

behead [bi'hed] halshogge.

beheld [bi'held] imperf. og perf. pts. av **behold.**

behest [bi'hest] bud, påbud, befaling.

behind [bi'haind] bak, bakdel, ende; bakpå, bakved, baketter, tilbake; **be** — **with** være på etterskudd med; **leave** — la bli tilbake; **from** — bakfra.

behindhand [bi'haindhænd] tilbake, i etterhånden; tilbakestående; på etterskudd i pengesaker.

behold [bi'həuld] se, skue, betrakte, iaktta.

beholden [bi'həuldn] forbunden, takk skyldig.

behoof [bi'hu:f] gagn, nytte, beste, interesse.

behove [bi'hauv] behøves, sømme seg.

being ['bi:iŋ] være, tilværelse, tilvære, liv, skapning, vesen; nærværende; **call into** — skape, fremkalle.

bejesus [bi'dʒi:zəs] ved Gud!

bejewelled [bi'dʒu:əld] juvelbehengt.

belabour [bi'leibə] bearbeide, slå løs på, overfalle, angripe.

belated [bi'leitid] sent ute, forsinket.

belaud [bi'lɔ:d] lovprise.

belay [bi'lei] gjøre fast.

belch [beltʃ] rape, (fig.) utspy; rap, oppstøt, utbrudd. -**er** (prikket) halstørkle.

beldam ['beldəm] heks, gammel hurpe.

beleaguer [bi'li:gə] beleire, kringsette; plage.

Belfast [bel'fɑ:st].

belfry ['belfri] klokketårn, støpul.

Belgian ['beldʒiən] belgisk; belgier.

Belgium ['beldʒiəm] Belgia.

Belial ['bi:ljəl].

belie [bi'lai] lyve på en, gi et feilaktig inntrykk

av, gjøre til skamme; **it does not — its name det svarer til sitt navn.**
belief [bi'li:f] tro; tiltro; trossetning, lære.
beyond — utrolig.
believable [bi'li:vəbl] trolig.
believe [bi'li:v] tro; mene, anta; tro, tenke; **I — you** det skulle jeg mene; **— in tro på** (eksistensen, tilrådeligheten, virkningen av, f. eks. — **in God: — in ghosts**).
belittle [bi'litl] forkleine, gjøre dårligere enn det er, redusere.
bell [bel] klokke; bjelle; (mar.) glass, halvtime; henge bjelle på; **-s** pl. klokkespill; **ring the — ringe; the — rings** det ringer; **answer the —** lukke opp (når det ringer); **bear the —** vinne prisen; **with — book and candle** etter alle kunstens regler.
belladonna [belə'dɔnə] belladonna.
bell|boy pikkolo. **— buoy** klokkebøye. **— cord** klokkestreng.
belle [bel] skjønnhet (ɔ: skjønn kvinne).
belles-lettres ['bel'letr] skjønnlitteratur.
bell|flower klokkeblom. **— glass** glassklokke. **-hop** pikkolo.
bellicose ['belikəus] krigersk, stridbar.
belligerent [be'lidʒərənt] krigførende, krigersk.
bellman ['belmən] utroper.
bellow ['beləu] brøle; raute, larme; brøl, raut.
bellows ['beləuz] blåsebelg, puster.
bell|pull ['belpul] klokkestreng, klokkesnor. **— push** trykknapp, ringeknapp. **-rope** klokketau. **— shape** klokkeform. **-wether** bjellesau; (fig.) leder, anfører.
belly ['beli] buk, mage, underliv; svulme. **-ache** mageknip; klage, syte. **-band** bukgjord. **— dancer** magedanserinne. **— laughter** hjertelig latter.
belong [bi'lɔŋ] **to** tilhøre, vedkomme; høre til.
belongings [bi'lɔŋiŋz] eiendeler, habengut; pårørende.
beloved [bi'lʌv(i)d] elsket; avholdt.
below [bi'ləu] under, nedenunder, nede; i underverdenen, i helvete; ned under dekket, ned i kahytten.
belt [belt] belte; drivreim, reim; omgjorde; spenne; fare, løpe; **strike below the —** slå nedenfor beltestedet, bruke uhederlige kampmidler. **— conveyor** samlebånd, transportbånd.
belvedere ['belvidiə] utsiktstårn, **-værelse.**
B. E. M. fk. f. **British Empire Medal.**
bemire [bi'maiə] søle til, tilsmusse.
bemoan [bi'məun] gråte for, jamre over.
bemuse [bi'mju:z] forvirre, omtåke.
Ben fk. f. Benjamin. **Big Ben** tårnklokken i parlamentsbygningen.
Benares [bi'nɑ:riz].
bench [ben(t)ʃ] benk; høvelbenk; drivhusbenk; dommersete; dommere, domstol; biskoper; benke; **Queen's Bench Division** hovedavdelingen av overretten. **bencher** ['ben(t)ʃə] ledende medlem av juristkollegium.
bend [bend] spenne (en bue); bøye, krøke; rette, bøye el. bukke seg; bøyning, krumning; kurve, veisving; **the -s** dykkersyke; **bent on** oppsatt på, ivrig etter; **— over backwards** (fig.) være altfor ivrig, gjøre sitt ytterste.
bender ['bendə] (sl.) sixpence; fyllefest, sjøslag.
beneath [bi'ni:θ] under; nede; nedenunder.
Benedictine [beni'dikti:n] benediktinermunk; benediktinerlikør.
benediction [beni'dikʃən] velsignelse, signing, vigsel.
benefaction [beni'fækʃən] velgjerning. **benefactor** ['benifæktə] velgjører. **benefactress** [beni-'fæktris] velgjørerinne.
benefic|e ['benifis] prestekall. **-ence** [bi'nefisəns] godgjørenhet. **-ent** [bi'nefisənt] godgjørende. **-ial** [beni'fiʃəl] velgjørende, heldig, gagnlig.
benefit ['benifit] velgjerning, gagn, fordel, nytte, beste; benefise; stønad; gagne; **the — of my intention** det gagn man kan ha av min hensikt; **give him the — of the doubt** regne ham det

tvilsomme (i den foreliggende sak, anklage el. l.) til gode.
Benelux ['beni'lʌks] Beneluxlandene Belgia, Nederland, Luxembourg.
benet [bi'net] besnære.
benevolence [bi'nevələns] velvilje; velgjerning.
benevolent [bi'nevələnt] velvillig, menneskekjærlig; **— society** veldedighetsforening, understøttelsesforening.
Bengal [beŋ'gɔ:l, ben'gɔ:l] Bengal. **Bengalee** el. **Bengali** [beŋ'gɔ:li, ben'gɔ:li] bengalsk; bengaleser; bengali.
benighted [bi'naitid] overrasket av natten, sent ute; uopplyst, i åndelig mørke.
benign [bi'nain] mild, kjærlig; gunstig; godartet. **benignity** [bi'nigniti] mildhet, vennlighet; velgjørende virkning.
benison ['benisən] (poet.) velsignelse.
Benjamin ['bendʒəmin].
bent [bent] imp. og perf. pts. av **bend**; retning, tilbøyelighet, dragning; **follow one's —** følge sin lyst; **— on** oppsatt på.
bent [bent] stritt gras, kvein.
Benthamism ['benθəmizm] nyttemoralen.
benumbed [bi'nʌmd] valen, nummen, stivnet; avstumpet, lammet.
benzine ['benzi:n] bensin, srl. rensebensin.
benzoin ['benzəuin] bensoe.
bepraise [bi'preiz] lovprise.
bequeath [bi'kwi:ð, bi'kwi:θ] testamentere.
bequest [bi'kwest] testamente, arv, legat.
berate [bi'reit] rakke ned på, kritisere voldsomt.
Berber ['bə:bə] berber; berberspråk.
bere [biə] bygg.
bereave [bi'ri:v] berøve; **the -d parents de** sørgende foreldre. **-ment** smertelig tap, sorg; **owing to -ment** på grunn av dødsfall (i familien).
bereft [bi'reft] imperf. og perf. pts. av **bereave.**
beret ['berit, 'berei, bə'rei] baskerlue, alpelue.
berg [bə:g] isfjell.
bergamot ['bə:gəmɔt] bergamott-pære (-tre, -olje).
beriberi ['beri'beri] beriberi.
Berks [bɑ:ks] fk. f. **Berkshire** ['bɑ:kʃiə].
Berlin [bə:'lin, 'bə:'lin] Berlin; en slags vogn; limousin; **— blue** ['bə:lin'blu:] berlinerblått.
Bermuda [bə'm(j)u:də]: **the -s** Bermudaøyene.
berry ['beri] bær; fiskeegg; hente, plukke bær.
berserk(er) [bə(:)'sə:k|ə] berserk, **run —** gå berserk.
berth [bə:θ] ankerplass; lugar; køyeplass; (fig.) plass, stilling; klappe til kai; anbringe på plass. **give a wide —** gå langt utenom.
beryl ['beril] beryll.
beseech [bi'si:tʃ] be innstendig, bønnfalle (om).
beseem [bi'si:m] sømme seg for.
beset [bi'set] beleire; kringsette, omringe; pryde, dekke med; **— by** plaget av; **-ting -alt-** overskyggende; **-ting sin** hovedsynd.
beshrew [bi'ʃru:]: **— me if** Gud straffe meg om . . .
beside [bi'said] ved siden av, ved; utenfor; **be — oneself** være fra seg selv; **that is — the point** det vedkommer ikke saken.
besides [bi'saidz] dessuten; foruten; **something — dessuten** noe annet.
besiege [bi'si:dʒ] beleire, kringsette.
besmear [bi'smiə] smøre til, kline til.
besmirch [bi'smə:tʃ] søle til, grise til.
besom ['bi:zəm] kost, sopelime; feie, sope.
besot [bi'sɔt] sløve (ved drikk); fordumme.
besought [bi'sɔ:t] imperf. og perf. pts. av **beseech.**
bespangled [bi'spæŋgld] besatt med paljetter.
bespatter [bi'spætə] overstenke, søle til; overfuse, skjelle ut; bakvaske.
bespeak [bi'spi:k] bestille, tinge; betinge seg, reservere; tyde på, bære vitne om. **— -night** benefiseforestilling. **bespoke department** bestillingsavdeling.

bespoke imperf. av **bespeak. bespoken** perf. pts. av **bespeak.**

bespoke [bi'spəuk] laget el. sydd etter mål, skreddersydd.

Bess [bes] fk. f. Elisabeth.

best [best] best; mest, høyest; vinne over, lure; **to the — of my ability** etter beste evne; **at —** i beste fall; **like —** like best; **make the — of** nytte på beste måte, utnytte; **— man** forlover.

bestial ['bestjəl] dyrisk. **-ity** [besti'æliti] dyriskhet. **-ize** ['bestjəlaiz] gjøre til et dyr; brutalisere.

bestir [bi'stə:] oneself ta seg sammen.

bestow [bi'stəu] overdra, skjenke; gi; vise. **-al** [-əl] overdragelse.

bestride [bi'straid] skreve over, ri på.

bestrode [bi'strəud] imperf. av **bestride.**

bet [bet] veddemål; vedde; **you —** det kan du banne på.

betake [bi'teik] oneself begi seg; ty, ta fatt på.

betaken [bi'teikn] perf. pts. av **betake.**

betel ['bi:tl] betelpepper.

bethel ['beθəl] bedehus; møtelokale.

bethink [bi'θiŋk] oneself of komme til å tenke på, huske.

Bethlehem ['beθlihem] Betlehem.

betide [bi'taid] times, hende; **woe — him** ve ham.

betimes [bi'taimz] i tide, betids, tidlig.

betoken [bi'təukn] antyde, betegne, varsle.

betook [bi'tuk] imperf. av **betake.**

betray [bi'trei] forråde, svike, røpe; forlede.

betrayal [bi'treiəl] forræderi; avsløring.

betroth [bi'trəuð] trolove, forlove seg med.

betrothal [bi'trəuðəl] troloving, forlovelse.

better ['betə] bedre; mer; overhånd, overtak; forbedre, bedre, overgå, forbedres; overtreffe; **i pl. overmenn; had —** gjør best i å; gjorde best i å; **like —** like bedre; **be —** off stå seg bedre; **be — than one's word** gjøre mer enn man har lovet; **get the — of** beseire, ta ved nesen; **for — for worse** i medgang og i motgang, hvordan det enn går; **be the — for it** ha godt av det; **think — of it** ombestemme seg; **— oneself** slå seg opp.

better ['betə] en som vedder.

betterment ['betəmənt] forbedring.

betting ['betiŋ] veddemål. **— tax** totalisatoravgift.

between [bi'twi:n] imellom, mellom; **between them** i forening, ved felles hjelp; **— ourselves** el. **— you and me (and the gatepost)** mellom oss sagt; **they are far —** de forekommer sjelden; **— the devil and the deep sea** mellom barken og veden.

betwixt [bi'twikst] imellom; **— and between** midt imellom.

bevel ['bevl] skjev vinkel; skråkant, fas; skjevmål; skjev, skeiv; gi skrå retning. **— gear** konisk tannhjul. **-led glass** glass med fasettkanter.

beverage ['bevəridʒ] drikk. **-s** pl. drikkevarer.

bevy ['bevi] flokk, skåre.

bewail [bi'weil] begråte, klage over, jamre over.

beware [bi'wɛə] passe seg (of for).

bewilder [bi'wildə] føre vill; forvirre; **-ed** fortumlet, forfjamset, uforstående. **-ment** forvirring.

bewitch [bi'witʃ] forhekse, trylle, forgjøre.

bey [bei] bey; tyrkisk stattholder.

beyond [bi'jɔnd] hinsides, på den andre siden, forbi; over, utover, mer enn; **— belief** ikke til å tro; **— measure** over all måte; **— me** over min forstand; **the —** det hinsidige.

B. F. A. fk. f. **Bachelor of Fine Arts.**

B. F. B. S. fk. f. **British and Foreign Bible Society.**

B. H. P. fk. f. **brake horsepower.**

bi [bai] som forstaving: to, to ganger, dobbelt; annen hver.

biannual [bai'ænjuəl] halvårs-; som skjer to ganger om året.

bias [baiəs] skråsnitt; skjevhet, avvikende ret-

ning; hang, tilbøyelighet; partiskhet; dra til en eller annen side; påvirke; forutinnta. **— binding** kanting med skråbånd. **— strips** skråbånd.

biathlon [bai'æθlən] skiskyting.

bib [bib] smekke, siklesmekke.

bib [bib] pimpe, supe.

bibacious [bi'beiʃəs] fordrukken, drikkfeldig.

Bible ['baibl] bibel. **biblical** ['biblikl] bibelsk.

bibliograph|er [bibli'ɔgrəfə] bibliograf. **-ic** [bibliə'græfik] bibliografisk. **-y** [bibli'ɔgrəfi] bibliografi.

bibliomania [bibliə'meinjə] galskap etter bøker.

bibliophile ['bibliəfail] bibliofil, bokelsker.

bibulous ['bibjuləs] drikkfeldig; porøs.

bicameral [bai'kæmərəl] tokammer-.

biceps ['baiseps] biceps; muskel i overarmen.

bicker ['bikə] kjeftes; kjekle; risle, blaffe; kjekl.

bicycle ['baisikl] sykkel; sykle.

bicyclist ['baisiklist] syklist.

bid [bid] by, byde, befale; be; tilby, gjøre bud; ønske; bud, tilbud; bønn, anmodning; **— fair** tegne godt, være lovende; **— welcome** by velkommen; **— defiance** by tross; **make a — for** gjøre bud på; **no —** (i bridge) pass.

biddable ['bidəbl] meldbar; medgjørlig.

bidden perf. pts. av **bid.**

bidder ['bidə] byder. **bidding** bud, befaling.

bide [baid] forbli; bero, bie på, tåle, bære; **one's time** se tiden an; vente og se.

bidet [bi'dei] bidet.

bid price kjøperkurs.

biennial [bai'enjəl] toårig (plante).

bier [biə] likbåre, båre.

B. I. F. fk. f. **British Industries Fair.**

biff [bif] slå hardt; meget hardt slag.

biffin ['bifin] slags eple.

bifurcate ['baifə:keit] tvegreinet; todelt; sidespor.

big [big] stor, tykk, svær; svanger; oppblåst; viktig.

bigamy ['bigəmi] bigami.

the Big Dipper (amr.) Karlsvognen.

biggish ['bigiʃ] temmelig stor.

big i gun en av de store gutta, kakse. **-head** innbilskhet, egoisme. **— -hearted** storsinnet, edelmodig.

bight [bait] bukt, kveil (av et tau); havbukt.

bigot ['bigət] blind tilhenger, fanatiker. **bigoted** ['bigətid] bigott. **bigotry** ['bigətri] religiøs forblindelse.

bigwig ['bigwig] storkar, kakse.

bike [baik] sykkel; sykle.

bilateral [bai'lætərəl] tosidet, tosidig; på begge sider.

bilberry ['bilberi] blåbær.

bile [bail] galle.

bilge [bildʒ] bunn (av fat el. skipsskrog); gjøre lekk, bli lekk i bunnen.

bilge water [bildʒwɔ:tə] slagvann, bunnvann, grunnvann.

bilgy ['bildʒi] vemmelig, råtten.

bilingual [bai'liŋwəl] bilingval, tospråklig.

bilious ['biljəs] gallesyk, grinete; galle-.

bilk [bilk] snyte, jukse; snyter.

Bill [bil] fk. f. **William.**

bill [bil] nebb; lueskygge; nebbes; **— and coo** kysse og kjæle hverandre.

bill [bil] øks; hakke.

bill [bil] sende regning til, føre på regning; småtrette; hogge; **— a case** beramme en sak.

bill [bil] seddel; dokument; regning; veksel; spisekart, meny; plakat; fortegnelse; lovforslag; **find a true —** finne klagen berettiget; **— of exchange** veksel; **— of fare** spiseseddel; **— of health** helsepass; **— of lading** konnossement; **— of parcels** faktura; **the B. of Rights** den lov som sikret engelskmennene en fri forfatning etter at stuartene var fordrevet; **— of sale** skjøte. **-board** oppslagstavle. **— broker** vekselmekler. **— collector** regningsbud, inkassator.

billet ['bilit] billett, innkvarteringsseddel; kvarter; stilling, stykke arbeid; innkvartere.
billet ['bilit] vedtre, vedskie.
billet-doux ['bilei'du:] kjærlighetsbrev.
billfold ['bilfəuld] (amr.) lommebok (for sedler).
billiard ball ['biljədbɔ:l] biljardkule.
billiard marker [-'mɑːkə] markør.
billiard|s ['biljədz] biljard. — **stick** [-stik] kø. — **table** [-'teibl] biljard(bord).
Billingsgate ['biliŋzgeit] fisketorg; pøbelspråk, skjellsord.
billion ['biljən] billion; (amr.) milliard.
billow ['biləu] bølge, båre. **-y** bølgende, båret.
bill|poster ['bilpəustə], **-sticker** [-'stikə] plakatklistrer.
Billy ['bili] forkortelse for William. **-can** (enkeltmanns)kokekar. — **cock** [-kɔk] bløt hatt. — **goat** geitebukk.
bimetallism [bai'metəlism] bimetallisme.
bimonthly ['bai'mʌnθli] som skjer (finner sted, kommer ut) to ganger i måneden.
bin [bin] binge, bøle, beholder, søppelkasse.
bind [baind] binde; forbinde; binde inn; kante (med bånd); forplikte; forstoppe; — **off** felle (av) strikketøy; — **up** binde; forbinde. **binder** bokbinder; bind, bindemiddel. **binding** bind; innbinding; bokbind; skibinding.
binnacle ['binəkl] natthus, kompasshus.
binocle ['binɔkl] dobbeltkikkert.
binocular [bi'nɔkjulə] kikkert.
biochemistry ['baiəu'kemistri] biokjemi.
biographer [bai'ɔgrəfə] biograf, levnetsskildrer.
biographical [baiə'græfikl] biografisk.
biography [bai'ɔgrəfi] biografi.
biologic(al) [baiə'lɔdʒik(l)] biologisk.
biology [bai'ɔlədʒi] biologi, læren om livet.
biovular [bai'auvjulə] toegget.
biped ['baiped] toføtt dyr.
birch [bə:tʃ] bjerk; ris; gi ris. **-en** [bə:tʃən] bjerke-.
bird [bə:d] fugl, fuglevilt; fyr, krabat; jente, rype, kjei; fange fugler; **early** — morgenfugl, en som står tidlig opp; **a** — **in the hand is worth two in the bush** en fugl i hånden er bedre enn ti på taket. **-bander** en som ringmerker fugler. — **box** fuglekasse. **-brain** (fig.) hønsehjerne. **-cage** fuglebur. **-er** fugleelsker; fuglefanger. — **font** fuglebad. **-lime** fuglelim. **-'s eye view** fugleperspektiv. — **shot** fuglehagl. **-'s nest** fuglereir. **-s-nest** plyndre fuglereir. — **walk** hønsetrapp. — **watcher** fugleiakttaker.
Birmingham ['bə:miŋəm].
biro ['bairəu] (varemerke) kulepenn.
birth [bə:θ] byrd, fødsel; herkomst; **a man of** — en fornem mann, av god ætt.
birth | certificate fødselsattest. — **control** fødselsregulering, barnebegrensning. **-day** fødselsdag. **-mark** føflekk. — **pangs** fødselsveer. **-place** fødested. **-rate** fødselshyppighet.
Biscay ['biskei] Biscaya.
biscuit ['biskit] kjeks; (skips)kjeks; beskøyt; (amr.) bolle, ofte laget m. maismel.
bisect [bai'sekt] halvere; skjære gjennom.
bisexual [bai'sekʃuəl] biseksuell, tvekjønnet.
bishop ['biʃəp] biskop, bisp; løper (i sjakk); bisp (drikk). **-ric** ['biʃəprik] bispedømme.
bismuth ['bizməθ] vismut.
bison ['baisn] bison(okse).
bissextile [bi'sekstil] skuddår.
bistoury ['bistəri] skalpel.
bistre ['bistə] sotfarge, mørkebrunt.
bit [bit] bit, bete, stump; stykke; smule; munnstykke (på pipe); munnbitt, kjeft (på tang); bissel; skjær (på nøkkel); (amr.) **two -s** 25 cent; **a** — litt; **be a** — **on** (sl.) være litt pussa; **take the** — **between one's teeth** løpe løpsk; **not a** — ikke det spor.
bit [bit] imperf. av **bite.**
bitch [bitʃ] tispe; kjerring, merr, hore.
bitchy ['bitʃi] spydig, infam, ondskapsfull.
bite [bait] bite; stikke (insekt); etse; svi;

narre, snyte; bitt, insektstikk; (mat)bit; etsing; **the biter (has been) bit** han er blitt fanget i sitt eget garn; **what is biting you?** hva går det av deg? — **the dust** bite i gresset.
bitten ['bitn] perf. pts. av **bite.**
bitter ['bitə] bitter; bitende, barsk; **a** — **cold** en bitende kulde; bitter ting, bitter drikk. **bitterness** ['bitənəs] bitterhet, skarphet.
bitumen [bi'tju:mən] jordbek, asfalt.
bituminous [bi'tju:minəs] **coal** fete kull.
bivalve ['baivælv] toskallet skalldyr, musling.
bivouac ['bivuæk] bivuakk; bivuakere.
biweekly ['bai'wi:kli] hver 14. dag; to ganger i uken.
biz fk. f. **business.**
bizarre [bi'zɑ:] bisarr, underlig.
B/L fk. f. **bill of lading.**
blab [blæb] sladre, plapre, buse ut med. **-ber** sladderhank.
black [blæk] sort, svart, mørk; svart farge, sørgedrakt; neger; sverte; mørk, dyster; maka-ber, ond. **the Black Country** kulldistriktene i Staffordshire; **the Black Death** svartedauden; **be operating in the** — arbeide med overskudd; **in** — **and white** svart på hvitt. **-amoor** morian; dunkjevle. — **-and-tan** især en art terrier (svart og rødfarget); **the Black and Tans,** styrke sendt til Irland for å kue Sinn Fein (disse i Irland alm. forhatte soldater var i khaki med svart hodetøy). **-ball** svart kule (ved ballotering), neistemme; stemme mot ens opptakelse; (fig.) bakvaske, boikotte. — **-bellied dipper** fossekall. — **belt** område med meget fruktbar jord; område med stor negerbefolkning. **-berry** bjørnebær. **-bird** svarttrost. **-board** veggtavle. — **book** svartebok. — **cap** svart lue som dommeren bærer, når han avsier dødsdommen. — **currant** solbær. — **draught** et avføringsmiddel.
blacken ['blæk(ə)n] sverte; besudle, bakvaske. **blacketeer** [blæki'tiə] svartebørshandler.
black | eye «blått» øye. **the Black Forest** Schwarzwald. — **frost** barfrost. **-guard** ['blægɑ:d] skarv, slyngel; skjelle ut, bruke seg på; pøbelaktig; — **-heads** hudormer. — **hole** «hullet», arresten. — **ice** tynn isfilm på veibanen. **-ie** ['blæki] svarting, neger. **-ing** sverte. **-leg** spillefugl, falskspiller; streikebryter. **-list** svarteliste (over firmaer som det ikke må handles med); sette på svarteliste. **-mail** brannskatt; avgift til røvere; pengeutpressing; utpresse penger. **Black Maria** Svartemarja (vogn til fangetransport). — **market** svartebørs. — **marketeer** [mɑ:kətiə] svartebørshandler. **-out** mørklegging; mørklegge; plutselig bevisstløshet; (fig.) jernteppe. **-out curtain** blendingsgardin; — **pudding** blodpølse; **Black Rod: Gentleman usher of the Black Rod** kongelig overseremonimester i Overhuset (som har en svart embetsstav). **-shirt** svartskjorte (fascist). **-smith** grovsmed. **-thorn** slåpetorn.
bladder [blædə] blære (også om person).
blade [bleid] blad (på gress, kniv, åre o. l.); turbinskovl; klinge; en «løve» (kjekk kar).
blade angle skovlvinkel (på turbin).
blague [blɑ:g] skryt; skryte.
blah [blɑ:] sludder, bla-bla.
blain [blein] blemme, blære, vable.
blamable ['bleiməbl] lastverdig, daddelverdig.
blame [bleim] daddel; skyld; dadle, laste, gi skylden. **-less** ulastelig, daddelfri. **-worthy** daddelverdig.
blanch [blɑ:nʃ] gjøre hvit; bleke; skålde (f. eks. mandler); koke ut (f. eks. sølv); bli hvit, blekne.
blancmange [blə'mɑ:nʒ] blancmange (en slags dessertfromasj).
bland [blænd] mild, blid, innsmigrende høflig. **blandish** ['blændiʃ] smigre, kjærtegne.
blank [blæŋk] blank, ubeskrevet, ikke utfylt; utelatt fornavn el. forbokstav; rimfri (om vers); ren, fullstendig; forbløffet, forstyrret, forvirret; ubeskrevet papir; åpent rom, tomrom; blankett; blanko; nitte; — **cartridge** løs patron; **point** —

rett ut, rettlinjet; på kort hold; **in** — in blanco; — **verse** urimede vers, især 5-fotede jambiske.
eighteen hundred — hundre og den tid.
blanket ['blæŋkit] allmenn, altomfattende; — **term** fellesbetegnelse.
blanket ['blæŋkit] ullteppe, teppe, dekken; lag, dekke; legge teppe i; leke himmelsprett med; **put a wet** — **on** legge en demper på, være lyseslokker. — **chest** utstyrskiste. — **pile** lo på ullteppe. — **stitch** (åpne) knapphullssting.
blare [blɛə] gjalle, skingre (om trompet); brøl.
Blarney ['blɑːni] Blarney; **have kissed the** — **stone** ha store talegaver. **blarney** innsmigrende tale; smigre.
blasé ['blɑːzei] blasert.
blasphem|**e** [blæs'fiːm, blɑːs-] spotte; spotte Gud, banne. **-ous** ['blæsfiməs, 'blɑːs-] bespottelig. **-y** ['blæsfimi, 'blɑːs-] gudsbespottelse.
blast [blɑːst] vindkast; blåst; støt (i blåseinstrument); sprengning, lufttrykkbølge, sott, landeplage; smitte; svie, brenne; ødelegge, sprenge; **at full** — for full fres; — **it!** pokker ta det! **-ed** helvetes, fordømt. — **cleaning** sandblåsing. — **effect** sprengvirkning. — **furnace** masovn. — **lamp** blåselampe. — **-off** start, rakettutskytning.
blat [blæt] mekre, raute, breke.
blatant ['bleitənt] høyrøstet; vulgær, grov.
blather ['blæðə] skravle, pjatte.
blatherskite ['blæðəskait] vrøvlekopp.
blaze [bleiz] flamme, kraftig brann; utbrudd; sterkt lys; lysning; blink (på tre); bles (på hest); **like blazes** som bare pokker. **blaze** blusse, flamme, lyse, skinne; utbasunere; merke; blinke; — **away!** brenn løs! klem på!
blazer ['bleizə] blazer, flanellsjakke.
blazon ['bleizən] kolorere; vise fram, skildre; pryde; utbasunere; tyde (heraldiske figurer); heraldikk; våpenskjold, våpenmerke. **-ry** våpenkunst; heraldikk.
bldg fk. f. **building.**
bleach [bliːtʃ] bleke, bleike; blekne, bleikne.
bleak [bliːk] kald, råkald, trist, ødslig; naken, bar, forblåst. **-ness** kulde, tristhet.
blear [bliə] rennende, sløret, dim (om øyne); — **-eyed** surøyd, med rennende øyne.
bleat [bliːt] breke, mekre, raute (om kalv); brek, rauting.
bleb [bleb] blemme, blære, vable.
bled [bled] imperf. og perf. pts. av **bleed.**
bleed [bliːd] blø; årelate; (fig.) tappe; smitte av i vask (om farger). **-er** bløder; årelater. **-ing** blødning; årelating.
blemish ['blemiʃ] lyte, skavank; plett; sette plett på, vanære.
blench [blenʃ] vike tilbake; blekne.
blend [blend] blande; blande seg; gå over i hverandre; avstemme (om farger); blanding.
Blenheim ['blenim].
blenny ['bleni] tangål.
bless [bles] velsigne, prise, love; korse seg; også: forbanne; — **me!** el. **God** — **my soul!** herregud! **without a sixpence to** — **oneself with** uten så mye som en rød øre. **-ed** ['blesid] velsignet, hellig, salig; **the -ed** de salige; **the whole -ed night** hele den lange natt. **-edness** lykksalighet; **single -edness** den lykksalige ugifte stand. **-ing** velsignelse, signing; **a mixed** — noe som er både godt og vondt; **a -ing in disguise** en uvelkommen, men gagnlig opplevelse; **by the -ing of God** med Guds hjelp.
blew [bluː] imperf. av **blow.**
blight [blait] skjønn på planter som: meldugg, rust, brann; (fig.) skade, ødeleggelse; forderve, visne, ødelegge.
blighter ['blaitə] (sl.) fjols; luring, fyr, krabat.
blighty (soldaterslang) hjemmet, England; **a** — et sår som en blir sendt hjem for.
blimey ['blaimi] gubevars.
blimp [blimp] lite luftskip.
Blimp: Colonel — stokk konservativ person.

blind [blaind] blind; skjult; matt; døddrukken; formørke, skjule; overstråle; blinde; synkverve; blende; — **of** blind på; — **to** blind for; — **drunk** pære full; — **coal** antrasitt; — **door** blinddør (tilsmurt, tildekt); — **letter office** kontor for brev med mangelfull adresse.
blind [blaind] rullegardin, persienne, sjalusi, skylapp, skalkeskjul; villspor; lokkedue.
blind | **alley** blindgate, blindvei. — **date** stevnemøte med en ukjent (arrangert av en tredje person. — **flying** blindflyvning.
blind|**fold** ['blaindfəuld] med bind for øynene; binde for øynene. **-man's buff** [-mənz'bʌf] blindebukk. **-man's holiday** tusmørke. **-ness** blindhet. — **wall** vegg uten vinduer. **-worm** stålorm, slo.
blink [bliŋk] blinke; blunke, glippe med øynene; lyse svakt; blink; glimt; øyeblikk.
blinker ['bliŋkə] skylapp; blinksignal.
blinking ['bliŋkiŋ] forbannet, hersens.
bliss [blis] lykksalighet. **-ful** lykksalig, sæl.
blister ['blistə] vable, blære, blemme; trekkplaster, spansk flue; trekke vabler; legge trekkplaster på; heve seg i vabler.
blithe [blaið] livsglad, fornøyd, sorgløs.
blither ['bliðə] lalle; **-ing idiot** kjempeidiot.
blithesome ['blaiðsəm] livsglad, fornøyd, sorgløs.
blitz [blits] (tysk ord) lynkrig; ogs. brukt om den tyske bombingen av England høsten 1940; bombe.
blizzard ['blizəd] snøstorm.
bloat [bləut] blåse opp; bli tykk, svulme opp; **-ed** svullen; oppblåst, mesket.
bloat [bləut] røyke (sild). **-er** røykt sild; **Yarmouth -er** økenavn for innbygger i Yarmouth.
blob [blɔb] blære, perle, dråpe, klatt.
block [blɔk] blokk, hoggestabbe, retterblokk, parykkblokk, hatteblokk, støvelblokk, skriveblokk; kloss; heiseblokk, trisse; tretavle utskåret til trykning; blokkintervall (på jernbane); kvartal, bygningskompleks, avdeling, fløy; sperring, hindring (av ferdsel); melding om at lovforslag vil møte motstand; blokke ut; sperre, inneluke, blokere.
blockade [blɔ'keid] blokade; blokere.
block | **book** bok trykt med utskårne tretavler. **-buster** kjempebombe (som kan ødelegge et kvartal). — **calendar** avrivningskalender. **-head** dumrian, tosk. **-house** blokkhus. — **letters** blokkbokstaver, store bokstaver.
bloke [bləuk] (sl.) fyr.
Blokes [bləuks]: **Mr.** — herr N. N., herr noksagt.
blond [blɔnd] lys, blond. **blonde** [blɔnd] blondine; blonde. **blond lace** [-leis] blonder.
blood [blʌd] blod; slekt, ætt; venne til blod; gi blod på tann; **her flesh-and-** — **life** hennes jordiske liv.
blood|**-and-thunder** bloddryppende. — **cancer** leukemi. — **cell** blodlegeme. — **-curdling** hårreisende. — **group** blodtype. — **horse** fullblodshest. **-hound** blodhund; detektiv. **-less** blodløs, ublodig; ufølsom. **-letting** årelating; blodsutgytelse. **-lusting** blodtørstig. — **money** blodpenger; mannebot. — **poisoning** blodforgiftning. — **poor** lutfattig. **-shed** blodsutgytelse. **-shot** blodsprengt. — **-stained** blodflekket, blodig. **-stone** blodstein (mineral). **-sucker** blodsuger, igle. **-thirst** blodtørst. — **-type** blodtypebestemme. — **vessel** blodkar.
bloody ['blʌdi] blodig; fandens, helvetes, fordømt. **Bloody Mary** Maria den blodige; drink (av vodka og tomatsaft). **bloody-minded** blodtørstig, ondskapsfull.
bloom [bluːm] blomst, blomster, blomsterflor; frisk dåm; rødme, glød, friskhet, dun på hud el. frukt; blomstre; **in the** — **of youth** i ungdommens vår; **the** — **of health** sunnhetsroser.
bloom [bluːm] smijernsblokk.
bloomer ['bluːmə] kjempetabbe, brøler; **-s** pl.

gammeldagse (lange) dameunderbenklær med strikk under knærne.

blooming ['blu:miŋ] blomstring; blomstrende; velsignet, forbannet (sl.).

Bloomsbury ['blu:mzbəri] strøk i London.

bloomy ['blu:mi] blomstrende.

blossom ['blɔsəm] blomst, blomstring; blomstre.

blot [blɔt] klatt, flekk; plett; flekke, plette, skjemme; bruke trekkpapir på, stryke ut; slå igjennom (om blekk); — **out** utslette.

blotch [blɔtʃ] blemme, kvise; plett, flekk.

blotchy ['blɔtʃi] flekkete, kvisete; skjoldet.

blotter ['blɔtə] løsjer, trekkpapir.

blotting | book ['blɔtiŋ'buk] skrivemappe. — **pad** underlag av trekkpapir.

blotting paper ['blɔtiŋpeipə] trekkpapir.

blouse [blauz] bluse; uniformsjakke.

blow [bləu] slag, støt; **at a** — med ett slag. **come to ~s** komme i slagsmål.

blow [bləu] springe ut, blomstre; blomstring.

blow [bləu] blåse; blåse på (et instrument); pusse nesen; røpe, utspre; sprenge i lufta, eksplodere; spandere, rive i; gi blaffen; gjennomhegle. **-er** blåser; belgetreder; tinnstøper.

blow|fly ['bləuflai] spyflue. **-gun** sprøytepistol. **-hole** blåsterhull, sprøytehull; **-lamp** blåselampe.

blown [bləun] perf. pts. av **blow**.

blowoff cock utblåsingshane. **blowout** utblåsing; (sl.) rikelig måltid, kalas. **blowpipe** blåserør; pusterør; utblåsingsrør. **blowup** eksplosjon; (vredes)utbrudd; forstørrelse.

blowtorch blåselampe.

blowzy ['blauzi] rødmusset og trivelig; sjusket.

blubber ['blʌbə] hvalspekk; sutre, sippe, tute.

bluchers ['blu:tʃəz, 'blu:kəz] (en slags) snørestøvler.

bludgeon ['blʌdʒən] kort kølle; lurk, svolk, påk.

blue [blu:] blå; (fig.) nedtrykt, melankolsk; som hører til torypartiet; lærd (om kvinner); blått, blå farge, konservativ; politibetjent; (i pl.) tungsinn, tunglynne, blåstrømpe; gjøre blå; (sl.) ødsle; **feel** — føle seg nedtrykt; **things look** — alt ser håpløst ut; **win** (el. **get**) **one's** — bli valgt til å representere sitt universitet ved idrettskonkurranse; **be in the blues** være nedtrykt. **Bluebeard** Blåskjegg. **bluebell** blåklokke. **bluebook** blåbok (offisiell beretning). **bluebottle** spyflue; kornblomst. **bluecoat boy** vaisenhusgutt (srl. fra **Christ's Hospital**). **blue-collar worker** industriarbeider, arbeider som bruker spesielle arbeidsklær (mots. hvitsnipparbeider). **blue devils** melankoli. **blue funk** (sl.) stor redsel. **bluejacket** orlogsgast. **blue jeans** blå dongeri(bukser). **bluelight** blålys. **once in a blue moon** meget sjelden. **Blue Peter** avgangssignal (et blått flagg). **blueprint** blåkopi; lyskopi; planleggingsstadium. **blue ribbon** blått bånd; tegn for hosebåndsordenen og for avholdsforening. **blue rock** bergdue. **blue sky: promise the** — love gull og grønne skoger. **blue stocking** blåstrømpe. **bluestone** blåstein, kobbervitriol. **blue tit** blåmeis. **bluewater school**, om dem som anser flåten for tilstrekkelig vern for Storbritannia. **blue whale** blåhval.

bluff [blʌf] steil, bratt; djerv, endefram; morsk, barsk; bratt skrent, ufs; påtatt selvsikkerhet, skryt, bløff; skremmeskudd; bløffe, skremme.

bluish ['blu:iʃ] blålig.

blunder ['blʌndə] forseelse, bommert, tabbe; gjøre en bommert; famle seg fram, vase, tumle (av sted). **-buss** muskedunder.

blunt [blʌnt] skjemt, sløv; likefram, endefram; brysk, avvisende; grov; sløve, døyve. **-ness** sløvhet; usjenerthet.

blur [blə:] plette, sulke, sette plett på; dimme, sløre, gjøre uklar, viske ut; plett; uklarhet, tåke.

blurb [blə:b] omslagstekst, forlagsreklame, vaskeseddel (på bok).

blurt [blə:t] **out** buse ut med.

blush [blʌʃ] rødme, bli rød; rødme; skamme seg; flyktig blikk, øyekast. **-less** skamløs.

bluster ['blʌstə] bruse, suse, larme; skryte;

---

brus, sus; larm; skryt. **-er** ['blʌstərə] storskryter. **blvd.** fk. f. **boulevard.**

bo, boh! [bəu] bø! **cannot say** — **to a goose** tør ikke si kiss til katten, er en stakkar.

boa ['bauə, bɔ:] kjempeslange; boa(pelskrage).

B.O.A.C. fk. f. **British Overseas Airways Corporation.**

boar [bɔ:] galte; villsvin.

board [bɔ:d] bord, brett, fjel, planke; oppslagstavle, (vegg)tavle; (spise-)bord; kost, kostpenger; kollegium, råd, utvalg, kommisjon, nemnd; styre; (i pl.) scenen; (skips)side; slag, baut; papp, kartong, perm; bordkle; ha i kost; sette i kost, sette bort på fôr; være i kost; borde, entre (et fiendtlig skip); **bed and** — bord og seng (ekteskapelig forhold); — **and lodging** kost og losji. **above** — åpent og ærlig; **on** — ombord, (amr.) med toget; **B. of Agriculture** landbruksdepartement; — **of appeal** ankenemnd. — **of directors** direksjon, styre. **B. of Education** undervisningsdepartement; **B. of Trade** handelsdepartement; **Local Government B.** ≈ kommunestyre; **School B.** skolestyre; **the B. of Admiralty** marinestyret. **-er** kostelev, pensjonær; entregast. — **ceiling** plankeloft. — **game** brettspill. — **home** pleiehjem for barn. **-ing house** pensjonat. **-ing school** kostskole (mots. **day school**). — **room** direksjonsværelse; børssal. — **school** folkeskole (under School Board).

board wages ['bɔ:d'weidʒiz] kostpenger.

boarish ['bɔ:riʃ] grisete; plump, rå.

boast [bəust] skryte, kyte; rose seg av, være kry av; kyt, skryt; stolthet. **boaster** storskryter. **boastful** skrytende. **boasting** kyting.

boat [bəut] båt, fartøy; ferjebåt; skip; dampskip; **be in the same** — være i samme båt. — **drill** livbåtmanøver. **-hook** båtshake. **-house** båthus. **-ing** rotur, roing, seilas. **-man** ferjemann, båtutleier. **-race** kapproing. **-swain** ['bəusn] båtsmann.

Bob [bɔb] kjælenavn for Robert.

bob [bɔb] rykke (i, med); slå, dulte til; stubbe, stusse, stutte; rykke; dingle; duppe; duve; neie; hile, pilke; — **a curtsey** neie; — **one's head in the door** stikke hodet kjapt gjennom døra; **-bed hair** pasjehår, «cutting». **bob** [bɔb] noe som henger og dingler, f. eks. lodd på en loddline; dingeldangel; agn, mark; omkved; rykk, kast, støt; (sl.) shilling.

bobbery ['bɔbəri] ballade, hurlumhei.

bobbin ['bɔbin] snelle; spole; kniplepinne; håndtak; klinkesnor; tynn snor.

bobbish ['bɔbiʃ] rask, sprek, kry.

Bobby ['bɔbi] kjælenavn for Robert; konstabel.

bobby pin hårklemme. — **socks** (amr.) ankelsokker.

bobsleigh ['bɔbslei] bobsleigh.

bobtail ['bɔbteil] kort hale, kupert hale; **tag-rag and** — pøbel. **bobtailed** korthalet.

boche [bɔʃ] (sl.) tysker.

bod [bɔd] fyr.

bode [bəud] varsle.

bodice ['bɔdis] snøreliv, korsett; kjoleliv.

bodily ['bɔdili] legemlig; fysisk; korporlig; fullstendig.

boding ['bəudiŋ] varsel.

bodkin ['bɔdkin] syl; ål; trekkenål; **sit** — **sitte** inneklemt mellom to andre.

Bodleian [bɔd'li:ən, 'bɔdliən]: **the** — **library**, bibliotek i Oxford.

body ['bɔdi] legeme; kropp; lik; person; substans, konsistens; korps; samling, samlet masse; samfunn; gruppe, flokk; karosseri (bil); hele, helhet; hovedstyrke; stamme (på et tre); skrog (et skips); fating; forme, danne. — **colour** dekkfarge. **-guard** livvakt. — **snatcher** likrøver.

Boer [buə] boer.

bog [bɔg] myr, myrlende; do, dass; søkke ned i en myr, kjøre seg fast, strande.

bogey ['bəugi] busemann, skremsel.

boggle ['bɔgl] fare sammen, skvekke, støkke, kvekke; tvile, nøle.

boggy ['bɔgi] myrlendt.

bogie ['bəugi] boggi.

bog iron (**ore**) myrmalm.

bogle [bəugl] spøkelse, skremsel, busemann.

bogus ['bəugəs] uekte, falsk, jukse-.

Bohemia [bəu'hi:mjə] Bøhmen. **Bohemian** [bəu'hi:mjən] bøhmisk; bøhmer; bohem.

boil [bɔil] byll.

boil [bɔil] koke, syde. **-ed shirt** (amr.) stiveskjorte; (fig.) stiv og avmålt person. **-er** dampkjele. **-ing** kokende; **keep the pot -ing** holde det gående; **the whole -ing** (sl.) hele stasen; **it all -s down to** når alt kommer til alt, i bunn og grunn; **-ing point** kokepunkt.

boisterous ['bɔistərəs] voldsom; framfus(ende); larmende, bråkende, vill, vilter, **-ness** voldsomhet; høyrøstethet.

bold [bəuld] dristig, djerv, kjekk; frimodig, freidig; frekk; fri; **make** — fordriste seg. — **-faced** frekk. **-ness** dristighet.

bole [bəul] trestamme, bol.

bolero [bə'lɛərəu] bolero (spansk dans); kort jakke.

Boleyn ['bulin].

boll ['bəul] frøhus, skolm.

bollard ['bɔləd] puller, påle; trafikkfyr, blinkfyr.

Bologna [bə'ləunjə].

Bolshevik ['bɔlʃəvik] bolsjevik. **-ism** ['bɔlʃəvizm] bolsjevisme. **-ist** ['bɔlʃəvist] bolsjevik, bolsjevikisk, bolsjevistisk.

bolshie, bolshy ['bɔlʃi] (sl.) bolsjevik.

bolster ['bəulstə] bolster, underdyne; pute, underlag; salpute; kompress (på sår); legge pute under; støtte oppunder, hjelpe fram.

bolt [bəult] bolt; slå; lyn; sluttstykke (i gevær); stenge (med slå el. skåte); lenke, legge i bolt og jern; buse ut med; sluke (uten å tygge); styrte fram el. ut; stikke av.

bolt [bəult] bent; — **upright** rett opp og ned.

bolt [bəult] sælde, sikte (korn, mel); (fig.) drøfte, prøve. **-er** siktemaskin.

bolus ['bəuləs] stor pille.

bomb [bɔm] bombe; brøler, kjempetabbe; sensasjon; slippe bomber ned på.

bomb alley ['bɔm'æli] stripe som bomben (V-bomben) etterlater seg på himmelen.

bombard [bɔm'ba:d] bombardere. **-ier** [bɔmbə-'diə] bombarder, artillerisersjant. **-ment** [bɔm'ba:-dmənt] bombardement.

bombardon [bɔm'ba:dn] bombardon.

bombast ['bɔmbəst] svulst, ordbram. **bombastic** [bɔm'bæstik] svulstig, høyttravende.

Bombay [bɔm'bei].

bombazine [bɔmbə'zi:n, 'bɔm-] bombasin.

bomber ['bɔmə] bombefly.

bomb blast ['bɔm'bla:st] lufttrykk fra bombeeksplosjon.

bomb disposal ['bɔm di'spəuzel] uskadeliggjøring av bombe.

bombproof ['bɔmpru:f] bombesikker. — **raid** bombeangrep. **-shell** bombe. **-site** utbombet hus.

bonafide ['bəunə'faidi] i god tro, ekte.

bonanza [bə'nænzə] (spansk ord) lykke; rikt malmfunn, rik gullgruve; rik, fordelaktig, lønnsom.

Bonaparte ['bəunəpa:t].

bond [bɔnd] bånd; forband; obligasjon, forskrivning; gjeldsbrev; forpliktelse; tolloplag, frilager; bunden, fangen; binde, forplikte, forskrive; kausjonsforsikre; legge i tolloplag; **-ed goods** transittgods. **-ed warehouse** tolloplag, frilager. **-age** ['bɔndidʒ] trelldom. **-man** ['bɔndmən] trell. **-sman** ['bɔndzmən] slave; kausjonist.

bone [bəun] ben, bein, knokkel; fiskeben (i kjoleliv), fribillett; (i pl.) spiler (i paraply); kastanjetter; terninger; renske for ben; sette fiskeben el. spiler i; kvarte, redde; sikte inn, nivellere; arbeide intenst, pugge; **bred in the**

— **medfødt; have a** — **to pick with** ha en høne å plukke med; **he made no -s about it** han la ikke skjul på det; han gjorde ingen opphevelser. — **of contention** stridens eple. — **-dry** knastørr. — **flour** beinmel. — **head** tosk, pappskalle. **-less** benfri. **-setter** ledd-doktor. **-shaker** gammeldags sykkel med massive ringer. — **-tired** dødstrett.

Boney ['bəuni] fork. f. Bonaparte.

bonfire ['bɔnfaiə] festbluss, bål.

bonkers ['bɔŋkəz] omtåket; spenna gal, tett i pappen.

bonne [bɔn] bonne (fransk barnepike).

bonnet ['bɔnit] lue; damehatt; motorpanser, motordeksel; ta hatt på; slå hatten ned i pannen (på en).

bonny ['bɔni] (skotsk) vakker, gild; glad.

bonus ['bəunəs] bonus; gratiale, tillegg.

bony ['bəuni] beinet, knoklet.

boo [bu:] bø! bu! pytt! raut; si bø, raute; si bø til, true; pipe ut.

booby ['bu:bi] havsule; tosk; fuks (i en klasse). — **prize** trøstepremie. — **trap** (mine)felle; ubehagelig overraskelse.

boodle [bu:dl] bande, flokk, bunt; falske penger; bestikkelse.

boogeyman ['bu:gimæn] busemann.

book [buk] bok; hefte, billetthefte; 6 stikk (i whist); skrive, føre til boks, bokføre, engasjere; løse billett til, tinge på; **bring to** — kreve til regnskap; **speak by the** — tale som en bok. **-binder** bokbinder. **-case** bokreol, bokskap. — **end** bokstøtte. **-ie** ['buki] (sl.) veddemålsagent. **-ing office** billettkontor. **-ish** ['bukiʃ] pedantisk, stuelærd. **-keeper** bokholder. **-keeping** bokføring. — **-learned** stuelærd. **-let** ['buklit] liten bok, brosjyre. **-maker** veddemålsagent, profesjonell veddemålsspekulant (ved hesteveddeløp). **-man** litterat. **-mark** bokmerke. — **post** korsbånd; **by** — **post** som korsbånd, «trykksaker». **-seller** bokhandler. **-shelf** bokhylle. **-stall** åpent bokutsalg, kiosk. **-stand** liten bokhylle. **-store** (amr.) bokhandel. — **value** bokført verdi. **-worm** bokorm, lesehest.

boom [bu:m] bom; dønn, drønn; reklame; prisstigning, oppsving, høykonjunktur; drønne; reklamere for, drive prisen opp; blomstre opp.

boomerang ['bu:məræŋ] bumerang; (fig.) som slår tilbake; ha ettervirkninger.

boon [bu:n] gave, velgjerning; velsignelse; gunst; lystig, glad; **a** — **companion** svirebror.

boondoggle ['bu:ndɔgl] (amr.) gjenstand, prosjekt som er imponerende enn nyttig, «hvit elefant».

boor [buə] tølper, bondeslamp. **-ish** ['buəriʃ] bondsk, tølperaktig, uhøflig, grov.

boost [bu:st] reklamere for; hjelpe; forsterke (batteris spenning).

booster ['bu:stə] forsterker; igangsetter; startmagnet; startrakett; hjelpe-, tilleggs-.

boot [bu:t] gagne, hjelpe; fordel, gagn; **to** — attpå, på kjøpet.

boot [bu:t] støvel; bagasjerom (i bil), vognskrin (under kuskesetet); skvettlær; (pl.) skopusser, hotellgutt; sparke, avskjedige; trekke støvler på. **-ee** ['bu:ti] damestøvel; barnesokk.

booth [bu:θ] bod, bu, markedstelt; telefonboks; avlukke.

bootjack ['bu:tdʒæk] støvelknekt.

bootlace ['bu:tleis] støvelreim, støvellisse.

bootleg ['bu:tleg] støvelskaft; smuglersprit; smugle, gauke.

bootless ['bu:tləs] unyttig, gagnløs, fåfengt.

bootmaker ['bu:tmeikə] skomaker.

boot tree ['bu:t-tri:] støvelblokk.

booty ['bu:ti] bytte, rov, hærfang; **to play** — tape med forsett; spille under dekke.

booze [bu:z] (sl.) svire; fyll, drikkevarer. **boozer** (sl.) svirebror, drukkenbolt; bevertning. **boozy** (sl.) omtåket, full.

bopeep [bəu'pi:p] tittelek, gjemsel.

boracic [bə'ræsik] bor-; — **acid** borsyre.

borax ['bɔːræks] boraks.
border ['bɔːdə] rand, kant; bord; grense(land); kante; avgrense; grense (**on** til). **-er** grenseboer.
border | **case** grensetilfelle. **-line** grense, skjæringslinje; grense-. — **state** randstat.
bore [bɔː] imperf. av **bear.**
bore [bɔː] bore; utbore; plage, kjede; (bore)-hull; boring (i motor); plageånd, plage; løp (på børse), kaliber; **it is a** — det er ergerlig, kjedelig.
bore [bɔː] flodbølge, springflo.
boreal ['bɔːriəl] nordlig, norda-.
bore|dom ['bɔːdəm] kjedsommelighet, plage. **-some** kjedelig, trettende.
born [bɔːn] født, perf. pts. av **bear.**
borne [bɔːn] båret, perf. pts. av **bear.**
Borneo ['bɔːnjəu].
borough ['bʌrə] kjøpstad, by, bykommune; valgkrets; **close** — eller **pocket** — valgkrets, der velgerne var i godseierens makt (før 1832); **rotten** — valgkrets, som, enda velgertallet var ganske lite, sendte egen representant til Parlamentet (før 1832).
borough-English ['bʌrə'iŋgliʃ] system i visse deler av England, hvoretter all jord og eiendom tilfaller den yngste sønnen.
borrow ['bɔrəu] låne (av andre). **-er** låntaker.
Borstal ['bɔːstl]: — **Institution** forbedringsanstalt for unge lovovertredere.
boseage ['bɔskidʒ] kratt, tykning.
bosh [bɔʃ] vrøvl, sludder.
bosky ['bɔski] skog-, skogkledd.
bosom ['buzəm] barm; bryst; (fig.) skjød. — **friend** hjertevenn, bestevenn.
boss [bɔs] mester, sjef, prinsipal, bas; leder, pamp; bestemme, styre, rå.
boss [bɔs] bule, kul; knott, knapp; bossere.
B. O. T. fk. f. **Board of Trade.**
bot [bɔt] verre, bremslarve.
botanic(al) [bɔ'tænik(l)] botanisk. **botanist** ['bɔtənist] botaniker. **botanize** ['bɔtənaiz] botanisere. **botany** ['bɔtəni] botanikk.
botch [bɔtʃ] svulst; bot, lapp, lappverk; makkverk; befenge med svulster; bøte, lappe i hop, sjuske, forkludre; skjemme bort. **-er** lappeskredder; fusker.
both [bəuθ] begge; **we . . . both of us** vi . . . begge to; — **and** både . . . og.
bother ['bɔðə] plage, bry; umake, bry(deri); — **to** gjøre seg den uleilighet å; **oh** —! det var da ergerlig! — **him!** gid pokker hadde ham! **be bothered** ha ubehageligheter. **-ation** [bɔðə'reiʃən] plage, mas, kav. **-some** ['bɔðəsəm] brysom, plagsom.
Bothnia ['bɔθniə]: **Gulf of** — Bottenvika.
bothy ['bɔθi] (skotsk) bu, hytte.
bottle ['bɔtl] bunt; **look for a needle in a** — **of hay** lete etter en knappenål i et høylass.
bottle ['bɔtl] flaske; fylle på flasker.
bottle | **fly** spyflue. **-holder** flaskeholder; (en boksers) sekundant. — **message** flaskepost. **-neck** flaskehals, innsnevring, hindring. **-nose** potetnese; fyllepære. — **party** fyllefest; spleisefest.
bottom ['bɔtəm] bunn, botn; grunn; nederste del; bakdel, ende; dal; skip; kjøl; (fig.) kraft, utholdenhet; sette bunn i; grunne, basere, grunnlegge; lavest, nederst, bunn-; **at the** — på bunnen, ved foten (av en bakke); nedenfor; **he is at the** — **of it** han står bak det; **-s up!** skål! bånski. — **drawer** utstyrskiste. **-less** bunnløs; **-ry** ['bɔtəmri] bodmeri; pantsette.
botulism ['bɔtjulizm] botulisme.
boudoir ['buːdwɑː] budoar.
bough [bau] grein.
bought [bɔːt] imperf. og perf. pts. av **buy.**
boulder ['bəuldə] rullestein, kampestein.
Boulogne [bu'lɔin].
bounce [bauns] spring, byks, sprett; støt; skryt, overdrivelse; trusel; løgn; sprette, bykse, komme settende; bråke; skryte; avvise (om sjekk uten dekning). **bouncer** stor, svær rusk; storskryter; utkaster; diger skrøne.

bound [baund] bykse, hoppe; sprett, byks.
bound [baund] grense, skranke; begrense; **out of -s** forbudt område.
bound [baund] bestemt (**for** til), reiseferdig, på veien; **homeward** — på hjemveien.
bound [baund] imperf. og perf. pts. av **bind.**
boundary ['baundəri] grense.
bounden ['baundən]: **my** — **duty** min simple plikt.
bounder ['baundə] (sl.) simpel person.
boundless ['baundləs] grenseløs.
bounteous ['bauntjəs, -tiəs] gavmild, raus.
bountiful ['bauntiful] gavmild; rundhåndet, rikelig.
bounty ['baunti] gavmildhet; gave; barmhjertighet; premie.
bouquet ['bukei] bukett; aroma, buké.
bourbon ['buəbən, 'bəːbən] (amr.) en slags whisky.
bourgeois ['buəʒwɑː] bursjoa.
bourgeois [bəː'dʒɔis] borgis (trykktype).
bout [baut] tur, tak, dyst, tørn; drikkelag; anfall; omgang.
bovine ['bəuvain] hornkveg, okse-.
bovril ['bɔvril] kjøttkraft, buljong.
bow [bau] bøye; bukke; bukke seg; bukke under for, lide nederlag; bukk; baug, forskip (på skip); — **one to the door, carriage** følge en bukkende til døren, vognen.
bow [bəu] bue; sløyfe; bøye, krumme, krøke. **Bow bells** ['bəubelz] klokkene i **Bow Church** ['bəutʃɑːtʃ] Bowkirken omtrent midt i London; **he is born within the sound of** — han er en ekte londoner.
bowdlerize ['baudləraiz] sensurere sterkt (bok), rense for alt upassende.
bowel ['bauəl] tarm; **-s** pl. innvoller, indre; medlidenhet, sympati; **have your** — **moved?** har De hatt avføring? — **of the earth** indre av jorden.
bower ['bauə] løvhytte, løvsal, lysthus; (jomfru)bur; kabinett; kove.
bowie knife ['bəuinaif] (amr.) jaktkniv.
bowl [bəul] ball, kule, bowlingball; flottørkasse, bolle, kum, skål; terrin; pipehode; skjeblad; trille; slå (i spill); spille ball, bowle (spille bowling), spille kjegler. **-er** bowlingspiller, ballspiller; stiv hatt. **-ing alley** kilebane, ballplass, bowlingbane. **-ing green** ballplass.
bowlder ['bəuldə] se **boulder.**
bowlegged ['bəulegd] hjulbeint.
bowler hat ['bəuləhæt] rund, stiv hatt, skalk.
bowline ['bəulain] boline. — **knot** pålestikk.
bowsprit ['bausprit] baugspryd.
Bow Street ['bəustriːt] gate i London, tidligere sete for politiets hovedkontor; — **officer** el. — **runner** (i gamle dager) oppdagelsesbetjent.
bowstring ['bəustriŋ] buestreng. — **bridge** hengebru.
bow tie sløyfe (slips).
bow window ['bəu'windəu] karnappvindu (i rundt karnapp).
bow-wow [bau'wau] vovvov.
box [bɔks] buksbom.
box [bɔks] eske, boks, skrin; kasse; koffert; julegave (**Christmas** —); bukk, kuskesete; sparebøsse; skilderhus; losje; avlukke; kove; spiltau; jakthytte (**hunting** —); bøssing; legge i eske el. kasse; klemme, presse; — **in** stenge inne; bringe i vanskeligheter; **go a -ing** gå omkring og ønske gledelig jul; — **the compass** lese (gå) kompasset rundt.
box [bɔks] bokse, fike, slå; slag, fik, lusing; — **on the ear** ørefik.
box | **bed** alkoveseng. **-board** eskekartong. — **calf** bokskalv. — **car** lukket godsvogn, kuvogn.
boxer ['bɔksə] bokser.
box girder kassebjelke, kanalbjelke.
boxhaul ['bɔkshɔːl] bakke for.
Boxing Day ['bɔksiŋdei] annen juledag.
box | **kite** kasseformet drage. — **lunch** (amr.)

matpakke. — **office** billettkontor (på teater), **a** — **office success** et kassastykke, en suksess. **-room** pulterkammer. — **seat** kuskebukk; losjeplass i teater. — **stall** spiltau. **-tree** buksbom(tre).

boy [bɔi] gutt, guttunge; tjener.

boyar [bɔ'jɑ:, 'bɔiə] bojar.

boycott ['bɔikət] boikotte; boikott.

boyhood ['bɔihud] gutteår, barndom.

boyish ['bɔiiʃ] guttaktig, gutte-. **-ness** guttaktighet. **boy scout** speider(gutt).

boysenberry ['bɔi-] bjørnebringebær.

Boz [bɔz] pseudonym for Charles Dickens.

Bp fork. f. **bishop.**

B. R. fk. f. **British Railways.**

brabble ['bræbl] kjekle; kjekl.

brace [breis] bånd, reim; gjord, belte; støtte, forsterkning, knekt; bøyle (tannregulering); borsveiv; parentes, klamme; bras; par (i jakt-spr.); binde, gjorde, styrke, stramme, støtte, avstive, spenne; **brase**; **-s** seler; — **his feet against** ta spenntak i; — **oneself up** stramme seg opp, samle mot.

bracelet ['breislət] armbånd.

brachycephalic [brækise'fælik] kortskallet.

bracing ['breisiŋ] forfriskende, nervestyrkende.

bracken ['brækn] bregne, ormegress.

bracket ['brækit] konsoll; liten benk (som er gjort fast i veggen); lampett; hylleknekt; klamme (parentes); støtte med konsoll; sette i klammer; sammenstille. **square** — [], **round** — ().

brackish ['brækiʃ] brakk; — **water** brakkvann.

brad [bræd] nudd, dykkert. **-s** (sl.) penger. **-awl** [-ɔ:l] spissbor.

brae [brei] (skotsk) bakke, hall, skrent.

brag [bræg] prale, skryte, braute; kyt, skryting; et slags kortspill. **-gadocio** [brægə'dəutʃiəu] skryt. **-gart** [brægət], **bragger** ['brægə] storskryter.

Brahma ['brɑ:mə] Brama.

Brahman ['brɑ:mən], **Brahmin** ['brɑ:min] brahman, brahmin.

braid [breid] flette, tvinne, sno; besette med snorer; snor; flette, fletning; hårbånd.

brail [breil] gitau, håv; håve inn; gi opp.

braille [breil] blindeskrift.

brain [brein] hjerne; hode, vett, forstand (også **brains**); slå hodet inn på; **rack** (el. **puzzle**) **one's brains** legge sitt hode i bløt. — **cell** hjernecelle. — **child** fiks idé. — **fag** hjernetretthet. — **fever** hjernebetennelse. — **insurance** forsikring mot tap av verdifulle (med)arbeidere. — **-less** ubegavet. **-pan** hjerneskalle. **-sick** sinnsforvirret. **-storm** sinnsforvirring; vill idé. **-storming** rabaldermøte. **-wash** hjernevask; hjernevaske. — **wave** lys idé. **-work** åndsarbeid.

brainy ['breini] intelligent, begavet, gløgg, skarp.

braise [breiz] steke i gryte.

brake [breik] (lin)bråk; bremse; bråke, bremse.

brake [breik] kratt; bregne; einstape.

brake | band bremsebånd. — **disk** bremseskive. — **drum** bremsetrommel. — **fluid** bremsevæske. — **lining** bremsebånd, bremsebelegg.

bramble ['bræmbl] klunger(kjerr), bjørnebær-(ris). **brambly** ['bræmbli] tornet.

bran [bræn] kli.

branch [brɑ:nʃ] grein; gren; arm; avsnitt; avdeling, bransje; læregrein, fag; filial; greine seg, grene seg; — **line** sidelinje. **-y** ['brɑ:nʃi] greinet.

brand [brænd] brann (et brennende stykke tre); sverd; brennemerke, skamplett; (merk.) stempel; merke, kvalitet, kvalitetsmerke, fabrikat; brennemerke; merke, stemple. **-ed goods** merkevarer. — **image** merke, produktforestilling, symbol. **-ing iron** brennjern.

brandish ['brændiʃ] svinge (f. eks. sverd).

brand-new ['brændnju:] splinterny.

brandy ['brændi] brennevin, konjakk; blande med konjakk. — **-and-water** grogg. — **pawnee** (i anglo-indisk) grogg.

bran-new ['brænnju:] se **brand-new.**

brash [bræʃ] kvist, kvas, rusk; issørpe; freidig, frekk.

brass [brɑ:s] messing; messingtøy; messing-instrument; mynt, penger; pryd, ornament; uforskammethet; **get down to** — tacks komme til saken. **-band** musikk-korps med blåseinstrumenter, hornorkester. — **check** (amr.) bestikkelse, smøring. — **farthing** en døyt. — **hat** (soldatslang) høytstående offiser. — **plate** messingplate, navneplate (på dør). **-y** messingaktig; messinggul; frekk.

brassiere ['bræsiə] brystholder.

brat [bræt] unge.

bravado [brə'vɑ:dəu] kyt, skryt, dumdristighet.

brave [breiv] modig, tapper; gjev; storartet; gild; vågehals, slåsskjempe; trosse, sette seg opp imot. **-ly** tappert, motig; prektig; til gagns, dyktig. **bravery** ['breivəri] tapperhet; prakt.

bravo ['brɑ:vəu] bravo! bravorop; banditt, leiemorder.

bravura [brə'v(j)uərə] bravur, bravurnummer.

brawl [brɔ:l] larme, krangle; ståk, klammeri, batalje; kjempefest, orgie, veiv.

brawn [brɔ:n] grisesylte; muskelkraft, svære muskler. **brawny** ['brɔ:ni] sterk, muskuløs.

bray [brei] støte, finstøte; rive.

bray [brei] skrall, drønn; skryting (et esels); drønne, skralle; skryte.

braze [breiz] lodde; beslå med messing; (fig.) forherde; herde.

brazen ['breizən] messing-, malm-, bronse-; frekk, uforskammet. **-faced** [-feist] uforskammet.

brazier ['breizjə] messingsmed, gjørtler.

brazier ['breizjə] glopanne, fyrfat.

Brazil [brə'zil] Brasil. **brazil** brasiltre, rødtre. **Brazilian** [brə'ziljən] brasilianer; brasiliansk. — **rosewood** jakaranda, palisander. **Brazils** [brə-'zilz]: **the** — Brasil.

breach [bri:tʃ] brudd; bresje; gjennombryte; — **of promise** løftebrudd.

bread [bred] brød; levebrød; griljere; panere; — **and butter** smørbrød (tynne brødsnitter med smør); — **and butter letter** takkebrev; **know which side one's** — **is buttered** vite hva man selv har fordel av; **quarrel with one's** — **and butter** spolere sitt levebrød. **-basket** brødkurv; (fig.) spiskammer; mage. **-crumb** brødsmule. **-line** brødkø; eksistensminimum. — **pan** brødboks.

breadth [bredθ] bredde.

breadthways ['bredθweiz] i bredden.

breadwinner ['bredwinə] familieforsørger.

break [breik] brekke, bryte, nedbryte, bryte i sund; ruinere, ramponere, ødelegge; sprenge; springe, briste, ryke sund; bryte løs, bryte fram; gry; ri inn, temme (en hest); avbryte; åpne; begynne; gå fallitt; svekkes, avta; ikke holde seg; bryte ut av fengsel; — **the news to a person** meddele lempelig, forberede en på et budskap; — **one's heart** gjøre en hjertesorg; — **down** bryte ned; mislykkes, slå feil; miste fatningen; **-down** uhell, nederlag; — **even** i økonomisk balanse; hverken vinne eller tape; — **in** falle inn (i talen), utbryte; — **in upon** avbryte; **her cheeks broke into dimples** hun fikk smilehull i kinnene; — **up** bryte opp; oppløse, splitte; hogge opp; klarne (om været); — **with** bryte med; — **oneself of a habit** venne seg av med noe.

break [breik] brudd; frambrudd; avbrytelse, stans, opphold; friminutt; avsats. **-able** ['breikəbl] skrøpelig. **-age** ['breikidʒ] brudd, beskadigelse; erstatning for ramponert gods. **-down** ['breikdaun] sammenbrudd, motorstopp; uhell. **-er** ['breikə] en som bryter osv.; brottsjø, skavl, brenning.

breakfast ['brekfəst] frokost; spise frokost.

break-in innbrudd; innkjøring, prøvekjøring.

breaking point bruddgrense; bristepunkt.

break line ['breiklain] linjeutgang.

breakneck ['breiknek] halsbrekkende, farlig.

breakthrough ['breikθru:] gjennombrudd.
breakup ['breikʌp] oppløsning, sammenbrudd, oppbrudd.
breakwater ['breikwɔ:tə] bølgebryter, molo.
bream [bri:m] brasen, brasme (fisk).
breast [brest] bryst, bringe, barm; hjerte; sette brystet imot; stemme imot; trosse; **make a clean** — tilstå. **-stroke** brysttak (i svømming). **-work** brystvern.
breath [breθ] ånde; åndedrag, åndedrett; pust; luftning; liv; pusterom; munnsvær; **at a** — i samme åndedrett; **out of** — andpusten; **half under one's** — halvt dempet, halvhøyt; **draw one's** — puste. **breathalyzer** ['breθəlaizə] (ballong, apparat til måling av alkoholkonsentrasjon i pusten ved promilleprøve). **breathe** [bri:ð] ånde, puste, trekke pusten; hvile litt; innånde; blåse inn; puste ut; hviske, kviskre; — **one's last** dra sitt siste sukk. **breather** ['bri:ðə] en som ånder; en som innånder, innblåser; hvilepause. **breathing** ['bri:ðiŋ] ånde; gust, luftning; innblåsning. **breathless** ['breθlis] åndeløs, andpusten.
breath-taking ['breθteikiŋ] som tar pusten fra en; spennende, betagende.
bred [bred] avlet; — **in the bone** medfødt.
breech [bri:tʃ] bakstykke (på skytevåpen); bak, bakdel; gi en gutt bukser på. **-es** ['britʃiz] pl. slags knebukser; **she (the wife) wears the -es** det er kona som har buksene på, som styrer. **-ing** ['bri:tʃiŋ] bakreim; bakstykke. — **loader** bakladningsgevær el. -kanon.
breed [bri:d] avle; ale, fostre; oppdra; frambringe; yngle, formere seg; avkom, rase; yngel; ætt; art, slag. **-ing** avl, al, oppdrett; formering; utklekking; oppdragelse. **-ing ground** yngleplass; (fig.) utklekningssted. **-ing society** avlslag.
breeze [bri:z] kullavfall.
breeze [bri:z] blinding, klegg.
breeze [bri:z] bris. **breezy** ['bri:zi] luftig, frisk.
brethren ['breðrin] (høyere stil) brødre.
Breton ['bretn] bretagner, bretagnsk.
brevet ['brevit] titulær rang; gi tiltulær rang.
breviary ['bri:viəri] breviar(ium).
brevity ['breviti] korthet.
brew [bru:] brygge; trekke opp (om uvær); være i gjære. **-age** [-idʒ] brygg, blanding. **-er** ['bru:ə] brygger. **-ery** [-əri] bryggeri.
briar ['braiə] se **brier.**
bribe [braib] bestikkelse, stikkpenger; lokkemiddel; bestikke, lokke. **bribery** ['braibəri] bestikkelse.
bric-a-brac ['brikəbræk] nips, snurrepiperier, jugl.
brick [brik] murstein; teglstein; brikke; byggekloss; blokk, klump; kjernekar; mure; **drop a** — gjøre en brøler, fadese. **-bats** stykke murstein. **-burner** teglbrenner. **-field** teglverk. **-kiln** teglovn. **-layer** murer. **-maker** teglbrenner. **-nogging** bindingsverk. **-yard** teglverk.
bridal ['braidl] brude-, bryllups-.
bride [braid] brud. **-groom** [-gru:m] brudgom. **brides|maid** ['braidzmeid] brudepike. **-man** brudesvenn.
bridewell ['braidwəl] tukthus, fengsel, arbeidsanstalt.
bridge [bridʒ] bro, bru, kommandobru; stol (på en fiolin); neserygg; bygge bru over.
bridge [bridʒ] bridge.
bridge board ['bridʒbɔ:d] vange (i trapp).
bridgehead bruhode, befestningsverk til beskyttelse av bru, pass el. lign. overgang.
bridle ['braidl] bissel; tømme, tom, tøyle; bisle; tøyle, legge bånd på; steile, kneise. — **path,** — **way** ridevei.
bridoon [bri'du:n] bridon.
brief [bri:f] kort, kortfattet; kort utdrag av en rettssak, resymé utarbeidet av the solicitor til bruk for the barrister; rettsordre; diplom; bevilling til innsamling; låneseddel; resymere, sammendra; orientere, briefe; instruere, underrette. **-case** dokumentmappe, liten koffert for papirer.

-s juridiske saker; truser. **briefless** uten praksis (jur.). **briefly** kort, i korthet.
brier ['braiə] vill rose; tornebusk; briar; snadde.
brig [brig] brigg.
brigade [bri'geid] brigade; gruppe.
brigadier [brigə'diə], — **general** brigadesjef, brigadegeneral.
brigand ['brigənd] røver.
brigantine ['brigəntain, -ti:n] brigantin, skonnertbrigg.
bright [brait] blank, klar, funklende; lys; sterk; strålende; kvikk, opplyst; gløgg; **honour bright!** på ære! — **red** høyrød. **-en** ['braitn] lysne, gjøre lysere, blankpusse; live opp; **as the day -ened** etter som det lysnet. **-ness** klarhet, glans; skarpsindighet.
Brighton ['braitn].
brightwork ['braitwə:k] messinggreier osv. som skal holdes blanke; lakkert treverk.
brilliance ['briljəns] glans; åndrikhet, intelligens. **brilliancy** ['briljənsi] glans, lysstyrke. **brilliant** ['briljənt] glimrende, skinnende; strålende, fremragende; briljant (diamant).
brim [brim] rand, kant; brem (på hatt); fylle til randen, være breddfull. **-ful** breddfull.
brimstone ['brimstən] svovel. **brimstony** ['brimstəni] svovelaktig, svovel-.
brinded ['brindid], **brindled** ['brindld] spettet, stripet, brandet, droplet.
brine [brain] saltvann; salt vann; saltlake, lake; (fig.) hav; tårer; legge i saltlake, salte.
bring [briŋ] bringe (især til den talende); skaffe; innbringe; ta, bringe med, ha med; to — **word** bringe bud el. etterretning; — **about** få i stand, utvirke, volde; — **down the house** høste stormende applaus; — **one down a peg** legge en demper på en; — **forth** frembringe, føde; — **forward** fremlegge, fremsette; — **home** overbevise, gjøre det klart; — **in** innføre, innbringe; sette fram; — **over** få til å skifte mening; — **to** dreie bi; — **to mind** gjenkalle i minnet; — **up** bringe opp; oppdra; bringe på bane; stanse; forankre.
bringer ['briŋə] overbringer, budbærer.
brink [briŋk] stup, kant, brink, rand; **on the** — **of the grave** på gravens rand.
briny ['braini] salt; **the** — havet.
briquet ['brikət], **briquette** [bri'ket] brikett.
brisk [brisk] frisk, livlig, rask, sprek.
brisket ['briskit] bryst, bringe.
brisling ['brizliŋ] brisling.
bristle ['brisl] bust; reise seg, stritte, strutte, stå stivt; set up the **-s** reise bust.
Brit. fk. f. Britain; Britannia; British.
Britain ['britn], **Great Britain** Storbritannia. **Britannia** [bri'tænjə] Britannia; britanniametall. **Britannic** [bri'tænik] britisk.
Brit|ish ['britiʃ] britisk; **the British Commonwealth of Nations** Det britiske samvelde; **-isher** [-iʃə] brite.
Brit. Mus. fk. f. British Museum.
Briton ['britən] brite. **North** — skotte.
Brittany ['britəni] Bretagne.
brittle ['britl] skjør, sprø, skrøpelig; (fig.) usikker; irritabel, hissig.
brl. fk. f. barrel.
broach [brəutʃ] stekespidd; stikke an; ta hull på, begynne å bruke; begynne å diskutere.
broad [brɔ:d] bred, brei, vid, stor; grov, drøy; liberal, romslig; allmenn, alminnelig; kvinnfolk, ludder; — **awake** lysvåken; — **daylight** høylys dag; **B. Church** frisinnet retning i den engelske kirke.
broad|cast ['brɔ:dkɑ:st] håndsådd, strødd vidt og bredt; kringkaste, radio-. — **-chested** bredbringet. **-cloth** fint klede. **-ly speaking** stort sett. — **-minded** frisinnet, liberal; som ser stort på det. **-sheet** ark trykt på den ene side, plakat. **-side** bredside; glatt lag. **-sword** huggert. **broaden** ['brɔ:dn] gjøre bred; utvide seg. **broadness** bredde, vidde.

broadwise ['brɔ:dwaiz] etter bredden.

Brobdingnag ['brɔbdiŋnæg] kjempelandet i Swifts Gulliver's Travels.

brocade [brə'keid] brokade.

brochure ['brəuʃuə] brosjyre.

brock [brɔk] grevling.

brocket ['brɔkit] spisshjort (toårig hjort).

brogan ['brəugən, 'brɔgən] tykk sko.

brogue [brəug] irsk uttale av engelsk; slags sko.

broil [brɔil] steke, riste; stekes; griljert rett; bråk, klammeri. **-er** broilerkylling; stekeovn.

broke [brəuk] imperf. av **break**.

broke [brəuk] blakk, fant; **go** — gå fallitt.

broken ['brəukn] perf. pts. av **break**. — **meat** kjøttrester. **-hearted** med knust hjerte, nedslått. **-ly** avbrutt, rykkvis. **-spirited** nedbrutt, motløs. — **-winded** stakkåndet.

broker ['brəukə] mekler; marsjandiser; auksjonarius, inkassator; mellommann. **-age** ['brəukəridʒ] meklerlønn, kurtasje, provisjon.

brome [brəum] brom. **bromide** ['brəumaid] bromid; — **of potassium** bromkalium.

bronchia ['brɔŋkiə] **bronchiae** ['brɔŋkii:] bronkier, luftveier. **bronchitis** [brɔŋ'kaitis] bronkitt.

bronco ['brɔŋkəu] (amr.) liten halvvill hest.

Brontë ['brɔnti].

bronze [brɔnz] bronse; figur av bronse; bli brun, bronsere; forherde, barke.

brooch [brəutʃ] brosje, brystnål; smykke.

brood [bru:d] unger, yngel; avkom; ruge; ruge ut, klekke ut; tenke, sture.

brooder ['bru:də] grubler; rugemaskin.

broody ['bru:di] (om høne) liggesyk, klukk; humørsyk.

brook [bruk] tåle, finne seg i.

brook [bruk] bekk, å. **-let** ['bruklit] liten bekk.

broom [bru:m] (slags) lyng, gyvel; sopelime, feie, koste, sope.

broomstick ['bru:mstik] kosteskaft; **marry over the** — samliv uten inngått ekteskap.

Bros. ['brʌðəz] brødrene (i firmanavn).

broth [brɔθ] sodd, kjøttsuppe; — **of a boy** flott fyr.

brothel ['brɔθl, 'brɔðl] bordell, horehus.

brother [brʌðə] bror; (fig.) kollega; svoger. — **in arms** krigskamerat. **brother-in-law** ['brʌðərin'lɔ] svoger. **-hood** [-hud] brorskap. **-ly** broderlig.

brougham [bru:m] lett landauer; biltype.

brought [brɔ:t] imperf. og perf. pts. av **bring**.

brow [brau] bryn, kant; ås; (fig.) panne; mine; **knit one's -s** rynke pannen.

browbeat ['braubi:t] skremme, hundse.

brown [braun] brun; brunt, brun farge; brune, brunsteke; — **bread** brød av usiktet hvetemel, grovbrød; — **paper** gråpapir; — **study** dype tanker.

brownie ['brauni] nisse; en slags kamera; liten pikespeider, meise; brun kake.

Browning ['brauniŋ].

browse [brauz] gnage, bite av; gresse, beite. (fig.) kikke el. smålese i bøker.

Bruges [bru:ʒ] Brügge.

Bruin ['bru:in] bamse, bjørn.

bruise [bru:z] kveste, skade; forslå, støte; knuse; skrubbsår; kvestelse; støt, slag, skramme.

bruit [bru:t] gjøre kjent, utspre; **the word is -ed about that** det går det rykte at.

Brummagem ['brʌmədʒəm] Birmingham; imitasjon, juks; uekte; — **buttons** falske penger.

brunch [brʌnʃ] kombinasjon av **breakfast** og **lunch** frokostlunsj.

brunette [bru:'net] brunette.

Brunswick ['brʌnzwik] Braunschweig.

brunt [brʌnt] hissighet, hete; støt, strid; **bear the** — ta støyten, ta ubehagelighetene.

brush [brʌʃ] børste; kost; pensel; hale (på en rev); kamp; kratt; kvas; børste, koste, streife; stryke; — **away** viske bort, jage fra seg; — **up** pusse opp, friske opp på. — **fire** brann i underskog; (fig.) ild i tørt gress. **-wood** kratt; kvas.

brusque [brusk, brʌsk] brysk, brå, morsk.

Brussels ['brʌslz] Brussel. — **sprouts** rosenkål.

brutal ['bru:təl] dyrisk; brutal. **-ity** [bru:'tæliti] dyriskhet, råskap, brutalitet.

brute [bru:t] dyrisk; rå; dyr; rått menneske, umenneske. **brutish** ['bru:tiʃ] dyrisk, rå.

bryony ['braiəni] gallbær.

B. S. A. fk. f. **British South Africa.**

B. Sc. fk. f. **Bachelor of Science.**

B. S. T. fk. f. **British Summer Time.**

B. T. fk. f. **Board of Trade.**

Bt. fk. f. **baronet.**

bubble ['bʌbl] boble; humbug; boble; putre; snyte; **blow -s** blåse såpebobler.

bubo ['bju:bəu] byll.

buccaneer [bʌkə'niə] sjørøver; drive sjørøveri.

Buchanan [bju(:)'kænən].

buck [bʌk] hannen av forskj. dyr, geite-, sau-, reins-bukk; sprett, sprade; (amr.) sagkrakk; dollar; parre seg, løpe, gjøre bukkesprett; steile; — **up** ta seg sammen; — **off** kaste (rytter av).

buckaroo [bʌkə'ru:] cowboy.

buckbean ['bʌkbi:n] bukkeblad.

bucket ['bʌkit] bøtte, spann, pøs, vassbøtte; øse; slå vann på; skamri; ro ujevnt, plaske. — **brigade** bøttekjede (av personer) for å slokke brann. — **elevator** paternosterverk. — **seat** konturformet sete i bil el. fly.

Buckingham [bʌkiŋəm].

buckle ['bʌkl] spenne; spenne fast, gjorde på; krøke, krummet; bulke; krølle seg; — **to** legge seg i selen, ta fatt for alvor.

buckler ['bʌklə] skjold; beskytter.

buckram ['bʌkrəm] stivt lerret, innleggsstrie.

Bucks. fk. f. **Buckinghamshire.**

buckshot ['bʌkʃɔt] dyrehagl. — **rule** styre av Irland ved væpnet politi.

buckskin ['bʌkskin] hjorteskinn.

buck teeth [bʌk 'ti:θ] hestetenner, utstående tenner.

buckwheat ['bʌk'wi:t] bokhvete.

bucolic [bju'kɔlik] bukolisk, som hører til hyrdelivet; hyrdedikt.

bud [bʌd] knopp; kamerat, kompis; spire, springe ut, skyte knopper; inokulere; **nip in the** — kvele i fødselen.

Buddha ['budə] Buddha. **buddhism** ['budizm] buddhisme. **buddhist** ['budist] buddhist.

buddy ['bʌdi] kompis, kamerat, romkamerat.

budge [bʌdʒ] røre seg av stedet, lee på seg.

budgerigar ['bʌdʒəriga:] undulat.

budget ['bʌdʒit] pose, veske, taske; budsjett, overslag; budsjettere.

Buenos Aires ['bwenəs 'aiariz].

buff [bʌf] bøffellær, semsklær; lærbrynje; lærfarget, brungul; polere; **-coat** lærbrynje.

buffalo ['bʌfələu] bøffel; (amr.) bison.

buffer ['bʌfə] støtpute, buffer; stabeis, fysak; **a — state** bufferstat.

buffet ['bʌfit] puff, støt; puffe, støte; skubbe.

buffet ['bʌfit] buffet, skjenk, framskap.

buffet ['bufei] slags restaurant f. eks. på jernbanestasjon, buffet. — **car** spisevogn.

buffoon [bʌ'fu:n] bajas. **-ery** [bʌ'fu:nəri] narrestreker.

bug [bʌg] veggelus; (amr.) insekt, bille; mikrobe, basill; tyverialarm, hemmelig mikrofon; mindre feil, barnesykdom, mangel; sprøyte mot utøy; avlytte ved hemmelig mikrofon; **he is bitten by the car bug** han har bildilla; **what's -ging you?** hva går det av deg?

bugbear ['bʌgbɛə] busemann, skremsel.

bugger ['bʌgə] sodomitt.

bugging skjult avlytting med mikrofon.

buggy ['bʌgi] slags lett vogn, karjol; barnevogn.

buggy ['bʌgi] full av veggelus.

bugle ['bju:gl] jakthorn, valthorn, signalhorn. — **call** hornsignal.

bugle ['bju:gl] lang perle.

buhl [bu:l] innlagt arbeid.

build [bild] bygge, anlegge, oppføre; bygnings-form, bygning; form, skikkelse, fasong, snitt (på klær); **-er** byggmester. **-ing** bygning.

built [bilt] imperf. og perf. pts. av **build**.

built-in innebygd.

built-up bebygd, utbygd; sammensatt.

bulb [bʌlb] rund innretning; elektrisk pære; løk, svibel; svelle ut.

Bulgaria [bʌl'gɛəriə] Bulgaria. **-n** [bʌl'gɛəriən] bulgar(sk).

bulge [bʌldʒ] kul; buk (av et fat el. en tønne); stigning, økning; bulne ut; øke, stige. **bulgy** ['bʌldʒi] oppsvulmet.

bulk [bʌlk] framstikkende del, utbygg, sval; hovedmasse, størstedel; mengde, volum, storhet, majoritet; last; ruve; **break** — brekke lasten (for å losse). — **cargo** styrtegods, gods i løs masse. **-head** skott (på skip). **-y** svær, stor.

bull [bul] tyr, stut, okse; hausse-spekulant.

bull [bul] bulle, pavebrev.

bull [bul] meningsløshet, mistak.

bulldog ['buldɔg] bulldogg.

bulldoze ['buldəuz] tvinge, true, hundse; rydde, planere.

bulldozer ['buldəuzə] bulldozer.

bullet ['bulit] (liten) kule, prosjektil; — **-proof** skuddsikker.

bulletin ['bulitin] bulletin, melding.

bullfight ['bulfait] tyrefektning.

bullfinch ['bulfinʃ] dompap; høy hekk.

bullhead ['bulhed] stabukk, stribukk.

bullion ['buljən] umyntet gull el. sølv; sølv-barre, gullbarre.

bullock ['bulək] stut, okse, gjeldokse.

bull's eye ['bulzai] skipsvindu, kuøye; blind-lykt, blink (i skive), blinkskudd; slags stripet sukkerkule.

bullshit ['bulʃit] tull, sludder, drittprat.

bully ['buli] dominere; tyrannisere; rå, hoven person; tyrann; bølle; grepa, kjempefin.

bulrush ['bulrʌʃ] siv.

bulwark ['bulwək] bolverk, bastion; skanse-kledning; (fig.) forsvar, vern, sikkerhet.

Bulwer ['bulwə].

bum [bʌm] rumpe, ende; boms, landstryker; streife omkring, loffe.

bumbailiff [bʌm'beilif] underlensmann, lens-mannsbetjent.

bumble [bʌmbl] liten skittviktig kommunal funksjonær; buldre; forkludre.

bumblebee ['bʌmbl-bi:] humle (insekt).

bumboat ['bʌmbəut] bombåt, kadreierbåt.

bump [bʌmp] støt, slag, dask, dult; bule; støte; dunke; — **of locality** stedsans.

bumper ['bʌmpə] breddfullt glass; fullt hus (teater); støtfanger; dørstopper; rik, rekord-. — **crop** rekordavling.

bumping race kapproing på elv, der det gjelder for hver båt å innhente og røre den båten som ligger foran.

bumpkin ['bʌm(p)kin] slamp, kloss, naiv, fyr.

bumptious ['bʌmpʃəs] viktig, innbilsk, selvgod.

bumpy ['bʌmpi] humpet, ujevn.

bun [bʌn] bolle (ofte med korinter i).

bunch [bʌn(t)ʃ] pukkel; bunt, knippe; bukett; klase, klynge. **-backed** pukkelrygget, krylrygget.

bunco ['bʌŋkəu] (amr.) jukse, svindle; svindel, juks.

buncombe ['bʌŋkəm] se **bunkum**.

bundle ['bʌndl] bunt, bylt, knytte, pakke; samling, kolleksjon; bunte; pakke sammen; pakke seg (**off** bort).

bung [bʌŋ] spuns; spunse. **-hole** spunshull.

bungalow ['bʌŋgələu] bungalow.

bungle ['bʌŋgl] klusse, kludre, forkludre, skjemme bort; fuskeri; mistak. **bungler** fusker.

bunion ['bʌnjən] ilke, betennelse.

bunk [bʌŋk] slagbenk; fast køye; køye, loppe-kasse; tøys, sludder; stikke av.

bunker ['bʌŋkə] kistebenk; binge; kullboks, bunker; grop, hindring (på golfbane); bunkre.

bunkum ['bʌŋkəm] floskler, valgflesk.

bunny ['bʌni] kanin, «harepus».

bunt [bʌnt] meldogg.

bunting ['bʌntiŋ] flaggduk, flaggskrud.

bunting ['bʌntiŋ] (gul)spurv, snøspurv.

Bunyan ['bʌnjən].

buoy [bɔi] bøye, merke; legge ut bøyer, merke opp; holde flott; svømme, flyte. **-ancy** ['bɔiənsi] evne til å flyte; oppdrift; (fig.) letthet, livlighet. **-ant** ['bɔiənt] flytende, svømmende; livfull.

bur [bə:] se **bur(r)**.

burberry ['bə:bəri] et vanntett stoff, frakk av dette.

burble ['bə:bl] putre, boble, klukke; plapre.

burbot ['bə:bət] lake (fisk).

burbs [bə:bs]: **the** — (amr. sl.) forstedene, sove-byene.

burden ['bə:dn] byrde, bør, last; drektighet; omkved, etterstev, ettersleng; lesse, legge på, tynge ned. **-some** tyngende, byrdefull.

burdock ['bə:dɔk] borre.

bureau [bju'rəu] byrå, kontor; (amr.) kommode, skrivepult. **-cracy** [bju'rɔkrəsi] byråkrati. **-crat** ['bjuərəukræt] byråkrat. **-cratic** [bjuərəu-'krætik] byråkratisk.

burgeon ['bə:dʒən] knopp; springe ut.

burgess ['bə:dʒis] borger; tingmann for en kjøpstad.

burgh ['bʌrə] (skotsk) by (jvf. **borough**). **-er** ['bə:gə] borger. **-master** ['bə:gma:stə] borger-mester.

burglar ['bə:glə] innbruddstyv. **-y** ['bə:gləri] innbrudd. **burglarious** [bə:'glɛəriəs] innbrudds-. **burglarize** rane, stjele, begå innbrudd.

burgle ['bə:gl] gjøre innbrudd, bryte seg inn.

Burgundy ['bə:gəndi] Burgund, Bourgogne; burgunder.

burial ['beriəl] begravelse, gravferd. — **ground** begravelsesplass, kirkegård. — **mound** gravhaug. — **service** begravelsesritual. — **vault** gravkjeller.

Burke [bə:k] Burke. **burke** [bə:k] myrde ved kvelning, snikmyrde; stikke unna, skrinlegge.

burlesque [bə:'lesk] overdrevent komisk; bur-lesk; parodi, travesti; varieté-, (ofte:) striptease; gjøre latterlig, travestere.

burly ['bə:li] tykk, svær, røslig.

Burma ['bə:mə].

burn [bə:n] bekk; låg (srl. i brygging).

burn [bə:n] brenne, forbrenne, svi; brannsår; brennemerke; — **the lights** kjøre mot rødt lys. **-ed-out** utkjørt; utbrent. **-er** brenner, forbren-ningsovn.

burnish ['bə:niʃ] polere, bli blank; skinne; glans, polering; **-er** polerstål.

Burns [bə:nz].

burnt [bə:nt] imperf. og perf. pts. av **burn**. — **offering** brennoffer.

burp [bə:p] rap; rape.

bur(r) [bə:] borre; ru kant; brynestein; skarre-burrow ['bʌrəu] hule; revehi, gang (i jorda); grave ganger i jorda, grave seg ned.

bursar ['bə:sə] kasserer, universitetskvestor; stipendiat. **bursary** kvestur, kassererkontor; stipendium.

burst [bə:st] briste, springe; fare, springe (fram, ut); sprenge, eksplodere; sprengning, utbrudd; brak; revne, brudd; rangel; — **out laughing** briste i latter.

burthen ['bə:ðən] se **burden**.

bury ['beri] begrave, nedsenke, glemme; **-ing** begravelse.

bus [bʌs] buss.

busby ['bʌzbi] husarlue, skinnlue.

bush [buʃ] bøssing, fôring.

bush [buʃ] busk, kjerr; dusk, kvast; (i Australia og Sør-Afrika) villmark, utbygg; (amr.) småskog. **beat about the** — bruke kroker, gå krokveier.

bushel ['buʃəl] bushel, engelsk skjeppe (i Storbr. og Irl. = 36,368 l, i U. S. A. og Canada = 35,24 l).

bushman ['buʃmən] buskmann; nybygger (i Australia).

bushranger ['buʃreindʒə] røver (i villmarka).
bushy ['buʃi] busket; som gror tett.
business ['biznis] forretning, forretninger, butikk, foretagende; beskjeftigelse; sak, historie, affære; oppgave, arbeid, yrke; greie. this is no — of theirs dette raker ikke dem; mind your own — pass deg selv. -like forretningsmessig.
busker ['bʌskə] gatesanger, -musikant.
buskin ['bʌskin] koturne; halvstøvel.
buss [bʌs] kyss, smask; kysse.
bust [bʌst] byste; fiasko; slå, brekke, ødelegge.
bustard ['bʌstəd] trappgås.
bustle ['bʌsl] ha det travelt, fare omkring, mase, vimse om; travelhet, mas, hastverk; rore.
busy ['bizi] beskjeftige, sysselsette; travel, beskjeftiget, opptatt; urolig; be — ha det travelt; — oneself about beskjeftige seg med, gi seg av med, ta vare på. -body vims, geskjeftig person, klåfinger.
but [bʌt, bət] men; unntagen, uten, så nær som, bare; at; — for him hadde det ikke vært for ham; the last — one den nest siste.
butcher ['butʃə] slakter; slakte. -y slakteri, nedslakting.
butler ['bʌtlə] kjellermester, hovmester. -y anretningsrom.
butt [bʌt] skyteskive; merke, mål; skive; fat, tønne; sigarettstump; geværkolbe; tykkende, skaft, kolv; støt (med hode eller horn); støt (i fektning); støte, stange; stumpe (en sigarett); come full — against løpe bus på; — in trenge seg på.
butter ['bʌtə] smør; smiger; lage til med smør, smøre smør på; være smørblid mot, smigre, smiske, sleske. bread and — smørbrød. -boat smørnebbe, sausenebbe. -cup smørblomst. -fingered klosset, slepphendt. -fingers klodrian. -fly sommerfugl. -fly nut vingemutter. -milk kjernemelk. — muslin osteklede. -print smørstempel; smørformer. -scotch (fløte)karamell.
buttery ['bʌtəri] vinkjeller; matbu; matutsalg.
buttock ['bʌtək] rumpeball, seteball.
button ['bʌtn] knapp; knappe. -hole knapphull(sblomst); klenge seg på, hekte seg fast i.
buttons ['bʌtnz] (pl. av button) pikkolo.
buttress ['bʌtris] framspring, støttepilar, murstiver, støtte; avstive, støtte.
buxom ['bʌksəm] trivelig, ferm; livlig, rask; yppig; føyelig.
buy [bai] kjøpe; tro, akseptere; — off bestikke; kjøpe fri; -er kjøper. -ing department innkjøpsavdeling. -ing price innkjøpspris.
buzz [bʌz] summe, surre, hviske om; drikke ut (siste slanten); surr, summing; telefonopprigning; sirkulerende rykte; — off stikke av.

buzzard ['bʌzəd] musvåk.
buzz bomb ['bʌzbɔm] flyvende bombe (brukt om V-bombene).
buzzer ['bʌzə] brummer, summer.
buzz saw rundsag.
B. V. M. fk. f. Blessed Virgin Mary.
B. W. T. A. fk. f. British Women's Temperance Association.
by [bai] ved siden av, ved, langs(med), forbi; innen, i, etter, gjennom, med; etter, ifølge; av; — oneself for seg selv, alene; — 6 o'clock innen kl. 6. — the sack i sekkevis; — the score i snesevis; little — little litt etter litt; smått om senn; day — day dag for dag; — railway, steamer med jernbane, dampskip; — telegram, telegraph telegrafisk; multiply — three multiplisere med tre; — forced marches i ilmarsj; a novel — Dickens en roman av D.; — all means ja visst; — no means på ingen måte; — chance tilfeldig; — heart utenat; — and — snart; — land til lands; — sea til sjøs, sjøveien; — the bye el. — the way i parentes bemerket, apropos; — this time nå el. imidlertid; — now iallfall, nå om ikke før; — day (night) om dagen (natten); larger — a half en halv gang til så stor; taller — three inches — three inches taller; six — two is three to i seks er tre; six feet — three seks fot lang og tre fot bred; younger — years yngre av år; all — himself ganske for seg selv, alene.
by-blow slengeslag, slumpeslag; løsunge.
bye(e) [bai] i smstn. bi-, side-, omfram-, ekstra-;
bye-bye ['bai'bai] farvel! (i barnemålet) na-na; bye, bysse, seng, søvn.
by-election ['baii'lekʃən] suppleringsvalg.
bye-law, by-law ['bailɔ:] vedtekt, statutt.
bygone ['baigɔn] forbigangen, framfaren; let bygones be bygones! la det være glemt.
by-name ['baineim] økenavn, utnavn.
bypass ['baipɑ:s] sidevei, omvei, omkjøringsvei; omgå, lede utenom.
by-path ['baipɑ:θ] tverrvei, sidevei; privat vei.
by-play ['baiplei] stumt spill.
by-product ['baiprɔdəkt] biprodukt.
byre ['baiə] (skotsk) fjøs.
byroad ['bairaud] sidevei.
Byron ['bairən].
Byronic [bai'rɔnik] byronsk.
Bysshe [biʃ].
bystander ['baistændə] hosstående, tilstedeværende, tilskuer.
bystreet ['baistri:t] sidegate, bakgate.
byword ['baiwɔ:d] ordspråk, ordtak, fabel, dårlig eksempel.
Byzantine [bi'zæntain, bai'zænti:n] bysantinsk; bysantiner.

C

C, c [si:] C, c.
C. fk. f. Centrigrade, Congress, Conservative.
c. fk. f. caught, cent, cents, century, chapter circa, cost, cubic.
C. A. fk. f. Central America, Chartered Accountant.
cab [kæb] drosje.
cabal [kə'bæl] kabal; klikk; intrige; bruke renker, intrigere.
cabala [kə'bɑ:lə, 'kæbələ] kabbala.
cabaret ['kæbərei] kabaret.
cabbage ['kæbidʒ] kål, kålhode.
cabby ['kæbi] drosjekusk.
cabin ['kæbin] kahytt; hytte; hyttekabin. — court motell. — cruiser kabinkrysser.
cabinet ['kæbinit] kabinett, kove, kammer;

skap; ministerium, statsråd. — council statsråd. -maker møbelsnekker.
cable ['keibl] kabel; trosse; kabellengde (kabel)telegram; telegrafere (pr. kabel). — address telegramadresse. — car taubanestol. -gram telegram. — release snorutløser. — rib flettmønster (i strikking).
cabman ['kæbmən] drosjekusk, vognmann.
caboodle [kə'bu:dl] rubb og stubb, hele greia.
caboose [kə'bu:s] kabyss, bysse; konduktørvogn (tog).
cabriolet [kæbriəu'lei] kabriolet.
cab stand ['kæbstænd] drosjeholdeplass.
ca'canny [kə'kæni] se canny.
cacao [kə'kɑ:əu] kakaotre.
cachalot ['kæʃəlɔt] kaskelott.

cache ['kæʃ] depot, skjulested for matvarer, ulovlige våpen o. l.; forråd; magasinere; skjule.
cachet ['kæʃei] stempel; fornemt særpreg; (med.) kapsel.
cachinnate ['kækineit] skoggerle.
cachinnation [kæki'neiʃən] skoggerlatter.
cackle ['kækl] kakle; fnise, knegge, skratte; kakling; skravling. **cackler** kakler; skravlekopp.
cacophony [kæ'kɔfəni] mislyd.
cactus ['kæktəs] fl. **cacti** ['kæktai] kaktus.
cad [kæd] tarvelig fyr, pøbel.
cadaver [kə'deivə] kadaver, lik. **cadaverous** [kə'dævərəs] lik-; likblek.
caddie ['kædi] køllebærer(for golfspiller), caddie.
caddis ['kædis] vårfluelarve. — **fly** vårflue.
caddish ['kædiʃ] simpel, ufin, pøbelaktig.
caddy ['kædi] tedåse.
cade [keid] dunk, kagge.
cadence ['keidəns] kadens; tonefall.
cadet [kə'det] yngste, yngre bror; kadett.
cadge [kædʒ] fekte, tigge; luske omkring; fiske (**for** etter). **cadger** ['kædʒə] snylter, snik; kramkar, gateselger; plattenslager.
cadi ['kɑ:di, 'keidi] kadi.
Cadiz ['keidiz].
caduicity [kə'dju:siti] forgjengelighet; senilitet; foreldelse.
caecum ['si:kʌm, -əm] blindtarm.
Caesar ['si:zə] Cæsar; keiser. **Caesarean** [si(:)-'zɛəriən] cæsarisk, keiserlig; — **operation** keisersnitt.
c.a.f. fk. f. **cost and freight.**
café ['kæfei] kafé; restaurant (uten rettigheter).
cafeteria [kæfə'ti:riə] kafeteria, spisesal, matsal.
caffeine ['kæfii:n] koffein.
Caffre ['kæfə] se **Kaffir.**
caftan ['kæftən] kaftan.
cage [keidʒ] bur; fangebur; heis; sette i bur. **-y** lur, slu, mistenksom.
cahoots [kə'hu:ts] (amr.): **go** — gå i kompaniskap med, gå i ledtog med.
caiac ['keijæk, 'kaiak] kajakk.
caiman ['keimən] kaiman.
Cain [kein] Kain; **raise** — lage bråk.
cairn [kɛən] steinrøys, steindysse.
Cairo ['kaiərəu] Kairo.
caitiff ['keitif] skurk, usling.
cajole [kə'dʒəul] smigre, snakke rundt. **cajolery** [-(ə)ri] smiger, smisking.
cake [keik] kake, stykke; (fig.) godbit; presset, fast pudder, mascara; **the land of -s** ɔ: Skottland; — **of soap** såpestykke; **you cannot eat your** — **and have it** en kan ikke få både i pose og sekk.
cake [keik] bake sammen; kline til.
cakewalk ['keikwɔ:k] en slags negerdans.
Cal. fk. f. **California.**
calabash ['kæləbæʃ] flaskegresskar; kalebass.
calaboose [kælə'bu:z] kasjott.
Calais ['kælei].
calamitous [kə'læmitəs] ulykkelig, bedrøvelig, sørgelig, katastrofal.
calamity [kə'læmiti] ulykke, elendighet, katastrofe.
calash [kə'læʃ] kalesje, kalesjevogn; hette.
calcareous [kæl'kɛəriəs] kalkholdig, kalk-.
calcination [kælsi'neiʃən] utglødning; risting (av malm). **calcine** ['kælsain] utgløde; risle.
calcium ['kælsiəm] kalsium, kalk.
calculable ['kælkjuləbl] beregnelig. **calculate** ['kælkjuleit] beregne, regne ut. **calculated** beregnet, skikket; egnet; **calculating machine** regnemaskin. **calculation** [kælkju'leiʃən] regning, beregning. **calculator** ['kælkjuleitə] regnemester, regnskapsfører; regnemaskin.
calculus ['kælkjuləs] stein (f. eks. nyrestein); regnemetode, regning (f. eks. integralregning).
Calcutta [kæl'kʌtə].
caldron ['kɔ:ldrən] se **cauldron.**
Caledonia [kæli'dəunjə] Skottland.

Caledonian [kæli'dəunjən] skotsk; skotte.
calefactory [kæli'fæktəri] varmende, varme-.
calendar ['kæləndə] kalender, almanakk; tidsregning; føre inn, bokføre; lage liste over.
calender ['kæləndə] kalander; (damp)presse, glatte.
calf [kɑ:f] kalv; kalveskinn; kalve; tykklegg. — **bound** innbundet i kalveskinn. — **love** barneforelskelse. **-'s foot** ['kɑ:vzfut] kalvedans.
Caliban ['kælibæn].
caliber ['kælibə] kaliber, størrelse, slag.
calibrate ['kælibreit] justere, fininnstille, korrigere.
calico ['kælikəu] kaliko, kattun, tett lerretsvevd bomullstøy. — **printer** kattuntrykker.
calif ['keilif] se **caliph.**
California [kæli'fɔ:njə] California. **-n** kalifornisk; kalifornier.
caliph ['keilif] kaliff. **-ate** ['keilifit] kalifat.
calk [kɔ:k] kalkere.
calk [kɔ:k] kalfatre; grev el. hake (på hestesko); brodd; sette haker (grev, brodder) på; skarpsko. **calker** ['kɔ:kə] kalfatrer; driver.
call [kɔ:l] kalle, kalle på; rope; skrike; tilkalle, påkalle; henvende seg; nevne, benevne, kalle; besøke, se innom; gjøre et kort besøk; ringe til, ringe opp; — **one names** skjelle en ut; — **after** kalle (opp) etter; — **at** besøke (et sted), gå innom, anløpe; — **down** nedkalle; utskjelle; — **for** kalle på; la spørre etter (en); forlange; hente; — **forth** fremkalle, oppby; — **in** kalle inn; kreve inn; tilbakekalle; invitere, samle; — **off** avblåse, avlyse; — **on** besøke (en person); oppfordre; — **over** lese opp; — **out** rope; utfordre; — **to rope** til; — **to mind** huske, minnes; — **upon (on)** kalle på; påkalle, anrope; besøke; **the military have been called out** kommandert ut, alarmert; **to be left till called for** poste restante.
call [kɔ:l] rop, kalling; kall; navneopprop; fordring, krav; oppfordring, innkalling; befaling; kort (regelmessig) besøk; signal, hornsignal; båtsmannspipe; lokkepipe; — **of the house** sammenkalling av Parlamentet (ved særlige anledninger); **to give one a** — besøke en; **telephone** — telefonoppringning, -samtale. **-ing** roping, kalling; kall; stand, håndtering, yrke; **money at (on)** — penger på anfordring; **on** — parat, i beredskap.
call | **bird** lokkefugl. — **box** telefonkiosk; brannmelder. **-boy** pikkolo, visergutt. **-er** besøkende, telefonerende. — **girl** call girl, prostituert som tilkalles pr. telefon.
calligraphy [kæ'ligrəfi] kalligrafi.
calling kall; yrke, profesjon. — **card** visittkort. — **-up notice** innkallingsordre (til det militære).
Calliope [kə'laiəpi:] Kalliope.
calliper ['kælipə]: — **compasses** el. **callipers** krumpasser, hullpasser.
callisthenic [kælis'θenik] som gir ynde og styrke. **-s** taktmessige legemsøvelser, mellomting mellom dans og gymnastikk.
callosity [kæ'lɔsiti] hard hud, trell; følelsesløshet.
callous ['kæləs] hard, forherdet; ufølsom.
callow ['kæləu] bar, naken, fjærløs; myrlendt.
calm [kɑ:m] stille, rolig; klar; stillhet, ro; stille vær, havblikk; berolige, roe, formilde. **-ness** stillhet, mildhet, ro.
caloric [kə'lɔrik] hete-, varme-; varmestoff. **calorifier** [kə'lɔrifaiə] varmeapparat. **calorifie** [kælə'rifik] som gir varme el. varmer, varme-. **calory** ['kæləri] kalori.
calque [kælk] oversettelseslån.
caltrop ['kæltrəp] fotangel.
calumet ['kæljumət] indiansk fredspipe.
calumniate [kə'lʌmnieit] baktale. **-ious** [kə-'lʌmnieitə] baktaler. **-ious** [kə'lʌmniəs] bakvaskende, baktalerisk. **-y** ['kæləmni] baktaling.
Calvary ['kælvəri] Golgata.
calve [kɑ:v] bære, kalve (også om isbre).
calves [kɑ:vz] flertall av **calf.**

Calvinism ['kælvinizm] kalvinisme. **Calvinist** ['kælvinist] kalvinist.
calypso [kə'lipsəu] calypso.
calyx ['kæliks, 'keiliks] beger.
cam [kæm] kam, knast (på hjul).
camaraderie [kæmə'rɑ:dəri(:)] kameratskap, kameraderi.
camarilla [kæmə'rilə] klikk, sammensveiset gruppe.
camber ['kæmbə] bue, bøy, krumning, runding.
cambist ['kæmbist] bankier, vekselér.
Cambrian ['kæmbriən] kambrisk.
cambric ['keimbrik] kammerduk (fint tøy). **Cambridge** ['keimbridʒ]. **Camb.** fk. f. **Cambridge.**
came [keim] imperf. av **come.**
camel ['kæməl] kamel.
cameleer [kæmə'liə] kameldriver, kamelrytter. **camellia** [kə'mi:liə] kamelia.
camelopard ['kæmiləpɑ:d] sjiraff.
camelry ['kæmslri] tropper som rir på kameler.
Camembert ['kæməmbɛə] camembertost.
cameo ['kæmiəu] kamé, gemme.
camera ['kæmərə] kamera, fotografiapparat.
cami-knickers combination, (dame)kombinasjon.
camion ['kæmiən] lastebil.
camisole ['kæmisəul] underliv (alm. brodert).
camlet ['kæmlət] kamelott.
camomile ['kæməmail] kamille. — **tea** kamillete.
camouflage ['kæmuflɑ:ʒ] kamuflasje; kamuflere.
camp [kæmp] leir; slå leir; ligge i leir; **strike** — bryte opp.
campaign [kæm'pein] kampanje, felttog; ligge i felten. **campaigner** [kæm'peinə] gammel kriger. **camp bed** ['kæmp'bed] feltseng.
Campbell ['kæmbl].
camp chair ['kæmp'tʃɛə] feltstol.
Campeachy [kæm'pi:tʃi] Campeche, blåtre.
camp follower medløper; soldatertøs.
camphor ['kæmfə] kamfer.
camping ['kæmpiŋ] leirliv, camping. — **ground** leirplass, campingplass.
camp | **meeting** ['kæmpmi:tiŋ] amr. religiøst (srl. metodistisk) friluftsmøte. — **stool** [-stu:l] feltstol.
campus ['kæmpəs] (amr.) universitetsområde.
camshaft ['kæmʃɑ:ft] registeraksel, kamaksel.
can [kæn] kanne, (hermetikk)dåse, eske, boks, dunk, spann, sylteglass; (amr.) do, dass; konservere, legge, koke ned (hermetisk).
can [kæn, kən] kan; få lov. **Can.** fk. f. **Canada.**
Canaan ['keinən, 'keiniən] Kanaan.
Canada ['kænədə].
Canadian [kə'neidjən] kanadisk; kanadier.
canal [kə'næl] kanal (kunstig); kanal (i legeme), gang, rør; — **dues** kanalpenger.
canalise ['kænəlɑiz] kanalisere; lede.
Canaries [kə'nɛəriz] the — Kanariøyene.
canary [kə'nɛəri] kanarifugl; kanarivin.
cancel ['kænsəl] streke ut, stryke; kassere; oppheve, avlyse, avbestille, annullere, tilbakekalle ordre. **-lation** [kænsə'leiʃən] opphevelse, annullering.
cancer ['kænsə] krabbe; Krepsen (himmeltegn); kreft; **the Tropic of Cancer** Krepsens vendekrets. **-ous** ['kænsərəs] kreft-.
cancroid ['kæŋkrɔid] kreftlignende, kreftsyk; krepsaktig.
candelabrum [kændi'leibrəm] kandelaber.
candescent [kæn'desnt] hvitglødende.
candid ['kændid] oppriktig, åpen, ærlig.
candidate ['kændidit] ansøker, kandidat.
candidature ['kændiditʃə] kandidatur.
candid camera spionkamera, skjult kamera.
candle ['kændl] lys; **he is not fit to hold a** — **to you** han kan slett ikke måle seg med deg; **burn the** — **at both ends** ødsle med (el. øde) sine krefter (el. sine midler); **the game is not**

worth the — det er ikke umaken verd. — **end** lysestump. **-light** levende lys.
Candlemas ['kændlməs] kyndelsmess.
candle power (lysstyrkeenhet) lys.
candlestick ['kændlstik] lysestake.
candour ['kændə] oppriktighet, åpenhet.
candy ['kændi] kandis; (amr.) konfekt, sukkertøy, gotter; glassere, kandisere, sukre; krystalliseres. — **floss, cotton** — spunnet sukker. — **store** sjokoladebutikk.
cane [kein] rør; sukkerrør; spanskrør; stokk; pryle med stokk. — **bottom** rørsete. — **chair** rørstol. — **sugar** rørsukker. — **trash** sukkerrøravfall, bagasse. **-work** rørfletning.
Canicula [kə'nikjulə] Sirius, Hundestjernen.
canicular [kə'nikjulə]: — **days** hundedager.
canine ['kænain] hundeaktig, hunde-. — **tooth** hjørnetann.
caning ['keiniŋ] drakt pryl.
canister ['kænistə] blikkdåse, boks; sylinder, beholder. — **shot** kardeske.
canker ['kæŋkə] kreft (også på trær); sår, etsende væske; kreftskade; ete; tære på; forderves.
cannabis ['kænəbis] indisk hamp; hasjisj.
canned [kænd] hermetisk, bokse-. — **music** musikk som er spilt inn på bånd eller plate.
cannery ['kænə] hermetikkfabrikant. **cannery** ['kænəri] hermetikkfabrikk.
cannibal ['kænibəl] kannibal, menneskeeter. **-ism** [-izm] menneskeeteri; grusomhet. **-ize** (fig.) slakte (hogge opp, f. eks. en bil for å benytte delene på nytt).
cannon ['kænən] karambolasje; karambolere. **cannon** ['kænən] kanon; artilleri; skyts. **-ade** [kænə'neid] skyte med kanoner; kanonade. **-ball** ['kænənbɔ:l] kanonkule. **-eer** [kænə'niə] kanonér. — **fodder** kanonføde.
cannot ['kænət] kan ikke; — **but** kan ikke annet enn; — **help** kan ikke annet enn.
canny ['kæni] slu, var; forsiktig; trygg. **ca'canny** (skotsk) far med lempe (om fagforeningspolitikk som går ut på å innskrenke produksjonen).
canoe [kə'nu:] kano; padle i kano.
canon ['kænən] kirkelov; norm, kriterium; kanon; fortegnelse over helgener; kannik, korsbror.
canon|ical kanonisk, kirkelig; anerkjent. **-icals** geistlig ornat. **-ize** kanonisere, opphøye til helgen. — **law** kanonisk rett, kirkerett.
can opener boksåpner, hermetikkåpner.
canopy ['kænəpi] tronhimmel, baldakin; soltak, hvelving; cockpit-tak (i fly).
canorous [kə'nɔ:rəs] velklingende, sanglig, melodiøs.
can't [kɑ:nt] d. s. s. **cannot.**
cant [kænt] helling, hall, snei; hjørne, vinkel, skråtak; sette på hall, på kant, på snei; velte; endevende; hogge en kant av; helle, vippe over på siden; svinge rundt.
cant [kænt] affektert tale; hyklersk tale, frasemakeri, fraser; dialekt; (fag)sjargong; slang; pøbelspråk, gatespråk; tale affektert.
Cantab. ['kæntæb] fk. f. **Cantabrigian** [kæntə-'bridʒiən] akademiker fra Cambridge universitet.
cantankerous [kæn'tæŋkərəs] trettekjær, krangelvoren, stri, krakilsk.
cantata [kæn'tɑ:tə] kantate.
canteen [kæn'ti:n] marketenteri, kantine; feltflaske, lommelerke.
canter ['kæntə] kort galopp; gå, ri i kort galopp. **Canterbury** ['kæntəbəri].
cantharides [kæn'θæridi:z] spansk flue.
cant hook tømmerhake.
canticle ['kæntikl] kort sang, salme, en av salmene i Prayer Book; i pl. Salomos høysang.
cantilever ['kæntili:və] utligger, utstikker.
canto ['kæntəu] sang (avdeling av et dikt).
canton ['kæntən] distrikt, kanton; avdeling.
canton [kæn'tu:n] innkvartere (soldater).

cantonment [kæn'tu:nmənt] kantonnement.
Canuck [kə'nʌk] (sl.) kanadier, kanadisk.
Canute [kə'nju:t] Knut.
canvass ['kænvəs] lerret; strie, seilduk, teltduk; seil, telt, maleri. — **chute** redningsseil. — **cover** presenning.
canvass ['kænvəs] drøfte, undersøke, prøve, verve stemmer, agitere; drøfting, undersøkelse, agitasjon, srl. husagitasjon. **canvasser** ['kænvəsə] stemmeverver; annonsesamler; kolportør; (hus)-agitator. **canvassing** ['kænvəsiŋ] agitasjon, stemmeverving; husagitasjon.
canyon ['kænjən] dyp, trang elvedal i fjell-grunn med nesten loddrette vegger, elvegjel.
caoutchouc ['kautʃuk] kautsjuk, viskelær.
cap. fk. f. **chapter.**
cap [kæp] kappe; hue, lue, skyggelue; hette; dekke, deksel; fenghette, knallperle; bedekke; sette hette, lue osv. på; ta hatten av; overgå; sette kronen på; **the** — **fitted** bemerkningen rammet; **set her** — at legge an på, søke å erobre; — **and bells** narrelue; — **and gown** akademisk drakt; — **in hand** ydmykt.
capability [keipə'biliti] evne; dugelighet, dyktighet.
capable ['keipəbl] mottagelig (**of** for); i stand (**of** til); dugelig, dyktig.
capacious [kə'peiʃəs] rommelig; omfattende.
capacitate [kə'pæsiteit] sette i stand til.
capacitor [kə'pæsitə] elektrisk kondensator. **capacity** [kə'pæsiti] vidde; rom, lasteevne, evne, kapasitet; dugelighet; fag; egenskap, stand; karakter.
cap-a-pie [kæpə'pi:] fra topp til tå.
caparison [kə'pærisən] saldekken, skaberakk; legge saldekken på.
cape [keip] cape, overstykke, slag (på kappe).
cape [keip] forberg, nes, odde; **the Cape** Kapp.
cape jasmine gardenia.
capelin ['kæplin] lodde (fisk).
caper ['keipə] bukkesprang, kast, sprett; danse, hoppe; **cut -s** springe, hoppe, gjøre bukkesprett.
caperealizie [kæpə'keilji, -'keilzi] tiur.
capers ['keipəz] kapers.
Capetown ['keiptaun] Kappstaden.
cap gun kruttlappistol.
capias ['keipiæs] arrestordre.
capillary [kə'piləri] hår-, ḥårfin; kapillar; hårrør.
capital ['kæpitəl] hoved-, viktigst; fortreffelig; kriminell; hovedstad; kapital, formue; kapitél; stor bokstav; **a** — **crime** en forbrytelse som straffes med døden; — **letters** store bokstaver; — **punishment** dødsstraff; **the** — **point** hovedpunktet, det vesentlige; — **sentence** dødsdom; **capital!** storartet!
capitalism ['kæpitəlizm] kapitalisme.
capitalist ['kæpitəlist] kapitalist.
capitalize ['kæpitəlaiz] kapitalisere; finansiere.
capitation [kæpi'teiʃən] skatt på hver enkelt person; koppskatt.
Capitol ['kæpitl] Kapitol; (amr.) kongressbygning, parlamentsbygning.
capitulary [kə'pitjuləri] samling lovbud, lovbok.
capitulate [kə'pitjuleit] kapitulere. **capitulation** [kəpitju'leiʃən] kapitulasjon, overgivelse.
capon ['keipən] kapun.
capote [kə'pəut] slags lang kappe med hette.
cap peak lueskygge.
caprice [kə'pri:s] grille, lune, kaprise.
capricious [kə'priʃəs] lunefull, lunet.
Capricorn ['kæprikɔ:n] Steinbukken (stjernebildet); **the Tropic of** — S.s vendekrets.
capriole ['kæpriəul] kapriol, bukkesprang; gjøre krumspring.
capsicum ['kæpsikəm] spansk pepper.
capsize [kæp'saiz] kantre, kollseile; kantring.
capstan ['kæpstən] gangspill, spill; trekkhjul (i båndopptaker).
capstone ['kæpstən] dekkstein, sluttstein; (fig.) kronen på verket.

capsular ['kæpsjulə] kapselformet, kapsel-.
capsule ['kæpsjul] kapsel; kapsle; innkapsle; (fig.) sammenpresse i et nøtteskall.
Capt. fk. f. **Captain.**
captain ['kæptin] kaptein; feltherre, skipskaptein, skipper; fører, bas; leder, direktør, bestyrer; duks. **-cy** kapteins grad el. stilling.
caption ['kæpʃən] overskrift; billedtekst; undertekst (på film).
captious ['kæpʃəs] vrang, vrien; kritikksyk.
captivate ['kæptiveit] fengsle, fortrylle; bedåre.
captive ['kæptiv] fanget; fange; **lead** — føre bort som fange; — **balloon** fastgjort ballong.
captivity [kæp'tiviti] fangenskap. **capture** ['kæptʃə] pågripelse; tilfangetakelse; fange, kapre (skip).
capuchin [kæpju'(t)ʃi:n] kåpe med hette; kapusiner.
car [ka:] vogn, bil; gondol (på luftballong); (amr.) jernbanevogn; **the Car** Karlsvognen.
carabineer, carabinier [kærəbi'niə] karabinier.
caracole ['kærəkəul] halvsving; halvvending.
carafe [kə'ra:f, kə'ræf] (vann)karaffel.
caramel ['kærəmel] karamell.
carat ['kærət] karat.
caravan [kærə'væn, 'kærəvæn] karavane; stor vogn, sirkusvogn; campingvogn.
caravanserai [kærə'vænsəirai] karavanserai, herberge for karavanereisende.
caraway ['kærəwei] karve.
carbide ['ka:baid] karbid.
carbine ['ka:bain] karabin.
carbolic [ka:'bɔlik] karbol-; — **acid** [-'æsid] karbolsyre; **solution of** — **acid** karbolvann.
carbon ['ka:bən] kullstoff; kullspiss.
carbonate ['ka:bənit] karbonat, kullsurt salt.
carbon paper karbonpapir.
carborundum [ka:bə'rʌndəm] karborundum.
carboy ['ka:bɔi] syreballong, syreflaske.
carbuncle ['ka:bʌŋkl] karbunkel; brannbyll.
carburett|ed ['ka:bjuretid] forbundet med kullstoff. **-or** ['ka:bjuretə] karburator; forgasser.
carcajou ['ka:kədʒu:] jerv.
carcass ['ka:kəs] død kropp, skrott; åtsel; korpus, skrog; stumper, rester.
card [ka:d] (subst. og v.) karde.
card [ka:d] kort, spillkort, visittkort; **a big** — matador; **give him his -s** gi ham kurven; **lucky at -s** heldig i spill; **on the -s** ikke urimelig, ikke utenkelig; **play at -s** spille kort; **speak by the** — veie hvert ord; **tell fortunes by -s** spå i kort; **leave one's** — gi sitt kort (visittkort), legge sitt kort; **it is a sure** — det er et sikkert middel.
cardamom ['ka:dəməm] kardemomme.
card|board ['ka:dbɔ:d] kartong, papp. **-case** ['ka:dkeis] visittkortbok. **-file** kartotek. **-holder** partimedlem, foreningsmedlem.
cardiac ['ka:diæk, -djæk] hjerte-; hjertestyrkende, opplivende; hjertestyrkning.
cardialgia [ka:di'ældʒiə] kardialgi.
cardigan ['ka:digən] ullvest; cardiganjakke.
cardinal ['ka:dinəl] viktigst, fornemst, hoved-; kardinal: — **numbers** grunntall.
card index kartotek. **card-index** kartotekføre.
cardoon [ka:'du:n] artisjokk.
cardsharper ['ka:dʃa:pə] falskspiller.
card trick kortkunst.
care [kɛə] sorg, sut, bekymring; omsorg, pleie, omhu; omhyggelighet; — **of** (el. fk. **c/o**) adressert; **take** — passe på; ta seg i akt; **take** — **of** sørge for; ta vare på. **care** [kɛə] bekymre seg, syte, bry seg (**for** om); dra omsorg; **not** — være likeglad; — **about** ha interesse for; **cared for** pleiet, velholdt. **careful** omhyggelig; forsiktig, varsom.
careless ['kɛəlis] likegyldig; skjødesløs; likeglad. **carelessness** skjødesløshet.
careen [kə'ri:n] kjølhale; krenge, ligge over.
career [kə'riə] bane; løp; løpebane, karriere, livsløp; renne, ruse, fare, ha stor fart. **-ism** karrierejag.
caress [kə'res] kjæle for; kjærtegn.

caret ['kærit] innskuddstegn (ʌ i korrektur).
caretaker ['kɛəteikə] oppsynsmann, tilsynsmann, vaktmester.
careworn ['kɛəwɔ:n] forgremmet, sorgtynget.
car|fare ['kɑ:fɛə] takst, billettpris (på buss og trikk).
Carey ['kɛəri]: **mother — 's chickens** stormfugler.
cargo ['kɑ:gəu] ladning, last. **— boat** lastedamper, lastebåt. **— compartment** lasterom (i fly). **— hold** lasterom. **— liner** lasteskip i fast rute.
car hire service bilutleie.
Carribbean [kæri'bi:ən] karibisk; kariber.
caribou ['kæribu:] amerikansk reinsdyr.
caricature [kærikə'tjuə] karikatur; karikere.
caries ['kɛərii:z] karies, tannråte.
carillon ['kæriljən] klokkespill.
Carinthia [kə'rinθiə] Kärnten.
carious ['kɛəriəs] angrepet av karies, råtten.
Carlisle ['kɑ:'lail].
Carlton ['kɑ:ltn].
Carlyle ['kɑ:'leil].
carman ['kɑ:mən] vognmann, vognfører.
carminative ['kɑ:minətiv] vinddrivende (middel).
carmine ['kɑ:main] karmin, høyrød.
carnage ['kɑ:nidʒ] blodbad, nedslakting.
carnal ['kɑ:nəl] kjødelig; sanselig.
carnation [kɑ:'neiʃən] kjøttfarge; nellik.
Carnegie [kɑ:'negi, -'neigi] Carnegie; **the — Endowment** Carnegiefondet.
carnelian [kɑ:'ni:ljən] karneol (en rødlig stein).
Carniola [kɑ:ni'əulə] Krain.
carnival ['kɑ:nivəl] karneval, fastelavnsmoro.
carnivorous [kɑ:'nivərəs] kjøttetende.
carol ['kærəl] lovsang, sang; lovsynge; synge; **Christmas —** julesang.
Carolina [kærə'lainə].
Caroline ['kærəlain] Karoline (kvinnenavn).
carotid [kə'rɔtid] halspulsåre.
carousal [kə'rauzəl] drikkelag, kalas.
carouse [kə'rauz] svire, drikke, ture; drikkelag.
carp [kɑ:p] karpe.
carp [kɑ:p] klandre, dadle, utsette, hakke (på).
Carpathians [kɑ:'peiθjənz] Karpatene.
carpenter ['kɑ:pəntə] tømrer. **-'s level** vaterpass. **-'s square** vinkelhake. **carpentry** ['kɑ:pəntri] tømmerhåndverk; tømmerarbeid.
carpet ['kɑ:pit] teppe, løper; veidekke; legge teppe på. **-bag** vadsekk. **-bagger** politisk lykkeridder, en fremmed som valgkandidat. **— dance** uformell dans. **— beater** teppebanker. **-ing** (gulv)tepper. **— knight** soldat som holder seg hjemme fra krigen. **— rod** stang til å feste trappeløper med.
carport ['kɑ:pɔ:t] carport, (åpen) garasje.
carriage ['kæridʒ] transport; kjøretøy, vogn; lavett; atferd, holdning; frakt, jernbanefrakt; **— and four** vogn med fire hester; **— forward** frakt ubetalt; **— paid** frakt betalt. **-way** kjørebane.
carriageable ['kæridʒəbl] farbar.
carrier ['kæriə] bærer, bybud, bud, overbringer; kommisjonær; kasse, emballasje; lasteplan; hangarskip. **— pigeon** brevdue.
carrion ['kæriən] åtsel.
carronade [kærə'neid] kort grovkalibret skipskanon.
carrot ['kærət] gulrot. **-y** ['kærəti] rødhåret.
carry ['kæri] føre, bære, bringe; transportere, overføre; laste; utføre; oppnå; oppføre seg, bære seg at; medføre, føre med seg; erobre; føre igjennom; vedta; rekke, nå; **— a bill** vedta en lov; **— his point** sette sin vilje igjennom; **— into effect** gjennomføre, virkeliggjøre; **— off** bortføre; rive bort; **— on** fremme; føre; drive (f. eks. forretning); fortsette; **— out** utføre, følge (instrukser); sette igjennom; **— through** gjennomføre.
carrying | capacity lasteevne. **— trade** fraktfart. **— traffic** godstrafikk.

carryings-on ['kæriiŋz'ɔn] atferd, framferd mas, bråk.
cart [kɑ:t] kjerre; arbeidsvogn, vogn; føre på vogn; frakte; slepe, dra av sted. **cartage** ['kɑ:tidʒ] kjøring, vognleie, transportomkostninger, frakt. **carte blanche** [kɑ:t'blɑ:nʃ] carte blanche. **carte de visite** ['kɑ:tdəvi'zi:t] visittkort; fotografi i visittkortformat.
cartel ['kɑ:təl] utvekslingskontrakt angåend krigsfanger; kartell; sammenslutning av fabri kanter, syndikat.
carter ['kɑ:tə] kjører, vognmann.
Cartesian [kɑ:'ti:zjən] kartesiansk.
Carthage ['kɑ:θidʒ] Kartago.
cart horse ['kɑ:thɔ:s] arbeidshest, bryggerhest.
Carthusian [kɑ:'θ(j)u:zjən] karteuser.
cartilage ['kɑ:tilidʒ] brusk. **cartilaginous** [kɑ: ti'lædʒinəs] bruskaktig.
cart load ['kɑ:tləud] vognlass.
carton ['kɑ:tən] kartong, pappeske.
cartoon [kɑ:'tu:n] mønstertegning, kartong karikaturtegning, tegneserie, tegnefilm; tegne karikere. **cartoonist** [kɑ:'tu:nist] karikaturtegner tegner av tegneserier.
cartridge ['kɑ:tridʒ] kardus, patron, filmpatron grammofon pick-up; kassett. **blank —** patron uten kule, løspatron. **— box** patrontaske. **— paper** karduspapir.
cart('s) tail baksiden av kjerre; **flog at the —** binde bak en kjerre og piske.
cartwheel ['kɑ:twi:l] vognhjul; (amr.) sølvdollar; slå hjul (gymnastikk).
cartwright ['kɑ:trait] vognmaker.
carve [kɑ:v] skjære ut, snitte, hogge ut; skjære til.
carvel-built ['kɑ:vəlbilt] kravellbygd.
carver ['kɑ:və] billedskjærer; forskjærer.
carving billedskjæring; utskåret arbeid, billedskjærerarbeid. **— knife** forskjærkniv. **— table** anretningsbord.
caryatid [kæri'ætid] karyatide.
cascade [kæ'skeid] (liten) foss, kaskade; (fig.) brus; bruse, strømme.
case [keis] tilfelle; høve; stilling; sak, rettssak; kasus; **in any —** likevel; **in — of** i tilfelle av.
case [keis] kasse; stiv håndkoffert, veske, skrin; hylster; stikke i et futteral, overtrekke.
casein ['keisiin] kasein, ostestoff.
case knife bordkniv (med treskaft); slirekniv.
casemate ['keismeit] kasematt.
casement ['keismənt] vindusramme; vindu (på hengsler).
caseous ['keisiəs] osteaktig, oste-.
casern [kə'zə:n] kaserne, brakke.
cash [kæʃ] kontanter; kasse; innkassere; innløse, heve penger; betale; **— in on** slå mynt på, utnytte; **— on delivery** etterkrav; **hard —** klingende mynt; **— down** mot kontant betaling; **— a cheque** heve penger på en sjekk; **balance the —** gjøre opp kassen; **be in —** ha penger for hånden; **out of —** pengeløns. **— balance** kassabeholdning. **-book** kassebok. **— credit** kassekreditt. **— discount** kontantrabatt.
cashier [kə'ʃiə] kasserer(ske).
cashier [kə'ʃiə] avskjedige, kassere, vrake.
cashmere ['kæʃmiə] kasjmir, kasjmirsjal.
cash | meter taksameter. **— order** pengeanvisning. **— register** kassaapparat.
casing ['keisiŋ] hylster, futteral, overtrekk; bekledning; brønnrør; karm, innfatning.
casino [kə'si:nəu] kasino.
cask [kɑ:sk] fat, tønne; fylle på fat.
casket ['kɑ:skit] skrin, smykkeskrin, kiste; likkiste.
casque [kɑ:sk] hjelm.
cassation [kæ'seiʃən] kassasjon; **court of —** øverste ankedomstol, kassasjonsrett.
casserole ['kæsərəul] ildfast form.
Cassiopeia [kæsiə'pi:ə] Kassiopeia.
cassock ['kæsək] prestekjole, samarie.
cassowary ['kæsəwɛəri] kasuar (en fugl).

cast [kɑ:st] kaste, kaste av, felle; overvinne; støpe, forme; beregne, gjøre overslag; overveie; la seg forme; slå seg; fordele (rollene i et stykke); kast; rollebesetning; støpning, avstøpning; gipsbandasje; beregning; karakter, form, preg; anstrøk; farge; blingsing; **he — tape saken; he — away** lide skibbrudd; **— down** nedslå, gjøre motløs; **— in one's lot with** gjøre felles sak med; **— loose** kaste loss; **— up** beregne, kalkulere.

castanet [kæstə'net] kastanjett.

castaway ['kɑ:stəwei] forstøtt, utstøtt, skibbrudden, paria.

caste [kɑ:st] kaste; **lose — bli** utstøtt av sin kaste; gjøre seg umulig.

castellated ['kæsteleitid] utstyrt med tinder og tårn, krenelert.

caster ['kɑ:stə] kaster, støper; pepper- el. sukkerbøsse; kingboltens helling bakover (i bil); trinse (under bordbein); (amr.) 'oppsats; (a **set of) -s** bordoppsats. **— sugar** finkornet farin.

castigate ['kæstigeit] refse, tukte. **castigation** [kæsti'geiʃən] tukting, refsing. **castigator** ['kæsti-geitə] tukter, refser.

casting ['kɑ:stiŋ] kasting; støpning; rollebesetning. **-s** pl. støpegods. **— ladle** støpeskje. **— vote** avgjørende stemme.

cast iron ['kɑ:st'aiən] støpejern; (fig.) jern-; **cast iron evidence** vanntett, bombesikkert bevis.

castle ['kɑ:sl] befestet slott, borg; herregård; tårn (sjakk); rokere (i sjakk); **build -s in the air, in the clouds, in Spain** bygge luftkasteller. **Castlereagh** ['kɑ:slrei].

cast list rolleliste.

cast-off ['kɑ:stə:f] avlagt, kassert.

castor ['kɑ:stə] bever; hatt; oppsatsflaske; møbelhjul, trinse.

castor | **oil** ['kɑ:stərɔil] lakserolje. **— sugar** finkornet farin.

castrate ['kæstreit] kastrere, skjære, gjelde. **castration** [kæ'streiʃən] kastrering, gjelding. **castrato** [kæ'strɑ:təu] kastrat (kastrert sanger).

casual ['kæʒjuəl] tilfeldig, flyktig; overlegen; uformell, ubesværet; behagelig, løs og ledig; løsarbeider; **casual ward** natteherberge (for husville, i fattighus).

casualty ['kæʒuəlti] tilfelle; ulykkestilfelle, skadet, offer for ulykke; **— ward** mottakelsesstue på hospital, legevakt; **list of casualties** tapsliste, liste over falne.

casuist ['kæzjuist] kasuist. **-ry** [-ri] kasuistikk.

cat [kæt] katt, kjette; dobbelt trefot; (mar.) katt; katte (ankeret); kvinnfolk, katte; brekke seg, kaste opp; **let the — out of the bag** plumpe ut med hemmeligheten; **a — of nine tails** nihalet katt (til å piske med); **see which way the — jumps** se hvilken vei vinden blåser; **rain cats and dogs** høljregne.

cataclysm ['kætəklizm] oversvømmelse, storflom, syndflod, naturkatastrofe.

catacomb ['kætəkoum] katakombe.

catafalque ['kætəfælk] katafalk.

catalectic [kætə'lektik] katalektisk.

catalepsy ['kætəlepsi] katalepsi.

catalogue ['kætələg] katalog, alfabetisk fortegnelse, liste; lage fortegnelse over.

cata|lysis [kə'tælisis] katalyse. **-lyst** katalysator.

catamaran [kætəmə'ræn] tømmerflåte, katamaran, seilbåt med dobbeltskrog; trettekjær kvinne, troll, hurpe.

catamount ['kætəmaunt] gaupe; puma.

cataplasm ['kætəplæzm] grøtomslag.

catapult ['kætəpʌlt] katapult, slynge.

cataract ['kætərækt] vannfall, foss; grå stær (sykdom).

catarrh [kə'tɑ:, kæ'tɑ:] snue, katarr.

catastrophe [kə'tæstrəfi] katastrofe.

cat burglar klatretyv.

catcall ['kætkɔ:l] piping, pipekonsert, utpiping.

catch [kætʃ] fange, gripe, ta, fatte; innhente;

nå, rekke, komme med (**the train**); overraske; fengsle; (opp)fatte; pådra seg; smitte; gripe inn, få tak, hake seg fast; treffe, råke, ramme; stjele, rappe; snike seg til; **— a cold** forkjøle seg; **— me doing it** det skal jeg passe meg vel for å gjøre; **— the chairman's (the speaker's) eye** få ordet; **the lock has caught** døren er gått i baklås; **the play never caught on** stykket gjorde ikke lykke; **— sight of** få øye på, få se; **— up** innhente, nå igjen. **catch** [kætʃ] grep, fangst; tak; hake, hekte; lås, klinke, hasp; lyte; rykk; fordel; felle; listig spørsmål; flerstemmig vekselsang; **there is a — to it** det ligger noe under, det er noe lureri ved det.

catch|all oppsamlingssted. **— -as-catch-can** fribrytning; (fig.) alle knep tillatt.

catcher ['kætʃə] fanger, håv; mottaker (i baseball).

catching ['kætʃiŋ] smittsom; fengende.

catchpenny godtkjøps-, anlagt på (el. laget for) å tjene penger.

catch phrase slagord.

catchpole (underordnet) rettsbetjent, lensmannsbetjent.

catchword (i boktrykk) kustode; slagord; moteord; stikkord; oppslagsord.

catchy ['kætʃi] iøynefallende, iørefallende, som man lett legger merke til; farlig, lumsk.

catechetic(al) [kæti'ketik(l)] kateketisk. **catechise** ['kætikaiz] katekisere; spørre ut. **catechism** ['kætikizm] katekisme.

categorical [kæti'gɔrikl] kategorisk. **category** ['kætigɔri] kategori, gruppe.

catena [kə'ti:nə] kjede, serie. **catenary** [kə'ti:-nəri] kjede-, serie-.

cater ['keitə] firer (på kort og terninger).

cater ['keitə] skaffe mat, levere (**for** til), sørge for underholdning til selskaper osv. **caterer** ['keitərə] proviantmester, skaffer, leverandør (av mat).

caterpillar ['kætəpilə] larve, åme, kålorm; tank på larveføtter, beltetraktor. **— treads** larveføtter, belter.

caterwauling ['kætəwɔ:liŋ] katteskrik; kattemusikk, hyling.

catfish ['kætfiʃ] steinbitt; malle.

catgut ['kætgʌt] katgut, tarmstreng.

Catharine ['kæθərin] Katrine.

catharsis [kə'θɑ:sis] katarsis, renselse.

cathartic [kə'θɑ:tik] avførende, rensende; avføringsmiddel.

Cathay [kæ'θei] gammelt navn for Kina.

cathedral [kə'θi:drəl] katedral, domkirke; dom; katedral-, dom-.

Catherine ['kæθərin] Katrine. **Catherine wheel** ['kæθərinwi:l] ildhjul, sol (fyrverkeri); rosevindu; **turn -s** slå hjul.

cathode ['kæθəud] katode.

Catholic ['kæθəlik] alminnelig; fordomsfri, tolerant; katolsk; katolikk. **Catholicism** [kə'θɔlisizm] katolsk religion, katolisisme.

Catilinarian [kætili'nɛəriən] katilinarisk.

Catiline ['kætilain] Catilina.

catkin ['kætkin] rakle.

catlap ['kætlæp] skvip; sprøyt.

catlike ['kætlaik] kattaktig.

catnap ['kætnæp] liten lur, høneblund.

Cato ['keitəu] Cato. **-nian** [kei'təuniən] katonisk, streng.

cat-o'-nine tails ['kætə'nainteilz] nihalet katt, se **cat**.

cattle ['kætl] fe, kveg, hornkveg, krøtter, naut. **— breeding** feavl. **— dealer** fekar, driftekar. **-man** kvegoppdretter; røkter, sveiser. **— plague** kvegpest, busott. **— show** dyrskue, fesjå. **— truck** kuvogn.

catty ['kæti] katteaktig; ondskapsfull, infam.

catwalk ['kætwɔ:k] løpebru (på skip), smal gangbru.

Caucasian [kɔ:'keiziən] kaukasisk; kaukasier; europeer, hvit. **Caucasus** ['kɔ:kəsəs] Kaukasus.

caucus ['kɔːkəs] forberedende partimøte; pampevelde, partistyre.
caudal ['kɔːdl] hale-.
caudle ['kɔːdl] varm drikk med vin.
caught [kɔːt] imperf. og perf. pts. av **catch**.
caul [kɔːl] tarmnett; seierskjorte; **be born with a** — være født med seierskjorte.
cauldron ['kɔːldrən] (stor) kjele, gryte; (fig.) heksegryte.
cauliflower ['kɔliflauə] blomkål.
caulk [kɔːk] se **calk** kalfatre.
caus|**al** ['kɔːzəl] kausal. **-ality** [kɔːˈzæliti] kausalitet, årsakssammenheng. **-ation** [kɔːˈzeiʃən] forårsaking; årsaksforhold.
'cause [kɔz] fk. f. **because** fordi.
cause [kɔːz] årsak, grunn; sak; rettssak; forårsake, la, medføre, føre til, bevirke. **-less** ugrunnet, grunnløs.
causeway ['kɔːzwei] landevei, chaussé, vei på demning el. bygget opp gjennom sumpig område.
causey ['kɔːzei] d. s. s. **causeway**.
caustic ['kɔːstik] kaustisk, etsende; bitende, skarp; (fig.) sarkastisk, spydig; etsemiddel; **lunar** — helvetesstein.
cauter ['kɔːtə] brennjern. **cauterization** [kɔːtərai'zeiʃən] kauterisasjon, etsing. **cauterize** ['kɔː- təraiz] kauterisere, etse.
caution ['kɔːʃən] forsiktighet, varsomhet; advarsel, åtvaring; kausjon; kausjonist; advare. **cautionary** ['kɔːʃənəri] advarende, til skrekk og advarsel; (amr.) kausjonist.
cautious ['kɔːʃəs] forsiktig, varsom.
cavalcade [kævəl'keid] kavalkade; festopptog.
cavalier [kævə'liə] rytter, ridder; kavalér; ridderlig; anmassende; hoven; **cavalry** ['kævəlri] kavaleri. **-man** kavalerist.
cave [keiv] hule, grotte; hule ut, grave ut; ligge i en hule; falle sammen; — **in** falle sammen, styrte sammen; gå over styr.
caveat ['keiviæt] protest; (amr.) foreløpig, patentanmeldelse; advarsel.
cavern ['kævən] hule, heller. **-ous** ['kævənəs] full av huler.
caviar(e) ['kævia:] kaviar; — **to the general** perler for svin.
cavil ['kævil] sjikanere, kritisere; sofisteri, spissfindighet, sjikane. **-ler** sofist, kverulant.
cavity ['kæviti] hulhet, kløft, grop, kavitet.
cavort [kə'vɔːt] gjøre krumspring, danse; tumle seg.
caw [kɔː] skrike (som en ravn eller kråke); ravneskrik, kråkeskrik, skrik.
Caxton ['kækstən].
cayenne [kei'en] el. **Cayenne pepper** ['keien-'pepə] kajennepepper.
cayman ['keimən] kaiman, alligator.
C. B. fk. f. **Companion of the Bath; confinement to barracks; construction battalion.**
C. B. E. fk. f. **Commander of the Order of the British Empire.**
C. B. S. fk. f. **Columbia Broadcasting System.**
C. C. fk. f. **Country Council(lor); cricket club.**
cc. fk. f. **chapters; cubic centimetre.**
C. C. C. fk. f. **Corpus Christi College.**
C. C. S. fk. f. **casualty clearing station.**
C. D. fk. f. **Civil Defence; Coast Defence.**
C. D. **Acts** fk. f. **contagious-diseases Acts.**
C. E. fk. f. **Church of England; Civil Engineer; counter-espionage.**
cease [siːs] opphøre, holde opp; la være, holde opp med; — **fire** stoppe (skytingen); våpenhvile. **without** — uten opphør. **ceaseless** ['siːslis] uopphørlig, uavlatelig.
Cecil ['sesl, 'sesil, 'sisl] Cecil. **Cecilia** [si'silja] Cecilia. **Cecily** ['sesili] Cecilia.
cedar ['siːdə] seder.
cede [siːd] avstå, oppgi, overdra.
cedilla [si'dilə] cedille.
cee-spring ['siːspriŋ] vognfjær (formet som en c).
ceil [siːl] kle et loft, himling; pusse.

ceiling ['siːliŋ] loft, tak, himling; øverste grense, maksimal-; **hit the** — fly i flint. — **price** maksimalpris.
Celebes [se'liːbiz].
celebrate ['selibreit] prise; feire, feste, høytideligholde, gjøre ære på. **-ed** berømt. **celebration** [seli'breiʃən] høytideligholdelse; lovprising; feiring, fest. **celebrity** [si'lebriti] berømthet; berømt menneske.
celerity [si'leriti] hurtighet.
celery ['seləri] selleri.
celestial [si'lestjəl] himmelsk, himmel-; guddommelig; himmelboer.
celibacy ['selibəsi] sølibat, ugift stand. **celibate** ['selibit] ungkar, ugift kvinne.
cell [sel] celle, arrest; hytte; grav; (batteri-)celle, element. **the condemned** — de dødsdømtes celle.
cellar ['selə] kjeller. **-age** ['selərid3] kjellerplass; lagringskostnader. **-er** vintapper.
cell|**ist** ['tʃelist] cellist. **-o** ['tʃeləu] cello.
cellophane ['seləfein] cellofan.
cellular ['seljulə] celle-.
celluloid ['seljulɔid] celluloid; film.
cellulose ['seljuləus] cellulose; cellestoff.
Cels. fork. f. **Celsius.**
Celsius ['selsjəs].
Celt [selt, kelt] kelter. **Celtic** ['seltik, 'keltik] keltisk.
cement [si'ment] bindemiddel, lim; sement; (fig.) bånd; sammenkitte; sementere. **-ation** [simen'teiʃən] sementering; stålherding.
cemetery ['semitri] kirkegård. — **plot** gravsted.
cenotaph ['senətɑːf] kenotaf, tom grav.
cence [sens] brenne røkelse for (el. i).
censor ['sensə] sensor; sensurere. **censorious** [sen'sɔːriəs] kritikksyk, kritisk. **censorship** ['sensəʃip] sensorstilling; sensur.
censure ['senʃə] daddel, klander, kritikk; laste, klandre, dømme; **vote of** — mistillitsvotum.
census ['sensəs] telling, folketelling. — **paper** manntallsliste.
cent [sent] hundre; (amr.) cent, 1/100 dollar; **per** — prosent.
Cent. fk. f. **Centigrade.**
centaur ['sentɔː] kentaur.
centenarian [senti'nɛəriən] hundreårig. **centenary** ['sentinəri] hundreår; hundreårsfest.
centennial [sen'tenjəl] hundreårsfest; det som skjer hvert hundrede år.
centigrade ['sentigreid] som er inndelt i hundre grader; celsius. **centimeter** ['senti'miːtə] centimeter.
centipede ['sentipiːd] tusenbein.
central ['sentrəl] sentral, midt-; viktigst; — **exchange** sentral; — **heating** sentralvarme.
central|**ization** [sentrəlai'zeiʃən] sentralisering. **-ize** ['sentrəlaiz] sentralisere.
centre ['sentə] midtpunkt, sentrum. **-piece** bordoppsats. **centre** sette i sentrum; konsentrere; samle seg, være samlet; være i sentrum.
centrifugal [sen'trifjugəl] sentrifugal. — **machine** sentrifuge, separator.
centripetal [sen'tripital, sen'tripi:tl] sentripetal.
centroid ['sentrɔid] geometrisk tyngdepunkt.
centuple ['sentjupl] hundrefold.
century ['sentʃuri] århundre, hundreår.
'cept (except) unntagen.
ceramic [si'ræmik] keramisk, keramikk-, pottemaker-. **ceramics** [si'ræmiks] keramikk. **ceramist** keramiker.
Cerberus ['səːbərəs] Kerberos.
cereal ['siəriəl] korn-; kornslag; cornflakes, ristet mais, ris etc. særlig brukt til frokost.
cerebellum ['seri'beləm] lillehjernen. **cerebral** ['seribrəl] hjerne-. — **haemorrhage** hjerneblødning. — **inflammation** hjernebetennelse. **cerebration** [seri'breiʃən] hjernevirksomhet. **cerebrum** ['seribrəm] storhjernen.
cerecloth ['siəklɔθ] voksduk, vokslaken.

cerement ['siəmənt] voksklede, likklede.
ceremonial [seri'məunjəl] seremoniell, høytidelig; seremoniell. **ceremonious** [seri'məunjəs] seremoniell, seremoniøs; formell, stiv.
ceremony ['seriməni] seremoni; høytidelighet; formaliteter, omstendigheter; **on occasions of** — ved høytidelige anledninger; **stand on** — gjøre omstendigheter; **without** — uten videre.
cert. fk. f. **certificate, certified.**
certain ['sə:tn, 'sə:tin] viss, sikker, bestemt; gitt, avgjort; **I feel** — jeg føler meg overbevist om; **he is** — **to come** han kommer sikkert; **for** — sikkert. **-ly** sikkert, ganske visst, visselig, ja vel, ja.
certainty ['sə:tnti] visshet, bestemthet; **for a** —, **of a** —, **to a** — sikkert.
certifiable ['sə:tifaiəbl] påviselig; som kan attesteres.
certificate [sə'tifikit] bevis, attest, vitnemål, erklæring; kvittering; sertifikat. **certificate** [sə'tifikeit] bevitne. **certification** [sə:tifi'keiʃən] attestering; attest, pass. **certify** ['sə:tifai] bevitne, bekrefte, garantere, godkjenne; **this is to** — herved bevitnes.
certitude ['sə:titju:d] visshet, visse, sikkerhet.
cerulean [si'ru:liən] himmelblå.
ceruse ['siəru:s, si'ru:s] blyhvitt.
cervical ['sə(:)vik(ə)l] hals-, cervikal.
cervine ['sə:vain] hjorte-.
cessation [se'seiʃən] opphør, ende, stans.
cession ['seʃən] avståelse. **-ary** ['seʃənəri] befullmektiget.
cesspool ['sespu:l] kloakk-kum, septiktank; (fig.) kloakk, sump.
cestode ['sestəud] bendelorm.
C. E. T. S. fk. f. **Church of England Temperance Society.**
Ceylon [si'lɔn] Ceylon. **Ceylonese** [silə'ni:z] singaleser; singalesisk.
cf. fk. f. **confer** (= **compare**); jfr., kfr., sml.
C. F. fk. f. **Chaplain of the Forces; cost and freight** kostfrakt.
cg. fk. f. **centrigram.**
C. H. fk. f. **Companion of Honour.**
ch., chap. fk. f. **chapter; chaplain.**
chafe [tʃeif] gni for å varme, varme; gni sår; opphisse; bli forbitret; skure, gnage; tirre, ergre; rase; fnyse; gnidning; gnagsår, skrubbsår; skuring; varme; hissighet, forbitrelse.
chafer ['tʃeifə] tordivel.
chaff [tʃɑ:f] agner; hakkelse; skjemt, skøy, ap; skjemte, ape, erte, drive gjøn (med).
chaffer ['tʃæfə] prutte; kjøpslå; tinge; tinging.
chaffinch ['tʃæfintʃ] bokfink.
chafing dish ['tʃeifiŋdiʃ] glopanne, fyrfat; varmefat (med spritbrenner).
chagrin ['ʃægri:n] ergrelse; ulag; ergre.
chain [tʃein] kjede, lenke; kjetting; lenke; sperre med lenker; (fig.) fengsle. — **armour** ringbrynje; — **bridge** hengebru. — **gang** lenkegjeng, tukthusfanger. — **reaction** kjedereaksjon. — **smoker** kjederøyker. — **store** kjedeforretning.
chair [tʃɛə] stol; talerstol; lærestol; professorat; dommersete; forsete; bærestol; president, dirigent, ordstyrer; **take the** — være formann.
chairman ['tʃɛəmən] formann, dirigent, ordstyrer. **-ship** ['tʃɛəmənʃip] presidentstilling.
chaise [ʃeiz] lett vogn, gigg.
chaldron ['tʃɔ:ldrən] kullmål (36 bushels).
chalet ['ʃæl(e)i] sveitserhytte; fjellhytte, fjellstue.
chalice ['tʃælis] beger, kalk.
chalk [tʃɔ:k] kritt; poeng; regning; kritte, tegne med kritt; kalke; — **out** skissere, risse opp. **—pit** krittbrudd. **-stone** forkalkninger (hos giktpasienter), giktknute. **chalky** ['tʃɔ:ki] krittaktig.
challenge ['tʃælən(d)ʒ] utfordre; oppfordre; uteske; fordre, kreve; gjøre innsigelse; utfordring; oppfordring; utesking; fordring. — **cup** vandrepokal.
chalybeate [kə'libiit] jernholdig.

cham [kæm] khan, tatarfyrste; **the great C. of literature** litteraturens store høvding (om Samuel Johnson).
chamade [ʃə'mɑ:d] signal til underhandling el. overgivelse, parlamentærsignal.
chamber ['tʃeimbə] kammer, værelse, stue; kontor; rettssal, rett; huse, gi husly; **live in -s** bo til leie. — **counsel** privat rådgiver, som ikke fører saker. — **concert** kammerkonsert.
chamberlain ['tʃeimbəlin] kammerherre; kemner; **the Lord C.** hoffmarskalk, sensor.
chamber|maid ['tʃeimbəmeid] kammerpike, stuepike. — **music** kammermusikk. — **pot** nattpotte.
chameleon [kə'mi:ljən] kameleon.
chamfer ['tʃæmfə] skråkant; (skrå)fase; fure, rille; sette skråkant på, skråslipe, fure.
chamois ['ʃæmwɑ:] gemse; vaskeskinn, pusseskinn, semsket skinn.
champ [tʃæmp] tygge, bite, smaske, gumle.
champagne [ʃæm'pein] champagne.
champaign ['tʃæmpein] slette.
champignon [tʃæm'pinjən] sjampinjong.
champion ['tʃæmpiən] kjemper; forkjemper, forsvarer, ridder; (i sport) champion, mester, 1. premie på utstilling; forsvare; forfekte, ta seg av; være ens ridder. **-ship** mesterskap, tittel.
chance [tʃɑ:ns] sjanse, tilfelle; slump; høve, anledning, leilighet; mulighet; risiko; utsikt; utsikter; tilfeldig; hende, treffe seg, bære til; **by** — tilfeldig; **all our** — **was** vår eneste sjanse var; **on** — på må få, på det uvisse, på vona; **see one's** — **to** se sitt snitt til å; **stand a good** — ha en god anledning.
chancel ['tʃɑ:nsəl] kor (del av kirke).
chancellery ['tʃɑ:nsələri] kanslerembete el. -verdighet; kanselli; ambassadekontor.
chancellor ['tʃɑ:nsələ] kansler; **C. of the Exchequer** finansminister; **Lord (High) Chancellor** lordkansler (justisminister, president i Overhuset og i kanslerretten).
chancel | rail korskranke. — **table** alterbord.
chance-medley ['tʃɑ:ns'medli] uaktsomt drap; drap i nødverge.
chancery ['tʃɑ:nsəri] kanslerretten (avdeling av the High Court of Justice); **in chancery** i klemme (om bokser, hvis hode er under motstanderens arm, slik at denne, så lenge det skal være, kan hamre løs på det).
chancre ['ʃæŋkə] sjanker.
chancy ['tʃɑ:nsi] usikker, uberegnelig, risikabel; heldig.
chandelier [ʃændi'liə] lysekrone.
chandler ['tʃɑ:ndlə] lysestøper, lyseselger; detaljhandler, småhandler, høker.
'change [tʃein(d)ʒ] børs (d. s. s. **exchange**).
change ['tʃein(d)ʒ] forandring, omskifte, skifte, brigde, bytte; småpenger; børs, (måne)fase; omkledning; forandre, bytte, skifte, veksle; kle seg om, bytte; forandre seg, skifte; — **of attire** klær til skift, sett klær; — **for** ombytte med; **get** — få penger igjen.
changeable ['tʃein(d)ʒəbl] foranderlig.
changeling ['tʃein(d)ʒliŋ] bytting.
change-over ['tʃein(d)ʒəuvə] overgang, omstilling; skifte; omslag; **the company has a 5 %** — firmaet har 5 % gjennomtrekk (i arbeidsstokken).
channel ['tʃænəl] (naturlig) kanal; renne; the **Channel** Kanalen (mellom England og Frankrike). — **bar** u-jern.
chant [tʃɑ:nt] synge; messe; besynge, synge om; sang; messe.
chantey el. **chanty** ['tʃɑ:nti] oppsang.
chanticleer ['tʃɑ:ntikliə] hane.
chantry ['tʃɑ:ntri] sjelegave (til sjelemesser); kapell; alter (for sjelemesser).
chaos ['keiɔs] kaos. **chaotic** [kei'ɔtik] kaotisk.
chap [tʃæp] sprekke, kløvne, revne; få til å sprekke; sprekk.
chap [tʃæp] kjeve, kinn, kjake; **-s** kjeft.
chap [tʃæp] fyr (gutt el. mann).

chapel ['tʃæpəl] mindre kirke, dissenterkirke, kirke knyttet til en institusjon, f. eks. slottskirke; — **-of-ease** hjelpekirke, annekskirke. **-ry** ['tʃæpəlri] anneks.

chaperon ['ʃæpərəun] chaperone, anstandsdame; ledsage (som anstandsdame).

chapfallen ['tʃæpfɔ:ln] lang i fjeset; motfallen.

chaplain ['tʃæplin] prest (ved en institusjon); feltprest, skipsprest; hoffprest.

chaplet ['tʃæplit] krans; rosenkrans.

chapman ['tʃæpmən] kramkar.

chapter ['tʃæptə] kapittel (i bok); domkapittel, ordenskapittel. — **house** kapittelbygning, kapittelhus.

char [tʃɑ:] brenne (tre) til kull; svi; svartne.

char [tʃɑ:] sjaue, ha løsarbeid; vaskekone; jobb, arbeid.

char-a-banc ['ʃærəbæŋ] turistbuss.

character ['kæriktə] skrifttegn, bokstav; eiendommelighet, særmerke, egenskap; karakter; rolle; person; ry, rykte; vitnesbyrd, vitnemål, skussmål; **he has the** — **of a miser** han har ord på seg for å være en gnier; **a street** — en gatefigur; **I know him only by** — bare av omtale; **in the** — **of the King** i kongens rolle; **a girl of** — en selvstendig, karakterfast pike; **strength of** — karakterstyrke. **characteristic** [kæriktə'ristik] karakteristisk; eiendommelighet. **characterize** ['kæriktəraiz] karakterisere, betegne; prege, særprege.

charade [ʃə'rɑ:d] charade, stavelsesgåte; **act -s** leke ordspråkslek.

charcoal ['tʃɑ:kəul] trekull. — **furnace** kullmile.

charge [tʃɑ:dʒ] lesse, belesse, pålegge; forlange (som betaling), beregne; debitere, føre opp; ilikne (om skatt); lade (et batteri, et skytevåpen); overdra; beskylde; angripe; ladning, last, lass; pålegg; befaling; omsorg, varetekt; omkostning; betaling, pris, takst, gebyr; pleiebarn; protesjé; siktelse, beskyldning, anklage; angrep; ladning (sprengstoff); **what's your** —? hva er Deres pris? **without** — gratis; **have** — **of** ha i forvaring; **who had** — **of these things** hvem hadde å gjøre med dette; **make the** — **that** anføre, gjøre gjeldende at; hevde; **sound the** — blåse til angrep; **at a certain** — til en viss betaling; **be in** — ha kommando; **in** — **of** under oppsyn av; **give in** — **of a policeman** overlevere til en konstabel, la anholde (av en konstabel); — **at**, — **on** rette angrep på, angripe. **-able** ['tʃɑ:dʒəbl] som kan pålegges, tilskrives, anklages; debiteres.

charge account kundekonto.

chargé d'affaires ['ʃa:ʒeidæ'fɛə] chargé d'affaires.

charger ['tʃɑ:dʒə] ganger, stridshest; batterilader.

charges account omkostningskonto, utgiftskonto.

charging current ladestrøm.

charily ['tʃɛərili] forsiktig, sparsomt, varsomt.

chariness ['tʃɛərinəs] forsiktighet, sparsommelighet.

Charing Cross ['tʃæriŋ'krɔs] plass og jernbanestasjon i London.

chariot ['tʃæriət] stridsvogn, lett herskapsvogn.

charisma [kə'rizmə] nådegave, spesielle evner.

charitable ['tʃæritəbl] godgjørende; barmhjertig.

charity ['tʃæriti] kjærlighet (til nesten); kjærlighetsgjerning, velgjerning; miskunn, sælebot; godgjørenhet; medlidenhet; godhet; velvilje; almisse, veldedighet; **it would be quite a** — det ville være en ren velgjerning; — **begins at home** enhver er seg selv nærmest; hva du evner, kast av i de nærmeste krav; — **school** fattigskole; **bread of** — nådensbrød.

charivari ['tʃɑ:ri'vɑ:ri] kattemusikk; pipekonsert.

charlady ['tʃɑ:leidi] rengjøringskone.

charlatan ['ʃɑ:lətæn] sjarlatan. **-ry** sjarlataneri, svindel.

Charlemagne ['ʃɑ:lə'mein] Karl den store.

Charles [tʃɑ:lz] Karl. **-'s wain** Karlsvognen.

Charley, Charlie ['tʃɑ:li].

charlock ['tʃɑ:lɔk] åkersennep.

Charlotte ['ʃɑ:lɔt].

charm [tʃɑ:m] tryllemiddel, trylleri, trylleformel; yndighet, elskverdighet, sjarm, tiltrekning(skraft); amulett, sjarm (vedheng til armbånd); fortrylle, henrive, henrykke, dåre, vinne; **the -ed circle** tryllesirkel; **he bears a -ed life** han er usårlig. **charmer** sjarmør; trollmann; en son tryller. **-ing** elskverdig, henrivende, yndig.

charnel(-house) ['tʃɑ:nəl(haus)] likhus.

Charon ['kɛərən] Kharon.

chart [tʃɑ:t] sjøkart; kart; tabell; diagram plansje; planlegge; illustrere ved diagram kartlegge.

charta se **Magna Charta**.

charter ['tʃɑ:tə] dokument; frihetsbrev, privilegium; befraktning; fraktbrev; privilegere frakte; chartre, befrakte; **the Atlantic** — Atlanter havserklæringen (mellom Churchill og Roosevelt 1941); **the Great Charter** d. s. s. **Magna Carta the people's** — chartistenes program. **-ed accoun** tant autorisert revisor.

charterer ['tʃɑ:tərə] befrakter.

Charterhouse ['tʃɑ:təhaus].

charter party ['tʃɑ:təpə:ti] certeparti, fraktbrev

Chartism ['tʃɑ:tizm] chartisme (engelsk radikal bevegelse etter reformloven 1832).

Chartist ['tʃɑ:tist] chartist.

charwoman ['tʃɑ:wumən] kone som arbeide for daglønn; skurekone, vaskekone.

chary ['tʃɛəri] forsiktig; sparsom, økonomisk kresen.

chase [tʃeis] drive, siselere; skjære gjenge på

chase [tʃeis] jage, forfølge; jakt; forfølgelse jaktdistrikt.

chase [tʃeis] formramme.

chasing ['tʃeisiŋ] siselering.

chasm [kæzm] kløft, gap, avgrunn.

chassis ['ʃæsi] chassis, understell til bil.

chaste [tʃeist] kysk, ærbar; renslig, ren.

chasten ['tʃeisn], **chastise** [tʃæ'staiz] tukte refse. **chastisement** ['tʃæstizmənt] tukt, refsing

chastity ['tʃæstiti] kyskhet; renhet, ærbarhet — **belt** kyskhetsbelte.

chasuble ['tʃæzjubl] messehakel.

chat [tʃæt] passiar, snakk, prat; passiare, prate snakke.

Chatham ['tʃætəm].

chattels ['tʃætlz] løsøre. — **real** bruksrettig heter.

chatter ['tʃætə] pjatte, skravle, klapre; skval dre, pludre; skravl, klapring. **-box** ['tʃætəbɔks skravlebøtte. **chatty** ['tʃæti] snakksom, pratsom

Chaucer ['tʃɔ:sə].

chauffer ['tʃɔ:fə] fyrfat, liten mobil ovn.

chauffeur ['ʃəufə] sjåfør.

chauvinism ['ʃəuvinizm] sjåvinisme.

chaw [tʃɔ:] tygge, gumle, knaske; gumling tygging; skrå, buss.

cheap [tʃi:p] billig; lettkjøpt, godtkjøps- simpel **feel** — føle seg liten el. flau; **hold** — ringeakte; — **Jack** (el. **John**) godtkjøpshandler ved marked el. l.; **to do it on the** — leve på billigste måte. **-en** ['tʃi:pn] by på, prute; slå av (fig.) nedsette. — **-jack** kramkar, fant; tarvelig — **skate** (amr.) gjerrigknark.

cheat [tʃi:t] bedrageri; snyter, bedrager; bedra, jukse, snyte. **cheater** bedrager.

check [tʃek] hindring, stansing, stans, brems kontroll; kassalapp; regning; merke; garantiseddel; utgangsbillett; rute (i tøy); (amr.) anvisning, sjekk; sjakk; hindre, stanse, stagge, tøyle legge bånd på; krysse av, sjekke; kontrollere; rette sette; sette i sjakk; **put a** — **upon** legge en demper på; **keep him in** — holde ham i sjakk; — **in** ankomme, skrive seg inn (på hotell el. flyplass) — **up on** kontrollere, undersøke.

checkbook (amr.) sjekkhefte.

checker ['tʃekə] gjøre rutet (se **chequer**).

checkmate ['tʃek'meit] matt (i sjakk), nederlag; gjøre sjakkmatt, tilføye nederlag.

check|-out ['tʃekaut] betaling av hotellregning; kasse (i selvbetjeningsforretning).

Cheddar ['tʃedə] cheddarost.

cheek [tʃiːk] kinn; (sl.) frekkhet, freidighet, uforskammethet; — **by jowl** side om side. **cheeky** ['tʃiːki] frekk, nesevis, nebbet.

cheep [tʃiːp] pip, pistring; kvitring; pipe, pistre.

cheer [tʃiə] (sinns)stemning, mot, lag, hug; glede, munterhet; hurra, bifallsrop, fagning; oppmuntre; tiljuble; rope hurra for, fagne **give three -s for** utbringe et leve for; **-io** ['tʃiəri'əu] hallo, hei på deg! — **up** fatte mot; **how** — **you?** hvorledes går det med deg? **-ful** ['tʃiəful] glad, munter, fornøyd. **-fulness** munterhet, lystighet. **-ing section** heiagjeng. **-less** ['tʃiəlis] gledeløs; bedrøvelig. **-y** ['tʃiəri] munter, glad.

cheese [tʃiːz] ost; — **it!** hold opp! hold kjeft! stikk av! **-cake** ⊗ vannbakkels med ostefyll; pin-up bilde. — **cutter** ostehøvel. — **finger** ostestang. **-monger** [-mʌŋgə] ostehandler, fetevarehandler. **-paring** [-pɛəriŋ] osteskorpe; flisespikkeri; knussel; smålig, knuslet. — **rind** osteskorpe. — **spread** smøreost.

cheetah ['tʃiːtə] jaktleopard.

chef [ʃef] overkokk, kjøkkensjef.

chela ['tʃeilə] disippel; ['kiːlə] krepseklo.

Chelsea ['tʃelsi].

chemical ['kemikl] kjemisk. **-s** kjemikalier.

chemis|e [ʃi'miːz] chemise, linnet, serk. **-ette** [ʃemi'zet] chemisette, underliv, livstykke.

chemist ['kemist] kjemiker; apoteker; chemist's **(shop)** apotek. **-ry** ['kemistri] kjemi.

cheque [tʃek] sjekk.**-book** sjekkbok, sjekkhefte. **chequer** ['tʃekə] gjøre ternet el. rutet; gjøre avvekslende; firkant, rute. **-ed** rutet, sjakkbrettmønstret; skiftende, variert.

cherish ['tʃeriʃ] kjæle for; pleie; oppelske, nære; verne om, beskytte; holde av.

cheroot [ʃə'ruːt] cheroot, (mindre) sigar som er tvert avskåret i begge ender.

cherry ['tʃeri] kirsebær(tre); kirsebærfarget. — **brandy** kirsebærlikør. — **pie** heliotrop. — **pit** kirsebærstein.

cherub ['tʃerəb] kjerub; cherubs el. cherubim ['tʃerubim] kjeruber.

chervil ['tʃəːvil] kjørvel.

Cheshire ['tʃeʃə] Cheshire. — **cat** person med stivt smil.

chess [tʃes] sjakk. **-board** sjakkbrett. **-man** sjakkbrikke. **-player** sjakkspiller.

chest [tʃest] kiste, boks, skrin; bringe, bryst; — **of drawers** dragkiste, kommode.

chesterfield ['tʃestəfiːld] chesterfield (sofa el. frakk).

chest note ['tʃestnəut] brysttone.

chestnut ['tʃes(t)nʌt] kastanje; kastanjetre; kastanjebrun hest.

cheval glass [ʃə'væl] toalettspeil, dreiespeil.

chevalier [ʃevə'liə] ridder, kavaler.

cheviot ['tʃevjət] sjeviot (slags tøy).

chevron ['tʃevr(ə)n] v-formet ermedistinksjon, vinkel.

chevy ['tʃevi] jakt; jaktrop; Chevrolet (bilmerket); jage, springe omkring; ergre, tirre.

chew [tʃuː] tygge; (fig.) tygge på; pønske på; gi en overhaling, tygging, en bit, skrå, buss; — **the cud** tygge drøv.

chewing | gum ['tʃuːiŋgʌm] tyggegummi. — **tobacco** skrå.

chic [ʃiːk] chic, elegant, fiks.

Chicago [ʃi'kɑːgəu].

chicane [ʃi'kein] sjikane, knep, (i bridge) hånd uten trumf; sjikanere, bruke knep. **chicaner** [ʃi'keinə] sjikanør. **chicanery** [ʃi'keinəri] sjikane.

Chichester ['tʃitʃistə].

chick [tʃik] kylling; unge, pjokk.

chicken ['tʃikin] kylling; unge, småbarn; redd-hare, feiging; bli redd. — **feed** kyllingfôr, ube-

tydelighet; småpenger. — **-hearted** forsagt stakkarslig.

chicken | pox ['tʃikinpɔks] brennkopper. — **wire** hønsenetting.

chicory ['tʃikəri] sikori.

chid [tʃid] imperf. og perf. pts. av **chide.**

chidden ['tʃidn] perf. pts. av **chide.**

chide [tʃaid] irettesette, laste, skjenne på.

chief [tʃiːf] først, fornemst, viktigst, høyest, øverst; hode; høvding, sjef, anfører, overhode; — **friends** nærmeste venner; **Lord Chief Justice** justitiarius (rettsformann) i Queen's Bench Division **in** — øverst, først og fremst; **commander in** — øverstbefalende; **editor in** — sjefredaktør. — **assistant surgeon** første reservelege. — **clerk** kontorsjef. — **education officer** skoledirektør. — **engineer** førstemaskinist; overingeniør. — **inspector** politiførstebetjent. — **justice** høyesterettsjustitiarius.

chiefly ['tʃiːfli] især, først og fremst, hovedsakelig; hovednagtig.

chief|of staff stabssjef. — **petty officer** flaggkvartermester.

chieftain ['tʃiːftin, 'tʃiːftən] høvding, fører.

chiffon ['ʃifən] chiffon.

chiffonier [ʃifə'niə] chiffoniere.

chignon ['ʃiːnjɔn] nakkepute, oppsatt nakkehår.

chilblain ['tʃilblein] frostknute.

child [tʃaild] barn (i poesi: junker); produkt; **with** — gravid. **-bearing** barnefødsel. **-bed** barselseng. **-birth** barnefødsel, barsel; fødselstall.

childe [tʃaild] junker.

Childermas ['tʃildəmæs] barnedag (28. desember).

childhood ['tʃaildhud] barndom.

childish ['tʃaildiʃ] barnlig, barnslig, barnaktig.

childless ['tʃaildlis] barnløs.

childlike ['tʃaildlaik] barnlig, barnslig.

children ['tʃildrən] pl. av **child** barn; **the C. Act** ⊗ barnevernloven.

child's play barnelek; (bare) barnemat.

child | welfare barnevern. — **welfare centre** pleiestasjon for barn.

Chile ['tʃili] Chile. **Chilian** ['tʃiliən] chilener; chilensk.

chill [tʃil] kald, sval, kjølig; kulsen; nedslått; kulde, kjølighet; kuldegysning; lett forkjølelse; gjøre kald, få til å fryse; nedslå; dempe, berolige; **take the** — **off** kuldslå, temperere. **-ed** forfrossen, forkommen; gjennomkald. **-iness** ['tʃilinis] kulde.

chilly ['tʃili] kjølig, kald. — **-body** frysepinne.

Chiltern Hundreds ['tʃiltən 'hʌndrədz] engelsk kronland i Buckinghamshire, hvor styret formelt som embete overdras til dem som vil oppgi sitt sete i Parlamentet; **to take** (el. **to accept**) **the** — å oppgi sitt sete i Parlamentet.

chime [tʃaim] samklang; kiming, klokkering-ing; stemme sammen; ringe, kime, lyde, klinge; — **in** bryte inn (i en samtale); — **in with** harmonere med. — **clock** slagur.

chimera [ki'miərə, kai'miərə] kimære, hjernespinn, drømmeri, fantasifoster.

chimere [tʃi'miə] bispesamarie.

chimerical [ki'merikl, kai'merikl] fantasifull, fantastisk, uvirkelig.

chimney ['tʃimni] skorstein; peis, kamin; røykkanal; lampeglass; fjellrevne. — **piece** kaminstykke, kamingesims, kaminhylle. — **pot** skorsteinspipe; ovnsrør (høy hatt). — **stack** murblokk med en rad av skorsteinsrør; skorsteinspipe. — **sweep(er)** skorsteinsfeier.

chimpanzee [tʃimpæn'ziː] sjimpanse.

chin [tʃin] hake.

China ['tʃainə] Kina. — **clay** kaolin.

china ['tʃainə] porselen.

Chinaman ['tʃainəmən] kineser, kinafarer.

chinaware ['tʃainəwɛə] porselen.

chin-chin ['tʃintʃin] skål! adjø! prat, hilsen; prate, hilse.

chine [tʃain] ryggrad; ryggstykke, kam; ås-

rygg; skjære eller hogge ryggraden i stykker.
Chinee ['tʃaini:] (sl.) kineser.
Chinese ['tʃai'ni:z] kineser; kinesisk.
chink [tʃiŋk] revne, sprekk; (fig.) sårbart punkt; smutthull; sprekke.
chink [tʃiŋk] klirre; ringle (med); klirring; småpenger.
Chink [tʃiŋk] (sl.) kineser.
chinky ['tʃiŋki] sprukken, full av sprekker.
chintz [tʃints] trykt kretong, (møbel)sirs.
chip [tʃip] snitte, flise opp, hogge; slå småstykker av; hogge, skave, telgje til el. av; sprekke; miste småstykker; spon; flis, skår, hakk, snitt; sjetong; (sl.) mynt; tømmermann; **'tis a** — **of the old block** det er faren opp av dage; **chips** pommes frites.
chip | **basket** sponkurv. **-board** tykk papp; sponplate.
chipmunk nordamerikansk korthalet jordekorn.
Chippendale ['tʃipəndeil].
chipper ['tʃipə] kvitre; munter, kvikk; — **up** kvikke opp.
chippie ['tʃipi] gatetøs, ludder.
chippy ['tʃipi] gatetøs; knastørr; som har tømmermenn.
chips [tʃips] pommes frites.
chirography [kai'rɔgrəfi] skrivekunst; håndskrift.
chiromancer ['kairəmænsə] kiromant. **chiromancy** [-si] kiromanti, kunsten å spå i hendene.
chiropodist [kai'rɔpədist] fotpleier.
chiro|practic [kairə'præktik] kiropraktikk. **-practor** [kairə'præktə] kiropraktor.
chirp [tʃə:p] kvitre, pipe; kvitring, pip; riksing. **chirpy** ['tʃə:pi] livlig, munter, kipen, kåt.
chirrup ['tʃirəp] kvitring, piping; hypp; kvitre, pipe; si hypp.
chisel ['tʃizəl] meisel, beitel, stemjern, hoggjern; meisle; snyte.
Chiswiek ['tʃizik].
chit [tʃit] barn, unge (foraktel.); taske; kort melding; seddel; gjeldsbevis.
chitchat ['tʃit-tʃæt] småsnakk, prat.
chivalrous ['ʃivəlrəs, 'tʃ-] ridderlig. **chivalry** ['ʃivəlri, 'tʃ-] ridderskap; ridderverdighet; ridderlighet.
chives [tʃaivz] gressløk.
chlor|al ['klɔ:rəl] kloral. **-ic** ['klɔ:rik] klor-. **-ine** ['klɔ:r(a)in] klor. **-odyne** ['klɔ:rədain] smertestillende middel. **-oform** ['klɔ:rəfɔ:m] kloroform. **-ophyll** ['klɔrəfil] klorofyll.
chlorosis [klɔ'rəusis] bleksott, anemi. .
chock [tʃɔk] kile, klampe, kloss, props; krabbe, krakk (under båt, vannfat); kile fast; sette krabbe under.
chockablock ['tʃɔkə'blɔk] stappfull, tettpakket.
chocolate ['tʃɔkəlit] sjokolade; sjokoladebrun.
choice [tʃɔis] valg; utvalg; (fig.) kjerne; utsøkt, delikat; velvalgt. **make** — **of** velge; **for** — fortrinnsvis; **men of** — utsøkte folk.
choir ['kwaiə] sangkor (i kirke); kor (i domkirker); synge i kor. — **leader** forsanger. — **loft** pulpitur. **-master** kordirigent. — **screen** korgitter.
choke [tʃəuk] kvele; holde på å kveles, få i vrangstrupen; tette igjen; stoppe, undertrykke, døyve; kveles; kovne; kvelning; choke (i bil). — **back** undertrykke, bite i seg. **choker** ['tʃəukə] kveler; stort halstørkle; fadermorder.
choler ['kɔlə] galle; sinne. **cholera** ['kɔlərə] kolera. **choleric** ['kɔlərik] hissig, kolerisk.
cholesterol [kə'lestərəl] kolesterol.
choose [tʃu:z] velge (ut); kåre; foretrekke; ha lyst, ønske, ville, finne for godt, skjøtte om; **I cannot** — **but** jeg kan ikke annet enn; **beggars must not be choosers** tiggere må ikke være kresne. **-y** kresen, fordringsfull.
chop [tʃɔp] hogge, kutte, hakke; kappe; slå om, vende seg (om vind); avhugget stykke; kotelett; — **down** hugge ned, felle; — **in** hogge inn i (et ordskifte); — **up** hogge opp; hogg, hakk,

hakk, avhogd stykke; kotelett; **-s** krappe bølger, krapp sjø.
chop [tʃɔp] ordskifte; — **logic** disputere; — **and change** være vinglete.
chop [tʃɔp] kinn, kjake; (pl.) kjeft; munning; **the Chops of the Channel** kanalgapet (mot Atlanterhavet).
chop [tʃɔp] (i India) kvalitet, sort, slag.
chophouse ['tʃɔphaus] spisekvarter.
chopper ['tʃɔpə] øks, kjøttøks; (amr.) helikopter; maskingevær; stor delvis selvbygget motorsykkel.
chopping | **block** ['tʃɔpiŋblɔk] hoggestabbe. **-knife** ['tʃɔpiŋnaif] kjøttkniv, hakkekniv.
choppy ['tʃɔpi] krapp (om havet); vinglet, utstø, ustadig, skiftende, usammenhengende.
chopstick ['tʃɔpstik] (kinesisk) spisepinne.
choral ['kɔ:rəl] kor-; koral, salmemelodi.
chord [kɔ:d] streng; akkord; korde; spenn.
chore ['tʃɔ:] arbeid; husstell, rutinearbeid.
chorea [kɔ'ri:ə] sanktveitsdans.
chorister ['kɔristə] korsanger.
chortle ['tʃɔ:tl] klukklatter; klukke.
chorus ['kɔ:rəs] kor (i drama); korverk; rope i kor; stemme i med. — **girl** korpike; sparkepike.
chose [tʃəus] imperf. av **choose**.
chosen ['tʃəuzn] perf. pts. av **choose**; utvalgt.
chouse [tʃauz] snyte, narre; svindel.
chow [tʃau] mat.
chow-chow ['tʃau'tʃau] lapskaus; krydret kinesisk rett
chowder ['tʃaudə] en slags tykk suppe med fisk og muslinger.
chrism [krizm] hellig olje; salving.
Christ [kraist] Kristus.
Christabel ['kristəbəl].
christen ['krisn] døpe. **-dom** ['krisndəm] kristenhet, kristendom. **-ing** ['krisniŋ] dåp.
Christian ['kristjən, -tʃən] kristelig; kristen; — **name** døpenavn, fornavn. **-ism**, **-ity** ['kristjənizm, kristi'æniti] kristendom. **-ize** ['kristjənaiz] kristne.
Christmas ['krisməs] jul. — **box** julegave. — **card** julekort. — **carol** julesang. — **Day** første juledag. — **Eve** [-i:v] julaften. — **flower** julestjerne; julerose. — **tree** juletre; blinkende kontrollpanel.
Christopher ['kristəfə].
chromatic [krə'mætik] kromatisk.
chrome [krəum] krom. **chromic** ['krəumik] krom-.
chromium ['krəumiəm] krom. — **-plating** forkromming.
chromosome ['krəuməsəum] kromosom.
chronic ['krɔnik] evig, stadig, kronisk, langvarig; fryktelig, forferdelig.
chronicle ['krɔnikl] krønike, årbok; nedskrive, opptegne; **the Chronicles** Krønikebøkene (i Bibelen). **chronicler** ['krɔniklə] krønikeskriver, kronikør. **chronological** [krɔnə'lɔdʒikl] kronologisk. **chronology** [krə'nɔlədʒi] kronologi, tidsregning.
chronometer [krə'nɔmitə] kronometer.
chrysalis ['krisəlis] puppe.
chrysantemum [kri'sænθəməm] krysantemum.
chs. fk. f. **chapters**.
chubby ['tʃʌbi] buttet, tykk, lubben.
chuck [tʃʌk] kakle, lokke på; klappe, daske (under haken); kaste, slenge, oppgi; kakling; lett dask, klapp; sleng, kast; **get the** — (vulg.) få sin avskjed, «sparken». — **farthing** kaste på stikka.
chucker-out ['tʃʌkər'aut] utkaster.
chuckle [tʃʌkl] klukke, le innvendig; innvendig latter, klukklatter.
chuckle-head ['tʃʌklhed] stut, tosk.
chuck wagon (amr.) kjøkkenvogn, feltkjøkken.
chug [tʃʌg] tøffe, dunke (om et tog, båt).
chum ['tʃʌm] venn, kamerat, busse, kontubernal; være gode venner, dele værelse; **new**

— nyinnvandret i Australia; — **together** bo sammen. **chummy** ['tʃʌmi] kameratslig.

chump [tʃʌmp] trekloss; kubbe; hode, skolt; kjøtthue, naut; — **end** tykkende; **off one's** — gal, toskete.

chunk [tʃʌŋk] tykk stump, skive, klump.

chunky ['tʃʌnki] liten og tykk, tett, undersetsig; grovskåren; grovstrikket.

church [tʃə:tʃ] kirke; **be at** — være i kirke; **go to** — gå i kirke; **as safe as a** — fullstendig sikker. — **guild** menighetsforening, kirkering. Churchill ['tʃə:tʃil].

church|ing ['tʃə:tʃiŋ] kirkegang (etter barsel). **-man** ['tʃə:tʃmən] tilhenger av statskirken. **-mouse: as poor as a** — mouse så fattig som en kirkerotte. **-rate** kirkeskatt. — **register** kirkebok. — **service** gudstjeneste. — **time** kirketid.

churchwarden ['tʃə:tʃ'wɔ:dn] kirkeverge; lang krittpipe.

churchyard ['tʃə:tʃ'ja:d] kirkegård.

churl [tʃə:l] bonde; tølper, slamp; gnier, lus. **-ish** [-iʃ] bondeaktig; tølperaktig.

churn [tʃə:n] kjerne; spann, kjerne; mølje, kverning, malstrøm; kjerne, piske opp, male. — **out** spy ut.

churr [tʃə:] knarr; knarre, surre, svirre.

chute [ʃu:t] stryk; vann-, tømmerrenne; akebakke, fallrenne; fallskjerm.

C. I. fk. f. **Channel Islands.**

CIA fk. f. **Central Intelligence Agency.**

cicada [si'keidə, si'ka:də] sikade.

cicatrice ['sikətris], **cicatrix** ['sikətriks] pl. **cicatrices** [sikə'traisi:z] arr, merke.

Cicero ['sisərəu].

Ciceronian [sisə'rəuniən] ciceroniansk.

C. I. D. fk. f. **Criminal Investigation Department; Committee of Imperial Defence.**

cider ['saidə] sider, eplemost (alkoholholdig), fruktvin.

C. I. E. fk. f. **Companion of the Indian Empire.**

c. i. f. [sif] cif, fritt levert (fk. f. **cost, insurance and freight** ɔ: kostnader, assuranse og frakt betalt).

cigar [si'ga:] sigar. — **case** sigarfutteral.

cigarette [sigə'ret] sigarett.

cigar holder [si'ga:həuldə] sigarmunnstykke.

cilia ['siljə] øyehår, randhår.

cilice ['silis] hårskjorte.

Cimbric ['simbrik] kimbrisk.

cinch [sintʃ] salgjord; fast grep, godt tak; legge gjord om, snøre inn, få tak på; **it is a** — det er ingen sak.

Cincinnati [sinsi'na:ti, -'næti].

cincture ['siŋktjuə-, -tʃə] belte.

cinder ['sində] slagg; glødende kull; sinders. **Cinderella** [sində'relə] Askepott.

cinema ['sinimə] kino, kinematograf; **-goer** kinogjenger; — **star** filmstjerne.

cinematograph [sinə'mætəgra:f] kinematograf.

cinerary ['siniræri] aske-. **cinerator** ['sinəreitə] krematorieovn.

Cingalese [siŋgə'li:z] singaleser; singalesisk.

cinnabar ['sinəba:] sinober.

cinnamon ['sinəmən] kanel.

cinque [siŋk] femmer (i kort og på terninger). **C. Ports** fem havner på Englands kyst: Hastings, Dover, Hythe, Romney, Sandwich.

C. I. O. fk. f. **Congress of Industrial Organizations** (amerikansk fagforbund).

cipher ['saifə] sifferskrift, kode; monogram, navnesiffer; null, tall, siffer; regne, chifrere. **-ing** ['saifəriŋ] regning. — **machine** kryptograf, kodemaskin.

Circassian [sə:'kæsiən] tsjerkessisk; tsjerkesser.

circle ['sə:kl] sirkel, ring; krets; ringe, ringe inn, inneslutte; gå rundt i ring, kretse; slå ring rundt. **circlet** ['sə:klit] liten sirkel, ring.

circuit ['sə:kit] kretsløp; omkrets; runde, rundtur; landingsrunde; strømkrets, strøm; en dommers reise i sitt distrikt for å holde rett,

tingferd; rettsdistrikt; omvei. — **breaker** strømbryter, relé.

circuitous [sə:'kjuitəs] som går omveier; vidløftig; ugrei; — **road** omvei, krokvei.

circular ['sə:kjulə] sirkelrund, ring-, rund-; sirkul ære, rundskriv. **-ity** kretsgang; sirkelform. — **knitted** rundstrikket. — **needle** rundpinne. — **note** pengeanvisning, anvisning. — **saw** sirkelsag. — **stairs** vindeltrapp. — **tour** rundtur.

circulate ['sə:kjuleit] sirkulere, være i omløp; la sirkulere, bringe i omløp; **circulating library** leiebibliotek. **circulation** [sə:kju'leiʃən] omløp, sirkulasjon; utbredelse. — **desk** utlånsskranke (i bibliotek). — **manager** distribusjonssjef.

circum|ambient [sə:kəm'æmbiənt] som går rundt, i ring. **-ambulate** [sə:kəm'æmbjuleit] gå rundt, i ring. **-bendibus** [sə:kəm'bendibəz] omsvøp; utenomsnakk.

circumcise ['sə:kəmsaiz] omskjære.

circumference [sə:'kʌmfərəns] periferi; sirkel.

circumjacent ['sə:kəm'dʒeisənt] omliggende.

circumlocution [sə:kəmlə'kju:ʃən] omskrivning; omsvøp.

circumnavigat|e [sə:kəm'nævigeit] seile rundt. **-ion** [sə:kəmnævi'geiʃən] (verdens)omseiling.

circum|scribe [sə:kəm'skraib] omskrive; (fig.) innskrenke, begrense. **-scription** [sə:kəm'skripʃən] omskrivning; begrensning, innskrenkning; omriss. **-spect** ['sə:kəmspekt] omtenksom, forsiktig, varsom. **-spection** [sə:kəm'spekʃən] omsikt, forsiktighet. **-spective** [sə:kəm'spektiv] omtenksom, var, gløgg.

circumstance ['sə:kəmstəns] omstendighet, tilfelle; tilstand; kår; bringe i visse omstendigheter; seremoniell, stas. **circumstantial** [sə:kəm-'stænʃəl] som ligger i omstendighetene; som beror på enkelthetene; omstendelig, detaljert. — **evidence** indisiebevis.

circumvent [sə:kəm'vent] gå rundt om, omringe, inneslutte; omgå; overliste, bedra. **-ion** [sə:kəm'venʃən] bedrageri.

circumvolution [sə:kəmvə'lju:ʃ(ə)n] kretsløp, omdreining.

circus ['sə:kəs] sirkus; samling, gruppe; fest, heisafest; runding, rund plass i en by (**Oxford** —, **Piccadilly** — i London): — **performer** sirkusartist.

Cirencester ['sairənsestə, 'sisi(s)tə].

cirrhosis [si'rəusis] cirrhose, skrumpning.

cirrus ['sirəs] fjærsky.

cist [sist] steingrav; kiste for hellige kar.

cistern ['sistən] sisterne (beholder).

cit [sit] spissborger.

citadel ['sitədel] citadell.

citation [si'teiʃən, sai'teiʃən] stevning; innkallelse; anføring, sitat, henvisning; (amr.) hedrende omtale. **cite** [sait] stevne; sitere.

citizen ['sitizən] borger; samfunnsborger; statsborger; innbygger. — **rights** borgerrettigheter. **-ship** borgerskap, borgerrett.

citron ['sitrən] sitron; sukat.

city ['siti] stad, (stor) by, by-, storby; **of this** — her; **of your** — der; **of that** — der (i omtale); **the City** den opprinnelige del av London, forretningskvarteret der. — **article** artikkel om forretningslivet. **the** — **fathers** byens fedre, samfunnets støtter. — **hall** rådhus. — **hub** sentrum, bykjerne. — **treasurer** kemner.

civet cat ['sivitkæt] desmerkatt.

civic ['sivik] borger; by-, borger-, kommunal. — **duty** borgerplikt. — **guards** borgervæpning.

civil ['sivil] by-, borger-, borgerlig; sivil; sivilisert, høflig; — **engineer** sivilingeniør; (ofte) bygningsingeniør; — **list** (den kongelige) sivilliste; appanasje; — **marriage** borgerlig vielse; — **servant** sivil embetsmann; **C. Service** statsadministrasjonen (bortsett fra hær, luftforsvar og flåte); — **war** borgerkrig.

civilian [si'viljən] sivilist, sivil person. **in -s** i sivil.

civility [si'viliti] høflighet; folkeskikk.

civil|ization [sivil(a)i'zeiʃən] sivilisasjon; dan-

nelse; kultur. **-ize** ['sivilaiz] sivilisere; oppdra; kultivere.
civvies ['siviz] sivile klær, siviltøy.
C. J. fk. f. **Chief Justice.**
cl. fk. f. **centilitre; class.**
clabber ['klæbə] bli tykk, tykne; mudder, gjørme.
clack [klæk] klapring, skramling; smelle, klapre, skravle
clad [klæd] -kledd, kledd, av **clothe.**
claim [kleim] fordring, krav, påstand; lodd; skjerpe; fordre, gjøre krav på, kreve; hevde; **advance a** — reise et krav; **dismiss a** — avvise et krav; — **damages** kreve erstatning. **-ant** ['kleimənt] en som gjør fordring; fordringshaver; pretendent.
clairvoyance [klɛə'vɔiəns] clairvoyance.
clam [klæm] (mat)skjell, spiselig musling; — up holde tett; holde kjeft.
clamant ['klæmənt] bråkende, høymælt, høyrøstet.
clamber ['klæmbə] klavre, klyve, klatre.
clammy ['klæmi] klam, kaldvåt.
clamorous ['klæmərəs] skrikende, larmende.
clamour ['klæmə] skrik; skrike, larme, ståke.
clamp [klæmp] klamp; krampe; klemme, tinge; kjeng, klemskrue; skruestikke; feste med klamp osv.
clamp [klæmp] haug, kule.
clan [klæn] klan, stamme.
clandestine [klæn'dest(a)in] hemmelig; smug-.
clang [klæŋ] gi klang, klemte, klirre, single, rasle; klirre med, rasle med; klang, klirr, rasling. **-er** brøler, fadese, kjempetabbe. **clangour** ['klæŋ-(g)ə] klang, skrall. **clangorous** ['klæŋgərəs] klingende.
clank [klæŋk] klirre, skrangle; klirr.
clannish ['klæniʃ] med sterk slektsfølelse, med sterkt samhold.
clap [klæp] slå sammen, klappe; sette, stikke, lukke i en fart; gripe; klappe for; klapre; banke (på en dør); fare av sted; klapp, slag, smell, skrall, brak; **the** — dryppert, gonoré; — **eyes on** få øye på; — **them in(to) prison** sette dem i fengsel; — **a pistol to his breast** sette pistolen for brystet på ham; — **one's hands** klappe i hendene.
clapboard ['klæpbɔːd] (amr.) panelbord, veggspon.
clapper ['klæpə] klapper, klakør; kolv.
claptrap ['klæptræp] forberedt teatereffekt, effektjageri; fraser, slagord, store ord.
Clara ['klɛərə], **Clare** [klɛə].
Clarence ['klærəns].
Clarendon ['klærəndən] Clarendon; halvfet skrift.
claret ['klærət] rødvin, srl. bordeauxvin.
clarification [klærifi'keiʃən] klaring, avklaring.
clarify ['klærifai] klare, klare opp, avklare; klares.
clarinet [klæri'net] klarinett.
clarion ['klæriən] trompet. — **call** kampsignal, fanfare.
clarity ['klæriti] klarhet, renhet.
clash [klæʃ] klaske; klirre; støte sammen med; klirring, smell, brak; sammenstøt.
clasp [klɑːsp] hekte, spenne; omfavnelse; fangtak; hekte; folde (hendene); holde fast, omfavne. **clasp|knife** ['klɑːsp'naif] follekniv. — **lock** smekklås.
class [klɑːs] klasse, sort, slag; klasse, -time; dele i klasser, klassifisere, ordne, sette i klasse med. **classic** ['klæsik] klassisk; klassiker. **classical** ['klæsikl] klassisk. **classicism** ['klæsisizm] klassisisme. **classification** [klæsifi'keiʃən] klassifikasjon. **classified** klassifisere; gradert fortrolig; — **advertisement** rubrikkannonse. **classify** ['klæsifai] klassifisere, inndele i klasser; klassifisere (av sikkerhetshensyn).
classy ['klɑːsi] av høy klasse, fremragende, fin.
clatter ['klætə] klapre, skrangle, plapre; klapring, plapring, skrangling.

clause [klɔːz] klausul, paragraf; setning.
claustrophobia [klɔːstrə'fəubiə] klaustrofobi.
clave [kleiv] imperf. av **cleave.**
clavecin ['klævisin] klavecin.
clavichord ['klævikɔːd] klavikord.
clavicle ['klævikl] nøklebein, kragebein.
claviform ['klævifɔːm] kølleformet.
claw [klɔː] klo; krasse; krafse.
clay [klei] leire, leirjord; kline; dekke med leire. **clayey** ['kleii] leiret, leiraktig; leir-.
claymore ['kleimɔː] gammelt skotsk tveegget sverd.
clean [kliːn] ren; pen, feilfri; rent, ganske; fullstendig, helt, fullkommen; blakk, pengelens; uplettet, uskyldig; rense, gjøre ren, pusse; **to make a** — **confession** komme med full tilståelse; **make a** — **sweep** gjøre rent bord, kvitte seg med. **cleaner** ['kliːnə] rengjøringshjelp; rensemiddel; **dry-clean** rense kjemisk. **cleanliness** ['klenlinis] renslighet; — **is next to godliness** ren i skinn, ren i sinn. **cleanly** ['klenli] (adj.) renslig. **cleanly** ['kliːnli] (adv.) ren, renslig. **cleanness** ['kliːnnis] renhet. **cleanse** [klenz] rense; renske; pusse. **clean|-shaven** glattbarbert. **-sing cream** rensekrem. **-up** opprydding, opprensking, utrensking.
clear [kliə] klar, lys; ren; ryddig; tydelig; fullkommen, ganske; gjøre klar, klare; renvaske, frikjenne; gå klar av, unngå; betale gjeld; rense; få bort, ta bort; rømme, rydde; selge ut, realisere; klarne; klare; cleare, avregne; klarere, tollbehandle; — **away** ta bort, fjerne; rydde bort. — **-cut** klar, tydelig, opplagt; — **up** klare opp, oppklare, opplyse; forklare. **-ance** ['kliərəns] klarering; opprydning; godkjenning, tillatelse; fri høyde, klaring; — **sale** utsalg, realisasjon; **-ing** rydning; ryddet land; avregning srl. av veksler. **-ing house** clearingkontor.
clearness ['kliənis] klarhet.
clear|-sighted ['kliə'saitid] klarsynt. **-way** hovedvei, riksvei, vei med stoppforbud.
cleavage ['kliːvidʒ] kløving, spalting.
cleave [kliːv] (imperf.: **cleaved** el. **clave**, perf. pts. **cleaved**) kleve, henge ved, henge fast, holde fast (to på, ved).
cleave [kliːv] (imperf.: **clove** el. **cleft**; perf. pts.: **cloven** el. **cleft**) kløyve, spalte, splitte.
clef [klef] nøkkel (i musikk).
cleft [kleft] imperf. og perf. pts. av **cleave; in** a — **stick** i klemme.
cleft [kleft] kløft; — **palate** åpen gane, hareskår.
clematis ['klemətis, kli'meitis] klematis.
clemency ['klemənsi] mildhet, skånsel, nåde.
clench [klenʃ] klinke; nøve; fatte fast, stramme; knuge, klemme sammen, knytte; slå fast; fast tak, hold, grep; — **-built** klinkbygd; — **one's fist** knytte neven; — **the teeth** bite tennene sammen.
Cleopatra [kliə'pɑːtrə] Kleopatra.
clergy ['klɔːdʒi] geistlighet, presteskap. **clergyman** ['klɔːdʒimən] geistlig, prest; **clergyman's sore throat** prestesyke.
clerical ['klerikl] geistlig; — **error** skrivefeil.
clerisy ['klerisi] : **the** — presteskapet, de lærde.
clerk [klɑːk, amr. klɔːk] skriver; kontorist; sekretær; fullmektig; klokker, kirkesanger; (amr.) ekspeditør, ekspeditrise; — **of works** byggeleder.
Clerkenwell ['klɑːkənwel].
clever ['klevə] dyktig, flink, kvikk, begavet, kløktig, evnerik; dreven, behendig, durkdreven; (amr.) elskverdig; **too** — **by half** altfor smart. **-dick** skarping. **-ness** dyktighet osv.
clew [kluː] nøste; ledetråd; (fig.) nøkkel; lede, anvise.
cliché ['kliːʃei] klisjé; forslitt frase.
click [klik] tikke, smekke, smelle, klikke med; knepp, smekk, klikk; sperrhake.
client ['klaiənt] klient, kunde.
cliff [klif] fjellskrent, hammer, stup.
climacteric [klaimæk'terik] kritisk år i men-

neskenes liv; klimakterium, overgangsalder; klimakterisk, kritisk.

climate ['klaimit] klima, værlag; himmelstrøk; (fig.) klima, atmosfære. **climatic(al)** [klai'mætik(l)] klimatisk.

climax ['klaimæks] klimaks.

climb [klaim] klatre, entre, bestige, kjøre oppover bakke, stige; arbeide seg fram; klatretur, oppstigning, stigning; — **down** klatre ned, gå ned etc.; (fig.) ro seg i land, stikke pipen i sekken. — **-down** retrett, tilbaketog. **-er** ['klaimə] klatrer, tindebestiger; statusjeger; slyngplante.

clime ['klaim] (poet) himmelstrøk, egn.

clinch [klinʃ] gjøre fast, klinke; avgjøre endelig; gå i clinch (i boksing); omfavne. — **-built** klinkbygd.

clincher ['klinʃə] svar, ord som avgjør spørsmålet.

cling [kliŋ] klynge seg, henge fast; holde fast.

clinic ['klinik] sengeliggende; klinisk; sengeliggende pasient; klinikk. **clinical** ['klinikl] klinisk.

clink [kliŋk] klinge, klirre; klang, klirring.

clink [kliŋk] fengsel, «hullet».

clinker ['kliŋkə] klinke (sl. hardbrent murstein); størknet slagg.

clinker ['kliŋkə] grepa kar, kløpper.

clip [klip] klemme, papirklype, binders; klype, klemme sammen; klippe; beklippe; stekke; stusse; klipp; klipping. — **-board** skriveplate med papirholder. **-fish** klippfisk. — **joint** svindlerbule. **-per** klipper, saks, tang. **-per, -per-ship** klipperskip. **-ping** klipping; avklipt stykke, stump; utklipp.

clippie ['klipi] kvinnelige buss- og trikkekonduktører, billettrise.

clique [kli:k] klikk; slutte seg sammen.

Clive [klaiv].

cloak [klouk] kappe, kåpe; (fig.) skalkeskjul; påskudd; dekke med kappe; (fig.) skjule. — **-and-dagger** kappe-og-dolk (brukes om f.eks. røverromaner).

cloakroom ['kloukrum] garderobe; oppbevaringssted (for reisegods på jernbanestasjon); — **ticket** garderobemerke.

clobber ['klɔbə] rundjule, banke; klær, klesplagg.

clock [klɔk] silkemønster på siden av strømpe.

clock [klɔk] stuer, tårnur, ur, klokke, måler, taksameter, stemplingsur; ta tiden på, stemple inn på kontrollur; **what o'clock is it?** hva er klokken? **it is two o'clock** klokken er to; **there goes four o'clock** nå slår klokken fire; — **in** stemple inn (på stemplingsur). — **card** stemplingskort. **-face** urskive, tallskive. **-maker** urmaker. **-wise** med solen, med klokken. **-work** urverk; televerk; trekkopp-motor.

clod [klɔd] klump; jordklump; slamp; kaste jordklumper på. — **crusher** jordfreser. **-ish** dum, sløv, dum.

clog [klɔg] tynge, bebyrde, hindre; klatte seg sammen; bli hindret; stappe, stoppe til; byrde, hemsko, hindring; tresko; kloss, klamp (om foten).

cloister ['klɔistə] kloster; klostergang, søylegang (dekt gang langs kloster, kollegium eller domkirke); innesperre i et kloster; — **oneself** gå i kloster, lukke seg inne. **-ed** innestengt; kloster-.

close [klous] lukket, tillukket, sluttet, tettsluttet, tett; nøye, nøyaktig, streng; skjult; lummer; nær; **come to** — **quarters** komme inn på livet, komme i håndgemeng; — **by** nær ved, tett ved, i nærheten av.

close [klous] innhegning, inngjerdet plass.

close [klouz] slutning, avslutning, ende, slutningsord; avgjørelse.

close [klouz] lukke, stenge; slutte, ende; inneslutte; lukke seg; slutte seg sammen, samle seg; nærme seg, rykke sammen; komme overens med

(with); gå løs på.; — **down** lukke, nedlegge; — **in on** omringe.

close | **action** nærkamp. — **-clipped** tettklipt. — **combat** nærkamp. — **-cropped** snauklipt, kortklipt. **-d-circuit television** internt fjernsynsanlegg. — **-fisted** påholden, knipen. — **-fitting** tettsittende. — **-lipped** med sammenpressede lepper; taus.

close|**ly** ['klousli] tett, kloss; nøye, nøyaktig; hemmelig. **-ness** ['klousnis] tillukkethet; tetthet; lummerhet; hemmelighet; tilbakeholdenhet; fasthet; forbindelse.

close | **shave** glattbarbering; (fig.) på nære nippet. — **shot** nærbilde. **-stool** potte, nattmøbel.

closet ['klɔzit] lite værelse, kammer, skap (i veggen); do, kloset; lukke inne; **be -ed with** holde hemmelig rådslagning med.

close time fredningstid.

close-up ['klousʌp] (view) nærbilde.

closure ['klouʒə] lukning; lukke; slutning, ende.

clot [klɔt] størknet masse, klump; klumpe seg, levre seg, størkne.

cloth [klɔθ, klɔ:θ] klede, stoff, tøy; duk; bordduk; (fig.) geistlig stand. — **back** sjirtingrygg.

clothe [klouð] kle (på), dekke, bekle. **clothes** [klouðz] klær; klesplagg. — **brush** klesbørste. — **-peg** (el. **-pin**) klesklype. — **press** klesskap. — **tree** stumtjener. **clothier** ['klouðiə] tøyfabrikant; kleshandler. **clothing** ['klouðiŋ] kledning, tøy, plagg. **cloths** [klɔθs, klɔ:θs, klɔðz] tøyer; tøystykker; duker.

cloud [klaud] sky; skye, skye for, formørke, fordunkle; skye over, bli overskyet; **under a** — i unåde, under mistanke. — **burst** skybrudd. — **cover** skydekke. **-less** ['klaudlis] skyfri. **-y** ['klaudi] skyfull, overskyet, uklar.

clough [klʌf] fjellkløft, gjel.

clout [klaut] klut, lapp; lusing; lappe; slå, dra til.

clove [klouv] imperf. av **cleave**.

clove [klouv] kryddernellik, nellik; løk.

clove hitch dobbelt halvstikk.

cloven ['klouvən] kløyvd, spaltet; se **cleave**; **the** — **foot** hestehoven; **show the** — **foot** stikke hestehoven fram.

clover ['klouvə] kløver; **live in** —, **be in** — ha det som kua i en grønn eng.

clown [klaun] klovn, bajas; bonde, slamp; dumme seg ut, spille klovn. **-ish** ['klauniʃ] bondsk; klovneaktig.

cloy [klɔi] overmette, overfylle, stappe.

club [klʌb] klubbe; kløver (i kort); klubb; slå, klubbe; slå, skyte sammen, spleise; slå seg sammen. **-by** hyggelig. — **foot** klumpfot. **-haul** vende ved hjelp av anker.

clubland ['klʌblænd] klubbstrøket (i London). **club law** ['klʌb'lɔ:] neverett; selvtekt.

cluck [klʌk] klukke; smekke med tungen.

clue [klu:] holdepunkt, spor (for en undersøkelse), nøkkel (til forståelse), tråden (i en fremstilling); **I haven't a** — jeg har ikke peiling, anelse.

clump [klʌmp] klump, kloss; klynge, gruppe.

clumsy ['klʌmzi] klosset; tung.

clung [klʌŋ] imperf. og pf. pts. av **cling**.

cluster ['klʌstə] klynge; klase; knippe; sverm; samle i klynge; vokse i klaser, vokse i klynge; flokkes.

clutch [klʌtʃ] gripe; grep, tak, kopling, clutch.

clutter ['klʌtə] forvirring, røre, larm, ståk, støy; støye; ståke, lage rot i; — **up** tilstoppe, fylle opp, blokkere.

Clyde [klaid].

clyster ['klistə] klystér.

cm fk. f. **centimetre**.

emd fk. f. **command**.

C. M. G. fk. f. **Companion of the Order of St. Michael and St. George.**

C. N. D. fk. f. **Campaign for Nuclear Disarmament.**

C. O. fk. f. **Colonial Office; Commanding Officer; conscientious objector.**

Co. [kəu] fk. f. **Company, County.**

C/O fk. f. **cash order. c/o** fk. f. **care of.**

coach [kəutʃ] karét; postvogn, diligence; turistbil, rutebil; jernbanevogn; manuduktør, trener, idrettsinstruktør; kjøre; manudusere; trene; få manuduksjon; — **box** bukk, kuskesete. — **fare** takst. — **house** vognskjul, vognskur. -**man** kusk. — **office** skyss-skifte; stasjon. -**work** karosseriarbeid.

coaction [kəu'ækʃ(ə)n] samarbeid.

coadjutor [kəu'ædʒutə] medhjelper.

coadventure [kəuəd'ventʃə] fellesforetagende.

coagency [kəu'eidʒənsi] samvirke. **coagent** [kəu'eidʒənt] medarbeider.

coagulate [kəu'ægjuleit] koagulere, løpe sammen, størkne; få til å løpe sammen el. størkne.

coak [kəuk] metallbøssing (i en blokk); lås.

coal [kəul] kull, kol; forsyne med kull; fylle kull; kulle; **carry** -**s to Newcastle** gi bakerens barn brød. **haul** el. **call over the** -**s** skjelle ut, irettesette. — **bed** kull-leie, kull-lag. — **bin** kullbinge.

coalesce [kəuə'les] vokse sammen, forene seg.

coalfield ['kəulfi:ld] kullfelt.

coalheaver ['kəulhi:və] kull-lemper, kullsjauer.

coalition [kəuə'liʃən] forening; forbund.

coal | **measures** kull-leier. -**pit** kullgruve. — **scuttle** kullboks. — **trimmer,** — **whipper** kull-lemper. -**y** kull-lignende, kullholdig.

coaming ['kəumiŋ] lukekarm.

coarse [kɔ:s] grov; rå, plump. — -**grained** [-greind] grovkornet, grovskåren. **coarsen** ['kɔ:sn] forgrove, forråe. **coarseness** grovhet, råhet.

coast [kəust] kyst; seile langs kysten; gå i kystfart; gli, rutsje, skli. -**al** ['kəustəl] kyst-. -**er** ['kəustə] kystbåt; flaskebrikke, ølbrikke; (amr.) kjelke, slede. — **guard** kystvakt. -**ing** ['kəustiŋ] kyst-. -**wise** ['kəustwaiz] kyst-, som foregår langs kysten.

coat [kəut] frakk; jakke, trøye; kittel; bekledning; pels, skinn, hud, hinne, ham, dekke; strøk (maling); (be)kle; dekke, overtrekke, stryke (m. maling). **cut one's** — **according to one's cloth** sette tæring etter næring. — **hanger** kleshenger. — **collar** frakkekrage. — **of arms** våpenskjold. — **of mail** ringpanser, panserskjorte.

coating bedekning, overtrekk; hinne.

coattail ['kəutteil] frakkeskjøt.

coax [kəuks] smigre; godsnakke for, lirke med, lokke, overtale.

cob [kɔb] klump, kule, ball; knapp, rund topp; slags ridehest; hode; maiskolbe; blanding av leir og halm (til bygging); måse, havmåke.

cobalt [kə'bɔ:lt] kobolt.

cobber ['kɔbə] kamerat.

cobble ['kɔbl] lappe, bøte, vøle.

cobble ['kɔbl] rullestein, brustein; brulegge; reparere på, flikke på. -**s** større kull.

cobbler ['kɔblə] lappeskomaker; fusker; leskedrikk, f. eks. **sherry** —.

cobby ['kɔbi] undersetsig, liten og kraftig.

cobnut ['kɔbnʌt] hasselnøtt (av dyrket hassel).

cobra ['kəubrə] brilleslange, kobra,.

cobweb ['kɔbweb] spindelvev, kingelvev.

cocaine [kə'kein] kokain.

coccus ['kɔkəs] kokke, kuleformet bakterie.

Cochin-China ['kɔtʃin'tʃainə] Cochinkina.

cochineal ['kɔtʃini:l] kochenille.

cochlea ['kɔkliə] ørets sneglegang.

cochleary ['kɔkliəri] **cochleate(d)** ['kɔkliei-tid] skrueformet, snegleformet.

cock [kɔk] hane; hann (av forskj. fugler); hane (på bøsse); værhane; høystakk, stakk; tunge (på vekt); tapp, kran (på tønne); oppbrett (på hatt); pliring med øynene, blink; spenn (av geværhane); kast, kneising; biks, bas, førstemann; spenne hanen på; brette opp (en hatteskygge); dreie, vende; være stor på det; rynke på nesen, kaste med nakken; spisse ører; sette hatten på snurr; plire; såte; **cock-and-bull (-story)** røverhistorie;

cock of the walk eneste hane i kurven; **cocked** hat trekantet hatt.

cockade [kɔ'keid] kokarde.

cockadoodledoo ['kɔkədu:dl'du:] kykeliky.

Cockaigne [kɔ'kein] slaraffenland; Cockneyland, London.

cockatoo [kɔkə'tu:] kakadu; vaktpost, speider.

cockatrice ['kɔkətr(a)is] basilisk.

cockboat ['kɔkbaut] liten båt, pram, jolle.

cockchafer ['kɔktʃeifə] oldenborre.

Cocker ['kɔkə] : **according to** — helt riktig, etter boka.

cocker [kɔkə] fø godt; gjø; forkjæle.

cockerel ['kɔkrəul] hanekylling.

cockeyed ['kɔkaid] skjeløyd; skjev; pussa.

cockfight ['kɔkfait] hanekamp.

cockhorse ['kɔk'hɔ:s] kjepphest, gyngehest.

cockle ['kɔkl] hjertemusling; klinte; krølle(s).

cockleshell muslingskall; nøtteskall (båt).

cockloft ['kɔklɔft] øverste loft, kvist.

cockney ['kɔkni] ekte londoner; londonerspråk.

cockpit ['kɔkpit] hanekampplass; (på krigsskip) lasarett; cockpit.

cockroach ['kɔkrəutʃ] kakerlakk.

cockscomb ['kɔkskəum] hanekam.

cockshy ['kɔkʃai] kaste til måls; mål som man kaster mot.

cocksure ['kɔk'ʃuə] skråsikker, brennsikker.

cokswain ['kɔkswein, 'kɔksən] se **coxswain.**

cocktail ['kɔkteil] ikke helt raseren hest; hest med avskåret hale; halvdannet person; cocktail, drink av forskj. slags bittere, konjakk, gin m. m.

cocky ['kɔki] viktig, kjepphøy, hoven.

coco ['kəukəu] kokospalme; -**nut** kokosnøtt.

cocoa ['kəukəu] kakao.

cocoon [kə'ku:n] kokong, puppehylster.

cod [kɔd] torsk; belg, skolm; testikkelpung; fyr, kar.

C. O. D. fk. f. **cash on delivery** etterkrav.

coddle ['kɔdl] forkjæle; forkjælet person.

code [kəud] lovbok; kodeks; system; kode.

codex ['kəudeks] pl. **codices** ['kəudisi:z] kodeks.

codfish ['kɔdfiʃ] torsk.

codger ['kɔdʒə] (gammel) særling; gnier, knark.

codices se **codex.**

codicil ['kɔdisil] kodisill (tilleggsbestemmelse i testamente).

codification [kɔdifi'keiʃən] kodifikasjon. **codify** ['kɔdifai] kodifisere.

codling ['kɔdliŋ] småtorsk.

codling ['kɔdliŋ] slags avlangt eple; mateple.

cod-liver oil ['kɔdlivər'ɔil] levertran, medisintran.

co(-)ed ['kəu'ed] (amr.) kvinnelig student ved skole m. fellesundervisning; felles-.

co-education ['kəuedju'keiʃən] fellesundervisning, fellesskole.

coefficient [kəui'fiʃənt] medvirkende; koeffisient.

coequal [kəu'i:kwəl] likemann, likestilt.

coerce [kəu'ə:s] tvinge. **coercion** [kəu'ə:ʃən] tvang. **coercive** [kəu'ə:siv] tvingende.

Coeur de Lion [kɔ:də'laiən] Løvehjerte.

coeval [kəu'i:vəl] samtidig, jevnaldrende.

coexist ['kəuig'zist] være til på samme tid.

coexistence ['kəuig'zistəns] sameksistens.

coffee ['kɔfi] kaffe. — **bean** kaffebønne. — **berry** kaffebær. — **cakes** (amr.) wienerbrød. — **grounds** (pl.) kaffegrut. -**house** kafé. — **klatsch** (amr.) kaffeslabberas. — **maker** kaffetrakter. -**pot** kaffekanne. -**room** kafé (i hotell).

coffer ['kɔfə] kiste, (penge)skrin; kassett.

coffin ['kɔfin] likkiste; legge i kiste, skrinlegge.

cog [kɔg] tann, kam (på hjul); sette tenner på; fuske, narre; — **a die** forfalske en terning.

cogency ['kəudʒənsi] tvingende kraft, styrke; overbevisende kraft.

cogent ['kəudʒənt] tvingende; overbevisende.

cogitate ['kɔdʒiteit] tenke. **cogitation** [kɔdʒi-'teiʃən] ettertanke; tenking.

cognac ['kəunjæk, 'kɔnjæk] konjakk.
cognate ['kɔgneit] beslektet, skyldt; slektning; beslektet språk.
cognition [kɔg'niʃən] erkjennelse; viten.
cognizance ['kɔgnizəns] kunnskap; kompetanse; jurisdiksjon; forhør, undersøkelse for retten.
cognomen [kɔg'nəumən] tilnavn, etternavn.
cogwheel ['kɔgwi:l] tannhjul, kamhjul.
cohabit [kəu'hæbit] bo sammen; leve sammen som ektefolk. **-ation** [kəuhæbi'teiʃən] samliv.
coheir [kəu'ɛə] medarving.
cohere [kəu'hiə] henge sammen, i hop.
coherence [kəu'hiərəns], **cohesion** [kəu'hi:ʒən] sammenheng; kohesjon. **coherent** [kəu'hiərənt] sammenhengende; konsekvent, logisk. **cohesive** [kəu'hi:siv] sammenhengende. **cohesiveness** [kəu-'hi:sivnis] sammenheng; kohesjon.
cohort ['kəuhɔ:t] kohort; gruppe.
coif [kɔif] lue; advokatlue.
coign [kɔin] **of vantage** fordelaktig stilling.
coil [kɔil] legge sammen i ringer el. bukter, rulle sammen; kveile; rulle seg sammen (også — up); ring, spiral, rull, bukt, kveil; spole, vikling.
coin [kɔin] mynt; pengestykke; prege, mynte; slå; dikte opp, lage, finne på. **-age** ['kɔinidʒ] mynting; mynt; myntsystem; oppdikting, påfunn, nydannelse.
coincide [kəuin'said] treffe sammen, falle sammen. **coincidence** [kəu'insidəns] sammentreff. **coincident** [kəu'insidənt] sammentreffende. **-al** samtidig; tilfeldig.
coiner ['kɔinə] mynter; falskmyntner; løgnhals.
coinsurance [kəuin'ʃu:rəns] medforsikring, koassuranse.
coir ['kɔiə] kokosbast.
coke [kəuk] koks; kokain; (varemerke) coca cola; brenne til koks. — **breeze** koksgrus. — **hod** koksboks.
col [kɔl] skar (i fjell).
Col. fk. f. **colonel**; **colonial**; **Columbia**; **Colorado**; **Colossians**; **column**.
colander ['kʌləndə] dørslag.
cold [kəuld] kald; kaldblodig; rolig; bevisstløs, besvimt; kulde; forkjølelse, snue; **I am** — jeg fryser; **catch** —, **get a** — forkjøle seg, bli forkjølet; — **in the head** snue; **common** — forkjølelse; — **feet** kalde føtter; (fig.) få betenkeligheter; **give the** — **shoulder to one** behandle en med kulde. — **-blooded** kaldblodig; hardhjertet; frøsen. — **cream** koldkrem. — **cuts** oppskåret pålegg og ost. **-ness** ['kəuldnis] kulde. — **-short** kaldskjør. — **sore** forkjølelsessår. — **storage** fryserom.
Coleridge ['kəulridʒ].
coleslaw ['kəulslɔ:] sálat laget med kål.
colibri ['kɔlibri] kolibri.
colic ['kɔlik] kolikk, magekrampe.
collaborate [kɔ'læbəreit] være medarbeider. **collaboration** [kɔlæbə'reiʃən] samarbeid. **collaborationist** [kɔlæbə'reiʃənist] kollaboratør, samarbeidsmann (med fienden). **collaborator** [kɔ'læbəreitə] kollaboratør, medarbeider.
collage [kə'lɑ:ʒ] fotomontasje; collage.
collapse [kɔ'læps] falle sammen, bryte sammen, synke sammen; sammenbrudd.
collar ['kɔlə] halsbånd; krage, snipp; bogtre (på seletøy); gripe i kragen; koble; legge halsbånd på; få fatt i.
collarbone ['kɔləbəun] kragebein.
collar stud ['kɔləstʌd] krageknapp.
collate [kɔ'leit] sammenlikne (om tekster), sikte; kalle (som prest).
collateral [kɔ'lætərəl] som løper jamsides med; side-, tilleggs-; parallell; slektning i en sidelinje. — **reading** kursorisk lesning. — **subject** støttefag.
colleague ['kɔli:g] embetsbror, kollega.
collect [kə'lekt] samle (inn); kreve opp; samle seg; send — sende mot oppkrav; — **on delivery** pr. postoppkrav. — **call** (amr.) noteringsoverføring (telefón).

collect ['kɔlekt] kollekt, alterbønn.
collected [kə'lektid] fattet, rolig, med sinnsro.
collection [kə'lekʃən] innsamling; samling; innkreving: **-ion fee** inkassogebyr. **-ive** [kə'lektiv] samlet, sam-, felles, kollektiv. **-or** [kə'lektə] samler; inkassator; innsamler.
college ['kɔlidʒ] kollegium; fakultet; universitetsavdeling; høyere skole; gymnas(ium), college. **collegian** [kɔ'li:dʒən] student i et college.
collegiate [kɔ'li:dʒiit] kollegial, akademisk; kollegie-, universitets-; medlem av et kollegium; **non** — som ikke bor på et college.
collet ['kɔlit] krage, ring; flange [uttal: flændsj], flens.
collide [kə'laid] støte sammen, kollidere.
collie ['kɔli] (skotsk) fårehund.
collier ['kɔljə] kullgruvearbeider; kullskip. **colliery** ['kɔljəri] kullgruve.
colligate ['kɔligeit] forbinde, samordne.
collision [kɔ'liʒən] sammenstøt, kollisjon.
collocate ['kɔləkeit] sette sammen, stille opp, ordne.
collodion [kə'ləudjən] kollodium.
collop ['kɔləp] kjøttskive; snei, remse.
colloq. fk. f. **colloquial.**
colloquial [kə'ləukwiəl] som hører til hverdagsspråket el. alminnelig samtale, i dagligtale, dagligdags. **colloquialism** [kə'ləukwiəlizm] hverdagsuttrykk. **colloquy** ['kɔləkwi] samtale.
collotype ['kɔlətaip] kollotypi, lystrykk.
collude [kə'lju:d] være i hemmelig forståelse, spille under dekke. **collusion** [kə'lju:ʒən] hemmelig forståelse. **collusive** [kə'lju:siv] avtalt i hemmelighet.
collywobbles ['kɔliwɔblz] rumling i magen, mageknip.
Colo. fk. f. **Colorado.**
colocynth ['kɔləsinθ] kolokvint.
Cologne [kə'ləun] Köln; eau-de-cologne.
colon ['kəulən] kolon; tykktarm.
Colombia [kə'lɔmbiə] Colombia. **-ian** colombiansk; colombianer.
colonel ['kə:nl] oberst; **Colonel Commandant**, en offiserspost, som trådte istedenfor Brigadier General; **lieutenant-colonel** oberstløytnant. **coloneley** ['kə:nlsi] oberstrang, oberststilling.
colonial [kə'ləunjəl] innbygger i koloni; kolonial, koloni-; **Colonial Office** kolonidepartementet.
colonist ['kɔlənist] kolonist, nybygger. **colonization** [kɔlənai'zeiʃən] kolonisasjon. **colonize** ['kɔlənaiz] kolonisere, anlegge kolonier; slå seg ned som kolonist.
colonnade [kɔlə'neid] søylegang, kolonnade.
colony ['kɔləni] koloni, nybygd.
colophon ['kɔləfən] kolofon.
color (amr.) = **colour.**
Colorado [kɔlə'rɑ:dəu] Colorado. — **beetle** koloradobille.
coloration [kʌlə'reiʃən] fargelegging.
coloratura [kɔlərə'tuərə] koloratur.
coloreast [kɔlərə:st] (amr.) fjernsynssending i farger.
colorific [kɔlə'rifik] som setter farge; farge-.
colossal [kə'lɔsəl] kolossal. **colossus** [kə'lɔsəs] koloss.
colour ['kʌlə] farge, kulør; ansiktsfarge, teint; rødme; pynt; påskudd; skinn; beskaffenhet; **-s** pl. kjennemerke, emblem, fane, flagg; **off** — av ringere verdi (især om edelsteiner); **show his true** **-s** vise sitt sanne jeg. **colour** ['kʌlə] farge; kolorere; sette preg på; smykke; rødme; **-able** rimelig, berettiget; plausibel. — **bar** raseskille. — **-blind** fargeblind. **-ed** farget, fargerik; neger; tendensiøs. **-fast** fargeekte. — **hoist** flaggheising. **-ing** ['kʌləriŋ] fargegivning, koloritt. **-ist** ['kʌlərist] kolorist. **-less** ['kʌləlis] fargeløs; gjennomsiktig. **-man** fargehandler. — **print** fargetrykk; fargebilde (papir). — **slide** fargelysbilde. — **transparency** fargediapositiv. **-y** ['kʌləri] som har en farge, som viser god kvalitet, kvalitets-.

colt [kəult] føll; (ung)fole; folunge; (fig.) ung narr, nybegynner; tamp (til sjøs).

colter [kəultə] ristel (i plog).

colt | evil føllsyke. **-ish** vilter, kåt som en fole.

coltsfoot [ˈkəultsfut] hestehov (blomsten).

columbary [ˈkɔləmbəri] dueslag; urnehall.

Columbia [kəˈlʌmbjə].

columbine [ˈkɔləmbain] akeleie.

Columbine [ˈkɔləmbain].

Columbus [kəˈlʌmbəs].

column [ˈkɔləm] søyle; kolonne; spalte (i en bok). **-ist** spaltist, journalist som har en fast spalte i en avis.

coma [ˈkəumə] koma, bevisstløshet; tåke (om en komet).

comb [kəum] kam; vokskake; kjemme, greie.

combe [ku:m] se **coomb.**

combat [ˈkɔmbət] kamp; kjempe; bekjempe. **-ant** [ˈkɔmbətənt] stridsmann; forkjemper. **-ive** [ˈkɔmbətiv] stridslysten.

combination [kɔmbiˈneiʃən] forbindelse, samband, forening; komplott; **-s** kombination (undertøy). **combine** [kəmˈbain] forbinde, forene; forbinde seg, forene seg.

comb-out [ˈkəumaut] finkjemming.

combustibility [kəmbʌstiˈbiliti] brennbarhet.

combustible [kəmˈbʌstibl] brennbar; brennbar ting. **combustion** [kəmˈbʌstʃən] forbrenning.

come [kʌm] komme; spire (om malt); hende, skje; leveres, kunne fås; — **to pass** hende, bære til; — **and see** se innom til, besøke; **the years to** — de kommende år; — **about** vende seg; skje; forandre seg, vende om; — **across** møte; punge ut; falle inn, slå (om idé); — **along** skynde seg; bli med; dukke opp; — **apart** gå fra hverandre; gå i stykker; — **at** få fatt på; oppnå; — **away** skilles; — **by** komme forbi; komme til, få fatt på; komme med (f. eks. fly); kikke innom; — **down** komme ned, falle ned; ydmykes; — **down handsomely** være rundhåndet, flotte seg; **he has** — **down with a cold** han ligger til sengs med forkjølelse; — **forward** melde seg; — **in** komme inn; komme til målet; komme opp, bli mote; bli valgt; — **in for** komme med en fordring på; få andel i; — **into a fortune** arve en formue; — **of** komme av, nedstamme fra; — **of age** bli myndig; — **off** komme bort fra; slippe fra (noe); gå av; foregå, finne sted; falle ut (godt el. dårlig); — **off it!** slutt med det! hold opp! **she would have** — **off worse** det ville ha gått henne dårligere; — **on** komme fram; komme på, falle på; trives, lykkes; — **over** gå over; gå over til et annet parti; gjøre seg til herre over; — **out** komme ut, bli kjent; komme fram, bli oppdaget; debutere i selskapslivet; — **out no. 1** komme inn som nr. 1; — **round** vende seg (om vinden); overtale; komme på bedre tanker; komme seg; komme til seg selv; stikke innom; — **short** komme til kort, ikke nå; ikke være lik; — **through** innløpe (melding); komme for dagen; — **to** innvilge; beløpe seg til; falle ut, ende; komme til bevissthet; — **to hand** (an)komme (om brev); — **to nothing** ikke bli noe av, slå feil; **it -s to the same thing** det kommer ut på ett; — **true** gå i oppfyllelse; — **under** komme inn under; — **up** komme på mote; dukke opp; — **up to** nærme seg til, komme hen til; komme opp imot; beløpe seg til; — **up with** nå, innhente; kunne måle seg med; — **upon** treffe på; komme over; falle over, overfalle.

come [kʌm] perf. pts. av **come.**

come-back [ˈkʌmbæk] tilbakekomst, comeback; rapt svar.

comedian [kəˈmi:djən] skuespiller, komiker.

come-down [ˈkʌmˈdaun] fall, tilbakegang, forandring til det verre.

comedy [ˈkɔmədi] lystspill, komedie.

comeliness [ˈkʌmlinis] tekkelighet. **comely** [ˈkʌmli] tekkelig, nett, tiltalende.

come-off [ˈkʌmɔ:f] unnskyldning, utflukter; avslutning.

come-on [ˈkʌmɔn] fristing, lokking; agn, lokkemat.

comestible [kəˈmestibl] spiselig; **-s** matvarer.

comet [ˈkɔmit] komet.

comfit [ˈkʌmfit] sukkertøy, søte saker, konfekt.

comfort [ˈkʌmfət] trøst, hjelp, støtte, velvære; bekvemmelighet, behagelighet, hygge; styrke; komfort; hjelpe, trøste, opplive. **-able** [ˈkʌmf(ə)təbl] trøstende; behagelig, makelig, hyggelig, koselig; **be -able** ha det koselig, føle seg vel, ha et sorgfritt utkomme; **make yourself -able** gjør Dem det bekvemt. **-er** [ˈkʌmfətə] trøster; skjerf; stukket teppe; narresmokk. **-less** [ˈkʌmfətlis] trøsteløs; ubehagelig, ubekvem. — **room**, — **station** (amr.) toalett.

comfrey [ˈkʌmfri] valurt.

comfy [ˈkʌmfi] fk. f. **comfortable.**

comic [ˈkɔmik] komisk. — **paper** vittighetsblad. **-al** [ˈkɔmikl] komisk, morsom. **-ality** [kɔmiˈkæliti] morsomhet. **-s** tegneserier.

Cominform [ˈkɔminfɔ:m] Kominform.

coming [ˈkʌmiŋ] kommende, tilkommende, framtidig; komme; **-s and goings** trafikk, ferdsel, tråkk.

Comintern [ˈkɔmintə:n] Komintern.

comity [ˈkɔmiti] høflighet; — **of nations** vennskapelig forståelse mellom nasjonene.

comm. fk. f. **commander; commentary; committee; commonwealth; communication.**

comma [ˈkɔmə] komma; **inverted commas** anførselstegn, hermetegn, gåseøyne.

command [kəˈmɑ:nd] befale, by; påby; forlange; føre, kommandere; styre; beherske; ha utsikt over; befaling; anførsel, kommando; makt, herredømme. **-ant** [kɔmənˈdænt] kommandant. **-eer** [kɔmənˈdiə] rekvirere, utskrive. **-er** [kəˈmɑ:ndə] befalingsmann; — kaptein (i marinen), kommandør (av en orden); rambukk. **-er-in-chief** [kəˈmɑ:ndərinˈtʃi:f] øverstbefalende. **-ment** [kəˈmɑ:ndmənt] bud; **the ten -ments** de ti bud.

commando [kəˈmɑ:ndəu] kommando, troppestyrke under en kommando, angrepsstyrke.

commemorate [kəˈmeməreit] feire; minnes; være et minne om. **commemoration** [kəmeməˈreiʃən] ihukommelse; minnefest. **commemorative** [kəˈmemərətiv] minne-, til minne (**of** om), jubileums-.

commence [kəˈmens] begynne, ta til; ta en (universitets)grad. **-ment** [kəˈmensmənt] begynnelse, opphav; (universitets)promosjon.

commend [kəˈmend] overgi, betro; rose, prise; anbefale; — **me to** hils fra meg. **-able** [kəˈmendəbl] prisverdig; verd å anbefale. **-atory** [kəˈmendətəri] anbefalende; rosende.

commensal [kɔˈmensəl] bordkamerat, bordfelle.

commensurability [kəˈmenʃərəˈbiliti] kommensurabilitet. **-able** [kəˈmenʃərəbl] kommensurabel. **-ate** [kəˈmenʃərit] som er i samsvar med.

comment [ˈkɔment] (kritisk) bemerkning, merknad; folkesnakk; kommentar, tolking, tyding; gjøre bemerkninger, skumle; skrive kommentar (**on** til). **-ary** [ˈkɔməntəri] fortolkning, kommentar. **-ator** [ˈkɔməntəitə] kommentator.

commerce [ˈkɔməs] handel; omgang, samkvem.

commercial [kəˈmə:ʃəl] kommersiell, handels-; salgsrepresentant; reklameinnslag (i radio el. fjernsyn); — **artist** reklametegner; — **college** handels(høy)skole; — **correspondence** handelskorrespondanse; — **traveller** handelsreisende. **-ize** utnytte kommersielt.

commie [ˈkɔmi] kommunist.

comminate [ˈkɔmineit] true, fordømme.

commingle [kəˈmiŋgl] blande (seg).

comminute [ˈkɔminju:t] krase, smuldre, dele i småstykker, pulverisere.

commiserate [kəˈmizəreit] ynke, synes synd på, ha medlidenhet med. **commiseration** [kəmizəˈreiʃən] medlidenhet, medynk.

commissariat [kɔmiˈsɛəriət] intendantur; kommissariat.

commissary ['kɔmisəri] kommissær, ombudsmann; intendant. — **general** generalintendant.

commission [kə'miʃən] oppdrag, verv, fullmakt, ærend; ombud; bestilling, utnevning; offiserspost; kommisjon; provisjon; utøving; tjeneste; utstyre med fullmakt; gi et verv, pålegge, gi i kommisjon; sette i tjeneste; **-ed officer** offiser; **non-commissioned officer** underoffiser.

commissioner [kə'miʃənə] kommissær; kommisjonsmedlem; kommandør (i Frelsesarméen); **High C.** øverste representant for den britiske regjering i visse kolonier e. l.

commit [kə'mit] betro, overgi, prisgi; utsette (for f. eks. fare); utøve, begå; — **for trial** sette under tiltale. — **to prison** fengsle; — **to writing** skrive ned; — **oneself** avsløre seg, kompromittere seg. **-tee** [kə'miti] komité, nemnd, utvalg; **-tee of the whole house** underhuset som komité (under en særlig ordstyrer, ikke the speaker) til vedtak av innstillinger (ikke lover); **the house went into -tee** underhuset gikk over til komitémessig forhandling.

commix [kɔ'miks] blande sammen.

commodious [kə'məudjəs] bekvem; rommelig. **commodity** [kə'mɔditi] vare, handelsvare. — **market** varemarked. — **price** varepris. — **study** varekunnskap.

commodore ['kɔmədɔ:] eskadresjef; kommandør.

common ['kɔmən] alminnelig, vanlig, sedvanlig; simpel; menig; sams, felles; allmenning, fellesareal; **in** — sammen, felles; **in** — **with** i fellesskap med, liksom; — **denominator** fellesnevner; — **gender** felleskjønn; — **law** sedvanerett; — **sense** sunn sans, folkevett.

commonage ['kɔmənidʒ] allmenningsrett; (jord)fellesskap. **the** — almuen, de borgerlige.

commoner ['kɔmənə] borgerlig; underhusmedlem; (i Oxford) student som ikke har stipendium. **Common Market: the** — Fellesmarkedet.

commonplace ['kɔmənpleis] trivialitet; hverdagslig, banal, fortersket.

common | **pleas** sivilt søksmål. — **prayer** fellesbønn. — **property** allmenning; sameie. — **room** oppholdsrom, lærerværelse.

commons ['kɔmənz] borgerlige folk, borgere, almue; kost; **on short** — på smal kost; **the (House of) Commons** underhuset.

commonwealth ['kɔmənwelθ] stat, republikk; **the Commonwealth (of England)** republikken (under Cromwell); **the Commonwealth of Australia** Australia; **the British Commonwealth of Nations** Det britiske samvelde.

commorant ['kɔmərənt] beboer; boende.

commotion [kə'məuʃən] bevegelse; røre, oppstyr.

communal ['kɔmjunəl, kə'mju:nəl] kommunal. **commune** ['kɔmju:n] kommune; **The Commune** Pariserkommunen.

commune [kə'mju:n, 'kɔmju:n] samtale.

communicable [kə'mju:nikəbl] meddelelig. **communicant** [kə'mju:nikənt] nattverdgjest; hjemmelsmann.

communicate [kə'mju:nikeit] melde, meddele (**this to him** ham dette); stå i forbindelse; henvende seg (**with** til); gå til alters. **communication** [kəmju:ni'keiʃən] meddelelse; henvendelse; forbindelse, samband; overføring, overførelse; samferdsel. **communicative** [kə'mju:nikətiv] meddelsom; åpen.

communion [kə'mju:njən] forbindelse; omgang; samfunn, fellesskap, samhørighet; kommunion, altergang. — **cup** alterkalk. — **rail** alterring.

communiqué [kə'mju:nikei] kommuniké.

communism ['kɔmjunizm] kommunisme.

communist ['kɔmjunist] kommunist; kommunistisk. **-ic** [kɔmju'nistik] kommunistisk.

community [kəm'ju:niti] fellesskap; samfunn.

commutable [kə'mju:təbl] som kan ombyttes; avhendelig. **commutation** [kɔmju'teiʃən] forandring; bytte; — **of tithes** tiendeavløsning.

commute [kəm'ju:t] ombytte, gjøre om, lage om; formilde (en straff); (amr.) reise regelmessig frem og tilbake mellom to byer, pendle.

commuter [kə'mju:tə] sesongkortreisende, pendler, drabantbyboer som reiser over lengre avstander.

comp. fk. f. **company; complete; composer; comprehensive.**

compact [kəm'pækt] tett, kompakt; kortfattet, sammentrengt; — **ice** pakkis.

compact ['kɔmpækt] overenskomst, pakt; pudderdåse; kompaktbil.

companion [kəm'pænjən] kamerat; ledsager (-inne); ridder (av en orden); kahyttskappe; ledsage, følge. **-able** kameratslig, omgjengelig. **-ship** kameratskap.

company ['kʌmpəni] selskap, forening, lag, kompani, aksjeselskap; gjester, selskap; **a ship's** — et skipsmannskap; **keep** — **with** være kjæreste med; omgås (stadig); **keep** (eller **bear**) **me** — holde meg med selskap. — **law** selskapsrett (jur.) — **union** (amr.) fagforening.

comparable ['kɔmpərəbl] som kan sammenlignes. **comparative** [kəm'pærətiv] forholdsmessig; sammenlignende; komparativ. **-ly** forholdsvis, relativt.

compare [kəm'pɛə] sammenligne; kunne sammenlignes med; komparere, gradbøye. **comparison** [kəm'pærisən] sammenligning; komparasjon, gradbøyning.

compartment [kəm'pɑ:mənt] avdeling, fag, rom; kupé; felt.

compass ['kʌmpəs] omgi; omfatte; inneslutte; oppnå, bringe i stand; fatte, forstå; pønske ut; volde; legge plan til; omfang; omkrets; rom; omvei; kompass; passer; **a pair of -es** en passer. — **card** kompassrose. — **error** kompassfeil, misvisning.

compassion [kəm'pæʃən] medlidenhet (**on** med). **compassionate** [kəm'pæʃənit] medlidende; [kəm'pæʃəneit] ha medlidenhet, synes synd på.

compatibility [kəmpæti'biliti] forenelighet, samsvar. **compatible** [kəm'pætibl] forenelig, overensstemmende.

compatriot [kəm'pætriət] landsmann.

compeer [kɔm'piə] likemann, like; kamerat.

compel [kəm'pel] tvinge; tiltvinge seg. **compelling** [kəm'peliŋ] tvingende; uimotståelig.

compendious [kəm'pendjəs] kort, kortfattet. **compendium** [kəm'pendjəm] utdrag; liste; brevmappe.

compensate ['kɔmpenseit] erstatte, godtgjøre; gi erstatning, oppveie. **compensation** [kɔmpən'seiʃən] erstatning, godtgjørelse, vederlag, dekning.

compete [kəm'pi:t] konkurrere, tevle (**for** om).

competence [kɔm'pitəns], **competency** ['kɔmpitəns] tilstrekkelighet; utkomme; kompetanse. **competent** ['kɔmpitənt] tilstrekkelig, fullgod; passende; beføyd; sakkyndig; kompetent.

competitive [kəm'petitiv] konkurransedyktig; konkurrerende, konkurranse-.

competitor [kəm'petitə] konkurrent, medbeiler.

compilation [kɔmpi'leiʃən] kompilasjon, samlerarbeid, utdrag (av forskjellige bøker). **compile** [kəm'pail] samle; kompilere. **compiler** [kəm'pailə] samler, kompilator.

complacence [kəm'pleisəns], **complacency** [kəm'pleisənsi] velbehag; tilfredshet; selvtilfredshet; elskverdighet. **complacent** [kəm'pleisənt] tilfreds, selvtilfreds; vennlig forekommende.

complain [kəm'plein] klage; beklage seg (**of, about** over). **-ant** [-ənt] klager. **complaint** [kəm'pleint] klage, klagemål, reklamasjon; anke; lidelse, sykdom, feil.

complaisance [kəm'pleizəns] føyelighet, elskverdighet. **complaisant** [kəm'pleizənt] føyelig; elskverdig.

complement ['kɔmplimənt] fullendelse, utfylling; komplement; oppfylle; utfylle (et skjema);

fullstendig bemanning (av et skip). **-ary** [kɔmpli-'mentəri] utfyllende, supplerende.
complete [kəm'pli:t] fullstendig, komplett; fullende, fullstendiggjøre; oppfylle; utfylle (et skjema). **completion** [kəm'pli:ʃən] fullendelse; fullstendiggjøring.
complex ['kɔmpleks] innviklet, sammensatt. — **fraction** brudden brøk.
complexion [kəm'plekʃən] ansiktsfarge, hudfarge, utseende; gemytt, lynne, temperament.
complexity [kəm'pleksiti] innviklet beskaffenhet, floke, forvikling.
compliance [kəm'plaiəns] overensstemmelse, samsvar; innvilgelse; ettergivenhet, føyelighet; **in — with** i samsvar med, etter, ifølge. **compliant** [kəm'plaiənt] føyelig, ettergivende.
complicate ['kɔmplikeit] sammenfiltre, gjøre floket. ['kɔmplikət] floket, innviklet. **complication** [kɔmpli'keiʃən] forvikling, floke.
complicity [kəm'plisiti] medskyld; medvirkning.
compliment ['kɔmplimənt] kompliment; høflighet; hilsen; **give (eller take) my compliments to** bring min hilsen til. **compliment** ['kɔmpliment] komplimentere, lykkønske (**on** med), si komplimenter.
complimentary [kɔmpli'mentəri] komplimenterende; høflig, smigrende. — **copy** gratiseksemplar. — **ticket** fribillett.
complot ['kɔmplɔt] sammensvergelse, komplott. **complot** [kəm'plɔt] rotte seg sammen.
comply [kəm'plai] føye seg (**with** etter); samtykke, innvilge (**with** i), etterkomme.
compo ['kɔmpəu] fk. f. **composition**, især om en blanding av sand og sement.
component [kəm'pəunənt] som utgjør en del; bestanddel; emne; — **parts** bestanddeler.
comport [kəm'pɔ:t] stemme overens, passe; høve; — **oneself** oppføre seg. **comportment** [kəm-'pɔ:tmənt] oppførsel, framferd.
compose [kəm'pəuz] sette sammen; danne, utgjøre; utarbeide, forfatte; komponere; berolige; sette (typ.). **composed** [kəm'pəuzd] fattet, rolig. **composer** [kəm'pəuzə] forfatter; setter; komponist.
composing [kəm'pəuziŋ] bl. a. komposisjon; sats (typ.); — **powder** beroligende pulver. — **room** setteri (typ.). — **stick** vinkelhake (typ.).
composite ['kɔmpəzit] sammensatt; sammensetning. **composition** [kɔmpə'ziʃən] sammensetning; komposisjon; stil; verk; skrift; konsept; tonediktning; oppsetning; sats (typ.); forlik, akkord; sammenheng. **compositor** [kəm'pɔzitə] setter.
compost ['kɔmpɔst] kompost, blandingsgjødsel; gjødsle med kompost.
composure [kəm'pəuʒə] ro, fatning.
compote ['kɔmpəut] kompott.
compound ['kɔmpaund] sammensatt; blanding; sammensetning; kjemisk forbindelse; (i India og Kina) innhegnet gård med beboelsesleilighet; — **interest** rentes rente.
compound [kəm'paund] sette sammen; blande; bilegge; avfinne seg med; forlike seg. **-er** en som blander; akkordsøkende.
compregnate [kɔm'pregneit] trykkimpregnere.
comprehend [kɔmpri'hend] innbefatte; begripe; fatte. **comprehensible** [kɔmpri'hensibl] begripelig, forståelig. **comprehensibly** omfattende; fattelig. **comprehension** [kɔmpri'henʃən] innbegrep; oppfatning, forståelse; fatteevne. **comprehensive** [kɔmpri'hensiv] omfattende, storstilt, utstrakt; sammentrengt. — **school** ≈ enhetsskole (høyere).
compress [kəm'pres] presse sammen; trenge sammen. **compress** ['kɔmpres] kompress. **-ion** [kəm'preʃən] kompresjon, sammentrykning. **-or** [kəm'pressə] kompressor. **-ure** [kəm'preʃə] sammentrykning, fortetning.
comprise [kəm'praiz] innbefatte, omfatte; utgjøre, bestå av.

compromise ['kɔmprəmaiz] kompromiss, overenskomst, forlik; bilegge, avgjøre i minnelighet; gå på akkord, gjøre innrømmelser; avsløre, kompromittere, binde (til en bestemt framgangsmåte); **no compromising step had been taken** ikke noe avgjørende skritt var tatt.
comptroller [kən'trəulə] kontrollør, revisor (i visse titler); **the C. and Auditor General** leder av riksrevisjonen.
compulsion [kəm'pʌlʃən] tvang, tvangstanke, fiks idé.
compulsory [kəm'pʌlsəri] tvungen; obligatorisk. — **sale** tvangsauksjon. — **service** tvungen krigstjeneste.
compunction [kəm'pʌŋkʃən] samvittighetsnag.
computation [kɔmpju'teiʃən] beregning; overslag. **compute** [kəm'pju:t] beregne, anslå.
computer [kəm'pju:tə] beregner; regnemaskin, (ofte) elektronisk regnemaskin.
comrade ['kɔmrid, -reid] kamerat.
con [kɔn] lære, studere; svindle, snyte; (som forkorting av det latinske contra) imot; **the pros and cons** hva det kan sies for og imot; fk. f. **convict** straffange, forbryter.
con [kɔn] fk. f. **confidence; convict; conclusion; connection; consolidated; continued.**
Conan ['kəunən].
conation [kəu'neiʃən] viljestyrke.
concatenate [kɔn'kætineit] sammenkjede. **concatenation** [kɔnkæti'neiʃən] sammenkjeding.
concave ['kɔnkeiv, 'kɔn'keiv] hul, konkav; hulhet; hvelv. **concavity** [kɔn'kæviti] hulhet.
conceal [kən'si:l] skjule, gjemme. **-ment** [-mənt] hemmeligholdelse; skjul; tilfluktssted.
concede [kən'si:d] innvilge, innrømme, tilstå; avstå.
conceit [kən'si:t] idé, forestilling; innfall, grille; innbilskhet, selvtilfredshet; **be out of — with** være misnøyd med. **-ed** [kən'si:tid] innbilsk.
conceivable [kən'si:vəbl] mulig, tenkelig. **conceive** [kən'si:v] unnfange; komme på, fatte; tenke seg; avfatte.
concentrate ['kɔnsəntreit] konsentrere, samle, fortette; konsentrat. **concentration** [kɔnsən'treiʃən] sammendraging, konsentrasjon; — **camp** konsentrasjonsleir. **concentrative** ['kɔnsəntreitiv] samlings-, konsentrerende. **concentric** [kɔn'sentrik] konsentrisk (som har felles midtpunkt).
concept ['kɔnsept] begrep, forestilling. **conception** [kən'sepʃən] unnfangelse; begrep, forestilling.
concern [kən'sə:n] angå, vedkomme, vedrøre, berøre; engste, forurolige, bekymre; andel; sak, ting, anliggende; viktighet, betydning; deltakelse, interesse, bekymring; forretning, bedrift, foretagende, bruk, verk, konsern, firma; **be -ed** være bekymret; ha å gjøre (med); være interessert (i); **as far as good fighting was -ed** hva dyktig kamp angikk, med hensyn til å kjempe godt; — **oneself** bekymre seg; — **oneself with** bry seg med, interesse seg for; **it is no — of mine** det raker ikke meg, det er ikke min sak; **the whole** — hele historien, hele herligheten. **concerning** angående.
concert [kən'sə:t] innrette, ordne, planlegge, avtale. **concert** ['kɔnsət] konsert; forståelse, forbindelse; avtale. **the European Concert** de europeiske makters enighet, de enige makter.
concertina [kɔnsə'ti:nə] trekkspill; uttrekkbar. — **wire** (transportabel) piggtrådsperring.
concerto [kən'tʃə:təu] konsertstykke, stykke for solo instrument med orkesterledsagelse.
concession [kən'seʃən] innrømmelse; bevilling, konsesjon. **-ionary** [kən'seʃənəri] konsesjons-. **-ive** [kən'sesiv] innrømmende.
conch [kɔŋk] konkylie.
conchie, conchy ['kɔntʃi] fk. f. **conscientious objector** militærnekter (av samvittighetsgrunner).
conciliate [kən'silieit] vinne; forsone, forlike. **conciliation** [kənsili'eiʃən] forsoning, mekling,

forlik. **conciliator** [kən'silieitə] fredsmekler. **conciliatory** [kən'siljətəri] meklende, forsonende.
concise [kən'sais] kortfattet, konsis.
conclave ['kɔnkleiv] konklave.
conclude [kən'klu:d] slutte, ende, avslutte, fullføre; utlede, dra en slutning; beslutte. **conclusion** [kən'klu:ʒən] slutning, ende; avslutning; try -s gjøre el. våge et forsøk. **conclusive** [kən-'klu:siv] slutnings-, avgjørende; følgeriktig.
concoct [kən'kɔkt] sette el. lage sammen, mikse, koke i hop; finne på, utspekulere; **-ion** [kən'kɔkʃən] utklekking, påfunn, plan; oppdiktet historie; brygg, drikk.
concomitant [kən'kɔmitənt] ledsagende, medvirkende (omstendighet); ledsager.
concord ['kɔŋkɔ:d, 'kɔn-] endrektighet; samsvar; samhold; overensstemmelse; samklang. **-ance** [kən'kɔ:dəns] samsvar, overensstemmelse; konkordans, alfabetisk ordnet fortegnelse over de enkelte ord i et verk med angivelse av de steder hvor de fins. **-ant** [-ənt] overensstemmende; enstemmig.
concourse ['kɔŋkɔ:s, 'kɔn-] sammenstimling. tilstrømmende masse, forsamling, sverm; plass der flere gater møtes.
concrescence [kən'kresəns] sammenvoksing.
concrete [kən'kri:t] bli hard, størkne; herde, gjøre til en masse. **concrete** ['kɔnkri:t, 'kɔŋ-] sammenvokst, hard, fast; konkret; sammensatt fast masse; konkret begrep; betong; dekke med betong. **concretion** [kən'kri:ʃən] størkning; masse.
concubinage [kən'kju:binidʒ] konkubinat. **concubine** ['kɔŋkjubain] konkubine, elskerinne.
concupiscence [kən'kju:pisəns] lystenhet, kjønnsdrift. **concupiscent** [-ənt] lysten.
concur [kən'kə:] stemme overens; hende samtidig; falle sammen; medvirke. **-rence** [kən-'kʌrəns] sammentreff; forening, overensstemmelse; medvirkning, tilslutning; bifall; konkurranse. **-rent** [kən'kʌrənt] medvirkende; samtidig.
concussion [kən'kʌʃən] rysting, skaking, sjokk (hjerne)rystelse. **concussive** [kən'kʌsiv] rystende, skakende.
condemn [kən'dem] dømme; fordømme; forkaste; kondemnere. **-ed** dødsdømt. **condemnable** [kən'demnəbl] forkastelig. **condemnation** [kɔndem'neiʃən] fordømming, domfellelse; forkasting. **condemnatory** [kən'demnətəri] fordømmende, fellende; — **sentence** dødsdom.
condensable [kən'densəbl] som lar seg fortette. **condensation** [kɔndən'seiʃən] fortetting. **condense** [kən'dens] fortette, kondensere; kondensere seg, fortettes; **-ed milk** kondensert melk. **condenser** [kən'densə] kondensator.
condescend [kɔndi'send] nedlate seg. **-ing** [kɔndi'sendiŋ] nedlatende. **condescension** [kɔndi-senʃən] nedlatenhet.
condign [kən'dain] passende, velfortjent.
condiment [kɔn'dimənt] krydder.
condition [kən'diʃən] forhandle om betingelser; betinge; omskolere; kondisjonere, tilpasse; betingelse, vilkår; tilstand, forfatning; stand, rang; **on** — **of** på betingelse av; **on** — **that** på den betingelse at.
conditional [kən'diʃənəl] betingelses-, betinget. **-ly** betingelsesvis; med forbehold.
condole [kən'dəul] bevitne sin deltakelse; — **with one on** kondolere en i anledning av. **condolence** [kən'dəuləns] kondolanse.
condonation [kɔndə'neiʃən] tilgivelse. **condone** [kən'dəun] tilgi; la gå upåtalt hen.
condor ['kɔndɔ:] kondor.
conduce [kən'dju:s] bidra, tjene, virke (**to** til). **-ive** [kən'dju:siv] tjenlig, som bidrar (**to** til).
conduct [kən'dʌkt] føring; bestyrelse, ledelse; atferd, vandel, oppførsel, framferd. **conduct** [kən'dʌkt] føre, lede; føre an, dirigere, styre; — **oneself** oppføre seg; **-ed tour** selskapsreise, fellesreise. **-ible** [kən'dʌktibəl] som leder, har ledningsevne. **-ion** [kən'dʌkʃən] ledelse. **-ive** [kən-'dʌktiv] som leder, lednings-. **-or** [kən'dʌktə]

fører, leder, anfører; styrer; konduktør; orkesterdirigent; (i fysikk) leder, konduktør; lynavleder. **conduct sheet** strafferegister, rulleblad.
conduit ['kɔndit, 'kɔndjuit] vannledning, rør, kanal; — **of pipes** rørledning.
cone [kəun] kjegle; lyskjegle; kile; kongle; kjeglesnegl; (meteorologisk) signal for styggvær; kremmerhus til iskrem; flombelyse, fange opp fly inn i lyskjeglen. — **tree** nåletre.
coney ['kəuni] kanin, kaninskinn.
confabulate [kən'fæbjuleit] snakke, prate.
confabulation [kənfæbju'leiʃən] passiar, snakk.
confection [kən'fekʃən] sukkertøy, konfekt; sylting; ferdigsydde klær.
confectioner [kən'fekʃənə] konditor.
confectionary [kən'fekʃənəri] konditorvarer; sukkertøy, konfekt; konditori.
confederacy [kən'fedərəsi] forbund; samlag. **confederate** [kən'fedəreit] forbinde; forene seg, slutte forbund. **confederate** [kən'fedərit] forbundet, forbunds-; forbundsfelle; medskyldig; **C.** hørende til de konfødererte amerikanske sydstater, sørstats- (motsatt **Federal** nordstats-). **confederation** [kənfədə'reiʃən] forbund.
confer [kən'fə:] jamføre, konferere; rådslå, rådlegge; meddele, overdra, gi. **conferee** [kɔnfə'ri:] konferansedeltaker. **conference** ['kɔnfərəns] overveielse; underhandling, drøfting, konferanse.
confess [kən'fes] bekjenne, tilstå; vedgå, innrømme; skrifte. **-edly** [kən'fesidli] åpenbart, ubestridelig. **-ion** [kən'feʃən] konfesjon, bekjennelse, tilståelse; skriftemål, skrifte; trosbekjennelse. **-onal** [kən'feʃənəl] konfesjons-; bekjennelses-; skriftestol. **-or** [kən'fesə] bekjenner; skriftefar.
confetti [kən'feti] konfetti (små runde biter papir).
confidant, confidante [kɔnfi'dænt] fortrolig (venn, venninne).
confide [kən'faid] stole, lite (**in** på), ha tillit (**in** til); betro (**to** til). **confidence** ['kɔnfidəns] tillit; tillitsfullhet, fortrolighet; hemmelighet; selvtillit; **repose** — **in** feste lit til; **take him into my** — betro meg til ham, skjenke ham min fortrolighet; **in** — i fortrolighet, konfidensielt; **vote of no** — mistillitsvotum. — **trick** bondefangeri. **confident** ['kɔnfidənt] overbevist; tillitsfull; selvtillitsfull, sikker, trygg; — **of** stolende på, i tillit til. **confidential** [kɔnfi'denʃəl] fortrolig; betrodd; — **clerk** prokurist.
confiding [kən'faidiŋ] tillitsfull; **too** — godtroende.
configuration [kənfigjə'reiʃən] fasong, stilling, form.
confine [kən'fain] grense, avgrense, begrense, innskrenke; inneslutte, innesperre; holde fanget, fengsle; **be confined** være syk; ligge i barselseng. **-ment** [kən'fainmənt] innesperring; innskrenkning, fangenskap, arrest; sykdom; barselseng, nedkomst. **confines** ['kɔnfainz] grenser.
confirm [kən'fə:m] sikre, befeste; sanne, bekrefte, stadfeste; bestyrke; konfirmere. **-ation** [kɔnfə'meiʃən] stadfesting, bekreftelse; konfirmasjon. **confirmed** ogs. forherdet, uforbederlig, inngrodd; f. eks. **a confirmed bachelor**.
confiscable ['kɔnfiskəbl] konfiskabel. **-ate** [-eit] konfiskere, beslaglegge. **-ation** [kɔnfi'skeiʃən] konfiskasjon, inndraing, beslagleggelse.
confiteor [kɔn'fitiɔ:] syndsbekjennelse.
conflagration [kɔnflə'greiʃən] (stor)brann.
conflict ['kɔnflikt] kjempe, strid. **conflict** [kən'flikt] kamp, strid, sammenstøt. **conflicting** [kən'fliktiŋ] motstridende.
confluence ['kɔnfluəns] sammenløp; tilstrømning, konfluks. **confluent** ['kɔnfluənt] sammenflytende. **conflux** ['kɔnflʌks] sammenløp.
conform [kən'fɔ:m] føye, tilpasse, tillempe; rette seg (etter), handle etter (**to**). **-able** [kən-'fɔ:məbl] overensstemmende, passende; lydig, føyelig. **-ation** [kɔnfɔ:'meiʃən] struktur, skikkelse, bygning; overensstemmelse, samsvar. **-ist** [kən'fɔ:mist] konformist (tilhenger av den

engelske kirke). **-ity** [kən'fɔ:miti] overensstemmelse, samsvar.
confound [kən'faund] blande sammen; forvirre, forvildre; gjøre til skamme. **confound it!** pokker også! **-ed** [kən'faundid] forbistret, forbasket, skammelig.
confraternity [konfrə'tə:niti] brorskap.
confrere ['konfrɛə] kollega.
confront [kən'frʌnt] stå el. stille seg ansikt til ansikt med; stå like overfor; konfrontere.
Confucius [kən'fju:ʃəs] Konfutse.
confuse [kən'fju:z] forvirre, forveksle, blande sammen. **confused** forvirret, rotet. **confusion** [kən'fju:ʒən] uorden, forvirring; sammenblanding, forveksling; forlegenhet, bestyrtelse; ødeleggelse; — **worse confounded** verre og verre.
confutable [kən'fju:təbl] som kan gjendrives.
confutation [konfju:'teiʃən] gjendriving. **confute** [kən'fju:t] gjendrive.
Cong. fk. f. **Congress; Congressional.**
congé ['konʒei] avskjed.
congeal [kən'dʒi:l] få til å fryse; få til å størkne, stivne; fryse, størkne, stivne.
congelation [kondʒi'leiʃən] frysning, stivning, størkning.
congener ['kondʒinə] jamlike, skylding, slektning; av samme slag.
congenial [kən'dʒi:njəl] likeartet, av samme natur, beslektet; åndsbeslektet; sympatisk; høvelig, tekkelig, hyggelig. **-ity** [kəndʒi:ni'æliti] ensartethet, åndsslektskap; sympati.
congenital [kən'dʒenitəl] medfødt.
conger eel ['koŋgə'ri:l] havål.
congeries [kən'dʒiəri:z] rot, virvar.
congestion [kən'dʒestʃən] kongestion, blodstigning; overfylling, ʃuʃdoʃddo , trafikkork.
conglobate ['koŋgləbeit] lage til kule.
conglomerate [kən'glɔməreit] rulle sammen, dynge sammen; dynge, hop. **conglomerate** [kən'glɔmərit] sammenklumpet. **conglomeration** [kənglɔmə'reiʃən] sammenklumping; konglomerat.
conglutinate [kən'glu:tineit] klistre sammen, klebe sammen; limes sammen, vokse sammen.
conglutination [kənglu:ti'neiʃən] sammenliming; sammenvoksing.
Congo ['koŋgəu] Kongo. **-lese** [koŋgə(u)'li:z] kongoleser; kongolesisk.
congratulat|e [kən'grætjuleit] lykkønske, gratulere ((up)on med). **-ion** [kəngrætju'leiʃən] lykkønskning. **-ory** [kən'grætjulətəri] lykkønsknings-, gratulasjons-.
congregate ['koŋgrigeit] samle; samle seg.
congregation [koŋgri'geiʃən] kongregasjon, samling; forsamling; menighet. **-al** [koŋgri'geiʃənəl] menighets-, selvstyrt. **-alism** [koŋgri'geiʃənəlizm] kongregasjonalisme, den kirkelige retning som gjør de enkelte menigheter uavhengige.
congress ['koŋgres] møte; kongress. **the Congress of the US** USA's lovgivende forsamling. **C. gaiter** (amr.) en art skaftestøvler. **congressman** kongressmedlem; tingmann.
Congreve ['koŋgri:v].
con|gruence ['koŋgruəns] overensstemmelse; kongruens, samfall, samsvar. **-gruent** ['koŋgruənt] overensstemmende; kongruent. **-gruity** [koŋ'gru:iti] overensstemmelse, samsvar; kongruens; følgeriktighet. **-gruous** ['koŋgruəs] passende, samsvarende; fornuftig.
conic(al) ['konik(l)] kjegle-; kjegleformet, konisk; **conics** kjeglesnitt, læren om kjeglesnitt.
conifer ['kaunifə] nåletre, bartre.
conjectural [kən'dʒektʃərəl] bygd på gjetning, uviss. **conjecture** [kən'dʒektʃə] gjetning, gisning, konjektur; gjette, gjette seg til.
conjoin [kən'dʒɔin] forbinde; **-t** forent.
conjugal ['kondʒugəl] ekteskapelig.
conjugate ['kondʒugeit] konjugere. **conjugate** ['kondʒugit] par-, parvis sammenstilt. **conjugation** [kondʒu'geiʃən] konjugasjon, bøyning.
conjunction [kən'dʒʌŋkʃən] forbindelse, samsvar, forening, konjunksjon. **conjunctive** [kən-

'dʒʌŋktiv] nær forbundet; binde-; konjunktivisk; konjunktiv.
conjunctivitis [kəndʒʌŋkti'vaitis] konjunktivitt.
conjuncture [kən'dʒʌŋktʃə] konjunktur, tidspunkt; sammentreff, omstendigheter, forhold.
conjuration [kondʒu'reiʃən] besvergelse.
conjure [kən'dʒuə] besverge. **conjure** ['kʌndʒə] mane; hekse, trolle, gjøre tryllekunster, trylle. **conjurer** ['kʌndʒərə] taskenspiller, tryllekunstner.
conjuror d.s.s. **conjurer.**
conk [koŋk] nese, snyteskaft; (amr.) knoll, hode, nøtt; — **out** gå i stykker, krepere.
conker ['koŋkə] kastanje.
conman ['konmæn] bondefanger, svindler.
connate ['koneit] medfødt; beslektet.
connect [kə'nekt] forbinde, sette sammen; stå i forbindelse med.
connectedly [kə'nektidli] i sammenheng.
Connecticut [kə'netikət].
connection [kə'nekʃən] forbindelse, sammenheng, tilslutning, koplingsskjema; klientel, slektskap, bekjentskap. **connective** [kə'nektiv] forbindende; bindeledd, bindeord.
connexion se **connection.**
conning bridge ['koniŋbridʒ] kommandobru. **conning tower** ['koniŋtauə] kommandotårn (f. eks. på ubåt).
conniption [kə'nipʃən]: — **fit** anfall.
connivance [kə'naivəns] det å se igjennom fingrene med, stilltiende samtykke, medviten, overbærenhet. **connive** [kə'naiv] være medviter, se igjennom fingrene (**at** med).
connoisseur [koni'sə:] skjønner, kjenner.
connot|ation [konə'teiʃən] bibetydning; **-e** [kə'nəut] også betegne, dessuten bety; inneholde; antyde; innebære.
connubial [kə'nju:bjəl] ekteskapelig.
conoid ['kəunɔid] kjegleformet, halvkuleformet, sfærisk.
conquer ['koŋkə] erobre, beseire; seire, vinne. **-able** ['koŋkərəbl] overvinnelig, inntagelig. **-or** ['koŋkərə] erobrer, seierherre.
conquest ['koŋkwist] erobring, seier; **the Conquest** især **the Norman Conquest** (1066).
cons. fk. f. **consolidated; consonant; constitution.**
consanguin|e [kon'sæŋgwin] skyldt, blodsbeslektet. **-eous** [konsæŋ'gwinjəs] nærbeslektet, nærskyldt. **-ity** [konsæŋ'gwiniti] blodsslektsskap; skyldskap.
conscience ['konʃəns] samvittighet; **in all** —, **on one's** — på å ære og samvittighet. **have the** — **to** være frekk nok til å, ha hjerte til å; **the voice of** — samvittighetens stemme; **-stricken** med samvittighetsnag. **conscientious** [konʃi'enʃəs] samvittighetsfull; samvittighets-; — **objector** militærnekter (av samvittighetsgrunner).
conscionable ['konʃənəbl] samvittighetsfull, billig, rett, rettvis.
conscious ['konʃəs] bevisst, ved bevissthet, selvbevisst, sjenert; **be** — **of** være seg bevisst. **consciousness** ['konʃəsnis] bevissthet.
con|scribe [kən'skraib] skrive ut. **-script** ['konskript] utskreven (soldat). **-scription** [kən'skripʃən] utskrivning, verneplikt.
consecrate ['konsikreit] innvie, vigsle. **consecration** [konsi'kreiʃən] innvielse, vigsel. **consecratory** ['konsikreitəri] innvielses-.
consecutive [kən'sekjutiv] som følger på hinannen; komme etter hverandre; følgende; sammenhengende; — **clause** følgebisetning.
consent [kən'sent] samtykke, tilslutning; overenskomst; — **to** samtykke i, innvilge i, finne seg i; **-ing party** medviter. **-aneous** [konsen'teinjəs] overensstemmende.
consequence ['konsikwəns] følge, resultat, konsekvens; innflytelse, viktighet, betydning; **in** — som følge av det, følgelig; **in** — **of** som følge av.
consequent ['konsikwənt] følgende; slutning, følge. **-ly** følgelig, altså.

consequential [kɔnsi'kwenʃəl] følgende; indirekte; følgeriktig, konsekvent; innbilsk, viktig, høytidelig. — **loss** avbrudd, driftstap.
conservable [kən'sə:vəbl] som kan oppbevares, som holder seg.
conserv|ancy [kən'sə:vənsi] vern, vedlikehold, tilsyn; tilsynsråd, -vern. **-ation** [kɔnsə:'veiʃən] vedlikehold, bevaring. **-ationist** naturverntilhenger.
conservatism [kən'sə:vətizm] konservatisme.
conservative [kən'sə:vətiv] bevarende; konservativ; høyremann.
conservatoire [kən'sə:vətwɑ:] musikk-konservatorium. **conservator** ['kɔnsə(:)veitə] bevarer, vedlikeholder; konservator; verge, tilsynsrådsmedlem. **conservatory** [kən'sə:vətəri] drivhus; konservatorium.
conserve [kən'sə:v] **-s** pl. syltet frukt, syltetøy; bevare, sylte, legge ned.
consider [kən'sidə] betrakte, overveie, betenke, granske, ta i betraktning, anse for, holde for; tro, anta, mene; tenke seg om, betenke seg. **-able** [kən'sidərəbl] anselig, betydelig; **a — heiress** en rik arving. **-ate** [kən'sidərit] hensynsfull, omtenksom. **-ation** [kənsidə'reiʃən] betraktning; overveielse; synspunkt, hensyn(sfullhet); viktighet; erkjentlighet, vederlag, lønn; **take into -ation** ta i betraktning. **-ed** [kən'sidəd] veloverveid. **-ing** [kən'sidəriŋ] i betraktning av, med tanke på.
consign [kən'sain] overdra; betro; konsignere. **-ation** [kɔnsig'neiʃən] overdragelse; konsignasjon. **-ee** [kɔnsai'ni] (vare-)mottaker, konsignatar. **-er** [kən'sainə] (vare-)avsender, overdrager. **-ment** [kən'sainmənt] overdragelse; konsignasjon, sending. **-ment note** fraktbrev. **-or** [kən'sainə] d. s. s. **consigner.**
consist [kən'sist] bestå (**in** i, **of** av); stemme overens (**with** med). **-ence** [kən'sistəns] tetthet. **-ency** [kən'sistənsi] tetthet, fasthet; konsekvens; overensstemmelse, samsvar. **-ent** [kən'sistənt] overensstemmende; følgeriktig, konsekvent, gjennomført; ensartet.
consistory [kən'sistəri] konsistorium, kirkeråd.
consol|able [kən'səuləbl] som lar seg trøste. **-ation** [kɔnsə'leiʃən] trøst. **-atory** [kən'sɔlətəri] trøstende, til trøst. **-e** [kən'səul] trøste.
console ['kɔnsəul] konsoll.
consolid|ate [kən'sɔlideit] gjøre fast, grunnfeste, befeste, underbygge; trygge; forene, samle; forene seg, bli fast. **-ation** [kənsɔli'deiʃən] fast forening, grunnfesting, styrking, sammensveising; konsolidering.
consols ['kɔnsɔlz] fk. f. **consolidated annuities** konsoliderte (engelske) statsobligasjoner.
consonance ['kɔnsənəns] samklang; overensstemmelse. **consonant** ['kɔnsənənt] medlyd, konsonant; samsvarig, overensstemmende.
consort ['kɔnsɔ:t] kamerat; ektefelle, make, gemal, gemalinne; medfølgende skip; **prince —** prinsgemal, regjerende dronnings ikke-regjerende gemal. **consort** [kən'sɔ:t] omgås, leve sammen (**with** med); følge, ledsage.
conspectus [kən'spektəs] sammenfattende oversikt.
conspicuous [kən'spikjuəs] klar, tydelig, iøynefallende; ansett, velkjent, fremtredende; fremragende; **make oneself —** gjøre seg bemerket; **be — by one's absence** glimre ved sitt fravær.
conspiracy [kən'spirəsi] sammensvergelse; **conspirator** [kən'spirətə] sammensvoren, konspiratør. **conspiratorial** [kənspirə'tɔ:riəl] konspiratorisk; medvitende. **conspire** [kən'spaiə] sammensverge seg; legge planer mot; samvirke. **conspirer** d. s. s. **conspirator.**
constable ['kʌnstəbl] politibetjent, konstabel; **chief —** (fylkes) politimester; **Lord High Constable** riksmarskalk (nå bare en tittel). **special —** borgersoldat; **outrun the —** komme i gjeld.
constabulary [kən'stæbjuləri] politistyrke, politikorps, ordensmakt; politidistrikt.

Constance ['kɔnstəns] Konstanz; Constanta; **Lake of —** Bodensjøen.
constancy ['kɔnstənsi] trofasthet; standhaftighet. **constant** ['kɔnstənt] bestandig, stadig, varig; standhaftig, stø, fast.
Constantine ['kɔnstəntain] Konstantin. **Constantinople** [kɔnstænti'nəupl] Konstantinopel = Istanbul.
constantly ['kɔnstəntli] støtt, stadig, bestandig.
constellation [kɔnste'leiʃən] stjernebilde: (fig.) sammenstilling, konstellasjon.
consternation [kɔnstə(:)'neiʃən] bestyrtelse, forskrekkelse, støkk.
constipate ['kɔnstipeit] forstoppe.
constipation [kɔnsti'peiʃən] forstoppelse.
constitu|ency [kən'stitjuənsi] valgkrets; velgere. **-ent** [kən'stitjuənt] utgjørende; velgende; grunnlovgivende; bestanddel; velger, mandant; **-ent assembly** grunnlovgivende forsamling.
constitute ['kɔnstitju:t] utgjøre; innrette; fastsette; forordne; stifte, utnevne, velge; **he constituted himself her protector** han oppkastet seg til hennes beskytter.
constitution [kɔnsti'tju:ʃən] innretning, beskaffenhet; legemsbeskaffenhet, natur; opprettelse, stiftelse; helsetilstand, helbred; forfatning, statsforfatning, grunnlov; konstitusjon, forordning.
constitutional [kɔnsti'tju:ʃənəl] naturlig; forfatningsmessig, konstitusjonell; lovmessig; spasertur for sunnhetens skyld, mosjon; — **law** statsrett. **constitutionalist** [-ist] grunnlovsmann. **constitutive** ['kɔnstitju:tiv] vesentlig; fastsettende, grunnleggende.
constrain [kən'strein] tvinge; nøde; innskrenke, hemme; sperre inne; gjøre forlegen. **constraint** [kən'streint] tvang, ufrihet; forlegenhet, reserverthet.
constrict [kən'strikt] trekke sammen, presse sammen, snøre sammen. **-ion** [kən'strikʃən] sammentrekning, sammensnøring. **-or** [kən'striktə] ringmuskel; kvelerslange.
constringe [kən'strindʒ] trekke sammen. **constringent** [-ənt] bindende, sammentrekkende.
construe [kən'strʌkt] oppføre, bygge, sette sammen, konstruere. **construction** [kən'strʌkʃən] oppførelse, bygging; konstruksjon, byggverk, bygning; forklaring, mening. — **batallion** bef. for flåteingeniørtropper. **constructive** [kən'strʌktiv] ordnende; bygnings-, konstruktiv. **construe** [kɔn'stru:] konstruere, utlegge, tolke, tyde; analysere.
consul ['kɔnsəl] konsul. **-ar** ['kɔnsjulə] konsulær, konsular, konsul-. **-ate** ['kɔnsjulit] konsulat. **-ate general** generalkonsulat. — **general** generalkonsul. **-ship** ['kɔnsəlʃip] konsulrang, konsuls ombud.
consult [kən'sʌlt] rådslå, rådlegge, rådføre seg med, rådspørre, ta hensyn til. **consultation** [kɔnsʌl'teiʃən] rådlegging; rådslagning. **consultative** [kən'sʌltətiv] rådslående; rådgivende.
consume [kən'sju:m] tære opp; forbruke, øde, konsumere. **-r** [kən'sju:mə] forbruker, konsument. **-r's goods** pl. forbruksartikler, forbruksvarer.
consummate ['kɔnsəmeit] fullende; fullbyrde. **consummate** [kən'sʌmit] fullendt. **consummation** [kɔnsə'meiʃən] fullending, fullbyrdelse, fullføring; ende.
consumption [kən'sʌm(p)ʃən] fortæring; forbruk; tæring; **article of household —** gjenstand til bruk i husholdningen; — **taxes** forbruksavgifter. **consumptive** ['kən'sʌm(p)tiv] fortærende, ødeleggende; tæringssyk, tuberkulosepasient.
contact [kən'tækt] berøring, kontakt; — **lense** kontaktlinse; — **point** fordelerstift (i bil).
contagion [kən'teidʒən] smitte; smittestoff.
contagious [kən'teidʒəs] smittsom.
contain [kən'tein] inneholde, romme; — **one-**

self beherske seg, styre seg. **container** [kən'teinə] beholder.

contaminate [kən'tæmineit] besmitte, søle til, forurense. **contamination** [kəntæmi'neiʃən] besmittelse; sammenblanding; forurensning.

contemn [kən'tem] forakte, vanvøre.

contemplate ['kɔntəmpleit] granske; betrakte; overveie, studere på; gruble. **contemplation** [kɔntəm'pleiʃən] betraktning; beskuelse. **contemplative** [kən'templətiv] ettertenksom, dypsindig, tankefull; — **faculty** tenkeevne. **contemplator** ['kɔntəmpleitə] iakttaker, betrakter; tenker. **contemporaneity** [kəntempərə'ni:iti] samtidighet.

contemporaneous [kəntempə'reinjəs] samtidig. **contemporary** [kən'tempərəri] samtidig, jevnaldrende; nåtids-, moderne.

contempt [kən'tem(p)t] forakt. **-ible** [kən'tem(p)tibl] foraktelig; elendig. **-uous** [kən'tem(p)tjuəs] hånlig, foraktelig.

contend [kən'tend] stride, slåss, kjempe for; forfekte; påstå, hevde, holde på.

content ['kɔntent] (rom-)innhold, volum, areal; **-s** pl. innbo, effekter.

content [kən'tent] tilfreds; (ved avstemning i overhuset) ja (motsetning: non-content eller not content); tilfredsstillelse, tilfredshet; tilfredsstille; stemme for (et forslag i overhuset); **be — with** la seg nøye med; **to his heart's** — av hjertens lyst; — **oneself** la seg nøye (**with** med); — **clause** (gram.) at-bisetning.

contented [kən'tentid] tilfreds. **-ness** tilfredshet.

contention [kən'tenʃən] strid, tvist; stridspunkt, påstand.

contentious [kən'tenʃəs] trettekjær, kranglevoren; omstridt; — **issues** stridsspørsmål.

contentment [kən'tentmənt] tilfredshet.

contents ['kɔntents, kən'tents] pl. innhold; **table of** — innholdsfortegnelse.

conterminous [kən'tə:minəs] med samme grenser; tilgrensende.

contest [kən'test] bestride; gjøre stridig; strides. **contest** ['kɔntest] strid, konkurranse. **-able** [kən'testəbl] omtvistelig, tvilsom, omstridt.

context ['kɔntekst] sammenheng. **contexture** [kən'tekstjuə, -tʃə] forbindelse, bygning, system.

contiguity [kɔnti'gju:iti] berøring, nærhet.

contiguous [kən'tigjuəs] tilstøtende, nær; sammenhengende; umiddelbart påfølgende.

continence ['kɔntinəns] måteholdighet; avholdenhet; selvbeherskelse. **continent** ['kɔntinənt] måteholdende; avholdende, kysk; fastland, kontinent, verdensdel; **on the Continent** på Europas fastland, i utlandet (motsatt England). **continental** [kɔnti'nentəl] som hører til fastlandet, kontinental, utenlandsk; utlending. — **breakfast** kontinental frokost, kaffefrokost. — **shelf** kontinentalsokkel.

contingen|cy [kən'tindʒənsi] mulighet; tilfelle; slump. **-cies** uforutsette utgifter.

contingent [kən'tindʒənt] tilfeldig, mulig; eventuell, foreløpig; avhengig av (**upon**); fremtidsmulighet; tilskudd; troppekontingent; **be paid for — services** få betaling for eventuelle tjenester.

continual [kən'tinjuəl] uavbrutt, bestandig, stadig, uopphørlig. **continuance** [kən'tinjuəns] vedvarenhet, varighet; vedvarende opphold. **continuation** [kəntinju'eifən] fortsettelse, videreføring; — **school** framhaldsskole. **continue** [kən'tinju] fortsette, videreføre, la vedvare; bli, vedbli; vedvare, vare. **continuity** [kɔntin'ju:iti] sammenheng, kontinuitet; handlingsforløp (i bok el. film). **continuous** [kən'tinjuəs] nøye forbundet, sammenhengende, uavbrutt, samlet; fortsatt.

contort [kən'tɔ:t] forvri; forvrenge. **-ion** [kən'tɔ:ʃən] forvridning, vridning. **contortioner** [kən'tɔ:ʃənə], **contortionist** [kən'tɔ:ʃənist] slangemenneske.

contour ['kɔntuə] omriss, kontur. — **interval** ekvidistanse. — **line** høydekurve, kote.

contra ['kɔntrə] mot-, kontra-.

contraband ['kɔntrəbænd] ulovlig, forbudt; smuglergods. **-ist** ['kɔntrəbændist] smugler.

contrabass ['kɔntrə'beis] kontrabass.

contraception [kɔntrə'sepʃ(ə)n] prevensjon, fødselskontroll. **contraceptive** [kɔntrə'septiv] befruktningshindrende middel. — **sheath** kondom.

contract [kən'trækt] trekke sammen, forkorte; pådra seg; venne seg til; bringe i stand, slutte; forlove; forlove seg; trekke seg sammen; slutte forlik, kontrahere; sammentrukket. **contract** ['kɔntrækt] overenskomst, kontrakt, akkord, entreprise; forlovelse; **place a — for** kontrahere; **under — to** kontraktmessig forpliktet til å. **-ible** [kən'træktibl] som kan trekkes sammen. **-ion** [kən'trækʃən] sammentrekning; forkorting; inngåelse, stiftelse. — **note** sluttseddel. **-or** [kən'træktə] kontrahent; entreprenør, byggmester.

contradict [kɔntrə'dikt] motsi, dementere, gå mot. **-ion** [kɔntrə'dikʃən] motsigelse, uoverensstemmelse; — **in terms** selvmotsigelse. **-ory** [kɔntrə'diktəri] motsigende, selvmotsigende.

contradistinction [kɔntrədi'stiŋkʃən] motsetning, atskillelse ved motsatte egenskaper.

contrail ['kɔntreil] kondensstripe (etter fly).

contradistinguish [kɔntrədi'stiŋwiʃ] atskille ved motsatte egenskaper.

contralto [kən'træltəu] kontra-alt, kontralto (dyp kvinnestemme).

contraposition [kɔntrəpə'ziʃən] motsetning.

contraption [kən'træpʃən] innretning, ting, greie, dings; påfunn, påhitt.

contrapuntal [kɔntrə'pʌntl] kontrapunktisk.

contrariety [kɔntrə'raiity] uforenelighet, motsetning, motstrid.

contrary ['kɔntrəri] motsatt; forskjellig; imot; det motsatte; motsetning; — **to** stridende imot, imot; **on the** — tvert imot, tvert om; **to the** — i motsatt retning.

contrast ['kɔntra:st] kontrast, motsetning. **contrast** [kən'tra:st] stille i motsetning.

contravene [kɔntrə'vi:n] handle imot, overtre, motvirke; bestride, imøtegå.

contravention [kɔntrə'venʃən] overtredelse, strid; **in — with** i strid med, stikk imot.

contretemps ['kɔ:ntrəta:ŋ] uhell; strek i regningen.

contribute [kən'tribjut] bidra, medvirke. **contribution** [kɔntri'bju:ʃən] bidrag, tilskudd, skatt; krigsskatt. **contributive** [kən'tribjutiv] som hjelper til, som medvirker. **contributor** [kən'tribjutə] skattyter, bidragsyter. **contributory** [kən'tribjutəri] som gir tilskudd; en som bidrar.

contrite ['kɔntrait] angerfull, sønderknust. **contrition** [kən'triʃən] anger, sønderknuselse. **contrivance** [kən'traivəns] oppfinnelse; påfunn, påhitt; innretning. **contrive** [kən'traiv] oppfinne; tenke ut; finne på, pønske ut, finne middel til, oppnå, klare; lage det så; **I — to** det lykkes meg. **contriver** [kən'traivə] oppfinner; opphavsmann.

control [kən'trəul] kontroll, tilsyn; innskrenkning, tvang; makt, herredømme, myndighet; foranstaltning, regulering; kontrollere, styre, beherske; regulere; tøvle. **-lable** [kən'trəuləbl] som kan beherskes. **-ler** [kən'trəulə] kontrollør.

controversial [kɔntrə'və:ʃəl] polemisk; omstridt, strids-. **controversy** ['kɔntrəvə:si] strid, polemikk. **controvert** [kɔntrəvə:t] bestride, bekjempe, nekte. **controvertible** [kɔntrə'və:tibl] omtvistelig.

contumacious [kɔntju'meiʃəs] hardnakket, halsstarrig, trassig, ulydig. **contumacy** ['kɔntjuməsi] gjenstridighet, trass; uteblivelse tross lovlig varsel, ringeakt for retten.

contumelious [kɔntju'mi:ljəs] fornærmelig; hånlig. **contumely** ['kɔntjumili] hån, fornærmelse.

contuse [kən'tju:z] støte, kveste. **contusion** [kən'tju:ʃən] kvestelse, kontusjon, støt.

conundrum [kə'nʌndrəm] ordspill, gåte.

convalesce [kɔnvə'les] friskne til, komme seg (av sykdom). **convalescense** [kɔnvə'lesəns] bedring, rekonvalesens. **convalescent** [-ənt] som er i bedring; rekonvalesent.

convection [kən'vekʃən] overføring, ledning.

convenance ['kɔ:nvinɑ:ns] sed, skikk.

convene [kən'vi:n] komme sammen; kalle sammen, forsamle; innkalle.

convenience [kən'vi:njəns] bekvemmelighet, behagelighet, fordel; egnet beskaffenhet, letthet; **at your earliest** — så snart det 'passer for Dem. **public -s** offentlige toalettrom, «underjordisk». **convenient** [kən'vi:njənt] høvelig; bekvem, passende, skikket.

convent ['kɔnvənt] (nonne)kloster.

conventicle [kən'ventikl] forsamling, religiøs sammenkomst (især av dissentere).

convention [kən'venʃən] sammenkomst, forsamling; møte, stevne, kongress; skikk og bruk; overenskomst. **-al** [kən'venʃənəl] avtalt, bestemt, vedtatt, konvensjonell, alminnelig, tradisjonell. **-alism** [kən'venʃənəlizm] vedtekt, sedvanlig bruk. **-ality** [kənvenʃə'næliti] skikk og bruk, konveniens. **-ary** kontraktfast, etter avtale; leilending.

conventual [kən'ventʃuəl] kloster-, klosterlig; munk; klosterbror; nonne.

converge [kən'və:dʒ] løpe sammen, konvergere. **convergence** [kən'və:dʒəns] konvergens. **convergent** [-ənt] konvergerende, sammenløpende.

convers|able [kən'və:səbl] omgjengelig, selskapelig, konversabel. **-ance** kjennskap, fortrolighet. **-ant** [kən'və:sənt] bevandret, kyndig; fortrolig **(with** med). **-ation** [kɔnvə'seiʃən] samtale; konversasjon. **-ational** [kɔnvə'seiʃənəl] samtale-; underholdende, pratsom, selskapelig. **-azione** [kɔnvəsætsi'əuni] aftenselskap, soaré (for lærde el. kunstnere).

converse [kən'və:s] underholde seg, konversere, samtale.

converse ['kɔnvə:s] omgang; samtale, konversasjon; (matematisk) omvendt forhold; omvendt. **conversely** omvendt. **conversion** [kən'və:ʃən] forvandling, omdannelse, omvendelse, konvertering; veksling, ombygging, omlegging, overgang. — **table** omregningstabell.

convert ['kɔnvə:t] omvendt, konvertitt, proselytt.

convert [kən'və:t] forvandle; omvende; konvertere; omregne; veksle; ombygge. **-er** [kən'və:tə] omdanner, omformer. **-ibility** [kənvə:ti'biliti] evne til å kunne forvandles. **-ible** [kən'və:tibl] som kan forvandles, som kan byttes om; konvertibel; — **husbandry** vekselbruk.

convex ['kɔnveks] konveks, utbuet.

convey [kən'vei] føre, bringe, frakte, føre bort, transportere; overdra, tilskjøte; bibringe, meddele, uttrykke, gjengi. **-ance** [kən'veiəns] befordring, transport; befordringsmiddel, vogn; befordringsvei; leilighet; overlevering; overdragelse; bevilling; overdragelsesdokument, skjøte. **-ancer** [kən'veiənsə] dokumentskriver, skjøteskriver. **-er, -or** [kən'veiə] overbringer, overfører; transportbånd.

convict [kən'vikt] overbevise; erklære for skyldig, dømme.

convict ['kɔnvikt] domfelt; straff-fange.

conviction [kən'vikʃən] overbevisning; domfelling.

convince [kən'vins] overbevise, overtyde.

convivial [kən'vivjəl] selskapelig, festlig.

con|vocation [kɔnvə'keiʃən] sammenkalling; prestemøte; geistlig synode (i England); akademisk forsamling. **-voke** [kən'vəuk] kalle sammen.

convolute(d) ['kɔnvəlu:t(id)] sammenrullet.

convolution [kɔnvə'l(j)u:ʃən] sammenrulling.

convolvulus [kən'vɔlvjuləs] konvolvulus, vindel.

convoy ['kɔnvɔi] ledsagelse, eskorte, konvoi.

convoy [kən'vɔi] eskortere, konvoiere.

convuls|e [kən'vʌls] volde krampetrekninger; bringe i opprør, skake voldsomt, bringe i krampelatter. **-ion** [kən'vʌlʃən] krampetrekning; om-

veltning. **-ary** krampe-; **-ive** [kən'vʌlsiv] krampaktig.

Conway ['kɔnwei].

coo [ku:] kurre; kurring; **-ing** ['ku:iŋ] kurring.

cook [kuk] kokk, kokkepike; tilberedning, koking; tilberede, lage (mat); (fig.) lage i stand, finne på, dikte opp; forfalske, fingre med; skje, hende, foregå; **what's -ing?** hva er i gjære? **too many -s spoil the broth** jo flere kokker jo mer søl; — **up** finne på, dikte opp.

cooker ['kukə] stekeovn, kokeapparat; frukt som er lett å koke; en som dikter sammen noe. **cookery** ['kukəri] kokekunst, matlaging. — **book** kokebok.

cookie ['kuki] kokk; søt jente; smart fyr; (amr.) tørr småkake.

cooking ['kukiŋ] matlaging; mat-. **cook|maid** kokkepike. **-room** kjøkken, kabyss. **-shop** spisekvarter.

cool [ku:l] kjølig, sval; kald, rolig, følelseskald; usjenert, uforskammet; kjølighet; kjøle, svale; kjølne, bli kjølig, avkjøles; bli rolig; **a** — **hand** en freidig herre; — **one's heels** måtte vente.

coolant ['ku:lənt] kjølevæske.

cooler ['ku:lə] kjøler, kjølerom.

cool-headed kald, rolig.

coolie ['ku:li] kuli.

cool|ly ['ku:lli] kjølig, kaldblodig, rolig, sindig; usjenert. **-ness** ['ku:lnis] kjølighet; kaldt blod, ro; kulde; kaldblodighet; usjenerthet; selvsikkerhet, frekkhet.

coomb, combe [ku:m] dyp, trang dal.

coon [ku:n] (amr. fork. f. **racoon**) vaskebjørn; **a gone** — en som er oppgitt, ferdig.

coop [ku:p] hønsebur, hønsekorg; teine; sperre inne, sette i bur.

co-op, coop ['kəuɔp] samvirkelag, kooperativ. **cooper** ['ku:pə] bøkker, lagger; blanding av øl og porter. **-'s knife** båndkniv. **-age** [ku:'peridʒ] bøkkerlønn; bøkkerverksted; bøkkerarbeid.

co-operate [kəu'ɔpəreit] medvirke; samvirke. **co-operation** [kəuɔpə'reiʃən] medvirking; samarbeid, samvirke, kooperasjon; **committee of** — kontaktutvalg. **co-operative** [kəu'ɔpərətiv] medvirkende; samarbeidsvillig, hjelpsom, samvirkende; samvirke-; — **association** forbruksforening, samvirkelag; — **bakery** fellesbakeri; — **society** forbruksforening; samvirkelag; — **stores** utsalg for samvirkelag. **co-operator** [kəu'ɔpəreitə] medarbeider, medlem av samvirkelag.

co-opt [kəu'ɔpt] supplere seg med, velge inn. **co-ordinate** [kəu'ɔ:dinit] sideordnet, jamstilt. **co-ordination** [kəuɔ:di'neiʃən] sideordning, likestilling, koordinasjon.

coot [ku:t] blisshøne, sothøne; narr.

co-owner ['kəu'əunə] medeier, medreder.

cop [kɔp] topp; spole; (sl.) polis, purk; ta, fange, huke, arrestere; knabbe, rappe, stjele; sikre seg.

copaiba [kə'paibə] kopaivabalsam.

copal ['kəupəl] kopal (et slags harpiks).

copartner ['kəu'pa:tnə] deltager, kompanjong, partner. **-ship** kompaniskap.

cope [kəup] korkåpe; hvelving; dekke.

cope [kəup] kappes **(with** med), prøve å klare, prøve krefter med, hamle opp med, klare, greie, mestre. **copelessness** hjelpeløshet, avmakt.

copeck ['kəupek] kopek (russisk mynt).

Copenhagen [kəupn'heigən] København.

coper ['kəupə] hestehandler; brennevinsfartøy (i Nordsjøen).

Copernican [kəu'pə:nikən] kopernikansk. **copestone** ['kəupstəun] mønestein, toppstein, sluttstein; kronen på verket.

copier ['kɔpiə] avskriver, kopist; etterligner.

co-pilot [kəu'pailət] annenflyger, annenpilot.

coping ['kəupiŋ] murtak, (mur-)avdekning. — **saw** løvsag. — **stone** d. s. s. **copestone**.

copious ['kəupjəs] rik, flus, i overflod, rikelig; vidløftig. **-ness** mengde, overflødighet; vidløftighet.

co-plaintiff (jur.) medsaksøker.

---

5. Engelsk–Norsk

copper ['kɔpə] kobber; bryggepanne, kobberkjel; kobbermynt; (sl.) polis, purk; forkobre; **hot coppers** tørr hals (etter rangel).
copperas ['kɔpərəs] jernvitriol.
copper | **beech** blodbøk. — **bit** loddebolt med kobberegg. **-bottomed** kobberforhudet.
Copperfield ['kɔpəfi:ld].
copperhead ['kɔpəhed] nordamerikansk giftslange; sørstatssympatisør.
copper|plate kobberplate, kobberstikk. — **print** kobberstikk. — **sheathing** kobberforhudning. **-smith** kobbersmed. **-works** kobberverk.
coppice ['kɔpis] krattskog, kratt.
copra ['kɔprə] kopra, kokoskjerner.
copse [kɔps] d. s. s. **coppice**; frede, beskjære, plante småskog. **copsy** ['kɔpsi] bevokst med småskog.
Copt [kɔpt] kopter. **-ic** ['kɔptik] koptisk.
copul|a ['kɔpjulə] kopula, bindeledd. **-ate** ['kɔpjuleit] pare (seg). **-ation** [kɔpju'leiʃən] paring; grammatisk el. logisk sammenheng. **-ative** ['kɔpjulətiv] binde-; sideordnet konjunksjon.
copy ['kɔpi] avskrift; kopi, etterlikning, gjenpart; reklametekst, annonsetekst; manuskript; eksemplar; avtrykk; forskrift; skrive av, kopiere; etterlikne; **fair** (el. **clean**) — renskrift; **foul** (el. **rough**) — kladd.
copy|book skrivebok; **-book writing** skjønnskrift. **-cat** apekatt, etteraper. **-head** forskrift. **-hold** arvefeste(gård), bygslejord, leilendingsjord. **-holder** arvefester, leilending. **-ing ink** kopiblekk. **-ing press** kopipresse.
copyist [kɔpiist] avskriver; plagiator.
copy | **paper** konseptpapir. **-right** forlagsrett, opphavsrett; **-right reserved** ettertrykk forbudt.
copywriter ['kɔpiraitə] (reklame)tekstforfatter.
coquet [kau'ket] kokettere. **coquetry** ['kaukitri] koketteri. **coquette** [kau'ket] kokette. **coquettish** [kə'ketiʃ] kokett.
coral ['kɔrəl] korall; tannring (for småbarn til å bite i). **-laceous** [kɔrə'leiʃəs] korallaktig. **-line** ['kɔrəlain] korall-; korallmose. — **reef** korallrev.
cor anglais ['kɔrən'glei] engelsk horn.
cord [kɔ:d] strikke, reip, snor, streng, bånd, hyssing; favn (ved); binde, snøre; sette i favn. **cordage** ['kɔ:didʒ] snøre; tauverk.
corded ['kɔ:did] randet, stripet; senet; festet med snor; besatt med snorer.
Cordelia [kɔ:'di:ljə].
cordial ['kɔ:djəl] hjertelig, inderlig, sterk; hjertestyrkende; hjertestyrkning, forfriskning, styrkedrikk, oppstiver; likør. **-ity** [kɔ:di'æliti] hjertelighet. **-ly** ['kɔ:djəli] hjertelig.
cordon ['kɔ:dən] snor; kordong, sperring; **off** sperre av.
Cordova ['kɔ:dəvə] Cordoba.
corduroy ['kɔ:djurɔi] korderov, kordfløyel, et slags tykt og sterkt, stripet bomullsfløyel; **-s** pl. kordfløyelsbukser.
cordwain ['kɔ:dwein] korduan (slags tykt skinn). **-er** ['kɔ:dweinə] skomaker.
cordwood ['kɔ:dwud] favneved.
core [kɔ:] det innerste, indre del, kjerne, marg; (fig.) hjerterot; ta kjernehuset ut av; **to the** — helt igjennom, til hjerterota. — **drill** kjernebor.
co-regent [kau'ri:dʒənt] medregnet.
corespondent ['kəuri'spɔndənt] medinnstevnet ved skilsmisseprosess.
corf [kɔ:f] fiskebrønn, fiskekiste.
Corfu [kɔ:'fu:] Korfu.
coriaceous [kɔri'eifəs] lær-; læraktig.
Corinth ['kɔrinθ] Korint.
Corinthian [kɔ'rinθjən] korinter; korintisk.
Coriolanus [kɔriə'leinəs].
cork [kɔ:k] kork; flaskekork; korke; sverte med en brent kork; få korksmak. **-age** ['kɔ:kidʒ] korkpenger; korking. **-er** korkemaskin; siste ord, sluttargument; skrøne. **-screw** korketrekker. **-screw staircase** vindeltrapp. — **tile** korkparkett. — **-tipped** med korkmunnstykke. **corky** ['kɔ:ki]

kork-; **korkaktig**; med korksmak; lystig, livlig.
cormorant ['kɔ:mərənt] skarv, storskarv; umettelig el. grådig person.
corn [kɔ:n] korn; sæd; i Amerika især mais; i Skottland især havre, i England især hvete; liktorn; — **on the cob** kokte maiskolber.
corn [kɔ:n] salte, sprenge; **corned beef** saltsprengt, preservert kjøtt.
corn| bread maisbrød. **-cob** maiskolbe. **-crake** åkerrikse (fugl).
corncutter ['kɔ:nkʌtə] meiemaskin, skjæremaskin; fotspesialist, liktornoperatør.
cornea ['kɔ:niə] hornhinne (i øyet).
cornel ['kɔ:nəl] kornelltre.
corneous ['kɔ:niəs] hornaktig, hornet.
corner ['kɔ:nə] vinkel, hjørne, krok; kant, ytterste ende; avkrok; hjørnespark; oppkjøperspekulasjon; oppkjøperkonsortium, ring; sette til veggs, sette i klemme; sneie hjørner (med bil); kjøpe opp. — **iron** vinkeljern. — **post** hjørnestolpe. **-stone** hjørnestein; grunnstein. **-wise** på skrå.
cornet ['kɔ:nit] kornett; sekondløytnant i kavaleriet; kremmerhus. **-cy** ['kɔ:nitsi] kornettpost ≈ fenrik; **he was gazetted to a** — han ble utnevnt til kornett.
corn|field kornåker, maisåker. **-flakes** cornflakes. **-flower** kornblomst.
cornice ['kɔ:nis] karniss, gesims; gardinbrett.
Cornish ['kɔ:niʃ] fra Cornwall.
cornucopia [kɔ:nju'kəupjə] overflødighetshorn.
cornstalk ['kɔ:nstɔ:k] maisstengel; (fig.) lang, tynn person, bønnestengel.
Cornwall ['kɔ:nwəl, 'kɔ:nwɔ:l].
corny ['kɔ:ni] korn-; liktorn-; forloren, forlorent sentimental; billig, forsiitt, gammeldags.
corolla [kə'rɔlə] krone (på blomst).
corollary [kə'rɔləri] logisk konsekvens.
Coromandel [kɔrə'mændəl] Koromandel.
corona [kə'rəunə] korona, krone, krans; isse.
coronary ['kɔrənəri] hjertesvikt, hjerteatakk.
coronation [kɔrə'neiʃən] kroning.
coroner ['kɔrənə] kronbetjent (embetsmann, som med en jury på åstedet anstiller undersøkelser og avholder likskue i anledning av dødsfall, hvis årsak er ukjent). **-'s inquest** likskue.
coronet ['kɔrənit] liten krone, adelskrone.
corporal ['kɔ:pərəl] korporal.
corporal ['kɔ:pərəl] legemlig, kroppslig, korporlig. **-ity** [kɔ:pə'ræliti] legemlighet. **corporate** ['kɔ:pərit] innlemmet, opptatt (i en korporasjon), felles-; — **body** samfunn, lag, korporasjon; person. **corporation** [kɔ:pə'reiʃən] korporasjon, lag, selskap, firma; juridisk person; kommunestyre, bystyre.
corporeal [kɔ:'pɔ:riəl] legemlig, materiell. **-ist** [kɔ:'pɔ:riəlist] materialist. **corporeity** [kɔ:pə'ri:iti] legemlighet, legemlig tilværelse.
corposant ['kɔ:pəzænt] elmsild; nålys.
corps [kɔ:, i pl. kɔ:z] korps.
corpse [kɔ:ps] lik.
corpulence ['kɔ:pjuləns] førhet, korpulens.
corpulent ['kɔ:pjulənt] før, tykkfallen, korpulent.
corpus ['kɔ:pəs] legeme; masse, mengde.
corpuscle ['kɔ:pʌsl] blodlegeme.
corral [kɔ:'rɑ:l] kve, hestehage, innhegning til kveg; vognborg; drive inn i en innhegning, sette i kve.
correct [kə'rekt] forbedre, bedre, rette, korrigere; tukte, straffe; bøte på; riktig, rett, korrekt. **correction** [kə'rekʃən] forbedring; retting; irettesetting; tuktelse, straff; korrektiv; **house of** — tukthus. **corrective** [kə'rektiv] forbedrende, rettende; korrigerende, nøytraliserende; straffende; forbedringsmiddel, korrektiv. **correctness** [kə'rektnis] riktighet; nøyaktighet. **corrector** [kə'rektə] forbedrer; refser; korrekturleser; korrektiv.
correlat|e ['kɔrileit] korrelat, motstykke; svare til; sette i forbindelse, sette i sammenheng. **-ion**

[kɔri'leiʃən] gjensidig forhold, vekselvirkning, sammenheng, korrelasjon. **-ive** [kɔ'relətiv] korrelativ, samsvarende.
correspond [kɔri'spɔnd] svare (til); veksle brev, korrespondere. **-ence** [kɔri'spɔndəns] overensstemmelse, samsvar; korrespondanse, brevveksling, brevbytte; forbindelse; **-ence school** brevskole, korrespondanseskole. **-ent** [-ənt] svarende (til); motstykke; brevskriver, korrespondent, medarbeider.
corridor ['kɔridɔ:] gang, korridor. — **carriage** gjennomgangsvogn.
corrigenda [kɔri'dʒendə] rettelser.
corrigible ['kɔridʒibl] forbederlig.
corrobor|ant [kə'rɔbərənt] styrkende; styrkemiddel. **-ate** [kə'rɔbəreit] bekrefte, stadfeste. **-ation** [kərɔbə'reiʃən] bekreftelse, stadfesting. **-ative** [kə'rɔbərətiv] styrkende; bekreftende; styrkemiddel.
corrode [kə'rəud] gnage, ete på, tære på, etse, ruste, fortære. **corrodent** [kə'rəudənt] etende, gnagende, etsende; etsende middel. **corrosion** [kə'rəuʒən] oppløsning, korrosjon, opptæring. **corrosive** [kə'rəusiv] som tærer, gnager el. løser opp, etsende, fortærende; etsende middel; (fig.) etsende, sviende, skadelig.
corrugate ['kɔrugeit] rynke, falde, rifle; **-d cardboard** bølgepapp; **-d iron** bølgeblikk; **-d wood grips** riflete trehåndtak. **corrugation** [kɔru'geiʃən] rynking, rifling, bølgedannelse.
corrupt [kə'rʌpt] skjemme, forderve; forfalske; forføre; korrumpere, bestikke; forvanske; forderves, bli skjemt, råtne; fordervet, råtten; lastefull; forført; bestukket, korrupt, bestikkelig. **-er** forderver, forfalsker; bestikker. **-ibility** [kərʌpti'biliti] bestikkelighet. **-ible** [kə'rʌptibl] forkrenkelig, forgjengelig; bestikkelig; **-ibleness** forkrenkelighet osv. **-ion** [kə'rʌpʃən] fordervelse; forråtnelse; bestikkelse; forfalskning; korrupsjon. **-ive** [kə'rʌptiv] fordervende, korrumperende.
corsage [kɔ:'saː3] kjoleliv; brystbukett.
corsair ['kɔ:sɛə] sjørøver, viking, korsar; sjørøverskip.
corselet ['kɔ:slit] brynje, kyrass; korselett.
corset ['kɔ:sit] korsett, snøreliv.
Corsica ['kɔ:sikə] Korsika. **Corsican** [-kən] korsikansk; korsikaner.
cortege [kɔ:'tei3] opptog, følge, kortesje.
Cortes ['kɔ:tiz] cortes, nasjonalforsamling (i Spania og Portugal).
cort|ex ['kɔ:teks] bark; hjernebark. **-ical** ['kɔ:tikl] barkaktig; bark-, kortikal; ytre.
corundum [kə'rʌndəm] korund.
coruscate ['kɔrəskeit] glimte, glitre. **coruscation** [kɔrə'skeiʃən] funkling, glimting.
corvette [kɔ:'vet] korvett.
coryphaeus [kɔri'fiːəs] fører, koryfé.
coryza [kə'raizə] snue.
C. O. S. fk. f. **Charity Organization Society.**
cos [kɔs] slags salat.
cosh [kɔʃ] batong, gummikølle; slå med batong.
cosher ['kɔʃə] forkjæle, fagne, gjøre krus for; snylte, leve på andres bekostning.
cosignatory ['kau'signətəri] medunderskriver.
cosily ['kauzili] hyggelig, koselig.
cosine ['kausain] cosinus.
cosmetic [kɔz'metik] kosmetisk, forskjønnende; forskjønnelsesmiddel. **-ian** [kɔzme'tiʃən] skjønnhetsekspert.
cosmic(al) ['kɔzmik(l)] kosmisk, verdens-.
cosmogony [kɔs'mɔgəni] læren om verdens opprinnelse, kosmogoni.
cosmographer [kɔz'mɔgrəfə] verdensbeskriver. **cosmographical** [kɔzmə'græfikl] kosmografisk. **cosmography** [kɔz'mɔgrəfi] verdensbeskrivelse.
cosmonaut ['kɔzmənɔ:t] romfarer, kosmonaut.
cosmopolitan [kɔzmə'pɔlitən] kosmopolitisk; kosmopolitt, verdensborger. **cosmopolite** [kɔz'mɔpəlait] kosmopolitt.

cosmorama [kɔzmə'raːmə] kosmorama.
cosmos ['kɔzmɔs] kosmos.
Cossack ['kɔsæk] kosakk.
cosset ['kɔsit] deggelam, kjæledegge; forkjæle, skjemme bort.
cost [kɔst] omkostning, kostnad, kost, pris; innkjøpspris; koste; **count the -s** beregne kostnadene; **I know it to my** — det har jeg fått føle; **at all costs** for enhver pris; **at less** — **of life** med oppofring av færre menneskeliv; — **me dear** blir meg en dyr lek, får jeg svi for.
cost accountant kostnadsberegner.
costal ['kɔstl] bryst-, ribbeins-.
coster ['kɔstə] fk. f. **costermonger.**
costermonger ['kɔstəmʌŋgə] gateselger.
costing ['kɔstiŋ] kalkulasjon, kostnadsberegning.
costive ['kɔstiv] forstoppet, som har treg mage. **-ness** [-nis] forstoppelse, treg mage.
costliness ['kɔstlinis] kostbarhet. **costly** ['kɔstli] kostbar, dyr, dyrebar.
cost | **of living** levekostnader. — **-plus** produksjonskostnad pluss beregnet fortjeneste. — **price** ['kɔstprais] produksjonspris, kostpris. — **sheet** kalkyle, kostnadsoverslag.
costume ['kɔstjuːm] kostyme, drakt; bunad; kostymere, ikle. — **jewellery** bijouteri.
cosy ['kauzi] koselig, hyggelig; tevarmer.
cot [kɔt] hytte, bu; kve, skjul; lett seng; barneseng, vogge; smokk; hengekøye.
cotangent ['kau'tænd3ənt] cotangens.
cote [kaut] skur, hus, skjul, kve.
cotenant [kau'tenənt] medeier, medforpakter.
coterie ['kautəri] koteri, klikk.
cothurnus [kə'θə:nəs] koturne; svulstig stil.
cotill(i)on [kə'tiljən] kotiljong.
cottage ['kɔtid3] hytte; landsted, sommerhus; stue. — **farming** hobbyjordbruk. — **industry** husflid, hjemmeindustri. — **organ** husorgel. — **piano** lite piano. **cottager** ['kɔtid3ə] hytteboer, husmann. **cottar** ['kɔtə], **cotter** ['kɔtə], **cottier** ['kɔtiə] husmann.
cotton ['kɔtn] bomull; bomullstøy; bomullstråd; bli ullen, reise i0; stemme; passe sammen; være enig; bli godvenner; kjæle for. — **cake** bomullsfrøkake. — **gin** egreningsmaskin. **-lord** bomullsmagnat. — **mill** bomullsspinneri. **printed cotton** el. **cotton-print** sirs.
cotton wool ['kɔtnwul] råbomull, vatt.
cotty ['kɔti] innfiltret.
couch [kautʃ] legge ned (srl. **be -ed** være nedlagt, ligge), legge malt til spiring; felle (en lanse); fjerne, operere vekk (— **a cataract** operere vekk stær); uttrykke, avfatte, fremsette; kle, svøpe, tilsløre; legge seg, kroke seg, huke seg ned; legge seg på lur.
couch [kautʃ] løybenk, sofa, sjeselong; behandlingsbenk (hos lege, massør o. l.); lag; organ (i maleri); kveke (plante).
couchette [ku:'ʃet] liggesete (på tog).
couch hammock hengekøye; hagesofa.
cougar ['ku'gɑ:, -gə] kuguar, puma.
cough [kɔf] hoste. — **drop** [-drɔp] hostepastill. — **syrup** hostesaft.
could [kud, kəd] imperf. av **can.**
couldn't ['kudnt] fk. f. **could not.**
coulisse [ku'liːs] kulisse.
council ['kaunsl] rådsmøte, rådsforsamling; konsil, kirkemøte; **borough** — kommunestyre; **city** — bystyre; **county** — formannskap, fylkesstyre, grevskapsråd. **Privy C.** geheimråd (med over 400 medlemmer, og blant dem har the **Cabinet** regjeringen, sete); **the Council of Europe** Europarådet.
council board rådsbord, rådsmøte, råd.
councillor ['kaunsilə], **councilman** ['kaunslmən] rådsherre; bystyremedlem, rådsmedlem.
counsel ['kaunsl] råd, tilråding; rådslagning; hensikt; plan, beslutning; juridisk konsulent; advokat; juridisk bistand; gi råd, råde; rådlegge; **a piece of** — et råd; **keep one's** — holde

noe hemmelig, holde tann for tunge. **Counsel for the Plaintiff** saksøkerens advokat; **Counsel for the Defendant** saksøktes advokat; **Counsel for the Crown** el. **Counsel for the Prosecution** anklager (i kriminalsaker); **Counsel for the Defence** forsvarer (i kriminalsaker); **Queen's Counsel** (fork. **Q. C.**) kongelig advokat, kronadvokat.

counsellor ['kaunsələ] rådgiver, konsulent; advokat.

count [kaunt] greve (i utlandet, sv. til **earl**).

count [kaunt] tall, telling, opptelling; regning; klagepunkt; telle, regne; regne med, inkludere; være av betydning; anse for; tilskrive; — **oneself lucky** prise seg heldig; — **out** ikke regne med; — **on** gjøre regning med.

countdown ['kauntdaun] nedtelling.

countenance ['kauntinəns] ansikt, mine; yndest; understøttelse, beskyttelse, billigelse; fatning, kontenanse; **change** — skifte farge; **put out of** — bringe ut av fatning, forfjamse. **countenance** ['kauntinəns] oppmuntre, støtte; begunstige; billige, tolerere, akseptere. **countenancer** [-ə] befordrer, velynder; beskytter.

counter ['kauntə] regnepenger, tellepenger, sjetong; disk, skranke, luke; telleverk, teller.

counter ['kauntə] motsatt, imot; mot-; parere; imøtegå, motsette seg.

counteract [kauntər'ækt] motvirke, motarbeide; utlikne. **-ion** [-'ækʃən] motvirkning, motstand, hindring; ['kauntərækʃən] mottrekk, svar. **-ive** [-'æktiv] motvirkende.

counterbalance ['kauntəbæləns] motvekt; [kauntə'bæləns] veie opp, oppveie, være motvekt mot.

counterblast ['kauntəbla:st] mottrekk, motstøt; motskrift.

countercharge ['kauntətʃa:dʒ] motangrep, motbeskyldning; [kauntə'tʃa:dʒ] gjøre motangrep.

counterfeit ['kauntəfit] etterlikne, ettergjøre; forfalske; hykle; ettergjort, forfalsket, oppdiktet, falsk; etterlikning; bilde; forfalsket ting. **-er** ettergjører, forfalsker; hykler.

counterfoil ['kauntəfɔil] talong i sjekkbok.

counterfort ['kauntəfɔ:t] støttemur, strebepilar, kontrefort.

counter|girl diskedame. — **hopper** ['kauntəhɔpə], — **jumper** ['kauntədʒʌmpə] diskenspringer. **-man** ekspeditør.

countermand ['kauntə'ma:nd] gi kontraordre, avlyse, avbestille, annullere. **countermand** ['kauntəma:nd] kontraordre, avbestilling.

countermarch ['kauntəma:tʃ] kontramarsj; marsjere tilbake.

countermeasure ['kauntəmeʒə] mottiltak, motforholdsregel, mottrekk.

countermessage ['kauntəmesidʒ] avbud.

countermine ['kauntəmain] kontramine.

countermine [kauntə'main] kontraminere.

counterpane ['kauntəpein] sengeteppe; åkle; **patchwork** — lappeteppe.

counterpart ['kauntəpa:t] gjenpart; tilsvarende stykke, motstykke.

counterpoint ['kauntəpɔint] kontrapunkt.

counterpoise ['kauntəpɔiz] motvekt; veie opp.

counterpoison ['kauntəpɔizn] motgift.

counterscarp ['kauntəska:p] kontreskarpe, ytre vollgravside.

countershaft ['kauntəʃa:ft] mellomaksel.

countersign ['kauntəsain] kontrasignere; løsen; feltrop; kontrasignatur.

countersink [kauntə'siŋk] forsenke (bore hull til skruehode osv.

counterstroke ['kauntəstrəuk] mottrekk, mottiltak.

countertenor ['kauntə'tenə] alt (altstemme).

countervail ['kauntəveil] veie opp, utlikne.

countess ['kauntis] grevinne (gift med **earl** eller **count**).

counting | frame kuleramme. **-house** ['kauntiŋhaus] kontor.

countless ['kauntlis] utallig.

countrified ['kʌntrifaid] rustifisert, landlig.

country ['kʌntri] land; egn, område, distrikt; land (motsatt by); fedreland; terreng, lende; **in the** — på landet; **into the** — ut på landet; **throw** (el. **put**) **oneself upon the** — kreve å bli stilt for en jury; **go** (el. **appeal**) **to the** — appellere til velgerne. — **beam** fjernlys på bil. — **-bred** oppvokst på landet. — **cousin** slektning fra landet; gudsord fra landet. **cross** — **race** terrengløp; langrenn (om skisport). — **dance** turdans, folkedans. **-folk** landsens folk, bygdefolk. — **gentleman** landadelsmann, godseier. — **house** landsted; gods. — **justice** ≈ sorenskriver. **-man** jordbruker, bonde; landsmann. — **seat** landsted. **-side** land, egn, omegn; landsbygd. — **town** kjøpstad, provinsby. **-trade** innenrikshandel. — **-wide** landsomfattende.

countship ['kauntʃip] grevskap; rang av greve.

county ['kaunti] grevskap (betegnelse for de provinser som England er oppdelt i, til vanlig det samme som **shire**), ≈ fylke. — **agent** fylkesagronom. — **borough** by som administrativt utgjør et **county**. — **council** se **council**. — **court** lokal rett (for sivile småsaker). — **family** godseierfamilie, adelsætt med ættegods i fylket. — **town** hovedstaden i et grevskap. **the Midland Counties** de mellomengelske grevskaper.

coup [ku:] kup. — **d'état** ['ku:dei'ta:] statskupp. **coupé** ['ku:pei] kupé.

couple ['kʌpl] koppel; par, ektepar; kople; pare; forbinde; pare seg; **a** — **of days** et par dager. **couplet** ['kʌplit] par; verspar. **coupling** ['kʌpliŋ] kopling, kupling. **coupling | pin** [-pin] eller — **rod** [-rɔd] koplingsjern.

coupon ['ku:pɔn] kupong.

courage ['kʌridʒ] mot, tapperhet; **have the** — **of one's conviction** ha sine meningers mot.

courageous [kə'reidʒəs] modig, tapper.

courier ['kuriə] ilbud, kurér.

course [kɔ:s] løp; løpebane; kurs; gang, fremskritt; kursus; rekke; vandel, fremgangsmåte, sedvane, skikk, måte; naturmessig virkemåte, naturens gang; rett (ved et måltid), anretning; **-s** menstruasjon; **of** — naturligvis, selvsagt; **in due** — i rette tid; **in the** — of i løpet av, under; **a matter of** — en selvfølgelighet; **a** — **of lectures** forelesningsrekke. **course** [kɔ:s] forfølge, jage; gjennomstrømning. **courser** ['kɔ:sə] hest, ganger.

court [kɔ:t] gård, tun, gårdsplass; veit, smug; samling småhus el. hytter, motell; krokketplass, tennisbane; hoff; oppvartning, kur; rett; rettssal, rettsmøte; kurtisere, fri, beile til; søke å å oppnå, trakte etter; rett; **the Law Courts** tinghuset; **at** — ved hoffet; **have a friend at** — ha fanden til morbror; **before the** — for retten; **in** — i retten; **in the** — i rettssalen; **bring into the** — bringe for retten; **make** — **to** gjøre kur til. — **calendar** ['kælində] rettsliste, sakliste. — **card** billedkort. — **circular** nytt fra hoffet (daglig pressemelding). — **day** rettsdag; tingdag. — **dress** hoffdrakt.

courteous ['kə:tiəs, 'kɔ:tiəs] høflig; vennlig. **-ness** høflighet, elskverdighet, vennlighet.

courtesan ['kɔ:tizæn] kurtisane, skjøge.

courtesy ['kɔ:tisi] høflighet, elskverdighet; oppmerksomhet; belevenhet; — **call** høflighetsvisitt. **courtesy** ['kɔ:tsi] neiing; neie; **drop a** — neie.

court | guide ['kɔ:tgaid] hoff- og statskalender. **-hand** kanselliskrift. **-house** tingstue.

courtier ['kɔ:tjə] hoffmann; beiler.

court jester hoffnarr.

courtly ['kɔ:tli] høflig, høvisk, beleven.

court|-martial ['kɔ:t'ma:ʃəl] krigsrett; dømme ved krigsrett. — **mourning** hoffsorg. — **of appeal** appellrett. — **of arbitration** voldgiftsdomstol. — **of claims** (amr.) klagerett. — **of inquiry** undersøkelsesdomstol. — **of justice** domstol. — **order** rettskjennelse. — **plaster** heftplaster.

courtship ['kɔ:tʃip] kur, frieri.

courtyard ['kɔ:tja:d] gårdsplass.

cousin ['kʌzn] fetter, kusine, søskenbarn; slektning. — **-german** el. **first** — (kjødelig) søskenbarn, kjødelig fetter el. kusine; **second** — tremenning. **cousinship** ['kʌznʃip] fetterskap.

cove [kəuv] bukt, fjord, vik, våg; hvelve.

cove [kəuv] kar, fyr.

coven ['kʌvn] heksesabbat.

covenant ['kʌvinənt] pakt, overenskomst, avtale, kontrakt; slutte pakt; **the Covenant** en overenskomst mellom skottene i det 16. og 17. århundre til vern for deres protestantiske kirke. **covenanter** ['kʌvinəntə] tilhenger av **the Covenant.**

Covent Garden ['kɔvənt'ga:dn] Covent Garden (sted i London).

coventrate ['kɔvəntreit], **coventrize** ['kɔvəntraiz] terrorbombe (laget etter tysk «coventrieren») ødelegge en by ved bombing (slik som Coventry ble det i november 1940).

Coventry ['kɔvəntri]; **send a man to** — ikke ville ha omgang med en mann, boikotte en person, fryse ut en person.

cover ['kʌvə] dekke, dekke til; skjule; beskytte; bedekke (pare seg med); tilbakelegge; reise gjennom; sikte rett på; holde i sjakk, holde dekket; referere, dekke, gi spalteplass; dekke; kuvert; deksel; lokk; skjul; påskudd, skinn; perm, bind; forside, konvolutt; beskyttelse, ly, dekning; kratt, tykning; et dyrs leie; **covered-in** tildekt, overdekt; **under separate** — særskilt, med særskilt post. **under this** — innlagt. — **note** interimsbevis.

coverage ['kʌvəridʒ] dekning; omtale, behandling; reportasje, presseomtale.

cover|-all altomfattende, universell. **-alls** pl. kjeledress. — **charge** kuvertpris.

covering ['kʌvəriŋ] bedekning; ly, skjul; deksel, overtrekk, dekke; dekk-.

coverlet ['kʌvəlit] sengeteppe, åkle.

Coverley ['kʌvəli].

coverlid ['kʌvəlid] sengeteppe, åkle.

covert ['kʌvət] skjul, ly, tilfluktssted, smutthull; tykning; standplass; dekt, skjult; forblomme; (jur.) gift (under en ektemanns beskyttelse).

covert coat ['kʌvət'kəut] slags kort, lett frakk. **cover title** omslagstittel.

coverture ['kʌvətʃuə, -tʃə] dekke, skjul, vern; (jur.) en kones ekteskapelige stilling.

cover-up ['kʌvə'rʌp] dekkhistorie, skalkeskjul.

covet ['kʌvət] begjære, trakte etter, attrå. **-ous** ['kʌvətəs] begjærlig (**of** etter). **-ousness** begjærlighet, griskhet, lyst.

covey ['kʌvi] yngel; flokk, kull.

cow [kau] ku.

cow [kau] kue, forkue, gjøre motløs.

coward ['kauəd] kujon, reddhare; feig, forsagt. **-ice** ['kauədis] feighet, forsagthet. **-ly** ['kauədli] feig.

cowbane ['kaubein] selsnepe.

cowboy ['kaubɔi] gjeter, cowboy.

cowcatcher ['kaukætʃə] kufanger, skinnerydder.

cower ['kauə] sitte på huk, sette seg på huk, huke seg ned, krype sammen.

Cowes [kauz].

cowherd ['kauhə:d] røkter, gjeter.

cowhide ['kauhaid] kuhud; pisk, piske.

cowhouse fjøs.

cowl [kaul] munkehette, munkekutte; røykhette; kjølerkappe; torpedo (på bil); **engine -(ing)** motorpanser.

Cowley ['kauli].

cowlick ['kaulik] pannelokk, kusleik, dårelokk.

co-worker ['kəu'wə:kə] medarbeider.

Cowper ['ku:pə, 'kaupə].

cow|pox ['kaupɔks] kukopper. **-puncher** (amr.) cowboy.

cowslip ['kauslip] kusymre, marinøklebånd.

cox [kɔks] d. s. s. **coxswain**; styre; være kvartermester el. båtstyrer.

coxcomb ['kɔkskəum] hanekam; narrelue; narr, laps.

coxcombical [kɔks'kəumikl] lapset, narraktig.

coxcombry ['kɔkskəmri] lapsethet, narraktighet.

coxswain ['kɔkswein, 'kɔksn] kvartermester (i marinen); båtstyrer (på robåt).

coy [kɔi] bluferdig, blyg, unnselig, ærbar. **-ish** ['kɔiiʃ] litt tilbakeholden, blyg.

coyote ['kɔiəut] prærieulv.

coz [kʌz] fetter, kusine; forkortet av **cousin.**

coze [kəuz] småprat, passiar; småprate.

cozen ['kʌzn] narre, lure, bedra.

cozy ['kəuzi] se **cosy.**

c. p. fk. f. **candle power.**

cp. fk. f. **compare.**

cpd. fk. f. **compound.**

Cpl. fk. f. **corporal.**

ept fk. f. **captain.**

CQ fk. f. **call to quarters** kallesignal for radioamatører.

cr. fk. f. **creditor.**

crab [kræb] krabbe; villeple, sureple; tverrdriver; sur; gretten; klore; rakke ned på, plukke i stykker. **the Crab** Krepsen (stjernebilde); **catch** (eller **cut**) **a** — gjøre et galt åretak.

crab apple villeple; paradiseple.

crabbed ['kræbid] sur, gretten; uklar, ugrei, floket; gnidret.

crabby ['kræbi] sur, gretten.

crab louse ['kræblaus] flatlus.

crab pot teine (fiskeredskap).

crack [kræk] knaking, braking, brak, slag, smell; knekk; brudd, brott, sprekk, brist, revne; skryt; innbrudd, innbruddstyv; forsøk; knake, brake, smelle; knekke; knalle med, smelle med; sprekke, revne, sprenge; gå i stykker, ødelegge; åpne på gløtt; skryte; førsteklasses, elite-; **have a** — at gjøre et forsøk; — **down** slå ned; **get -ing** ta fatt, komme i gang; **a** — **shot** mesterskytter; **a** — **regiment** eliteregiment. — **a bottle** knekke halsen på en flaske; **a -ed voice** en sprukken stemme; — **jokes** rive vittigheter av seg.

crackbrained ['krækbreind] tomset, skrullet.

cracked [krækt] revnet, sprukken; forrykt.

cracker ['krækə] nøtteknekker; knallbonbon; skrythals; ≈ molekylknuser, destillasjonstårn, krakker (i oljeraffineri); (tynn, hard) kjeks; piskesnert; (i slang) løgn.

crackjaw ['krækdʒɔ:] som er uråd å uttale.

crackle ['krækl] knitre, sprake; slå gnister. **crackling** ['krækliŋ] spraking; brunstekt fleskesvor. **cracknel** ['kræknəl] kjeks.

crackpot ['krækpɔt] rar, sprø; raring, tulling.

cracksmann ['kræksmən] innbruddstyv.

Cracow ['kra:kəu] Krakow.

cradle ['kreidl] vogge; rede, reir; skinne, spjelk; bøyle (over sår); avløpningspute; sl. renske el. skilletrau (for malm); meiebøyle (på en ljå); legge i vogge; vogge; ale opp, fostre. **-song** voggesang.

craft [kra:ft] hendighet; håndverk, yrke, kunst; list, bedrageri, kunstgrep; skip, fartøy, farkost. **-sman** ['kra:ftsmən] håndverker; fagmann. **-iness** ['kra:ftinis] behendighet, snedighet, list. **-y** ['kra:fti] listig, slu.

crag [kræg] fjellknaus, berghammer. **-ged** ['krægid] d. s. s. **craggy.**

craggy ['krægi] ujevn, knudret, knauset, berglendt.

cragsman ['krægzmən] tindebestiger.

crake [kreik] åkerrikse.

cram [kræm] stappe, proppe, presse inn; fylle seg, stappe seg, proppe seg; fylle med løgner; proppe (med kunnskaper); manudusere; terpe, pugge; eksamenslesning; terping; løgn, skrøne.

crambo ['kræmbəu] rimlek, rimord.

crammer ['kræmə] pugghest; manuduktør; løgn, skrøne; løgnhals.

cramp [kræmp] krampe (sykdom); krampe (i

mur osv.); skruestikke; hindring, innskrenkning; volde krampe; gjøre stiv; tvinge, innskrenke; gjøre fast, klemme fast; gjøre det trangt, vanskelig for. **cramp iron** ['kræmpaiən] jernkrampe.

crampon ['kræmpən] klo, hake; brodd (under sko).

cran [kræn] mål for sild = 37½ gallons.

cranage ['kreinidʒ] kranleie, kranpenger.

cranberry ['krænbəri] tranebær.

crane [krein] trane; kran; løfte med en kran; tøye seg, strekke halsen, strekke; — **at** betenke seg før man forsøker.

crane's bill ['kreinzbil] storkenebb.

cranial ['kreiniəl] kranie-.

cranium ['kreiniəm] kranium, hodeskalle.

crank [kræŋk] krok, krumtapp, krank, veivaksel, sveiv, veiv; bukt, krok; påhitt; ordspill; særling,skrue,gærning,tulling;livlig;rank;krank, skrøpelig; vende og dreie seg; sveive, dreie, starte (om) bilmotor. — **arm** veivarm, sveiv. — **brace** borvinde. — **handle** håndsveiv. **crankle** ['kræŋkl] sno seg; krumme; krok, krumning.

cranky ['kræŋki] vaklevoren; urolig, ustyrlig; tverr; merkelig, rar.

crannied ['krænid] full av sprekker.

cranny ['kræni] revne, sprekk; få revner.

crap [kræp] terningspill; kram, krimskrams; dritt, avføring.

crape [kreip] krepp, (sørge-)flor; kruse; kreppe.

crapulence ['kræpjuləns] fyllesyke; fyll, umåteholdenhet.

crash [kræʃ] knak, brak, bulder, krasj; flykrasj, nedstyrtning; krakk, fallitt; brake, styrte sammen; krasje, kollidere; gå fallitt. — **dive** hurtig dykking av ubåt. — **helmet** styrthjelm. — **wagon** utrykningsbil.

crass [kræs] tykk, grov, drøy, dryg, krass. **-itude** ['kræsitjuːd] drøyhet, grovhet.

crate [kreit] pakk-korg, sprinkelkasse; gammel skranglekasse (bil el. fly).

crater ['kreitə] krater.

cravat [krə'væt] (gammeldags) halsbind, (også om:) slips; **hempen** — bøddels reip.

crave [kreiv] kreve, forlange; be om; hige **(for** etter); **a craving** appetite en glupende appetitt.

craven ['kreivən] kujon, kryster, stakkar; feig.

craving ['kreiviŋ] begjærlighet, attrå, lyst **(for** til).

craw [krɔː] kro, kräs.

crawfish ['krɔːfiʃ] kreps.

crawl [krɔːl] kravle,krabbe; ha krypende fornemmelser; crawle; kravling; crawl; — **with** myldre av.

crawler ['krɔːlə] kryp, lus; ledig drosje (som kjører langsomt for å få passasjer).

crayfish ['kreifiʃ] kreps.

crayon ['kreiən] tegnekritt, fargeblyant, stift; tegning.

craze [kreiz] gjøre forrykt, skrullet, være forrykt; sprekke, slå sprekker, krakelere, sprekk, revne; mani, dille, galskap, grille, fiks idé. **craziness** ['kreizinis] vanvittighet, forrykthet. **crazy** ['kreizi] falleferdig, avfeldig; skrullet, sprø, tullet, gal, vanvittig.

creak [kriːk] knirke, knake; knirk.

cream [kriːm] fløte; rømme; krem; det beste. — **cake** bløtkake. — **cheese** fløteost. — **of tartar** renset vinstein, kremor-tartari. **cream** [kriːm] sette fløte; skumme fløte; ha fløte i.

creamer ['kriːmə] separator; fløtemugge.

creamery ['kriːməri] meieri; melkehandel.

crease [kriːs] fold, fald, brett, rynke; brette, folde. **creasy** ['kriːsi] foldet, rynket.

create [kri'eit] skape; frembringe; kreere, utnevne. **creation** [kri'eiʃən] skapelse; det skapte, skapning; utnevnelse. **creative** [kri'eitiv] skapende. **creator** [kri'eitə] skaper. **creatress** [kri'eitris] skaperinne. **creature** ['kriːtʃə] skapning, menneske, vesen; dyr; kreatur.

crèche [kreiʃ] barnekrybbe, julekrybbe; daghjem, småbarnhjem.

credence ['kriːdəns] tro, tillit, tiltro; **letter of** — kreditiv. **credenda** [kri'dendə] trosartikler.

credentials [kri'denʃəls] kreditiver, anbefalingsbrev, legitimasjonsskrivelse. **credibility** [kredi-'biliti] troverdighet. **credible** ['kredibl] trolig, troverdig, pålitelig.

credit ['kredit] tillit, tiltro; kreditt; godt navn, anseelse, anerkjennelse, ære; troverdighet; innflytelse; (amr.) kurspoeng; tro, lite på, skjenke tiltro; kreditere. **-able** ['kreditəbl] aktverdig; ærefull, hederlig. — **advice** kredittopplysning. **-or** ['kreditə] kreditor.

credo ['kriːdəu] credo, trosbekjennelse.

credulity [kri'djuːliti] lett-troenhet.

credulous ['kredjuləs] lett-troende, godtroende.

creed [kriːd] tro, trosbekjennelse.

creek [kriːk] krik; vik; bukt; (amr.) sideelv, bekk.

creel [kriːl] kurv, korg, kipe, teine.

creep [kriːp] krype, liste seg; være krypende; kryping; ekkel fyr, snik; **the -s** pl. grøssing, gåsehud. **-er** ['kriːpə] kryper; kryp; slyngplante; trekryper; **Virginia creeper** villvin. **-y** ['kriːpi] uhyggelig.

crees [kriːs] kris (malaiisk dolk); dolke.

cremate [kri'meit] brenne, kremere.

cremation [kri'meiʃən] likbrenning, kremasjon. **crematorium** [kremə'tɔːriəm] krematorium.

Cremona [kri'məunə] Cremona; kremoneserfiolin. **Cremonese** [kriːmə'niːz] kremonesisk; kremoneser.

crenated [kri'neitid] takket, tagget.

crenelated ['krenileitid] krenelert, forsynt med skyteskår.

Creole ['kriːəul] kreol.

creosote ['kriːəsəut] kreosot.

crêpe de Chine ['kreipdə'ʃiːn] crêpe de Chine.

crepitate ['krepiteit] sprake, knitre. **crepitation** [krepi'teiʃən] knitring, spraking.

crépon ['krepɔːŋ, 'krepən] krepong.

crept [krept] imperf. og perf. pts. av **creep**.

crepuscule ['krepəskjuːl] tusmørke. **crepuscular** [kri'pʌskjulə] tusmørke-, demrende.

crescendo [kri'ʃendəu] crescendo.

crescent ['kresənt] voksende; månesigd, halvmåne; halvrund plass.

cress [kres] karse; **water-** brønnkarse.

cresset ['kresit] baun; fakkel; lanterne.

crest [krest] kam, topp; fjærtopp, hjelmbusk; hjelm (over et våpenskjold), våpenmerke. **-fallen** motfallen, slukøret.

Crete [kriːt] Kreta.

cretin ['kretin] kretiner (vanskapt idiot). **-ism** ['kretinizm] kretinisme, idioti.

cretonne [kre'tɔn, 'kretɔn] kretong.

crevice ['krevis] sprekk.

crew [kruː] (skips-)mannskap, besetning, arbeidsgjeng, flokk, bande; bemanne.

crib [krib] krybbe, bås, spiltau; julekrybbe; lekegrind, barneseng; binge; hus, leilighet; stilling; oversettelse (av klassikere, som brukes til å fuske med i skolen); sperre inne; stjele, naske; stimle sammen; være stuet sammen; fuske (i skolen).

cribbage ['kribidʒ] pukk, et slags kortspill.

cribbing ['kribiŋ] krybbebit; fusk (i skolen).

crib-biter ['kribbaitə] krybbebiter; grinebiter.

cribble ['kribl] grovt såld; sælde.

crib tin mtdåse.

crick [krik] kink (i ryggen el. nakken) for-strekke.

cricket ['krikit] siriss.

cricket ['krikit] cricketspill; spille cricket; **not** — ikke ærlig spill. **-er** ['krikitə] cricketspiller. — **match** cricketkamp.

cried [kraid] imperf. og perf. pts. av **cry**.

crier ['kraiə] roper, utroper; skrikhals.

crime [kraim] forbrytelse. kriminalitet; ulovlighet.

Crimea [krai'mi:ə]: **the** — Krim. **Crimean** [krai-'mi:ən] Krim-, krimsk.

criminal ['kriminəl] forbrytersk, kriminell, straffbar; forbryter. — **assault** voldtekt(sforsøk).

-ity [krimi'næliti] forbrytersk beskaffenhet; straffskyldighet; kriminalitet. **criminate** ['krimineit] anklage, beskylde. **crimination** [krimi'neiʃən] beskyldning, anklage.

crimp [krimp] verver; hyrebas; verve.
crimp [krimp] kruse, krølle.
crimple ['krimpl] krympe; kruse, krølle.
crimson ['krimzn] karmosinrød; høyrød; farge karmosinrød, blodrød; rødme; — **rambler** rød slyngrose.

crinal ['krainl] hår-.
cringe [krin(d)ʒ] kryperi, smisking; bøye seg, krype sammen; krype (for en). **cringer** ['krin-(d)ʒə] kryper. **cringing** kryping, servilitet.
cringle ['kriŋgl] løyert.
crinkle ['kriŋkl] bøye; sno, tvinne; kruse; bøye seg; sno seg; kruse seg; tvinning; krusing; krøll.
crinoline ['krinəli:n, krinə'li:n] krinoline.
cripple ['kripl] krøpling, vanfør; gjøre til krøpling; lemleste, skamfere, helseslå.
crises ['kraisi:z] pl. av **crisis.**
crisis ['kraisis] vendepunkt, krise, krisis.
crisp [krisp] kruset; brunet; stekt; skjør, sprø; fast; skarp, klar, tydelig; musserende; kruse, krølle; flette; kruse seg; **-s** pl. franske poteter, potetløv.
crispate(d) ['krispeit(id)] kruset, krøllet.
crisscross ['kriskrɔs] på kryss og tvers; kors, nettverk.
criterion [krai'tiəriən] kriterium, kjennemerke, særkjenne.
critic ['kritik] kritiker, anmelder, dommer, klandrer. **-al** ['kritikl] kritisk; klandresyk; avgjørende; betenkelig, farlig; kriserammet. **criticize** ['kritisaiz] kritisere, bedømme; klandre. **criticism** ['kritisizm] kritikk. **critique** [kri'ti:k] kritikk, anmeldelse, melding.
croak [krouk] kvekke (som frosk); skrike (som ravn); knurre (om innvollene); knurre; brumme; kvekking, skriking, knurring. **croaker** ['kroukə] griner; brumlebasse; tverrpomp; ulykkesprofet.
Croat ['krouət] kroat. **Croatia** [krou'eiʃ(i)ə] Kroatia. **Croatian** [krou'eiʃ(i)ən] kroatisk.
crochet ['krouʃei] hekle; hekling; hekletøy.
crocheting ['krouʃeiiŋ] hekling; hekletøy.
crochet hook ['krouʃeihuk] heklenål.
crock [krɔk] krukke; potteskår; skranglekasse, gammel bil; skarveøyk, skottgamp; svak (utslitt el. udyktig) person; sot. **crockery** ['krɔkəri] leirvarer, steintøy; servise.
crockshop ['krɔkʃɔp] porselens- og glasshandel.
crocky ['krɔki] sotet.
crocodile ['krɔkədail] krokodille.
crocus ['kroukəs] krokus; safran.
Croesus ['kri:səs] Krøsus.
croft [krɔft] bø, inngjerdet markstykke; husmannsplass. **crofter** ['krɔftə] husmann, leilending.
cromlech ['krɔmlek] dolmen, steindysse.
Cromwell ['krɔmwel] Cromwell. **-ian** cromwellsk.
crone [kroun] gammel kjerring, gamlemor.
crony ['krouni] gammel venn, busse.
crook [kruk] hake, krok; krumstav; krumning, bukt; uærlig person, svindler, kjeltring. **by hook or by** — med rett el. urett, på enhver måte. **-back** pukkelrygg; kryl. **crook** krumme, krøke; fordreie; snyte, stjele.
crooked ['krukid] kroket, skjev, skeiv, fordreid, uærlig. **-ness** krumhet; forkjærthet, uærlighet.
croon [kru:n] trall, nynning; tralle, nynne. **-er** vokalist, refrengsanger.
crop [krɔp] kro, krås; topp (f. eks. på plante); høst, avling, grøde; mengde, samling, snauklipt hår, snauklipping; skjære av, stusse; gresse, beite, gnage; gi avling, dyrke; — **up** dukke opp. — **-eared** ['krɔpiəd] med stussede ører, øremerket; snauklipt. — **failure** avlingssvikt.

cropper ['krɔpə] slåmaskin; kroppdue; fall; fiasko; **to go a** — falle, styrte; gjøre fiasko.
crop rotation vekselbruk, vekseldrift.
croquet ['kroukei] krokket; krokere. — **mallet** krokketkølle.
croquette [krə'ket] slags kjøttkake med ris m. m., krokett.
crore [krɔ:] 10 mill. rupi (indisk).
crosier ['krouʒə] bispestav.
cross [krɔ:s, krɔs] kors; kryss; krysning (av kveg); (fig.) kors, lidelse; bedrageri, svindel; **take up the** — bære sitt kors med tålmodighet; **to play** — **and pile** spille mynt og krone; **the** Southern Cross stjernebildet.
cross [krɔs] på tvers, skrå, skjev; forkjært; tverr; gretten; sint; — **questions and crooked** answers spørsmål og svar (selskapslek).
cross [krɔs] krysse, gå tvers over; gå over, gå igjennom, dra over, dra igjennom (på en eller annen måte; gående, kjørende osv.); sette over, komme over, komme igjennom; motvirke, motarbeide, hindre; motsi; sette kors ved; slå kors over (stryke); legge over kors; — **one's arms** legge armene over kors; — **one's mind** falle en inn; **be -ed in love** ha uhell i kjærlighet; — **a fortuneteller's hand with silver** gi en spåmann penger.
cross | action ['krɔs'ækʃən] motsøksmål. — **arm** tverrarm.'**-bar** tverrtre, tverrstang. — **beam** tverrbjelke, tverrås. **-bearer** korsbærer. — **bearings** krysspeiling. **-bench** tverrbenk (i det engelske underhus de nederste tverrbenker, der de uavhengige el. nøytrale sitter). — **bencher** partiløs, nøytral.
crossbill ['krɔsbil] korsnebb (fugl).
cross|bones korslagte dødningeben. **-bow** armbrøst. **-breed** krysning, blanding. **-bun** korsbolle, langfredagsbolle. — **-country** tvers over landet el. markene, som ikke holder seg til veiene; terrengløp, langrenn. **-cut** snarvei, beinvei. — **-examine** kryssforhøre. — **-eyed** skjeløyd. — **fire** kryssild. — **-grained** vrien (om ved); vanskelig, tverr, gretten. — **guard** parérstang. — **hairs** trådkors.
crossing ['krɔsiŋ] korsvei; gatekryss, overgang; kryssing, overfart. — **sweeper** gatefeier.
cross-legged ['krɔslegd] med beina over kors.
crosslet ['krɔslit] lite kors.
cross|light dobbelt belysning; gransking fra forskjellige synspunkter. **-line** tverrlinje.
crossness ['krɔsnis] vranghet, tverrhet, grettenhet.
crosspatch ['krɔspætʃ] grinebiter, sinnatagg, vriompeis.
cross|piece tverrstykke, tverrbjelke. — **purpose** formål som kommer på tverke; motsetning; misforståelse (**be at cross purposes** komme på tverke for hverandre, komme til å motvirke hverandre). — **-question** kryssforhøre. — **reference** krysshenvisning. **-road** korsvei. **-row** tverr-rad. — **stitch** korssting. — **street** tverrgate. **-tie** (amr.) skinnesville. **-trader** skip(sreder) som ikke seiler på hjemlandet. **-trees** tverrsaling, tverrstang.
crosswise ['krɔswaiz] over kors, på kryss.
crossword ['krɔswə:d] kryssord. — **puzzle** kryssordoppgave.
crotch [krɔtʃ] kløft, gaffel; skritt (i benklær).
crotchet ['krɔtʃit] stiver; fjerdedelsnote; klammer (i trykte el. skrevne ting); grille, innfall.
crotchety ['krɔtʃiti] full av griller, sær, vimet.
crouch [krautʃ] bukke seg, huke, bøye seg ned, bøye seg sammen, legge seg ned, krype sammen, ligge sammenkrøpet; krype, smiske.
croup [kru:p] kryss, korsrygg, lend (på hest); strupehoste, krupp.
croupier ['kru:piə] croupier, bankholderens medhjelper i spillehus; visepresident (ved festmåltid).
crow [krou] kråke; galing, hanegal; brekkjern, kubein; **as the** — **flies** i rett linje; luftlinje; **eat (boiled)** — bite i det sure eple; **pluck (el. pull) a** —

slåss om bagateller; **have a — to pluck** (el. **pull el. pick) with one** ha en høne å plukke med en. **crow** [krəu] gale; pludre; braute; hovere.
crow|bar ['krəuba:] kubein, spett, brekkjern. **-berry** krekling. **-bill** slags doktortang til å trekke ut kuler med.
crowd [kraud] hop, mengde, oppløp, flokk; klikk, gjeng; dytte, skubbe; plage; fylle, trenge sammen, trenge seg, flokkes, stimle; — **all sail** sette alle seil til. **crowded** ['kraudid] stuvende full, overfylt, overlesset, fyldig, rikholdig; begivenhetsrik.
crowfoot ['krəufut] smørblomst, soleie.
crown [krəun] perf. pts. av **crow.**
crown [kraun] krone, krans; engelsk mynt = fem shillings; isse; topp; pull; **the C.** kongemakten; påtalemyndigheten; krone, kranse, dekke, bedekke; sette kronen på verket; gjøre dam; — **king** krone til konge; **the hill, which was -ed by the standard** bakketoppen som banneret vaide over. — **cap** crownkork, flaskekapsel. **Crown Colony** kronloloni.
crown imperial keiserkrone (blomst).
crown | land doméne, krongods. — **law** straffelov. — **officer** kronbetjent. — **prince** kronprins (i andre land enn England).
crow's-foot ['krəuzfut] rynke ved øynene, smilerynke; ogs. soleie, smørblom.
crow's nest ['krəuznest] utkikkstønne (ved mastetopp).
crozier ['krəuʒə] krumstav, bispestav.
crucial ['kru:ʃəl] korsdannet; kors-; krysstreng, gjennomtrengende; avgjørende, kritisk, vanskelig.
crucian carp ['kru:ʃən ka:p] karuss.
crucible ['kru:sibl] smeltedigel.
cruciferous [kru'sifərəs] korsbærende; korsblomstret. **crucifier** ['kru:sifaiə] korsfester. **crucifix** ['kru:sifiks] krusifiks. **crucifixion** [kru:si-'fikʃən] korsfesting. **cruciform** ['kru:sifɔ:m] korsdannet. **crucify** ['kru:sifai] korsfeste.
crud [krʌd] sølekake; tosk, tufs.
crude [kru:d] rå, ukokt, rå-; umoden; ufordøyd; primitiv; grov, grell. **-ness** ['kru:dnis], **crudity** ['kru:diti] råhet, umodenhet; ufordøyelighet; noe ufordøyd.
cruel ['kru:əl] grusom, ubarmhjertig, hjerteløs. **-ty** ['kru:əlti] grusomhet, ubarmhjertighet.
cruet ['kru:it] flakong, flaske (i bordoppsats). — **stand** [-stænd] bordoppsats, platmenage.
Cruikshank ['krukʃæŋk].
cruise [kru:z] krysse, være på krysstokt, sjøreise, seiltur; krysstokt. **cruiser** ['kru:zə] krysser. **cruising | radius** aksjonsradius. — **speed** marsjhastighet.
crumb [krʌm] krumme; brødsmule; bestrø med smuler, panere; smuldre; **to a — ** helt nøyaktig, på en prikk; **pick up one's -s** begynne å komme seg. **crumble** ['krʌmbl] smuldre, smuldre bort; smule. **crumbly** ['krʌmbli] som lett smuldrer. **crumbs** [krʌmz] du store allverden! pokker! **crumby** ['krʌmi] bløt; smulet.
crummy ['krʌmi] dårlig, elendig, tarvelig; tullet, sprø.
crumpet ['krʌmpit] slags bolle, tebrød; hode, knoll. **-face** kopparret ansikt.
crumple ['krʌmpl] krympe, krølle; bli krøllet, skrukne. **crumpling** ['krʌmpliŋ] slags skrukket eple.
crunch [krʌnʃ] knase; knasing.
crupper ['krʌpə] korsrygg; lend; bakol, bakreim.
crural ['kru:rəl] ben, lår-.
crusade [kru'seid] korstog; (fig.) kampanje, kamp; være el. dra på korstog. **crusader** [kru'seidə] korsfarer.
crush [krʌʃ] støt; sammenstøt; knusing; trengsel; soaré; drikk av presset frukt; knuse, mase; presse; tilintetgjøre; presses sammen. **-er** ['krʌʃə] støter; knuser; fall; slag; politibetjent.
crush hat ['krʌʃ'hæt] bløt hatt; chapeau claque.

crush-room [krʌʃrum] garderobe, teaterfoajé. **Crusoe** ['kru:səu].
crust [krʌst] skorpe; skare (på snø); bunnfall (i vinflaske); frekkhet; overtrekke med skorpe, skorpelegge; sette skorpe; **-ed port** gammel, vel avlagret portvin. **-acea** [krʌ'steiʃiə] krepsdyr, **-aceous** [krʌ'steiʃəs] animal krepsdyr. **-ated** [krʌ'steitid] med skorpe, med skall. **-ation** [krʌ'steiʃən] skorpedannelse. **-ily** ['krʌstili] grinet. **-iness** grettenhet. **-y** ['krʌsti] skorpet; fortredelig, gretten, sur, grinet.
crutch [krʌtʃ] krykke; bomgaffel; (anat.) skritt.
crux [krʌks] (fig.) kors; floke, knute; **the — of the matter** sakens kjerne; **the C.** Sydkorset.
cry [krai] skrike, rope; utbryte; gråte; gi los (om jakthunder); rope ut (på gata); etterlyse; kunngjøre; lyse til ekteskap; — **down** rakke ned på; — **off** si seg løs fra, si pass; — **out** rope ut, klage høyt; skrike; — **up** rose, heve til skyene. **cry** [krai] skrik, rop; gråt, klage; los, gjøing; utroping, kunngjøring; **a far — ** et drygt stykke vei; **have a — ** over gråte for el. over; **in full — ** i vill jakt; **within — ** innen hørevidde.
crybaby ['kraibeibi] skrikerunge, sutrekopp.
cryogen ['kraiədʒen] frysevæske, kuldeblanding.
cryolite ['kraiəlait] kryolitt.
crypt [kript] krypt (kapell under kirke); gravhvelving. **-ic** ['kriptik] skjult, hemmelig; gåtefull; i kodeskrift. **cryptogram** ['kriptəgræm] kryptogram, sifferskrift. **cryptography** [krip-'tɔgrəfi] hemmelig skrift.
crystal ['kristəl] krystall; krystallglass. **-line** ['kristəl(a)in] krystallinsk, krystallklar. **-lization** [kristəlai'zeiʃən] krystallisasjon, krystallisering. **-lize** ['kristəlaiz] krystallisere; krystallisere seg. **-lography** [kristə'lɔgrəfi] krystall-lære.
cs. fk. f. **case(s).**
c/s fk. f. **cycles per second.**
C. S. C. S. fk. f. **Civil Service Co-operative Stores.**
C. S. I. fk. f. **Companion of the Order of the Star of India.**
C. S. M. fk. f. **Company Sergeant-Major.**
CST fk. f. **central standard time.**
et. fk. f. **cent.**
C. U. fk. f. **Cambridge University.**
C. U. A. C. Cambridge University Athletic Club.
cub [kʌb] hvalp, unge; yngle, hvalpe.
Cuba ['kju:bə].
cubage ['kju:bidʒ] kubikkberegning, rominnhold.
Cuban ['kju:bən] kubansk; kubaner.
cubature ['kju:bətʃə] utregning av kubikkinnhold; kubikkinnhold.
cube [kju:b] kubus, terning; kubikktall. — **root** kubikkrot. — **sugar** sukkerbiter. **cubic(al)** ['kju:bik(l)] kubisk; tredjegrads-.
cubicle ['kju:bikl] sovekammer, sengekove; lite avlukke; prøverom, omkledningsrom.
cubiform ['kju:bifɔ:m] terningdannet, kubisk.
cubism ['kju:bizm] kubisme.
cubist ['kju:bist] kubist.
cubit ['kju:bit] underarm; engelsk alen (18 til 22 tommer).
cub | reporter journalistspire, -elev. — **scout** ulvunge.
cucking stool ['kʌkiŋstu:l] stol som forbrytere ble bundet til og dukket i vannet.
cuckold ['kʌkəld] hanrei; gjøre til hanrei.
cuckoo ['kuku:] gauk, gjøk. — **flower** engkarse, gaukesyre.
cucumber ['kju:kəmbə] agurk.
cucurbi(te) [kju'kə:bit] gresskar; destillerkolbe.
cud [kʌd] drøv; (sl.) skråtobakk, **chew the — ** tygge drøv, jorte; (fig.) tygge drøv på.
cudbear ['kʌdbeə] rød indigo.
cuddle ['kʌdl] omfavne, kjæle, ligge lunt og godt; omfavnelse, kjæling. **-some** søt, kjælen.
cuddy ['kʌdi] kahytt; kott, skap; sei; esel.

cudgel ['kʌdʒəl] svær stokk, påk, knortekjepp; **cross the -s** erklære seg for overvunnet; **take up the -s** ta parti, gripe til våpen; — **the brains** bryte hodet, legge hodet i bløt.

eue [kju:] hale; pisk (i nakken); stikkord (f. eks. på teatret); vink; lune; kø (biljard).

cuff [kʌf] slag, dask, klaps; slå, daske; slåss.

cuff [kʌf] oppslag (på erme); mansjett; **off the —** på stående fot; **on the —** på kreditt. — **links** mansjettknapper.

cuibono ['kwi:'bɔnəu] til hva nytte? hvortil?

cuirass [kwi'ræs] harnisk, kyrass, brynje.

cuirassier [kwirə'siə] kyrasér.

cuisine [kwi'zi:n] kjøkken, matstell, kokekunst.

culinary ['kʌ:linəri] som hører til kokekunsten, kulinarisk.

cull [kʌl] søke ut, velge ut; samle, plukke (ut).

cullender ['kʌlində] dørslag.

cullet ['kʌlit] glasskår (til omsmelting).

cullis ['kʌlis] buljong; sjelé; renne, takrenne.

Culloden [kə'lɔdn, kə'ləudn].

cully ['kʌli] fyr, kompis; troskyldig fyr, godfjott.

culm [kʌlm] kullstøv; stengel, halmstubb, helme.

culminate ['kʌlmineit] kulminere.

culmination [kʌlmi'neiʃən] kulminasjon.

culpability [kʌlpə'biliti] straffskyld, straffbarhet.

culpable ['kʌlpəbl] straffskyldig, straffbar.

culprit ['kʌlprit] den tiltalte; skyldig, forbryter; synder, misdeder.

cult [kʌlt] kultus, kult, gudsdyrking; sekt.

cultch [kʌltʃ] underlag for østersyngel.

cultivable ['kʌltivəbl] som kan dyrkes; som kan pløyes. **cultivate** ['kʌltiveit] dyrke; avle; utvikle, utdanne; foredle, rendyrke; sivilisere. **cultivation** [kʌlti'veiʃən] dyrking; utdannelse; dannelse; kultur. **cultivator** ['kʌltiveitə] dyrker, jordbruker; utdanner; foredler; kultivator (en slags harv).

cultural ['kʌltʃərəl] kultur-, kulturell.

culture ['kʌltʃə] dyrking, åkerdyrking; dannelse, kultur; dyrke; danne, sivilisere.

culver ['kʌlvə] skogdue, blådue.

culvert ['kʌlvət] avløpsrenne, stikkrenne.

cumbent ['kʌmbənt] tilbakelent, liggende.

cumber ['kʌmbə] bebyrde, besvære; overlesse. **Cumberland** ['kʌmbələnd].

cumbersome ['kʌmbəsəm] byrdefull, besværlig. **Cumbrian** ['kʌmbriən] kumberlandsk, kumbrisk.

cumbrous ['kʌmbrəs] besværlig, tung. **-ness** bry, brysomhet.

eum d., (el.) **eum div.** fk. f. **eum dividend** iberegnet dividenden.

cumin, cummin ['kʌmin] spisskum, kummen.

cummer ['kʌmə] gudmor, skravlekjerring, kjerring.

cummerbund ['kʌməbʌnd] livskjerf, smoking-belte.

cumshaw ['kʌmʃɔ:] dusør, drikkepenger.

cumulate ['kju:mjuleit] dynge opp, dynge sammen. **cumulation** [kju:mju'leiʃən] oppdynging, sammendynging. **cumulative** ['kju:mjulətiv] sammendynget, opphopet; som øker i styrke.

cumulus ['kju:mjuləs] haug; cumulus, haugsky. **Cunard** [kju:'nɑ:d].

cunctation [kʌŋk'teiʃən] nøling, somling.

cuneal ['kju:njəl] kiledannet.

cun(e)iform ['kju:n(i)ifɔ:m] kiledannet, kile-.

cunette [kju'net] grøft, renne.

cunning ['kʌniŋ] kyndig; listig, forslagen, slu; listighet, list, sluhet.

cup [kʌp] kopp, beger, pokal, kalk; blomsterbeger, skålformet gjenstand, skål; pris, gevinst (ved veddeløp og annen sport); kopp (til koppsetting); kald punsj (blandet på forskjellig måte av viner og andre ting); koppsette, koppe; **be in one's -s** være beruset. — **and ball** bilboquet. — **-and-ball joint** kuleledd. **-bearer** munn-

skjenk. -board ['kʌbəd] skap, matskap; **the skeleton in the -board** den uhyggelige familiehemmelighet. **cupboard love** matfrieri, pengefrieri.

cupel ['kju:pəl] prøvedigel; skille ut.

cupholder ['kʌphəuldə] tittelforsvarer, pokalinnehaver.

Cupid ['kju:pid] Amor, Cupido; **-s** amoriner. **cupidity** [kju'piditi] begjærlighet, griskhet.

cupola ['kju:pələ] kuppel; lanterne.

cupping ['kʌpiŋ] fordypning; koppsetting.

cupreous ['kju:priəs] kobberaktig, kobber-.

cupriferous [kju'prifərəs] kobberholdig.

cur [kə:] kjøter.

cur. fk. f. **current.**

curability [kjuərə'biliti] helbredelighet; botevon. **curable** ['kjuərəbl] helbredelig.

curaçao [k(j)uərə'sɔu] curaçao (likør).

curacy ['kjurərəsi] kapellani. **-ship** kapellani.

curate ['kjuərit] kapellan. **-ship** kapellani.

curative ['kjuərətiv] legende, helbredende, helse-.

curator [kju'reitə] verge, verje, kurator; konservator, direktør (for en samling f. eks.).

curb [kə:b] stang i stangbissel; tømmer, tom; tøyle, hindring; brønninnfatning; randstein. **curb** [kə:b] holde i tømme, temme, styre, dempe.

curbstone ['kə:bstəun] kantstein, randstein.

curd [kə:d] sammenløpet melk, opplagt melk, ost, ystel; i pl. dravle, haglette; **curds and cream** tykkmelk. **curdle** ['kə:dl] løpe sammen; oste seg; kjørne; størkne; stivne; la løpe sammen; bringe til å stivne. **curdy** ['kə:di] sammenløpet.

cure [kjuə] kur, helbredelse; sjelepleie; helbrede, lege, kurere; salte, salte ned, konservere; tørke, herde (om maling).

cure [kjuə] underlig skrue, raring.

curfew ['kə:fju:] portforbud, sperretid; aftenklokke.

curio ['kjuəriəu] kuriositet. **curiosity** [kjuəri'ɔsiti] nysgjerrighet; vitebegjærlighet; sjeldenhet, merkverdighet, raritet, kuriositet.

curious ['kjuəriəs] nysgjerrig, vitebegjærlig; nøyeregnende; kunstig; merkelig, besynderlig, rar.

curl [kə:l] krøll, fall; krusning; kruse, krølle; sno seg; kruse seg; — **oneself up** rulle seg sammen; — **one's moustache** snurre bartene; **-ed hair** krøllet hår.

curler ['kə:lə] krøllspenne, papiljott.

curlew ['kə:l(j)u:] storspove, spove.

curling ['kə:liŋ] curling, et skotsk spill på isen **curling irons, curling tongs** krølltang. **curl paper** papiljott. **curly** ['kə:li] krøllet.

curmudgeon [kə:'mʌdʒən] gjerrigknark, gnier **curr** [kə:] kurre.

currant ['kʌrənt] korint; **red —** rips; **black —** solbær.

currency ['kʌrənsi] løp (f. eks. tidens); omløp sirkulasjon; gangbarhet, kurs; verdi; papirpenger; valuta, myntsort, gangbar mynt; letthet (i tale).

current ['kʌrənt] løpende; gangbar, gyldig, almen, gjengs; inneværende, løpende (år, måned); løp; strøm, strømstyrke; strømning. — **account** kontokurant.

curricle ['kʌrikl] tohjult vogn.

curriculum [kə'rikjuləm] kursus (på skole el. ved universitet); fagkrets; pensum, studieplan.

currier ['kʌriə] fellbereder (hvitgarver).

currish ['kə:riʃ] kjøteraktig, gemen; bisk.

curry ['kʌri] tilberede (skinn); skrape, strigle; gjennompryle; — **favour** innsmigre seg.

curry ['kʌri] karri; tillage med karri.

currycomb ['kʌrikʌm] strigle, hesteskrape.

curse [kə:s] forbannelse, ed; forbanne, banne.

cursed ['kə:sid] forbannet.

cursedly ['kə:sidli] forbannet, nederdrektig.

cursive ['kə:siv] hurtig, flytende; kursiv.

cursor ['kə:sə] skyver (på regnestav).

cursory ['kə'səri] hurtig, flyktig, løselig.
curst [kə:st] forbannet.
cursus ['kə:səs] kurs; pensum; ritual.
curt. fk. f. current.
curt [kə:t] mutt, kort på det.
curtail [kə:'teil] forkorte, innskrenke, beskjære;
-ed of berøvet. **-ment** [kə:'teilmənt] avkorting;
beskjæring.
curtain ['kə:tn] forheng; gardin; teppe (i
teater); portiere; (fig.) slør; forsyne med gardiner,
dekke; **draw the** — trekke forhenget for; **drop
the** — la teppet falle; — **rises** teppet går opp;
-s pl. døden, slutten, finito. **iron** — el. **fireproof**
— jernteppe (i teater). — **call** fremkallelse (i
teater). — **fire** sperreild. — **lecture** gardinpreken.
— **raiser** forspill (kort innledende skuespill). —
rod gardinstang.
curts(e)y ['kə:tsi] neiing, kniks; neie.
curvaceous [kə'veiʃəs] buet, kurverik.
curvation [kə:'veiʃən], **curvature** ['kə:vətʃə]
krumming, bøyning; krok.
curve [kə:v] krum; krumning, kurve; veisving;
svinge, krumme, bøye; krøke seg.
curvet ['kə:vit, kə'vet] gjøre krumspring;
kurbettere; la kurbettere; krumspring; lystighet.
curvilineal [kə:vi'liniəl] kroklinjet, buet.
curvity ['kə:viti] krumhet.
cushion ['kuʃən] pute; bande (biljard); legge
på puter; legge puter på, polstre; berolige; stikke
under stolen. **cushionet** ['kuʃənət] liten pute.
cushy ['kuʃi] makelig, bekvem, lett.
cusk [kʌsk] brosme.
cusp [kʌsp] spiss; horn (månens).
cuspidor ['kʌspidɔ:] spyttebakk.
cuss [kʌs] fyr, fysak, knekt; banne.
cussed ['kʌsid] forbistret, forbasket, ondskaps-
full, utgjort. **-ness** ondskap, forkjærthet.
cussword ['kʌswə:d] ed, skjellsord.
custard ['kʌstəd] eggemelk, eggekrem.
custodian [kə'stəudjən] oppsynsmann, vokter,
vaktmester, bestyrer; bevarer, konservator.
custody ['kʌstədi] forvaring; arrest; oppsyn,
bevoktning, varetekt; foreldremyndighet.
custom ['kʌstəm] sedvane, skikk, bruk; søk-
ning; kunder; toll; laget på bestilling. **-ary**
['kʌstəməri] brukelig, sedvanlig; **-ary law** sed-
vanerett. **-er** ['kʌstəmə] kunde; fyr; **-house**
['kʌstəmhaus] tollbu. **-house broker** tollklarerer.
-house officer tollbetjent.
customs ['kʌstəmz] toll; tollvesen.
custom-tailored skreddersydd.
cut [kʌt] skjære, skjære til; felle; skjære; meie;
såre, krenke; ignorere; klippe; hogge; ta av (i
kortspill); slipe (glass osv.); løpe sin vei, stikke
av, gjøre seg usynlig, skulke; løse opp, fortynne,
tynne ut; — **down** ogs. skjære ned (utgifter);
— **teeth** få tenner; — **short** gjøre kort, avbryte,
knappe av, gjøre kortfattet; — **one's acquain-
tance** avbryte omgangen med en; — **a man**
ignorere en mann; — **away** hogge bort, skjære
bort; — **and run** løpe sin vei, stikke av, gjøre
seg usynlig; — **in** falle inn, falle i talen; — **in
pieces** hogge i sund, hogge ned; — **off** skjære av;
avspise; — **out** skjære til; komme fram (om
tann); stikke av; **he is** — **out for the job** han
er som skapt for jobben.
cut [kʌt] imperf. og perf. pts. av **cut.**
cut [kʌt] snitt, hogg, skramme; slag; kritisk
bemerkning; fornærmelse, tilsidesettelse; inn-
snitt; kanal; stykke; skive, bit; nedskjæring,
nedsettelse (lønn); kutt (en melodi el. avsnitt
på en grammofonplate); lodd (som trekkes);
tresnitt; illustrasjon; avtaing (i kortspill); måte,
mote, snitt, art; **short** — beinvei, snarvei; —
back redusere, beskjære; — **short** avbryte, gjøre
en slutt på.
cutaneous [kju'teinjəs] hud-.
cutaway ['kʌtəwei] sjakett; tegning der en del
av gjenstandens indre er synlig.

cute [kju:t] søt, yndig; skarp, gløgg, klok;
fk. f. **acute.**
cut flower snittblomst.
cut glass ['kʌtgla:s] slipt glass, krystallglass.
cuticle ['kju:tikl] overhud, negleband. **cuticular**
[kju'tikjulə] hud-.
cutlass ['kʌtləs] huggert.
cutler ['kʌtlə] knivsmed. **cutlery** ['kʌtləri]
knivsmedhandel; knivsmedvarer; spisebestikk.
cutlet ['kʌtlit] kotelett.
cutoff ['kʌtɔf] avbrytelse, avskjæring; snarvei.
cutout ['kʌtaut] papirdokke; utstansning.
cut price nedsatt pris, tilbudspris.
cutpurse ['kʌtpə:s] lommetyv.
cut-rate ['kʌt'reit] til nedsatt pris, rabatt-.
cutter ['kʌtə] tilskjærer (hos skredder); film-
klipper; freser (skjæreapparat); fortann; kutter;
paper — papirkniv.
cutthroat ['kʌtθrəut] snikmorder; barberkniv;
morderisk, hard.
cutting ['kʌtiŋ] skjærende; skarp, bitende;
hogging, klipping, fresing; skjæring; gjennom-
skjæring; innsnitt; strimmel; utklipp; stikling;
skurd, kornskurd; **a** — **wind** en bitende kald
vind; — **of the teeth** tennenes frambrudd, tann-
sprett. — **edge** egg, skjærekant. — **pliers** avbiter-
tang. — **torch** skjærebrenner.
cuttle ['kʌtl], **cuttlefish** blekksprut (tiarmet).
cutty ['kʌti] (skotsk) kort; jentunge, tøyte,
tøs, jåle; snadde, kort pipe.
cutwater ['kʌtwɔ:tə] skjegg (på skip); nese,
nebb.
cutworm ['kʌtwə:m] slags åme, knoppvikler.
C. V. O. fk. f. **Commander of the Victorian
Order.**
c. w. o. fk. f. **cash with order.**
C. W. S. fk. f. **Co-operative Wholesale Society.**
cwt. ['hʌndrədweit] fk. f. **hundredweight.**
cy. fk. f. **capacity; currency; cycles.**
cyanic [sai'ænik] cyan-.
cyanide ['saiənaid] **of potassium** cyankalium.
cyanosis [saiə'nəusis] blåsott.
Cybele ['sibili:] Kybele.
cybernetic [saibə:'netik] kybernetisk.
cyclamen ['sikləmən] alpefiol.
cycle ['saikl] krets; periode; syklus; sykkel;
sykle. **cyclist** ['saiklist] syklist.
cyclone ['saikləun] syklon, virvelstorm.
cyclopedia [saiklə'pi:djə] encyklopedi.
cyclops ['saiklɔps] kyklop.
cyclotron ['saiklətrɔn] syklotron.
cygnet ['signit] ung svane.
cylinder ['silində] vals, sylinder. **cylindric(al)**
[si'lindrik(l)] sylindrisk.
cymbal ['simbəl] cymbal; bekken.
Cymbeline ['simbili:n].
Cymri ['kimri, 's-] kymrere, valisere. **Cymric**
['kimrik, 's-] kymrisk, valisisk.
cynic ['sinik] kynisk; kyniker. **-al** ['sinikl]
kynisk. **cynicism** ['sinisizm] kynisme.
cynosure ['sinəzjuə] midtpunkt, ledestjerne;
the Cynosure Den lille bjørn, Polarstjernen.
cypress ['saipris] sypress.
Cyprus ['saiprəs] Kypros.
Cyrene [sai'ri:ni] Kyrene. **Cyrenian** [sai'ri:njən]
kyrenaisk; kyrenaiker, epikureer.
cyst [sist] blære; svulst. **cystocele** ['sistəsi:l]
blæresvulst. **cystostomy** [si'stɔstəmi] blæresnitt.
czar [za:] tsar.
czardas ['za:dæs] czardas (ungarsk folkedans).
czarevitch ['za:rivitʃ] tsarevitsj (tsarens sønn).
czarevna [za:'revnə] tsarevna (tsarens dat-
ter).
czarina [za:'ri:nə] tsarina (tsarens hustru).
czaritsa [za:ritsə] tsaritsa (tsarens hustru).
Czech [tʃek] tsjekker; tsjekkisk. **Czechoslovak**
['tʃekəu'slouvæk] tsjekkoslovak; tsjekkoslova-
kisk. **Czechoslovakia** ['tʃekəuslou'vækiə] Tsjekko-
slovakia.

D

D, d [di:] D, d.: tegn for **denarius, denarii** = penny, pence; **5 d.** vil altså si 5 pence. (om gamle pence) **D.** fk. f. **David; Deus; division; Doctor; Domini; dose; Dowager; Dublin; duchess; duke; Dutch. D.** el. **d.** fk. f. **date; daughter; day; degree; deputy; died.
d- fk. f. **damn.**
D sharp diss. **D flat** dess. **D major** D-dur. **D minor** d-moll. **D flat major** Dess-dur. **D flat minor** dess-moll.
dab [dæb] slå lett el. bløtt; daske, puffe; dynke, væte; stryke lett over; lett slag, klapp; pikking; skvett, stenk; våt klut el. fille; kløpper, mester; ising (fisk).
dabber ['dæbə] svertepute el. -ball.
dabble ['dæbl] dynke, skvette til; plaske, susle; — **in** (el. **at**) fuske med. **dabbler** ['dæblə] fusker.
dabster ['dæbstə] kløpper, mester, adept.
da capo [dɑ:'kɑ:pəu] dakapo.
dace [deis] to pence.
dactyl ['dæktil] daktyl; finger el. tå.
dad [dæd] pappa.
daddle ['dædl] skjage, sjangle, stavre.
daddy-longlegs [dædi'lɔŋlegz] stankelben, myhank.
dado ['deidəu] pl.: **-es** brystpanél; midtstykke.
Daedal|us ['di:dələs] Daidalos. **-ian** [di'deiljən] innviklet, labyrintisk.
daffadowndilly ['dæfədaun'dili], **daffodil** ['dæfədil], **daffodilly** ['dæfədili] påskelilje.
daffy ['dæfi] tosket, tåpelig.
daft [dɑ:ft] fjollet, tullet, sprø. **-ness** toskeskap.
dagger ['dægə] daggert, dolk; kors; **look -s** se forbitret ut; **look -s at one** se på en med et gjennomborende blikk.
daggle ['dægl] søle til, skitne ut.
dago ['deigəu] søreuropeer, dago.
daguerreotype [də'gerətaip] daguerreotypi; daguerreotypere.
dahlia ['deiljə] georgine (plante).
Dahomey [də'həumei] Dahomé.
Dail Eireann ['dail'ɛərən] underhuset i Den irske republikk.
daily ['deili] daglig; dagblad, blad; daghjelp.
daintiness ['deintinis] finhet; lekkerhet; kresenhet. **dainty** ['deinti] fin; lekker; kresen; lekkerbisken, godbit.
daiquiri ['daikəri] romcocktail.
dairy ['dɛəri] melkeutsalg; meieri. — **farm** meieri. **-maid** meierske. **-man** meieribestyrer, meierist. **mountain** — seter.
dais ['deis] forhøyning, podium, pall, tram, estrade; tronhimmel; høysete.
daisy ['deizi] tusenfryd, margeritt; super, flott, noe som er førsteklasses; **oxeye** — hvit prestekrage; — **cutter** (om ball) markkryper.
Dakota [də'kəutə].
dale [deil] dal.
dalliance ['dæliəns] fjas, sommel. **dally** ['dæli] fjase; dryge, somle, drunte.
Dalmatia [dæl'meiʃə] Dalmatia. **-n** [dæl-'meiʃən] dalmatisk; dalmatiner. **Dalmatic** [dæl-'mætik] dalmatisk; dalmatika (katolsk messehakel).
Daltonism ['dɔ:ltənizm] fargeblindhet.
dam [dæm] mor (om dyr); **the devil and his** — fanden og hans oldemor.
dam [dæm] dam, demning, dike; demme (**in** el. **up** opp).
damage ['dæmidʒ] skade, men, havari; skadesløsholdelse, erstatning; tilføye skade, ska, beskadige, ta skade; **estimate damages** fastsette skadeserstatning; **lay one's damages at £ 200** kreve 200 pund i skadeserstatning.
damascene [dæmə'si:n] damascere; damascener-.

damask ['dæməsk] damask; damaskere (veve med opphøyde figurer; etse inn figurer i stål).
dame [deim] (foreld.) dame; (fornem) frue (tittel for hustruen til en **knight** el. **baronet**, nå alm. **lady**); husmor (husfar el. husmor ved Eton pensjonatskole); kvinnfolk, fruentimmer.
damn [dæm] pokker, død og pine; fordømme; forbanne; forkaste; hysse ut, pipe ut (om skuespill); banne. **damnability** [dæmnə'biliti] fordømmelighet; forkastelighet. **damnable** ['dæmnəbl] fordømt, forbannet; fordømmelig; forkastelig. **damn-all** ingenting, ikke noe i det hele tatt. **damnation** [dæm'neiʃən] fordømmelse. **damnatory** ['dæmnətəri] fordømmende; fellende (om bevis). **damned** [dæmnd, poet. og relig. 'dæmnid] fordømt. **damnedest** ['dæmdist]: **do one's** — gjøre sitt ytterste. **damnify** ['dæmnifai] gjøre skade på. **damning** ['dæm(n)iŋ] fellende.
Damocles ['dæməkli:z] Damokles.
damp [dæmp] tåke; fuktighet; (fig.) demper; rå, fuktig, klam; fukte, væte; nedslå, dempe. **dampen** ['dæmpən] bli fuktig, fukte; dempe, nedslå; legge en demper på.
damper ['dæmpə] sordin; spjeld; støtdemper. **dampstained** ['dæmpsteind] jordslått.
damsel ['dæmzəl] jomfru, ungmøy, terne.
damson ['dæmzən] damaskusplomme.
Dan [dæn] fk. f. **Daniel.**
Danaides [dæ'neidi:z] danaider.
dance [dɑ:ns] dans; ball; danse; la danse; **I'll lead you a pretty** — du skal få med meg å bestille. **St. Vitus's** — sanktveitsdans. **dancer** ['dɑ:nsə] danser, danserinne.
dancing ['dɑ:nsiŋ] dansing, dans. — **master** danselærer.
dandelion ['dændilaiən] løvetann.
dander ['dændə] sinne; **he got his** — **up** sinnet tok ham.
dandie ['dændi] sl. terriér.
dandify ['dændifai] gjøre lapset.
dandle ['dændl] gynge, ri ranke med; leke med; kjæle for, fjase. **dandler** ['dændlə] barnevenn.
dandruff ['dændrʌf] flass (i hodebunnen).
dandy ['dændi] laps; fin, nydelig; spretten. **-ism** ['dændiizm] lapseri.
Dane [dein] danske; dane. **great Dane** grand danois. **-lagh, -law** ['deinlɔ:] Danelag.
danger ['dein(d)ʒə] fare. — **light** faresignal; signallanterne. — **money** risikotillegg. **dangerous** ['dein(d)ʒərəs] farlig.
dangle ['dæŋgl] dingle; la dingle; følge ydmyk. **dangler** kvinnejeger.
Daniel ['dænjəl].
Danish ['deiniʃ] dansk; dansk (språket). — **pastry** wienerbrød.
dank [dæŋk] rå, fuktig. **-ish** [-iʃ] noe fuktig.
Danube ['dænju(:)b]: **the** — Donau.
dap [dæp] kaste smutt; pilke; brådykke.
dapper ['dæpə] livlig, vever; nett, sirlig.
dapple ['dæpl] spettet, droplet; gjøre spettet. — **-bay** rødskimlet. — **-gray** apalgrå, gråskimlet.
darbies ['dɑ:biz] (slang) håndjern.
Dardanelles [dɑ:də'nelz]: **the** — Dardanellene.
dare [dɛə] tore, våge, driste seg til; trosse; utfordre; **he dare not do it** el. **he does not dare to do it** han tør ikke gjøre det; **I** — **say** jeg tror nok; visstnok; uten tvil, utvilsomt; — **somebody to do something** uteske en til å gjøre noe; **I** — **you to** ja, våg du bare å.
daredevil ['dɛədevl] vågehals.
daring ['dɛəriŋ] djervskap, dristighet; forvågen, motig, dristig, djerv.
dark [dɑ:k] mørk; mørke; mørkning; **the** — **ages** den uopplyste tidsalder, middelalderen; — **blues** representanter for Oxford i sportskamp; **keep in the** — holde utenfor; **a** — **horse** en ukjent

hest (i veddeløpsspråk), en ukjent politiker; — room mørkerom; — saying dunkel uttalelse.
darken ['dɑ:kn] mørkne, skumre, formørke, gjøre mørk; — one's doors trå ned dørstokkene hos en.
darkish ['dɑ:kiʃ] noe mørk, mørkladen.
dark lantern blendlykt.
darkling ['dɑ:kliŋ] i mørke.
darkness ['dɑ:knis] mørke; prince of — mørkets fyrste, djevelen; deeds of — synd.
darky ['dɑ:ki] neger, svarting; svart.
darling ['dɑ:liŋ] yndling, kjæledegge, elskling, skatt, kjæreste, øyestein; søt, yndig; som adj. yndlings-.
darn [dɑ:n] d. s. s. damn.
darn [dɑ:n] stoppe (huller); stopping. -ing needle stoppenål. -ing yarn stoppegarn.
dart [dɑ:t] kastespyd, kastepil; skyte, kaste, sende (plutselig), trive; fare, sette av sted.
darting ['dɑ:tiŋ] lynsnar.
Dartmoor ['dɑ:tmuə, -mɔ:].
Dartmouth ['dɑ:tməθ].
Darwin ['dɑ:win] Darwin. Darwinism ['dɑ:winizm] darwinisme. Darwinist ['dɑ:winist] darwinist.
dash [dæʃ] splintre, knuse, slå i knas; daske til; slynge, kyle; skvette, stenke, fortynne, blande; tilintetgjøre; fare, styrte av sted; kaste seg; — out stryke ut.
dash [dæʃ] støt, slag, klask; skvett; tilsetning, iblanding; stenk; anstrøk, snev; dråpe, skvett; fart, futt; plutselig bevegelse, anfall; flotthet; tankestrek.
dashboard ['dæʃbɔ:d] skvettskjerm; dashbord, instrumentbord.
dashing ['dæʃiŋ] flott, feiende, sveisen, rask.
dastard ['dæstəd] kryster, reddhare, kujon.
dastardly ['dæstədli] feig, stakkarslig.
dat. fk. f. dative.
data ['deitə] data, pl. av datum. — processing databehandling.
date [deit] daddel.
date [deit] dato; tid, år, årstall; termin, frist; avtale, stevnemøte; — as postmark poststemplets dato; out of — foreldet; up to — moderne, tilsvarende.
date [deit] datere; regne; datere seg fra, skrive seg fra; ha stevnemøte med.
dateless ['deitləs] udatert; endeløs, tidløs; eldgammel; uten partner.
dative ['deitiv] dativ.
datum ['deitəm], plur.: data kjensgjerning, faktum. datum line nulllinje (ved landmåling).
daub [dɔ:b] søle til; smøre sammen; smøreri; oversmøring; smisking. -er ['dɔ:bə] smører, klattmaler. -ery ['dɔ:bəri] smøreri.
daughter ['dɔ:tə] datter. — -in-law ['dɔ:tərinlɔ:] svigerdatter. -ly ['dɔ:təli] datterlig.
daunt [dɔ:nt] kue; gjøre redd, skremme. nothing daunted uforferdet. -less [-lis] uforferdet.
davenport ['dævənpɔ:t] skrivepult; (amr.) divan.
David ['deivid].
davit ['dævit] davit.
Davy ['deivi].
Davy Jones's locker ['deivi'dʒəunziz'lɔkə] havsens bunn; go to — drukne på havet, gå nedenom og hjem.
Davy lamp ['deivi læmp] sikkerhetslampe.
daw [dɔ:] kaie; slamp.
dawdle ['dɔ:dl] nøle, somle, spille tiden, drive.
dawdler ['dɔ:dlə] somlekopp.
dawn [dɔ:n] gry, dages, lysne; daggry, dagning, grålysning; frembrudd, begynnelse; it -ed upon him det gikk opp for ham.
day [dei] dag, døgn; dagslys; tid; the — after tomorrow i overimorgen; for -s on end i dagevis; — off fridag; by — om dagen; — by — dag for dag; hver dag; today i dag; today's paper avisen for i dag; the — before yesterday i forgårs; nowadays nå til dags; the other — forleden dag; her om dagen; this — week åtte dager i dag; one

of these -s en av dagene; en vakker dag, snart; those were the -s! det var andre tider! he is fifty years if he is a — han er minst 50 år; carry (gain, win) the — vinne seier; lose the — tape slaget, forspille seieren; make a — of it ta seg en glad dag; it is a fine — været er fint.
day | bed ≈ sjeselong. — boarder elev som spiser på skolen, men ikke bor der. -book journal, kladdebok. — boy elev som ikke bor på skolen. -break daggry, dagning. -dream dagdrøm; luftslott. — dress daglig antrekk. — duty dagvakt. — labour dagarbeid. — labourer dagarbeider, leiekar. — letter ≈ brevtelegram.
daylight ['deilait] dagslys; broad — høylys dag.
daylong ['deilɔŋ] dagen lang.
day|nursery daghjem, barnehage. — school dagskole, skole der elevene bor hjemme (mots. boarding school). -sman voldgiftsmann. — spring dagning. — star mortenstjerne.
daytime ['deitaim] dag; in the — om dagen.
day-to-day daglig; the — work det daglige arbeid.
daze [deiz] forvirre, fortumle; fortumlethet.
dazzle ['dæzl] blende; blendende glans.
db fk. f. decibel.
D. B. fk. f. Day Book; Doomesday Book.
dbl. fk. f. double.
d. c., D. C. fk. f. direct current likestrøm.
D. C. fk. f. District of Columbia.
D. C. L. [di:si:'el] fk. f. Doctor of Civil Law dr. juris.
D. C. M. fk. f. Distinguished Conduct Medal.
D. D. ['di:'di:] fk. f. Doctor of Divinity dr. theol.
d-d fk. f. damned.
d/d fk. f. days after date; dated; delivered.
D-Day ['di:dei] D-dagen, invasjonsdagen 6. juni 1944.
deacon ['di:kn] diakon, i den eng. statskirke: hjelpeprest; i Skottland: fattigforstander. deaconess['di:kənis] diakonisse.
dead [ded] død, døds-, avdød, livløs; følelsesløs, nummen; oppbrukt; gold, ufruktbar; sloknet; som ikke gjelder lenger; mørk, glansløs. maktløs, dempet, stagget; uvirksom, ufølsom; glemt, forbigangen; ørkesløs, doven; øde: fullstendig; sørgelig; vissen, flau, matt; dødsstillhet; the — de døde; — against stikk imot; a — bargain spottpris; — beat dødstrett; dovenpeis, snylter; — body lik; over my — body! over mitt lik! — calm blikkstille; — capital død kapital; it is a — certainty det er skråsikkert; — drunk døddrukken, pærefull; — fire (sankt)elmsild, nålys; — hand, se mortmain; — heat dødt løp, kappløp hvor to el. flere vinnere kommer til målet samtidig; — language dødt språk; — letter ubesørget post (som en ikke finner adressaten til); lov som det ikke lenger blir tatt hensyn til; — level vannrett plan, uavbrutt slette; alminnelig middelmådighet; — loss rent tap; be a — man være dødsens; — march sørgemarsj; step into a — man's shoes tiltre en arv; at the — of night i nattens mulm og mørke; — pull el. lift altfor tung byrde; the D. Sea Dødehavet; a — shot blinkskudd; — stock uselgelig vare; come to a — stop gå helt i stå; stop — bråstoppe; — on the target rett i blinken; — tired of inderlig lei av; flog a — horse skvette vann på gåsa, spilt møye; cut one — ignorere en, behandle en som luft. dead|-alive livløs, kjedelig. — centre dødpunkt — -colouring grunnfarge.
deaden ['dedn] avdempe, forminske, døyve (f. eks. smerte); gjøre flau; avdempes, miste kraft el. følelse.
dead end blindgate.
dead|eye (mar.) jomfru: mesterskytter; god biljardspiller. -head gratispassasjer el. -tilskuer, fribillett. -heat uavgjort veddeløp. — light lenseport. -line grense som ikke må overskrides; siste frist. — load egenvekt; ikke utført arbeid. -lock stillstand; uavgjort (idretts)kamp; be at a -lock være kjørt fast.

deadly ['dedli] dødelig, dødbringende; uforsonlig, død-, dødsens-.

deadness ['dednis] livløshet, dødhet.

dead | pan tomt ansikt; pokerfjes. **-pan** tom, uttrykksløs, alvorlig. — **point** dødpunkt.

dead | reckoning utregning av skips posisjon ved hjelp av kompass og logg (når observasjon er umulig); ren gjetting. — **soldier** tomflaske. — **stock** redskaper; ukurante varer. — **water** dødvann, blikkstille. **-weight** dødvekt. **-wind** motvind.

deaf [def] døv; tunghørt; — **as a post** stokkdøv; — **and dumb** døvstum. — **aid** høreapparat. **deafen** ['defən] gjøre døv, døve, bedøve. **deafening** ['defəniŋ] øredøvende; lydisolering. **deaf-mute** ['defmju:t] døvstum. **deafness** ['defnis] døvhet.

deal [di:l] furu- el. grantre.

deal [di:l] del; antall; kortgivning; forretning, handel; avtale; dele ut; tildele; fordele; gi (kort); handle; mekle; oppføre seg, handle; **a good** —, **a great** — en hel del; **big** —! jasså gitt! tullprat! — **by eller with** behandle; — **in** handle med; gi seg av med; — **with** oppføre seg imot; ha å gjøre med; ta seg av, ordne med, behandle; stri med; **it is your** — det er deg til å gi. **-er** en som gir seg av med noe; handlende, kjøpmann, forhandler (i en bransje); en som gir kort; **plain dealer** ærlig mann; **double dealer** bedrager. **-ing** ['di:liŋ] handlemåte, ferd; handel; behandling; omgang.

dealt [delt] imperf. og perf. pts. av **deal.**

dean [di:n] dekan; domprost, stiftsprost; prost; doyen. **-ery** ['di:nəri] prosteembete, prosti; prostebolig.

dear [diə] dyr; dyrebar; søt, snill; kjær; kjære, elskede. **O** —! bevares vel! å, du verden! — me! du store min! **do it, that's (there's) a** — gjør det, så er du snill; **it cost him** — det ble dyrt for ham. **Dear John** Kjære John (brev som en pike skriver når hun vil slå opp med kjæresten sin). — **-bought** dyrekjøpt. **-ly** ['diəli] dyrt; ømt, inderlig. **-ness** ['diənis] dyrhet; ømhet, kjærlighet.

dearth [də:θ] dyrtid; uår; mangel.

deary ['diəri] kjær; elsket.

death [deθ] død; dødsfall; dødsmåte; **Death** døden; **put to** — slå i hjel; **it was the** — **of** him han tok sin død av det. — **agony** dødskamp. **-bed** dødsleie. **-blow** banehogg. — **certificate** dødsattest. — **chamber** dødscelle (i fengsel); dødsværelse. — **cord** strikke, galgetau. — **-dealing** drepende. — **duty** arveavgift. **-less** ['deθlis] uforgjengelig, udødelig. **-ly** ['deθli] dødlignende. — **rate** dødelighet, dødelighetsprosent. — **rattle** dødsralling. — **ray** dødsstråle. **-'s head** dødninghode. — **roll** dødsliste, liste over falne. — **sentence** dødsdom. — **warrant** dødsdom. **-watch** dødningur; veggesmed (insekt).

débacle [dei'ba:kl] isgang; forvirring, katastrofe, krakk.

debar [di'ba:] utelukke, stenge ute, forby.

debark [di'ba:k] gå i land; utskipe. **-ation** [di:ba:'keifən] landgang; utskiping.

debase [di'beis] nedverdige; forfalske; gjøre ringere. **-ment** [-mənt] nedverdigelse; forfalskning; forringelse.

debatable [di'beitəbl] omtvistelig, tvilsom; diskutabel, omtvistet.

debate [di'beit] ordskifte, debatt; drøfte, debattere. **-ing society** diskusjonsklubb.

debauch [di'bɔ:tʃ] forføre; svire; svir; rangel; utsvevelse. **debauchee** [debɔ:'tʃi:] svirebror; utsvevende menneske. **debauchery** [di'bɔ:tʃəri] utsvevelse, uordentlig levnet.

debenture [di'bentʃə, də'b-] gjeldsbrev, obligasjon, debenture.

debilitate [di'biliteit] svekke, utarme. **debilitation** [dibili'teifən] svekkelse. **debility** [di'biliti] svakhet, svekkelse.

debit ['debit] debet; gjeld; debetside; debitere.

debonair [debɔ'nɛə] vennlig; høflig, snill; munter.

debouch [di'bu:ʃ, di'bautʃ] munne ut; rykke ut, marsjere ut; utmunning.

debrief [di'bri:f] avhøre en flyver etter fullført oppdrag.

debris ['debri:] biter, rester, søppel, ruiner.

debt [det] gjeld; **run into** —, **contract -s** stifte gjeld. **debtless** ['detlis] gjeldfri. **debtor** ['detə] debitor, skyldner.

debunk [di:'bʌnk] rive ned av pidestallen; berøve glorien, avsløre.

debut ['deibju:] debut, første opptreden.

Dec. fk. f. **December.**

decade ['dekəd, 'dekeid] dekade; tiår.

decadence ['dekədəns], **decadency** [-si] forfall. **decadent** ['dekədənt] som er i tilbakegang, i forfall.

decaffeinated [di'kæfi:neitid] koffeinfri.

decagon ['dekəgən] tikant.

decal ['dekəl] overføringsbilde, skyvemerke.

Decalogue ['dekəlɔg]; **the** — de ti bud.

decamp [di'kæmp] bryte (opp) leir; forsvinne, fortrekke. **-ment** [-mənt] oppbrudd.

decant [di'kænt] avklare, helle forsiktig, dekantere. **-ation** [dikæn'teiʃen] avhelling, dekantering, avklaring. **decanter** [di'kæntə] vinkaraffel.

decapitate [di'kæpiteit] halshogge. **decapitation** [dikæpi'teiʃən] halshogging.

decarbonate [di'ka:bəneit] fjerne kullsyre fra. **decathlon** [di'kæθlən] tikamp (sport).

decay [di'kei] forfalle; gå tilbake, avta; visne; forråtne; tannråte; forarmes; forfall; tilbakegang, nedgang, oppløsning; forarming.

decease [di'si:s] bortgang, død; avgå ved døden; dø. **the deceased** den avdøde. **decedent** [di'si:dənt] avdød; — **estate** dødsbo.

deceit [di'si:t] bedrageri, svik. **-ful** [-f(u)l] bedragersk, falsk, uærlig. **-fulness** [-f(u)lnis] svikaktighet.

deceivable [di'si:vəbl] lett å bedra.

deceive [di'si:v] bedra, svike, skuffe, narre. **deceiver** [di'si:və] bedrager; forfører.

decelerate [di:'seləreit] sette ned farten.

December [di'sembə] desember.

decency ['di:sənsi] sømmelighet; anstendighet; **in common** — i anstendighetens navn; for skams skyld. **decencies** takt og tone; akseptabel standard.

decennial [di'seniəl] tiårs-. **decennium** [di'seniəm] tiår.

decent [di'sənt] sømmelig, anstendig; passende, rimelig; hyggelig, snill.

decentralization [di:'sentrəlai'zeiʃən] desentralisering. **decentralize** [di:'sentrəlaiz] desentralisere.

deceptible [di'septibl] som lar seg narre. **deception** [di'sepʃən] bedrag; skuffelse. **deceptive** [di'septiv] skuffende; villedende; **appearances are often** — skinnet bedrar ofte.

dechristianize [di'kristʃənaiz] avkristne.

decide [di'said] avgjøre; beslutte; bestemme seg, beslutte seg. **decided** [di'saidid] avgjort, bestemt, klar.

deciduous [di'sidjuəs] som faller av; — **tooth** melketann.

decimal ['desiməl] desimal; desimal-.

decimate ['desimeit] desimere; ta bort hver tiende av; herje voldsomt blant, tynne ut. **decimation** [desi'meiʃən] desimering.

decimetre ['desimi:tə] desimeter.

decipher [di'saifə] dechiffrere, tyde.

decision [di'siʒən] avgjørelse; vedtak; beslutning; kjennelse; dom; bestemthet. **decisive** [di'saisiv] avgjørende; bestemt.

deck [dek] dekke, kle, smykke, pynte.

deck [dek] dekk, skipsdekk; — **of cards** kortstokk; **below** — under dekk, i kahytten; **on** — på dekket. — **hook** båtshake. — **house** ruff, dekkshus.

deckle [dekl] deckelramme, skjegg (på papirark). **deckle-edged paper** bøttepapir.

declaim [di'kleim] tale ivrig; deklamere; — **against** protestere mot, ivre mot. **-er** [di'kleimə] ivrig taler; deklamator. **declamation** [deklə-'meiʃən] deklamasjon. **declamatory** [di'klæmətəri] deklamatorisk, stortalende, retorisk.

declaration [deklə'reiʃən] erklæring, kunngjøring, deklarasjon, angivelse (f. eks. av skatt); klageskrift. **declarative** [di'klærətiv], **declaratory** [di'klærətəri] forklarende; erklærende. **declare** [di'klɛə] erklære; kunngjøre; melde (i kort); deklarere, angi (til fortolling); erklære seg; **I —** det må jeg si! **I -d to myself** jeg sa til meg selv. **declared** [di'klɛəd] åpenlys, erklært.

declassify [di'klæsifai] frigi (gjøre offentlig tilgjengelig hittil hemmeligstemplet dokument). **declension** [di'klenʃən] forfall; nedgang; avslag; deklinasjon, bøyning av substantiver. **declination** [dekli'neiʃən] bøyning; forfall; avvik; misvisning, deklinasjon. **decline** [di'klain] helle, avvike; avta, forfalle, være i forfall; bøye; vende seg bort fra; avslå; avvikelse, avvik, helling; daling; tilbakegang; forfall; tæring; — **all responsibility** fralegge seg ethvert ansvar; **the sun is declining** solen holder på å gå ned; **his business had been a declining one** det var gått tilbake med hans forretning.

declivity [di'kliviti] skråning, helling, hall. **declivous** [di'klaivəs] skrå, hellende.

declutch [di:'klʌtʃ] kople fra, kople ut.

decoct [di'kɔkt] koke, avkoke; fordøye. **-ion** [di'kɔkʃən] avkoking; avkokt, dekokt.

decode ['di:'kəud] dechiffrere.

decolleté [dei'kɔltei] nedringning.

decoloration [dikʌlə'reiʃən] avfarging; falmethet; skjold. **decolour** [di'kʌlə] avfarge; falme.

decompose [di:kəm'pəuz] oppløse, spalte, bryte ned, dekomponere; oppløse seg. **decomposite** [di'kɔmpəzit] dobbelt sammensatt. **decomposition** [di:kɔmpə'ziʃən] oppløsning, nedbrytning; forråtnelse.

deconcentration [di:kɔnsən'treiʃən] spredning, desentralisering.

decompression [di:kəm'preʃən] dekompresjon. **— sickness** dykkersyke.

decontaminate [di:kən'tæmineit] avgasse, rense.

decorate ['dekəreit] pryde, smykke, dekorere; maling og tapetsering, oppussing. **decoration** [dekə'reiʃən] prydelse; dekorasjon. **decorative** ['dekərətiv] dekorativ; prydende.

decorous ['dekərəs] sømmelig, passende.

decorum [di'kɔ:rəm] sømmelighet, dekorum.

decoupling ['di:'kʌpliŋ] avkopling.

decoy [di'kɔi] lokke; forlokke; lokking; lokkemat; lokkefugl; felle.

decrease [di'kri:s] avta, minke; forminske. **decrease** ['di:kri:s] minking, reduksjon, nedgang; felling (i strikking).

decree [di'kri:] forordne, bestemme; forordning, dekret; kjennelse; **— nisi** ≈ foreløpig skilsmissebevilling.

decrement ['dekrimənt] forminsking, nedgang, minking; svinn.

decrepit [di'krepit] utlevd, avfeldig, falleferdig, utslitt.

decrepitude [di'krepitju:d] avfeldighet; alderdomssvakhet; forfall.

decrescent [di:'kresənt] avtakende, minkende; avtakende måne.

decrial [di'kraiəl] nedriving, nedrakking, dårlig rykte. **decrier** [di'kraiə] en som rakker ned.

decry [di'krai] rakke ned på, laste, bringe i vanry.

decrustation ['di:krʌs'teiʃən] fjerning av skorpe.

decry [di'krai] rakke ned på, nedsette, fordømme; inndra (penger).

decumbent [di'kʌmbənt] liggende.

decuple ['dekjupl] tidobbelt; tidoble.

dedicate ['dedikeit] innvie; hellige; tilegne. **dedication** [dedi'keiʃən] innvielse, vigsel, helligelse, helging; tilegning, dedikasjon.

deduce [di'dju:s] utlede, slutte. **deducible** [di'dju:sibl] som kan utledes el. sluttes.

deduct [di'dʌkt] ta ifra, trekke fra. **-ible** fra-

dragsberettiget. **-ion** [di'dʌkʃən] utledelse, slutning; avdrag; rabatt. **-ive** [di'dʌktiv] som kan utledes og sluttes, deduktiv.

deed [di:d] dåd, gjerning; udåd; dokument, skjøte, tilskjøte, overdra; **by word and — mec** råd og dåd.

dee jay [di:dʒei] fk. f. **disc jockey.**

deed poll ['di:dpəul] deklarasjon; **change one's name by —** få navneforandring.

deem [di:m] tenke, mene; anse for.

deemster ['di:mstə] dommer (på øya Man).

deep [di:p] dyp; dypt; dypttenkende, dypsindig; grundig; listig; mørk (om farge); **the mer came, four — mennene** kom, fire i rekken **deepen** ['di:pn] utdype, gjøre dyp; formørke; bl dypere og dypere.

deep-drawn ['di:pdrɔ:n]; **a — sigh** et dypt sukk **deep|freeze** dypfryse. **— -laid** klokt uttenkt utpønsket. **-mouthed** grovmælt (om hund). **-reac** belest. **— -rooted** inngrodd. **— -sea** dypvanns-dyphavs-. **— -seated** dyptgående, inngrodd **deer** [diə] dyr (av hjorteslekten). **-stalke** jaktlue (à la Sherlock Holmes). **-stalking** jak (på hjort).

deface [di'feis] skjemme, vansire; gjøre ulese-lig; ødelegge. **-ment** [-mənt] beskadigelse, øde-legging.

de facto [di:'fæktəu] faktisk.

defalcate ['difæl'keit] dra fra, trekke fra underslå, begå underslag. **defalcation** [difæl-'keiʃən] fradrag; underslag, kassasvik.

defamation [di:fə'meiʃən, def-] injurie, ære-krenkelse, baktalelse, bakvaskelse. **defamatory** [di'fæmətəri] ærekrenkende. **defame** [di'feim baktale. **defamer** [di'feimə] baktaler.

default [di'fɔ:lt] forseelse; forsømmelse, etter-latenhet; mangel; uteblivelse (fra retten); ikke holde sitt ord, ikke oppfylle en plikt; mislig-holde; utebli; **in — of** i mangel av. **-er** [-ə] en som ikke møter; bedrager, kassasviker, dårlig betaler, fallent.

defeasance [di'fi:zəns] opphevelse. **defeasible** [di'fi:zibl] som kan oppheves el. omstøtes.

defeat [di'fi:t] overvinne; slå; tilintetgjøre nederlag; tilintetgjørelse. **-ism** [di'fi:tizm] de-faitisme, nederlagsstemning.

defecate ['defikeit] ha avføring; rense. **defeca-tion** [defi'keiʃən] avføring; rensing.

defect [di'fekt] mangel, lyte, feil; flykte, hoppe av. **he has the -s of his qualities** han har de fei som (ofte) følger med hans gode egenskaper. **defect|ion** [di'fekʃən] frafall, avhopping; svikt **-ive** [di'fektiv] mangelfull, ufullstendig. **-iveness** [di'fektivnis] mangelfullhet, ufullstendighet.

defector [di'fektə] overløper, avhopper.

defence [di'fens] forsvar; vern; defensorat; **appear for the —** møte som defensor; **in — of** til forsvar for; **Counsel for the Defence** forsvarer. defensor (i kriminalsak). **Minister of Defence** forsvarsminister.

defenceless [di'fenslis] forsvarsløs.

defence months fredningstid.

defend [di'fend] forsvare, verne; være for-svarer. **-ant** [di'fendənt] innstevnte. **-er** [di'fendə] forsvarer.

defensible [di'fensibl] som kan forsvares; for-svarlig. **defensive** [di'fensiv] forsvars-, defensiv; **the —** defensiven; **stand on the —** stå ferdig ti forsvar, stå rede til å møte et angrep.

defer [di'fə:] utsette; overlate, henstille (til en annens avgjørelse); bøye seg for. **deference** ['de-fərəns] aktelse; hensynsfullhet, ettergivenhet. **deferential** [defə'renʃəl] ærbødig.

deferment [di'fə:mənt] utsettelse (f. eks. av militærtjeneste).

deferrable [di'fə:rəbl] som kan utsettes.

deferred [di'fə:d] utsatt. **— payment system** ratesystem. **— terms** på rate- (el. avbetalings)-vilkår.

defiance [di'faiəns] utfordring; tross; **bid — by tross, yte motstand; he sets all rules at —**

han trosser alle regler; **in — of** til tross for, trass i. **defiant** [di'faiənt] trossig; utfordrende.

deficiency [di'fiʃənsi] mangel; ufullkommenhet; underskudd, manko; (fig.) hull. **— disease** mangelsykdom. **deficient** [di'fiʃənt] mangelfull, utilstrekkelig; manglende; **mentally** — mangelfullt utviklede sjelsevner, evneveik.

deficit ['defisit, 'di:-] defisit, underskudd.

defier [di:'faiə] en som trosser; en som utfordrer.

defilade [defi'leid] beskytte mot ild fra siden.

defile [di'fail] pass, trang sti, skar, defilé; marsjere rotevis, defilere.

defile [di'fail] besmitte, skjemme, vanhellige; forurense; besudle. **-ment** [di'failmənt] forurensning, besmittelse; besudling.

definable [di'fainəbl] som kan bestemmes. **define** [di'fain] forklare, definere; begrense. **definite** ['definit, 'defnit] bestemt; begrenset; tydelig. **definition** [defi'niʃən] skarphet; bestemmelse, forklaring, definisjon. **definitive** [di'finitiv] bestemt; avgjørende, endelig.

deflagrate ['defləgreit] forbrenne, brenne opp. **deflagration** [deflə'greiʃən] forbrenning.

deflate [di'fleit] slippe luften ut av; senke, redusere. **deflation** [di'fleiʃən] uttømming av luft; deflasjon.

deflect [di'flekt] avvike, bøye av, avlede. **deflection** [di'flekʃən] avvikelse; bøy, krok, sving.

defloration [deflə'reiʃən] det å ta blomsten av; det å ta møydommen, krenking, forførelse. **deflower** [di'flauə] rive blomsten av; krenke.

Defoe [di'fəu].

defoliate [di:'fəulieit] fjerne blad- (el. løv)verk.

deforest [di:'fɔrist] rydde for skog. **-ation** [-'ei-] skogrydding; skogødeleggelse.

deform [di'fɔ:m] misdanne, vanskape, vansire. **-ed** [di'fɔ:md] vanskapt. **-ation** [difɔ:-'meiʃən] misdannelse; vansiring. **-ity** [di'fɔ:-miti] misdannelse, vanskapthet; feil, lyte.

defoul [di'faul] rense, fjerne avleiringer.

defraud [di'frɔ:d] svike, snyte. **-er** [-ə] bedrager.

defray [di'frei] bestride (omkostninger, utgifter). **defrayal** [di'freiəl] bestriding. **defrayer** [-ə] en som bestrider (omkostningene). **defrayment** [di'freimənt] bestridelse (av betaling).

defrost [di:'frɔst] avise. **defroster** [di:'frɔstə] defroster, aviser (på bil).

deft [deft] flink, hendig, netthendt. **-ness** ['deftnis] flinkhet, hendighet, netthet.

defunct [di'fʌŋkt] avdød.

defy [di'fai] utfordre, uteske, trosse; **I — him** jeg byr ham tross; jeg tiltror ham det ikke; **I — him to do that** jeg tør innestå for at han ikke kan gjøre det.

deg. fk. f. **degree.**

degauss [di:'gaus] avmagnetisere.

degeneracy [di'dʒenərəsi] degenerasjon; utarting, vanslekting. **degenerate** [did'ʒenəreit] utarte, vanslekte; som adjektiv: [di'dʒenərit] degenerert, vanslektet. **degeneration** [didʒenə-'reiʒən] degenerasjon, utarting. **degenerative** [di'dʒenərətiv] vanslektende, degenerasjons-.

deglutinate [di'glu:tineit] løse, la gå opp i limingen, oppløse.

deglutition [di:glu'tiʃən] svelging.

degradation [degrə'deiʃən] nedverdigelse; avsetting, degradering; tilbakegang; nedgang, forfall; forminskelse; utarting.

degrade [di'greid] nedverdige; avsette, degradere; utarte, forsimple.

degrease ['di:gri:s] avfette.

degree [di'gri:] grad; rang, verdighet; klasse, orden; eksamen (ved universitet); **by -s** gradvis, litt etter litt; **doctor's —** doktorgrad; **murder in the first —** overlagt drap.

dehisce [di'his] sprette opp (om skolm).

dehortative [di'hɔ:tətiv] som fraråder.

dehydrate [di'haidreit] tørke, dehydrere.

deice ['di:'ais] avise. **-er** frosthindrer, aviser.

deicide ['di:isaid] gudedrap; gudedreper.

deification [di:(i)fi'keiʃən] guddommeliggjøring, forherliggjørelse; apoteose. **deify** ['di:ifai] gjøre til gud, oppta blant gudene.

deign [dein]; **— to** verdiges, nedlate seg til, være så nådig å.

Dei gratia ['di:ai'greiʃə] av Guds nåde.

deism ['di:izm] deisme. **deist** ['di:ist] deist. **deistic(al)** [di:'istik(l)] deistisk. **deity** ['di:iti] guddom, guddommelighet.

deject [di'dʒekt] nedslå, ta motet fra. **-ed** [di'dʒektid] nedslått, motløs. **-edness, -ion** [di'dʒekʃən] motløshet, melankoli.

de jure [di:'dʒuəri] etter loven.

dekko ['dekəu] blikk, titt.

Del. fk. f. **Delaware.**

del. fk. f. **delete; delegate.**

delapse [di'læps] falle, sige, dale ned.

delate [di'leit] anklage, angi; berette, melde. **delation** [di'leiʃən] angiveri, angivelse; anklage; **— of the sound** lydens forplantning.

Delaware ['deləwɛə].

delay [di'lei] oppsette, utsette, forhale; forsinke; somle; vente med å; oppholde; nøle, dryge, drunte; oppsetting, forhaling; forsinkelse; sommel; opphold; **without —** uten å nøle, uoppholdelig.

delayed-action bomb [di'leid 'ækʃən bɔm] tidsinnstilt bombe. **delaying policy** forhalingspolitikk.

del credere [del'kreidərə] delkredere (at en agent garanterer for riktig oppfylling av en annens forpliktelser).

dele ['di:li] ta ut, stryke ut, utelate.

delectable [di'lektəbl] yndig, liflig. **delectation** [di:lek'teiʃən] lyst, fornøyelse, fryd.

delegacy ['deligəsi] beskikkelse, representasjon; utvalg, delegasjon.

delegate ['deligeit] sende ut, gi fullmakt, beskikke. **delegate** ['deligit] beskikket; utsending, representant, befullmektiget. **delegation** [deli-'geiʃən] utsending, utnevning; beskikkelse; delegasjon, sendelag; delegerte.

delete [di'li:t] utslette, stryke ut; **— as required** stryk det som ikke passer.

deleterious [deli'tiəriəs] ødeleggende, skadelig.

deletion [di'li:ʃən] utsletting, utskraping.

delf(t) [delf(t)] delftfajanse.

Delhi ['deli].

deliberate [di'libəreit] overveie; betenke seg. **deliberate** [di'libərit] betenksom, forsiktig; overlagt, velovervejd, bevisst, tilsiktet, rolig. **-ly** med fullt overlegg, bevisst, med forsett. **-ness** [di'libəritnis] betenksomhet, forsiktighet; ro. **deliberation** [dilibə'reiʃən] overveielse, betenkning; forhandling. **deliberative** [di'libərətiv] overveiende; rådslående.

delicacy ['delikəsi] finhet; finfølelse; kjælenhet; kresenhet; lekkerbisken; svakhet, skrøpelighet. **delicate** ['delikit] fin; fintfølende; sart, svak, svakelig; vanskelig; delikat, lekker.

delicatessen [delikə'tesn] matvareforretning, delikatesseforretning.

delicious [di'liʃəs] delikat, liflig, deilig; yndig; lekker.

delict ['dilikt] lovbrudd.

delight [di'lait] glede, fryd; behag; fryde, glede; glede seg (**in** ved, over).

delighted [di'laitid] glad, lykkelig, henrykt; **he will be — with** it han vil være henrykt over det; **he will be — to come** det vil være ham en glede å komme; **I shall be —!** ja, med fornøyelse!

delightful [di'laitf(u)l] deilig, herlig, yndig, fornøyelig, inntagende; morsom, interessant.

delimit [di'limit] avgrense, sette grenser for. **delineate** [di'linieit] tegne; skildre. **delineation** [dilini'eiʃən] tegning; skildring. **delineator** [di-'linieitə] tegner; skildrer.

delinquency [di'liŋkwənsi] forseelse, lovovertredelse; **juvenile —** ungdomskriminalitet. **delinquent** [di'liŋkwənt] som forser seg; skyldig, delinkvent, forbryter.

delirious [di'liriəs] delirisk, fantaserende.

delirium [di'liriəm] fantasering, ørske, villelse, delirium. — tremens [di'liriəm'tri:menz] delirium tremens, drankergalskap, dilla.

delitescence [deli'tesəns] skjul; bortgjemthet.

deliver [di'livə] levere, overlevere, avlevere, overgi; utlevere; slynge ut; befri; redde; forløse; si fram, holde (en tale f. eks.); — us from evil fri oss fra det onde; — oneself si sin mening; she was -ed of a son født en sønn.

deliver|ance [di'livərəns] befrielse, redning; forløsning. -er [di'livərə] befrier, frelser. -y [di'livəri] overlevering, overdragelse; levering; overgivelse; befordring, ombæring (av post); ekspedisjon; befrielse; forløsning, nedkomst; foredrag; give — levere; forward — senere levering; make — levere, effektuere levering.

delivery | charges leveringskostnader. — date leveringsdato. — desk utlånsskranke. -man varebud. — note følgeseddel. — van varebil.

dell [del] liten dal; dalsøkk.

Delos ['di:lɔs].

delouse ['di:'laus] avluse.

Delphi ['delfai] Delfi. Delphian ['delfiən], Delphie ['delfik] delfisk.

delta ['deltə] delta; øyr.

delude [di'l(j)u:d] bedra, villede, narre. deluder bedrager.

deluge ['delju:dʒ] oversvømmelse; syndflod; oversvømme; the Deluge syndfloden (bibelsk).

delusion [di'l(j)u:ʒən] blendverk; illusjon, villfarelse; forblindelse, synkverving; optical — synsbedrag. delusive [di'l(j)u:siv], delusory [di'l(j)u:səri] villedende, illusorisk.

delve [delv] grave, spa opp; granske.

dely fk. f. delivery.

Dem. fk. f. Democrat(ic).

demagnetize [di:'mægnətaiz] avmagnetisere.

demagogic(al) [demə'gɔdʒik(l), -'gɔgik(l)] demagogisk. demagogue ['deməgɔg] demagog.

demand [di'mɑ:nd] fordring, krav; behov, etterspørsel; spørsmål; fordre, kreve, forlange; etterspørre, kreve å få vite; make a — reise et krav; payable on — (merk.) betalbar ved sikt; supply and — tilbud og etterspørsel; much in — meget etterspurt (el. søkt).

demarcation [di:mɑ:'keiʃən] avgrensing, grense; line of — grenselinje, demarkasjonslinje.

demean [di'mi:n] oneself oppføre seg uverdig; nedverdige seg, nedlate seg.

demeanour [di'mi:nə] oppførsel, atferd; ytre.

demented [di'mentid] avsindig, tullet.

dementia [di'menʃiə] sinnssykdom, sløvsinn.

Demerara [demə'rɑ:rə].

demerit [di'merit] mangel, feil; merits and -s fordeler og mangler.

demesne [di'mi:n] doméne, selveiendom, gods; selveie; royal — krongods.

demi ['demi] halv-. -god halvgud. -john ['demidʒɔn] damejeanne, demisjang, glassballong med kurvfletning. -monde ['demi'mɔnd] demimonde.

demirep ['demirep] tvilsom dame, demimonde.

demise [di'maiz] bortgang, død (fyrstelig); overdraging; tronskifte; avgå ved døden; overdra. demise charter (merk.) totalbefraktning.

demission [di'miʃən] nedlegging; oppgivelse; abdikasjon; nedverdigelse.

demit [di'mit] oppgi, nedlegge.

demitasse ['demitæs] mokkakopp.

demiurge [di'demiə:dʒ, 'di:m-] verdensskaper.

demob fk. f. demobilize.

demobilization ['di:məulai'zeiʃən] hjemsending. demobilisering. demobilize [di:'məubilaiz] demobilisere, hjemsende.

democracy [di'mɔkrəsi] demokrati. democrat ['deməkræt] demokrat. democratic(al) [demə-'krætik(l)] demokratisk. democratic republic folkerepublikk. democratize [di'mɔkrətaiz] demokratisere.

demoded [di:'məudid] foreldet, umoderne.

demography [di'mɔgrəfi] demografi.

demol|ish [di'mɔliʃ] rive ned, sløyfe; ødelegge, gjøre ende på. -ition [demə'liʃən] nedriving, sløyfing; ødelegging; sprengningsarbeid. -ition squad sprengningskommando; pionertropp.

demon ['di:mən] demon, vette, ond ånd, djevel. demonetize [di'mɔnitaiz] sette penger ut av kurs, inndra.

demoniac [di'mauniæk], demoniacal [di:mə-'naiəkl], demonic(al) [di'mɔnik(l)] demonisk, djevelsk; besatt. demonolatry [di:mə'nɔlətri] demondyrking, djeveledyrking. demonology [di:mə-'nɔlədʒi] læren om demoner, om djevler.

demonstrable [di'mɔnstrəbl] bevislig. demonstrate ['demənstreit] bevise, forevise. demonstration [demən'streiʃən] bevisføring; bevis; forevisning; tilkjennegivelse av stemning, (offentlig) demonstrasjon. demonstrative [di'mɔnstrətiv] klargjørende, som påviser; bevisende; som viser sine følelser, demonstrativ, åpen; påpekende; not — tilbakeholdende; a little too — of affection som viser sin hengivenhet litt for mye. demonstrator ['demənstreitə] demonstrant; prosektor.

demoralization [dimɔrəlai'zeiʃən] demoralisering. demoralize [di'mɔrəlaiz] demoralisere.

Demosthenes [di'mɔsθini:z] Demostenes.

demote [di'məut] degradere.

demotic [di'mɔtik] folkelig.

demount [di:'maunt] demontere, ta av, skille at. -able avtakbar.

demulcent [di'mʌlsənt] beroligende, lindrende (legemiddel).

demulsify [di'mʌlsifai] demulgere.

demur [di'mə:] gjøre innsigelse; nære betenkeligheter; nøle, tvile; betenkelighet; tvil, innsigelse; oppsettelse.

demure [di'mjuə] alvorlig; stø; ærbar, uskyldig, from (ofte om disse egenskaper, når de er påtatt).

demurrage [di'mə:ridʒ] (over)liggedager; overliggedagspenger.

demurrer [di'mə:rə] innsigelse.

demy [di'mai] stipendiat (ved Magdalen College, Oxford); papirformat.

den [den] hule, hi (dyrs); hybel (om værelse).

denarius [di'nɛəriəs] denar, romersk mynt; (gammel) penny (fork. d.).

denary ['di:nəri] titalls-, tifold.

denationalize [di:'næʃənəlaiz] denasjonalisere.

denature [di'neitʃə] denaturere (om sprit).

dendrology [den'drɔlədʒi] trærnes naturhistorie.

dene [di:n] dyne, sandhaug, klett, sandbakke.

dengue ['deŋgi] denguefeber (tropefeber).

deniable [di'naiəbl] som kan nektes. denial [di'naiəl] avslag, benektelse; fornektelse.

denigrate ['denigreit] rakke ned, sverte.

denim ['denim] kipret bomullstøy, denim.

denizen ['denizən] naturalisert utlending; borger; naturalisere. -ship borgerskap.

Denmark ['denmɑ:k] Danmark. — Strait Grønlandstredet.

denomin|ate [di'nɔmineit] benevne, betegne, kalle, peke ut. -ation [dinɔmi'neiʃən] benevnelse; sekt; klasse, gruppe; trosretning; pålydende, verdienhet; myntsort. -ational hørende til en sekt el. klasse. -ative [di'nɔminətiv] benevnende. -ator [di'nɔmineitə] navngiver; nevner (i brøk).

denote [di'nəut] betegne, merke ut; tyde på; bety.

denounce [di'nauns] forkynne truende, true med; fordømme, si opp; dra voldsomt til felts mot, rette anklager mot; angi. -ment forkynnelse; anklage; fordømmelse. denouncer [di-'naunsə] forkynner; angiver.

dense [dens] tett, kompakt; tykkhodet, dum. density ['densiti] tetthet; dumhet; egenvekt.

dent [dent] hakk, hull, grop, hull merke, bulk, bunk; gjøre hakk (merke) i, slå bule i.

dental ['dentəl] dental, tann-; tannlyd. dentate(d) ['denteit(id)] tannet, takket. dentifrice ['dentifris] tannpulver (-krem, -pasta, -vann).

dentist ['dentist] tannlege. dentistry ['dentistri] tannlegevitenskap. dentition [den'tiʃən] tennenes

rambrudd, tannsprett; tannsystem, tanngard.
denture ['dentʃə] (tann)protese, gebiss.
denudation [di:nju'deiʃən] blotting, avdekking.
denude [di'nju:d] blotte, gjøre naken; ribbe,
blyndre.
denunciation [dinʌnsi'eiʃən] fordømming; truel; hard daddel; oppsigelse; angivelse. **denuniator** [di'nʌnsieitə, -'nʌnʃi-] fordømmer, streng
lommer; angiver. **denunciatory** [di'nʌnsiətəri,
'nʌnʃi-] truende; anklagende.
deny [di'nai] nekte; avslå; fornekte; bestride.
deodorant [di:'audərənt] luktfjernende middel.
deodorization [di:əudərai'zeiʃən] desinfeksjon.
leodorize [di:'əudəraiz] desinfisere, rense, fjerne
ond lukt.
Deo volente ['di:əuvə'lenti] om Gud vil.
dep. fk. f. **department; depart; deposit; depot;
deputy.**
depart [di:'pa:t] gå bort, reise bort; gå bort,
lø; **we cannot — from our rules** avvike fra; —
vith avstå fra. **departed** avdød.
department [di'pa:tmənt] avdeling; krets; fag;
bransje; departement. **— store** varehus, stor-
magasin.
departure [di'pa:tʃə] bortgang; avreise; avvik;
død; **a new — noe** ganske nytt, ny framgangs-
måte; **next — neste** avgående skip, tog; —
platform avgangsperrong.
depasture [di'pa:stʃə] (v.) beite.
depend [di'pend] være uavgjort, komme an på;
lenge ned; — **on** avhenge av, bero på; stole på;
være henvist til. **dependability** driftsikkerhet, på-
litelighet. **dependant** [di'pendənt] undergiven; til-
lenger. **dependence** [di'pendəns] avhengighet;
ammenheng; tillit; støtte. **dependency** [di'pen-
dənsi] avhengighet; forbindelse; tillit; tilbehør;
biland, besittelse. **dependent** [di'pendənt] ned-
hengende; avhengig, underordnet; tilhenger.
depict [di'pikt] male, avilde; tegne, skildre.
depiction [di'pikʃən] bilde, skildring, fremstil-
ling.
depilation [depi'leiʃən] fjerning av hår. **de-
pilatory** [di'pilətəri] hårfjerningsmiddel.
deplete [di'pli:t] tømme, tappe; bruke opp.
depletion [di'pli:ʃən] tømming, uttømming,
overdreven utnyttelse.
deplorable [di'plɔ:rəbl] beklagelig; sørgelig.
deplore [di'plɔ:] beklage, synes synd på.
deploy [di'plɔi] utfolde, deployere; deploye-
ing. **deployment** [-mənt] deployering; utvikling,
fig.) utnytting, utvidelse.
deplume [di'plu:m] plukke, ribbe.
depone [di'pəun] bevitne; vitne.
depopulate [di'pɔpjuleit] avfolke. **depopulation**
dipɔpju'leiʃən] avfolkning.
deport [di'pɔ:t] deportere; — **oneself** oppføre
eg, opptre, forholde seg. **-ment** [di'pɔ:tmənt]
oldning; oppførsel; vesen, opptreden; **lessons
n — anstandsøvelser.**
deposable [di'pəuzəbl] avsettelig.
depose [di'pəuz] avsette; avgi forklaring;
itne.
deposit [di'pɔzit] nedlegge; avsette, avleire,
bunnfelle; deponere, anbringe; sette inn (penger);
betro; avleiring, grums, berme, bunnfall; be-
rodd gods, depositum; pant; innskudd. **deposi-
ary** [di'pɔzitəri] en som mottar noe i forvaring.
deposition [di:pɔ'ziʃən] avsetning; avleiring; av-
ettelse; vitnes forklaring. **depositor** [di'pɔzitə]
nnskyter, sparer. **depository** [di'pɔzitəri] gjem-
nested, oppbevaringssted.
depot ['depəu] depot; (amr.) jernbanestasjon;
busstasjon; flyterminal.
depravation [diprə'veiʃən, dep-] fordervelse;
tarting. **deprave** [di'preiv] forderve. **depravity**
di'præviti] fordervelse; utarting.
deprecate ['deprikeit] be seg fri for, be om be-
rielse fra; avverge; være meget imot; fraråde;
rabe seg. **deprecation** [depri'keiʃən] bønn om be-
rielse, om tilgivelse; innvending; misbilligelse.
leprecative ['deprikeitiv] bedende; unnskyldende.

deprecator ['deprikeitə] en s. ber seg fri el. er
imot. **deprecatory** ['deprikeitəri] bedende, bønn-
lig; avvergende.
depreciate [di'pri:ʃieit] nedsette, forringe; un-
dervurdere; falle i verdi. **depreciation** [dipri:ʃi-
'eiʃən] verdiforringelse; avskrivning, nedsetting,
forringelse; undervurdering. **depreciative** [di-
'pri:ʃiətiv] nedsettende. **depreciatory** [di'pri:ʃiə-
təri] nedsettende, nedvurderende.
depredate ['deprideit] plyndre; herje. **depre-
dation** [depri'deiʃən] plyndring. **depredator** ['de-
prideitə] plyndrer. **depredatory** [di'predətəri]
plyndrende, herjende, rans-.
depress [di'pres] trykke ned; trykke; nedslå,
minske; svekke; tynge ned. **-ed** flattrykt; ned-
trykt, deprimert; presset. **-ion** [di'preʃən] ned-
trykking; fordypning, senkning; depresjon. **-ive**
[di'presiv] trykkende, tyngende. **-or** [di'presə]
nedtrykker, undertrykker.
deprivable [di'praivəbl] som kan berøves. **de-
privation** [depri'veiʃən] berøvelse; forsakelse,
savn; tap, avsetting. **deprive** [di'praiv] berøve;
avsette; — **him of it** berøve ham for det. **deprived**
berøvet; fattig, uheldig stilt.
dept. fk. f. **department; deputy.**
depth [depθ] dybde; dyp; **in the — of night**
midt på natten; **in the — of winter** midt på
vinteren, på svarteste vinteren; **swim beyond
one's —** svømme lenger ut enn man kan bunne.
— charge dypvannsbombe. **— psychology** dybde-
psykologi.
depurate ['depjuəreit, 'depjureit] lutre, rense,
renske. **depuration** [depju'reiʃən] lutring. **depura-
tory** [di'pjuərətəri] rensende.
deputation [depju'teiʃən] beskikkelse; sending
med fullmakt, sendelag, deputasjon; beskikke.
depute [di'pju:t] velge, kåre, gi fullmakt; be-
skikke. **deputize** ['depjutaiz] overdra et verv (el.
oppdrag); være stedfortreder, vikariere. **deputy**
['depjuti] representant, stedfortreder, vikarie-
rende; deputert; varamann, (i smstn. vara-,
vise-); fullmektig. **— manager** forretningsfører.
De Quincey [di'kwinsi].
deracinate [di'ræsineit] utrydde, dra opp med
rot.
derail [di'reil] avspore; gå ut av sporet. **-ment**
avsporing.
derange [di'rein(d)ʒ] forvirre, forstyrre; gjøre
sinnsforvirret. **-ment** [di'rein(d)ʒmənt] forvirring,
forstyrrelse; sinnsforvirring.
Derby [di'da:bi] Derby; **the — races** Derby-
veddeløpene (ved Epsom, sør for London, inn-
stiftet av en jarl av Derby).
derby [da:bi, (amr.) 'də:bi] bowlerhatt; stiv
rund filthatt.
derelict ['derilikt] forlatt, folketom; herreløst
gods; menneskevrak. **-ion** [deri'likʃən] opp-
givelse; — **of duty** pliktforsømmelse.
derestrict [di:ri'strikt] frigi; opphevelse av
hastighetsbegrensning.
deride [di'raid] håne, spotte, gjøre narr av.
derider spotter. **derision** [di'riʒən] bespottelse,
latterliggjørelse, hån. **derisive** [di'raisiv], **derisory**
[di'raisəri] spottende; spotsk; latterlig.
derivable [di'raivəbl] som kan avledes. **deriva-
tion** [deri'veiʃən] avledning; utledning. **deriva-
tive** [di'rivətiv] avledet; noe avledet; avledning.
derive [di'raiv] avlede, utlede; stamme fra; ut-
vinne, motta, få.
derm [də:m] hud, underhud.
dermatology [də:mə'tɔlədʒi] dermatologi.
derogate ['derəgeit] svekke, innskrenke; handle
uverdig; minske, nedsette; utarte; — **from**
oneself nedverdige seg. **derogation** [derə'geiʃən]
innskrenkning; forkleinelse, nedsetting. **dero-
gatory** [di'rɔgətəri] innskrenkende, forkleinende,
nedsettende.
derrick ['derik] lastebom, lastekran; boretårn,
oljetårn. — **post** samsonpost.
derringer ['derin(d)ʒə] lommepistol.
dervish ['də:viʃ] dervisj.

descant ['deskænt] diskant, overstemme, variasjon; utvikling, utlegging. **descant** [di'skænt] synge variasjoner over; utbre seg, legge (omstendelig) ut.

descend [di'send] gå ned; synke; flyte, strømme ned; komme ned, dale, stige ned; gjøre landgang; nedlate seg; nedstamme; — **on** hjemsøke, ramle inn hos; — **to** nedverdige seg til; — **upon** slå ned på, angripe voldsomt; **be -ed from** nedstamme fra, ætte fra. **-ant** [di'sendənt] etterkommer. **-ent** [di'sendənt] nedstigende; nedstammende. **-ibility** [disendi'biliti] arvelighet. **-ible** [di'sendibl] framkommelig; arvelig. **descension** [di'senʃən] nedstigning; forfall. **descent** [di'sent] landing, nedstigning; landgang; (fiendes) innfall; herkomst, avstamning, ætt; avkom; grad, trinn.

describable [di'skraibəbl] beskrivelig.

describe [di'skraib] beskrive, fremstille; betegne. **description** [di'skripʃən] beskrivelse; beskaffenhet; art, slag. **descriptive** [di'skriptiv] beskrivende.

descry [di'skrai] øyne; oppdage.

Desdemona [dezdi'məunə].

desecrate ['desikreit] vanhellige. **desecration** [desi'kreiʃən] vannhelligelse, skjending.

desert ['dezət] øde; ørken, ubebodd sted.

desert [di'zə:t] forlate; falle fra; desertere; svikte.

desert [di'zə:t] fortjeneste, fortjent belønning.

deserted [di'zə:tid] folketom, forlatt, øde.

deserter [di'zə:tə] frafallen; rømling, desertør.

desertion [di'zə:ʃən] frafall; desertasjon, desertering.

deserve [di'zə:v] fortjene; gjøre seg fortjent; ha krav på. **deservedly** [di'zə:vidli] fortjent, med rette. **deserving** [di'zə:viŋ] fortjent; verdig; fortjenstfull.

deshabille ['dezæbi:l] neglisjé.

desiccate ['desikeit] tørre; tørke. **desiccation** [desi'keiʃən] uttørring, tørk. **desiccative** [de'sikativ] tørrende, tørke-; tørrende middel.

desiderate [di'zidəreit] savne; ønske, søke (fig.) etterlyse. **desideratum** [dizidə'reitəm] savn; ønske; noe som var å ønske.

design [di'zain] gjøre utkast, tegne; skissere; formgi, konstruere; legge plan til; tenke ut; bestemme; spekulere; tegning; konstruksjon; formgivning; plan, utkast, riss, mønster; forehavende, hensikt. **-able** [di'zainəbl] bestemmelig, påviselig, kjennelig; merkelig. **designate** ['dezignət] betegne, bestemme, merke ut, utse; angi, utpeke (**to, for** til). **designate** ['dezignit] utpekt, utvalt. **designation** [dezig'neiʃən] betegnelse, bestemmelse. **designative** ['dezigneitiv] betegnende; bestemmende. **designedly** [di'zainidli] med vilje. **designer** [di'zainə] tegner, konstruktør, formgiver; dekoratør, en som legger planer; renkesmed. **designing** [di'zainiŋ] listig, renkefull, lumsk, falsk, slu; konstruksjon, tegning.

design patent ≈ mønsterbeskyttelse.

desirability [dizairə'biliti] ønskelighet. **desirable** [di'zaiərəbl] attråverdig, ønskelig. **-ness** [di'zaiərəblnis] ønskelighet. **desire** [di'zaiə] forlangende, begjæring, ønske; attrå; bønn; forlange, begjære, be, ønske, attrå, lyste. **desirous** [di'zaiərəs] begjærlig (**of** etter); ønskende, oppsatt på.

desist [di'zist] avstå (**from** fra); stanse opp (**from** med).

desk [desk] pult; kateter; lesepult; prekestol; skranke. — **bound** (fig.) lenket til skrivebordet. — **job** kontorjobb. — **jobber** grossist uten varelager. — **pad** skriveunderlag.

desolate ['desəlit] ubebodd, øde, forlatt; ensom; ulykkelig. **desolate** ['desəleit] avfolke, herje, ødelegge. **desolation** [desə'leiʃən] avfolking; ødelegging; ørken; trøstesløshet; forlatthet, ensomhet.

despair [di'spɛə] fortvilelse; fortvile; opp håpet (**of** om). **-ingly** [di'spɛəriŋli] fortvilet.

despatch [di'spætʃ] se **dispatch.**

desperado [despə'reidəu] våghals, bandit røver.

desperate ['desp(ə)rit] fortvilet; dumdristi uvøren. **desperation** [despə'reiʃən] fortvilelse.

despicable ['despikəbl] foraktelig, ussel.

despise [di'spaiz] forakte. **despiser** forakter.

despite [di'spait] ondskap; nag, hat; tross; — **of** til tross for, trass i; **in one's own** — mot e egen vilje. **despite** [di'spait] (prep.) tross, trass

despoil [di'spɔil] plyndre. **-er** [di'spɔilə] ply drer. **despoliation** [dispɔuli'eiʃən] plyndring.

despond [di'spɔnd] fortvile, oppgi håpet. **-enc** [di'spɔndənsi] håpløshet, vonløyse, fortvilels motfallenhet. **-ent** [di'spɔndənt] fortvilet; mo fallen.

despot ['despɔt] enevoldshersker, despot. **de potic(al)** [de'spɔtik(l)] despotisk. **despotism** ['de pɔtizm] despotisme, tyranni.

desquamation [deskwə'meiʃən] avskalling.

dessert [di'zə:t] dessert; — **wine** hetvin.

destination [desti'neiʃən] bestemmelse; bestem melsessted. **destine** ['destin] bestemme, etl **destined** ['destind] bestemt (**for** til). **destin** ['destini] skjebne, lagnad; i flertall ogs. skjebn gudinner; norner.

destitute ['destitju:t] blottet (**of** for), fattig. **de titution** [desti'tju:ʃən] (stor) fattigdom, armo mangel, skort.

destroy [di'strɔi] ødelegge, tilintetgjøre; drep **-er** [di'strɔiə] ødelegger; torpedojager, destroye **destructible** [di'strʌktibl] forgjengelig, som ka ødelegges. **destruction** [di'strʌkʃən] ødeleggin undergang. **destructive** [di'strʌktiv] ødeleggend skadelig, nedbrytende. **-ness** ødeleggelseslys ødeleggende virkning. **destructor** [di'strʌktə] fo brenningsovn.

desudation [dis(j)u'deiʃən] svetting.

desuetude [di'sju:itju:d, 'deswitju:d, 'di:switju: glemsel, det å gå av bruk; **fall into** — gå av bru

desultor[i]**ness** ['desəltərinis] planløshet. — ['desəltəri] planløs, springende, spredt; flykti det. fk. f. **detachment.**

detach [di'tætʃ] skille, avsondre, løsrive, skil fra; sende, detasjere. **detached** avsondret, fri liggende; upartisk, objektiv. — **house** enebolis **detachment** [di'tætʃmənt] atskillelse; avsondrin løsrivelse; fri stilling; detasjement.

detail [di'teil] fortelle omstendelig, berette in gående om; beordre til særtjeneste. **deta** ['di:teil] detalj, enkelthet; omstendelig beretnin soldater uttatt til særtjeneste; **in** — punkt f punkt; **go into -s** gå i detaljer. **-ed** [di'teilc omstendelig, utførlig, detaljert.

detain [di'tein] holde tilbake; hefte, forsinke oppholde; holde i forvaring, holde fengslet. **-e** [ditein'i:] internert person (f. eks. politisk fange varetektsfange. **-er** [di'teinə] en som holder ti bake; tilbakeholdelse. **-ment** [di'teinmənt] ti bakeholdelse.

detect [di'tekt] oppdage; spore opp; påvis **-ion** [di'tekʃən] oppdagelse, påvisning; opp sporing. **-ive** [di'tektiv] detektiv, kriminalbetjen oppdager; oppdagelses-. **or-** [di'tektə] detektor.

detent [di'tent] stopper.

détente (fr.) politisk avspenning.

detention [di'tenʃən] tilbakeholdelse; forvarin arrest.

deter [di'tə:] avskrekke, skremme; hindre, fo hindre.

detergent [di'tə:dʒənt] (syntetisk) vaskemid del, vaskepulver; rensemiddel.

deteriorate [di'tiəriəreit] forringe; bli forringe **deterioration** [di'tiəriə'reiʃən] forringelse.

determinable [di'tə:minəbl] som kan bestem mes. **determinant** [di'tə:minənt] bestemmend **determinate** [di'tə:minit] bestemt. **determinatio** [ditə:mi'neiʃən] bestemmelse; avgjørelse, menin

forsett; bestemthet; — of blood to the head blod-stigning til hodet. determine [di'tə:min] be-stemme, fastslå, avgjøre; beslutte; slutte, opp-høre. determined [di'tə:mind] bestemt, målbe-visst, energisk. determinism [di'tə:minizm] deter-minisme. determinist [-ist] determinist.
deterrent [di'terənt] avskrekkende; avskrek-kende middel.
detersive [di'tə:siv] rensende.
detest [di'test] avsky. -able [-əbl] avskyelig. -ation [di:tes'teiʃən] avsky.
dethrone [di'θrəun] styrte fra tronen; avsette. -ment [di'θrəunmənt] detronisering; avsetting.
detonate ['detəneit] eksplodere; knalle; la eksplodere. detonating|charge tennsats. — fuse detonerende lunte. detonation [detə'neiʃən] deto-nasjon, eksplosjon; knall. detonator ['detəneitə] tennhette, tennladning; knallsignal.
detour [di'tuə] omvei, omkjøring, krok, av-stikker.
detract [di'trækt] ta bort, avlede; — from nedsette, forringe. -ion [di'trækʃən] forringelse; baktalelse. detractor [di'træktə] bakvasker. -ory [di'træktəri] nedsettende, baktalersk.
detrain [di:'trein] få ut av toget; gå av toget. detriment ['detrimənt] skade. detrimental [de-tri'mentl] skadelig, ugunstig (to for).
detrition [di'triʃən] avsliting, avskuring.
de trop [də'trəu]: be — — være til overs.
detruncate [di:'trʌŋkeit] avkorte, avkappe; for-korte.
deuce [dju:s] toer (i spill); stå likt (i tennis); fanden, pokker. deuced ['dju:sid] fandens, pok-kers.
Deut. fk. f. Deuteronomy.
deuteronomy [dju:tə'rɔnəmi] femte mosebok.
devaluate [di:'væljueit] devaluere. devaluation [di:vælju'eiʃən] devaluering.
devastate ['devəsteit] ødelegge, herje. deva-station [devə'steiʃən] ødeleggelse, herjing.
develop [di'veləp] utvikle, utfolde; fremkalle (et fotografi); utnytte; oppstå; utvikle seg; bli synlig. -ment [di'veləpmənt] utvikling, utfolding; (fotografisk) fremkalling; -ment country utvik-lingsland.
deviate ['di:vieit] avvike; forse seg. deviation [di:vi'eiʃən] avvikelse; avvik; villfarelse; devia-sjon.
device [di'vais] oppfinnelse, påfunn, greie, sak, innretning; plan; list; motto, valgspråk; fynd-ord; devise, merke; leave him to his own -s la ham seile sin egen sjø.
devil [devl] djevel, demon; ondskapsfull, ond-sinnet, snedig, listig menneske (el. dyr); forkom-men stakkar; volfemaskin; sterkt krydret kjøtt-rett, sterkt krydder; visergutt (i trykkeri) (ogs. printer's —); — a bit aldri det grann; the — you did (nei) så fanden om du gjorde; between the — and the deep sea mellom barken og veden; the — looks after his own ≈ ukrutt forgår ikke så lett; there'll be the — to pay nå er fanden løs; give the — his due gjøre rett og skjel; beat the -'s tattoo tromme (el. trampe) som besatt; a — of a fellow en fandens fyr; — a one ikke en eneste (sjel); every man for himself and the — take the hindmost ≈ redde seg den som kan; the — on two sticks djevlespill, haltefaen; play the — with gjøre kål på; — -dodger (felt)prest; devil-may-care ['devlmei'kɛə] fandenivoldsk. devil krydre sterkt og steke; volfe. -ish ['devliʃ] djevelsk, fandens. -ment ['devlmənt] djevelskap; djevelsk strek. -ry ['devlri] djevelskap.
the devil's picture book kortstokk.
devious ['di:vjəs] avsides; som går på ville veier; villsom, upålitelig.
devise [di'vaiz] finne opp, opptenke, tenke ut; overveie; testamentere; testamente, arv, legat. devisee [divai'zi:] arving (etter testamente). devi-sor [devi'zɔ:] arvelater, testator.
devitalization [di:vaitəlai'zeiʃən] nervebehand-ling (av tann); visning.

devitalize [di:'vaitəlaiz] ta livslysten fra; drepe (nerve).
devoid [di'vɔid] fri, blottet (of for).
devoir [dəv'wɑ:] plikt, oppgave; pay one's — gjøre noen sin oppvartning.
devolution [devə'l(j)u:ʃən] overgang (on til), overdragelse, overføring, hjemfall. devolve [di-'vɔlv] rulle fram, rulle ned; overdra (on til); gå i arv (on til), tilfalle; it -s upon me to det påhviler (el. faller på) meg å.
Devon ['devn] Devon. Devonian [di'vəunjən] devonisk.
Devonshire ['devenʃə].
devote [di'vaut] hellige, hengi, vie. devoted [di-'vautid] vigd til undergang, ulykkelig; hengiven, trofast, lojal; selvoppofrende. devotedness [di-'vautidnis] hengivenhet, oppofring. devotee [de-vau'ti:] en som helliger seg til noe; hengehode, svermer, tilbeder. devotion ['divauʃən] innvielse; hengivelse, oppofrelse; hengivenhet; fromhet; andakt, gudsfrykt. devotional [di'vauʃənl] an-dektig, gudelig, oppbyggelig; andakts-. devotio-nalism [di'vauʃənəlism] tilbøyelighet til over-dreven hengivelse, skinnhellighet. devotions [di'vauʃənz] andaktsøvinger, andakt.
devour [di'vauə] sluke, kjøre i seg; fortære; oppglødd av.
devout [di'vaut] from, gudfryktig, religiøs; andektig; oppriktig.
D. E. W. fk. f. Distant Early Warning (radar-varslingskjede).
dew [dju:] dugg, dogg; dugge, dogge; moun-tain — whisky som er brent i smug. -berry en slags bjørnebær. -fall doggfall. -lap kjøttlapp, hudfold. — point doggpunkt. -y ['dju:i] dugget, dogget.
dewy ['dju:i] duggvåt, dogget; — -eyed med store uskyldige øyne; naiv.
dexterity [deks'teriti] hendighet, ferdighet, godt lag. dexterous ['dekst(ə)rəs] hendig, god, øvet; listig.
dextral ['dekstrəl] høyredreid; høyrevendt; høyrehendt.
dextrin(e) ['dekstrin] dekstrin.
dextrose ['dekstrəus] druesukker.
dey [dei] dei (tyrkisk guvernør).
D. F. fk. f. damage free; dead freight; Dean of the Faculty; Defender of the Faith.
D. F. C. fk. f. Distinguished Flying Cross.
D. F. M. fk. f. Distinguished Flying Medal.
D. G. fk. f. Dei Gratia av Guds nåde; Dragoon Guards.
dg fk. f. decigram.
diabetes [daiə'bi:tiz] sukkersyke.
diabetic [daiə'betik] sukkersykepasient, diabe-tiker; diabetisk.
diabolic(al) [daiə'bɔlik(l)] djevelsk.
diabolo [di'æbələu] djevlespill.
diadem ['daiədem] diadem.
diagnose [daiəg'nəuz] diagnostisere. diagnosis [daiəg'nəusis] diagnose. diagnostic [daiəg'nɔstik] diagnostisk; kjennetegn (på en sykdom), symp-tom.
diagonal [dai'ægənəl] diagonal.
diagram ['daiəgræm] diagram, riss, figur.
dial ['daiəl] solskive, solur; urskive, skive (f. eks. på automatisk telefon); skala (på radio-apparat); (sl.) ansikt; måle, vise med en skive; slå (et telefonnummer); stille inn (en stasjon).
dialect ['daiəlekt] dialekt, målføre. dialectal [daiə'lektl] dialektisk. dialectic(al) [daiə'lektik(l)] dialektisk, som hører til en dialekt el. til dialek-tikken. dialectician [daiələk'tiʃən] dialektiker. dialectics [daiə'lektiks] dialektikk.
dial lock kombinasjonslås, kodelås.
dialogue ['daiələg] samtale, dialog.
dial | plate urskive; tallskive. — telephone automatisk telefon.
diamat ['daiəmæt] dialektisk materialisme.
diamb ['daiæm] dijambe (i metrikk).
diameter [dai'æmitə] diameter, tverrmål. dia-

metral [dai'æmitrəl] diametral. **diametrical** [daiə'metrikl] diametrisk; diametral. **diametrically opposed** diametralt motsatt.

diamond ['dai(ə)mənd] diamant; ruter (i kortspill); — **cut** — hauk over hauk; **black -s** svarte diamanter: steinkull; **king of -s** ruter konge. **-cutter** diamantsliper.— **wedding** diamantbryllup.

Diana [dai'ænə].

dianthus [dai'ænθəs] nellik.

diapason [daiə'peizən] oktav; omfang (av stemme, instrument); tonehøyde, kammertone; stemmegaffel.

diaper ['daiəpə] rutet mønster; bleie; gi et rutet mønster; ta bleie på.

diaphanous [dai'æfənəs] gjennomsiktig.

diaphragm ['daiəfræm] mellomgulv; skillevegg; hinne; membran. **-atic** [daiəfræg'mætik] mellomgulvs-.

diarist ['daiərist] dagbokforfatter.

diarrhoea [daiə'ri:ə] diaré, magesyke.

diary ['daiəri] dagbok.

diastole [dai'æstəli] utviding (av hjertet).

diathermy ['daiəθə:mi] diatermi.

diatonic [daiə'tɔnik] diatonisk.

diatribe ['daiətraib] vidløftig avhandling, lang lekse; heftig utfall.

dib [dib] (v.) pilke (fiske).

dibble ['dibl] plantepinne; gjøre huller i; plante.

dice [dais] (plur. av **die**) terninger; spille med terninger. — **box** terningbeger. — **pattern** sjakkbrettmønster. **dicer** [daisə] terningspiller.

dicey ['daisi] risikabel.

dichotomy [dai'kɔtomi] tvedeling.

Dick [dik] fk. f. **Richard.**

dick [dik]; **take one's** — sverge (**to** på); **up to** — med på notene, gløgg.

Dickens ['dikinz].

dickens ['dikinz] fanden, pokker.

dickey el. **dicky** ['diki] tjenersete på en vogn; baksete; løst skjortebryst; liten fugl; dårlig; ussel.

dictaphone ['diktəfəun] diktafon.

dictate [dik'teit] diktere; si til; befale, foreskrive; kreve. **dictate** ['dikteit] befaling, påbud.

dictation [dik'teiʃən] diktat. **dictator** [dik'teitə] diktator. **dictatorial** [diktə'tɔ:riəl] diktatorisk.

dictatorship [dik'teitəʃip] diktatur.

diction ['dikʃən] stil, språk, diksjon.

dictionary ['dikʃənəri] ordbok, leksikon.

dictograph ['diktəgrɑ:f] diktograf, diktafon.

dictum ['diktəm] utsagn; sentens, maksime; (jur.) betenkning.

did [did] imperf. av **do.**

didactic [di'dæktik] belærende, didaktisk; — **poem** læredikt. **didactics** pedagogikk.

diddle ['didl] dingle, vakle, stavre; skake, riste; søle; snyte; snyteri. — **-daddle** snikk-snakk.

diddler ['didlə] plattenslager.

didie ['daidi] bleie; blei, kile.

didn't [didnt] **did not.**

Dido ['daidəu].

dido ['daidəu] puss, spikk, strek; **cut -es** gjøre mudder, holde leven, trickse.

die [dai] dø; omkomme; visne; dø bort, opphøre; forsvinne; **be dying** holde på å dø, ligge for døden, være døden nær; — **from illness** dø av sykdom; — **off** dø ut, dø en etter en; — **by the sword** falle for sverdet; **be dying for** lengte seg i hjel etter; — **in harness** arbeide like inn i døden; **do and** — handle og dø; **never say** — friskt mot! gi ikke opp!

die [dai] (i plur.: **dice**) terning; (i plur.: **dies**) myntstempel; **the** — **is cast** terningen er kastet.

die-hard ['daihɑ:d] stri, en som motstår tvang til det ytterste; stokk konservativ.

diesel ['di:zəl] diesel. — **engine** dieselmotor.

diet ['daiət] riksdag, riksforsamling, ting.

diet ['daiət] kost, diett; holde med kosten; sette på diett; spise; holde diett. **dietary** ['daiətəri] forpleinings-, diett-; kost, diett. **dietetic** [daiə'tetik] dietetisk. **dietetics** dietetikk. **dietician** [daii'tiʃən] dietetiker; ernæringsfysiolog.

differ ['difə] være forskjellig, være ulik, avvike; være av forskjellig mening (**from** fra).

difference ['dif(ə)rəns] forskjell, forskjellighet, ulikskap; avvikelse; uenighet; stridspunkt.

different ['dif(ə)rənt] forskjellig (**from** fra), ulik.

differentia [difə'renʃiə] egenskap, karakteristikum.

differential [difə'renʃəl] differensial.

differentiate [dif(ə)'renʃieit] differensiere.

difficile ['difisi:l] vanskelig, umedgjørlig.

difficult ['difikəlt] vanskelig, vrang. **difficulty** ['difikəlti] vanskelighet, vanske; forlegenhet.

diffidence ['difidəns] mistro, mistillit; fryktsomhet, mangel på selvtillit. **diffident** ['difidənt] mistroisk (**of** like overfor); forknytt, redd av seg, nølende.

difform [di'fɔ:m] uregelmessig.

diffraction [di'frækʃən] diffraksjon, brytning.

diffuse [di'fju:z] utbre; spre. **diffuse** [di'fju:s] spredt, utspredt; vidløftig; snakkesalig. **diffusible** [di'fju:zibl] flyktig. **diffusion** [di'fju:ʒən] spredning; utbredelse. **diffusive** [di'fju:siv] spredende seg; utbredt; vidløftig. **diffusiveness** [di'fju:sivnis] utstrakthet; utbredelse; vidløftighet.

dig [dig] i uttrykket **infra dig.** fk. f. infra dignitatem (latin), under ens verdighet.

dig [dig] grave; terpe; graving; støt; dult; terping; hint, stikk; oppfatte, forstå, begripe; (slang) like, sette pris på. — **in** grave ned; gå igang; hogge inn (spise). — **up** grave opp; skrape sammen penger.

digest ['daidʒest] oversikt, forkortet gjengivelse; lovbok.

digest [d(a)i'dʒest] fordøye, fordøyes, la seg fordøye; tilegne seg; finne seg i, tåle. **digester** [d(a)i'dʒestə] en som ordner; fordøyelsesmiddel; digestor; Papins gryte. **digestible** [d(a)i'dʒestibl] fordøyelig. **digestion** [d(a)i'dʒestʃən] ordning; fordøyelse; digestion, digerering; modning; forståelse. **digestive** [d(a)i'dʒestiv] som fremmer, er god for fordøyelsen; (i kjemi) digererende; digestiv, middel som fremmer fordøyelsen, modningen.

digger ['digə] graver; gravemaskin; gullgraver.

digging ['digiŋ] graving; gullgraving; bolig, losji. — **fork** greip. — **ladder** paternosterverk.

dight [dait] sette i stand; smykke.

digit ['didʒit] tå, finger (i zoologi); fingerbredde; siffer, tall; ener. **digitalis** [didʒi'teilis] revebjelle, digitalis. **digitigrade** ['didʒitigreid] tågjenger.

dignification [dignifi'keiʃən] opphøyelse. **dignified** ['dignifaid] opphøyd; verdig. **dignify** ['dignifai] opphøye; utmerke, hedre, beære. **dignitary** ['dignitəri] høy geistlig, høy embetsmann, dignitar. **dignity** ['digniti] høyhet; verdighet, rang, embete.

digraph ['daigrɑ:f, 'daigræf] to bokstaver for én lyd (f. eks. ph for f).

digress [di'gres, dai-] avvike; komme bort fra emnet; skeie ut. **digression** [di'greʃən, dai-] digresjon, avvikelse, sidesprang. **digressive** [di'gresiv, dai-] vikende bort fra, skeiende ut fra, side-.

digs [digz] bolig, losji, hybel.

dike [daik] dike, dam, demning; (jord)voll, grav, grøft; åre (i mineralogi); demme inn; grøfte ut.

dilapidat|e [di'læpideit] fare ille med, forsømme, vanskjøtte. **-ed** [di'læpideitid] forsømt, forfallen, skrøpelig. **-ion** [dilæpi'deiʃən] forfallen tilstand, ruin, forfall.

dilatability [d(a)ileitə'biliti] utvidingsevne. **dilatable** [d(a)i'leitəbl] utvidelig. **dilatation** [dailə'teiʃən] utvidelse, utviding. **dilate** [d(a)i'leit] utvide, spile opp, sperre opp, tøye; utvide seg; tøye seg; utvikle vidløftig; forstørre. **dilation** [d(a)i'leiʃən] utvidelse. **dilatory** ['dilətəri] nølende, treg, sen, forhalende.

dilemma [d(a)i'lemə] dilemma; forlegenhet, knipe.

dilettante ['dili'tænti] pl. **dilettantes** [-tiz] dilettant. **dilettantism** [dili'tæntizm] dilettanteri.

diligence ['dilidʒəns] flid, arbeidsomhet; diligensplikt. **diligent** ['dilidʒənt] flittig, arbeidsom; grundig.

dill [dil] dill.

dilly-dally ['dili'dæli] fjase; somle, gå og slenge.

diluent ['diljuənt] fortynnende; fortynnende middel; tilsetningsstoff. **dilute** [di'l(j)u:t] fortynne, spe opp, vanne ut; la seg fortynne; fortynnet. **dilution** [di'l(j)u:ʃən, dai-] fortynning, uttynning; (fig.) utvanning.

diluvial [d(a)i'l(j)u:vjəl] diluvial, oversvømmelses-, flom-. **-an** [d(a)i'l(j)u:vjən] storflod-, syndflods-.

dim [dim] dim, mørk, dunkel, matt, svak; kjedelig; dum, sløv; formørke, dimme, dempe. **dim.** fk. f. **diminuend; diminutive.**

dimber ['dimbə] livlig; pen, søt.

dime [daim] tiendedel av en dollar, ticent; **they are a — a dozen** ≈ det går tretten av dem på dusinet. **— novels** (amr.) billigbøker, røverromaner.

dimension [d(a)i'menʃən] dimensjon, omfang, vidde, mål; dimensjonere.

dimidiate [d(a)i'midiit] halvert, halvt.

diminish [di'miniʃ] forminske, minke på, redusere; forminskes, minke. **-able** [di'miniʃəbl] som kan forminskes.

diminuendo [diminju'endəu] diminuendo.

diminution [dimi'nju:ʃən] forminskelse; svinn; minking. **diminutive** [di'minjutiv] ørliten; forminskelsesord, diminutiv; svært liten, ørsmå.

dimissory [di'misəri] dimisjons-, avgangs-.

dimity [di'miti] slags blomstret bomullstøy.

dimmer ['dimə] lysdemper; **-s** parkeringslys.

dimout ['dimaut] nedblending.

dimple ['dimpl] liten fordypning, dokk, smilehull, kløft i haken; krusning; danne små fordypninger; kruse; kruse seg. **dimpled** med smilehull. **dimply** ['dimpli] med små fordypninger, med smilehull; kruset.

dimwit ['dimwit] treskalle, dust, fjols. **-ted** dustet, dum.

din [din] larm, drønn, brak; bedøve ved støy; dønne, brake. **— st. into sb.** hamre noe inn i en.

Dinah ['dainə].

dine [dain] spise middag; **— off (on)** få . . . til middag. **diner** ['dainə] middagsgjest; spisevogn; **diner-out** en som ofte spiser ute, selskapsmann.

dinette [dai'net] spisekrok.

ding [diŋ] slå, kaste; banke; larme; ringe. **dingdong** [diŋ'dɔŋ] klingklang, dingdang; **fight** (sports)kamp hvor snart den ene, snart den andre har overtaket; forrykende slagsmål.

dinge [dindʒ] bulk, søkk; skitt; bulke, skade; skitne til.

dinghy el. dinghy ['diŋgi] jolle.

dinginess ['din(d)ʒinis] mørke, mørk farge, mørkebrunt; skitt, smussighet.

dingle ['diŋgl] dal, dalsøkk.

dingo ['diŋgəu] vill hund (i Australia).

dingy ['din(d)ʒi] mørk, mørkebrun, skitten.

dingy ['diŋgi] jolle.

dining car ['dainiŋkɑ:] spisevogn. **dining room** ['dainiŋrum] spisestue. **dining table** ['dainiŋteibl] spisebord.

dinky ['diŋki] nett, pen, fin, lekker, søt.

dinner ['dinə] middag, middagsmat; bankett, festmiddag; **ask sb. to —** invitere noen til middag. **— dress** ≈ aftenkjole; **— jacket** smoking; **— party** middagsselskap.

dinosaur ['dainəsɔ:] dinosaurus.

dint [dint] merke av slag el. støt, hakk, bunk; gjøre bulet; **by — of** ved hjelp av.

diocesan [dai'ɔsisən] som hører til bispedømme, stifts-, sogne-. **diocese** ['daiəsis] stift, bispedømme.

Dionysus [daiə'naisəs] Dionysos.

dioptric [dai'ɔptrik] dioptrisk. **dioptrics** [dai-'ɔptriks] dioptrikk, læren om lysets brytning.

diorama [daiə'rɑ:mə, 'daiərɑ:mə] diorama.

dip [dip] dyppe; øse; farge; støpe lys; senke flagg, dukke, ta en dukkert; synke, skråne, helle ned; kikke på, bla igjennom, trenge inn i; dukkert; dypping; helling, hall, magnetnålens inklinasjon; talglys. **— of the horizon (needle)** kimmingdaling. **— into** gripe ned i; forgripe seg på; ta en titt på.

dipetalous [dai'petələs] tobladet.

diphtheria [dif'θiəriə] difteri. **diphtheritic** [difθe'ritik] difterittisk.

diphthong [dif'θɔŋ] tvelyd, diftong. **diphthongize** ['difθɔŋgaiz] diftongere.

diploma [di'pləumə] diplom; vitnemål, eksamensbevis. **diplomacy** [di'pləuməsi] diplomati. **diplomat** ['dipləmæt] diplomat. **diplomatic** [diplə'mætik] diplomatisk. **diplomatics** diplomatikk, diplomvitenskap. **diplomatist** [di'pləumətist] diplomat.

dip needle inklinasjonsnål.

dip net svnkenot, bunngarn; hov.

dipper ['dipə] dykker; dimbryter; gjendøper; sleiv, øse; grabb; fossekall; lommetyv; (amr.) **the Big D. —** Storebjørn; **the Little D. —** Lillebjørn.

dipsomania [dipsə'meinjə] drikkesyke, periodedrikking.

dipstick peilepinne, oljestandsmåler.

dipter ['diptə] pl. **diptera** ['diptərə] tovinget insekt. **dipteral** ['diptərəl] tovinget. **dipterous** ['diptərəs] tovinget.

dire [daiə] skrekkelig, sørgelig, fæl; **in — need** i stor nød. **-ful** ['daiəf(u)l] skrekkelig, sørgelig. **-ness** ['daiənis] skrekkelighet, gru.

direct [di'rekt, dai-] rette, styre, rettlede, dirigere; adressere; henlede (oppmerksomheten); anvise, befale, beordre, pålegge; direkte; umiddelbar; straks, øyeblikkelig. **— -acting** direktevirkende. **— current** likestrøm. **— distance dialling** fjernvalg (pr. telefon). **— earth** direkte jordet. **— grant school** ≈ statsstøttet privatskole. **— hit** fulltreffer.

direction [di'rekʃən, dai-] retning; ledelse; direksjon, styre, styring; anvisning, veiledning, bruksanvisning; direktiv; instruksjon; adresse. **— post** veiviser. **directive** [di'rektiv, dai-] ledende, som rettleier; direktiv. **directly** [di'rektli, dai-] direkte; umiddelbart, straks; så snart som, med det samme. **directness** [di'rektnis, dai-] umiddelbarhet, gå rett på; **— of purpose** målbevissthet. **director** [di'rektə] leder; veileder; bestyrer, direktør, styremedlem, direksjonsmedlem. **directorate** [di'rektərit] direktorat, styre. **directorial** [direk'tɔ:riəl, dai-] ledende; direktorial-. **directory** [di'rektəri] veiledende; adressebok, katalog, veiviser; veiledning, bruksanvisning; **— inquiry** ≈ opplysningen (på telegrafverket). **directress** [di'rektris], **directrix** [di'rektriks] bestyrerinne, direktrise.

direful ['daiəful] fæl, skrekkelig.

dirge [də:dʒ] klagesang, sørgesang.

dirigible ['diridʒəbl] styrbar; styrbart luftskip.

dirk [də:k] dolk; dolke.

dirt [də:t] søle, gjørme; smuss, skitt, lort; boss. **— cheap** latterlig billig. **— farmer** gårdbruker. **-iness** ['də:tinis] smussighet; skittenhet, tarvelighet. **— road** grusvei, vei uten fast dekke. **— track «sølebane»** (til motorsykkeløp). **dirty** ['də:ti] skitten, sølet; lurvet, nedrig, sjofel; radioaktivt forurenset; skitne, rakke til; bli sølet; **do the — on sb.** spille noen et pek; **the — end of the stick** den verste jobben. **dirty money** smusstillegg.

dis. fk. f. **distance; distribute.**

disability [disə'biliti] svakhet; udugelighet, mangel på evne; inhabilitet; handikap, lyte. **-able** [dis'eibl] gjøre udugelig, gjøre ufør til strid, gjøre til krøpling; handikappe, invalidisere; avkrefte,

lamme; **disabled soldier** krigsinvalid, stridsudyktig. **-ablement** [dis'eiblmənt] udyktiggjøring; hjelpeløshet; vanførhet; kampudyktighet.
disabuse [disə'bju:z] bringe ut av villfarelse.
disaccustom [disə'kʌstəm] venne av.
disacknowledge [disək'nɔlidʒ] fornekte.
disadvantage [disəd'vɑ:ntidʒ] ufordelaktighet; skade, lyte, mangel, ulempe, uheldig forhold; tap. **disadvantageous** [disædvən'teidʒəs] ufordelaktig, ugunstig, uheldig.
disaffect [disə'fekt] gjøre utilfreds, vekke misnøye; fiendtlig stemt. **-ion** [disə'fekʃən] utilfredshet, misnøye, opprørsånd.
disaffirm [disə'fə:m] nekte, si mot, avsanne; kullkaste.
disagree [disə'gri:] være uenig, ikke stemme overens; bekomme ille, ikke ha godt av (om mat og drikke). **disagreeable** [disə'gri:əbl] ubehagelig. **disagreement** [disə'gri:mənt] uoverensstemmelse; uenighet; meningsforskjell.
disallow [disə'lau, 'disə'lau] forkaste; misbillige; annullere. **-ance** [disə'lauəns] forkasting; misbilligelse.
disappear [disə'piə] forsvinne, komme bort. **disappearance** [disə'piərəns] forsvinning.
disappoint [disə'pɔint] skuffe (**in** i), svike, narre (**of** for). **disappointment** [disə'pɔintmənt] feilslått håp, skuffelse.
disappreciate [disə'pri:ʃieit] undervurdere.
disapprobation [disæprə'beiʃən] misbilligelse. **disapprobatory** ['disæprə'beitəri] misbilligende.
disapproval [disə'pru:vəl] misbilligelse, uvilje. **disapprove** [disə'pru:v] misbillige, mislike.
disarm [dis'ɑ:m, diz-] avvæpne, desarmere, uskadeliggjøre; nedruste.
disarmament [dis'ɑ:məmənt] avvæpning, desarmering, uskadeliggjøring, nedrusting.
disarmer [dis'ɑ:mə] tilhenger av (atom)nedrustning.
disarrange [disə'rein(d)ʒ] bringe i uorden, forstyrre. **-ment** [disə'rein(d)ʒmənt] uorden, ugreie, forvirring.
disarray [disə'rei] avkle; løse opp, bringe i uorden; uorden, forvirring; neglisjé.
disassociate [disə'səuʃieit] atskille.
disaster [diz'ɑ:stə] ulykke, katastrofe. **disastrous** [diz'ɑ:strəs] ulykkelig, katastrofal.
disavow [disə'vau, 'disə'vau] desavouere; fragå, miskjenne; avslå, nekte. **disavowal** [disə'vauəl] desavouering.
disband [dis'bænd] gi avskjed, avskjedige; sende hjem; oppløse seg. **-ment** hjemsending.
disbelief ['disbi'li:f] vantro, tvil. **disbelieve** [disbi'li:v, 'disbi'li:v] ikke tro, tvile på. **-r** [-ə] en som ikke tror; vantro.
disbranch [dis'brɑ:nʃ] brekke greinene av; hogge av.
disburden [dis'bə:dn] fri for en byrde; lette; kvitte seg med.
disburse [dis'bə:s] betale ut. **disbursement** [dis'bə:smənt] utbetaling, uttelling.
disc [disk] flat, rund skive; plate; diskos; grammofonplate, tallerken (på harv).
discard [dis'kɑ:d] kaste (i kortspill); kassere, vrake; avsette, avskjedige; **-ed theory** forlatt teori.
disc | brake skivebremse. **— clutch** platekopling.
discern [di'sə:n] skjelne; skjønne; oppdage, bli var. **discernible** [di'sə:nibl] som kan skjelnes, merkbar. **discerning** [di'sə:niŋ] forstandig; skarpsindig, gløgg. **discernment** [di'sə:nmənt] skjelning; dømmekraft; skarpsindighet, gløgghet.
discharge [dis'tʃɑ:dʒ] lesse av; losse; avfyre; gi fra seg; la strømmen ut, avgi; frikjenne; frigi; løslate; gi avskjed; dimittere; utlade; utføre; oppfylle; betale; kvittere; bortskaffe, fjerne; avkaste en byrde, lette seg; avlessing; lossing; utstrømming, avløp; utladning; avfyring, salve; fjerning; avskjedigelse; befrielse, løslating, frikjenning; frigivelse, avmønstring; oppfylling; betaling; kvittering **— water** spillvann.

disciple [di'saipl] disippel. **discipleship** [di'saiplʃip] disiplers stilling el. forhold.
disciplinable ['disiplinəbl] mottagelig, lærvillig, straffskyldig. **disciplinarian** [disipli'nɛəriən] disiplinær; læremester, tuktemester. **disciplinary** ['disiplinəri] disiplinær. **discipline** ['disiplin] undervisning; kunst; disiplin, mannstukt; fag; undervise; disiplinere; tukte; holde i age.
disc jockey plateprater.
disclaim [dis'kleim] ikke erkjenne; benekte, dementere; fralegge seg; forkaste; frasi seg. **disclaimer** [dis'kleimə] forkaster; fraleggelse; avkall; fornekting, dementi, beriktigelse.
disclose [dis'kləuz] åpne; bringe for dagen; oppdage; åpenbare; åpne seg. **disclosure** [dis'kləuʒə] åpning, avsløring, utgreiing; åpenbaring; oppdaging.
discoid ['diskɔid] skiveformet.
discoloration [diskʌlə'reiʃən] fargeskifte, misfarging, skjold, flekk. **discolour** [dis'kʌlə] gi annen farge, forandre fargen; farge av; sette flekker på; bleke, falme.
discomfit [dis'kʌmfit] slå på flukt; skuffe, gjøre det av med; forpurre; gjøre motløs, gjøre ulykkelig, forfjamse. **-ure** [dis'kʌmfitʃə] nederlag; forvirring; forstyrrelse; skuffelse, uhell.
discomfort [dis'kʌmfət] ubehagelighet, bry, sorg, plage; gjøre urolig; sjenere.
discommend [diskə'mend] dadle, misbillige, laste.
discommode [diskə'məud] volde besvær, plage. **discommodity** [diskə'mɔditi] plage, besvær, bry.
discompose [diskəm'pəuz] bringe i uorden, forstyrre; forurolige, uroe, bringe ut av fatning. **discomposure** [diskəm'pəuʒə] uorden, ulag, forvirring, forstyrrelse.
disconcert [diskən'sə:t] gjøre forlegen, forfjamse, bringe ut av fatning; tilintetgjøre, forpurre, uroe. **disconcerting** som virker forvirrende, forbløffende.
disconnect ['diskə'nekt] atskille; kople fra, kople ut; løsrive.
disconsolate [dis'kɔnsəlit] trøstesløs, utrøstelig.
discontent ['diskən'tent] misnøye, utilfredshet. **-ed** misfornøyd, utilfreds.
dis|continuance [diskən'tinjuəns], **-continuation** [diskəntinju'eiʃən] avbrytelse; stans, opphør. **-continue** [diskən'tinju] holde opp med, avbryte, nedlegge, gjøre ende på. **-continuous** [diskən'tinjuəs] usammenhengende, uavbrutt.
discophile [dis'kəfail] diskofil, en som samler på grammofonplater.
dis|cord ['diskɔ:d] disharmoni, dissonans, mislyd; splid, uoverensstemmelse. **-cord** [dis'kɔ:d] være uenig, disharmonere. **-cordance** [dis'kɔ:dəns], **-cordancy** [dis'kɔ:dənsi] disharmoni, mislyd; uoverensstemmelse. **-cordant** [dis'kɔ:dənt] uharmonisk; uoverensstemmende.
discount [dis'kaunt] diskontere, slå av på, trekke fra, gjøre fradrag i; selge til redusert pris, se bort fra. **discount** ['diskaunt] avslag, rabatt, diskonto; **cash** — kasserabatt, kontantrabatt, **be at a** — stå under pari; ogs. være billig til salgs, **take it at a** — ≈ ta det med en klype salt. **discounter** [dis'kauntə] diskontør.
discountenance [dis'kauntinəns] bringe ut av fatning, forfjamse, ikke støtte; motarbeide, gjøre til skamme.
discourage [dis'kʌridʒ] ta motet fra; gjøre motløs; avskrekke; søke å hindre, motvirke, forhindre. **-ment** [dis'kʌridʒmənt] avskrekkelse, motløshet; hindring, motvirking.
discourse ['diskɔ:s, dis'kɔ:s] samtale; tale; foredrag; preken; samtale, tale, fremføre, holde foredrag om; forhandle, tale om.
discourteous [dis'kɔ:tjəs, -kə:-] uhøflig. **discourtesy** [dis'kɔ:tisi, -kə:-] uhøflighet.
discover [dis'kʌvə] oppdage, vise, åpenbare; **discoverable** [dis'kʌv(ə)rəbl] som kan oppdages; synlig. **discoverer** [dis'kʌvərə] oppdager, opp-

dagelsesreisende. **discovery** [dis'kʌvəri] oppdag-ing, oppdagelse.

discredit [dis'kredit] vanry, skam, miskreditt, disfavor; bringe i miskreditt; ikke tro. **discreditable** [dis'kreditəbl] vanærende, beskjemmende.

discreet [dis'kri:t] forsiktig, var, betenksom; taktfull, diskret. **-ly** på en fin måte.

discrepancy [dis'krepənsi] uoverensstemmelse, avvikelse. **discrepant** [dis'krepənt] uoverens-stemmende, motsigende, stridende.

discrete [dis'kri:t] avsondret, atskilt; særskilt; atskillende.

discretion [dis'kreʃən] betenksomhet, påpasse-lighet, forsiktighet, varsomhet, klokskap, for-stand, skjønn; diskresjon, takt; **years of** — skjels år og alder; **to pay at** — betale når det passer; etter eget skjønn; **by** —, **on** — etter skjønn; — **is the better part of valour** forsiktighet er en dyd; **follow his own** — handle etter eget skjønn. **discretional** [dis'kreʃənəl], **discretionary** [dis-'kreʃənəri] etter skjønn, vilkårlig.

discriminate [dis'krimineit] skjelne; diskrimi-nere, atskille; gjøre forskjell på; skille. **discriminate** [dis'kriminit] atskilt; særskilt. **discrimination** [diskrimi'neiʃən] skjelning, diskriminer-ing; forskjell; takt, skjønn; skillemerke. **discriminative** [dis'kriminətiv] karakteristisk; skjelnende, kritisk.

discursion [dis'kə:ʃən] digresjon, sidesprang. **discursive** [dis'kə:siv] springende, spredt, ujevn; resonnerende, slutnings-.

discus ['diskəs] pl. **disci** ['diskai] diskos. — **thrower** diskoskaster.

discuss [dis'kʌs] drøfte, forhandle om, disku-tere, debattere; spise, fortære, nyte. **discussion** [dis'kʌʃən] drøfting, forhandling, debatt.

disdain [dis'dein] forakt, ringeakt; forsmå, forakte. **-ful** [-f(u)l] ringeaktende, foraktelig, hån-lig.

disease [di'zi:z] sykdom; sykelighet; gjøre syk; smitte. **diseased** [di'zi:zd] syk; sykelig; avdød.

disembark ['disim'ba:k] skipe ut, landsette; gå i land, gå fra borde, **disembarkation** [disemba:-'keiʃən] utskiping, landsetting.

disembarrass ['disim'bærəs] befri, fri. **-ment** [disim'bærəsmənt] befrielse, frigjøring.

disembody ['disim'bɔdi] frigjøre fra legemet; oppløse, sende hjem (en hæravdeling).

disembogue [disim'bəug] utgyte; løpe ut, el. munne ut (i havet f. eks.).

disembowel [disim'bauəl] ta innvollene ut av; sprette magen opp på.

disembroil [disim'brɔil] utrede, greie ut.

disenchant [disin'tʃa:nt] løse fra fortryllelse; desillusjonere. **-ment** desillusjonering.

disencumber ['disin'kʌmbə] befri (fra en byrde). **disencumbrance** [disin'kʌmbrəns] befrielse.

disendow [disin'dau] ta gavene fra.

disenfranchise ['disin'fræn(t)ʃaiz] ta borgerrett el. stemmerett fra.

disengage ['disin'geidʒ] gjøre fri, gjøre løs, befri, utløse, ta ut av funksjon. **disengaged** [disin'geidʒd] fri, ledig, ikke opptatt; uforlovet. **disengagement** [disin'geidʒmənt] befrielse; fri-gjøring; frigjorthet; heving av forlovelse.

disentangle ['disin'tæŋgl] utrede, greie ut; vikle løs; frigjøre; komme seg ut av. **disentanglement** [disin'tæŋglmənt] utredning, utgreiing; befrielse.

disenthral(l) [disin'θrɔ:l] befri, løse fra trelldom. **disentitle** [disin'taitl] berøve en rettighet. **disentomb** [disin'tu:m] ta opp av graven; grave fram.

disestablish [disi'stæbliʃ] oppløse, oppheve. **-ment** [disi'stæbliʃmənt] oppløsning, opphevelse; atskillelse av stat og kirke.

disesteem [disi'sti:m] ringeakte; gjøre ringe-aktet; ringeakt; miskreditt. **disestimation** [disesti-'meiʃən] ringeakt; miskreditt.

disfavour [dis'feivə] ugunst; unødige; disfavør, mishag, motvilje.

disfeature [dis'fi:tʃə] skamfere, vansire.

disfiguration [disfigju'reiʃən] vansiring, skam-fering, lyte; beskadigelse. **disfigure** [dis'fig(j)ə] vansire, skjemme, lyte, beskadige, ødelegge.

disfranchise ['dis'fræn(t)ʃaiz] ta borgerrett, stemmerett el. representasjonsrett fra.

disgorge [dis'gɔ:dʒ] spy ut; gulpe opp; gi fra seg. **-ment** [-mənt] utspying, oppgulping.

disgrace [dis'greis] unåde, skam, skjensel; skandale; bringe i unåde; vanære. **-ful** [-f(u)l] vanærende; skjendig, skammelig, skandaløs.

disgruntled [dis'grʌntld] misfornøyd, mellom-fornøyd, lei.

disguise [dis'gaiz] forkle, kle ut; maskere skjule; forkledning, utkledning; forstillelse; **-d as** eller **-d like** eller **in the** — **of** forkledd som; **-d in liquor** beruset; **-d hand** fordreid håndskrift.

disgust [dis'gʌst] avsmak, usmak, vemmelse, motbydelighet; avsky; volde vemmelse, vekke motbydelighet. **disgusting** [dis'gʌstiŋ] motbyde-lig, vemmelig; frastøtende.

dish [diʃ] fat, skål; rett; hulhet, dokk, grop; lekker liten sak; legge på fat, servere, anrette; skravle, småprate: ødelegge; gjøre hul; **to do the -es** vaske opp; — **of meat** en kjøttrett; — **up** dishe opp med.

dishabille [disə'bi:l] neglisjé.

disharmonious [dis(h)ɑ:'məunjəs] uharmonisk. **disharmony** [dis'hɑ:məni] disharmoni.

dish|cloth ['diʃklɔ(:)θ] el. **-clout** [-klaut] vaske-klut, oppvaskklut.

dishearten [dis'hɑ:tn] ta motet fra; gjøre mot-løs. **-ed** [dis'hɑ:tnd] forsagt, motløs, nedtrykt. **dished** [diʃt] konkav; rennet etter kroppen (om møbler).

dishevel [di'ʃevəl] ruske opp (håret), bringe i uorden; **-led** oppløst, utslått, i uorden, pjusket. **dish gravy** sjy.

dish mop vaskeklut, -fille.

dishonest [dis'ɔnist] uærlig, uheDerlig, uredelig. **dishonesty** [dis'ɔnisti] uærlighet, uredelighet.

dishonour [dis'ɔnə] skam; vanære; ikke hono-rere, la protestere (en veksel f. eks.). **dishonourable** [dis'ɔnərəbl] vanærende; vanæret, æreløs. **dish|pan** oppvaskbalje. **-rag** vaskefille. **-towel** kjøkkenhåndkle. **-washer** oppvasker; oppvask-maskin. **-water** oppvaskvann; tynt skvip.

disillusion [disi'l(j)u:ʒən] desillusjonering; des-illusjonere, befri for illusjoner.

disincentive [disin'sentiv] hindring, ulempe, hemsko.

disinclination [disinkli'neiʃən] utilbøyelighet, ulyst, motvilje. **disincline** [disin'klain] gjøre util-bøyelig til.

disincorporate [disin'kɔ:pəreit] oppløse (et samfunn); utelukke (av et samfunn).

disinfect [disin'fekt] rense, desinfisere. **disin-fectant** [disin'fektənt] desinfeksjonsmiddel. **disinfection** [disin'fekʃən] desinfeksjon.

disinfestation [disinfes'teiʃən] bekjempelse av skadedyr.

disinflationary [disin'fleiʃnəri] inflasjonshem-mende.

disingenuous [disin'dʒenjuəs] falsk, uærlig, uoppriktig, perfid, underfundig.

disinherit [disin'herit] gjøre arveløs.

disintegrate [dis'intigreit] oppløse, smuldre opp. **disintegration** [disinti'greiʃən] oppløsning. **disintegrator** [dis'intigreitə] knusemaskin, disintegra-tor.

disinter [disin'tə:] grave opp, bringe for dagen. **disinterested** [dis'intərestid] uegennyttig, uself-isk, uhildet, upartisk.

disinterment [disin'tə:mənt] oppgraving.

disjoin [dis'dʒɔin] splitte, atskille.

disjoint [dis'dʒɔint] vri av ledd; dele opp, skille at; **-ed** atskilt; usammenhengende; av ledd. **disjunction** [dis'dʒʌŋkʃən] atskillelse.

disjunctive [dis'dʒʌŋktiv] atskillende; dis-junktiv.

disk [disk] se **dise**.

dislike [dis'laik] mishag; avsky, ubehag, uvilje;

ikke like, ikke kunne like, misbillige, avsky; **-d** ille likt; **likes and -s** sympatier og antipatier.

dislocate ['dislǝkeit] forrykke, forskyve, bringe forvirring i, bringe i uorden; bringe av ledd, vrikke. **dislocation** [dislǝ'keiʃǝn] forrykkelse, forskyvning, forvridning.

dislodge [dis'lɔdʒ] fordrive, drive bort, drive ut, jage opp (vilt); flytte; ta ut (kule av sår); gå løs, løsne; **-d** landsforvist, uten hjemstavnsrett.

disloyal [dis'lɔiǝl] illojal; utro, troløs, ulydig. **disloyalty** [-ti] illojalitet; utroskap, troløshet, svik.

dismal ['dizmǝl] trist, sørgelig, bedrøvelig; uhyggelig, nifs.

dismantle [dis'mæntl] demontere; kle av; rive ned, ramponere; sløyfe; — **a gun** gjøre en kanon ubrukelig; — **a ship** avtakle; avrigge et skip.

dismast [dis'ma:st] avmaste.

dismay [dis'mei] forferde, gjøre redd, gjøre fælen, nedslå; forferdelse, skrekk; motløshet; sorg. .

dismember [dis'membǝ] sønderlemme, skille at; lemleste; stykke ut. **dismemberment** [-mǝnt] sønderlemming; lemlesting; utstykking.

dismiss [dis'mis]ʾ sende bort, la gå; avvise; avslå; forkaste; skaffe seg av med, bli av med; avskjedige; ikke tenke mer på. **dismissal** [dis-'misǝl], **dismission** [dis'miʃǝn] fjerning; avskjedigelse, bortvising; avvising.

dismount [dis'maunt] kaste av hesten; demontere, avmontere; stige av hesten, stige av; stige ned.

disobedience [disǝ'bi:djǝns] ulydighet. **disobedient** [disǝ'bi:djǝnt] ulydig (**to** imot). **disobey** [disǝ'bei] være ulydig, ikke adlyde, ikke lystre.

disobligation [disɔbli'geiʃǝn] uvillighet, tverrhet, mangel på forekommenhet, uvennlighet, fornærmelse. **disoblige** [disǝ'blaidʒ] nekte å gjøre noen en tjeneste, vise seg uvillig mot, være tverr mot, fornærme. **disobliging** uvillig, uelskverdig, mutt.

disorder [dis'ɔ:dǝ] uorden, forvirring, forstyrrelse; sykdom (ofte funksjonell); bringe i uorden; gjøre syk; påvirke. **-ed** i uorden; syk. **-ly** uordentlig; i uorden; udisiplinert; syk; **-ly conduct** (jur.) gateuorden, støtende oppførsel.

disorganization [disɔ:gǝnai'zeiʃǝn] oppløsning. **disorganize** [dis'ɔ:gǝnaiz] oppløse, bringe i uorden.

disorient(ate) [dis'ɔ:riǝnt(eit)] desorientere.

disown [dis'ǝun] fornekte, ikke ville vite av, forstøte.

disparage [dis'pæridʒ] nedsette, laste, nedvurdere, forkleine. **-ment** nedsettelse, forkleinelse.

disparate ['dispærit] ganske forskjellig, uensartet, uforenelig; ulik; **-s** ganske forskjellige ting. **disparity** [dis'pæriti] ulikhet, ulikskap, forskjell.

dispart [dis'pɑ:t] skille, kløyve.

dispassionate [dis'pæʃǝnit] rolig, sindig.

dispatch [dis'pætʃ] avsendelse, sending, ekspedisjon, hurtig besørgelse, fortgang, hurtighet, hast; depesje, ilbrev, telegram; sende; ekspedere; utferdige; gjøre det av med, ta av dage. — **box** dokumentskrin. — **carrier** kurér. — **case** dokumentmappe. — **rider** rytterordonnans. — **note** adressekort. — **money** godtgjørelse som et skip betaler en varemottaker for å få lasten losset på kortere tid enn de liggedager som er bestemt i certepartiet, fremskyndingspenger.

dispel [di'spel] spre, fordrive, drive bort.

dispensable [di'spensǝbl] som kan unnværes, unnværlig, uviktig.

dispensary [di'spensǝri] reseptur i apotek. **dispensation** [dispen'seiʃǝn] tildeling, utdeling; tilskikkelse; ordning, verdensorden; fritagelse, dispensasjon. **dispensative** [di'spensǝtiv] fritagende. **dispensator** ['dispenseitǝ] utdeler; fritager. **dispensatory** [di'spensǝtǝri] fritagende; farmakopø. **dispense** [di'spens] utdele, tildele, fordele; frita (**from** for), gi dispensasjon; — **with** unnvære, se bort fra, komme utenom. **dispenser**

dispenser, utdeler; provisor; beholder for barberblader o. l., **soap** — såpeautomat.

dispeople [dis'pi:pl] avfolke.

dispersal [dis'pǝ:sǝl] spredning; utbredelse; splittelse. **dispersant** sprøytemiddel. **disperse** [di'spǝ:s] spre; atspre; spre seg. **dispersedly** [di'spǝ:sidli] spredt. **dispersion** [di'spǝ:ʃǝn] spredning; utbredthet. **dispersive** [di'spǝ:siv] spredende.

dispirit [di'spirit] berøve motet, nedslå. **-ed** motløs. **-edness** motløshet.

displace [dis'pleis] flytte, fjerne, forkyve, forkaste; avsette, forjage. **-d persons** forviste personer; flyktninger. **-ment** [dis'pleismǝnt] flytting, forskyvning; deplasement; slagvolum (i en motor).

display [dis'plei] fremstilling, fremsyning, skue, fremvising, pranging; utfolde; vise fram, bre ut, stille ut, legge fram, vise; — **to view** vise fram. — **advertising** annonsering med iøynefallende layout. — **artist** (vindus)dekoratør. — **cabinet** kjøledisk. — **case** utstillingsmonter. — **window** utstillingsvindu.

displease [dis'pli:z] mishage. **displeased** misfornøyd. **displeasure** [dis'pleʒǝ] misnøye, mishag.

displume [dis'plu:m] ribbe, plukke.

disport [di'spɔ:t] forlystelse; forlyste seg, more seg, tumle seg.

disposable [di'spǝuzǝbl] som står til rådighet, disponibel; som kan kastes etter bruk, engangs-. **disposal** [di'spǝuzǝl] rådighet, disposisjon, arrangement; oppstilling, ordning; avhending, overdragelse; bortkasting; **at one's** — til ens disposisjon. **dispose** [di'spǝuz] oppstille, ordne, innrette, bestemme; gjøre tilbøyelig til; lede, styre; disponere; råde, herske. — **of** ha rådighet over; skille seg av med, kvitte seg med; gjøre ferdig, ekspedere; gjøre av, gjøre ende på. **disposer** ordner; leder, styrer; kjøkkenkvern. **disposition** [dispǝ'ziʃǝn] ordning; anordning; anlegg; tilbøyelighet, stemning, humør, gemytt; tenkemåte; natur.

dispossess [dispǝ'zes] berøve, ta fra, fordrive fra. **dispossessed** berøvet alt man eier; hjemløs. **dispossession** [dispǝ'zeʃǝn] fordrivelse; berøving.

dispraise [dis'preiz] daddel, last; laste, klandre.

disproof [dis'pru:f] gjendrivelse, motbevis.

disproportion [disprǝ'pɔ:ʃǝn] misforhold; uforholdsmessighet; utilstrekkelighet; bringe i misforhold. **disproportional** [disprǝ'pɔ:ʃǝnǝl] uforholdsmessig; utilstrekkelig. **disproportionality** [disprǝpɔ:ʃǝ'næliti] misforhold, uforholdsmessighet; utilstrekkelighet. **disproportionate** [disprǝ'pɔ:ʃǝnit] uforholdsmessig, i et urimelig forhold (**to** til).

disprovable [dis'pru:vǝbl] som kan gjendrives. **disprove** [dis'pru:v] motbevise, gjendrive, avkrefte riktigheten av.

disputable ['dispjutǝbl, di'spju:tǝbl] omtvistelig, diskutabel. **disputant** ['dispjutǝnt] disputator; **the -s** de stridende parter. **disputation** [dispju'teiʃǝn] strid; disputas. **disputatious** [dispju'teiʃǝs] trettekjær, kranglet, kontroversiell. **dispute** [di'spju:t] strides, disputere; drøfte; bestride; ordstrid, konflikt, feide, uenighet; **in** — omtvistet. **disputer** [dis'pju:tǝ] disputant.

disqualification [diskwɔlifi'keiʃǝn] diskvalifikasjon, diskvalifisering; inhabilitet; uskikkethet, uheldig egenskap. **disqualify** [dis'kwɔlifai] diskvalifisere; gjøre uskikket, gjøre inhabil.

disquiet [dis'kwaiǝt] uro, engstelse; urolig; forurolige, uroe, engste. **disquieting** foruroligende, urovekkende.

disquisition [diskwi'ziʃǝn] undersøkelse, avhandling.

Disraeli [diz'reili].

disrate [dis'reit] degradere, sette ned.

disregard [disri'gɑ:d] ringeakt; ringeakte, overse, forbigå, se bort fra.

disrelish [dis'reliʃ] ulyst, utilbøyelighet, ha avsmak for; gjøre ekkel.

disrepair ['disri'pɛə] forfall, dårlig tilstand.
disreputable [dis'repjutəbl] skammelig; sjofel, simpel; redselsfull, lurvet; beryktet, ille omtalt.
disrepute ['disri'pju:t] vanry, slett rykte.
disrespect [disri'spekt] mangel på aktelse, uærbødighet; vise manglende respekt, blåse av. **-ful** [-f(u)l] uærbødig.
disrobe [dis'rəub] kle av.
disrupt [dis'rʌpt] avbryte, splitte, rive opp. **disruption** [dis'rʌpʃən] brudd, sammenbrudd, sprengning. **disruptive** [dis'rʌptiv] sprengnings-; nedbrytende.
dissatisfaction [dis(s)ætis'fækʃən] utilfredshet; misfornøyelse, misnøye. **dissatisfactory** [dis(s)ætis-'fæktəri] utilfredsstillende. **dissatisfied** [di(s)-'sætisfaid] misfornøyd, misnøgd, utilfreds. **dissatisfy** [di(s)'sætisfai] gjøre misfornøyd.
dissect [di'sekt] sønderlemme, dissekere; obdusere, analysere. **dissection** [di'sekʃən] sønderlemmelse; disseksjon; obduksjon. **dissector** [di'sektə] dissektor; prosektor; obdusent.
dissemble [di'sembl] skjule, dølge; forstille seg. **dissembler** hykler. **dissembling** forstilt; hyklersk.
disseminate [di'semineit] så, strø ut. **dissemination** [disemi'neiʃən] utstrøing, utbredelse, spredning.
dissension [di'senʃən] tvist, splid, uenighet, uoverensstemmelse. **dissent** [di'sent] være av en annen mening; avvike (særlig i kirkelig henseende); dissentere; meningsforskjell; avvikelse fra statskirken; **memorandum of** — mindretallsbetenkning. **dissenter** [di'sentə] dissenter. **dissentient** [di'senʃənt] avvikende, uenig; annerledes tenkende.
dissert [di'sə:t] skrive en avhandling, komme med en utgreiing. **-ation** [disə'teiʃən] (doktor)-avhandling, utgreiing, undersøkelse.
disservice [dis'sə:vis] bjørnetjeneste.
dissever [di'sevə] skille, rive fra hverandre.
dissidence ['disidəns] uenighet. **dissident** ['disidənt] uenig; dissenter-.
dissimilar [di'similə] ulik, forskjellig, uensartet. **dissimilarity** [disimi'læriti], **dissimilitude** [disi'militjud] ulikhet, forskjellighet, uensartethet.
dissimulat|e [di'simjuleit] forstille seg, skape seg, simulere. **-ion** [disimju'leiʃən] forstillelse.
dissimulator [-'sim-] hykler.
dissipate ['disipeit] splitte, atspre; forøde, sette til, spre seg. **dissipated** ['disipeitid] utsvevende, forranglet. **dissipation** [disi'peiʃən] atspredelse, spredning; sløsing; utsvevelser, turing, rangling.
dissociate [di'souʃieit] skille, atskille, løse opp. **dissociation** [disəuʃi'eiʃən] atskillelse.
dissolubility [di'səlju'biliti] oppløselighet. **dissoluble** ['disəljubl, di'səljubl] oppløselig.
dissolute ['disəljut] utsvevende, lastefull; tøylesløs. **-ness** utsvevelser. **dissolution** [disə'l(j)u:ʃən] oppløsning; opphevelse.
dissolvability [dizolvə'biliti] oppløselighet. **dissolvable** [di'zolvəbl] oppløselig. **dissolve** [di'zolv] løse opp; løse seg opp; smelte; oppheve. **dissolving views** tåkebilder. **dissolvent** [di'zolvənt] oppløsende; oppløsende middel. **dissolver** oppløser; oppløsningsmiddel.
dissonance ['disənəns] mislyd, dissonans. **dissonant** ['disənənt] skurrende, illelydende; uharmonisk; uoverensstemmende.
dissuade [di'sweid] fraråde. **dissuasion** [di-'sweiʒən] fraråding. **dissuasive** [di'sweisiv] frarådende.
dissyllabic [disi'læbik] tostavings-. **dissyllable** [di'siləbl] tostavingsord.
dist. fk. f. **discount**; **distance**; **distinguished**; **district**.
distaff ['dista:f] håndtein; rokkehode; **on the** — **side** på spinnesiden, kvinnen.
distance ['distəns] avstand, frastand, distanse; (vei)stykke; fjernhet; tidsrom; tilbakeholdenhet; **at a** — langt borte; et stykke borte; **in the** — i det fjerne; **keep one's** — holde seg unna, være

reservert; **within easy** — **of** i passende avstand fra. **distance** ['distəns] fjerne, rykke fra hverandre; la tilbake, distansere; **be -d** bli distansert.
distant ['distənt] fjern, fjerntliggende; borte; fjernt beslektet; grissen; tilbakeholdende; **at this** — **period** nå så lang tid etterpå. — **control** fjernstyring. — **effect** fjernvirkning.
distaste [dis'teist] avsmak, vemmelse; motvilje, utilbøyelighet. **distasteful** [dis'teistf(u)l] ubehagelig, usmakelig.
distemper [dis'tempə] sykdom, især hvalpesyke; gjøre syk; bringe i uorden; opphisse.
distemper [dis'tempə] limfarge, vannfarge (til kalkvegger).
distend [dis'tend] strekke, spile ut, utvide; utvide seg. **distensive** [dis'tensiv] utvidende; som kan utvides. **distension** [dis'tenʃən] utstrekning, utvidelse; vidde.
distich ['distik] distikon.
distichous ['distikəs] toradet.
distil [di'stil] dryppe, falle i dråper; sildre; destillere, brenne. **distillable** [di'stiləbl] som kan destilleres. **distillate** ['distilit] destillat. **distillation** [disti'leiʃən] drypp, destillat; essens; destillasjon. **distillatory** [di'stilətəri] destillasjons-. **distiller** [di'stilə] destillatør, brennevinsbrenner; destillasjonsapparat. **distillery** [di'stiləri] destillasjonslokale; spritfabrikk; whiskyfabrikk.
distinct [di'stiŋ(k)t] forskjellig; tydelig atskilt; særskilt; uttalt, utpreget; uttrykkelig; distinkt; tydelig, avgjort. **distinction** [di'stiŋkʃən] forskjell; atskillelse; sondering; særpreg; betydning, utmerkelse, anseelse. **distinctive** [di'stiŋ(k)tiv] eiendommelse; utpreget, markant, særs, særlig. **distinctly** tydelig, bestemt. **distinctness** tydelig atskillelse; tydelighet.
distinguish [di'stiŋgwiʃ] atskille; skjelne; utmerke. **distinguishable** [di'stiŋgwiʃəbl] som kan skilles el. skjelnes. **distinguished** [-t] utmerket, fremragende, fornem, stilfull, distingvert; navngjeten.
distort [dis'to:t] fordreie, forvri, forvrenge. **distortion** [dis'to:ʃən] fordreiing, forvridning, forvrengning.
distract [di'strækt] avlede, forvirre; plage; drive fra vettet, gjøre gal. **-ed** [di'stræktid] forstyrret, ute av seg, forrykt, gal, rasende. **distraction** [di'strækʃən] atspredelse, forvirring, forstyrrelse; sinnsforvirring.
distrain [di'strein] ta utlegg i; pante ut; legge beslag på. **distraint** [di'streint] utpanting, utleggsforretning.
distrait [di'strei] distré, fortenkt.
distraught [di'stro:t] vanvittig (av sorg etc.); forstyrret, forvirret.
distress [di'stres] nød, ulykke, bedrøvelse, lidelse; sorg, utpanting; bringe i nød; pine; bedrøve; pante. — **call** nødsignal. **-ed** ulykkelig; nødstedt, kriserammet. **distressful** [di'stresful] ulykkelig; **the** — **country:** Irland.
distribute [di'stribjut] dele ut, fordele; bringe omkring, distribuere; sortere. **distribution** [distri'bju:ʃən] utdeling; fordeling; utbredelse; ombæring; gruppering. **distributive** [di'stribjutiv] utdelende, fordelende. **distributor** [di'stribjutə] fordeler (i bil); utdeler; ombærer.
district ['distrikt] distrikt, egn. — **attorney** offentlig anklager. — **medical officer** distriktslege. — **visitor** ≈ sosialkurator.
distrust [dis'trʌst] mistro, ikke tro, mistenke, ha mistillit til; mistro, mistillit (**of** til). **-ful** mistroisk; fryktsom.
disturb [di'stə:b] forstyrre; forvirre; forurolige, uroe; bringe uorden i. **disturbance** [di'stə:bəns] forstyrrelse; forvirring; opphisselse; oppløp, opprør, tumult, oppstyr. **disturber** [di'stə:bə] fredsforstyrrer, urostifter, bråkmaker.
disunion [dis'ju:njən] atskillelse, splittelse, løsriving, uenighet. **disunite** [disju'nait] skille, splitte; skilles.
disusage [dis'ju:zidʒ] det å gå av bruk. **disuse**

[dis'ju:z] ikke bruke mer, slutte å bruke, holde opp med, avvenne; nedlegge. **disuse** [dis'ju:s] det å gå av bruk; ledighet; avskaffelse; ubrukelighet; opphør.

disyllabic ['disi'læbik] tostavelses(-), tostavings(-). **disyllable** [di'silæbl] tostavelsesord.

ditch [ditʃ] grøft, veit, grav; grøfte, grave, forsyne med grøft; kjøre i grøften; kvitte seg med. **-digger** grøftegraver. **ditcher** ['ditʃə] grøftegraver.

dither ['diðə] skjelve; gyse; skjelving; gysning.

dithyramb [di'θiræm] dityrambe; drikkevise.

dithyrambic [diθi'ræmbik] dityrambisk; oppglødd.

dittany ['ditəni] bredbladet karse, askrot.

ditto ['ditəu] ditto; det omtalte, det samme; **I say — to him** (spøkende) jeg er enig med ham; **a suit of -es, a — suit** hel drakt av samme stoff.

ditty ['diti] vise, stubb.

ditty bag ['ditibæg] el. **— box** [-bɔks] sypose, skrin, syskrin.

diuresis [daiju'ri:sis] urinavsondring. **diuretic** [daiju'retik] urindrivende; urindrivende middel.

diurnal [dai'ə:nəl] dag-, daglig, døgn-, døgnfast.

div. fk. f. dividend.

diva ['di:və] stor sangerinne, diva.

divagation [daivə'geiʃən] digresjon, avvik(else).

divan [di:'væn] divan, tyrkisk statsråd; divan (løybenk); røykeværelse.

dive [daiv] dukke, stupe; trenge inn i, trenge ned; hopp, stup, dukking, dukkert, bad; svipptur; (amr.) kneipe, bule. **— board** stupebrett. **— bomber** ['daiv bɔmə] stupbombefly, stupbomber. **— brake** stupbrems. **diver** ['daivə] dykker, stuper; lom (fuglen).

diverge [di'və:dʒ, dai-] gå til forskjellige sider, gå fra hverandre, vike av, divergere. **divergence** [di'və:dʒəns, dai-], **divergency** [di'və:dʒənsi] divergens, avvikelse. **divergent** [-ənt] divergerende, avvikende.

divers ['daivəz] forskjellige, atskillige; flere. **diverse** [d(a)i'və:s, 'daivəs] forskjellig, ulik, mangfoldig. **diversification** [d(a)ivə:sifi'keiʃən] forandring, avveksling; forskjellighet, variasjon; spredning. **diversify** [di'və:sifai, dai-] forandre, variere, skape variasjon. **diversion** [di'və:ʃən, dai-] avledning; omlegging; bortdraging; fornøyelse, atspredelse; diversjon. **diversity** [di'və:siti, dai-] forskjellighet; mangfoldighet, uensartethet.

divert [di'və:t, dai-] avlede, vende bort; omdirigere, omlegge, bortlede; atspre, distrahere; more.

divertisement [di'və:tismənt] **-s** (pl.) forlystelser, moro.

divest [di'vest, dai-] kle av, avføre; blotte, berøve.

dividable [di'vaidəbl] delelig.

divide [di'vaid] vannskille; (fig.) skille.

divide [di'vaid] dele, kløyve; skille, spre, utskille; dele ut; oppdele; inndele; dividere; være uenig; stemme; **— the House** la foreta avstemning i underhuset. **dividend** ['dividənd] dividende, utbytte; resultat; dividend. **divider** [di'vaidə] deler, utdeler.

dividers [di'vaidəz] passer; **a pair of — en** passer.

dividing | box koplingsboks. **— line** skillestrek; skillelinje.

divination [divi'neiʃən] spådom, varsel; anelse. **divinator** ['divineitə] spåmann. **divine** [di'vain] spå; ane, gjette; guddommelig; gudbenådet; vidunderlig; teologisk; **— right** guddommelig rett (om Kongens rett til å regjere); **— service** gudstjeneste. **divine** geistlig, teolog. **diviner** [di'vainə] spåmann. **divineress** [di'vainəris] spåkvinne.

diving | beetle vasskalv. **— bell** dykkerklokke. **— board** stupebrett. **— goggles** dykker|briller, -maske. **— plane**, **— rudder** dybderor.

divining rod ønskekvist (til å vise vann).

divinity [di'viniti] guddommelighet; guddom;

guddomskraft; teologi. **Doctor of Divinity** dr. theol.

divisibility [divizi'biliti] delelighet. **divisible** [di'vizibl] delelig.

division [di'viʒən] divisjon; skille; deling; inndeling; (administrativ) avdeling; uenighet, splittelse, stridighet; avstemning. **— bar** vindussprosse. **— chief**, **— head**, **— manager** avdelingssjef. **— wall** skillevegg. **— lobby** forhall i parlamentet, som blir brukt ved avstemning. **— of labour** arbeidsdeling.

divisional [di'viʒənl] skille-, delings-, divisjons-. **— court** domstolavdeling. **— engineer** avdelingsingeniør. **— surgeon** politilege.

divisor [di'vaizə] divisor.

divorce [di'vɔ:s] skilsmisse; løsrivelse; skilsmissedom; skille (ektefolk); løsrive; la seg skille fra; skilles; løsrives. **-able** [di'vɔ:səbl] som kan skilles. **— decree** skillsmissedom. **divorcee** [divɔ:'si:] fraskilt. **divorcement** [di'vɔ:smənt] skilsmisse.

divulge [di'vʌl(d)ʒ, dai-] åpenbare, bekjentgjøre, kunngjøre, la sive ut, avsløre. **divulgement** [-mənt] bekjentgjøring, nyhetslekkasje.

divvy ['divi] andel; fordeling av bytte.

Dixie Land ['diksi lænd] (amr.) sørstatene.

dizen ['daizn] spjåke til, stase til, pynte.

dizziness ['dizinis] svimmelhet. **dizzy** ['dizi] svimmel; gjøre svimmel.

D. L. fk. f. Doctor of Law dr. juris.

dl fk. f. **decilitre.**

D. L. O. fk. f. Dead Letter Office.

D. Lit. fk. f. Doctor of Literature.

dly fk. f. **daily; delivery.**

D. M. fk. f. Daily Mail; Doctor of Medicine.

D. N. fk. f. Daily News.

d-n fk. f. **damn.**

do [du:] (imperf. **did;** perf. pts. **done;** 3. p. sg. pres.: **does**). 1. (transitivt selvstendig v.) gjøre, utføre, bevirke, fullføre; drive (handel); sone, lide, sitte; tilberede, ordne; snyte. 2. (intransitivt selvstendig v.) gjøre, handle; klare, greie seg, gå an, være nok, passe; leve, ha det. 3. (hjelpeverb) brukt i usammensatte tider i setninger benektet med «not», i spørrende hovedsetninger unntatt hvor et spørrende ord står som subjekt, og for å gi ettertrykk. 4. brukt som stedfortreder for et verbum eller lengre uttrykk. Eksempler: 1. **— oneself well** godgjøre seg; **do one's best** gjøre sitt beste, gjøre seg umak; **do credit** gjøre ære; **do one's duty** gjøre sin plikt; **do me a service** gjør meg en tjeneste; **do good; do harm; do wrong; do right; do me the honour; do me the favour; do justice to** yte rettferdighet; **the work is done** arbeidet er ferdig; **I have done eating** jeg er ferdig med å spise; **done!** la gå! så er det en avtale; **do bills** drive vekselforretninger; **do one's hair** stelle håret; **do one's lessons** lære leksene sine; **a well done chop** en godt stekt kotelett; **do a room** gjøre et værelse i stand; **do a sum** regne et stykke; **do the town se** (severdighetene i) en by; **they will do you** de kommer til å snyte deg; **he does himself very well** han holder seg selv med kost, og det går meget godt; **do away with** avskaffe; vrake; **do down** snyte; baktale, sverte; **do by others as you would be done by** gjør imot andre som du vil at de skal gjøre imot deg; **do in** gjøre det av med; snyte; **do into Norwegian** oversette til norsk; **do out** gjøre i stand; — **up** sette i stand; sette opp; pakke inn; — **well** trives, ha det godt; gjøre det godt, **make do with** klare, el. greie seg med. 2. **there is nothing doing** det foregår ingenting; det blir det ikke noe av; **he did well to refuse** det var best om han sa nei; **do or die** seire eller falle; **be up and doing** være i full virksomhet; **have to do with** ha å gjøre med; **a great to do** et stort spetakkel; **that will do** det er nok; **that won't do** den går ikke; **will this do?** kan De bruke denne? **this will do for him** dette vil gjøre

det av med ham; **I am done for** det er ute med meg; **how do you do?** god dag! god aften! god morgen! (hilsen, når man møtes; svaret er like-lydende: how do you do?); sjeldnere, hvordan har du det? (som alm. uttrykkes ved: how are you?); **a well-to-do man** en velstående mann; **do without** unnvære. 3. **I do not like it** jeg liker det ikke; **he did not see me** han så meg ikke; **he does not smoke** han røyker ikke; **don't do it** ikke gjør det; **don't la være; do you speak English?** snakker (kan) du engelsk? **did he speak with you?** talte han med deg? **I do like London** jeg liker godt London; **I do think he is crying** jeg tror virkelig at han gråter; **do come å**, kom nå; vær så snill å komme; **don't you know** du forstår nok (det brukes også som fylleord uten noen egentlig betydning). 4. **did you see him?** — Yes, **I did** så du ham? — ja jeg gjorde det; **you like him, don't you?** du liker ham, ikke sant? **you don't smoke, do you?** du røyker ikke vel?
do [du:] narrestrek; svindel(foretagende); fest, veiv.
do. fk. f. ditto.
do-all ['du:'ɔ:l] altmuligmann, faktotum.
dobbin ['dɔbin] øyk, arbeidsgamp.
doc fk. f. **doctor.**
docile ['dəusail] lærvillig; lærenem; føyelig. **docility** [dɔ'siliti] lærvillighet; føyelighet.
dock [dɔk] syre (plante).
dock [dɔk] dokk; tiltaltes plass i en rettssal, anklagebenk. **dock dokke**; gå i dokk.
dock [dɔk] stump, avhogd hale, stubberumpe; skjære av, stusse; trekke fra (i lønn o. l.).
dockage ['dɔkidʒ] dokkplass; dokkpenger.
docker ['dɔkə] dokkarbeider, havnearbeider, sjauer.
docket ['dɔkit] innholdsliste, sakliste; merke-(lapp); resymé, utdrag (av dom el. protokoll); dagsorden; kjøpetillatelse, løyve. **docket** ['dɔkit] merke, sette merkelapp på; gjøre utdrag av, sette opp liste over.
dockize ['dɔkaiz] bygge dokker i. **dockland** ['dɔklænd], **dockside** ['dɔksaid] dokkområde, havnekvarter. **dockyard** ['dɔkja:d] dokk, verft.
doctor ['dɔktə] doktor, lege; doktor (innehaver av en universitetsgrad); vinblander, vinfor-falsker; doktorere, praktisere; fikse, pynte på, forfalske (vin), forgifte; **send for the** — sende bud etter legen; **who shall decide when -s disagree** hvem skal avgjøre det, når de lærde er uenige. **doctoral** ['dɔktərəl] doktor-. **doctorate** ['dɔktərit] doktorat, doktorgrad.
doctor's | bill legeregning. — **certificate** lege-attest.
doctrinaire [dɔktri'nɛə] doktrinær, dogmefast; prinsipprytter.
doctrinal ['dɔktrinəl] lære-, tros-.
doctrine ['dɔktrin] doktrine, læresetning.
document ['dɔkjumənt] skriftlig bevis; doku-ment, aktstykke; forsyne med bevis, med pa-pirer; dokumentere, bevise. **documental** [dɔkju'mentl] dokument-, brev-, som bygger på brev. **documentary** [dɔkju'mentəri] dokument-, brev-; dokumentarfilm. — **credit** remburs. — **stamp** stempelmerke.
documentation [-'tei-] dokumentering, doku-mentasjon.
dodder ['dɔdə] sniketråd, cuscuta.
dodder ['dɔdə] skjelve, vakle, rave, sjangle; **-ing** senil, avfeldig.
dodge [dɔdʒ] springe til side, skvette unna; sno seg, gjøre krumspring; unngå behendig, lure seg unna; krumspring, list, knep.
dodgem ['dɔdʒəm] radiobil (på tivoli).
dodger ['dɔdʒə] snyter, rev, lurendreier.
dodo ['dəudəu] dronte (fugl); **as dead as the** — stein død, utdødd.
doe [dəu] då; kolle; ku, hunn-.
doer ['du:ə] gjerningsmann; handlingens mann.
does [dʌz] 3 p. sg. pres. ind. av **do.**

doeskin ['dəuskin] dådyrskinn; slags buck-skinn.
doest ['du:ist] gml. 2 p. sg. pres. ind. av **do.**
doff [dɔ(:)f] ta av, avføre seg; kvitte seg med.
dog [dɔg] hund, bikkje; han (av flere dyr); fyr, type; krampe; dogg; forfølge, følge hakk i hæl, lure seg etter; **the -s** pl. hundeveddeløp; undersåtter, føtter; **a lucky** — en heldig gris; **an odd** — en underlig skrue; **a sly** — en luring, rev; **give el. send to the -s** kaste bort; **go to the -s** gå i hundene; **let sleeping -s lie** ikke rippe opp i gamle stridsspørsmål; **let loose the -s of war** slippe krigsråskapen løs.
dogate ['dəugeit] dogeverdighet.
dog|berry rød kornell. — **biscuit** hundekjeks. — **box** hundevogn (på jernbane). **-cart** dogcart, lett jaktvogn. **-catcher** hundefanger. — **-cheap** svinaktig billig. — **collar** hundehalsbånd; fler-radet halskjede; (sl.) prestekrave, prest. **the** — **days** hundedager; den døde periode.
doge [dəudʒ] doge.
dog|-ear eseløre, brett (i en bok). — **end** siga-rettstump. **-face** soldat, infanterist. **-fight** bikkje-slagsmål; nærkamp.
dogged ['dɔgid] egensindig; trassig; sta.
dogger ['dɔgə] doggerbåt.
doggerel ['dɔg(ə)rəl] slett, uregelmessig (om vers), knittelvers; burlesk; burlesk vers.
doggery ['dɔgəri] rampestrek; ramp, pøbel.
doggie ['dɔgi] bisken (kjælenavn for **dog**).
doggish ['dɔgiʃ] hundsk; bisk.
doggo ['dɔgəu]: **lie** — vente ubevegelig.
doggy ['dɔgi] = **doggie**; som liker hunder.
dog | grass kveke. — **hole** hundehull (dårlig værelse). — **hutch** hundehus. — **latin** dårlig latin. — **lead** hundelenke.
dogma ['dɔgmə] trossetning, dogme. **dogmatic** [dɔg'mætik], **dogmatical** [dɔg'mætikl] dogma-tisk; selvsikker. **dogmatics** [dɔg'mætiks] dogma-tikk. **dogmatism** ['dɔgmətizm] selvsikkerhet, dogmatisme. **dogmatist** ['dɔgmətist] selvsikker person. **dogmatize** ['dɔgmətaiz] tale med selv-sikkerhet, være skråsikker, dogmatisere.
dog | nail spiker. — **nap** liten lur.
do-good blåøyd idealistisk, naiv; **do-gooder** blåøyd idealist.
dog | rose ['dɔgrəuz] nyperose. **-s'-ear** eseløre, brett (på blad i bok); legge bretter i. **a -'s break-fast** et herlig rot. **-sleep** urolig søvn. **lead one a -'s life** plage en. **-'s meat** hundemat. **-'s nose** blanding av brennevin og øl. — **D. Star** Sirius, Hundestjernen. — **tag** hundetegn; dødsmerke, identifikasjonsmerke. — **-tired** dødstrett. **-tooth** hjørnetann; sl. ornament i gammel engelsk byg-ningskunst. **-trot** dilt. — **watch** kort ettermid-dagsvakt på skip. — **whip** hundepisk. **-wood** rød kornell, brakal, trollhegg.
doily ['dɔili] dessertserviett (under skylleskål), mellomleggsserviett; (flaske)brikke.
doing ['du:iŋ] gjerning, handling, verk, dåd. **-s** gjerninger, handlinger; oppførsel, atferd, gjøren og laten; stas, festligheter.
doit [dɔit] døyt, grann.
doldrums ['dɔldrəmz]: **the** — det stille belte i Atlanterhavet, kalmebeltet; **be in the** — være i dårlig humør, i ulag, nedtrykt; kjede seg.
dole [dəul] arbeidsløshetsunderstøttelse, for-sorg, gave, skjerv; dele ut (i små porsjoner).
dole [dəul] sorg, sut, kvide.
doleful ['dəulful] sorgfull; sørgelig; sturen.
dolichocephalic ['dɔlikəuse'fælik] langskallet.
doll [dɔl] dukke, dokke; søt liten sak (men dum); — **up** stase opp, kle fint.
dollar ['dɔlə] dollar.
doll|house ['dɔlhaus] (amr.). **-'s house** (eng.) dukkestue.
dollop ['dɔləp] stykke, bit, klump, klatt; por-sjon (av pudding e. l.).
Dolly ['dɔli] = **Dorothy.**
dolly ['dɔli] dukkeaktig; dukke. — **shop** klutehandel; ulovlig pantelånerforretning.

dolman ['dɔlmən] dolman (tyrkisk kjortel; husartrøye; damekåpe).
dolo(u)r ['dəulə] kval, smerte, sorg.
dolorus ['dɔlərəs] smertelig, sørgelig.
dolphin ['dɔlfin] delfin.
dolt [dəult] tosk, dåsemikkel. **doltish** ['dəultiʃ] dum, klosset, tosket.
D. O. M. fk. f. **Deo Optimo Maximo.**
domain [də'mein] område; besittelse; egn; maktområde; fagkrets, gebet, domene.
domal ['dəuməl] kuppelformet.
Dombey ['dɔmbi].
dome [dəum] dom, kuppel; kuple seg; knoll, hode.
domesday ['du:mzdei] dommedag; **Domesday Book** Englands jordebok fra Vilhelm Erobreren.
domestic [də'mestik] hus-, hjemlig, huslig; hjemmegjort; slags bomullstøy; indre; innenlandsk, indrepolitisk, innenriks-; tam; tjener, hushjelp; **the — drama** det borgerlige drama. **— animal** husdyr. **— appliances** husholdnings|artikler, -apparater. **domesticate** [də'mestikeit] venne til huset, gjøre husvant; temme. **domesticated** (især:) huslig. **domestication** [dɔmesti'keiʃən] tilvenning; temming; lag til å stelle i huset. **domesticity** [dəume'stisiti] husvanthet; huslighet; familieliv; husstell.
domestic | balance husholdningsvekt. **— building** bolighus. **— industry** husflid, hjemmeindustri. **— relations** familierett. **— science** husholdningslære, husstell. **— staff** tjenerpersonale.
domicile ['dɔmisail, -sil] bopel; hjemsted; domisil; bosette. **domiciliary** [dɔmi'siljəri] hus-; domisil-; **— visit** husundersøkelse. **domiciliate** [dɔmi'silieit] bosette; domisiliere.
dominance ['dɔminəns] dominering, overherredømme.
dominant ['dɔminənt] herskende, fremherskende; dominant (i musikk). **dominate** ['dɔmineit] herske, rå; beherske. **domination** [dɔmi'neiʃən] herredømme, rådvelde. **dominator** ['dɔmineitə] hersker, behersker.
domineer [dɔmi'niə] herske, dominere.
Domini ['dɔminai]: **Anno — i** det Herrens år.
dominical [də'minikəl] som angår Herren, søndags-.
Dominican [də'minikən] dominikansk; dominikaner.
dominie ['dɔmini] skolemester, lærer.
dominion [də'minjən] herredømme, makt; maktområde; selvstyrende, likeberettiget medlem av det britiske statssamfunn (om: Canada, Australia, New Zealand, Ceylon).
domino ['dɔminəu] domino, dominospill.
don [dɔn] don, herre (spansk); spanjer; storborger; ved engelske universiteter kalles magistre og kandidater **the dons.**
don [dɔn] ta på, iføre seg (motsatt **doff**).
Donald ['dɔnəld].
donate [dəu'neit] gi, skjenke, donere. **donation** [də'neiʃən] gave, donasjon. **donative** ['dɔnətiv] skjenket; gave-.
done [dʌn] perf. pts. av **do**, gjort, utført; ferdig, ferdig; la gå! så er det en avtale; **it isn't —** denslags gjør man ikke; **get — with** bli ferdig med; **I am — jeg** er ferdig; **— up** lagt sammen, pakket inn; gjort i stand; ruinert; utmattet; **I am — for** jeg er ferdig, fortapt; **I have — Italy** jeg har reist gjennom hele Italia; **— with you!** la gå! **a well — steak** godt (gjennom-)stekt biff.
donee [dəu'ni:] mottager av en gave, donatar.
donjon ['dɔndʒən, 'dʌn-] slottstårn, fangetårn.
Don Juan [dɔn'dʒu:ən].
donkey ['dɔŋki] esel, asen. **— engine** donkeymaskin (liten dampmaskin til heising). **-man** donkeymann. **-work** det tyngste arbeidet.
Donnybrook ['dɔnibruk] irsk by; **— fair** slagsmål, hurlumhei.
donor ['dəunə, -nɔ:] giver, donator; blodgiver.
do-nothing ['du:nʌθiŋ] ledig; dagdriver, døgenikt.

Don Quixote [dɔn 'kwiksət].
don't [dəunt] fk. f. **do not; do's and -s** ≈ råd og advarsler.
doodle ['du:dl] dåsemikkel, tosk; fk. f. **doodlebug.**
doodle ['du:dl] tegne kruseduller; slentre. **doodlebug** ['du:dlbʌg] tingest, dings; flyvende bombe (brukt om V-bombene).
dooly ['du:li] bærestol. **— box** bærestol.
doom [du:m] dom; lov; skjebne; lodd; ulykke; undergang; dømme; fordømme. **doomed** fortapt; dødsdømt, dødsens. **doomsday** ['du:mzdei] se **domesday.**
door [dɔ:] dør; lokk, klaff; **next — huset ved** siden av; **the fault lies wholly at my — det** er utelukkende min skyld; **in -s** innendørs; inne; **out of -s** ut av huset, ute, utenfor; utendørs. **-bell** dørklokke. **-case** dørkarm. **— chain** sikkerhetskjede. **— frame** dørkarm. **-keeper** dørvokter, portner. **— knob** dørhåndtak (rundt). **-knocker** dørhammer. **-nail** den knapp som dørhammeren slår på; **as dead as a -nail** så død som en sild. **-plate** dørskilt. **-post** dørstolpe. **-sill** dørterskel. **-step** trappetrinn (utenfor huset); dørterskel, dørstokk. **-way** døråpning; portåpning; **in the doorway** i døra, i porten. **— window** fransk vindu.
dope [dəup] saus, smurning; vognsmøring; oppsugingsmiddel; modellflylakk; bedøvende middel; narkotikum, opium; narkoman; tosk, fe; behandle med (ta) noe bedøvende, ta el. gi narkotika. **— fiend** narkoman.
doper ['dəupə], **dopper** ['dɔpə] dykker (fugl); gjendøper.
dope runner narkotikasmugler.
dopey ['dəupi] sløvet, sløv.
dor [dɔ:] tordivel.
Dora ['dɔ:rə].
Dora = D. O. R. A. fk. f. **Defence of the Realm Act** forsvarsloven av 1914.
dorado [də'ra:dəu] dorade (fisk).
dorbeetle ['dɔ:bi:tl] tordivel.
Dorcas ['dɔ:kəs] Dorcas; godgjørende kvinne, derav mange sammensetninger som: **— association, — society** kvinneforening i velgjørende øyemed.
Dorian ['dɔ:riən] dorisk; dorer. **Doric** ['dɔrik] dorisk.
Dorking ['dɔ:kiŋ] Dorking, en by i Surrey, kjent for sine høns. **dorking** dorking-høne.
dorm fk. f. **dormitory.**
dormancy ['dɔ:mənsi] hvile, dvale. **dormant** ['dɔ:mənt] slumrende, hvilende; sovende; sløv; i dvale. **— partner** passiv kompanjong, stille medinteressent.
dormer ['dɔ:mə] ark (på hus), takvindu; **dormer window** (fremspringende) takvindu, kvistvindu.
dormice ['dɔ:mais] pl. av **dormouse.**
dormitive ['dɔ:mitiv] søvndyssende; sovemiddel.
dormitory ['dɔ:mitəri] soveværelse; sovesal; studentinternat. **— suburb** soveby.
dormouse ['dɔ:maus] sjusover; hasselmus.
dorniek ['dɔ:nik] damask(stoff).
Dorothea [dɔrə'θi:ə], **Dorothy** ['dɔrəθi].
dorothy ['dɔrəθi] **bag** liten damehåndveske.
dorsal ['dɔ:səl] rygg-, på ryggsiden, rygglene; fondteppe.
Dorset ['dɔ:sit]. **-shire** [-ʃiə].
dorter el. **dortour** ['dɔ:tə] d. s. s. **dormitory.**
dory ['dɔ:ri] dory, slags jolle.
dosage ['dəusidʒ] dosering; dosis; tilsetning.
dose [dəus] dosis, porsjon; foreskrive legemidler; dosere, gi en dosis; forgi en med legemidler.
doss [dɔs] seng, køye; søvn, blund; sove, losjere. **— house** (simpelt og billig) losjihus; **— up** pynte, stase opp.
dossier ['dɔsiei] sakspapirer; rulleblad.
dossy ['dɔsi] oppstaset, smart, fiks.

dost [dʌst] 2. p. pres. sg. i høyere stil av do.

dot [dɔt] prikk, punkt; desimaltegn; multiplikasjonstegn; prikke, punktere; sette prikk over; bestrø; describe him to a — beskrive ham på en prikk; off his — forrykt, tett i knollen; in the year — i atten hundre og den tid; — and go one halte; people dotted the fields rundt omkring på markene så man folk; a landscape dotted with cottages oversådd med.

dot [dɔt] (jur.) medgift.

dotage ['dəutidʒ] alderdomssløvhet; he is in his — han går i barndommen.

dotal ['dəutəl] som hører til medgift.

dotard ['dəutəd] mann som går i barndommen, jubelolding.

dotation [də'teiʃən] gave; medgift, utstyr.

dote [dəut] soppråte; gå i barndommen; — (up)on forgude.

doth [dʌθ] (gammelt) = does.

doting ['dəutiŋ] som går i barndommen; forgudende; som begynner å råte.

dotted ['dɔtid] prikket; bestrødd, oversådd.

dott(e)rel ['dɔtrəl] boltit, fjell-lo; tosk.

dottle ['dɔtl] urøykt tobakksrest (i en pipe).

dotty ['dɔti] prikket; forrykt, bløt, sløv.

double [dʌbl] dobbelt; fordoble; legge dobbelt, folde; omseile; dublere; fordobles; fordoble seg; gjøre krumspring; gjøre seg skyldig i knep; gå i stormskritt; — up folde sammen. double det dobbelte; krumspring; knep; gjenpart; dublett; dobbeltgjenger; vardøger; stormmarsj; on the — i springmarsj; brennkvikt. — axe tveegget øks. — bar dobbeltstrek (i musikk). — -barrelled dobbeltløpet; tvetydig; dobbelt. — bass' kontrabass. — -bitted tveegget. — -breasted dobbelt|knappet, -spent. — cheek dobbelt kontroll. — chin dobbelthake. — cross svindel, snyteri. — -cross narre, svindle. — cuff dobbelt mansjett. — -dealer en som spiller falsk, el. dobbeltspill. — -decker todekker; tobinds roman. — Dutch labbelensk, kaudervelsk. — -dyed farget to ganger; durkdreven, erke-. — eagle dobbeltørn, amerikansk 20-dollarmynt av gull. — -edged tveegget. — entry dobbelt bokføring. — exposure dobbelteksponering. — -faced falsk; tosidig; tvetydig. — -ganger dobbeltgjenger, vardøger. — -glazed windows dobbeltvinduer. — image dobbeltbilde på TV. — -lock låse forsvarlig. — -minded vinglet; tvesinnet. — -park dobbeltparkere. — postal card (amr.) brevkort med betalt svar. — -quick hurtig marsj, springmarsj.

doublet ['dʌblit] dublett, tvillingform; stutttrøye, vams; dipol.

double | talk labbelensk, kaudervelsk; dobbeltspill. — -throw switch topolet bryter. — time dobbeltbetaling. — -tongued tvetunget, falsk. — track dobbeltspor.

doubling ['dʌbliŋ] fordobling; kunstgrep.

doubloon [dʌ'blu:n] dublon (spansk gullmynt).

doubly ['dʌbli] dobbelt.

doubt [daut] tvile; tvile på; frykte for; tvil, uvisshet, betenkelighet; mistanke; no — uten tvil, utvilsomt, ganske visst. doubted ['dautid] tvilsom. doubter ['dautə] tviler. doubtful ['dautf(u)l] tvilrådig; tvilsom, uviss. doubting ['dautiŋ] tvil; tvilende. doubtingly tvilsomt. doubtless ['dautlis] utvilsom, uten tvil; utvilsomt.

douceur [du:'sə:] dusør; mildhet, sødme.

douche [du:ʃ] styrtebad, dusj; dusje; skylle ut.

dough [dəu] deig; (sl.) penger. -baked dødstekt. -boy kokt bolle; amerikansk soldat (især infanterist). -face godfjott, dott. -faced dottet. -nut smultring.

doughtiness ['dautinis] mandighet, tapperhet.

doughty ['dauti] tapper, mandig; djerv, gjev.

doughy ['dəui] deiget, blekfet; — complexion gråblek hudfarge.

Douglas ['dʌgləs].

dour [duə] (skotsk) hard, ubøyelig, seig, trassig; innesluttet, stri.

douse [daus] se dowse.

dove [dʌv] due. -cot, -cote [-kɔt] dueslag; flutter the -cots bringe uro i leiren, sette støkk i godtfolk. dovelet ['dʌvlit] liten due, ung due.

Dover ['dəuvə]; — court støyende forsamling, polsk riksdag.

dovetail ['dʌvteil] sinketapp; sinke sammen; passe sammen.

dowager ['dauidʒə] fornem el. rik enke, enkefrue; Queen Dowager enkedronning.

dowdy ['daudi] gammeldags el. sjusket kledd kvinne; slusket, slurvet.

dowel ['dauəl] blindnagle, dimling; feste med blindnagle osv.; -ling fordypning.

dower ['dauə] enkes boslodd, enkesete; medgift; begavelse; begave (with med).

dowlas(s) ['dauləs] slags grovt lerret.

down [daun] dun, hy, fnugg, fnokk.

down [daun] klett, dyne, sandbanke; banke; the Downs dynene, sandbankene (høydedrag i Kent og Surrey).

down [daun] nedgang; ned; nede; nedad; ned igjennom; slå ned; legge ned; — here her ned(e); — stairs ned trappa; ned; nedenunder, nede; — there der ned(e); come — komme ned, falle ned; cut — hogge ned, felle; meie; go — gå under; synke, falle (i kamp), velte; lie — legge seg (ned); sit — sette seg (ned); be — on one være etter en; be — for være tegnet for; ha i vente; — in the world redusert, forkommen; be — and out ute av stand til å gjenoppta boksekampen, beseiret i livskampen; helt på knærne; gjort av med; — the hatch! skål! bånnski! -beat nedslag (musikk); nedgang, depresjon (merk.). -east nedslått, motfallen. -draught nedslag. -er sl. medikament med depressiv bivirkning. -fall fall, undergang; kraftig nedbør. -grade fall, helling; nedvurdere; degradere. -hearted motfallen. -hill hellende; unnabakke; skrent; utfor(renn) på ski.

Downing ['dauniŋ]: — Street, gate i London hvor statsministeren bor; regjeringen.

down|land gresskledde bakker. -most nederst. — payment (kontant ut)betaling; kontantbeløp (ved avbetaling). -pour ['daunpɔ:] skyllregn, østregn. -right likefram, endefram; fullstendig. -stairs ned trappene, ned, i stua, nedenunder. -the-line helt igjennom. -throw fall, omstyrtning. -to-earth jordbunden, realistisk, nøktern; enkel. -town (ned) til el. i byens sentrum. — -train tog fra London. -trodden nedtråkket; tråkket under fot; underkuet. -ward ['daunwəd] nedadgående. -wards ['daunwədz] nedad, nedover.

downy ['dauni] dunet; dunbløt; listig, sleip; bølget, kupert.

dowry ['dauəri] medgift; talent, naturgave.

dowse [daus] skvette vann på; dyppe (seg) ned i vann; slokke (lys), fire (seil) ned; nytte ønskekvist til å finne vann; — the glim slokke lyset. dowser ['dauzə] en som bruker ønskekvist til å finne vann. dowsing rod ønskekvist.

doxology [dɔk'sɔlədʒi] lovprisning, lovsang.

doxy ['dɔksi] kjæreste; tøyte, tøs, ludder.

doxy ['dɔksi] religiøs overbevisning.

doyen ['dwaiεη, 'dɔiən] eldstemann i det diplomatiske korps, doyen.

Doyle [dɔil].

doz. fk. f. dozen.

doze [dəuz] døse, dorme, slumre; døs, blund, lur.

dozen ['dʌzn] dusin, tylft; baker's — tretten; half a — et halvt dusin, fem-seks; dozens of dusinvis av.

doziness ['dəuzinis] døsighet. dozy ['dəuzi] døsig.

D. P. fk. f. displaced person; documents against payment.
D. P. I. fk. f. Director of Public Instruction.
dpt. fk. f. department.
D. R. fk. f. District Railway.

Dr. fk. f. **doctor; debtor.**

dr. fk. f. **drachm; dram.**

drab [dræb] sjuske, slurve; skjøge, tøs.

drab [dræb] et slags gulbrunt klede; gulbrun farge; kjedelig, trist, trøstesløs. **-boots** gule støvler.

drabbet ['dræbit] slags grovt ubleket lerret.

drabble ['dræbl] søle, skitne til.

drachm [dræm], **drachma** ['drækmə] drakme.

drachm [dræm] medisinalvekt = 3,888 g.

Draconian [drə'kəunjən], **Draconic** [drə'kɔnik] drakonisk, meget streng.

draff [dræf] bunnfall, berme, avfall, utskudd.

draffish ['dræfiʃ], **draffy** ['dræfi] bermet; slett.

draft [drɑːft] trekning; tapning; veksel, tratte; utkast, konsept, kladd; detasjement; grunnriss, plan, tegning (se **draught**); avsette, tegne; gjøre utkast til; innkalle, utskrive; detasjere. **-able** (amr.) vernepliktig. — **board** ≈ sesjon. — **dodger** en som forsøker å unndra seg militærtjeneste, militærnekter (ofte ved å reise utenlands). **draftee** [drɑf'tiː] (amr.) innkalt soldat. **draftsman** [-smən] tegner.

drag [dræg] dra, trekke, drasse, slepe (bortover bakken); sakke akterut; sokne; harve; slepe, dra seg; — **on** trekke ut. **drag** [dræg] harv; vogn; dregg; sokn; dragnot; muddermaskin; drass, hindring; motstand; slep; slepjakt; hemsko; bremsekloss; drag, trekk, blås (på sigarett).

dragée [dræ'ʒei] drops, sukkertøy.

dragged-out langtrukken.

draggle ['drægl] dra i sølen; søle til; skitne; slepes, søles til, skitnes til. **-tail** sjuske. **-tailed** sjusket, slurvet.

drag link styrestag (i bil).

dragnet ['drægnet] dragnot, trål.

dragoman ['drægəmən] dragoman, orientalsk tolk; fører, guide, tolk.

dragon ['drægən] drake. **dragonet** ['drægənit] liten drake; fløyfisk. **dragonfly** gullsmed, libelle.

dragoon [drə'guːn] dragon; tvinge ved dragoner, bruke soldatervold.

dragster ['drægstə] ombygd bil som brukes til akselerasjonskonkurranser.

drain [drein] lede bort noe flytende; tørre ut; drenere; tømme; filtrere, sile; tappe; grave, grøfte; flyte, renne, sige bort; tømning; avledningskanal, avløpsrør, kloakkledning; tapping; the money went down the — pengene gikk rett i vasken, rett ut av vinduet. **drainage** ['dreinidʒ] bortledning; uttapping; drenering; rørlegging; kloakkvesen. **drain board** tørkebrett, oppvaskbrett. **drainer** oppvaskstativ. **drainpipe** ['dreinpaip] drensrør, avløpsrør.

drake [dreik] andrik; andestegg.

dram [dræm] drakme; smule; dram, støyt, knert; handelsvekt = 1,772 g; supe, pimpe.

drama ['drɑːmə] drama. — **critic** teaterkritiker.

dramatic(al) [drə'mætik(l)] dramatisk. **dramatis personae** ['drɑːmətis pə:'səunai] de opptredende personer. **dramatist** ['dræmətist, 'drɑ-] dramatisk forfatter. **dramatize** ['dræmətaiz, 'drɑ-] dramtisere. **dramaturgy** ['dræmətə:dʒi, 'drɑ-] dramaturgi.

drank [dræŋk] imperf. av **drink.**

drape [dreip] drapering; fall; snitt; bekle, drapere; tjelde; pryde. **draper** ['dreipə] kleshandler, manufakturist. **drapery** ['dreip(ə)ri] drapering, draperi; forheng; kleshandel; klær; manufakturvarer.

draping ['dreipiŋ] drapering; draperi.

drastic ['dræstik] drastisk; kraftig virkende middel.

drat [dræt]: — **it** så for pokker! — **him** pokker ta ham.

drattle ['drætl] se **drat.**

draught [drɑːft] trekking, dragning; tapping; trekk, trekkvind; slurk, drikk; fiskefangst; varp, kast; grunnriss; veksel; (se **draft**); dybde; **-s** damspill; **beasts of** — trekkdyr; **beer on** — øl på fat. **-board** dambrett. — **horse** arbeidshest.

— **mark** dypgangsmerke. **-sman** tegner, planlegger; dambrikke. **-smanship** tegnekunst, avfattingskunst. **-y** ['drɑ:fti] trekkfull.

drave [dreiv] sjelden imperf. av **drive.**

draw [drɔː] dra, trekke; tegne; avfatte, sette opp skriftlig; oppebære, heve (penger); strekke, tøye; utlede, utvinne; suge; øse; tømme; tappe; erverve; lokke; fordreie; ta ut, renske innvollene; trekke for; bevege seg; trekke blank; trekke, trassere; trekkes for; trekkes til side; trekking, trekk; drag, blås; trekkplaster; gevinst; skuff; kassestykke (om skuespill el. lign. som går godt); uavgjort (om en kamp), eks. **the game ended in a** —; **the ship draws too much water** skipet stikker for dypt; — **back** trekke seg tilbake; — **down** fremkalle, forårsake; pådra seg; — **near** nærme seg; — **off** utdra; avlede; — **on** nærme seg; trekke veksler på; ha til disposisjon; gjøre bruk av; ty til, ta tilflukt til; trekke blank imot; — **out** trekke ut, utlede; forhale; velge ut; — **up** stille opp, fylke; stanse; sette opp; trekke nærmere; avfatte, utferdige; — **upon one** trekke (en veksel) på en. **-back** ['drɔ:bæk] avbrekk, hindring; ulempe, ubehagelighet, lyte, skyggeside; tilbakebetaling av innførselstollen når varene utføres igjen. **-bridge** vindebru. **-card** (fig.) trekkplaster. — **curtain** fortrekksgardin. **drawee** [drɔ:'iː] trassat. **drawer** ['drɔ:ə] trekker; tegner; tapper; trassent; skuff; — **of a cheque** sjekkutsteder. **drawers** underbukser; kommode (**chest of drawers**).

drawing ['drɔ:iŋ] trekning; trassering; tegning; **out of** — fortegnet; **-s** inntekter. — **board** tegnebrett. — **card** (fig.) trekkplaster. — **cloth** kalkérduk. — **master** tegnelærer. — **pen** tegnepenn; rissefjær. — **pin** tegnestift. — **-room** sal, salong, dagligstue, bestestue; selskap; hoff-fest (for både herrer og damer); tegnekontor.

drawl [drɔ:l] være langsom, tale el. lese slepende; langsom uttale, gnag.

drawloom ['drɔ:lu:m] vevstol.

drawn [drɔ:n] perf. pts. av **draw**; dradd; fortrukket; stram, skarp (i ansiktet); smeltet (smør); — **battle** uavgjort slag; — **game** uavgjort spill. **drawnwork** ['drɔ:nwə:k] hullsøm.

draw well ['drɔ:wel] heisebrønn.

dray [drei] sluffe; slodde; ølvogn. — **horse** bryggerihest. **-man** ølkjører.

dread [dred] skrekk, redsel, frykt; skrekkelig, fryktelig; mektig, høy, fryktinngytende; frykte, grue for, reddes. **dreadful** ['dredf(u)l] fryktelig; **a penny** — el. **a shilling** — en røverroman.

dreadnought ['drednɔ:t] vågehals; tykt frakketøy, tykk frakk; stort krigsskip, slagskip.

dream [dri:m] drømme; drøm; — **up** dikte opp; innbille seg; drømme-; **a** — **of a face** et nydelig ansikt. **dreamer** ['dri:mə] drømmer, fantast.

dreaminess ['dri:minis] drømmerier.

dreamt [dremt] imperf. og perf. pts. av **dream.**

dreamy ['dri:mi] drømmende.

dreary ['driəri] sørgelig, trist, uhyggelig; kjedelig, monoton.

dredge [dredʒ] dregg; østersskrape; bunnskrape; muddermaskin; fiske opp, rote fram; skrape (østers); mudre opp; drysse, bestrø. **dredger** ['dredʒə] skraper; muddermaskin; strødåse. **dredging box** strøboks. **dredging-machine** muddermaskin.

dree [dri:] (skotsk) tåle; — **my weird** finne meg i min skjebne.

dregginess ['dreginis] gjørmet, uklar, mudret; bunnfall. **dreggish** ['dregiʃ], **dreggy** ['dregi] mudret, uklar, gjørmet. **dregs** [dregz] berme, bunnfall.

drench [drenʃ] gjennombløte, gjøre dyvåt; mette med drikk; gi medisin inn med makt; stor dose; drikk; lægedrikk. **drencher** ['drenʃə] øsregn; skyllebøtte.

dress [dres] kledning, drakt, tøy; damekjole; galla. — **allowance** klesgodtgjørelse. — **boots**

elskapsstøvler. — **cirele** balkong (i teatret). — **clothes** selskapsdrakt. — **coat** snippkjole. — **designer** motetegner(ske). — **improver** kø, løytnant. **-maker** dameskredder(ske). — re- **hearsal** generalprøve. — **shirt** mansjettskjorte.

dress [dres] stelle til, bringe i stand; garve; pandasjere; ordne, sette opp (om hår); kle, kle på; pynte; kle på seg; kle seg om; rette; rette seg; gjøde, gjødsle; — **down** skjelle ut. — **up** pynte seg, stase opp; — **the salad lage** salaten; — **a wound** forbinde et sår; — **a horse** strigle en hest; **dressere** en hest; — **the ground** gjødsle; — **fish** renske fisk; — **flax** hekle lin; — **a tree** beskjære et tre.

dressage [dre'sɑ:ʒ] dressur (srl. hester).

dresser ['dresə] en som tilbereder osv.; for- binder (på hospital); påkleder; pyntekone; **vindusdekoratør**; kjøkkenbord, anretningsbord; **tallerkenrekke**; (amr.) toalettkommode.

dressing ['dresiŋ] forbinding, bandasje; mari- nade, salatsaus; tilberedning; tilbehør (til en rett); påkledning; appretur, stivelse; farse; **refselse**. — **case** toalettskrin, -veske, forbindings- taske. — **-down** overhaling, skyllebøtte. — **gown** slåbrok; morgenkjole. — **room** påkledning- **værelse**. — **table** toalettbord.

dressy ['dresi] pyntesyk; pyntelig, fjong, fiks, **elegant**.

drew [dru:] imperf. av **draw**.

dribble ['dribl] dryppe; sikle; drible (i fotball); **drypp**; sikl; støvregn, duskregn. **driblet** ['driblit] **drypp**; liten smule; liten sum penger; **by driblets** i småpartier, dråpevis.

drier ['draiə] tørrer, hårtørrer, tørremiddel; se **dry**.

drift [drift] strøm; retning, tendens; avdrift; **drift**; drivkraft; retning; snødrive, snødrev; snø- **fonn**, drivis; drivgarn; hensikt, øyemed. **drift** [drift] drive; fyke; dynge sammen.

driftage ['driftidʒ] avdrift, drift; drivgods.

drifter ['driftə] løsgjenger, dagdriver; driv- **garnsfisker**.

drill [dril] drille, bore; innøve; inneksersere (soldater); avrette; plante i rad; spille (tiden); drill, drillbor; radsåmaskin; rad, fure; eksersis, **øvelse**. — **harrow** drillharv. — **husbandry** rad- **såing**. **-master** gymnastikklærer, eksersermester.

drilling radsåing; **-s** borespon. — **platform** **boreplattform**. — **plan**, — **table** boreunderlag, **spennbord**.

drily ['draili] tørt.

drink [driŋk] drikk, tår, slurk; drikke, være **fordrukken**; **-s** drikkevarer; **in** — full, i fullskap; **have a** —, **take a** — drikke et glass, få seg et glass; — **from** drikke av; — **to** drikke på, skåle **på**; — **in** suge inn, sluke; — **to one** skåle med en, for en. **drinkable** ['driŋkəbl] drikkelig. **drinkables** **drikkevarer**, flaskefôr. **drinker** ['driŋkə] en som **drikker**; dranker. **drinking** ['driŋkiŋ] drikking, **nidrikking**; **drinking-bout** drikkegilde, drikkelag, **rangel**; **drinking-song** drikkevise.

drink offering ['driŋkɔfəriŋ] drikkoffer.

drinky ['driŋki] drikkfeldig; påvirket.

drip [drip] dryppe; drypp; gesims. — **coffee** **traktemalt** el. snusmalt kaffe. — **-dry** drypp- **tørke**. **-stone** kransliste; gesims. **dripping** ['dripiŋ] **drypping**; stekefett.

dripple ['dripl] dryppe; (nese)drypp.

drivage ['draivdʒ] gruvegang, stoll.

drive [draiv] drive; jage; tvinge, presse, ramme ned, slå i; kjøre; styre, føre; kjøre omkring, jage med, fare hurtig . av sted, ile; — **a bargain** gjøre en handel; — **at** sikte til; ha i sinne, ha i kikkerten, gå løs på. **drive** [draiv] **driving**, drift, fedrift, tømmerdrift osv.; kjøre- **tur**, kjøring; oppkjørsel, kjørevei; fremstøt, **kampanje**; drivkraft, energi.

drive-in ['draivin] friluftskino, restaurant osv. hvor man kan kjøre inn med bilen.

drivel ['drivl] sikle, sleve; vrøvle; sikl; vrøvl. **driveller** ['drivlə] siklesvin; vrøvlekopp.

driven ['drivn] perf. pts. av **drive**; — **snow** nysnø.

driver ['draivə] kjører, kusk, sjåfør, vognstyrer, **lokomotivfører**; driver (av dyr etc.); drivverk, **drivhjul**; driver (golfkølle).

driveway ['draivwei] oppkjørsel, innkjørsel.

drizzle ['drizl] duskregne, småregne, duske; **stenke**; duskregn. **drizzling rain** støvregn, dusk- **regn**. **drizzly** ['drizli] rusket, musket.

drogue [drəug] drivanker; vindpose.

droit [drɔit] avgift, sportel, rett, rettighet, **krav**.

droll [drəul] pussig, snodig, rar; spøkefugl, **spasmaker**; klovn; farse; marionettspill. **drollery** ['drəul(ə)ri] pussighet, morsomt påfunn.

dromedary ['drɔmədəri, 'drʌm-] dromedar.

drone [drəun] drone; lat person, tverrblei; **brumming**, dur; basspipe; brumme, surre, dure; **mulle**; lire av seg; dovne seg; lure seg unna.

drool [dru:l] sikl; sikling, tøys, pjatt.

droop [dru:p] henge ned; lute; henge slapt; la henge; falle sammen; synke, segne, helle. **-ing** ['dru:piŋ] hellende, lut, slut.

drop [drɔp] dråpe; slurk, slant; øredobbe; **drops**, snop, bonbon; teppe (for scenen); fall, **fallhøyde**, senkning, nedgang; fall-lem; **takes a** — **sometimes** er ikke fri for å drikke; **has taken a** — **too much** tatt en tår over tørsten; **a** — **in the** **ocean** en dråpe i havet.

drop [drɔp] dryppe, la falle; forkaste; falle; slippe seg ned; synke, sige; sakke; holde opp; kaste, føde unger; komme uventet; tape, miste; senke; ytre, ymte; forlate, utelate; sende med posten; drive (f. eks. av vann); falle fra, dø; **forgå**, forsvinne; — **an acquaintance** oppgi et **bekjentskap**; **let us** — **the subject** la oss ikke snakke mer om den ting; — **a courtesy** neie; — **across** møte tilfeldig; — **away** falle fra; — **in** komme uventet, stikke innom; — **off** falle **ned**; avta; falle fra, dø; — **through** ikke bli til **noe**, falle fra.

drop curtain ['drɔp'kə:tin] mellomaktsteppe.

droplet ['drɔplit] liten dråpe.

dropped egg pochert egg.

dropping noe som er kastet vekk, falt ned osv; **bird -s** fuglemøkk; **horse -s** hestepærer.

drop out ['drɔpaut] en som har avbrutt sine studier, en som har falt fra; frafall.

drop scene ['drɔpsi:n] mellomaktsteppe.

dropsical ['drɔpsikl], **dropsied** ['drɔpsid] vater- **sottig**. **dropsy** ['drɔpsi] vatersott.

droshky ['drɔʃki] drosje.

drosometer [drɔ'sɔmitə] doggmåler.

dross [drɔs] slagg; avfall, skrap; berme. **drossy** ['drɔsi] slaggaktig; slett; uren.

drought [draut] tørke; tørketid; skort, mangel; **tørst**. **droughtiness** ['drautinis] tørke. **droughty** ['drauti] tørr; tørst.

drove [drauv] drift, flokk (fe); stime; drifte- **vei**, buvei, sti. **drover** ['drauvə] fekar, driftekar. **drove** [drauv] imperf. av **drive**.

drow [drau] yr, musk.

drown [draun] drukne (intransitivt bare i for- men **drowning**); døyve; overdøyve; **be was -ed** han druknet.

drowse [drauz] slumre, døse; dorme; gjøre **døsig**, sløve. **drowsiness** ['drauzinis] søvnighet, **døsighet**. **drowsy** ['drauzi] søvnig, døsig; søvn- **dyssende**.

drub [drʌb] banke, denge, pryle, jule; — **some-** **thing into one** banke noe inn i en. **drub** [drʌb] slag, støt. **drubbing** ['drʌbiŋ] drakt pryl; juling, **bank**.

drudge [drʌdʒ] flittig arbeider, arbeidstrell; slite og slepe. **drudgery** ['drʌdʒəri] trellearbeid; slaverarbeid; slit og slep.

drug [drʌg] kjemikalium, medisin, medika- **ment**, rusgift; apotekervare, drogeri; vare som det er vanskelig å bli av med; **-s** narkotika, **rusgift**; blande med et bedøvende stoff el. gift; **forfalske**; bedøve, svimeslå; — **in the market**

uavsettelig vare; — **oneself with morphine** bedøve seg med morfin. — **addict**, — **fiend** narkoman, narkotiker, stoffmisbruker, knarker.

drugget ['drʌgit] grovt ulltøy, golvteppetøy, teppeskåner.

druggist ['drʌgist] drogist; apoteker (amr.). **drugstore** ['drʌgstɔ:] (amr.) apotek, hvor det også selges iskrem, leketøy, parfyme, illustrerte blad osv.

druid ['dru:id] druide, keltisk prest.

drum [drʌm] tromme; trommeslager; trommehule (i øret); fat, oljetønne; valse, sylinder; larmende aftenselskap; tromle; valse; tromme; tromme på; tromme sammen, verve (rekrutter, politiske partifeller); gjenta; **beat the** — slå på tromme; — **something into one's ears** banke noe inn i hodet på en.

drum|fire ['drʌmfaiə] trommeild (voldsom artilleriild forut for infanteriangrep). **-head** ['drʌmhed] trommeskinn; trommehinne; standrett; spillhode. — **major** [-'meidʒə] korpstambur, regimentstambur.

drummer ['drʌmə] trommeslager, tambur; en som fanger kunder, handelsreisende.

drumstick ['drʌmstik] trommestikke; lårbein (av fjærfe).

drum washer vaskemaskin, trommelmaskin.

drunk [drʌŋk] perf. pts. av **drink**; drukken, full; rangel, rus, fyll; full mann. **drunkard** ['drʌŋkəd] dranker. **drunken** ['drʌŋkən] drukken, full (bare som tilføyd adjektiv); drikkfeldig. — **drivel** fylleprat. — **driver** promillekjører, fyllekjører. **drunkenness** ['drʌŋkə(n)nis] drukkenskap; drikkfeldighet.

drupe [dru:p] steinfrukt.

Drury ['druəri] **Lane** gate (og teater) i London.

dry [drai] tørr; gjeld (om ku); tørst; tørre; tørke; — **up** tørke ut, gå tørr; opphøre helt; holde kjeft.

dryad ['draiəd] dryade, skognymfe.

dry-as-dust ['draiəzdʌst] knusktørr; tørr, stuelærd, pedant. **drybeat** ['draibi:t] mørbanke.

Dryden ['draidn].

dry | cell tørrelement. — **-clean** rense kjemisk. — **dock** tørrdokk.

drygoods ['draigudz] manufakturvarer. **dry-nurse** amme som passer, men ikke gir barnet bryst; flaske opp; være barnepike for (figurlig). — **pile** tørrelement. — **point** kaldnål, kaldnålsstikk. **dryrot** tørråte. **drysalter** ['draisɔ:ltə] drogist, fargehandler; materialist. **drysaltery** ['draisɔ:ltəri] drogeri, fargehandel. **dry-shod** ['draiʃɔd] tørrskodd.

D. S. C. fk. f. **Distinguished Service Cross.**
D. Sc. fk. f. **Doctor of Science.**
D. S. M. fk. f. **Distinguished Service Medal.**
D. S. O. fk. f. **Distinguished Service Order.**
D. T. fk. f. **Daily Telegraph; delirium tremens.**

dual ['djuəl] dobbelt; dualis. — **carriageway** vei med to atskilte kjørebaner, motorvei. — **monarchy** dobbeltmonarki.

dual|ism ['dju:əlizm] dualisme. **-istic** [dju:ə-'listik] dualistisk.

dub [dʌb] slå; slå til ridder; betitle, utnevne; kalle, betegne; pusse, stelle til; smøre inn; ettersynkronisere, dubbe, spille over.

dubbin ['dʌbin] støvelsmøring, lærolje.

dubiety [dju(:)'baiəti] tvil, tvilrådighet, uvisshet.

dubious ['dju:bjəs] tvilende; tvilsom, uviss.

dubitation ['dju:bi'teiʃən] tvil, tvilsmål.

dubitative ['dju:biteitiv] tvilende.

Dublin ['dʌblin].

ducal ['dju:kəl] hertugelig.

ducat ['dʌkət] dukat.

duchess ['dʌtʃis] hertuginne. — **satin** duchesse (silkestoff). **duchy** ['dʌtʃi] hertugdømme.

duck [dʌk] dukke (kjæleord), engel, skatt.
duck [dʌk] seilduk; (pl.) lerretsbukser.
duck [dʌk] and; **make** (el. **play**) **-s and drakes** skeine, kaste en flat stein bortover vann-

flaten; **play -s and drakes with money** øse ut penger.

duck [dʌk] dukke, væte, bløte. **-ing** ['dʌkiŋ] dukkert; dåp (første gang man passerer linjen).

duckbill ['dʌkbil] andenebb; skygge(lue).

duckboards ['dʌkbɔ:dz] plankebro, gangplanker.

ducket ['dʌkit] (amr.) billett.

duck-legged ['dʌklegd] kortbeint.

duckling ['dʌkliŋ] andunge.

duckmeat ['dʌkmi:t], **duckweed** ['dʌkwi:d] andemat.

duck soup sjauerarbeid (godt betalt).

ducky ['dʌki] yndig, søt, god; skatt, engel, elskling.

duct [dʌkt] kanal, rør, gang.

ductile ['dʌkt(a)il] tøyelig, smidig. **ductility** [dʌk'tiliti] tøyelighet, smidighet.

dud [dʌd] granat som ikke springer, blindgjenger; fiasko, flause; unyttig forehavende, unyttig person; unyttig, ubrukelig; — **cheque** sjekk uten dekning. **duds** (gamle) klær, filler.

dude [dju:d] laps, snobb, sprett; (amr.) turist. — **ranch** gjesteranch, landsens gård som tar imot gjester.

dudgeon ['dʌdʒən] vrede, sinne, forbitrelse, harme; **take in** — ta ille opp.

due [dju:] skyldig; passende, tilbørlig; nøyaktig, riktig; punktlig; forfallen (f. eks. om veksel); skyldighet; rett; avgift; **membership -s** medlemskontingenter; **give him his** — gi ham det han fortjener; **come (fall)** — forfalle (til betaling); **in** — **time** i rette tid; **the steamer is** — **today** damperen skal komme i dag; — **north** beint nord; **be** — **for** stå for tur til; **be** — **to** skyldes; — **care** rimelig aktsomhet, nødvendig forsiktighet.

duel ['dju:əl] tvekamp, duell; duellere; **fight a** — **with pistols** duellere med pistoler. **duellist** ['dju:əlist] duellant.

duenna [dju'enə] duenna, anstandsdame.

duet [dju'et] duett.

duff [dʌf] deig; melpudding; bløt skogbunn; snyte i handel (med dårlige varer); spolere; forfalske; dårlig, verdiløs.

duffel ['dʌfl] dyffel; utstyr, saker. — **bag** skipssekk.

duffer ['dʌfə] kramkar; en som handler med innsmuglede eller stjålne varer, svindler; idiot; fusker; pedant, filister; uekte stas; falsk mynt.

dug [dʌg] patte, spene.

dug [dʌg] imperf. og perf. pts. av **dig**.

dugong ['du:gɔŋ] sjøku.

dugout ['dʌgaut] utgravd; jordhytte, oppholdssted for tropper under jorda; uthult tre, eike; avskjediget offiser som blir kalt til tjeneste igjen.

duke [dju:k] hertug; doge. **dukedom** ['dju:kdəm] hertugdømme.

duleamara [dʌlkə'mɛərə] søtvier.

dulcet ['dʌlsit] søt, liflig, blid.

dulcify ['dʌlsifai] forsøte; gjøre blid, tine glass.

dulcimer ['dʌlsimə] hakkebrett, cymbal.

Dulcinea [dʌlsi'ni:ə].

dull [dʌl] dunkel, dim, matt, dump; stump; sløv; dum; langsom, treg, kjedsommelig; flau; trist; gjøre uklar; sløve; sløves; — **of hearing** tunghørt. **dullard** ['dʌləd] dumrian, staur. **-minded** åndssløv, halvfjollet, innskrenket. **dullness** ['dʌlnis] dunkelhet; sløvhet; dumhet; søvnighet; kjedsommelighet. **dull-witted** dum, enfoldig.

dully ['dʌli] matt, sløvt, tregt, kjedelig.

duly ['dju:li] tilbørlig, passende, i rett tid.

dumb [dʌm] taus, målløs, stum. — **barge** lekter, pram. **-bells** manual. **-found** gjøre forvirret, paff, forfjamse, gjøre målløs. — **show** pantomime. — **-waiter** stumtjener.

dumdum ['dʌmdʌm] dumdumkule.

dum(b)found ['dʌm'faund] gjøre målløs.

Dumfries [dəm'fri:s].

dummy ['dʌmi] stum person; statist; etterlikning, imitasjon; utkast; øvelses-; dumming, fehode; falsk, uekte, attrapp; blindvindu, blinddør; utstillingsfigur, dukke; fugleskremsel; parykkblokk; stumtjener; blindmann (i kortspill); stråmann; narresmokk. — **bottle** narreflaske. — **cartridge** øvelsespatron. — **egg** narreegg.

dump [dʌmp] klinkeskilling; skilling, slant; fyll, avfall, søppelhaug, søppelplass; styrte ut, velte, tømme ut; kvitte seg med; dumpe, kaste ut på markedet til en lav pris; (i plur.) melankoli; **I don't care a** — jeg bryr meg ikke en døyt.

dumper ['dʌmpə] tippvogn; lastebiltipp.

dumpish ['dʌmpiʃ] nedtrykt, sturen, motfallen.

dumpling ['dʌmpliŋ] innbakt frukt, eplekake; bolle.

dumps [dʌmps] (pl. av **dump**) melankoli; **in the** — nedtrykt, sturen.

Dumpty se **Humpty Dumpty.**

dumpy ['dʌmpi] liten og tykk; nedtrykt.

dumpy bottle engangsflaske.

dun [dʌn] gråbrun, mørkebrun; mørk, trist.

dun [dʌn] plage, kreve, rykke; rykker.

Dunbar [dʌn'ba:].

dunce [dʌns] dumrian, fe, tosk; fuks (i en klasse). **The Dunciad** ['dʌnsiæd] (dikt av Pope).

Dundee [dʌn'di:].

dunderhead ['dʌndəhed] kjøtthue, naut.

Dundreary [dʌn'dri:əri] **whiskers** langt kinnskjegg.

dune [dju:n] sandklett, sandbanke.

dung [dʌŋ] møkk, gjødsel; gjødsle.

dungaree [dʌŋgə'ri:] dongeri.

dung beetle ['dʌŋbi:tl] tordivel.

dungeon ['dʌndʒən] fangetårn, fengsel, fangehull; innesperre i et fangehull.

dung | fork ['dʌŋfɔ:k] møkkgreip. **-hill** ['dʌŋhil] møkkdynge.

dungy ['dʌŋi] møkket, skitten.

dunk [dʌŋk] dyppe, duppe.

dunlin ['dʌnlin] strandvipe, myrsnipe (fugl).

dunnage ['dʌnidʒ] underlag, garnering, bedding; personlige eiendeler, bagasje.

dunner ['dʌnə] rykker.

dunning letter rykkerbrev.

dunnish ['dʌniʃ] mørklaten.

duo ['dju(:)ou] duo, duett.

duodecimo [dju(:)ou'desiməu] duodes (bokformat hvor arket deles i 12 blad).

duodenum [dju(:)ə'di:nəm] tolvfingertarmen.

dupe [dju:p] narre, bedra, føre bak lyset; en som lar seg narre, narr, lettroende menneske, fjols.

duple ['dju:pl] dobbelt; **-ratio** 2:1; **-time** ²/₄ takt.

duplex ['dju:pleks] dobbelt, som består av to deler. — **house** tomannsbolig.

duplicate ['dju:plikeit] fordoble; legge sammen; ta gjenpart av, stensilere, mangfoldiggjøre.

duplicate ['dju:plikit] dobbelt; dublett; gjenpart; pantelånerseddel. **duplicating paper** stensilpapir.

duplication [dju:pli'keiʃən] fordobling; gjentakelse; stensilering, sammenlegging.

duplicator ['dju:plikeitə] stensilmaskin, duplikator.

duplicity [dju'plisiti] dobbelthet, tvetydighet; dobbeltspill; falskhet.

durability [djuərə'biliti] varighet, holdbarhet.

durable ['djuərəbl] varig, holdbar. **-s** (pl.) varige forbruksgoder.

duramen [dju(ə)'reimen] kjerneved.

durance ['djuərəns] varighet; uslitelig bekledningsstoff; fangenskap, fengsling; **in** — **vile** i forsmedelig fangenskap.

duration [dju'reiʃən] varighet, vedvarenhet.

durbar ['də:ba:] audienssal (i Ostindia); audiens; utøvende myndighet.

duress [dju'res] fengsling, frihetsberøvelse, urettmessig tvang, press.

Durham ['dʌrəm].

during ['djuəriŋ] i løpet av, under, i.

durmast ['də:ma:st] **oak** vintereik.

durned [də:nd] fordømt, forbannet.

durra ['durə, 'dʌrə] durra, indisk hirse.

durst [də:st] torde, imperf. av **dare.**

dusk [dʌsk] dunkel, mørk, skum; halvmørk; mørk farge; skumring, tusmørke.

duskiness ['dʌskinis] mørklatenhet.

dusky ['dʌski] mørk, dunkel, dyster.

dust [dʌst] støv, pudder, pulver, dust, føyke, gyv; penger, mynt; gullstøv; støve til, støve av, rense for støv; gjennombanke; bestrø; **bite the** — bite i gresset; **kick up a** — gjøre spetakkel; **throw** — **in someone's eyes** kaste en blår i øynene. **-bin** søppelkasse. — **bowl** område der sand og støv lett virvles opp i storm. — **brush** støvkost. — **cart** søppelkjerre. — **cloak** støvkappe. — **coat** støvfrakk, støvkåpe. — **contractor** [-kən'træktə] entreprenør som besørger dagrenovasjonen bortkjørt. — **cover** varebind, smussomslag; varetrekk. — **devil** støvvirvel. **-er** støveklut, støvekost; forkle, huskjole; forstøver, strøboks. **-man** søppelkjører. **-pan** søppelbrett.

dust-up krangel, trette, oppgjør.

dusty ['dʌsti] støvet, pulveraktig, støv-; dårlig; **not so dusty** el. **none so dusty** ikke så galt, ikke så ueffent.

Dutch [dʌtʃ] nederlender, nederlandsk; (amr.) tysker, tysk; (eng.) kone; hollandsk; hollandsk (språket); **go** — spleise, holde spleiselag; **the** — nederlenderne; — **auction** hollandsk auksjon, hvor varer ropes opp til høye priser, som reduseres til det blir gjort bud; — **clinker** hardbrent teglstein; — **clock** schwarzwalderur; varmedunk; — **comfort,** — **consolation** dårlig trøst; — **concert** konsert hvor alle synger eller spiller, men hver sin melodi; — **courage** kunstig mot (især tildrukket); — **door** dør som horisontalt er delt i to; — **feast** et gilde hvor verten blir full før gjestene; — **gold** bladgull; flittergull; — **toys** nürnbergerkram; — **uncle** ubehagelig moralpredikant; faderlig venn; «slektning» el. «fetter» i forbindelser som: hun har vært ute med «fetteren» sin.

Dutchman ['dʌtʃmən] nederlender; i Amerika også: en tysker, en skandinav; **the Flying** — den flyvende hollender; lyntoget mellom London og Exeter; **I'm a** — **if** . . . du kan kalle meg en krakk hvis . . .

Dutch treat spleiselag.

Dutchwoman ['dʌtʃwumən] nederlandsk kvinne.

duteous ['dju:tiəs] lydig, ærbødig, plikttro.

dutiable ['dju:tiəbl] tollpliktig, avgiftspliktig.

dutiful ['dju:tif(u)l] lydig, ærbødig, tro, plikttro.

duty ['dju:ti] plikt, skyldighet, oppgave, verv; hilsen, ærbødighet, aktelse; avgift, toll; tjeneste, vakt (militær); **as in** — **bound** pliktskyldigst; **be on** — være på vakt, gjøre tjeneste; **officer on** — vakthavende offiser; **off** — fri for tjeneste; **take up** — tiltre tjeneste. — **-free** tollfri. — **-paid** fortollet.

dux [dʌks] duks, bestemann.

D. V. fk. f. **Deo volente** om Gud vil.

d. w. el. **dw.** fk. f. **dead weight.**

dwarf [dwɔ:f] dverg; hindre i veksten, forkrøple; ta luven fra. **dwarfish** ['dwɔ:fiʃ] dvergaktig. **dwarf wall** liten støttemur.

dwell [dwel] dvele, dryge, slå seg til; bo; oppholde seg ved; pause, stans. **dweller** ['dwelə] beboer.

dwelling ['dweliŋ] opphold, stans; bolig. — **house** våningshus. — **place** bopel.

dwelt [dwelt] imperf. og perf. pts. av **dwell.**

dwindle ['dwindl] svinne; svinne inn, skrumpe sammen, minke. — **away** svinne bort.

dwt. fk. f. **pennyweight.**

DX ['di:'eks] (radio) fk. f. **distance, distant** kortbølgelytting; lytte på fjerne radiostasjoner.

dye [dai] farge, fargestoff. **-house** fargeri.

dyeing ['daiiŋ] farging. **dyer** ['daiə] farger. **dyery** ['daiəri] fargeri. **dyestuff** fargestoff.

dying ['daiiŋ] pres. pts. og verbalsubstantiv av **die** dø, døds-; — **bed** dødsleie; — **day** dødsdag; **I'm — for a cigarette** jeg er helt syk etter . . ., hungrer etter.

dyke [daik] se **dike.**

dyn. fk. f. **dynamics.**

dynamic [d(a)i'næmik] dynamisk.

dynamics dynamikk, kraftlære.

dynamite ['dainəmait] dynamitt; sprenge (med dynamitt). **dynamitard** ['dainəmitɑːd], **dynamiter** ['dainəmaitə], **dynamitist** ['dainəmaitist] dynamittmann, bombekaster, attentatmann.

dynamo ['dainəməu] dynamo. **dynamometer** [dainə'mɔmitə] dynamometer, kraftmåler.

dynast ['dainæst] styrer, høvding, makthaver.

dynasty ['dinəsti, 'dai-] dynasti, herskerfamilie.

dysenterie(al) [disən'terik(l)] dysenterisk. **dysentery** ['disəntəri] dysenteri, blodgang.

dyspepsia [dis'pepsiə], **dyspepsy** [dis'pepsi] dyspepsi, dårlig fordøyelse.

dyspeptie [dis'peptik] dyspeptisk; dyspeptiker.

dysphemia [dis'fiːmjə] stamming.

dyspnoea [disp'niːə] åndenød.

dysury ['disjuri] urintvang.

dziggetai ['dzigətai] vilt esel (asiatisk).

E

E, e [iː] E, e; fk. f. **Earl; east; eastern; English. E sharp** eiss; **E flat** ess; **E major** E-dur; **E minor** e-moll.

each [iːtʃ] hver især, hver enkelt (av et antall); **they cost sixpence** — de koster 6 pence stykket; **— and every** hver eneste, bidige; — **other** hinannen, hverandre.

eager ['iːgə] ivrig, livlig; spent; bitter, sårende (om ord); kald (om lufta). **eagerness** ['iːgənis] iver, begjærlighet.

eagle ['iːgl] ørn; amerikansk mynt (10 dollars)' — **-eyed** ørnøyd, skarpsynt. — **owl** hubro, bergugle.

eagless ['iːglis] hunnørn. **eaglet** ['iːglit] ørnunge. **eagre** ['eigə, 'iːgə] springflo, stormflo.

E. & O. E. fk. f. **errors and omissions excepted** med forbehold om feil og utelatelser.

ear [iə] øre; **box on the — ** ørefik; **burn his -s** skjelle ham huden full; **have an — ** ha gehør; **set a flea in one's — ** gjøre en mistenksom; **noise in one's — ** øresus; **give one's — ** låne øre, lytte til; **be all ears** være lutter øre; **keep a promise to the — ** oppfylle et løfte etter ordlyden (ikke etter meningen); **lend** (el. **turn**) **a deaf — to** vende det døve øre til; **fall** (out, **together**) **by the ears** komme i tottene på hverandre; **priek up one's ears** spisse ørene; **set people (together) by the ears** pusse folk på hverandre; **have about one's ears** ha om ørene, ha om halsen; **I have something for your private — ** jeg har noe å si Dem i enrom; **go in at one — and out at the other** gå inn gjennom det ene øre og ut av det andre; **lead by the ears** ha i ledebånd; **over** (head and) **ears** opp over ørene; **speak in the — ** hviske.

ear [iə] aks; rammeannonse, rammeoppslag (i avis).

ear [iə] pløye.

ear|ache øreverk. — **clip** øreklips. — **conch** øremusling. **-drop** øredobb. **-drum** trommehinne. **-flap** ytre øre; ørelapp (på lue). **-ful** skyllebøtte, tirade.

earing ['iəriŋ] nokkbendsel; aksdannelse.

earl [əːl] jarl; greve (om engelske grever). **Earl's Court** forlystelsessted i London.

earlap ['iəlæp] øreflipp, ytre øre, ørebrusk.

earldom ['əːldəm] grevskap; jarledømme.

earlier ['əːliə] tidigere, eldre; før.

earliness ['əːlinis] tidlighet, det å være tidlig. **earlobe** øreflipp.

early ['əːli] tidlig; tidlig-, tidlig moden; **at an — age** i en ung alder; **at an — date** i nær framtid; **the — boat** morgendamperen; — **to bed and — to rise, makes a man healthy, wealthy, and wise** ≈ morgenstund har gull i munn; **as — as May** allerede i mai; — **bird,** — **riser** morgenfugl; **Early Bird** (amr.) kommunikasjonssatelitt; **the — bird eatches the worm** morgen-

stund har gull i munn; **the — church** oldkirken; — **-day** fra den eldste tid; — **habits** den vane å gå tidlig i seng og stå tidlig opp; **keep — hours** gå tidlig i seng og stå tidlig opp.

earmark ['iəmɑːk] merke (hakk) i øret (på sauer); merke øret på, øremerke, reservere.

ear-minded ['iəmaindid] auditivt innstilt.

earmuffs ['iəmʌfs] ørevarmere.

earn [əːn] tjene, fortjene; innbringe; erverve.

earnest ['əːnist] alvorlig; ivrig, inntrengende; alvor; **are you in — ?** er det ditt alvor? **in good** el. **dead — for** ramme alvor.

earnest ['əːnist] festepenger, pant; avdrag; forsmak. — **-money** festepenger, håndpenger.

earnestness ['əːnistnis] alvor, alvorlighet.

earning power næringsevne.

earnings ['əːniŋz] fortjeneste.

ear|phone hodetelefon. **-pick** øreskje. **-piece** høretelefon; ørestykke. — **-piereing** øredøvende, skingrende. **-reach** hørevidde. **-shot** hørevidde. — **-splitting** øredøvende.

earth [əːθ] jord, jordklode, jorden; land; jordslag; hule, hi; utgang i hi; **-s** (pl.) jordarter; **like nothing on — ** fryktelig, forferdelig; **what** (**where**) **on — ?** hva (hvor) i all verden? **down-to-** — praktisk, nøktern; jevn, enkel. **earth** grave ned; bedekke med jord; hyppe; grave seg ned; gå i hi; gå i dekning; forbinde til jord, jorde.

earthborn ['əːθbɔːn] jordisk.

earth eloset tørrklosett.

earth conneetor jordbøssing (radio).

earthen ['əːθn] jord-; leir-; steintøy(s)-. **-ware** leirvarer; steintøy.

earthiness ['əːθinis] jordaktig beskaffenhet.

earthing ['əːθiŋ] jordingsforbindelse. — **-up** hypping.

earthliness ['əːθlinis] jordiskhet.

earthling ['əːθliŋ] jordisk menneske, menneskebarn; verdensborger; jordens barn; moldtrell.

earthly ['əːθli] jordisk; tenkelig; **no — reason why** ingen verdens grunn til; — **-minded** verdsligsinnet.

earth-moist jordslått.

earth mover maskin som bearbeider jorden; tung hjullaster.

earthquake ['əːθkweik] jordskjelv.

earthworm ['əːθwəːm] regnorm, meitemark.

earthy ['əːθi] jordaktig; jordisk; jordbunden.

ear trumpet ['iətrʌmpit] hørerør.

earwig ['iəwig] saksedyr; påvirke en ved øretuteri, smiske for.

ease [iːz] rolighet, ro; makelighet, behagelighet; tvangsfrihet; lediggang; lindring, lettelse, lemping; letthet, frihet; lindre, lette; befri; løsne, slappe, la gå med sakte fart, slakke (seilskjøtet); **at — ** i ro, i ro og mak, bekvemt; **ill at — ** ille til mote; **put at — ** berolige; **stand**

at — stå på stedet hvil; take one's — gjøre seg det makelig; with — med letthet.
easel ['i:zl] staffeli.
easement ['i:zmənt] lettelse; lindring; servitutt.
easily ['i:zili] med letthet, lett; utvunget.
easiness ['i:zinis] letthet; mak, ro; føyelighet; — of belief lettroenhet.
east [i:st] øst; østlig del, øst-; østa-; the E. Østen, Østerland, Orienten; to the east of øst for.
eastbound ['i:stbaund] østgående.
Easter ['i:stə] påske. — Day (første) påskedag. — Monday annen påskedag.
easter ['i:stə] storm fra øst.
easterly ['i:stəli] østlig. eastern ['i:stən] fra øst; østerlandsk; østerlender.
easternize ['i:stənaiz] orientalisere, gi orientalsk preg.
easternmost ['i:stənməust] østligst.
Eastertide ['i:stətaid] påsketid.
East Indies [i:st'indiz]: the — Ostindia.
easting ['i:stiŋ] østseiling, østlig kurs; østlig avdrift.
eastward ['i:stwəd] mot øst, østlig, østre; østpå.
easy ['i:zi] rolig, behagelig; makelig; lett, lettvint, enkel, ikke vanskelig; jevn; rolig, ubekymret; mild; ettergivende; usjenert; villig; lettvint; fri, utvungen, naturlig; — circumstances gode kår; on — terms på rimelige vilkår; — of belief lettroende; make — berolige. — does it! ta det rolig! — on the eye en fryd å se på; — chair lenestol. — -fitting vid, romslig, ledig. — -going sorgløs, makelig, medgjørlig. -like forsiktig. — money lettvirte penger.
eat [i:t] ete, spise; fortære; the meat eats well kjøttet smaker godt; — dirt (sl.) ydmyke seg; la seg by hva som helst; — one's head off ete seg i hjel; kjede seg fordervet; — one's heart out lide i stillhet; — one's fill spise seg mett; — one's words ta sine ord tilbake; what's -ing him? hva er det som plager (feiler) ham?
eat [et] imperf. av eat [i:t].
eatable ['i:təbl] spiselig; -s matvarer.
eaten ['i:tn] perf. pts. av eat.
eater ['i:tə] eter, spiser.
eating ['i:tiŋ] spising, mat.
eats [i:ts] mat.
eau-de-Cologne ['əudəkə'ləun] eau de cologne.
eaves [i:vz] takskjegg. -drop [-drɔp] lytte, lure. -dropper [-drɔpə] lytter, lurer.
ebb [eb] ebbe, fjære; avta, gå tilbake. -tide ['ebtaid] ebbe, fjære.
E-boat ['i:bəut] fk. f. enemy boat E-båt, hurtiggående tysk motortorpedobåt.
ebonite ['ebənait] ebonitt.
ebony ['ebəni] ibenholt.
ebriate ['i:briit] drukken, beruset, full.
ebriety [i'braiiti] drukkenskap.
ebullient [i'bʌljənt] sprudlende, livlig. ebullition [ebə'liʃən] koking; oppkoking; oppbrusning.
E. C. fk. f. East Central (London postal district); Established Church; Engineering Corps.
E. C. A. fk. f. Economic Co-operation Administration.
eccentric [ek'sentrik] eksentrisk; overspent, besynderlig, sær; eksentrisk sirkel, eksentrisk skive; eksentrisk person, særling. eccentricity [eksən'trisiti] eksentrisitet, besynderlighet.
Ecclesiastes [ikli:zi'æsti:z] Predikerens bok.
ecclesiastic(al) [ikli:zi'æstik(l)] kirkelig, kirke-; geistlig.
Ecclesiasticus [ikli:zi'æstikəs] Jesus Siraks bok.
ECE fk. f. Economic Commission for Europe.
echelon ['eʃələn] trappeformet oppstilling; avdeling, gruppe; nivå, grad, trinn (i en organisasjon).
echinus [e'kainəs] sjøpinnsvin, kråkebolle.
echo ['ekəu] gjenlyd, ekko; gjenklang; gjenlyde; gjenta; si etter. echometer [e'kɔmitə] lydmåler. echo sounder ekkolodd.

eclectic [ek'lektik] eklektisk, utvelgende, utsøkende; eklektiker. eclecticism [ek'lektisizm] eklektisisme.
eclipse [i'klips] formørking; fordunkling; formørke; fordunkle, trenge i bakgrunnen. ecliptic [i'kliptik] ekliptikk (jordens bane om solen).
eclogue ['eklɔg] hyrdedikt.
ecology [i'kɔlədʒi] økologi.
economic(al) [i:kə'nɔmik(l)] økonomisk, sparsom. economics [i:kə'nɔmiks] økonomi. economist [i:'kɔnəmist] økonom. economize [i'kɔnəmaiz] holde hus med, økonomisere, spare. economy [i'kɔnəmi] husholdning; økonomi; sparsommelighet; hensiktsmessig innretning.
ecstasy ['ekstəsi] henrykkelse, begeistring, ekstase; be in ecstasies være i den sjuende himmel, ecstatic [eks'tætik] ekstatisk, henrykt, henrevet.
E. C. U. fk. f. English Church Union.
Ecuador [ekwə'dɔ:].
ecumenic(al) [ekju'menik(l)] alminnelig, økumenisk.
eczema ['ekzimə, 'eksimə] eksem.
ed. fk. f. edited; edition; editor; education.
E. D. fk. f. election district; extra duty.
edacious [i'deiʃəs] grådig.
E. D. D. fk. f. English Dialect Dictionary.
eddish ['ediʃ] etterslått, hå.
eddy ['edi] virvel, malstrøm; bakevje; virvle.
Eddystone ['edistən].
edelweiss ['eidlvais] edelweiss (alpeblomst).
edema [i'di:mə] ødem, væskeansamling.
Eden ['i:dn] Eden; Paradis.
edentate [i'denteit] tannløs; gomler.
edge [edʒ] egg, odd, spiss; rand; kant; utkant; brem; søm, skur, snitt (på en bok); skarphet; lite forsprang, fordel; skjerpe, slipe, kante; rykke; flytte seg; puffe, skubbe, albue seg fram; snike (seg); utmanøvrere; set the teeth on — få det til å ise i tennene; with gilt edges med gullsnitt; — on egge; — in a word få lirket inn et ord; have an — on ha en fordel fremfor; on — irritabel, nervøs; take the — off ta brodden av, mildne, sløve.
edgeways ['edʒweiz], edgewise ['edʒwaiz] på kant, på høykant, sidelengs; get in a word — få kilt inn et ord, få lirket inn et ord.
edging ['edʒiŋ] rand, kant, kanting, bord, innfatning; smale kniplinger, kantebånd.
edgy ['edʒi] skarp, bitende; hissig, brå, oppfarende; ivrig etter.
edibility [edi'biliti] spiselighet.
edible ['edibl] spiselig.
edict ['i:dikt] edikt, forordning, kunngjøring.
edification [edifi'keiʃən] oppbyggelse, oppbygging. edifice ['edifis] bygning. edifier ['edifaiə] en som oppbygger. edify ['edifai] oppbygge; belære (moralsk). edifying oppbyggelig, utbytterikt.
edile ['i:dail] edil.
Edinburgh ['ed(i)nbərə].
Edison ['edisən].
edit ['edit] gi ut, stå for utgivelsen av, redigere, være redaktør for; (film, radio) redigere, produsere; — out utelate, stryke.
Edith ['i:diθ].
edition [i'diʃən] utgave; opplag. editor ['editə] utgiver; redaktør. editorial [edi'tɔ:riəl] redaksjonell, utgiver-; leder(artikkel). editorialize [edi'tɔ:riəlaiz] skrive på lederplass. editorship ['editəʃip] redaksjon; redaktørpost; utgiverstilling. editress ['editris] kvinnelig redaktør; utgiverinne.
Edmund ['edmənd].
educability [edjukə'biliti] nemme. -able ['edjukəbl] nem, som kan oppdras el. læres opp.
educate ['edjukeit, 'edʒ-] oppdra; utdanne, undervise. education [edju'keiʃən, edʒ-] oppdragelse; utdannelse, undervisning; skolevesen; primary — folkeskoleundervisning, grunnskolen; secondary — høyere undervisning; the Elementary E. Act folkeskoleloven (av 1870); board of E. undervisningsdepartement. educational oppdra-

gelses-; belærende; pedagogisk. **educationalist** [edju'keiʃənəlist, edʒ-] pedagog. **educator** ['edjukeitə, 'edʒ-] pedagog.
educe [i'dju:s] utlede, dra fram, få fram, lokke fram. **eduction** [i'dʌkʃən] utledelse; utvinning; utstrømning, utløp, avløp.
Edward ['edwəd] Edvard. **Edwardian** [ed'wɔ:diən] som hører til Edward 7.'s regjeringstid (1901-10).
E. E. C. fk. f. **European Economic Community** det europeiske fellesmarkedet.
eel [i:l] ål; fange ål. — **buek** åleruse. **-pout** ålekone. — **spear** ålelyster. — **trunk** ålekiste.
e'en [i:n] fk. f. **even.**
e'er [ɛə] fk. f. **ever.**
eerie ['iəri], **eery** ['iəri] uhyggelig, nifs; selsom; engstelig.
E. E. T. S. fk. f. **Early English Text Society.**
effable ['efəbl] som kan uttales, som kan sies.
efface [i'feis] slette ut, viske ut, stryke ut, tilintetgjøre; — **oneself** gjøre seg ubemerket. **-ment** [-mənt] utsletting.
effect [i'fekt] virkning, følge; effekt; utførelse, fullbyrdelse; hensikt, øyemed; **-s** effekter, innbo, løsøre; **take** — gjøre virkning, virke; tre i kraft; **carry into** — virkeliggjøre; **in** — i realiteten, egentlig, faktisk; **to that** — i den retning, som går ut på det. **effect** bevirke, fremkalle, utrette, fullbyrde, sette i verk; få i stand; tegne (forsikring). **-ible** [-ibl] gjørlig, mulig. **-ive** [-iv] virksom, gyldig, i kraft; effektiv; brukbar, tjenstdyktig, stridsfør. **effectual** [i'fektjuəl, -tʃuəl] virksom, virkningsfull, effektiv, kraftig. **effectuate** [i'fektjueit] få i stand, sørge for, effektuere. **effectuation** [ifektju'eiʃən, -tʃu-] iverksettelse, gjennomføring.
effeminacy [i'feminəsi] kvinneaktighet, bløtaktighet. **effeminate** [i'feminit] kvinneaktig, bløtaktig, feminin; [i'femineit] gjøre bløtaktig.
effervesce [efə'ves] bruse opp, boble, skumme, mussere. **effervescence** [efə'vesəns] oppbrusning, perling, skumming, (fig.) livlighet, strålende humør.
effervescent [efə'vesənt] brusende, sprudlende.
effete [e'fi:t] utlevd, utslitt, uttjent; gold.
efficacious [efi'keiʃəs] virksom, kraftig, effektiv. **efficacy** ['efikəsi] virksomhet, kraft; evne.
efficiency [i'fiʃənsi] virksomhet, effektivitet, kraft; nyttevirkning. **efficient** [i'fiʃənt] virksom; dyktig, dugelig; fullgod; virkende årsak.
effigy ['efidʒi] bilde; **in** — in effigie.
effloresce [eflɔ:'res] blomstre, sprette ut, folde ut; vise seg; slå ut, blomstre ut i krystaller. **efflorescence** [eflɔ:'resəns] blomstring; utslett. **efflorescent** [eflɔ:'resənt] fremblomstrende.
effluence ['efluəns] utflyting, utstrømning.
effluent ['efluənt] utflytende, utstrømmende; utløp, avløp.
effluvium [e'flu:vjəm] pl.: **effluvia** [e'flu:vjə] utstrømning, utdunstning, tev.
efflux ['eflʌks] utstrømning; forløp; utløp.
effort ['efət] anstrengelse, bestrebelse, strev, møye; prestasjon; forsøk.
effortless ['efətlis] uanstrengt, ubesværet.
effraction [e'frækʃən] innbrudd.
effrontery [e'frʌntəri] uforskammethet, frekkhet, skamløshet.
effulgence [e'fʌldʒəns] glans; skinn. **effulgent** [e'fʌldʒənt] glinsende, strålende, skinnende.
effuse [e'fju:z] utgyte, sende ut, stråle ut; strekke ut. **effusion** [e'fju:ʒən] utgytelse; bloduttredelse. **effusive** [e'fju:siv] utgytende; strømmende; overstrømmende, hjertelig.
eft [eft] salamander, firfirsle.
EFTA fk. f. **European Free Trade Area.**
e. g. fk. f. **exempli gratia** = for instance f. eks.
egad [i'gæd] for pokker! min sel!
egalitarianism [igæli'tɛəriənizm] likhet; teorien om at alle mennesker er like.
egest [i'dʒest] kaste ut, tømme ut, skille ut

-ion [i'dʒestʃən] uttømmelse, avføring, avfall, skarn.
egg [eg] egg; (i krigsslang) bombe, håndgranat. **bad** — plan som ikke fører til noe; **have all one's -s in one basket** sette alt på ett kort; **as sure as eggs is eggs** så sikkert som to og to er fire; **teach one's grandmother to suck -s** ≈ det at egget lærer høna å verpe.
egg [eg] egge, tilskynde, sette opp; — **on egge.** **egg**|**beater** (egge)visper; (sl.) helikopter. — **cosy** eggevarmer. **-cup** eggeglass. **-glass** eggeglass, (lite) timeglass (til å koke egg etter). **-head** intellektuell; virkelighetsfjern teoretiker. **-nog** eggedosis; eggetoddi, eggepunsj. **-shaped** eggformet, oval. **-shell** eggeskall. — **slicer** eggedeler. — **timer** timeglass, eggekoker. **-trot** smått trav, lunk. **-whisk** eggepisker. — **white** eggehvite.
eglantine ['eglənt(a)in] vinrose; klunger.
ego ['egou] jeg. **egoism** ['egəuizm] egoisme, gjennomført egenkjærlighet. **egoist** ['egəuist] egoist. **egoistic** [egəu'istik], **egoistical** [egəu'istikl] egoistisk.
egotism ['egəutizm] for mye snakk om seg selv, selvopptatthet, innbilskhet, egoisme. **egotistic** [egəu'tistik], **egotistical** [egəu'tistikl] egoistisk. **egotize** ['egəutaiz] snakke mye om seg selv.
egregious [i'gri:dʒəs] overordentlig, toppmålt, framifrå, grepa, erke-; ekstrem; — **fool** kjempetosk; — **folly** erkedumhet.
egress ['i:gres] utgang; utløp; slutt. **-ion** [i'greʃən] utgang, utvandring.
egret ['i:gret] silkeheire; fnokk.
Egypt ['i:dʒipt] Egypt. **Egyptian** [i'dʒipʃən] egyptisk; egypter. **egyptologist** [i:dʒip'tɔlədʒist] egyptolog. **egyptology** [i:dʒip'tɔlədʒi] egyptologi.
eh? [ei] hva? ikke sant?
e. h. p. fk. f. **effective horsepower.**
E. I. fk. f. **East India; East Indies.**
eider ['aidə] ær, ærfugl. **-down** [-daun] ærdun, ederdun, (ederduns)dyne. — **duck** [-dʌk] ærstegg.
eidolon [ai'dəulən] fantom, syn; idealbilde; skyggebilde; skrømt.
eight [eit] åtte, åttetall. **eighteen** ['ei'ti:n] atten. **eighteenth** ['ei'ti:nθ] attende; attendedel. **eighth** [eitθ] åttende; åttendedel; oktav. **eighthly** ['eitθli] for det åttende. **eightsquare** åttekantet. **eightieth** ['eitiiθ] åttiende; åttiendedel. **eighty** ['eiti] åtti.
eikon ['aikɔn] ikon.
Eire ['ɛeərə] Eire, Irland.
Eisenhower ['aizənhauə].
eisteddfod [ai'steðvɔd] valisisk dikter- og sangerstevne.
either [aiðə, (amr.) i:ðə] en (av to): den ene el. den andre; begge; enten; **either . . . or** enten . . . eller; **not . . . either** ikke . . . heller.
ejaculate [i'dʒækjuleit] utstøte, sende ut, sprøyte ut; ytre plutselig; rope ut. **ejaculation** [idʒækju'leiʃən] utbrudd, utrop; uttømming. **ejaculatory** [i'dʒækjulətəri] utstøtt, plutselig ytret.
eject [i'dʒekt] kaste ut, støte ut, spy ut, slynge ut, fordrive; avsette. **ejection** [i'dʒekʃən] utkasting; utstøting. — **seat** katapultsete (i fly). **ejectment** [i'dʒektmənt] fordriving, utkasting.
eke [i:k] **out** forøke; skjøte på; utfylle, fullstendiggjøre; skrape sammen (med besvær); — **out one's income** hjelpe på sine inntekter.
EKG fk. f. **electrocardiogram.**
el [el] høybane (tog); vinkelføy.
elaborate [i'læbəreit] forarbeide, utarbeide; utvikle nærmere, gå i detaljer.
elaborate [i'læbərit] utarbeidet, raffinert; forseggjort; omhyggelig innstudert; fullendt. **elaboration** [ilæbə'reiʃən] utarbeiding, utdyping; forfinelse; tilberedelse.
eland ['i:lənd] elgantilope.
elapse [i'læps] forløpe, lide, gå (om tid).
elastic [i'læstik] elastisk; spenstig, smidig, tøyelig; (fig.) rommelig, elastikk, strikk; — **boots** springstøvler.

elasticity [elæˈstisiti] elastisitet, spenstighet, tøyelighet; spennkraft.

elate [iˈleit] løfte opp, oppløfte, oppstemme, fylle med glede, el. stolthet.

elation [iˈleiʃən] oppløftelse, glede, stolthet.

Elbe [elb], **the** — Elben.

elbow [ˈelbəu] albue; bøyning, sving, krok; **be at one's** — være for hånden; **out at -s** med hull på albuene; forkommen, raka fant; **rub -s with** omgås; klenge seg innpå. — **board** vinduspost. — **chair** armstol. — **grease** slit, hardt arbeid. **-room** alburom.

elbow [ˈelbəu] skubbe; puffe; bøye av, svinge; — **one's way** albue seg fram, skubbe seg fram.

eld [eld] fortid, oldtid; alderdom.

elder [ˈeldə] eldre; eldst (av to); gamling; eldste; **the -s** fortidens mennesker. — **hand** førehånd (i kort).

elder [ˈeldə] hyll. — **berry** hyllebær.

elderly [ˈeldəli] eldre, aldrende, tilårskommen.

eldern [ˈeldən] av hyll.

eldest [ˈeldist] eldst.

El Dorado [eldɔˈrɑːdəu] Eldorado.

eldritch [ˈeldritʃ] spøkelsesaktig, uhyggelig.

Eleanor [ˈelinə].

elecampane [elikæmˈpein] alantrot.

elect [iˈlekt] kåre, velge, beslutte, foretrekke; kåret, valgt, utvalgt; person som er valgt, men som ennå ikke har tiltrådt. **election** [iˈlekʃən] valg; utvelging; **general** — (alm.) valg (til parlamentet). **electioneer** [ilekʃəˈniə] drive valgagitasjon; valgagitator. **electioneering** valgagitasjon. **elective** [iˈlektiv] valg-, velgende; valgfri; som avgjøres ved valg. **elective monarchy** valgrike. **elector** [iˈlektə] velger, valgmann; kurfyrste. **electoral** [iˈlektərəl] valg-; velger-; kurfyrstelig. **electorate** [iˈlektərit] velgergruppe; velgerne; kurfyrsteverdighet; kurfyrstendømme. **electress** [iˈlektris] kurfyrstinne.

electric [iˈlektrik] elektrisk; elektrisk tog, trikk. **electrical** [iˈlektrikl] elektrisk; elektro-; fascinerende, oppildnende. **electrician** [iːlekˈtriʃən] elektriker. **electricity** [iːlekˈtrisiti] elektrisitet. **electrification** [iˈlektrifiˈkeiʃən] elektrifisering, omlegging til elektrisk drift. **electrify** [iˈlektrifai] elektrifisere; legge om til elektrisk drift; (fig.) oppildne, fascinere. **electro** [iˈlektrə] i sammensetninger: elektro-, galvano-. **electrochemical** [iˈlektrəuˈkemikl] elektrokjemisk. **electrocute** [iˈlektrəkjuːt] henrette, avlive ved elektrisitet. **electrocution** [ilektrəˈkjuːʃən] henrettelse i den elektriske stol, elektrisk avliving. **electrode** [iˈlektrəud] elektrode. **electrodynamic** [iˈlektrəudaiˈnæmik] elektrodynamisk. **electrolyse** [iˈlektrəlaiz] spalte kjemisk ved elektrisk strøm. **electrolysis** [iːlekˈtrɔlisis] elektrolyse. **electrolytic** [ilektrəˈlitik] elektrolytisk.

electromagnet [iˈlektrəˈmægnit] elektromagnet. **electromagnetism** [iˈlektrəˈmægnitizm] elektromagnetisme. **electrometallurgy** [iˈlektrəmeˈtæ-lədʒi] elektrometallurgi, galvanoteknikk. **electrometer** [ilekˈtrɔmitə] elektrisitetsmåler. **electromotion** [ilektrəˈməufən] elektrisk bevegelse. **electromotor** [iˈlektrəˈməutə] elektromotor.

electron [iˈlektrɔn] elektron. **electronics** [ilek-ˈtrɔniks] elektronikk. **electrophorus** [ilekˈtrɔfərəs] elektrofor. **electroplate** [iˈlektrəpleit] galvanisk forsølve. **electroscope** [iˈlektrəskəup] elektroskop. **electrotype** [iˈlektrətaip] elektrotypi, galvanoplastikk.

electuary [iˈlektjuəri, -tʃ-] latverge.

eleemosynary [eliiˈmɔsinəri] almisse-; fattig-; som lever av almisse; almisselem; veldedig, filantropisk.

elegance [ˈeligəns] eleganse, finhet, smakfullhet, skjønnhet. **elegant** [ˈeligənt] smakfull, elegant; fin.

elegiac [eliˈdʒaiək] elegisk, klagende, vemodig; elegisk vers; distikon. **elegist** [ˈelidʒist] elegisk dikter. **elegize** [ˈelidʒaiz] skrive elegi (om). **elegy** [ˈelidʒi] klagesang, elegi.

element [ˈelimənt] element, grunnstoff, emne; bestanddel; faktor, snev, moment; livsbetingelse; (pl.) begynnelsesgrunner, elementer. **elemental** [eliˈmentəl] element-. **elementary** [eliˈmentəri] elementær, enkel. — **school** folkeskole, grunnskole (nå kalt **primary school**).

elephant [ˈelifənt] elefant; **white** — en dyr og nytteløs ting; **show the** — vise en stor bys severdigheter; **have seen the** — kjenne de nyeste knep; være durkdreven. **elephantiasis** [elifæn-ˈtaiəsis] elefantiasis. **elephantine** [eliˈfænt(a)in] elefantaktig, uhyre, stor, stolpet. **elephantoid** [eliˈfæntɔid] elefantaktig.

Eleusinian [eljuˈsinjən] eleusinsk.

elevate [ˈeliveit] heve, løfte; opphøye, forfremme; høyne; oppmuntre, gjøre begeistret; gjøre hovmodig. **elevated** [ˈeliveitid] høytliggende; opphøyd; i løftet stemning, «glad». — **railway** høybane. **elevation** [eliˈveiʃən] heving, løfting; forfremmelse; opphøyelse; høyhet, verdighet; høyde; elevasjon. **elevator** [ˈeliveitə] løftemuskel; heisegreie, løfteredskap; kornsilo; (amr.) elevator, heis. — **operator** (amr.) heisefører.

eleven [iˈlevn] elleve; lag (som består av elleve spillere, i cricket og fotball). — **plus test** ≈ mellomskoleprøve, skoleprøve ved fylte elleve år som er avgjørende for hvilken videre skolegang eleven kan ta. **elevenses** [iˈlevnsiz] lett formiddagsmåltid (ved 11-tiden). **eleventh** [iˈlevnθ] ellevte; ellevtedel.

elf [elf] alv, fe, nisse; skøyerunge; — **bolt** [-bəult] flintepil. **elfin** [ˈelfin] liten alv; småtroll; alv; alve-; overjordisk; skøyeraktig. **elfish** [ˈelfiʃ] alveaktig, ondskapsfull, trolsk. **elf shot** [ˈelfʃɔt] alvskott.

Elgin [ˈelgin] Elgin; **the** — **marbles** greske marmorverker som lord Elgin brakte til England, nå i British Museum ≈ Parthenonfrisen.

Elia [ˈiːljə] psevdonym for Charles Lamb.

Elias [iˈlaiəs].

elicit [iˈlisit] lokke fram, bringe for dagen.

elicitation [ilisiˈteiʃən] framlokking.

elide [iˈlaid] elidere, støte ut; se bort fra.

eligibility [elidʒiˈbiliti] valgbarhet; kvalifikasjon; berettigelse. **eligible** [ˈelidʒibl] valgbar, kvalifisert (**for** til), verd å velge; attråverdig, ønskelig, egnet, antagelig, passende.

Elijah [iˈlaidʒə] Elias (profeten).

eliminate [iˈlimineit] skaffe bort, støte ut, skyte ut, få bort, eliminere, skille ut; fjerne, avskaffe; se bort fra, utelukke. **elimination** [ilimiˈneiʃən] bortskaffelse, utstøting; eliminering, eliminasjon, avskaffelse; utslettelse.

Elinor [ˈelinɔː, -nə].

Eliot [ˈeljət].

Elisabeth [iˈlizəbəθ].

Elisha [iˈlaiʃə] Elisa (profeten).

elision [iˈliʒən] elisjon, utelating, stryking.

élite [eiˈliːt] elite.

elixir [iˈliksə] eliksir; kvintessens.

Eliza [iˈlaizə].

Elizabeth [iˈlizəbəθ].

Elizabethan [ilizəˈbiːθən] fra Elisabeth-tiden (1558—1603).

elk [elk] elg.

ell [el] alen (gml. mål, omkring 1,14 meter); **give him an inch and he'll take an** — når man gir en viss mann (el. fanden) lillefingeren, tar han hele hånden.

ellipse [iˈlips] ellipse (i geometri). **ellipsis** [iˈlipsis] ellipse, utelating (i grammatikk). **elliptic(al)** [iˈliptik(l)] elliptisk.

elm [elm] alm.

Elmo [ˈelməu]: **Elmo's fire** elmsild.

elmy [ˈelmi] bevokst med alm.

elocution [eləˈkjuːʃən] fremføring; foredrag; (ut)talekunst; språkbehandling. **elocutionary** [elə-ˈkjuːʃənəri] som vedrører uttalen eller foredraget; deklamatorisk. **elocutionist** [eləˈkjuːʃənist] lærer i opplesning (deklamasjon); resitatør, foredragsholder.

elongate ['i:lɔŋgeit] forlenge, tøye; forlenges. **elongation** [i:lɔŋ'geiʃən] forlenging; fortsettelse; avstand; forstrekning (i kirurgi).

elope [i'ləup] løpe bort, rømme (især med elsker). **-ment** [i'ləupmənt] rømning, flukt; bortførelse.

eloquence ['eləkwəns] veltalenhet, talekunst. **eloquent** ['eləkwənt] veltalende, (fig.) megetsigende, uttrykksfull.

else [els] ellers; annen, annet, andre; **any one** — noen annen; **nothing** — intet annet; **no one** — ingen annen; **nowhere** — ikke noe annet sted; **somewhere** — et annet sted; **what else** hva annet; **who else** hvem andre.

elsewhere ['els'wɛə] annensteds.

Elsie ['elsi].

Elsinore [elsi'nɔ:] Helsingør.

elucidate [i'l(j)u:sideit] opplyse, forklare, tydeliggjøre, klarlegge. **elucidation** [il(j)u:si'deiʃən] forklaring, opplysning, tydliggjøring, utredning. **elucidatory** [i'l(j)u:sideitəri] opplysende, forklarende.

elude [i'l(j)u:d] unnvike, slippe unna, unngå; omgå. **elusion** [i'l(j)u:ʃən] unngåelse; omgåelse. **elusive** [i'l(j)u:siv] unngående, unnvikende, vanskelig å gripe, flyktig; slu, listig. **elusory** [i'l(j)u:səri] unngående, unnvikende; slu.

elute [i'lju:t] vaske ut, slemme.

elver ['elvə] glassål.

elves [elvz] pl. av **elf**.

elvish ['elviʃ] se **elfish**.

Ely ['i:li].

Elysian [i'lizjən] elysisk, elyseisk, himmelsk.

Elysium [i'lizjəm].

'em [əm] dem (**them**).

EM fk. f. **enlisted man**.

emaciate [i'meiʃieit] avmagre, uttære. **emaciation** [imeiʃi'eiʃən] avmagring, uttæring.

emanate ['eməneit] flyte, strømme ut, stråle ut; springe ut, utgå; ha sitt utspring i. **emanation** [emə'neiʃən, i:-] utflyting, utstrømming, utstråling.

emancipate [i'mænsipeit] emansipere, frigjøre. **emancipation** [imænsi'peiʃən] frigjøring; emansipasjon. **emancipationist** [imænsi'peiʃənist] talsmann for oppheving av negerslaveriet. **emancipator** [i'mænsipeitə] befrier. **emancipatory** [i'mænsipətəri] emansipasjons-, frigjørende.

emarginate [i'ma:dʒinit] avrundet i kanten, beskåret.

emasculate [i'mæskuleit] kastrere; gjelde, svekke. **emasculate** [i'mæskjulit] berøvet manndommen; svak, veik. **emasculation** [imæskju'leiʃən] kastrering; gjelding; avkrefting, svekkelse.

embalm [em'ba:m] balsamere, salve; holde frisk i minnet. **-ment** [em'ba:mmənt] balsamering.

embank [im'bæŋk] demme inne, demme opp. **embankment** [im'bæŋkmənt] inndemming; oppdemming; demning; kai; fylling; **the (Victoria) Embankment** strandgate langs Themsen i London.

embargo [im'ba:gəu] beslag, arrest (på skip og ladning); legge beslag på; eksport- (el. import)-forbud.

embark [im'ba:k] skipe inn; innskipe seg, gå ombord; innlate seg på. **-ation** [emba:'keiʃən] innskiping.

embarrass [im'bærəs] forvirre, forfjamse, sette i forlegenhet; gjøre forlegen; bringe i uorden, hemme, hindre; bringe i vanskeligheter. **embarrassment** [im'bærəsmənt] forvirring; forlegenhet, besvær, vanske, knipe; **financial** — økonomiske vansker.

embassy ['embəsi] ambassade, gesandtskap, sendelag, misjon; gesandtskapsbolig.

embattle [im'bætl] stille (seg) i slagorden, fylke; forsyne med tinder (en mur).

embay [im'bei] drive inn i en bukt, inneslutte, omringe.

embed [im'bed] legge inn, sette ned i, mure inn, feste, leire; ligge rundt. **-ment** nedlegging, innmuring, inneslutting.

embellish [im'beliʃ] forskjønne, smykke ut, pryde, stase. **embellishment** [im'beliʃmənt] forskjønnelse, prydelse, utbrodering.

ember ['embə] glo, glødende kull, aske. **embers** ['embəz] glør, ildmørje. — **days** tamperdager.

embezzle [im'bezl] begå underslag, gjøre kassesvik, underslå, forgripe seg på. **embezzlement** [im'bezlmənt] underslag, kassesvik. **embezzler** [im'bezlə] en som begår underslag.

embitter [im'bitə] gjøre bitter, forbitre.

emblaze [im'bleiz] smykke, pryde, male med våpenfigurer, illuminere, utmale; forherlige, prise. **emblazon** [im'bleizn] dekorere med våpenfigurer, male med glimrende farger; utmale, stase opp; forherlige, prise. **emblazonry** [im'bleiznri] våpenmaleri; våpenfigurer; heraldisk utsmykking; fargeprakt.

emblem ['embləm] sinnbilde, emblem, merke, tegn, symbol. **emblematic(al)** [embli'mætik(l)] sinnbilledlig, symbolsk.

embodiment [im'bɔdimənt] legemliggjøring, inkarnasjon; innrullering, innlemming; samling til et hele.

embody [im'bɔdi] legemliggjøre, inkarnere, gi konkret form el. uttrykk; innrullere, innlemme; samle til et hele; oppta, samle.

embolden [im'bəulden] gjøre dristig, gjøre motig, gi mot.

embolism ['embəlizm] emboli, blodpropp. **embolus** ['embələs] blodpropp; stempel (i pumper osv.).

embonpoint [ɔnbɔn'pwæŋ] embonpoint.

embosom [im'buzəm] ta til sitt bryst; omgi, skjerme, skjule.

emboss [im'bɔs] utføre i opphøyd arbeid, bossere, prege, stemple. **embossed** [im'bɔst] utført i opphøyd arbeid, drevet, bossert. **embossment** [im'bɔsmənt] opphøyd arbeid.

embouchure [ɔmbu'ʃuə] munning, os, gap; munnstykke på blåseinstrument; den blåsendes munnstilling ved frembringelsen av tonen.

embowed [im'bəud] hvelvet.

embowel [im'bauəl] ta innvollene ut, sløye, skjære opp.

embower [im'bauə] skjerme, skjule, omgi, pryde med løv.

embrace [im'breis] omfavne, slå armene om; omfatte; gripe; anta, knesette; omfavne hverandre; omfavning, favntak, fangtak. **embracement** [im'breismənt] omfavning, omfavnelse.

embranchment [im'bra:n(t)ʃmənt] forgrening. **embrangle** [im'bræŋgl] forvirre; vikle inn i.

embrasure [im'breiʒə] skyteskår; vindusfordypning; dørfordypning.

embrocate ['embrəkeit] gni inn. **embrocation** [embrə'keiʃən] legemiddel (som gnis inn).

embroglio [em'brɔuljəu] floke, vase.

embroider [im'brɔidə] brodere. **embroidery** [im'brɔidəri] broderi. — **frame** broderramme. — **hoop** ringformet broderramme.

embroil [em'brɔil] innvikle, trekke inn; forvirre, forstyrre.

embroilment [im'brɔilmənt] forvikling.

embrue [im'bru:] se **imbrue**.

embryo ['embriəu] embryo, kim, spire. **embryology** [embri'ɔlədʒi] embryologi. **embryonic** [embri'ɔnik] embryonisk.

embue [em'bju:] se **imbue**.

embus [em'bʌs] laste inn i buss.

emend [i'mend] rette på, forbedre. **-able** [i'mendəbl] som kan bøtes, rettes på. **-ate** ['i:mendeit] rette, bedre, gjøre rettinger i. **-ation** [i:mən'deiʃən] forbedring, beriktigelse, retting. **-ator** ['i:məndeitə] forbedrer, tekstkritiker. **-atory** [i'mendətəri, i:men'deitəri] forbedrende.

emerald ['em(ə)rəld] smaragd; **the Emerald Isle** Den grønne øy, Irland.

emerge [i'mə:dʒ] dukke opp, komme opp; kom- me fram, fremgå, vise seg. **emergence** [i'mə:dʒəns] oppdukking; tilsynekomst.

emergency [i'mə:dʒənsi] uventet begivenhet; uheldig sammenstøt av omstendighetene; krise- situasjon; kritisk stilling, ytterste nød; reserve-, nød-, krise; **in case of** — i nødsfall; **on an** — nødsfall; **state of** — unntakstilstand. — **brake** nødbremse. — **door** eller — **exit** nødutgang f. eks. i et teater). — **man** en mann som hjelper en i nødstilfelle.

emergent [i'mə:dʒ(ə)nt] oppdukkende; som oppstår plutselig.

emeritus [i'meritəs] emeritus, uttjent.

emersion [i'mə:ʃən] tilsynekomst, oppdukking; emersjon (et himmellegemes, etter formørkelse).

emery ['eməri] smergel. — **wheel** smergelskive.

emesis ['eməsis] oppkast, brekning.

emetic [i'metik] brekkmiddel. **emetic(al)** [i'me- tik(l)] som får en til å brekke seg.

emigrant ['emigrənt] utvandrer-, utvandrende; utvandret; utvandrer, emigrant. **emigrate** ['emi- greit] utvandre, emigrere; sende ut av landet. **emigration** [emi'greiʃən] utvandring, emigrasjon. **emigré** ['emigrei] (politisk) emigrant.

Emily ['emili].

eminence ['eminəns] høyde, forhøyning, kolle, bakke; høy rang, fremtredende stilling; berøm- melse, ære; eminens (kardinalenes tittel); **by way of** — par excellence. **eminent** ['eminənt] høy; fremragende; anselig, utmerket; enestående, helt spesiell. **eminently** ['eminəntli] i fremragende grad; særdeles, avgjort, absolutt.

emir [i'miə] emir.

emissary ['emisəri] utsending, sendebud, emis- sær.

emission [i'miʃən] utsending; utstedelse, ut- stråling, utslipp; emisjon.

emit [i'mit] sende ut, utstråle, avgi; emittere, utstede.

emma gee ['emə'dʒi:] maskingevær (se **m. g.**).

Emmanuel [i'mænjuəl].

Emmaus [e'meiəs].

emmet ['emit] maur.

emollescence [emə'lesəns] bløthet før smelt- ningen. **emolliate** [i'molieit] gjøre bløtaktig, svekke, avkrefte. **emollient** [i'moliənt] bløt- gjørende; bløtgjørende middel. **emollition** [emə- 'liʃən] bløtgjøring.

emolument [i'moljumənt] fordel, lønn, inntekt; sportel, honorar.

emote [i'mout] gi utløp (uttrykk) for følelser. **emotion** [i'mouʃən] sinnsbevegelse, rørelse. **emotional** [i'mouʃənəl] bevegelses-, følelses-; emosjonell, lettbevegelig, stemningsfull, følelses- full; **an** — **being** et stemningsmenneske. **emotive** [i'moutiv] følelses-, stemnings-. **Emp.** fk. f. **Emperor; Empress; Empire.**

empale [im'peil] se **impale.**

empanel [im'pænəl] oppføre som lagrettsmenn; oppnevne.

empennage [em'penidʒ] haleparti (på fly).

emperor ['empərə] keiser; **the Emperor Alex- ander** keiser Alexander.

emphasis ['emfəsis] ettertrykk, fynd, klem, vekt; emfase. **emphasize** ['emfəsaiz] legge etter- trykk på, fremheve, poengtere, understreke. **emphatic** [im'fætik] ettertrykkelig, kraftig, be- stemt; iøynefallende. **emphatically** [im'fætikəli] ettertrykkelig, i fremtredende grad.

emphysema [emfi'si:mə] emfysem.

empire ['empaiə] rike, velde, keiserrike; **the Empire** ofte: Det britiske samvelde; **Empire Day** 24. mai (dronning Victorias fødselsdag); **Empire State** staten New York.

empiric [im'pirik] erfaringsmessig, empirisk; empriker; sjarlatan, kvaksalver. **empiricism** [em'pirisizm] empirisme; kvaksalveri.

emplace [im'pleis] bringe i stilling, anbringe. **employ** [im'ploi] beskjeftige, sysselsette, gi arbeid, ansette, feste; bruke, nytte, anvende;

tilbringe; beskjeftigelse, arbeid; ansettelse, tjeneste. **employable** [im'ploiəbl] anvendelig. **employé** [im'ploiei], **employee** [im'ploii:] ansatt, arbeidstaker, funksjonær, arbeidsmann, han- delsbetjent. **employer** [im'ploiə] arbeidsgiver, prinsipal. **employment** beskjeftigelse, arbeid, sys- selsettelse, anvendelse; ansettelse, tjeneste; bruk. — **agency,** — **bureau** arbeidskontor. — **officer** yrkesrettleder.

emporium [em'po:riəm] handelsplass, stapel- plass; opplag; (amr.) varehus, stor butikk.

empower [im'pauə] bemyndige, gi fullmakt; dyktiggjøre, sette i stand.

empress ['empres] keiserinne. — **dowager** enkekeiserinne. **the Empress Alexandra** keiserinne Alexandra.

empressement varme, glød, hjertelighet.

emprise [im'praiz] tiltak, (dristig) foretagende; djervskap.

emptier ['em(p)tiə] uttømmer. **empties** ['em(p)- tiz] tomgods, tomflasker, tom emballasje. **emptiness** ['em(p)tinis] tomhet. **empty** ['em(p)ti] tom (**of** for); tom emballasje, tomgods; tømme, lense, lesse av (**of** for), tømmes, renne ut.

empyema [empai'i:mə] empyem.

empyreal [empi'ri:əl] ildklar, himmelsk. **empy- rean** [empi'ri:ən] ildhimmel; den sjuende himmel.

emu ['i:mju] emu (australsk fugl).

emulate ['emjuleit] kappes med, måle seg med, etterlikne, tevle. **emulation** [emju'leiʃən] kappe- lyst, tevling, strid, etterlikning. **emulative** ['emjulətiv] kappelysten. **emulator** ['emjuleitə] medbeiler, medtevler, konkurrent, rival. **emula- tress** ['emjuleitris] medbeilerinne. **emulous** ['em- juləs] rivaliserende.

emulsification [imʌlsifi'keiʃən] emulgering. **emulsifier** [i'mʌlsifaiə] emulgator. **emulsion** [i'mʌlʃən] emulsjon. **emulsive** [i'mʌl- siv] melkeaktig, formildende. lindrende.

emunctory [i'mʌŋktəri] utførselsgang.

enable [i'neibl] sette i stand til. **enabling act** fullmaktslov.

enact [i'nækt] gi lovskraft; vedta en lov; forordne; foreta (en seremoni); spille, utføre (en rolle); sette i scene. **enactive** [i'næktiv] for- ordnende, lovgivende, lov-. **enactment** [i'nækt- mənt] vedtagelse, vedtak; forordning, lov, lov- bestemmelse. **enactor** [i'næktə] lovgiver.

enamel [i'næməl] emalje; glassur; emaljere; glassere. **enameller** [i'næmələ] emaljør.

enamour [i'næmə] gjøre forelsket (**of** i).

enc. fk. f. **enclosure.**

enaenia [en'si:njə] minnefest, årsfest.

encage [in'keidʒ] sette i bur; innesperre. **en- cagement** [in'keidʒmənt] innesperring.

encamp [in'kæmp] leire, slå leir, leire seg. **encampment** [in'kæmpmənt] leir.

encase [in'keis] overtrekke; gi overtrekk, legge i futteral el. kasse, pakke inn.

encash [in'kæʃ] innkassere, heve penger på. **encashment** [in'kæʃmənt] innkassering.

encaustic [in'ko:stik] enkaustikk, voksmaling; — **tiles** teglstein med innbrente farger.

enceinte [åŋ'sænt] enceinte; gravid.

encephalic [ensi'fælik] hjerne-.

enchain [in'tʃein] lenke, fengsle; kjede sam- men. **enchainment** [in'tʃeinmənt] lenkebunden tilstand, sammenknytting; rad, rekke.

enchant [in'tʃɑ:nt] fortrylle, trolle, trollbinde; henrykke, begeistre. **enchanter** [in'tʃɑ:ntə] troll- mann; sjarmør. **enchantment** [in'tʃɑ:ntmənt] for- tryllelse. **enchantress** [in'tʃɑ:ntris] trollkvinne, trollkjerring; fortryllende kvinne.

enchase [in'tʃeis] innfatte; ramme inn; siselere inngravere.

enchiridion [enkai'ridjən] håndbok.

encipher [in'saifə] sette om til kode.

encircle [in'sə:kl] omringe; omslutte, inne- slutte; omfavne.

enclasp [in'klɑ:sp] omfatte; favne.

enclave ['enkleiv] enklave.

enclitic [en'klitik] enklitisk, etterhengt.

enclose [in'klǝuz] innhegne; inngjerde; inneslutte; innlegge; legge ved. **enclosure** [in'klǝuʒǝ] innhegning; inngjerding, avgjerdet område; inneslutning; innlegg, vedlegg, bilag; hekk, gjerde.

encomiast [en'kǝumiæst] lovtaler. **encomiastic(al)** [enkǝumi'æstik(l)] lovprisende. **encomium** [en'kǝumjǝm] lovtale.

encompass [in'kʌmpǝs] omgi; omfatte; omringe, ringe inn.

encore [aŋ'kɔ:] dakapo, ekstranummer; rope dakapo.

encounter [in'kauntǝ] sammenkomst, sammenstøt, trefning, kamp, basketak; treffe sammen med, møte, råke; tørne sammen med; møtes; motstå.

encourage [in'kʌridʒ] oppmuntre, inngyte mot; opplive, tilskynde, hjelpe fram, befordre; frede. **encouragement** [in'kʌridʒmǝnt] oppmuntring, oppmoding, befordring, fremhjelp, fremme; fredning. **encourager** [-ǝ] oppmuntrer, befordrer, fremmer.

encroach [in'krǝutʃ] gjøre inngrep (**upon** i), trenge inn på; anmasse seg. **enchroacher** [-ǝ] en som gjør inngrep; en som fornærmer. **encroachment** [-mǝnt] inngrep, overgrep; anmasselse.

encrust [in'krʌst] trekke over med skorpe, belegge, bekle, dekke. **-ation** skorpedannelse.

encumber [in'kʌmbǝ] bebyrde, bry, plage, belemre, hefte; behefte, pantbinde. **encumbrance** [in'kʌmbrǝns] byrde, hindring, klamp om foten; gjeld, pant, hefte, heftelse.

encyclic(al) [en'saiklik(l)] encyklika, pavelig rundskriv; sirkulerende, rund-, sirkulære-; — **epistle** rundskriv (især pavelig), encyklika.

encyclopedia [ensaiklǝ'pi:djǝ] encyklopedi, konversasjonsleksikon. **encyclopedian** [-djǝn] encyklopedisk. **encyclopedic(al)** [ensaiklǝ'pi:dik(l)] encyklopedisk; omfattende. **encyclopedist** [ensaiklǝ'pi:dist] encyklopedist, leksikograf.

encyst [en'sist] innkapsle.

end [end] ende; opphør; slutt, slutning; endelikt, død; stubb, stykke, bete; hensikt, øyemed, mål; ende, slutte, opphøre; gjøre ende på; **in the** — til sist; **be at an** — være til ende, være forbi; **change -s** bytte banehalvdel; **come to an** — stoppe, stanse, opphøre; **the line of our native kings came to an** — vår innfødte kongerekke døde ut; **keep one's** — **up** holde stand, hevde seg; **make both -s meet** få endene til å møtes. **put an** — **to** el. **make an** — **of** stagge, gjøre ende på; **there is an** — dermed får det være slutt, dermed basta; **to the** — that med det formål å; **such was the** — **of** slik endte (døde); **odds and -s** stumper og stykker, likt og ulikt; — **of a cigar** sigarspiss; sigarstump; **no** — **of** en masse; **for an hour on** — en time i trekk; **stand on** — stritte, reise seg (om håret); **all's well that -s well** når enden er god, er allting godt.

endamage [in'dæmidʒ] beskadige, skade.

endanger [in'dein(d)ʒǝ] sette i fare, sette på spill, våge.

endear [in'diǝ] gjøre elsket eller kjær; **he -ed himself to them** han vant deres hengivenhet, gjorde seg godt likt. **-ing** [in'diǝriŋ] vinnende; elskverdig, kjærlig.

endearment [in'diǝmǝnt] kjærtegn.

endeavour [in'devǝ] bestrebelse, strev; bestrebe seg for, søke, strebe, streve; **lost** — spilt møye.

endemic [en'demik] endemisk; endemi; — **fever** klimafeber.

ender ['endǝ] tilendebringer.

endermic [en'dǝ:mik] endermisk, som anbringes på el. gjennom huden.

ending ['endiŋ] slutning, slutt, død, endelikt; endelse, ending; **happy** — lykkelig avslutning.

endive ['endiv] endivie (plante).

endless ['endlis] endeløs, uendelig; formålsløs. **end line** mållinje.

endlong ['endlɔŋ] på langs, endelangs.

endmost ['endmǝust] fjernest.

endocrine ['endǝukrain] endokrin.

endogamy [en'dɔgǝmi] inngifte.

end-on ['end'ɔn] med enden først.

endorsation [indɔ:'seiʃǝn] påtegning. **endorse** [in'dɔ:s] endossere; påtegne; kausjonere; gå god for, bifalle, gi sin tilslutning. **endorsee** [endɔ:'si:] endossat. **endorsement** [in'dɔ:smǝnt] endossement, påtegning; godkjenning, bekreftelse støtte, tilslutning. **endorser** [in'dɔ:sǝ] endossent.

endow [in'dau] utstyre, utruste; begave, skjenke; stifte, dotere, gi gave til. **endowment** [in'daumǝnt] dotasjon; stiftelse; pengemidler; utstyr; **-s** evner, begavelse.

endowment insurance livsforsikring med utbetaling i levende live.

end paper ['endpeipǝ] forsatspapir.

end product sluttprodukt, sluttresultat.

endue [in'dju:] utstyre (**with** med); skjenke, gi; iføre seg, ta på, bekle.

endurable [in'djuǝrǝbl] utholdelig. **endurance** [in'djuǝrǝns] utholdenhet, motstandskraft; varighet, vedvarenhet; tålmodighet. **endure** [in'djuǝ] holde ut, tåle, døye, holde ut; vare.

endways ['endweiz] på kant, på ende; på langs; med enden foran.

endwise ['endwaiz] på kant, på ende; med enden foran.

Eneid ['i:niid], **the** — Eneiden.

enema ['enimǝ, i'ni:mǝ] klystér, tarmskylling.

enemy ['enimi] fiende, uvenn; fiendtlig. **how goes the** —? hva er klokka?

energetic(al) [enǝ'dʒetik(l)] kraftig, energisk, virksom. **energetics** [enǝ'dʒetiks] energilære, energetikk. **energize** ['enǝdʒaiz] gjøre kraftig, styrke; forsyne med energi. **-r** dynamo; kraftkilde.

energumen [enǝ:'gju:mǝn] svermer, fanatiker. **energy** ['enǝdʒi] kraft, energi; virkelyst, handlekraft, framferd.

enervate ['enǝveit] enervere, svekke. **enervation** [enǝ'veiʃǝn] svekkelse, avkrefting, utmattelse; kraftløshet.

enface [in'feis] påtegne på forsiden.

enfeeble [in'fi:bl] svekke, avkrefte. **enfeeblement** [in'fi:blmǝnt] avkrefting.

enfeoff [in'fi:f] forlene. **enfeoffment** [in'fi:fmǝnt] forlening; lensbrev.

enfilade [enfi'leid] sidebestrykning (med skudd), flankebeskytning; beskyte langs lengderetningen.

enflesh [in'fleʃ] ikle kjøtt og blod.

enfold [in'fǝuld] innhylle, omfatte, folde, svøpe inn.

enforce [in'fɔ:s] støtte, styrke; tvinge, tiltvinge seg; sette igjennom, håndheve; underbygge; innskjerpe; hevde. **enforcement** [in'fɔ:smǝnt] bekreftelse, bestyrkelse, innskjerping; tvang; makt; håndhevelse; tvangsmiddel.

enfranchise [in'fræntʃaiz] befri; oppta som borger, gi stemmerett; gi kjøpstadsrett.

enfranchisement [in'fræntʃizmǝnt] befrielse; opptagelse i samfunn, tildeling av stemmerett; **the** — **of women** innføring av stemmerett for kvinner.

engage [in'geidʒ] forplikte, binde; feste, engasjere, ansette, verve; sette i pant; vinne; bestille, reservere; beskjeftige, sysselsette, oppta; legge beslag på; sette på spill; forplikte seg til, påta seg, love; innlate seg (i kamp), gi seg av med; gripe inn i (hverandre); kople inn, sette i funksjon; innestå for, svare for; feste seg, forlove seg; — **for** garantere, innestå for. **engaged** [in'geidʒd] beskjeftiget (**in** med); forlovet (**to** med); innviklet, dradd inn, i kamp (**with** med). **engagement** [in'geidʒmǝnt] forpliktelser; avtale; løfte; sysselsettelse, yrke, engasjement; forlovelse; slag, trefning; inngriping, tak. — **diary** huskeliste, memo bok. **engaging** [in'geidʒiŋ] vinnende, inntagende.

engarland [in'ga:lǝnd] bekranse.

engender [in'dʒendǝ] avle, skape, dra etter seg.

engine ['endʒin] maskin; drivverk; lokomotiv; brannsprøyte; (fig.) middel, redskap; sette maskin i. **-driver** lokomotivfører. **engineer** [indʒi'niə] maskinmester; maskinist; ingeniør, tekniker; maskinbygger; lokomotivfører (amr.); intrigemaker; **the -s** ingeniørtroppene; **kontruere**; arrangere; ordne, gjennomføre. **engineering** [indʒi:'niəriŋ] maskinvesen; ingeniørarbeid, ingeniørvitenskap. — **drawing** teknisk tegning.

engineman ['endʒinmən] maskinist; brannmann.

engine | **pit** smøregrav. — **room** maskinrom; maskinhall.

enginery ['endʒinri] krigsmaskiner.

engine | **seating** maskinfundament. — **shaft** motoraksel. — **shed** maskinhus, lokomotivstall. — **-sized paper** maskinlimt papir.

engirdle [in'gə:dl] omgi, spenne rundt. **England** ['iŋglənd]. **-er** ['iŋgləndə] engelskmann; **Little Englander** antiimperialist.

English ['iŋgliʃ, 'iŋliʃ] engelsk, engelsk, engelsk språk; oversette til engelsk; **the** — engelskmennene. — **holly** kristtorn. **-ing** oversettelse til ngelsk. **-ism** anglisisme. **-man** ['iŋgliʃmən] ngelskmann.

Englishry ['iŋgliʃri] engelsk befolkning, engelsk koloni; engelsk vesen.

Englishwoman ['iŋgliʃwumən] engelsk kvinne, ngelenderinne.

engorge [in'gɔ:dʒ] stappe i seg, forspise seg; luke.

engraft [in'grɑ:ft] pode, innpode.

engraftment [in'grɑ:ftmənt] poding; pode.

engrailed [in'greild] takket i kanten.

engrain [in'grein] farge i ulla; rotfeste.

engrained [in'greind] inngrodd, uforbederlig.

engrave [in'greiv] gravere, stikke (i metall), kjære (i tre); grave; prege. **engraver** [in'greivə] gravør. **engraving** [in'greiviŋ] gravering, gravørkunst; kobberstikk.

engross [in'grəus] forstørre; kjøpe opp; trekke til seg, legge beslag på, oppta, oppsluke; skrive ned store bokstaver, renskrive. **engrossed** opplukt, opptatt (**in** av). **engrosser** [in'grəusə] opp-jøper; renskriver. **engrossment** [in'grəusmənt] oppkjøp; opptatthet; tilegnelse; renskrivning, enskrift.

engulf [in'gʌlf] sluke opp, oppsluke; kaste seg it i.

enhance [en'hɑ:ns] forhøye, forøke, forsterke, orstørre; gjøre dyrere; øke, forøkes. **enhancement** [en'hɑ:nsmənt] forhøyelse, forøkelse, forterkning, forstørring.

enigma [i'nigmə] gåte. **enigmatic(al)** [i:nigmætik(l)] gåtefull. **enigmatize** [i'nigmətaiz] tale gåter.

enisle [in'ail] omgjøre til en øy; isolere.

enjambment [in'dʒæmmənt] enjambement.

enjoin [in'dʒɔin] pålegge; påby, innskjerpe; orby.

enjoy [in'dʒɔi] glede seg ved, synes godt om, ynes om; nyte; more seg over; — **oneself** more eg, glede seg, like seg, befinne seg vel. **enjoyable** [in'dʒɔiəbl] gledelig, behagelig. **enjoyment** [in-dʒɔmənt] nytelse, fornøyelse, morskap.

enkindle [in'kindl] kveike, oppflamme, glø opp.

enlace [in'leis] omslynge, sammenflette.

enlarge [in'lɑ:dʒ] forstørre; utvide; overdrive; itvide seg; — **the payment of a bill** prolongere en /eksel; — **upon** legge ut om, utbre seg over. **enlargement** [in'lɑ:dʒmənt] forstørrelse; utvidelse, tilbygg; utstrekning.

enlighten [in'laitn] opplyse.

enlightened [in'laitnd] opplyst; velinformert.

enlightenment [in'laitnmənt] opplysning.

enlist [in'list] føre opp på en liste; verve, innrullere; sikre seg, vinne; la seg verve. **-ed man** /ervet menig el. befal.

enlistment [in'listmənt] verving, innrullering.

enliven [in'laivn] opplive, sette liv i, oppmuntre. **-er** oppmuntrer, opplivende middel.

enmesh [in'meʃ] innvikle (som i et nett).

enmity ['enmiti] fiendskap, uvennskap.

enneagon ['eniəgon] nikant.

ennoble [i'nəubl] adle; foredle. **ennoblement** [i:'nəublmənt] adling, opptagelse i adelsstanden.

ennui [ɑ̃:'nwi:] livslede; kjedsomhet.

Enoch ['i:nɔk] Enok.

enormity [i'nɔ:miti] overordentlighet, regelløshet; forbrytelse, udåd; avskyelighet, uhyrlighet. **enormous** [i'nɔ:məs] overordentlig, uhyre, umåtelig; gresselig.

enough [i'nʌf] nok, tilstrekkelig; særdeles; riktig, ganske; **I have had** — jeg er mett, jeg har fått nok, det får greie seg; — **and to spare** mer enn nok; **be good** — **to tell us** være så vennlig å si oss, gjør så vel å si oss; **a nice** — **fellow** en ganske kjekk kar.

enounce [i'nauns] uttale, legge fram, ytre; artikulere.

enquire [in'kwaiə] se **inquire**.

enrage [in'reidʒ] gjøre rasende, drive fra vettet.

enrapture [in'ræptʃə] henrykke, henrive.

enravish [in'ræviʃ] henrykke, henrive.

enrich [in'ritʃ] berike, gjøre rikere; anrike; pryde. **enrichment** [in'ritʃmənt] berikelse, pryd.

enrobe [in'rəub] bekle, kle.

enrol [in'rəul] innrullere; skrive inn, påmelde.

enrolment [in'rəulmənt] innrullering; innskrivning.

en route [ɑ̃:(n)'ru:t] (fr.) underveis (**to** til).

ENSA fk. f. **Entertainment National Service Association** organisasjon til underholdning og forpleining av soldatene.

ensample [en'sɑ:mpl] eksempel.

ensanguine [in'sæŋgwin] plette med blod.

ensconce [in'skɔns] anbringe (trygt), forskanse, dekke; slå seg ned.

ensemble [fr.: ɑ̃:n'sɑ:mbl] hele, ensemble.

enshrine [in'ʃrain] legge i et skrin; oppbevare som en relikvie; frede om, holde i hevd.

enshroud [in'ʃraud] innhylle, svøpe inn.

ensiform ['ensifɔ:m] sverddannet.

ensign [in'sain] tegn; fane, banner; merke; fenrik; sekondløytnant. — **-bearer** fanebærer. **ensigncy** [-si], **ensignship** [-ʃip] fenriks el. sekondløytnants stilling el. rang.

ensilage ['ensilidʒ] surhå, surhøy; oppbevaring av grønnfôr i silo; oppbevare grønnfôr i silo.

ensile [in'sail] legge ned grønnfôr i silo.

enslave [in'sleiv] gjøre til slave, slavebinde, underkue, trellbinde. **enslavement** [in'sleivmənt] trelldom; trellbinding, underkuelse. **enslaver** [in'sleivə] trylleninne, flamme.

ensnare [in'snɛə] fange (i snare); dåre.

ensorcell [in'sɔ:sl] fortrylle, tryllebinde, forhekse.

ensoul [in'səul] fylle med sjel.

ensphere [in'sfiə] gi kuleform; omslutte som en kule.

ensue [in's(j)u:] følge, påfølge, følge på; være resultatet.

ensure [in'ʃuə] sikre, trygge, betrygge, garantere (**against, from** mot); — **to** tilsikre.

entablature [in'tæblətʃə] entablement (omfattende arkitrav, frise og gesims); understell.

entail [in'teil] stamgods, ættegods, fideikommiss; arvegangsorden, arvefølge; **eut off an** — oppheve et fideikommiss. **entail** [in'teil] opprette et fideikommiss, testamentere som stamgods; foranledige, pådra. **entailment** [in'teilmənt] opprettelse av stamgods; bestemmelse angående arvefølgen.

entangle [in'tæŋgl] forvikle, gjøre floket, forkludre, filtre inn, innvikle; besnære; bli innviklet. **entanglement** [in'tæŋglmənt] forvikling; innvikling; floke, ugreie; komplikasjon; sperring, ståltrådnett; **barbed wire entanglement** piggtrådgjerde.

enter ['entə] tre inn i, gå inn, komme inn;

inngi; komme med; innlate seg; føre inn, oppta; innskrive; føre på konto; deklarere, angi til fortolling; begynne, ta seg innskrive; tiltre; — **a protest** nedlegge protest; — **a scholar** skrive inn en studerende (ved universitetet); — **into** forstå; innlate seg på, ta del i, inngå (en avtale); — **into one's mind** falle en inn; — **into partnership with** gå i kompani med; **he -ed warmly into the cause of his native land** han tok seg varmt av (tok varmt del i) sitt fedrelands sak; — **upon** ta fatt på, begynne, foreta; innlate seg på, slå inn på, tiltre. **enterable** ['entərəbl] som må (kan) innføres, ikke forbudt (om varer).

enteric [en'terik] innvoll-, tarm-, som angår innvollene. — **fever** tyfoidfeber.

enteritis [entə'raitis] enteritt, tarmkatarr.

enterocele ['entərosi:l] tarmbrokk.

enterology [entə'rolədʒi] læren om innvollene.

enterprise ['entəpraiz] foretagende, virksomhet, bedrift; tiltak; foretaksomhet, driftighet. **enterpriser** ['entəpraizə] entreprenør. **enterprising** foretaksom, tiltaksom.

entertain [entə'tein] nære; more, underholde; beverte, traktere; reflektere på, ta under overveielse. **entertainer** [-ə] varietékunstner, revyartist; vert. **entertaining** [iŋ] underholdende. **entertainment** [entə'teinmənt] underholdning; bevertning; fest; gjestebud; **dramatic** — teaterforestilling; **musical** — musikalsk underholdning. — **allowance** representasjonsgodtgjørelse.

enthrall [in'θrɔ:l] gjøre til slave, holde fanget, beta, trellbinde. **enthralling** fengslende, betagende.

enthrone [in'θrəun] sette på tronen; innsette (f. eks. en biskop); sette i høysetet. **enthronement** [-mənt] det å sette på tronen; innsetting. **enthronization** [enθrəunai'zeiʃən] innsetting.

enthuse [in'θju:z] vise begeistring, begeistres, gjøre (være) oppglødd. **enthusiasm** [in'θju:ziæzm] begeistring, henrykkelse, entusiasme; svermeri. **enthusiast** [in'θju:ziæst] begeistret, entusiast; svermer. **enthusiastic** [inθju:si'æstik] begeistret, oppglødd, entusiastisk, henrykt, svermerisk.

entice [in'tais] lokke, forlokke, forlede, friste. **enticement** [-mənt] forlokkelse, lokking, lokkemiddel, fristelse. **enticer** [-ə] forlokker, forfører, frister.

entire [in'taiə] hel, udelt, fullstendig. **entirely** [-li] helt, ganske, utelukkende. **entireness** [-nis] helhet. **entirety** [in'taiəti] helhet; hele.

entitle [in'taitl] benevne, titulere; berettige; gi atkomst, rett (**to** til).

entity ['entiti] vesen; væren, eksistens; helhet, selvstendig hele.

entomb [in'tu:m] begrave, gravlegge, jorde. **-ment** [in'tu:mmənt] begravelse, gravleggelse.

entomological [entəmə'lodʒikl] entomologisk. **entomologist** [entə'molədʒist] entomolog, insektkjenner. **entomology** [entə'molədʒi] entomologi, insektlære.

entourage [ontu'ra:ʒ] (fr.) omgivelser; klikk, omgangskrets.

entr'acte ['ontrækt] mellomakt; mellomaktsunderholdning.

entrada [in'tra:də] oppdagelsesreise, tur til fremmed land.

entrails ['entreilz] innvoller.

entrain [in'trein] innlaste på tog; ta plass i tog; trekke med seg, medføre.

entrammel [in'træməl] hindre, hefte.

entrance ['entrəns] inntredelse; inngang; inntog; innmarsj; entré, inngang, innkjørsel, innløp; tiltredelse; begynnelse; adgang, opptagelse; innskrivning; (toll)deklarering; **no** — adgang forbudt. — **duty** innførselstoll.

entrance [in'tra:ns] henrykke, henrive.

entrant [in'entr(ə)nt] påmeldt deltaker; en som kommer inn.

entrap [in'træp] lokke i felle, hilde, narre, fange; sperre inne; omslutte.

entreat [in'tri:t] be, bønnfalle, trygle. **entrea-**

ting [in'tri:tiŋ] bedende, bønnfallende. **entreat** [in'tri:ti] bønn.

entrée [a:n'trei] entré, adgang; adgangstegn forrett; (amr.) hovedrett.

entremets ['antrəmei] mellomrett.

entrench [in'trenʃ] forskanse (bak løpegrav befeste; sikre en stilling; forgripe seg på. en **trenchment** [in'trenʃmənt] forskansning.

entrepot ['ontrəpəu] lagerplass, opplagssted transitthavn.

entrepreneur [ontrəprə'nə:] entreprenør; me lommann.

entresol ['ontrəsɔl] mesaninetasje, mellon etasje.

entruck [in'trʌk] laste opp i lastebil; stige op i lastebil.

entrust [in'trʌst] betro, overlate; — **it to hir** eller — **him with it** betro ham det.

entry ['entri] inngang; inntredelse; inntog innkjøring; innseiling; adgang; vestibyle; inn skriving; tiltredelse (av en eiendom); inn angivelse; oppslagsord; stikkord; påmeldt de taker; post (innført i en bok); notis; innførsel bokføring; **bill of** — varefortegnelse (på tollbod — **form** innmeldingsblankett. — **permit** innreise tillatelse.

entwine [in'twain] flette sammen, tvinne (seg sammen, vikle inn.

entwist [in'twist] surre, tvinne om, flette inn

enucleate [i'nju:klieit] plukke ut kjernen; ut vikle; skrape ut.

enumerate [i'nju:məreit] regne, telle opp; spe sifisere; lage fortegnelse. **enumeration** [inju: mə'reiʃən] oppregning, opptelling, fortegnelse **enumerative** [i'nju:mərativ] som regner opp **enumerator** [i'nju:məreitə] oppregner, opptelle

enunciate [i'nʌnʃieit] uttale; erklære, bekjent gjøre, kunngjøre, fremstille; gjøre greie for **enunciation** [inʌnʃi'eiʃən] utsigelse, uttale, artiku lasjon; erklæring, bekjentgjørelse, kunngjøring uttrykk; foredrag. **enunciative** [i'nʌnʃiativ] er klærende; uttale-.

enuresis [enju'ri:sis] ufrivillig vannlating.

envelop [in'veləp] svøpe inn, innvikle, sveip inn, dekke, skjule, hylle inn; pakke inn; legg i konvolutt. **envelope** ['enviləup] konvolutt hylster, dekke. **envelopment** [in'veləpmənt] inn vikling; innhylling; hylster; omslag.

envenom [in'venəm] forgifte.

enviable ['enviəbl] misunnelsesverdig. **envie** ['enviə] misunner. **envious** ['enviəs] misunnelig hatefull.

environ [in'vairən] omringe, omgi. **environ ment** [in'vairənmənt] omgivelse(r), grannelag miljø; livsbetingelser. **environmental** miljøbe stemt; miljø-. **Environmental Protection Agenc** (amr.) miljøverndirektoratet. **environs** ['environz omegn, omgivelser, grannelag.

envisage [in'vizidʒ] se i ansiktet, se i øynene møte; betrakte; forutse, regne med; forestille seg

envision [in'viʒən] forestille seg, danne seg e bilde av; forutse, regne med.

envoy ['envɔi] slutningsstrofe, ettersev, etter sleng; avskjedsord.

envoy ['envɔi] envoyé, gesandt; sendebud, ut sending, representant. **envoyship** en gesandt stilling, sendemanns ombud.

envy ['envi] misunnelse, gjenstand for misun nelse; misunne.

enwrap [in'ræp] hylle inn, svøpe inn; forvikle **enwreathe** [in'ri:ð] kranse.

enzyme ['enzaim] enzym.

eocene ['iəusi:n] som hører til eldre avsnitt a¹ tertiærtiden.

E. & O. fk. f. **errors and omissions excepted**

eolith ['i:əliθ] eolitt.

eon ['i:ən] eon, evighet.

EP fk. f. **extended play. Ep.** fk. f. **epistle**

EPA fk. f. **European Productivity Agency**

Environmental Protection Agency.

epaulette ['epɔlet] epålett.

épée [ei'pei] kårde.
epergne [i'pɔ:n] frukt- el. blomsteroppsats.
ephemera [i'femərə] éndagsfeber; døgnflue.
ephemeral [i'femərəl], ephemeric [efi'merik] som bare varer én dag; flyktig, kortvarig, døgn-.
ephemeris [i'feməris] dagbok.
Ephesian [i'fi:ʒən] efeser; efesisk.
Ephesus ['efisəs] Efesus.
ephod ['i:fɔd, 'efɔd] efod.
epic ['epik] episk; storslått, enorm; episk dikt, epos.
epicene ['episi:n] tvekjønnet; felles for begge kjønn; kjønnsløs; kraftløs.
epicure ['epikjuə] epikureer. epicurean [epikju'ri:ən] epikuréisk; epikureer. epicureanism ['epikju'ri:ənizm] epikureisme. epicurize ['epikjuraiz] leve som epikureer.
Epicurus [epi'kjuərəs] Epikur.
epidemic [epi'demik] epidemisk, herskende, omgangs-; omgangssyke, farsott, farang, epidemi.
epidermis [epi'də:mis] epidermis, overhud.
epidioscope [epi'daiəskəup] epidiaskop, lysbildeapparat.
epiglottis [epi'glɔtis] epiglottis, strupelokk.
epigone ['epigəun] epigon.
epigram ['epigræm] epigram. epigrammatic [epigrɑ'mætik] epigrammatisk; fyndig, poengtert.
epigraph ['epigrɑ:f] innskrift, gravskrift.
epilate ['epileit] fjerne hår, nappe ut hår.
epilepsy ['epilepsi] epilepsi, fallsyke. epileptic [epi'leptik] epileptisk; epileptiker; middel mot epilepsi.
epilogue ['epilɔg] epilog, etterord, etterspill.
Epiphany [i'pifəni] helligtrekongersdag.
Epirus [e'paiərəs] Epeiros.
episcopacy [i'piskəpəsi] episkopal kirkeforfatning, biskoppelig forfatning. episcopal [i'piskəpəl] episkopal, biskoppelig. episcopalian [ipiskə'peiljən] episkopal, biskoppelig; medlem, tilhenger av episkopal kirke. episcopalianism [ipiskə'peiljənizm] biskoppelig kirkestyre. episcopate [i'piskəpit] bispeembete, bispeverdighet; bispedømme; bispesete.
episode ['episəud] episode, affære, hendelse. episodic [epi'sɔdik] episodisk, forbigående, kortvarig.
epistle [i'pisl] skrivelse, epistel, brev. epistolar(y) [i'pistələ(ri)] skriftlig; brev-.
epitaph ['epitɑ:f] gravminne; gravskrift.
epithalamium [epiθə'leimjəm] bryllupsdikt.
epithet ['epiθət] tilleggsord, tilnavn, epitet.
epitome [i'pitəmi] sammendrag, utdrag. epitomize [i'pitəmaiz] lage utdrag; gi utdrag av; representere, være innbegrepet av.
epizoon [epi'zəuɔn] snyltedyr. epizootic [epizəu'ɔtik] snyltedyr-; kvegpest. epizooty [epi'zəuəti] kvegpest.
epoch ['i:pɔk] epoke, tidsalder, tidsskifte; — -making epokegjørende, banebrytende.
epopee [i'epəpi:] heltedikt.
epos ['epəs] epos.
Epsom ['epsəm] by med hesteveddeløp; — salt engelsk salt.
eq. fk. f. equator; equation; equivalent.
equability [i:kwə'biliti] jevnhet, ensartethet; ro, likevekt. equable ['i:kwəbl, 'ek-] likelig, ensformig, ens, jevn, jamn, stø.
equal ['i:kwəl] like; jevn, jamn, stø, rolig, likelig, ens; ensformig; billig, upartisk; likemann, like, make; gjøre lik; nå; prestere maken til, måle seg med; være lik med, svare til; be — to a task være en oppgave voksen; — to my expectations svarende til mine forventninger; in — shares i like store deler. equality [i'kwɔliti] likhet; likeberettigelse, likestilling, jamstilling; on an — with på like fot med; — of rights like rettigheter. equalization [i:kwəlai'zeiʃən] utjevning, utjamning; likestilling. equalize ['i:kwəlaiz] utjevne, utlikne; stille på like fot; gjøre like. equally ['i:kwəli] i samme grad, likså; — with

likså mye (godt) som; — guilty with likså skyldig som . . . equal mark (el. sign) likhetstegn.
equanimity [i:kwə'nimiti] sinnslikevekt, sinnsro. equanimous [i'kwæniməs] sinnslikevektig.
equate [i'kweit] redusere til middeltall; utligne, utjevne, jamne ut; bringe i overenstemmelse med. equation [i'kweiʃən] ligning; utligning, utjevning; faktor; simple — førstegradsligning.
equator [i'kweitə] ekvator.
equatorial [ekwə'tɔ:riəl] ekvator-, ekvatorial.
equerry ['ekwəri] (hoff)stallmester.
equestrian [i'kwestriən] ridende, hest-, ride-, rytter-; ridder-; rytter, rytterske.
equiangular [i:kwi'æŋgjulə] likevinklet.
equidistant [i:kwi'distənt] i like avstand, parallell.
equilateral [i:kwi'lætərəl] likesidet.
equilibrate [i:kwi'l(a)ibreit] bringe el. holde i likevekt. equilibration [i:kwil(a)i'breiʃən] likevekt, balanse, jamvekt. equilibrious [i:kwi'libriəs] i likevekt. equilibrist [i'kwilibrist] balansekunstner. equilibrium [i:kwi'libriəm] likevekt, jamvekt.
equine [i'kwain] heste-, som angår hester.
equinoctial [i:kwi'nɔkʃəl, ek-] jevndøgns-, ekvinoktial; vår- el. høststorm; himmelens ekvator. -ly i retning av ekvator.
equinox ['i:kwinɔks, 'ek-] jevndøgn, jamdøger.
equip [i'kwip] utstyre, utruste, ekvipere. equipage ['ekwipidʒ] rustning, utrustning, utstyr; ekvipasje. equipment [i'kwipmənt] utrustning, utstyr, innretning; materiell; ekvipering. equipoise ['i:kwipɔiz] likevekt, jamvekt; holde i likevekt.
equiponderance [i:kwi'pɔndərəns] likevekt.
equiponderate [i:kwi'pɔndəreit] balansere; oppveie.
equitable ['ekwitəbl] billig, rettferdig, upartisk.
equitation [ekwi'teiʃən] ridning.
equity ['ekwiti] billighet, rettferdighet, upartiskhet; eiendomsverdi utover heftelser; court of — billighetsrett (en engelsk domstol).
equivalence [i'kwivələns] like gyldighet, like kraft, like verd. equivalent [i'kwivələnt] av samme verdi, likeverdig, enstydende, tilsvarende; ekvivalent, motstykke, tilsvarende ting; vederlag, enstydende ord.
equivocal [i'kwivəkl] tvetydig, tvilsom, usikker. equivocate [i'kwivəkeit] tale tvetydig; komme med utflukter. equivocation [ikwivə'keiʃən] tvetydighet, tvetydig tale. equivocator [i'kwivəkeitə] en som taler tvetydig. equivoque ['i:kwivəuk 'ek-] tvetydelighet; tvetydig tale.
E. R. fk. f. East Riding; Edwardus Rex (= King Edward); Elizabeth Regina (= Queen Elizabeth).
era ['iərə] tidsregning, periode, tidsalder, æra.
eradiate [i'reidieit] stråle ut. eradiation [ireidi'eiʃən] utstråling; glans.
eradicant [i'rædikənt] utryddelsesmiddel, sprøytemiddel. eradicate [i'rædikeit] rykke opp med rot, røske opp; utrydde. eradication [irædi'keiʃən] opprykking med rot; utrydding. eradicative [i'rædikətiv] utryddende; radikal.
erasable [i'reizəbl] som kan raderes. erase [i'reis] radere bort, skrape ut; stryke ut, viske ut; utslette; rydde av veien. erasement [-mənt] utradering, utsletting. eraser [i'reisə] en som raderer, utsletter; raderkniv; radergummi, viskelær; tavlesvamp. erasion [i'reiʃən] utradering; utsletting. erasure [i'reiʒə] radering, utsletting.
ere [ɛə] før, førenn; — long innen kort tid, snart; — now før.
'ere [iə] vulgært for here her; this — chum of mine denne herre kameraten min.
erect [i'rekt] reise, reise opp, oppføre; opprette, stifte, grunne; opphøye; oppreist, rett opp, rak, motig, fast, standhaftig. erecter [i'rektə] oppreiser; oppfører. erectile [i'rektil] som kan reises; som kan reise seg. erection [i'rekʃən]

reising; oppføring; bygging; oppretting; oppløfting, oppstramming, oppvekking; ereksjon.
erective [i'rektiv] reisings-. **erector** [i'rektə] grunnlegger, stifter, maskinmontør.
eremite ['erimait] eneboer, eremitt (poetisk for **hermit**). **eremitie** [eri'mitik] eremitt-, eneboer-.
erg [ə:g] erg (måleenhet for arbeid og energi).
ergo ['ə:gəu] ergo, altså.
ergot ['ə:gət] sopp på korn, meldrøye.
ergotism ['ə:gətizm] meldrøyesott.
ericaceous [eri'keiʃəs] som tilhører lyngfamilien.
Erin ['erin, 'iərin] Erin, Irland.
erk [ə:k] rekrutt i flyvåpenet.
ermine ['ə:min] hermelin, røyskatt, røyskattskinn; dommerverdighet (etter dommerens kappe som er fôret med hermelin); kle i hermelin.
erne [ə:n] ørn, havørn.
Ernest ['ə:nist].
erode [i'rəud] fortære; gnage på. **erosion** [i'rəuʒən] erosjon, fortæring, borttæring. **erosive** [i'rəusiv] eroderende, tærende.
erotic [i'rətik] erotisk; erotisk dikt. **-ism** [i'rətisizm] erotikk.
ERP (amr.) fk. f. **European Recovery Program** ɔ: Marshallplanen.
err [ə:] ta feil, feile, ta i miss, fare vill.
errancy ['erənsi] feiling.
errand ['erənd] ærend; **go** (eller **run**) (**on**) **an** — gå et ærend; **do an** — utføre et ærend.
errand boy ['erəndbɔi] visergutt, bud.
errant ['erənt] farende, omflakkende; feilende, villfarende. **errantry** ['erəntri] flakking, omflakking.
errata [e'reitə] trykkfeil (flertall av **erratum**).
erratic [e'rætik] omflakkende; uregelmessig, tilfeldig, uberegnelig.
erratum [e'reitəm] trykkfeil (flertall **errata**).
errhine ['erain] som snuses; nysemiddel.
erroneous [i'rəunjəs] feilaktig, gal, uriktig, villfarende, falsk.
error ['erə] feiltagelse, villfarelse, forséelse, feil, mistak; **commit an** — begå en feil; **in** — ved en feiltagelse; **you are in** — De tar feil; **errors and omissions excepted** med forbehold av mulige feil og forglemmelser. — **of judgment** feilvurdering.
ersatz ['əzæts] ersatz, erstatning.
Erse [ə:s] erisk (et keltisk språk).
erst [ə:st], **erstwhile** ['ə:sthwail] i gamle dager, fordum.
erubescence [eru'besəns] rødme.
erubescent [eru'besənt] rødmende; rødlig.
eructation [irʌk'teiʃən] oppstøt, raping; utbrudd.
erudite ['erudait] lærd. **erudition** [eru'diʃən] lærdom.
erupt [i'rʌpt] være i utbrudd; sprute, sende ut; slå ut (om sykdom). **eruption** [i'rʌpʃən] utbrudd; ri; utslett; utfall. **eruptive** [i'rʌptiv] som bryter fram; eruptiv; vulkansk.
erysipelas [eri'sipiləs] rosen (sykdommen).
escalade [eskə'leid] angrep med stormstiger, stormløp; bestige ved hjelp av stormstiger, storme.
escalate ['eskəleit] stige opp en rullende trapp; stige gradvis; opptrappe. **escalator** ['eskəleitə] rulletrapp; indeksregulert.
escallop [is'kɔləp] kammusling; tynn kjøttskive, escalope.
escapade [eskə'peid] eskapade, sidesprang, påfunn, galskap.
escape [i'skeip] unnløpe, unnslippe, rømme, redde seg, komme unna, løpe bort, unnvike; unngå; rømning, unnvikelse, flukt; redning; brannstige; utflukt; utbrudd; lekkasje, utetthet; skjøtesløshet; **he had a narrow** — det var så vidt han slapp fra det; **it -d me** det unngikk min oppmerksomhet. — **clause** forbeholdsklausul. **escapee** [iskei'pi:] en som er sloppet unna (fangenskapet).
escapement [i'skeipmənt] echappement, gang (i et ur). **escape valve** [i'skeipvælv] sikkerhetsventil.

escapism [is'keipizm] eskapisme. **escapist** [is-'keipist] eskapist; eskapistisk.
escarp [i'ska:p] eskarpere; eskarpe. **escarpment** [i'ska:pmənt] skråning, stupbratt voll, eskarpe.
eschalot [eʃə'lɔt] sjalottløk.
eschar ['eska:] skorpe på sår.
eschatology [eskə'tɔlədʒi] eskatologi, læren om de siste ting.
escheat [is'tʃi:t] hjemfall, heimfall; hjemfalt gods; hjemfalle, heimfalle, konfiskere.
eschew [is'tʃu:] fly, unngå, sky.
escort ['eskɔ:t] bedekning, eskorte. **escort** [i'skɔ:t] ledsage, eskortere.
escritoire [eskri'twa:] skrivepult, skrivebord.
Esculapios [eskju'leipiəs] Æskulap.
esculent ['eskjulənt] spiselig; mat.
escutcheon [i'skʌtʃən] skjold, våpenskjold, våpen.
E. S. E. fk. f. **east-south-east.**
esemplastic [esem'plæstik] som har evnen til å samordne forskjellige elementer til et hele.
eskar, esker ['eskə] morene, ra, åsrygg.
Eskimo ['eskiməu] eskimo; eskimoisk.
esophagus [i'sɔfəgəs] spiserør.
esoteric [esə'terik] hemmelig, esoterisk, forbeholdt en utvalt krets. **esoterics** hemmelig lærdom.
ESP fk. f. **extrasensory perception** osp. fk. f. **especially.**
espalier [i'spæljə] espalier.
espantoon [espæn'tu:n] (amr.) batong, kølle.
esparto [i'spa:təu] espartogras.
especial [i'speʃəl] særlig, spesiell; fortrinlig. **especially** [i'speʃəli] særlig, spesielt, især.
Esperantist [espə'ræntist] esperantist. **Esperanto** [espə'ræntəu] esperanto.
espial [i'spaiəl] speiding, utspionering.
espionage [espiə'na:ʒ] spionering, spionasje.
esplanade [esplə'neid] esplanade; åpen plass.
espousal [i'spauzəl] forlovelse; bryllup; antagelse. **espouse** [i'spauz] forlove, trolove; ekte; gi til ekte; ta seg av; forsvare, anta (en mening).
espouser [i'spauzə] forsvarer, forfekter.
esprit ['espri:] livlighet, vidd, esprit; — **-decorps** ['espri:də'kɔ:] korpsånd.
espy [i'spai] øyne, få øye på, oppdage.
Esq. [i'skwaiə] fk. f. **Esquire** herr (på brev: **T. Brown, Esq.** herr T. Brown).
Esquimau ['eskiməu] eskimo.
esquire [i'skwaiə] fk. til **Esq.** herr (på brev); herremann, godseier, fornem mann, i rang under knight; (gammel betydning: væpner).
essay ['esei] prøve; forsøk; essay, avhandling, utgreiing.
essay [i'sei] forsøke; prøve.
essayist ['eseiist] essayist, essayforfatter.
essence ['esəns] tilværelse; vesen; kjerne; ekstrakt; essens; gjøre velluktende, parfymere.
essential [i'senʃəl] vesentlig; fin; uunnværlig, absolutt nødvendig; avgjørende, om å gjøre, viktig; **in all -s** på alle vesentlige punkter; — **oil** etérisk olje. **essential** tilværelse, vesen; hovedpunkt, det viktigste; egentlig; grunnleggende. **essentiality** [esenʃi'æliti] vesentlighet, viktighet. **essentially** [i'senʃəli] i alt vesentlig; i sitt innerste vesen.
Essex ['esiks].
EST fk. f. **eastern standard time.**
establish [i'stæbliʃ] fastsette, opprette; innrette; grunne, stifte, anlegge, etablere; stadfeste; bevise, fastslå, fastsette, bestemme; innsette, installere; anerkjenne; **the Established Church** statskirken (særlig om Englands); **recently -ed in business** som nylig har (hadde) slått seg ned.
establishment [i'stæbliʃmənt] fastsettelse; grunnleggelse, stiftelse; institusjon; bestemmelse; stiftelse, etablissement; forretningshus, husholdning; nedsettelse; anordning, form, innretning; organisasjon; **the Establishment** de anerkjente samfunnsinstitusjoner; ≈ det bestående.
estate [i'steit] bo, formue, arvemasse, midler; gård, gods, eiendom, bebyggelse; besittelse; til-

tand; rang, stand. **klasse; man's** — manndoms-
lder; Estates of the Realm riksstender; **perso-
al** — rørlig gods, løsøre; landgods på bestemt
remål; **real** — fast eiendom, grunneiendom.
— **agent** eiendomsmekler. — **ear** stasjonsvogn.
— **duty** arveavgift.
esteem [e'sti:m] sette pris på, skatte, vurdere,
**akte, ære; mene, holde for; vurdering; aktelse.
esthete ['esθi:t] estetiker. **esthetic** [es'θetik,
:s-] estetisk. **esthetical [es'θetikl, i:s-] estetisk.
stheticIan [esθe'tiʃən, i:s-] estetiker. **estheticism**
es'θetisizm, i:s-] estetisering. **esthetics** [es'θetiks,
**:s-] estetikk.
Esthonia [es'təuniə] se **Estonia.**
estimable ['estiməbl] aktverdig. **estimate** ['esti-
**meit] vurdere, gjøre seg opp en mening, beregne,
aksere, anslå (at til). **estimate ['estimit] vur-
**dering; overslag, anbud; skjønn, beregning;
udsjett. **estimation [esti'meiʃən] vurdering; an-
lag, overslag, skjønn, beregning; aktelse;
mening. **estimator** ['estimeitə] taksasjonsmann.
Estonia [es'təuniə] Estland. **Estonian** [es'təu-
**ian] estlending, ester; estlandsk, estisk.
estop [i'stɔp] hindre, stanse (juridisk uttr.).
stoppage [i'stɔpidʒ] stansing; hindring.
estrade [es'trɑ:d] estrade, pall, forhøyning.
estrange [i'strein(d)ʒ] gjøre fremmed; fjerne;
**tille i et kjølig forhold.
estrapade [estrə'peid] sprett av en hest for å
**aste rytteren av.
estray [i'strei] streife omkring; herreløst dyr.
estreat [i'stri:t] gjenpart; utskrift, utdrag; ta
**tskrift av.
estuary ['estjuəri] os, munning, elvemunning,
**jordgap (med tidevann).
esurience [i'sjuəriəns] grådighet, sult; begjær-
ighet.
esurient [i'sjuəriənt] sulten, grådig, forsluken.
E. T. A. fk. f. **estimated time of arrival.**
etc. fk. f. **etcetera** osv.
etcetera [it'setrə] og så videre. **etceteras** an-
**dre ting, andre poster, ekstrautgifter.
etch [etʃ] etse, radere; markere, avtegne.
tching ['etʃiŋ] etsekunst; radering. **etching
eedle** radernål.
eternal [i'tə:nəl] evig, endeløs; evinnelig.
ternalize [i'tə:nəlaiz] forevige, gjøre udødelig.
ternity [i'tə:niti] evighet. — **ring** alliance (ring).
ternize [i'tə:naiz] forevige, gjøre udødelig.
etesian [i'ti:ʒən] regelmessig, periodisk (om
**vind).
ethane ['eθein] etan. **ethanol** ['eθənɔl] etyll-
**lkohol.
Ethel ['eθəl].
ether ['i:θə] eter.
ethereal [i'θiəriəl] etérisk, overjordisk.
etherealize [i'θiəriəlaiz] omdanne til eter.
ethical ['eθikl] etisk, moralsk. — **drug** resept-
**liktig medisin.
ethics ['eθiks] moral, sedelære, etikk.
Ethiop ['i:θiɔp] etiopier.
Ethiopean [i:θi'əupjən] etiopisk; etiopier.
ethnarch ['eθnɑ:k] stattholder, hersker, etnark.
ethnic ['eθnik] etnologisk; hedensk. — **group
**olkegruppe.
ethnographer [eθ'nɔgrəfə] etnograf. **ethnogra-
phic(al) [eθnə'græfik(l)] etnografisk. **ethnography
eθ'nɔgrəfi] etnografi. **ethnological [eθnə'lɔdʒikl]
tnologisk. **ethnologist [eθ'nɔlədʒist] etnolog.
ethnology [eθ'nɔlədʒi] etnologi.
ethyl ['eθil] etyll.
etiolate ['i:tjəleit] bleike, bleke; bleikne,
**blekne; falme.
etiolation [i:tjə'leiʃən] bleiking, blekhet.
etiology [i:ti'ɔlədʒi] etiologi, årsakslære.
etiquette [eti'ket] etikette, skikk og bruk.
Eton ['i:tən] (by ved Themsen, med en
berømt skole). **Etonian [i'təunjən] gutt, elev,
**mann fra Eton college.
et seq. fk. f. **et sequentia** (= **and what follows).
E. T. U. fk. f. **Electrical Trades Union.**

etui, etwe [e'twi:] etui.
etymological [etimə'lɔdʒikl] etymologisk.
etymologist [eti'mɔlədʒist] etymolog.
etymologize [eti'mɔlədʒaiz] etymologisere.
etymology [eti'mɔlədʒi] etymologi.
etymon ['etimɔn] etymon, stamord.
eucalyptus [ju:kə'liptəs] eukalyptus.
Eucharist ['ju:kərist] nattverdens sakrament.
euchre ['ju:kə] amerikansk kortspill; overliste;
slå.
Euclid ['ju:klid] Euklid; **I know my** — jeg kan
mine klassikere.
eudaemonia [judi:'məuniə] salighet, lykketil-
stand. **eudaemonism** [ju'di:mənizm] lykkemoral.
Eugene ['ju:dʒi:n, ju(d)'ʒi:n].
eugenics [ju:'dʒeniks] rasehygiene, vitenskapen
om rasekultur, eugenikk.
eulogist ['ju:lədʒist] lovpriser, lovtaler. **eulo-
gistic(al) [julə'dʒistik(l)] prisende, rosende. **eulo-
gium [ju'ləudʒ(j)əm], **eulogy** ['ju:lədʒi] lovtale,
lovprisning.
eunuch ['ju:nək] eunukk, gjelding, kastrat.
eupepsy ['ju:pepsi] eupepsi; god fordøyelse;
eupeptic [ju'peptik] eupeptisk, med god fordøy-
else; (fig.) tilfreds.
euphemism [ju:fimizm] eufemisme, formildet
uttrykk. **euphemistic** [ju:fi'mistik] eufemistisk,
formildende. **euphemize** ['ju:fimaiz] formilde, til-
sløre.
euphonic [ju'fɔnik], **euphonious** [ju'fəunjəs]
velklingende, vellydende. **euphony** ['ju:fəni] vel-
klang, vellyd.
euphoria [ju:'fɔriə] følelse av velbefinnende,
(sykelig) oppstemthet.
euphrasy ['ju:frəsi] øyentrøst (plante).
Euphrates [ju'freiti:z] Eufrat.
euphuism ['ju:fjuizm] euphuisme, søkt sirlig-
het i språk og stil. **euphuist** ['ju:fjuist] euphuist.
euphuistic [ju:fju'istik] euphuistisk; affektert,
sirlig.
Eurasia [ju'reiʒə] Eurasia, Europa og Asia
tilsammen. **Eurasian** [ju'reiʃən] eurasisk; eurasier;
barn av en europeer og en asiat.
EURATOM [juə'rætəm] fk. f. **European
Atomic Energy Community.**
eureka [ju'ri:kə] heureka! jeg har funnet det!
Euripides [ju:'ripidi:z].
Europe ['juərəp] Europa.
European [juərə'pi:ən] européisk; europeer.
europeanization [juərəpiənai'zeiʃən] europei-
sering.
Eurydice [ju'ridisi:] Eurydike.
eurythmy [ju'riθmi] symmetri, harmoni.
Eustachian [ju'steiʃən] eustachisk; **the** — **tube
det eustachiske rør.
Euston ['ju:stən], — **station** jernbanestasjon
i London.
eutaxy ['ju:təksi] velordnethet.
euthanasia [ju:θə'neiziə] lett og rolig død;
barmhjertighetsdrap, eutanasi.
euthenics [ju:'θeniks] befolkningshygiene, eute-
nikk.
Euxine ['ju:ksain], **the** — Svartehavet.
evacuant [i'vækjuənt] avførende; avførende
middel. **evacuate** [i'vækjueit] tømme ut; rømme,
forlate, evakuere. **evacuation** [ivækju'eiʃən] ut-
tømming; avføring; rømning, evakuering. **eva-
cuee [ivækju'i:] evakuert person.
evade [i'veid] unngå, omgå, unnvike, lure seg
unna; bruke utflukter; skulke.
evaginate [i'vædʒineit] vrenge ut.
evaluate [i'væljueit] vurdere, taksere, verd-
sette.
evaluation [ivælju'eiʃən] vurdering, taksering.
evanesce [i:və'nes] forsvinne. **evanescence
[i:və'nesəns] forsvinning, flyktighet; kortvarig-
het. **evanescent** [i:və'nesənt] forsvinnende, kort-
varig.
evangel [i'vændʒəl] evangelium; gledesbud-
skap. **evangelie** [i:vən'dʒelik] evangelisk. **evange-
lical [i:vən'dʒelikl] evangelisk; protestantisk

kristen, som hevder frelsen ved tro (motsatt gode gjerninger). **evangelicalism** [i:vən'dʒelikəlizm] den læren at frelsen ved tro er det sentrale i kristendommen; ≈ pietisme. **evangelism** [i'vændʒəlizm] forkynnelse av evangeliet. **evangelist** [-ist] evangelist; predikant, misjonær. **evangelize** [i'vændʒəlaiz] preke evangeliet.
Evans ['evəns].
evaporable [i'væpərəbl] som kan fordampe. **evaporate** [i'væpəreit] fordampe; dunste bort; la fordampe; forsvinne. **-d milk** kondensert melk. **evaporation** [ivæpə'reiʃən] fordamping; avdamping. **evaporative** [i'væpərətiv] som bevirker fordamping. **evaporator** [i'væpəreitə] avdampingsapparat, vannfordamper, luftfukter.
evasion [i'veiʒən] det å unngå, omgåelse; unndragelse; utflukt; kunstgrep; **tax** — skattesnyteri. **-s** pl. utflukter. **evasive** [i'veisiv] unnvikende, svevende, ubestemt; som søker utflukter. — **action** unnvikelsesmanøver.
Eve [i:v] Eva; **daughter of** — evadatter.
eve [i:v] aften, kveld (i poesi); helligaften; **Christmas Eve** julaften; **on the — of** (om tiden nærmest før en begivenhet) like før.
evection [i'vekʃən] uregelmessighet i månens bane.
Evelyn ['i:vlin].
even ['i:vən] aften, kveld (poetisk).
even ['i:vən] nettopp, just, endog, selv, jamvel, allerede, alt, enda; endatil, til og med; helt, like; — **if** (eller **though**) selv om; — **bigger** enda større; **not** — ikke engang; — **then** allerede da, alt dengang; — **to** helt til, like til, inntil; 4 **even** akkurat 4, 4 blank.
even ['i:vən] jevn, jamn; glatt, slett; ensartet, ensformig; rolig, upartisk, rettvis; som går opp i opp, like; jevnbyrdig; kvitt, skuls; like (om tall); hel; jevne, jamne ut, utjevne; **get** — **with** bli skuls med; hevne seg på.
evenfall ['i:vənfɔ:l] (poet.) skumring.
evenhanded ['i:vənhændid] upartisk.
evening ['i:vniŋ] aften, kveld; **this** — i aften; **yesterday** — i går aftes, i går kveld; **in the** — om aftenen; **good** — god aften. — **classes** aftenskole, kveldsskole. — **dress** selskapsantrekk. — **gown** lang selskapskjole, aftenkjole. — **party** aftenselskap. — **service** aftengudstjeneste, aftensang.
even-minded ['i:vənmaindid] rolig, behersket.
even money fifty-fifty (om veddemål).
evenness ['i:vənnis] jevnhet, rolighet, upartiskhet.
evensong ['i:vənsɔŋ] aftensang, vesper.
event [i'vent] begivenhet, tilfelle, hending, utfall, følge, resultat; konkurranse, kamp; **at all -s** i ethvert tilfelle, iallfall. **-ful** [i'ventf(u)l] begivenhetsrik.
even-tempered avbalansert, likevektig.
eventide ['i:vəntaid] kveld.
eventless [i'ventlis] begivenhetsløs.
eventual [i'ventʃuəl, -tjuəl] mulig, eventuell; endelig, sluttelig. **eventuality** [ventʃu'æliti, -tju-] mulighet, eventualitet.
eventually [i'ventʃuəli, -tjuəli] endelig, til sist, etter hvert, med tiden.
eventuate [i'ventjueit] ende, resultere.
ever ['evə] noensinne, overhodet (i nektende, spørrende og betingende setninger); alltid, støtt, bestandig, på noen mulig måte; i høyest mulig grad (forsterkende, især brukt foran **so**); **did you** — **see the like?** har De noensinne sett maken? **if** — om overhodet noen gang; **hardly** — nesten aldri; — **since** alltid siden; helt fra; **for** — for bestandig; **liberty for** —! leve friheten! **for** — **and a day** eller **for** — **and** — (i spøk) evig og alltid, støtt og stadig; **for** — **and again** atter og atter; **be as amusing as** — **you can** vær så underholdende som De bare kan; **we thank you** — **so much** tusen takk; — **so often** utallige ganger; **let him be** — **so poor** la ham være aldri så fattig. **-burning** evig brennende.

the Everglades ['evəgleidz] (myrstrekninger Florida).
evergreen ['evəgri:n] eviggrønn; eviggrønn plante; alltid populær melodi; som lever videre
everlasting [evə'lɑ:stiŋ] evig, evigvarende evinnelig; evighet; evighetsblomst; et slags tøy
evermore ['evə'mɔ:] støtt, stadig; **for** — for alltid, i all evighet.
eversion [i'və:ʃən] utkrenging.
evert [i'və:t] vrenge ut, krenge ut; kullkaste vende om på.
every ['evri] enhver, hver, alle; all mulig fullstendig; — **few days** med få dagers mellom rom; — **now and then** rett som det er (el. var nå og da; — **man Jack** hver eneste en; — **one o** you hver enste en av dere; **his** — **word** hvert or han sier; — **way** i enhver henseende, på all måter; — **other** (eller **second**) **day** hver anne dag, annenhver dag; — **one** enhver.
everybody ['evribdi] enhver, alle, alle men nesker.
everyday ['evridei] daglig; hverdagslig, jevn hverdags-.
everyman ['evrimæn] enhver.
everyone ['evriwʌn] enhver.
everything ['evriθiŋ] alt; **like** — som bare det, som bare pokker.
everyway ['evriwei] på alle måter.
everywhere ['evriwɛə] overalt.
evict [i'vikt] utsette, kaste ut.
eviction [i'vikʃən] utsletting, utkasting.
evidence ['evidəns] tegn (**of** på), evidens, viss het, tydelighet, klarhet; vitnesbyrd, prov, vit neprov; bevis; bevismateriale; vitne; gjøre inn lysende, bevise, godtgjøre, prove; **give** — avg vitneforklaring, vitne; **the taking of** — vitne førsel; **for** beviser for; **in** — forhånden; fram lagt; iøynefallende; godtgjort.
evident ['evidənt] øyensynlig, tydelig, klar åpenbar, håndgripelig. **evidential** [evi'denʃəl] son beviser; som bygger på prov. **evidentiary** [evi'den ʃəri] som har beviskraft. **evidently** ['evidəntli øyensynlig, åpenbart.
evil ['i:vl, 'i:vil] ond, vond, dårlig, skadelig syndig; heslig; elendig; ondskapsfull, slem, slett onde; ulykke; sykdom; **the** — **one** den onde **the King's** — kjertelsyke (folk trodde konge kunne helbrede den).
evildoer ['i:vl'duə] misdeder, illgjerningsmann
evileye ['i:vl'ai] ondt øye.
evilly ['i:vili] ondt.
evil-minded ['i:vl'maindid] ondsinnet, vond lyndt; syndig, slett; som har en skitten fan tasi.
evince [i'vins] vise, tilkjennegi, røpe, legge fo dagen.
evincible [i'vinsibl] påviselig.
evincive [i'vinsiv] som beviser.
eviscerate [i'visəreit] ta innvollene ut av skjære opp, sløye, gane; svekke. **eviscération** [ivisə'reiʃən] oppspretting; svekkelse.
evitable ['evitəbl] unngåelig.
evoke [i'vəuk] mane fram, fremkalle, vekke
evolution [evə'l(j)u:ʃən] utvikling; evolusjon rotutdraging. **evolutionary** [evə'l(j)u:ʃənəri] evo lusjons-, utviklings-. **evolutionist** [evə'l(j)u:ʃənist tilhenger av utviklingslæren.
evolve [i'vɔlv] utvikle; finne på, klekke ut utfolde, utarbeide.
evulsion [i'vʌlʃən] opprykking, utriving.
ewe [ju:] søye, sau. — **lamb** hunnlam; kjæle degge.
ewer ['ju:ə] krukke, vaskevannsmugge.
ex [eks] ex (latin), fra; eks, som har vært tidligere; forhenværende; **sell** — **ship** selge fra skip.
exacerbate [ik'sæsəbeit] forverre; skjerpe, irri tere, forbitre; tirre, terge, erte. **exacerbation** [iksæsə'beiʃən] forverring, skjerpelse; forbitrelse
exact [ig'zækt] nøyaktig; riktig; presis; punkt lig; **I remembered the** — **spot where** jeg huske

nøyaktig det stedet hvor. — **sciences** eksakte vitenskaper.

exact [ig'zækt] inndrive; avtvinge, avpresse; fordre, kreve. **exacting** [ig'zæktiŋ] fordringsfull; streng, krevende. **exaction** [ig'zækʃən] inndriving; fordring, krav.

exactitude [ig'zæktitjud] nøyaktighet; punktlighet; presisjon. **exactly** [ig'zæktli] nøyaktig, nøye, ganske; nettopp; egentlig, riktig; **not — a ghost story** ikke nettopp noen spøkelseshistorie.

exaggerate [ig'zædʒəreit] overdrive. **exaggeration** [igzædʒə'reiʃən] overdrivelse. **exaggerative** [ig'zædʒərətiv] som overdriver, overdreven.

exalt [ig'zɔ:lt] oppløfte; opphøye; lovprise; fornøye, henrykke. **exaltation** [igzɔl'teiʃən] oppløfting; fryd; opphøyning; lutring; eksaltasjon, oppstemthet. **exalted** [ig'zɔ:ltid] opphøyd, fornem; overdrevet høy; begeistret; lutret. **exaltedness** [ig'zɔ:ltidnis] opphøydhet.

exam [ig'zæm] eksamen.

examination [igzæmi'neiʃən] undersøkelse, gransking, ettersyn; prøve, eksamen; eksaminasjon, avhøring, forhør; **pass an — ta en eksamen. — paper** eksamensoppgave. **— requirements** eksamenskrav, eksamenspensum.

examine [ig'zæmin] undersøke, granske, etterse, inspisere; eksaminere; forhøre, avhøre, holde forhør over. **-d copy** verifisert avskrift.

examinee [igzæmi'ni:] eksaminand, kandidat.

examiner [ig'zæminə] undersøker, gransker; eksaminator; forhørsdommer; revisor, sensor. **Ministry of Transport** — ≈ bilsakkyndig.

example [ig'za:mpl] eksempel, døme; advarsel; prøveeksemplar; **for — for** eksempel, til dømes; **make an — of** statuere et eksempel på; **set the —** tjene som forbilde; **take — by** (eller **from) an** eksempel av, ta lærdom av.

exanimate [ig'zænimit, ik's-] livløs; skinndød; nedslått.

exanthemata [eksæn'θi:mətə] utslett; feber med utslett. **exanthematic** [iksænθi'mætik] eksantematisk.

exarch ['eksɑ:k] eksark, stattholder i det bysantinske rike; patriark (biskop) i den greske kirke.

exasperate [ig'zɑ:spəreit] forbitre; forverre, terge, irritere, opphisse, erte. **exasperation** [igzɑ:spə'reiʃən] forbitrelse, terging, irritasjon, opphisselse; forverring.

exe. fk. f. except.

Excalibur [eks'kælibə] kong Arthurs sverd.

exeaudate [eks'kɔ:deit] haleløs.

excavate ['ekskəveit] hule ut; grave ut, grave fram. **excavation** [ekskə'veiʃən] uthuling; utgraving; hulning; grunnarbeid. **excavator** ['ekskəveitə] jordarbeider, ekskavator, gravemaskin; muddermaskin.

exceed [ik'si:d] overgå; overskride, overstige; gå ut over; gå for vidt. **exceeding** [ik'si:diŋ] overordentlig, betydelig; veldig, framifrå; **i** høy grad; mer enn. **exceedingly** i høy grad, overmåte, ytterst.

excel [ik'sel] overgå; utmerke seg.

excellence ['eksələns] fortrinnlighet; fortrinn; fortreffelighet.

excellency ['eksələnsi] eksellense (tittel); **his** E. Hans Eksellense.

excellent ['eksələnt] fortreffelig, fortrinnlig, ypperlig.

excelsior [ek'selsiɔ:] høyere, lenger oppe; (amr.) treull. **the — state** staten New York.

excentric [ik'sentrik], se **eccentric.**

except [ik'sept] unnta; gjøre innsigelse, motmæle **(to el. against** mot); unntagen, unntatt; bortsett fra; med hindre, uten. **excepting** unntagen, unntatt, med unntagelse av.

exception [ik'sepʃən] unntagelse, unntak; innsigelse, motmæle, motlegg; **with the — of** med unntak av; **an — to the rule** et unntak fra regelen; **take — against (at, to)** ta ille opp; reise innvending imot, ta avstand fra.

exceptionable [ik'sepʃənəbl] omtvistelig; støtende, uheldig, forkastelig.

exceptional [ik'sepʃənəl] ualminnelig. **-ly** unntagelsesvis, unntaksvis, usedvanlig, enestående.

exceptive [ik'septiv] unntagelses-, unntaks-.

excerpt [ik'sə:pt] utdra, ekserpere, gjøre utdrag. **excerption** [ik'sə:pʃən] utdrag, ekserpering.

excess [ik'ses] overmål; overdrivelse; overskridelse; overskudd; umåtelighet, utskeielse; selvassuranse, egenandel; **carry to — overdrive; be in — of** overgå; **— luggage** overvekt; **— of imports** importoverskudd. **excessive** [ik'sesiv] overordentlig, overvettes, overdreven; heftig; urimelig, ublu.

exchange [iks'tʃein(d)ʒ] utveksle; tuske, bytte, ombytte, veksle; gå i bytte; utveksling; ombytting; ordskifte, meningsutveksling; skifte; bytte; veksel; kurs; børs; sentral (for telefon); **bill of — veksel; in — i** bytte; **— of real property** makeskifte; **foreign — valutakurs, fremmed valuta; loss on — kurstap. exchangeable** [iks'tʃein(d)ʒəbl] som kan byttes, utskiftbar. **exchange broker** [iks'tʃeindʒ 'brəukə] vekselmekler. **exchange bureau** vekselkontor. **exchangee** [ekstʃein'dʒi:] deltaker i utvekslingsprogram. **exchange list** kursliste. **exchange rate** valutakurs. **exchange teacher** utvekslingslærer.

exchequer [iks'tʃekə] finansdepartement; finanshovedkasse; skattkammer; **the Chancellor of the Exchequer** finansministeren; **court of — skattkammer-rett** (en avdeling av the **High Court of Justice). — bill** skattkammerveksel. **— bond** statsgjeldsbevis.

excide [ek'said] skjære ut.

excipient [ik'sipiənt] bindemiddel; tilsetning. **excisable** [ik'saizəbl] aksisepliktig, avgiftspliktig.

excise [ik'saiz] aksise, forbrukeravgift, avgift til stat el. kommune ved salget av særl. innenlandske varer; avgift; aksisekontor; beskatte.

excise [ik'saiz] skjære bort, fjerne. **excision** [ik'siʒən] bortskjæring, fjerning.

excitability [iksaitə'biliti] pirrelighet, irritabilitet. **excitable** [ik'saitəbl] pirrelig; nervøs, hissig. **excitant** [ik'saitənt, 'eksitənt] pirrende; stimulans, oppstiver. **excitation** [eksi'teiʃən] pirring; egging, stimulering. **excitative** [ik'saitətiv], **excitatory** [ik'saitətəri] stimulerende, pirrende.

excite [ik'sait] vekke, fremkalle, egge, opphisse, oppildne, bringe i sinnsbevegelse; beta. **excited** [ik'saitid] betatt; opphisset; eksaltert, begeistret; nervøs. **excitement** [ik'saitmənt] tilskyndelse; opphisselse; spenning; sinnsbevegelse; uro. **exciting** [ik'saitiŋ] spennende, nervepirrende; betagende.

excl. fk. f. exclusive(ly); excluding; exclamation.

exclaim [iks'kleim] utbryte; rope ut; skrike, ivre (imot).

exclamation [eksklə'meiʃən] rop, utrop; utropstegn; **mark** (el. **note** el. **point** el. **sign) of —** utropstegn.

exclamatory [iks'klæmətəri] utrops-; utroper-. **exclosure** [eks'kləuʒə] avsperret område.

exclude [iks'klu:d] utelukke; unnta.

exclusion [iks'klu:ʒən] utelukkelse, utestenging; unntagelse, unntak.

exclusive [iks'klu:siv] utelukkende; eksklusiv; avvisende; aristokratisk, strengt sluttet, fornem; som utelukker; spesiell; **— of fraregnet; — right of** enerett til. **exclusively** utelukkende, med utelukkelse; eksklusive. **exclusiveness** fornem tilbakeholdenhet, avvisende holdning.

excogitate [eks'kɔdʒiteit] tenke, grunne, pønske ut, opptenke. **excogitation** [ekskɔdʒi'teiʃən] oppfinnelse, utspekulering, påfunn.

excommunicable [ekskə'mju:nikəbl] som fortjener å bannlyses. **excommunicate** [ekskə'mju:nikeit] bannlyse. **excommunication** [ekskəmju:ni-'keiʃən] bann.

excoriate [eks'kɔ:rieit] flå; kritisere nådeløst.

excoriation [eksko:ri'eifən] flåing; hudløst sted; nådeløs kritikk.

excrement ['ekskrimənt] ekskrement, avføring.

excremental [ekskri'mentl] ekskrement-, av-førings-.

excrescence [iks'kresəns] utvekst, villskudd.

excrescent [iks'kresənt] utvoksende; overflødig.

excretal [eks'kri:təl, 'ekskritəl] ekskremental.

excrete [eks'kri:t] skille ut, utsondre. excretion [eks'kri:ʃən] utsondring; uttømming.

excretive [eks'kri:tiv] avførende.

excruciate [eks'kru:ʃieit] pine, martre. excruciation [ekskru:ʃi'eiʃən] pine, kval, lideɪse.

exculpate [eks'kʌlpeit, 'eks-] unnskylde; rett-ferdiggjøre, bevise uskyld, frikjenne (from fra). exculpation [ekskʌl'peiʃen] unnskyldning; rett-ferdiggjøring; frikjennelse. exculpatory [eks'kʌl-pətəri] unnskyldende; rettferdiggjørende.

excurrent [eks'kʌrənt] utstrømmende, utløp-ende.

excursion [iks'kə:ʃən] ekspedisjon; tur, utferd, lysttur, utflukt; (fig.) digresjon, sidebemerkning. — train tog som til nedsatt takst befordrer pas sasjerer på lysttur, billigtog. excursionist [eks'kə:-ʃənist] lystreisende, turist. excursive [eks'kə:siv] springende; utflukts-.

excursus [eks'kə:səs] ekskurs; digresjon.

excusable [iks'kju:zebl] unnskyldelig, tilgivelig.

excusatory [iks'kju:zətəri] unnskyldende.

excuse [iks'kju:z] unnskylde; frita, forskåne; — me unnskyld, om forlatelse; — my being late unnskyld at jeg kommer for sent; — me from coming frita meg for å komme; excused school fritatt fra skolegang.

excuse [iks'kju:s] unnskyldning; påskudd; surrogat; avbud; an — for a breakfast en lett frokost.

exec. fk. f. execution; executive.

execrable ['eksikrəbl] avskylig; elendig. exe-crate ['eksikreit] forbanne; avsky. execration [eksi'kreiʃən] forbannelse; avsky; gjenstand for avsky; hold in — forbanne, avsky. execratory ['eksikreitəri] forbannelses-.

executant [ig'zekjutənt] eksekutør, utøvende kunstner.

execute ['eksikju:t] utføre, fullbyrde, gjøre, virkeliggjøre; utferdige, opprette; utstede; hen-rette; eksekvere; spille (på et instrument).

execution [eksi'kju:ʃən] utførelse, fullbyrding, virkeliggjørelse; foredrag; henretting, eksekve-ring; ødelegging; nederlag; utpanting, utlegg, eksekusjon; fingerferdighet (i musikk); do — an-rette skade; give virkning. — ground rettersted; — sale tvangsauksjon. executioner [eksi'kju:ʃənə] skarpretter, bøddel.

executive [ig'zekjutiv] person i ledende stilling, leder, sjef; styre, hovedstyre; utøvende, fullbyrdende; administrativ; eksekutiv; chief sales — salgssjef; the — den utøvende makt.

executor [ig'zekjutə] utfører, fullbyrder; ekseku-tor (av et testament). executorial [igzekju'tɔ:riəl] eksekutiv. executorship [ig'zekjutəʃip] eksekutors ombud el. stilling. executory [ig'zekjutəri] ut-øvende, regjerings-; som trer i kraft senere. — contract kontrakt til senere oppfyllelse. executrix [ig'zekjutriks] eksekutrise.

exegesis [eksi'dʒi:sis] eksegese, fortolkning. exegete ['eksidʒi:t] ekseget, fortolker. exegetic [eksi'dʒetik] fortolkende, eksegetisk.

exemplar [ig'zemplə] mønster, eksemplar, ideal. exemplary [ig'zempləri] eksemplarisk, mønster-gyldig, til forbilde.

exemplification [ig'zemplifi'keiʃən] belysing ved eksempler, eksempelifisering; eksempel; bekreftet avskrift. exemplify [ig'zemplifai] belyse ved ek-sempler, illustrere; ta en attestert avskrift av.

exempli gratia [ig'zemplai 'greiʃə] for eksempel.

exempt [ig'zem(p)t] frita; forskåne (from for), dispensere; fri, tollfri; fritatt, forskånet; immun; tax- — skattefri. exemption [ig'zem(p)ʃən] fri-takelse, dispensasjon; immunitet.

exequatur [eksi'kweitə] eksekvatur, regjeringens anerkjennelse av en fremmed konsul.

exequies ['eksikwiz] jordfesting, begravelse.

exercise ['eksəsaiz] øve; utøve, bruke, anvende utvise; eksersere; sette i bevegelse, sette i verk øve seg; bevege seg, trene, trimme, ta mosjon øving; legemsbevegelse; mosjon, trim; manøver eksersis; skoleøving, utarbeiding, stil; bruk, an vendelse, utfoldelse, utøving; andaktsøving do an — skrive en stil; take — ta mosjon — book øvingsbok, skrivebok. — exerciser ['eksəsaizə] mosjonsapparat. — exercise yard luftegård (i fengsel). — exercitation [egzə:si'teiʃən] øving.

exert [ig'zə:t] anstrenge; bestrebe; streve bruke, anvende, utøve. exertion [ig'zə:ʃən] anstrengelse, strev; bruk anvendelse.

exes ['eksiz] utgifter (fk. f. expenses).

Exeter ['eksətə].

exeunt ['eksiʌnt] de går ut (i skuespill).

exfoliate [eks'fəulieit] miste bladene; skalle av flekke, flakne. exfoliation [eksfəuli'eiʃən] flak-ning, avskalling.

exhalation [eksə'leiʃən, egz-] utånding, ut-dunsting; flyktighet; dunst, eim, ange, tev exhale [eks'(h)eil] puste ut, utånde; dunste ut ange ut; få til å dampe bort; trekke (om sola).

exhaust [ig'zɔ:st] tømme ut, bruke opp, ut-nytte helt; utmatte, avkrefte, slite ut; ekshaust eksos, avgass, utblåsning. exhaustible [ig'zɔ:stibl uttømmelig. exhaustion [ig'zɔ:stʃən] uttømming. utmatting. exhaustive [ig'zɔ:stiv] uttømmende grundig, nøye. exhaustless [ig'zɔ:stlis] uuttøm-melig; eksosfri.

exhaust | pipe eksosrør, utblåsingsrør. — stroke utblåsingsslag. — velocity utstrømningshastig-het. — water spillvann.

exhibit [ig'zibit] legge fram, tilstille; utstille; framstille; vise, syne, vise seg; utstillingsgjen-stand, utstilt gjenstand.

exhibition [eksi'biʃən] fremlegging; fremvis-ning; framsyning; utstilling; stipend(ium); make an — of oneself gjøre seg til narr; world's — verdensutstilling. exhibitioner [eksi'biʃənə] sti-pendiat. exhibitive [ig'zibitiv] fremstillings-, ut-stillings-. exhibitor [ig'zibitə] utstiller. exhibitory [ig'zibitəri] fremstillings-.

exhilarant [ig'zilərənt] oppmuntrende; opp-muntring. exhilarate [ig'ziləreit] oppmuntre; live opp. exhilaration [igzilə'reiʃən] oppmuntring; munterhet.

exhort [ig'zɔ:t] formane, oppmuntre, tilskynde. exhortation [igzɔ:'teiʃən] formaning, oppmun-tring. exhortative [ig'zɔ:tətiv], exhortatory [ig'zɔ:-tətəri] formanings-, formanende.

exhumation [eks(h)ju'meiʃən] oppgraving.

exhume [eks'(h)ju:m] grave opp, grave fram.

exigence ['eksidʒəns], exigency [eksidʒənsi] kritisk stilling, nød, knipetak; -cies krav, behov. exigent ['eksidʒənt] presserende, påtrengende nødvendig; krevende. exigible ['eksidʒibl] som kan inndrives, el. kreves.

exiguity [eksi'gju:iti] litenhet, ubetydelighet; sparsomhet. exiguous [eg'zigjuəs] liten, ubetyde-lig; sparsom.

exile ['eksail, -gz-] landsforvisning, landlysing, landflyktighet, utlegd; person som lever i eksil; landflyktig, forvist, utleg; landsforvise; landlyse; the Exile det babylonske fangenskap.

exility [eg'ziliti, -ks-] litenhet, svakhet.

exist [ig'zist] være, være til, eksistere, fore-komme; foreligge, råde, gjelde; finne sted; her existing pleasure hennes glede her i livet.

existence [ig'zistəns] eksistens, tilværelse; til-stedeværelse; vesen. existent [ig'zistənt] eksi-sterende, bestående.

existential [egzi'stenʃəl] eksistensiell. -ism [egzi'stenʃəlizm] eksistensialisme. -ist [egzi'sten-ʃəlist] eksistensialist.

exit ['eksit] i skuespill: (han, hun) går, for-

ter scenen; utgang, sortie; avferd, bortgang.
ex libris [eks'laibris] ekslibris.
Exmouth ['eksməθ].
exodus ['eksədəs] utvandring; **the rural** — **ukten fra landsbygden; the E.** annen Mosebok.
ex officio [eks ɔ'fifiəu] på embets vegne.
exogamy [ek'sɔgəmi] ekteskap utenfor ætten, enfor sin egen gruppe.
exon ['eksɔn] gardekorporal.
exonerate [ig'zɔnəreit] befri, lette, frita, fri-øre, frifinne. **exoneration** [igzɔnə'reifən] lettelse, frielse; frifinnelse, fritakelse. **exonerative** [ig-ɔnərətiv] befriende.
exor. fk. f. **executor**.
exorbitance [ig'zɔ:bitəns], **exorbitancy** [ig'zɔ:bi-nsi] urimelighet; ytterlighet; ubillighet.
exorbitant [ig'zɔ:bitənt] overdreven, ublu.
exorcise ['eksɔ:saiz] besverge, mane, drive ut nde ånder. **exorcism** ['eksɔ:sizm] (ånde)be-ergelse, maning av djevelen el. onde ånder.
coreist ['eksɔ:sist] en som driver ut djevler ved ɔnn og seremonier, åndemaner.
exordial [ig'zɔ:djəl] innledende.
exordium [ig'zɔ:djəm] innledning.
exoteric [eksə'terik] populær, allmennfattelig.
exotic [ig'zɔtik] fremmed, utenlandsk, eksotisk.
exp. fk. f. **expenses; export; express**.
expand [iks'pænd] folde ut; bre ut; utvide; lde seg ut, vide seg ut; vokse, tilta; — **on** gå ærmere inn på, behandle detaljert; **my heart pands** mitt hjerte svulmer.
expanded [iks'pændid] utvidet; utfoldet, ut-ilt. — **letter** blokkskrift. — **polyester** isopor. **expanding** som utvider seg; utvidbar; ekspan-ons-. — **brake** trommelbrems. — **bullet** dum-imkule. — **table** bord med plateuttrekk.
expanse [iks'pæns] vidstrakt rom, vidde, flate, id utstrekning; — **of heaven** himmelrom.
xpansibility [ikspænsi'biliti] evnen til å vide seg t. **expansible** [iks'pænsibl] utvidelig.
expansion [iks'pænfən] utfoldelse; utbredelse; videlse; vidt utstrakt rom, vidde. — **chamber** kekammer. — **engine** ekspansjons(damp)-iaskin.
expansive [iks'pænsiv] utvidende; utvidelig, yelig; vidstrakt; velstandspreget; ekspansjo-istisk; gemyttlig, åpenhjertig, raus.
expatiate [iks'peifieit] bre seg ut (**on** over).
expatiation [ikspeifi'eifən] vidløftig omtale; førlig redegjørelse.
expatriate [eks'pætrieit] forvise, landlyse; ndsforvist; — **oneself** utvandre. **expatriation** kspætri'eifən] forvisning, utvandring, land-sing. — **allowance** tillegg for å bo i utlandet, utetillegg.
expect [ik'spekt] vente; forvente; vente seg; gne med; anta; tro; **she is expecting** hun venter g (venter sin nedkomst). **expectancy** [ik'spek-nsi] forventning; ekspektanse. **expectant** [ik-pektənt] ventende, forventningsfull, vordende. **xpectation** [ekspek'teifən] forventning, frem-dsutsikter; utsikt til arv.
expectorant [ek'spektərənt] slimløsende; slim-sende middel. **expectorate** [ek'spektəreit] hoste ɔp, spytte opp; hoste, spytte. **expectoration** kspektə'reifən] det å hoste, spytte opp; spytt.
expediency [ik'spi:djənsi] formålstjenlighet; ensiktsmessighet; gagn; egoistiske hensyn; mid-el, utvei. **expedient** [ik'spi:djənt] hensiktsmessig, rmålstjenlig, passende, tjenlig; middel, utvei, id.
expedite ['ekspidait] fremskynde; utferdige, kspedere.
expedition [ekspi'difən] raskhet; ekspedisjon.
expeditionary [ekspi'difənəri] ekspedisjon-; — rees militære styrker som gjør tjeneste utenfor jemlandet.
expeditious [ekspi'difəs] hurtig, rask, kjapp.
expel [ik'spel] drive ut, kaste ut; utvise; eks-ludere; **the boy was -led from the school** el. **was the school** gutten ble vist ut av skolen.

Engelsk–Norsk

expellable [ik'speləbl] som kan vises bort.
expellee [ikspe'li:] deportert, fordrevet, utvist.
expend [ik'spend] gi ut, legge ut, nedlegge, anvende, ofre; bruke, nytte, forbruke. **expen-dable** som kan brukes helt opp; som kan unn-væres, el. ofres. **expenditure** [ik'spenditfə] utgift, utlegg, forbruk.
expense [ik'spens] utgift, utlegg, omkostning; bekostning, kostnad; **the expenses of the war** krigsomkostningene; **at my** — på min kostnad. **expense account** utgiftskonto, omkostningskonto.
expensive [ik'spensiv] kostbar, dyr. **expensive-ness** [ik'spensivnis] kostbarhet.
experience [ik'spiəriəns] erfaring, røynsle, opp-levelse; øvelse; forsøke, prøve; erfare, oppleve, røyne, føle, fornemme, få å føle, gjennomgå; **from** (eller **by**) — av erfaring. **experienced** [ik'spiəriənst] erfaren, rutinert, øvet, røynd.
experiential [ekspiəri'enfəl] erfaringsmessig, em-pirisk.
experiment [ek'sperimənt] forsøk, eksperiment; forsøke, prøve, røyne, eksperimentere. **experi-mental** [ekspe'rimentəl] erfaringsmessig, empirisk, forsøks-, erfarings-; eksperimental. **experimen-talist** [ekspe'rimentəlist] eksperimentator. **experi-mentalize** [ekspe'rimentə laiz] eksperimentere. **experimentally** eksperimentalt; forsøksvis. **ex-perimenter** [ik'speriməntə] se **experimentalist**, **experimentize** [iks'perimentaiz] eksperimentere.
expert [ik'spəit] øvet, røynd, erfaren, kyndig, dreven.
expert ['ekspəit] sakkyndig, fagmann, ekspert, spesialist, kjenner; -kyndig. — **knowledge** sak-kunnskap.
expertise [ekspə:'ti:z] sakkyndighet, dyktighet; eksperttuttalelse; avgi sakkyndig skjønn.
expertness [ik'spə:tnis] erfaring; dyktighet.
expiable ['ekspiəbl] som kan utsones. **expiate** ['ekspieit] sone, utsone, bøte. **expiation** [ekspi-'eifən] utsoning, bot, sonemiddel. **expiator** ['ekspi-eitə] soner, utsoner. **expiatory** ['ekspiətəri] ut-sonings-, son-, sonende.
expiration [ekspi'reifən] utånding; utdunsting; død; opphør; utløp, forløp, ende, slutt; for-fallstid. **expiratory** [ek'spairətəri] utåndings-. **expire** [ik'spaiə] utånde, puste ut, utdunste; dø; forløpe, utløpe, gå til ende; opphøre.
expiry [ik'spairi] utløp, ende, slutt; død; for-fall.
explain [iks'plein] forklare; tyde, tolke, greie ut, gjøre greie for; — **away** bortforklare; — **one-self** forklare seg. **explainable** [iks'pleinəbl] for-klarlig. **explainer** [iks'pleinə] forklarer. **explana-tion** [eksplə'neifən] forklaring, redegjørelse, ut-legging, utgreiing. **explanatory** [ik'splænətəri] for-klarende.
explant [eks'pla:nt] eksplantere.
expletive [eks'pli:tiv] utfyllende; fylleord, fylle-kalk; ed, bannskap. **expletory** ['eksplitəri] ut-fyllende, fylle-.
explicable ['eksplikəbl] forklarlig. **explicate** ['eksplikeit] utfolde, forklare, redegjøre. **explica-tion** [ekspli'keifən] utvikling, utgreiing, for-klaring. **explicative** ['eksplikeitiv el. iks'plikativ] forklarende. **explicator** ['eksplikeitə] forklarer. **explicatory** [eks'plikətəri] forklarende.
explicit [iks'plisit] tydelig, grei, klar, bestemt, uforbeholden, uttrykkelig; likefrem, endefram. **-ly** beint fram, tydelig, med rene ord. **-ness** klarhet; likefremhet.
explode [ik'spləud] få til å eksplodere, sprenge; eksplodere, springe; bringe i miskreditt; av-sløre; pipe ut, hysse ut; bryte ut, fare opp; briste i latter. **exploding cotton** skytebomull.
exploit ['eksplɔit, iks'plɔit] storverk, dåd, be-drift. **exploit** [iks'plɔit] utbytte, utnytte. **exploi-tation** [eksplɔi'teifən] anvendelse, utnytting, ut-bytting. **exploiter** [iks'plɔitə] utbytter.
exploration [eksplə'reifən] utforsking, under-søkelse, gransking. **explorative** [eks'plɔrətiv] forskings-. **explorator** ['ekspləreitə] forsker. **ex-**

ploratory [ek'splɔrətəri] undersøkende, undersøkelses-, granskings-, prøve-.
explore [ik'splɔ:] forske ut, granske ut, undersøke; gjøre oppdagelsesreise; skjerpe. **explorer** [ik'splɔ:rə] utforsker; oppdagelsesreisende.
explosion [ik'spləuʒən] eksplosjon, sprengning; utbrudd. **explosive** [ik'spləusiv] eksplosiv; bråsint; sprengstoff. — **air** knallgass. — **cotton** skytebomull.
exponent [ik'spəunənt] eksponent; representant, talsmann, målsmann.
export ['ekspɔ:t] utførsel, eksport; eksportartikkel; **prohibition of** — eksportforbud. **export** [ek'spɔ:t] utføre, føre ut, eksportere. **exportable** [ek'spɔ:təbl] som kan utføres. **export bounty** eksportpremie. **exportation** [ekspɔ:'teiʃən] utførsel, eksport. **exporter** [ek'spɔ:tə] eksportør.
expose [ik'spəuz] utsette (**to** for), stille ut; fremstille, blottstille, blotte; våge; avsløre, avdekke. **exposed** utsatt, ubeskyttet; værhard.
exposé [eks'pəuzei] fremstilling, redegjørelse; oversikt, gjennomgåelse, utgreiing.
exposition [ekspə'ziʃən] utstilling; utvikling, forklaring, redegjørelse; oversikt, gjennomgåelse.
expositive [ek'spɔzitiv] forklarende, beskrivende.
expositor [ek'spɔzitə] fortolker, utlegger.
expository [ek'spɔzitəri] forklarende, fortolkende.
ex post facto [ekspəust'fæktəu] etter at gjerningen er gjort. — **law** lov med tilbakevirkende kraft.
expostulate [iks'pɔstjuleit] gjøre forestillinger, gjøre bebreidelser; — **with** gå i rette med, bebreide. **expostulation** [ikspɔstju'leiʃən] bebreidelse. **expostulator** [iks'pɔstjuleitə] en som gjør forestillinger. **expostulatory** [iks'pɔstjulətəri] bebreidende.
exposure [ik'spəuʒə] det å være utsatt (**to** for), avdekking, blottstilling, blottelse, beskjemmelse; utsatt stilling, ubeskyttethet, nød; utstilling; avsløring, skandalisering; eksponering; **die from** — dø av kulde og utmattelse.
exposure | hazard smittefare. — **meter** lysmåler. — **story** skandalehistorie.
expound [ik'spaund] legge ut, forklare, tolke, uttyde, fremstille; utbre seg om. **expounder** [ik'spaundə] uttyder, fortolker.
express [ik'spres] presse ut; uttrykke, ytre, angi, bety, uttale, gi uttrykk for; uttrykkelig; ekspress; ilbud; lyntog; (amr.) speditør, spedisjonsfirma; — **oneself** uttrykke seg. **expressage** [iks'presidʒ] (amr.) ekspressgebyr for pakkeforsendelse. **expressible** [ik'spresibl] som kan presses ut; som kan uttrykkes. **expression** [ik'spreʃən] utpressing; uttrykk; fremstilling. **expressionless** uttrykksløs. **expressive** [ik'spresiv] uttrykksfull; megetsigende; — **of** som gir uttrykk for. **expressly** [ik'spresli] uttrykkelig. **express train** [iks'prestrein] lyntog.
expropriate [eks'prəuprieit] ekspropriere, ta eiendomsretten.
expropriation [eksprəupri'eiʃən] ekspropriasjon.
expulsion [iks'pʌlʃən] fordrivelse, utvising, relegasjon, deportasjon; utslynging, utstøting.
expulsive [iks'pʌlsiv] som driver bort el. ut.
expunge [eks'pʌn(d)ʒ] stryke ut, slette ut, fjerne, utelate.
expurgate ['ekspə:geit] rense. **expurgation** [ekspə:'geiʃən] renselse. **expurgator** ['ekspə:geitə] renser. **expurgatory** [eks'pə:gətəri] rensende.
exquisite ['ekskwizit] utsøkt, fortreffelig, vidunderlig, deilig; ualminnelig; sterk, heftig, intens (f. eks. smerte); laps, sprett. **-ness** ['ekskwizitnis] utsøkthet, finhet; styrke, kraft.
exsanguinous [eks'sæŋgwinəs] blodløs.
exscind [ek'sind] skjære bort, fjerne.
exsect [ek'sekt] skjære bort, fjerne. **-ion** [ek'sekʃən] utskjæring, bortskjæring.
exsert [ek'sə:t] stikke ut; stå fram.
ex-serviceman en som tidligere (især i verdens-

krigen) har tjent i hær eller flåte, forhenværen soldat, veteran.
exsiccant [ek'sikənt] uttørrende. **exsicc** ['eksikeit] tørre ut. **exsiccation** [eksi'keiʃən] • tørring. **exsiccative** [ek'sikətiv] tørrende.
exsuction [ek'sʌkʃən] utsuging.
ext. fk. f. extension: external; extra.
extant [eks'tænt, 'ekstənt] bevart, i behol eksisterende.
extemporaneous [ekstempə'reinjəs]. **extemp rary** [eks'tempərəri] ekstemporert, improvise plutselig. **extempore** [eks'tempəri] uforbere på stående fot, ekstemporert. **extemporize** [el 'tempəraiz] ekstemporere, improvisere. **exte porizer** [eks'tempəraizə] en som ekstemporer improvisator.
extend [ik'stend] strekke ut; strekke; strek seg; bygge ut; utvide, forlenge, tøye; spe op tynne; yte, skjenke, vise; strekke seg. **extendi** [ik'stendibl] strekkelig, tøyelig, utvidelig. **exte sibility** [ikstensi'biliti] strekkelighet, utvidning evne, utvidingskraft. **extensible** [iks'tensibl] strekkelig, uttrekkbar, utvidelig. **extensile** [i 'stensil] se extensible. **extension** [iks'stenʃən] strekning, utvidelse; tilbygg, forlengelse. — **e** skjøteledning. — **number** lokalnummer, hu telefonnummer. **University Extension** foll universitet, folkeakademi. **extensional** [ik'ste ʃənəl] vidt utstrakt. **extensive** [ik'stensiv] u strakt, omfattende, vidtgående; vid, st extensor [ik'stensə] strekkmuskel.
extent [ik'stent] utstrekning, omfang, størrels rekkevidde, grad, monn; område; **to a certain -** til en viss grad; **to a great** — i stor utstreknin **extenuate** [eks'tenjueit] avkrefte, mink svekke; smykke, pynte på, formilde, døyv unnskylde, formilde. **extenuating circumstanc** formildende omstendigheter. **extenuation** [ekste ju'eiʃən] avkrefting; det å pynte på; unnskyl ning. **extenuatory** [ek'stenjuətəri] unnskyldend formildende.
exterior [ek'stiəriə] ytre, utvendig; utvorte utenriks-; ytre form, eksteriør. **-ize** [ek'stiəri raiz] gi ytre form; se tydelig.
exterminate [eks'tə:mineit] rydde ut, tilinte gjøre. **extermination** [ekstə:mi'neiʃən] utryddin **exterminator** [eks'tə:mineitə] utrydder. **exte minatory** [eks'tə:minətəri] utryddings-.
external [eks'tə:nəl] ytre, utvendig, utvorte utenriks-. — **affairs** utenriksanliggender. — evidence bevismateriale fra andre kilder enn d undersøkte, ytre indisier. — **remedies** midler t utvortes bruk. **externalize** [ek'stə:nəlaiz] gi yt form, gjøre utadvendt. **externals** [ek'stə:nəl ytre, utvortes; ytre former el. seremonier.
external | student student som studerer ved • annet universitet enn der han skal ta eksame — **thread** utvendig gjenge.
exterritorial [eksteri'tɔ:riəl] eksterritorial, so ikke er undergitt myndighetene i et land. -i **[eksteritɔri'æliti] eksterritorialitet.
extinct [ik'stiŋkt] slokt, sloknet; opphev avskaffet; utdødd. **extinction** [ik'stiŋkʃən] slo king, opphevelse, avskaffelse; utslettelse; u døing; tilintetgjøring.
extinguish [ik'stiŋgwiʃ] slokke; utslette; ød legge; oppheve, annullere. **extinguishable** [i 'stiŋgwiʃəbl] som kan slokkes osv. **extinguisha** [iks'tiŋgwiʃənt] slokkingsvæske. **extinguisher** [il 'stiŋgwiʃ] lyseslokker; slokkingsapparat. **e** tinguishment** [ik'stiŋgwiʃmənt] slokking; ød leggelse, stansing.
extirpate ['ekstə:peit] rydde ut, tilintetgjør **extirpation** [ekstə:'peiʃən] utrydding, fjernin **extirpator** ['ekstə:peitə] utrydder.
extol [iks'tɔl] opphøye, heve til skyene, pris **extort** [iks'tɔ:t] avpresse; fravriste, presse u pine ut, tvinge fram, avtvinge. **extortion** [ik 'tɔ:ʃən] utpressing; pengeutpressing, flåing, u suging; brannskatte. **extortionary** [iks'tɔ:ʃənər utsugende, utpressings-. **extortionate** [iks'tɔ:ʃəni

ard, ublu, åger-. **extortioner** [iks'tɔ:ʃənə] ut-uger, opptrekker.

extra ['ekstrə] ekstra; ytterligere; særlig; noe kstra; ekstrablad, ekstraforestilling o. l.; **extras** kstrautgifter.

extra- ['ekstrə] utenfor, utenom-, ut over.

extract [iks'trækt] dra ut; trekke ut; trekke ram; ta fram; hale ut; ekserpere, lage utdrag av. xtract ['ekstrækt] utdrag, ekstrakt; utskrift, tvalg. **extractable** [iks'træktəbl] som kan utdras. xtraction [iks'trækʃən] utdraing; utdrag, ut-rekk; avstamning, ætt, herkomst; ekstraksjon; xtraction of roots rotuttrekking (i matematikk). xtractive [iks'træktiv] uttrekkende, ekstrak-jons-; ekstrakt; som kan utdras. **extractor** iks'træktə] ekstraktor; fødselstang.

extracurricular [ekstrəkə'rikjulə] som ikke nører til pensum. — **activities** ≈ fritidsbeskjef-tigelser.

extradite ['ekstrədait] utlevere (en forbryter). **extradition** [ekstrə'diʃən] utlevering (av for-brytere).

extrajudicial ['ekstrədʒu'diʃəl] ekstrajudisiell, utenrettslig (som skjer utenfor retten). **-legal** som faller utenfor loven. **-marital relations** uten-omekteskapelige forbindelser. **-mundane** utenfor verden.

extramural ['ekstrə'mjuərəl] som finner sted utenfor byens el. institusjonens område. — **treat-ment** behandling utenfor sykehus.

extraneous [eks'treinjəs] fremmed, uvedkom-mende; — **to the subject** emnet uvedkommende.

extraordinary [ik'strɔ:dinəri, -dnri] overordent-lig; usedvanlig, merkverdig, merkelig. **extra-ordinaries** noe ualminnelig; tilfeldige utgifter.

extraparochial [ekstrəpə'rəukjəl] utenbygds. **extraterrestrial** utenomjordisk. **-territorial** utenfor et lands jurisdiksjon, eksterritorial. — **time** ekstraomgang (sport).

extravagance [ik'strævəgəns] urimelighet; over-drivelse; ekstravaganse, overspenthet, villskap; fargeprakt; råflotthet; ødselhet.

extravagant [ik'strævəgənt] urimelig; over-dreven; ekstravagant, overspent, vill; råflott; ødsel.

extravaganza [ekstrævə'gænzə] regelløs kom-posisjon; fantasistykke.

extreme [ik'stri:m] ytterst; ytterlig; sist; meget stor, overordentlig; ytterste ende; ytterlighet, ekstrem; høyeste grad.

extremely [ik'stri:mli] ytterst, høyst, over-ordentlig, særdeles.

extreme unction den siste olje.

ekstremist [ik'stri:mist] ekstremist.

extremity [ik'stremiti] ytterste ende; ytterste; ytterlighet; verste knipe; nød, ulykke; i pl. ekstremiteter, hender og føtter.

extricable ['ekstrikəbl] som kan befris. **extricate** ['ekstrikeit] befri, frigjøre, komme løs fra. **extrication** [ekstri'keiʃən] befrielse, frigjøring.

extrinsic(al) [ek'strinsik(l)] utvortes, ytre.

extrude [ek'stru:d] støte, drive, trenge ut. **extrusion** [ik'stru:ʒən] utstøting, utdriving.

exuberance [ig'z(j)u:bərəns] overflod, fylde, frodighet, yppighet. **exuberant** [ig'z(j)u:bərənt] overstrømmende, livsglad, frodig, yppig, rik, flus.

exudation [eks(j)u'deiʃən] utsvetting, utson-dring (av væske).

exude [ig'zju:d] svette ut, utsondre; sive ut.

exult [ig'zʌlt] juble; hovere, triumfere.

exultant [ig'zʌltənt] jublende; hoverende.

exultation [igzʌl'teiʃən] jubel; hovering, triumf.

exuviae [ig'z(j)u:vii:] felt ham el. hud el. skall el. hår (av dyr). **exuviate** [ig'z(j)u:vieit] skifte ham el. hud el skall. **exuviation** [igz(j)u:vi'eiʃən] skifte av ham, hud, skall el. tenner; røyting.

exx. fk. f. **examples.**

eyas ['aiəs] falkunge.

eye [ai] øye, blikk; øye (på nål, potet etc.); løkke, malje; syn, synsevne; se på, betrakte, iaktta, mønstre; **set eyes on** se (for sine øyne); **-s left!** se til venstre! **damn his -s!** pokker ta ham! **in the eyes of the world** i verdens øyne; see eye **to eye with** være enig med; **find favour in his eyes** finne nåde for hans øyne; **open one's eyes** stirre forbauset; **open a person's eyes to the truth** få en til å se sannheten; **his eyes are bigger than his belly** magen blir mett før øynene; **have all one's eyes about one** ha øynene med seg, ha et øye på hver finger; **any one with half an —** in his head might have seen enhver kunne ha sett med et halvt øye; **my eye!** du store tid! **have an eye for** ha sans for; **with an —** to i den hensikt å; med henblikk på; **keep an eye on** holde øye med; **make eyes** bruke øynene, kokettere; **it is a sight for bad eyes to see you** det gjør ens gamle øyne godt å se Dem; **in my mind's eye** for mitt indre øye; **stand eye to eye** stå ansikt til ansikt; **up to one's eyes** til opp over ørene; **mind your eye** (slang) pass på; **all my eye** (slang) sludder; he has **an eye to her money** han har et godt øye til pengene hennes; **bull's —** blink (på skyteskive); **private —** privat-detektiv; **the glad eye** (slang) kokett el. forelsket blikk.

eyeball øyeeple, øyestein. **-brow** ['aibrau] øye-bryn. **-catcher** blikkfang. **-cup** øye(bade) glass. **-flap** skylapp. **-glass** lorgnett; okular. **-lashes** øyehår, øyevipper. **-less** blind, uten øyne. **eyelet** ['ailet] snørehull; liten åpning; takluke. **-ted** forsynt med et lite hull. — **punch** hull-tang.

eyelid ['ailid] øyelokk.

eye-opener overraskende kjensgjerning; sterk drink, oppstrammer.

eyepiece okular.

eye-salve øyesalve. — **-servant** øyentjener. — **-service** øyentjeneste. — **shadow** øyenskygge. **-shot** synsvidde. **-sight** syn, synsvidde. — **socket** øyenhule. **-sore** torn i øyet. **-tooth** øyetann, hjørnetann. **-wink** blunking med øyet; øyeblikk. **-witness** øyenvitne.

eyot ['eiət] liten øy, holme.

Eyre [ɛə].

eyre [ɛə] omgang, rundferd; tingreise, ting.

eyrie, eyry [ɛəri] rovfuglreir, ørnereir.

F

F, f [ef] F, f; **F sharp** fiss; **F flat** fess; **F major** F-dur; **F minor** f-moll.

F., f. fk. f. Fahrenheit; farthing; fellow; follow-ing; fort; forte; Flemish; French; Friday.

F ≈ ikke (dårligste karakter).

F. A. fk. f. Football Association.

F. A. A. fk. f. **free of all average.**

Fabian ['feibiən] klokt nølende (som Fabius,

Hannibals motstander); — **Society** sosialistfor-ening som hyller en forsiktig og gradvis innføring av sosialismen.

fable ['feibl] fabel; sagn; skrøne; fabulere, opp-dikte, dikte i hop, lyve. **fabled** ['feibld] ≈ kjendis, berømt; omtalt i fabelen el. sagnet.

fabric ['fæbrik] indre sammensetning, struktur, vevning; fabrikat, (vevd) stoff; bygningsverk;

bygning. **fabricate** ['fæbrikeit] bygge; dikte; fabrikere, produsere, sette sammen, lage. **fabrication** [fæbri'keiʃən] bygging; oppdikting, oppspinn, falsum, falskneri, fabrikasjon, montering. **fabricator** ['fæbrikeitə] falskner, svindler, oppdikter; fabrikant.

fabulist ['fæbjulist] fabeldikter, fabulator; løgnhals. **fabulize** ['fæbjulaiz] dikte el. fortelle fabler. **fabulosity** [fæbju'lɔsiti] fabelaktighet. **fabulous** ['fæbjuləs] fabelaktig, legendarisk; eventyrlig. — **age** sagntid.

façade [fə'sɑ:d] fasade, forside.

face [feis] overflate; forside, ytterside; topografi; fasade; ansikt; fjes; tallskive; mine, ansiktsuttrykk, grimase; prestisje; dristighet; uforskammethet; kunstig farge; **face to face** ansikt til ansikt; **throw oneself face down** kaste seg nesegrus; **full face** en face; **carry two faces** bære kappen på begge skuldrer; **in the face of** beint mot, opp i ansiktet på; **have the face to** være dristig nok til å; **lose face** bli ydmyket; **make faces** skjære ansikter; geipe; **pull a long face** bli lang i ansiktet; **put a good face on the matter** gjøre gode miner til slett spill; **fly in the face of danger** løpe like i løvens gap, trasse; **in the very face of** like for nesen på; **on the very face of the matter** straks på forhånd; **save a person's face** redde en fra åpenlys skam; **set one's face against it** motsette seg det; **he told him to his face** han sa ham like opp i ansiktet. **face** [feis] stille seg ansikt til ansikt med, vende ansiktet mot; se like i øynene; trosse, trasse; være like overfor, vende ut mot; bedekke, bekle, belegge; besette, kante, forsyne med oppslag; hykle; vende seg om, dreie seg, snu seg; — **the music** ta mot kritikken; ta det som det kommer; — **the question** ta spørsmålet opp; **right** —! høyre om! — about gjøre helomvending.

face | ague neuralgi, ansiktssmerter. — **card** billedkort. — **cloth** vaskeklut; duk som legges over ansiktet på lik. — **guard** beskyttelsesmaske. **-less** ansiktsløs; uten personlighet. — **lifting** ansiktsløftning. — **powder** ansiktspudder.

facer ['feisə] slag i ansiktet, strek i regningen.

facet ['fæsit] fasett; fasettere.

facetiae [fə'si:ʃii:] vittige innfall, vitser. **facetious** [fə'si:ʃəs] munter, (anstrengt) spøkefull, vittig.

face|-to-face monogram speilmonogram. — **towel** ansiktshåndkle. — **value** pålydende verdi.

facia ['feiʃə] uthengsskilt, butikkskilt; dashbord.

facial ['feiʃəl] ansikts-.

facile ['fæsail] lett (ikke vanskelig); tilgjengelig, godslig, vennlig; lett å overtale, bøyelig; lettflytende; overfladisk.

facilitate [fə'siliteit] lette. **facilitation** [fəsili-'teiʃən] lettelse. **facility** [fə'siliti] letthet; ferdighet; omgjengelighet; lett adgang. **facilities** lettelser, fordeler; hjelpemidler, utstyr, moderne bekvemmeligheter.

facing ['feisiŋ] oppslag, kant; vending; som vender mot; **put a person through his facings** prøve hva en duger til.

facsimile [fæk'simili] faksimile; billedtelegrafi; faksimilere.

fact [fækt] kjensgjerning, realitet, hending, faktum; sak; **in** — i virkeligheten, faktisk, endog, ja; **on grounds of** — av saklige grunner; **in** — **and law** faktisk og juridisk; **as a matter of** — i virkeligheten; **matter of** — kjensgjerning; nøktern, prosaisk; **the** — **is** that saken er at, nemlig. **I know it for a** — jeg vet det helt sikkert. **fact-finding committee** undersøkelseskommisjon, saklig utvalg.

faction ['fækʃən] parti; fraksjon; klikk; uenighet, strid. **factionist** ['fækʃənist] partimann, partigjenger; intrigemaker. **factious** ['fækʃəs] parti-; misfornøyd, misnøgd; urolig; som sår splid. **factitous** [fæk'tiʃəs] kunstig, tillært, tilgjort. **factor** ['fæktə] agent, ombudsmann, kommi-

sjonær; faktor (i regning og fig.). **factorage** ['fæktəridʒ] kommisjon. **factorship** ['fæktəʃip] agentur; kommisjon. **factory** ['fæktəri] fabrikk, bedrift; fabrikk, faktori, handelsstasjon. **Factory Act** ≈ arbeidervernlov. — **hand** fabrikkarbeider. — **maid** fabrikkfremstilt. — **tailored** konfeksjonssydd.

factotum [fæk'təutəm] (fig.) høyre hånd, faktotum.

factual ['fæktʃuəl] saklig; faktisk, virkelig.

facultative ['fæk(ə)lteitiv] faktultativ, valgfri; fakultets-.

faculty ['fækəlti] evne, dyktighet, kraft; makt; myndighet; fakultet (ved universitetet, især det legevitenskapelige); **in full possession of his faculties** i besittelse av alle sine åndsevner, ved sine fulle fem; **one of the** — medisiner som har tatt eksamen, lege.

fad [fæd] innfall; grille; motelune; kjepphest; mani. **faddish** ['fædiʃ] motepreget; besatt av en idé el. mani, monoman. **faddism** ['fædizm] monomani. **faddist** ['fædist] monoman.

fade [feid] falme; visne, blekne; svinne; ta av bremseeffekt (i bil); bli utydelig; **fade away** svinne hen; forsvinne. **faded** visnet, falmet.

fadeless ['feidlis] uvisnelig.

fadge [fædʒ] bunt, balle.

faecal ['fi:kəl] som angår ekskrementer, (s fecal). **faeces** ['fi:si:z] bunnfall; ekskrementer.

faery ['feəri] se **fairy.**

fag [fæg] trelle, slite og slepe; bli trett; la trelle; trell, tjener, mindre elev som må oppvarte de eldre; slit; (slang) sigarett, røyk, blås; -ge out utkjørt.

fag-end ['fæg'end] matt avslutning, stump, rest.

fagot ['fægət] riskjerv; risbunt; knippe, bunt, siksakhullsøm; myrmann (i politikk).

fagot-vote ['fægətvəut] myrmannsstemme.

fagottist [fə'gɔtist] fagottist. **fagotto** [fə'gɔtəu] fagott.

Fahr. fk. f. **Fahrenheit.**

Fahrenheit ['færin(h)ait, 'fɑ:r-] Fahrenheit.

faience [fr.; fə'jɑ:ns] fajanse.

fail [feil] feile, mislykkes, slå feil, strande; stryke, dumpe (til eksamen); gå fallitt; la stikken, svikte, skorte; unnlate, forsømme; ikke makte; he failed det slo feil for ham; har I failed in this hadde det ikke lykkes meg, that failing el. failing that i mangel herav; fail one's promise svikte sitt løfte; fail to appear utebli; I fail to see jeg kan ikke innse; he failed in the examination han dumpet til eksamen.

fail [feil] skort, svikt, svikting; **without** — ganske sikkert, uten tvil.

failing ['feiliŋ] skavank; svakhet; mangel, skort, lyte; mistak; fallitt; i mangel av; — **health** sviktende helse; — **that** ellers, i motsatt fall. **fail-safe** feilsikker; sikkerhetsanordning.

failure ['feiljə] mangel, skort, uteblivelse; det å slå feil; uhell; fåfengt strev; fiasko, bommert, tabbe, nederlag; misvekst; det å avta, svikting, svekkelse; unnlatelse, forsømmelse; fallitt; mislykt individ.

fain [fein] glad, fornøyd, nøgd; glad til, nødt til, (bare etter **would**) gjerne; **he was** — **to do it** han var nødt til å gjøre det; **I would** — jeg ville gjerne.

faint [feint] bli svak, falle i avmakt, besvime, dåne; la motet falle; svinne hen; svak, matt, utmattet; kraftløs; dårlig; dåneferdig; fryktsom, engstelig; avmakt; besvimelse; — **away** besvime; dø hen; **I feel** — jeg føler meg dårlig, jeg holder på å besvime; **-ing fit** besvimelsesanfall; **I have not the -est idea** jeg har ikke den fjerneste idé. — **-hearted** forsagt, engstelig. **faintly** ['feintli] svakt, matt, utydelig. **faintness** svakhet, matthet; motløshet.

fair [feə] skjær, ren, fin, plettfri, klar; blond, lys; fager, skjønn, smukk; billig, rettferdig, rettvis, rettskaffen, real, ærlig; god; antagelig; rimelig, riktig; (på barometer) pent vær; **the — sex** det smukke kjønn; **a — one** en kvinne; **the — Venetian** venetianerinnen; **if it were — to judge of** ... hvis man da kunne dømme om...; **— chance** rimelig sjanse; **— copy, draft** renskrift; **— fight** ærlig kamp; **a — impression** et rentrykk; **— play** ærlig spill; **in a — way to** på god vei til å; **— wear and tear** normal slitasje; **— to middling** brukbar, tålelig bra, akseptabel; **— view** tydelig å se; **— wind** god bør; **bid —** love, tegne til; **speak him —** tale ham tilfreds; **— and square** ærlig og redelig; **— enough** javel, la gå, i orden. **— is —** rett skal være rett.

fair [fɛə] marked; kjøpstevne, messe, utstilling; basar; **a day after the —** (en postdag) for sent, post festum. Vanity Fair Forfengelighetens Marked (bok av Thackeray).

fair-faced ['fɛəfeist] lyslett, fager; som er bra nok på overflaten.

Fairfax ['fɛəfæks].

fair game lovlig vilt (ogs. fig.).

fair-haired ['fɛə'hɛəd] lyshåret.

fairing ['fɛəriŋ] markedsgave; strømlinjeform, glatt kledning.

fairish ['fɛəriʃ] ganske pen; tålelig bra, ikke verst.

fairly ['fɛəli] klart; greit; åpent; tydelig; likefram; rettferdig, rettskaffent, realt; reglementert; ganske, fullkomment. **fair-minded** ['fɛə'maindid] rettsindig, rettskaffen.

fairness ['fɛənis] skjærhet, klarhet; blondhet; åpenhet, ærlighet, rettferdighet, rettskaffenhet; rimelighet; **in —** når rett skal være; **with —** med det gode.

fair-sized ['fɛəsaizd] middelsstor; nokså stor; større.

fair-spoken ['fɛəspəukən] beleven, forekommende, høflig.

fairway ['fɛəwei] skipsled, farled, farvann.

fair weather ['fɛəweðə] godværs-; **— friend** upålitelig venn.

fairy ['fɛəri] fe, hulder, alvkone, alv; homo, homoseksuell; eventyr-, feaktig, trolldomsaktig, fe-, alv-. **— circle** alvedans. **— godmother** god fe, velgjører. **-land** eventyrland. **— ring** alvedans. **— tale** eventyr; skrøne, røverhistorie.

faith [feiθ] løfte, ord; troskap; tro; tillit; **-s** trosretninger, religioner; **the Faith** den rette tro; **the Christian —** den kristne tro. **faith!** intet santen! **in bad —** i ond hensikt, mot bedre vitende; **break —** bryte sitt løfte; **breach of —** løftebrudd, illojalitet. **— cure** helbredelse ved bønn. **faithful** ['feiθf(u)l] tro, trofast, redelig, pålitelig; virkelighetstro, korrekt; troende; **yours faithfully** ærbødigst, vørsamt (under brev). **faithless** ['feiθlis] troløs; vantro. **faithlessness** ['feiθlisnis] troløshet; vantro.

fake [feik] bukt, kveil; kveile opp.

fake [feik] pynte på, ettergjøre, forfalske, simulere; stjele, knabbe; forfalskning, svindel; **— up** ettergjøre, pynte på. **fakement** ['feikmənt] knep; falskt tiggerbrev; svindel, forfalskning.

faker ['feikə] svindler, bedrager.

fakir ['fɑ:kiə] fakir.

faleated ['fælkeitid] sigdformet.

falchion ['fɔ:lʃən] kort sabel; krumsverd.

falciform ['fɔ:lsifɔ:m] sigdformet.

falcon ['fɔ:kən, 'fɔ:lkən] falk. **falconer** ['fɔ:-k(ə)nə] falkonér, falkejeger. **falconry** ['fɔ:kənri] falkeoppdrett; falkejakt.

falderal ['fældə'ræl] småting; småpynt, nipsgjenstand; bagatell, vas.

faldstool ['fɔ:ldstu:l] en slags skammel; bedepult, bedeskammel.

Falkirk ['fɔ:l)kə:k].

Falkland ['fɔ:klənd].

fall [fɔ:l] falle, dette, sige, synke, gå ned; legge seg (om vind); bli (plutselig), inntreffe; gi seg til å, begynne plutselig; fødes (om visse dyr); fall; synking, nedgang; tonefall; helling, hall, brekke, li; vannfall, foss; utløp; kadens; (amr.)

høst; trin; hogst; **the Fall** syndefallet; **his face fell** han ble lang i ansiktet; **his heart fell** hans mot sank; **the wind fell** vinden løyet av, spaknet; **— about** gå for seg, gå til, bære til; **— across** støte på, treffe; **— apart** gå i stykker; **— asleep** falle i søvn; **— astern** bli akterutseilt; **— away** tape seg, bli svakere, tæres hen, falle fra; **— back** trekke seg tilbake (**upon** til); falle tilbake (**upon** på); **— behind** sakke akterut; **— calm** stilne av; **— due** forfalle til betaling; **— flat** falle virkningsløs til jorda; falle så lang man er, kaste seg ned; **— foul** of ryke uklar med; kollidere med; **— ill** bli syk; **— in** falle inn, styrte sammen (om tak etc.); stille seg på plass, gå på plass, stille (om soldater); utløpe, opphøre (f. eks. om pensjon); tre i kraft; bilfalle; **— in love** bli forelsket (**with** i); **— in with** treffe sammen med; falle sammen med, stemme overens med; **— in line** stille seg opp (i geledd), tre på linje (**with** med); **— into** munne ut i (om elv); synke hen i; henfalle til; tiltre (en mening); **— off** falle fra, svikte; falle av (for vinden); tape seg; gå av bruk; **— off from** svikte; **— on** (eller **upon**) overfalle; komme i; **— on** (on adv.) ta fatt (f. eks. på måltid); **— out** falle ut; hende; bli uvenner, ryke uklar (**with** med); **— over** styrte ned; **— short** slippe opp; **— short of** ikke fylle, ikke nå opp til, stå tilbake for; **— through** falle gjennom, ikke bli til noe, gå i stykker, gå over styr; **— to** (to adv.) gi seg i kast med, ta fatt (f. eks. på måltid); **— to** (to prep.) henfalle til; gi seg til; tilfalle; **— to blows** komme i slagsmål; ryke i hop; **— to pieces** falle sammen; **— to work** ta fatt; **— under** falle inn under, høre til; **have a —** falle; **try a — with** prøve en dyst med.

fall [fɔ:l] hval (i Skottland).

fallacious [fə'leiʃəs] uholdbar, bedragersk, villedende, misvisende.

fallacy ['fæləsi] villfarelse; sofisme, falsk slutning.

fal-lals ['fæl'lælz] flitter, dingeldangel, stas; fiksfakserier.

fallback tilbakefall; reserve, noe i bakhånd.

fallboard skodde som er hengslet nedentil.

fallen ['fɔ:l(ə)n] perf. pts. av **fall**.

fall guy (amr.) syndebukk; fjols, godtroende fyr.

fallibility [fæli'biliti] det å kunne ta feil, feilbarhet. **fallible** ['fælibl] som kan ta feil, feilbar.

fall-in oppstilling (militær).

falling sickness epilepsi, fallesyke.

falling star ['fɔ:liŋ'stɑ:] stjerneskudd, stjernerap.

fall-out radioaktivt nedfall; kontrovers.

fallow ['fæləu] blakk, gulbrun; brakk; oppløyd men ikke tilsådd; brakkmark, brakkpløyning; legge brakk; **lie —** ligge brakk; **be in —** ligge brakk. **— deer** dådyr.

Falmouth ['fælməθ].

false [fɔ(:)ls] falsk; usann, ikke sann; uekte, forloren; uærlig, utro; uriktig; **play —** spille falsk, være uærlig; spille et puss, bedra. **falsehood** ['fɔ(:)lshud] usannhet, løgn, svik; uriktighet. **falsely** ['fɔ(:)lsli] falskt, usant; uærlig. **falseness** ['fɔ(:)lsnis] falskhet, forræderi.

falsetto [fɔl'setəu] falsett, fistelstemme.

falsework ['fɔ:lswə:k] forskaling, stillas; avstivning.

falsies ['fɔ:lsiz] bysteholder med skumgummiinnlegg, ≈ løsbryster.

falsification [fɔlsifi'keiʃən] forfalskning; gjendriving. **falsifier** ['fɔ(:)lsifaiə] forfalsker; løgner. **falsify** ['fɔ(:)lsifai] forfalske; gjendrive; gjøre til skamme; svikte. **falsity** ['fɔ(:)lsiti] falskhet; usannhet, usanning; uvederheftighet; svik.

Falstaff ['fɔ:lstɑ:f].

faltboat ['fɔ:ltbəut] sammenleggbar båt.

falter ['fɔ(:)ltə] riste, skjelve, vakle, nøle, bli usikker; stamme. **falteringly** stammende, usikkert.

fam. fk. f. **familiar; family.**

fame [feim] rykte; ry, gjetord, berømmelse. **famed** [feimd] berømt, navngjeten; **ill** — beryktet; **he is** — **to be** han sies å være.

familiar [fə'miljə] bekjent, velkjent, fortrolig; intim; vant; fri, utvungen; endefram; fortrolig venn, gammel kjenning; demon, tjenende ånd; inkvisisjonstjener; familiær; — **with** fortrolig med, inne i. **familiarity** [fəmili'æriti] fortrolighet. **familiarize** [fə'miljəraiz] gjøre fortrolig med, gjøre kjent; sette seg inn i.

familiar spirit tjenende ånd (i magi).

family ['fæmili] familie, huslyd, husstand; ætt; art; slekt; **the eat** — katteslekten; **her little** — hennes små barn; **-doctor** huslege; **in a** — **way** uten krus, i all enkelhet; **be in the** — **way** være fruktsommelig, gravid. — **allowance** ≈ forsørgertillegg. — **estate** stamgods. — **holding** familiebruk. — **man** hjemmemenneske; god husfar. — **name** etternavn. — **silver** arvesølv. — **wage** husstandsinntekt.

famine ['fæmin] hungersnød, sult, mangel, nød, underernæring. — **prices** dyrtidspriser. **famish** ['fæmiʃ] sulte ut, tvinge ved sult, la sulte i hjel; sulte, forsmekte; **famishing** ogs. skrubbsulten.

famous ['feiməs] berømt, navngjeten, vidgjeten; utmerket; ypperlig.

fan [fæn] vifte; rensemaskin, kornrenser; kasteskovl; fjærvinge; fjærvifte; ventilator; begeistret tilhenger, beundrer, entusiast; stryke bortover (om vind); vifte; rense; egge, oppflamme; (fig.) puste til.

fanatic [fə'nætik] fanatisk; fanatiker.

fanatical [fə'nætikl] fanatisk.

fanaticism [fə'nætisizm] fanatisme.

fan belt viftereim.

fancied ['fænsid] innbilt, tenkt; yndet.

fancier ['fænsiə] ynder, libhaber, oppdretter; kjenner; **dog** — hundeoppdretter.

fanciful ['fænsif(u)l] fantastisk; forunderlig; fantasirik; lunefull, narraktig; eventyrlig.

fancy ['fænsi] innbilningskraft, fantasi; innbilning, forestilling, tanke; innfall, grille, lune; lyst, smak; elsk; forkjærlighet, tilbøyelighet; svermeri; kjærlighet; inklinasjon; **take a** — **to** legge elsk på, få sans for, få lyst til.

fancy ['fænsi] tro, mene; tenke seg, forestille seg; sverme for; bry seg om; ha lyst til; — **that!** tenk deg det! — **oneself** ha høye tanker om seg selv.

fancy ['fænsi] fantastisk, fantasi-; kulørt, broket; pynte-, mote-.

fancy|articles motevarer. — **ball** kostymeball. — **butter** fint smør. — **cloth** mønstret tøy. — **diving** sviktstup, kunststup. — **dress** fantasidrakt; kostyme. — **fair** basar (i velgjørende øyemed). — **food** luksuspreget, og ofte litt eksotiske matvarer. — **-free** uberørt av kjærlighet; uforlovet; fri. — **goods** luksusartikler, galanterivarer. — **man** kjæreste; alfons. — **picture** fantasibilde. — **price** eventyrlig pris. — **shop** galanterihandel; broderihandel. — **skater** kunstskøyteløper. — **work** fint håndarbeid, kniplinger.

F. and D. fk. f. **freight and demurrage.**

fandango [fæn'dæŋgəu] fandango.

fane [fein] helligdom, tempel.

fanfare ['fænfɛə] fanfare; store ord.

fanfaronade [fænfærə'neid] skryt, fanfare.

fang [fæŋ] fange, gripe; hoggtann; tannrot; klo.

fanlight ['fænlait] vifteformet vindu over en dør.

fan mail beundrerbrev (til kjente personer).

fanner ['fænə] vifte, rensemaskin.

Fanny ['fæni].

fanny ['fæni] medlem av F. A. N. Y. (s. d.).

fanny ['fæni] tullprat, svada; ende, bakdel.

fan palm ['fænpa:m] viftepalme.

fantail ['fænteil] høystjert (fugl).

fantasia [fæntə'zi:ə, fæn'teiziə] fantasi (i musikk), potpurri. **fantasm** ['fæntæzm] se **phantasm.**

fantastic [fæn'tæstik] fantastisk; innbilt; særling, fantast; grotesk. **fantastication** fantasering, fabulering. **fantasy** fantasi; drømmebilde, blendverk; fantastisk idé.

F. A. N. Y. fk. f. **First Aid Nursing Yeomanry** bet. for en organisasjon som sørger for troppenes forpleining.

F. A. O. fk. f. **Food and Agriculture Organization. faqueer, faquir** [fə'kiə] se **fakir.**

far [fa:] fjern, langt borte, som ligger langt unna; lang, vid; fjernt, langt; vidt; meget, mye; — **away** langt borte; — **off** langt borte, langt bort; — **and near** nær og fjern; — **and wide** vidt og bredt; **I am** — **from wishing** jeg ønsker absolutt ikke; — **from it!** langtfra! — **be it from me to** det være langt fra meg å; **few and** — **between** få og sjeldne; — **and away the best** uten sammenligning (el. absolutt) den beste; **as** — **as** inntil, like til; **for så vidt som,** ikke rettere; **make it go** — få det til å slå godt til; **he is** — **gone in drink** han er meget full; — **on in the day** langt på dag; **by** — **i høy grad; too difficult by** — altfor vanskelig; **from the** — **end of the room** fra den motsatte del av værelset; **the** — **side of the horse** den høyre side av hesten; **a** — **journey** en lang reise; **a** — **cry** en lang vei; **is London** —? er det langt til London?; **so** — **as to** i den grad at.

farad ['færəd] farad (elektrisk kraftenhet). **Faraday** ['færədi, 'færədei].

far-away ['fɑ:rə'wei] fjern, (om utseende) drømmende.

farce [fɑ:s] farsere, fylle; farse, fyll; farse (teaterstykke). **farceur** [fɑ:'sə:] komiker; spøkefugl; komedieforfatter. **farcical** ['fɑ:sikl] farseaktig.

farcy ['fɑ:si] utslett (hos hester), snive.

fardel ['fɑ:dl] byrde.

fare [fɛə] fare, ha det, befinne seg; spise og drikke, leve; ferjepenger, frakt, skyssbetaling, billettpris, takst; fortjeneste (for kjøring); passasjer; kost, mat; **you may go further and** — **worse** en kan lete lenge uten å finne noe bedre; vær tilfreds med det du har; **I had -d very hard** det hadde gått meg meget dårlig; **it -d well with us** det gikk oss godt; — **well** leve godt, spise og drikke godt; **table of -s** taksttariff; **bill of** — spiseseddel; takst; **coarse** — grov kost; **ordinary** — husmannskost.

the Far East Det fjerne østen.

fare|meter takstameter. — **stage** takstsone, takstgrense.

farewell ['fɛə'wel] farvel; avskjeds-; **give -s** gi avskjedskonserter.

far-famed ['fɑ:'feimd] navngjeten, berømt.

far-fetched ['fɑ:'fetʃt] søkt, unaturlig.

far-flung ['fɑ:'flʌŋ] vidstrakt.

far-gone ['fɑ:'gn] langt nede eller ute m. h. t. sykdom, galskap, drikk, gjeld.

farina [fə'rainə] mel; blomsterstøv. **farinaceous** [færi'neiʃəs] melet, melen, melaktig. **farinose** ['færinəus] melet.

Farish ['fɛəriʃ] færøysk.

farm [fɑ:m] gård, bondegård, avlsgård; forpakte bort; forpakte, ta i forpaktning, bygsle; dyrke (jorda), drive (en gård osv.). **farmer** ['fɑ:mə] bonde, forpakter, bygselmann, leilending; landmann. **farmeress** ['fɑ:məris] forpakterske.

farmhand (amr.) landarbeider. **farmhouse** forpakterbolig; bondegård; **farming** ['fɑ:miŋ] landbruk, jordbruk.

farm | land dyrkbar jord, landbruksjord.

farmost ['fɑ:məust] fjernest, som ligger lengst borte.

farmstead ['fɑ:msted] bondegård; gårdsbruk; landbruk, jordbruk.

farmyard ['fɑ:m'jɑ:d] gårdsrom, tun.

faro ['fɛərəu] et slags kortspill.

Faroe Islands ['fɛərəu'ailəndz], **the** — eller **the Faroes** Færøyene. **Faroese** [fɛərəu'i:z, -'i:s] færøysk; færøying.

far-off ['fɑ:'rɔf] fjerntliggende, fjern.
farouche [fə'ru:ʃ] uomgjengelig; sky, vill.
far-out (amr.) ytterliggående, ekstrem; distré, langt borte.
Farquhar ['fɑ:k(w)ə].
farrago [fə'reigou] blanding, røre, miskmask.
far-reaching ['fɑ:ri:tʃŋ] vidtrekkende.
farrier ['færiə] hovslager; dyrlege. **farriery** ['færiəri] grovsmedhåndverk, hovsmie.
farrow ['færou] grise, få griser; kull grisunger.
farrowing pen svinesti, grisebøle.
far-seeing ['fɑ:'si:iŋ] vidtskuende, fremsynt.
far-sighted ['fɑ:'saitid] vidtskuende; langsynt.
fart [fɑ:t] fis, fjert; fise, fjerte.
farther ['fɑ:ðə] fjernere; lenger bort(e); videre; lenger; **on the — side of** på den andre siden av. **Farther India** Bakindia. **farthest** ['fɑ:ðist] fjernest, lengst.
farthing ['fɑ:ðiŋ] kvartpenny; dust, grann, døyt; **I don't care a —** jeg bryr meg ikke en døyt om.
farthingale ['fɑ:ðiŋgeil] fiskebensskjørt.
f. a. s. fk. f. free alongside ship.
F. A. S. fk. f. Fellow of the Antiquarian Society; Fellow of the Society of Arts.
fasces ['fæsiz] riskjerv, risknippe, fasces.
fascia ['fæʃə] bind, forbinding; bånd, flat list; dashbord, instrumentbord; senehinne.
fascicle ['fæsikl] knippe, bunt; hefte.
fascinate ['fæsineit] fjetre, fortrylle, beta, fengsle. **fascination** [fæsi'neiʃən] fortryllelse, betagelse, tiltrekning. **fascinator** sjarmør, fascinerende person.
fascism ['fæʃizm] fascisme. **fascist** ['fæʃist] fascist; **the — movement** fascistbevegelsen.
fash [fæʃ] bry, plage; ergre seg; bli lei av; plage; ergrelse; bekymring, bry; ubehagelig person.
fashion ['fæʃən] form; fasong; mote, snitt; skikk, skikk og bruk, vedtekt; lag, vis, måte; danne, forme; avpasse, innrette; **be (become) the —** være (bli) mote; **after a —** på en måte, på sett og vis; **in (the) —** på moten, moderne; **out of —** gått av mote, gammeldags, umoderne; **set a —** danne skole; **the latest —** siste mote; **the world of —** moteverdenen; **a man of —** en fin mann. **fashionable** ['fæʃənəbl] fin; moderne, motepreget. **fashioned** ['fæʃənd] formet, avpasset. **fashion | book** motejournal. **— minded** motebevisst. **fashionist** ['fæʃənist] motenarr, spjert. **fashion | monger** motedyrker. **— parade** moteoppvisning. **-setting** motedannende.
fast [fɑ:st] fast; sterk, holdbar, varig; hurtig, rask; flott, lettlyndt; lettsindig, utskeiende; emansipert; dyp (om søvn); feste, tau; **make — gjøre fast**, lukke forsvarlig, fortøye; **play — and loose with** behandle uhederlig, utnytte og svikte; ikke ta det så nøye med, leke med. **—freight** ilgods; **— friends** svorne venner; **— train** hurtigtog; **my watch is —** klokka min går for fort; **— girl** lettsindig kvinne; **— liver, — man** levemann; **— lady** emansipert (for fri) dame; **he goes too —** han dømmer for overilt; **live too —** leve for sterkt; **he went — asleep** han falt i en dyp søvn; **— coloured** ekte i fargen.
fast [fɑ:st] faste. **-day** fastedag.
fast | buck (amr.) lettjente penger (ofte ved litt uhederlige metoder). **— buck operator** ≈ bondefanger. **— charger** hurtiglader. **— dyed** fargeekte.
fasten ['fɑ:sn] gjøre fast, feste; stenge; sikre; lukke; sammenføye; feste seg. **fastener** ['fɑ:snə] befester; festemiddel, bindemiddel. **fastening** ['fɑ:sniŋ] feste; holder.
fastidious [fə'stidjəs] kresen, fin på det. **-ness** [fə'stidjəsnis] kresenhet.
fasting ['fɑ:stiŋ] faste.
fastness ['fɑ:stnis] fasthet, støhet, (lys)ekthet; hurtighet; lettlivethet; befestet sted, festning.
fat [fæt] fet, feit; svær, tykk, tjukk; velforsynt; fruktbar; fett, det fete, fedme; fete, meske,

fetne, tykne; **to eat it — overdrive**; slå stort på; **eat up — dø rik; a — lot** en stor mengde, (også ironisk) svært lite; **that's going to do a — lot of good** det får du ikke mye glede av; **— types** fete typer; **live on the — of the land** ha det som plommen i egget, leve fett; **the fat's in the fire** det blir leven, nå er hundreogett ute; **kill the fatted calf for** slakte den fete kalven for.
fatal ['feit(ə)l] skjebnesvanger, skjebne-, livsfarlig; ødeleggende, drepende, dødelig. **fatalism** ['feitəlizm] fatalisme. **fatalist** ['feitəlist] fatalist; fatalistisk. **fatalistic** [feitə'listik] fatalistisk. **fatality** [fə'tæliti] uunngåelig skjebne; fare; ulykke; dødelighet.
fatally ['feitəli] dødelig, livsfarlig, skjebnesvangert.
fata morgana ['fɑ:tə mɔ:'gɑ:nə] fatamorgana, luftspeiling, hildring.
fate [feit] skjebne, skjebnen, lagnad; **the Fates** skjebnegudinnene, parserne, nornene. **fated** ['feitid] skjebnebestemt, forutbestemt. **fateful** [-ful] skjebnesvanger, avgjørende; illevarslende; dødbringende.
fathead ['fæthed] dumrian, kjøtthue, naut.
fatheaded ['fæt'hedid] «tjukk i hue», nauten.
father ['fɑ:ðə] far, fader; være far til; fostre; ta til seg som barn; **-s** fedre, opphav; **— upon (on)** legge ut som far; tillegge forfatterskapet av; tilskrive; **she -ed the child upon him** hun la ham ut som barnefar. **Father Christmas** julenissen. **— confessor** skriftefar. **-hood** farskap; forfatterskap. **-in-law** svigerfar. **-land** fedreland. **-less** farløs. **-liness** farskjærlighet. **-ly** faderlig.
fathom ['fæðəm] favn (lengdemål, 1,828 meter); måle dybden av, lodde; utgrunne, fatte. **fathomable** ['fæðəməbl] som kan måles; utgrunnelig. **fathomless** ['fæðəmlis] bunnløs; uutgrunnelig. **fathom line** loddline.
fatigue [fə'ti:g] tretthet, utmattelse; anstrengelse, besværlighet; leirarbeid; trette, utmatte, anstrenge. **— dress** leirantrekk, arbeidsuniform. **— fracture** tretthetsbrudd. **— party** arbeidskommando.
fatiscent [fə'tisənt] som slår sprekker, forvitrende.
fatling ['fætliŋ] tykkfallen; gjøkalv.
fatness ['fætnis] fedme.
fatten ['fætn] fete, feite opp, gjø; gjødsle; fetne, tykne, bli fet, meske seg.
fattish ['fætiʃ] fetladen.
fatty ['fæti] fet, feit, fett-; tykksak.
fatuity [fə'tju:iti] enfoldighet, tåpelighet, toskeskap. **fatuous** ['fætjuəs] enfoldig, tåpelig, dum, fjollet; innbilt, uvirkelig.
fat-witted ['fæt'witid] «tjukk i hue», tungnem.
faubourg ['foubuəg] forstad (især til Paris).
faucal ['fɔ:k(ə)l] svelg-. **fauces** ['fɔ:si:z] svelg.
faucet ['fɔ:sit] tapp, kran, hane, rørmuffe.
faugh [fɔ:] fy! isj!
fault [fɔ(:)lt] feil, lyte, mangel; skyld, forseelse, mistak; **it is my —** det er min skyld; **through no — of mine** ikke min skyld; **for (el. in) — of** i mangel av; **be at —** være på villspor, ha tapt sporet; **find — with** dadle, bebreide, ha noe å utsette på, laste; **to a —** altfor mye, til overmål, for mye av det gode. **-finder** ['fɔ(:)ltfaində] dadler, kritiker. **-finding** kritikksyke, daddel; kritikksyk. **faultily** ['fɔ(:)ltili] mangelfullt, ufullkomment, uriktig. **faultiness** ['fɔ:ltinis] mangelfullhet, uriktighet. **faultless** ['fɔ:ltlis] feilfri. **faulty** ['fɔ(:)lti] lytefull, full av feil, ufullkommen, mangelfull.
faun [fɔ:n] faun, skoggud.
fauna ['fɔ:nə] fauna; dyrerike; dyreliv; -be-stand.
fauteuil ['fəuta:i] lenestol; orkesterplass, parkettplass.
faux pas ['fou'pɑ:] feiltrinn.
favour ['feivə] gunst, yndest, velvilje, gunstbevisning; tjeneste; gave; ærede skrivelse (i forretningsbrev); sløyfe e. l. (som bæres som tegn,

f. eks. **wedding** —); forkjærlighet; partiskhet; favorisere, foretrekke, begunstige, støtte; beære; gjøre en en tjeneste; **in** — **of** til fordel for; velvillig mot; heldig for; **be in** — **with** være yndet av; **without fear or** — ≈ uten persons anseelse, objektivt; **in one's** — til fordel for en; **out of** — i unåde; **by (the)** — **of** ved hjelp av; **find** — bli populær; **your** — **of the 6th inst.** Deres ærede skrivelse av 6. d. m.; **in your** — i Deres favør.

favourable ['feiv(ə)rəbl] gunstig, heldig, positiv.

favourite ['feiv(ə)rit] yndling; favoritt; yndlings-; — **dish** livrett; — **reading** yndlingslektyre.

favouritism ['feiv(ə)ritizm] nepotisme, favorisering.

Fawkes [fɔːks]. **Guy Fawkes' day** 5. nov.

fawn [fɔːn] dåkalv; råkalv; lysebrun; blakk, brunblakk; — **-coloured** lysebrun.

fawn [fɔːn] kalve (om dådyr).

fawn [fːn] logre for, smigre; bøye seg, smiske, krype (**upon** for).

fay [fei] fe, hulder, alv.

fay [fei] sammenfuge, tilpasse nøyaktig.

faze [feiz] bringe ut av fatning, forfjamse.

F. B. A. fk. f. **Fellow of the British Academy.**

F. B. I. fk. f. **Federation of British Industries;** (amr.) **Federal Bureau of Investigation** statspolitiet.

F. C. fk. f. **football club.**

feap., fep. fk. f. **foolscap.**

F. D. fk. f. **Fidei Defensor** (= defender of the faith).

F. D. A. fk. f. (amr.) **Food and Drug Administration.**

F. D. R., FDR fk. f. **Franklin Delano Roosevelt.**

fealty ['fiːəlti] lenslydighet, vasallplikt, troskap.

fear [fiə] frykt, skrekk, støkk, ank; frykte, ottes; være redd (for); **-s** (pl.) engstelse, frykt; **for** — **of** av frykt for; **in** — **of** i frykt for; — **of** frykt for, ærefrykt; — **of God** gudsfrykt; **no fear!** det er det ingen fare for! **fearful** ['fiəf(u)l] fryktsom, bange, redd, ottefull; fryktelig, skrekkelig. **fearfully** ['fiəfəli] fryktelig. **fearless** ['fiəlis] uten frykt, uforferdet. **fear-monger** ['fiəmʌŋgə] kryster. **fearnought** ['fiənɔːt] vågehals; hjertestyrker (drink); tykk jakke; vadmel. **fearsome** ['fiəsəm] gruelig, skrekkelig; engstelig.

feasibility [fiːziˈbiliti] gjørlighet, mulighet. **feasible** ['fiːzibl] gjørlig, mulig; rimelig.

feast [fiːst] fest; festmåltid, gilde, lag, gjestebud; (fig.) glede, fryd, nytelse; holde gilde, spise og drikke godt, godgjøre seg; beverte, traktere, fornøye, fagne. **feaster** ['fiːstə] gjest; vert. **feasting** ['fiːstiŋ] gilde, traktement, festlighet.

feat [fiːt] dåd, heltegjerning, bedrift, prestasjon, karsstykke; ferdighet, kunst, kunststykke.

feather ['feðə] fjær; fuglevilt; sette fjær i, dekke med fjær; fjærkle; vaie som fjær, spre seg, frynse seg, skjene; dempe; **in high** — i loftet stemning; velopplagt; **I haven't got a** — **to fly with** jeg har ikke en øre i lommen; **a**— **in one's hat** en fjær i hatten, noe å være stolt av; **be in full** — være i full puss; **you might have knocked him backwards with a** — han var helt paff; **show the white** — være feig; **fine -s make fine birds** klær skaper folk; **birds of a** — **will flock together** like barn leker best, krake søker make; — **one's nest** mele sin egen kake.

feather | **bed** fjærdyne, dyne; (fig.) behagelig situasjon. **-brained** tankeløs; vimset. — **broom** fjærkost, fjærving. — **brush** støvekost. — **driver** fjærrenser. — **duster** fjærkost, fjærving. — **edge** tynn kant, løvkant (når en planke er tynnere på den ene siden enn på den andre). — **game** fuglevilt. — **head** tankeløst menneske, vims. **-headed** vimset, tankeløs.

feather|**ing** ['feðəriŋ] fjærham, fjærkledning; fjærskifte, fjærfelling. **-less** ['feðəlis] fjærløs, uten fjær. **-let** ['feðəlit] liten fjær. — **scarf** fjærboa. **-stitch** silkesting.

featherweight ['feðəweit] fjærvekt; fjærvektsbokser.

feathery ['feðəri] fjærkledd; fjærlett.

featly ['fiːtli] nett, knøten, snerten.

feature ['fiːtʃə] form, skikkelse; ansiktstrekk; drag, mine, trekk (også figurlig); vesentlig ledd; moment; innslag; særlig attraksjon; (hoved-)-nummer, (hoved-)film, spillefilm; stort oppslått artikkel; avisrubrikk; (i radio) hørebilde; ligne, svipe på, ha samme ansikt som; kjennetegne; by på, slå stort opp (en artikkel); **features** ansiktstrekk, ansikt. **featured** ['fiːtʃəd] med trekk; **ill-featured** stygg. **feature film** hovedfilm, spillefilm. **featureless** ['fiːtʃəlis] uten bestemte trekk.

feaze [fiːz] trevle opp, rekke opp.

Feb. fk. f. **February.**

febrifuge ['febrifjuːdʒ] feberstillende; febermiddel. **febrile** ['fiːbrail] febersyk; febril.

February ['februəri] februar.

fec. fk. f. **fecit** (= **made**).

fecal ['fiːkəl] bermet, tykk, gjørmet, skitt-. **feces** ['fiːsiːz] berme; gjørme; avføring.

feckless ['feklis] kraftløs, doven, dårlig, nytteløs.

feculence ['fekjuləns] bunnfall, grums; gjørme. **feculent** ['fekjulənt] grumset, gjørmet, skitten. **fecund** ['fekənd, 'fiː-] fruktbar. **fecundate** ['fekəndeit, 'fiː-] gjøre fruktbar; befrukte. **fecundation** [fekənˈdeiʃən, fiː-] det å gjøre fruktbar; befruktning. **fecundity** [fiˈkʌnditi] fruktbarhet.

fed [fed] imperf. og perf. pts. av **feed.**

Fed. fk. f. **Federal; Federation.**

federal ['fedərəl] forbunds-, sambands-; (i den amr. borgerkrig) nordstats-; stats-. **federalism** ['fedərəlizm] føderalisme. **federalist** ['fedərəlist] føderalist. **federate** ['fedəreit] forene; forene seg; ['fedərit] alliert, forbunden. **federation** [fedəˈreiʃən] føderasjon, forbund. **federative** ['fedərətiv] føderativ; forbunds-, sambands-.

fedora [fiˈdɔːrə] bløt hatt.

fed-up luta lei (**with** av), fått nok.

fee [fiː] betaling, lønn, honorar, salær, skolepenger, gebyr; len, gods; full eiendomsrett, selveiendom; betale, lønne, gi drikkepenger; **entrance** — inngangspenger. — **simple el. absolute** — selveiendom.

feeble ['fiːbl] svak, veik, matt; hjelpeløs. — **-minded** vaklende, vinglet, svak; forsagt; åndssvak, evneveik. **feebleness** ['fiːblnis] svakhet. **feebly** ['fiːbli] svakt; matt.

feed [fiːd] fôre, nære, gi føde, mate, gi mat, bespise, amme; forsørge, ernære; tilføre næring; beite; spise, ete; leve (**on** av); lede, tilføre, mate, føre fram; fôr, næring, beite; måltid; rasjon; føde. **feedback** tilbakekopling, akustisk runddans (radio). **feed bag** mulpose. **feed box** fôrkasse. **feeder** ['fiːdə] fôrer, røkter; eter, spiser; gjøkalv; tilførselskanal. tilbringer; bielv, sideelv; sidebane; smekke. **feeding** fôr, føde osv. **feeding bottle** tåteflaske. **feed pipe** føderør, tilførselsrør. **feed pump** fødepumpe.

fee-faw-fum ['fiːˈfɔːˈfʌm] bø! interjeksjon som særlig brukes i eventyr av troll og kjemper, ≈ jeg lukter kristenmanns blod; skremsel.

feel [fiːl] føle, kjenne, få en fornemmelse av; føle seg, kjenne seg, være til mote, befinne seg; tro, synes, mene; famle (følelse; atmosfære, preg; — **cold** fryse; **the hall feels cold** hallen gjør et kaldt inntrykk; — **cordially with** sympatisere hjertelig med; **it feels soft** det er bløtt å ta på; **I feel like a bath** jeg har lyst på et bad.

feeler ['fiːlə] følehorn, veidehorn, værhorn, veidehår, værhår; prøveballong, prøveklut.

feelless ['fiːlis] uten salær, uten pasienter.

feeling ['fiːliŋ] følende; medfølende, følsom; varm; levende; følelse, kjensle, medfølelse; oppfatning; **a wave of** — en stemningsbølge; **the -s ran high** (fig.) bølgene gikk høyt; **have a** — **for** ha sans for. **-ly** med følelse.

feet [fiːt] føtter; fot (som mål).

feign [fein] fingere, late som, forstille, forstille seg, hykle; oppdikte; **make a -ed submission** underkaste seg på liksom.
feignedly ['feinidli] forstilt, påtatt, fingert, på liksom.
Fein: Sinn Fein ['ʃin'fein] et irsk parti.
feint [feint] list, forstillelse, knep; finte; skinnangrep; **make a — of doing** late som om en gjør.
feldspar ['feldspɑ:] feltspat (mineral).
felicitate [fi'lisiteit] lykkønske, gratulere.
felicitation [filisi'teiʃən] lykkønskning.
felicitous [fi'lisitəs] lykkelig; heldig; velvalgt, treffende.
felicity [fi'lisiti] lykke, hell; lykkelig evne.
feline ['fi:l(a)in] katteaktig, katte-.
Felix ['fi:liks].
fell [fel] imperf. av **fall.**
fell [fel] fæl, grusom, umenneskelig, ødeleggende.
fell [fel] berg, knaus, fjell; hei, mo.
fell [fel] skinn, hud, fell; pels.
fell [fel] felle; hogge ned.
fellah ['felə] pl. **fellaheen** [felə'hi:n], **fellahs** ['feləz] fellah (egyptisk bonde).
feller ['felə] vulg. for **fellow;** tømmerhogger.
fell-field fjellmark.
felling hogst; falding (i klær).
fellmonger ['felmʌŋgə] skinnhandler.
felloe ['feləu] hjulfelg.
fellow ['feləu] felle, kamerat, følgesvenn; kollega; medlem (av et selskap osv.); lagsmann; stipendiat; like, likemann, make; svenn, medhjelper, kollega, embetsbror; fyr, kar; **-s in arms** våpenbrødre; **one's -s** ens medmennesker; **my dear — kjære venn; old —! gamle venn! — citizen** medborger. — **commoner** student som spiser sammen med **fellows. — countryman** landsmann. — **creature** medskapning, medmenneske. — **feeling** medfølelse, samfølelse.
fellowship ['feləuʃip] fellesskap, kameratskap, forbindelse; hopehav, delaktighet; medlemskap; forening, sammenslutning; andel; likhet; selskap, omgang; universitetslegat, stipend(ium); selskapsregning, delingsregning.
fellow | soldier soldatkamerat. — **sufferer** lidelsesfelle. — **traveller** medreisende; sympatisør, medløper.
fell seam innersøm.
felly ['feli] hjulfelg.
felo-de-se ['feləu di 'si:] selvmorder; selvmord.
felon ['felən] verkefinger.
felon ['felən] forbryter, brottsmann. **felonious** [fe'ləunjəs] forbrytersk, kriminell; skjendig. **felony** ['feləni] forbrytelse; grov forbrytelse, som straffes med fengsel el. døden.
felt [felt] imperf. og perf. pts. av **feel.**
felt [felt] filt; filthatt, hatt; filte; **roofing —** takpapp.
felucca [fe'lʌkə] felukk (lettbygd, hurtiggående seil- og rofartøy, alm. i Middelhavet).
fem. fk. f. feminine.
female ['fi:meil] kvinnelig; kvinne; hun (om dyr); — **friend** venninne; — **slave** slavinne; — **screw** møtrik, mutter, skrumor. — **suffrage** kvinnelig stemmerett. — **operatives** fabrikkarbeidersker.
feme [fem] hustru, kvinne (juridisk uttrykk); — **covert** ['kʌvət] gift kone. — **sole** ugift kvinne, enke.
femineity [femi'ni:iti] kvinnelighet.
feminine ['feminin] kvinnelig; kvinneaktig; hunkjønns-. — **ending** linjeavslutning med siste stavelse ubetont. — **gender** hunkjønn. — **pursuits** kvinnelige sysler. — **rhyme** kvinnelig rim (rim på to stavinger, hvorav den siste er ubetont).
femininity [femi'niniti] kvinnelighet, kvinnelig egenskap; kvinneverdenen; hunkjønn.
feminism ['feminizm] feminisme, kvinnesaksbevegelse; **new —** nyfeminisme. **feminist** ['feminist] feminist, kvinnesaksforkjemper.

femoral ['femərəl] lår-.
fen [fen] myr. **-berry** tranebær.
fen [fen] forby (i barnespråk); — **larks!** ingen dumheter!
fence [fens] gjerde, hegn, gard; vern; fektning, fektekunst; heler; helers gjemmested; innhegne, gjerde inn; forsvare; forsvare seg; fekte; selge til heler; komme med utflukter, omgå sannheten; **sit on the —** stille seg avventende. **fenceless** ['fenslis] åpen, uten vern. **fencer** ['fensə] fekter; heler. **fence month** fredningstid. — **post** gjerdestolpe. **fencible** ['fensibl] som kan forsvares; våpenfør; landvernsmann; i pl: landvern. **fencing** ['fensiŋ] fekting; inngjerding, innhegning; gjerdemateriale; avskjerming; det å vike unna. **fencing master** fektemester. **fencing school** fekteskole.
fend [fend] avverge, avparere; unngå; ta av for; streve, stri; — **for oneself** klare seg selv; — **off** avverge, ta av for. **fender** ['fendə] kamingitter; fender, støtfanger.
fenestral [fi'nestrəl] vindus-.
fen fire lyktemann.
Fenian ['fi:njən] fenier-; fenier; **the — brotherhood** et samfunn, stiftet i Amerika for å styrte engelskmennenes makt i Irland.
fennel ['fenl] fennikel.
fennish ['feniʃ] myr-, myrlendt.
fenny ['feni] myr-, myrlendt.
fen reeve ['fen'ri:v] myroppsynsmann, myrfoged.
fen runners ['fen'rʌnəz] et slags skøyter.
fen soil myrjord.
fent [fent] rest, tøystykke (med feil).
fenugreek ['fenjugri:k] bukkehornkløver (plante).
feod [fju:d] len (se **feud**).
feoff [fi:f] len; gi til len, gi len. **feoffee** [fi:'fi:] lensmann, vasall. **feoffer** ['fi:fə] lensherre. **feoffment** ['fi:fmənt] len, forlening.
feracious [fə'reiʃəs] meget fruktbar.
feral ['fiərəl] vilt, utemt; udyrket; rå.
feretory ['feritri] helgenskrin; likbåre.
ferial ['fiəriəl] ferie-; virkedags-, hverdags-.
ferine ['fiərain] vill; barbarisk; villdyr.
Feringhee [fi'riŋgi] indisk-portugiser, europeer.
ferment [fə'ment] sette i gjæring; gjære, ese, gå. **ferment** ['fə:mənt] gjær; gjæring, esing, gang; enzym. **fermentable** [fə'mentəbl] som kan gjære. **fermentation** [fə:mən'teiʃən] gjæring, esing, gang; opphisselse, uro. **fermentative** [fə'mentətiv] gjærende, som forårsaker esing, gang.
fern [fə:n] bregne. **fernery** ['fə:nəri] bregnebeplantning. **fern seed** bregnesporer. **ferny** ['fə:ni] full av bregner.
ferocious [fə'rəuʃəs] vill, sint, olm, glupsk, blodtørstig; voldsom. **ferocity** [fə'rositi] villhet, glupskhet osv.
ferreous ['feriəs] jern-, jernholdig.
ferret ['ferit] (bomulls- eller silke-) bånd.
ferret ['ferit] en slags ilder el. mår som brukes til rottejakt og kaninjakt; forfølge; etterspore, støve etter. — **eyes** stikkende øyne.
ferriage ['feriidʒ] ferjepenger; ferjeskyss, ferjefart.
ferric ['ferik] jern-.
ferriferous [fe'rifərəs] jernholdig.
ferro ['ferəu] sammensetninger: jern-, f. eks. **ferroconcrete** ['ferəu'kɔ:ŋkri:t] jernbetong. **ferromagnetic** ferromagnetisk. **ferrosilicon** [-'si-] ferrosilicium. **ferrugineous** [ferə'dʒiniəs], **ferruginous** [fe'ru:dʒinəs] jernholdig; rustfarget. **ferrugo** [fe'ru:gəu] jernrust; rust (på planter).
ferrule ['feru:l, 'ferəl] doppsko, holk; bøssing.
ferry ['feri] ferje, ferjested; ferje, overføre. **ferry berth** ferjeleie. — **boat** ferje, ferjebåt. **-man** ferjemann.
fertile [fə:tail] fruktbar; (fig.) rik, oppfinnsom. **fertility** [fə:'tiliti] fruktbarhet. **fertilization** [fə:tilai'zeiʃən] det å gjøre fruktbar, gjødsling; befruktning. **fertilize** ['fə:tilaiz] gjøre frukt-

bar; gjødsle; befrukte. **fertilizer** ['fə:tilaizə] gjødsel, gjødningsstoff. — **distributor** kunstgjødselspreder.

ferule ['feru:l] ferle, kjepp, påk; slå med en ferle.

fervency ['fə:vənsi] fyrighet, varme, inderlighet, iver. **fervent** ['fə:vənt] varm, brennende, fyrig, ivrig, inderlig. **fervid** ['fə:vid] het, brennende. **fervour** ['fə:və] hete, varme, heftighet, inderlighet.

fescue ['feskju:] pekepinne; svingel (gresart).

festal ['festəl] fest-, festlig.

fester ['festə] sette betennelse i, svelle ut, verke, avsondre materie; råtne, ete om seg, gnage, fortære; svull, verk, betent sår.

festinate ['festineit] skynde på.

festival ['festivəl] fest-, festlig; festdag, høytid; fest, stevne. **festive** ['festiv] lystig, festlig, glad. **festivity** [fe'stiviti] feststemning, festlighet, fest.

festoon [fe'stu:n] girlander, pryde med girlander.

fetal ['fi:tl] foster-.

fetch [fetʃ] dobbeltgjenger, vardøger.

fetch [fetʃ] hente; innbringe, komme opp i (ved salg); gjøre inntrykk på, gjøre virkning på, bite på; forbause, imponere; — **a blow** deise til en; — **a sigh** sukke; — **and carry** apportere (om hunder). **fetch** [fetʃ] kunstgrep, knep, list, fiff.

fetcher ['fetʃə] en som henter; — **and carrier** hund som apporterer; lydig slave. **fetching** ['fetʃiŋ] fengslende, fortryllende, vinnende, pen.

fête [feit] fest, veldedighetsfest; navnedag; gjøre fest for; fetere. — **grounds** festplass.

fetich ['fi:tiʃ, 'fetiʃ] osv. se **fetish.**

feticide ['fi:tisaid, 'fet-] fosterdrap; fosterfordrivelse.

fetid ['fetid, 'fi:tid] stinkende.

fetish ['fi:tiʃ, 'fetiʃ] fetisj. **-ism** [-izm] fetisjdyrking.

fetlock ['fetlɔk] hovskjegg; ankelledd (på hest).

fetor ['fi:tə] tev, stank.

fetter ['fetə] lenke, legge i lenker; binde; tjore; lenke, fotlenke, helde, tjor; tvang, bånd.

fettle ['fetl] orden, god stand; sette i stand.

fetus ['fi:təs] føtus, foster.

feu [fju:] (skotsk) bygsel, forpaktning, len; grunn; bortfeste, bortforpakte, bygsle, forpakte.

feud [fju:d] (stamme-)feide, ufred, strid; len.

feudal ['fju:d(ə)l] feudal, lens-. **feudalism** ['fju:dəlizm] lensvesen, feudalsystem. **feudality** [fju:'dæliti] lensforhold, feudalsystem. **feudary** ['fju:dəri] lensmann, vasall. **feudatary** ['fju:dətəri], **feudatory** ['fju:dətəri] feudal, lens-; lensmann, vasall; len. **feudist** ['fju:dist] kjenner av lensvesenet.

feuilleton ['fə:jətɔŋ] føljetong; ≈ kultursidene i en avis; kronikk.

fever ['fi:və] feber; få feber; bringe i feber; **ravings of** — feberfantasier. — **blister** forkjølelsessår. — **chart** ≈ feberkurve. **fevered** febersyk; opphisset. **feverish** ['fi:vəriʃ] febersyk; feberaktig; usunn.

fever|-ridden feberherjet. — **-stricken** feberherjet. **-trap** feberherjet område.

few [fju:] få; **a few** noen få, et par; **quite a** — en hel del, temmelig mange; **the** — mindretallet. **fewer** ['fju:ə] færre. **fewest** ['fju:ist] færrest. **fewness** ['fju:nis] det å være få, fåtallighet.

fewtrils ['fju:trilz] bagateller.

fey [fei] døden nær, dødsmerket; feig.

fez [fez] fess (muhamedansk lue).

ff. fk. f. **fortissimo; following (pages).**

F. G. fk. f. **Foot Guards.**

F. G. S. fk. f. **Fellow of the Geological Society.**

F. H. fk. f. **fire hydrant.**

fiancé, **fiancée** [fi'ɑ:nsei] forlovede.

fiasco [fi'æskəu] fiasko.

fiat ['faiət] (jur.) ordre, befaling; samtykke, sanksjon, godkjenning, fullmakt.

fib [fib] fabel, usannhet, skrøne, løgn; slag; denge, slå. **fibber** ['fibə] løgnhals.

fibre ['faibə] fiber, trevl, tråd; karakter,

støpning. — **board** fiberplate. — **flax** spinnelin. **fibril** ['faibril] liten fiber, fin trevl; rothår. **fibrin(e)** ['faibrin] fibrin. **fibrous** ['faibrəs] trevlet, trådet.

fibster ['fibstə] lønghals, skrønemaker.

fibula ['fibjulə] spenne; leggbein; synål (i kirurgi). **fibulated** ['fibjuleitid] spenneformet.

fichu ['fi:ʃu:] fichu.

fickle ['fikl] vaklende, ustø, lunefull, ubestemt, skiftende, vankelmodig. **-ness** foranderlighet, vankelmodighet.

fictile ['fiktil] formet; pottemaker-.

fiction ['fikʃən] oppfinnelse, oppdikting, dikt, oppspinn, fiksjon; skjønnlitteratur; **a work of** — en diktning, roman. **fictional** oppdiktet, konstruert; skjønnlitterær. **fictionist** ['fikʃənist] romanforfatter.

fictitious [fik'tiʃəs] diktet, oppdiktet; fingert, uekte, forloren, falsk; — **gem** uekte edelsten. **fid** [fid] spleishorn; sluttholt. **fid. def.** fk. f. **fidei defensor.**

fiddle ['fidl] fiolin, fele; taskenspiller, bondefanger; **as fit as a** — ≈ frisk som en fisk. **fiddles** ogs. slingrebretter. **fiddle** spille fiolin, spille på fele; plukke på, fingre med; kaste bort tiden, fjase; lure, snyte. **fiddlededee** [fidldi'di:] vas, tøv, tull, vrøvl. **fiddle-faddle** ['fidlfædl] tøv, vrøvl.

fiddler ['fidlə] fiolinspiller; spillemann; bondefanger; somlekopp; sixpence (mynten); **drunk as a** — full som en alke.

fiddlestick ['fidlstik] fiolinbue; bagatell, tøys. **fiddlesticks!** snakk! vas! sludder!

fiddley ['fidli] innviklet puslearbeid.

fiddly ['fidli] kjedelig.

fidelity [fi'deliti] troskap; nøyaktighet. — **bond** garantipolise.

fidget ['fidʒit] være urolig; være rastløs; ikke ha ro på seg, være nervøs, vimse omkring; uro, vimsing; en som ikke kan holde seg i ro, vims; — **with** fikle med, plukke på.

fidgety ['fidʒiti] urolig, nervøs; vimset.

fiducial [fi'dju:ʃəl], **fiduciary** [fi'dju:ʃəri] tros-, som bygger på tro; betrodd; tillitsmann, formynder.

fie! [fai] fy! — **upon you!** — **for shame** fy! fy for fanden!

fief [fi:f] len.

field [fi:ld] mark; jorde; åker; eng; løkke; felt, valplass; feltslag; område; bane, spilleplass (i sport); alle spillerne; alle veddeløpshestene; jaktselskap; terreng, lende, grunn, bakgrunn (i maleri); synsfelt; felt (i våpen); rykke i marka; (i cricket) være markspiller; **in the** — på marka, ute på landet; **oil** — oljefelt; **on the** — på slagmarken; — **of battle** valplass; slagmark; **keep the** — kampere i felten; fortsette felttoget; holde valplassen; **lose the** — tape kampen, lide nederlag; **take the** — rykke i felten, dra i krigen; — **the ball** (i cricket) gripe ballen og kaste den inn til gjerdet.

field | bed feltseng. — **book** landmålers noteringsbok. **-boot** militærstøvel. — **boundary** markskjell. — **conventicle** religiøst friluftsmøte. — **day** mønstringsdag, stor anledning, festdag; viktig debatt (ogs. — **night).**

fielder ['fi:ldə] (i cricket) utespiller (en av det parti som er ute, unntagen bowler og wicketkeeper).

field events kaste- og sprangkonkurranser. **fieldfare** ['fi:ldfɛə] kramsfugl, gråtrost. **field glasses** ['fi:ldglɑ:siz] feltkikkert, reisekikkert.

field greys ['fi:ldgreiz] feltgrå (tyske soldater). **field gun** ('fi:ldgʌn) feltkanon. **field hand** gårdsarbeider.

Fielding ['fi:ldiŋ].

fieldman en som arbeider i marken; representant.

field marshal feltmarsjal. **field mouse** markmus. **field officer** stabsoffiser, (i frelsesarméen: felt-

offiser). **field piece** feltkanon. **field practice** felt-tjeneste.
field ration stridsrasjon, feltrasjon.
field service feltgudstjeneste.
field slug åkersnegl.
fieldsman ['fi:ldzmən] utespiller (i cricket).
field sports ['fi:lspɔ:ts] friluftsidrett (især jakt og fiske).
field strength feltstyrke.
field trip ekskursjon.
field work ['fi:ldwə:k] feltskanse; arbeid i marken.
fiend [fi:nd] djevel. **-ish, -like** djevelsk.
fierce [fiəs] vill, barsk, rasende, bister, heftig, glupsk, aggressiv, streng, voldsom.
fieri facias ['faiərai'feiʃiæs] utpantingsordre (jur.).
fieriness ['faiərinis] hete; heftighet, fyrighet.
fiery ['faiəri] ild-; het, brennende; heftig; fyrig, lidenskapelig; oppfarende. — **red face** ildrødt ansikt.
fiesta [fi'estə] (helgen)fest.
fife [faif] pipe, pikkoloføyte; pipe. **fifer** ['faifə] piper.
fifteen ['fif'ti:n] femten.
fifteenth ['fif'ti:nθ] femtende; femtendel.
fifth [fifθ] femte; femtedel; kvint (i musikk).
fifth columnist ['fifθ'kɔləmnist] medlem av femte kolonne, forræder.
fifthly ['fifθli] for det femte.
fiftieth ['fiftiiθ] femtiende; femtidel.
fifty ['fifti] femti; **go fifty-fifty** dele likt, dele risikoen.
fig [fig] fikentre; fiken; **a — for him!** blås i ham! **I don't care a — for it** jeg bryr meg ikke det grann om det.
fig. fk. f. figure; figuratively.
fig [fig] puss, stas; pynte; **in full** — i fineste puss; **in poor** — uopplagt; — **out** pynte; — **up a horse** kvikke opp en hest.
fight [fait] kjempe, stride (**against, with** mot, med; **for** for, om), slåss; bekjempe, utkjempe; duellere; kjempe for, slåss for; prosedere; konkurrere om; — **a battle** levere et slag; — **back** undertrykke, holde tilbake; bite fra seg; — **it out** avgjøre ved kamp.
fight [fait] strid, kamp, slagsmål; kamplyst, mot; **free** — alminnelig slagsmål; **show** — sette seg til motverge, flekke tenner.
fighter ['faitə] kjemper; stridsmann; slagsbror; jager(fly); — **-bomber** jagerbombefly.
fighting ['faitiŋ] kamp, kamper; kampdyktig, stridsfør; — **chance** ≈ hvis det går bra, så vil det holde hardt.
fig leaf ['figli:f] fikenblad.
figment ['figmənt] oppdikting, påfunn, fantasifoster, tankespinn.
figurant ['figjurənt] ballettdanser; statist. **figurante** ['figjurənt, figju'rænt] ballettdanserinne; statist. **figurate** ['figjurit] figurert (om musikk). **figuration** [figju'reiʃən] figurering, utsmykking med figurer. **figurative** ['figjurətiv] billedlig, figurlig, symbolsk; billedrik, blomstrende; figurativ.
figure ['figə] figur; form, skikkelse; siffer, tall; gallionsfigur; forbilde, type; figur; illustrasjon, diagram; mønster (i tøy); **cut** el. **make a** — gjøre figur, spille en rolle; **what's the** — hva er prisen, hva har jeg å betale; **at a low** — til lav pris; **speak in -s** tale billedlig.
figure ['figə] forme, danne; avbilde, fremstille; forestille seg, tenke seg; symbolisere; figurere, pryde med figurer; tenke el. anvende figurlig; beregne, regne (i matematikk); spille en rolle, figurere; — **in** inkludere, ta med i beregningen; — **on** stole på, regne med; — **out** regne ut; — **up** addere, regne ut.
figure|head gallionsfigur. — **man** kunstløper, kunstskøyteløper. — **skating** kunstløp på skøyter. — **stone** agalmatolitt, billedstein.

filament ['filəmənt] tråd, trevl, fiber; glødetråd. — **lamp** glødelampe.
filamentous [filə'mentəs] trådaktig, trevlet.
filature ['filətjuə, -tʃə] silkehesping; hespetre, snelle; sted hvor silken blir hespet.
filbert ['filbət] dyrket hasselnøtt.
filch [filʃ] stjele, rapse, kvarte. **filcher** ['filʃə] tyv. **filching** ['filʃiŋ] kvarting, nasking.
file [fail] tråd; metalltråd; dokumentholder, brevordner, regningskrok; ordnet bunke (av brev etc.); mappe, brevordner; dossier; rapport; sak; kartotek; arkiv, samling av dokumenter, aviser o. lign.; fortegnelse, liste; rode, rote; **rank and** — de menige soldater; rekke; **by -s** rodevis; **move in Indian (or single)** — gå en og en, gå gåsegang.
file [fail] alfabetisere, arkivere, hefte sammen; ordne; legge på sin plass; legge til aktene; sende inn (om søknad o. l.); legge fram i retten; marsjere rodevis, defilere; — **a bill** inngi en klage. — **a petition of bankruptcy** overlevere sitt bo med konkursbegjæring.
file [fail] fil; luring, fuling; lommetyv; **a sly old** — en utspekulert fyr. **file** [fail] file; **a gun, half -d down** en børse som er halvt avfilt. — **box** kartotek|boks, -skuff. — **clerk** arkivar, arkivdame. — **copy** arkiveksemplar. — **cutter** filhogger. — **dust** filspon.
filer ['failə] filer; kartotekordner; lommetjuv.
filial ['filjəl] sønnlig, datterlig, barnlig, barne-. **filiate** ['filieit] adoptere. **filiation** [fili'eiʃən] barns forhold; adopsjon; utlegging som barnefar; slektskapsforhold, avstamning.
filibeg ['filibeg] (skotsk) kort skjørt.
filibuster ['filibʌstə] fribytter, sjørøver, pirat; obstruksjonsmaker; drive fribytteri; lage obstruksjon; sabotere.
filicide ['filisaid] barnemord; barnemorder(ske).
filiform ['failifɔ:m] tråddannet, tråd-.
filigrane ['filigrein], **filigree** ['filigri:] filigran.
filing ['failiŋ] arkivering; filing, avfiling. — **cabinet** kartotekskap, arkivskap. — **card** kartotekkort. — **clerk** se file clerk. — **system** arkiveringssystem.
filings ['failiŋz] filsponer.
filipeen [fili'pi:n] filipine.
fill [fil] fylle, utfylle, oppfylle; oppta; plombere; mette; bekle (f. eks. et embete); besette (f. eks. et embete); utføre; klare, være voksen for; fylles; full forsyning, fylling, mette; fyll; **eat your** — spis deg mett.
filled | cloth appretert stoff. — **gold** gulldublé.
filler trakt, påfyllingsrør; fyllmasse, fyllstoff; (fig.) fyllekalk.
fillet ['filit] hårbånd, pannebånd; list, kant; skive; filet; rulade; mørbrad; sette bånd på etc.; ta bein ut (av fisk o. l.). — **steak** tournedos.
fillibeg ['filibeg] se filibeg.
filling ['filiŋ] fylling; plombe; plombering.
fillip ['filip] knipse; knips; stimulans, oppstrammer; (fig.) spore; **give one a** — egge en.
fillister ['filistə] fals; falshøvel.
filly ['fili] fole, hoppeføll, ungmerr; galneheie.
film [film] hinne; film; overtrekke med en hinne; filme, filmatisere.
film director filminstruktør.
filmic ['filmik] filmisk.
film set filmkulisser.
filmy ['filmi] overtrukket med en hinne; hinneaktig; hinne-.
filoselle ['filəsel] florettsilke.
filter ['filtə] sile, filtrere; filtreres, sive, trenge (igjennom); filter, filtrerapparat. **filter|ing** ['filtəriŋ] filtrering. — **bag** filtrerpose; — **paper** filtrerpapir. — **tip** filtermunnstykke.
filth [filθ] smuss, skitt; sjofelhet.
filthy ['filθi] smussig, skitten; svinsk, sjofel.
filtrate ['filtreit] filtrere; filtrert væske.
filtration [fil'treiʃən] filtrering. — **plant** renseanlegg (for vann).

fimble-famble ['fimblfæmbl] tom unnskyldning, utflukt, snikksnakk.

fimbriate(d) ['fimbrieit(id)] frynset.

fin. fk. f. **finance; financial.**

fin [fin] finne, svømmefinne; kjøleribbe; halefinne (på fly); hånd, neve; (amr.) femdollarseddel. **tip me your** — gi meg din hånd. **fin** skjære opp fisk; — **-footed,** — **-toed** med svømmeføtter. **finable** ['fainəbl] som en kan få mulkt for.

final ['fainəl] endelig, avgjørende; slutt-, sist; sluttkamp, finale; avsluttende eksamen.

finale [fi'nɑ:li] finale, slutt.

finality [fai'næliti] endelighet; avgjørelse; resultat.

finalize ['fainəlaiz] sluttbehandle, ta endelig beslutning om, avgjøre.

finally ['fainəli] endelig, til sist, til slutt.

finance [fi'næns, fai-] finansvitenskap; (mest i flertall): statens inntekter; **finances** finanser, inntekter (privatfolks). **finance** [f(a)i'næns] gjøre pengeforretninger; utarbeide el. styre finansielt; forsyne med inntekter, finansiere. — **committee** regnskapsutvalg, -komité, finanskomité. — **house** pengeinstitutt. **financial** [fi'nænʃəl, fai-] finansiell, finans-, penge-, økonomisk. — **circumstances** formuesforhold. — **report** kredittopplysning. — **statement** regnskapsoppgjør. **financier** [fi'nænsiə, fai-] finansmann, pengemann.

finback ['finbæk] rørhval, finnhval.

finch [finʃ] finke (en fugl).

find [faind] finne; treffe; råke; finne ut, oppdage, bli klar over, skjønne, merke; yte, forsyne, forsørge, bestride omkostningen ved; skaffe til veie; avsi (en kjennelse); funn; finnested; —a **true bill** anta en klage (som grunnet); beslutte tiltale reist; — **oneself** befinne seg; ha det, sørge for seg selv; **the jury found him guilty** juryen erklærte ham skyldig; — **for the plaintiff** erklære den anklagede for skyldig; **he -s me in money and clothes** han holder meg med penger og klær; **50 pounds a year and everything found** 50 pund om året og alt fritt; — **one business** skaffe en arbeid; — **one in a lie** gripe en i en løgn; **I cannot** — **in my heart** jeg kan ikke bringe det over mitt hjerte; **I could** — **in my heart** jeg kunne ha lyst til; — **fault with** dadle, ha noe å utsette på; — **out** oppdage.

finder ['faində] finner; søker, siktekikkert.

finding ['faindiŋ] kjennelse; resultat; funn, det man finner.

fine [fain] bot, mulkt; avgift; vederlag; mulktere; idømme en bot; **in** — kort sagt, til slutt.

fine [fain] fin; smukk, skjønn; staut, kjekk; ren, klar; tynn, grann; rense, klare, lutre; avklares, bli finere; svinne hen; — **day** fint vær, **the** — **arts** de skjønne kunster; **a** — **fellow** en kjernekar, en drivende kjekk kar; (spottende) en deilig fyr; — **feathers** fine klær; **a** — **friend you have been** du har vært en nydelig venn; **one of these** — **days** en vakker dag.

fine-cut ['fainkʌt] finskåret.

fine-draw ['fain'drɔ:] sy fint sammen; kunststoppe; trekke ut til tynne tråder. **fine-drawn** hårtrukket, spissfindig.

fine-grained ['fain'greind] finkornet.

finely ['fainli] fint; smukt.

fineness ['fainnis] finhet, finholdighet; lødighet.

finery ['fainəri] stas, pynt.

finespoken ['fainspəukən] veltalende, beleven.

fine-spun ['fain'spʌn] fint spunnet; fint uttenkt.

finesse [fi'nes] kunstgrep, behendighet, list; gjøre kunstgrep; snyte; bruke list el. knep.

fine-toothed comb finkam. **go over with a** — — finkjemme.

Fingal ['fiŋgəl].

finger ['fiŋgə] finger; fingerbredde; fingerferdighet; fingre med; berøre lett; gripe; stjele; peke ut; fingre, bruke på fingrene; **have at one's fingers' ends** kunne på fingrene. — **alphabet,**

— **and sign language** fingerspråk (for døvstumme). — **basin** skyllskål (i middagsselskap). — **board** gripebrett (på fiolin osv.); klaviatur, manual (på orgel). — **bowl** [-bəul] skyllebolle. **fingerer** ['fiŋgərə] klåfinger.

finger|glass ['fiŋgɑglɑ:s] skyllebolle. — **guard** parerbøyle. **fingering** ['fiŋgəriŋ] fingring; fingersetning; stoppegarn. **finger post** ['fiŋgəpəust] veiviser (stein el. stolpe). **fingernail** ['fiŋgəneil] fingernegl.

fingerprint ['fiŋgəprint] fingeravtrykk.

fingerstall ['fiŋgəstɔ:l] smokk.

finical ['finikl] sirlig, pertentlig, overdrevent ærbar, prippen; utbrodert. **finicality** [fini'kæliti] sirlighet, pertentlighet.

finicking ['finikiŋ] sirlig, pertentlig.

finikin ['finikin] se **finicking.**

fining ['fainiŋ] lutring; raffinering, rensing.

finis ['fainis] ende, finis.

finish ['finiʃ] ende, gjøre seg ferdig med, bli ferdig med, slutte; fullende; legge siste hånd på; appretere (tøy); finpusse; spise opp; drikke ut; sette til livs; gjøre det av med en; holde opp; slutning; slutt; avpussing; siste hånd (på verket), ferdigbehandling, overflatebehandling; slutningsscene (i skuespill); slutningskamp (i sport); **degree of** — bearbeidingsgrad; **war to a** — krig på liv og død; — **off** gjøre det av med; gjøre ferdig; — **up with** avslutte med. **finished** ['finiʃt] fullendt. **finishing** | **establishment** høyere dannelsesanstalt. — **line** mållinje. — **order** liste over rekkefølge, plassering. — **stroke** nådestøt. — **touch** siste hånd på verket.

finite ['fainait] endelig, avgrenset; finitt.

fink detektiv, oppdager; streikebryter; angiver.

Finland ['finlənd] Finland, Suomi. **Finlander** ['finləndə] finne. **Finlandish** ['finləndiʃ] finsk.

Finn [fin] finne; finn, kven.

finner ['finə] finnhval, sildehval.

Finnic ['finik], **Finnish** ['finiʃ] finsk.

finny ['fini] finnet.

fiord [fjɔ:d] fjord (især norsk).

fir [fə:] bartre, nåletre; gran; edelgran; **spruce** — alminnelig gran. — **apple,** — **cone** kongle.

fire ['faiə] ild, eld, varme, fyr; brann; flamme, lue, lidenskap; bål; nying; ildprøve. **catch** (eller **take)** — fenge; **light** (el. **make) a** — gjøre opp varme på, legge i ovnen; **set** — **to** (el. **set on** —) sette fyr på; **on** — i brann, brennende, opphisset; **smell of** — brannlukt; **he will never set the Thames on** — han har ikke funnet opp kruttet; **no smoke without** — ingen røyk uten ild; **between two -s** mellom dobbelt ild; **by the** — foran kaminen, borte ved peisen.

fire ['faiə] tenne; sette ild på; avfyre; fyre, tenne opp, fyre under; brenne; komme i brann; oppildne; avskjedige, gi sparken; — **away!** ogs. snakk fra leveren; ut med det; — **the boilers** fyre under kjelene; — **off** avfyre; — **out** hive ut, sette på porten; — **up** komme i fyr og flamme.

fire | alarm brannalarm; brannsignalapparat; — **-and-brimstone preacher** svovelpredikant. — **appliance** slokkingsapparat, -middel. -**arms** ildvåpen, skytevåpen. -**board** peisspjeld. -**brand** brann; urostifter. -**brick** ildfast murstein. -**brigade** brannvesen. — **bucket** brannspann. -**clay** ildfast leire. — **cock** brannkran. -**damp** gruvegass. — **department** brannvesen. -**dog** brannjern. — **drill** brannvernsøvelse. — **eater** ildsluker; pralhans; slagsbror; sinnatagg. — **-engine** brannsprøyte. — **escape** redningsapparat, brannstige. — **extinguisher** brannslokkingsapparat. — **fly** ildflue. -**guard** kamingitter. -**hook** brannhake. — **hose** brannslange.

fire | insurance brannforsikring. — **irons** ildtøy; kaminsett. — **lane** branngate. -**less** uten ild. — **loss** brannskade. — **loss assessment** branntakst. -**man** brannmann; fyrbøter. -**new** splinterny. — **office** brannassuransekontor. — **pan** fyrfat; panne (på et gevær). -**place** ildsted, arne, åre,

grue, peis, kamin, fyrsted. — **plug** brannkran,
)rannhydrant, — **policy** brannpolise. **-proof** ild-
'ast, brannsikker. — **-raising** brannstiftelse. —
-isk brannfare. — **sereen** kaminskjerm. — **set**
ldtøy. — **ship** brannskip. **-side** åre, peis, arnested,
arne;(fig.) hjem, heim. — **station** brannstasjon. —
steel fyrstål. **-water** ildvann, brennevin. **-wood**
ved. **-works** fyrverkeri. — **worship** ildtilbedelse.
— **worshipper** ildtilbeder.

firing ['faiəriŋ] brensel; antennelse; avfyring,
skyting, fyring. — **charge** tennladning. — **iron**
brennjern. — **line** ildlinje, skuddlinje. — **order**
tenningsrekkefølge (i bilmotor). — **party** avdeling
som har til oppgave å sprenge en mine eller
saluttere ved en begravelse. — **squad** eksekusjons-
peletong. — **step** trinn som en soldat i løpegrav
står på for å skyte.

firkin ['fə:kin] fjerding; anker, kagge, dunk,
butt.

firm [fə:m] fast, stø, traust; bli fast, feste.
firm [fə:m] firma, handelshus.

firmament ['fə:məmənt] firmament, himmel-
hvelving. **firmamental** [fə:mə'mentəl] himmel-.

firman ['fə:mən] østerlandsk monarks for-
ordning, dekret.

firmer | chisel stemjern. — **gouge** huljern, hogg-
jern.

firmly ['fə:mli] fast, bestemt, solid.

first [fə:st] først; for det første; før, heller;
første stemme; første karakter; første premie,
førsteplass, vinnerplass; **at (the)** — i begyn-
nelsen, i førstningen, først og fremst; **from the** —
fra begynnelsen av, fra først av; **in the — place**
for det første; **of the — importance** av største
viktighet; **on — coming** straks når en kommer;
on the — approach of a stranger straks en frem-
med nærmer seg; **when** — straks da ...; — **aid**
førstehjelp; — **appearance** debut; første frem-
treden; **he travels** — han reiser på første klasse;
— **floor** annen etasje; — **form** nederste klasse (i
skole); **the — thing** straks; **put — things** — begyn-
ne med det viktigste; **I'll do it — thing in the
morning** jeg skal gjøre det så snart jeg har stått
opp; **come — thing tomorrow** kom ganske tidlig
i morgen; — **come, — served** den som kommer
først til mølla, får først malt; — **of all** først
og fremst; — **and foremost** aller først; **I would
die** — jeg ville heller dø.

first|-begotten førstefødt. — **-born** førstefødt.
— **-class** utmerket, prima, førsteklasses. — **class**
første klasse. — **coat** første strøk med maling.
— **cost** anskaffelsesomkostninger. — **cousin**
fetter, kusine. — **day cover** førstedagskonvolutt.
— **floor** annen etasje; (amr.) første etasje. —
-foot (skotsk) første gjesten på nyåret. — **fruit**
førstegrøde. **-hand** førstehånds; umiddelbart.

firstling ['fə:stliŋ] førstefødt avkom.

firstly ['fə:stli] for det første.

first | mate førstestyrmann. — **mortgage** første-
prioritet. — **name** fornavn. — **night** premiere.
— **of exchange** primaveksel. — **offender** første-
gangsforbryter. — **-rate** førsterangs, fortrinnlig.
— **speed** førstegir.

firth [fə:θ] ≈ fjord.

fise [fisk] statskasse. **fiscal** ['fiskəl] fiskal.

fish [fiʃ] fisk; fyr; spillemerke; fiske; fiske opp;
fiske i; **a pretty kettle of** — en nydelig suppe;
drink like a — drikke som en svamp; **all is
— that comes to net** alle monner drar; **feed the
-es** drukne; være sjøsyk; **have other — to
fry** ha annet å greie med; **an odd** (el. **queer**) — en
snurrig fyr; — **i troubled waters** fiske i rørt vann.

fishable ['fiʃəbl] som kan fiskes.

fish| ball fiskebolle. — **carrier** brønnbåt; fiske-
kasse. — **carver** fiskespade.

fisher ['fiʃə] fisker. **fisherman** ['fiʃəmən] fisker;
fiskerbåt. **fishery** ['fiʃəri] fiske; fiskeplass. —
inspection fiskerioppsyn.

fish|-fag fiskekjerring, hurpe. — **flour** fiske-
mel. **-gig** lyster. — **glue** fiskelim. **-hook** fiske-
krok. **fishing** ['fiʃiŋ] fiskeri, fiske-.

fishing | line fiskesnøre. — **rod** fiskestang.
— **station** fiskevær. — **taekle** fiskeredskaper.
fish | ladder laksetrapp. — **meal** fiskemel.
-monger fiskehandler. — **pot** (hummer)teine,
ruse. — **slice** fiskespade; sløyekniv. — **spear**
lyster. — **steak** fiskeskive. — **tank** akvarium.
— **turtle** forloren skilpadde — **woman** fiskekone.
fishy ['fiʃi] fiskaktig; fiskerik; utrolig, over-
dreven; usikker (om spekulasjon), muggen, mis-
tenkelig.

fissile ['fisail] som kan spaltes el. kløyves. **fissil-
ity** [fi'siliti] det å kunne la seg kløyve. **fission**
['fiʃən] kløving, spalting. — **bomb** fisjonsbombe.
fissiparous [fi'sipərəs] som forplanter seg ved
spalting.

fissure ['fiʃ(u)ə] spalte, splitte, kløyve; spalte,
revne, sprekk.

fist [fist] neve, knyttneve; grep; **the mailed** —
den pansrede neve. — **fight** ['fistfait] nevekamp.
fistie ['fistik] neve-, bokser-. **fistieuffs** ['fistikʌfs]
nevekamp, slagsmål, boksing.

fistula ['fistjulə] rør; fistel. **fistular** ['fistjulə]
rørformig. **fistulate** ['fistjuleit] gjøre til et rør;
bli til en fistel. **fistulous** ['fistjuləs] fistelaktig.

fit [fit] anfall, ri, kramperi, tilfelle, innfall,
lune; **throw a** — få et anfall; **go off in a** — få
krampe; **a — of laughter** et latteranfall; **beat
him all to -s** slå ham sønder og sammen; **for a** —
en tid lang; **by -s** nå og da, rykkevis.

fit [fit] tjenlig, skikket, passende, høvelig,
laglig; som passer godt; dyktig, dugelig; til-
pasning, passform, det å passe, passing; gjøre
tjenlig, gjøre skikket til, kvalifisere, trene opp;
avpasse; utstyre; gjøre i stand, innrette; mon-
tere; være tjenlig til, være egnet til; passe, sitte;
a — person den rette mann; **be — for a sailor**
duge til å være sjømann; — **for use** brukelig;
brukbar; — **to** egnet til; verdig til; **she cried** —
to break her heart hun gråt som hennes hjerte
skulle briste; — **closely** slutte tett inntil; **well
fitted** godt sammenpasset; **the key -s the lock**
nøkkelen passer i låsen; — **on** prøve; anbringe
på; **the shoes are just your** — skoene passer
nettopp til foten Deres; **be a bad** — ikke passe;
— **out** utruste, forsyne med; — **up** innrede;
— **up with** utruste, forsyne med.

fit [fit] vers, stev.

fiteh [fitʃ] ilderskinn; ilderhår; ilderhårspensel.

fitehew ['fitʃu:] ilder.

fitful ['fitf(u)l] rykkvis, ustadig, ustø, ujamn.

fitly ['fitli] passende.

fitment(s) tilbehør.

fitness ['fitnis] skikkethet; dugelighet; **it is
but in the — of things that** det ligger i sakens
natur at.

fit-out ['fit'aut] utrustning; utstyr.

fitted avpasset, tilpasset; i passform (om klær).

fitter ['fitə] montør, maskinarbeider; tilskjærer.

fitting ['fitiŋ] passende; montering, tilpassing;
trening; utrustning; rørdel, fitting; apparat,
rekvisitt. **metal** — beslag. **boiler -s** armatur.

fitting-out ['fitiŋ'aut] utstyr; utrustning. —
berth monteringsplass.

fitting room prøverom.

fitting shop ['fitiŋʃɔp] maskinverksted.

Fitzgerald [fits'dʒerəld].

five [faiv] fem; femmer; femtall; (amr.) hånd,
neve.

five|fold ['faiv'fəuld] femfold, femdobbelt.
— **-o'clock shadow** skygge av skjeggstubber om
ettermiddagen. — **-o'clock tea** ettermiddagste.
fiver ['faivə] fempundsdeddel, (i Amerika:) fem-
dollarseddel.

fives [faivz] slags ballspill.

fix [fiks] klemme, knipe.

fix [fiks] feste, gjøre fast, hefte; nistirre på;
avtale; ordne, arrangere; reparere, gjøre i stand;
fiksere; stedsbestemme; fastsette; bestemme,
slutte; svindle; sette seg fast; nedsette seg; bli
fast, størkne; (amr.) ordne; — **on** bestemme seg
til; — **up** ordne, arrangere; fikse; skaffe til veie.

fixation [fik'seiʃən] fastgjøring, fastsetting, fasthet; bestemmelse; fiksering; binding; fiksasjon.

fixative ['fiksətiv] fiksermiddel. **fixature** ['fiksətjə, -tjuə] stangpomade.

fixed [fikst] fast, stø, bestemt; determinert; fastsatt; stivt; — **air** karbondioksyd; — **assets** realkapital, fast investert kapital. — **charge** føst(satt) avgift; — **day** bestemt dag; mottagelsesdag; — **fact** fait accompli; — **idea** fiks idé; — **oil** fet olje; — **prices** faste priser; — **star** fiksstjerne.

fixedly ['fiksidli] fast; stivt, ni-, bestemt.

fixedness ['fiksidnis] fasthet, uforanderlighet.

fixing ['fiksiŋ] festing, ordning, tillaging; (især amr. og især i pl.) tilbehør, pynt, besetning (på kjole. — **agent** bindemiddel. — **bath** fiksérbad.

fixity ['fiksiti] fasthet, støhet.

fixture ['fikstʃə] fast tilbehør; naglefast gjenstand, fast inventar; sportskamp; avsluttet befraktning.

fizgig ['fizgig] harpun; rakett; flokse, jåle; sporenstreks, ratt.

fizz [fiz] syde, bruse, frese, sprake, putre, mussere; brus, putring; musserende drikk, champagne.

fizzle ['fizl] visle, sprute, frese; gjøre fiasko; falle gjennom; rejisert; fresing.

fizzy ['fizi] sprutende, fresende, brusende, musserende.

fjord se **fiord.**

fl. fk. f. florin.

Fla. fk. f. Florida.

flabbergast ['flæbəga:st] forbløffe, forfjamse, lamslå.

flabby ['flæbi] slapp, slakk, pløset, lealaus; klam, kaldvåt.

flaccid ['flæksid] slapp, slakk, pløset. **flaccidity** [flæk'siditi] slapphet.

flag [flæg] flaggsmykke; flagre; signalere med flagg; henge slapp; slakne; bli matt, bli sløv.

flag [flæg] flagg; — **of convenience** bekvemmelighetsflagg; — **of truce** parlamentærflagg; **white** — parlamentærflagg; **black** — sjørøverflagg; **yellow** — karanteneflagg; **fly the** — la flagget vaie; **lower the** — fire flagget; **strike the** — stryke flagget.

flag [flæg] sverdlilje.

flag [flæg] flis; steinhelle; flislegge, hellelegge.

flagellant ['flædʒilənt] flagellant. **flagellate** ['flædʒəleit] piske. **flagellation** [flædʒə'leiʃən] pisking.

flageolet [flædʒə'let] flageolett.

flagging svekkelse, slappelse; flislegging, hellelegging.

flaggy ['flægi] slapp, slakk; matt; flau.

flaggy ['flægi] full av sverdliljer.

flag halyard flaggline, flaggsnor.

flagitious [flə'dʒiʃəs] avskylig; skjendig.

flag list ['flæg'list] liste over flaggoffiserer.

flagman ['flægmən] flaggmann; banevokter.

flag officer ['flæg'ɔfisə] flaggoffiser.

flagon ['flægən] flaske, kanne.

flag paving hellebrulegging. **-pole** flaggstang.

flagrancy ['fleigrənsi] åpenbarhet; avskylighet; åpenbar skjendighet, skamløshet. **flagrant** ['fleigrənt] vitterlig, åpenbar; avskylig.

flagship ['flægʃip] admiralskip, flaggskip.

flagstaff ['flægsta:f] flaggstang.

flagstone ['flægstəun] flis, hellestein. **-d** flislagt.

flag-wagging ['flægwægiŋ] signalisering med flagg; uteskende tale.

flag-waving kraftpatriotisme.

flail [fleil] sliul, slire, slagvol.

flair [flɛə] sporsans, teft, fin nese; **have a** — **for** ha sans for.

flak [flæk] (egl. fk. f. tysk Flieger-Abwehr-Kanone) flak, luftvernskyts.

flake [fleik] flak, hinne, tynt lag, tynn skive;

fnugg; snøfille; fiskehjell (til tørking av fisk); — **off** skalle av.

flaky ['fleiki] fnuggaktig; skjellet, i lag; — **pastry** mørdeig.

flam [flæm] trommeslag; oppdiktet historie; lyve for; overtale, snakke rundt.

flambeau ['flæmbəu] fakkel; praktlysestake.

flamboyance [flæm'bɔiəns] glorethet, farge; prakt; festlighet.

flamboyant [flæm'bɔiənt] flammet; bølgende (fig.) blomstrende, praktfull, gloret, prangende.

flame [fleim] flamme, lue; flamme, kjæreste; utbrudd, anfall; — **-coloured** ildrød, rødgul.

flame projector ['fleimprə'dʒektə] flammekaster.

flame thrower ['fleim'θrəuə] flammekaster.

flamingo [flə'miŋgəu] flamingo.

flammable ['flæmɪəb(ə)l] brennbar.

flammiferous [flæ'mifərəs] som frembringer flamme. **flammivomous** [flæ'mivəməs] ildspyende.

flamy ['fleimi] flammende, flammet.

flan [flæn] en slags terte.

Flanders ['flɑ:ndəz] Flandern (NB. sing.)

flange [flæn(d)ʒ] framstående kant, flens, kant, krave, fals.

flank [flæŋk] side; side av slaktet dyr; flanke; dekke sidene, flankere; **turn his** — falle ham i flanken. **flanker** ['flæŋkə] flankør; sideverk.

flannel ['flæn(ə)l] flanell; klesstykke av flanell; tykt undertøy; vaskeklut, pusseklut; tørre el. gni med flanell; kle i flanell; overtale, smigre. — **board** flanellograf. **flannels** flanellsdrakt, sportsklær. **flannelled** kledd i flanell.

flap [flæp] klaff; bordklaff; bremseklaff; lapp; lepp, snipp; flik; frakkeskjøt; spennetamp; smekk, klask, dask; dasking; overfall; klaske, daske; slå; bakse (med vingene); henge slapp ned. **-doodle** store ord; vås, nonsens. — **door** falldør. — **-eared** med hengende ører; slukøret. **-jack** pannekake.

flapper ['flæpə] skralle; vifte; klaps; ung (ikke flygeferdig) fugl; ung villand; backfisch, tenåring; hånd, pote; fluesmekker.

flare [flɛə] ustadig lys; (nød)bluss; raserianfall; praleri; flagre; flimre, flakke; flamme ustadig; glimre, glimte; lyse med blendende glans, glore. **-up** oppblussing, oppbrusing; heftig klammeri; bråkende lag. **-back** hissig svar; bakflamme.

flared [flɛəd] rundskåret (om klær).

flash [flæʃ] glimt, blink, lyn; blitzlys (fotografering); oppblussing; kortvarig suksess; flott; smakløs; simpel; falsk; glimte, blinke, lyne; la blusse opp; sende ut glimtvis; vise i et glimt; gjøre hvitglødende (kullspisser); prale med, flotte seg med; — **a roof** tekke et tak; **it suddenly -ed (up) on me** det slo meg plutselig, det gikk plutselig opp for meg; — **in the pan** klikke, gå opp i røyk; — **a message along the wires** sende med telegrafen. **-back** (hurtig) tilbakeblikk. **-bulb** blitzpære. **-er** blinklys; blotter ekshibisjonist. — **gun** elektronblitz. — **lamp** blitz; (amr.) lommelykt. — **point** flammepunkt.

flashy ['flæʃi] påfallende; flimrende, broket; smakløs, forloren, prangende, uekte; hissig, brå.

flask [flɑ:sk] flaske, lommelerke, kurvflaske; krutthorn.

flat [flæt] flat, jevn, jamn; matt, svak, flau; kjedelig, trist; nedslått; utbrent, utladet (batteri); likefram, endefram; fullkommen, ganske, rent ut; med b foran (i musikk); liten (om ters); moll (om tonearten); tosk, naut; flathet, jevnhet; flate, slette, grunne; langgrunne, lang fjære; bakgrunn (i teater); pram; åpen godsvogn; punktering; (amr.) bredskygget damestråhatt; etasje; leilighet; **turn it down** — avslå det blankt; **ten seconds** — ti sekunder blank; **the beer tastes** — ølet er dovent; **fall** — falle til jorda. **flat** [flæt] gjøre flat; gjøre flau; sette en halv tone ned; (amr.) gi en kurv; bli flau; synke (i musikk).

flat-bottomed flatbunnet. **-car** jernbaneflatvogn. — **-catcher** bondefanger. — **catching**

ondefangeri. — **-chested** flatbrystet. **-fish**
yndre, kveite. — **-footed** som har plattfot. **-iron** strykejern. — **milk** skummet melk.
flat out utstrakt; utmattet; rett ut, bent fram.
flat | rate ensartet takst. — **tax** ensartet beskatning.
flatten ['flætn] gjøre flat; jevne, jamne; slå at, hamre flat; glatte ut; trykke; gjøre flau; jøre av halv tone dypere; bli flat osv.
flatter ['flætə] planerer; planeringsredskap.
flatter ['flætə] smigre; flattere; smiske. **flatterer** ['flætərə] smigrer. **flattery** ['flætəri] skamosing, smiger.
flattie ['flæti] politikonstabel, purk.
flattop hangarskip; pessar.
flatulent ['flætjulənt] plaget av vind i magen; ppblåst, svulstig.
flatwise ['flætwaiz] på flatsiden.
flaunt [flɔ:nt] flagre, vaie; kneise; briske seg; runke, prange, sprade.
flautist ['flɔ:tist] fløytespiller, fløyt(en)ist.
flavour ['fleivə] aroma, vellukt, duft; velsmak, mak; bouquet (om vin); skjær, anstrøk; sette mak (el. duft) på, krydre.
flavouring ['fleivəriŋ] krydder, smakstilsetning. — **extract** essens.
flavourless ['fleivəlis] uten duft, uten smak.
flaw [flɔ:] revne, knekk, sprekk; mangel, lyte, eil, svakhet, ufullkommenhet; flage, vindstøt; ppbrusing, spetakkel; knekke; slå revner i; ryte; **a — in a will** en feil (et svakt punkt) ved t testament. **flawless** ['flɔ:lis] uten mangler, feilci, ulastelig. **flawy** ['flɔ:i] sprukken; mangelfull.
flax [flæks] lin. — **comb** linhekle. **flaxen** ['flækən] av lin, lin-; — **hair** lyst hår. **flaxy** ['flæksi] inaktig; blond.
flay [flei] flå. **flayer** ['fleiə] flåer.
flea [fli:] loppe; **put a — in his ear** hviske ham en djevel i øret, gi ham noe å tenke på. **-bag** simpelt hotell; loppekasse. — **beetle** jordoppe. **-bite** loppestikk; ubetydelighet, knappenålsstikk. — **-bitten** bitt av lopper; plettet, regnet; ussel. — **circus** loppesirkus.
fleaking taktekking med siv.
fleam [fli:m] bild, årelatejern.
flea market loppemarked.
flèche [fleiʃ] takrytter.
fleck [flek] plett, flekk, stenk; plette; stenke. **flecker** ['flekə] stenke, marmorere. **fleckless** ['fleklis] plettfri.
flection ['flekʃən] bøyning.
fled [fled] imperf. av **flee.**
fledge [fledʒ] forsyne med fjær, gjøre flygeferdig. **fledged** flygeferdig; **newly — graduates** nybakte kandidater. **fledgling** ['fledʒliŋ] nettopp flygeferdig unge, (fig.) nybakt.
flee [fli:] fly, flykte, unngå, sky.
fleece [fli:s] ull; skinn, fell; klippe (sau); flå, suge ut; overtrekke med ull; **the golden — det** gylne skinn; den gylne Vlies (en orden); **fleecer** ['fli:sə] flåer.
fleecy ['fli:si] ullen; ullaktig; ullrik, lodden; **a — sky** en himmel med lammeskyer.
fleer [fliə] spotte; flire; spott, flir.
fleet [fli:t] flåte (samling av skip); **air — uftflåte.** — **of cars** bilpark.
Fleet [fli:t], **the —** tidligere bekk, også fengsel i London; — **Street** avisgaten i London; pressen.
fleet [fli:t] hurtig, flyktig, rapp, lett; ile av sted; sveve, gli bortover; skumme fløte. **fleeting** flyktig. **fleetness** raskhet, hurtighet, flyktighet.
Fleming ['flemiŋ] flamlender. **Flemish** ['flemiʃ] flamsk; **the Flemish** flamlenderne.
flench [flenʃ], **flense** [flens] flense.
flesh [fleʃ] kjøtt (også på frukt); muskler; hold; menneskehet; syndig menneske; sanselig lyst, kjødet; — **and fell** hud og hår; — **and blood** kjøtt og blod; **his own — and blood** hans egne barn (eller nære slektninger); **the way of all — all** kjødets gang; **the lust of the — kjødets lyst; be in — være i godt hold;

be in the — være i live; personlig, i virkeligheten; **lose —** bli tynn, mager; **put on —** bli fet, legge seg vil.
flesh [fleʃ] gi (hunder) rått kjøtt (el. blod); gi blod på tann, innvie; øve, herde; mette; gi kjøttfarge; **men -ed in cruelty** folk som er herdet i grusomhet.
flesh | brush hudbørste, frottérbørste. — **colour** kjøttfarge; hagenellik. — **creeper** gruoppvekkende roman. — **eater** kjøtteter.
flesher ['fleʃə] (skotsk) slakter; skavkniv.
flesh | fly spyflue. — **glove** frottérhanske.
fleshings ['fleʃiŋz] (kjøttfarget) trikot.
flesh | less ['fleʃlis] kjøttløs, skrinn, beinet. **-ly** ['fleʃli] kjødelig; kjøttfull, tykk; sanselig, vellystig.
fleshpot kjøttgryte.
flesh wound kjøttsår.
fleshy ['fleʃi] kjøttrik, kjøttfull, kjøtt-.
fletcher ['fletʃə] buemaker.
flew [flu:] imperf. av **fly.**
flews [flu:z] hengeflabb (på hund).
flex [fleks] bøye, krøke; elektrisk ledning el. kabel.
flexibility [fleksi'biliti] bøyelighet, elastisitet.
flexible ['fleksibl] bøyelig, smidig, fleksibel.
flexion ['flekʃən] bøyning. **flexional** ['flekʃənəl] bøynings-. **flexor** ['fleksɔ:] bøyemuskel. **flexuous** ['flekʃuəs] buktet; ustadig; ustø. **flexure** ['flekʃə] bøyning.
flibbertigibbet [flibəti'dʒibit] skravlekopp, skravlebøtte; vinglehode.
flick [flik] svippe, slå, snerte, smekke; knipse; rapp, slag, snert, smekk; **-s** kino(forestilling).
flicker ['flikə] flagre, flakse, vifte, blafre, flakke (om lys og flamme); flakring; flyktig oppblussing. **flickering** flakring, blafring.
flick knife springkniv.
flier ['flaiə] flyger; desertør, rømling; hurtigtog; svinghjul (i maskin); **-s** rett trapp.
flight [flait] flukt, flyging, flytur; formasjon (av fly); trapp, etasje; flokk, sverm; — **of arrows** pileregn; — **of steps,** — **of stairs** trapp; **take to —** gripe flukten; **put el. turn to —** jage på flukt; **the birds winged their —** fuglene fløy. — **deck** hoveddekk på hangarskip. — **engineer** flymekaniker. **flightily** ['flaitili] flyktig; overspent. **flightiness** flyktighet; overspenthet.
flight strip provisorisk flyplass. **flighty** ['flaiti] flyktig, vinglet, ustø; fantastisk, overspent; fjollet; lettsindig, forfløyen.
flim [flim] homoseksuell person.
flimflam ['flimflæm] grille, innfall; knep; skrøne; vrøvl, sludder; **-s** kram, juggel; føre bak lyset.
flimsiness ['flimzinis] tynnhet; svakhet, overfladiskhet. **flimsy** ['flimzi] tynn; svak, usolid; løs, intetsigende; tynt kopipapir, gjennomslag(spapir), noteblad; pengeseddel.
flinch [flinʃ] vike tilbake, trekke seg tilbake; svikte, gripe til utflukter; — **from duty** svikte sin plikt; **without -ing** uten å blunke.
flinch se **flench** og **flense.**
flinders ['flindəz] stumper, stykker.
fling [fliŋ] slynge, kaste, hive, kyle; velte, beseire; ile, fly, styrte; bevege seg urolig; slå bakut (om hester); bli ustyrlig; være grov; stikle; kast, slag; snert, stikleri; hang, lyst; ubunden frihet, vilt liv; — **down** kaste ned; ødelegge; — **off** kaste av; føre på villspor; skille seg av med; — **open** slå opp el. rive opp (en dør); — **out** slå ut (om hester); utstøte (ord); utbre, strø ut (skrifter); — **oneself out** fare heftig opp; — **one out of a thing** narre noe fra en; — **the door to** smelle døra igjen; — **up** oppgi; **have a — at one** gi en en snert; **have one's —** slå seg løs, rase ut; **have a —at** prøve, gi seg i kast med.
flint [flint] flint, flintestein. — **glass** krystallglass. **flintiness** flinthardhet.
flint lock flintelås. **flintstone** flintestein.
flinty ['flinti] flint-, flinthard, steinhard.

flip [flip] sjømannsdrikk (øl, brennevin og sukker).

flip [flip] lite slag; knipse; vippe; slå; — **a coin** slå mynt og krone, kaste opp en mynt.

flip-flap ['flipflæp] kollbøtte; flikkflakk; kinaputt, fyrverkeri.

flippancy ['flipənsi] flåsethet, flabbethet.

flippant ['flipənt] kåt, flabbet, nesevis.

flipper ['flipə] luffe; froskemanns svømmefot; (i slang) hånd, pote.

flirt [flə:t] kaste, slenge; vifte med, svinge, løpe fram og tilbake, vimse; kokettere, flørte (**with** med); kast, sleng; kokette; kurmaker.

flirtation [flə:'teiʃən] koketteri, flørt, kurtise.

flirtatious [flə:'teiʃəs] kokett, flørtende, kurtiserende. **flirty** ['flə:ti] kokett; kurtiserende, flørtende.

flit [flit] fly; smette, svippe; flagre; vandre; flytte.

flitch [flitʃ] fleskeside; bakhun; skjære av.

flit plug elektrisk dobbeltkontakt.

flitter ['flitə] fille, lase, pjalt; spon, avfall; flagre; flakse.

flittermouse ['flitəmaus] flaggermus.

flitting ['flitiŋ] flyktig; flytning.

flivver ['flivə] kjerre, skranglekasse, gammel bil; fiasko, tabbe.

float [fləut] flyte, drive, reke; fløte (tømmer); reise (et lån); være flott; sveve; vaie (om fane); sette i gang, starte, få flott; bære oppe; oversvømme; pontong, flottør; garnblåse, glasskule; rasp; redningsvest; tømmerflåte, kavl, flå, flytholt; flyter; **be -ed** komme flott.

floatage ['fləutidʒ] flyting; flyteevne; flytende gjenstander.

floatboard ['fləutbɔ:d] hjulskovl.

floater ['fləutə] noe som flyter; sikkerhet.

floating ['fləutiŋ] flytende, svevende; skiftende. — **anchor** drivanker. — **bridge** flytebru, flytebrygge, pontongbru. — **capital** flytende kapital — **cargo** svømmende ladning. — **dock** flytedokk. — **factory** fabrikkskip. — **harbour** flytemolo. — **light** fyrskip, lysbøye. — **policy** generalpolise. **the** — **vote** den usikre (flytende) velgermasse.

floe [fləu] fnugg. **floccose** ['flɔkəus] dunet, fnugget. **flocculent** ['flɔkjulənt] dunaktig, fnugget.

flock [flɔk] flokke seg, samle seg; flokk; hop; hjord (især om sauer).

flock [flɔk] ulldott, tust. — **bed** seng med ullmadrass.

floe [fləu] stort isflak.

flog [flɔg] piske, slå, banke, denge, jule.

flogging ['flɔgiŋ] pisking, bank; **get** (el. **come in for**) **a good** — få en ordentlig drakt pryl.

flong [flɔŋ] matriseform.

flood [flʌd] høyvann, flo (motsatt fjære); flom, oversvømmelse; overflødighet; strøm; oversvømme; overskylle; overøse, overdynge; the **Flood** syndfloden; **a** — **of light** et lyshav; **when the -s are out** i flomtiden. **-gate** sluseport. **-light** flomlys, prosjektørlys; belyse med flomlys. **-mark** høyvannsmerke. — **tide** høyvanne, flo.

floor [flɔ:] gulv, stokkverk, etasje; bunn (inne i et skip); i Amerika: kongressens sal; retten til å tale i kongressen; (fig.) minimumsgrense, lavmål; **have** el. **get the** — ha el. få ordet; **ground** — første etasje; **first** — annen etasje.

floor [flɔ:] legge golv i; legge (el. slå) i golvet el. bakken; slå, målbinde; — **the paper** ta eksamen med glans; **be -ed** ryke, dumpe til eksamen; (om bilder på en utstilling:) bli hengt lavest.

floorage ['flɔ:ridʒ] golvflate. **floorcloth** linoleum, gulvbelegg; gulvklut. **floorer** ['flɔ:rə] knusende slag, svimeslag. **flooring** ['flɔ:riŋ] golv; materiale til golv. **floor** | **knob** dørstopper. — **leader** (amr.) ≈ politisk ordfører. **-man** ≈ lagerarbeider. — **plan** etasjeplan, plantetegning. — **polish** bonevoks. — **show** floor show, varieté opptreden på en dansegulv i restaurant. — **trader**

(amr.) børsmekler. **-walker** (amr.) butikkinspektør.

flop [flɔp] slå, bakse (med vingen o. l.); henge; plaske, sprelle; klaske; plumpe ned; fall sammen; tungt fall; klask, dunk; fiasko, tabbe nederlag, (amr.) losji.

flophouse (amr.) nattherberge, losjihus (billig **floppy** ['flɔpi] slapt nedhengende, slaske sjasket, slakk; vidbremmet (om hatt).

flor. fk. f. **floruit** [= **flourished**).

flora ['flɔ:rə] flora, blomsterrike. **floral** ['flɔrə blomster-. **floreated** ['flɔ:rieitid] blomsterprydet blomstret.

Florence ['flɔrəns] Firenze; ogs. kvinnenavn **Florentine** ['flɔrəntain] florentiner, florentiner inne; florentinersilke; florentinsk.

florescence [flɔ'resəns] blomstring; utspring.

floret ['flɔ:rit] liten blomst.

floriated ['flɔ:rieitid] se **floreated**.

floricultural [flɔ(:)ri'kʌltʃərəl] blomsterdyrk ings-. **floriculture** [flɔ:ri'kʌltʃə] blomsterdyrking **floriculturist** [flɔ(:)ri'kʌltʃərist] blomsterdyrker **florid** ['flɔrid] blomstrende; av frisk rød farge rødmusset; overlesset.

Florida ['flɔridə].

floridity [flɔ'riditi], **floridness** ['flɔridnis] blom strende farge; frisk rødme; sirlighet el. snirk lethet (i stil). **floriferous** [flɔ'rifərəs] som bære blomster.

florin ['flɔrin] florin (engelsk sølvmynt: 1 pence); gylden.

florist ['flɔ(:)rist] blomsterhandler; blomster dyrker; blomsterkjenner.

floss [flɔs] dun på planter; floss; flossilke bekk, å. — **silk** flossilke. **flossy** ['flɔsi] dunet silkebløt; smart, overstaset.

flotage ['fləutidʒ] se **floatage**.

flotation [flə'teiʃən] flyting; oppdrift; (merk. igangsetting, stiftelse; **power of** — flyteevne.

flotilla [fləu'tilə] flotilje.

flotsam ['flɔtsəm] havrekst, drivgods, vrak gods.

flounce [flauns] bakse, kave, sprelle; garnere rykk, kast, sleng; plask; garnering, kappe.

flounder ['flaundə] flyndre, skrubbe.

flounder ['flaundə] sprelle, tumle, bakse, kave gjøre feil, rote, klusse.

flour [flauə] mel, hvetemel; drysse med mel male til mel; mele. — **bolt** melsikt.

flourish ['flʌriʃ] florere, trives, blomstre; st på høyden av sin makt; bruke blomstrende språk preludere, fantasere; spille støyende; blåse er fanfare; svinge (f. eks. sverd); prale, rose seg briske seg; pryde med blomster og snirkler skrive med kruseduller, pryde med sirlige ord utstaffere overdådig; utarbeide omhyggelig; forskjønne; smykke; blomstrende tilstand; glans smykke, skjønnhet; forsiring, forskjønnelse blomster (i stil); snirkel, sving; krusedull; forspill; fanfare; svingende bevegelse, sving; det å slå ut med hånden.

flour | **mill** mølle. — **mite** melmidd. — **paste** hvetemelsklister.

floury ['flauri] melen; melet, melaktig, mel-.

flout [flaut] spotte, håne; trasse, trosse; spott spe, hån.

flow [fləu] flyte, strømme; renne; stige (om vannet); oversvømme, flyte over; — **from** være et resultat av, skyldes; — **with** være fylt med flyte, gli blidt av sted; henge løst og bølgende ned.

flow [fləu] flo (motsatt fjære); stigning, strøm ming, flyting, flyt; tilløp (av vann); (fig.) strøm he has a **fine** — **of language** han uttykker seg flytende; his **great** — **of spirits** hans store livlighet. **flowage** ['fləuidʒ] flom, oversvømmelse.

flow chart drifts- el. produksjonsdiagram, plan.

flower ['flauə] blomst, blomme; blomstring; det fineste, det beste; pryd, glans; aroma, ange; bouquet (av vin); vignett; blomstre, smykke med blomster; **the** — **of youth** ungdommens vår;

the — of the country's youth blomsten av landets ungdom; -s of speech retoriske blomster, språkblomster; -s of sulphur svovelblomme.
flower-adorned blomsterprydet.
flowerage ['flauərid3] blomstring, blomsterpryd.
flower | **border** blomsterrabatt. — **bud** blomsterknopp.
flower-de-luce [flauədi'lu:s] iris.
floweret ['flauərit] liten blomst. **floweriness** ['flauərinis] blomstervrimmel; blomsterflor.
flower | **picture**, — **piece** blomsterstykke. **-pot** blomsterpotte. — **show** blomsterutstilling. — **stalk** blomsterstilk. — **stand** blomsterstativ.
flowery ['flauəri] blomsterrik; blomstrende; fangecelle.
flowing **hope** håpløst foretagende.
flown [fləun] perf. pts. av **fly**; rød i toppen.
F. L. S. fk. f. **Fellow of the Linnaean Society.**
fl. oz. fk. f. **fluid ounce(s).**
flu [flu:] influensa.
flub [flʌb] tabbe, feil, brøler; forkludre, klusse.
fluctuant ['flʌktjuənt] vankelmodig, ustø, uviss. **fluctuate** ['flʌktjueit] bølge; strømme fram og tilbake, variere, svinge, fluktuere. **fluctuation** [flʌktju'eiʃən] bølging; vakling, ubestemthet; fluktuering; stigning og fall.
flue [flu:] luftgang; skorstein, skorsteinspipe, røykkanal, skorsteinsrør; rørkanal.
flue [flu:] fnugg, dun, bløte hår.
flue boiler røykrørskjele.
fluency ['flu:ənsi] letthet, tungeferdighet, uttrykksevne, talegaver. **fluent** ['flu:ənt] flytende. **speak fluently** snakke flytende.
fluey ['flu:i] dunet, dunmyk.
fluff [flʌf] bløte hår, dun; fnugg; lo; forsnakkelse; (amr.) rotekopp.
fluffy ['flʌfi] dunaktig, bløt.
flugelman ['flu:glmæn] leder; forbilde.
fluid ['flu:id] flytende, væskeformig; ustabil; væske; fluidum.
fluidity [flu'iditi] flytende tilstand.
fluke [flu:k] ankerflik; spiss, mothake; flaks; lykketreff, slumpehell, (i biljardspill:) gris; være svinheldig.
fluke [flu:k] flyndre; saueigle.
fluky ['flu:ki] svineheldig; ustadig (om vind).
flume [flu:m] kanal (gravd), vannrenne, tømmerrenne; gjel (som en elv renner gjennom).
flummery ['flʌməri] en slags grøt, melkevelling; pudding; smiger; tøv.
flummox ['flʌməks] sette i beit, gjøre perpleks.
flump [flʌmp] støte, dunke; støt, dunk.
flunk [flʌŋk] (amr.) stryke (ved eksamen), dumpe; — **out** bli utvist el. relegert.
flung [flʌŋ] imperf. og perf. pts. av **fling.**
flunkey ['flʌŋki] lakei, spyttslikker.
flunkeyism ['flʌŋkiizm] lakeivesen, spyttslikkeri.
fluor ['flu:ə] flusspat, fluor.
fluorescence [fluə'resəns] fluorescens. **fluorescent** [fluə'resənt] fluorescerende. — **lamp** lysstoffrør.
fluoridated ['fluərideitid] tilsatt fluor.
flurried ['flʌrid] forfjamset, befippet, nervøs.
flurry ['flʌri] vindrose, vindkast; snøbyge; uro, røre, hastverk; befippelse; sette i bevegelse; kave; gjøre befippet, forfjamse.
flush [flʌʃ] strømme, flyte voldsomt; rødme, bli plutselig rød; bli flytende; fly plutselig opp (om fugler); synge triller, koloraturer; få til å rødme plutselig; farge; spyle, sprøyte (kloakk o. l.); oppmuntre, oppflamme; gjøre oppblåst; jage opp; frisk, blomstrende, kraftig; full, svulmende; rikelig; flust med; vel forsynt; ødsel, gavmild; raust; som ligger i flukt med, plan, forsenket; likefrem, overstrømmende; glød; oppbrusing, storm (av følelser); blomstring, kraft; triller, koloraturer; force (i kortspill); **-ed with joy** berust av glede; — **up** bli blussende rød; **in the** — **of victory** i den første seiersrus; **money**

was — der var overflod av penger; — **of money** velbeslått med penger; **I came** — **upon him** jeg kom bardus på ham.
flusher ['flʌʃə] vannvogn, sprøytevogn.
Flushing ['flʌʃiŋ] Vlissingen.
flush-riveted glattklinket.
fluster ['flʌstə] varme, hete; beruse; forvirre; være varm; kave, vimse; være overlesset; hete; forskrekkelse, beruselse, forvirring; overlessing.
flute [flu:t] fløyte, orgelpipe; fure; langt franskbrød; blåse på fløyte; rifle; kannelyre; pipe (om tøy). — **stop** fløytestemme, fløyteregister. **-work** pipeverk (i orgel). **flutist** ['flu:tist] fløytespiller, fløytenist, fløytist.
flutter ['flʌtə] bølge, svaie; flagre, riste, skake, vibrere; vimse, bevege seg urolig fram og tilbake el. opp og ned; skjelve, banke (om hjerte); fare i siksak; være opphisset; være nervøs; fare i sinnsbevegelse; vakle; sette i bevegelse; få til å flagre; skremme; gjøre angst; bringe i forvirring; hurtig og uregelmessig bevegelse, flagring, risting, skaking, vibrering; banking (av hjertet); svingning, vakling, bølging; opphisselse, uro, forvirring; **be in a** — være ganske nervøs.
fluttery flagrende, nervøs, opphisset.
fluty ['flu:ti] fløytelignende, fløyte-, myk og ren.
fluvial ['flu:vjəl], **fluviatic** [flu:vi'ætik] flod-, elve-.
flux [flʌks] flyting, flyt; flod; flo; være i stadig forandring; fremkalle en uttømming; få til å purgere; rense; smelte, bringe til å flyte; — **of words** ordflom; — **of money** pengeomløp; — **and reflux** flo og fjære; — **of blood** blodgang. **fluxibility** [flʌksi'biliti] smeltbarhet. **fluxible** ['flʌksibl] smeltbar. **fluxion** ['flʌkʃən] flyting; flod; -s differensialregning. **fluxional** ['flʌkʃənəl], **fluxionary** ['flʌkʃənəri] integral; foranderlig.
fly [flai] fly, fly med, frakte, befordre; løpe, ile; flykte; springe i stykker (om glass o. l.); vaie; la vaie (om flagg), sette opp (om draker o. l.); flagre; kjøre i drosje; **let** — skyte ut (en pil); — **at** fly imot, fare inn på, anfalle; slå løs på; — **in the face of** fare løs på; trosse; — **into a passion** bli forbitret, fare opp; se også **flying.**
fly [flai] flue; svinghjul; flytur; byksemekk; drosje; **break a** — **on the wheel** skyte spurver med kanoner.
fly [flai] våken, oppvakt, gløgg, dreven.
fly|**away** flyktning, rømling; flagrende, flyktig. **-blow** (flue)spy, legge spy. — **-blown** belagt med fluespy, tilsmusset. — **-button** knapp i buksesmekk. — **-by-night** leieboer som stikker av om natten uten å betale; (merk.) usikkert foretagende. **-catcher** fluesnapper; fluefanger. **-cop** (amr.) sivilkledd politimann.
flyer flyger; hurtigtog; hurtigrute; vågestykke; løpeseddel, flygeblad.
fly|**-fish** fiske med flue. **-flap(per)** fluesmekker.
flying ['flaiiŋ] flygende, lett, hurtig; flyging, flukt. — **boat** flybåt. — **bomb** flygende bombe (brukt om V-bombene). — **buttress** strebebue. — **colours** vaiende faner. **Flying Dutchman** flygende hollender (spøkelsesskip; ogs. om hurtigtog på linjen Exeter—London); båttype. — **fish** flygefisk; person fra Barbados. — **jib** jager (slags seil). — **machine** flymaskin, fly. — **saucer** flygende tallerken. — **squad** uttrykningspatrulje (politi). — **squirrel** flygeekorn. — **visit** fransk (ɔ: rask) visitt.
flyleaf ['flaili:f] forsatsblad.
flyman ['flaimən] drosjekusk; maskinmann (på teater).
fly-over bru (over vei, bane), overgang; overflyging.
flypaper ['flai'peipə] fluepapir.
fly rod fluestang.
fly sheet flygeblad. **flywheel** svinghjul.
F. M. fk. f. **Field Marshal; Foreign Missions.**
fm. fk. f. **fathom.**

9. Engelsk–Norsk

F. M. S. fk. f. **Federated Malay States.**

F. O. fk. f. **Foreign Office.**

fo. fk. f. **folio.**

foal [fəul] føll; fole; følle, fole, kaste føll.

foam [fəum] skum, fråde; skumme, fråde. — **rubber** skumgummi.

foamy ['fəumi] skummende.

f. o. b. fk. f. **free on board.**

fob [fɔb] liten lomme, urlomme.

fob [fɔb] fiff, knep; narre, lure, snyte; — **off with** bli kvitt på en behendig måte; avspise en med.

focal ['fəukəl] brennpunkt-. **foci** ['fəusai] flertall av **focus**. **focus** ['fəukəs] brennpunkt, fokus; bringe i fokus; innstille; samle. — **adjuster** innstiller (på kamera). **focusing screen** mattskive, innstillingsplate.

fodder ['fɔdə] fôr; fôre.

foe [fəu] fiende. **foeman** ['fəumən] fiende.

foetal ['fi:təl], **foetus** ['fi:təs] se **fetal, fetus.**

fog [fɔg] hå, etterslått.

fog [fɔg] tåke, skodde; hylle inn i tåke; omtåke; bringe forvirring i. — **bank** tåkebanke.

fogey ['fəugi]; **old** — gammel knark, stabeis.

foggage ['fɔgidʒ] etterslått.

fogginess ['fɔginis] tåkethet, tåke, skodde.

foggy ['fɔgi] tåket; omtåket; uklar; **I haven't the foggiest (notion)** det har jeg ikke den fjerneste anelse om.

foghorn ['fɔghɔ:n] tåkelur.

fogie ['fəugi] se **fogey.**

fogle ['fəugl] silketørkle.

fogy ['fəugi] se **fogey.**

foh! [fəu] fy!

foible ['fɔibl] svakhet, svak side.

foil [fɔil] folie (tynt metallblad); florett, kårde; bakgrunn; **be a** — **to** tjene til å fremheve; **tinfoil** ['tin'fɔil] tinnfolie.

foil [fɔil] sløve, svekke; tilintetgjøre, forpurre (ens planer); narre; krysse (ens planer); overvinne; komme på tverke for; far, spor (av vilt); nederlag; uhell.

foiling ['fɔiliŋ] folie; speilbelegg.

foilist, foilsman florettfekter.

foin [fɔin] støte, stikke (i kamp); støt; stikk.

foison ['fɔizn] fylde, overflødighet.

foist [fɔist] lure inn, stikke inn; sette til; — **something upon somebody** prakke noe på en.

fol. fk. f. **folio; following.**

fold [fəuld] fold; i sammensetninger med tallord, f. eks. **ninefold** nifold, nidobbelt.

fold [fəuld] fold, brett, fals; sauekve; folde, brette, legge sammen (hendene, et brev osv.); legge over kors (armene); — **up** legge sammen; false; stenge, opphøre; knekke sammen; pakke inn. **foldaway** sammenleggbar.

folder ['fəuldə] falser; mappe, perm; falsbein (hos bokbinder); falsejern.

folding ['fəuldiŋ] sammenlegging; falsing.

folding | bed feltseng, slagseng. — **camera** belgkamera. — **chair** feltstol. — **cot** feltseng. — **door** fløydør, dobbelt dør. — **pram** sammenleggbar vogn, sportsvogn. — **screen** skjermbrett. — **stick** falsbein. — **stool** klappstol. — **table** klaffbord. — **top** kalesje. — **umbrella** veskeparaply.

foliaceous [fəuli'eiʃəs] blad-, lauv-.

foliage ['fəuliidʒ] blad, løv, lauv; løvverk; pryde med løvverk. **foliate** ['fəulieit] foliere, utstyre med bladsirater, pryde med løvverk.

foliate ['fəuliit] bladaktig, med blad.

foliation [fəuli'eiʃən] bladutvikling, løvsprett; uthamring til blad el. folie; foliering.

folio ['fəuljəu] folio; foliant.

folious ['fəuljəs] bladrik; bladaktig, tynn.

folk [fəuk] folk, mennesker; folke-; ofte også **folks;** **little folks** barn; **the old folks** de gamle (far og mor).

Folkestone ['fəukstən].

folklore ['fəuklɔ:] folkeminneforskning, folklore, folkeminne; sagn, folketradisjon. **folklorist**

['fəuklɔ:rist] folklorist. **folkloristic** [fəuklɔ:'ristik] folkloristisk.

folksy ['fəuksi] populær, folkelig.

foll. fk. f. **following.**

follicle ['fɔlikl] belgkapsel, skolm; pose, sekk; **hair** — hårsekk.

follow ['fɔləu] følge, komme el. gå etter; etterfølge; (fig.) følge; fatte, forstå; være kjæreste med; strebe etter (f. eks. et mål); adlyde (f. eks. en fører); bekjenne seg til (f. eks. en lære); slå lag med, rette seg etter (f. eks. en mote); være følgen av; — **the rein** lystre tøylene; — **other men's business** bry seg om andre folks saker; — **-me-lads** lange krøller eller sløyfer i nakken; — **-my-leader** gåsegang, hermeleik; etterdilting; — **suit** følge farge, bekjenne kulør (i kortspill); — **one's nose** gå like etter nesen; — **the hounds** delta i parforsejakt; — **out** gjennomføre; — **up one's victory** forfølge sin seier; — **the sea** være sjømann.

follower ['fɔləuə] følgesvenn, ledsager; tilhenger; kjæreste.

following ['fɔləuiŋ] følgende (NB. artikkelen: **the** — **story** følgende historie); følge; tilslutning; parti, tilhengere.

follow-up det å følge opp en behandling; etterbehandling, oppfølging. — **letter** oppfølgingsbrev, purrebrev.

folly ['fɔli] dårskap, dumhet, fjollethet.

foment [fəu'ment] bade (med varm væske); oppmuntre; nære, oppelske. **fomentation** [fəumən'teiʃən] bading (med varmt omslag); omslag; næring; oppelsking, opphissing. **fomenter** [fəu'mentə] oppmuntrer.

fond [fɔnd] ettergivende; kjærlig, øm; svak i sin ømhet; **a** — **parent** en svak, uforstandig far (mor); **be** — **of** være glad i,.være forelsket i; **get** — **of** bli glad i. **fondel** ['fɔndl] kjæle, kjæle for. **fondling** ['fɔndliŋ] kjælebarn, kjæledegge. **fondly** ['fɔndli] øm; kjærlig. **fondness** ['fɔndnis] kjærlighet, ømhet, svakhet, ettergivenhet **have a** — **for** ha en svakhet for.

font [fɔnt] kasse med typer.

font [fɔnt] kilde, kjelde; font, døpefont.

food [fu:d] føde, mat, kost, næring; **plant** — planteføde, **-s** pl. næringsmidler, fødevarer, matvarer; — **for powder** kanonføde, kanonmat; — **for reflection** stoff til ettertanke; — **for worms** ormemat.

food | card matkort. — **chain** ernæringskjede. — **control** næringsmiddelkontroll. — **cupboard** matskap. — **grains** brødkorn. — **industry** næringsmiddelindustri. — **preservation** konservering. — **scraps** matrester. **-stuffs** matvarer. — **value** næringsverdi.

fool [fu:l] fruktgrøt: f. eks. **gooseberry** — stikkelsbærgrøt.

fool [fu:l] tosk, naut, idiot, fåvetting; narr, spasmaker; narre, bedra, fjase bort; **be** — **enough to** være dum nok til å; **make a** — **of** holde for narr, ta ved nesen; **go (send) on a -'s errand** bli narret.

foolery ['fu:ləri] narrestreker, tåpelighet. **foolfarmer** ['fu:lfa:mə] bondefanger. **foolhardiness** ['fu:lha:dinis] dumdristighet. **foolhardy** ['fu:lha:di] dumdristig, uvøren. **fooling** ['fu:liŋ] narrestreker, fjas.

foolish ['fu:liʃ] dum, tåpelig, tosket, narraktig, latterlig. **foolishness** dumhet, tåpelighet.

foolproof ['fu:lpru:f] idiotsikker.

foolscap ['fu:lzkæp] folioark.

fool's | errand fåfengt tiltak, spilt møye. — **gold** svovelkis. — **paradise: live in a** — **paradise** sveve i lykkelig uvitenhet.

foot [fut] fot (flertall **feet** føtter); fot (som mål = 30,48 cm, i flertall **feet** fot); fotfolk, infanteri; det som er på bunnen (av sukker-, oljefat osv.), bunnfall; den nederste del (f. eks. av en side, et fjell, et glass o. l.); **at** — nedentil, nedenunder, nederst på siden; **on** — til fots; **knock (el. throw) one off his feet** velte en; **catch him on the wrong** —

overrumple, overraske ham; **be on** — være i
gang; være på bena; **get on one's feet** komme på
bena; **he helped her to her feet** han hjalp henne
på bena; **she started to her feet** hun fór (sprang)
opp; **go on** — gå til fots; **set on** — sette i
gang; **my —! vås! sludder! put one's — down**
protestere, nekte; **put one's — in it** trampe i
klaveret.
foot [fut] danse, hoppe; sparke; (amr.) sum-
mere opp, beløpe seg til; sette fot på, strikke ny
fot i; (amr.) betale en regning; kausjonere.
footage ['futidʒ] lengde uttrykt i fot.
foot-and-mouth disease munn- og klovsyke.
football ['futbɔ:l] fotball; fotballspill; rugby
(fotball); **the — pools** tippetjenesten.
footballer ['futbɔ:lə] fotballspiller.
foot | bath fotbad. **-board** stigbrett, trinn. **-boy**
lakei, pasje. **-bridge** gangbru, klopp. **-fall** fot-
trinn. **— fault** feiltrinn. **-hold** fotfeste.
footing ['futiŋ] fotfeste; fotlag; grunnlag,
basis; dans; nederste del; oppsummering; **keep
one's —** holde seg på bena; **on the same —** på
like fot.
foot | irons stigbrett, stigtrinn. **— key** orgel-
pedal.
footlights ['futlaits] rampelys, lamperekke i
teater.
footling ynkelig, ussel, betydningsløs.
foot|man ['futmən] lakei, tjener. **-mark** fot-
spor, fotefar. **-muff** fotpose. **-note** fotnote. **-pace**
skritt, skrittgang; (trappe)avsats. **-pad** stimann,
røver. **— page** pasje. **-path** sti, fotsti. **-print** fot-
spor. **— race** kappløp, veddeløp. **— rope** underlik,
pert.
foot | rule ['futru:l] tommestokk. **-sie** ['futsi]
(amr.) benflørt, kurtise. **— soldier** infanterist.
foot|sore ['futsɔ:] sårføtt, sårbeint. **-step** fot-
spor. **-stool** fotskammel. **— switch** fotbryter, fot-
kontakt. **— way** fortau, gangsti. **-wear** fottøy,
skotøy.
foozle ['fu:zl] kludre, forkludre, tulle; gammel
knark, sullik.
fop [fɔp] laps, sprett. **fopling** ['fɔpliŋ] liten
laps. **foppery** ['fɔp(ə)ri] lapseri. **foppish** ['fɔpiʃ]
lapset. **foppishness** ['fɔpiʃnis] lapsethet.
for [(alm. ubetont uttale:) fə; (foran vokal:)
fər; (med ettertrykk:) fɔ:; (foran vokal:) fɔ:r]
1. ti, for; 2. for, i stedet for; 3. for, til beste
for, til hjelp mot; 4. for, etter, til (om mål eller
bestemmelse); 5. for (om rekkefølge); 6. i, på
(om utstrekning i tid og rom); 7. på grunn av,
for; 8. til tross for, trass i; 9. med hensyn til, i
forhold til, for; 10. (foran et ord som er for-
bundet med en infinitiv); eksempler: 2. **member
— Liverpool** medlem (av underhuset) for L.;
once — all en gang for alle; **give change —**
veksle; gi igjen på; **eye — eye** øye for øye; **know
— certain** vite sikkert; **take —** oppfatte som;
mistake — forveksle med; **— one thing** for det
første, for eksempel; blant annet; 3. **there is no-
thing — it** but to det er intet annet å gjøre enn;
ingen annen råd enn; **they live — each other** de
lever for hverandre; **a remedy —** et middel mot;
4. **— instance, — example** for eksempel; **a letter
— you** et brev til deg; **bound — China** som skal
til Kina, bestemt for Kina; **ask — spørre etter;
**hope — håpe på; **long — lengte etter; **look —
se etter; **send — sende bud etter; **wish — ønske;
an instrument — cutting et instrument til å skjære
med; **good — nothing** ingenting verd, ubrukelig;
5. **word — word** ord for ord; 6. **he has lived there
— three years** han har bodd der i tre år (el.
bodd der tre år); **— years** i årevis; **— miles** i
mils omkrets; milevidt; **— life** på livstid; **—
ever** bestandig; **— the most part** for størstede-
len; **— once** for en gangs skyld; **— this once**
for denne ene gang; **— once in a way** for en gangs
skyld; 7. **— fear of** av frykt for; **— love of** av
kjærlighet til; **— this reason** av denne grunn;
— want of av mangel på; **he wept — joy** han
gråt av glede; **but — him** hvis han ikke hadde

vært; **— my sake** for min skyld; **fie — shame!**
fy, skam deg! (etter komparativ med **the**) **be the
better — it** ha godt av det; **he will be none
the worse — it** han vil ikke ha noe vondt av
det; **her eyes were the brighter — having wept**
hennes øyne var desto klarere, fordi hun hadde
grått; 8. **— all that** trass i alt, likevel; **— all
(el. aught el. anything) I know** så vidt (el. for alt
det) jeg vet; **— all I care** det er meg likegyldig; **—
all I do** trass i alt jeg gjør; **— all her scolding**
hvor mye hun enn skjente; 9. **well written —**
a boy of his age godt skrevet av en gutt på hans
alder; **clever — his age** flink for sin alder;
as — med hensyn til, med omsyn til; **as — me
hva meg angår; 10. **— him to do that would be
the correct thing** det ville være riktig at han gjorde
det; **he halted his ear — me to jump in** han
stanset bilen så jeg kunne hoppe inn.
f. o. r. fk. f. **free on rail.**
for. fk. f. **foreign.**
forage ['fɔridʒ] fôr; furasjere, skaffe fôr;
romstere, rote. **— cap** leirlue. **foraging** ['fɔridʒiŋ]
furasjering. **— ant** soldatmaur, vandremaur.
foramen [fə'reimən] lite hull.
forasmuch [fɔrəz'mʌtʃ] ettersom; når det gjel-
der.
foray ['fɔrei] plyndringstog; plyndre, herje.
forbade [fə'beid] imperf. av **forbid.**
forbear ['fɔ:bɛə] (skotsk) ættefar.
forbear [fɔ:'bɛə] la være, unnlate; ha tål-
modighet; avholde seg fra, styre seg. **forbearance**
[fɔ:'bɛərəns] tålmodighet, overbærenhet; mild-
het; (jur.) henstand.
forbid [fə'bid] forby, nekte; umuliggjøre,
hindre; bannlyse, forvise. **forbidden** [fə'bidn] perf.
pts. av **forbid. forbidding** [fə'bidiŋ] frastøtende,
avskrekkende, ubehagelig.
forbore [fɔ:'bɔ:] imperf. av **forbear.**
forborne [fɔ:'bɔ:n] perf. pts. av **forbear.**
force [fɔ:s] kraft, styrke; makt; tvang, nød-
vendighet; politistyrke, politikorps, tropper,
stridsmakt; trykke, presse; tvinge fram, tvinge,
nøde; tiltvinge seg; gjøre vold på; ta med makt,
innta med storm; voldta; fordrive; rive, støte,
sprenge; anstrenge; forsterke; legge vekt på;
drive fram (frukter, blomster o. l.); **the air —**
luftvåpenet; **join the -s** melde seg til militær-
tjeneste; **— a door** sprenge døren; **— wine** klare
vin hurtig; **— out** avtvinge, avnøde; **— upon**
påtvinge, pånøde; **by — of** i kraft av; **in —**
med store styrker; **be in —** gjelde (om lov),
være i kraft.
foreeably ['fɔ:sibli] med makt.
force bed drivbenk, drivbed.
forced [fɔ:st] tvunget, forsert osv.; **— jest**
forsert spøk; **— march** ilmarsj. **— sale** tvangs-
salg, tvangsauksjon. **forcedly** ['fɔ:sidli] tvungent.
forcedness ['fɔ:sidnis] tvungenhet, forserthet.
force-land nødlande.
force majeure [fɔ:sma:'ʒə:] uovervinnelig hin-
dring (f. eks. krig) for oppfylling av kontrakt.
forcemeat ['fɔ:smi:t] farse, fyll.
forceps ['fɔ:seps] tang (kirurgisk); pinsett.
force pump ['fɔ:spʌmp] trykkpumpe. **forcer**
['fɔ:sə] en som tvinger osv.; pumpestempel,
trykkstempel. **forcible** ['fɔ:sibl] kraftig, sterk;
voldsom, heftig; som skjer med makt, tvangs-.
-feeble som ser sterk ut uten å være det.
forcibly ['fɔ:sibli] kraftig; voldsomt.
forcing | frame ['fɔ:siŋfreim] mistbenk, driv-
benk. **— house** drivhus. **— pump** trykkpumpe.
ford [fɔ:d] vadested; vasse, vade over.
fordable ['fɔ:dəbl] som en kan vasse over.
fordo [fɔ:'du:] ødelegge; drepe. **-ne** utmattet.
fore [fɔ:] foran, forrest; for-; forut, fortil;
fortropp; **at the —** i fronten; **to the — foran;
ved hånden, til stede; i live; **come to the —** vise
seg, tre fram; bli berømt. **fore!** (golf) av banen!
fore and aft ['fɔ:rən'dɑ:ft] for og akter; over
hele skipet, i skipets lengderetning.
forearm [fɔ:r'ɑ:m] forut væpne; **forewarned**

is **forearmed** (om lag:) forord bryter trette, bedre føre var enn etter snar.

forearm ['fɔ:rɑ:m] underarm.

forebode [fɔ:'bəud] varsle; ane, kjenne på seg. **foreboding** [fɔ:'bəudiŋ] varsel; anelse.

forecast ['fɔ:kɑ:st] værvarsel, værmelding, forutsigelse, prognose; **what's the — for today?** hva sier værmeldingen for i dag? **forecast** ['fɔ:-kɑ:st] planlegge, forutse, forutsi, varsle.

forecastle ['fəuksl] bakk; ruff (på skip). **foreclose** [fɔ:'kləuz] hindre, stanse; utelukke; realisere. **foreclosure** [fɔ:'kləuʒə] utelukkelse.

forecourt ['fɔ:kɔ:t] forgård; (tennis) banen nærmest nettet.

fore|-deck ['fɔ:dek] fordekk. **-design** forutbestemme. **-doom** [fɔ:'du:m] dømme (på forhånd). **-father** ættefær. **-fend** [fɔ:'fend] forebygge, avvende, avverge. **-finger** pekefinger. **-foot** forfot, forbein. **-front** forgrunn; forside; forreste linje.

forego se **forgo**.

forego [fɔ:'gəu] gå forut. **foregoing** [fɔ:'gəuiŋ] førnevnt, forutgående; **foregone** [fɔ:'gɔn] tidligere; på forhånd bestemt; **it was a foregone conclusion** det kunne man ha sagt på forhånd; det var opplagt.

foreground ['fɔ:graund] forgrunn.

forehand ['fɔ:hænd] forpart på en hest, bog; privilegium, fordel.

forehead ['fɔrid] panne; (fig.) frekkhet.

foreign ['fɔrin] fremmed, utenlandsk, utenriks; **— made** utenlandsk, laget i utlandet; **Foreign Minister** utenriksminister. **F. Ministry** utenriksdepartementet; **F. Office** utenriksdepartement; **F. Secretary** el. **Secretary of State for F. Affairs** utenriksminister; **the F. Service** utenrikstjenesten.

foreigner ['fɔrinə] fremmed, utlending.

fore-imagine [fɔ:ri'mædʒin] forestille seg forut.

forejudge [fɔ:'dʒʌdʒ] dømme forut, dømme på forhånd.

foreknow [fɔ:'nəu] vite forut.

foreknowledge [fɔ:'nɔlidʒ] forhåndskjennskap.

forel ['fɔrəl] pergament.

foreland ['fɔ:lənd] odde, nes, pynt, forberg.

foreleg ['fɔ:leg] forbein.

forelock ['fɔ:lɔk] lugg, pannehår, pannelugg; **take time by the — nytte tiden, nytte høvet, gripe leiligheten, være om seg.

foreman ['fɔ:mən] formann, arbeidsformann. **foremast** ['fɔ:mɑ:st] fokkemast.

foremost ['fɔ:məust, -məst] forrest; først; **first and — først og fremst; feet — på føttene; head — på hodet, hodestupes.

fore|name forvarn. **-named** førnevnt.

forenoon ['fɔ:'nu:n] formiddag.

forensic [fə'rensik] retts-, juridisk, advokatorisk; polemisk.

foreordain [fɔ:rɔ:'dein] bestemme forut.

forerun [fɔ:'rʌn] komme før; varsle; foregripe. **forerunner** [fɔ:'rʌnə] forløper.

foresail ['fɔ:seil] fokk.

fore|see [fɔ:'si:] forutse; **in the foreseeable future** i overskuelig fremtid. **-seer** seer. **-shadow** ['fɔ:'ʃædəu] forutanelse; [fɔ:'ʃædəu] forut antyde, bebude. **-shore** strand, fjære; **foreshore rights** strandrettigheter. **-shorten** [fɔ:'ʃɔ:tn] forkorte. **-show** varsle, tyde på. **-sight** fremsyn, forutviten; forsiktighet; siktekorn, forsikte (på gevær). **-skin** forhud.

forest ['fɔrist] skog (større); kongelig jaktdistrikt; skogkle.

forestage ['fɔ:steidʒ] forgrunn; forreste del av en teaterscene.

forestall [fɔ:'stɔ:l] oppta i forveien, kjøpe opp forut; komme i forveien, i forkjøpet; avskjære, forhindre voldelig. **forestaller** oppkjøper. **forestalling** oppkjøp.

forestation [fɔri'steiʃən] skogplanting.

forester ['fɔristə] forstmann; en som bor i skogen. **forestry** ['fɔristri] forstvesen, forstvitenskap.

fore | taste ['fɔ:teist] forsmak; få en forsmak på. **-tell** [fɔ:'tel] forutsi. **-thought** ['fɔ:θɔ:t] omtanke; planlegging; betenksomhet, overlegg. **-token** [fɔ:'təukn] varsle; varsel. **-top** fokkemers, formers. **— -topmast** forstang.

forever [fə'revə] alltid, for evig; evigheten.

forewarn [fɔ:'wɔ:n] advare; forut meddele.

foreyard ['fɔ:jɑ:d] fokkerå; forgård.

forfeit ['fɔ:fit] forseelse, feiltrinn; forbrytelse; gjenstand el. gods som er forbrutt; bot, mulkt; pant (i pantelek); (pl.) pantelek; hjemfallen, forspilt, forbrutt; forbryte; forspille, tape, miste; **— one's credit** forspille sitt gode navn og rykte; **game of -s** pantelek; **pay the — gi pant, betale boten; pay the — of one's life** bøte for det med livet; **cry the -s** rope pantene opp; **play -s** leke pantelek. **forfeitable** ['fɔ:fitəbl] som kan forbrytes, som kan forspilles. **forfeiture** ['fɔ:fitʃə] forbrutt gods; konfiskasjon; tap; pengebot.

forfend [fɔ:'fend] forby, avverge, avvende.

forgather [fɔ:'gæðə] møtes, komme sammen.

forgave [fə'geiv] imperf. av **forgive.**

forge [fɔ:dʒ] esse, smieavl, smie; smi; hamre ut; forme, skape; ettergjøre, forfalske, skrive falsk. **forger** falskner, forfalsker. **forgery** ['fɔ:dʒəri] ettergjøring; forfalskning; falsk, falskneri; falsum.

forge scale glødeskall, hammerslagg.

forget [fə'get] glemme; ikke huske, ikke kunne komme på; **— oneself** glemme seg; forløpe seg. **forgetful** [fə'getf(u)l] glemsk, glemsom; som gjør glemsom; uaktsom. **forgetfulness** [-nis] forglemmelse; glemsomhet; etterlatenhet. **forget-me-not** [fə'getminɔt] forglemmegei.

forging ['fɔ:dʒiŋ] smiearbeid; smiekunst; smiegods.

forgive [fə'giv] tilgi, forlate; ettergi (gjeld el. straff). **forgiven** [fə'givn] perf. pts. av **forgive. forgiveness** [-nis] tilgivelse, forlatelse; ettergivelse; **forgiving** ettergivende, forsonlig, barmhjertig.

forgo [fɔ:'gəu] oppgi, gi avkall på, forsake.

forgot [fə'gɔt] imperf. og perf. pts. av **forget. forgotten** [fə'gɔtn] perf. pts. av **forget.**

fork [fɔ:k] fork; gaffel; greip; spiss; skillevei; gren, arm (f. eks. av en elv); dele seg, forgrene, kløyve seg; forke, gafle; kaste med greip; grave med greip; ta med gaffel; **— out** punge ut, betale regningen; utlevere. **forked** [fɔ:kt] gaffelformig; grenet, forgrenet; tvetydig; **— lightning** siksaklyn. **forklifter, fork-lift truck** gaffeltruck. **forky** ['fɔ:ki] gaffelformet; forgrenet; takket; kløftet.

forlorn [fɔ:'lɔ:n] ulykkelig, hjelpeløs, fortvilet; forlatt, øde; **— hope** tropper som går først i ilden uten håp om å seire; stormkolonne; håpløst foretagende; svakt håp. **forlornness** [-nis] forlatt, hjelpeløs tilstand.

form [fɔ:m] form; skikkelse; system, metode, orden; formel; formular, skjema, blankett; formalitet, skikk og bruk; måte, vis; benk, skolebenk; klasse i skole; leie (et dyrs); satt form (typograf.); høflighetsform, manér; formulering; kondisjon (sport); prestasjon (sport); forme, danne, utgjøre, forferdige; ordne, oppstille, formere (mil.); innrette; utvikle, opprette; utkaste (en plan); anta form, forme seg, utvikle seg, stille seg opp; formere seg (mil.); **in due — i tilbørlig form, tilbørlig; in — høytidelig, formelt; set — mønster, forbilde; a mere — of words** en ren frase; **good — god tone; bad — dårlig tone, uhøflighet; in bad — i dårlig kondisjon; the first — første (laveste) klasse; an acquaintance** stifte bekjentskap.

formal ['fɔ:məl] i tilbørlig form, tilbørlig; tvungen, stiv, avmålt, seremoniell; pedantisk; skolemessig, akademisk, teoretisk; utvortes, ytre; tilsynelatende, skinn-; (amr.) ball hvor man kler seg i galla; aftenkjole. **— amendment** redaksjonell endring. **— dress** galla.

formalism ['fɔ:məlizm] formalisme.

formalist ['fɔ:məlist] formalist.

formality [fɔ:'mæliti] formvesen; riktighet i ormen; formalitet, form; formfullhet, høytidelighet; stivhet, pedanteri. **formally** ['fɔ:məli] ormelt osv.; for formens skyld; høytidelig, stivt.
format ['fɔ:mət] format.
formate [fɔ:'meit] danne formasjon (om fly).
formation [fɔ:'meifən] dannelse, skikkelse; formering, formasjon; tilblivelse. **formative** ['fɔ:mə-iv] dannende, plastisk; avledet ord. **formed** _fɔ:md] utviklet, moden; dannet, formet.
former ['fɔ:mə] former; skaper.
former ['fɔ:mə] foregående, forrige, tidligere, førstnevnt, første, hin; forbigangen.
formerly ['fɔ:məli] før i tiden, tidligere, forlum.
formic ['fɔ:mik] maur-. — **acid** maursyre.
formica [fɔ:'maikə] (varemerke) respatex.
formicary ['fɔ:mikəri] maurtue.
formication [fɔ:mi'keifən] mauring, kløe.
formicide ['fɔ:misaid] maurdreper, maurmiddel.
formidable ['fɔ:midəbl] fryktelig, skrekkelig; mponerende, enorm.
formless ['fɔ:mlis] formløs.
form master ['fɔ:mmɑ:stə] klasselærer, klasseforstander.
formula ['fɔ:mjulə] formel, formular; resept, oppskrift; (pl.) **formulae** [-li:]. **formulary** ['fɔ:mjuləri] formular. **formulate** ['fɔ:mjuleit] formulere.
fornicate ['fɔ:nikeit] drive utukt. **fornication** [fɔ:ni'keifən] utukt. **fornicator** ['fɔ:nikeitə] utuktig person (mann); **fornicatrix** utuktig kvinne.
forray ['fɔrei] røvertog.
forsake [fə'seik] svikte; forlate. **forsaken** [fə-'seikn] perf. pts. av **forsake. forsook** [fə'suk] imperf. av **forsake.**
forsooth [fə'su:θ] i sannhet, sannelig.
forswear [fə'swɛə] forsverge; avsverge; sverge falsk. **forswore** [fə'swɔ:] imperf. av **forswear. forsworn** [fə'swɔ:n] perf. pts. av **forswear.**
Forsyte ['fɔ:sait].
fort [fɔ:t] fort, festning, borg, fort; **hold the —** (fig.) holde skansen.
fortalice ['fɔ:təlis] blokkhus, lite fort.
forte [fɔ:t] styrke, sterk side, forse.
forte ['fɔ:ti] forte (i musikk).
forth [fɔ:θ] fram, fremad, videre; ut; **from this time —** fra nå av; **and so —** og så videre.
forthcoming [fɔ:θ'kʌmiŋ] på rede hånd, for hånden; til stede; forestående, kommende; imøtekommende (om person); tilsynekomst, fremkomst.
forthright ['fɔ:θrait] likefrem, endefram; oppriktig; øyeblikkelig; på flekken; straks.
forthwith ['fɔ:θ'wiθ, -ð] straks, omgående, uoppholdelig.
fortieth ['fɔ:tiiθ] førtiende; førtidel.
fortifiable ['fɔ:tifaiəbl] som kan befestes.
fortification [fɔ:tifi'keifən] befestning, befestningskunst; styrking, forsterkning; tilsette alkohol til vin, forskjære. **fortify** ['fɔ:tifai] styrke, forsterke, befeste; berike.
fortitude ['fɔ:titjud] kraft; mot; sjelestyrke.
fortitudinous [fɔ:ti'tju:dinəs] med stor sjelestyrke, modig.
fortnight ['fɔ:tnait] fjorten dager; **every —** hver fjortende dag; **this day —** fjorten dager i dag; i dag om fjorten dager. **fortnightly** fjortendags; hver fjortende dag.
fortress ['fɔ:tris] festning.
fortuitous [fɔ:'tju:itəs] tilfeldig, slumpe-.
fortunate ['fɔ:tʃənit] lykkelig; heldig. **fortunately** lykkeligvis, heldigvis.
fortune ['fɔ:tʃən] skjebne, lagnad, lodd; lykke; formue; medgift; godt parti; **bad —** uhell, motgang; **good —** hell, medgang; **by —** tilfeldigvis; **soldier of —** lykkejeger; **tell a person's —**, tell -s spå; **he had made his —** han hadde gjort seg en formue; **a man of —** en formuende mann; **the tide of — has set in again** tingene har tatt en gunstig vending igjen; **— favours fools** lykken er bedre enn forstanden.

Fortune ['fɔ:tju:n] Fortuna (lykkegudinnen). **fortune| book** ['fɔ:tʃənbuk] spåbok. — **hunter** lykkejeger. **-teller** spåmann, spåkone.
forty ['fɔ:ti] førti, førr; **take — winks** ta seg en liten blund; **have — fits** få et anfall; **the forties** førtiårene. **forty-five** pistol el. revolver av kaliber 45; EP-plate, grammofonplate med hastighet 45. **forty-niner** gullgraver fra gullrushet i California i 1849.
forum ['fɔ:rəm] forum.
forward ['fɔ:wəd] (adv.) fram, fremad, videre; **be — være** i gjære; **look — to** vente, glede seg til; **put — sette** fram; **put oneself — stikke** (holde) seg fram; **straight — like** ut; **from this time —** fra nå av; **carried — overført**; transport.
forward ['fɔ:wəd] (adj.) forrest; langt kommet; tidlig moden; fremmelig, for seg; vel utviklet; imøtekommende, ivrig; radikal, reformistisk; overilet, kåt, nesevis; kjekk; uforskammet; **a — order** en ordre til framtidig (senere) levering.
forward ['fɔ:wəd] (subst.) forward, løper, spiller i løperrekken (i fotball).
forward ['fɔ:wəd] (verb) sende, befordre, ekspedere; støtte, fremme, framskynde; begunstige, oppmuntre; **— on sende** videre; **letter to be -ed** brevet skal (videre)sendes.
forwarder ['fɔ:wədə] sender; speditør.
forwarding ['fɔ:wədiŋ] også: spedisjons-. — **account** spedisjonsregning. — **agency** spedisjonsfirma. — **agent** speditør. — **and general agents** kommisjons- og spedisjonsfirma. — **clerk** ekspeditør.
forwardness ['fɔ:wədnis] beredvillighet; iver; nesevishet; dristighet; fremmelighet, tidlig utvikling.
forwards ['fɔ:wədz] fremad osv. se **forward.**
fosse [fɔs] (voll)grav (mil.).
fossette [fɔ'set] hulning; smilehull.
fossil ['fɔsil] oppgravd, funnet i jorda, fossil; forsteinet; fossil; forsteining; (fig.) som hører fortiden til, fortidslevning. **fossiliferous** [fɔsi-'lifərəs] som inneholder fossiler. **fossilification** [fɔsilifi'keifən] forsteining. **fossilize** ['fɔsilaiz] forsteine; (fig.) stivne; størkne; forsteines.
foster ['fɔstə] fostre, oppfostre, oppføde, ale opp; nære, pleie, begunstige. **fosterage** ['fɔstəridʒ] oppfostring; (fig.) støtte, hjelp.
foster| brother fosterbror. — **child** pleiebarn. **fosterer** ['fɔstərə] pleiefar, pleiemor.
foster mother fostermor; rugemaskin.
F. O. T. fk. f. **free on truck.**
fother ['fɔðə] **a leak** stoppe en lekkasje.
fother ['fɔðə] fôr (se **fodder**); lass (især av bly, kalk osv.).
fought [fɔ:t] imperf. og perf. pts. av **fight.**
foul [faul] uren, skitten, stygg, fæl, vond, ubehagelig, motbydelig; skadelig; dårlig, rusket (om vær); mot (om vind); stinkende; mudret; fordervet; full av ting som ikke bør være der; full av ugress (om hage), full av sot (om skorstein) o. l.; i uorden (om mage); farlig (om kyst); innviklet, i uorden; ulovlig, som strir mot reglene; uriktig, uærlig, falsk; slett, ond; ryggesløs, rå; sårende, uanstendig (om ord); søle, grise til, forurense, besudle; tilstoppe, tette; bringe i uorden; innvikle; hindre; bli skitten el. gjørmet; bli innviklet; tørne mot, kollidere; ureglementert handling, juks, regelbrudd; kollisjon, sammenstøt; — **air** dårlig luft; — **bottom** tilgrodd bunn (om skip); — **breath** dårlig ånde; — **copy** kladd; —**disease** venerisk sykdom; **the — fiend** den onde, djevelen; **-ing** tilsøling, forurensing; begroing (på skip); — **language** stygt snakk, råprat; — **pipe** sur pipe; — **play** uærlig spill; — **sky** overskyet himmel; — **weeds** ugress; **fall — of** ryke uklar med; **run — of** seile på (mot).
foul-mouthed ['faul'mauðd] grov (i munnen), plump, rå.
foulness ['faulnis] urenslighet; skitt; heslighet; uredelighet.

foul-spoken ['faul'spəukən] kynisk i sin tale, rå, grov.
foumart ['fu:ma:t] ilder, mår.
found [faund] imperf. og perf. pts. av **find**; 50 pounds a year and everything found 50 pund om året og alt fritt.
found [faund] grunnlegge; grunne; stifte; bygge; innrette, fastsette; grunne, basere; stole (on på).
found [faund] støpe, smelte.
foundation [faun'deiʃən] grunnlegging, fundamentering; grunn, fundament; oppretting, stifting; dotasjon; stipendium; anstalt, stiftelse legat; basis, grunnlag; underlagskrem, (pudder)-underlag; korsettering; **be on a** — ha et stipendium. **-er** [faun'deiʃənə] stipendiat; frielev. — **garments** korsettering (hofteholdere, korsetter o. l.). — **school** legatskole. — **stone** grunnstein.
founder ['faundə] grunnlegger, stifter; stamfar; støper.
founder ['faundə] synke, gå til bunns; ramle ned; være uheldig, mislykkes.
founder ['faundə] skamri, gjøre halt; dette.
founders' shares grunnaksjer, stamaksjer.
foundling ['faundliŋ] hittebarn.
foundress ['faundris] kvinnelig stifter, grunnlegger.
foundry ['faundri] støperi; støpegods; støping. — **facing** kullstøv (til støping). — **furnace** støperiovn. **-man** støperiarbeider. — **sand** støpesand.
fount [faunt] kilde, vell, oppkomme.
fountain ['fauntin] kilde; oppkomme; fontene, springvann; (fig.) opphav, opprinnelse. **-head** kildevell; opprinnelse; første opphav. — **pen** fyllepenn.
four [fɔ:] fire; firetall; **fours** båter med fire årer, firer; **by fours** fire og fire; **on all fours** på alle fire; (fig.) likestilt (**with** med); **four-and-twenty** tjuefire; **a coach and four** firspann, firbeite; **well-matched four** firspann som passer godt sammen.
four|-bit (amr.) 50-cents. — **-by-three** uvesentlig, liten. — **-colour** firefarge-. — **-cornered** firkantet. — **-cycle engine** firetaktsmotor. **-flusher** bløffer, bløffmaker. **-fold** firefold, firedobbelt. — **-handed** firemanns-; firhendig (i musikk). **-in-hand** med fire hester; firspann; firbeite; — **-legged** firbeint. — **-letter word** tabuord, ord som ikke kan gjengis på trykk. — **on the floor** fire trinns gulvgir (bil). — **-place** som angir fire desimaler. — **-poster** himmelseng. **-score** fire snes, åtti.
foursome ['fɔ:səm] fire og fire, spill mellom to par (i golf).
foursquare ['fɔ:skwɛə] firkant; firkantet; fast, stø, urokkelig; likefrem, endefram.
four|-stage firetrinns-. — **-stroke** firetakts-.
fourteen ['fɔ:ti:n] fjorten.
fourteenth ['fɔ:ti:nθ] fjortende; fjortendel.
fourth [fɔ:θ] fjerde; fjerdedel, kvart; fjerdemann; **the — estate** fjerdestanden; pressen.
fourthly ['fɔ:θli] for det fjerde.
fourth-rate fjerdeklasses.
four|-time 4/4 takt. — **-track** firesporet.
four-wheeler ['fɔ:wi:lə] firehjulsvogn.
f. o. w. fk. f. **free on waggon.**
fowl [faul] fugl; fugler; høns, fjærkre, fjærfe; fange fugl; skyte fugl. **fowler** ['faulə] fuglefanger.
fowling piece ['fauliŋpi:s] fuglebørse.
fowl run ['faulrʌn] hønsegård.
fox [fɔks] rev; (fig.) rev, fuling, slu person; simulere, spille komedie; drikke full; narre, erte; spionere; (i slang) snyte; **he-fox** hanrev; **she-fox** hunrev; **blue fox, arctic fox, polar fox** blårev, polarrev. **fox and geese** revespill. — **brush** revehale. — **earth** revehule, revehi. — **evil** en sykdom som ytrer seg ved at hårene faller av; røyting, håravfall. **-glove** revebjelle. **-hole** dekningsgrav, énmanns skyttergrav. **-hound** revehund; **master of -hounds** den som forestår revejakten, formann for revejakten. — **hunt**

revejakt; gå på revejakt. **-like** reveaktig. — **sleep** lensmannssøvn, høneblund, tilsynelatende uoppmerksomhet. **-tail** revehale. — **terrier** foks terrier. — **trap** revefelle. — **trot** foxtrot, navn på en dans.
foxy ['fɔksi] reveaktig, reve-; snedig, lumsk slu, listig; rødlig, rødbrun; rødhåret; ramtluk tende; sur.
foyer ['fɔiei] foajé.
Fr. fk. f. **France; French; Friday.**
fr. fk. f. **francs.**
fracas ['frækɑ:] ståk, styr, trette.
fractile ['fræktail] brudd-.
fraction ['frækʃən] brudd; bruddstykke; brøk brøkdel; liten del, lite grann; **do -s** regne mec brøk. **fractional** ['frækʃənəl] brøk-, brudden; ube tydelig, uvesentlig, liten.
fractious ['frækʃəs] sær, prippen, vanskelig; sur irritabel.
fracture ['fræktʃə] brudd; brekke.
fragile ['frædʒail] skjør; skrøpelig.
fragility [frə'dʒiliti] skjørhet, skrøpelighet.
fragment ['frægmənt] fragment, bruddstykke **fragmental** [fræg'mentəl] bruddstykkeaktig.
fragmentary ['frægməntəri] fragmentarisk ufullstendig. **fragmentation** [frægmen'teiʃən] opp stykking, utspalting.
fragrance ['freigrəns] duft, vellukt, ange.
fragrant ['freigrənt] duftende, velluktende.
frail [freil] svak, skrøpelig, skral, spinkel, spe (amr.) blakk, pengelens.
frail [freil] sivkorg; korg med fiken, rosine o. l.; siv; jente, jentunge.
frailty ['freilti] skrøpelighet, svakhet.
fraise [freiz] pipekrave; jordbærrødt.
frame [freim] form, skikkelse; legeme, kropp bygning; tilstand; ramme, karm; innretning; system; skjelett, bjelkeverk, bindingsverk, spant stativ; (chassis)ramme (bil); enkelt bilde på er filmstrimmel; danne; bygge; sette sammen, passe til; ramme inn, innrette, lage; tenke ut, utkaste, oppfinne; passe, stemme; pønske ut falsk anklage, få arrestert på falsk anklage; — **well** love godt, peke godt i vei; — **an estimate** gjøre et overslag; — **of an umbrella** paraplystell; — **of mind** sinnsstemning; **out of** — i uorden; upasselig; forstemt. — **-built** bindingsverks-.
frame| house bindingsverkshus, hus med reisverk av tre. — **saw** rammesag. — **section** spanteseksjon. — **shack**, — **shed** plankeskur. — **tale** rammefortelling.
frame-up komplott; falsk anklage; avtalt spill
framework ['freimwɑ:k] indre bygning, struktur; grunnriss, ramme; bindingsverk, skjelett.
framing ['freimiŋ] bygging; forming; avfattelse; form; ramme, rammeverk.
franc [fræŋk] franc (fransk mynt).
France [frɑ:ns] Frankrike.
Frances ['frɑ:nsis, -siz].
franchise ['fræntʃaiz, -iz] frihet, rettighet, konsesjon, privilegium; fribrev; valgrett; stemmerett; fristed, asyl; selvassuranse; frigjøre. **franchising company** (merk.) individuelt eide forretninger som drives som om de var deler av sentraleiet kjede (samme navn, symboler, ensartet vareutvalg etc.).
Francis [frɑ:nsis].
Franciscan [fræn'siskən] fransiskaner (munk); fransiskansk.
Franco-German ['fræŋkəu'dʒɜ:mən] fransktysk.
frangibility [frændʒi'biliti] skrøpelighet, sprøhet. **frangible** ['frændʒibl] skrøpelig, skjør.
frangipane ['frændʒipein] sjasminparfyme; slags bakverk. **frangipani** [frændʒi'pæni] sjasminparfyme.
frangula ['fræŋgjulə] vanlig trollhegg.
Frank [fræŋk] franker; (navn).
frank [fræŋk] opp riktig, åpen, åpenhjertig, frimodig; utvetydig, utvilsom; transportere gratis; sende portofritt; frankere; frita; frankert brev;

- ignorance åpenbar uvitenhet; — **poverty** sminket fattigdom.
Frankfort ['fræŋkfət] Frankfurt; **F. on the Main** Frankfurt am Main.
frankforter, frankfurter sausage frankfurter-pølse.
frankincense ['fræŋkinsens] virak, røkelse.
franking machine frankeringsmaskin.
Frankish ['fræŋkiʃ] frankisk.
Franklin ['fræŋklin].
franklin ['fræŋklin] odelsbonde, jordeier av ri, men ikke adelig byrd.
frankly ['fræŋkli] oppriktig, åpent; oppriktig alt.
frankness ['fræŋknis] oppriktighet, åpenhet.
frantic ['fræntik] avsindig, vanvittig, rasende.
frantically ['fræntikali] avsindig, vanvittig.
F. R. A. S. fk. f. **Fellow of the Royal Astronomical Society.**
frat [fræt] brorskap; fraternisere.
fraternal [frə'tə:nəl] broderlig, bror-. **fraternity** [frə'tə:niti] brorskap; brorfølelse, brorkjensle; aug, gilde, orden; (amr.) studentsamfunn.
fraternization [frætə:nai'zeiʃən] broderlighet, broderlig forhold; brorskap; fraternisering. **fraternize** ['frætə:naiz] omgås som brødre, fraterisere; ha broderlige følelser.
fratricidal [frætri'saidl] brodermorderisk, brodermorder-. **fratricide** ['frætrisaid] brodermord; brodermorder.
fraud [frɔ:d] svik, bedrageri; bedrager, svindler; **this wine is a perfect** — denne vinen er det rene juks.
fraudulence ['frɔ:djuləns] svik, svikferd, uredelighet. **fraudulent** ['frɔ:djulənt] svikaktig, uredelig, bedragersk; straffbar, falsk. — **conversion** underslag.
fraught [frɔ:t] full (av), ladet, lastet; vel forsynt, fylt, svanger (**with** med); — **with danger** faretruende.
fray [frei] gni; gnure; slite tynn; tjafse, trevle opp; gni seg; flosse; slagsmål; oppløp; kamp; tynnslitt sted, frynset (av slit).
frazzle ['fræzl] fillet, tynnslitt, frynset; utkjørt.
FRB, F. R. B. fk. f. **Federal Reserve Bank.**
F. R. C. O. fk. f. **Fellow of the Royal College of Organists.**
F. R. C. P. fk. f. **Fellow of the Royal College of Physicians.**
F. R. C. S. fk. f. **Fellow of the Royal College of Surgeons.**
freak [fri:k] grille, lune, innfall; strek, pussig tilfelle; original person, gærning; original, underlig, sær. **freakish** ['fri:kiʃ] lunefull, lunet; original, underlig, sær.
freckle ['frekl] fregne; gjøre (el. bli) fregnet. **freckly** ['frekli] fregnet; flekket.
Fred [fred] fk. f. **Frederick.**
Frederic(k) ['fredrik].
free [fri:] fri; uavhengig, selvstendig, ledig; utvungen, tvangfri; oppriktig, åpen; dristig, djerv, hensynsløs, uforskammet; tøylesløs; uanstendig; offentlig, tilgjengelig for alle; gratis; tollfri; skattefri; gavmild, høymodig, raus; befri, slippe løs, frigjøre, gjøre fri; — **fight** slagsmål som alle tilstedeværende tar del i; **give one** (el. have) a — **hand** gi en (el. ha) frie hender (til å handle etter skjønn); — **thought** fri tanke; — **will** fri vilje; **have the** — **run of a house** kunne gå som en vil i et hus; **he is** — **to do it** han har lov til å gjøre det; **make** — **with a thing** skalte og valte med noe; sette noe på spill; blande seg i noe; **be** — **with** ikke spare på, ødsle med; **make** — **with a person** tillate seg friheter mot en; **set** — befri, løslate; **be** — snakke like ut av posen; **be** — **and easy** gjøre seg det makelig; utvungen, tvangsfri; løsaktig, lett på tråden; — **church** frikirke; — **library** offentlig bibliotek; — **on board** (forkortet til **f. o. b.** el. **F. O. B.**) fob, levert fritt ombord; **make** — **of** gi fri adgang; **make a person** — **of a city** gi en borgerrett.

free-and-easy ['fri:ən(d)'i:zi] flott, usjenert; gemyttlig sammenkomst, klubbaften o. l.
freeboard ['fri:bɔ:d] fribord.
free|booter ['fri:bu:tə] fribytter, sjørøver. **-booting** [-bu:tiŋ] fribytteri. **-born** fribåren. — **city** fristad. — **currency** fri myntfot. — **diver** froskemann.
freedom ['fri:dəm] frihet, fridom, rettighet, forrettighet, privilegium; utvungenhet, åpenhet, likefremhet; freidighet; for stor fortrolighet; djervskap, dristighet, hensynsløshet; letthet, ferdighet; (merk.) livlighet (på markedet); — **from** frihet fra; **have the** — **of** ha fri adgang til; — **of the press** pressefrihet; — **of a city** borgerrett; **take out one's** — få borgerrett.
free | enterprise fritt initiativ. — **-for-all** åpen konkurranse; alminnelig slagsmål. **-hand** ['fri:hænd] frihånds-; **in -hand** på frihånd. **-handed** rundhåndet, gavmild, raus. **-hearted** åpenhjertig; edelmodig, gavmild. **-hold** selveiendom, selveie. **-holder** selveier. — **lance** (middelalderen) leiesoldat; nå: løsgjenger; freelance. — **-living** en som lever godt. **-loading** snylting, gratis traktement.
freely ['fri:li] fritt; åpent; beredvillig, gavmildt; ivrig, livlig; rikelig; **live too** — leve for flott.
free|man ['fri:mən] fri mann; borger; lagsmann. **-mason** ['fri:meisən] frimurer. **-masonry** frimureri. — **minded** sorgfri. — **pass** fribillett, adgangstegn. — **port** frihavn. — **-spending** ødsel, raus, rundhåndet. — **-spoken** fri i sin tale, frimodig. **-stone** kvaderstein. **-thinker** fritenker. **-thinking** fritenkersk; fritenkeri. — **trade** frihandel. — **trader** frihandelsmann (motstander av tollbeskyttelse); frihandler (en som handler utenom handelskompaniene).
free|way (amr.) motorvei (avgiftsfri). **-wheel** frihjul; kjøre på frihjul.
freeze [fri:z] fryse; størkne, stivne (av kulde); være iskald, bli iskald; fryse i hjel; få til å fryse; drepe ved kulde; stopp; frost(periode).
freezer ['fri:zə] fryseapparat, ismaskin; kjøleskap; fryseboks, dypfryser.
freezing iskald; frysning. — **point** frysepunkt. — **rain** underkjølt regn.
freight [freit] frakt, ladning, last, gods; fraktomkostninger; frakte, befordre. — **bill** ≈ fraktbrev. — **broker** befrakter. — **car** (amr.) lukket godsvogn. — **charges** fraktomkostninger. **depot** (amr.) godsterminal, godsstasjon. **freighter** ['freitə] lastebåt; transportfly; speditør, befrakter. **freight | house** pakkhus. — **note** fraktnota. — **rate** fraktsats. — **train** godstog.
French [frenʃ, frentʃ] fransk; **the** — franskmennene; **know** — kunne fransk; — **brandy** konjakk; — **chalk** talkum; — **cuff** dobbelt mansjett; — **disease** el. **gout** syfilis; — **-fried potatoes**, — **fries** franske poteter; — **horn** valthorn; **take** — **leave** forsvinne i stillhet fra et selskap; stikke av uten å betale sin gjeld; **-man** franskmann; — **plums** katrineplommer; — **polish** møbelpolitur; — **red** rød sminke; — **roll** rundstykke; — **roof** mansardtak; — **vinegar** vineddik; — **wheat** bokhvete; — **window** glassdør (ut til hage el. altan). **-woman** fransk dame.
frenchify ['fren(t)ʃifai] forfranske, gjøre fransk, danne etter fransk mønster.
Frenchy ['fren(t)ʃi] franskmann (spøkefullt el. ironisk); overdrevent fransk i sitt ytre, smak, stil.
frenetic [frə'netik] frenetisk.
frenzied ['frenzid] fra vettet, avsindig, gal, rasende, vill.
frenzy ['frenzi] vanvidd, raseri, vettløst sinne; gjøre vill, piske opp.
freq. fk. f. **frequent(ly).**
frequency ['fri:kwənsi] hyppighet, frekvens.
frequent ['fri:kwənt] hyppig.
frequent [fri'kwent] besøke hyppig, søke, ferdes, frekventere; — **a café** være stamgjest på en kafé.

frequentation [fri:kwən'teiʃən] hyppig besøk.

frequentative [fri'kwentətiv] frekventativ.

frequenter [fri'kwentə] hyppig gjest.

frequently ['fri:kwəntli] hyppig, ofte.

fresco ['freskəu] maling på våt kalk, fresko-maleri, freske; **paint in** — (el. **al** —) male al fresco.

fresh [freʃ] frisk; sval; sprek, sunn, ny, blomstrende, ungdommelig, «grønn», uerfaren, nybakt; livlig; forfrisket, usaltet (om kjøtt, smør ósv.); fersk (om vann); uerfaren; anløpen, beruset; kjekk, kåt; frekk, nesevis; påtrengende; frisk, kjølig; for kort tid siden; bekk, kilde; oversvømmelse, høyvanne; **as** — **as a daisy**, **as** — **as paint** så blomstrende som en rose. **fresh-** ny-, frisk-, som akkurat er.

freshen ['freʃən] friske på, gjøre frisk, stramme opp; fiffe opp, friske opp; gjøre fersk; utvanne; bli frisk; bli fersk.

freshener ['freʃnə] oppstiver, oppstrammer (om drink).

fresher ['freʃə] nybakt student.

freshet ['freʃit] flom, overstrømning.

freshly ['freʃli] frisk, ny-; — **painted** nymalt.

freshman ['freʃmən] nybakt student; nybegynner, debutant.

fresh meadow ≈ kjerr, kratt.

freshwater ['freʃwɔ:tə] ferskvann, ferskvanns-; som ligger inne i landet, provins-.

fret [fret] ete opp, tære på, gnure, gnage på; gni i stykker, etse; sette i sterk bevegelse; ergre, krenke, såre, gjøre sint; gjøre bekymret, gjøre urolig; bli tært på, bli slitt på; ete om seg; ete seg inn i, trenge seg inn i; kruse seg; ergre seg; være sint; være bekymret; klynke; sutre; krote ut; gnidning, gnurring, etsing; et såret sted; utslett; ornament à la grecque; krusning; oppbrusing; sutring, grin, ergrelse, vrede, heftighet, lidenskapelighet; — **against** stritte imot; — **for** lengte utålmodig etter; — **and fume** skumme av raseri. **fretting** irritabel.

fret [fret] bånd på gripebrett på gitar.

fretful ['fretf(u)l] ergerlig, sær, gretten, irritabel, utålmodig.

fretfulness ['fretfəlnis] grettenhet, pirrelighet.

fretsaw ['fretsɔ:] løvsag, stikksag; dekupørsag. **-ing** løvsagarbeid.

fretty ['freti] gretten, grinet, sutret, vanskelig.

fretwork ['fretwə:k] løvsagarbeid, utskåret arbeid, à la grecque(-arbeid); (fig.) pinneverk, flettverk.

Freudian ['frɔidiən] som angår Freud og hans verk; disippel av Freud; psykoanalytiker.

F. R. G. S. fk. f. **Fellow of the Royal Geographical Society.**

Fri. fk. f. **Friday.**

friability [fraiə'biliti] sprøhet, skjørhet.

friable ['fraiəbl] løs, sprø, skjør.

friar ['fraiə] klosterbror, srl. munk; **grey** — gråbror, fransiskanermunk; **black** — svartebror, dominikanermunk. **friary** ['fraiəri] munkekloster; broderorden.

F. R. I. B. A. fk. f. **Fellow of the Royal Institute of British Architects.**

fribble ['fribl] fjase; fjaset, vaset; narr, laps, tøysekopp; bagatell.

fricandeau ['frikəndəu] fricandeau.

fricasse [frikə'si:] frikassé.

friction ['frikʃən] gnidning, gnuring, stryking, friksjon; frottering; (fig.) gnisninger, mindre uoverensstemmelser. **frictional** ['frikʃənəl] gnidnings-, friksjons-.

Friday ['fraidi, 'fraidei] fredag; **Black** — Tycho Brahes dag; **Good** — langfredag. — **face** bededagsansikt.

fridge [fridʒ] kjøleskap.

fried [fraid] imperf. og perf. pts. av **fry**. — **egg** speilegg.

friend [frend] venn, venninne; **friends** venner, venninner; nærmeste, familie; bekjente, kjenninger; **the Friends, the Society of F.** kvekerne; a

— **of mine** en venn av meg; **a** — **of m** **father's** en venn av min far; **he is no** — **t** **me** han er ikke vennligsinnet imot meg; **be** - **with** være gode venner med; **have a** — **at cou** ha bispen til morbror; **keep good -s with hold** seg gode venner med; **make a** — **of gjøre t** venn, slutte vennskap med; **make -s** bli (være gode venner igjen, forlike seg; **lady** — venninne **my honourable** — det ærede medlem (om e annet medlem av underhuset); **my learned** – min kollega (om en annen sakfører).

friendless ['frendlis] venneløs.

friendliness ['frendlinis] vennskapelighet; god het. **friendly** ['frendli] vennskapelig; god; hjelp som; gunstig. **the Friendly Islands** Tongaøyene

friendship ['fren(d)ʃip] vennskap.

frieze [fri:z] fris, vadmel.

frieze [fri:z] frise.

frigate ['frigit] fregatt.

frige [fridʒ] kjøleskap.

fright [frait] skrekk, støkk, frykt (**of for**) skremmebilde, skremsel; skremme; **he looks** **perfect** — han ser fæl ut.

frighten ['fraitn] støkke, skremme.

frightful ['fraitf(u)l] skrekkelig, fryktelig, fæl **frigid** ['fridʒid] kald, iskald; **the** — **zone de** kalde sone. **frigidity** [fri'dʒiditi] kulde, kjølighet frigiditet.

frigorific [frigə'rifik] som frembringer kulde svalende.

frill [fril] kruset el. rynket strimmel, pipe strimmel; krage; kalvekryss; mansjett; krims krams, snirkler; rynke, pipe; **put on -s** gjøre se viktig. **frilling** strimler osv., rynket strimmel el blonde.

fringe [frin(d)ʒ] frynse, pannehår, lugg; kant rand; utkant, perifer gruppe; besette med frynser; ligge langs randen; ytterst, ytterperiferisk. — **benefits** pl. godtgjørelser el. gode (i tillegg til lønn). **fringy** ['frin(d)ʒi] frynset.

frippery ['fripəri] ordstas, kruseduller, tom stas, dingeldangel.

'Frisco ['friskəu] fk. f. **San Francisco.**

Frisian ['friʒən, -zjən] frisisk; friser.

frisk [frisk] springe, sprette, bykse, hoppe sprett, hopp; undersøkelse, kroppsvisitasjon stjele (ut av lommen), kroppsvisitere.

frisky ['friski] spretten, lystig, kåt, sprek.

frit [frit] glassmasse; glasur (ved pottemakeri); gløde, smelte.

frith [friθ] fjord, vik.

fritter ['fritə] epleskive; fjase, somle bort; — **away** ødsle bort litt etter litt, klatte bort.

Fritz tysker; **go on the** — gå i stykker, forfalle.

frivol ['frivl] tøve, fjase. **frivolity** [fri'vɔliti] ubetydelighet, verdiløshet; frivolitet, lettsindighet, lettferdighet. **frivolous** ['frivələs] fjollet, tøyset; betydningsløs, verdiløs; overfladisk, intetsigende; frivol, lettsindig, lettferdig. **frivolousness** se **frivolity.**

friz [friz] krølle, kruse; krøll, krus.

frizzle ['frizl] krølle, kruse; krøll; steke, brase, syde, frese.

frizzly ['frizli] kruset, purret, krøllet.

fro [frəu]: **to and** — frem og tilbake, att og fram.

frock [frɔk] bluse, kittel; blusekjole, barnekjole; damekjole; diplomatfrakk.

frockcoat el. **frock-coat** ['frɔk'kəut] diplomatfrakk.

frog [frɔg] frosk; kvast; knapp; uniformsnor; stråle (i hestehov). **-eater** (hånlig om) franskmann. **-ged** snorbesatt.

froggy ['frɔgi] froskaktig; franskmann.

froghopper ['frɔghɔpə] skumsikade.

frogman ['frɔgmæn] froskemann.

frog-in-the-throat heshet.

froise [frɔiz] fleskepannekake.

frolic ['frɔlik] lystighet, spøk; være lystig, holde leven, skjemte; (poetisk) lystig. **frolicked**

nperf. av **frolic. frolicsome** ['frɔliksəm] lystig, unter, leken.

from [frɔm, frəm] fra, ut fra; på grunn av, v; å dømme etter, etter; — **above** ovenfra; — **mong us** blant oss; — **behind** bakfra; — **eneath** nedenfra; — **conclude** — slutte av; **draw** — ature tegne etter naturen; — **a child**, — **child-ood** fra barndommen av; — **home** ikke hjemme, ortreist; **safe** — sikker mot; **defend** — for-vare mot; **hide** — skjule for; **absent** — **illness** -aværende på grunn av sykdom; **cry** — **pain** crike av smerte; — **his dress I should think** — dømme etter hans drakt skulle jeg tro; **he -epped** — **behind the tree** han trådte fram fra -eet som han hadde stått bak; **the thief came** — **under the bed where he had been lying** tyven om fram under senga, hvor han hadde ligget.

frond [frɔnd] bregneblad, burkneblad.

frondage ['frɔndidӡ] bregner, bregneløv.

frondescence [frɔn'desəns] lauvsprett.

Frondeur [fr.; frɔn'dəː] opposisjonsmann.

front [frʌnt] panne, ansikt; mine, holdning, ekkhet, djervskap, uforskammethet; forside; **sade**; front; husrekke langs gate, promenade; orreste rekke, viktigste plass, krigsskueplass; ekning, skalkeskjul; forstykke i skjorte, løst kjortebryst, krage; falskt pannehår; forrest, ont-; gjøre front mot; vende fasaden mot, ende, snu; pryde med fasade, kle, dekke; hange — foreta en frontforandring; **show a old** — sette opp en dristig mine; **have the** — **say** ha den uforskammethet å si; **the** — **ench** den forreste benk (i underhuset minister-enken); **a two-pair** — et gateværelse i tredje tasje. — **bearing** forlager, frontlager; — **cloth** orteppe (i teater). — **door** gatedør; — **drive** -rhjulstrekk; — **fender** forskjerm; støtfanger -ran; — **gate** hovedport; — **hall** forstue, entré; - **parlour** stue ut til gaten; — **rank** første rekke; - **room** værelse til gaten; — **tooth** fortann; **a** — **i** fronten, foran; **in** — **of** foran; **bring to** 1e — bringe fram i første rekke; **come to the** — omme fram i første rekke; **go to the** — komme am i første rekke; gå til fronten; — **for** (amr.) ære talsman for.

frontage ['frʌntidӡ] forside, fasade; forhage. — oad tilkjørsels- el. avskjøringsvei som går langs n hovedvei.

frontal ['frʌntəl] panne-; fasade-; front-; annebånd; omslag på panne eller hode; an-emensale.

frontier ['frʌntiə, 'frɔntiə, 'frʌntʃə] grense, renseområde, (fig.) grenseland, uutforsket om-åde. **frontiersman** nybygger, pioner.

frontispiece ['frʌntispiːs] vignett, tittelbilde; ovedfasade.

frontless ['frʌntlis] uforskammet.

frontlet ['frʌntlit] pannebånd.

front | **line** forreste linje, frontlinje. — **man** strå-1ann; toppfigur; utroper.

frost [frɔ(:)st] frost, kulde; tele; rim; skuffelse, -lasko; skade ved frost; brodder (hestesko); ekke med rim; strø sukker på; gjøre matt '. eks. glass); **white** —, **hoar** —, rimfrost; **-lack** — barfrost. **Jack Frost** personifikasjon v frosten, ≈ Kong Vinter.

frost|**-bitten** frosset; skamfrosset. — **-bound** -rosset fast, innefrosset; telet. **frosted** frostskadd; imet, (fig.) gråsprengt; mattert, matt; sukker-dassert (om bakverk). **frost heave** telehiv. **rostiness** iskulde, frost. **frosting** mattering, -ukker)glasur.

frost|**-nail** isbrodd. — **-nipped** frostskadd. **work** isroser.

frosty ['frɔ(:)sti] frossen, frost-; kald; dekt 1ed rim; — **face** kopparret ansikt.

froth ['frɔ(:)θ] fråde, skum; tomt prat; få til -kumme; skumme. **frothiness** ['frɔ(:)θinis] skum-1ing; ubetydelighet. **frothy** ['frɔ(:)θi] skum-1ende; tom, intetsigende.

frottage [frɔ'taːӡ] frottering, gnidning.

froufrou ['fruːfruː] rasling (av kjole); over-dreven pynt; garneringer.

frow [frau] (hollandsk el. tysk) kvinne.

froward ['frau(w)əd] gjenstridig, vrang, sta.

frown [fraun] rynke pannen (el. brynene), sette nyver, se mørk ut; — **upon** el. **at** se skjevt til, fordømme, skremme med truende blikk. rynking av pannen; rynket panne; mørk mine, truende blikk. **frowningly** med rynket panne; med truende blikk; sint.

frowst [fraust] vond lukt, kvalm luft.

frowzy ['frauzi] stinkende, ekkel; lurvet, sjusket, pjusket.

froze [frəuz] imperf. av **freeze**.

frozen ['frəuzn] perf. pts. av **freeze**; frosset, iskald; fastlåst (om priser); bundet, sperret (om penger); — **ocean** ishav; — **zone** kald sone.

F. R. S. fk. f. Fellow of the Royal Society.

frs. fk. f. francs.

frt. fk. f. freight.

fructiferous [frʌk'tifərəs] frukt-, som bærer frukt. **fructification** [frʌktifi'keiʃən] befruktning; fruktlegeme; frukt. **fructify** ['frʌktifai] befrukte; sette frukt, bære frukt.

fructose ['frʌktəus] fruktose, fruktsukker.

fructuous ['frʌktjuəs] fruktbar.

frugal ['fruːgəl] måteholden, sparsommelig, økonomisk; tarvelig, nøysom.

frugality [fru'gæliti] sparsommelighet, for-dringsløshet; tarvelighet, nøysomhet.

frugivorous [fru'dӡivərəs] fruktetende.

fruit [fruːt] frukt, grøde; trefrukt; bær; følge, resultat; utbytte, avkom; bære frukt; **forbidden** — forbuden frukt; **small fruits** bær. — **-grower** [-grəuə] fruktdyrker. **fruitage** ['fruːtidӡ] frukt; fruktbæring; utbytte, resultat.

fruiter ['fruːtə] fruktbåt; frukttre; fruktdyrker.

fruiterer ['fruːtərə] frukthandler.

fruitfly ['fruːtflai] bananflue.

fruitful ['fruːtf(u)l] fruktbar, resultatrik. **fruit-fulness** ['fruːtf(u)lnis] fruktbarhet.

fruition [fru'iʃən] nytelse, bruk; virkeliggjøring.

fruitless ['fruːtlis] ufruktbar; barnløs; fruktes-løs; gagnløs.

fruit salad sildesalat (om militære ordensbånd). **fruit show** ['fruːtʃau] fruktutstilling. **fruit stand** ['fruːtstænd] fruktvase. **fruit tree** ['fruːt-triː] frukttre.

fruity ['fruːti] fruktaktig; med fruktsmak; saftig; sukkersøt; lekker, pikant.

frumentaceous ['frumən'teiʃəs] kornaktig, korn-. **frumenty** ['fruːmənti] risvelling; grynsodd, grynsuppe.

frump [frʌmp] gammel (gammeldags) kjerring, hurpe. **-y** ['frʌmpi] gammeldags kledd; sjusket.

frustrate [frʌ'streit, 'frʌstreit] velte, kullkaste, krysse el. tilintetgjøre (planer); komme på tverke for; gjøre ugyldig; skuffe, narre; frustrere. **frustration** [frʌ'streiʃən] velting, kullkasting, tilintetgjøring, skuffelse; frustrasjon.

frustum ['frʌstəm] bruddstykke, stump.

frutescent [fru'tesənt] buskaktig.

fruticose ['fruːtikəus] buskaktig, busk-.

fry [frai] steke, steke i panne; bli stekt, brase; stekt mat; **fried egg** speilegg.

fry [frai] fiskyngel; flokk, stim; småunger, småfolk; kryp; in an awful — helt på knærne. **frying pan** ['fraiŋpæn] stekepanne; **fall out of the** — **into the fire** komme fra asken i ilden.

F. S. fk. f. Fleet Surgeon; please forward.

F. S. A. fk. f. Fellow of the Society of Anti-quaries.

ft. fk. f. feet; foot.

fth(m). fk. f. fathom.

fubby ['fʌbi], **fubsy** ['fʌbzi] tykk, buttet, trivelig.

fuchsia ['fjuːʃ(j)ə] fuksia, Kristi blodsdråpe.

fuchsine ['fuːksiːn] rødt anilinfargestoff.

fuddle ['fʌdl] gjøre beruset, drikke full; rangle, ture, svire, pimpe; forvirre, omtåke; drikkevarer, fyll, beruselse, rangel.

fudge [fʌdʒ] løgn, sludder, vanvidd, humbug; nougatkonfekt; siste nytt i avis som er stort slått opp; smøre sammen, dikte opp; sette inn i avis i siste øyeblikk.

fuel ['fju:əl] ved, brensel, drivstoff, brennstoff; lidenskap; forsyne med brensel; ta inn drivstoff, bunkre; **add — to the fire** gyte olje i ilden. — **consumption** drivstofforbruk.

fug [fʌg] innestengt luft, vond lukt.

fugacious [fju'geiʃəs] flyktig, kortvarig, forgjengelig. **fugacity** [fju'gæsiti] flyktighet, forgjengelighet.

fugitive ['fju:dʒitiv] flyktig; upålitelig; (om farge) uekte; flytende; ubestandig; spredt; omvandrende; flyktning; rømling.

fugleman ['fju:glmæn] fører, leder.

fugue [fju:g] fuge.

fulcrum ['fʌlkrəm] støtte; dreiningspunkt; underlag (for vektstang). — **pin** svingtapp.

fulfil [ful'fil] oppfylle, fullbringe, fullbyrde innfri; — **oneself** realisere seg selv; — **a promise** holde et løfte. **fulfilment** [ful'filmənt] oppfyllelse, fullbyrding, innfrielse.

fulgency ['fʌldʒənsi] glans, skinn.

fulgent ['fʌldʒənt] glansfull, strålende.

fulguration [fʌlgju'reiʃən] glimt, lyn.

Fulham ['fuləm] eller — **palace**, biskopen av Londons residens.

fuliginous [fju'lidʒinəs] sotet; røykaktig; mørk.

full [ful] 1. adj. full (**of** av), oppfylt (**of** av), hel, fullstendig, uinnskrenket, fyldig; (amr.) mett; 2. adv. helt, fullstendig, fullt; like; 3. subst. fullstendighet, helhet; eksempler: 1. — **of water** full av vann; — **house** opptatt; **we are** — her er opptatt; **his mind was** — han var overveldet; — **of business** overlesset med forretninger; — **of his subject** helt opptatt av sitt emne; **of** — **age** myndig; **a** — **beard** fullskjegg; — **brothers and sisters** helsøsken; — **dress** galla; **at** — **length** i hele sin lengde; **a** — **hour** en hel time; — **stop** punktum; — **in the face** med et fyldig ansikt; — **up** opptatt; — **moon** fullmåne; **a** — **meal** et rikelig måltid; — **speed** full fart; 2. **look one** — **in the face** se en like i ansiktet; — **back** back (i fotball); 3. **in** — fullstendig, fullt ut, i sin helhet, uforkortet; **to the** — i fullt mål, fullstendig; **name in** — fulle navn; **the moon is in the** — månen er full.

full [ful] valke, stampe; la seg valke el. stampe

fullage ['fulidʒ] valkelønn.

full-aged ['fuleidʒd] myndig.

ful | blast (fig.) for full musikk. — **-blooded** ['ful'blʌdid] blodfull; fullblods; (fig.) varmblodig livslysten; kraftig; rendyrket, ekte. — **-blown** helt utsprunget; fullblods. — **board** helpensjon. — **-bodied** svær. — **-bottom** allongeparykk. — **-bred** fullblods. — **-built** svær. — **colonel** oberst. — **cream** kremfløte. — **-drawn line** heltrukken linje. — **dress** selskapsdrakt, galla. — **-dressed** fullt påkledd; i selskapsdrakt, i galla. — **employment** full sysselsetting.

fuller ['fulə] valker, stamper; **fuller's earth** valkejord.

fullery ['fuləri] valkeri, stampeverk, stampe.

full | face ['fulfeis] en face; (typograf.) fet skrift. — **-faced** ['fulfeist] med rundt, fyldig ansikt. — **-fledged** fullt utviklet; ferdigutdannet; flyge-ferdig (fugl). — **general** (amr.) firestjerners general.

fulling ['fuliŋ] valking, stamping.

full|-length i legemsstørrelse; et bilde i legemsstørrelse; uforkortet. — **marks** beste karakter; all ære. — **-mast** heise på hel stang. — **milk** helmelk. — **moon** fullmåne.

fullness ['fulnis] fylde, fullhet; **the** — **of time** tidens fylde.

full | -page helsides. — **-rigged** fullrigget. — **-scale** i naturlig størrelse, i legemsstørrelse; omfattende. — **-sized** i legemsstørrelse. — **stop** punktum. — **-swing** fritt løp, fritt spillerom. — **-time** heldags-.

fully ['fuli] fullt, fullstendig, helt, ganske; u førlig, detaljert, tydelig.

fulmar ['fulmə] havhest.

fulminate ['fʌlmineit] lyne og tordne; dundr skjelle; eksplodere; la eksplodere; slynge ban stråle imot; knallsalt; **fulminating cap** fenghett **fulminating cotton** skytebomull.

fulmination [fʌlmi'neiʃən] brak, torden, du dring, smell; bannstråle; råsing, trusler.

fulness ['fulnis] se **fullness**.

fulsome ['fulsəm] overdreven; servil; mo bydelig, vammel. **fulsomeness** ['fulsəmnis] mo bydelighet.

Fulton ['fultən].

fulvous ['fʌlvəs] gulbrun.

fumatorium [fju:mə'tɔ:riəm] desinfeksjonskan mer.

fumble ['fʌmbl] famle, rote, fomle (**for** etter leke (**with** med), tukle, fikle (**with** ved); stamm klusse, behandle klosset; finne ved å fam omkring; ta kluntet på, krølle; — **-fisted** klunte **fumbler** klossmajor, kløne.

fume [fju:m] røyk, os, eim, damp, dunst; vira lidenskapelighet, sinne, vrede; innbilning, hjerne spinn; ryke; dampe, ose; spy ut (røyk); ras skumme, fnyse; røyke; farge mørk; **be in a -** være oppbrakt; fykende sint; **fumed oak mør** eiketre, røykbeiset; — **away** fordampe, fo dunste.

fumet ['fju:mit] viltlukt; lort, møkk.

fumigate ['fju:migeit] røyk; desinfisere v røyk; parfymere. **fumigation** [fju:mi'geiʃən] røyl ing, desinfeksjon; damp, røyk. **fuming** skjellin rasing; skummende av sinne.

fumitory ['fju:mitəri] jordrøyk (plante).

fun [fʌn] moro, spøk, gøy, fornøyelse; skjemte spøke, drive ap; **for** —, **in** — for spøk, for mor skyld; **like** — jammen sa jeg smør; **the** — **of** the fair vitsen med det; **I do not see the** — **of** (også:) jeg skjønner ikke vitsen med det; **ha good** — more seg godt; **make** — **of a perso** poke — **at a person** ha en til beste, drive ap me en; **there is not much** — **to be got out of hi** han forstår ikke spøk.

funambulate [fju'næmbjuleit] danse på line.

funambulation [fju'næmbju'leiʃən] linedans.

funambulist [fju'næmbjulist] linedanser.

function ['fʌŋkʃən] funksjon, virksomhet, be stilling, oppgave, plikter, gjøremål, yrke; fest festmåltid; (mat.) funksjon; fungere, virke; opp tre. **functional** [-əl] funksjons-, embetsmessig **functionary** [-əri] funksjonær; embetsmann.

fund [fʌnd] fond, mi dler, kapital; sette statsobligasj oner, anbringe. **funds** statspapire obligasjoner; **have money in the funds h** penger i statsobligasjoner; **be in funds** vær pr. kasse.

fundament ['fʌndəmənt] bakdel, ende; grunn prinsipp. **fundamental** [fʌndə'mentəl] fundamer tal, grunn-; grunnlag, grunntrekk; utgangs-.

funded debt fast gjeld.

fund-holder ['fʌndhəuldə] eier av statspapire Funen ['fju:nən] Fyn.

funeral ['fju:nərəl] begravelse, jordfesting, lik ferd; begravelses-, lik-, sørge-. — **expenses** be gravelsesomkostninger. — **march** sørgemarsj. - **parlor** (amr.) begravelsesbyrå. — **sermon** liktalé

funereal [fju'niəriəl] begravelses-; trist, sørgelig

fun fair ['fʌnfɛə] fornøyelsespark.

fungi ['fʌndʒai] pl. av **fungus**.

fungible ['fʌndʒibl] som kan byttes, ombytte lig.

fungicide ['fʌndʒisaid] soppdreper, soppmid del, beis (til såkorn).

fungous ['fʌŋgəs] soppaktig.

fungus ['fʌŋgəs] (pl.: **fungi** el. **funguses**) sopp skyte opp som sopp.

funicle ['fju:nikl] tråd, streng.

funicular [fju'nikjulə] trådaktig; snor, streng- — **railway** taubane, fjellbane.

funk [fʌŋk] støkk, kvekk, skrekk; feighet; kry

ter; reddhare; være redd, skvette; **be in a blue** – være livende redd; – **hole** dekningsgrav; lfluktssted; tilflukt; – **out** trekke seg feigt tilake, stikke av. **funkify** ['fʌŋkifai] gjøre redd. **inky** ['fʌŋki] redd, blaut, stakkarslig; stink-nde, osende.

funnel ['fʌnl] trakt; røykkappe; skorstein (på ampskip og lokomotiv); samle, lede, føre gjen-om en forsnevring.

funniment ['fʌnimənt] morsomhet.

funning ['fʌniŋ] spøk, skjemt; gale streker.

funny ['fʌni] morsom, pussig; komisk person; nderlig, rar; mistenkelig; **funnies** pl. komisk egneserie; **the funny gentleman** komikeren; lovnen (på teater og i sirkus).

funny ['fʌni] liten båt, skjekte, snekke.

funny | **bone** ['fʌnibəun] albuknoke, albuspiss. – **paper** tegneseriesiden(e) i en avis.

fur [fəː] pels, skinnfell; pelsverk; pelsvilt; dun ʃ. eks. på fersken); vinstein; belegg på tunga; jelestein; skinn-, pelsverk-; fôre med skinn, edekke, belegge; **make the** – **fly** så splid.

furbelow ['fəːbiləu] garnering, kappe på kjole, rolang; sette garnering på.

furbish ['fəːbiʃ] blankskure; polere, fikse på. **urbisher** polerer.

fur cap ['fəːkæp] pelslue.

furcate ['fəːkit], **furcated** ['fəːkeitid] kløftet, reinet, gaffeldelt. **furcation** [fəːˈkeiʃən] gaffel-orm, forgreining.

fur coat ['fəːkəut] pels, pelskåpe.

fur | **farm** pelsdyrfarm. – **-farming** pelsdyr-vl.

furibund ['fjuəribʌnd] rasende.

the Furies [ðə 'fjuəriːz] furiene.

furious ['fjuəriəs] rasende, voldsom, desperat. **uriousness** raseri, desperasjon.

furl [fəːl] beslå (seil); rulle sammen, lukke paraply, vifte).

furlong ['fəːlɔŋ] (veimål, 201,17 meter, 1/8 ngelsk mil).

furlough ['fəːləu] orlov, permisjon; gi orlov.

furnace ['fəːnis] ovn, masovn, smelteovn; ild-sted; atomreaktor; **smoke like a** – røyke som en skorstein. – **cement** ovnskitt. – **clinker** slagg. – **coke** sinders. – **grate** fyrrist. **-man** smelteovnsarbeider, ovnpasser.

furnish ['fəːniʃ] forsyne, ruste ut; møblere, ut-styre; levere, skaffe, yte; **-ed apartments** møb-erte leiligheter. **furnisher** leverandør; møbel-handler; herreekviperingsforretning.

furniture ['fəːnitʃə] møbler, møblement; ut-styr; tilbehør; utrustning; inventar; beslag (på vinduer, dører etc.); **a piece of** – et møbel; **much** – mange møbler; **her mental** – hennes åndelige utrustning. – **remover** flyttemann.

furore [fjuəˈrɔːri] furore; **make a** – gjøre furore.

furrier ['fʌriə] buntmaker. **furriery** ['fʌriəri] pelsverk; pelsverkhandel, buntmakerforretning.

furrow ['fʌrəu] får, plogfår, fure; dyp rynke; rille opp, rynke, fure. **furrowy** ['fʌrəui] furet.

furry ['fəːri] pelskledd; skinnkledd; pels-, av pelsverk; belagt (om tunge).

further ['fəːðə] fjernere, lenger borte; videre, ytterligere, nærmere, mer; **I may** – **mention** jeg kan enn videre nevne; **nothing** – ikke mer; **what** – hva så mer?; **demand a** – **explanation** forlange en nærmere forklaring; **wish a man** – ønske en mann dit pepperen gror; **I'll see you**

– **first** ≈ du kan ryke og reise. – **education** videregående utdannelse; voksenopplæring.

further ['fəːðə] fremme, befordre.

furtherance ['fəːðərəns] fremme, befordring.

furtherer ['fəːðərə] en som fremmer.

Further India Bakindia.

furthermore ['fəːðəmɔː] dessuten, enn videre.

furthermost ['fəːðəməust] fjernest, lengst borte.

furthest ['fəːðist] fjernest; lengst.

furtive ['fəːtiv] stjålen, hemmelig, fordekt.

furuncle ['fjuərʌŋkl] byll, kong, kvise.

fury ['fjuəri] raseri; furie; **paroxysms of mad** – anfall av vilt raseri.

furze [fəːz] gulltorn.

fuscous ['fʌskəs] mørk; brun.

fuse [fjuːz] smelte; smelte sammen; brannrør; sikring; lunte. – **board** sikringstavle.

fusee [fjuˈziː] spindel; lunte, brannrør; storm-fyrstikk (til å tenne sigarett i blåst).

fusel ['fjuːzəl]; – **oil** fusel.

fuselage ['fjuːzilidʒ] flykropp, flyskrog.

fusibility [fjuːziˈbiliti] smeltelighet.

fusible ['fjuːzibl] smeltelig.

fusil ['fjuːzil] muskett.

fusileer, fusilier [fjuːziˈliə] musketér; grenader.

fusillade [fjuːziˈleid] geværsalve; skyte ned.

fusing point smeltepunkt.

fusion ['fjuːʒən] smelting; flytende tilstand; sammensmelting; fusjon; sammenarbeiding, for-ening. – **bomb** fusjonsbombe. – **point** smelte-punkt.

fuss [fʌs] larm, ståk, bråk, mas, blest, krus; ståhei, oppstuss, vesen; forvirring; ha det travelt, vimse omkring; gjøre store opphevelser, gjøre mye vesen; – **and fret** være nervøs og bekymret; **make** – **of** gjøre krus for, gjøre et stort nummer av. **fussy** ['fʌsi] maset; forfjamset; geskjeftig; opp-kavet, hesblesende; nervøs, forvirret; pertentlig; overpyntet, overlesset; brysom; kresen.

fust [fʌst] søyleskaft; muggen lukt.

fustian ['fʌstjən] bommesi, sterkt bomullstøy; (fig.) bombast, svulst; bombastisk, svulstig.

fustie ['fʌstik] gult brasiltre.

fustigation [fʌstiˈgeiʃən] pryl, juling; refselse.

fustiness ['fʌstinis] muggenhet, skimlethet.

fusty ['fʌsti] muggen, myglet, stinkende; antikvert.

fut. fk. f. future.

futile ['fjuːtail] intetsigende; unyttig, verdiløs; gagnløs; fåfengt; virkningsløs, resultatløs.

futility [fjuˈtiliti] unyttighet, gagnløshet.

future ['fjuːtʃə] fremtidig, tilkommende; frem-tid, futurum; – **tense** futurum; – **perfect (tense)** futurum eksaktum; – **prospects** fremtidsutsikter; **in (the)** – i fremtiden; **for the** – for fremtiden.

futurism ['fjuːtʃərizm] futurisme. **futurist** ['fjuːtʃərist] futurist.

futurity [fjuˈtjuəriti, -tʃu-] framtid; fremtidig begivenhet; kommende tilstand.

fuz [fʌz] dun; støv, lo; krøllhår; røyksopp. – **ball** røyksopp.

fuze [fjuːz] se **fuse, fusee.**

fuzz se **fuz.**

fuzzy ['fʌzi] dunet, loet; tåket, uklar; kruset. – **-headed** krushåret, ullhåret.

f. v. fk. f. folio verso på den andre siden.

fwd. fk. f. forward.

fy! [fai] fy!

fylfot ['filfət] hakekors, svastika.

F. Z. S. fk. f. Fellow of the Zoological Society.

G

G, g [dʒiː] G,g; g (i musikk); — **sharp** giss; — **flat** gess; — **major** G-dur; — **minor** g-moll; — **clef** g-nøkkelen, fiolin-nøkkelen.

G., g. fk. f. **genitive;** George; German; God; Gospel; (amr.) $ 1000; **gram**(me); **guide; guinea**(s); **gulf.**

Ga. fk. f. **Georgia.**

G. A. fk. f. **General Agent; General Assembly.**

gab [gæb] snakk, skravl, sludder; **he has got the gift of the** — han har et godt snakketøy.

gabardine ['gæbədiːn] kaftan, talar; gabardin.

gabble ['gæbl] sludre, plapre; skvalder, plapring, skravling.

gabbler ['gæblə] skravlebøtte.

gaberdine se **gabardine.**

gaberlunzie [gæbə'lʌnzi] (skotsk) tigger, vagabond.

gabfest (amr.) fest hvor det prates mye; ≈ kaffeslabberas.

gabion ['geibjən] skansekurv.

gable ['geibl] gavl. — **board** vindski. **gabled** ['geibld] forsynt med gavl; **a** — **roof** tak med gavl mot gaten.

gablet ['geiblit] liten gavl, gavlkrone.

Gabriel ['geibriəl].

gaby ['geibi] fjols, idiot, dåsemikkel.

Gad [gæd] Gud (slang for: **God**).

gad [gæd] meisel, bergsjern, skarp metallspiss; brodd; piggstav; brems, klegg; drive omkring, reke; vokse her og der; — **about** farte om, rangle, ture; **be on the** — drive omkring.

gadabout ['gædəbaut] flyfille, dagdriver.

gadfly ['gædflai] brems, blinding, klegg.

gadget ['gædʒit] innretning, greie, tingest; finesse; motesak, påfunn, (unødvendig) utstyr.

gadid ['geidid] fisk av torskefamilien.

gadzooks ['gæd'zuːks] å du gode Gud!

Gael [geil] gæler.

Gaelic ['geilik] gælisk.

gaff [gæf] kjeks, klepp, lyster; (mar.) gaffel, fangstkrok; svindel, løgn; skryt, snakk, oppstuss; kjekse, kleppe, lystre; svindle, lure; skjelle ut.

gaff [gæf] gjøglerbu; kneipe; **blow the** — (up)on angi, forråde, sladre.

gaffe [gæf] fadese, flause, bommert.

gaffer ['gæfə] gamling, gamlen; arbeidsformann, bas.

gag [gæg] kneble, målbinde; improvisere; legge ord inn i rollen sin; spøke, vitse.

gag [gæg] knebel; munnkurv, muleband, kvelende munnfull; løgn, skrøne, improvisert tilføyelse til en rolle (som regel komisk); skøyerstrek, vits, gag.

gaga ['gɑːgɑː] mimrende, lallende, senil.

gage [geidʒ] mål (se **gauge**).

gage [geidʒ] pant; trygd, sikkerhet; (fig.) hanske; utfordring; gi i pant, pantsette.

gage [geidʒ] slags plomme, se **greengage.**

gagger ['gægə] bedrager; en skuespiller som dikter til i rollen sin.

gaggle ['gægl] snadder, snadring; flokk.

gag law munnkurvlov.

gaiety ['gei(i)ti] munterhet, lystighet, festlighet; pynt.

gaily ['geili] muntert, lystig, festlig; prektig.

gain [gein] gevinst, vinning; fordel, nytte; profitt; overskudd, fortjeneste, inntekt; økning, forøkelse; bedring; vinne; tjene, fortjene; få; høste fordel; oppnå; forskaffe; fortne (om ur); bli rik; legge på seg; vokse, tilta; bli bedre; **make -s** vinne; **clear** — nettoinntekt; — **the day** vinne seier; **we had -ed our point** vi hadde nådd vårt mål, vi hadde oppnådd vår hensikt; — **ground** vinne terreng; — **ground on** hale inn på; få

innflytelse hos; **the ocean -s on the land** have skyller landet bort; — **over** vinne for sitt part — **strength** komme til krefter; — **time** vinne tid dra ut tiden; — **upon** vinne inn på, få mal over; — **and loss** vinning og tap. — **contr** volumkontroll (på radio).

gain [gein] tapphull; sinkehull.

gainer en som vinner, el. høster fordel.

gainful ['geinf(u)l] fordelaktig; lønnsom, inn bringende. **gainings** ['geiniŋz] vinning; profit

gainsay [gein'sei] motsi, imøtegå, benekt

gainsayer motsier.

Gainsborough ['geinzb(ə)rə].

'**gainst** [genst, geinst] fk. f. **against.**

gairish ['gɛəriʃ] se **garish.**

gait [geit] gang, måte å bevege seg på; gan lag; holdning.

gaiter ['geitə] gamasje; forsyne med gamasje (amr.) en slags skaftestøvel.

gal [gæl] (vulg. for **girl**) tøs, jente.

gal. fk. f. **gallon**(s).

gala ['geilə] festlighet. — **dress** galla.

galactic [gə'læktik] melke-; melkeveis-.

galactometer [gælək'tɔmitə] melkeprøver.

galantine ['gæləntiːn] kaldt kjøtt i gelé.

galanty show [gə'læntiʃəu] skyggebilder.

galaxy ['gæləksi] melkevei, galakse; strålend forsamling.

gale [geil] pors (en plante).

gale [geil] blåst, kuling, storm.

galeate(d) ['gælieit(id)] hjelmformet.

galena [gə'liːnə] blyglans.

galette [gə'let] slags kake; skipskjeks.

Galicia [gə'liʃ(i)ə].

Galician [gə'liʃən] galisier.

Galilean [gæli'liːən] galileisk; galileer.

Galilee ['gælili:] Galilea.

Galilei [gæli:'leii].

galimatias [gæli'meiʃəs] galimatias, tull, vrøv

galiot ['gæliət] galiot (et lite enmastet skip

galipot ['gælipət] furuharpiks.

gall [gɔːl] galle; bitterhet, hat, ilske, irritasjon (amr.) frekkhet; **spit out** — **and venom** spy eite og galle.

gall [gɔːl] galleple.

gall [gɔːl] gni huden av, gnage, skrubbe, gjøn hudløs; skade; såre; ergre, forbitre; plage, sjener gnagsår, gnag.

gallant ['gælənt] kjekk, djerv, tapper; ede. modig, høymodig, ridderlig; prektig, glimrende flott, galant herre; beleven (ung) mann; elske

gallant [gə'lænt] galant; galan; gjøre kur til ledsage som kavalér. **gallantly** ['gæləntli] tapper osv. **gallantly** [gə'læntli] galant. **gallantry** ['gælər tri] kjekkhet, tapperhet; edelmodighet, høysin ridderlighet; galanteri; lefleri.

gall bladder galleblære.

galleass ['gæliæs] galeas.

galleon ['gæliən] gallion (spansk krigsskip).

gallerian [gə'liəriən] galeislave.

gallery ['gæləri] galleri; søylehall; korridor svalgang; balkong (i teater); kunstmuseum billedgalleri; **rogue's** — forbryteralbum; **shootin** — skytebane; **in the** — på galleriet; **play** **the** — spille for galleriet, jage etter mengden bifall. **-ites** folk på galleriet. — **rifle** salonggevæl

galley ['gæli] galei; kabyss; skip (i trykkeri — **proof** spaltekorrektur. — **slave** ['gælisleiv galeislave. — **worm** tusenbein.

gallfly ['gɔːlflai] gallveps.

galliard ['gæljəd] lystig, lystig fyr; slags dans

gallic ['gælik] galleple; — **acid** gallussyre.

Gallic ['gælik] gallisk. **Gallican** ['gælikən] gal

ikansk; gallikaner. **gallice** ['gælisi:] på fransk.

gallicism ['gælisizm] gallisisme. **gallicize** ['gæli-saiz] forfranske.

galligaskins [gæli'gæskinz] slags knebukser.

gallimaufrey [gæli'mɔ:fri] miskmask, røre, rot.

gallinaceous [gæli'neiʃəs] hønse-.

galling ['gɔ:liŋ] som gnager el. irriterer huden; rriterende.

gallinipper ['gælinipə] (amr.) klegg, brems, stor nygg.

gallinsect ['gɔ:linsekt] gallveps.

gallipot ['gælipɔt] apotekerkrukke.

gallivant [gæli'vænt] fjase; drive omkring, slenge.

gallouse ['gɔ:llaus] bladlus.

gallnut ['gɔ:lnʌt] galleple.

gallomania [gælə'meinjə] gallomani. **galloma-niac** [gælə'meinjæk] galloman.

gallon ['gælən] gallon (= 4,546 liter; i Amerika 3,785 liter). **gallonage** ['gælənidʒ] mengde uttrykt i gallons.

galloon [gə'lu:n] galon, tresse, snor. -ed [gə'lu:nd] galonert.

gallop ['gæləp] galoppere; få til å galoppere; galopp.

gallopade [gælə'peid] galoppade.

gallophobe ['gæləfəub] franskhater. **gallopho-bia** [gælə'fəubjə] hat til alt fransk, gallofobi.

gallow grass ['gæləugrɑ:s] hamp (med hentyd-ning til galgen).

gallows ['gæləuz] galge. — **bird** galgenfugl. — **humour** galgenhumor. — **poor** lutfattig. — **tree** galge.

gall sickness ['gɔ:lsiknis] gallefeber.

gallstone ['gɔ:lstəun] gallestein.

Gallup poll ['gæləp pəul] gallupundersøkelse.

gally ['gæli] galei (typ.); kabyss (se **galley**).

gally ['gæli] skremme.

galop ['gæləp] galopp (dansen); danse galopp.

galore [gə'lɔ:] mengde, overflod; i massevis, fullt opp, flust.

galosh [gə'lɔʃ] kalosje.

gals. fk. f. gallons.

Galsworthy [gɔ:lzwə:ði, 'gæl-].

galumph [gə'lʌmf] (av gallop triumphant) briske seg, kjekke seg.

Galvani [gæl'va:ni].

galvanie [gæl'vænik] galvanisk. — **bath** elek-trolysebad. — **battery** galvanisk batteri. — **belt** giktbelte. — **induction** galvanisk induksjon. — **pile** voltasøyle.

galvanism ['gælvənizm] galvanisme. **galvani-zation** [gælvəni'zeiʃən] galvanisering. **galvanize** ['gælvənaiz] galvanisere; (fig.) oppildne.

galvanometer [gælvə'nɔmitə] galvanometer.

GAM fk. f. guided air missile styrt rakett.

gam [gæm] (amr.)· forsamles; avlegge besøk; flokk, forsamling; besøk.

gamb [gæmb] bein (av dyr).

gambado [gæm'beidəu] tverrbyks, hopp, sprett, kast, krumspring; lærgamasje, leggins.

Gambia ['gæmbiə] Gambia; **-n** gambisk; gam-bier.

gambit ['gæmbit] gambit (i sjakk); (fig.) utspill.

gamble ['gæmbl] spille, spille høyt, spille ha-sard; dristig tiltak, hasard, sjansespill; — **with dice** spille terning; — **in stocks** spekulere i aksjer; — **away** spille bort.

gambler ['gæmblə] spiller; falskspiller; speku-lant.

gambling ['gæmbliŋ] høyt spill; hasard. — **debt** spillegjeld. — **hell, — house** spillebule.

gamboge [gæm'baudʒ] gummigutt (tørret saft av et østasiatisk tre).

gambol ['gæmbəl] sprett, byks, kast, hopp; hoppe.

gambrel ['gæmbrəl] has (på en hest); krok som man henger slakt på.

game [geim] spill, lek, leik, morskap, spøk; sett, parti; kamp; konkurranse, lek (om sport); spill (med kort); forehavende, plan; måte å spille

på; vinning, fordel; de stikk eller poeng som hører til for å vinne et spill; plan, hensikt; intrige, knep; jakt; vilt; tyveri (i sl.); modig, be-stemt; dyktig; halt; spille; **a** — **at** (el. **of**) **chess** et parti sjakk; **a** — **of billiards** et parti biljard; — **of chance** hasardspill; **round** — selskapslek, selskapsspill; **make** — **of** gjøre narr av; **play the** — spille etter reglene, opptre hederlig; **give up** el. **throw up the** — oppgi partiet; **the** — **is not worth the candle** det er ikke umaken verd; **he is playing a losing** — han er i en fortvilt situasjon; **two can play at that** — jeg vil gjerne ha et ord med i laget; **I know his** — jeg gjen-nomskuer ham; **what** — **is he after?** hva har han i sinne? **he is up to every** — han kjenner alle knep; **winged** — vilt fjærkre; **a** — **old gentleman** en modig gammel mann; **he's** — **for anything** han er rede til alt; **are you** — **for a pound?** tør De våge et pund?; **die** — ikke gi seg, golde ørene stive; **the** — **is** up spillet er tapt. — **game** | **act** jaktlov. — **bag** jaktveske, jakttaske. — **cock** kamphane. — **fowl** fuglevilt. -**keeper** viltfoged, jegermester. — **laws** jakt- og fiske-lover. — **licence** jaktkort.

gamesome ['geimsəm] lystig, munter, livlig.

gamester ['geimstə] hasardspiller, spillefugl.

game tenant en som leier jakt- og/el. fiskerett.

gaming ['geimiŋ] hasardspill. — **house** spillehus.

gammer ['gæmə] gammel kone; gamla, mor.

gammon ['gæmən] juks, fanteri, luring, hum-bug; lure, skrøne.

gammon ['gæmən] røykeskinke; salte og røyke.

gammoner ['gæmənə] svindler.

gamp [gæmp] paraply.

gamut ['gæmət] skala; omfang, register.

gamy ['geimi] viltrik; som smaker av vilt; modig, opplagt.

gander ['gændə] gasse; tosk, fe; **what's good** (el. **sauce**) **for the goose is good** (el. **sauce**) **for the** — det som gjelder for én, bør gjelde for en annen; **take a** — **at** ta en titt på.

gander-faced ['gændəfeist] med et dumt fjes.

gandy dancer (amr.) jernbanearbeider, rallar, løsarbeider.

gang [gæŋ] bande; hop; avdeling, skift, gjeng; sleng, pakk; sett; angripe i flokk; — **up** flokke seg, rotte seg sammen; — **of thieves** tyvebande; — **of workmen** arbeidslag.

gang [gæŋ] (skotsk) gå; — **agley** gå galt. **gang board** ['gæŋbɔ:d] (smal) landgang.

ganger ['gæŋə] arbeidsformann, bas.

Ganges ['gændʒi:z].

gangling ['gæŋgliŋ] tynn, mager, skranglet.

ganglion ['gæŋgliən] ganglie, nerveknute.

ganglionic [gæŋgli'ɔnik] nerveknute-.

gang | **mill** rammesag, grindsag. -**plank** land-gang, landgangsbru.

gangrene ['gæŋgri:n] koldbrann; angripe med koldbrann, gå over til koldbrann. **gangrenous** ['gæŋgrinəs] angrepet av koldbrann, koldbrann, gangrenøs.

gangster ['gæŋstə] ganster, medlem av en for-bryterbande.

gang-up (amr.) sammensvergelse (**on** mot).

gangway ['gæŋwei] landgang, fallreip; gang mellom stolrekker; tverrgang (mellom benkene i underhuset); **members below the** — uavhengige medlemmer (av underhuset).

ganja ['gændʒə] hampplante.

gannet ['gænit] havsule.

gantlet se **gauntlet**.

gantry ['gæntri] kran; signalbru.

Ganymede ['gænimi:d] Ganymedes; oppvarter.

gaol [dʒeil] fengsel; fengsle; **break** — flykte fra fengsel. **-bird** ['dʒeilbə:d] fange, fengsels-fugl, vaneforbryter. — **delivery** flukt fra fengsel; utfriing av fanger med makt. **gaoler** ['dʒeilə] fangevokter.

gap [gæp] åpning, gap, spalte; tomrom, hull; kløft, skar, hakk; avbrytelse; underskudd; bresje; åpne.

gape [geip] gape, gjespe, glo med åpen munn,

måpe; gaping, gjesp, måping; — **after** el. **at**
glo på; — **for** el. **on** sikle etter.
gar [gɑ:] horngjel, nebbesild.
garage ['gæra:dʒ, 'gæridʒ] garasje; reparasjons-
verksted, servicestasjon; sette i garasje.
garb [gɑ:b] drakt, kledning; mote, snitt; ytre.
garbage ['gɑ:bidʒ] slo; kjøkkenavfall; (fig.)
skitt, søppel. — **can** søppelbøtte. — **collection**
and disposal renovasjon.
garble ['gɑ:bl] fordreie, forvanske, forkludre;
pynte på. **garbler** ['gɑ:blə] forfalsker.
garden ['gɑ:dn] hage; gjøre hagearbeid, drive
gartneri; **back** — hage bak huset; **front** — for-
hage. — **city** hageby.
garden engine ['gɑ:dnendʒin] hagesprøyte.
gardener ['gɑ:dnə] gartner.
garden frame drivbenk drivkasse.
garden | hose hageslange. — **house** lysthus.
gardening ['gɑ:dniŋ] hagearbeid, hagebruk.
garden | party ['gɑ:dnpɑ:ti] selskap som holdes
det fri, hageselskap.
garden stand blomsterstativ.
garfish ['gɑ:fiʃ] se **gar.**
gargantuan [gɑ:'gæntjuən] svær, uhorvelig stor,
enorm.
gargle ['gɑ:gl] gurgle; gurglevann.
gargoyle ['gɑ:gɔil] tut på takrenne (ofte formet
som hodet på et fabeldyr).
Garibaldi [gæri'bældi] (navn); garibaldibluse.
garish ['gɛəriʃ] påfallende, skrytende, skrik-
ende, grell.
garland ['gɑ:lənd] krans; kranse.
garlic ['gɑ:lik] hvitløk.
garment ['gɑ:mənt] klesplagg; -s pl. antrekk,
klær. **garmented** ikledd, iført.
garn [gɑ:n] for pokker! ha deg vekk!
garner ['gɑ:nə] kornloft; magasin; samle inn.
garnet ['gɑ:nit] granat (edelstein).
garnish ['gɑ:niʃ] smykke, pryde; garnere, be-
sette; forsyne; beslå; stevne; legge beslag på;
prydelse; garnering; lenker; drikkepenger; —
moulding pyntelist (på bil). **garnishment** [-mənt]
garnering, prydelse.
garniture ['gɑ:nitʃə] garnityr; pynt, pryd.
gar-pike ['gɑ:paik] pansergjedde.
garran ['gærən] liten skotsk hest.
garret ['gærit] kvistværelse, loftskammer.
garrison ['gærisən] garnison, besetning; legge
garnison, besette, ligge som garnison. — **cap**
båtlue. — **state** militærstat.
garrotte [gə'rɔt] kvelning, garottering; kvele,
garottere, **garrotter** [gə'rɔtə] garottør.
garrulity [gæ'ru:liti] snakkesalighet.
garrulous ['gæruləs] snakkesalig.
garter ['gɑ:tə] strømpebånd; binde med strøm-
pebånd; sokkeholder; armstrikk; gjøre til ridder
av hosebåndsordenen; **the Order of the Garter**
Hosebåndsordenen (Englands høyeste ridder-
orden); **Knight of the Garter** ridder av Hosebånds-
ordenen. — **belt** hofteholder. — **stitch** rett-
strikking. — **webbing** strømpestrikk.
garth [gɑ:θ] hage, hegn, gård.
gas [gæs] gass; (amr.) bensin; gasspedal;
floskler, dumt, unyttig snakk; kyt; svi med gass;
gassforgifte, gasslegge, innbille en noe; skva-
dronere; **turn on the great amount of** — **about**
something si mye unødvendig sludder om noe;
give one — skjelle en ut; pryle en; **turn on (off)**
the — åpne (lukke) for gassen; **turn down (up)**
the — skru gassen ned (opp).
gasbag ['gæsbæg] gassbeholder; vrøvler, skryt-
hals, blære; (hånlig) luftskip.
gasbracket ['gæsbrækit] gassarm.
gasburner gassbrenner.
gas coke gassverkskoks.
Gascon ['gæskən] gascogner; storskryter; gas-
cognisk. **gasconade** [gæskə'neid] skryt, skryte.
gas concrete lettbetong, porøs betong.
Gascony ['gæskəni] Gascogne.

gas cooker gasskomfyr.
gaselier [gæsə'liə] gasslysekrone.
gas engine gassmotor.
gaseous ['geiziəs, 'gæsiəs] gassaktig, gassformig
gassholdig; oppblåst, luftig. — **nebulae** gasståker
gas | fitter gassarbeider; gassmester; gassrør
legger. — **flue** gassrør. — **furnace** gassovn. —
gauge gasstrykkmåler. — **governor** gassregulator
gash [gæʃ] flenge, gapende sår; flenge.
gas helmet ['gæs helmit] gasshjelm (gassmaske)
gasification [gæsifi'keiʃən] gassutvikling, for
gassing.
gasify ['gæsifai] omdanne til gass.
gas jet ['gæsdʒet] gassbluss.
Gaskell ['gæskəl].
gasket ['gæskit] beslagseising; pakning(sring)
tetning(sring), tetningslist.
gas | lamp gasslampe. — **lantern** gasslykt
— **light** gassbelysning; gassbluss. — **lighte**
sigarettenner for gass; gasspistol; lyktetenner
— **main** gasshovedrør. — **manager** gassverks
direktør.
gas mask ['gæsmɑ:sk] gassmaske.
gas meter ['gæsmi:tə] gassmåler.
gas oil gassolje; solarolje, dieselolje.
gasolene ['gæsəli:n], **gasoline** [-li(:)n] gassolin
petroleumseter; (amr.) bensin.
gasometer [gæ'sɔmitə] gassbeholder.
gasp [gɑ:sp] puste tungt, stønne; gispe, snappe
etter været; hikste; stønn; gisp, gisping, tung
åndedrag; — **for breath** snappe etter luft
— **for life** ligge på det aller siste; **may I** — my
last, if . . . jeg vil dø på at . . .; **to the last** —
til det siste åndedrett.
gas pipe ['gæspaip] gassrør.
gas pump (amr.) bensinpumpe på bensin
stasjon.
gas ring gassbrenner.
gas sampler røyk- el. gassuttak.
gas station (amr.) bensinstasjon.
gas stove ['gæs'stauv] slags gassovn til opp
varming av værelse.
gassy ['gæsi] gassaktig; snakkesalig.
gas trap vannlås.
gastric ['gæstrik] gastrisk, mage-. — **fever** gas
trisk feber. — **juice** magesaft. — **ulcer** magesår.
gastriloquist [gæ'strilɔkwist] buktaler.
gastritis [gæ'straitis] magekatarr.
gastronomer [gæ'strɔnəmə] gastronom. **gastro**
nomic(al) [gæstrə'nɔmik(l)] gastronomisk. **gastro**
nomy [gæ'strɔnəmi] gastronomi.
gastrotomy [gæ'strɔtəmi] magesnitt.
gas | turbine gassturbin. — **vent** gassavtrekk
— **warfare** gasskrig. — **welding** autogensveising
— **well** gasskilde. -**works** gassverk.
gat [gæt] passasje; revolver, skyter.
gate [geit] port, led, grind; trang gjennom
gang; veg, vei, inngang; entré, adgang; forsyn
med port; gi sparken, kvitte seg med; gi stue
arrest, nekte utgangstillatelse; **free** — grati
adgang; **Golden Gate** innløp i San Francisco
bukta; **the Iron Gates of the Danube** Jernporten
pass ved Donau; **Gate of Tears** Bab-el-Mandeb
gate|-**crasher** ubuden gjest, en som ramle
inn døren hos folk. -**house** portnerhus; port
stue; vokterhus (ved jernbaneovergang). —
keeper portvakt; banevokter. — **money** entré
-**post** portstolpe; **between you and me and the** —
strengt fortrolig. — **vault** trampolinesprang
plankesprang. -**way** porthvelving, port; opp
kjørsel; innseiling; innfallsport.
gather ['gæðə] samle, sanke, samle inn; høste
plukke; velge ut; oppdynge; slutte, oppfatte
oppfange, forstå; forsamle; samle seg, samles
vokse; flyte sterkere; trekke sammen; rynke
snurpe sammen; modnes (om byll), øke, vokse
— **breath** få pusten igjen; — **dust** bli støvet
sluke støv; — **flesh** bli tykk; — **ground upon on**
innhente en, få forsprang for en; — **information**
innhente opplysninger; — **in debts** innkasser
gjeld; — **up one's crumbs** komme til krefter

— in the grain kjøre inn kornet; the clouds are -ing det trekker opp (med skyer); — speed få opp farten; — strength samle krefter.

gatherer ['gæðərə] en som samler, plukker osv.

gathering ['gæðəriŋ] samling; forsamling; høst; kollekt; svull, byll; voksende, stigende.

Gatling ['gætliŋ] (slags maskingevær).

GATT fk. f. General Agreement on Tariffs and Trade.

gauche [gəuʃ] keitet, klosset, forlegen.

gaucherie ['gəuʃəri(:)] keitethet, klossethet; taktløshet.

gaucho ['gautʃəu] gaucho; europeisk-indiansk gjeter.

gaud [gɔ:d] stas, flitter.

gaudiness ['gɔ:dinis] prakt, flitterstas.

gaudy ['gɔ:di] prangende, skrikende, broket, utmaiet; fest, lag, gilde. — night festaften.

gauffer ['gɔ:(ʃə] se goffer.

gauge [geidʒ] mål, måleredskap, -måler; strekmåt; strekkmål; sporvidde; måle, måle innholdet av et fat. — pressure manometertrykk. — rod peilestav. gauger ['geidʒə] måler, aksisebetjent.

Gaul [gɔ:l] Gallia; galler, (for spøk) franskmann; gallisk kvinne. Gaulish ['gɔ:liʃ] gallisk.

gaunt [gɔ:nt] mager, skrinn; uttæret; slank; ensom, naken, øde.

gauntlet ['gɔ:ntlit] stridshanske; hanske; halvhanske; forbinding om hånden; spissrot; throw down the — kaste sin hanske (utfordre); take up the — ta hansken opp (motta utfordringen); run the — løpe spissrot.

gaur [gauə] gaurokse.

gauze [gɔ:z] gas, tyll; moe, varmedis; surgical — gasbind; wire — trådnett. — pad gaskompress.

gauzy ['gɔ:zi] gasaktig.

gave [geiv] imperf. av give.

gavel ['gævəl] auksjonshammer; formannsklubbe.

gavial ['geivjəl] gavial (art krokodille).

gavotte [gə'vɔt] gavotte (en dans).

Gawain ['gɑ:wein].

gawk [gɔ:k] kloss, dåsemikkel, staur. gawky ['gɔ:ki] klosset; kloss.

gay [gei] livlig, munter, lystig; prangende, strålende, broket; pyntet; levelysten; utsvevende, lettsindig; (amr.) homoseksuell.

gay dog ungkar og spillemann; levemann.

gayety ['gei(i)ti] se gaiety. gayly se gaily.

gaze [geiz] stirre, glo, se stivt (at på); stirring; stand at — stå som fortapt.

gazebo [gə'zi:bəu] paviljong.

gazelle [gə'zel] gaselle.

gazette [gə'zet] lysingsblad, offisiell tidende; bekjentgjøre, kunngjøre, lyse; utnevne; be -d of stå i avisen som utnevnt; be -d out få avskjed.

gazetteer [gæzi'tiə] geografisk leksikon.

gazingstock ['geiziŋstɔk] noen eller noe som man ser på med nysgjerrighet eller avsky.

gasogene ['gæzədʒi:n] apparat til å lage kullsyreholdig vann.

G. B. fk. f. Great Britain.

G. B. E. fk. f. Knight Grand Cross of the Order of the British Empire.

G. C. B. fk. f. Grand Cross of the Bath.

G. C. E. fk. f. General Certificate of Education.

G. C. F. fk. f. greatest common factor.

G. C. I. E. fk. f. Grand Commander of the Order of the Indian Empire.

G. C. M. fk. f. greatest common measure.

Gds. fk. f. guards. gds. fk. f. goods.

gear [giə] stoff, plagg, tøy; utstyr; pynt; apparat; tilbehør, greier, saker, ting; kledning; kjøkkentøy, seletøy; (i Skottland) formue, gods; krigsutrustning; gir, utveksling; spenne for; forsyne med drivverk; sette i gang; gripe inn i (om tannhjul), kople, gire; be in — være i gang, klar til bruk; i orden; throw into — sette i gang; out of — i ustand; i uorden; travelling — reisegods. — assembly tannhjulsforbin-

delse. -box girkasse. gearing ['giəriŋ] inngrep; inngripning; utveksling, giring. gear | lever girspak. — pump tannhjulspumpe. — ratio utvekslingsforhold. — shafting mellomakselledd. -shift girspak. — wheel tannhjul.

gecco, gecko ['gekəu] gekko, slags firfisle.

gee [dʒi:] hypp (til hesten), til høyre.

gee [dʒi:] (amr.) jøss!

gee-gee ['dʒi:dʒi:] fole, poa (i barnespråk).

geese [gi:s] gjess, flertall av goose.

gee-up ['dʒi:'ʌp] hypp (til hest).

geezer ['gi:zə] gammel stabeis, knark.

Gehenna [gi'henə].

Geiger counter ['gaigə 'kauntə] geigerteller.

geisha ['geiʃə] geisha.

gelatinate [dʒi'lætineit] gjøre til gelatin; bli til gelatin. gelatine ['dʒelətin] gelatin. gelatinize [dʒi'lætinaiz] se gelatinate.

gelation [dʒe'leiʃən] stivning, frysing.

geld [geld] gjelde, skjære, kastrere.

gelding ['geldiŋ] kastrering, gjelding; vallak.

gelid ['dʒelid] iskald.

gelidity [dʒi'liditi] iskulde.

gelt [gelt] penger.

gem [dʒem] edelstein; (fig.) klenodie, praktstykke; pryde med edelsteiner.

gemel ['dʒeməl] tvilling-.

geminate ['dʒemineit] par-, tvilling-; fordoble. Gemini [dʒeminai] Tvillingene (stjernebildet); oh, Gemini! Herre Jemini!

geminous ['dʒeminəs] dobbelt, parret.

gemma ['dʒemə] knopp (på trær).

gemmaceous [dʒi'meiʃəs] knoppaktig.

gemmate(d) ['dʒemeit(id)] prydet med edelsteiner, juvelbesatt.

gemmation [dʒi'meiʃən] knoppskytning.

gemmeous ['dʒemiəs] edelsteinaktig.

gemmiferous [dʒe'mifərəs] knoppskytende.

gemmiparous [dʒi'mipərəs] knoppskytende.

gemmy ['dʒemi] edelsteinaktig; strålende.

gem stone edelstein, smykkestein.

gen [dʒen] opplysninger, instrukser; skaffe opplysninger.

Gen. fk. f. General; Genesis.

gen. fk. f. general; generator; genitive.

gendarm ['ʒɑ:ndɑ:m] gendarm, politisoldat.

gender ['dʒendə] kjønn, genus (grammatisk).

genealogie(al) [dʒenjə'lɔdʒik(l), dʒi:-] genealogisk. genealogist [dʒeni:'ælədʒist, dʒi:-] genealog.

genealogy [dʒeni'ælədʒi, dʒi:-] genealogi; avstamning; stamtavle.

genera ['dʒenərə] slekter; flertall av genus.

general ['dʒen(ə)rəl] allmenn, alminnelig, vanlig; sams; fremherskende, rådende; general-, hoved-; over-; vag, ubestemt, svevende; the General Accounting Office (amr.) ≈ Riksrevisjonen; — alert (fullt) krigsberedskap; — anaesthesia totalbedøvelse; — appearance det hele ytre; — assembly generalforsamling; (amr.) lovgivende forsamling; — bookseller sortimentsbokhandler; — cargo stykkgodsladning; — condition allmenntilstand; — contractor hovedentreprenør; — cook kokkepike som forstår seg på både alminnelig og fin matlaging; — court lovgivende forsamling; — dealer kremmer, kjøpmann; — deterrence (jur.) generalprevensjon; — direction hovedretning; — election parlamentsvalg; — effect totalvirkning; — goods stykkgods; — hospital alminnelig sykehus; — insurance skadeforsikring; — invitation innbydelse én gang for alle; lieutenant— — generalløytnant; major— — generalmajor; — manager generaldirektør; — meeting generalforsamling; — post office hovedpostkontor; — practitioner praktiserende lege (ikke spesialist); the — public det store publikum; — readers alminnelige lesere; — servant enepike; speak in a — way tale løselig.

general ['dʒen(ə)rəl] hele; general, feltherre; generalmarsj; enepike; the — massen(e); folk; anføre, lede; in — i alminnelighet.

General Certificate (of Education) avgangseksamen fra høyere skole.

generalissimo [dʒenərə'lisiməu] generalissimus, øverstbefalende.

generality [dʒenə'ræliti] alminnelighet; hele; største del, storpart, største tall; flertall; generalitet; **the — of people** folk i alminnelighet; **the — of readers** alminnelige lesere.

generalization [dʒenərəl(a)i'zeiʃən] alminneliggjøring, generalisering; induksjon; (sl.) frase. **generalize** ['dʒen(ə)rəlaiz] generalisere, alminneliggjøre.

general | ledger hovedbok. **— levy** masseoppbud. **generally** ['dʒen(e)rəli] i alminnelighet; i det hele tatt; hyppig; overveiende, stort sett; **— speaking** i det hele tatt.

general manager administrerende direktør. **general post office** hovedpostkontor. **general-purpose** universal-, som kan brukes til alt.

generalship ['dʒen(ə)rəlʃip] generalsverdighet; feltherretalent; behendighet, list; strategi.

general | ship stykkgodsbefraktet skip. **— shop** landhandleri, kjøpmannsforretning. **— staff** generalstab. **— -utility** universal-, som kan brukes over alt (om verktøy).

generate ['dʒenəreit] avle, ale fram, frembringe, produsere, utvikle. **generating station** kraftstasjon.

generation [dʒenə'reiʃən] avl; frembringelse, utvikling; avkom, ætt, generasjon, slektledd, ættledd.

generative ['dʒenərətiv] som frembringer, el. fremkaller; fruktbar. **— organs** forplantningsorganer. **generator** ['dʒenəreitə] dynamo, generator; (mus.) grunntone.

generic [dʒi'nerik] slekts-, artsmessig, felles. **— name** slektsnavn. **— term** fellesbetegnelse. **generically** med et felles navn.

generosity [dʒenə'rɔsiti] edelmodighet, høysinn; gavmildhet.

generous ['dʒenərəs] edelmodig, gjev, høysinnet; gavmild; raus, rikelig, stor; kjekk; åndrik; sterk, kraftig (om vin); **— diet** rikelig ernæring.

genesis [dʒenisis] skapelse, opphav, tilblivelse; tilblivelseshistorie; genesis (1. mosebok).

genet ['dʒenit] genette (slags katt).

genetic [dʒi'netik] tilblivelses-, opphavs-; arvelighets-, genetisk. **genetics** [dʒi'netiks] genetikk, arvelighetslære.

Geneva [dʒi'ni:və] Genf, Genève. **— Convention** Genèvekonvensjonen; **the — Cross** genferkors. **geneva** [dʒi'ni:və] sjenever.

Genevan [dʒi'ni:vən] genfer; kalvinist; genfisk; kalvinistisk. **Genevese** [dʒeni'vi:z] genfer; genfisk. **genial** ['dʒi:njəl] mild, lun; godslig, gemyttlig, jovial, koselig.

geniality [dʒi:ni'æliti] mildhet; gemyttlighet.

genie ['dʒi:ni] ånd; fylgje, vette. **genii** ['dʒi:njai] genier, skytsånder (flertall av **genius**).

genitals ['dʒenitlz] genitalia, kjønnsorganer.

genitive ['dʒenitiv]: **the —, the — case** genitiv.

genius ['dʒi:njəs] genius, fylgje, vette, skytsånd (pl.: **genii**), geni; talent, genialitet (i pl.: **geniuses**); **— loci** stedets ånd, særlige atmosfære, skytsånd; **a man of — en** genial mann; **the — of a language** et språks ånd; **the — of the times** tidens ånd.

Gennesaret [gi'nezərit] Genesaret.

genny se **generator**.

Genoa ['dʒenəuə] Genova.

genocide ['dʒenə(u)said] folkemord, folkedrap. **Genoese** [dʒenəu'i:z] genuesisk; genueser.

gent [dʒent] fk. f. **gentleman. -s** herretoalett.

genteel [dʒen'ti:l] fin, fornem, tertefin; elegant, fasjonabel. **genteelism** [dʒen'ti:lizm] eufemisme, fint ord.

gentian ['dʒenʃən] søte (en plante).

gentile ['dʒentail] hedensk; hedning; folke-, stamme-. **— noun** folkenavn.

gentility [dʒen'tiliti] fornemhet, tertefinhet.

gentle ['dʒentl] maddik, spyfluelarve.

gentle ['dʒentl] fornem, edel; fin, yndefull; vennlig, blid; gunstig sinnet; lett virkende (medisin); svak, jevn (om skråning); saktmodig; nennsom, forsiktig, lett, svak; diskret; veldressert, lydig (om dyr); blid, sakte, dempet (om musikk); **a — breeze** en lett bris; **the — craft** lystfiske; **the — passion** kjærligheten; **the — reader** den velvillige leser; **the — sex** det svake kjønn.

gentle ['dʒentl] formilde; berolige (en hest).

gentlefolk(s) fornemme, fine folk. **gentle-hearted** godhjertet.

gentleman ['dʒentlmən], pl. **gentlemen** ['dʒentlmən] fornem mann, fin herre, dannet mann, mann av ære, gentleman, kavalér; amatør (cricket); mann; trumfkonge (i kortspill); **the old —** den onde, fanden; **the old — helps his own** fanden hjelper sine; **be born a —** være av god familie; **the first — of Europe** et tilnavn som ble gitt kong Georg IV.; **there is nothing of the — about him** han eier ikke folkeskikk; **independent —** rentier; **private —** privatmann; **— -at-arms** (medlem av den kongelige livvakt); **— -at -large** arbeidsløs; **— -attendant** oppvartende kavalér; **single —** ungkar; **— -commoner** student av høyere rang; **— dog** hanhund; **— -farmer** proprietær, godseier; **— -jockey** amatørvedde-løpsrytter; **— of fortune** lykkejeger; **— -player** (el. **rider**) amatørspiller (-rytter); **-'s agreement** (uskrevet avtale hvor partene stoler på hverandres ord); **-'s boots** herrestøvler; **gentlemen's companion** lus; **gentlemen's lavatory** toalett for menn; **a gentleman's piece** et tynt delikat stykke; **gentlemen's walk** (el. **toilet**) toalett for menn; **(place for) gentlemen!** for menn! **gentlemen!** mine herrer! **gentleman in velvet** moldvarp; **gentleman of the gown** jurist; **gentleman of the green baize** bondefanger; **gentleman's gentleman** kammertjener; **gentleman of the bedchamber** kammerjunker.

gentlemanlike ['dʒentlmənlaik] fin, dannet. **gentlemanliness** ['dʒentlmənlinis] fint vesen. **gentlemanly** ['dʒentlmənli] fin, dannet. **gentleness** ['dʒentlnis] blidhet, mildhet. **the gentle sex** det svake kjønn.

gentlewoman ['dʒentlwumən] fin dame, fornem dame, dannet dame; kammerfrue; **— of the Queen** hoffdame.

gently ['dʒentli] vennlig, mildt; forsiktig, lett, svakt, nennsomt, blidt.

gentry ['dʒentri] lavadel, storfolk (de fineste etter nobility); (spottende) fine folk, folk.

genuflect ['dʒenjuflekt] bøye kne, gjøre knefall. **genuflection** [dʒenju'flekʃən] knebøyning, knefall.

genuine ['dʒenjuin] ekte, uforfalsket, original; seriøs, oppriktig; virkelig.

genuineness ekthet, uforfalskethet.

genus ['dʒi:nəs] slekt, pl. **genera**.

geocentric [dʒi:əu'sentrik] geosentrisk.

geodesic [dʒi:əu'desik] geodetisk. **geodesy** [dʒi'ɔdisi] geodesi, landmåling. **geodetic** [dʒi:əu'detik] geodetisk. **geodetics** geodesi.

Geoffrey ['dʒefri].

geog. fk. f. **geography; geographer.**

geognost ['dʒi:ɔgnɔst] geognost. **geognostic** [dʒi:ɔg'nɔstik] geognostisk. **geognosy** [dʒi'ɔgnəsi] geognosi, læren om formingen av jordskorpa. **geogonic** [dʒi:əu'gɔnik] geogonisk. **geogony** [dʒi'ɔgəni] geogoni, læren om jordens dannelse. **geographer** [dʒi'ɔgrəfə] geograf. **geographical** [dʒi:əu'græfikl] geografisk. **geography** [dʒi'ɔgrəfi] geografi; geografisk beskaffenhet, terreng; lokaliteter.

geol. fk. f. **geology.**

geologic(al) [dʒi:əu'lɔdʒik(l)] geologisk. **geologist** [dʒi'ɔlədʒist] geolog. **geology** [dʒi'ɔlədʒi] geologi.

geom. fk. f. **geometry.**

geomagnetism [dʒiəu'mægnitisəm] jordmagnetisme.
geometer [dʒi'ɔmitə] landmåler, geometer, matematiker; måler (larve).
geometric(al) [dʒiə'metrik(l)] geometrisk. — **drawing** geometrisk tegning, projeksjonstegning.
geometrician [dʒiɔmə'triʃən] se **geometer.**
geometry [dʒi'ɔmitri] geometri.
geophysical [dʒiə'fizikəl] geofysisk.
geophysics [dʒiə'fiziks] geofysikk.
Geordie ['dʒɔ:di] diminutiv av **George.**
geordie ['dʒɔ:di] sikkerhetslampe; kullgruvearbeider; kullskip; guinea (mynten).
George [dʒɔ:dʒ] Georg; bilde av St. Georg til hest, som hosebåndsridderne bærer; **the four Georges** de fire engelske konger Georg; **St.** — St. Georg, Englands skytspatron; **by —!** pokker også! (i fly) autopilot.
Georgia ['dʒɔ:dʒə].
Georgian ['dʒɔ:dʒən] georgisk (om et folk i Kaukasus); georgier; som hører til Georgenes tid (1740—1830).
Ger. fk. f. **German(y).**
Gerald ['dʒerəld].
geranium [dʒi'reinjəm] geranium.
Gerard ['dʒerəd, -ɑ:d].
gerfalcon ['dʒə:fɔ:lkən] geirfalk, jaktfalk.
geriatric [dʒeri'ætrik] geriatrisk, alderdoms-.
geriatrics [dʒeri'ætriks] geriatri.
germ [dʒə:m] kim, spire; basill, bakterie; **-s** el. smittestoff.
german ['dʒə:mən] nærskyldt, kjødelig; **cousin** — kjødelig søskenbarn.
German ['dʒə:mən] tysk; tysker; — **flute** tverrfløyte; — **gold** flittergull; **the — Ocean** Nordsjøen; — **silver** nysølv; — **text** fraktur; — **toys** nürnbergerkram; **High** — høytysk; **Low** — plattysk.
germane [dʒə:'mein] som har med saken å gjøre, relevant.
Germania [dʒə:'meiniə] Germania.
Germanic [dʒə:'mænik] germansk.
Germanism ['dʒə:mənizm] germanisme, tyskhet.
germanize ['dʒə:mənaiz] germanisere, fortyske.
germ | cell kimcelle. — **disease** mikrobesykdom. **-free** bakteriefri. **-icidal** bakterie- el. kimdrepende.
germinal ['dʒə:minl] spire-; kim-.
germinate ['dʒə:mineit] spire, skyte, spire fram.
germination [dʒə:mi'neiʃ(ə)n] spiring; spiredyktighet.
germ | layer kimblad. — **warfare** bakteriologisk krigføring.
gerontocracy [dʒerən'tɔkrəsi] gerontokrati, gammelmannsvelde.
gerrybuilder ['dʒeribildə] bygningsspekulant.
gerrymander [geri'mændə] omlegge valgkretsene vilkårlig, fuske med. **gerrymandering** valgfusk.
Gertie ['gə:ti] diminutiv av **Gertrude.**
Gertrude ['gə:tru:d].
gerund ['dʒerənd]; **the** — gerundium, verbalsubstantiv. — **-grinder** (slang) latinlærer, terper.
gerundive [dʒi'rʌndiv]; **the** — gerundiv.
gest [dʒest] bedrift, dåd; beretning, krønike; gestus.
gestate ['dʒesteit] være fruktsommelig el. svanger med. **gestation** [dʒe'steiʒən] fruktsommelighet; svangerskapsperiode.
geste [dʒest] se **gest.**
gestic ['dʒestik] sagnaktig, sagn; bevegelses-; **the — art** dansekunsten.
gesticulate [dʒe'stikjuleit] gestikulere. **gesticulation** [dʒestikju'leiʃən] gestikulering; fakter.
gesticulatory [dʒe'stikjulətəri] gestikulerende.
gesture ['dʒestʃə] gestus; **-s** pl. geberder, fakter, mimikk; **a friendly** — en vennskapelig holdning.
get [get] avkom; inntekt; avling.
get [get] få; oppnå; skaffe seg; formå, bevege; (amr.) bringe i forlegenhet; (amr.) lage, gripe; avle; samle; nå, komme til, begi seg til; bli; — **angry** bli sint; — **the better of** få bukt med, mestre. — **one's bread** tjene sitt brød; — **a cold** bli forkjølt; — **the day** vinne seier; — **dinner ready** gjøre middagsmaten ferdig; — **stoned,** — **drunk** bli full; — **hold of** få fatt i; — **information** innhente opplysninger; — **it** oppnå det; få en drakt pryl; — **it hot** få sitt, få det hett; **I wish you may — it!** jeg skal nok ta meg i akt! velbekomme! — **to know** (el. **hear** el. **learn**) erfare, få greie på; — **a language** lære et språk; **I don't — it** jeg skjønner (det) ikke; — **a living** få sitt utkomme; — **a mile** gå en mil; — **the pig by the tail;** — **the wrong sow by the ear** ta feil; — **your places** (el. **seats**) ta plass! stig inn! — **possession of** ta i besittelse; — **a slip** falle igjennom, få en kurv; — **the start** få forsprang; — **the worst** trekke det korteste strå; **have you got a light?** har De fyr(stikker)? **I have got it** nå sitter jeg pent i det; **I have got no money** jeg har ingen penger; **he has got to do it** han må gjøre det; — **one's hair cut** la seg klippe; — **him a situation** skaffe ham en stilling; — **you gone!** kom deg av sted, av gårde! — **aboard** bringe ombord; gå ombord; — **abroad** bringe ut; utbre, gjøre kjent; bli kjent; — **afloat** gjøre flott; bli flott; — **aground** strande; sitte på bar bakke, ikke ha penger; — **ahead** komme fram; gjøre gode forretninger; — **along** greie seg, komme igjennom; komme ut av det; gjøre framskritt; — **along with you!** av sted med deg! — **at** komme til, nå til, få fatt i; **what are you -ting at?** hva sikter De til? — **around** omgå; overliste, overtale; — **away** skaffe bort; fjerne seg; stikke av; løpe løpsk; — **away with** slippe unna med noe ustraffet, komme heldig fra noe; — **back** få tilbake; komme tilbake; — **behind** komme baketter; sette seg opp bakpå (en vogn); — **behind a man** endossere en manns veksel; — **by** komme forbi; — **one's living by** tjene sitt utkomme ved; — **down to** ta fatt for alvor, gå i gang med; — **even with** hevne seg på; **what can I — for you?** hva ønsker De? (i butikk); — **home** komme hjem; — **in** få inn, bringe inn; innkassere; trenge inn; bli valt (til Parlamentet o.l.); komme til målet; — **in with** innsmigre seg hos; — **into** bringe inn i; trenge inn i; — **a man into trouble** bringe en mann i forlegenhet el. vanskeligheter; — **a thing into one's head** sette seg noe i hodet; innprente seg noe; — **into debts** komme i gjeld; — **off** ta av; bli av med, skaffe bort; ta av sted; løsrive seg fra; slippe bort; stige ut el. av; — **off with a fright** slippe med skrekken; — **off the rails** gå av sporet (ogs. fig); — **clear off** slippe uskadd fra; — **off with you!** av sted med deg! — **on** ta på klær; drive framover; stige opp; gjøre framskritt; — **on the steam** få dampen opp; — **on horseback** stige til hest; — **on one's feet** komme på beina; **how are you -ting on?** hvordan har De det? — **lost** gå seg bort, gå seg vill; — **lost!** forsvinn! — **on!** av sted! videre! — **on together** komme ut av det med hverandre; — **out** få ut; komme ut; gå ut (om flekker); — **out of shape** miste formen; — **out (with you)!** tøys! — **over** bringe over, trekke over; gjøre seg løs fra; vinne, bestikke; overvinne; overrumple, overliste; behandle hensynsløst; gjøre ende på noe; komme over, overstå; — **ready** gjøre i stand, gjøre ferdig; — **rid of** bli kvitt; rive seg løs fra; skaffe seg av med; — **round** snakke rundt; lure seg unna; — **round a difficulty** gå av veien for en vanskelighet; — **through** bli ferdig med; klare seg; — **to** få; nå; bringe det til; — **to land** gå i land; — **to sleep** falle i søvn; — **together** få sammen; samle seg; — **oneself together** ta seg sammen; — **under** overvelde, beseire; få under kontroll; — **up** få opp; vekke; innrette; sette i verk; forberede; sette i scene; utstyre (bøker); oppmuntre; avfatte; studere; bearbeide; hope opp; sette sammen; stå opp (av senga); — **up by heart** lære utenat; — **up the steam** få dampen opp; — **up oneself** pynte seg; — **one's back up**

bli sint; — up to (el. with) a man innhente en; — well bli frisk; — with child gjøre gravid.
get-at-able [get'ætəbl] tilgjengelig.
getaway ['getəwei] start, flukt; avhopping.
Gethsemane [geθ'seməni] Getsemane.
getter-up ['getər'ʌp] en som arrangerer.
getting ['getiŋ] ervervelse; gevinst.
get-together sammenkomst.
get-up ['getʌp] arrangement; utstyr; prangende, billig.
geyser ['gaizə] geiser, varm kilde; hurtigvarmer (for vann).
Ghana ['gɑːnə]. Ghanian ghanan(er); ghanansk.
gharri ['gæri] okse- el. ponnivogn (i India).
ghastliness ['gɑːstilinis] likblekhet; forferdelse.
ghastly ['gɑːstli] likblek; fryktelig, fæl, redselsfull, forferdelig; uhyggelig.
gha(u)t [gɔːt] fjellskar, fjellpass; fjellkjede; trapp ned til en elv (i India).
ghazi ['gɑːzi] muhamedansk troshelt.
Gheber ['geibə, 'giːbə] ildtilbeder, parser.
ghee [giː] smør, fett (i India).
Ghent [gent] Gent.
gherkin ['gəːkin] liten sylteagurk.
ghetto ['getəu] ghetto, jødekvarter (plur. -s).
Ghibelline ['gibəlin, -ain] ghibelliner; ghibellinsk.
ghost [gəust] ånd, spøkelse, gjenferd; draug; spor, skygge, antydning; gå i igjen, spøke; the Holy Ghost Den Hellige Ånd; give (el. yield) up the — oppgi ånden; as pale as a — likblek; (i teaterspråk:) the — walks det er gasjeutbetaling; we want no — to tell us that det vet hvert barn; I have not the — of a chance jeg har ikke den minste sjanse.
ghost image ekkobilde, spøkelsesbilde (på fjernsyn).
ghostlike ['gəustlaik] spøkelsesaktig.
ghostly ['gəustli] åndelig; spøkelsesaktig; geistlig. — father skriftefar. — hour åndetimen.
ghost | seer åndeseer, spiritist. — show framvising av ånder (ved spiritistiske møter). — story spøkelseshistorie. — town spøkelsesby, forlatt by. — writer (en som utfører litterært arbeid som utgis i en annens navn) ghost writer.
ghoul [guːl] ånd som spiser lik (i Østen); likrøver. ghoulish ['guːliʃ] demonisk, uhyggelig, avskyelig; pervers.
G. H. Q. fk. f. general headquarters.
GI, G. I. ['dʒiː 'ai] (amr.) fk. f. government issue; menig amr. soldat; militær-, soldat-.
giant ['dʒaiənt] kjempe, rise, jotun, gigant; kjempemessig, rise-, kjempe-, gigantisk; -'s kettle jettegryte.
giantess ['dʒaiəntis] kjempekvinne, gyger.
giaour ['dʒauə] vantro, især kristen (tyrkisk).
gib [dʒib] hannkatt; kastrert katt.
gibber ['dʒibə] prek, prat, plapring; snakke uforståelig; skravle, tøve.
gibberish ['dʒibəriʃ] uforståelig snakk, vås.
gibbet ['dʒibit] galge; henge i galge; stille i gapestokken.
Gibbon ['gibən] (srl. eng. historiker).
gibbon ['gibən] gibbon, langarmet ape.
gibbose [gi'bəus] pukkelrygget, krylrygget.
gibbous ['gibəs] pukkelrygget; rund og svulmende. gibbousness [-nis] pukkelryggethet.
gibe [dʒaib] hån, spott, finte, spydighet; håne, spotte, geipe til.
Gibellin [dʒibəlin] se Ghibelline.
giber ['dʒaibə] spotter.
giblets ['dʒiblits] kråser (og annen innmat av fugl). giblet soup kråsesuppe.
Gibraltar [dʒi'brɔ(ː)ltə]; hardt kandissukker; the Strait of — Gibraltarstredet.
Gibson ['gibsən].
giddap hypp (til hest). ·
giddiness ['gidinis] svimmelhet, ørske; vankelmodighet, flyktighet.
giddy ['gidi] svimmel, ør; svimlende; vankelmodig; flyktig, vinglet, tankeløs; lettsindig, for-

fløyen; gjøre svimmel; dreie seg hurtig, virvl om; I feel — det løper rundt for meg; turn — bli svimmel; — as a goose meget lettsindig e tankeløs. — head ubesindig menneske.
Gideon ['gidiən].
Gielgud ['gilgud].
gift [gift] gave; naturgaver, begavelse, talent evne; rett til å gi, til å overdra, kallsrett; hvi flekk under neglen; begave; new year's -s nytt årsgaver; — of the gab godt snakketøy; dee of — gavebrev. — certificate gavekort. — cop gaveeksemplar. gifted ['giftid] begavet. gifted ness ['giftidnis] begavelse.
gift | horse: never look a — horse in the mouth man skal ikke se gitt hest i munnen. — sho gavebutikk. -s tax gaveavgift. — voucher pre sangkort. — -wrap pakke i gavepakning.
gig [gig] gigg (tohjult vogn); gigg (lett båt) kardemaskin; heisebur; (amr.) innberetning, rap port; fest, veiv, heisakveld.
gigantic [dʒai'gæntik] kjempemessig, gigan tisk, uhorvelig.
gigantomachy [dʒaigæn'təməki] kamp mellom gigantene og gudene; krig mellom stormakter
giggle ['gigl] fnise; knis. giggler en som fniser
giglamps ['giglæmps] (i slang) briller.
gigmill ['gigmil] kardemaskin, rivemaskin.
gigot ['dʒigət] sauelår; — sleeve skinkeerme
GI Joe (amr.) den typiske amerikanske soldat
Gilbert ['gilbət].
Gilchrist ['gilkrist].
gild [gild] gylle, forgylle; — the pill ha sukke i de beske dråpene; sukre pillen; Gilded Cham ber overhus; gilded el. gilt spurs riddersporer
gilder forgyller. gilding ['gildiŋ] forgylling.
Gill [dʒil] diminutiv av: Julia; Juliana.
gill [gil] gjelle, tokn, gan; kjøttlapp unde fuglenebb; underansikt, hakeparti; rense, gane pale about the -s bleik om nebbet; rosy abou the -s sunn og frisk; grease one's -s gjøre seg ti gode; lick one's -s slikke seg om munnen.
gill [gil] gjel, kløft, hulvei.
gill [dʒil] hulmål på 0,14 l.
gill cover ['gilkʌvə] gjellelokk.
gillie ['gili] oppr. høyskotsk tjener, nå: jakt betjent.
gillyflower ['dʒiliflauə] gyllenlakk; levkøy hagenellik.
gilt [gilt] imperf. og perf. pts. av gild; for gylling; that takes the — off the gingerbread det tar bort illusjonen.
gilt | edge gullsnitt. — -edged med gullsnitt førsteklasses, ekstra fin; gullkantet (om verdi papir). — -framed i gullramme, forgylt ramme — top gullsnitt (på toppen av bok).
gimbals ['dʒimbəlz] slingrebøyler (til kompass) kardansk opphengning.
gimcrack ['dʒimkræk] leketøy; snurrepiperi jugl, kram; prangende; ubetydelig; uekte; over lesse med stas. gimcrackery ['dʒimkrækəri snurrepiperier; dårlig stas.
gimlet ['gimlit] bor, naver; bore; — -eye med stikkende, gjennomborende øyne; skjeløyd
gimmer ['gimə] gimmer, sau som ennå ikk har hatt lam.
gimmer ['dʒimə] hengsel.
gimmick ['gimik] knep, trick, kunstgrep; (lurt påfunn, påhitt, motelune; dings, greie, sak; bak tanke.
gin [dʒin] gin; sjenever.
gin [dʒin] maskin, særl. om maskin til å skill bomull fra frøene, egreneringsmaskin (jfr. cotto gin); gangspill; heisekran; jernblokk; pinebenk torturredskap; felle, fuglesnare; fange i snare
gin [gin] dersom, om, hvis; begynne.
gin [dʒin] (australsk) gammel kone.
gin-foundered [dʒinfaundəd] ødelagt av drikk
ginger ['dʒindʒə] spe, skrøpelig.
ginger ['dʒindʒə] ingefær; lys rødgul farge energi, futt; gulbrun; krydre, tilsette ingefæ — up sette fart i.

ginger ale ['dʒindʒə'reil], **ginger beer** ['dʒind-ʒə'biə] ingeføl.
gingerbread ['dʒindʒəbred] honningkake; krimskrams; forsiringer; billig, prangende; **the gilt is off the** — forgyllingen er gått av.
gingerly ['dʒindʒəli] forsiktig, varsom, sirlig.
ginger nut ['dʒindʒənʌt] peppernøtt.
ginger pop ['dʒindʒəpɔp] ingeføl.
gingery ['dʒin(d)ʒəri] med ingefærsmak; livlig; skarp; rødlig.
gingham ['giŋəm] slags lett tøy; paraply.
gingival [dʒin'dʒaivəl] tannkjøtt-.
gingivitis [dʒindʒi'vaitis] gingivitt, betennelse i tannkjøttet.
gin mill bar, kneipe, vertshus.
gin palace [dʒinpælis] fint vertshus.
ginseng ['dʒinseŋ] ginseng, kraftrot.
gin sling ['dʒinsliŋ] gin sling (drink med gin, sukker og vann).
Giovanni [dʒiə'va:ni], **Don** — Don Juan.
gip [dʒip] oppvarter, tjener (hos studenter).
gip [gip] rense fisk, gane, sløye.
gippo ['dʒipəu] (soldaterslang) suppe, saus.
gippy ['dʒipi] (soldaterslang) egyptisk soldat.
gipsy ['dʒipsi] sigøyner, sigøynerinne; heks; tøs; sigøynerspråk; sigøyneraktig; streife om i det fri; leve på sigøynervis; gjøre en utflukt på landet. — **bonnet,** — **hat** hatt med bred skygge. — **caravan** sigøynervogn.
giraffe [dʒi'ra:f] giraff.
girandole ['dʒirəndəul] flerarmet lysestake; roterende springvann; ildhjul, sol (fyrverkeri); øredobbe.
gird [gə:d] rykk, energiutbrudd; stikk (av smerte).
gird [gə:d] omgjorde; omgi; innhegne; spenne fast, feste; forberede seg; hån, geip; — **at** håne; geipe til. **girder** ['gə:də] en som håner; bandstokk, bærebjelke, drager.
girdle ['gə:dl] omgjorde, sette belte omkring, omgi; omseile; omringe; ring, gjord, belte; omfang; hofteholder; bakstehelle, takke; **have** (el **hold**) **someone's head under one's** — ha en i sin makt.
girl [gə:l] pike, jente, tjenestepike, tjenestejente, hushjelp; kjæreste, jente; — **friend** venninne, kjæreste; — **graduate** kvinnelig kandidat; — **guide** speiderpike; — **machinist** maskinsyerske; **bus** — kvinnelig konduktør; **servant** — tjenestepike.
girlhood ['gə:lhud] pikestand, pikeår; **she had grown from** — **into womanhood** hun var fra pike blitt kvinne.
girlish ['gə:liʃ] jenteaktig, barnslig, pikeaktig, jente-.
Girondist [dʒi'rɔndist] girondiner.
girt [gə:t] imperf. og perf. pts. av **gird;** bjelke, profil.
girth [gə:θ] gjord, livreim, belte; omfang; vidde, livvidde; omgjorde, omgi; måle omfanget av.
Girton ['gə:tn]; — **College** skole for kvinnelige studenter nær Cambridge. **Girtonian** [gə:'taun-jən], **Girtonite** ['gə:tənait] kvinnelig student fra Girton.
gist [dʒist] hovedpunkt; kjerne.
gittern ['gitən] gitar.
give [giv] ettergivenhet, elastisitet, evne til å gi etter; gi; gi etter; forære; ofre, vie; avholde, arrangere; innrømme; gi frist; smitte; volde, vekke, bringe; avgi, sende el. stråle ut; utstøte, komme med, si; slå seg (om tre); tø; føre (**on into** til); — **attention** (el. **heed**) **to** skjenke oppmerksomhet; — **battle** levere et slag; — **a bill of exchange** utstede en veksel; — **birth** føde; — **bonds** (el. **bail**) stille kausjon; — **content** tilfredsstille; — **countenance** oppmuntre, støtte; — **one his due** gi en det som tilkommer ham; — **ear** lytte til; — **evidence** vitne, avlegge vitneforklaring; — **fire!** fyr! — **him a hand** hjelpe; klappe for ham; — **the horse his head** (el. **rein** el.

line) gi hesten frie tøyler; — **it him!** gi ham! la ham få (juling)! — **joy** ønske til lykke; — **the lie to someone** beskylde en for løgn; — **like for like** gi like for like; — **one a look** tilkaste en et blikk; — **a look to a thing** passe på; — **mouth** snakke; — **notice** si opp; — **offence** fornærme; — **place to** gi etter for; — **a reading** holde en forelesning; — **a start** fare opp; — **suck** die; — **and take** like for like; gjensidig erting; la vinning og tap gå opp i opp; **a** — **-and-take fight** en kamp som de to motstandere slipper like godt fra; **would you** — **me the time?** vil De si meg hva klokken er? — **tongue** gi los; skvaldre i vei; — **the wall** gå av veien; — **way** gi etter, vike; — **a person good day** si god dag til en ;— **one's love** (el. **kind regards**) **to** sende vennlig hilsen til; — **my respects to your mother** hils Deres mor fra meg; — **one's mind** (el. **oneself**) **to a thing** ofre seg for en sak; — **us a song** syng en sang for oss; — **judgment (sentence)** avgi en kjennelse; — **thanks** takke; — **a toast** utbringe en skål; — **trouble** volde uro; **I am given to understand** jeg har hørt; **I** — **you the ladies!** skål for damene; — **away** røpe, melde; gi seg, gi etter; gi bort; — **away the bride** være brudens forlover; — **away for anse for;** — **back** vike tilbake; — **forth** bekjentgjøre, kunngjøre, uttale; sende ut, avgi; — **from** rive seg løs; — **in** innlevere, overrekke; slå av (på prisen), erklære; gi seg, gi etter; — **in one's name** la seg innskrive; — **in one's verdict** avgi sin stemme som edsvoren; — **into** henvende seg til; føre til (vei); gå inn på; — **off** avgi; — **on** vende ut til, ha utsikt til (om vindu o. l.); — **out** utdele; bekjentgjøre, kunngjøre, — **out the hymns** nevne de salmene som skal synges; — **out a play** meddele at man vil oppføre et skuespill; — **out** utbre (rykter); sende ut (røyk); oppstille (påstand); — **out for** anse for; — **oneself out for** utgi seg for; — **out** fremstille; (i cricket) avgjøre at spilleren er «out» — **over** overlate; oppgi (en syk); — **oneself over** hengi seg til; — **up** oppgi; renonsere på; utlevere; inngi (andragende); tilstå, bevilge; — **up one's effects to one's creditors** erklære seg for insolvent; — **up the ghost** oppgi ånden; — **oneself up** hengi seg; — **-and-take** like for like, gjensidighetsforhold.
giveaway ['givəwei] avsløring; reklamepakke.
given [givn] prf. pts. av **give**; tilbøyelig, forfallen. — **name** (amr.) fornavn.
giver ['givə] giver; vekselutsteder, trassent; god bokser.
gizmo ['gizməu] (amr.) greie, sak. tingest.
gizzard ['gizəd] mave (især hos fugler), krås; stemning; **fret one's** — pine seg, ergre seg; **grumble in the** — være misfornøyd; **stick in one's** — ergre en.
Gk. fk. f. **Greek.**
glabrous ['gleibrəs] glatt, skallet, hårløs.
glacé [gla:'sei] glasé, glans-; glassert.
glacial ['gleiʃəl] is-, istids-; ishavs-. — **epoch** istiden.
glaciate ['gleiʃieit] dekke med is; fryse til is; mattere. **glaciation** [gleisi'eiʃən] isbredannelse; is.
glacier ['glæsjə, 'gleiʃə] isbre, fonn; bre-.
glacis ['glæsis] glacis.
glad [glæd] glad, fornøyd, nøgd; strålende, skjønn; **I am** — **to hear it** det gleder meg å høre det; **I am** — **of it** det gleder meg; **I am** — **that you are here** det gleder meg at du er her; — **news** gledelige nyheter; **the** — **eye** forelskede øyekast; — **rags** (slang) besteklær, kisteklær.
gladden ['glædn] glede, oppmuntre, fryde.
glade [gleid] lysning i skog, glenne, åpning.
glad hand: give him the — motta med åpne armer.
gladiate ['gleidieit] sverdformet.
gladiator ['glædieitə] gladiator.
gladiatorial [glædjə'tɔ:riəl] gladiator-.
gladiolus [glædi'əuləs] pl. **gladioli** el. **gladioluses** gladiolus.

gladly ['glædli] med glede, gjerne.

gladness ['glædnis] glede.

gladsome ['glædsəm] glad, gledelig.

gladstone ['glædstən] håndkoffert.

Gladstone ['glædstən]; — **bag** håndkoffert, reisetaske. — **collar** høy, stiv snipp, fadermorder.

Gladstonian [glæd'stəunjən] som slutter seg til Gladstone.

glair [glɛə] eggehvite; bestryke med eggehvite.

glaireous ['glɛəriəs] eggehviteaktig.

glaive [gleiv] sverd, glavin; lanse; huggert.

glamorize ['glæməraiz] omgi med et romantisk skjær, glorifisere. **glamorous** ['glæmərəs] fortryllende, betagende; som tar seg strålende ut.

glamour ['glæmə] trolldom, blendverk; stråleglans, nimbus; romantisk skjær; synkverving; fortryllelse; fortrylle; synkverve. — **boy** be-undret person, flott fyr; fløtefjes, litt for smell-vakker. — **girl** nydelig pike; (fig.) pyntedokke.

glance [glɑːns] glimt; øyekast, blikk; flyktig tanke, hentydning, antydning; (i mineralogi) glans; glimte; kaste et blikk; vise seg et øye-blikk; streife; hentyde til, berøre lett; kaste til-bake (et skjær); **at a** —, **at the first** — ved første øyekast; straks; **a** — **of the eye** et blikk; **catch a** — **of** få et glimt av; — **off** prelle av mot; **take** (el. **cast) a** — **at** se flyktig på, kikke på; — **over** (el. **through)** kikke igjennom.

glancecoal ['glɑːnskəul] antrasitt.

gland [glænd] kjertel. .

glandered ['glændəd] snivet. **glanders** ['glæn-dez] snive (sykdom hos hester).

glandiform ['glændifɔːm] kjertelformet.

glandular ['glændjulə] kjertelaktig, kjertel-. **glandule** ['glændjul] liten kjertel. **glandulous** ['glændjuləs] kjertelaktig, kjertel-.

glare [glɛə] stråle, skinne, blende, skjære i øynene; være avstikkende; stirre, glo, se skarpt; blendende lys, glans, skinn; gjennomborende blikk; glimtende flate.

glaring ['glɛəriŋ] blendende, strålende; skri-kende, skjærende, grell; **a** — **crime** en skamløs forbrytelse; **a** — **discrepancy** et skrikende mis-forhold.

Glasgow ['glɑːsgəu, 'glæs-].

glass [glɑːs] glass; timeglass; speil; kikkert; lorgnett; barometer; termometer; forstørrelses-glass; glassaktig, glass-; dekke med glass; speile; glassere; se på med en lorgnett; **-es** kikkert, briller; **broken** — glasskår, glassbrott; **cut** — slepet glass; **sheet** — vindusglass; **stained** — glassmaleri; **wine** — vinglass; — **of wine glass** vin; **I had a** — **of brandy** jeg fikk meg et glass konjakk; **crush a** — **with** drikke et glass med; **he is fond of his** — han liker godt å ta seg et glass; **get a** — **in one's head** få et glass for mye; **dressing** — toalettspeil; **burning** — brennglass; **eye** — lorgnett; **magnifying** — forstørrelsesglass. **glass** | **blower** glassblåser. — **cement** glasskitt. **—chimney** lampeglass. — **cloth** glasshåndkle, glasslerret. — **cutter** glasskjærer, glassliper; glassmesterdiamant. — **eye** glassøye. — **fibre** glassfiber. — **float** garnflottør (av glass).

glassful ['glɑːsful] glass; **a** — **of gin** et glass gin.

glasshouse ['glɑːshaus] glasshytte, glassverk; kakebu, bur; drivhus; glasshus; **they who live in glasshouses should not throw stones** en skal ikke kaste med stein når en sitter i glasshus.

glassiness ['glɑːsinis] glassaktighet.

glass | **jar** glasskrukke. **-ware** glassvarer, glass-artikler. — **wool** glassvatt, glassull. **-work** glass-fabrikasjon. **-works** glassverk.

glassy ['glɑːsi] glassaktig; speilblank, speilklar.

Glaswegian [glæs'wiːdʒən] person fra Glasgow.

Glauber ['glɔːbə] salt glaubersalt.

glaucoma [glɔːˈkəumə] grønn stær. **glaucosis** [glɔːˈkəusis] grønn stær. **glaucous** ['glɔːkəs] blå-grønn, glassgrønn.

glaum [glɔːm] (amr.) se på, kikke på; hogge tak i; stjele, rappe; blikk, øyekast.

glave [gleiv] glavin.

glaze [gleiz] sette glass i, sette ruter i; gi en glatt, blank overflate; høyglanspolere, elok-sere; glassere; lasere (legge gjennomsiktig farge over); polere; lakkere; glitte; satinere; få et glassaktig uttrykk (om øyet); høyglans, lakkering, eloksering; glasur; glassering; politur; glans; lasering; (sl.) vindu.

glazed [gleizd] glassert, med glasur; blank, skinnende. — **board** glanspapp. — **linen** glans-lerret. — **paper** satinert papir. — **starch** glans-stivelse. — **tile** kakkel.

glazer ['gleizə] glasserer; polerer; polerskive.

glazier ['gleiʒə] glassmester; (i pottemakeri) glasserer; (sl.) en som stjeler fra butikkvinduer; **your father wasn't a glazier!** faren din var ikke glassmester! ikke stå i lyset for meg!

glazing ['gleiʒiŋ] glasur; lasur(farger); — **bar** vindussprosse.

gleam [gliːm] lysglimt; glimt; lys; stråle; lys-stråle; gjenskjær, gjenskinn; stråle, lyse, funkle, glimte; lyne; skinne svakt. **gleamy** ['gliːmi] strålende, funklende.

glean [gliːn] sanke (f. eks. aks), samle inn; snappe opp; erfare, fatte, skjønne; bemerke; etterhøst, etterrakst; **what did you** — **from them?** hva fikk du greie på av dem? **gleaner** ettersanker; innsamler. **gleaning** ['gliːniŋ] sank-ing; innsamling.

glebe [gliːb] prestegårdsjord, kirkegods.

glee [gliː] lystighet, glede, munterhet; musikk, flerstemmig sang. — **club** sangforening.

gleeful ['gliːful] glad, lystig, gledelig.

gleg [gleg] gløgg, skarp, våken.

glen [glen] skar, kløft, fjelldal.

Glengarry [glen'gæri] skotsk lue (båtlue m. bånd bak).

glib [glib] glatt; kjapp, lett; munnrapp; — **speech** flytende tale; **a** — **tongue** en glatt tunge. **glib-tongued** ['glibtʌŋd] munnrapp.

gliddery ['glidəri] slibrig, sleip, glatt; lumsk.

glide [glaid] gli, sveve; glidning, sveving. **glider** ['glaidə] glidefly, seilfly; hengesofa, hammock.

glim [glim] lys, lampe; **douse the** — slokke lyset.

glimmer ['glimə] lyse svakt; glimte, flimre; svakt lys, matt skjær; glimting, flimring; glim-mer (i mineralogi); **a** — **of hope** et svakt håp; **put the lamp on a** — skru lampen langt ned. **glimmering** glimt; (fig.) anelse, antydning.

glimpse [glim(p)s] glimt; skimt, gløtt; vise seg som et glimt; kaste et flyktig blikk på; se flyktig.

glint [glint] glimt; blinke.

glioma [gliˈaumə] hjernesvulst.

glisk [glisk] glitre; glimt.

glissade [gliˈsɑːd, gliˈseid] skli, gli; skliing.

glisten ['glisn] funkle, stråle; glans.

glitter ['glitə] glitre, funkle, stråle; glitring, glans, prakt.

gloaming ['gləumiŋ] skumring, tusmørke.

gloat [gləut] fryde seg, hovere, triumfere, gotte seg, være skadefro (**over** el. **on** over); hovering, skadefryd.

global [gləubl] global, altomfattende, verdens-omfattende.

globate ['gləubit, 'gləubeit], **globated** ['gləu-beitid] kuleformet.

globe [gləub] kule, klode; globus; noe rundt; rikseple; glasskule; lampekuppel; øyeeple; dannet som en kule; bli kuleformet; **parts of the** — verdensdeler.

globe-trotter ['gləubtrɔtə] globetrotter. **globous** ['gləubəus] kuleformet. **globosity** [gləu'bɔsiti] kuleform. **globus** ['gləubəs] kuleformet. **globular** ['glɔbjulə] kuleformet. — **lightning** kulelyn. **globule** ['glɔbjul] liten kule, perle, dråpe. **globy** ['gləubi] rund.

glomerate ['glɔməreit] tvinne sammen i en kvast; se **conglomerate**. **glomeration** [glɔmə-'reiʃən] kvastdannelse, kvast.

gloom [glu:m] mørke; tyngsel, tungsindighet, tungsinn; formørke; se mørk ut. **gloomily** ['glu:-mili] mørkt; tungsindig. **gloomy** ['glu:mi] mørk, dyster, skummel; tungsindig, nedtrykt, sturen.

glorification [glɔ:rifi'keiʃən] forherligelse; lovprising; (religiøst) forklarelse. **glorified** ['glɔ:ri-faid] oppstaset. **glorify** ['glɔ:rifai] forherlige; lovprise; forklare.

glorious ['glɔ:riəs] ærefull, berømmelig; prektig, praktfull, herlig, storartet; a — time en herlig tid.

glory ['glɔ:ri] heder, ære; storhet, makt og ære; prakt, glans, herlighet; glorie; glede seg; være stolt av; **in all his** — i all sin herlighet; **on the field of** — på ærens mark; **go to** — dø; **send to** — drepe; **he is in his** — han er riktig i sitt element. **— in** være stolt av.

glory hole ['glɔ:rihəul] rotet skuff eller værelse; (i glassverk) innvarmingsovn.
Glos. fk. f. **Gloucestershire.**

gloss [glɔs] glans; gi glans, gi en overfladisk glans; forskjønne, forherlige, besmykke, stase opp; — **over** glatte over, tilsløre, skjule; — **cloth** presse klær; **remove the** — dekatere klær; (fig.) ta forgyllingen av.

gloss [glɔs] glose, anmerkning, merknad, forklaring; forklare, kommentere; bortforklare; besmykke; satirisere. **glossarist** ['glɔsərist] kommentator. **glossary** ['glɔsəri] glossar. **glosses** ['glɔsə] polerer; kommentator. **glossie** ['glɔsik] lydskrift.
glossiness ['glɔsinis] glans.
glossitis [glɔ'saitis] tungebetennelse.
gloss paint ≈ emaljelakk.
glossy ['glɔsi] skinnende, glinsende, blank; (fig.) bestikkende, besnærende, glattslikket; — **magazines** ≈ kulørte ukeblader el. magasiner.
glostware ['glɔstwɛə] glassert steintøy.
glottal ['glɔtl] stemmebånds-, stemmerisse-; — **stop** støt (fonetikk).
glottis ['glɔtis] stemmerisse.
Gloucester ['glɔstə] ost fra Gloucester (shire);
double — særlig fet ost fra G.
glove [glʌv] hanske; vante; gi hanske på;
kid — glaséhanske; **handle with kid -s** ta på med silkehansker; **the fellow of a** — maken til en hanske; **a pair of -s** et par hansker; gave til damer (f. eks. ved tapt veddemål); gave for å bestikke; **be hand and** — **with** stå på en meget fortrolig fot med; **excuse my** —! unnskyld hansken! **go for the -s** vedde uten å ha penger; **handle without -s** ikke legge fingrene imellom; **stretch a** — blokke ut en hanske; **throw down the** — kaste hansken, utfordre; **take up the** — motta utfordringen; **tie up the knocker with a** — vikle en hanske om dørhammeren (som tegn på at det er en barselkone el. en pasient i huset).
gloved med hansker på, behansket.
glove fight ['glʌvfait] boksekamp med hansker.
gloveless ['glʌvlis] uten hansker; hensynsløs.
glove | money drikkepenger. — **puppet** hanske-dokke. **glover** ['glʌvə] hanskemaker. **gloving** ['glʌviŋ] hanskefabrikasjon.
glove stretcher ['glʌvstretʃə] hanskeblokk.
glow [gləu] gløde, blusse; glød, gløding; skjær, rødme; opphisselse, heftighet; **be all in a** — være ganske opphisset el. glovarm.
glower ['glauə] stirre sint, glo; fiendtlig stirring.
glowing ['gləuiŋ] glødende, gloende; (fig.) begeistret, blussende.
glow | lamp glødelampe. — **worm** sankthansorm.
gloxinia [glɔk'sinjə] gloxinia (plante).
gloze [gləuz] smykke, pynte på, stase opp, bortforklare; falsk smiger.
glucose ['glu:kəus] glykose, druesukker.
glue [glu:] lim, klister; lime; sitte fast. — **boiler** limkoker. — **press** limtvinge, limpresse. — **putty** limkitt. **gluey** ['glu:i] limaktig, klebrig.
glum [glʌm] barsk, ergerlig, mørk, trist, sturen, bister, gretten.
glume [glu:m] hams, agne.
glut [glʌt] mette, overfylle, overmetting, mette, overfylling, overflod; overmål; — **one-self** forspise seg.

gluten ['glu:tən] gluten. — **bread** glutenbrød.
glutinous ['glu:tinəs] klebrig.
glutton ['glʌtn] eter, fråtser, slukhals; jerv; grådig, forsluken. **gluttonize** ['glʌtənaiz] sluke, fråtse, svelgje i. **gluttonous** ['glʌtənəs] grådig, forsluken. **gluttony** ['glʌtəni] grådighet, forslukenhet, fråtseri.
glycerin(e) ['glisə'ri:n, 'glisəri:n] glyserin.
glycine ['glisin], **glycocine** ['gl(a)ikəsin], **glycocoll** ['gl(a)ikəkɔl] glycin, glykokoll, glykol.
glycol ['glaikɔl] glykol.
glyn [glin] se **glen.**
glyptic ['gliptik] glyptisk. **glyptics** [-s] glyptikk, steinskjærerkunst.
glyptography [glip'tɔgrəfi] steinskjærerkunst.
glyptotheca [gliptə'θi:kə], **glyptotheke** ['gliptəθi:k] glyptotek.
G. M. fk. f. **General Motors; Grand Master; General Manager.**
G-man ['dʒi:mæn] fk. f. **Government man** medlem av statspolitiet.
G. M. T. fk. f. **Greenwich mean time.**
gnar [nɑ:] knurre.
gnarl [nɑ:l] knort, kvist; fure; knurre, brumme. **gnarled** ['nɑ:ld], **gnarly** ['nɑ:li] kvistet, vrien; forvridd, kroket.
gnash [næʃ]: — **one's teeth** skjære tenner; **weeping and gnashing of teeth** gråt og tenners gnissel.
gnat [næt] mygg; knott. — **flower** gyllenlakk.
gnaw [nɔ:] gnage; nage; — **one's lips** bite seg i leppen; — **the ground** bite i gresset. **gnawer** ['nɔ:ə] gnager.
gneiss [nais] gneis. **gneissic** ['naisik] gneis-.
gnome [nəum] gnom, jordånd, alv, vette; dverg; fyndord, ordspråk, tankespråk. **gnomic(al)** ['nəumik(ə)l] gnomisk.
gnomon ['nəumən] viser på solur.
gnosis ['nausis] vitenskap, erkjennelse (ofte religiøs). **gnostic** ['nɔstik] gnostisk; gnostiker.
gns fk. f. **guineas.**
gnu [nu:] gnu (sørafrikansk okse).
go [gəu] gå, dra, dra av sted, reise, ta (et sted hen), begi seg; gå av (om skytevåpen); lyde, ringe (om klokke); slå (om ur); være i omløp (om rykte); anses for; ha til formål; nå, føre til; finne sted; lykkes; befinne seg; gå ut på; foreta, ha til hensikt; ta tilflukt til; gå (om varer); være drektig; gang; hending; omstendighet, affære; siste skrik, mote; energi, mot, pågangsmot, futt; omgang, kule, forsøk, sjanse; glass (brennevin); eksamen (i Cambridge); **here -es!** nå går det løs! **here we** — **again!** nå har vi det igjen! **I can't** — it jeg kan ikke holde det ut; — **it** handle energisk; **call a** — velge seg en annen kundekrets, et annet sted til utsalg på gata; **from the word** — fra begynnelsen av; **in one** — på én gang, på første forsøk; **make a** — **of it** få det til å lykkes; **it is no** — det går ikke, det lykkes ikke; — **about** gi seg i ferd med, gi seg til; — **about your business** pass deg selv; **what do you** — **about?** hva har De fore? — **about the bush** gjøre omsvøp; **this goes against . . .** dette taler imot . . .; **it goes against my principles** det strir imot mine prinsipper; — **ahead** gå foran; gå fram; gjøre framskritt; — **ahead!** klem på! driv på! — **along** gå bort; komme videre, fortsette; — **along!** av sted med deg! gå med deg! — **along with a man** følge med en mann; holde med en mann; **as we** — **along** underveis; på veien; — **aside** trekke seg tilbake; gå feil; — **asleep** falle i søvn; — **astray** fare vill; begå et feiltrinn; — **at** angripe, gå løs på; — **at large** ferdes i frihet; være frikjent; **I am going away for my holidays** jeg skal reise på ferie; — **back** vende om; gå tilbake; — **back from** (el. **upon**) **one's word** ta sitt ord tilbake; — **back on** svike, svikte, løpe fra; — **between** gå imellom; være mekler; — **broke** gå fallitt; — **by** gå forbi; gå hen, gå (om tiden); finne

seg i; rette seg etter; (amr.) ta inn, se inn til; — **by the board** gå over bord; gå tapt; — **by the name of** gå under navn av; — **by train** reise med jernbane; — **by the worse** (el. **worst**) trekke det korteste strå; **I am gone by** det er ute med meg; **in times gone by** i svunne tider; **-ing by what he said** å dømme etter hva hans sa; — **down** gå under, synke; falle (i kamp); velte; synke (i pris); gå nedover bakke (fig.); — **down into the country** dra ut på landet; — **down to town** dra fra forstaden inn til byen; **this won't** — **down** dette går ikke; **this won't** — **down with him** dette finner han seg ikke i; — **far** slå godt til; ha innflytelse; **he is far gone** han har det meget dårlig, han er ødelagt økonomisk; **as far as that -es** hva det angår; — **fast** gå for fort (om ur); leve flott; — **for** gå etter, hente; — **for a trip** gjøre en utflukt; — **for a walk** gå en tur; **that -es for nothing** det er det ingen mening i; **that -es for you too** det gjelder deg også; — **for a soldier** bli soldat; — **for oneself** arbeide for egen regning; — **for the gloves** vedde uten å ha penger; — **in inntreffe** (etterretning); delta være med, stå for tur til å slå (i sport); — **in and win** oppta kampen og seire; — **in for** gi seg av med; tre i skranken for; — **in for an examination** gå opp til eksamen; — **in for eyeling** sykle; — **in for dress** legge stor vekt på sitt toalett; — **in for money** søke å tjene mange penger; — **into** gå inn i, komme nærmere inn på, fordype seg; — **into mourning** kle seg i sorg; — **into partnership with one** gå i kompani med en; — **near** nærme seg; være i begrep med; gå til hjertet; — **as near as possible** leve så økonomisk som mulig; selge så billig som mulig; — **off the rails** gå av sporet; — **off** holde opp; dø; finne avsetning; gå av (om skytevåpen), eksplodere; stikke av; bli gift; få et anfall; visne; falle i avmakt, dåne, besvime; bli demoralisert; — **off at score** komme i harnisk over noe; — **off into fits** få anfall, bli ute av seg selv; — **off one's nut** gå fra vettet, få en skrue løs; — **on** dra videre, ta videre, gå videre, reise videre, fortsette reisen; gå for seg; bli ved, fortsettes; gå over til; gjøre fremskritt; være heldig; oppføre seg; — **on!** snakk! — **on in that way** bære seg slik, ta slik på vei; **we did not** — **on together quite pleasantly** vi kom ikke riktig godt ut av det med hverandre, vi hadde det ikke riktig behagelig sammen; **I must** — **on upon my journey** jeg må fortsette reisen; — **on one's last legs** synge på det siste vers; — **on one's knees** falle på kne; — **on horseback** ri; — **on a journey** gjøre en reise; — **on shore** gå i land; — **on the stage** gå til scenen; — **on strike** gå til streik; — **on tick** ta på kreditt; — **all out** bruke alle krefter, gi alt en har; — **out** gå ut; gå i selskap; kjempe, fekte; dø, slokne; bli kjent; — **(out) doctor** bli doktor; — **out at a salary** feste seg bort; — **out of fashion** gå av mote; — **out of one's mind** bli gal, gå fra vettet; — **out of the way** gå av veien; fare vill; gjøre seg særlig umak; skeie ut; — **over** lese igjennom, se igjennom; overveie; undersøke; skifte parti; konvertere; etterse, kontrollere; (amr.) — **over the range** dø; — **round** gå en omvei; sirkulere; — **round to his place** stikke bort til ham, besøke; — **through** gå gjennom; gjennomgå; utføre, foreta; undersøke nøye; ødsle bort; — **through the mill** gjøre ubehagelige erfaringer, bli klok av skade; (amr.) — **through a man** blottstille en, vise en manns dårlige sider; utplyndre en; — **through with** fullføre, holde ut til det siste; — **to!** å tøv! kom ikke med det der! — **to** vedrøre; — **to it** ta fatt, gå løs på hverandre; gå på; ta tilflukt til; — **to grief** bli såret; blamere seg; — **to pieces** gå i stykker, forfalle; ha en ødelagt helbred; **he has gone to pot** han er fullstendig ødelagt; **I won't** — **to the price of it** så mye vil jeg ikke spandere; — **together** gå sammen; passe sammen, stemme overens; — **under** gå under, bli ødelagt, om-

komme; — **under an ill reputation** ha et dårlig rykte; — **up to town** reise til hovedstaden; — **up** gå opp; stige, øke (om priser); (amr.) bli hengt gå dukken; — **up for one's examination** g opp til eksamen; — **up the line** bli sendt t fronten; — **upon** støtte seg til; foreta, overta — **upon the tick** kjøpe på kreditt; — **wes** (soldaterslang) falle, bli drept; — **with ledsage** holde med; passe til; — **without** savne, unnvære ikke å ha noe å spise og drikke; — **without!** l være; **that goes without saying** det følger av se selv; — **wrong** mislykkes; ta feil, ha urett: komm på avveier; gå fallitt; (om ting) virke dårlig; tw **in four goes twice** to i fire er to; **the lock goe wrong** låsen er dårlig; **set going** sette i gang **the play goes** skuespillet gjør lykke; **how goe it?**, **how goes the world?** hvordan står det til **the world is going wrong with him** det går dårli med ham; — **a-hunting** gå på jakt; — **a-pleasu ring** være forlystelsessyk; — **a-wool-gatherin** være atspredt; — **to see** besøke; — **in ques** oppsøke; — **to borrowing** gi seg til å låne; — t **the country** appellere til velgerne; — **to law g** til rettssak; — **bail** bli kausjonist, gå i borg; — **blind** bli blind; — **mad** bli gal; — **a long way** about gjøre en stor omvei; — **a great way abou** gjøre en stor omvei; — **a great way** ha sto. innflytelse; bidra mye til; — **it!** gå på! — **alone** gjøre noe uten hjelp; ta ansvaret selv — **it blind** handle overilt; **always on the** — i stadig bevegelse, stadig på farten; **that's the** — slik går det i verden; **well, that is a —!** det va en slem historie! **here's a fine —!** det er en fi historie! **a rum** — en pussig historie.
goad [gəud] piggstav; brodd; (fig.) spore; driv fram med piggstav; spore, egge.
go-ahead ['gəuəhed] fremadstrebende, ener gisk; **get the** — få grønt lys.
goal [gəul] mål. — **keeper** målmann.
go-along(er) [gəuə'lɔŋ(ə)] dum fyr som la seg bruke som redskap.
go-ashores ['gəuə'ʃɔ:z] landgangsklær, søndags klær.
go-as-you-please planløs, tilfeldig; vilkårlig.
goat [gəut] geit; **he-** — geitebukk; **she-** — gei (hunn); **separate the sheep from the goats** skill fårene fra bukkene; **get his** — gå ham på nerven løs.
goatee [gəu'ti:] bukkeskjegg.
goatish ['gəutiʃ] bukkeaktig; vellystig.
goatskin ['gəutskin] geiteskinn.
goatsucker ['gəutsʌkə] kveldknarr, nattravn
gob [gɔb] klump, klatt, klyse; en god slum (penger); spytt; spytte.
gobang [gəu'bæŋ] gobang (japansk brettspill)
gobbet ['gɔbit] bit, klatt, klump.
gobble ['gɔbl] sluke begjærlig; pludre (om kal kun).
gobbledygook ['gɔbldi'guk] pompøs, høyttrav ende stil, kansellistil.
gobbler ['gɔblə] kalkunhane.
gobelin ['gɔbəlin] gobelin.
go-between [gəubitwi:n] mellommann, mekler kobler; mellomledd, forbindelsesledd.
goblet ['gɔblit] beger, pokal, glass med stett
goblin ['gɔblin] nisse, dverg, tomte(gubbe) tuftekall.
gobo ['gəubəu] lysskjerm, lydskjerm.
goby ['gəubi] kutling (fisk).
go-by ['gəubai] det å unnslippe, unngå; **give the** — ignorere; **get the** — bli ignorert.
go-cart ['gəukɑ:t] gangstol; barnevogn; lett vogn; lite ennamns racerkjøretøy uten karosseri.
god [gɔd] gud; avgud; the **-s** galleriet (i tea tret); the — **from the machine** deus ex machina a **sight fit for the -s** et syn for guder; **God bless her!** Gud velsigne henne! **God forbid!** Gud forby det! **God willing** om Gud vil; **I wish to God** **would to God, God grant it!** Gud gi! **God knows** Gud vet (ɔ: vi vet ikke); Gud skal vite (ɔ: det er sikkert); **thank God** Gud være lovet.

God-almighty: a — en liten vårherre.
god-awful redselsfull.
godchild ['gɔdtʃaild] gudbarn.
goddamn ['gɔd'dæm] fordømt; for satan.
goddaughter ['gɔddɔːtə] guddatter.
goddess ['gɔdis] gudinne; gydje.
godfather ['gɔdfɑːðə] gudfar; fadder.
god-fearing ['gɔdfiəriŋ] gudfryktig.
godforsaken ['gɔdfəseikn] gudsforlatt, ugudelig, fordervet.
God-given gudegitt; som sendt fra himmelen.
godhead ['gɔdhed] guddom.
godhood ['gɔdhud] guddom.
godless ['gɔdlis] gudløs, ugudelig.
godlike ['gɔdlaik] guddommelig.
godliness ['gɔdlinis] gudfryktighet.
godling ['gɔdliŋ] liten gud.
godly ['gɔdli] gudfryktig, from.
godmother ['gɔdmʌðə] gudmor.
godown ['gəudaun] pakkhus; (amr.) vanningssted.
godparent gudmor, gudfar.
God's acre ['gɔdzeikə] kirkegård.
godsend ['gɔdsend] uventet hell; it was a — det kom som fra himmelen; det var en Guds lykke.
godson ['gɔdsʌn] gudsønn.
god-speed ['gɔd'spiːd] hell; lykke på reisen.
godwit ['gɔdwit] spove.
goer ['gəuə] en som går; fotgjenger; he is a fast — han går fort; this horse is a good — denne hesten går fort.
go-getter ['gəugetə] gåpåfyr; streber. go-getting ['gəugetiŋ] foretaksom, energisk.
goggle ['gɔgl] skjele, blingse, rulle med øynene; glo, stirre; rullende, gloende (om øyne); rulling med øynene; gloing. goggles støvbriller, snøbriller, dykkerbriller; skylapper.
goggle-eyed ['gɔglaid] med fremstående øyne.
goglet ['gɔglit] vannkjøler, vannkrukke.
gogs [gɔgz] se goggles.
go-in ['gəuin] begynnelse.
going ['gəuiŋ] gående osv.; i gang; som løper godt (om hest); på mote; the greatest rascal — den største slubbert som fins; be — to være i begrep med, skulle til ; —, —, gone (ved auksjon) første, annen, tredje gang. going gang, avreise; (amr.) føre, fortsette; -s atferd, oppførsel; levemåte (Guds); let us be — la oss komme av sted; get — begynne, komme i gang; she is going on thirty hun nærmer seg tredve år; keep — holde i gang, fortsette; set — sette i gang; I am — to read jeg skal til å lese, jeg vil lese nå; — strong i full aktivitet, i full vigør; I am not — to tell him jeg vil ikke si ham det. — -out det å gå ut; avgang. — over overhaling, ettersyn; juling. goings-on atferd; spetakkel, bråk; pretty goings-on! det er fine greier!
goitre ['gɔitə] kversill; struma.
gold [gəuld] gull; rikdom, gyllen farge; sentrum (i en skive). — backing gulldekning. — basis gullstandard. — -bearing gullholdig. — -beater gullslager (en som lager bladgull). — chain gullkjede.
golderest ['gəuldkrest] fuglekonge.
gold digger ['gəulddigə] gullgraver, eventyrer.
golden ['gəuldn] av gull, gull-, gyllen. — -crested gulltoppet. — eagle kongeørn. the Golden Fleece det gylne skinn. — -haired gullokket. — rule gyllen regel. the — section det gylne snitt.
gold | fever gullfeber. -field gulleie, gullgruvedistrikt. — filling gullplombe. -finch stillits. -fish gullfisk. — holdings gullbeholdning. — hunter dobbeltkapslet gullur.
goldilocks blondine; Prinsesse Gullhår (i eventyr).
gold | leaf bladgull. — mine gullgruve. — nugget gullklump. — parity gullparitet. — -plate belegge med gull. — slipper gullsko. -smith gullsmed. -smithery gullsmedarbeide. — -tipped med munnstykke av gull. -work gullsmedarbeide.

golf [gɔlf, (gɔf)] golf. — club golfkølle; golfklubb. — course golfbane. golfer [gɔlfə, (gɔfə)] golfspiller. golf links golfterreng, golfbane.
Golgatha ['gɔlgəθə] Golgata.
Goliath [gə'laiəθ] Goliat.
golliwog ['gɔliwɔg] slags dukkemann; fugleskremsel; busemann.
golly ['gɔli]: by — ved Gud! du store verden!
go-long (amr.) svartemarja (politibil).
golore [gə'lɔː] se galore.
golosh [gə'lɔʃ] se galosh.
goluptious [gə'lʌptʃuəs] lekker, delikat.
G. O. M. fk. f. grand old man.
gombeen [gɔm'biːn] åger.
gomeral, gomeril ['gɔmrəl] tosk, fåming.
gonad ['gɔnæd] gonade, kjønnskjertel.
gondola ['gɔndələ] gondol.
gondolier [gɔndə'liːə] gondolfører.
gone [gɔ(ː)n] gått; borte, vekk, forsvunnet; ferdig, fortapt, ødelagt, håpløs; vekk (i betydningen: meget forelsket); he has — han er gått; he is — han er borte; be —, get you —! kom deg av gårde! let us be — la oss komme av sted; in times — by i svunne tider; not long — eight litt over åtte; this woman is six months — denne kvinne er gravid på sjette måned; a — man en ødelagt mann; it is a — case with him det er ute med ham; dead and — død og borte; far — døden nær; sterkt opptatt; far — in years til års, (meget) gammel; far — in drink beruset.
goneness ['gɔnnis] matthet, avkreftelse.
goner ['gɔnə] en det er ute med, en som er ferdig.
gonfalon ['gɔnfələn] banner. gonfalonier [gɔnfələ'niːə] fanebærer. gonfanon ['gɔnfənən] banner.
gong [gɔŋ] gongong; klokke, bordklokke.
goniometer [gəuni'ɔmitə] vinkelmåler.
gonorrhea [gɔnə'riːə] gonoré, dryppert.
good [gud] god; pålitelig; velvillig; passende, egnet; gyldig, ekte; dyktig, flink; munter; solvent; snill (om barn); sunn, ufordervet; ordentlig, anstendig; noe godt, det gode; lykke, velferd; make — cheer spise godt; a — deal en hel del; — fellow bra kar, flink fyr; — speed! lykke til! hold — holde stikk; be as — as one's word holde sitt ord; — nature godmodig natur; — words belærende ord, kjærlige ord; god etterretning; will you be so — as to let me know vil De være så vennlig å underrette meg om; it is no — det nytter ikke; det duger ikke; for the common — til det felles beste; — for you! bra for deg! den klarte du fint! — for nothing udugelig; be — at jokes forstå en spøk; be — at sums kunne regne godt; a — many en hel del; that is a — one den er god; det er en fin fyr; den var verre! a — fire en ordentlig ild; have a — mind to ha god lyst til; a — while temmelig lenge; in — time i rette tid; all in — time alt til sin tid; it will come to no — det ender ikke godt; much — may it do you! velbekomme! (mest ironisk); clothes to please — og klær attpå (foruten lønn); he has gone to America for — han er reist til Amerika for godt; for — and all fullstendig, en gang for alle.
good afternoon god dag; farvel.
goodbye [gud'bai] farvel.
good cheer godt mot, godt humør; hygge.
good-conduct certificate vandelsattest.
good day [gud'dei] farvel; (sjeldnere: god dag). the good folk de underjordiske, feene, alvene.
good-for-nothing ['gudfə'nʌðiŋ] udugelig; unyttig; a — fellow en døgenikt.
Good Friday [gud'fraidi, -dei] langfredag.
good-humoured ['gud'hjuːməd] munter, godmodig.
goodies ['gudiz] slikkerier, gotter.
goodish ['gudiʃ] antagelig, tålelig god, akseptabel; betydelig.
good-looking ['gud'lukiŋ] skjønn, vakker, pen.
goodly ['gudli] vakker, staut, staselig; behagelig, gledelig; betydelig.

goodman ['gudmən] husfar, husbond.
good nature ['gud'neitʃə] godmodighet, godhjertethet, elskverdighet. **good-natured** ['gud-'neitʃəd] godlyndt, godhjertet, snill, elskverdig.
goodness ['gudnis] godhet; fortreffelighet; dyd; **my** — du store tid! **for goodness' sake** for Guds skyld; — **knows** gudene skal vite.
good | night god natt, god kveld, adjø. — **offices** bona officia, vennskapelig mellomkomst.
goods [gudz] gods, varer; effekter, eiendeler; godstog; **wordly** — jordisk gods. — **train** godstog.
good-tempered ['gud'tempəd] godmodig, godlyndt, likevektig.
Good Templar [gud'templə] goodtemplar.
goodwife ['gud'waif] husmor, matmor.
goodwill ['gud'wil] velvilje, gunst, sympati, vennskapelig innstilling; god hensikt; kundekrets. kunder; **buy the** — **of the house** kjøpe forretningen med dens kunder.
Goodwin ['gudwin]; **the** — **Sands** beryktet sandbanke ved kysten av Kent.
goodwoman ['gudwumən] husmor.
goody ['gudi] god kone, mor.
goody ['gudi] from i det ytre, moraliserende, sentimental. **goody-goody** dydsmønster; flott! supert!
gooey ['gu:i] klisset, vammel, sentimental.
go-off [gəu'ɔ:f] begynnelse.
gooroo ['gu:'ru:] lærer, sjelelig veileder (i India).
goof [gu:f] tosk, fjols; tabbe, kjempetabbe, brøler; gjøre en tabbe; — **up** spolere.
goose [gu:s] gås; gåsestek; fjols, tosk; pressejern; pipe ut; **roast** — gåsestek; **get the** — bli pepet ut; **be sound** (el. **all right**) **on the** — (amr.) være en ivrig partigjenger; **cook a man's** — **for him** ødelegge en mann; **it's a gone** — **with him** han er ferdig; **the** — **is hanging high** aksjene står høyt.
gooseberry ['guzb(ə)ri, 'gu:z-] stikkelsbær; **play old** — **with a person** ta ordentlig fatt på en; **play** (el. **do** el. **pick**) — være forkle for to elskende; — **fool** stikkelsbærgrøt; **the big** — **season** (fig.) agurktiden (den stille perioden for nyhetsmediaene om sommeren).
goose | flesh gåsekjøtt; gåsehud (hud som er nuppet og blek av kulde). — **herd** gåsegjeter. — **pimples** gåsehud. — **quill** gåsepenn.
gooser ['gu:sə] fiasko, null; avgjørende støt, nådestøt (hos boksere).
goose | skin ['gu:sskin] gåsehud. — **step** hanemarsj.
goosey ['gu:si] dum, stupid, tosket; lettskremt, nervøs; **go** — få gåsehud.
goosey-gander ['gu:sigændə] dumrian.
G. O. P. (amr.) fk. f. **Grand Old Party** det republikanske parti.
gopher ['gəufə] (amr.) vånd, jordrotte.
Gordian ['gɔ:diən] gordisk; **cut the** — **knot** hogge over den gordiske knute.
Gordon ['gɔ:dn].
gore [gɔ:] (størknet) blod.
gore [gɔ:] kile; sette inn en kile; stange; gjennombore.
gorge [gɔ:dʒ] strupe, svelg; hulvei, kløft, skar; sluke; proppe; proppe seg; fråtse. **gorged** [gɔ:dʒd] forspist, overmett.
gorgeous ['gɔ:dʒəs] strålende, prektig; praktelskende.
gorger ['gɔ:dʒə] fråtser; fin mann, laps; prinsipal; teaterdirektør.
gorget ['gɔ:dʒit] halskrage, halsstykke; fargeflekk (på fuglehals).
gorgon ['gɔ:gən] gorgon, medusa.
gorgonian [gɔ:'gəunjən] gorgonisk, medusa-.
gorgonize ['gɔ:gənaiz] forsteine; stirre ondt på.
gorilla [gə'rilə] gorilla; bølle, gangster.
gorm [gɔ:m] stirre, glo, glane (**at** på).
gormand ['gɔ:mənd] storeter. **gormandize** ['gɔ:məndaiz] fråtse, sette i seg. **gormandizer** storeter.

gorse [gɔ:s] gulltorn.
gory ['gɔ:ri] blodig, blodet, blodbestenket.
gosh [gɔʃ] jøss! Gud!
goshawk ['gɔshɔ:k] hønsehauk.
Goshen ['gəuʃən] Gosen.
gosherd ['gɔzəd] gåsegjeter.
gosling ['gɔzliŋ] gåsunge, rakle.
go-slow go slow (redusert arbeidstempo som konfliktmiddel), gå-sakte aksjon.
gospel ['gɔspəl] evangelium, forkynnelse. **gospeller** evangelieoppleser ved gudstjeneste; sekterist.
gossamer ['gɔsəmə] fint spindelvev (som henger løst i lufta); fint vevd stoff, flor; silkehatt; (amr.) tynn regnkappe; florlett, slørlett.
gossip ['gɔsip] slarvekopp, sladrebøtte; sladder, vås, skvalder; prat; sludre; sladre. **gossiping** ['gɔsipiŋ] sladring.
gossip | mirror sladrespeil. — **writer** journalist som skriver sosietetsspalten, petitjournalist.
gossipy ['gɔsipi] sladderaktig, sladrende.
gossoon [gɔ'su:n] (irsk) gutt, kar.
got [gɔt] imperf. og perf. pts. av **get.**
Goth [gɔθ] goter; barbar, vandal.
Gotham ['gɔtəm] en by i Nottinghamshire; ['gəuðəm] New York; **the wise men of Gotham** ['gɔtəm] molboene. **Gothamist** ['gɔtəmist] heimføing.
Gothic ['gɔθik] gotisk; barbarisk, grotesk. **gothicism** ['gɔθisizm] gotisisme; gotikk; barbari. **gothicize** ['gɔθisaiz] føre tilbake til barbarisk tilstand.
go-to-meeting fin, stas-, gå bort-.
gotten ['gɔtn] amr. el. gammel perf. pts. av **get.**
Gottingen ['gɔtiŋən, 'gʌt-] Göttingen.
gouge [gaudʒ] huljern, treskjærerjern; (amr.) knep, bedrag; bedrageri; bedrager; hule ut, grave ut; (amr.) bedra.
Goulard [gu'lɑ:d]; **-'s extract** en slags blyvann.
goulash ['gu:læʃ] gulasj.
Gould [gu:ld].
gourd [gɔ:d, guəd] gresskar.
gourmand ['guəmənd; fr.] gourmand; storeter, matkrok. **gourmet** ['guəmei] gourmet; en som skjønner seg på mat el. vin.
gout [gu:] smak, skjønn.
gout [gaut] gikt, podagra; klatt, stenk; dråpe. **gouty** ['gauti] giktsvak, podagristisk, giktaktig, gikt-; svullen, oppustet, fremstående.
gov., Gov. fk. f. **governor; government.**
govern ['gʌvən] styre, lede, greie med, beherske, regulere, bestemme, regjere.
governance ['gʌv(ə)nəns] ledelse, regjering, styre.
governess ['gʌvənis] lærerinne, guvernante.
goverment ['gʌvənmənt] styrelse, styre, ledelse; riksstyring; regjering, ministerium; styreform, ledelse; riksstyre; riksråd, statsråd, guvernement. — **bond** statsobligasjon. — **house** guvernementsbolig. — **office** guvernementskontor, regjeringskontor.
governor ['gʌvənə] styrer, leder; hersker, regent; guvernør, stattholder; direktør; styremedlem; hovmester; gammel'n, den gamle (om ens far el. sjef); regulator (på dampmaskin). — **-general** generalguvernør.
govt., Govt. fk. f. **government.**
gowan ['gauən] (skotsk) tusenfryd.
Gower ['gauə].
gowk [gauk] gjøk; dumrian, tosk.
gown [gaun] embetskappe; prestekjole; (finere) kvinnekjole, kjole; slåbrok; gi kjole på; ta kjole på; **he is a disgrace to his** — han gjør skam på sin stilling; **he will lose his** — han blir avsatt. **gown(s)man** ['gaun(z)mən] en som går med kappe; jurist; akademiker (i motsetning til **townsman** filister).
gozzard ['gɔzəd] gåsegjeter.
G. P. fk. f. **general paresis; general practitioner.**

G. P. O. fk. f. **General Post Office.**
G. R. fk. f. **General Reserve; Georgius Rex** (kong Georg).
gr. fk. f. **grains; grammar; grade; great; gross.**
Graal [greil] gral, det hellige nattverdsbeger iflg. middelalderske sagn.
grab [græb] gripe, trive, snappe, grafse til seg; grep; grafsing; tilegnelse på uhederlig måte; slå kloen i; noe man har tilegnet seg på uhederlig måte; grabb, klo.
grab [græb] et slags to- el. tremastet skip.
grab bag ['græb'bæg] forundringspose på basarer o. l., som man mot betaling har lov til å snappe en av gjenstandene opp av.
grabber ['græbə] kniper, gnier; gautjuv.
grabble [græbl] fomle, trivle, rote; trive, grave til seg.
grab | bucket grabb. **-hook** gripekrok.
grace [greis] ynde; gratie, eleganse; gunst, nåde; dyd, god egenskap; tekke; elskverdighet; kaperi; utsmykning (i musikk); ringspill; hyllest; privilegium; frist; bordbønn; pryde, smykke; begunstige; utmerke; benåde; **His Grace** Hans nåde; **with a good** — med anstand; **sue for** — be om nåde; **five days'** — fem dagers frist; **let us say** — la oss be bordbønn; **in the year of** — **1900** i det Herrens år 1900.
grace cup ['greiskʌp] pokal; avskjedsbeger.
graceful ['greisf(u)l] yndefull, smukk, stilig.
graceless ['greislis] uten ynde; fordervet, lastefull; uforskammet, gudløs.
graciosities [greiʃi'ositiz] nedlatende talemåter.
gracious ['greiʃəs] nådig; nedlatende; vennlig, elskverdig; **good** — du gode Gud! **most** — allernådigst.
gradate [grə'deit] la gå gradvis over i hverandre, nyansere, gradere.
gradatim [grə'deitim] gradvis, trinnvis.
gradation [grə'deiʃən] gradasjon; trinn; trinndeling; nyansering; avlyd.
grade [greid] grad, trinn; utviklingsstadium; sort, kvalitet; rang, klasse; skråning, stigning, hall, fall; (amr.) karakter; **down** — nedover; — **school** (amr.) folkeskole; **high** — **school for girls** høyere pikeskole. **grade** gradere; sortere, klassifisere; regulere, planere; krysse (om fe); planere. **-ly** skikkelig, pen; grundig, nøye. **-er** sorterer, vraker; veiskrape.
Gradgrind ['grædgraind] tørrpinne, fantasiløst menneske (etter en mann i **Hard Times** av Dickens).
gradient ['greidjənt] hellende; hellings-; helling, fall, stigning.
grading ['greidiŋ] sortering, klassifisering; regulering, planering; retting av oppgaver.
gradual ['grædjuəl, -dʒuəl] gradvis, trinnvis.
gradually ['grædjuəli, -dʒ-] gradvis, etterhånden, litt etter litt, smått om senn.
graduate ['grædjuit] gradere, inndele; graduere, tildele en akademisk grad; gå gradvis over til; ta en akademisk grad, en eksamen.
graduate ['grædjuit] akademiker; graduert, en som har tatt en avsluttende eksamen; trinnvis ordnet.
graduated taxation progressiv beskatning.
graduation [grædju'eiʃən, -dʒ-] gradering; det å ta en avsluttende eksamen; eksamenshøytidelighet, tildeling av en akademisk grad. — **mark** delestrek.
graffage ['grɑːfidʒ] skråning.
graft [grɑːft] podekvist; poding; stykke vev som blir ført over fra en organisme til en annen, transplantasjon; arbeid; pode; korrupsjon, svindel; arbeide, føre over, transplantere; stjele; grafse til seg.
Graham bread ['greiəmbred] grahambrød.
Grail [greil] se **Graal.**
grain [grein] korn, frøkorn; grann, smule; temperament, sinn; kornaktig ting; kornaktig beskaffenhet av overflaten; mask, drav; tekstur, fibrer, tråd, trevl, gåre; larve; narv

(på lær); korne; korne seg; åre; marmorere; krystallisere seg; narve; **with a** — **of salt** med litt sunn sans, med en klype salt; **in** — helt igjennom; **against the** — mot ens ønske.
grainage ['greinidʒ] kornavgift.
grain | alcohol kornbrennevin. — **binder** selvbinder. — **box** såkasse.
grainy ['greini] kornet.
gram. fk. f. **grammar.**
gram [græm] gram.
gramary(e) ['græməri] trolldom.
gramercy [grə'məːsi] mange takk (foreldet); Gud fri og bevare!
gramineous [grə'miniəs, grei-] gressaktig; gress-.
graminivorous [græmi'nivərəs] gressetende.
grammar ['græmə] grammatikk; språkvitenskap; riktig språkbruk; grammatisk riktig uttrykk; elementarbok; begynnelsesgrunner, elementer (i en kunst eller vitenskap); **analytical** — vitenskapelig grammatikk; **fault in** — grammatisk feil; **rule of** —, — **rule** grammatisk regel; **comparative** — sammenliknende språkvitenskap; **bad** — språkstridig; **this is not** — dette er galt i grammatisk henseende; **speak** el. **use bad** — tale galt i grammatisk henseende; — **of political economy** ledetråd i statsøkonomien; — **school** latinskole, gymnas; (amr.) mellomskole.
grammarian [grə'mɛəriən] grammatiker.
grammatical [grə'mætikl] grammatisk, grammatikalsk.
gramme [græm] gram.
gramophone ['græməfəun] grammofon. — **turntable** platetallerken.
grampus ['græmpəs] spekkhogger; en som puster høyt.
Granada [grə'nɑːdə].
granary ['grænəri] kornmagasin; (fig.) kornkammer.
grand [grænd] stor, storartet; herlig, prektig; fornem, fin; flott, deilig, herlig; stor-; (amr.) **§ 1000; the Grand Old Man** en betegnelse for Gladstone; — **piano** flygel (også **grand** alene).
grandam ['grændəm], **grandame** ['grændeim] bestemor. **grandaunt** ['græn(d)ɑːnt] grandtante.
grandchild ['græn(d)tʃaild] barnebarn.
grand cross ['græn(d)krɔs] storkors.
grand | dad ['grændæd] bestefar. — **daddy** [-dædi] bestefar.
granddaughter ['græn(d)dɔːtə] sønnedatter, datterdatter.
grand | duchess ['græn(d)dʌtʃis] storhertuginne, storfyrstinne. — **duke** storhertug, storfyrste.
grandee [græn'diː] grande; fornem adelsmann, storslagenhet, stormann; (amr.) snobb.
grandeur ['grændjə, -dʒə] storhet, storslagenhet, opphøydhet, høyhet; prakt, glans.
grandfather ['græn(d)fɑːðə] bestefar, forfader, stamfar; **great** — oldefar. -('s) **clock** bestefarsklokke, gulvur.
grandiloquence [græn'diləkwəns] patos, svulst, store ord, stortalenhet. **grandiloquent** [græn'diləkwənt] patetisk, svulstig, skrytende.
grandiose ['grændiəus] grandios; stortalende.
grandiosity [grændi'ositi] storartethet; skryt.
grand jury storjury som skulle undersøke om det var grunnlag for tiltale.
grandly ['grændli] storartet; flott, viktig.
grandma ['ˌgræn(d)mɑː] bestemor.
grandmama ['græn(d)məmɑː] bestemor.
Grand-Master ['græn(d)mɑːstə] stormester.
grandmother ['græn(d)mʌðə] bestemor; **great** — oldemor; **see one's** — ha mareritt; **teach your** — **to suck eggs** egget vil lære høna.
grandness ['grændnis] storhet, storartethet, prakt.
the Grand Old Party (amr.) det republikanske parti.
grand|papa ['grænpəpɑː] bestefar. **-parents** ['grænpɛərənts] besteforeldre.
grand piano [grænpi'ænəu] flygel.

grandsire ['grændsaiə] bestefar; stormester.
grandson ['grændsʌn] sønnesønn, dattersønn.
grandstand ['græn(d)stænd] tribune; (amr.) spille for galleriet.
grand tier balkong (i teater).
grandunele ['grændʌŋkl] grandonkel.
grange [grein(d)ʒ] gård, gårdsbruk.
granger ['grein(d)ʒə] forvalter; jordbruker, bonde.
granite ['grænit] granitt. — **quarry** granittbrudd. **-ware** slags steintøy. **Granite City** Aberdeen. **Granite State** New Hampshire i De forente stater.
granivorous [grə'nivərəs] kornetende.
grannam ['grænəm] bestemor.
granny ['græni] bestemor; gammel kone.
grant [grɑ:nt] gi, skjenke, yte, innrømme, tilstå, være ved; innvilge; bidrag, tilskudd; legat; bevilling, innrømmelse, tilståelse; gave; gavebrev; **God** —! Gud gi! **-ing it to be true** om vi går ut fra at det er sant; **-ed it had happened** sett at det hadde hendt; **take something for -ed** anse noe for gitt; **state** — statsbidrag.
grant-in-aid statstilskudd.
granular ['grænjulə] kornet.
granulate ['grænjuleit] korne, prikke; korne seg. **granulated** ['grænjuleitid] kornet. **granulation** [grænju'leiʃən] korning, prikking. **granule** ['grænjul] lite korn. **granulous** ['grænjuləs] kornet.
Granville ['grænvil].
grape [greip] drue; skrå, kardesk (mil.); **a bunch of -s** en klase druer; **grapes** ogs. mugg (en hestesykdom). **grapefruit** ['greipfru:t] grapefrukt. **grape juice** druesaft.
grapery ['greip(ə)ri] vinanlegg; vinespalier.
grapeshot ['greipʃɔt] kardesk.
grapevine ['greipvain] vinranke, vinstokk. — **telegraph** (amr.) jungeltelegraf.
graph [græf] diagram, kurve, grafisk oversikt.
graphie(al) ['græfik(l)] grafisk; skrive-, skrift-; tydelig tegnet, anskuelig fremstilt, malende; livaktig; illustrert; — **arts** grafiske kunster (tegning, maling og grafikk).
graphite ['græfait] grafitt.
graphology [græ'fɔlədʒi] grafologi.
graphometer [grə'fɔmitə] vinkelmåler.
graph paper millimeterpapir.
grapnel ['græpnəl] dregg; anker.
grapple ['græpl] entrehake, entredregg; fast tak, grep; brytning, kamp; håndgemeng; gripe; holde fast; klamre seg til; kjempe, brytes; gi seg i kast (**with** med); **close** — nærkamp. **grappling -iron** entredregg.
grapy ['greipi] drueaktig; drue-.
Grasmere ['grɑ:smiə].
grasp [grɑ:sp] gripe, trive, ta fatt i, holde fast ved, ettertrakte; begripe, skjønne, fatte; grep, tak; makt, vold; fatteevne, nemme; forståelse; **beyond his** — utenfor hans rekkevidde; **have a good** — **of** beherske, forstå fullt ut; **all** —, **all lose** den som vil ha alt, får ingenting; — **of iron, iron** — jerntak. **grasper** ['grɑ:spə] en som griper osv.; gnier, grisk menneske. **grasping** ['grɑ:spiŋ] gjerrig, begjærlig.
grass [grɑ:s] gress; eng; beite; grønnfôr; dagen (i gruvespråk); hjelpesetter (typ.); midlertidig arbeid; **gresskle**; kle med gresstorv; slå til jorda; legge i bakken, overvinne (om bryter, bokser); skyte (en fugl); hale en fisk i land; fôre med friskt gress; drive ut på beitet; legge til bleking; **blade of** — gresstrå; **bring, drive, put (out), send (out), turn to** — sette på gress; — gå på gress; dø, bite i gresset; ta ferie, ta fri, stenge butikken; vente på jobb; **go to** —! gå pokker i vold! (amr.) **hunt** — stikke av, smette unna; **while the** — **grows, the steed starves** mens gresset gror, dør kua; **piece of** — gressplett; **he did not let the** — **grow under his feet** han lot ikke gresset gro under føttene; — **on** sladre.
grass ∤ **bank** gressbevokst skråning. — **border** gresskant. **-cutter** gressklipper; markkryper (om en ball). — **-grown** gresskledd.

grasshopper ['grɑ:shɔpə] gresshoppe.
grass ∤ **land** gressbunn, gressmark, **the** — **roots** (amr.) grunnen, grasrota, roten, helt nede; det jordnære. — **skirt** ≈ bastskjørt. — **widow(er)** gressenke(mann).
grassy ['grɑ:si] gresskledd, gressrik, gressgrønn.
grate [greit] gitter; rist; kaminrist; kamin; tilgitre; forsyne med rist.
grate [greit] gni, rive, gnure, skure; raspe, gnisse; knirke, skurre, rasle, hvine; tilgitre; berøre smertelig, såre; — **one's teeth** skjære tenner.
grateful ['greitf(u)l] takknemlig; behagelig, gledelig.
grater ['greitə] rivjern, rasp.
Gratiano [grɑ:ʃi'ɑ:nəu].
gratification [grætifi'keiʃən] tilfredsstillelse; glede, fornøyelse, nytelse; gratiale, belønning, dusør.
gratify ['grætifai] tilfredsstille; glede, fornøye; belønne, lønne.
grating ['greitiŋ] skurrende, raslende, hvinende; gnell; ubehagelig, pinlig; skurring.
grating ['greitiŋ] gitter, gitterverk; rist.
gratis ['greitis] gratis.
gratitude ['grætitju:d] takknemlighet (**to** mot, overfor); **there is no** — **in the world** utakk er verdens lønn; **I owe him a deep debt of** — jeg står i stor takknemlighetsgjeld til ham.
gratuitous [grə'tju:itəs] gratis; frivillig; vilkårlig, umotivert, ubegrunnet, uberettiget, grunnløs; ufortjent.
gratuity [grə'tju:iti] gratiale; drikkepenger; erkjentlighet; reisegodtgjørelse.
gratulation [grætju'leiʃən] se **congratulation.**
gravamen [grə'veimən] klage, klagepunkt (jur.). plur.: **gravamina** [grə'veiminə].
grave [greiv] gravere; skjære ut.
grave [greiv] bunnskrape (et skip i dokk).
grave [greiv] alvorlig, veldig, høytidelig; (om klær, farge) jevn, mørk; (om tone) dyp; (fig.) betydningsfull, alvorlig; — **accent** accent grave.
grave [greiv] grav. — **clothes** likklær. **-digger** graver. — **find** (arkeologisk) gravfunn.
gravel ['grævəl] grus, singel; gruslag; nyregrus; gruse; forvirre, bringe i forlegenhet; sette til veggs; erte. — **car, -cart** grusvogn. — **court** grusbane (tennis). — **drive** grusvei.
gravelled gruslagt, gruset; forvirret, forlegen; oppskrubbet.
gravelly ['grævəli] gruset; grus-.
gravel pit ['grævəlpit] grustak.
gravel walk ['grævəlwɔ:k] grusgang.
grave mound ['greivmaund] gravhaug.
graven ['greivən] perf. pts. av **grave.**
graver ['greivə] steinhogger; gravør.
graves [greivz] grever, fettholdig avfallsprodukt som blir igjen når fettet smeltes ut av svineister (**greaves**).
Graves' disease Basedows sykdom.
Gravesend ['greivz'end].
gravestone ['greivstəun] gravstein.
graveyard ['greivjɑ:d] kirkegård.
gravid ['grævid] gravid, svanger.
gravimeter [grə'vimitə] tyngdemåler.
graving ['greiviŋ] gravering, utskjæring; gravert arbeid; utskåret arbeid; bunnskraping; — **dock** tørrdokk.
gravitate ['græviteit] strebe mot tyngdepunktet, gravitere; (fig.) strebe mot ytterste kraft; bli sterkt tiltrukket.
gravitation [grævi'teiʃən] gravitasjon, tyngdekraft; (fig.) helling, tilbøyelighet, streben; **centre of** — tyngdepunkt; **law** (el. **principle**) **of** — tyngdelov.
gravity ['græviti] alvor, verdighet, høytidelighet; gravitet; betydning, vekt; tyngde; dybde (om tone).
gravy ['greivi] kjøttkraft; sky, gelé; saus. — **boat** sausekopp. — **soup** kraftsuppe.
gray [grei] grå; se **grey.**

graybeard ['greibiəd] gråskjegg, gamling, gubbe.
gray-haired ['greihɛəd] gråhåret. **gray-headed** ['greihedid] gråhåret.
grayish ['greiiʃ] gråaktig.
graylag ['greilæg] villgås.
grayling ['greiliŋ] harr (fisk).
Gray's Inn ['greiz'in].
graze [greiz] gresse; beite på, fôre med gress; **gjete**; gå på beite; streife, snerte; beiting; streifing; streifsår, skrubbsår, streifskudd. **grazer** ['greizə] beitende dyr.
grazier ['greiʒə] fealer, kvegoppdretter; kveghandler.
grazing ['greiziŋ] beiting; hamnegang; streifing, snerting; **send a man to** — gi en mann avskjed. — **ground,** — land beitemark, beite, hamnegang.
grease [gris] fett; smurning, gris, vognsmøring; mugg (en hestesykdom). **grease** [gri:z] smøre; søle til; smøre, bestikke (også: — **a person's palm**); **like greased lightning** sum et olja lyn, lynsnart.
grease|ball svartsmusket utlending (med mørkt pomadisert hår); person med fett hår; slesk type.— **cup** smørekopp, fettkopp. — **guard** lysmansjett. — **gun** fettpresse, smørepistol. — **mark** fettflekk. — **monkey** mekaniker. **-proof** fettsikker; **-proof paper** matpapir.
greaser ['gri:zə] smører; (amr. sl.) degos, latinamerikaner.
grease spot fettflekk.
greasy ['gri:si, -zi] fettet; sleip; oljeaktig; gjørmet; (mar.) tjukk, skyet (om været); befengt med mugg (om hester).
great [greit] stor, storartet, storslått, fremragende; sterk, mektig, anselig, fornem, betydelig, betydningsfull, av betydning, viktig; flott, deilig, ypperlig; høymodig, edel; fruktsommelig, meget benyttet; innflytelsesrik; et ættledd lenger tilbake; — **age** høy alder; **Great Britain** Storbritannia; **Greater Britain** England og dets kolonier i forening; — **corn** mais; **a** — **deal** (el. many) en hel del (mengde); **the Great Duke** et tilnavn for hertugen av Wellington; — **enemy** (of mankind) den onde; djevelen; **the** — **forty days** de førti dager mellom påske og Kristi himmelfartsdag; — **friends** gode venner; **the Great Ocean** Stillehavet; **a** — **pity** synd og skam; **the G. Powers** stormaktene; **Great Scott** å, du store min! **a** — **way** en lang vei; **go a** — **way with one** ha stor innflytelse på en; **the** — **week** den stille uke.
great|-aunt ['greitɑ:nt] grandtante. — **chair** lenestol. — **coat** ['greit'kaut] overfrakk, vinterfrakk, ytterfrakk. — **Dane** grand danois (hunderase). **the** — **day** den store dag, dommedag; påskedag.
greaten ['greitn] bli større; forstørre; forhøye, heve.
great|-eyed storøyd; med utstående øyne; (fig.) vidsynt. — **-grandchild** barnebarns barn, oldebarn. — **-grandfather** oldefar. — **-grandmother** oldemor. — **-grandson** sønnesønns sønn. — **hall** riddersal. — **-hearted** høysinnet.
the Great Lakes De store sjøer (USA).
greatly ['greitli] i høy grad, høylig, meget; dypt, sterkt; edelt, fornemt.
great-nephew grandnevø.
greatness ['greitnis] størrelse; betydning; høy verdighet; storhet; høysinn; berømthet; innbilt storhet; herlighet; heftighet.
great seal storsegl (ɔ: statens segl).
great-uncle ['greitʌŋkl] grandonkel.
the Great|Wall den kinesiske mur. — — **War** første verdenskrig.
greave [gri:v] beinskinne.
greaves [gri:vz] se **graves**.
grebe [gri:b] lappdykker (fugl).
Grecian ['gri:ʃən] gresk; greker(inne), hellén.
Greece [gri:s] Hellas.
greed [gri:d] begjærlighet, grådighet.

greediness ['gri:dinis] se **greed.**
greedy ['gri:di] begjærlig, grådig; gjerrig; — **of gain** begjærlig etter vinning; — **of honour** ærgjerrig.
Greek [gri:k] greker, grekerinne, hellén; gresk; kaudervelsk; bedrager, bondefanger; **St. Giles's** — tyvespråk; **as merry as a** — sjeleglad; — **letter fraternity** amerikansk studentorganisasjon som har greske bokstaver som navn.
green [gri:n] grønn; frisk; ung, ny; blomstrende, kraftig; umoden (f. eks. om frukt); fersk; rå (om mat); (fig.) umoden, grønn; grønt (fargen); gressvoll, gressbakke, gressbane; grønt løv; (sl.) grønn te; grønt eple; uerfarenhet; grønnes, bli grønn; gjøre grønn; **-s** (plur.) grønnsaker; — **knight** ridder av tistelordenen; — **complexion** blomstrende teint; — **old age** blomstrende alderdom; — **hand** uøvd arbeider; **as** — **as duckweed** så dum som en gås; **send a horse to Dr. Green** sende en hest ut på beite.
greenback ['gri:nbæk] pengeseddel (i USA).
green | belt grønt område (omkring en by), bymark, friarealer. — **crop** grønnfôr.
greener ['gri:nə] uøvd arbeider; grønnskolling.
greenery ['gri:n(ə)ri] veksthus; grønt.
green-eyed ['gri:naid] grønnøyd; mistroisk, skinnsyk.
green|finch grønnfink. — **fingers; have** — **fingers** være flink med planter, få det til å gro. — **fish** usaltet el. utørket fisk. — **fly** bladlus. — **frog** løvfrosk. **-gage** reineclaude (plommetype). **-grocer** grønthandler, grønnsakhandler. **-grocery** grønthandel; grønnsaker og frukt. **-horn** grønnskolling. **-house** drivhus, veksthus; hette over flycockpit.
greenish ['gri:niʃ] grønnlig; grønn av seg.
Greenland ['gri:nlənd] Grønland; grønlandsk; **to come from** — være grønn. **Greenlander** [-ə] grønlender, grønlending; grønnskolling. **Greenlandman** grønlandsfarer.
greenness ['gri:nnis] grønnhet, grønske.
greenroom ['gri:nru:m] foajé; teatersladder.
green rust irr.
greensick ['gri:nsik] bleksottig. **-ness** [-nis] bleksott.
green | soap grønnsåpe. **-stone** jade. **-stuff** grønt, planter, urter. **-sward** grønnsvær. — **table** spillebord. — **thumb** se **finger**. **-ware** utørket og ubrent keramikk.
Greenwich ['grinidʒ].
greenwood ['gri:nwud] grønn skog; **go to the** — bli fredløs; **under the** — **tree** (poet.) i skogen den grønne.
greet [gri:t] gråte (skotsk).
greet [gri:t] hilse; motta; møte. **greeting** ['gri:tiŋ] hilsen; velkomst. — **telegram form** festtelegram.
gregarious [gri'gɛəriəs] som lever i flokk, selskapelig. — **animal** hordedyr.
Gregorian [gri'gɔ:riən] gregoriansk.
Gregory ['gregəri].
grenade [gri'neid] håndgranat, granat. — **launcher,** — **thrower** granatkaster.
grenadier [grenə'diə] grenader.
Grendel ['grendəl] (uhyre i Beowulf).
Gresham ['greʃəm].
Gretna Green ['gretnə 'gri:n] landsby i Skottland, hvor forlovede, som ellers ikke kunne bli gifte, kunne la seg vie av fredsdommeren.
grew [gru:] imperf. av **grow.**
grey [grei] grå, gråhåret; (om tøy o. l.) ubleket; (om ild) gått ut, slokt; grått, grå farge; grålysning; gråskimmel; **the** — **mare is the better horse** kona fører regimentet, kona er herre i huset. **-fish** pigghå. — **hen** orrhøne.
greyhound ['greihaund] mynde; hurtigseilende (passasjer-)damper; **G.** stort amr. busselskap.
greyish ['greiiʃ] grålig.
grey | sea eagle havørn. — **wash** forvasking, bleking.

grid [grid] gitter; skjelett i stålkonstruksjon; rutenett, gradnett (på kart); lysnett, samkjøringsnett; bagasjeholder.

griddle ['gridl] kakejern; (liten) bakstehelle, panne, takke; stråltrådsåld (i gruvene). — **cake** lompe, lefse, flatbrød.

gride [graid] gni skurrende mot hverandre; skurre, knirke, hvine.

gridiron ['gridaiən] stekerist; rist, lunner (til landsetting av skip); (amr.) fotballbane; (sl.) det amerikanske flagg.

grief [gri:f] sorg; sut, smerte; **come** (el. **go**) **to** — komme i ulykke; ha uhell med seg; komme til skade; blamere seg; bli uenige med hverandre; gå til grunne; (mar.) forlise; **good** —! du store min! fri og bevare meg!

grievance ['gri:vəns] besværing, ankemål, klagemål, grunn til klage; onde; plage.

grieve [gri:v] gjøre sorg; sørge, syte, gremme seg.

grievous ['gri:vəs] svær, slem, tung, hard, sørgelig, tung; alvorlig, fryktelig; bitter, stri, streng. **-ly** svært, hardt. **-ness** sværhet, hardhet.

griff [grif] ny mann, nyankommen (især i India og Kina); mulatt (i Amerika); ny hest.

griffin ['grifin] griff (bevinget løve med ørnehode); lammegribb; ny mann, nyankommen (især i India og Kina).

griffinage ['grifinidʒ], **griffinhood** ['grifinhud] læretid.

griffon ['grifən] griff.

grig [grig] ålunge; siriss; **as merry as a —** sjeleglad.

grill [gril] stekerist, grillrist; mat stekt på rist; stekerom; griljere, steke på rist; pine, plage; kryssforhøre.

grillade [gri'leid, -'la:d] ristet kjøtt.

grille [gril] gitter; rist.

grilled tilgitret; griljert, grillet.

grillroom ['grilrum] grill, restaurantlokale der varmretter fra grill tilberedes og serveres.

grilse [grils] ung laks, tart, svele.

grim [grim] mørk, barsk; grusom, streng; uhyggelig, fæl, skummel, makaber.

grimace [gri'meis] grimase; geip; gjøre grimaser.

grimalkin [gri'mælkin] gammel kjette; ondskapsfull gammel kjerring.

grime [graim] smuss; skitne til, sverte.

Grimsby ['grimzbi].

grimy ['graimi] smussig; skitten; svertet.

grin [grin] grine, glise, vise tenner; le, smile bredt; grin, glis, bredt smil; **to — and bear it** gjøre gode miner til slett spill.

grind [graind] knuse, male; slipe; kvesse; rive (farger o. l.); gni sterkt mot hverandre, skure, skrape; glatte, polere; dreie, sveive (på kaffekvern, på lirekasse); plage, kue, undertrykke mishandle; sprenglese med, terpe inn i en (i skole, til eksamen); håne, gjøre latterlig; la seg male; la seg slipe osv.; slite, streve (f. eks. til eksamen); terpe, pugge; knusing, maling; sliping; kvessing; skuring; slit (og slep), strev, pugg; eksamenslesing; sprenglesing; lesehest; pugghest; spøkefugl; — **one's teeth** skjære tenner; være rasende; **take a —** gå (el. ri) en tur; — **down** undertrykke; utbytte; — **out** mase el. dask el.

grinder ['graində] en som maler, knuser; møllestein, slipemaskin; en som sliper; skjærsliper; en som river farger; jeksel; manuduktør, privatlærer; driver; (amr.) lang sandwich (skåret på langs av brødet).

grindery ['graindəri] sliperi; skomakersaker.

grinding ['graindiŋ] knusing osv.; hard; tyngende. — **mill** håndkvern; sliperi; manuduksjon. — **teeth** jeksler. — **wheel** slipeskive.

grindstone ['graindstəun] slipestein; slit (og slep); **be a tightfisted hand at the —** et jern til å henge i; **be kept with one's nose to the —** måtte henge kraftig i, måtte legge seg overordentlig i selen.

gringo ['griŋgəu] fremmed, engelskmann, angloamerikaner (i Sør-Amerika).

grinner ['grinə] grinebiter.

grip [grip] gripe, ta fatt i; tak, feste; grep (f. eks. på en kårde); influensa (i Amerika) (fig.) knugende grep, herredømme; **be at grips with** være i heftig kamp med; **lose one's —** tape fatningen.

gripe [graip] gripe, ta fatt i; holde fast; knipe (om smerter i maven); pine, plage; være gjerrig, skrape penger sammen; ha maveknip; grep, tak; håndtak, grep. **the gripes** kolikk, maveknip.

griper ['graipə] en som griper; blodsuger.

griping ['graipiŋ] gjerrig, grisk.

grippe [gri(:)p] influensa.

gripper ['graipə] griper, griperedskap.

gripple ['gripl] ta fatt i; som tar fatt i; begjærlig.

gripsack ['gripsæk] (amr.) reiseveske.

Griqua ['gri:kwə] griqua, barn av boer og hottentottkvinne i Sør-Afrika.

grisamber ['grisæmbə] ambra.

griskin ['griskin] magert svinekjøtt.

grisly ['grizli] uhyggelig, gyselig.

grist [grist] (kvantum) korn som skal males på én gang; mel; (fig.) fordel; **that's — to his mill** det er vann på hans mølle; det er noe for ham.

gristle ['grisl] brusk.

gristly ['grisli] brusket, bruskaktig.

grit [grit] hard partikkel, sandkorn, sandstein; grus, sand; (steins) struktur; fasthet; mot; **he is clear** — ham er det tak i. **grits** [grits] havregryn; gryn, grøpp. **Grit** (i Canada) radikal.

grit knirke; gnurre; knase, skrape; slipe, pusse.

grith [griθ] fredet sted; fred.

gritstone ['gritstəun] hard kornet sandstein.

gritter ['gritə] grusspreder.

gritty ['griti] sandet, gruset; bestemt, modig.

grizzle ['grizl] jamre, klynke; ergre (seg).

grizzle ['grizl] grått, grå farge; skimmel (om hest. **grizzled** ['grizld] gråsprengt.

grizzly ['grizli] grålig; gråbjørn; — **bear** gråbjørn.

groan [grəun] sukke (**for** etter); stønne; knurre, brumme; knake (om tre); få en til å tie ved å brumme (f. eks. i parlamentet, især — **down**): stønning; mishagsytring.

groat [grəut] grot (gammel engelsk sølvmynt, verd 2 pence); (fig.) dust, grann; **I don't care a —** for him jeg bryr meg aldri det grann om ham.

groats [grəuts] (større) gryn, havregryn.

grocer ['grəusə] kolonialhandler, kjøpmann; materialist. **-ies** pl. kolonivarer. **-'s shop**, (amr.) **-'s store** kolonialhandel, landhandel. **grocery** ['grəusəri] kolonialhandel.

grog [grog] grogg, brennevin og vann; **he has — on board** han er full. — **blossom** rød nese.

groggery ['grogəri] kneipe.

groggy ['grogi] omtåket; usikker, ustø; utkjørt, utslitt.

grogram ['grogrəm] grogram (et slags tøy).

grog|shop kneipe. **-tub** drammeflaske.

groin [grɔin] lyske; (ark.) grat, gratbue; ribbe; parallellverk. **-ed vault** korshvelv.

grommet ['grɔmit] stropp, løkke; malje, øye.

gromwell ['grɔmwəl] steinfrø (plante).

groom [gru:m] stallkar; kongelig kammertjener; brudgom (**bridegroom**); croupier (i spillehus); passe, soignere, pleie, stelle; (amr.) lære opp, undervise; **well-groomed** soignert; — **of the stole** overkammertjener; **G. of the Chamber** kongelig kammertjener; **G.-in-Waiting** tjenestgjørende kammerherre.

groomsman ['gru:mzmən] forlover.

groove [gru:v] grop; renne, fure, rille, spalte, sprekk; skruegjenge; fals; rutine, vane; fure, danne renne i, grave; **he keeps in the same —** han lar alt gå i den gamle gjenge.

groover ['gru:və] falsejern.

groovy ['gru:vi] ensidig; sl. ypperlig, super.

grope [grəup] famle, trivle, føle seg for, lete, søke; — **one's way** famle seg fram.

grosbeak ['grəusbi:k] bet. for en rekke finkefugler.

gross [grəus] stor, svær, tykk, før, dryg; grov, plump, ufin, simpel; kraftig, tett (vegetasjon); brutto; hovedmasse, hovedstyrke; gross (tolv dusin); — **amount** bruttobeløp, totalsum; — **average** gross-havari, felleshavari; — **estate** bomasse; — **feeder** matmons; **the** — **of the people** folkets store masse; **in (the)** — i det hele; en gros; **dealer in (the)** — engroshandler; — **injustice** skammelig urettferdighet; — **insult** grov fornærmelse.

grossly ['grəusli] plumpt, grovt.

gross | negligence grov uaktsomhet. — **premium** bruttopremie (forsikring).

grossular ['grɔsjulə] stikkelsbær-.

gross weight ['grəusweit] bruttovekt.

Grosvenor ['grəuvnə].

grotesque [grəu'tesk] grotesk, underlig.

grotto ['grɔtəu] grotte, heller.

grouch [grautʃ] være gretten, surmule, furte, mukke; grinebiter; grettenhet.

ground [graund] imperf. og perf. pts. av **grind**

ground [graund] jord; grunn, jordbunn; mark; terreng, lende; grunnlag, grunn, bunn; gulv; plass; (sports)bane; park; område; egn; jordstykke, jorde, eng; bakke; rom, tuft; grunn, grunnfarge; jordledning, ledning; grunnlag, grunnvoll; stilling, årsak, begrunnelse, grunn, motivering; **-s** bunnfall, grugg, grut (kaffe), grums; **on the** — **of** på grunn av; **change one's** — skifte standpunkt; **fall to the** — falle til jorda; slå feil; **gain** — vinne terreng, avansere; **get off the** — komme i gang; **give** — vike, gi plass; **keep (el. hold el. stand) one's** — holde stand; holde seg (om priser); **lose** — miste innflytelse; vike tilbake; **to see how the** — **lies** se terrengforholdene an, se hvordan landet ligger; **it was a low building, one story above the** — det var en lav bygning, to etasjer høy (el. på to etasjer); **he had gone over the** — again between the farmhouse and his mill han hadde igjen tilbakelagt veien mellom gården og mølla si; **this suits me down to the** — dette passer meg glimrende; **run into the** — (amr.) overdrive; **take the** — gå på grunn.

ground [graund] sette el. legge på jorda; legge i bakken; grunne, grunnlegge; (mar.) sette på grunn, grunnstøte; tvinge til å lande, forhindre fra å fly; få startforbud (om en flyger); undervise i begynnelsesgrunnene; lede ned i el. sette i forbindelse med jorda (om elektrisitet); grunne (ved maling); begrunne, motivere; komme på grunn; **well -ed** vel begrunnet.

groundage ['graundidʒ] havnepenger.

ground | bait agn, lokkemat. — **birch** dvergbjerk. — **bridge** liten bru, klopp. — **clearance** bakkeklaring, fri høyde over bakken. — **coat** grunningsstrøk. — **crew** bakkemannskap. — **floor** første etasje. — **forces** landstridskrefter. — **frost** nattefrost. — **game** harer og kaniner. — **hostess** bakkevertinne.

grounding ['graundiŋ] grunnstøting; grunning; grunnlag, forberedelse.

groundless ['graundlis] grunnløs. **groundlessness** ['graundlisnis] grunnløshet.

ground | level bakkehøyde, terrengnivå. **-ling** bunnfisk; dyr som lever på bakken eller i jorden. — **net** bunngarn. — **note** grunntone. **-nut** jordnøtt, peanøtt. — **plan** grunnriss, grunnplan. — **sheet** teltunderlag. **-sman** oppsynsmann, vakt. — **speed** fart i forhold til bakken. — **swell** (under)dønning. — **troops** landstridskrefter. **-wood** tremasse. — **work** grunnlag, fundament; forarbeid.

group [gru:p] gruppe, flokk; gruppere. **grouping** gruppering. **group | insurance** gruppelivsforsikring. — **payment** fellesakkord. — **rate** sonetakst. — **spirit** korpsånd.

grouse [graus] rype; skyte ryper; **white** — fjellrype; **black** — orrfugl; **wood** (el. **great**) — tiur; **ruffed** — præriehøne; **hazel** — jerpe.

grousing ['grausiŋ] rypejakt.

grouse [graus] knurre, mukke, murre; mukking.

grout [graut] grovt mel; (skotsk) grøt, graut; gipsblanding, tynn murblanding; bunnfall.

grouty ['grauti] sur, gretten.

grove [grəuv] lund, holt, treklynge.

grovel ['grɔvl] krype, kravle; (fig.) ligge på maven, være krypende; fig. velte seg i sølen.

groveller ['grɔvlə] kryper, spyttslikker, kryp.

groveling ['grɔvliŋ] krypende, lav, sjofel.

grow [grəu] gro, vokse; bli, bli til; la vokse, dyrke; tilta, utvikle seg; — **angry** bli sint; — **dark** mørkne; — **easy** bli beroliget; — **hot** bli ilter; **it is -ing** late det blir sent; — **less** avta; — **light** lysne; — **pale** bli blek, blekne; **while the grass -s, the steed starves** mens gresset gror, dør kua; **as the week -s old** i løpet av uken; **mot slutten av uken**; — **well** bli bedre; — **worse** bli verre; — **from** oppstå av, følge av; — **in bulk** tilta i omfang; — **in favour** vinne anseelse; — **in flesh** legge seg ut; — **in love with a thing** bli forelsket i noe; — **in years** bli gammel; — **into fashion** bli mote; — **into a habit** bli til vane; — **on** vedbli å vokse, trives, nærme seg; — **on (el. upon) one** få makt over en; vokse en over hodet; — **out of** oppstå av; være følge av; etterhånden oppgi; — **out of fashion** gå av mote; — **out of favour with** falle i unåde hos; — **out of all recognition** forandre seg så man ikke er til å kjenne igjen; — **up** vokse opp, bli voksen.

grower ['grəuə] en (el. noe) som vokser; dyrker, produsent; **slow -s** langsomt voksende trær.

growing ['grəuiŋ] voksende; vekst; avl, dyrking.

growl [graul] knurre, murre; brumme; rumle; brumming, knurring. **growler** ['graulə] en som knurrer el. brummer; knurrende hund; brumlebasse; firhjuls hestedrosje.

growlery ['graulɛri] mannens værelse i huset, studerkammer.

grown [grəun] perf. pts. av **grow**; voksen. **grown-up** voksen; **a** — **person** en voksen; — **people** voksne; **the grown-ups** de voksne.

growth [grəuθ] vekst; utvikling; stigning; dyrking, avling, produksjon; produkt; sort; **of one's own** — av egen avling. — **area** vekstområde, utviklingsområde. — **-inhibiting** veksthemmende. — **ring** årring. — **-stimulating** vekstfremmende.

groyne [grɔin] tømmermolo; bølgebryter.

grub [grʌb] grave; rote; slite, trelle; spise, ete, fôre; fø på; mark, makk, åme, larve; mat, fôr, kost; arbeid, hardt slit; — **and bub** mat og drikke; **dead on the** — skrubbsulten; **in** — beskjeftiget. — **axe** hakke, grev, rotøks.

grubber ['grʌbə] sliter; eter; kultivator.

grubbery ['grʌbəri] spisekvarter; fattighus.

grubbing ['grʌbiŋ] spisning.

grubby ['grʌbi] smussig, skitten; slarvet.

grub | hoe jordhakke, grev. **-stake** forskudd; startkapital; betale forskudd.

Grub Street ['grʌbstri:t] gate i London der det bodde fattige forfattere; dusinbøker.

grubwages ['grʌbweidʒiz] kostpenger.

grudge [grʌdʒ] knurre, være uvillig over; misunne; knipe på, nekte; være misunnelig; uvilje, vrede, nag, agg; bear (el. owe) one **a** — have **a** — **against one** bære nag til en, ha et horn i siden til en. **grudger** ['grʌdʒə] en som misunner; uvenn. **grudgingly** ['grʌdʒiŋli] motstrebende.

grue [gru:] gyse (skotsk).

gruel ['gru:il] havresuppe, velling; **get one's** — få sin straff. **gruelling** en real omgang, hard behandling; meget krevende, utmattende.

gruesome ['gru:səm] gyselig, uhyggelig, makaber.

gruff [grʌf] barsk, morsk, avvisende; grov (i målet). **gruffish** ['grʌfiʃ] noe barsk. **gruffness** ['grʌfnis] barskhet; grovhet (i målet).

grum [grʌm] gretten, sur.
grumble ['grʌmbl] knurre, murre, brumme; mukke, beklage; knurring; brumming; mukking, beklagelse. **grumbler** ['grʌmblə] brumlebasse; knurr (fisk).
grumous ['gru:məs] klumpet, tykk.
grumph [grʌmf] grynt.
grumpy ['grʌmpi] gretten, sær, ergerlig, sur. **Grundy** ['grʌndi]: **Mrs.** — folkesnakk, sladder; **what will Mrs.** — **say?** hva vil folk si til det?
Grundyism ['grʌndiizm] snerpethet.
grunt [grʌnt] grynte; grynting, grynt.
gruntle ['grʌntl] grynte; grynting, grynt.
gruyere ['gru:jɛə] sveitserost.
gryphon ['grifən] griff (se **griffon**).
gs fk. f. **guineas.**
G. S. fk. f. **General Staff; General Service.**
G. S. O. fk. f. **General Staff Office.**
G string lendeklede, en strip-tease danserinnes «fikenblad».
Guadalquivir [gwa:dəl'kwivə].
guana ['gwɑ:nə] leguan, slags firfisle.
guano ['gwɑ:nəu] guano, fuglegjødsel.
guarantee [gærən'ti:] garanti, trygd, kausjon; garant, kausjonist; garantere, gå god for. — **accounts** stå delkredere. **guarantor** [gærən'tɔ:] garant, kausjonist. **guaranty** ['gærənti] garanti, trygd, kausjon; garantere.
guard [gɑ:d] vokte, beskytte, verge, passe, forsvare; eskortere; bevare; vake, våke over, holde vakt; være på sin post; passe seg for; være forsiktig; gardere seg (**against** mot); vakt, livvakt, vaktmannskap, garde; beskyttelse, vern, forsvar; konduktør, vognfører; forbehold; urkjede; kuppel; rekkverk; gitter; parérplate (på kårde); håndbøyle (på gevær); bukseklemme (for syklist); skjerm (på sykkel); **-s** garde, livvakt, vakt; — **against** forebygge; **keep under a strong** — passe omhyggelig på; **be** (el. **stand**) **on one's** — være på sin post; ta seg i akt; **off one's** — uforsiktig, sorgløs, uoppmerksom; **get under his** — få ram på ham; **take** (el. **throw**) **off one's** — overrumple; bortlede ens oppmerksomhet; gjøre trygg; **go on** (el. **mount**) — gå på vakt, troppe på.
guard boat vaktbåt.
guard chain ['gɑ:dtʃein] urkjede.
guarded ['gɑ:did] bevoktet; forsiktig, varsom; reservert, forbeholden. **guardhouse** gardekaserne, vaktstue; «kakebu».
guardian ['gɑ:djən] formynder, verge, beskytter; oppsynsmann; bestyrer, forstander; **Board of Guardians** fattigkommisjon; — **angel** skytsengel; — **spirit** skytsånd; **parish** **-s** sogneråd.
guardianlike ['gɑ:djənlaik] formynderaktig.
guardianship ['gɑ:djənʃip] formynderskap.
guardless ['gɑ:dlis] vergeløs, ubeskyttet.
guardrail ['gɑ:dreil] rekkverk, føringskant, fenderverk (mellom motgående veibaner).
guardroom ['gɑ:dru:m] vaktstue. **guardship** ['gɑ:dʃip] vaktskip.
guardsman ['gɑ:dzmən] gardeoffiser; gardist; hjemmevernsmann; vakt.
Guatemala [gwæti'mɑ:lə].
guava ['gwɑ:və] guajava(tre).
gubbins ['gʌbinz] avfall (især av fisk).
gudgeon ['gʌdʒən] grunnling (liten karpefisk); dumrian; tapp, pinne; rørløkke.
guelder-rose ['geldərəuz] snøballtre.
Guelf, Guelph [gwelf] welfer.
guerdon ['gə:dən] lønn, belønning; lønne.
guerilla [gə'rilə] gerilja, geriljasoldat, partisan. — **warfare** geriljakrig.
Guernsey ['gə:nzi].
guernsey ['gə:nzi] matrostrøye, genser.
guess [ges] gjette; (amerikanerne bruker ofte — som innskudd i setningen i betydningen «formodentlig»); — **at** gjette på; gjette, oppfatte riktig. **guess** gjetning; gisning; (skotsk) gåte; **give** (el. **make**) **a** — gjette, formode. **guesser** ['gesə] en som gjetter. **guessing** ['gesiŋ] gjetting. **guesswork** gjetninger.

guest [gest] gjest; pensjonær; (i zoologi i sammensetninger) parasitt-. — **chamber** gjesteværelse. — **house** pensjonat, gjestgiveri — **worker** fremmedarbeider.
guff [gʌf] tøv, sludder, pjatt; vrøvle, tøve.
guffaw ['gʌfɔ:] skrallende latter; le høyrøstet.
Guggenheim ['gugənhaim].
guggle ['gʌgl] se **gurgle.**
Guiana [gai'ænə].
guidable ['gaidəbl] som kan ledes; villig.
guidance ['gaidəns] ledelse; rettesnor, veiledning; styring (av rakett).
guide [gaid] lede, føre, rettleie; fører; veileder; fremmedfører; reisehåndbok; veiledning, rettledning; **a London** — en reisehåndbok for London; **girl** — speiderpike. — **dog** ['gaid dɔg] førerhund. **-post** veiskilt.
guided missile ['gaidid 'misail] (fjern)styrt rakett (el. prosjektil).
guided tour ['gaidid tuə] selskapsreise.
guiding rod ['gaidiŋrɔd] styrestang.
guidon ['gaidən] standart; fanebærer.
guild [gild] gilde, lag, laug.
guilder ['gildə] gylden (mynt).
guildhall ['gildhɔ:l] gildehus, laugshus. **Guildhall** rådhuset i the City of London.
guile [gail] svik, falskhet, list; bedra; besnære. **guileful** ['gailful] svikefull, ful. **guileless** ['gaillis] uten svik; troskyldig.
guillemets ['giliməts] pl. anførselstegn.
guillemot ['gilimɔt] teiste, lomvi (fugl).
guilloche [gi'ləuʃ] slangeornament, guillochering.
guillotine [gilə'ti:n] giljotin; giljotinere. — **window** giljotinevindu (det alminnelige engelske **sash window**).
guilt [gilt] brøde, skyld; straffbarhet, straffskyld. **guiltiness** ['giltinis] skyld, straffverdighet. **guiltless** ['giltlis] skyldfri, uskyldig; **be** — **of** ikke ha greie på.
guilty ['gilti] skyldig; straffverdig; brødefull; skyldbevisst; — **of** skyldig i; **bring a man in** — dømme en mann skyldig; **plead** — erkjenne seg (for) skyldig; **a** — **conscience** en dårlig samvittighet.
Guinea ['gini].
guinea ['gini] guinea (en eldre, ikke lenger gangbar gullmynt; nå brukes ordet som verdibetegnelse for 21 shillings, d. s. s. 105 p.).
guinea | corn negerhirse, durra. — **-dropper** bedrager. — **fowl,** — **hen** perlehøne. — **pig** marsvin (liten gnager); (fig.) forsøkskanin, prøveklut; (sl.) strämann; styremedlem som får én guinea pr. møte; medstifter av en svindelforretning. — **wheat** mais.
Guinevere ['g(w)inivə].
guise [gaiz] skikkelse, form; lag, måte; maske, dekke, forkledning.
guitar [gi'tɑ:] gitar. **guitarist** [gi'tɑ:rist] gitarist.
gulch [gʌlʃ] bergkløft, geil; elvefar.
gulden ['guldən] se **guilder.**
gules [gju:lz] rødt (i heraldikk).
gulf [gʌlf] golf, vik, havbukt; avgrunn, kløft, gap, svelg; malstrøm, sluk, strømhvirvel. **Gulfstream** ['gʌlfstri:m]; **the** — Golfstrømmen.
gulfy ['gʌlfi] rik på havbukter.
gull [gʌl] måke, måse.
gull [gʌl] dumrian, tosk; narre, bedra.
gullet ['gʌlit] spiserør; vannrenne; (pl.) ulvetenner på en sag.
gullibility [gʌli'biliti] dumhet, lettroenhet.
gullible ['gʌlibl] dum, lettroende.
Gulliver ['gʌlivə].
gully ['gʌli] uttørret elvefar; renne, rennestein, avløpskanal; uthule; skvulpe; (skotsk) stor kniv. — **hole** kloakksluk. — **raker** kvegtyv. — **trap** rennesteinsavløp.
gulosity [gju'lɔsiti] forslukenhet, grådighet.
gulp [gʌlp] slurk, jafs, drag; sluke, svelgje, tylle i seg; **at one** — i en eneste munnfull; — **out** hikste fram.

gulpin ['gʌlpin] lettroende menneske.
gum [gʌm]: **by — ved Gud, saft suse!**
gum [gʌm] gom, tannkjøtt. **old mother Gum** gammel tannløs kjerring.
gum [gʌm] gummi, tyggegummi; (amr.) kalosjer; våg (i øyet); ha gummi på; gummiere, klebe; narre, pusse. **— arabic** gummi arabicum. **— drop** gelédrops. **— elastic** gummi elasticum, kautsjuk.
gumboil ['gʌmbɔil] tannbyll.
gum-lac ['gʌmlæk] gummilakk.|
gummiferous [gʌ'mifərəs] som gir gummi.
gumminess ['gʌminis] klebrighet.
gummous ['gʌməs] gummiaktig, klebrig; tykk.
gummy ['gʌmi] gummiaktig; klebrig; fet.
gump [gʌmp] tosk, idiot; kylling.
gumption ['gʌm(p)ʃən] foretaksomhet; forstand, omløp i hodet, godt vett. **gumptious** ['gʌm(p)ʃəs] skarp, dyktig, med omløp i hodet.
gum | resin ['gʌmresin] gummiharpiks. **-stick** (gammeldags) narresutt. **-sucker** ['gʌmsʌkə] ung australier av européisk opprinnelse.
gum tree gummitre.
gun [gʌn] tyv, bondefanger; utspionere.
gun [gʌn] kanon, pistol, gevær; skudd; skyte med børse; gi full gass; **a big** (el. **great) —** en storkar; **it is blowing great -s** det blåser en kraftig storm.
gun | barrel ['gʌnbærəl] børseløp, børsepipe. **-boat** kanonbåt. **— carriage** lavett. **-cotton** skytebomull. **— deck** batteridekk, kanondekk. **-fire** skyting; signalskudd, vaktskudd.
gun metal ['gʌnmetl] kanonmetall.
gunnage ['gʌnidʒ] antall av kanoner (på et krigsskip).
gunnel ['gʌnl] se **gunwale.**
gunner ['gʌnə] konstabel, artillerist; jeger; kanonér; maskingeværskytter; **kiss the -'s daughter** bli bundet til en kanon og få tamp.
gunnery ['gʌnəri] (tungt) skyts; artilleritenskap; skyting med kanoner. **— control** ildledelse. **— officer** batterisjef. **— practice** artilleriskyteøvelse.
gunn(e)y ['gʌni] jute (en slags grovt pakkleret), jutestrie, sekk. **— sack** vadsekk.
gunplay ['gʌnplei] skyting.
gunport ['gʌnpɔ:t] kanonport.
gunpowder ['gʌnpaudə] krutt; **— factory** kruttverk; **the Gunpowder Plot** Kruttsammensvergelsen (5. nov. 1605).
gunreach ['gʌnri:tʃ] skuddvidde.
gun room ['gʌnru:m] kadettmesse.
gunrunning ['gʌnrʌniŋ] ulovlig innføring av våpen i et besatt område, våpensmugling.
gunshot ['gʌnʃɔt] skudd, skott; skuddvidde.
gun-shy [gʌnʃai] skuddredd.
gun sight ['gʌnsait] kanonsikte.
gun site ['gʌnsait] kanonstilling.
gunsmith ['gʌnsmiθ] børsemaker.
gunstock ['gʌnstɔk] børseskjefte, børsestokk.
Gunter ['gʌntə] engelsk matematiker; **-'s chain** landmålerkjede; **according to —** et uttrykk som betegner noe riktig, selvfølgelig.
gun turret ['gʌn'tʌrit] maskingeværtårn.
gun wad ['gʌnwɔd] forladning.
gunwale ['gʌnl] reling, esing, rip.
gurge [gə:dʒ] malstrøm.
gurgle ['gə:gl] gurgle, klukke; skvulpe; gurgling, klukking; skvulping.
gurnard ['gə:nəd] knurr (en fisk).
gurrah ['gʌrɑ:] gurrah (et slags grovt musselin).
gurrawaun ['gʌrəwɔ:n] kusk (i India).
gurry ['gʌri] mindre fort; fiskeavfall.
guru ['gu:ru:] åndelig veileder, guru (i India).
Gus eller **Guss** [gʌs] diminutiv av **Augustus** og **Gustavus** [gʌs'tɑ:vəs].
gush [gʌʃ] strømme, fosse, bruse, flømme; snakke overspent, strømme over i følelser; utgyte; strøm; sprøyt; utgyting, svermerisk sentimentalitet; oppsiktsvekkende avisartikkel.

gusher ['gʌʃə] noe som strømmer fram; (amr.) petroleumskilde; overstrømmende menneske.
gushing ['gʌʃiŋ] strømmende; ildfull; overstrømmende.
gusset ['gʌsit] skjøt, kile (i klær); stråle (i hanske); vinkelplate (i dampkjele).
Gussie, Gussy ['gʌsi] diminutiv av: **Augusta.**
gust [gʌst] vindstøt, kastevind, vindrose, flage, kast; utbrudd (av lidenskap).
Gustavus [gʌs'tɑ:vəs] Gustav.
gusto ['gʌstəu] velopplagthet; smak, velbehag.
gusty ['gʌsti] stormfull, byget.
gut [gʌt] tarm; innvoller (plur.), slo; grådighet; trangt sund; strede (f. eks. Gibraltar); ta innvollene ut (især av fisk), sløye, gane; tømme; plyndre; ødelegge; sluke begjærlig, ete og drikke. **guts** [gʌts] tarmer, innvoller; saft og kraft, ryggrad, mot, bein i nesen; **I hate his —** jeg tåler ham ikke; **more -s than brains** lykken bedre enn forstanden; **he has plenty of -s but no bowels** han er hard og ufølsom.
gut scraper ['gʌtskreipə] felegnikker.
gut string ['gʌtstriŋ] tarmstreng.
gutta-percha ['gʌtə'pə:tʃə] guttaperka.
guttate ['gʌteit], **guttated** ['gʌteitid] med stenk i, spettet, droplet; dråpeformet.
gutter ['gʌtə] renne; takrenne; rennestein; fure, grop; lage renne i; hule ut, fure; gi avløp gjennom en renne; strirenne; renne (om lys). **— bred** oppvokst på gata. **— chanter** gatesanger.
gutterhotel bod med forfriskninger på gata.
guttering ['gʌtəriŋ] renner; renning, drypping.
gutter press smusspresse.
guttersnipe ['gʌtəsnaip] gategutt, rennesteinsunge.
guttle ['gʌtl] sluke, fråtse.
guttulous ['gʌtjuləs] dråpeformet.
guttural ['gʌt(ə)rəl] guttural, strupe-; guttural, strupelyd.
guy [gai] Guy Fawkes-figur (som blir båret omkring den 5. november og brent); fugleskremsel, spjåk, julebukk; (amr.) fyr, kar.
guy [gai] bardun; feste med barduner.
guy rope ['gairəup] støttetau.
guzzle ['gʌzl] nidrikke, fylle i seg; fråtse, stoppe seg. **guzzler** fyllebøtte, dranker.
Gwendolen, Gwendoline ['gwendəlin].
gwyniad ['gwiniəd] sik.
gyall ['gaiɔ:l] gayalokse.
gybe [dʒaib] jibbe, se også **gibe.**
gyle [gail] brygg; vørter; bryggekar, bryggeså.
gym [dʒim] gymnastikksal, gymnastikk.
gymkhana [dʒim'kɑ:nə] idrettshus; sportsstevne, kappleik.
gymnasium [dʒim'neizjəm] gymnastikksal; gymnasium.
gymnast ['dʒimnæst] gymnast, turner.
gymnastic [dʒim'næstik] gymnastisk.
gymnastics [dʒim'næstiks] gymnastikk; **practise —** gymnastisere.
gymno i smstn. naken-.
gymnosophist [dʒim'nɔsəfist] gymnosofist, naken vismann (asketisk indisk filosof).
gym shoes ['dʒimʃu:z] gymnastiksko; turnsko.
gynarchy ['dʒinɑ:ki] kvinneherredømme. **gynecocracy** [dʒini'kɔkrəsi] kvinnestyre. **gynecologist** [gaini'kɔlədʒist] gynekolog. **gynecology** [gaini'kɔlədʒi] gynekologi.
gyp [dʒip] oppasser, tjener (i universitetsspråk); svindler; bedra.
gyp [dʒip] (slang); **give one —** skjenne på, straffe el. sjenere en.
gypseous ['dʒipsiəs] gipsaktig, gipsholdig; gips-.
gypsum ['dʒipsəm] gips.
gypsy ['dʒipsi] sigøyner, se **gipsy.**
gyrate [dʒai'reit] svive rundt. **gyration** [dʒai'reiʃən] omdreining; rotasjon. **gyratory** ['dʒairətəri] roterende; som sviver rundt.

gyrfalcon ['dʒə:fɔ:lkən] jaktfalk.

gyro ['dʒai(ə)rəu] autogyro; gyroskop; gyrokompass. — **horizon** kunstig horisont. **-pilot** auto(mat)pilot.

gyromancy ['dʒaiərə(u)mænsi] gyromanti.

gyroscope ['dʒaiərəskəup] gyroskop.

gyrus ['dʒairəs] hjernevindinger.

gyve [dʒaiv] lenke, fotlenke; lenkebinde.

H

H, h [eitʃ] H, h; **to drop one's h'es** ikke uttale h'ene, snakke «halvemål».

H. el. h. fk. f. harbour; hard; height; high; hour(s); husband; hail.

ha [ha:] å, hå.

ha. fk. f. hectare.

H. A. fk. f. Horse Artillery.

H. A. A. fk. f. heavy anti-aircraft.

h|a. fk. f. his account.

hab. corp. fk. f. habeas corpus.

Habeas Corpus ['heibjəs'kɔ:pəs]: — **Act** en lov fra 1679, som beskytter en engelsk borger mot å bli fengslet eller holdt fengslet uten lov og dom; **writ of** — ordre til å fremstille en anholdt for retten.

haberdasher ['hæbədæʃə] kremmer (som handler med sysaker, bånd osv.), trådhandler. **haberdashery** ['hæbədæʃəri] mindre manufakturvarer (sysaker og bånd); (amr.) herreekvipering.

haberdine ['hæbədi(:)n] klippfisk.

habergeon ['hæbədʒən] brystharnisk.

habiliments [hə'bilimənts] kledning, klær.

habit ['hæbit] sedvane, lag, vis, tilbøyelighet, vane; drakt, dameridedrakt; (legems-)konstitusjon; tilstand; kle; **be of a full** — være i godt hold; **be of a spare** — være mager; **be in the** — **of** pleie; **get into bad -s** få dårlige vaner; **it grows into a** — **with him** det blir ham en vane; **leave** (el. **break**) **off an inveterate** — oppgi en inngrodd vane; **by** (el. **from**) — av gammel vane. **habitability** [hæbitə'biliti] beboelighet. **habitable** ['hæbitəbl] beboelig. **habitant** ['hæbitənt] beboer; ['hæbitɔ:ŋ] fransk innbygger i Canada. **habitat** ['hæbitæt] hjemsted; bosted, oppholdssted; beliggenhet. **habitation** [hæbi'teiʃən] beboelse; bolig.

habit|cloth lett klede (særlig til dameridedrakt). **-forming** vanedannende. **-gloves** ridehansker (damers). — **maker** skredder som syr dameridedrakter.

habitual [hə'bitjuəl, -tʃuəl] tilvant; vanemessig; sedvanlig, vanlig, alminnelig. — **drinker** vanedranker. **habituate** [hə'bitjueit, -tʃu-] venne. **habitude** ['hæbitju:d] vane, lag, vis, måte; omgang, fortrolighet. **habitué** [hə'bitjuei] stamgjest.

hachure [hæ'ʃuə] skravering; skravere.

hacienda [hæsi'endə] gård, plantasje, gods.

hack [hæk] hakke; gjøre hakk i, hakke sund; radbrekke (ord); harke; hakke tenner; hakke, grav; hakk.

hack [hæk] leiehest; skottgamp, øk; sliter, sleper, lønnsslave srl. en som utfører litterært dusinarbeid; leie-; forslitt, utslitt, fortersket.

hackamore ['hækəmɔ:] grime brukt til innkjøring av hester.

hack|carriage drosje. — **cough** hard, tørr hoste. — **horse** leiehest, drosjehest, skysshest. — **journalist** «bladsmører».

hacking cough ['hækiŋkɔf] hard, tørr hoste.

hackle ['hækl] hekle; rive sund; hakke, skamhogge; hekle; råsilke; nakkefjær på hane; flue (til fisking); **show -s** reise bust.

hackly ['hækli] opphakket, ujevn, ru.

hackman ['hækmən] vognmann.

hackney ['hækni] brukshest; leiehest; leievogn, gjøre forslitt, banalisere, slite ut. — **coach** leievogn, drosje. — **coachman** drosjekusk.

haek | **saw** metallsag, baufil. — **watch** observasjonsur. — **work** slavearbeid, dusinarbeid.

had [hæd, (h)əd] imperf. og perf. pts. av **have; you** — **better go** du gjør (el. gjorde) best i å gå; **I** — **rather go** jeg vil (el. ville) heller gå.

haddock ['hædək] kolje, hyse.

Hades ['heidi:z].

hadji ['hædʒi:] pilegrim til Mekka.

hadn't sammentrukket av **had not.**

hadst [hædst] gl. 2. pers. sing. imperf. av **have.**

hae- når ord med denne forstavelse ikke fins her, se under **he.**

haemal ['hi:məl] hæmal, blod-. **haematogen** [he'mætədʒən] hematogen. **haematosis** [hi:mə'təusis] hematose, bloddannelse. **haemoglobin** [hi:mə(u)'ɡləubin] hemoglobin. **haemophilia** [hi:mə(u)'filiə: he-] hemofili, blødersykdom.

haemorrhage ['heməridʒ] blødning. **haemorrhoids** ['hemərɔidʒ] hemorroider.

haemostatic [hi:mə'stætik] blodstillende (middel).

haft [hæft] håndtak, skaft, skjefte.

hag [hæg] hurpe, trollkjerring, heks; slimål. **hagberry** ['hæɡbəri] hegg; heggebær.

Haggard ['hæɡəd].

haggard ['hæɡəd] vill; uhyggelig; mager, skrinn, uttært; forgremmet; utemmet falk.

haggis ['hæɡis] skotsk rett av hakket innmat av kalv el. sau.

haggish ['hæɡiʃ] trollslig, trolldomsaktig.

haggle ['hæɡl] tinge, prute. **haggler** pruter; oppkjøper.

hagiography [hæɡi'ɔɡrəfi] hagiografi. **hagiographer** [-fə] hagiograf.

hag-ridden ['hæɡridn] være mareridd, ha mareritt.

ha-ha [ha:'ha:] forsenket gjerde (i grøft).

Hague [heig], **the** — Haag (byen).

Haidee [hai'di:].

hail [heil] hagl; hagle; la det hagle med.

hail [heil] hilse; praie; rope; praiing, rop; — **from** stamme fra; komme fra. **hail! hail!** vel møtt! **Hail Mary** Ave Maria.

hail-fellow(-well-met) ['heil feləu ('wel'met)] kamerat, god busse; kameratslig.

hail|shower haglbyge. **-stone** haglkorn. **-storm** haglstorm, haglskur.

haily ['heili]: — **weather** haglvær.

hair [hɛə] hår, pels; få hår til å vokse; **by a** — på hengende håret; **he has combed my** — **the wrong** way han har ergret meg; **dress one's** — greie, sette opp håret; **a fine head of** — godt hår; **keep your** — **on!** ta det rolig! ikke så hissig! **he pulled his** — **for him** han holdt en riktig straffepreken for ham; **split -s** være hårkløver.

hair|bag hårpung. — **bleach** (hår)blekemiddel. **-breadth** hårsbredd; **have a hairbreadth escape** slippe unna med nød og neppe. **-brush** hårbørste. **-cloth** hårduk. **-cutter** frisør; barber. **-cut** klipping, frisering. **-do** frisyre. **-dress** hårpynt. **-dresser** frisør; barber. **-dressing** frisering. — **dye** hårfargemiddel. — **glove** frotterhanske.

hairiness ['hɛərinis] hårethet.

hairless ['hɛəlis] hårløs, snau.

hair|pencil pensel. **-pin** hårnål. **-pin bend** hårnålsving. **-powder** pudder. **-raising** hårreisende. **-shirt** hårskjorte, botsskjorte. **-setting lotion** legge-

vann. -splitter hårkløver. -splitting hårkløvende, hårkløver-. — spray hårlakk. — trigger [-'trigə] snellert (i geværlås). — tonic hårvann. -wash hårvask.
hairy ['hɛəri] håret, lodden. — feet gemen, tarvelig.
Haiti ['heiti].
hake [heik] lysing (fisk).
Hal [hæl] diminutiv av: Harry, Henry.
halberd ['hælbəd] hellebard. halberdier [hæl-bə'diə] hellebardist.
halcyon ['hælsiən] kongefisker (fugl); fredelig, stille. — days lykkelige dager.
hale [heil] hale, dra; slepe.
hale [heil] sunn, rask, kraftig, sterk.
half [ha:f] halv; halvt, halvveis; halvdel; semester, halvår; — a year et halvt år; — the year halve året; — a pound et halvt pund; a — -pound et halvpundstykke; three hours and a — 3½ time; at — past 6 klokka halv sju; it is — past klokka er halv; every one with — an eye in his head might have seen enhver kunne ha sett med et halvt øye; — a moment et lite øyeblikk; you are not — a fellow! you are not — up to snuff! du er en fin fyr! du er ikke riktig inne i forholdene. I have — a mind to do it jeg har nesten lyst til å gjøre det; he is too clever by — han er altfor dreven; come in — gå i stykker; cut in — skjære midt over, not —! det kan du banne på! not — well temmelig dårlig; not — bad temmelig god, slett ikke så ille.
half-and-half ['ha:fənd'ha:f] halvparten av hver(t), halvblandet; blanding av ale og porter.
halfback ['ha:f'bæk] (i fotball) halfback.
half|-baked halvstekt, rå o. l.; halvtomset. — -baptize hjemmedøpe. — -binding halvbind. — -blooded halvblods. — -board halvpensjon. — -bound innbundet i halvbind. — -brained halvtomset, halvgal. — -bred halvblods, halvdannet. — -breed blandingsrase; bastard. — -brother halvbror. — -caste halvkaste. — -cock halvspenn. — -cracked halvtullet. — crown halvkrone (en sølvmynt, verd 2½ shillings, d. s. s. 12½ p.). — -done halvgjort; halvkokt o. l. — -feed halvgal. — -foolish halvtullet. '— -gone halvgal; bedugget. — -grown halvvoksen. — -hearted sjofel; svak, vag, lunken, likegyldig. — -holiday halv fridag (fri om ettermiddagen). — -hour halvtime. it wants ten minutes to the — den mangler ti minutter på halv. — -length bryst-bilde. — life, — -life period halveringstid. — -light halvlys, tusmørke. — -mast: at — -mast på halv stang. — -measure halv forholdsregel. — -moon halvmåne. — mourning halvsorg.
halfness ['ha:fnis] halvhet.
half | past halv. — pay halv gasje, pensjon, ventepenger. -penee ['heipəns] halvpence (gamle pence); three -pence 1½ d. -pennies ['heipəniz] halvpennystykker. -penny ['heipəni] halvpenny; sixpence -penny seks og en halv penny; a two-penny -penny stamp et frimerke til to og en halv pence. — pint «halviter» (øl). — -price halv pris; children — -price bann det halve! — -rocked halvtomset. — -scholar halvdannet. — -seas-over halvfull. — -sighted kortsynt. — -sister halvsøster. — step halvtone. — story kvist-etasje. — -sword: be at — komme i håndgemeng. — -thought overfladisk mening. — -timbered house bindingsverkshus. — time pause mellom omgangene (sport). — -timer arbeider som bare arbeider halve tiden; skolegutt som bare er på skolen halve tiden. — -track kjøretøy (ofte pansret) med hjul foran og belter bak. — -turn halv dreining. -way ['ha:f'wei] på halvveien; halvveis; midtveis. -witted fjollet, halvtullet. — year halvår, semester. — -yearly halvårlig, halvårs-.
halibut ['hælibʌt] hellefisk, kveite.
halidom ['hælidəm] helligdom, relikvie.
Halifax ['hælifæks].
halitosis [hæli'təusis] dårlig ånde, halitose.

11. Engelsk–Norsk

hall [hɔ:l] hall, sal; vestibyle, forstue, gang, entré; herresete; rettssal; kneipe; varieté (for: music hall); (i universitetsspråk): kollegium; spisesal; this is liberty — her er vi i frihetens land, her kan vi gjøre som vi vil.
hallelujah [hæli'lu:jə] halleluja.
halliard ['hæljəd] fall (tau el. talje til å heise en rå, gaffel el. et seil opp med).
hallmark ['hɔ:lma:k] (gull- el. sølv-) stempel; preg; stemple.
hallo [hə'lau] hallo!
halloo [hə'lu:] rope (hallo); huie, heie; rope oppmuntrende til; praie; hallo; don't — till you are out of the wood gled deg ikke for tidlig.
hallow ['hælau] hellige; innvie.
Halloween, Hallowe'en ['hælau'i:n] allehelgens-aften (31. oktober). Hallowmas ['hælə(u)mæs] allehelgensdag, helgemess (1. november).
hall | stand ['hɔ:lstænd] paraplystativ (med speil og knaggrekke), stumtjener. — -time middagstid (for studenter).
hallucination [həlu:si'neiʃ(ə)n] hallusinasjon, sansebedrag, synkverving; feiltagelse.
halm [ha:m] halm.
halma ['hælmə] halma, slags brettspill.
halo ['heilau] glorie, strålekrans; ring (om sol el. måne); omgi med glorie.
halogen ['hælədʒən] saltdanner. — lights halogenlys.
halophyte ['hæləfait] saltplante.
halt [hɔ(:)lt] halt; halting; halte; dryge, vakle.
halt [hɔ(:)lt] holdt, stans; stanse, stane, gjøre holdt; sette en stopper for; la stanse, la gjøre holdt; make a — gjøre holdt, stanse.
halter ['hɔ(:)ltə] en som halter.
halter ['hɔ(:)ltə] grime; strikke, reip; legge grime på; legge reipet om.
halve [ha:v] halvere, kløve, dele i to like store deler; (i golf:) — a hole with him nå et hull med det samme antall slag som han; — a match spille uavgjort.
halves [ha:vz] halvdeler; pl. av half.
halyard ['hæljəd] se halliard.
Ham [hæm] Kam (i Bibelen).
ham [hæm] skinke; bakdel; hase; radioamatør.
hamadryad [hæmə'draiəd] hamadryade.
Hamburg ['hæmbə:g].
hamburger ['hæmbə:gə] hakket oksekjøtt; karbonadesmørbrød, hamburger.
hames [heimz] bogtre.
ham|-fisted, — handed med skinkenever, klønet, klosset.
Hamite ['hæmait] hamitt. Hamitic [hə'mitik] hamittisk.
hamlet ['hæmlit] liten landsby; grend.
hammer ['hæmə] hammer; geværhane; hamre, banke, slå, slå fast, gjennomdrøfte; bring to the — bringe under hammeren, selge ved auksjon; come (el. go) to the — bli solgt ved auksjon; be -ed bli erklært for insolvent (børsspråk); — out hamre ut; gjennomdrøfte; work at — and tongs arbeide av all kraft; live (like) — and tongs leve sammen som hund og katt; — it into one's head banke det inn i hodet på en. -beam stikkbjelke. -cloth stasklede, dekken på kuskebukk. — -hard herdet ved hamring. — -harden kaldhamre. -head ham-merhode; hammerhai (fisk). — scale hammer-slagg, glødeskall. -smith hammersmed.
Hammersmith ['hæməsmiθ] (kvarter i London); he has been at — han har fått ordentlig bank.
hammer works ['hæməwə:ks] hammerverk.
hammock ['hæmək] hengekøye. — chair ligge-stol. — nettings pl. finkenett.
hamper ['hæmpə] stor kurv, stor korg, torg-korg, kleskorg, flisekorg; legge i korg; clothes — kleskorg.
hamper ['hæmpə] hindring; bringe i uorden; hindre, hefte; belemre, bry, tynge, lesse.
Hampshire ['hæmpʃə].
Hampstead ['hæmstid].

Hampton ['hæm(p)tən]; — **Court** Hampton slott, i nærheten av London.

hamshackle ['hæmʃækl] binde et dyr med hodet til det ene forbeinet; tømme, tøyle.

hamster ['hæmstə] hamster (gnager).

hamstring ['hæmstriŋ] hasesene; skjære hasene over på, skamfere. **hamstrung** ['hæmstrʌŋ] imperf. og perf. pts. av **hamstring.**

hand [hænd] hånd, hand (hos ape, hauk og hest) fot; (hos kreps) saks; håndsbredd; side, retning; håndlag; behendighet; mann, kar, arbeider, matros; håndskrift; håndkort; spiller; urviser (**long, short** — langviser, lilleviser); levere; rekke, fli, lange; beslå (seil); lede, ledsage, leie (ved hånden); **a light** — en lett hånd; mildhet; **slack** — (fig.) treghet, sorgløshet; — **down** gi videre (til etterkommere); **heart and** — inderlig, hjertelig; **in the turn of a** — i en håndvending; **at** — for hånden, nær; **I was at his right** — jeg var for hånden; **he has got the book (at) second** — han har kjøpt boka brukt; **I only demand justice at your -s** jeg krever bare rettferdighet av Dem; **by** — med hånden, **the child is brought up by** — barnet blir flasket opp; **he died by his own** — han døde for egen hånd; **by the strong** — med makt; **for one's own** — på egen hånd, for egen regning; **from good -s** fra en sikker kilde; **from** — **to mouth** fra hånd til munn; **in** — i hende; **the matter in** — den foreliggende sak; **money in** — rede penger; — **in** — hånd i hånd; **heavy in** — vanskelig å styre; **be in** — være under arbeid; **give money in** — gi penger på hånden; **have money in** — ha penger mellom hendene; **off** — på flekken, med det samme; uten vanskelighet; på stedet, improvisert; **off one's -s** ferdig, kvitt; **-s off** vekk med fingrene, fingrene av fatet; **on** — i hende, på lager; til rådighet; **on all -s** på alle kanter; **on the other** — på den annen side, sett fra den annen kant; derimot, men; **heavy on** — tung i hånden; vanskelig å behandle; **he has this difficulty on his -s** han har denne vanskelighet å stri med; **on the mending** — på bedringens vei; **money out of** — kontante penger; — **over** **head** hodekulls; **have one's** — **out** være ute av øvelse; ikke ha noe å gjøre med; **to one's** — rede, til rådighet; **fight** — **to** — kjempe i håndgemeng; **under** — underhånden, hemmelig; **-s up!** opp med hendene! **be** — **and glove with** stå på en fortrolig fot med; ha mye å gjøre med; **buy at the best** — kjøpe billig; **carry it with a high** — leve flott, slå stort på; **change -s** skifte eier; **come to** — komme til rette, komme fram; bli mottatt; **your letter has come to** — jeg har mottatt Deres brev; **force one's** — tvinge en; **get one's** — **in** arbeide seg inn i, få øvelse; **have one's** — **in** ha en finger med i spillet; **hold** — **with** være likestilt med; **join -s** gi hverandre hånden; **kiss one's** — **to** sende fingerkyss til; **lay one's** — **upon the book** avlegge ed; **live by one's -s** leve av sine henders arbeid; **make a poor** — at gjøre lite inntrykk på; **make no** — ikke være i stand til, gjøre dårlig fremskritt; **out of** — uten videre, på stående fot; ustyrlig, utenfor kontroll; **put one's** — **to** stjele; gi seg av med; **shake -s** ta hverandre i hånden, håndhilse; **strike -s** treffe en overenskomst; slå lag; **take my** — ta kortene mine; **take by the** — ta i sin beskyttelse, ta under armene; **take one through -s** holde en straffepreken for en; **all -s on deck!** alle mann på dekk! **be a good** — være en dyktig arbeider; **he is a good** — **at cards** han er en dyktig kortspiller; **I am an old** — **at** it jeg er en gammel erfaren mann; **send by** — sende med bud; **a cool** — et kaldblodig el. uforskammet menneske; **a knowing** — en luring; **elder** — forhånd; **younger** — bakhånd; **have a good** — ha lykke i spill, ha gode kort; **you have the (first)** — De er i forhånd, De spiller ut; **take a** — **at poker** spille et parti poker; **good** — god håndskrift; **round** — rundskrift.

hand|bag dameveske, håndtaske, pose; håndkoffert. — **baggage** håndbagasje. **-ball** kasteball. **-barrow** båre; trillebår; dragkjerre. **-basket** håndkorg. **-basket portion** de penger som mannen får av sin kones foreldre. **-bell** bordklokke. **-bill** flyveblad; billet; program; gjeldsbevis. **-book** håndbok. **-breadth** håndsbredd. **-car** dresin. **-cart** håndkjerre, dragkjerre. **-cuffs** håndjern. — **drill** håndbor(maskin).

Handel ['hændl] Händel.

hander ['hændə] en som overleverer el. overrekker; sekundant; slag over hånden.

hand|fire engine håndsprøyte. **-ful** ['hændful] håndfull. — **gallop** [-'gæləp] kort galopp. — **glass** glassklokke (til å sette over planter); håndspeil. — **glasses** (amr.) lorgnett, neseklemmer, briller. — **grenade** ['hændgrineid] håndgranat. **-grip** håndtrykk. **-hold** grep, håndtak. — **hole** inspeksjonshull.

handicap ['hændikæp] handikap (et gammelt kortspill); i sport: løp hvor forskjell mellom de deltagende blir utjevnet ved vekt eller ved at man gir de svakere forsprang; hemsko, hindring, handikap; utjevne; hemme, hindre; handikappe; **they want a favourable** — **for their** trade de ønsker begunstigelse for sin handel; **they are heavily -ped** de er meget uheldig stilt. **handicapper** ['hændikæpə] oppmann som bestemmer betingelsene for handikapløpet.

handicraft ['hændikrɑːft] håndarbeid; håndverk. **handicraftsman** [-smən] håndverker.

handiness ['hændinis] behendighet, fingerferdighet; hensiktsmessighet.

handiwork ['hændiwəːk] verk, arbeid.

handkerchief ['hæŋkətʃif] tørkle, lommetørkle.

handle ['hændl] ta fatt på, fingre på, ta på; håndtere; behandle; lede, føre; manøvrere (et skip); gjøre bruk av; ha å gjøre med, greie med; skjefte; sekundere (ved brytekamp); håndgrep; håndtak, skaft; hank; **they were vigorously -d** det ble tatt kraftig fatt på dem; — **without gloves** ikke ta på med silkehansker; — **money** freely gi ut mange penger; **give a** — gi el. by en gunstig leilighet; **take by the right** — ta fatt i den riktige enden; **a** — **to one's name** en tittel. **fly off the** — fly i flint, bli rasende. **handlebar** ['hændlbɑː] sykkelstyre; — **basket** sykkelkurv; — **moustache** mustasje, knebelsbart. **hand|line** ['hændlain] håndline, bunnsnøre. **-liner** snørefisker.

handling ['hændliŋ] berøring; håndtering, behandling, bruk, handsaming, medfart. **handling charges** pl. omlastningskostnader.

hand|-lining ['hændlainiŋ] snørefiske. — **loom** håndvev. **-made** håndlaget; håndsydd. **-maid** jente, tjenestepike, hushjelp. **-maiden** se **-maid.** **-maker** tyv. — **-me-downs** ['hændmi'daunz] brukte klær; ferdigsydd; billig, smakløs. — **mill** håndkvern. **-mirror** håndspeil. — **organ** lirekasse. **-out** utdeling; pressemelding. — **-paper** bøttepapir. — **-picked** håndplukket. **-rail** gelender, rekkverk. **-saw** håndsag; knivhandler på gata; **not to know a hawk from a -saw** ikke å kunne telle til to. **hand's-breath** håndsbredd.

handscrew ['hændskruː] skrutvinge.

handsel ['hænsəl] hansel; håndpenger; gi hansel; forsmak; bruke første gangen, krympe. **Handsel Monday** første mandagen i det nye året. **handseller** ['hændselə] gateselger.

handshake ['hændʃeik] håndtrykk, håndtak.

handshower ['hændʃauə] hånddusj.

handsome ['hænsəm] smukk, skjønn, vakker, pen; anselig, staut, betydelig; edel, fin; gavmild; klekkelig; **come down -ly** vise seg gavmild; **do the** — **thing** være gavmild, være meget høflig.

hand|spike håndspak, våg. — **spray** hånddusj; sprayboks. **-spring** kollbøtte, rundkast. — **-to-hand** mann mot mann. — **vice** filklo, skruestikke. **-writing** håndskrift.

handy ['hændi] behendig, fingernem; bekvem, øm, praktisk; for hånden, nær ved; nyttig; til assende tid; **be — with** være flink med; **come – komme** beleilig. **— blow** neveslag. **— book** åndbok. **— cuff** ['hændikʌf] neveslag. — **handy** ['hændi'dændi] hvilken hånd vil du ha? **n** barnelek hvor barnet skal gjette i hvilken ånd en gjemmer noe godt e. l.

hang [hæŋ], (i imperf. og perf. pts. **hung** unnt. betydningen: drepe ved hengning), henge; enge opp; behenge; henge (i galgen); bringe galgen; la henge; henge med (f. eks. hodet); olde i spenning, holde i uvirksomhet; hemme **n bevegelse**; (fig.) hylle til; være hengt opp; ære hengt (i galgen); sveve; sveve i uvisshet, ryge, somle; vakle; drive omkring; være i like-ekt; skråning, hall; innretning, orden; hang, **ilbøyelighet**; **go and — yourself, you be -ed** gå okker i vold! **— a jury** hindre de edsvorne i avgi en kjennelse ved som edsvoren å nekte **itt** samtykke til kjennelsen; **— fire** ikke gå av traks, klikke (om børse); (fig.) være vaklende, ryge, somle; **get the — of a thing** få taket **å**, skjønne; **I don't care a — jeg** bryr meg **okker** om det; **— about** drive omkring; — **aek** kvie seg, ville nødig; **— it all!** pokker heller! **— on** henge ved; henge fast; tynge på; være **ivhengig** av; se forundret på; lytte spent til; olde ut; bli til besvær; **— up** henge opp; legge **å** røret (telefonen); dryge med, dryge ut; — **ip one's fiddle** oppgi noe; trekke seg tilbake **ra** forretningene; **— it up!** skriv det på regning! amr.) glem det ikke! **— on by the eyelids** klore **eg** fast; **— up one's hat in a house** innrette **eg** hos en som om man er hjemme; **— a room ith paper** tapetsere et værelse.

hangar ['hæŋə, 'hæŋgə, 'hæŋgɑ:] hangar.

hangdog ['hæŋdɔg] en fyr av et skurkaktig **ig** skyldbevisst utseende, fark, galgenfugl; gal-**jenfuglaktig**.

hanger ['hæŋə] en som henger oppe; bøddel; **tapetserer**; kleshenger; hempe; grytekrok; rab-**el**; jaktkniv; bratt skogli. **hanger-on** ['hæŋər'ɔn] **ilhenger**; snyltegjest, påheng.

hangfire shot skudd som ikke går av.

hanging ['hæŋiŋ] hengende; hengning; oppe-**nengning**; omheng, gardin, draperi; **marriage nd — go by destiny** ingen kan unngå sin skjebne. **— affair** (el. **matter**) en sak som kan bringe en **i** galgen. **— committee** opphengingskomité (ved **naleriutstillinger**). **— market** flau forretning.

hangman ['hæŋmən] bøddel.

hangnail ['hæŋneil] neglerot.

hang-out ['hæŋaut] tilholdssted.

hang-over ['hæŋəuvə] tømmermennn, bakrus; **relikt**, levning.

hank [hæŋk] bunt, dukke (garn); hårlokk; tak; **hegde**; **catch a — on** hevne seg på; **have a — on a man** el. **have a man on the —** ha en mann **i** sin makt; **have a great — over** ha stor inn-**flytelse** hos.

hanker ['hæŋkə] hige, lengte, stunde (**after** etter). **hankering** ['hæŋkəriŋ] attrå, lengt, lengsel.

hanky ['hæŋki] (i barnespråk) lommetørkle.

hanky-panky ['hæŋki'pæŋki] knep, hokus-pokus; fiksfakserier; flørt.

Hanover ['hænəvə] Hannover. **Hanoverian** [hænə'viəriən] hannoveransk; hannoveraner.

Hansa ['hænsə] se **Hanse**.

Hansard ['hænsəd] ≈ Stortingstidende, de trykte parlamentsforhandlinger (etter boktryk-kerens navn).

Hanse [hæns] Hansa; **the — towns** hansa-stedene.

Hanseatic [hænsi'ætik] hanseatisk, hanse-.

hansel ['hænsəl] se **handsel**.

Hansen's disease ['hænsəns di'zi:z] Hansens sykdom, spedalskhet.

hansom ['hænsəm] el. **— cab** tohjult heste-drosje.

han't [(h)eint] fk. f. **has not** el. **have not.**

hantle ['hɑ:ntl] mengde, god slump.

Hants [hænts] fork. f. **Hampshire.**

Hanwell ['hænwəl]; **— asylum** et psykriatrisk sykehus.

hap [hæp] hendelse, tilfelle; lykke; lykketreff; hende; **good — lykke**; **ill — ulykke**; ulykkes-tilfelle; **by good — til alt hell**; **by ill — til alt** uhell.

hap [hæp] (provinsielt og skotsk) dekke, hylle inn; kåpe, dekke.

ha'penny ['heipəni] se **halfpenny.**

haphazard ['hæp'hæzəd] lykke, slump, lykke-treff; tilfeldig, vilkårlig, slumpe-; **at** el. **by —** på slump.

hapless ['hæplis] ulykkelig, uheldig.

haply ['hæpli] tilfeldigvis.

ha'p'orth ['heipəθ] en halvpennys verdi; **a — of cheese** for en halv penny ost; (fig.) **a poor — o' cheese** en svekling; **spoil the ship for a — of tar** spare på skillingen og la daleren gå.

happen ['hæpn] hende, inntreffe, treffe seg; **I -ed to be there** jeg var der nettopp, jeg var der tilfeldigvis; (amr.) **to — on** treffe til-feldigvis. **happening** ['hæpniŋ] hendelse, hending; treff; en forestilling uten forhåndsplan, men innen en viss ramme, ofte spontan og impulsiv.

happily ['hæpili] lykkelig; heldig; elegant.

happiness ['hæpinis] lykke; lykksalighet; skjønnhet, ynde; velvalgt uttrykk.

happy ['hæpi] heldig; lykkelig; lykksalig; glad; passende, treffende; behendig, slagferdig; **— about** tilfreds med, glad for; **(I am) — to see** you det gleder meg å se Dem; **she would make** herself **quite —** hun ville gjøre seg det riktig hyggelig, hun ville ha det riktig koselig; **in a — hour, in — time** i en heldig stund.

happy | dispatch ['hæpi dis'pætʃ] harakiri. — **ending** lykkelig slutt.

happy-go-lucky ['hæpigə(u)'lʌki] ubekymret, sorgløs; på må få, det får gå som det vil.

happy ship ['hæpi ʃip] arbeidsplass (skip) hvor det hersker godt og hyggelig samarbeid.

Hapsburg ['hæpsbə:g] Habsburg.

hara-kiri ['hærə'kiri] harakiri, japansk selv-mord ved oppspretting av maven.

harangue [hə'ræŋ] harang, tale; ordskvalder, svada, prek; holde tale til; preke. **haranguer** [hə'ræŋə] taler; ordgyter; skvaldrebøtte.

harass ['hærəs] trette, utmatte; pine, plage; mase på; forstyrrelse, uro. **harasser** ['hærəsə] plageånd. **harassment** ['hærəsmənt] forstyrrelse, uro; utmatting.

harbinger ['hɑ:bindʒə] bebuder, budbærer, for-løper; bebude, melde; **— of spring** vårbud.

harbour ['hɑ:bə] havn, hamn; (fig.) tilflukts-sted, ly; huse, gi ly, skjule; nære (følelser, tanker); finne havn, ankre i havn, være til huse. — **captain** havnekaptein. **— commissioners** havne-kommisjon. **— dues** havneavgifter.

harbourless ['hɑ:bəlis] uten havn.

harbour | light havnefyr. **— master** havnefoged. — **seal** steinkobbe. **-works** havneanlegg.

hard [hɑ:d] stø, landingssted.

hard [hɑ:d] hard; stri; streng, grusom; van-skelig, tung; pinlig, smertelig; sterk, kraftig (om regn, drikk o. l.); forherdet; gjerrig, sårende; flittig, utholdende; praktisk; grov (om trekk); stiv, tvungen (om stil, kunst); tarvelig (f. eks. om kost); sur (om drikk); berusende; som adverb: hardt, strengt; med anstrengelse, møysommelig, ivrig; skarpt, nøye; vanskelig; tungt; nær, tett; **I thought it — upon me** jeg synes det var hardt mot meg; **— cash** (el. **money**) rede penger, kon-tanter; **a horse in — condition** en hest i god kondisjon; **— of digestion** tungt fordøyelig; — **egg** hardkokt egg; **— to please** vanskelig å til-fredsstille; **— labour** straffarbeid, tukthusstraff; **— lines** harde vilkår, harde bud; **— drinker** dranker; **a — student** en flittig student; et jern til å studere; **beg — be** inntrengende; **— names** økenavn; sterke uttrykk; **— words** vanskelige uttrykk; — by tett ved; — -fought battle hard-nakket slag; it is — upon one klokka er nesten ett; look one — in the face se en rett i ansiktet; they tried very — de prøvde av all makt; — up opprådd, i pengeknipe. — -and-fast urokkelig, stiv, uelastisk; av alle krefter. -back bok i stivt bind, innbundet bok. -bake mandel-knekk. — base permanent utskytningsrampe. — -bitted, — -bitten hardkjeftet; seig; stri (om hest). — -boiled hardkokt. — currency hard valuta. — drinks alkoholholdige drikker, mots. soft drinks.

harden ['hɑːdn] gjøre hard, herde; forherde, bli hard, hardne; bli forherdet.

hard|-faced, — -favoured, — -featured med grove, frastøtende trekk; barsk. — facts pl. nakne kjennsgjerninger. — -fisted med harde, grove hender; ubehøvlet; gjerrig. — -fought se under hard. — -frozen stivfrossen. — -handed se — -fisted. — hat stiv hat, bowelrhatt; verne-hjelm; bygningsarbeider. — -headed klok; gløgg; listig; forstandig; kaldt beregnende.

hardihood ['hɑːdihud] dristighet, djervskap.

hardily ['hɑːdili] tappert, uforferdet, dristig.

hardiness ['hɑːdinis] utholdenhet, hardførhet; (sjelden: tapperhet, uforferdethet).

Harding(e) ['hɑːdiŋ].

hardly ['hɑːdli] hardt; neppe, snautt, nesten ikke; — anybody nesten ingen; — anything nesten ingenting; — ever nesten aldri; hardly ... when neppe ... før.

hard-mouthed ['hɑːdmauðd] hardkjeftet (om hest); stri, vrang; gjerrig.

hardness ['hɑːdnis] hardhet osv., se hard.

hard|nibbed hard (om penn). — -of hearing tunghørt. — -reared vant til grov kost. — rubber (amr.) ebonitt.

hards [hɑːdz] stry, drev.

hard | sell (amr.) pågående reklame. — -set sterkt betrengt; streng, ubøyelig. hardship ['hɑːdʃip] undertrykkelse, overlast, urett; be-sværlighet, byrde, strabas, gjenvordighet.

hardware ['hɑːdwɛə] isenkram, jernvarer; (skyte)våpen. — dealer jernvarehandler. -man wareman ['hɑːdwɛəmən] jernvarehandler.

hard way [hɑːd wei]: learn the — lære (et fag) fra bunnen av.

hardwood ['hɑːdwud] hardt, tettfibret treslag; løvtre.

hardy ['hɑːdi] dristig, djerv; hardfør.

hare [hɛə] hare; first catch your — (then cook it) d. s. s. man skal ikke selge skinnet før bjørnen er skutt; kiss the -'s foot komme for sent; — and hounds papirjakt, jaktlek med utstrødde papirbiter.

harebell ['hɛəbel] blåklokke.

hare-brained ['hɛəbreind] flyktig, tankeløs.

hare|-hearted feig. -lip haremunn, hareskår. -lipped med haremynt.

harem ['hɛərəm] harem.

haricot ['hærikəu] snittebønne.

hark [hɑːk] lytte, høre etter; — back! kom tilbake! kom hit! (til hunder som er kommet på et galt spor); — back komme tilbake til ut-gangspunktet for en samtale e. l.

harkee ['hɑːki], harkye ['hɑːkji] hør! hør nå!

harl [hɑːl] slepe; bringe i forvirring; floke; slepes; slepe seg; sleping; trevler (av lin); uhederlig vinning; hundekobbel.

harlequin ['hɑːlikwin] harlekin, narr; trylle bort; komisk, latterlig.

harlequinade [hɑːlikwi'neid] harlekinade, del av pantomime hvor harlekin spiller hoved rollen; løyer, gjøgleri.

Harley ['hɑːli]; — street gate i London, hvor mange leger har kontor.

harlot ['hɑːlət] skjøge, hore, ludder.

harlotry ['hɑːlətri] skjøgelevnet, prostitusjon.

harm [hɑːm] vondt, skade, mén, ugagn, for-tred; skade, gjøre fortred; what — has he done to you? hva har han gjort Dem? I meant no —

det var ikke så vondt ment; there's no — don ingen skade skjedd; — watch, — catch den sor graver en grav for andre, faller selv i den out of -'s way i sikkerhet; there is no — i trying det skader (jo) ikke å forsøke; he woul not — a fly han gjør ikke en katt fortred.

harmattan [hɑːmə'tæn] tørr ørkenvind.

harmful ['hɑːmful] skadelig; vond.

harmless ['hɑːmlis] uskadelig, harmløs.

harmonic [hɑː'mɔnik] harmonisk; — distortio (radio) klirr, harmonisk forvrengning.

harmonica [hɑː'mɔnikə] harmonika; munnspil

harmonics [hɑː'mɔniks] harmonilære.

harmonious [hɑː'məunjəs] harmonisk; fredeli; vennskapelig.

harmonist ['hɑːmənist] harmonist; komponis

harmonium [hɑː'məunjəm] harmonium, hus orgel.

harmonization [hɑːm(ə)nai'zeiʃ(ə)n] harmoni sering; (fig.) samklang, harmoni.

harmonize ['hɑːmənaiz] harmonisere; (fig. bringe i samklang; synge flerstemmig; harmo nere; komme overens.

harmony ['hɑːməni] harmoni; (fig.) samdrek tighet, samsvar, overensstemmelse; fredelighet

harness ['hɑːnis] harnisk, rustning; seletøy sele; gi rustning på; sele på, spenne for temme, utnytte; die in — henge i selen til de siste. — maker salmaker.

harns]hɑːnz] (skotsk) hjerne.

Harold ['hærəld].

harp [hɑːp] harpe; spille på harpe; (fig.) all tid komme tilbake til det samme, alltid spill på den samme streng, gnåle om el. på.

harper ['hɑːpə], harpist ['hɑːpist] harpespiller harpist.

harpoon [hɑː'puːn] harpun; harpunere. har-pooner [hɑː'puːnə] harpunér.

harpress ['hɑːpris] harpespillerske.

harpsichord ['hɑːpsikɔːd] cembalo.

harpy ['hɑːpi] harpy, blodsuger; furie.

harquebus ['hɑːkwibəs] (gml.) hakebørse.

harridan ['hæridən] heks, gammel hurpe.

harrier ['hæriə] harehund, støver; myrhauk.

Harriet ['hæriet].

Harrogate ['hærəgeit].

Harrovian [həˈrəuvjən] elev fra skolen Harrow ['hærəu].

harrow ['hærəu] harv; harve; (fig.) rive stykker; pine. harrowing opprivende, rystende.

Harry ['hæri] kjælenavn for Henry; Old — fanden, Gamle-Erik; play Old — with a man behandle en mann fryktelig.

harry ['hæri] herje, plyndre; pine. harrying ['hæriiŋ] herjing, plyndring.

harsh [hɑːʃ] harsk, trå, stram; hard, grov, skjærende, grell, skurrende; rå, barsk; plump, frastøtende, ubehagelig. harshen ['hɑːʃən] gjøre harsk, hard osv. harshness stramhet; hardhet, strenghet; barskhet, grettenhet.

hart [hɑːt] hjort.

hartal [hɑːˈtɑːl] arbeidsstans, boikott (i India); proteststreik (med politisk formål).

hart-royal ['hɑːtˈrɔiəl] en hjort som kongen forgjeves har jagd, og som siden er fredet.

hartshorn [hɑːtsˈhɔːn] hjortehorn, hjortetakk; hjortetakkspiritus; salt of — hjortetakksalt.

harum-scarum ['hɛərəmˈskɛərəm] vill, ube-sindig, fremfusende; vill person, galning; kåthet.

Harvard ['hɑːvəd]; — College det eldste universitet i De forente stater.

harvest ['hɑːvist] høst; avl; (av)grøde; høste, høste inn; owe someone a day in — være en stor takk skyldig; reap a golden — gjøre en rik høst; sow for a — gjøre noe av egennytte.

harvester ['hɑːvistə] høstarbeider, skurmann; slåmaskin, selvbinder.

harvest festival høsttakkefest.

harvest home høstgilde, skurgilde, høstfest.

harvest moon fullmåne nærmest høstjevndøgn.

harvest mouse liten markmus, dvergmus.

Harwich ['hærɪdʒ].

has [hæz, svakt (h)əz] 3. p. sg. pres. av **have**.

hash [hæʃ] hakke, skjære i stykker, ødelegge; **hakkemat; lapskaus; hasj;** virvar, rot, røre.

hasheesh, hashish ['hæʃi(:)ʃ] hasjisj, hasj, orientalsk narkotikum fremstilt av indisk hamp.

Haslemere ['heɪzlmɪə].

hasn't ['hæznt] sammentrukket av **has not**.

hasp [hɑːsp] hasp, hempe, vinduskrok; spenne; **hespel;** hespetre; lukke med hasp el. spenne.

hassle, hassel [hæsl] krangel; krangle.

hassock ['hæsək] fotskammel, knelepute.

hast [hæst] gml. 2. p. sg. pres. av **have**.

hastate ['hæsteɪt] spydformet.

haste [heɪst] hast, fart, il; **make** — skynde seg; **be in** — ha det travelt; **the more** —, **the less speed** hastverk er lastverk.

hasten ['heɪsn] haste, ile, skynde seg; framskynde, skynde på, forsere.

hastily ['heɪstɪlɪ] hurtig, skyndsomt.

hastiness ['heɪstɪnɪs] hurtighet, hastighet; overilelse, hissighet; iver.

hasting ['heɪstɪŋ] tidlig moden; **hastings** tidlig modne grønnsaker.

Hastings ['heɪstɪŋz].

hasty ['heɪstɪ] hastig, brå, hurtig; brålyndt, hissig; hastverks-; — **pudding** grøt.

hat [hæt] hatt; **opera** — chapeau claque; **be in the** — være i knipe, være kommet ut å kjøre; **under one's own** — på egen hånd; **change -s** hilse på hverandre; **I'll eat my** — **first** jeg vil heller ete hatten min; **he hangs his** — **up there** han er som hjemme der; **have a brick in one's** — være full; **keep it under your** — hold det for deg selv; **iron a** — presse opp en hatt; **put one in a** — få en i sin makt; **talk through one's** — snakke borti veggene.

hatable ['heɪtəbl] som fortjener å bli hatet, avskyelig.

hatband ['hætbænd] hattebånd, hattesnor; sørgeflor om hatten; **it fits like Dick's** — det passer som en knyttneve til et blått øye.

hatbox ['hætbɒks] hatteske.

hatch [hætʃ] halvdør; (mar.) luke; sluseport; **under -es** (mar.) ikke i tjeneste, ikke på dekket; suspendert; i nød; vel forvart; død; **down the** —! skål! bånnski!

hatch [hætʃ] ruge ut, klekke ut; ruge; ruges ut; klekkes ut; utruging; utklekking; yngel, kull; pønske ut; **count one's chickens before they are -ed** selge skinnet før bjørnen er skutt.

hatch [hætʃ] skravere; skravering.

hatchel ['hætʃəl] hekle; hekle, skrubbe, plage, terge.

hatcher ['hætʃə] en som ruger ut; rugemaskin.

hatchery ['hætʃərɪ] utklekkingsanstalt.

hatchet ['hætʃɪt] håndøks, liten øks; hogge; **bury the** — begrave stridsøksen, slutte fred; **sling the** — smette unna; **take** (el. **dig**) **up the** — begynne krig; **throw the** — skrøne; **send** (el. **throw**) **the helve after the** — oppgi alt; — **-face** langt ansikt med skarptskårne trekk; — **job** nedrakking, nedsabling.

hatching ['hætʃɪŋ] utruging, utklekking.

hatching ['hætʃɪŋ] skravering.

hatching apparatus rugemaskin.

hatchment ['hætʃmənt] våpen, våpenskjold (ofte om en avdøds våpen, som ble anbrakt på huset ved begravelsen og hang der i 6—12 måneder, deretter i kirken).

hatchway ['hætʃweɪ] luke (om åpningen).

hate [heɪt] hate, avsky; (poet.) hat; **I should** — **that to happen** jeg ville (meget) nødig at det skulle skje; — **worse** hate mer.

hateful ['heɪtf(u)l] forhatt, avskyelig, (sjelden: hatefull).

hater ['heɪtə] hater.

hat|ful ['hætful] en hel del. — **guard** snor i hatten; fangsnor. — **rack** hattehylle.

hath [hæθ] gml. form for **has** av **have**.

Hathaway ['hæθəweɪ].

hatless ['hætlɪs] uten hatt, barhodet.

hatmoney ['hætmʌnɪ] kaplak (frakttillegg, som tilfaller skipperen).

hatred ['heɪtrɪd] hat (of el. for til).

hatter ['hætə] hattemaker; **mad as a** — splittergal; sint som en tyrk.

hat-touching hilsende; **have a** — acquaintance with være på hatt med, være på nikk med.

hat trick (sport) å vinne tre ganger etter hverandre, lage tre mål etter hverandre i en kamp.

hauberk ['hɔːbəːk] ringbrynje.

haught [hɔːt] stolt, kaut, hovmodig, overlegen.

haughtily ['hɔːtɪlɪ] hovmodig, stolt.

haughtiness ['hɔːtɪnɪs] hovmod, stolthet.

haughty ['hɔːtɪ] hovmodig, kaut, stolt; — **contempt** opphøyd forakt.

haul [hɔːl] hale, dra; haling; trekk, transport; lass; rykk; drett; kast; varp, fangst; **get a fine** — gjøre et godt varp; **haul-net** ['hɔːlnet] kastenot, dragnett.

haulage ['hɔːlidʒ] transport, frakt. — **charge** transportkostnader.

haulm [hɔːm] halm; stilk.

haunch [hɔːnʃ] hofte; bakfjerding; bakdel, ende; — **of sheep** sauelår.

haunt [hɔːnt] tilholdssted; oppholdssted; besøke ofte, frekventere; hjemsøke; spøke i; plage, besvære; **the house is -ed** det spøker i huset.

haunter ['hɔːntə] stamgjest.

haustorium [hɔːs'tɔːrɪəm] sugetråd.

hautboy ['əʊbɔɪ] obo.

hauteur [əʊ'təː, 'əʊtəː] stolthet, hovmod, overlegenhet.

Havana [hə'vænə] Havana; havanasigar, havaneser. **Havanese** ['hævə'niːz] havanesisk; havaneser.

have [hæv, (h)əv] ha; besitte; få; la; **the -s and the have-nots** de besittende og de eiendomsløse, de rike og de fattige; **as Shakespeare has it** som det står hos Shakespeare; **what would you** — me do hva vil du at jeg skal gjøre; **I won't** — it jeg vil ikke vite av det; **I** — **had my hair cut** jeg har fått klipt håret mitt; — **something gone** få gjort noe, la noe gjøre; — **some wine** drikk litt vin; **he had his leg broken** han brakk beinet; — **by heart** kunne utenat; **you** — **it right** det er riktig; **you had better** (el. **best** el. **rather**) du gjør (el. gjorde) best i, du burde; **I** — **had a friend of your Mr. Irving's** en venn av Deres Irving har besøkt meg; **how nice of you to** — me det var snilt av Dem å be meg, takk for innbydelsen; **he had the bishopric given him** han fikk bispedømmet overdratt, bispedømmet ble gitt ham; **he has had it** han er ferdig, det er ute med ham. **I would** — **you write** jeg ville gjerne De skulle skrive; **let him** — it la ham få det, gi ham inn; **I will** — **none of it, I won't** — **that** jeg finner meg ikke i det, det vil jeg ha meg frabedt; **what answer would you** — me return? hva vil De jeg skal svare? **what would you** —? hva ønsker De? — **a care** passe på, ta seg i akt; — **a mind to** ha lyst til; — **after** følge etter, forfølge; — **at** angripe; begynne på; — **at him** gå løs på ham; — **at you!** der har du den! se deg for! — **away** fjerne, skaffe av veien; **you** — **to** du må; **I don't want to go. But I tell you, you will** — **to** (**go**) jeg vil ikke gå. Men jeg sier deg, du må; — **it out** få en ende på det; trekke ut (om en tann); — **upon me** ha på meg (f. eks. penger).

havelock ['hævlɒk] havelock, lue med tørkle til beskyttelse mot solen.

haven ['heɪvn] havn, ly (mest i overført bet.).

havenage ['heɪvnɪdʒ] havneavgift.

haven't ['hævnt] sammentrukket av **have not**.

haver ['hævə] havre.

haver ['heɪvə] vrøvle; vås, tøv, vrøvl (skotsk).

haverel, haveril ['heɪvrɪl] vrøvlekopp, tosk.

haversack ['hævəsæk] skulderveske; brødpose (soldats).

havoc ['hævək] ødelegging; skade; nederlag; blodbad; ødelegge, herje, massakrere; **make — of ødelegge**; massakrere.

haw [hɔ:] innhegning, hegn, hage, gård.

haw [hɔ:] hagtorn; hagtornbær.

haw [hɔ:] blinkhinne (hos hest og hund).

haw [hɔ:] stamme, kremte, hakke; stamming, kremt; hm, eh, øh.

Hawaii [həˈwaii] Hawaii. **Hawaiian** [heˈwaiiən] hawaiisk; hawaiianer.

Hawarden ['hɑ:dn].

hawbuck ['hɔ:bʌk] idiot, tosk.

hawfinch ['hɔ:finʃ] kirsebærfugl, kjernebiter.

haw-haw ['hɔ:'hɔ:] ha-ha; skratt, latter; storle.

hawk [hɔ:k] hauk; falskspiller, bedrager; jage med falk; jage; **it is neither — nor buzzard** det er verken fugl eller fisk; **ware (the) — pass på!**

hawk [hɔ:k] renske halsen, harke; harking.

hawk [hɔ:k] høkre, rope ut, sjakre; bringe videre, spre.

hawk [hɔ:k] kalkbret, mørtelbrett.

hawker ['hɔ:kə] gateselger.

hawking ['hɔ:kiŋ:] falkejakt; sjakring.

hawk moth ['hɔ:kmɔθ] aftensvermer.

hawk swallow ['hɔ:kswɔlɔu] tårnsvale.

hawse ['hɔ:z] klyss (hull i skipsbaugen); **— box** klyssfôring.

hawser ['hɔ:zə] pertline, trosse.

hawthorn ['hɔ:θɔ:n] hagtorn.

Hawthorne ['hɔ:θɔ:n].

hay [hei] hei! hallo!

hay [hei] høy; **make — høye**; (amr.) **between — and grass** for tidlig til det ene og for sent til det andre; (amr.) **neither — nor grass** verken fugl eller fisk; **look for a needle in a -stack** lete etter en nål i et høystakk; **he made — of my books and papers** han kastet bøkene og papirene mine om hverandre; **make — while the sun shines** smi mens jernet er varmt.

hay | **asthma** høyfeber. **-bag** kvinnfolk. **— box** høykasse. **— burner** havremotor (ɔ: hest). **-cart** høyvogn. **-cock** ['heikɔk] høysåte. **— cutter** slåmaskin.

Haydn ['haidn].

hay | **fever.** høyfeber. **-field** eng. **-fork** høygaffel. **-loft** høyloft. **-maker** slåttekar. **-making** slått(onn).

Haymarket ['heimɑ:kit] gate i London.

hay | **mow** ['heimɔu] innhøstet høy. **-rake** høyrive. **-rick** høystakk. **-seed** høyfrø; høyrusk; (amr.) bonde. **-stack** høystakk.

haywire ['heiwaiə] balletråd; **go — floke seg**; bli skjør.

hazard ['hæzəd] tilfelle, treff; fare, vågestykke; hasard, vågespill; hull (i biljard og ballspill); våge; sette på spill; løpe en risiko.

hazardous ['hæzədəs] vågelig, vågal.

haze [heiz] tåke, dis; forvirring, uklarhet; **dry — varmedis.**

haze [heiz] pine, plage, terge; dørhale.

hazel [heizl] hassel; nøttebrun.

hazel grouse ['heizlgraus] jerpe.

hazelly ['heizli] nøttebrun.

hazel nut ['heizlnʌt] hasselnøtt.

haziness ['heizinis] disighet; omtåkethet.

Hazlitt ['hæzlit].

hazy ['heizi] disig, tåket; dunkel, ubestemt; omtåket, anløpen.

HB fk. f. **hard black** (om blyant).

H. B. M. fk. f. **Her (His) Britannic Majesty.**

H-beam ['eitʃbi:m] I-bjelke, I-profil (kanaljern).

H-bomb ['eitʃbɔm] hydrogenbombe, vannstoffbombe.

H. C. fk. f. **House of Commons.**

H. C. F. fk. f. **highest common factor.**

he [hi, (h)i] han; den, det; **he who** den som.

H. E. fk. f. **His Excellency; high explosive; — charge** sprenglegeme.

head [hed] hode, forstand, vett; overhode; høvedsmann, øverste; hovedperson, leder; hoved-

punkt, punkt, post, sak; naut; det øverste øverste del, øverste ende, topp, åsrygg, fjellkam (tre)krone; kilde, kjelde, oppkomme, opphav; fall høyde, vanntrykk; forreste del, forstavn, forside forende; spiss, nes, odde; overskrift; avsnitt først; forrest, hovedsakelig; hoved-, over-, forsette hode på; spiss o. l.; lede, føre, sette seg spissen for; innta forsetet; innhente, komme foru for, gå i forveien; holde tilbake; stå i spissen stå øverst; få et hode; nikke en ball; vende; ta kursen; føre (om vei); springe ut; gå hodekull løs på noe; **one £ a** (el. **per) — et £ pr. person**, pr. kuvert, pr. snute; **on that — i den henseende; back of the — nakke; crown of the — isse; — over heels** hodekulls, hodestupes, hulten til bulter; **over — and ears** til opp over ørene fullstendig; **neither — nor tail** verken fugl eller fisk; **get** (el. **take) into one's — sette seg i hodet give one's — a toss, toss up one's — slå med** nakken; **keep one's — bevare fatningen; to have a (terrible) — en** (fryktelig) hodepine; **turn — dreie seg om**, gjøre front; **an idle — is the devil's workshop** lediggang er roten til alt ondt; **poor — for figures** være dårlig til å regne; **be off one's — være fra forstanden**, fra vettet; **gather — samle** styrke; **give a horse the — gi en hest frie tøyler; make — against gjøre motstand**, sette seg tvert imot; **make — (up)on vinne forsprang for; take — være sta** (om hest); **on that — på det punkt**, hva det angår; **a beautiful — of hair vakkert** hår; **she threw herself at his — hun kastet seg** rett i armene på ham; **at the — of i spissen** for; øverst i (ved); **— of the table æresplassen; head(s)** or **tail(s) krone eller mynt; make — to** sette kursen imot; **offences under this — . . . av** denne kategori; **twenty — of cattle tjue naut.**

headache ['hedeik] hodepine; bekymring, problem; **headachy** ['hedeiki] som har el. lett får hodepine; som forårsaker hodepine.

head | **band** hodebånd, pannebånd. **— beetle** første mann (på et verksted). **-board** hodegjerde, endestykke. **— boy** duks. **— chair** ørelappstol; **— cold** snue. **— cook** overkokk. **— cook and bottle-washer** enepike. **-dress** hodepynt, hodeplagg.

header ['hedə] en som setter hode på; dukkert; stup, hodekulls fall el. sprang, nikk, skalle (fotball).

head fast ['hedfɑ:st] baugtrosse.

head | **first** hodestupes, på hodet; **-gear** hodeplagg.

headily ['hedili] ubesindig.

headiness ['hedinis] voldsomhet; stridighet, stivsinn; berusende egenskap (av en drikk).

heading ['hediŋ] tittel, hode, overskrift.

headland ['hedlənd] pynt, nes, odde.

headless ['hedlis] hodeløs; tosket.

headlight ['hedlait] forlanterne (på lokomotiv); frontlys, hovedlys (på bil).

headline ['hedlain] overskrift, hovedpunkt. **— news** kort nyhetssending (radio).

head | **long** ['hedlɔŋ] hodekulls, på hodet; ubesindig; voldsomt. **-man** ['hed'mæn] hovedmann, høvding, fører, formann; skarpretter. **-master** ['hed'mɑ:stə] skolebestyrer, rektor. **-mastership** rektorat, skolebestyrerstilling. **-mistress** (kvinnelig) rektor, skolebestyrerinne. **— money** koppskatt; pris som blir satt opp for hver fange som blir tatt. **-most** ['hedmɔust] forrest, fremst. **— moulding** det el. vindusgesims.

head nurse ['hed'nə:s] oversøster.

head-of-family forsørger.

head-on collision front mot front kollisjon.

head over heels hodekuls, hodestupes.

headphones pl. ['hedfəuns] hodetelefoner, øretelefoner.

headpiece ['hedpi:s] hjelm; hodeplagg; forreste stykke, hodestykke; (fig.) hode.

headquarters ['hed'kwɔ:təz] hovedkvarter; **— company** stabskompani.

head resistance ['hedri'zistəns] frontalmottand; luftmotstand, drag.
headrest ['hedrest] hodestøtte, nakkestøtte, nakkepute.
headroom ['hedrum] takhøyde, innvendig høyde; fri høyde.
headsail ['hedseil] forseil.
headscarf ['hedskɑ:f] skaut.
headset ['hedset] sett hodetelefoner.
headshake ['hedʃeik] hoderisting.
headship ['hedʃip] førerstilling; rektorat.
headshrinker ['hedʃriŋkə] hodejeger; psykiater, psykoanalytiker.
headsman ['hedzmən] skarpretter.
headspring ['hedspriŋ] kilde, kjelde, oppkomne; opphav.
headstone ['hedstəun] hjørnestein; gravstein.
headstrong ['hedstrɔŋ] stri, sta; hissig.
head valve ['hedvælv] trykkventil.
head|waiter hovmester. — **waters** utspring.
headway ['hedwei] bevegelse fremover; fremskritt; forsprang; fart; **gather** — komme i gang; **make** — komme av sted; gjøre fremskritt; **be under** — være i full fart.
head | wind ['hedwind] motvind. — **word** oppslagsord. — **work** tankearbeid.
heady ['hedi] stivsinnet, egensindig; selvrådig, overilet, voldsom; berusende; omtåket.
heal [hi:l] lege, kurere, helbrede; bilegge, forsone; leges, heles, gro igjen.
heal-all ['hi:lɔ:l] universalmiddel.
healer ['hi:lə] (natur)lege; legemiddel.
healing ['hi:liŋ] legende, helbredende.
health [helθ] helse, sunnhet; helbred; skål; **bill of** — helsepass; **board of** — sunnhetskommisjon; **Ministry of Health** = helsedirektorat (-departementet); **be in good (bad)** — ha det godt (dårlig); **drink one's** — drikke en skål for; **your good)** —! Deres skål! **here's a** — **to . . .**! skål **for . . .**! **wear them in good** —! slit dem med helsen!
healthful ['helθful] sunn, frisk, rask; god for helsen.
health-giving sunn, helsebringende.
healthily ['helθili] sunt.
healthiness ['helθinis] sunnhet.
health insurance syketrygd.
health | officer funksjonær i helsestellet. — **resort** sanatorium, kursted.
healthy ['hi:pi] sunn; — **appetite** stor appetitt.
heap [hi:p] hop, haug, bunke, dynge; masse; **hope** opp, dynge på; **a** — of mange, en masse, en hel dynge med; **all of a** —, **all on a** — i en klump; forvirret, forbløffet; **strike all of a** — gjøre rent målløs; **sit in a** — sitte forknytt, sammenkrøpet; **live at full** — leve i overdådighet; — **coals of fire on his head** samle glødende kull på hans hode.
heaped measure toppet mål.
heapy ['hi:pi] som ligger i bunker, i dynger.
hear [hiə] høre; erfare, få vite; høre på; — **a case** behandle en sak (jur.).
heard [hə:d] imperf. og perf. pts. av hear.
hearer ['hiərə] tilhører.
hearing ['hiəriŋ] høring; hørsel; avhør; rettsmøte, saksbehandling; forhør; **be hard of** — høre dårlig; **within** — innenfor hørevidde. — **aid** høreapparat. — **spectacle** hørebrille. — **trumpet** hørerør.
hearken ['hɑ:kən] lytte, lye etter.
hearsay ['hiəsei] forlydende, rykte; folkesnakk.
hearse [hə:s] likvogn; likbåre; sette på likvogn, sette på båre; kjøre til kirkegården.
heart [hɑ:t] hjerte; mot; kraft; det innerste, midte; alved, malm; marg; the — **beats** (el. **palpitates**) hjertet banker; **disease of the** — hjertesykdom; **bless my** — å du gode gud; **by** — utenat; **for one's** — inderlig gjerne; om det så skulle koste livet; **be all** — være godheten selv; **find it in my** — bringe det over mitt hjerte, få meg til, orke det; **in my** — of -s i mitt

innerste hjerte, innerst inne; **in one's secret** — i sitt stille sinn; **wear one's** — **on one's sleeve** mangle tilbakeholdenhet, vise enhver sine følelser; **with all one's** — hjertens gjerne; av hele sitt hjerte; — **of the matter** sakens kjerne; — **of an apple** kjernehus; — **of my** — min hjertevenn, -venninne; **he is a good fellow at** — han er i grunnen et godt menneske; **speak one's** — snakke fritt ut; **my** — **fails** motet svikter meg; **out of** — motløs; **take** — fatte mot.
heart|ache ['hɑ:teik] hjertesorg. — **attack** hjerteanfall. **-beat** hjerteslag; hjertebank. **-breaker** hjerteknuser. **-breaking** hjerteskjærende. **-broken** med knust hjerte, sorgtynget. **-burn** halsbrann; kardialgi. **-burning** misnøye; nag, skinnsyke. **-cheering** oppmuntrende. **-complaint, -disease** hjertesykdom.
hearten ['hɑ:tn] oppmuntre, sette mot i.
heart failure ['hɑ:tfeiljə] hjertefeil, hjertelammelse, hjerteslag.
heart|felt ['hɑ:tfelt] inderlig, hjertelig. **-free** ikke forelsket.
hearth ['hɑ:θ] arne, arnested; skorstein; kamin; åre, peis, grue. — **rug** kaminteppe. — **stone** gruestein; årestein; arne; hjem; skurestein; skure, polere.
heartily ['hɑ:tili] hjertelig, varmt, ivrig; kraftig; frisk, freidig; grundig; muntert, glad; meget.
heartless ['hɑ:tlis] hjerteløs. **heartlessness** hjerteløshet.
heart-rending ['hɑ:trendiŋ] hjerteskjærende.
heart-rent ['hɑ:trent] sønderknust.
heart rot tørråte; kjerneråte.
hearts ['hɑ:ts] hjerter (i kort); **queen of** — hjerterdame.
heartsease ['hɑ:tsi:z] stemorsblomst.
heartsick ['hɑ:tsik] hjertesyk, sorgtynget.
heartsome ['hɑ:tsəm] oppmuntrende; munter.
heartsore ['hɑ:tsɔ:] sorgtynget; hjertesorg.
heart | spasm brystkrampe. — **spoon** brystbein. — **-stirring** gripende. — **-stricken** rammet i hjertet; sorgtynget.
heart-whole ['hɑ:thəul] ikke forelsket.
heartwood ['hɑ:twud] alved, kjerneved.
hearty ['hɑ:ti] hjertelig; ivrig; sunn, kraftig; fast, sterk, solid, varig; munter, glad; **my** — vennen min (i tiltale); **my hearties!** guttene mine! **a** — **meal** et rikelig måltid.
heat [hi:t] hete, varme; heftighet, voldsomhet; brunst; (sport): enkelt løp; gruppe deltakere i en idrettsøvelse; varme, gjøre het; legge i; bli het, hetne, bli varm; **at a** — på én gang, i ett kjør; **be in** — løpetid (om hunder); **dead** — uavgjort løp; **final** — avgjørende løp. — **apoplexy** solstikk, heteslag. — **drop** varmetap.
heater ['hi:tə] varmer; fyrbøter; varmeinnretning, varmeapparat, ovn; strykejern; pistol. — **voltage** glødespenning.
heath [hi:θ] mo, hei; lyng. **-berry** krekling. — **bramble** blåbær. — **cock** orrhane.
heathen ['hi:ðn] hedning; hedensk. **heathendom** [-dəm] hedenskap. **heathenish** [-iʃ] hedensk. **heathenism** [-izm] hedenskap. **heathenize** [-aiz] gjøre til hedning. **heathenry** [-ri] hedenskap.
heather ['heðə] lyng, røsslyng; lyngmo; **set the** — **on fire** stifte ufred. — **bell** lyngklokke. — **honey** lynghonning. **heathery** ['heðəri] lyngaktig, lyng-; lyngbevokst; lyngbevokst sted.
heath | game ['hi:θgeim] orre. — **pea** jordskolm.
heathy ['hi:θi] lyng-; mo-.
heating ['hi:tiŋ] varmende; opphissende; oppheting, oppvarming; **steam** — sentralfyring. — **apparatus** varmeapparat. — **coil** varmespiral. — **value** varmeverdi. varmeevne.
heat | lightning kornmo. — **-power station** varmekraftverk. — **rash** heteblemmer, utslett. **-spots** heteblemmer. **-stroke** heteslag, solstikk. — **wave** ['hi:tweiv] hetebølge.
heaume [həum] (gml.) ridderhjelm.
heave [hi:v] heve, løfte; hive; heve seg; stige; stige og synke (f. eks. om bølge); båre; svulme;

ha vondt, streve, arbeide, brekke seg, slite seg; hevning, løft, tak; bølging; duving, dønning, båregang; tung pust, sukking; — **a sigh** sukke dypt; — **the lead** hive loddet; — **in sight** komme i sikte; — **to legge bi.**
heaven ['hevn] himmel(en), himmerike; (især pluralis også:) himmelhvelving (alm. **sky**); **thank Heaven!** gudskjelov!
heaven-born ['hevnbɔ:n] himmelfødt. **heaven-defying** himmelstormende.
heavenly ['hevnli] himmelsk; — **bodies** himmellegemer; **the — city** Paradis. **heavenward(s)** ['hevnwəd(z)] mot himmelen, til himmels.
heavily ['hevili] tungt; svært; besværlig, langsomt; tungsindig, bedrøvet; sterk, heftig, meget; se **heavy.**
heaviness ['hevinis] tunghet, tyngde, vekt.
heavy ['hevi] tung, svær; solid; besværlig; tungvint; heftig, kraftig, sterk; plump; trettende; kjedelig; fornem, viktig; — **of sale** vanskelig å selge; — **to the stomach** vanskelig å fordøye; — **debt** trykkende gjeld; — **casualties** hardt sårede, store tap (av menn); — **expenses** store utgifter; **a — smoker** storrøyker; — **with sleep** søvndrukken. — **-armed** tungt væpnet. — **-duty** ekstre kraftig, som kan klare hardt arbeid. — **-laden** tungt lastet. — **-weight** sværvektsbokser (-rytter, -bryter, -hest); viktig personlighet.
hebdomadal [heb'dɔmədl] ukentlig; uke-.
Hebe ['hi:bi:].
hebetate ['hebiteit] sløve, døyve. **hebetation** [hebi'teiʃən] døyving; sløvhet. **hebete** ['hebi:t] sløv. **hebitude** ['hebitjud] sløvhet.
Hebraic(al) [hi'breiik(l)] hebraisk. **Hebraism** ['hi:breiizm] hebraisk språkeiendommelighet.
Hebrew ['hi:bru(:)] hebreer; hebraisk. **Hebrewess** ['hi:bruis] hebraisk kvinne.
Hebridean [hi'bridjən] hebridisk; hebrider. **Hebrides** ['hebridi:z]: **the —** Hebridene; Suderøyene.
hecatomb ['hekətu:m] hekatombe.
heck [hek] hekk, høygrind; dørklinke; bukt-ning (av en elv); pokker, for pokker.
heckle ['hekl] hekle; interpellere strengt, plage med spørsmål, komme med tilrop.
hectare ['hektɑ:] hektar.
hectic ['hektik] hektisk, forjaget, forsert.
hectogram(me) ['hektəgræm] hektogram.
hectograph ['hektəgrɑ:f] hektograf; hektografere.
hectolitre ['hektɔli:tə] hektoliter.
hectometre ['hektəmi:tə] hektometer.
hector ['hektə] skryte; true; tyrannisere.
he'd [hi:d] sammentrukket av: **he had** eller **he would.**
heddle ['hedl] sylle (i vev).
hedge [hedʒ] hegn, gjerde, hekk; omhegne, omslutte sette gjerde omkring, omgjerde; gjemme seg, liste seg bort; vri seg unna; vedde på begge parter, helgardere (i sport); **-d (round) with restrictions** omgitt av restriksjoner på alle kanter; **be on the wrong side of the —** ta feil; **sit on the —, be on both sides of the —** lefle med begge partier.
hedgeborn ['hedʒbɔ:n] av lav ætt; simpel.
hedgehog ['hedʒ(h)ɔg] pinnsvin.
hedgehop ['hedʒhɔp] fly i lav høyde; springe fra det ene emne til det andre.
hedge|lawyer lovvrier, vinkelskriver. — **mar-riage** hemmelig ekteskap.
hedger ['hedʒə] en som setter gjerder; en som klippe hekker; luring, slu rev.
hedgerow ['hedʒrəu] hekk.
hedge|school skole under åpen himmel (tidligere i Irland); tarvelig skole. — **sparrow** gjerdesmutt. — **tavern** kneipe. — **writer** obskur forfatter.
hedonism ['hi:dənizm] hedonisme (læren om nytelsen). **hedonist** ['hi:dənist] hedonist. **hedonistic** [hi:də'nistik] hedonistisk.

heebie-jeebies ['hi:bi'dʒi:biz] nerver, nervøsitet delirium.
heed [hi:d] akte, ense, gi akt på, bry seg om akt, oppmerksomhet; omhu; forsiktighet; **giv** eller **pay** eller **take — to** ense, passe på, legg merke til; **take —** passe seg.
heedful ['hi:df(u)l] oppmerksom; forsiktig.
heedless ['hi:dlis] likegyldig, ubekymret; like sæl; ubetenksom. **heedlessness** ubesindighet skjødesløshet.
hee-haw ['hi:hɔ:] remje, skryte (som et esel) skoggerle.
heel [hi:l] hæl; skorpe (på brød, ost); slant skvett; slagside, krengningsvinkel; sette hæl på følge hakk i hæl; (mar.) krenge; legge seg ove — **bone** hælben; — **calk** hæljern, brodd; — **ca** hælbeskytter, beslag; **-s over head** hals. **head ove -s el. over head** -s hodekulls, hulter til bulter **come (down) to —** gi etter; «være snill gutt» **cool the -s** vente tålmodig; **kick one's -s** vent utålmodig; **kick up one's -s** slå bakut, more se **lay by the -s** kaste i fengsel; **pick up one's -** ta beina på nakken; stikke av; **take to one's -** stikke av; **have one's heart at one's -s** stå me hjertet i halsen; **throw up a man's -s** overvinn en; **grow out at -s** ha hull på strømpene.
heeltap ['hi:ltæp] hælflikk, hællapp; skvett (et glass); flikke, lappe.
heft [heft] håndtak, skaft; tak; tyngde; vekt betydning, innflytelse; veie, løfte.
hefty ['hefti] svær, kraftig.
Hegel [heigl]. **Hegelian** [hei'gi:liən] hegelianer hegeliansk.
hegemony [hi'gemoni] hegemoni, overherre dømme, lederstilling.
hegira ['hedʒirə, hi'dʒaiərə, he'dʒaiərə] Muha meds flukt fra Mekka til Medina i 622; flukt.
he-goat ['hi:gəut] geitebukk.
heifer ['hefə] kvige; (amr. ogs.) kone, kvinne **heigh-ho** ['hei'həu] akk! akk ja! heisan! hei
height [hait] høyde, høgd; lengde; legems størrelse; haug, fjell, ås; høydepunkt, toppunkt høy rang; høyeste makt; — **control** høyde regulering; **at the — of noon** midt på dagen **the — of perfection** fullkommenheten selv.
heighten ['haitn] forhøye, heve; forskjønne bli høyere, sterkere osv.
heinie ['haini] (amr.) tysker.
heinous ['heinəs] avskyelig, skjendig; fryktelig **heinousness** avskyelighet, skjendighet.
heir [ɛə] arving; arve; — **apparent** rettmessig arving, nærmeste arving, tronarving; — **genera** universalarving; **make him one's —** innsette ham som sin arving; **sole —** enearving. — **of the body** livsarving (direkte etterkommer).
heiress ['ɛəris] kvinnelig arving; godt parti **heirless** ['ɛəlis] uten arvinger.
heirloom ['ɛəlu:m] arvestykke.
heirship ['ɛəʃip] arverett.
hejira se **hegira.**
held [held] imperf. og perf. pts. av **hold.**
Helen ['helin].
Helena ['helinə] Helena; **St. —** [snt (h)i'li:nə] St. Helena.
heliacal [hi'laiəkl] helisk, heliotisk.
helical ['helikl] skrueformet, spiral-.
Helicon ['helikɔn].
helicopter ['helikɔptə] helikopter.
Heligoland ['heligəlænd] Helgoland.
heliocentric [hi:liə(u)'sentrik] heliosentrisk.
heliograph ['hi:liə(u)grɑ:f] heliograf; heliografere. **heliographic** [hi:liə(u)'græfik] heliografisk. — **chart** solkart. **heliography** [hi:li'ɔgrafi] heliografi. **heliogravure** ['hi:liə(u)grəvjuə] heliogravyr. **heliolater** [hi:li'ɔlətə] soltilbeder. **heliolatry** [-tri] soldyrking.
heliometer [hi:li'ɔmitə] heliometer, solmåler.
Helios ['hi:liɔs] (gresk solgud).
helioscope ['hi:ljəskəup] helioskop, solkikkert.
heliotrope ['hi:ljətrəup] heliotrop.
heliotype ['hi:ljətaip] fotografi.

heliport ['helipɔ:t] helikopterstasjon.
helispheric(al) [heli'sferik(l)] helisfærisk.
helium ['hi:ljəm] helium.
helix ['hi:liks] skruelinje, spiral.
he'll [hi:l] sammentrukket av he will.
hell [hel] helvete; spillebule; fengsel; søppel-
asse; kasse for kasserte typer i et boktrykkeri.
's bells! faen også! give 'em —! gi dem inn!
atch — få en kraftig overhaling; like — som
are rakkern (el. bare det); raise — lage et
elvetes oppstyr; like — you will så pokker om du
kal; just for the — of it bare for moro skyld.
Hellas ['helæs].
hell-bent fast besluttet.
hellcat gammel hurpe, pokkers jente.
hellebore ['helibɔ:] nyserot; julerose.
Hellene ['heli:n] hellen. Hellenian [he'li:njən],
Iellenic [he'li:nik] hellensk, gresk. hellenism
helinizm] hollenisme. hellenist ['helinist] hel-
enist, kjenner av gresk språk. hellenistic
heli'nistik] hellenistisk. hellenize ['helinaiz]
iellenisere.
Hellespont ['helispɔnt].
hellfire [el'h'faiə] helvetesild.
Hellgate ['helgeit], det trangeste sted ved
innseilingen til New York.
hellhound ['helhaund] helveteshund.
hellcat ['helikæt] (skotsk) ondt vesen.
hellier ['heljə] taktekker.
hellish ['heliʃ] helvetes, djevelsk.
hell-raiser (amr.) urostifter, bråkmaker.
helm [helm] rorpinne, ratt, ror; styrvol. —
ngle rorvinkel.
helmet ['helmit] hjelm. -ed ['helmitid] hjelm-
ledd. — beetle skjoldbille. -flower stormhatt
planten).
helminth ['helminθ] innvollsorm.
helminthic [hel'minθik] ormdrivende middel.
helminthoid [hel'minθɔid] ormeaktig.
helminthology [helmin'θɔlədʒi] ormelære.
helmsman ['helmzmən] rorgjenger, rorsmann.
helot ['helət] helot; trell.
helotism ['helətizm] helotisme; trelldom.
helotry ['helətri] slaveri, trelldom; heloter.
help [help] hjelp, bistand; hjelper, hjelpes-
mann, støtte; (amr.) tjener, pike; råd, hjelpe-
middel; hjelpe; støtte; forhindre; hjelpe for, la
være med; hjelpe seg; forsyne seg; hjelpe til;
remme, være med på å skape; duge; be of —
være til hjelp; by the — of ved hjelp av;
here's no — for it det er ikke noe å gjøre
ved det; so — me God! så sant hjelpe meg
Gud! — yourself to some claret, please forsyn
Dem med rødvin; he -ed me to a glass of
vine han skjenkte et glass vin til meg; —
he soup øse opp suppen; I cannot — it jeg
can ikke la være med det; how can I — it?
ıva kan jeg gjøre for det? what's done cannot
ɔe -ed gjort gjerning står ikke til å endre;
— cannot — laughing jeg kan ikke la være å le;
— down hjelpe ned; bidra til undergang; —
orward (fig.) fremme; — off the time fordrive
iden; — on hjelpe, fremme; hjelpe med å ta
ıå (tøy); — me on with this coat hjelp meg på
med denne frakken; — out hjelpe ut av nød o. l.;
ınderstøtte; this -s out the picture dette
remhever bildet; — a lame dog over a stile
ıjelpe en ut av en forlegenhet.
helper ['helpə] hjelper, hjelperske.
helpful ['helpf(u)l] hjelpsom; behjelpelig;
ganglig, nyttig.
helping ['helpiŋ] porsjon, servering.
helpless ['helplis] hjelpeløs.
helpmate ['helpmeit] medhjelp; hjelper(ske).
helter-skelter ['heltə'skeltə] over hals og hode;
ıodestupes; hulter til bulter; forvirret blanding.
helve [helv] økseskaft; skjefte.
Helvetia [hel'vi:ʃ(j)ə] Helvetia, Sveits. Hel-
vetic [hel'vetik] helvetisk, sveitsisk.
hem [hem] søm; fald, brett, kant; sømme;
kante; falde; inneslutte; — in innestenge.

hem [hem] kremte; kremt.
hemal ['hi:məl] blod-, hemal; se haemal.
he-man ['hi:mæn] (hundre prosents) mannfolk,
barsking, muskelbunt (ofte ironisk).
Hemans ['hemənz].
hematine ['hemətin, 'hi:m-] hematin.
hematogen [he'mætədʒən] hematogen.
hemeralopia [hemərə'ləupjə] nattblindhet.
hemicrania [hemi'kreinjə], hemicrany ['hemi-
kreini] vondt i den ene siden av hodet, migréne.
hemicycle ['hemisaikl] halvsirkel.
hemisphere ['hemisfiə] halvkule. hemispher-
ic(al) [hemi'sferik(l)] halvkuleformet.
hemistich ['hemistik] halvvers, halvlinje.
hemlock ['hemlɔk] skarntyde; giftkjeks;
selsnepe; hemlokkgran (en slags kanadisk gran);
skarntydeekstrakt.
hemoptysis [he'mɔptisis] blodhoste.
hemorrhage ['heməridʒ] blodstyrtning, blød-
ning.
hemorrhoids ['hemərɔidz] hemorrhoider.
hemp [hemp] hamp; marihuanasigarett. hem-
pen ['hempən] av hamp; hampe-; die of a —
fever dø i galgen; — rogue galgenfugl.
hemp nettle ['hemp'netl] då (plante).
hempseed ['hempsi:d] hampefrø.
hemstitch ['hemstitʃ] hullsøm; sy hullsøm.
hen [hen] høne; hun (av fugl); grey — orr-
høne.
henbane ['henbein] bulmeurt, villrot.
hence [hens] herfra; fra nå av; herav, derfor,
av dette følger; twenty-four hours — om tjue-
fire timer.
henceforth ['hens'fɔ:θ] fra nå av, for fremtiden.
henceforward ['hens'fɔ:wəd] fra nå av, for
fremtiden.
henchman ['hen(t)ʃmən] drabant, tjener, hånd-
gangen mann, tilhenger.
hencoop ['henku:p] hønsehus.
hendecagon [hen'dekəgən] ellevekant.
hendecasyllable ['hendekə'siləbl] ellevestavel-
ses-.
Hendon ['hendən] (by og lufthavn).
hen driver ['hendraivə] hønsehauk.
henequen ['heniken] sisalhamp.
hen harrier ['hen'hæriə] hønsehauk.
hen house ['henhaus] hønsehus.
Henley ['henli].
henna ['henə] henna (fargestoff av alkanna).
hennery ['henəri] hønseri, hønsehus.
Henny ['heni], diminutiv av Henrietta.
hen party dameselskap, kaffe- (el. te-)slabberas.
henpeck ['henpek] ha under tøffelen; a -ed
husband en tøffelhelt.
hen roost vagle.
Henry ['henri].
hepatic [hi'pætik] hepatisk, lever-.
hepatite ['hepətait] hepatitt, leverstein.
hepatitis [hepə'taitis] leverbetennelse.
hepatology [hepə'tɔlədʒi] læren om leveren.
hepcat ['hepkæt] (amr.) jazzentusiast; en som
er med på notene.
Hephaestus [hi'fi:stəs] Hefaistos.
heptagon ['heptəgɔn] sjukant.
heptarchy ['heptɑ:ki] heptarki, sjumannsstyre.
her [hə:, hə] henne; seg; hennes; sin, sitt, sine.
Heracles ['herəkli:z] Herakles.
herald ['herəld] herold; våpenkyndig; for-
kynne, melde, innvarsle. heraldic [hi'rældik]
heraldisk. heraldry ['herəldri] heraldikk; herold-
verdighet.
herb [hə:b] urt, plante, krydderurt, legeurt.
herbaceous [hə:'beifəs] urteaktig, urte-. herbage
['hə:bidʒ] urter, planter, herbal ['hə:bəl] plante-
bok; urte-. herbalist ['hə:bəlist] plantekjenner;
plantesamler. herbarium [hə:'bɛəriəm] herbarium.
herb beer urtebrygg.
Herbert ['hə:bət].
herbescent [hə:'besənt] planteaktig.
herbicide ['hə:bisaid] plantedrepende middel.
herbivorous [hə:'bivərəs] planteetende.

herblet ['hə:blit] liten plante.
herborize ['hə:bəraiz] botanisere.
herbous ['hə:bəs] rik på planter, grasrik.
Herculaneum [hə:kju'leiniəm].
Herculean [hə:'kju:ljən, hə:kju'li:ən] herkulisk, kjempeverk. **Hercules** ['hə:kjuli:z] Herkules.
herd [hə:d] hjord, flokk; buskap, bøling; mengde; det brede lag, massen; gjeter; gå i flokk, samle seg, stue seg sammen; samle i flokk; være gjeter, gjete; — with menge seg med.
herdsman ['hə:dzmən] gjeter, røkter.
here [hiə] her, hit; kom her! hei da! hei! — below her nede (på jorden); — today and gone tomorrow i dag rød i morgen død; from — herfra; leave — reise herfra; — and there her og der; that's neither — nor there det hører ikke noe sted hjemme; det kommer ikke saken ved; — goes! la gå! nå får det våge seg; — you are vær så god (når man gir en noe); here's to you! skål!
hereabout(s) ['hiərəbaut(s)] her omkring, på disse kanter.
hereafter [hiə'ra:ftə] heretter, for fremtiden; det hinsidige, livet etter dette.
hereby ['hiə'bai] herved, herigjennom.
hereditable [hi'reditəbl] arvelig.
hereditary [hi'reditəri] arvelig, nedarvet, arve-.
heredity [hi'rediti] arvelighet, arv.
Hereford ['herifəd].
herein [hiə'rin] heri. **hereof** [hiə'rɔv] herom; herav.
heresiarch [he'ri:ziɑ:k] erkekjetter.
heresy ['herisi] kjetteri, falsk lære. — hunt kjetterjakt, heksejakt. **heretic** ['heretik] kjetter; kjettersk. **heretical** [hi'retikl] kjettersk.
hereto ['hiə'tu:] hertil. **heretofore** ['hiətu'fɔ:] hittil, før; tidligere; fortid.
hereupon ['hiərərə'pɔn] herpå, derpå.
herewith ['hiə'wið] hermed.
heritable ['heritəbl] arvelig; arveberettiget.
heritage ['heritidʒ] arv.
hermaphrodite [hə:'mæfrədait] hermafroditt, tvekjønnet person, tvetulle. **hermaphroditic** ['hə:mæfrə'ditik] hermafrodittisk.
Hermes ['hə:mi:z].
hermetic [hə'metik] hermetisk; alkymi-; the — art alkymien. **hermetically** [hə:'metikəli] hermetisk.
Hermia ['hə:miə].
Hermione [hə:'maiəni].
hermit ['hə:mit] eremitt. **hermitage** ['hə:mitidʒ] eneboerhytte; eremitasje; slags fransk vin. **hermit | crab** eremittkreps. — **thrush** rødstjerttrost. **hermitess** ['hə:mitis] eneboerske.
hernia ['hə:njə] brokk. **hernial** ['hə:njəl] brokk-.
hero ['hiərəu] helt; heros.
Herod ['herəd] Herodes.
Herodias [hi'rəudiæs].
Herodotus [hi'rɔdətəs] Herodot.
heroic [hi'rəuik] heroisk; heltemodig; hestekur (medisin); — couplet femfotet jambe m. rim, heltediktets versemål; — treatment hestekur. **heroics** (plur.) heltestil, høyttravende uttrykksmåte. **heroically** [hi'rəuikəli] heltemodig.
heroin ['herəuin] heroin.
heroine ['herəuin] heltinne.
heroism ['herəuizm] heltemot.
heron ['herən] hegre. **-ry** hegrekoloni.
Herostratos [hi'rɔstrətəs] Herostrat.
hero-worship ['hiərəuwə:ʃip] heltedyrking.
herpes ['hə:pi:z] herpes (en hudsykdom).
herring ['heriŋ] sild; **red** — røykesild; en list for å få motstanderne bort fra sporet; falsk spor; **draw a red** — **across the trail of the war** avlede oppmerksomheten fra krigen; **king of the -s** sildekonge; gulhå; hågylling, sjøkatt; laksestørje. **-bone** sildebein; sildebeinssting, fiskebeinssting, aksdannet (el. sildebeins-) murverk (opus spicatum); sy med heksesting. **herringer** ['heriŋə]

sildefisker. **herring | gull** gråmåke. — **pon** spøkende uttrykk for Atlanterhavet, Dammen **be sent across the** — **pond** bli deportert — **sound** svømmeblære.
hers [hə:z] hennes; sin, sitt, sine.
herse [hə:s] fallgitter som likner en harv tørke|stativ, -ramme.
herself [hə'self] hun selv, henne selv; seg selv seg; selv, sjøl; by — (helt) alene; she likes t find out for — ... på egen hånd.
hership ['hə:ʃip] hærverk; bytte.
Hertford ['ha:fəd; amr. 'hə:tfəd].
Hertfordshire ['ha:fədʃə], **Herts** [ha:ts] Hert fordshire.
he's [hi:z] sammentrukket av he is el. he has
Hesiod ['hi:siəd].
hesitancy ['hezitənsi] nøling, uvisshet, be tenkelighet; stamming. **hesitant** ['hezitənt] nø ende; stammende. **hesitate** ['heziteit] nøle; nær betenkeligheter; stamme, hakke i det. **hesita tingly** ['heziteitiŋli] nølende; usikkert. **hesitatio** [hezi'teiʃən] nøling; vingling; usikkerhet; stam ming. **hesitative** ['heziteitiv] nølende; vinglete usikker.
Hesperia [he'spiəriə] («Vesterlandet»): Itali eller Spania. **Hesperian** [he'spiəriən] hesperisk vestlig. **Hesperides** [he'speridi:z] hesperide (gudinner hos grekerne, boende i vest). **Hes perus** ['hespərəs] aftenstjerne.
Hesse ['hesi] Hessen. **Hessian** ['hesjən] hes sisk; hesser; — **boots** el. **Hessians** skaftestøvler husarstøvler.
hest [hest] befaling, bud.
Hester ['hestə].
hetaera [he'tiərə] hetære, frille.
hetaira [he'tairə] hetære. **hetairia** [he'tairiə et hemmelig gresk forbund for å befri Hella fra tyrkerne. **hetairism** [he'tairizm] hetærisme prostitusjon.
heteroclitic(al) [hetərə'klitik(l)] uregelmessig.
heterodox ['hetərədɔks] heterodoks, annerledes tenkende; kjettersk. **heterodoxy** ['hetərədɔksi heterodoksi; kjetteri.
heterogeneity ['hetərə(u)dʒi'ni:iti] uensartethet **heterogeneous** [hetərə'dʒi:njəs] uensartet, bro ket.
hetman ['hetmən] hetman, kosakkhøvding fører.
het up opphisset, i fyr og flamme.
hew [hju:] hogge; hogge til. **hewer** ['hju:ə hogger. **hewn** [hju:n] perf. pts. av hew.
hexagon ['heksəgən] sekskant. **hexahedral** [heksə'hi:drəl] kubisk. **hexahedron** ['heksə'hi: drən] kubus, heksaeder.
hexameter [hek'sæmitə] heksameter.
hey [hei] hei! hva?
heyday ['heidei] heida! hopsa!
heyday ['heidei] blomstringstid, beste tid, vel maktsdager; storm (f. eks. lidenskapenes); in the — of youth i ungdommens vår.
hey presto ['hei 'prestəu] vips, en to tre.
Heywood ['heiwud].
hf bd fk. f. **halfbound.**
hf cf fk. f. **half-calf.**
H. G. fk. f. **High German; Holy Ghost; Horse Guards. His (Her) Grace.**
hg fk. f. **hectogram.**
H. H. fk. f. **His** (el. **Her) Highness.**
HH fk. f. **double hard** (om blyant).
hhd fk. f. **hogshead.**
HHH fk. f. **treble hard** (om blyant).
H-hour ['eitʃauə] tidspunkt for planlagt mili tæraksjon.
hi! [hai] ei! hei!
hiah! ['haia:] ei! hva! (i engelsk-kinesisk).
hiatus [hai'eitəs] åpning, gap, kløft, lakune; hiatus, vokalsammenstøt; avbrytelse, stans.
Hiawatha [haiə'wɔðə].
hibernal [hai'bə:nl] vinterlig, vinter-. **hibernate** ['haibəneit] ligge i vinterdvale, i hi. **hibernation** [haibə'neiʃən] overvintring; vinterdvale.

Hibernia [hai'bə:niə] Irland. **Hibernian** [hai-bə:niən] irsk; irlender.

hiccough ['hikʌp], **hiccup** ['hikʌp] hikke, hikste; hikke. **hiccupy** ['hikʌpi] hikkende.

hic jacet ['hik 'dʒeisit] (latin) her ligger; gravkrift.

hick [hik] (amr.) bonde, bondeknøl; bondsk, andsens.

hickory ['hikəri] hickory.

hickup ['hikʌp] se **hiccough**.

hid [hid] imperf. og perf. pts. av **hide**.

hidalgo [hi'dælgəu] hidalgo, spansk adelsmann.

hidden ['hidn] perf. pts. av **hide**.

hide [haid] hud, skinn; **save one's — redde** kinnet; **we saw neither — nor hair of him** /i har ikke sett så mye som skyggen av ham.

hide [haid] skjule, gjemme; gjemme seg; **o — one's light** sette sitt lys under en skjeppe. **hide-and-seek** [haidn'si:k] gjemsel; **play — eke** gjemsel.

hideaway ['haidəwei] gjemmested, skjulested.

hidebound ['haidbaund] trangskinnet; trang-ørystet, stivsinnet, forstokket, stokk konserva-iv; fordomsfull.

hideous ['hidiəs] fryktelig, skrekkelig, heslig. **hide-out** ['haidaut] gjemmested, skjulested; ilholdssted.

hiding ['haidiŋ] pryl; bank; **he gave him a ɡood —** han gav ham ordentlig juling.

hiding ['haidiŋ] gjemsel, gjemmested.

hiding-place ['haidiŋpleis] skjulested.

hie [hai] ile, skynde seg; **— oneself** ile.

hiemal ['haiiməl] vinterlig, vinter-.

hierarch ['haiərɑ:k] hierark, kirkefyrste. **hie-arehal** ['haiə'rɑ:kl] eller **hierarchie(al)** [haiə-rɑ:kik(l)] hierarkisk. **hierarchy** ['haiərɑ:ki] hierar-ɕi, prestevelde; rangordning. **hieratic** [haiə-rætik] hieratisk; geistlig, prestelig.

hieroglyph ['haiərəglif] hieroglyf. **hieroglyphie** haiərə'glifik] hieroglyfisk; hieroglyf. **hierogly-hieal** [haiərə'glifikl] hieroglyfisk.

hierophant ['haiərəfænt] yppersteprest.

hi-fi ['hai'fai] fk. f. **high fidelity** særlig lydtro ɕjengivelse.

higgle ['higl] prange, drive gatehandel; prute, tinge.

higgledy-piggledy ['higldi'pigldi] hulter til bulter, rotet; kaos, virvar.

higgle-haggle ['higlhægl] tinge.

higgler ['higlə] sjakrer; tinger; gateselger.

high [hai] høydepunkt, rekord; høy, opphøyd, fornem; sterk, stri, heftig, stor; høytliggende; litt råtten, som har en snev (om kjøttmat, f. eks. vilt); i stemning; oppløftet, salig; høyt; **the sun is —** solen står høyt på himmelen; **smell —** ha en snev (om vilt); **on the —** i det høye, høyt oppe; **of — antiquity** av høy alder; **— colour** sterk (livlig) farge; **a — complexion** svært rød i ansiktet; **— day** høylys dag; **— and dry** på land (om fartøy); på bar bakke; på det tørre; strandet; **— feeding** kraftig næring; **with a — hand** med kraft eller strenghet eller vilkårlighet; **— level** høyslette; **— life** den fornemme verden; **— looks** stolt mine; **— and low** høy og lav (av alle samfunnsklasser); **search — and low** lete høyt og lavt; **at — noon** når solen står på sitt høyeste; **— priest** yppersteprest; **— sea** sterk sjøgang; **the — seas** det åpne havet **it is — time for me to be off** det er på høy tid jeg kommer av sted; **a — school** en høyere skole; **be on the — ropes** være sterkt eksaltert; oppføre seg anmassende; **be in — spirits** være i godt humør; **— summer** høysommer; **— tea** varmt ettermiddagsmåltid; **— wind** hard vind; **— words** sinte ord, heftig ordskifte.

high | admiral storadmiral. **— altar** høyalter. **— -backed** høyrygget (om en stol) **— bailiff** foged. **-ball** (amr.) (whisky)pjolter; kjøre hardt, flå avsted. **— binder** uforskammet fyr, bølle; pengeutpresser. **— -blown** oppblåst, hoven, kaut. **— -born** høybåren. **— brass** hvit messing; mili-

tære toppsjefer. **— -breasted** høybrystet, høybarmet. **-bred** fint dannet; fornem. **-brow** intellektuell, åndssnobb; urealistisk.

High-Church ['hai'tʃə:tʃ] høykirke; høykirkelig. **High-churchman** ['hai'tʃə:tʃmən] høykirkelig.

high | -class av høy klasse, -kvalitet. **— cocka-lorum** innbilsk person. **— -coloured** sterkt farget; overdreven. **— day** festdag, gledesdag. **— -designing** høytstrebende.

higher ['haiə] høyere.

high | falutin(g) ['haifə'lu:tin, -iŋ] høyttravende snakk; svulstig, affektert. **— -fed** velnært, gjødd. **-flier** høytflyvende person el. ting, svermer; noe ualminnelig; sprett, flottas; hurtig vogn, hurtigtog o. l.; plattenslager. **— -flown** høytflyvende; oppblåst. **-flyer** se **-flier**. **— -flying** høytflyvende; ytterliggående.

Highgate ['haigit] (del av London).

high-grade av høy kvalitet.

high-handed anmassende; myndig; egenmektig, hoven.

high hopes store forventninger.

highland ['hailənd] høyland, høylands-; **the Highlands** især: høylandene i Skottland.

Highlander høylender, fjellbu; høyskotte.

high | life den fornemme verden; livet i den fornemme verden. **-light** klimaks, høydepunkt; kaste lys over, trekke i forgrunnen. **— -lived** ['hailivd] fornem. **— -lows** halvstøvler, ankelsko.

highly ['haili] høylig, høyt, i høy grad, i stor monn, meget, sterkt; **think — of** ha store tanker om; **speak — of** snakke i høve toner om, prise.

high | -mettled ['hai'metld] hissig, fyrig, sprek. **— -minded** høysinnet, nobel; hovmodig. **— -neck(ed)** høyhalset.

highness ['hainis] høyhet; **His Royal Highness** Hans Kongelige Høyhet.

high-pitched skingrende, i et høyt toneleie; bratt, steil. **— -placed** høytstilt. **-powered** meget kraftig. **— -pressure** høytrykk. **— priest** yppersteprest. **— -principled** med høye grunnsetninger. **-proof** sterkt alkoholholdig, nesten ublandet, ren, sterk. **-road** landevei, chaussé; (fig.) slagen vei; **be on the -road to perdition** gå sin undergang i møte. **— school** høyere skole; høyskole; fagskole. **-seasoned** sterkt krydret. **— -souled** høysinnet. **— -sounding** høyttravende. **— -spirited** høysinnet, stolt; trossig, irritabel; sprek. **— spirits** strålende humør. **— stepper** stortraver; storkar, kakse. **— street** hovedgate i en (ofte) mindre by. **— -strung** stri; oppspilt; trassig; oppblåst.

hight [hait] (foreldet og poetisk) by; love; kalle, nevne; omtale; hete, kalles.

high | -tasted pikant; krydret. **— tide** høyvanne. **— time** veldig moro; på høy tid. **— -toned** høystemt; opphøyd. **— treason** høyforræderi.

highty-tighty ['haiti'taiti] se **hoity-toity**.

high-up høytstående.

high | voltage ['hai'vəultidʒ] høyspenning. **— water** ['hai'wɔ:tə] høyvann. **high-water mark** (ofte billedlig:) kulminasjonspunkt. **highway** se også **highroad. Highway Code** trafikkreglene. **high-wayman** høyveisrøver. **high-wrought** fint utarbeidet; oppløst, oppspilt.

H. I. H. fk. f. **His** (el. **Her**) **Imperial Highness.**

hijack ['haidʒæk] (amr.) stjele smuglersprit; stanse og plyndre; kapre et fly; **hijacker** ['hai-dʒækə] gangster som plyndrer sendinger av smuglersprit; flykaprer.

hike [haik] fottur; økning, stigning; gå fottur, vandre; sette opp, øke (pris); **— off** stikke av.

hilarious [hi'lɛəriəs] munter, lystig, overstadig. **hilarity** [hi'læriti] munterhet, lystighet.

Hilary ['hiləri] **— mass** 13. januar; **— term** rettssesjon fra 11. til 31. jan.; vinter- og tidlig vårsemester (ved Oxford universitet).

hill [hil] haug, ås, hei, berg; **up — and down —** oppfor bakke og nedfor bakke. **— country** høyland, kupert og bølgende landskap.

hillbilly (amr.) bonde fra fjellstrøk i Sørstatene.
hill folk ['hilfəuk] haugfolk, hulderfolk, underjordiske.
hilli-ho [hili'həu] hallo!
hilliness ['hilinis] bakket lende, kuperthet.
hillman ['hilmæn] tindebestiger; fjellmann; haugkall.
hilloa [hi'ləu] hallo! rope hallo!
hillock ['hilək] liten haug; tue.
hill| people underjordiske. **-side** ['hilsaid] skrent, bakke, skråning, hall; li.
hilly ['hili] bakket; åslendt; bakke-; ås-, fjell-; **the — range** høydedraget.
hilt [hilt] sverdfeste, hjalt, håndtak; — **guard** parérbøyle; **up to the** — fullstendig, ubetinget; **live up to the** — leve i sus og dus. **hilted** ['hiltid] forsynt med feste.
him [him, im] ham; den, det; seg.
H. I. M. fk. f. **His** (el. **Her**) **Imperial Majesty**.
Himalaya [himə'leijə].
himself [(h)im'self] han selv, selv, sjøl; seg selv, seg; **he is not** — han er ikke riktig i hodet; **he is beside** — han er ute av seg selv.
hind [haind] hind, dyrkolle, hjortkolle.
hind [haind] tjener, dreng, gårdsgutt.
hind [haind] bakre, bak-; bakerst; bakerste del. **-brain** bakhjernen, lillehjernen.
hindberry ['hainbəri] bringebær.
hinder ['haində] bakre; bakerst; bak-.
hinder ['hində] hindre, forhindre; hemme, avbryte; være til hinder; hindring.
hinderance ['hind(ə)rəns] hindring.
hindermost ['haindəməust] bakerst, sist.
hind leg ['haindleg] bakbein; **talk the — — of** a donkey snakke så ørene faller av; **be on one's — -s** være på beina, i full sving.
hindmost ['haindməust] bakerst, sist.
Hindoo osv. se **Hindu**.
Hindostan se **Hindustan**.
hind quarters bakende, bakparti, bak.
hindrance ['hindrəns] hindring, hinder.
Hindu [hin'du:] hindu. **Hinduism** ['hinduizm] hinduisme. **Hindu-Kush** ['hindu'ku:ʃ] Hindukusj. **Hindustan** [hindu'stɑ:n] Hindustan. **Hindustanee, Hindustani** [hindu'stæni, hindu'stɑ:ni] hindustansk, hindustani.
hinge [hin(d)ʒ] hengsel; gangjern; hovedpunkt, hovedsak; forsyne med hengsel; dreie seg om, bero på; **off the -s** av lage; **a -d sash** vindu på hengsler.
hinny ['hini] mulesel; skryte, vrinske.
hint [hint] vink, ymt, antydning, forslag; insinuasjon; gi vink, antyde, ymte om; insinuere; **take a** — ta seg noe ad notam; forstå en halvkvedet vise; — **at** hentyde til, antyde.
hinterland ['hintəlænd] innland, oppland.
hip [hip] hofte; **catch on the** — få i sin makt; **have on the** — ha i sin makt, overvinne.
hip [hip] nyperose.
hipbath ['hipbɑ:θ] setebad.
hipbone ['hipbəun] hoftebein.
hipflask ['hipflɑ:sk] lommelerke.
hipjoint ['hipdʒɔint] hofteledd.
hipper ['hipə] vidje.
hippie ['hipik] som hører til hesten, heste-.
hippie ['hipi] deltaker i uorganisert ungdomsbevegelse fra 1960-årene som gjennom avvikende klesdrakt, holdning og levesett protesterte mot og stilte seg utenfor samfunnet, hippie.
hippocamp ['hipəkæmp] sjøhest.
hippocentaur [hipə'sentɔ:] hippokentaur (halvt menneske, halvt hest).
hip pocket baklomme (i bukser).
hippocras ['hipəkræs] kryddervin
Hippocrates [hi'pɔkrəti:z] Hippokrates.
Hippocrene [hipə(u)'kri:ni(:), 'hipə(u)kri:n] Hippokrene.
hippodrome ['hipədrəum] hippodrom.
hippogryph ['hipəgrif] hippogriff, vinget hest.
Hippolyta [hi'pɔlitə].

hippopathology [hipəpə'θɔlədʒi] hippopatologi læren om hestesykdommer.
hippophagous [hi'pɔfəgəs] som spiser heste kjøtt.
hippopotamus [hipə'pɔtəməs] flodhest.
hipshot ['hipʃɔt] med hoften av ledd; skje i hoften.
hipster ['hipstər] hoftebukse, bukser som e korte i livet; ungdom med beatnik el. hippie karakter.
hire [haiə] hyre, leie, feste; bygsle bort; hyre leie, lønn, bygslepenger. — **contract** leiekontrakt **hireling** ['haiəliŋ] leiesvenn.
hire-purchase avbetaling; **buy on the** — kjøp på avbetaling.
hirsute ['hə:sju:t] håret, bustet.
his [hiz; svakt ofte iz] hans; sin, sitt, sine Hispano- [hi'spænəu] i sammensetn.: spansk-hispid ['hispid] strihåret.
hiss [his] visle, hvese; frese, fnyse; hysse pipe; hysse ut; pipe ut; visling, hvesing; hys sing; piping. **hissing** ['hisiŋ] vislende osv. visling osv.
hist [st, hist] hyss! hysj!
histogeny [hi'stɔdʒini] vevdannelse.
histological [histə'lɔdʒikl] histologisk. **histo logy** [hi'stɔlədʒi] histologi, vevlære.
histor|ian [hi'stɔ:riən] historiker, historie skriver; **-iated** [-rieitid] smykket med figurer.
historic [hi'stɔrik] historisk; — **present** histo risk presens.
historical [hi'stɔrikl] historisk; — **novel** histo risk roman.
historiographer [histɔ:ri'ɔgrəfə] historiker, hi storiograf. **historiography** [histɔ:ri'ɔgrəfi] historie skrivning; historiografi.
history ['hist(ə)ri] historie, saga; beretning — **of the world** verdenshistorie; **make** — skap historie; bli berømt; **matter of** — historisk faktum; **natural** — naturhistorie.
histrionic [histri'ɔnik] skuespill-, skuespiller-teater-; teatralsk. **histrionism** ['histriɔnizm] skue spillervesen; skuespillkunst; spill.
hit [hit] treffe, råke, ramme; støt, slag; full treffer, treffer, heldig tilfelle, slump; god idé godt innfall, sarkasme; — **back** slå igjen, bit fra seg; **to be a** — være berømt; ha suksess — **the bottle** ty til flasken; — **the ceiling** fyke taket (i sinne); — **or miss** likeglad, tilfeldig; de er knall eller fall; — **off** gi et godt bilde av, tr på kornet; lage, rive av seg; finne; — **it of** være enige; — **on** eller **upon** komme på; hit feldig treffe eller oppdage; komme over; — **ou** utdele slag; — **together** holde sammen; — **i in his teeth!** sleng det i ham! **that is mean to** — me det sikter til meg; — **a man hom** vise en mann vinterveien; **look to one's** — se hen til sin fordel; **make a** — ha hell; **mor by** — **than by wit** lykken er bedre enn for standen.
hit [hit] imperf. og perf. pts. av **hit**.
hit-and-run|driver sjåfør som stikker av ette en ulykke. — **raid** overraskelsesangrep, lynan-grep.
hitch [hitʃ] hufse, humpe av vind, hake hake, klenge seg fast; stryke seg; (amr.) stemme overens; trekke opp, rykke; hekte fast, hak fast; gjøre et stikk; (amr.) spenne for (hester) (amr.) tjore; haike; rykk, hufs, støt; hindring stans; floke, ugreie, vanskelighet; stikk; **giv one's trousers a** — heise opp buksene sine **there is a** — **somewhere** det er en hake ve saken; **have a** — **in one's gait** halte.
hitch|hike ['hitʃhaik] haike; **-haiker** haiker.
hither ['hiðə] hit, herhen; nærmest.
hithermost ['hiðəməust] nærmest.
hitherto ['hiðə'tu:] hittil.
hitherward ['hiðəwəd] hitover.
hit parade slagerparade.
Hittite ['hitait] hetitt; hetittisk.
hive [haiv] bikube, sverm; sted med myldrende

ᵣ; fange bier i kube; samle honning i bikube;
ᵣmle inn; bo sammen; — off sverme (om bier).
- **bee** honningbie. **hiver** ['haivə] birøkter.
hives [haivz] strupehoste; utslett, neslefeber,
veblåst, elveblest.
hizz [hiz] se hiss.
H. L. fk. f. **House of Lords.**
hl fk. f. **hectolitre.**
H. L. I. fk. f. **Highland Light Infantry.**
H. M. fk. f. **His (el. Her) Majesty.**
hm fk. f. **hectometre.**
H. M. A. fk. f. **His (el. Her) Majesty's airship.**
H. M. S. fk. f. **His (el. Her) Majesty's ship.**
ho [həu] pro! ptro! (til hest); rope, praie.
ho. fk. f. **house.**
H. O. fk. f. **Home Office; head office.**
hoa [həu] se **ho.**
hoaky ['həuki]: **by the** —! for pokker!
hoar [hɔ:] hvitgrå, hvit; grånet, hvit av elde;
ithet, gråhet; elde; rim; tåke.
hoard [hɔ:d] plankeverk (rundt et bygg).
hoard [hɔ:d] forråd; skjult forråd; skatt;
ᴍmmensparte penger; samle sammen, dynge
p, hamstre, samle skatter, samle i lader.
hoarder ['hɔ:də] pengepuger; hamstrer.
hoarding ['hɔ:diŋ] plankeverk.
hoarfrost ['hɔ:frɔ(:)st] rimfrost.
hoariness ['hɔ:rinis] hvitgråhet, gråhet.
hoarse [hɔ:s] hås, hes. **hoarsely** [-li] hest.
ᴀarseness [-nis] håshet, heshet.
hoary ['hɔ:ri] grå, hvit av elde; gråhet; hvit-
ret. — **-headed** grånet; hvithåret.
hoax [hauks] puss, spøk, (svindel)nummer;
ystifikasjoʰ; avisand; narre, skrøne, mysti-
ere. **hoaxer** ['hauksə] en som mystifiserer;
ᴦønemaker; svindler.
hob [hɔb] kaminplate (på hver side av risten;
ᴦ settes ting som skal holdes varme); frese-
askin.
hob-and-nob ['hɔbən'nɔb] drikke med; være
de busser med.
hobbadehoy, hobbadyhoy ['hɔbədihɔi], **hob-
rdde-hoy** ['hɔbədihɔi] ung fyr, gutt i slyngel-
ᴅeren. lømmel.
Hobbes [hɔbz].
hobbetyboy ['hɔbitibɔi] se **hobbadehoy.**
Hobbism ['hɔbizm] hobbisme (filosofen Hob-
s' lære). **Hobbist** ['hɔbist] tilhenger av Hobbes.
hobble ['hɔbl] humpe; halte; helde (en hest);
ᴀke forbeina (på en hest); humping, halting;
lde; forlegenhet, knipe; floke; — **over a thing**
ᴀske noe unna; **I've got into a nice** — der ᴀr
ᴣ kommet godt opp i det.
hobblebush ['hɔblbuʃ] filtkorsved.
hobbledehoy ['hɔbldihɔi] se **hobbadehoy.**
hobbler ['hɔblə] en som halter; fusker.
hobbly ['hɔbli] hullet, ujevn (om vei).
hobby ['hɔbi] lerkefalk.
hobby ['hɔbi] hobby; kjepphest; **have a — for**
ᴀ en mani for.
hobbyhorse ['hɔbihɔ:s] kjepphest, gyngehest.
hobgoblin ['hɔb'gɔblin] nisse, tomte, tunkall.
hobidehoy ['hɔbidihɔi] se **hobbadehoy.**
hobnail ['hɔbneil] nudd, skobesparer, heste-
ᴏsøm; bondeslamp; sette nudder under.
hobnob ['hɔbnɔb] være fine busser med; drikke
ᴍmmen; på måfå, tilfeldig.
hobo ['haubəu] vagabond, landstryker, lasaron;
ᴦᴦeisende arbeider.
hob-or-nob ['hɔbɔ:'nɔb] drikke sammen.
Hobson's choice det å ikke ha noe valg.
hobson-jobson ['hɔbsn'dʒɔbsn] (engelsk-indisk)
ᴀstlighet, seremoni; — **dictionary** ordbok over
ᴀgelsk-indiske ord og uttrykk.
hock [hɔk] hase, haseledd; skank, den tynne
ᴀ av en skinke; skjære over hasene; **hocks**
ᴦså føtter.
hock [hɔk] rinskvin (oppr. Hochheimer).
hockey ['hɔki] hockey.
hock joint haseledd; lånekontor, pantelåner-
ᴦᴦetning.

hocus ['həukəs] bedrager; vin med tilsetning
(for å gjøre en beruset); bedra, narre; blande
noe i vinen for å bedøve. **hocus-pocus** ['həukəs-
'pəukəs] hokuspokus, taskenspilleri; narre, bedra.
hod [hɔd] brett (en murers); kalktrau; kull-
boks.
hodden | grey ['hɔdngrei] grovt ullent stoff
(vadmelsaktig); ufarget ulltøy.
hoddle ['hɔdl] humpe, vralte.
hodge [hɔdʒ] bonde; uvitende mann.
hodge-podge ['hɔdʒpɔdʒ] suppe, sammensurium,
mølje, rot, velling.
hodman ['hɔdmən] murerhåndlanger; hånd-
langer.
hodometer [hɔ'dɔmitə] odometer, kilometer-
teller.
hoe [həu] hakke; grev **(draw hoe);** skyffel
(thrust hoe); pigghai; hakke; hyppe; (amr.)
slite i det; (amr.) — **one's own row** passe sine
egne saker; (amr.) **have a hard row to** — for-
berede, ha planer om. — **cake** ['həukeik] mais-
kake (amr.). — **-down** trette, slagsmål.
Hoffmann's anodyne hoffmannsdråper.
hog [hɔg] svin, råne, galt; ungsau; (fig.) svin,
gris, storeter, egoist; **a — in armour** en gris i
snippkjole, spurv i tranedans; **bring one's -s to
a fine market** gjøre en god forretning; **go the
whole** — ta skrittet helt ut; **like a — in a squall**
fra sans og samling.
hog [hɔg] stusse, klippe; krumme, krøke.
Hogarth ['həugɑ:θ].
hogback ['hɔgbæk] svinerygg; fjellrygg, bakke-
kam.
hog | cholera ['hɔgkɔlərə] svinepest. — **cote**
['hɔgkəut] grisehus.
hogged [hɔgd] kjølsprengt; sterkt krummet;
kortklipt.
hoggerel ['hɔg(ə)rəl] toårig sau.
hoggery ['hɔgəri] svinesti, grisehus; svin, grise-
flokk.
hoggish ['hɔgiʃ] svinsk.
hoghair ['hɔghɛə] grisebust; bustpensel.
hog|herd grisegjeter. — **louse** svinelus.
hogmanay ['hɔgmə'nei] (skotsk) nyttårsaften;
nyttårsfest.
hogmane stusset manke.
hog ring nesering (til gris); krampe, madrass-
krok.
hogsbean ['hɔgzbi:n] bulmeurt.
hogshead ['hɔgzhed] oksehode (stort kulmål;
for øl og vin er det 245,353 liter).
hogskin ['hɔgskin] svinelær.
hog|sty grisehus, grisebinge. **-tie** svinebinde,
binde på hender og føtter. **-wash** skyllevann;
skuler, skyller, grisemat; tøv, vås, sludder.
— **wire** piggtråd (m. fire pigger).
hoi! [hɔi] hop! hei!
hoiek [hɔik] heise opp; tvinge fly til bratt
stigning.
hoiden ['hɔidn] galneheie, villkatt; vilter.
hoist [hɔist] heise; heising; heiseapparat, heis,
elevator; talje, vinsj. **hoisting** (butikk)tyveri,
knabbing. — **man** elevatorfører.
hoity-toity ['hɔiti'tɔiti] lystig, kåt, vilter, over-
given; viktig, blæret; heisan! ser man det!
hokey-pokey ['həuki'pəuki] = **hocus-pocus;**
iskake.
hold [həuld] hold, tak, grep; støttepunkt,
støtte, fotfeste; (skips-)last; lasterom; **catch (el
lay el. seize el. take) — of** ta fatt i; **let go one's** —
gi slipp, slippe taket.
hold [həuld] holde; inneha; eie, ligge inne med;
fastholde; holde tilbake; inneholde, romme;
opprettholde, fortsette; ha i besittelse; holde
for, anse for; påstå; forsvare; understøtte;
støtte; holde, ikke gå i stykker; stå stille, gjøre
holdt; holde stand; vare ved, vedbli å gjelde;
holde seg (om pris); holde med; — **an opinion**
være av, ha en mening; — **water** være vann-
tett; (fig.) gjelde, duge; **he can — his liquor**
han tåler mye alkohol; **that doesn't — water** det

holder ikke stikk; — an action fortsette en prosess; he should — the crown of him han skulle bære kronen under hans overhøyhet; — forth dosere, fremholde, legge ut; — good (el. true) stadfeste seg; — hard! stopp! vent! — one's own hevde seg, holde stillingen; — one's tongue holde munn, tie; — a meeting holde møte; have and — besitte; — the market beherske markedet; — an office ha et embete; — the bent holde stand; — in chase forfølge; — in contempt forakte; — in hatred hate; — on holde fast, vedbli; — on to holde fast i; — out holde ut, holde seg; — it against him legge ham det til last, benytte seg av det (overfor ham); — out against hevde seg overfor; — up holde opp, heve; forsinke, oppholde, stanse; overfalle, plyndre; — with være enig med, holde med.

hold|all ['həuldɔ:l] vadsekk, taske. -back hindring.

holden ['həuldn] gl. perf. pts. av hold; a meeting will be — et møte vil bli holdt.

holder ['həuldə] holder; beholder; forpakter, leilending; innehaver, ihendehaver, besitter; håndtak, skaft; lyspæresokkel; arbeider i lasten.

holder-forth ['həuldə'fɔ:θ] taler; predikant, pratmaker.

holding ['həuldiŋ] hold (fig.) etc.; besittelse, beholdning, forpaktet gård; gårdsbruk; innflytelse, makt.

holding attack angrep som settes inn for å binde fienden.

holding company holdingselskap.

hold-up ['hauld'ʌp] ran, overfall; trafikkstans, trafikk-kork.

hole [həul] hull, grop; høl; hi; knipe, klemme; hulle, gjøre huller i; gjøre en ball (i biljard); — in one (golf) gå i hull med ett slag; put one into a — sette en i knipe; make a large — gjøre et dypt innhogg; make a — in the water hoppe i havet; drukne seg.

hole-and-corner lyssky (om forretninger).

hole puncher hull|apparat, -maskin (til brevordner).

holiday ['hɔlidi, -dei] helg; fridag, ferie; feriere, holde ferie; -s ferie. — allowance feriepenger. — maker feriereisende. — making på lystreise, på ferietur, fornøyelsesreise. — resort feriested.

holily ['həulili] hellig.

holiness ['həulinis] hellighet; fromhet.

Holinshed ['hɔlinʃəd].

holla ['hɔlə; 'hɔ'lɑ:] hallo! rope; praie, kaue.

holla balloo [hɔlə bə'lu:] helvetes spetakkel.

Holland ['hɔlənd].

holland ['hɔlənd] ubleket lerret. hollands sjenever.

Hollander ['hɔləndə] hollender, nederlender.

holler ['hɔlə] rop, skrik, brøl; remje, skrike, rope, brøle.

hollo ['hɔləu] holloa ['hɔləu] se holla.

hollow ['hɔləu] se holla.

hollow ['hɔləu] hulning; hule, grop, søkk; hull, gruve; hul, innsunken, innfallen; dump; falsk; gjøre hul, hule ut; hult; dumpt; fullstendig, ganske, helt; the — of the hand den hule hånd; loven; hold a thing in the — of one's hand ha noe i sin makt; beat (all) — slå helt av marka. hollow|-backed svairygget. — -eyed huløyd. — -hearted falsk.

hollowness hulhet.

holly ['hɔli] kristtorn. — fern vanlig tagg-bregne. -hock ['hɔlihɔk] stokkrose.

holm [həum] holme; slette.

Holmes [həumz].

holm | oak, — tree steineik.

holocaust ['hɔləkɔ:st] brennoffer; katastrofebrann; «ragnarokk».

holocryptic [hɔlə'kriptik] hemmelig; uløselig

holograph ['hɔlə(u)grɑ:f] egenhendig skrevet dokument. holographic [hɔlə'græfik] egenhendig skrevet.

Holsatia [hɔl'seiʃ(j)ə] Holstein.

Holstein ['hɔlstain]; holsteinsk. Holstein [-ə] holsteiner.

holster ['həulstə] pistolhylster, salhylster.

holt [həult] skog, lund, holt; hull, hulnir smutthull.

holus-bolus ['həuləs'bəuləs] på én gang, i s helhet.

holy ['həuli] hellig; the Holy Bible Bibele Den hellige skrift; the Holy City Den helli stad (ɔ: Jerusalem); Holy Communion den helli nattverd; the Holy Ghost Den hellige ån — ground innvigd jord; the Holy Land D hellige land; — Office inkvisisjonen; — orde presteembete, prestevigsel; take — orders la s ordinere; — Scripture = — Writ; the — S pavestolen; the — Sepulchre den hellige gra the — Spirit Den hellige ånd; Holy Thursd ['həuli'θə:zdi] Kristi himmelfartsdag; the — We den stille uke; Holy Writ Den hellige skri Bibelen.

holyday ['həuli'dei] helligdag, helg.

Holyrood House ['hɔliru:d'haus] slott i Edi burgh.

holystone ['həulistəun] skurestein; skure.

holy terror fryktinngytende person, umu unge, enfant terrible.

holy water vievann.

holy Willie «helligper».

homage ['hɔmidʒ] lenshylling, hyllest; do (el pay) — hylle, vise hyllest; owe — to stå i vasa forhold til. -able lenspliktig.

hombre ['ɔmbrei] (amr.) mann av spansk meksikansk herkomst; kar, fyr.

home [həum] hjem, hjemland, barndomshje: hjemby, heim; (i sport) mål; hjemme, hein hus-; innenlandsk; ettertrykkelig, grundig; hje. heim; til målet, ved målet; bo, ha et hje: finne hjem (om brevduer); bringe hjem, sen hjem; at — hjemme, heime; be at — on subject være hjemme i en sak; make ones at — late som om man er hjemme; Mrs. Sm is at — on Tuesdays fru Smith tar imot tirsdager; go to one's long — ligge for døde from — hjemmefra; ikke hjemme, bortrei charity begins at — enhver er seg selv nærmes look nearer — gripe i sin egen barm, feie for s egen dør; — affairs indre anliggender; Ho Department, the Home Office innenr iksdepart ment; Home Secretary innenriksminister; Home land moderlandet; — trade innenri handel; set out for — vende hjem(over), ven nesen hjem; arrive — komme hjem; a — thre et velrettet støt; bring — gjøre noe klart f overbevise om; it comes — to me det er m kjent; it will come — to you det vil falle bake på Dem; see a man — følge en ma hjem; carry an argument — dra de ytters konsekvenser av et argument; drive — slå i (e spiker); drive the argument — hamre det ett trykkelig fast; go (el. get) — treffe, råke; lay legge på hjerte; pay — gjengjelde; serew skru fast; he pushes his inquiries — han g sine undersøkelser grundig, til gagns; strike ramme spikeren på hodet; take — legge s på sinne.

home | affairs indre anliggender, innenrikssak -bird stuegris. -bred hjemmeavlet; udanne medfødt, naturlig. -brewed hjemmebrygg -coming hjemkomst. — confinement hjemm fødsel. for — consumption til forbruk på hjemm markedet. the — counties grevskapene run London. -craft husstellære; husflid. — econom husstellære. — farm hovedgård. -felt dypfø — guard hjemmevernsmann; the H. G. Hjemm vernet. — freezer hjemmefryser, frysebo -keeping vant til å være hjemme. -like hjem homeliness ['həumlinis] en helhet, alminneli het; stygghet.

homely ['həumli] tarvelig, jevn, enkel; styg home is home, be it ever so — hjemmet å hjem om det er aldri så tarvelig; — **fare** usmannskost.

home|-made hjemmelaget. — **match** hjemme-imp. — **-mission** indremisjon. **the Home Office** nenriksdepartementet.

homeopath ['həumjə(u)pæθ] homøopat. **homeopathic** [həumjə(u)'pæθik] homøopatisk. **homeopathist** [həumi'əpəθist] homøopat. **homeopathy** [həumi'əpəθi] homøopati. **Homer** ['həumə]. **Homeric** [hə'merik] homerisk.

home | rule ['həum'ru:l] homerule, selvstyre sær for Irland: **Home Rule**). — **-ruler** tilhenger v (Irlands) selvstyre.

home run [i baseball) slag hvor ballen slås så ingt at slåeren rekker å løpe hele veien rundt. **Home Secretary** innenriksminister.

homesick ['həumsik] som lengter hjem. **-ness** jemlengsel, hjemve.

homespun ['həumspʌn] hjemmespunnet, hjem-ievevd, hjemmegjort; hjemmevevd tøy, et slags admel.

home|stead ['həumsted] bondegård, gården, øen, hjemmehusene; (amr.) gård, seivstendig nåbruk (srl. en gård på 160 acres som ny-rottsfolk har fått seg overlatt av statsjorda); jem. **-steader** småbruker, gårdbruker.

home trade handel på hjemmemarkedet; inenriksfart.

homethrust ['həumθrʌst] slag som sitter; be-erkning som sitter.

homeward ['həumwəd] hjem, hjemover. — **ound** som skal hjem. **homewards** ['həumwəds] jemover.

home win ['həumwin] hjemmeseier.

homework ['həumwə:k] hjemmearbeid, lekser.

homey ['həumi] hjemlig; hyggelig.

homicidal [həmi'saidl] draps-; morderisk. **homicide** ['həmisaid] drap; drapsmann. **the —** juad mandkommisjonen.

homiletic(al) [həmi'letik(l)] homiletisk, opp-yggelig; prekenaktig. **homiletics** homiletikk. **omilist** ['həmilist] predikant. **homily** ['həmili] omilie, preken.

homing ['həumiŋ] det å vende hjem (især om revduer). — **missile** målsøkende rakett.

hominy ['həmini] maisgrøt; grove maisgryn. **hommock** ['həmək] liten haug el. høyde.

homo ['həuməu] homoseksuell.

homogeneity [həmə(u)dʒe'ni:iti] ensartethet. **homogeneous** [həmə(u)'dʒi:njəs] ensartet. **homologate** [həu'mələgeit] billige; stadfeste. **homologous** [hə'mələgəs] overensstemmende. **homomorphism** [həmə'mə:fizm] likedannethet. **omomorphous** [-'mə:fəs] likedannet.

homonym ['həmənim] homonym. **homonymous** iə'məniməs] homonym, likelydende.

homophony [hə'məfoni] samklang.

homosexual ['həumə(u)'sekjuəl] homoseksuell. **homosexuality** ['həumə(u)seksju'æliti] homo-eksualitet.

homunculus [hə'mʌŋkjuləs] mannsling.

homy ['həumi] hjemlig.

Hon. fk. f. honorary; Honourable.

Honduras [hən'd(j)uəræs].

hone [həun] hein, brynestein; slipe, bryne.

hone [həum] jamre; lengte etter.

honest ['ənist] ærlig, redelig, rettskaffen, bra; — Injun ['ənist'indʒən] på ære! **make an —** roman of gifte seg med henne (etter å ha forført enne).

honestly ['ənistli] ærlig, redelig; ærlig talt. **honesty** ['ənisti] ærlighet, redelighet; — **is** ie best policy ærlighet varer lengst.

honey ['hʌni] honning; vennen min, gullet itt! — **bag** honningsekk, honningmave (ut-idelse av biens fordøyelseskanal). — **bee** hon-ingbie. **-comb** vokskake. **-combed** seksant-iønstret, vaffelmønstret; gjennomhullet, under-iinert. — **dew** honningdogg (utsondring av ladlus), søttobakk.

honeyed ['hʌnid] honning-, honningsøt.

honey | extractor slynge. **-guide** honninggjøk (en liten fugl som ved sin sang og sine bevegelser viser vei til bikuber). **-month, -moon** hvetebrøds-dager; they were on their **-moon** de var på bryllupsreise. **-moon** tilbringe hvetebrødsdagene. — **-mouthed** [-mauðd] innsmigrende. søtt-talende. — **sac** honningsekk, honningmave. **-suckle** [sʌkl] vivendel, kaprifolium. — **-sweet** honningsøt. — **-tongued** innsmigrende, søtt-talende.

hong [həŋ] kinesisk pakkhus; faktori i Kina; européisk handelshus i Kina.

Hongkong ['həŋ'kəŋ.]

honied ['hʌnid] se honeyed.

honk [həŋk] villgås-skrik; tuting av bilhorn; tute.

honky-tonk ['həŋkitəŋk] kneipe, bule.

Honolulu [hənə'lu:lu:].

honorarium [(h)ənə'rɛəriəm] honorar.

honorary ['ənərəri] æres-, heders-. — **arch** æresport. — **member** æresmedlem. — **office** tillitsverv. — **secretary** ulønnet sekretær.

honorific [ənə'rifik] æres-, heders-.

honour ['ənə] ære, heder; rang, rangspost, verdighet; æresfølelse, æresbevisning, æresport; hederstegn; honnør (de beste kort i whist og bridge); ære, hedre, beære; prise; honorere (veksel o. l.); motta, si ja takk til (innbydelse o. l.); **maid of** — hoffdame; **meet with** — honoreres (om veksel); — **and glory** ære og berømmelse; **your Honour** deres velbårenhet (især til dom-mere i county courts); — **bright** på ære! **I have three by -s** jeg har tre honnører (i kortspill); **in** — **of** til ære for; **-s of rank and station** æres-bevisninger i rang og stilling; **pass in first-class -s, get through the examination with full -s** ta eksamen med glans; **meet with due** — bli til-børlig honorert (om veksel); **do the -s** gjøre honnør, presidere ved bordet, opptre som vert-(inne).

honourable ['ən(ə)rəbl] ærlig, hederlig; ære-full; som tittel: velbåren, høyvelbåren (fast tittel for yngre barn av earls, alle barn av viscounts og barons og for Underhusets med-lemmer); **the H. member for** det ærede medlem for; **Most Honourable** høyvelbårne (brukes om markis); **Right Honourable** høyvelbårne (især om medlemmer av the Privy Council samt adelsmenn under markis); **with a few** — **excep-tions** med noen hederlige unntak; **his intentions are** — han har redelige hensikter (ə: ekteskap). **Hon. Sec.** fk. f. Honorary Secretary.

hood [hud] hette; lue; kyse; røykhette; (amr.) motorpanser; kalesje; gangster; trekke en hette over.

hooded ['hudid] med hette, hetteformet. — **gull** hettemåke. — **snake** brilleslange.

hoodlum ['hudləm] (amr.) bølle, slamp, ung-dommelig ramp, gangster.

hoodoo ['hu:du:] (amr.) ulykkesfugl, trollmann, sykdomsbesverger; en som bringer ulykke; utyske, trollskap; nonsens, humbug; bringe ulykke, forhekse.

hoodwink ['hudwiŋk] binde for øynene; skjule, dekke til; narre, forblinde, føre bak lyset.

hooey ['hu:i] (amr.) sludder, vrøvl, tull; svindel.

hoof [hu:f] hov, (spøkende) fot; sparke; **beat the** — gå; — **it** gå som kveg; **show the cloven** — stikke hestehoven fram; **under the** — underkuet, under tøffelen.

hoofbeat hovslag. **hoofed animals** hovdyr.

hook [huk] hake, krok; angel; stabel (til et hengsel); sigd; hagekniv; krumkniv; lokkemiddel, blikkfang; få på kroken; fange med krok; huke; spidde på hornene; fange med knep; forføre; stjele, nappe; krøke; bøye seg, kroke seg; stikke av; — **line and sinker** med hud og hår; **with a** — **at the end** med en hake ved, med et spørs-målstegn; **by** — **or by crook** på den ene eller på den andre måten; **get the** — bli kastet ut,

få sparken; **off the -s** i uorden, av lage; ferdig, vekk; **drop** (el. **go**) **off the -s** dø, stryke med; **on one's own** — på egen hånd, på egen regning; **take** (el. **sling**) **your -s** stikk av med deg; — **it** stikke av; pakke seg; — **on** hake seg fast til.
hooka(h) ['hukə] huka, orientalsk vannpipe med lang slange.
hook and eye hekte og malje.
hook| bill ['hukbil] hakelaks. — **bolt** [-'bəult] hakebolt. — **bone** [-'bəun] halestykke.
hooked [hukt, 'hukid] kroket, krum.
hooker ['hukə] hukkert (lite fartøy); skute; en som lokker en annen på kroken; bondefanger.
hookey ['huki] et slags kulespill; **do** — **gjøre lang nese til en**; **by** — **ved gud! play** — skulke skolen.
hookum ['hu:kəm] tjenstlig ordre (i India).
hookup ['hu:kʌp] (amr.) forbindelse, samband; sammenkopling av radiostasjoner; allianse.
hooky ['huki] kroket; full av haker; **play** — skulke skolen.
hooligan ['hu:ligən] bølle, forbryter, ungdomsforbryter, ramp. **-ism** forbrytervesen, røveruvesen; hærverk.
hoop [hu:p] bånd, gjord, tønnebånd; ring; bøyle; fiskebein (i skjørt); fiskebeinsskjørt; gjorde, sette bånd el. ring om (på); innfatte; **croquet** — krokettbøyle; **go through the** — melde seg fallitt, overgi sitt bo til skifteretten; vise hva man er god for; **hula** — rockering.
hoop [hu:p] huie, hauke, rope; huiing, hauking.
hooper ['hu:pə] bøkker; lagger.
hooper ['hu:pə] sangsvane.
hooping cough ['hu:piŋkɔf] kikhoste.
hoop iron båndjern.
hoopla ['hu:pla] ringspill; ballade, ståhei; hei! hoppla!
hoopoe, hoopoo ['hu:pu:] hærfugl.
hoop petticoat, hoop skirt fiskebeinsskjørt.
hoora, hooray [hu'rei] hurra.
Hoosier ['hu:ʒə] person fra Indiana (i Amerika).
hoot [hu:t] skrike; tute; ule; huie etter; hysse på, pipe ut; huiing, skrik, tuting; **he doesn't care a** — han er helt likeglad. **hoot(s)** [hu:t(s)] (skotsk) fy!
hootay [hu:'tei] (skotsk) snakk! det kan du stole på!
hootenanny ['hu:tənæni] (amr.) folkesangerstevne.
hooter ['hu:tə] signalhorn, alarmhorn, signalfløyte, sirene; ugle.
hoove(n) ['hu:v(n)] trommesyke (hos sauer).
hoover ['hu:və] (egl. et støvsugermerke, etterhvert:) støvsuger; støvsuge.
hop [hɔp] hoppe, bykse, hinke; danse; hopp dans; opium, narkotikum; løgnhistorie, sludder. **on the** — travelt opptatt, beskjeftiget; — **the twig** renne vekk, smette unna; **be always on the** — svinse omkring.
hop [hɔp] humle; høste humle; sette til humle.
hopbine ['hɔpbain] humleranke.
hope [həup] egl. hop, flokk; **forlorn** — avdeling soldater som ofres, især stormkolonner.
hope [həup] håp, von; håpe; håpe på, vone; — **in God** stole på Gud; **in -s of** i håp om; — **for** håpe på; **to** — **against** — klamre seg til håpet (til tross for); **I should** — **so** det skulle jeg da håpe (tro).
hopeful ['həupf(u)l] forhåpningsfull; håpefull; lovende.
hopeless ['həuplis] håpløs, utrøstelig; **a** — **disease** en uhelbredelig sykdom. **hopelessness** håpløshet, trøstesløshet.
hoplite ['hɔplait] hoplitt.
hop merchant humlehandler; dansemester.
hop-o'-my-thumb ['hɔpəmiθʌm] pusling, tommeliten.
hopper ['hɔpə] hopper; ostemark; såkasse; fødeapparat; beholder, samlekasse, sisterne; mølletrakt, kverneteine; selvtømmende mudderpram.

hopper ['hɔpə] humlehøster.
hop-picking humlehøst.
hopping ['hɔpiŋ] humlehøst.
hopping ['hɔpiŋ] hopping; dans. — **m** eitrende sint, fly forbannet.
hopple ['hɔpl] helde; sette helde på.
hoppo ['hɔpəu] (pidgin-engelsk) kasserer; ha delsinspektør.
hop pole humlestake; lang tynn person.
hopscotch ['hɔpskɔtʃ] paradis (barneleken).
hop, skip (el. **step**) **and jump** tresteg.
hop vine ['hɔpvain] humleranke.
Horace ['hɔrəs, -is] Horats.
Horatio [hɔ'reiʃiəu].
horde [hɔ:d] horde, bande; leve i flokk.
horizon [hɔ'raizn] horisont, synskrets. **horizontal** [hɔri'zɔntl] horisontal, vannrett, liggende — **engine** motor med liggende sylindre; — **plan** horisontalplan; — **projection** horisontalprojeksjon, grunnriss; — **rudder** dybderor; — **section** horisontalsnitt. **horizontality** [hɔrizɔn'tæliti] van rett stilling. **horizontally** [hɔri'zɔntəli] horisonta
hormone ['hɔ:məun] hormon.
horn [hɔ:n] horn; jakthorn; drikkehorn; krut horn; sparkel; sette horn på, (fig.) sette horn pannen; **draw (pull, haul) in one's -s** ta føl hornene til seg, holde seg i skinnet; **lower one's** nedlate seg.
horn|beak horngjel. **-beam** agnbøk; kvitbø **-bill** neshornfugl. **-book** abc, elementærbo grunnbok.
horned ['hɔ:n(i)d] hornet; hornformet. — **mi** hornmine. — **toad** paddeøgle.
horner ['hɔ:nə] hornarbeider; hornhandler.
hornet ['hɔ:nit] geitehams, veps; **bring (** **raise) a nest of -s about one's ears, poke one head into a -'s nest** stikke hånden i en vepsebo **horn|fish** horngjel. — **-fisted** med barke never.
hornish ['hɔ:niʃ] hornaktig.
hornless ['hɔ:nlis] uten horn, kollet.
horn | owl bergugle, hubro. **-pipe** hornpipe (blåseinstrument); hornpipe (en matrosdans — **player** hornblåser.
horn-rimmed spectacles hornbriller.
hornswoggle ['hɔ:nswɔgl] snyte, narre, lure.
horntail ['hɔ:nteil] treveps.
hornwork ['hɔ:nwɔ:k] hornverk (et fremsku befestningsverk med to lange tilbakegåenc greiner).
horny ['hɔ:ni] horn; hornaktig; hard som hor
horography [hɔ'rɔgrəfi] timeberegning.
horologer [hɔ'rɔlədʒə], **horologist** [hɔ'rɔlədʒis urmaker. **horology** [hɔ'rɔlədʒi] urmakerkuns **horometry** [hɔ'rɔmitri] tidsmåling.
horoscope ['hɔrəskəup] horoskop; **cast** (el. **dra** el. **erect**) **a person's** — tyde en persons skjebi etter stjernenes stilling da vedkommende b født, stille et horoskop.
horrent ['hɔrənt] strittende, bustet.
horrible ['hɔribl] skrekkelig, fryktelig, forferd lig; avskyelig.
horrid ['hɔrid] redselsfull; avskyelig.
horrific [hɔ'rifik] forferdelig, skrekkinnjagend
horrify ['hɔrifai] forferde, skremme, støkke.
horror ['hɔrə] gysning; redsel, støkk; avsky stygg; avskyelighet, grufullhet; -s tungsindighe drankergalskap; **give one the -s** inngyte en avsky **have the -s** ha delirium; **chamber of horro** redselskabinett; **the — of it all!** hvor avskyeli **oh — unspeakable!** (Gud) noe så frykteli **the old** — det gamle trollet, rivjernet. — **fil** redselsfilm, grosser. — **-stricken, — -struc** redselsslagen.
horse [hɔ:s] hest; hingst; grahest; gjelk; hest folk; rytter, kavaleri; trehest (strafferedskap sagbukk; stillas; løygang, løybom; pert; buk (på skolen) oversettelse som man fusker me forbudt hjelpemiddel, fuskelapp; (amr.) heroir **(dead)** — forskudd; (sl.) fempundsseddel; **(th old) Horse** tukthus i Horsemonger-Lane; **cut**

nergisk mann; forsyne med hester; spenne esten for; bedekke (en hoppe); piske; fuske på skolen); **the -s are to** det er spent for; **put he cart before the -s** begynne i den gale enden, nu tingene på hodet; **take** — stige til hest; **edekke**; — **around** holde leven, husere; **a ark** — en ukjent størrelse (egl. fra veddeløpspråket); **get on** (el. **mount**) **the high** — sette eg på den høye hest; **gentleman** (eller **master**) **f the** — stallmester; **flog a dead** — søke å ekke ny interesse for noe forslitt; **they cannot et their -s together** de kan ikke forlikes; **a regiment of** — et kavaleriregiment; **5000** — 5000 nann kavaleri; **lieutenant of** — kavaleriløytnant. **horse | artillery** ridende artilleri. — **-and-buggy** rille, karjol. — **and foot** hester og fotfolk, avaleri og artilleri. — **ant** rød skogmaur. back til hest, ridende. — **bean** hestebønne. — **botfly** hestebrems. — **breaker** hestedressør, estetemmer, berider. — **brimstone** grå svovel. – **chanter** hestehandler. — **chestnut** hesteastanje. **-cloth** hestedekken; hestehårsduk. raft hestevett. — **comb** strigle, skrape. **horsed** til hest, ridende. **horse|deal** hestehandel. — **drench** hestemedin. — **droppings**, — **dung** heste|pærer, -møkk. **face** langt plumpt ansikt, hestefjes. **-fair** hestenarked. **-feathers** tøys, sludder. **-flesh** hestejøtt; hester; **be a judge of** — — forstå seg på ester. **-fly** klegg, blinding. — **guard(s)** livvakt til hest), hestegarde; **the Horse Guards** (et arderegiment i England; bygning i London vor den har sitt hovedkvarter). **-hair** hestehår; estehårs-. — **hoof** hestehov. — **keeper** hesteolder; stallkar. — **latitudes** (amr.) stille belte, estebredder. **-laugh** rå latter, gapskratt. **-leech** esteigle; (fig.) blodigle, blodsuger. — **litter** båre pphengt mellom to hester. **horse|man** ['hɔːsmən] rytter, hestepasser. **-manhip** ridekunst, rideferdighet. — **marine** (i spøk) åtekavalerist, landkrabbe; dumrian. — **mill** estevandring, tredemølle. — **nail** hestekosøm. — **opera** (amr.) westernfilm. **-play** grov spøk. – **police** ridende politi. **-pond** hestetrau, vanntest. **-power** hestekraft; hestekrefter (**60 horse** ower). **-pox** hestekopper. — **race** hesteveddeløp. – **-radish** pepperrot. — **railway** hestesporvei. – **rider** berider. — **rug** hestedekken. — **sense** amr.) sunn menneskeforstand. **-shit** tullprat, vås. shoe hestesko. — **show** hesteskue. — **soldier** avalerist. — **stealer** hestetjuv. **-way** kjørevei; estevandring. **-tail** hestehale. — **thistle** ekte tistel. — **trade** hestehandel; kompromiss. — **tram** estesporvogn. **-whip** ridepisk, svepe; bruke ridebisken på, piske, banke. **-whipping** pryl med ridebisken. **-woman** rytterske.

horsy (eller **horsey**) ['hɔːsi] heste-; hesteaktig; estehandler-; sportsmessig, jockeyaktig. **hortative** ['hɔːtətiv] formanende, styrkende, ppmuntrende. **hortatory** ['hɔːtətəri] formanende, tyrkende, oppmuntrende. **horticultural** [hɔːtiˈkʌltʃərəl] hage-, hagebruks-; – **exhibition** (el. **show**) blomsterutstilling; — **ociety** hageselskap. **horticulture** ['hɔːtikʌltʃə] agebruk; hagekunst. **horticulturist** [hɔtiˈkʌltərist] gartner. **hortus siccus** ['hɔːtəs 'sikəs] herbarium. **hosanna** [həuˈzænə] hosianna. **hose** [həuz] strømper, hoser, sokker; hagelange; oversprøyte; pryle med gummislange. – **ear** slangebil (brannbil). — **clip** slangeklemme. **Hoshea** ['hɑ(u)ziə] Hoseas. **hosier** ['həuʒə] trikotasjehandler. **hosiery** ['həuʒəri] trikotasje, ullvarer; trikoasjefabrikk. **hospice** ['hɔspis] hospitium (tilfluktssted for eisende), hospits, herberge. **hospitable** ['hɔspitəbl] gjestfri. **hospital** ['hɔspitl] hospital, sykehus; **flying** — eltlasarett; **lying-in** — fødselsstiftelse; **Magdalen** — Magdalenestiftelse. — **fever** hospitalstyfus.

hospitality [hɔspiˈtæliti] gjestfrihet. **provide** — sørge for opphold. **hospitalization** [-ˈzeiʃn] sykehusinnleggelse. **hospitaller** ['hɔspitlə] Johannitterridder. **host** [həust] hær, krigshær; skare; **Lord of Hosts** hærskarenes Gud; **a heavenly** — en himmelsk hærskare. **host** [həust] vert; **count** (el. **reckon**) **without one's** — gjøre regning uten vert; **-s** vertsfolket. **host** [həust] hostie. **hostage** ['hɔstidʒ] gissel, pant. **hostel(ry)** ['hɔst(ə)l(ri)] gjestgiveri, herberge; studenthjem. **hostess** ['həustis] vertinne; flyvertinne; serveringsdame; profesjonell dansepartnerske. **hostile** ['hɔstail] fiendtlig; fiendtligsinnet. **hostility** [hɔ'stiliti] fiendskap, fiendtlighet. **hostler** ['(h)ɔs(t)lə] stallkar (i et vertshus); jernbanearbeider (i lokomotivstall). **hostlery** ['hɔstlri] gjestgiveri, verthus. **hot** [hɔt] het, heit, varm; radioaktiv; hissig, stri, brå, heftig, sint; ivrig; bitende, skarp (om smak); krydret, pepret; lidenskapelig, ildfull; sterkt sanselig; — **at** flink til å; — **for** ivrig etter; — **from** fersk fra, rett fra; **L. is becoming too** — **for him** det blir for hett for ham i L., jorda begynner å brenne under føttene på ham i L.; **he'll get it** — **and strong** han får en ordentlig overhaling, han blir ordentlig gjennombanket; **make a place too** — **for a man** gjøre helvete hett for en mann; **boiling** — kokende hett; **red** — rødglødende; **white** — hvitglødende; — **brandy** konjakktoddy; — **cockles** (hist.) lek hvor en person med bind for øynene gjetter hvem som slo ham; — **goods** tjuvegods; nylig stjålet; **sell like** — **cakes** gå som varmt hvetebrød; — **coppers** tømmermenn (etter rangel); — **tiger** varmt øl med sherry; **we had a** — **time yesterday** i går gikk det hett for seg; **be in** — **water** være i vanskeligheter, i knipe; **get into** — **water with somebody** komme i strid med en; tildra seg en irettesettelse av en; **be** — **upon a thing** være sterkt oppsatt på noe; være sint for noe; **there is** — **work there** det går varmt til der; **in** — **haste** i en flyvende fart; **a** — **patriot** en ivrig fedrelandsvenn; en kraftpatriot; — **tobacco** sterk tobakk. **hot air** ['hɔtɛə] varm luft; floskler, tøv, store ord. — **heating** varmluftsoppvarming. **hot-and-hot** meget varm mat. **hotbed** ['hɔtbed] mistbenk, drivbenk; (fig.) arnested; **a** — **of vice** et arnested for lasten. **hot-blooded** ['hɔt'blʌdid] varmblodig. **hot-brittle** varmeskjør. **hot-bulb engine** glødehodemotor. **hotcha** ['hɔtʃə] (amr.) smart, flott (om pike); lett på tråden. **hotchpot(ch)** ['hɔtʃpɔt(ʃ)] miskmask, suppe, mølje, sammensurium. **hot | cockles** ['hɔt'kɔklz] se under **hot**. — **coppers** tømmermenn (etter rangel). — **corner** et sted hvor det går varmt for seg; knipe. **hot dog** varm pølse med brød (i. lompe). **hot-dog stand** pølsebod, pølsevogn. **hotel** [həu'tel] hotell. — **keeper** [həu'tel'ki:pə] — **manager** hotellvert, hotelleier. **hot|foot** ['hɔtfut] i størst hast, på røde rappet; **give him a** — (stikke en tent fyrstikk under noens skosåle for moro skyld), gi noen et sjokk. **-head** brushode, sinntagg. **-headed** hissig. **-house** ['hɔthaus] drivhus. **-livered** irritabel; varmblodig. — **-mouthed** hardmunnet; halsstarrig. **hotness** hete; hissighet, bråsinne, voldsomhet. **hot | pot** ragout av fårekjøtt og poteter. — **-press** satinere, varmpresse. — **rod** gammel bil med ny el. trimmet motor. — **seat** (amr.) den elektriske stol. — **-short** rødskjør (skjør i glødende tilstand). — **-shot** storkar, en av de store gutta; dyktig; smart; innbilsk. — **-spirited** hissig, heftig. — **spot** livlig nattklubb. **be in a** — være i knipe. **-spur** ['hɔtspəː] villstyring;

2. Engelsk–Norsk

hissig. **-spurred** hissig. — **stuff** hard kost; hardhaus, farlige gjenstander. **-tempered** hissig.

Hottentot ['hɔtntɔt] hottentott.

hot-water varmtvanns-. — **bottle** varmeflaske. **hot well** varmtvannsbeholder; varm kilde.

Houdini [hu:'di:ni] (tryllekunstner som særlig opptrådde som utbryterkonge); **he made a — on us** han forsvant.

hough [hɔk] hase; skjære hasene over på.

hound [haund] hund; jakthund; kjøter, best; jage, hisse; pusse **(on** på); **ride to hounds** drive sprengjakt, drive revejakt.

hound's tongue ['haundztʌŋ] hundetunge (plante).

hour [auə] time, tid, tidspunkt, klokkeslett; timeslag; **at all -s** døgnet rundt, til alle døgnets tider; **keep good (bad) -s** komme tidlig (seint) hjem, gå tidlig (seint) til sengs; **by the —** for timen; **i timevis; for -s (together)** timevis; **an — and a half** halvannen time; **a quarter of an —** et kvarter; **business -s** forretningstid; **small -s** de små timer; **after -s** etter stengetid, etter skoletid; **it strikes the —** den slår hel; **it strikes the half —** den slår halv; **what's the —?** hva er klokka? **opening -s** åpningstid.

hour|glass ['auəglɑ:s] timeglass. — **hand** lilleviser. **-ly** hver time, per time.

houri ['huəri] huri.

house [haus], pl.: **houses** ['hauziz] hus; også i betydninger som: kongehus, hus, kammer, ting, kollegium (ved universitetet), skuespillhus, teater, handelshus, firma, fattiggård, børs; **country —** landsted; **public —** vertshus, pub; **religious —** kloster; **the White House** den amerikanske presidents embetsbolig i Washington; **— of call** arbeidsanvisningskontor; **— of correction** forbedringsanstalt; **— of ill fame** bordell; **keep —** holde hus, føre hus; **keep the —** holde seg hjemme; **as safe as -s** ganske sikkert; **raise the —** sette hele huset på ende; **set up — for oneself** begynne sin egen husholdning; **the House, the Lower House, the House of Commons** underhuset (i det engelske parlament); **the House of Lords, the House of Peers, the Upper House** overhuset (i det engelske parlament); **the House of Parliament** parlamentet; (amr.) **the House of Representatives** representanthuset i den amerikanske kongress; **call of the House** navneopprop; **be in the House, be member of the House** være medlem av parlamentet; **be in possession of the House** ha ordet i parlamentet; **there is a House** det er møte i parlamentet; **bring down the House** ta publikum med storm; **— full!** utsolgt! **a full —** fullt hus; **a thin —** dårlig hus, lite folk; **help about the —** gå til hånde i huset; **it goes like a — on fire** det går strykende; **it is on the —** huset (el. verten) spanderer; **he drinks them out of — and home** drikker dem fra gård og grunn; **play —** leke mor og far; **set one's — in order** beskikke sitt hus, ordne sine saker.

house [hauz] få under tak, få i hus; skaffe tak over hodet; installere; huse; beskytte, dekke; bo i hus, holde til.

house | agent ['hauseidʒənt] gårdsbestyrer; innehaver av leiebyrå. — **bell** portklokke. — **boat** flytende sommerhus, husbåt (båt som er innrettet til beboelse). **-boy** tjener, boy. **-breaker** innbruddstyv. **-breaking** innbrudd; nedrivning. **-breaking implements** (el. **tools**) innbruddsverktøy. **-earl** ['hauskɑ:l] huskar (kriger av de angelsaksiske og nordiske kongers livvakt). **— charge** kuvertavgift. — **cleaning** (stor)rengjøring. **-coat** (hus)forkle, morgenkjole. — **famine** bolignød. — **farmer** husvert som for høye priser leier dårlige leiligheter ut til fattigfolk. — **flag** firmaflagg. — **frock** hjemmekjole.

household ['haus(h)əuld] husholdning; husstand, hus, familie; tjenerskap. — **bread** hjemmebakt brød. — **effects** innbo og løsøre. — **drudge** kone som sliter seg ut i huset. — **furniture** innbo. — **gods** husguder, penater. — **medicine** husråd.

— **remedy** husråd. — **scales** husholdningsvekt — **stuff** bohave. — **suffrage** valgrett for hus eiere. — **troops** livvakt, gardetropper. — **word** daglig vending, ordtak. — **worship** husandakt.

house|holder ['haushəuldə] familiefar, husfar en som har stemmerett. — **hunter** boligsøkende **-keeper** husmor; husholderske; oldfrue. **-keepin** husholdning; **we started -keeping** vi begynte — føre hus; **-keeping allowance** (el. **money**) hushold ningspenger.

house|leek ['hausli:k] takløk. **-less** husvill **-line** hyssing. **-linen** lintøy, vasketøy. **-lot** bygge grunn. **-maid** stuepike. **-maid's knee** vann i kneet — **martin** taksvale. **-painter** maler (i motsetnin til kunstmaler). — **physician** reservelege, kandi dat. **-place** dagligstue (skotsk og på landet). — **-rent** husleie. **houserent free** med husleiegodt gjørelse. — **room** husrom. **-rule** husorden. — **spar row** gråspurv. — **steward** hushovmester, først tjener i et hus. — **surgeon** reservelege. **-top** hus tak; **cry from the housetops** preke fra hustakene — **-trained** stueren. **-warming** innflyttingsfest krympefest, hjemkommerøl.

housewife ['hauswaif] husmor; [hʌzif] syskrin **housewifely** ['hauswaifli] husmoderlig. **house wifery** ['hʌzifri, 'hauswaifəri] husholdning, hus stell.

housing ['hauziŋ] innlosjering; boliger; hus saldekken.

the housing problem boligspørsmålet.

Houynhnms ['hui(n)əmz] de fornuftige vesene i skikkelse av hester i Swifts Gulliver's Travels

hove [həuv] imperf. av **heave.**

hovel ['hɔvəl] skur, halvtekke, skjå; elendi hytte, rønne; kornstakk; anbringe i skur; bring under tak. **-ler** bergingsmann; kjentmann.

hoven ['həuvən] hoven.

hover ['hɔvə] sveve; dvele, sverme, vandre vingle; — **about** kretse om; drive om i nær heten. **hovercraft** ['hɔvəkrɑ:ft] luftputefartøy.

how [hau] hvorledes, hvordan; hvor, i hvilken grad; hvor! å; (således) som; — **about** hva med hva sier De til . . .; — **are you?** hvorledes ha De det? — **come** hvordan kan det ha seg; — **do you do?** ['haudju'du:] god dag! **know —** t do it forstå å (el. kunne) gjøre det; — **is it tha** hvordan kan det være at; **do it —** you can gjø det så godt du kan; — **hot it is!** så varmt det er

howadji [hau'ædʒi] kjøpmann (i Orienten).

Howard ['hauəd].

howbeit [hau'bi:(i)t] likevel, enda, hvoron allting er.

howda(h) ['haudə] elefantsal (helst med te og med rom til flere).

how-do [hau'du:] god dag!

how-d'ye-do ['haudi'du:] god dag! fine greier oppstyr.

howel ['hauəl] bøkkers rundhøvel.

however [hau'evə] hvorledes enn, hvordan enn hvor — enn; hvordan i all verden; likevel, dog imidlertid.

howf(f) [hauf] (skotsk) tilholdssted; hæ til hold et sted.

howitzer ['hauitsə] haubits.

howk [hauk] (skotsk) grave.

howl [haul] hyle, ule, tute; ul, hyl, tuting **howler** ['haulə] hyler; gråtekone; bommert leit mistak; **go a —** tape svært.

howlet ['haulit] nattugle.

howling ['hauliŋ] hylende; skrekkelig.

howsoever [hausau'evə] hvorledes enn; skjønt.

hoxter ['hɔkstə] innvendig sidelomme.

hoy [hɔi] svær pram, koff.

hoyden ['hɔidn] se **hoiden.**

H. P. fk. f. **hire purchase.**

h. p. fk. f. **horsepower.**

H. Q. fk. f. **headquarters.**

hr. fk. f. **hour.**

H. R. H. fk. f. **His** (eller **Her**) **Royal Highness**

hrs. fk. f. **hours.**

H. S. H. fk. f. **His** (el. **Her**) **Serene Highness.**

huanaco [wəˈnɑ:kəu] guanako (en slags lama).

hub [hʌb] hjulnav; sentrum; midtpunkt for ens interesse; kjælenavn for ektemann (**husband**); (amr.) **the — of the universe** spøkefull benevnelse for Boston; verdens midtpunkt, verdens navle; **the Hub** et sportstidsskrift.

hubbie (e. **hubby**) [ˈhʌbi] liten mann (kjælenavn for ektemann).

hubble-bubble [ˈhʌblbʌbl] snakk i munnen på hverandre; javl, vås, tøv; virvar; vannpipe.

hub brake navbrems.

hubbub [ˈhʌbʌb] larm, ståk, styr, lurveleven.

hubby [ˈhʌbi] knudret.

hub cap hjulkapsel, navkapsel.

hubris [ˈhju:bris] hybris, overmot. **hubristic** [hjuˈbristik] overmodig.

huck [hʌk], **huckaback** [ˈhʌkəbæk] dreiel.

huckle [ˈhʌkl] hofte; pukkel, kryl. **-backed** pukkelrygget. **-berry** (amr.) busk m. spiselige svarte bær; bærlyng; (også): blåbær.

huckster [ˈhʌkstə] høker; gatehandler; høkre.

huckstress [ˈhʌkstris] høkerkjerring.

hud [hʌd] belg, hylse.

huddle [ˈhʌdl] stuve sammen i et rot; røre sammen, dynge sammen; jage, skynde på; slenge; kaste (klærne på seg); trenge seg sammen; gjøre ferdig i en fei, smøre sammen, sjaske fra seg; stimle, flokke seg; hop, dynge; røre; stimmel, trengsel; — **oneself up** (el. **together**) krype sammen; **go into a — with** ha fortrolig (privat) rådslagning med; — **over** (el. **through**) fare igjennom; — **together** kaste i en dynge; stimle sammen.

huddler [ˈhʌdlə] stymper.

Hudson [ˈhʌdsən].

hue [hju:] farge, lett, lød; anstrøk, nyanse, dåm.

hue [hju:] skrik; **make — and cry after a person** el. **raise a — and cry against a person** forfølge en med huiing og skrik; forfølge en med stikkbrev eller etterlysning; starte en forfølgelse (kampanje).

huel [ˈhju:əl] gruve (i Cornwall).

hueless [ˈhju:lis] fargeløs.

hue sensibility fargesans, -følsomhet.

huer [ˈhju:ə] utkikksmann.

huff [hʌf] blåse opp; heve seg (om deig); blåse seg opp; larme, fnyse; behandle grovt, hundse, tyrannisere; fornærme; blåse (**at** av); fornærmelse; sinne; skryter; knep, puss; — **and puff** puste og pese;

huffed krenket, fornærmet, støtt.

huffer [ˈhʌfə] praler, skryter; tyrann.

huffish [ˈhʌfiʃ] hoven. **huffy** [ˈhʌfi] hoven, oppblåst, hårsår, lett å støte, nærtagende.

hug [hʌg] favne, omfavne; favntak, fangtak, omfavnelse, klem; klynge seg til, klamre seg til; — **oneself** glede seg, gotte seg, fryde seg; — **oneself in bed** krype sammen i senga av kulde; (mar.) — **the land** holde seg tett oppunder land; (mar.) — **the wind** knipe tett til vinden.

huge [hju:dʒ] stor, uhyre, umåtelig, kolossal, veldig, kjempemessig. **hugeness** [ˈhju:dʒnis] uhyre størrelse.

hugger-mugger [ˈhʌgəˈmʌgə] hemmelighet; forvirring, rot, røre; gnier; hemmelig; uordentlig; ynkelig; gå hemmelig til verks; holde hemmelig.

Hugh [hju:].

Hughes [hju:z].

hug-me-tight sengehygge.

Huguenot [ˈhju:gənət] hugenott.

hukeem [həˈki:m] lege (i India).

hulk [hʌlk] holk, lørje, skrog (av et skip); losjiskip; anbringe i losjiskip; stor, klosset **-ing** tykk, klosset, ulenkelig.

Hull [hʌl].

hull [hʌl] hylster; belg, skolm; hams; skrog (av skip); skalle, renske; pille (erter); hamse; ramme i skroget.

hullabaloo [hʌləbəˈlu:] ståk, oppstyr, lurveleven.

hullo [həˈlou] hallo! hei!

hulloa [həˈləuə] hallo! hei!

hullock [ˈhʌlək] del av et seil.

hully [ˈhʌli] skolmet, skallet.

hully [ˈhʌli] åleruse, åleteine.

hum [hʌm] surre, summe; mumle; mulle; brumme; humre; nynne bifall til; få til å brumme, nynne; stamme; føre bak lyset; surring, summing; murring; mumling; brumming; bifallsytring; nynning; spøk; humbug; hm! — **and haw** hakke og stamme i det, dra på det; **make things — ** sette liv i tingene, få sveis på det; **the — of the city** byens liv og larm; **she -med of her happiness** det sang i henne av glede.

human [ˈhju:mən] menneske; menneskelig, menneske-; — **being** menneske; — **equation** menneskefaktor.

humane [hjuˈmein] human, menneskekjærlig; humanistisk.

humanely [hjuˈmeinli] menneskekjærlig.

humaneness humanitet, menneske(kjærlig)het.

humanist [ˈhju:mənist] humanist; klassisk filolog.

humanitarian [hjumæniˈtɛəriən] menneskevenn, filantrop; menneskekjærlig.

humanity [hjuˈmæniti] menneskelighet; menneskehet, mennesker; humanitet, menneskekjærlighet; **the humanities** humaniora, humanistiske fag, særlig latinske og greske klassikere.

humankind [ˈhju:mənˈkaind] menneskeslekten.

humanize [ˈhju:mənaiz] gi menneskelig skikkelse (form, innhold).

humanly menneskelig; **he did all that was — possible** han gjorde alt som sto i menneskelig makt.

humate [ˈhju:mit] humussurt salt.

Humber [ˈhʌmbə].

humble [ˈhʌmbl] ringe; ydmyk, ærbødig, underdanig, beskjeden, smålåten, spakferdig; gjøre ringere, nedsette, ydmyke; **my — self** min ringhet.

humblebee [ˈhʌmblbi:] humle.

humblepie [ˈhʌmblˈpai] postei av innmat; husmannskost; **eat — ** spise nådensbrød, ydmyke seg, krype til korset, bite i det sure eple.

humbly [ˈhʌmbli] ringe; ydmykt, beskjedent.

humbug [ˈhʌmbʌg] humbug, jugl, juks, fusk og fanteri; humbugmaker; bedrager; narre, forlede, bedra, jukse. **humbugger** [ˈhʌmbʌgə] humbugmaker. **humbuggery** [ˈhʌmˈbʌgəri] humbug, bedrageri, svindel.

humdrum [ˈhʌmdrʌm] kjedelig, hverdagslig; kjedsommelighet, hverdagslighet; samme gnålet; dødbiter; staur.

Hume [hju:m].

humective [hjuˈmektiv] fuktende; våt.

humeral [ˈhju:mərəl] skulder-.

humgruffin [hʌmˈgrʌfin] heslig, frastøtende person, stygt troll.

humie [ˈhju:mik] humus-.

humhum [ˈhʌmhʌm] grovt, glatt bomullstøy (i India).

humid [ˈhju:mid] fuktig. **humidifier** [hjuˈmidifaiə] fukter, fuktingsanlegg. **humidify** fukte. **humidity** [hjuˈmiditi] fuktighet. **humidness** [ˈhju:midnis] fuktighet.

humiliate [hjuˈmilieit] ydmyke.

humiliation [hjuːmiliˈeiʃən] ydmykelse; **day of — ** alminnelig bededag.

humility [hjuˈmiliti] ydmykhet.

humming [ˈhʌmiŋ] summende; summing. **-bird** kolibri. **-top** snurrebass.

hummock [ˈhʌmək] haug, knoll, større tue. **hummocky** [ˈhʌməki] bakket.

humor [ˈhju:mə] væske, væte.

humoral [ˈhju:mərəl] humoral, væske-, væte-.

humorist [ˈhju:mərist] humorist; raring.

humoristic [hju:məˈristik] humoristisk.

humorous [ˈhju:mərəs] humoristisk, spøkefull, munter.

humour [ˈhju:mə] stemning; humør; lune;

skjemt, vidd, humor; kroppsvæske; føye, rette seg etter, jatte med, godsnakke; gå inn på; **be out of** — være i dårlig humør; **be in the** — **for** være opplagt til; **please one's** — følge sin lyst; **put one in good** — sette en i godt humør; **put one out of** — sette en i dårlig humør; **the** — takes me jeg får lyst til; **take one in the** — benytte ens gode humør; **do a thing for the** — **of it** gjøre noe for spøk; **children must not be** -**ed too much** man må ikke være for ettergivende mot barn.

hump [hʌmp] pukkel, kryl; kuv; haug; (sl.) dårlig humør; krøke ryggen; samle; (sl.) ergre; (sl.) ødelegge; ta seg sammen; **we are over the** — vi er over kneiken, (det verste). -**back** pukkelrygg; pukkelrygget; pukkelhval. -**backed** rundrygget; krylrygget; pukkelrygget.

humph [hʌmf] hm!; si hm, brumme, kremte.

Humphrey ['hʌmfri].

hump-shouldered ['hʌmpʃəuldəd] rundrygget.

humpty ['hʌm(p)ti] (slags gulvpute).

humpty-dumpty ['hʌm(p)ti'dʌm(p)ti] liten og tykk; tjukken; **Humpty Dumpty sat on a wall** et lite barnerim hvor H. er et egg.

humpy ['hʌmpi] puklet, pukkelrygget; sur; bulet.

humpy ['hʌmpi] hytte (i Australia).

humstrum ['hʌmstrʌm] dårlig instrument; lirekasse.

humus ['hju:məs] moldjord, humus.

Hun [hʌn] huner, vandal, (også brukt hånlig om tyskere).

hunch [hʌnʃ] pukkel, kul; kolle, tue; klump; puff; krumme, krøke; puffe; innskytelse, innfall; **I have a** — **that** jeg har en følelse av at; -**back** pukkelrygg; pukkelrygget person. [-**backed** ['hʌnʃbækt] pukkelrygget.

hundred ['hʌndrəd] hundre; **by** -s i hundrevis; **4 in the** — 4 prosent. -**fold** hundrefold, hundre ganger så mye. — **proof** (om whisky) 57 volumprosent; best, finest.

hundredth ['hʌndrədθ] hundrede (ordenstall), hundredel.

hundredweight ['hʌndrədweit] centner; (i England: 112 lbs. (50,802 kg); i Amerika: 100 lbs. (45,359 kg); **metric** — (50 kg).

hung [hʌŋ] imperf. og perf. pts. av **hang**.

Hungarian [hʌŋ'gɛəriən] ungarsk; ungarer.

Hungary ['hʌŋgəri] Ungarn.

hung beef ≈ spekekjøtt.

hunger ['hʌŋgə] sult, hunger; sulte, være sulten, hungre; sulte ut; (fig.) føle sterk trang, lyst til; savne inderlig, tørste etter. — -**bitten** plaget av sult, sultrammet. — **line** sultegrense. — **strike** sultestreik.

hungrily ['hʌŋgrili] grådig, begjærlig.

hungry ['hʌŋgri] sulten, hungrig, grådig; — **as a hunter** sulten som en skrubb; — **soil** mager jord.

hunk [hʌŋk] stort, tykt stykke, blings, klump; — **of** en stor mengde, en god slump.

hunk [hʌŋk] (amr.) ved målet; **be on** — være ved målet; være i sikkerhet.

hunker ['hʌŋkə] (amr.) stokk konservativ.

hunkerism ['hʌŋkərizm] stokk-konservatisme.

hunks [hʌŋks] gnier.

Hunlike, Hunnish vill, barbarisk.

hunt [hʌnt] (eng.) revejakt, parforcejakt; jage, veide; jage etter, gå på jakt etter; jakt; forfølgelse; alt det som hører til jakten; jaktselskap; jaktrevier; — **down** jage til døde; — **down a criminal** forfølge og pågripe en forbryter; — **for** lete (ivrig) etter; — **high and low** lete med lys og lykt etter; — **up** (el. **out**) finne, snuse opp.

hunter ['hʌntə] jeger; jakthund; jakthest; jagerfly.

hunting ['hʌntiŋ] jakt, veiding; jakt. — **box** jakthytte. — **cog** overtallig tann (i et sett tannhjul). — **crop** jaktpisk. — **ground** jakt|terreng, -område, -distrikt. — **lodge** jakthytte. — **meet** [-mi:t] jaktmøte. — **seat** jaktslott. — **watch** jaktur, dobbeltkapslet ur.

huntress ['hʌntris] kvinnelig jeger.

Hunts [hʌnts] Huntingdonshire.

huntsman ['hʌntsmən] jeger, pikør, jaktføre (ved parforcejakt). **huntsmanship** jegerkunst; pikørstilling.

hur-bur ['hə:bə:] borre.

hurdle ['hə:dl] flyttbart gjerde, risgard, ris gjerde; hinder (ved veddeløp). — **race** hinderløp veddeløp med forhindringer, hekkeløp.

hurdler ['hə:dlə] hekkeløper.

hudry-gurdy ['hə:di'gə:di] lirekasse, lire; (amr. vannhjul som drives av vannstråle; vinsj (t trål).

hurkara [hə:'ka:rə] **hurkaru** [hə:'ka:ru] bud, kurér (i India).

hurl [hə:l] kaste, slynge, slenge.

hurly-burly ['hə:li'bə:li] larm, tummel, virva

Huron ['hjuərən].

hurrah [hu'ra:] hurra; rope hurra.

hurricane ['hʌrikən] orkan; engelsk flytype — **deck** stormdekk. — **lamp** stormlykt.

hurried ['hʌrid] hurtig, hastig, skyndsom, kort

hurriedly ['hʌridli] hurtig, hastig, skyndsomt

hurry ['hʌri] il, hast, hastverk; ile, haste skynde på; føre hurtig av sted, drive på, forsere fremskynde, få av gårde; skynde seg; **be in a** — ha hastverk, ha det travelt; **in the** — i skynd ingen; i farten; — **oneself** forhaste seg; — **u** skynde seg, rappe seg, svinte seg; **there is no** — det haster ikke; — **away** ile bort; føre hurti bort; **he hurried into his clothes** han for i klærne

hurry-scurry ['hʌri'skʌri] forvirring, virvar hodekulls, hodestupes, i forvirring, i hui og hast

hurst [hə:st] lund, holt, kjerr; øyr, sandbanke

hurt [hə:t] gjøre fortred, skade, såre, krenke gjøre vondt, fortred, skade, ugagn, men, sår, støt — **oneself** slå seg; **I feel** — jeg føler meg såret — **one's feelings** såre ens følelser.

hurtful ['hə:tf(u)l] skadelig.

hurtle ['hə:tl] støte mot, tørne sammen; slynge virvle, suse; rasle, klirre, drønne, brake, buldre

husband ['hʌzbənd] ektefelle, ektemann, mann god økonom; holde godt hus med, husholderer med, spare på; handle som ektemann mot; overt ansvaret for, ta seg av. **husbandage** ['hʌzbəndidʒ skipsagents provisjon. **husbandman** ['hʌzbənd mæn] jordbruker, bonde. **husbandry** ['hʌzbəndri landbruk, jordbruk; sparsommelighet, økonomi husholdning; dyrehold.

hush [hʌʃ] hyss! stille!; stille, rolig stillhet, stille, døyve; få til å tie; berolige roe; være stille, tie; — **up** dysse ned.

hushaby ['hʌʃəbai] barnesull, bånsull, båntull byss(an).

hushed dempet, stille.

hush-hush hysj-hysj; strengt hemmelig; hem melighetskremmeri; hemmeligholde.

hush money ['hʌʃmʌni] penger for å tie; be stikkelse.

husk [hʌsk] belg, kapsel, skolm, skall; hams agne; skalle, skolme; (fig.) utvendigheter; skrell pille, hamse, renske; kle av seg.

huskiness ['hʌskinis] heshet.

husky ['hʌski] skallet, skolmet; rusten, sløre (om stemmen); trekkhund, grønlandshund.

Husky ['hʌski] eskimo, eskimospråk; kraftkar

hussar [hu'za:] husar.

hussif ['hʌsif] sypose, syskrin.

Hussite ['hʌsait] hussitt.

hussy ['hʌsi] tøs, tøyte, skreppe, flyfille.

hustings ['hʌstiŋz] talertribune; talerstol valgkampanje.

hustle ['hʌsl] ryste sammen; støte, trenge skubbe; skubb; driv, futt, tæi; — **and bustle** liv og røre; skynde seg, få fart i; kapre kunder (om prostituerte).

hustler ['hʌslə] en som bruker albuene; mase kopp, svindler, smarting; ludder.

huswife ['hʌzif, 'hʌzwaif] se **hussif**.

hut [hʌt] hytte; skjul; brakke; legge i brak ker; bo i brakker.

hutch [hʌtʃ] kasse, bur (f. eks. til kaniner); **kap** med hyller øverst.

hutment ['hʌtmənt] brakker; brakkeleir; anringelse i brakker.

huzza [hʌ'zɑ:, hu'zɑ:] hurra!; rope hurra; ilse med hurra.

H. V., h. v. fk. f. **high voltage.**

hy [hai] hei!

hyacinth ['haiəsinθ] hyasint (svibel).

hyacinthine [haiə'sinθ(a)in] hyasintaktig.

hyaena [hai'i:nə] hyene.

hyaline ['haiəl(a)in] glassklar, krystallklar jennomsiktig; glassklar substans el. flate; (poet.) lar himmel, blank sjø.

hyalite ['haiəlait] hyalitt, glassopal.

hyaloid ['haiələid] gjennomsiktig, glassaktig.

hybrid ['haibrid] bastard, krysning; bastardktig. — **race** blandingsrase. **-ization** kryssing.

hyd. fk. f. **hydraulics; hydrostatics.**

hydatid ['haidətid, 'hid-] vannblære; blære-rm.

Hyde Park ['haid 'pɑ:k] (park i London).

hydra ['haidrə] hydra, vannslange (i mytologi).

Hydrabad ['haidrəbæd].

hydrangea [hai'dreindʒə] hortensia.

hydrant ['haidrənt] hydrant, brannkran.

hydraulic [hai'drɔ:lik] hydraulisk; — **press** ydraulisk presse.

hydraulically [hai'drɔ:likəli] med vannkraft.

hydraulics [hai'drɔ:liks] hydraulikk, vann-kraftlære.

hydrie ['haidrik] vannstoff-, hydrogen-.

hydride ['haidraid] hydrid.

hydro ['haidrəu] badesanatorium, vannkur-nstalt.

hydro- ['haidrəu] i sammensetninger: vann-.

hydrocele ['haidrəsi:l] vannbrokk.

hydrocephalus [haidrə'sefələs] vann på hjernen.

hydrodynamics [haidrədai'næmiks] hydrodyna-nikk.

hydroelectricity [haidrəuilek'trisiti] hydroelek-risk kraft.

hydrofoil ['haidrəfɔil] hydrofoil.

hydrogen ['haidrədʒən] hydrogen, vannstoff. — **bomb** vannstoffbombe. — **peroxide** vannstoff-eroksyd.

hydrographer [hai'drɔgrəfə] hydrograf.

hydrographical [haidrə'græfikl] hydrografisk.

hydrography [hai'drɔgrəfi] hydrografi (hav-eskrivelse og havmåling).

hydroid ['haidrɔid] liten manet.

hydromel ['haidrəmel] honningvann, mjød.

hydrometer [hai'drɔmitə] areometer, flytevekt.

hydropathic [haidrə'pæθik] hydropatisk, vann-kur-. **hydropathist** [hai'drɔpəθist] hydropat.

hydropathy [hai'drɔpəθi] hydropati, vannkur.

hydrophile ['haidrəfail] vannsugende.

hydrophobia [haidrə'fəubjə] vannskrekk.

hydrophone ['haidrəfəun] hydrofon.

hydropic [hai'drɔpik] vattersottig.

hydroplane ['haidrəplein] hydroplan; vannfly, jøfly; dybderor.

hydropsy ['haidrɔpsi] vattersott.

hydroscopy [hai'drɔskəpi] hydroskopi.

hydrostat ['haidrəstæt] hydrostat. **hydrostatic** haidrə'stætik] hydrostatisk; **-s** hydrostatikk, æren om væskers likevekt.

hydrous ['haidrəs] vannholdig.

Hydrus ['haidrəs] Hydra, Vannslangen.

hyemal [hai'i:məl] vinterlig.

hyena [hai'i:nə] hyene.

hyetograph ['haiətəgrɑ:f] regnmåler.

Hygeia [hai'dʒi:ə] Hygea. **hygiene** ['haidʒi:n] hygiene, helselære. **hygienic** [hai'dʒi:nik] hygienisk. **-s** hygiene. **hygienist** ['haidʒinist] hygieniker.

hygrometer [hai'grɔmitə] hygrometer, fuktig-hetsmåler.

hygroscope ['haigrəskəup] hygroskop, fuktig-hetsmåler. **hygroscopic** [haigrə'skɔpik] hygrosko-pisk, vannsugende.

hymen ['haimən] hymen; møydom, dyd.

hymeneal [haimə'ni:əl], **hymenean** [haimə'ni:ən] bryllups-, bryllupsdikt, salme.

hymn [him] hymne; salme; lovsang; lov-prise, lovsynge. — **book** salmebok. **hymnal** ['himnəl] hymneaktig, hymne-; salmeaktig, sal-me-; salmebok. **hymnie** ['himnik] hymneaktig; salmeaktig. **hymnody** ['himnədi] salmesang; sal-mekomposisjon. **hymnologist** [him'nɔlədʒist] hymnedikter; salmedikter. **hymnology** [him'nɔ-lədʒi] hymnedikting; salmedikting.

hyperaemia [haipə'ri:mjə] hyperemi (økt blod-mengde).

hyperbola [hai'pə:bələ] hyperbel.

hyperbole [hai'pə:bəli] overdrivelse.

hyperborean [haipə'bɔ:riən] hyperboreer, nord-bo; hyperboréisk, nordligst.

hypercritic [haipə'kritik] overdrevent kritisk. **hypercriticism** ['haipə'kritisizm] overdreven kritikk.

Hyperion [hai'piəriən] Hyperion (solgud).

hypermetropia [haipəme'trəupiə] overlangsynt-het. **hypermetropic** [haipəme'trɔpik] overlangsynt.

hypersonic [haipə'sɔnik] (ca. 5 ganger) hurtigere enn lyden.

hypertrophy [hai'pə:trəfi] hypertrofi, et organs overutvikling.

hyphen ['haifən] bindestrek. **hyphenate** ['hai-fəneit] sette bindestrek.

hypnosis [hip'nəusis] hypnose. **hypnotic** [hip-'nɔtik] hypnotisk; sovemiddel. **hypnotism** ['hip-nətizm] hypnotisme. **hypnotist** ['hipnətist] hyp-notisør. **hypnotize** ['hipnətaiz] hypnotisere, sug-gerere.

hypo ['haipəu] fiksersalt, fikserbad; inn-sprøyting.

hypochondria [haipə'kɔndriə] hypokondri; tung-sinn. **hypochondriac** [haipə'kɔndriæk] hypokon-der, hypokondriker.

hypocrisy [hi'pɔkrisi] hykleri; skinnhellighet. **hypocrite** ['hipəkrit] hykler. **hypocritic(al)** [hipə'kritik(l)] hyklersk; skinnhellig.

hypodermic [haipə'də:mik] som ligger under huden; innsprøyting under huden. — **needle** kanyle. — **syringe** sprøyte, innsprøyting.

hypogynous [hai'pɔdʒinəs] undersittende, som sitter under fruktemnet.

hypotenuse [hai'pɔtinju:z] hypotenus.

hypothec [hai'pɔθek] hypotek, pant. **hypo-thecate** [hai'pɔθikeit] pantsette.

hypothesis [hai'pɔθisis] hypotese, forutsetning, vitenskapelig gjetning. **hypothetic(al)** [haipə-'θetik(l)] hypotetisk, betinget, tvilsom.

hypsometer [hip'sɔmitə] høydemåler.

hyrax ['hairæks] klippegrevling, fjellgrevling.

hyson ['haisən] hyson, grønn te.

hyssop ['hisəp] isop.

hysteria [hi'stiəriə] hysteri. **hysteric(al)** [hi-'sterik(l)] hysterisk, eksaltert, overspent. **hyste-ries** [hi'steriks] anfall av hysteri; **go off into** — bli hysterisk.

hysteron proteron ['histərɔn'prɔtərɔn] uttrykk hvor det settes først som normalt kommer sist.

I

I, i [ai] I, i (bokstav).
I. fk. f. **Island; Isle; imperator** (keiser); **imperatrix** (keiserinne); **Victoria, R. I.** (regina, imperatrix, dronning og keiserinne).
I [ai] jeg, **it was** — who did it det var jeg (meg) som gjorde det; — say hør! between you and — and the lamp-post mellom oss sagt.
i' [i] i; — the morning om morgenen.
Iago [i'ɑ:gəu].
iamb ['aiæmb] jambe. **iambic** [ai'æmbik] jambisk. **iambus** [ai'æmbəs] jambe.
Ian (mannsnavn) [iən].
IATA, fk. f. **International Air Transport Association.**
Iberian [ai'biəriən] iberisk; iberer.
ibex ['aibeks] steinbukk.
ibidem [i'baidem] samme sted.
ibis ['aibis] ibis (fugl).
ICAO fk. f. **International Civil Aviation Organization.**
Icarian [ai'kɛəriən] ikarisk; høyflyvende. **Icarus** ['ikərəs] Ikaros.
ICBM, fk. f. **Intercontinental Ballistic Missile.**
ice [ais] is; dekke med is, ise, ha is på; få til å fryse; legge på is; glasere (med sukker).
ice | age istid. — **bag** ispose **-berg** ['aisbə:g] isberg; følelseskald person. **-blink** isblink. **-bolt** istapp. — **-bound** innefrosset; tilfrosset. **-box** isskap; kjøleskap. **-breaker** isbryter. **-cap** innlandsis, iskalott. — **channel** råk, renne i isen. — **cream** iskrem, is (fruktis o. l.). — **fern** isrose, frostrose. — **foot** isbelte.
Iceland ['aislænd] Island. **Icelander** ['aisləndə] islending. **Icelandic** [ais'lændik] islandsk.
ice | lane råk. — **pack** pakkis. — **pail** champagnekjøler. **-safe** isskap.
ichneumon [ik'nju:mən] ikneumon, faraorotte. **ichneumon fly** snylteveps.
ichnography [ik'nɔgrəfi] iknografi, grunnriss.
ichor ['aikə] gudenes blod; blodvæske, sårsekret.
ichthyic ['ikθiik] fiske-. **ichthyocol(la)** ['ikθiəkɔl, ikθiə'kɔlə] fiskelim. **ichthyography** [ikθi-'ɔgrəfi] beskrivelse av fiskene. **ichthyologist** [ikθi'ɔlədʒist] fiskekjenner. **ichthyology** [ikθi'ɔlədʒi] iktyologi, læren om fiskene. **ichthyosaurus** [ikθiə'sɔ:rəs] fiskeøgle.
I. C. I. fk. f. **Imperial Chemical Industries.**
icicle ['aisikl] istapp; iskaldt, ytterst kjølig.
icily ['aisili] iskaldt. **iciness** ['aisinis] iskulde.
icing ['aisiŋ] (sukker)glasur; tilising, nedising. — **sugar** flormelis.
icing-machine ['aisiŋmə'ʃi:n] frysemaskin.
iconoclasm [ai'kɔnəklæsm] billedstorming. **iconoclast** [ai'kɔnəklæst] billedstormer. **iconoclastic** [aikɔnə'klæstik] billedstormende, revolusjonær.
I. C. S. fk. f. **Indian Civil Service.**
icteric [ik'terik] gulsottig; som fordriver gulsott; middel mot gulsott. **icterus** ['iktərəs] gulsott.
icy ['aisi] iset; iskald.
id [id] id, individets primitive impulser.
I'd [aid] fk. for **I had** el. **I would.**
idad [i'dæd] min santen!
Idaho ['aidəhəu].
ide [aid] idmort, vederbuk (fisk).
idea [ai'diə] idé, begrep, forestilling; tanke; innfall, forestilling; — of God gudsbegrep; my — would have been to det hadde vært min tanke å; they have no — of travelling for amusement de forstår ikke (kan ikke tenke seg) at en kan reise for sin fornøyelses skyld; I have an — that det foresvever meg noe om at; the — of such a

thing skulle du ha hørt på maken! var det li seg! the —! tenke seg! at det kan falle De inn! get -s into one's head få griller, nykke»
ideal [ai'diəl] ideal, mønster, forbilde; ide» tanke-; tenkt; mønstergyldig, fullendt; idee» idealistisk. **idealism** [ai'diəlizm] idealisme. id» alist [ai'diəlist] idealist. **idealistic** [aidiə'listi idealistisk. **ideality** [aidi'æliti] idealitet. ideali [ai'diəlaiz] idealisere; danne seg idealer.
ideate [ai'di:eit] forestille seg, danne seg for stillinger.
idé fixe [i:'dei'fi:ks] fiks idé.
identic(al) [ai'dentik(l)] identisk, ens me samme. **identical twins** eneggete tvillinger.
identification [ai'dentifi'keiʃən] identifiserin» gjenkjenning. — **disk** identifikasjonsmerke; død merke. — **papers** legitimasjonspapirer. — tag — **disk.**
identify [ai'dentifai] kjenne igjen, bestemm» identifisere; — oneself bevise at en er den perse» en gir seg ut for, bevise sin identitet; slut seg til, gå opp i.
identity [ai'dentiti] identitet. — **card** legitim sjonskort. — **plate** registreringsmerke (bil).
ides [aidz] Idus (i romersk kalender).
id est [id est] det er, det vil si, dvs. (fork. i. e.
idiocy ['idjəsi] idioti.
idiom ['idjəm] idiom, dialekt, talemåte, stående uttrykk; språkeiendommelighet. **idiomatic** [idj» 'mætik] idiomatisk.
idiosyncrasy [idjə'siŋkrəsi] idiosynkrasi (sæ egenhet); overfølsomhet.
idiot ['idjət] idiot; tosk, naut, fé. — asylu» idiotanstalt. **idiotic** [idi'ɔtik] idiotisk. **idiotis** ['idjətizm] idioti; idiotisme (et for et språk eie» dommelig uttrykk). **idiotize** ['idjətaiz] gjøre t idiot; bli idiot.
idle ['aidl] ledig, ørkesløs, uvirksom; dove» tom; tomgang; unyttig; intetsigende; ubetydeli» dovne; late seg; gå på tomgang; — capital de kapital; — fuel adjustment tomgangsregulerin» — Monday blåmandag; — rumour grunnlø» rykte; — time away søle bort tiden.
idleheaded ['aidlhedid] tom i hodet.
idleness ['aidlnis] ledighet, ørkesløshet; dove» skap, lathet.
idle-pated ['aidlpeitid] tom i hodet.
idler ['aidlə] lediggjenger; dagdriver.
idle | speed tomgangshastighet. — wheel me» lomhjul.
idol ['aidl] avgudsbilde; avgud; illusjo» **idolater** [ai'dɔlətə] avgudsdyrker; forguder, t» beder. **idolatrize** [ai'dɔlətraiz] drive avguder forgude. **idolatrous** [ai'dɔlətrəs] avguderis» **idolize** [ai'dɔlaiz] drive avguderi; forgud **idolizer** ['aidəlaizə] avgudsdyrker; forguder, t» beder.
idyl, idyll ['aidil] idyll; hyrdedikt. idyll [ai'dilik] idyllisk.
i. e. ['ai'i::, 'ðæt'iz] fk. f. **id est** det er, det v si, dvs.
if [if] hvis, dersom; om; om også, selv on» as — som om; — but når bare; — not hvis ikke» motsatt fall; — so i så fall; — anything nærmes» even — selv om; he is thirty years, — he is a da» han er minst 30 år gammel; — I were you hv» jeg var Dem.
IFF (radar) **identification of friend from fo» iffy** ['ifi] (amr.) uviss, avhengig av mange tin» **igloo** ['iglu:] snøhytte.
ign. fk. f. **ignition; ignotus** ukjent.
Ignatius [ig'neiʃ(j)əs].
igneous ['igniəs] av ild; vulkansk.

ignis ['ignis] ild; — **fatuus** ['fætjuəs] lykte-ann, blålys; pl **ignes fatui** ['igni:z'fætjuai].
ignite [ig'nait] tenne, sette i brann; fenge, omme i brann. **ignitible** [ig'naitibl] antennelig.
ignition [ig'niʃən] tenning; tenningsbryter; tenn-ats; brenning; gløding.
ignition | **coil** tennspole, coil. — **delay** tennings-orsinkelse. — **key** tenningsnøkkel. — **switch** enningsbryter, -lås.
ignoble [ig'nəubl] av lav ætt; uedel, lav, gemen.
ignominious [ignə'minjəs] skjendig; vanærende.
ignominy [ig'nəmini] skjensel, vanære.
ignoramus [ignə'reiməs] ignorant, uvitende erson.
ignorance ['ignərəns] uvitenhet. **ignorant** ['ig-ərənt] uvitende. **ignore** [ig'nɔ:] ikke ta hensyn l, ignorere; ikke tenke på, overse. **ignotus** kjent.
iguana [i'gwa:nə] leguan.
I. H. P. fk. f. **indicated horse power** indisert estekraft.
ihram [i'ra:m] muhammedansk pilegrimsdrakt.
I. H. S. fk. f. **Jesus; In hoc signo** i dette tegn; esus **Hominum Salvator** Jesus, menneskenes ·elser.
Ike [aik] klengenavn på president Eisenhower.
ile [ail] (provinsielt og amerikansk:) olje; he **nine** -**s** populært inngnidningsmiddel; (i Ame-ika): **strike** — ha hell med seg.
ileum ['iliəm] krumtarm, mellomtarm.
ileus ['iliəs] tarmslyng, tarmgikt.
ilex ['aileks] kristtorn; steineik, beinved.
Iliad ['iliæd], **the** — Iliaden.
ilk [ilk] (skotsk) samme; enhver; **of that** — ra godset av samme navn (ɔ: godseierens og odsets navn er det samme); av samme slags, v samme ulla; **of the same** — av samme slags.
ilka ['ilkə] (skotsk) enhver.
I'll [ail] fk. f. **I shall** el. **I will**.
ill [il] syk, sjuk; dårlig; låk; vond, slett; ille, ·ondt; onde; ulykke, lidelse; **be** — være syk; **e** — in bed ligge syk; **be taken** —, **fall** — bli yk; **as** — **luck would have it** uheldigvis; — **weeds row apace** ukrutt forgår alske så lett; **it's an** — ·ind that blows nobody any good ingenting er så :alt at det ikke er godt for noe; **with an** — **grace** igjerne; **it would go** — **with him** det ville gå ham alt; — **at ease** ille til mote; **speak** — **of** snakke ·ondt om; **return** — **for good** gjengjelde godt ned vondt.
ill|**-advised** ['iləd'vaizd] dårlig betenkt, over-tt, ubetenksom. — **-affected** illesinnet. — **-assor**-ed som passer dårlig sammen.
illation [i'leiʃən] slutning. **illative** [i'leitiv] slut-ings-, følge-, årsaks-.
ill|**-behaved** ['ilbi'heivd] uskikkelig. — **-being** -tilpasshet. — **-boding** illevarslende. — **-bred** -oppdragen, udannet. — **-concealed** dårlig skjult. — **-conceived** dårlig uttenkt, dårlig planlagt. — -**conditioned** som har det leit; av dårlig beskaf-enhet; ondartet (f. eks. om sykdom). — **-consi**-dered uoverveid. — **-disposed** illesinnet, onde -skapsfull, uvillig, vrang, lei. — **-doing** som gjør urett; dårlig atferd; forseelse.
illegal [i'li:gəl] ulovlig. **illegality** [ili'gæliti] ulovlighet. **illegalize** [i'li:gəlaiz] gjøre ulovlig. **illegibility** [iledʒi'biliti] uleselighet. **illegible** i'ledʒibl] uleselig.
illegitimacy [ili'dʒitiməsi] urettmessighet, ugyl-lighet; uekte fødsel. **illegitimate** [ili'dʒitimət] urettmessig; født utenfor ekteskap; uriktig, ube-rettiget, ugyldig. **illegitimate** [ili'dʒitimeit] er-klære for uekte eller ulovlig.
ill fame vanry, dårlig ry. **house of** — — be-ryktet hus (bordell).
ill|**-fated** ['il'feitid] ulykkelig, ugunstig. — **-fa**-voured stygg, heslig, fæl. — **-featured** stygg. — -**feeling** uvilje, fiendskap, nag. — **-fitting** som passer dårlig. — **-fortune** uhell, vanskjebne. — -**found** dårlig utrustet (om skip). — **-founded** -dårlig underbygd. — **-gotten** ervervet på urett-

messig vis. — **-humoured** i dårlig humør, irritabel.
illiberal [i'libərəl] gjerrig, knipen; ukjærlig; smålig, småskåren, trangsynt; knuslet. **illiberality** [-'ræliti] gjerrighet; ukjærlighet; smålighet.
illicit [i'lisit] utillatelig; ulovlig. — **distillery** hjemmebrenning. **illicitness** [-nis] ulovlighet.
illimitable [i'limitəbl] ubegrenset, uinnskrenket.
illinition [ili'niʃən] innsmøring; salve.
Illinois [ili'nɔi, -'nɔiz].
illiquation [ili'kweiʃən] sammensmelting.
illiquid [i'likwid] ikke likvid.
illiteracy [i'litərəsi] analfabetisme, uvitenhet, udannethet; trykkfeil; mistak. **illiteral** [i'litərəl] ikke bokstavelig. **illiterate** [i'litərit] uvitende; udannet; ikke lesekyndig; **absolute illiterate** analfabet.
ill|**-judged** ubetenksom, ufornuftig, malplas-sert. — **-looking** som ser dårlig, usunn, mistenke-lig ut; stygg. — **-luck** ulykke, uhell. — **-manage**-ment vanstell, vanstyre. — **-mannered** uopp-dragen, udannet. — **-matched** som passer dårlig sammen. — **-nature** grettenhet; ondskap. — -**natured** gretten; ondskapsfull.
illness ['ilnis] sykdom.
illogical [i'lɔdʒikəl] ulogisk. **illogicality** [-'kæl-] mangel på logikk, fornuftstridighet.
ill|**-omened** ['il'əumənd] illevarslende, uheldig, forfulgt av uhell. — **-paid** dårlig betalt. — **-pleased** misfornøyd. — **-read** lite belest. — **-seasoned** umoden; ubetimelig. — **-sorted** som passer dårlig sammen. — **-spoken** grov. — **-starred** født under en uheldig stjerne, ulykkelig, uheldig. — **-tem**-pered gretten, sur, kranglet. — **-timed** ubetimelig; uheldig. — **-treat** behandle dårlig, mishandle, fare ille med. — **-treatment** mishandling.
illude [i'l(j)u:d] narre, dåre, gjekke.
illume [i'l(j)u:m] opplyse, kaste lys over.
illuminant [i'l(j)u:minənt] belysningsmiddel.
illuminate [i'l(j)u:mineit] opplyse, belyse; illu-minere; begeistre; forklare; kolorere, illustrere. **illuminating** [i'lju:mineitiŋ] instruktiv, opp-lysende. **illumination** [il(j)u:mi'neiʃən] opplys-ning, belysning; illuminasjon; lys, glans; illu-strasjon, illustrering. **illuminative** [i'l(j)u:mi-nətiv] opplysende, belysende. **illuminator** [i'l(j)u:-mineitə] opplyser, belyser; kolorerer, maler; opplysningsapparat; reflektor. **illumine** [i'l(j)u:-min] se **illume** og **illuminate**.
illus. fk. f. **illustrated; illustration**.
ill-usage ['il'ju:zidʒ] mishandling.
ill-use ['il'ju:z] mishandle.
illusion [i'l(j)u:ʃən] illusjon; blendverk; fanta-sifoster, et slags gjennomsiktig tøystoff, tyll. **illusionist** [-ist] illusjonist; tryllekunstner. **illusive** [i'l(j)u:siv] illuderende, skuffende. **illusory** [i'l(j)u:-səri] illusorisk, skuffende.
illustrate ['iləstreit, i'lʌstreit] opplyse, belyse; forherlige; forklare, tydeliggjøre; illustrere (med bilder). **illustration** [ilə'streiʃən] opplysning, be-lysning, forklaring; illustrasjon. — **editor** billed-redaktør. **illustrative** [i'lʌstrətiv] opplysende, for-klarende; **be** — **of** forklare. **illustrator** ['ilə-streitə] opplyser; illustratør.
illustrious [i'lʌstriəs] strålende, glansfull, ut-merket, berømt; navngjeten; opphøyd, høy (om fyrstelige personer).
ill-will ['il'wil] uvilje; nag; uvennskap, fiend-skap.
Illyria [i'liriə] Illyria. **Illyrian** [i'liriən] illyrisk; illyrier.
ilmenite ['ilmənait] titanjernstein.
I. L. O. fk. f. **International Labour Organi**-zation Den internasjonale arbeidsorganisasjon.
I. L. P. fk. f. **Independent Labour Party**.
I'm [aim] fk. f. **I am**.
image ['imidʒ] bilde; gudebilde; statue; fore-stilling, profil, tankebilde; avbilde; gjenspeile; forestille seg, tenke seg; **he is the very** — **of his father** han er faren opp av dage.
imagery ['imidʒri] billedverk; bilder; billedrik-dom; anskuelig fremstilling, billedstil, billedspråk.

imaginable [i'mædʒinəbl] tenkelig, som tenkes kan.

imaginary [i'mædʒinəri] innbilt, tenkt; fingert; imaginær (i matematikk); imaginær størrelse. imagination [imædʒi'neiʃən] innbilningskraft, fantasi; innbilning, forestilling. imaginative [i'mædʒinətiv] fantasi-, innbilt; fantasirik; oppfinnsom. imagine [i'mædʒin] forestille seg, tenke seg, tenke, tro.

imam [i'ma:m], iman [i'ma:n] muhammedansk prest, muhammedansk fyrste.

imaret ['imərət, i'ma:ret] muhammedansk herberge for pilegrimer og reisende.

imbalance [im'bæləns] mangel på balanse, ubalanse.

imbecile ['imbisi(:)l] imbesill, åndssvak, tomset, sløv; idiot. imbecility [imbi'siliti] åndssvakhet, idioti.

imbed [im'bed] leire.

imbibe [im'baib] drikke, suge, suge inn, absorbere, tilegne seg.

imbibition [imbai'biʃn] oppsuging.

imbitter [im'bitə] gjøre bitter, forbitre.

imbosk [im'bɔsk] skjule; skjule seg.

imbricate ['imbrikit] taklagt (som teglstein over hverandre), overlappe.

imbroglio [im'brəuliəu] innviklet forhold, floke, ugreie, knute (i drama eller roman).

imbrue [im'bru:] væte, fukte; flekke; farge.

imbrute [im'bru:t] gjøre til dyr; bli som et dyr; brutalisere.

imbue [im'bju:] impregnere, mette; farge sterkt; gjennomtrenge, gjennomsyre.

IMF fk. f. International Monetary Fund Det internasjonale valutafond.

imitability [imitə'biliti] det å være etterlignelig. imitable ['imitəbl] etterlignelig. imitate ['imiteit] etterligne, imitere, herme, etterape. imitation [imi'teiʃən] etterligning; imitasjon, parodi; uekte. imitative ['imiteitiv] etterlignende, som tar etter; etterlignet; the — arts de bildende kunster. imitator [i'imiteitə] etterligner; epigon.

immaculable [i'mækjuləbl] ubesmittelig. immaculate [i'mækjulit] ubesmittet, ren, uplettet, ulastelig.

immalleable [i'mæljəbl] som ikke kan smis.

immanent ['imənənt] iboende, immanent.

Immanuel [i'mænjuəl].

immaterial [imə'tiəriəl] immateriell, uvesentlig, tom, ubetydelig. immaterialism [-izm] immaterialisme. immaterialist [-ist] immaterialist. immateriality [imətiəri'æliti] ulegemlighet. immaterialize [imə'tiəriəlaiz] gjøre ulegemlig.

immature [imə'tjuə] umoden; ungdommelig. immaturity [imə'tjuəriti] umodenhet; ungdommelighet.

immeasurable [i'meʒ(ə)rəbl] som ikke kan måles; umåtelig, uoverskuelig. -ness [-nis] umåtelighet, endeløshet, grenseløshet.

immediacy [i'mi:djəsi] umiddelbarhet; umiddelbar nærhet; aktualitet; the immediacies of life livsfornødenhetene.

immediate [i'mi:djət] umiddelbar; øyeblikkelig; umiddelbart nær, overhengende, nærmest; endefram; presserende, uoppsettelig, påtrengende; in the — future i nærmeste framtid. — annuity livrente som straks begynner å løpe. — inference umiddelbar slutning. — information førstehåndsopplysninger. immediately [i'mi:djətli] umiddelbart; straks; øyeblikkelig; på stedet.

immemorial [imi'mɔ:riəl] uminnelig, eldgammel; from time(s) — i uminnelige tider, fra arilds tid; — usage eldgammel skikk og bruk.

immense [i'mens] umåtelig, uendelig, uhyre; strålende; storartet. immensely [-li] umåtelig. immensity [i'mensiti] uendelighet, kolossal utstrekning, uoverskuelighet.

immensurable [i'menʃərəbl] som ikke kan måles.

immerge [i(m)'mə:dʒ] dyppe ned, senke ned. immerse [i'mə:s] senke ned; fordype. immerse fordypet, nedsenket (i dyp gjeld, i tanker. immersion [i'mə:ʃən] nedsenking, neddypping fordypelse, opptatthet.

immethodical [imi'θɔdikl] umetodisk, planløs. immigrant ['imigrənt] innvandrer, innflytter immigrate ['imigreit] innvandre, flytte inn immigration [imi'greiʃən] innvandring, innflyt ting.

imminence ['iminəns] truende nærhet. immi nent ['iminənt] umiddelbart forestående, over hengende, truende.

immiscible [i'misibl] som ikke kan blandes immission [i(m)'miʃən] innføring, innsprøyting immit [i(m)'mit] sprøyte inn.

immitigable [i(m)'mitigəbl] som det er urå å formilde; uforsonlig.

immobile [i'məubail] immobil, ubevegelig. immobility [imə'biliti] ubevegelighet. immobilize [i'məubilaiz] immobilisere, gjør ubevegelig; inndra, ta ut av omløp; binde.

immoderate [i'mɔd(ə)rit] overdreven; umåte lig; voldsom; dristig, frekk. immoderation [imɔdə'reiʃən] umåtelighet; voldsomhet.

immodest [i'mɔdist] ubeskjeden, ublu; usøm melig. immodesty [i'mɔdisti] ubeskjedenhet usømmelighet, usedelighet.

immolate ['iməleit] ofre. immolation [imə 'leiʃən] ofring; offer, slaktoffer; oppofrelse.

immoral [i'mɔrəl] umoralsk, utuktig. immo rality [imə'ræliti] umoral, umoralskhet, utuktig het.

immortal [i'mɔ:təl] udødelig. immortality [imɔ:'tæliti] udødelighet, uforgjengelighet. immor talize [i'mɔ:təlaiz] gjøre udødelig, forevige. immortelle [imɔ:'tel] evighetsblomst.

immovability [imu:və'biliti] ubevegelighet. immovable [i'mu:vəbl] ubevegelig; urokkelig -s urørlig gods, fast eiendom.

immune [i'mju:n] fri, privilegert; immun uimottagelig, som ikke angripes; sikret. immu nity [i'mju:niti] frihet, fritaking (for forpliktelser) immunitet.

immunization [imjunai'zeiʃn] immunisering vaksinering. immunize ['imjunaiz] immunisere vaksinere, gjøre uimottakelig.

immure [i'mjuə] mure inne; stenge inne immutability [imju:tə'biliti] uforanderlighet immutable [i'mju:təbl] uforanderlig.

Imogen ['imədʒen].

imp [imp] pode; ertekrok; unge; smådjevel djevelunge.

impact [im'pækt] presse inn; klemme; driv fast; impact [i'impækt] støt, trykk, anslag, kolli sjon, sammenstøt; innvirkning, inntrykk. impaction [im'pækʃn] fastkiling, sammenpres sing.

impact i load støtbelastning. — pressure dyna misk trykk; støttrykk. — resistance slagfasthet — test slagprøve.

impair [im'pɛə] forringe, minke, svekke avta, forverres. impairment [im'pɛəmənt] for ringelse, svekkelse.

impale [im'peil] spidde, stikke, feste med nåler omgi (med pæler). impalement [im'peilmənt] spidding; pæleinnhegning.

impalpability [impælpə'biliti] ufø>lbarhet uhåndgripelighet. impalpable [im'pælpəbl] uføl bar, ufølelig; upåtagelig, ugripelig.

impanel [im'pænəl] forfatte en liste over (sær lig jurymedlemmer).

imparadise [im'pærədaiz] henrykke, hensette i en tilstand av himmelsk lykksalighet; gjøre til et paradis.

imparity [im'pæriti] ulikhet; misforhold.

impark [im'pa:k] omgjerde, inneslutte.

impart [im'pa:t] tildele, gi; meddele.

impartial [im'pa:ʃəl] upartisk, objektiv. impar tiality [impa:ʃi'æliti] upartiskhet, objektivitet. impartially [im'pa:ʃəli] upartisk.

impartibility [impɑ:ti'biliti] udelelighet. **impartible** [im'pɑ:tibl] udelelig; som ikke kan medeles videre.
impassability [impɑ:sə'biliti] ufremkommelighet, uføre; uoverstigelighet. **impassable** [im'pɑ:səbl] ufremkommelig; uoverstigelig, ufarbar.
impasse [im'pɑ:s] uføre, klemme, knipe; dødpunkt, dødvanne, blindgate.
impassibility [impɑ:si'biliti] ufølsomhet, uimotakelighet. **impassible** [im'pɑ:sibl] ufølsom, uanektet, (fig.) usårlig.
impassion [im'pæʃən] oppflamme.
impassioned [im'pæʃənd] lidenskapelig.
impassive [im'pæsiv] kald, uberørt, upåvirket, passiv.
impassivity [impæ'siviti] ufølsomhet.
impaste [im'peist] dekke med et tykt lag; mpastere.
impatience [im'peiʃəns] utålmodighet; heftighet ver (of etter); heftighet; irritasjon. **impatient** im'peiʃənt] utålmodig (at, of over); begjærlig tter; brå, irritert; utrøstelig (at over).
impavid [im'pævid] fryktløs, uredd.
impawn [im'pɔ:n] pantsette, sette på spill.
impeach [im'pi:tʃ] dra i tvil; nedsette; betride (f. eks. et vitnes troverdighet); anklage f. eks. en embetsmann for uforsvarlig embetsørsel); anklage for riksretten. **impeachable** im'pi:tʃəbl] som kan anklages; daddelverdig; vilsom. **impeacher** [im'pi:tʃə] anklager. **impeachment** [im'pi:tʃmənt] det å reise tvil; det å betride; anklage; anklage for riksretten.
impeccability [impekə'biliti] ulastelighet; synlefrihet. **impeccable** [im'pekəbl] ulastelig; synderi. **impeccancy** [im'pekənsi] ulastelighet; synderihet. **impeccant** [im'pekənt] ulastelig; syndefri.
impecuniosity [impikju:ni'ɔsiti] pengemangel; attigdom. **impecunious** [impi'kju:njəs] pengeens; fattig.
impedance [im'pi:dəns] impedans.
impede [im'pi:d] hindre, forhindre, vanskeligkjøre, sinke. **impediment** [im'pedimənt] hindring, orhindring; **have an — of speech** lide av n talefeil. **impedimenta** [impedi'mentə] bagasje, ren, utrustning; utstyr; remedier; dødvekt. **mpedimental** [-'mentl] hemmende, tyngende.
impel [im'pel] drive fram; tilskynde, skyve på. **impellent** [im'pelənt] framdrivende; drivjær, drivende kraft. **impeller** [im'pelə] en som ilskynder; drivfjær, drivkraft.
impend [im'pend] henge over; forestå, true. **impending** [-'pen-] truende, forestående, overtengende.
impenetrability [im'penitrə'biliti] ugjennomrengelighet. **impenetrable** [im'penitrəbl] ugjennomtrengelig, (fig.) uutgrunnelig.
impenitence [im'penitəns] ubotferdighet, fortokkethet. **impenitent** [im'penitənt] ubotferdig, orstokket; forstokket synder.
impennate [im'penit] vingeløs; kortvinget.
imperat. fk. f. **imperative.**
imperatival [impərə'taivəl] imperativisk. **imperative** [im'perətiv] bydende, befalende; imperativisk; imperativ, bydemåte; nødvendig, påkrevd.
imperceptibility [impəsepti'biliti] umerkelighet. **imperceptible** [impə'septibl] umerkelig; ørtten, hårfin; uanselig, ufattelig.
imperence [im'pərəns] (sl.) uforskammethet; De uforskammede fyr! **imperent** ['impərənt] sl.) uforskammet.
imperf. fk. f. **imperfect.**
imperfect [im'pə:fikt] ufullkommen; ufullstendig, mangelfull; ufullendt; imperfektum (the — el. the — tense). **imperfection** [impə:'fekʃən] ufullkommenhet; mangelfullhet, ufullstendighet; svakhet, skrøpelighet. **imperfectly** [im'pə:fiktli] ufullkomment; ufullstendig.
imperforate(d) [im'pə:fərit, -reitid] ikke gjennomboret, uten huller; uten porer. **imperforation** impə:fə'reiʃən] imperforasjon, tillukket, sammengroing (av ellers åpne legemsdeler).

imperial [im'piəriəl] riks-; keiser-, keiserlig, konge-, kongelig, suverén; som vedkommer det britiske rike, britisk; imperial (en slags russisk gullmynt); spisskuppel, spisskuppeltak; diligencetak; napoleonsskjegg, fippskjegg; koffert; imperialpapir; — city keiserby; — eagle keiserørn. — gallon (= 4,54 l). — Government riksstyre; — purposes rikets øyemed; — section keisersnitt; the — interests Det britiske samveldes interesser; **imperialism** [im'piəriəlizm] imperialisme, stormaksstilling, stormaktspolitikk. **imperialist** [-list] imperialist; keisertro; storenglender.
imperil [im'peril] bringe i fare, sette i fare, våge. **imperilment** [-mənt] det å bringe i fare, utsettelse for fare.
imperious [im'piəriəs] bydende; myndig; herskesyk; **imperiously required** absolutt påkrevd. **imperiousness** [-nis] bydende atferd, herskesyke.
imperishable [im'periʃəbl] uforgjengelig, udødelig.
impermanent [-'pə:-] midlertidig, foreløpig.
impermeability [impə:mjə'biliti] ugjennomtrengelighet. **impermeable** [im'pə:mjəbl] ugjennomtrengelig; — paper matpapir, fettbestandig papir; — to air lufttett; — to water vanntett.
impermeator [im'pə:mjeitə] fortetningssmøreapparat.
impermissible [-'mis-] utillatelig.
impersonal [im'pə:sənəl] upersonlig; noe upersonlig; upersonlig verb. **impersonality** [impə:sə-'næliti] upersonlighet.
impersonate [im'pə:səneit] personifisere; spille, fremstille (på teater o. l.); parodiere; utgi seg for. **impersonation** [impə:sə'neiʃən] personifikasjon; fremstilling, etterlikning, parodi. **impersonator** [im'pə:səneitə] fremstiller, skaper av en rolle.
imperspicuity [impə:spi'kju:iti] uklarhet, utydelighet; uoverskuelighet. **imperspicuous** [impə-'spikjuəs] uklar, utydelig; uoverskuelig.
impersuasible [impə:'sweisibl, -zibl] ikke til å overtale, urokkelig.
impertinence [im'pə:tinəns] noe som ikke hører til saken, det som er saken uvedkommende; bagatell; uforskammethet; nesevishet; Miss — frøken nesevis. **impertinent** [im'pə:tinənt] som ikke vedkommer saken, uvedkommende, malplassert, irrelevant; uforskammet, nesevis.
imperturbability [impətə:bə'biliti] urokkelig ro. **imperturbable** [impə'tə:bəbl] urokkelig, rolig, kald.
impervious [im'pə:vjəs] ugjennomtrengelig; — to air lufttett; — to reason uimottakelig for fornuft. — to water vanntett.
impetuosity [impetju'ɔsiti] heftighet, voldsomhet, fremfusenhet. **impetuous** [im'petjuəs] heftig, voldsom, fremfusende, oppfarende.
impetus ['impətəs] drivkraft, støt, incitament, fart; **give an impetus** to sette fart i.
impf. fk. f. **imperfect.**
imp. gal. fk. f. **imperial gallon.**
imphee ['imfi] afrikansk sukkerrør.
impi ['impi] troppeavdeling (hos kafferne).
impiety [im'paiiti] ugudelighet, respektløshet.
impignorate [im'pignəreit] pantsette.
impinge [im'pindʒ] renne, støte (on mot); krenke, gjøre inngrep i.
impious ['impiəs] ugudelig; vantro; pietetløs.
impish ['impiʃ] trollaktig; djevelsk; ondskapsfull.
implacability [implækə'biliti] uforsonlighet. **implacable** [im'plækəbl] uforsonlig; som ikke kan lindres; kompromissløs.
implant [im'plɑ:nt] innplante; innpode; inngi. **implantation** [implɑ:n'teiʃən] innplanting; innpoding.
implate [im'pleit] belegge med plater.
implausible [im'plɔ:zibl] usannsynlig.
implead [im'pli:d] reise sak mot, anklage.
implement ['implimənt] redskap, verktøy, tilbehør; forsyne med verktøy; oppfylle betingelser; utføre. **implemental** [impli'mentəl] anvendt som

verktøy; mekanisk. **implementation** [-men'teiʃn] gjennomføring, utførelse, realisering. **impletion** [im'pli:ʃən] fylling; fylde.

implicate ['implikeit] innvikle; dra inn med (i en sak), implisere, romme, trekke med i anklage. **implication** [impli'keiʃən] innvikling; inndraing; stilltiende slutning, underforståelse. **implicative** [im'plikətiv] impliserende; stilltiende underforstått. **implicit** [im'plisit] stilltiende, innbefattet, underforstått; ubetinget. **implied** [im-'plaid] forutsatt, selvfølgelig, indirekte

implore [im'plɔ:] anrope, bønnfalle, be inntrengende om, trygle om. **imploring** [im'plɔ:riŋ] en som bønnfaller osv. **imploring** [im'plɔ:riŋ] bedende, bønnfallende; det å be, bønnfalle, trygle. **implosion** [im'plouʒən] implosjon.

imply [im'plai] inneslutte i seg, innbefatte, innebære, medføre, inneholde; tyde på; antyde, gi å forstå, la (det) komme fram; forutsette; **as your words would** — som Deres ord lar formode (synes å antyde); **implied** indirekte, tilhyllet, skjult, underforstått.

impolicy [im'pɔlisi] dårlig politikk; uklokskap. mangel på politikk, uhensiktsmessighet.

impolite [impə'lait] uhøflig, udannet, uslepen. **impolitic** [im'pɔlitik] upolitisk; uklok, uhensiktsmessig.

imponderability [impɔndərə'biliti] uberegnelighet, umålbarhet **imponderable** [im'pɔndərəbl] vektløs, som ikke kan måles og veies, ubestemmelig.

import [im'pɔ:t] importere, innføre; betegne, bety; være av viktighet for, ha noe å si for, vedrøre; være av viktighet. **import** ['impɔ:t] importartikkel, innførselsvare; import, innførsel; betydning; viktighet, vekt; **I am not sure of the** — **of his reply** jeg er ikke sikker på hvor han egentlig ville hen med sitt svar. **importable** [im'pɔ:təbl] som kan importeres. **importance** [im'pɔ:təns] betydning, verdi, viktighet; viktigmakeri; **give** — **to** legge vekt på; **of no** — uten betydning, likegyldig. **important** [im'pɔ:tənt] viktig, av viktighet, maktpåliggende, betydningsfull; hoven, innbilsk; **become** — få betydning. **importation** [impɔ:'teiʃən] import, innførsel. **import** | **ban** importforbud. — **control** importregulering. — **duty** innførselstoll. — **restriction(s)** importbegrensning, importrestriksjoner. **importer** [im'pɔ:tə] importør; **the free importers** frihandelsmennene.

importunate [im'pɔ:tjunit] påtrengende, brysom, besværlig. **importune** [im'pɔ:tju:n, im-pɔ:'tju:n] falle til besvær, til bry; plage, bestorme med bønner; gnåle, mase, trygle; tigge. **importunity** [impɔ:'tju:niti] påtrengenhet, pågåenhet, gnål, gnag, trygling; tiggeri.

impose [im'pəuz] pålegge, idømme, tvinge på, trenge seg inn på; utgi (**as** for); — **on** utnytte, benytte seg av; — **upon** narre, bedra, dupere, vildre, ta ved nesen, imponere. **imposing** [im-'pəuziŋ] ærefryktinngytende, imponerende. **imposingness** [im'pəuziŋnis] det imponerende. **imposition** [impə'ziʃən] pålegging; utskriving (av skatter); skattepålegg; skatt; bedrageri; opptrekkeri; ekstraarbeid (i universitetsspråk); byrde; bedrageri.

impossibility [impɔsi'biliti] umulighet, uråd. **impossible** [im'pɔsibl] umulig, uoverkommelig; — **of attainment** uoppnåelig. **impossibly** umulig, usannsynlig.

impost ['impəust] pålegg, skatt; impost (arkitektonisk uttrykk).

impostor [im'pəstə] bedrager. **imposture** [im-'pɔstʃə] bedrageri.

impot ['impɔt] straffelekse.

impotence ['impətəns], **impotency** ['impətənsi] kraftløshet, svakhet; avmakt; impotens. **impotent** ['impətənt] kraftløs, svak; avmektig; impotent; gagnløs.

impound [im'paund] lukke inne, sperre inne, sette inn (især fe); beslaglegge, konfiskere.

impoverish [im'pɔvəriʃ] forarme; pine ut (f. ek en åker). **impoverishment** [-mənt] forarmin, utpining.

impracticability [impræktikə'biliti] uutførli, het. **impracticable** [im'præktikəbl] uutførli umulig; umedgjørlig; ufarbar, ufør.

imprecate ['imprikeit] ønske el. kalle ne ondt over; forbanne. **imprecation** [impri'keiʃə nedkalling; forbannelse. **imprecatory** ['imprike tøri, -kət-] forbannende.

imprecise [impre'sais] unøyaktig, upresis.

imprecision [-'siʒn] unøyaktighet, upresishe **impregnability** [impregnə'biliti] uinntakelighe uovervinnelighet. **impregnable** [im'pregnəbl] uin takelig, uovervinnelig; **an** — **principle** et ufr vikelig prinsipp.

impregnate [im'pregneit] befrukte; impregner gjennomtrenge, mette. **impregnation** [impre 'neiʃən] befruktning; impregnering, preparerin, preging.

impresario [impre'sɑ:riəu] impresario.

imprescriptible [impri'skriptibl] ufortapeli umistelig.

impress [im'pres] påtrykke, prente inn, stempl innprege, innprente, legge på hjerte (el. sinne dupere; presse, verve med makt (til krigstjeneste beslaglegge, konfiskere; — **oneself** gjøre in trykk; **it impresses me** as det står for meg son **impress** ['impres] avtrykk, merke, preg. **impressibility** [impresi'biliti] mottagelighet. **impressible** [im'presibl] mottagelig; nem. **impression** [im'preʃən] inntrykk; merke, søk far, preg; virkning, innflytelse; avtrykk, tryk ing, opplag. **impressionable** [im'preʃənəbl] mo tagelig for inntrykk. **impressionism** [im'preʃ nizm] impresjonisme. **impressionist** [-ist] impr sjonist; impresjonistisk. **impressionistic** [impreʃ 'nistik] impresjonistisk.

impressive [im'presiv] som gjør inntrykk; virl ningsfull, slående; imponerende, betagende.

impressment [im'presmənt] pressing (til hær tvangsverving, tvangsutskriving.

imprest ['imprest] forskudd, lån (av en offen lig kasse).

imprimatur [impri'meitə] trykketillatelse; go kjenning.

imprimis [im'praimis] først, framfor alt, isæ **imprint** [im'print] merke, prege; trykke in prente; ['imprint] avtrykk; merke; tittelf (trykkested og forleggerfirma på boks tittelblad **imprison** [im'prizn] fengsle, sperre inne; inn snevre, begrense.

imprisonment [im'priznmənt] fengsling, fange skap; **false** — ulovlig frihetsberøvelse; — **befo** **trial** varetektsarrest.

improbability [imprɔbə'biliti] usannsynlighe **improbable** [im'prɔbəbl] usannsynlig. **improbity** [im'prɔbiti] uredelighet.

impromptu [im'prɔm(p)tju] impromptu, impro visasjon; laget på stående fot.

improper [im'prɔpə] upassende, uanstendig utilbørlig; uriktig, uheldig, feilaktig. — **fractio** uekte brøk.

impropriety [imprə'praiəti] usømmelighet; uril tighet; feilaktighet; utilbørlighet.

improvable [im'pru:vəbl] som kan forbedres som egner seg til dyrking; god, nyttig, brukeli **improve** [im'pru:v] forbedre, bøte, forskjønn foredle; nytte ut, dra fordel av; bli bedre, fo bedre seg, gjøre framskritt; stige (om pris); — **on** innføre forbedringer i; — **the occasion** nyt høvet, utnytte situasjonen. **improved** forbedre regulert, bebygd, kultivert (om eiendom). — **breed** kulturrase. — **wood** laminert plate. **improve ment** [im'pru:vmənt] forbedring; fremskritt utnytting. **improver** [im'pru:və] forbedrer; arbe der som går for redusert lønn for å lære.

improvidence [im'prɔvidəns] uforsiktighet, ube tenksomhet, mangel på fremsyn. **improviden** [im'prɔvidənt] uforsiktig, ubetenksom, uforu seende, lettsindig.

improving (ånds)dannende, oppbyggelig.
improvisate [im'prɔvizeit] improvisere. **impro-isation** [imprǝvai'zeiʃǝn] improvisasjon. **impro-isator** [im'prɔvizeitǝ] improvisator. **improvise** [impravaiz] improvisere. **improviser** ['imprǝ-aizǝ] improvisator.
imprudence [im'pru:dǝns] mangel på klok-kap, uklokskap; uforsiktighet; ubetenksomhet. **imprudent** [im'pru:dǝnt] uklok; uforsiktig; ube-nksom.
impudence ['impjudǝns] uforskammethet. **Mr. impudence** Per nesevis. **impudent** ['impjudǝnt] forskammet.
impugn [im'pju:n] bekjempe, bestride, dra i il. **impugnable** [im'pju:nǝbl] som kan bestrides, ilsom. **impugner** [im'pju:nǝ] angriper, motsiger. **impugnment** [im'pju:nmǝnt] bekjempelse; be-ridelse, motsigelse, motlegg, motmæle.
impuissance [im'pju(:)isns] svakhet, kraftløs-et; uformuenhet.
impulse ['impʌls] støt, trykk; impuls, tilskyn-ing, beveggrunn; innskytelse, innfall, trang. — iying impulskjøp. — **sale** impulssalg. — **turbine** ksjonsturbin. **impulsion** [im'pʌlʃǝn] støt, trykk; lskynding; innskytelse. **impulsive** [im'pʌlsiv] evegende, tilskyndende; brå, impulsiv, umiddel-ar; drivkraft; beveggrunn.
impunity [im'pju:niti] straffløshet, frihet for raff; uskadd; **with** — ustraffet; **with** — **to** ealth uskadet, uten helseskade.
impure [im'pjuǝ] uren; ukysk; full av feil. **npurity** [im'pjuǝriti] urenhet; ukyskhet.
impurple [im'pǝ:pl] farge rød, purpurfarge.
imputable [im'pju:tǝbl] som kan tilskrives, gges til last; tilregnelig, skyldig. **imputation** mpju'teiʃǝn] beskyldning; bebreidelse; hentyd-ing. **imputative** [im'pju:tǝtiv] tilskrevet, tillagt; nderlagt. **impute** [im'pju:t] tilregne, regne, til-egge, beskylde.
imputrescibility [impjutresi'biliti] uforråtnelig-et. **imputrescible** [impju'tresibl] uforråtnelig.
imrig ['imrig] (skotsk) oksekjøttsuppe.
in [in] i, på; til; under; om; inn, inne; hjemme; og med at, ved å; **in the country** på landet; **in**)wn i byen; **in Shakespeare** hos Shakespeare; **the sky** på himmelen; **in the university** ved niversitetet; **in health** frisk; **be in love** være)relsket; **in the afternoon** om ettermiddagen; **two hours** om to timer; **in the reign of Elizabeth** nder Elisabeths regjering; **in about 1960** om-ring 1960; **in time** i rette tid; i sin tid; **in his** avels på hans reiser; **trust in God** stole på Gud; answer (el. reply) **to** som svar på; **in obedience** av lydighet mot; **in pity of** av medlidenhet med; this manner på denne måte; in vain forgjeves; as far as for så vidt som; **in appearance** etter et ytre å dømme; **in my opinion** etter min men-ıg; **in all probability** etter all sannsynlighet; in)ots med støvler på; **five in hundred** fem pro-ent; **two in four goes twice** to i fire er to; **—** ha makten; være på mote, være moderne; **all** — være helt utkjørt, ikke orke mer; **he** — ith stå på god fot med; **be** — **for it** være ile te, være solgt; ha påtatt seg det, ha innlatt seg å det; **there is something** — it det er noe i det; **is not** — **with B** A kan ikke hamle opp med B; - **itself** i seg selv, i og for seg.
in [in] medlem av regjeringen el. det herskende arti; passasjer inne i vognen; **the -s** de som er jour med de siste (mote)retninger og fortrolige ed sjargongen innenfor kunst, litteratur o. l. ekventerer de riktige steder og kjenner de rik-ige mennesker; **the ins and outs** regjeringen og pposisjonen; de som er med i spillet, og de som utenfor; alle kroker og kriker.
in. fk. f. **inch.**
inability [inǝ'biliti] udyktighet, udugelighet, langlende evne.
inaccessibility [inæksesi'biliti] utilgjengelighet. **naccessible** [inǝk'sesibl] utilgjengelig, utilnærme-g, uoppnåelig.

inaccuracy [in'ækjurǝsi] unøyaktighet, slurv. **inaccurate** [in'ækjurit] unøyaktig.
inaction [in'ækʃǝn] uvirksomhet. **inactivate** [in'æktiveit] sette ut av funksjon, gjøre uvirk-som. **inactive** [in'æktiv] uvirksom; treg. **inactivity** [inæk'tiviti] uvirksomhet; treghet, passivitet.
inadaptable [inǝ'dæptǝbl] som ikke kan til-passes el. tilpasse seg.
inadequacy [in'ædikwǝsi] utilstrekkelighet; pas-sivitet. **inadequate** [in'ædikwit] utilstrekkelig, mangelfull; uskikket.
inadmissibility [inædmisi'biliti] utillatelighet, uantakelighet. **inadmissible** [inæd'misibl] util-stedelig, uantakelig.
inadvertence [inǝd'vǝ:tǝns], **inadvertency** [-tǝn-si] uaktsomhet; forseelse, feil, feiltagelse. **inad-vertent** [-tǝnt] uaktsom, uoppmerksom, forsøm-melig, i vanvare.
inadvisable [inǝd'vaizǝbl] utilrådelig, uklokt.
inalienability [ineiliǝnǝ'biliti] uavhendelighet. **inalienable** [in'eiljǝnǝbl] uavhendelig, umistelig. **inamorata** [inæmǝ'ra:tǝ] elskede (om kvinne). **in-and**|-**in breeding** innavl. — -**out bolt** gjen-nomgående bolt.
inane [in'ein] tom; tomhet, innholdsløs, intet-sigende, banal, tåpelig.
inanimate [in'ænimit] livløs, ubesjelet. **inani-mated** [in'ænimeitid] livløs. **inanimation** [inæni-'meiʃǝn] livløshet; mangel på liv, flauhet.
inanition [inǝ'niʃǝn] tomhet; avkreftelse. **ina-nity** [in'æniti] tomhet, åndsforlatthet, banalitet.
inappellable [-ǝ'pel-] inappellabel, endelig, som ikke kan appelleres.
inappetence [in'æpitǝns] mangel på appetitt. **inappetent** [in'æpitǝnt] matlei, appetittløs.
inapplicability [inæplikǝ'biliti] uanvendelighet. **inapplicable** [in'æplikǝbl] uanvendelig, ubrukelig. **inapplication** [inæpli'keiʃǝn] mangel på flid.
inapposite [in'æpǝzit] uhøvelig, uskikket, som ikke vedkommer saken.
inappreciable [inǝ'pri:ʃ(i)ǝbl] ubetydelig; ringe. **inappreciative** [-'pri:-] likeglad, utakknemlig; uinteressert.
inapproachable [inǝ'prǝutʃǝbl] utilgjengelig, utilnærmelig.
inappropriate [inǝ'prǝupriit] upassende, uhel-dig, malplassert, uskikket.
inapt [in'æpt] uskikket; upassende; uheldig. **inaptitude** [in'æptitju:d] uskikkethet; tungnem-het.
inarch [in'a:tʃ] pode inn (slik at podekvisten står på mortreet til den er vokst fast i det nye). **inarticulate** [ina:'tikjulit] uartikulert, utydelig, stum; uleddet. **inarticulation** [ina:tikju'leiʃǝn] mangel på artikulasjon, vanskelighet for å ut-trykke seg.
inartificial [ina:ti'fiʃǝl] ikke kunstig; ukunstlet. **inasmuch** [inǝz'mʌtʃ]: — as for så vidt som; ettersom, da.
inattention [inǝ'tenʃǝn] uoppmerksomhet, for-sømmelighet. **inattentive** [inǝ'tentiv] uoppmerk-som; forsømmelig.
inaudibility [inǝ:di'biliti] uhørlighet. **inaudible** [in'ɔ:dibl] uhørlig.
inaugural [in'ɔ:gjurǝl] innvielses-, åpnings-; innsettelses-; innvielsestale. — **address** åpnings-tale. — **sermon** tiltredelsespreken. **inaugurate** [in'ɔ:gjureit] innvie; høytidelig innsette; inn-varsle; begynne lykkelig. **inauguration** [inɔ:gju-'reiʃǝn] innvielse; høytidelig innsettelse. **Inaugu-ration Day** amerikanske presidenters tiltredelses-dag, 20. jan. **inauguratory** [in'ɔ:gjurǝtǝri] se **inaugural.**
inaurate [i'nɔ:reit] forgylle. **inaurate** [i'nɔ:rit] forgylt.
inauspicious [inɔ'spiʃǝs] uheldig, ugunstig, lite lovende.
inbalance mangel på balanse, ubalanse.
in-being ['inbi:iŋ] iboen, immanens, inhærens. **inboard** ['inbɔ:d] innenbords. **inboards** [-z] innenbords, om bord.

inborn ['inbɔːn] medfødt.
inbound ['inbaund] (for) inngående.
inbreathe ['in'briːð] innånde; inspirere.
inbred ['inbred] medfødt, rotfestet, naturlig; kommet av innavl.
inbreed ['in'briːd] avle; avle ved innavl.
inby(e) ['inbai] innad, innover; i nærheten (av).
inc. fk. f. **included; including; inclusive; increase; incorporated** A/S.
Inca ['iŋkə] inka; **the — empire** inkariket.
incage [in'keidʒ] sperre inne.
incalculable [in'kælkjuləbl] uberegnelig.
in camera [in'kæmərə] for lukkede dører.
incandescence [inkæn'desəns] hvitglødning.
incandescent [inkæn'desənt] hvitglødende; — **lamp** glødelampe.
incantation [inkæn'teiʃən] besvergelse; maning; trolling, gand; besvergelsesformular; trollbønn, gandvise. **incantatory** [in'kæntətəri] besvergende; magisk.
incapability [inkeipə'biliti] udyktighet, udugelighet. **incapable** [in'keipəbl] udugelig, ukvalifisert, ute av stand (**of** til); udyktig, undermåler; **drunk and — ≈** døddrukken, ravende full.
incapacious [inkə'peiʃəs] ikke rommelig, snever; trangbrystet.
incapacitate [inkə'pæsiteit] gjøre udyktig, gjøre arbeidsudyktig (**for** til). **incapacity** [inkə-'pæsiti] udyktighet; udugelighet; arbeidsuførhet; **declaration of —** umyndighetserklæring.
incarcerate [in'kaːsəreit] fengsle, sperre inne; **-ed hernia** inneklemt brokk. **incarceration** [inkaːsə'reiʃən] fengsling, innesperring.
incarn [in'kaːn] dekke med kjøtt; inkarnere; legemliggjøre; hele; heles, gro igjen. **incarnadine** [in'kaːnədin, -dain] kjøttfarget, blekrød; rød; kjøttfarge; blekrødt; farge rødt. **incarnate** [in'kaːneit] inkarnere; legemliggjøre; heles. **incarnate** [in'kaːnit] inkarnert; legemliggjort; **he is evil —** han er den personifiserte ondskap. **incarnation** [inkaː'neiʃən] kjøttdannelse; inkarnasjon; legemliggjørelse. **incarnative** [in'kaːnətiv] helende; helende middel.
incase [in'keis] inneslutte; bedekke, omgi, overtrekke; ligge rundt. **incasement** [in'keismənt] inneslutning; bedekning; overtrekk.
incask [in'kaːsk] på fat.
incautious [in'kɔːʃəs] uforsiktig.
incavation [inkə'veiʃən] søkk, huling; fordypning.
incendiarism [in'sendjərizm] brannstifting, mordbrann, pyromani. **incendiary** [in'sendjəri] brannstiftings-, mordbranns-, brann-; opphissende, opprørsk; brannstifter, mordbrenner; noe opphissende; opphissende artikkel; brannfakkel; brannbombe; opphisser, mytteristifter. — **bomb** brannbombe. — **fire** påsatt ildebrann.
incense [in'sens] egge opp, oppflamme, bli rasende.
incense ['insens] røkelse; virak; ofre røkelse til; **burn** (el. **offer**) — **to** strø virak for. **incensive** [in'sensiv] oppflammende, eggende. **incensory** [in'sensəri] røkelseskar.
incentive [in'sentiv] oppflammende, eggende; spore, oppmuntring; gi impulser til; motiv; — **bonus** bonus for økt arbeidsinnsats.
incept [in'sept] innlede, (på)begynne. **inception** [in'sepʃən] begynnelse, tiltak. **inceptive** [in'septiv] begynnende; begynnelses-.
incertitude [in'səːtitjuːd] uvisshet, tvil.
incessant [in'sesənt] uopphørlig. **incessantly** [in-'sesəntli] uopphørlig.
incest ['insest] blodskam. **incestuous** [in-'sestjuəs, -stʃ-] skyldig i blodskam, blodskams-.
inch [inʃ] (2,54 cm), tomme; bagatell, hårsbredd; tommelang, tommebred, tommetykk; inndele i tommer; tildele smått; rykke tomme for tomme fram (el. tilbake); **by -es** tommevis; — **by — tomme** for tomme; **every — a gentleman** en kavaler til fingerspissene; **I don't trust him**

an — jeg stoler ikke på ham for fem øre; with
an — of like ved (å), på nippet til å; **flog on**
within an — of his life pryle en halvt i hjel.
inchmeal ['inʃmiːl] tommevis, smått om sen
inchoate ['inkəuit] i emning, påbegynt. **inchoa**
['inkəueit] ta til med, begynne.
incidence ['insidəns] innfall; virkning; forde
ing; hyppighet, utbredelse; **angle of —** innfall
vinkel; **the — of the tax** skatteforholdene; fo
delingen av skattebyrdene; **proportional —** in
byrdes mengdeforhold
incident ['insidənt] tilstøtende; som kan inr
treffe tilfeldig, ved leilighet; forbundet med; so
hører med til, beheftet med; begivenhet, tilfel
tildragelse, hendelse, hending; biting, episode
innskudd; **reqret the —** beklage det intrufne.
incidental [insi'dentəl] tilfeldig; bi-; innskudd
— **expenses** tilfeldige utgifter; — **music** ledsagend
musikk; **incidentally** [insi'dentəli] tilfeldig, leilig
hetsvis, for øvrig.
incinerate [in'sinəreit] brenne til aske, destru
ere. **incineration** [insinə'reiʃən] forbrenning t
aske; likbrenning. **incinerator** forbrenningsovr
destruksjonsverk; krematorieovn.
incipience [in'sipiəns] begynnelse.
incipient [in'sipjənt] begynnende, frembry
tende; innledende.
incise [in'saiz] skjære inn; skjære ut. **incisio**
[in'siʒən] innskjæring; skur; innsnitt; skår; ska
hakk; flenge. **incisive** [in'saisiv] skjærende, skarp
flengende; — **tooth** fortann. **incisiveness** [-nis
skarphet. **incisor** [in'saisə] skjæretann, fortann
incisory [-səri] skjærende. **incisure** [in'siʒə] inn
snitt.
incitant [in'sitənt] eggende, sporende; syk
domsårsak, sporende middel, incitament, kveik
incitation [insi'teiʃən] tilskyndelse; spore, inc
tament, kveik, beveggrunn. **incite** [in'sait] spore
egge, tilskynde; opphisse. **incitement** [in'sait
mənt] tilskyndelse; spore, incitament, beveg
grunn, provokasjon. **inciter** [in'saitə] en som ti
skynder osv.
incivility [insi'viliti] uhøflighet.
incivism ['insivizm] mangel på borgerånd.
incl. fk. f. **inclusive.**
inclemency [in'klemənsi] barskhet, ubarm
hjertighet. **inclement** [in'klemənt] barsk, hard
ubarmhjertig.
inclinable [in'klainəbl] tilbøyelig; gunstig
vennlig (**to** mot); som kan bøyes (stilles skrått
inclination [inkli'neiʃən] bøyning, helling, skrå
ning, stigning; inklinasjon, hang, tendens
tilbøyelighet (**to** el. **for** til; **to do** til å gjøre
incline [in'klain] bøye; gjøre tilbøyelig
stemme; helle, lute; ha tilbøyelighet; ha anstrøl
(**to** av); helling, skråplan; skråning, bakke
inclined [in'klaind] tilbøyelig (**to** til); skrå. —
engine skråttliggende maskin. **inclining** experi
ment krengningsforsøk.
inclose [in'klɔuz] innhegne, inngjerde; inne
slutte; legge inn; i legge ved. **inclosure** [in'klɔuʒə
innhegning, inngjerding; jorde; inneslutning; inn
legg; bilag, vedlegg; gjerde.
include [in'kluːd] inkludere, regne med blant
ta med, inneslutte; inneholde; innbefatte; —
in brackets sette i parentes. **including** medregnet
iberegnet. **inclusion** [in'kluːʒən] inneslutning
innbefatning.
inclusive [in'kluːsiv]: — **of** inklusive; **pages**
to 26 — fra og med side 7 til og med side 26; —
term overbegrep; — **terms** bruttopris; — **tou**
ferdigpakket tur, selskapsreise.
incog [in'kɔg] inkognito.
incogitable [in'kɔdʒitəbl] utenkelig. **incogi**
tance, incogitancy [in'kɔdʒitəns(i)] tankeløshet
utenkelighet. **incogitative** [inkɔdʒi'teitiv] som
ikke kan tenke.
incognita [in'kɔgnitə] ukjent dame, dame som
reiser inkognito. **incognito** [in'kɔgnitəu] inkog
nito; ubekjent; inkognito. **incognizable** [in
'kɔgnizəbl] ukjennelig; ikke sansbar.

incoherence, incoherency [inkə'hiərəns(i)] mangel på sammenheng.

incoherent [inkə'hiərənt] usammenhengende, springende, våsete; **speak -ly** snakke i vilske.

incombustible [inkəm'bʌstibl] uforbrennelig, ildfast.

income ['inkəm] inntekt. **incomer** ['inkʌmə] innvandrer; ubuden gjest; tiltredende leier el. forpakter. **income** | **tax** ['inkʌmtæks] inntektsskatt. — **tax return** selvangivelse.

incoming ['inkʌmiŋ] ankomst, inntreden; innkommende, tiltredende, ankommende; — **tide** flo, stigende tidevann. **-s** innkomst, inntekter, inngående beløp.

incommensurability [inkəmenʃərə'biliti] inkommensurabilitet, usammenlignbarhet, uforenlighet. **incommensurable** [inkə'menʃurəbl] innkommensurabel, uensartet, uforenlig.

incommensurate [-'menʃərit] utilstrekkelig, inkommensurabel.

incommode [inkə'məud] uleilige, umake, bry. **incommodious** [inkə'məudjəs] ubekvem; brysom, besværlig; trang, snever.

incommunicable [inkəm'ju:nikəbl] umeddelelig. **incommunicado** [-'kɑ:dəu] avskåret; i enecelle. **incommunicative** [inkə'mju:nikətiv] umeddelsom; som skyr samkvem, som holder seg for seg selv, innesluttet.

incommutable [-'mju:-] uforanderlig, som ikke kan ombyttes.

incomparable [in'kɔmpərəbl] som ikke kan sammenliknes; uforliknelig, enestående, makeløs.

incompatibility [inkəmpæti'biliti] uforenelighet; uforlikelighet. **incompatible** [inkəm'pætibl] uforenelig; uforlikelig.

incompetence, incompetency [in'kɔmpitəns(i)] inkompetanse; udyktighet, udugelighet; utilstrekkelighet. **incompetent** [in'kɔmpitənt] inkompetent; uskikket, udugelig, inhabil; utilstrekkelig.

incomplete [inkəm'pli:t] ufullstendig, ufullendt, mangelfull, defekt. **incompletion** [inkəm'pli:ʃən] ufullstendighet osv.

incompliance [inkəm'plaiəns] ubøyelighet, umedgjørlighet. **incompliant** [inkəm'plaiənt] umedgjørlig, ubøyelig.

incomposite [in'kɔmpəzit] usammensatt, enkelt; — **numbers** primtall.

incomprehensibility [inkəmprihensi'biliti] ubegripelighet, ufattelighet. **incomprehensible** [inkəmpri'hensibl] ubegripelig, ufattelig.

incomprehensive [inkəmpri'hensiv] ikke omfattende, uforstående, ubegripelig.

incompressible [inkəm'presibl] som ikke kan trykkes sammen, ikke kan klemmes sammen.

inconceivable [inkən'si:vəbl] ufattelig.

inconclusive [inkən'klu:siv] ikke overbevisende, ikke avgjørende; uvirksom, resultatløs; ubestemt.

incondite [in'kɔndit] dårlig utarbeidet, rotet; plump.

incongenial [-'dʒi:-] som ikke passer (**to** for), ikke ligger for.

incongruence [in'kɔŋgruəns] uoverensstemmelse; forkjærthet; urimelighet; motsigelse. **incongruent** [in'kɔŋgruənt] uoverensstemmende, inkongruent; upassende; fornuftstridig, forkjært. **incongruity** [inkɔŋ'gru(:)iti] uoverensstemmelse; forkjærthet; urimelighet; motsigelse. **incongruous** [in'kɔŋgruəs] uoverensstemmende, inkongruent; upassende; fornuftstridig, forkjært.

inconsecutive [inkən'sekjutiv] usammenhengende, springende.

inconsequence [in'kɔnsikwəns] inkonsekvens, selvmotsigelse. **inconsequent** [in'kɔnsikwənt] inkonsekvent, selvmotsigende. **inconsequential** [inkɔnsi'kwenʃəl] uviktig; inkonsekvent.

inconsiderable [inkən'sid(ə)rəbl] ubetydelig, uanselig.

inconsiderate [inkən'sidərit] ubetenksom, brå, tankeløs; lite hensynsfull.

inconsistence, inconsistency [inkən'sistəns(i)] (selv)motsigelse; uoverensstemmelse; inkonse-

kvens. **inconsistent** [inkən'sistənt] selvmotsigende; uoverensstemmende; inkonsekvent; springende, prinsippløs, vinglet.

inconsolable [inkən'səuləbl] utrøstelig.

inconsonance [in'kɔnsənəns] uoverensstemmelse; inkonsekvens; disharmoni, misklang. **inconsonant** [in'kɔnsənənt] uoverensstemmende (**with, to** med).

inconspicuous [inkən'spikjuəs] ikke til å skjelne, uanselig, umerkelig.

inconstancy [in'kɔnstənsi] mangel på standhaftighet; ustadighet. **inconstant** [in'kɔnstənt] ustadig; ustø, vinglet.

inconsumable [inkən'sju:məbl] som ikke kan fortæres, som ikke kan brukes opp.

incontaminate [inkən'tæminit] ubesmittet, ren; ekte.

incontestable [inkən'testəbl] ubestridelig, uimotsigelig.

incontiguous [inkən'tigjuəs] som ikke berører; atskilt, separat.

incontinence [in'kɔntinəns] mangel på avholdenhet, tøylesløshet; ukyskhet; inkontinens; — **of urine** urinflod. **incontinent** [in'kɔntinənt] ikke avholdende; villstyring; ukysk; som lider av inkontinens. **incontinent(ly)** [in'kɔntinent(li)] omgående, straks, øyeblikkelig.

incontrovertible [inkɔntrə'və:tibl] uomtvistelig, ubestridelig.

inconvenience [inkən'vi:njəns] uleilighet, umak, strev, bry, besværlighet, ulempe, forlegenhet; uleilige, besvære, bry, bringe i forlegenhet, forstyrre; være til bry (el. ulempe) for. **inconvenient** [-jənt] ubekvem, ubeleilig, besværlig, brysom, lei, vrang; uegnet, upassende.

inconvertible [inkən'və:tibl] uforanderlig, som ikke kan byttes om, som ikke kan omsettes, inkonvertibel.

inconvincible [inkən'vinsibl] som ikke lar seg overbevise, stivsinnet.

inco-ordinate [inkəu'ɔ:dinit] ukoordinert; — **nation** inkoordinasjon, mangel på koordinasjon.

incorporate [in'kɔ:pəreit] blande, legge inn, innarbeide; legemliggjøre; legere; oppta, innlemme; inkorporere; gi kjøpstadsrettigheter; få kjøpstadsrettigheter; forbinde seg, forene seg. **incorporate** [in'kɔ:pərit] inkorporert, opptatt i; forent til en korporasjon; som danner en korporasjon; sterkt blandet om hverandre; sterkt forbundet, inderlig; ulegemlig; ikke inkorporert; uten korporasjonsrettigheter. **incorporation** [inkɔ:pə'reiʃən] blanding; legemliggjøring; opptakelse, innlemmelse; inkorporasjon; tildeling av kjøpstadsrettigheter; oppnåelse av kjøpstadsrettigheter. **incorporeal** [inkɔ:'pɔ:riəl] ulegemlig, uhåndgripelig, immateriell. **incorporeity** [inkɔ:pɔ'ri:iti] ulegemlighet, uhåndgripelighet.

incorrect [inkə'rekt] unøyaktig, uriktig, urett, feilfull. **incorrection** [inkə'rekʃən] unøyaktighet, uriktighet.

incorrigibility [in'kɔridʒi'biliti] uforbederlighet. **incorrigible** [in'kɔridʒibl] uforbederlig.

incorrupt [inkə'rʌpt] ufordervet; ikke bestukket; ubestikkelig; uforjengelig. **incorruptibility** [inkərʌpti'biliti] uforvelighet, uforgjengelighet; ubestikkelighet. **incorruptible** [inkə'rʌptibl] uforvelig, uforjengelig; ubestikkelig. **incorruption** [inkə'rʌpʃən] uforvelig tilstand; uforgjengelighet.

incrassate [in'kræseit] fortykke, gjøre tykkere; bli tykk, tykne. **incrassation** [inkræ'seiʃən] fortykkelse. **incrassative** [in'kræsətiv] fortykkende; fortykkende middel.

increase [in'kri:s] tilta, vokse, øke, auke; formere seg; formere, forsterke, forøke, forhøye, forstørre. **increase** ['inkri:s] forøkelse, auke, vekst. **increaser** fartsøker; forsterker. **increasing** tiltagende, voksende, økende; **at** — **intervals** med økende (el. lengre) mellomrom. **increasingly** [in'kri:siŋli] tiltagende, voksende, stigende, mer og mer, stadig mer.

incredibility [inkredi'biliti] utrolighet. **incredible** [in'kredibl] utrolig, usannsynlig. **incredibly** [-bli] utrolig, usannsynlig.

incredulity [inkri'dju:liti] vantro, skepsis. **incredulous** [in'kredjuləs] vantro, skeptisk, tvilende.

incremation [inkri'meiʃən] likbrenning.

increment ['inkrimənt] vokster, tilvekst, forøkelse, auke; **current** — løpende tilvekst; **periodic** — periodisk tilvekst; **unearned** — (of land) grunnverdistigning; — tax skatt på verdiøkning. **incremental** [inkrə'mentl] (trinnvis) voksende.

increscent [in'kresənt] tiltagende; (heraldikk) voksende; voksende måne.

incriminate [in'krimineit] anklage, beskylde, rette mistanke mot; belaste. **incriminatory** [-'kri-] belastende, anklagende.

incrust [in'krʌst] bedekke med et lag, danne skorpe på, overtrekke; belegge, kle. **incrustation** [inkrʌ'steiʃən] dekning; kalkavleiring, skorpedannelse, slaggdannelse; belegg; dekke, lag; kjelestein.

incubate ['inkjubeit] ruge, ligge på egg; varme, klekke ut; utvikle seg (om sykdom). **incubation** [inkju'beiʃən] ruging, utklekking; inkubasjon; — period inkubasjonstid. — spot rugeflekk. **incubator** ['inkjubeitə, 'iŋ-] utklekkingsapparat, rugemaskin, varmeskap, kuvøse. **incubus** ['inkjubəs, iŋ-] mare, mareritt.

inculcate [in'kʌlkeit, 'inkəl-] innprente, innskjerpe. **inculcation** [inkəl'keiʃən] innprenting, innskjerping.

inculpate [in'kʌlpeit, 'inkəl-] dadle, kaste skylden på, bebreide; anklage. **inculpation** [inkəl-'peiʃən] daddel, klander, beskyldning. **inculpatory** [in'kʌlpətəri] dadlende; som inneholder en beskyldning.

incumbency [in'kʌmbənsi] forpliktelse; byrde; (det å inneha) geistlig embete.

incumbent [in'kʌmbənt] påliggende; påhvilende; innehaver av et prestekall; **it is** — **on you** to det er din plikt å.

incunabula [inkju'næbjulə] begynnelsesstadier; inkunabler, paleotyper, eldste trykkverker (bøker fra før ca. 1500).

incur [in'kə:] utsette seg for; pådra seg, bli gjenstand for, våge seg ut for; — **debts** stifte gjeld; — **losses** lide tap; — **an obligation** påta seg en forpliktelse; — **the statutory penalty** være straffskyldig etter loven.

incurability [inkjuərə'biliti] uhelbredelighet. **incurable** [in'kjuərəbl] uhelbredelig.

incuriosity [inkjuəri'ɔsiti] likegyldighet, mangel på (nysgjerrighet, interesse), vitebegjærlighet, uoppmerksomhet, sorgløshet. **incurious** [in-'kjuəriəs] likegyldig, likesæl, uoppmerksom, sorgløs; uinteressant.

incursion [in'kə:ʃən] fiendtlig innfall, streiftog. **incursive** [in'kə:siv] fiendtlig, angripende.

incurvate [in'kə:veit] krumme innover. **incurvation** [inkə'veiʃən] krumning innover. **incurve** [in'kə:v] krumme innover. **incurvity** [in'kə:viti] krumming innover.

incus ['iŋkəs] ambolt (i øret).

incuse [in'kju:z] prege; preget; preg, stempel. **Ind** [ind] India (i høyere stil).

Ind. fk. f. **India(n);** Indiana; Indies.

ind. fk. f. **independent;** index; indicative; indigo; industrial.

indebted [in'detid] som skylder, som står i gjeld, forgjeldet, forpliktet; **I am** — **to him for it** jeg skylder ham det, jeg er ham takk skyldig for det; **deeply** — **to** stå i stor gjeld til. **indebtedness** [-nis] det å stå i gjeld, forgjeldethet; gjeld (det man skylder, også) takknemlighetsgjeld.

indecency [in'di:sənsi] usømmelighet, uanstendighet. **indecent** [in'di:sənt] usømmelig, uanstendig; utilbørlig; sjofel; slibrig. — **assault** seksualforbrytelse, voldtekt(sforsøk). — **exposure** blotting.

indeciduous [indi'sidjuəs] eviggrønn.

indecipherable [indi'saif(ə)rəbl] ikke til å tyde, uleselig.

indecision [indi'siʒen] ubestemthet, rådvillhet. **indecisive** [indi'saisiv] ubestemt, uavgjørende; rådvill, svevende, vinglet. **indecisiveness** [-nis] ubestemthet, vakling.

indeclinable [indi'klainəbl] ubøyelig.

indecorous [in'dekərəs] usømmelig, uanstendig. **indecorum** [indi'kɔrəm] usømmelighet, uanstendighet, uoppdragenhet.

indeed [in'di:d] i virkeligheten, virkelig; ja, ja visst; så menn; ganske visst, sant å si; nok, riktignok; vel, saktens; for resten, da; nei virkelig? så? **thank you very much** — tusen (hjertelig) takk; **yes** — det skal være visst.

indef. fk. f. **indefinite.**

indefatigability [indifætigə'biliti] utrettelighet, trutt. **indefatigable** [indi'fætigəbl] utrettelig.

indefeasibility [indifi:zi'biliti] uomstøtelighet; ugjenkallelighet; uavhendelighet. **indefeasible** [indi'fi:zibl] uomstøtelig; ugjenkallelig; uavhendelig, umistelig.

indefectibility [indifekti'biliti] feilfrihet; ufeilbarlighet; uforgjengelighet. **indefectible** [indi-'fektibl] feilfri; ufeilbar; uforgjengelig. **indefective** [indi'fektiv] ganske feilfri, fullkommen.

indefensible [indi'fensibl] uforsvarlig.

indefinable [indi'fainəbl] udefinerbar.

indefinite [in'def(i)nit] uklar, ugrei; ubegrenset; endeløs; svevende; ubestemt; — **payment** betaling i avdrag.

indefinitely i det uendelige; på ubestemt tid.

indelibility [indeli'biliti] uutslettelighet. **indelible** [in'delibl] uutslettelig. — **ink** merkeblekk; — **pencil** kopiblyant, merkepenn.

indelicacy [in'delikasi] mangel på finfølelse, ufinhet; taktløshet. **indelicate** [in'delikit] ufin, udelikat, taktløs.

indemnification [indemnifi'keiʃən] skadesløsholdelse, skadebot, sikkerhet, erstatning. **indemnify** [in'demnifai] holde skadesløs, sikre; erstatte, godtgjøre (et tap); gi straffefrihet. **indemnity** [in'demniti] skadesløsholdelse, skadebot, sikkerhet, skadesløshet, erstatning; benådning.

indemonstrable [indi'mɔnstrəbl] ubeviselig, upåviselig.

indent [in'dent] skjære hakk i, gjøre hakk i, gjøre tagget; stemple; sette merke i; bulke; duplisere; innsnitt, hakk; preg; bulk; dokument, ordre; rekvisisjon, ordre på varer som avgis til et utenlandsk firma. **indentation** [inden'teiʃən] innsnitt, hakk, skar, søkk; ny linje (typ.). **indention** [in'denʃən] innrykning. **indenture** [in'dentʃə] duplikat; binde ved kontrakt, sette i lære; kontrakt.

independable [indi'pendəbl] upålitelig.

independence [indi'pendəns] uavhengighet, selvstendighet; tilstrekkelig utkomme; **Independence Day** (amr.) frihetsdagen, 4. juli; **the Declaration of I.** uavhengighetserklæringen; **the American war of I.** Den nordamerikanske frihetskrig.

independency [indi'pendənsi] selvstendighet; frikirkepolitikk; selvstendig stat.

independent [indi'pendənt] uavhengig (of av), fri, ubunden; selvstendig; formuende. — **clause** hovedsetning, selvstendig setning. — **congregation** frimenighet. — **church** frikirke.

independently [-'pen-] uavhengig, selvstendig, hver for seg.

indescribable [indi'skraibəbl] ubeskrivelig.

indestructibility [indistrʌkti'biliti] uforgjengelighet. **indestructible** [indi'strʌktibl] uforgjengelig, som ikke kan ødelegges.

indeterminable [indi'tə:minəbl] ubestemmelig, ugrei, som ikke kan avgjøres. **indetermination** [indita:mi'neiʃən] ubestemthet, vankelmodighet, ubesluttsomhet.

index ['indeks] en som påpeker el. anviser; viser; pekefinger; eksponent (mat.); register,

innholdsfortegnelse, indeks, kartotek, katalog; pekepinn; forsyne med register; sette på indeks; **the Index** listen over forbudte bøker.
index | card kartotekkort. **-er** kartotekfører. **-finger** pekefinger. — **letter,** — **mark** registreringsbokstav (på biler). — **-tied** verdifast, indeksregulert.
indexterity [indeks'teriti] ubehendighet.
India [indjə] India; Ostindia, Forindia; — **ink** tusj; — **Office** departement for India; — **paper** indiapapir (tynt trykkpapir).
Indiaman ['indjəmən] indiafarer.
Indian ['indjən; 'indʒən] indisk, india-; indiansk; inder; indianer; — **bread** maisbrød; — **cane** bambus; — **corn** mais; — **gift** gave som tas tilbake; — **hemp** hamp, cannabis; — **ink** tusj; — **summer** ettersommer, sensommer; gjenoppblussende ungdommelighet. — **weed** tobakk; **Red** — **el. American** — indianer; **honest** — på ære! (egentlig: så sant jeg er en ærlig indianer; en forsikring i barneleik).
Indiana [indi'ænə].
indican ['indikən] indikan, indigostoff.
indicant ['indikənt] som angir, anviser. **indicate** ['indikeit] anvise, tilkjennegi, syne, bestemme; nødvendiggjøre, bebude, tyde på; indikere, indisere. **indication** [indi'keiʃən] anvisning; kjennetegn; antydning, tilkjennegivelse, tegn; symptom; indikasjon. **indicative** [in'dikətiv] som antyder, som er tegn på; indikativisk; **the** — el. **the** — **mode** indikativ. **indicator** ['indikeitə] angiver, blinklys, retningslys; viser, nål; anviser; indikator; dynamometer, kraftmåler. **indicatory** [in'dikətəri, indi'keitəri] som angir, tyder på.
indices ['indisi:z] (flertall av **index**) eksponenter.
indicia [in'diʃ(j)ə] indisier, tegn, kjennetegn; (amr.) frankeringsstempel.
indicolite [in'dikəlait] indigolitt, blå turmalin.
indict [in'dait] anklage, sette under tiltale **(for** for). **indictable** [in'daitəbl] som kan anklages; kriminell. — **offence** kriminell handling. **indictee** [indai'ti:] anklagede. **indictment** [in'daitmənt] anklage; tiltalebeslutning.
Indies ['indiz]: **the** — India; **the West** — Vestindia; **the East** — Ostindia.
indifference [in'dif(ə)rəns] likegyldighet, likegladhet; middelmådighet **(to** (over)for). **indifferent** [in'dif(ə)rənt] likegyldig; likeså el; middelmådig; middels, tarvelig; **it is** — **to me** det er det samme for meg. **indifferentism** [in'dif(ə)rəntizm] indifferentisme, likegyldighet. **indifferentist** [-tist] indifferentist; indifferentistisk. **indifferently** [in'dif(ə)rəntli] likegyldig; middelmådig.
indigence ['indidʒəns] nød, armod, fattigdom. **indigene** ['indidʒi:n] innfødt, innenlandsk; innfødt dyr el. plante. **indigenous** [in'didʒinəs] innfødt; innenlandsk; medfødt; virkelig, sann.
indigent ['indidʒənt] trengende, fattig, nødlidende.
indigested [indi'dʒestid] uforøyd; uordnet, forvirret, kaotisk, ikke gjennomtenkt; uordentlig; umoden. **indigestibility** [indidʒesti'biliti] uforøyelighet. **indigestible** [indi'dʒestibl] uforøyelig. **indigestion** [indi'dʒestʃən] dårlig fordøyelse, fordøyelsesvansker. **indigestive** [indi'dʒestiv] med dårlig fordøyelse.
indign [in'dain] uverdig, vanærende.
indignant [in'dignənt] indignert, harmfull, oppbrakt, sint; — **at** sint for; — **with** sint på. **indignation** [indig'neiʃən] harme, vrede, forbitrelse; — **meeting** protestmøte.
indignity [in'digniti] skammelig behandling, uverdighet, skjendighet, beskjemmelse, nedverdigelse.
indigo ['indigəu] indigo(farge).
indirect [indi'rekt] ikke likefram; kroket, skjev; indirekte; — **route** omvei; — **dealings** krokveier. **indirection** [indi'rekʃən] skjevhet; omvei; krokvei; knep, lureri; svikefullhet. **indirectly** [indi-

'rektli] ikke likefram, ved omveier, indirekte. **indirectness** [indi'rektnis] se **indirection**.
indiscernible [indi'zə:nibl] umerkelig.
indisciplinable [in'disiplinəbl] uregjerlig.
indiscipline [in'disiplin] mangel på disiplin.
indiscreet [indis'kri:t] ubetenksom, tankeløs, åpenmunnet, indiskret, taktløs. **indiscrete** [indis'kri:t] kompakt, ikke atskilt. **indiscretion** [indi-'skreʃən] ubetenksomhet; indiskresjon, taktløshet; (fig.) lekkasje; dumhet, feiltrinn; påfunn.
indiscriminate [indis'kriminit] i fleng, på slump; ikke forskjellig, uten forskjell, som ikke skjelner, tilfeldig, kritikkløs. **indiscriminating** [indis'krimineitiŋ] som ikke gjør forskjell, over én kam, over en lav sko, hensynsløs, kritikkløs. **indiscrimination** ['indiskrimi'neiʃən] kritikkløshet.
indispensability [indispensə'biliti] uunnværlighet, nødvendighet, uomgjengelighet. **indispensable** [indi'spensəbl] uunnværlig, uomgjengelig, ufravikelig, absolutt nødvendig.
indispose [indi'spəuz] gjøre uskikket; sette i ulag; gjøre upasselig; gjøre mindre mottakelig; gjøre utilbøyelig; stemme ugunstig. **indisposed** [indi'spəuzd] uskikket; uopplagt, ikke disponert. **indisposedness** [indi'spəuzidnis] uskikkethet; utilbøyelighet; indisposisjon, upasselighet; uopplagthet; uvilje. **indisposition** [indispə'ziʃən] utilbøyelighet; indisposisjon, upasselighet; uopplagthet, utilpasshet, illebefinnende; ulag; uvilje.
indisputable [indi'dispjutəbl] ubestridelig, klar, udiskutabel, uomtvistelig.
indissociable [indi'səuʃəbl] uatskillelig.
indissolubility [indisəlju'biliti] uoppløselighet. **indissoluble** [indi'səljubl, in'disəljubl] uoppløselig, uløselig, som ikke kan oppløses. **indissolvable** [indi'zəlvəbl] uoppløselig.
indistinct [indi'stiŋ(k)t] utydelig, uklar, ubestemt, ugrei. **indistinctness** [-nis] utydelighet, uklarhet. **indistinctive** [-'tiŋktiv] ukarakteristisk; som ikke skjelner.
indistinguishable [indi'stiŋgwiʃəbl] ikke til å skjelne, utydelig.
indite [in'dait] diktere, målbære, forfatte, skrive, klore ned.
individual [indi'vidjuəl, -dʒu-] enkelt; udelelig hele, individuell, personlig; særegen, særskilt, særpreget, eiendommelig; individ, person, menneske; enkeltmann; vedkommende. **individualism** [indi'vidjuəlizm, -dʒu-] individualisme, egoisme; individualitet. **individuality** [individju'æliti, -dʒu-] individualitet. **individualize** [indi'vidjuəlaiz, -dʒu-] individualisere, kjennetegne, spesifisere. **individually** [indi'vidjuəli] enkeltvis, hver for seg.
individuate [-'vid-] individualisere, gi særpreg. **individuation** [-'eifn] individualisering, det å få individuelt preg.
indivisibility [indivizi'biliti] udelelighet. **indivisible** [indi'vizibl] udelelig.
indo- ['indəu-] indo-, indisk.
Indo-China [indəu'tʃainə] Indo-Kina.
indocile [in'dəusail] ulærvillig; tungnem; umedgjørlig, stri, vrang. **indocility** [indəu'siliti] ulærvillighet; tungnemhet; umedgjørlighet.
indoctrinate [in'dɔktrineit] indoktrinere, gi grundig skolering. innpode, undervise, lære opp, **indoctrination** [indɔktri'neiʃən] undervisning, utdannelse, indoktrinering, innpodning.
Indo|-English ['indəu'iŋgliʃ] indo-engelsk. — **-European** ['ində(u)juərə'pi(:)ən] indoeuropeisk; indo-europeer. — **-Germanic** [indədʒə'mænik] indogermansk, indoeuropeisk.
indolence ['indələns] lathet, latskap, makelighet, dorskhet. **indolent** [in'dələnt] treg, lat, dorsk, makelig; smertefri.
indomitable [in'dɔmitəbl] utemmelig, ustyrlig, ubendig, urokkelig.
indoor ['indɔ:] innendørs, innvendig, hjemme, inne; drivhus; — **relief** understøttelse på fattiggården og på de velgjørende anstalter som er

knyttet til forsorgsvesenet, i motsetning til **out-door relief**, forsorgsunderstøttelse utenfor den slags anstalter; — **work** innendørs arbeid, innearbeid.

indoors [in'dɔ:z] innendørs, inne; hjemme.

indorsation [indɔ:'seiʃən], **indorse** [in'dɔ:s] se **endorsation** osv.

indraught ['indrɑ:ft] inngående strøm. **indrawn** ['in'drɔ:n] trukket innover; innadvendt.

indubitable [in'dju:bitəbl] utvilsom, uimotsigelig.

induce [in'dju:s] innføre; medføre, forårsake, foranledige, bevirke; overtale, bevege, formå, få til; forlede; indusere; **induced abortion** fremkalt abort, abortus provocatus. **inducement** [-mənt] foranledning, beveggrunn; motiv; lokkemiddel, overtalelsesmiddel. **inducible** [in'dju:sibl] som man kan slutte seg til (**from** av); som kan bevirkes osv.

induct [in'dʌkt] innføre, presentere; oppta; innkalle; innsette (f. eks. i et embete).

inductance [in'dʌktəns] induksjon. **inducteous** [in'dʌktiəs] indusert.

inductile [in'dʌktail] ustrekkbar, utøyelig, ustrekkelig; gjenstridig, sta.

induction [in'dʌkʃən] innføring; innsetting; introduksjon, innledning; induksjon. — **manifold** innsugningsmanifold. — **papers** (amr.) innkallingsordre. — **school** fag- og forskole.

inductive [in'dʌktiv] som beveger, som bevirker; tillokkende; induktiv; induksjons-. — **circuit** induksjonsstrøm. — **philosophy** eksperimentalfysikk.

inductor [in'dʌktə] induktor, induksjonsspole; en som innsetter i et embede.

indue [in'dju:] iføre, bekle, utruste.

indulge [in'dʌldʒ] føye, være ettergivende, skjemme bort, forkjæle, se gjennom fingrene med, benke seg etter, la få sin vilje; tilfredsstille; hengi seg til; gi fritt løp; begunstige, smigre; — **in** hengi seg til; tillate seg, forfalle til, nyte i fulle drag. — **oneself** in tillate seg. **indulgence** [in-'dʌldʒəns] overbærenhet; tilfredsstillelse; nytelse (**in** av); begunstigelse, frihet; fornøyelse; henstand; avlat. **indulgent** [in'dʌldʒənt] overbærende, ettergivende, skånsom, mild, svak.

indult [in'dʌlt] pavelig dispensasjon.

indument [in'dju:mənt] fjærkledning.

induna [in'du:nə] anfører (i Sør-Afrika).

indurate ['indjureit] herde; forherde; bli forherdet; hard, forherdet; ufølsom. **induration** [indju'reiʃən] herding; hardhet; forherding; forstokkethet.

Indus ['indəs] Indus; (astronomi) Indianeren.

industrial [in'dʌstriəl] industriell; nærings-, faglig-; ervervs-; arbeider-; yrkes-; industridrivende; — **accident** arbeidsulykke; — **accident insurance** kollektiv ulykkesforsikring; — **article** industrivare; — **council** bedriftsråd; — **democracy** industrielt demokrati, demokrati på arbeidsplassen; — **design** industriell formgivning. — **engineering** produksjonsteknikk, rasjonalisering; — **exhibition** industriutstilling; — **insurance** gruppelivsforsikring; — **maintenance** system hvoretter hver industri sørger for sine egne arbeidsløse; — **protection** bedriftsvern; — **school** fagskole; oppdragelsesanstalt for forsømte el. vanartede barn. **industrialism** [in'dʌstriəlizm] industrialisme. **industrialist** [in'dʌstriəlist] industridrivende, industrileder. **industrialize** [in-'dʌstriəlaiz] industrialisere. **industrialized building** ferdighusbygging, elementbygging. **industrious** [in'dʌstriəs] flittig. **industry** ['indəstri] flid, driftighet; industri, kunstflid; industrigrein, erverv, yrke, ervervsgrein, næringsvei; **cottage** — husflid.

indwell [in'dwel] bo i; bebo. **indweller** ['in-dwelə] beboer; innbygger. **indwelling** ['indweliŋ] iboende; det å bo i.

inebriate [in'i:briənt] berusende; berusende middel. **inebriate** [in'i:brieit] beruse, gjøre beru-

set, drikke full; beruset, drukken; dranker. **inebriation** [ini:bri'eiʃən] beruselse. **inebriety** [ini'braiiti] drukkenskap, drikkfeldighet, rus, fyll.

inedible [in'edibl] uspiselig, uegnet til menneskeføde.

inedited [in'editid] utrykt, ikke 'utgitt; ny. **ineffability** [inefə'biliti] uutsigelighet. **ineffable** [in'efəbl] uutsigelig; -s unevnelige, bukser.

ineffaceable [ini'feisəbl] uutslettelig.

ineffective [ini'fektiv] uvirksom, kraftløs, virkningsløs, fåfengt.

ineffectual [ini'fektjuəl, -tʃuəl] uvirksom, fruktesløs, kraftløs, virkningsløs; unyttig. **ineffic-ious** [inefi'keiʃəs] se **ineffectual**. **inefficacy** [in-'efikəsi] uvirksomhet, virkningsløshet, unyttighet. **inefficiency** [ini'fiʃənsi] uvirksomhet, virkningsløshet, unyttighet; mangel på driftighet. **inefficient** [ini'fiʃənt] uvirksom, kraftløs, ubrukbar, udugelig, ineffektiv.

inelastic [ini'læstik] uelastisk.

inelegance [in'eligəns] mangel på eleganse, smakløshet; platthet. **inelegant** [in'eligənt] ikke elegant, uskjønn, smakløs, klosset.

ineligibility ['inelidʒi'biliti] ikke-valgbarhet; uhensiktmessighet, uskikkethet. **ineligible** [in-'elidʒibl] ikke valgbar; uhensiktsmessig, uheldig.

ineluctable [ini'lʌktəbl] uunngåelig. **ineluctably** [ini'lʌktəbli] uvegerlig, ubøyelig, ubønnhørlig.

inept [i'nept] uskikket; tåpelig, tosket, malplassert; urimelig. **ineptitude** [in'eptitju:d] uskikkethet; tåpelighet; taktløshet.

inequality [ini'kwɔliti] ulikhet; uoverensstemmelse; ujevnhet, uregelmessighet; omskiftelighet; utilstrekkelighet; urettferdighet. **inequation** [ini-'kweiʃən] ulikhet.

inequilateral [ini:kwi'lætərəl] ulikesidet.

ineradicable [ini'rædikəbl] som ikke kan utryddes.

inerrable [in'ə:rəbl] ufeilbar.

inert [i'nə:t] treg, lat, trå, uvirksom, død, kraftløs. **inertia** [i'nə:ʃ(j)ə] treghet, slapphet; **the law of** — treghetsloven. **inertitude** [i'nə:titju:d] treghet. **inertly** [i'nə:tli] tregt, trått, slapt.

inescapable [ini'skeipəbl] uunngåelig; uavvendelig.

inescutcheon [ine'skʌtʃn] hjerteskjold.

inessential [ini'senʃəl] uvesentlig, uviktig.

inestimable [in'estiməbl] uvurderlig, ikke målbar, makeløs.

inevitability [inevitə'biliti] uunngåelighet. **inevitable** [i'nevitəbl] uunngåelig, uomgjengelig, uavvendelig; obligatorisk; ikke til å slippe unna.

inexact [inig'zækt] unøyaktig. **inexactitude** [inig'zæktitju:d] unøyaktighet, slurv.

inexcusable [iniks'kju:zəbl] uunnskyldelig, utilgivelig, helt uforsvarlig.

inexecutable [inek'sekjutəbl] uutførbar. **inexe-cution** [ineksi'kju:ʃən] misligholdelse.

inexhaustibility ['inigzɔ:sti'biliti] uuttømmelighet. **inexhaustible** [inig'zɔ:stibl] uuttømmelig.

inexorability [ineksɔrə'biliti] ubønnhørlighet, ubarmhjertighet. **inexorable** [i'neksərəbl] ubønnhørlig, ubarmhjertig.

inexpediency [inik'spi:djənsi] uhensiktsmessighet. **inexpedient** [-ənt] uhensiktsmessig, uklok.

inexpensive [inik'spensiv] ikke kostbar, billig, rimelig.

inexperience [inik'spiəriəns] uerfarenhet. **in-experienced** [inik'spiəriənst] uerfaren.

inexpert [ineks'pə:t] ukyndig, udyktig, uøvd.

inexpiable [in'ekspiəbl] usonelig, ubotelig.

inexplicability [inekspliko'biliti] uforklarlighet. **inexplicable** [i'neksplikəbl] uforklarlig; **inexpli-cables** unevnelige, bukser.

inexplicit [ineks'plisit] unøyaktig, vag, upresis.

inexplosive [iniks'plɔusiv] som ikke eksploderer; ikke eksploderende stoff.

inexpressible [inik'spresibl] ubeskrivelig, uutsigelig; **inexpressibles** unevnelige, bukser. **inex-pressive** [inik'spresiv] uttrykksløs.

inexpugnable [iniks'pʌgnəbl] uinntakelig, uovervinnelig.
in extenso [in iks'tensəu] i sin helhet.
inextinguishable [inik'stiŋgwiʃəbl] uutslokkelig.
inextirpable [inik'stə:pəbl] som ikke kan utryddes.
inextricable [in'ekstrikəbl] uoppløselig; innviklet, floket.
ineye [in'ai] okulere.
Inf fk. f. Infantry.
inf. fk. f. infinitive; infra (under); inferior.
infallibility [infæli'biliti] ufeilbarlighet. infallible [in'fælibl] ufeilbarlig, sikker, usvikelig.
infallibly [-'fæl-] ufeilbarlig, usvikelig, uvegerlig.
infamous ['infəməs] beryktet; skjendig, nedrig, nederdrektig, infam; æreløs. infamy ['infəmi] skjensel, vanære; skjendighet, skjenselsgjerning.
infancy ['infənsi] spedbarnsalder, barndom; umyndighet, mindreårighet.
infant ['infənt] lite barn, småbarn, spedbarn; (jur.) umyndig, mindreårig; barne-, barnslig, ennå i sin vorden. infanta [in'fæntə] infantinne (spansk el. portugisisk prinsesse). infante [in-'fænti] infant. infanticide [in'fæntisaid] barnemord; barnemorder(-ske). infanticipate (amr.) vente et barn. infantile ['infəntail] barne-; barnlig. infant mortality (rate) barnedødelighet, spedbarnsdødelighet. infantine ['infəntin,-tain] barne-; barnslig. infantlike ['infəntlaik], infantly [-li] barnslig, barnaktig.
infantry ['infəntri] infanteri, fotfolk.
infant school barnehage.
infaret [in'fɑ:kt] infarkt.
infatuate [in'fætjueit] bedåre, dåre, forblinde. infatuation [infætju'eiʃən] dåring, det å forblinde(s); forgapelse; nære ulykkelig kjærlighet til.
infeasibility [infi:zi'biliti] umulighet. infeasible [in'fi:zibl] umulig, ugjørlig.
infect [in'fekt] smitte, infisere; besmitte; forpeste. infection [in'fekʃən] smitte, infeksjon; besmittelse. infectious [in'fekʃəs] smittsom, smittefarlig; smittende. — matter smittestoff.
infelicitous [infi'lisitəs] uheldig, ulykkelig. infelicity [infi'lisiti] ulykke; ulykkelig tilstand.
infelt ['infelt] dyptfølt.
infer [in'fə:] slutte, dedusere; syne, vitne om, føre med seg. inferable [in'fə:rəbl] som kan sluttes. inference ['infərəns] slutning. inferential [infə'renʃəl] som kan sluttes; slutnings-.
inferior [in'fiəriə] lavere, nedre, ringere, dårlig; mindre (to enn); underordnet, undergiven. inferiority [infiəri'əriti] lavere stand; underordning; underlegenhet; ringere kvalitet; mindreverdighet.
infernal [in'fə:nəl] helvetes; djevelsk; som hører til underverdenen. — machine helvetesmaskin.
inferno [in'fə:nəu] inferno, helvete.
infertile [in'fə:tail] ufruktbar; ubefruktet.
infertility [infə:'tiliti] ufruktbarhet, sterilitet.
infest [in'fest] hjemsøke, husere; oversvømme, myldre; være angrepet av; plage. infestant [-'fes-] skadedyr. infestation [infes'teiʃən] hjemsøkelse, befengthet.
infidel ['infidəl] vantro. infidelity [infi'deliti] vantro, hedenskap; utroskap.
infield ['infi:ld] innmark; (baseball) den kvadratiske del av banen; (cricket) banen nær gjerdene.
infighting [in-] (boksing) nærkamp, på nærmere hold enn en armlengde.
infiltrate ['infiltreit] sive inn (i), sive igjennom; gjennomsyre. infiltration [infil'treiʃən] infiltrering, gjennomsiving; gjennomsyring, infiltrasjon.
infinite [in'finit] uendelig, utallig. infinitesimal [infini'tesiməl] uendelig liten; uendelig liten størrelse. infinitival [infini'taivəl] infinitivisk. infinitive [in'finitiv] ubegrenset; infinitiv. infinitude [in'finitju:d] uendelighet. infinity [in'finiti] uendelighet; to — i det uendelige.
infirm [in'fə:m] svak, veik, skral, svakelig;

usikker, vankelmodig; skrøpelig, vaklende. infirmary [in'fə:məri] sykehus, sykestue, pleiehjem, gamlehjem. infirmity [in'fə:miti] svakhet, svakelighet, skrøpelighet; brist, karaktersvakhet; skavank.
infix [in'fiks] feste, innprente; infiks.
inflame [in'fleim] stikke i brann; piske opp; hete opp, oppflamme, egge; betenne, inflammere; flamme. inflammability [inflæmə'biliti] lett antennelighet, brennbarhet. inflammable [in'flæməbl] lett antennelig, brennbar, ildsfarlig. inflammation [inflə'meiʃən] antennelse; inflammasjon, betennelse; opphisselse. inflammatory [in-'flæmətəri] betennelses-; opphissende, provoserende.
inflate [in'fleit] blåse opp, puste opp, fylle med luft; gjøre oppblåst; drive prisene i været. inflated [in'fleitid] oppblåst; svulstig. inflation [in-'fleiʃən] oppblåsing, fylling; oppblåsthet; svulstighet; inflasjon, kunstig hausse. inflationary [in-'fleiʃənəri] inflasjonsskapende, inflasjons-. inflatus [in'fleitəs] innblåsing; oppblåsing, inspirasjon.
inflect [in'flekt] bøye; modulere. inflection [in-'flekʃən] bøyning; (stemmes) modulasjon. inflectional [in'flekʃənəl] bøynings-. inflective [in-'flektiv] bøyelig. inflex [in'fleks] bøye. inflexibility [infleksi'biliti] ubøyelighet. inflexible [in'fleksibl] ubøyelig. inflexion [in'flekʃən] bøyning. inflexure [in'flekʃə] bøyning.
inflict [in'flikt] tilføye, bibringe, påføre, volde, hjemsøke. infliction [in'flikʃən] tilføyelse, det å påføre; tildeling; lidelse; straff. inflictive [in-'fliktiv] som pålegger lidelse, straff osv.; skjebnesvanger.
inflorescence [inflə'resəns] oppblomstring; blomstring; blomsterstand.
inflow ['infləu] innstrømming, tilstrømming; tilgang, tilførsel.
influence ['influəns] innflytelse, påvirkning; innvirkning; ha innflytelse på, påvirke. influential [influ'enʃəl] innflytelsesrik, som betyr noe; formående.
influenza [influ'enzə] influensa.
influx ['inflʌks] innstrømming, tilførsel, tilgang; det sted der to elver flyter sammen.
infold [in'fəuld] innhylle; omfavne.
infoliate [in'fəulieit] bedekke med blad.
inform [in'fə:m] underrette, opplyse, melde, gjøre kjent; prege, fylle, gjennomtrenge; — (against el. on) angi; anklage, sladre; — him of it underrette ham om det; — him that si ham at.
informal [in'fə:məl] uformell, formløs, fri, kameratslig, jevn, folkelig, dagligdags, uregelmessig; fordringsløs; — agreement underhåndsavtale; — dress daglig antrekk; — talks uforbindtlige drøftelser; — visit uoffisielt besøk. informality [infə:'mæliti] uregelmessighet; formfeil; uformell karakter, utvungenhet.
informant [in'fə:mənt] meddeler, hjemmelsmann, kilde.
information [infə:'meiʃən] underretning, opplysning(er), orientering, meddelelse, melding, viten, kunnskap(er); tiltale (rettslig); a man of various — en mann med allsidige kunnskaper el. erfaringer; general — alminnelige kunnskaper; to the best of my — etter hva jeg har erfart, så vidt jeg vet. — office informasjonskontor.
informationist [infə:'meiʃənist] en oppdrager som legger hovedvekten på solide kunnskaper.
informative [in'fə:mətiv] opplysende, belærende, informativ. — label varedeklarasjon.
informatory [in'fə:mətəri] lærerik, belærende.
informed [in'fə:md] velunderrettet, velorientert, opplyst.
informer [in'fə:mə] angiver; kronvitne; sladrehank.
infra ['infrə] nedenfor, under; infra dig. under ens verdighet.
infract [in'frækt] bryte, krenke. infraction [in-'frækʃən] brudd; krenkelse. infractor [in'fræktə] en som bryter, krenker.

infrangibility [infrændʒi'biliti] ubrytelighet; ubrødelighet. **infrangible** [in'frændʒibl] ubrytelig; ubrødelig, ukrenkelig.

infrared ['infrə'red] infrarød.

infrastructure ['infrə'strʌktʃə] infrastruktur; underbygning, fundament; grunnlag.

infrequency [in'fri:kwənsi] sjeldenhet, ualminnelighet. **infrequent** [in'fri:kwənt] sjelden, sjeldsynt, ualminnelig.

infringe [in'frin(d)ʒ] bryte, overtre, krenke; gjøre inngrep i. **infringement** [-mənt] brudd, overtredelse, krenkelse; inngrep. **infringer** [in-'frin(d)ʒə] en som bryter osv.

infuriate [in'fjuərieit] gjøre rasende (**against** på). **infuriating** til å bli rasende over, umåtelig irriterende.

infuscate [in'fʌskeit] mørkt farget; gjøre mørk; formørke.

infuse [in'fju:z] gyte; inngyte; infundere; gjøre låg på, trekke (f. eks. te); — **courage** sette mot i. **infusibility** [infju:zi'biliti] usmeltelighet. **infusible** [in'fju:zibl] usmeltelig. **infusion** [in'fju:ʒən] inngyting, inngytelse, tilførsel, inngivelse; infusjon.

infusoria [infju'sɔ:riə] infusjonsdyr, infusorier. **infusory** [in'fju:səri] infusorisk; infusjonsdyr.

ingate ['ingeit] inngang; hals, svelg (på støpeform).

ingather [in'gæðə] høste inn, samle inn.

ingeminate [in'dʒemineit] fordoble; gjenta. **ingeminate** [-nit] fordoblet; gjentatt. **ingemination** [indʒemi'neiʃən] sinnrik, uttenkt, skarpsindig, oppfinnsom, klok; genial.

ingenue [fr.: ɛ̃ʒei'nju:] ingénue(rolle).

ingenuity [indʒi'nju:iti] sinnrikhet, skarpsindighet, kløktighet, kunstferdighet, genialitet.

ingenuous [in'dʒenjuəs] åpen, åpenhjertig, ærlig; naiv, troskyldig. **-ness** åpenhet, ærlighet; troskyldighet.

ingest [in'dʒest] innføre (især næring i magen), svelge ned. **ingesta** [in'dʒestə] stoffer som er innført i en organisme. **ingestion** [in'dʒestʃən] innføring (av stoffer i en organisme).

ingle ['ingl] ild; arne, åre, peis, skorstein. — **-nook** kakkelovnskrok, peiskrå, høyrygget kaminbenk.

inglorious [in'glɔ:riəs] uberømt, ukjent; skammelig, skjendig, vanærende.

ingluvies [in'glu:vii:z] kro (hos fugl, insekt).

ingoing ['ingəuiŋ] innkommende, inngående; tiltredende. — **tray** innkurv, kurv til inngående post.

ingot ['ingət] stang, barre (av metall), støpeblokk, råblokk. — **rolling mill** blokkvalseverk.

ingraft [in'gra:ft] pode; innpode. **ingraftment** [-mənt] podning; innpoding; podekvist.

ingrain ['in'grein] gjennomfarget stoff; farge i ulla; impregnere; innplante; rotfeste; gjennomføre; — **carpet** (amr.) vendbart teppe. **-ed** festet; inngrodd, innbarket.

ingrate ['ingreit] utakknemlig.

ingratiate [in'greiʃeit] bringe i yndest (**with** hos); — **oneself** with innynde seg hos. **ingratiating** innyndende, innsmigrende; slesk.

ingratitude [in'grætitju:d] utakknemlighet.

ingravescent [ingrə'vesnt] som stadig forverres.

ingredient [in'gri:djənt] ingrediens, bestanddel.

ingress ['ingres] inntrengning, inngang; innstrømning (av luft el. vann osv.); adgang. **ingression** [in'greʃən] inntredelse; inngang. **ingressive** [-'gres-] innkommende; inngangs-; inkoativ.

Ingria ['ingriə] Ingermanland.

in-group sluttet gruppe.

ingrowing ['ingrəuiŋ] inngrodd, som vokser inn (om negl). **ingrown** inngrodd, selvopptatt, medfødt.

inguen ['ingwen] lyske. **inguinal** ['ingwinəl] ingvinal, lyske-.

ingulf [in'gʌlf] oppsluke; styrte i en avgrunn. **ingurgitate** [in'gɔ:dʒiteit] sluke gråid. **ingurgitation** [ingɔ:dʒi'teiʃən] sluking.

inhabit [in'hæbit] bebo, holde til i; bo. **inhabitable** [in'hæbitəbl] beboelig. **inhabitancy** [in'hæbitənsi] beboelse.

inhabitant [in'hæbitənt] beboer; innbygger.

inhalant [in'heilənt] innåndende. **inhalation** [inhə'leiʃən] innånding, inhalering. **inhale** [in'heil] innånde, inhalere. **inhaler** [in'heilə] inn åndingsapparat.

inharmonic [inhɑ:'mɔnik], **inharmonious** [inhɑ:'məunjəs] uharmonisk.

inhaul(er) [in'inhɔ:l(ə)] innhaler.

inhere [in'hiə] henge (**in** ved) klebe ved, høre med til. **inherence** [in'hiərəns], **inherency** [-rənsi] det å henge ved; forekomst. **inherent** [-rənt] vedhengende; iboende, naturlig; uatskillelig fra; inngrodd, fast; knyttet (**in** til); naturnødvendig, ifølge sakens natur. — **vice** naturlig mangel iboende feil.

inherit [in'herit] arve. **inheritable** [in'heritəbl] arvelig. **inheritance** [in'heritəns] arv. **inheritor** [-tə] arving. **inheritress** [-tris], **inheritrix** [-triks] kvinnelig arving.

inhesion [in'hi:ʒən] det å henge ved; forekomst.

inhibit [in'hibit] undertrykke, hemme, hindre (**from** i), forby. **inhibition** [in(h)i'biʃən] hemning hindring, forbud. **inhibitor** inhibitor, bremser **inhibitory** [in'hibitəri] hindrende; forbuds-, hefte-

inhospitable [in'hɔspitəbl] ugjestfri, ugjestmild uvennlig, barsk. **inhospitality** [inhɔspi'tæliti] ugjestfrihet.

inhuman [in'hju:mən] umenneskelig, barbarisk hjerteløs, grusom; overmenneskelig. **inhumane** [-'mein] umenneskelig, inhuman. **inhumanity** [inhju'mæniti] umenneskelighet. **inhumanly** [in 'hju:mənli] umenneskelig, grusomt.

inhumate ['inhjumeit] begrave, jorde, jord feste. **inhumation** [inhju'meiʃən] begravelse; jord festing; inhumasjon (kjemisk uttrykk). **inhume** [in'hju:m] begrave, jorde, jordfeste.

inial ['iniəl] inial, som hører til nakken.

inimical [i'nimikl] fiendtlig; uforenelig (**t** med); ugunstig, skadelig.

inimitability [i'nimitə'biliti] uetterlignelighet uforlignelighet. **inimitable** [i'nimitəbl] uetterlig nelig; uforlignelig.

inion ['iniən] nakke (anatomisk uttrykk).

iniquitous [i'nikwitəs] skammelig, urettferdig urettvis; syndig, lastefull. **iniquity** [i'nikwiti skam, skjensel, urettferdighet; synd, forbrytelse misgjerning.

init. fk. f. **initio** (i begynnelsen).

initial [i'niʃəl] begynnende, innledende, begyn nelses-; først; begynnelsesbokstav, forbokstav initial; sette forbokstav ved; undertegne med for bokstav; merke. — **adjustment** null(inn)stilling utgangsstilling. — **capital** startkapital; stor be gynnelsesbokstav. — **difficulties** begynnervanske ligheter. — **expenditure, expenses** anleggskost nader; startomkostninger. — **letter** forbokstav — **stage** forstadium. — **word** kortord, bokstav ord, initialord. **initiate** [i'niʃieit] åpne, ta til med innføre; sette i gang, innlede; innvie; oppta (et selskap); ta initiativet; sette fram forslag **initiate** [-iit] begynt; innvidd. **initiation** [iniʃi 'eiʃən] åpning, begynnelse, innledning; iverk setting, innføring, innvielse; opptakelse; ele mentærundervisning.

initiative [i'niʃ(i)ətiv] første, begynnelses-, inn lednings-; initiativ, tiltak, foretaksomhet; takee the — **in doing it** ta initiativet til å gjøre det have the — ha initiativet.

initiator [i'niʃieitə] initiativtager.

initiatory [i'niʃ(i)ətəri] første, begynnelses-, inn lednings-; innledende-; opptakelses-.

inject [in'dʒekt] sprøyte inn; inngi, inngyte **injection** [in'dʒekʃən] innsprøyting; injeksjon.

injudicious [indʒu'diʃəs] uforstandig, uklok uoverlagt.

Injun ['indʒən] (amr.) indianer; **play** — gjemme seg godt.

injunction [in'dʒʌŋ(k)ʃən] pålegg, påbud, innskjerping, forbud, kjennelse om forbud.

injure ['indʒə] gjøre urett; gjøre ondt; såre, fornærme; gjøre skade, beskadige, forderve; gjøre avbrekk i; forurette; skade, sverte. **injurious** n'dʒuəriəs] skadelig, ødeleggende (**to** for); ondkapsfull; farlig; fornærmelig, urettvis, sårende kammelig. **injury** ['indʒəri] urett; krenkelse; ornærmelse; skade, lesjon, beskadigelse, overist, fortred. — benefit ulykkeserstatning.

injustice [in'dʒʌstis] urettferdighet; urett.

ink [iŋk] blekk; boktrykkersverte; tusj; benøre med blekk (el. sverte, tusj); as **black** s — svart som blekk; dull as — skrekkelig jedelig; (amr.) **sling** — skrive mye, smøre opp; **lever at reading** — dyktig til å lese skrift; ⁄ritten in — skrevet med blekk. — **blot** blekklatt. — **bottle** blekkflaske; blekkhus. — **eraser** lekkviskelær.

inkfish ['iŋkfiʃ] blekksprut.

inkhorn ['iŋkhɔ:n] blekkhorn (gammeldags).

inkle ['iŋkl] gjette.

inkle-weaver possementmaker.

inkling ['iŋkliŋ] anelse, mistanke; vink, ymt, ∩tyding, mumling; ønske, lyst, attrå; **get an** — f få nyss om; høre et ymt om, få snusen i (el. v).

in-kneed ['inni:d] kalvbeint.

inkslinger (amr.) blekksmører.

inkspiller blekksmører.

inkstand ['iŋkstænd] blekkhus; skriveoppsats.

inkwell (fast) blekkhus.

inky ['iŋki] blekk; blekket; kullsort. — **-black** ⊾eksvart, svart som blekk.

inlaid ['in'leid] innlagt; — **floor** parkettgolv; — **work,** — **wood-work** tremosaikk, intarsia; **e (well)** — ha sitt på det tørre.

inland ['inlənd] innlands-, indre (som er, som ⁴gger osv.) inne i landet, i det indre; innenandsk; inn i landet; innland, oppland; — **reve**-⊣ue statsinntekter som kommer fra skatter og ⊾vgifter; **the Inland Revenue Department** ≈ kattedepartement; — **sea** innhav; — **trade** ∩nenrikshandel. — **waters** sjøterritorium, ⊾erritorialfarvann. **inlander** ['inləndə] en som ⊾or i det indre av landet.

in-laws ['in-] svigerfamilie.

inlay ['in'lei] innlegge; parkettere; innlegg; ∩nlagt arbeid, mosaikk. **inlayer** ['inleiə] mosaikk-⊾rbeider. **inlay-work** ['inleiwə:k] innlagt arbeid, ∩osaikk.

inlet ['inlet] inngang, inntak, inntaks-; innlegg, ∩tarsia; innløp; fjord, sund, vik.

in-line engine rekkemotor.

inly ['inli] i det indre; hemmelig.

inmate ['inmeit] husfelle, beboer.

in memoriam [in mi'mɔ:riəm] til minne.

inmesh [in'meʃ] få i garnet.

inmost ['inməust] innerst.

inn [in] gjestgiveri, vertshus, herberge; juri-⊣isk kollegium, juridisk skole. **Inns of Court** ju-⁴istkollegier, der jurister får utdannelse.

innard ['inəd] indre (korrumpert av: **inward**), ∩nvoller, innmat; **fill one's** — fylle magen; ⊾here's something wrong with my — jeg har en ∩nvendig sykdom.

innate ['in'neit] medfødt; naturlig, iboende.

innavigable [in'nævigəbl] ufarbar, useilbar.

inner ['inə] indre, innvendig; sjelelig, åndelig; — **tube** slange (til bildekk o. l.).

innermost ['inəməust] innerst.

innervation [inə'veiʃən] nervevirksomhet; stimulering. **innerve** [i(n)'nə:v] styrke, stimulere.

innings ['iniŋz] tur til å spille (i cricket), ⊾ur til å ha makten, maktperiode, god tid; ⊾ave one's — ha sin tur, skulle til; **it is your** — now nå er det Deres tur, vis nå hva De duger ⊾il; **he has had his** — han har lenge hatt gode ⊾ager.

innkeeper ['inki:pə] vertshusholder, gjestgiver, ⊾rovert.

innocence ['inəsəns] uskyldighet; harmløshet; troskyldighet; enfoldighet.

innocent ['inəsənt] uskyldig; uskadelig, harmløs; troskyldig; enfoldig; naiv; uskyldig person; ufordervet; tomset, tåpelig; heimføing; uvitende om; **the murder of the Innocents** barnemordet i Betlehem; **Innocents' Day** 28. desember (minnedag for barnemordet i Betlehem); **Innocents Abroad** «Naive reisende» (en bok av Mark Twain); **a little** — ≈ et (lite) gudsord fra landet; **he was** —**of any attempt at a joke** det var ikke hans mening å forsøke på å si noe morsomt.

innocuity [inə'kju:iti] uskadelighet. **innocuous** [i(n)'nɔkjuəs] uskadelig.

innominate [i'nɔminit] navnløs, uten navn. — **bone** hoftebein.

innovate ['inəveit] forandre, omdanne; fornye, innføre som noe nytt; bøte. **innovation** [inə'veiʃən] forandring, omdannelse; nyskaping, nyhet; innføring av noe nytt. **innovationist** [inə'veiʃənist] tilhenger av forandringer. **innovator** ['inəveitə] en som innfører forandringer, en som omdanner, reformator, fornyer.

innoxious [i(n)'nɔkʃəs] uskadelig.

innuendo [inju'endəu] antydning, ymt, hentydning, insinuasjon.

Innuit ['in(j)uit] eskimo.

innumerability [inju:mərə'biliti] utallighet. **innumerable** [i'nju:mərəbl] utallig, talløs.

innutritious [inju'triʃəs], **innutritive** [i'nju:-tritiv] ikke nærende, av liten næringsverdi.

inobservance [inəb'zə:vəns] uoppmerksomhet; overtredelse; neglisjering. **inobservant** [inəb'zə-vənt] uoppmerksom.

inoculate [i'nɔkjuleit] okulere; innpode, vaksinere; **inoculation** [inɔkju'leiʃən] okulering; innpoding.

inodorous [in'əudərəs] luktløs, luktfri.

inoffensive [inə'fensiv] uskadelig, uskyldig, harmløs; beskjeden, smålåten; fredelig, skikkelig.

inofficial [inə'fiʃəl] ikke offisiell, privat.

inofficious [-'fiʃəs] uten virkning, som strider mot naturlige plikter.

inoperable [in'ɔpərəbl] som ikke kan opereres (el. betjenes); ugjennomførlig.

inoperative [in'ɔpərətiv] virkningsløs, gagnløs.

inopportune [inɔpə'tju:n] ubeleilig, uheldig, ubetimelig.

inordinate [i'nɔ:dinit] overdreven, uforholdsmessig, umåtelig; uordnet, uordentlig. **inordinately** umåtelig, over alle grenser.

inorganic [inɔ:'gænik] uorganisk. — **chemistry** uorganisk kjemi.

inorganised [in'ɔ:gənaizd] ikke organisert; rotet.

inosculate [in'ɔskjuleit] forbinde seg; forbinde.

inosculation [inɔskju'leiʃən] forbindelse.

inpatient ['inpeiʃənt] sykehuspasient.

in-plant som foregår på selve fabrikken.

input ['input] inngang, inntak; tilførsel; inngangseffekt (radio).

inquest ['inkwest] undersøkelse; rettslig undersøkelse; likskue; **coroner's** — rettslig liksyn; **the last (el. great)** — dommedag.

inquietude [in'kwaiətju:d] uro, ank, otte.

inquirable [in'kwaiərəbl] som kan undersøkes.

inquire [in'kwaiə] spørre, forhøre seg (**about** om, **for** etter); spørre om; undersøke, anstille undersøkelse; — **of a person about a thing** spørre en om noe; — **after him** el. — **for him** spørre etter ham; — **the way** spørre om veien; — **the reason** spørre om grunnen; — **into** etterforske, undersøke.

inquiry [in'kwaiəri] etterspørsel, forespørsel; etterlysning, etterforskning, undersøkelse; forskning; **by** — ved å spørre seg for; **on** — **I was told** på min forespørsel fikk jeg vite; **puzzled** — spørrende forvirring; **private** — **agents** agenter for private undersøkelser, sjefer for et opplysningsbyrå. — **agency** opplysningsbyrå. — **form** spørreskjema; etterspørselsblankett. — **office** opplysningsbyrå, forespørselsbyrå.

inquisition [inkwi'ziʃən] undersøkelse; kjennelse (rettslig); skjønn, skadebot; inkvisisjon. inquisitive [in'kwisitiv] spørresyk; nysgjerrig. inquisitiveness [-nis] spørresyke; nysgjerrighet. inquisitor [in'kwizitə] undersøker; eksaminator; forhørsdommer; inkvisitor. inquisitorial [inkwizi-'tɔ:riəl] undersøkelses-; inkvisisjons-; inkvisitorisk.

I. N. R. I. fk. f. Jesus Nazarenus Rex Judaeorum Jesus fra Nasaret, jødenes konge.

inroad ['inrəud] innfall, streiftog, overfall; inngrep; tære på, redusere sterkt.

inrush ['inrʌʃ] innstrømning, inntrenging.

ins. fk. f. inches; inscribed; insulated; insurance.

insalivate [in'sæliveit] blande med spytt. insalivation [insæli'veiʃən] blanding med spytt.

insalubrious [insə'l(j)u:briəs] usunn. insalubrity [-briti] usunnhet.

insanability [insænə'biliti] uhelbredelighet. insanable [in'sænəbl] uhelbredelig.

insane [in'sein] vanvittig, sinnssyk, fra vettet, avsindig, gal, sprø; — asylum, — hospital sinnssykehus.

insanitary [in'sænitəri] usunn, sunnhetsfarlig, helsefarlig.

insanity [in'sæniti] avsinn, vanvidd, sinnssyke. insatiability [inseiʃ(j)ə'biliti] umettelighet. insatiable [in'seiʃ(j)əbl] umettelig. insatiate [in-'seiʃiit] umettelig. insatiety [insə'taiiti] umettelighet.

inscribe [in'skraib] innskrive; inngravere; innføre (i en liste); forsyne med påskrift; tilegne, dedisere; innprente (i hukommelsen: on the memory); innskrive (matematisk). inscription [in-'skripʃən] innskrivning; innføring; innskrift, inskripsjon, påskrift, overskrift; tilegnelse; dedikasjon. inscriptive [in'skriptiv] med innskrift; innskrift-.

inscrutability [inskru:tə'biliti] uutgrunnelighet, uransakelighet. inscrutable [in'skru:təbl] uutgrunnelig, uransakelig.

insect ['insekt] insekt; foraktelig liten tingest. insecticide [in'sektisaid] insektmiddel. insectile ['insektil] insektaktig, insekt-.

insection [in'sekʃən] snitt, innsnitt.

insectivorous [insek'tivərəs] insektetende.

insecure [insi'kjuə] usikker, utrygg, utsatt; upålitelig. insecurity [insə'kjuəriti] usikkerhet, utrygghet; upålitlighet.

inseminate [in'semineit] så, befrukte. insemination [insemi'neiʃən] befruktning, inseminering. insensate [in'sensit] ufølsom; ufornuftig; vettløs; død, livløs.

insensibility [insensi'biliti] følelsesløshet; ufølsomhet; uimottakelighet, sløvhet; bevisstløshet. insensible [in'sensibl] følelsesløs; ufølsom; likesæl, hjerteløs, hard; umerkelig; bevisstløs.

insensitive [in'sensitiv] ufølsom, upåvirkelig; stabil.

inseparability [insepərə'biliti] uatskillelighet. inseparable [in'sep(ə)rəbl] uatskillelig; -s uatskillelige venner.

insert [in'sə:t] skyte inn, føye til, innføre, innsette, felle inn; rykke inn (in el. into i). insertion [in'sə:ʃən] innføring, innsetting; innrykking (i avis); innsendt stykke, inserat; mellomverk.

inset ['inset] noe som settes inn, innlegg, vedlegg; innføyd, innsatt.

inseverable [in'sevərəbl] uskillelig.

in-service training videreutdannelse mens man er i tjeneste.

inshore ['inʃɔ:] pålands-; inne ved land, tett ved land; mot land, under land; kyst-.

inside ['in'said] innerside, innside, innvendig del, det innvendige; passasjer inne i en vogn; innvendig; inneni, innenfor, inne, inn, indre; inne i ; — of innenfor; på mindre enn; from the — innenfra; turned — out vendt ut inn på. — information opplysninger som bare kjennes av en innviet krets, underhåndsopplysninger. — story (sladder)historie som bare er kjent av en indre

krets. — track indre bane; fordel, fordelakti stilling.

insider [in'saidə] innviet; en som er inne saken.

insidious [in'sidjəs] underfundig, lumsk, innful snikende.

insight ['insait] innblikk; innsikt, forståelse innlevelse, kjennskap, vett.

insignia [in'signiə] insignier, verdighetstegn emblem, merke, distinksjoner.

insignificance [insig'nifikəns] ubetydelighet, be tydningsløshet. insignificant [insig'nifikənt] ube tydelig, betydningsløs; ringe.

insincere [insin'siə] uoppriktig, falsk; hyklersk insincerity [insin'seriti] uoppriktighet, falskhet insinuate [in'sinjueit] innynde, lure inn; in sinuere; antyde, hentyde, ymte om. insinuation [insinju'eiʃən] antydning, innlisting, innsmigring insinuasjon. insinuative [in'sinjuativ] insinuant ful, slesk.

insipid [in'sipid] flau, smakløs, emmen, ute kraft. insipidity [insi'piditi] flauhet, smakløshet insist [in'sist] hevde, holde på sitt, påstå understreke, fastholde, forlange, forestille; — on el. upon stå på, holde på, fordre, ville bestemt ville absolutt. insistence [in'sistəns] hevding insistering, det å holde på; vedholdenhet, iherdig het. insistent [-'sis-] stadig, pågående, iherdig insnare [in'snɛə] snare, fange i snare; besnære insobriety [insə'braiəti] uavholdenhet, drukken skap, drikkfeldighet.

insolate ['insəleit] sole, bake i solen. insolatio [insə'leiʃən] soling, solbestråling; solstikk, hete slag.

insole ['insəul] binnsåle; innleggssåle.

insolence ['insələns] uforskammethet. insolen ['insələnt] uforskammet.

insolubility [insɔlju'biliti] uoppløselighet. insoluble [in'sɔljubl] uoppløselig.

insolvency [in'sɔlvənsi] insolvens. insolven [in'sɔlvənt] insolvent, betalingsudyktig.

insomnia [in'sɔmniə] søvnløshet. insomniac [in'sɔmniæk] søvnløs.

insomuch [insə'mʌtʃ]: — that så at; — as fo så vidt som; idet, da nemlig, så som.

insouciance [in'su:siəns] ubekymrethet, sorg løshet. insouciant [-ənt] sorgløs, ubekymret.

insp. fk. f. inspector.

inspan [in'spæn] spenne for.

inspect [in'spekt] ha oppsyn med; kontrollere undersøke nøye, inspisere, mønstre. inspectior [in'spekʃən] ettersyn, oppsyn, undersøkelse inspeksjon. inspector [in'spektə] inspektør; police — politibetjent. inspectress [in'spektris] inspek trise.

inspiration [inspi'reiʃən] inspirasjon; innsky telse; innånding. inspiratory [in'spairətəri] inn åndings-. inspire [in'spaiə] inspirere, vekke; ånde inn, innånde.

inspirit [in'spirit] flamme opp, opplive, benåde inspissate [in'spiseit] fortykke.

inspissation [inspi'seiʃən] fortykkelse.

Inst. fk. f. Institute; Institution. inst. fk. f. instant (i denne måned).

instability [instə'biliti] ubestandighet, usikker het. instable [in'steibl] ubestandig, ustø, usikker

instal(l) [in'stɔ:l] anvise (sete, plass); innsette (f. eks. i et embete); innrette, stille opp, in stallere, montere.

installation [instə'leiʃən] innsettelse; anbring else; installasjon, montering, innlegging; anlegg installasjon. — grant flyttegodtgjørelse.

instalment [in'stɔ:lmənt] innsettelse; rate, av drag; payable by (el. at) -s kan betales i rater instance ['instəns] tilfelle, fall, leilighet; eksem pel; instans; begjæring, inntrengende anmodning anføre som eksempel; at the — of foranlediget av, etter krav fra; for — for eksempel; in the first — for det første; først; in the last — i siste instans; til sist, til slutt.

instant ['instənt] øyeblikkelig, umiddelbar

innstendig, inntrengende; (om mat) som kan tilberedes i løpet av et øyeblikk; dennes, denne måned; øyeblikk; **the 7th inst.** den sjuende dennes; **on the** — straks; **in an** — om et øyeblikk; — **coffee** pulverkaffe.
instantaneous [instən'teinjəs] øyeblikkelig; momentan, brå; — **photograph** øyeblikksfotografi. **instantaneously** [-li] øyeblikkelig.
instanter [in'stæntə] øyeblikkelig, straks, på timen.
instantly ['instəntli] øyeblikkelig, straks; inntrengende (foredlet).
instate [in'steit] innsette.
instauration [instə'reiʃn] gjenoppbygging, fornyelse.
instead [in'sted] isteden, i stedet; — **of** istedenfor; **this will do** — dette kan brukes isteden; — **of him** el. **in his stead** istedenfor ham.
instep ['instep] vrist (på foten).
instigate ['instigeit] opphisse, egge; anstifte, fremkalle. **instigation** [insti'geiʃən] opphisselse; anstiftelse, tilskyndelse. **instigator** ['instigeitə] opphisser, anstifter, opphavsmann.
instil [in'stil] dryppe inn, helle dråpevis; inngyte, bibringe, gi, gi inn smått om senn. **instillation** [insti'leiʃən] inndrypping; inngytelse; inngivelse.
instinct[in'stiŋkt]drevet, opplivet, besjelet, fylt.
instinct ['instiŋkt] instinkt, drift, naturdrift.
instinctive [in'stiŋktiv] instinktmessig, uvilkårlig. **instinctively** [-li] instinktmessig, uvilkårlig. **instinctivity** [instiŋk'tiviti] det instinktmessige, uvilkårlighet. **instinctual** [in'stiŋktjuəl] instinkt-, drifts-, instinktmessig.
institute ['institju:t] stifte, innføre, opprette; få til, få i gang; anordne, fastsette; innsette (f. eks. en regjering); innlede (f. eks. en undersøkelse); utgjøre; undervise (foredlet); innretning, ordning; forordning, lovprinsipp; institutt; -s også; lærebok. **institution** [insti'tju:ʃən] oppretting, stiftelse; innretning, lov; anstalt; innsetting, kallelse; institusjon; **charitable** — velgjørende stiftelse. **institutional** [insti'tju:ʃənəl] institusjonell, fastsatt; elementær. **institutionary** [insti'tju:ʃənəri] institusjons-. **institutive** ['institju:tiv] innrettende, grunnleggende; institusjonsmessig. **institutor** ['institju:tə] stifter, grunnlegger; prest som innsetter en annen; lærer.
instr. fk. f. **instructor; instrument(al).**
instruct [in'strʌkt] undervise; belære; instruere; informere, underrette; befale. **instruction** [in'strʌkʃən] undervisning; lære; råd; anvisning, bruksanvisning, forskrift, forholdsordre, instruks(jon), befaling. **instructional** [in'strʌkʃənəl] undervisnings-, pedagogisk. **instructive** [in'strʌktiv] belærende, lærerik. **instructiveness** [-nis] lærerikhet. **instructor** [in'strʌktə] lærer, instruktør.
instrument ['instrumənt] redskap; instrument, apparat, middel; dokument; **musical** — musikkinstrument.
instrumental [instru'mentəl] tjenlig; virksom; medvirkende, behjelpelig; instrumental; — **case** instrumentalis. **instrumentalist** [instru'mentəlist] instrumentalist.
instrumentality [instrumən'tæliti] virksomhet, råd, medvirkning, hjelp. **instrumentally** [instru'mentəli] som redskap, som middel; med instrumenter. **instrumentation** [instrumən'teiʃən] instrumentering.
insubordinate [insə'bɔ:dinit] insubordinert, oppsetsig, ulydig, trassig. **insubordination** [insə'bɔ:di'neiʃən] insubordinasjon, oppsetsighet, trassighet, ulydighet.
insubstantial [insəb'stænʃl] uvirkelig, illusorisk, uhåndgripelig; tynn, svak.
insuetude ['inswitju:d] uvanthet.
insufferable [in'sʌf(ə)rəbl] utålelig, ulidelig.
insufficiency [insə'fiʃənsi] utilstrekkelighet; udugelighet, udyktighet. **insufficient** [-ʃənt] utilstrekkelig, snau; udugelig, uskikket, gagnløs.

insufflation [insʌ'fleiʃən] innblåsing.
insulance ['in-] isolasjonsmotstand.
insular ['insjulə] øy-; trang, trangsynt, avstengt, isolert; øyboer. **insularity** [insju'læriti] det å være øy, det å være avgrenset til øyer; isolerthet; avsondring, trangsyn. **insulate** ['insjuleit] isolere. **insulating tape** tjærebånd, isolasjonsbånd. **insulation** [insju'leiʃən] isolasjon, isolering. **insulator** ['insjuleitə] isolator.
insult ['insʌlt] fornærmelse, forhånelse, uforskammethet, krenkelse; [in'sʌlt] fornærme, forhåne, krenke.
insuperability [ins(j)u:pərə'biliti] uovervinnelighet, uoverstigelighet. **insuperable** [in's(j)u:pərəbl] uovervinnelig, uoverstigelig.
insupportable [insə'pɔ:təbl] uutholdelig.
insuppressible [insə'presibl] ukuelig, som ikke kan holdes nede.
insurable [in'ʃuərəbl] som kan forsikres.
insurance [in'ʃuərəns] forsikring, trygd, trygding, assuranse; forsikringssum, trygdesum; forsikringspremie, trygdepremie; **effect** el. **make an** — tegne en forsikring; **and fire** — ulykkes- og brannforsikring. — **agent** forsikringsagent, akkvisitør. — **broker** forsikringsmekler. — **policy** forsikringspolise. — **rate** forsikringspremie. — **solicitor** (amr.) forsikringsagent. — **surveyor** takstmann.
insure [in'ʃuə] sikre; sikre seg; forsikre, assurere. **insurer** [in'ʃuərə] assurandør.
insurgence [in'sə:dʒəns] opprør, oppstand.
insurgency [-'sə:-] opprørskhet.
insurgent [in'sə:dʒənt] opprørsk; opprører, insurgent.
insurmountability [insə:mauntə'biliti] uoverstigelighet. **insurmountable** [insə:'mauntəbl] uoverstigelig.
insurrection [insə'rekʃən] opprør, oppstand. **insurrectional** [-əl], **insurrectionary** [-əri] opprørsk, opprørs-. **insurrectionist** [-ist] opprører.
insusceptibility [insəsepti'biliti] uimottakelighet; upåvirkelighet, ufølsomhet. **insusceptible** [insə'septibl] uimottakelig; upåvirkelig, ufølsom. **insusceptive** [insə'septiv] uimottakelig.
inswathe [in'sweið] svøpe inn.
inswept ['inswept] (av)smalnende.
int. fk. f. **interest; interior; interjection.**
intact [in'tækt] intakt, uberørt; ubeskadiget, uskadd.
intactible [in'tæktibl] uføbar.
intagliated [in'tæljeitid] inngravert, fordypet, innskåret. **intaglio** [in'tɑ:liəu, in'tæliəu] inngravert arbeid; — **printing** dyptrykk.
intake ['inteik] tilgang, tilstrømning; innånding; krafttilførsel; innsugning; inntak (ved vannledning), innsnevring; lastet mengde.
intangible [in'tændʒibl] umerkelig; ulegemlig.
integer ['intidʒə] det hele, helhet; helt tall.
integral ['intigrəl] hel, udelt; integrerende; del hele, helhet. — **calculus** integralregning. **integrate** ['intigreit] gjøre fullstendig; integrere. **integration** [inti'greiʃən] fullstendiggjøring; integrering. **integrity** [in'tegriti] helhet, fullstendighet; ufordervethet, renhet; rettskaffenhet, ærlighet.
integument [in'tegjumənt] dekke, hud, skinn, hinne.
intellect ['intilekt] intelligens, forstand, vett, åndsevne. **intellection** [inti'lekʃən] oppfatning, oppfattelse; tankevirksomhet. **intellectual** [inti-'lektʃuəl] forstandsmessig, forstands-, intellektuell; sjelelig, åndelig, ånds-. **intellectuality** [inti-'lektʃu'æliti] forstand, intelligens; åndrikhet.
intelligence [in'telidʒəns] innsikt, etterretning(er), underretning(er); melding(er); meddelelse(r); intelligens, forstand, vett. — **department** militært etterretningsvesen. — **office** opplysningsbyrå, etterretningskontor. — **quotient** intelligenskvotient. — **service** etterretningstjeneste. **intelligencer** [in'telidʒənsə] en som bringer meldinger, reporter, aviskorrespondent; bud; spion.

intelligent [in'telidʒənt] forstandig, klok, intelligent. **intelligentsia** [inteli'dʒentsiə] intelligensen, de intellektuelle. **intelligibility** [in'telidʒi'biliti] forståelighet, tydelighet. **intelligible** [in'telidʒibl] forståelig, tydelig.

intemperance [in'temp(ə)rəns] mangel på måtehold, utskeielse; fylleri; overdreven drikking. **intemperate** [in'temp(ə)rit] umåteholden; stri; utskeiende; lidenskapelig; drikkfeldig.

intend [in'tend] ha i sinne, tilsikte, esle, ha til hensikt, akte; bestemme; **we — to do it** el. **we — doing it** vi akter å gjøre det; **what was this -ed for?** hva var hensikten med dette? **his words were -ed as a warning** hans ord var ment som en advarsel; **-ed to do for . . .** bestemt til å skulle gjelde for . . .

intendancy [in'tendənsi] overoppsyn; intendantur; intendantembete; intendanturdistrikt. **intendant** [in'tendənt] tilsynshavende; intendant.

intended [in'tendid] påtenkt, tilsiktet; — **husband** tilkommende mann; — **wife** tilkommende hustru; **her** — hennes tilkommende. **intending** vordende, in spe.

intense [in'tens] voldsom, intens; spent; heftig, stri, sterk. **intensification** [intensifi'keiʃən] anspennelse; forsterkning; skjerping. **intensify** [in'tensifai] spenne; forsterke, forøke, skjerpe; øke; spennes; forsterkes osv. **intension** [in'tenʃən] spenning; forsterkning, forøkelse, økning, skjerping, styrke, heftighet, intensitet. **intensity** [in'tensiti] intensitet, anspennelse; styrke, heftighet; anstrengelse; iver. **intensive** [in'tensiv] intensiv, sterk; forsterkende; forsterkende ord.

intent [in'tent] forehavende, akt; hensikt; formål; spent, begjærlig, oppsatt (**on** på); **through an** — med forsett, forsettlig; **to all -s and purposes** praktisk talt, i virkeligheten. **intention** [in'tenʃən] mening, formål, hensikt, intensjon, vilje, forsett. **honourable -s** ærlige hensikter. **intentional** [in'tenʃənəl] forsettlig, med vilje. **intentionality** [in'tenʃə'næliti] forsettlighet. **intentioned** [in'tenʃənd] -sinnet i smstn. f. eks. **well-intentioned** velmenende.

intently [in'tentli] spent, oppmerksomt. **inter** [in'tə:] begrave, jordfeste.

inter ['intə] (latin) imellom, mellom, tverr-, felles. **-act** mellomakt, pause.

inter|act [intə'rækt] virke på hverandre. **-action** [intər'ækʃən] gjensidig påvirkning.

interblend [intə'blend] blande.

interbreed [intə'bri:d] krysse (om raser).

intercalar [in'tə:kələ] innskutt; — **day** skuddag; feberfri dag. **intercalary** [in'tə:kələri; intə-'kæləri] se **interealar**. **interealate** [in'tə:kəleit] innskyte. **intercalation** [intə:kə'leiʃən] innskyting, innskudd.

intercede [intə'si:d] komme mellom, tre mellom, gå i forbønn, be for; **she -d for him with the king** hun gikk i forbønn for ham hos kongen. **interceder** [intə'si:də] talsmann.

intercept [intə'sept] snappe opp, oppfange; avskjære; hindre, stemme, stanse. **interception** [intə'sepʃən] oppsnapping; avskjæring; hindring, stansing, avbrytelse. **interceptor** avskjæringsjager(fly); sikringsmekanisme.

intercession [intə'seʃən] mellomkomst; forbønn. **intercessor** [intə'sesə] megler, talsmann. **intercessory** [intə'sesəri] meklende.

interchange [intə'tʃein(d)ʒ] veksle, utveksle, bytte; utveksling; veksling, skifte, skifte ut, bytte; handel, handelsforbindelse; trafikkmaskin. **interchangeable** [intə'tʃein(d)ʒəbl] som kan utveksles; vekslende, skiftende som kan ombyttes. **interchapter** ['intətʃæptə] mellomkapitel.

interclavicle forbrystbein.

intercollegiate [intəkə'li:dʒit] mellom kollegiene. **intercolonial** [intəkə'ləunjəl] mellom koloniene. **intercom** ['intəkɔm] interkom.

intercommunicate [intəkə'mju:nikeit] stå i samkvem. **intercommunication** [intəkə'mju:ni-'keiʃən] forbindelse, samkvem, samband. —

system internt (høyttaler-)telefonanlegg, interkom.

intercommunion [intəkə'mju:njən] innbyrdes forbindelse.

interconnect [intəkə'nekt] forbinde innbyrdes, sammenkoble, samkjøre. **-ion** forbindelse, sammenkopling.

inter-continental ['intəkɔnti'nentəl] interkontinental.

intercostal [intə'kɔstəl] mellom ribbenene; mellom spantene.

intercourse ['intəkɔ:s] samkvem; samleie; forbindelse, handelsforbindelse.

intercurrent [intə'kʌrənt] som kommer mellom.

inter|dependency [intədi'pendənsi] gjensidig avhengighet. **-dependent** [intədi'pendənt] gjensidig avhengig.

interdict [intə'dikt] forby; belegge med interdikt. **interdict** ['intədikt] forbud; interdikt; **put an — upon** forby; **lay** el. **put under an** — belegge med interdikt. **interdiction** [intə'dikʃən] forbud; (juridisk) umyndiggjøring; forbud; interdikt. **interdictory** [intə'diktəri] forbydende.

interest ['intrist, 'intərest] interesse; rente; forbindelser; andel; rettighet; innflytelse; makt, velde; interesse; **the common** — det felles beste; **feel** el. **take (an)** — **in** ha interesse for, interessere seg for; **make** — **for** gjøre seg til talsmann for (**with** hos); **use one's** — gjøre sin innflytelse gjeldende; **have an** — **in** ha andel i; — **per annum, annual** —, **yearly** — årlige renter; **bear** — **at the rate of 5 per cent** el. **bear 5 per cent** — gi 5 pst. rente; **compound** — rentesrente; **rate of** — rentefot; **lend out money at** — låne ut penger mot renter; **put out money at** — sette penger på rente; — **oneself in** interessere seg for.

interest-bearing rentebærende.

interested ['intərestid] interessert; egennyttig.

interesting ['intərestiŋ] interessant.

interface ['intəfeis] grenseflate.

interfere [intə'fiə] støte sammen, kollidere, komme i kollisjon; gripe inn; forstyrre, hindre, legge seg mellom; blande seg (**with** i); stryke seg (om hest). **interference** [intə'fiərəns] sammenstøt, kollisjon, innblanding, inngrep (**with** i); mellomkomst. — **absorber** støydemper. — **filter** støyfilter. — **suppression** støydemping.

interflow ['intəfləu] det å gli over i hverandre.

interfluent [in'tə:fluənt] sammenflytende.

interfoliate [intə'fəulieit] interfoliere (se **interleave**).

interfuse [intə'fju:z] blande(s). **interfusion** [intə'fju:ʒən] blanding.

intergrade ['intə-] overgangsform; det å gå over i en annen form.

interim ['intərim] mellomtid; midlertidig, foreløpig. **interimistic** [intəri'mistik] interimistisk.

interior [in'tiəriə] indre; innvendig, innlands-; interiør, innland, oppland. **(i Amerika) Department of the Interior** innenriksdepartement; **Secretary of the Interior** innenriksminister.

interjacent [intə'dʒeisənt] mellomliggende.

interject [intə'dʒekt] kaste el. stille mellom; skyte inn. **interjection** [intə'dʒekʃən] innskudd; interjeksjon, utropsord. **interjectional** [intə-'dʒekʃənəl] innskutt; interjeksjons-.

interlace [intə'leis] slynge (el. flette) sammen; blande; flette inn; være sammenflettet. **interlacement** [-mənt] sammenfletting, sammenslynging.

interlard [intə'lɑ:d] spekke, stappe, blande; — **with foreign words** spekke med fremmedord.

interleave [intə'li:v] skyte inn rene blad i en bok, interfoliere.

interline [intə'lain] skrive mellom linjene; skrive i skiftende linjer; (typ.) skyte. **interlineal** [intə'linjəl], **interlinear(y)** [intə'linjə(ri] skrevet el. trykt mellom linjene, interlineær. **interlineation** [intəlini'eiʃən] mellomskrivning; mellomtrykning; (typ.) skytning. **interlining** [intə-'lainiŋ] se **interlineation**.

interlink [intə'liŋk] kjede sammen.
interlock [intə'lɔk] lås, sperre; blokkere, gripe inn i hverandre; la gripe inn i hverandre, føye sammen.
interlocution [intələ'kju:ʃən] samtale; interlokutoriekjennelse. **interlocutor** [intə'lɔkjutə] deltaker i en samtale. **interlocutory** [intə'lɔkjutəri] som er i form av en samtale; samtale-.
interlope [intə'ləup] trenge seg inn, gjøre inngrep i andres forretning; kjøpe opp på markedet; drive smughandel, gauke. **interloper** [intə'ləupə] påtrengende person, geskjeftig person; en som gjør inngrep i andres forretning; smughandler, gauke.
interlude ['intəl(j)u:d] mellomspill, avbrytelse, pause.
interlunar(y) [intə'l(j)u:nə(ri)] ved nymåne.
intermarriage [intə'mæridʒ] innbyrdes giftermål, inngifte (mellom to stammer eller familier). **intermarry** [intə'mæri] gifte seg innbyrdes.
intermeddle [intə'medl] blande seg inn (**with**, **in** i). **intermeddler** [intə'medlə] en som ukallet blander seg i andres affærer.
intermediary [intə'mi:djəri] mellom-; mellomledd, formidler.
intermediate [intə'mi:djit] mellomliggende, mellom-. — **school** middelskole, mellomskole. **intermedium** [intə'mi:djəm] mellommann; bindeledd.
interment [in'tə:mənt] begravelse, jordfesting.
intermezzo [intə'medzəu] intermesso.
interminable [in'tə:minəbl] uendelig, endeløs.
interminate [in'tə:minit] uendelig, ubegrenset.
intermingle [intə'miŋgl] blande; blande seg.
intermission [intə'miʃən] opphør, avbrytelse, pause, mellomakt; stansning, stans. **intermissive** [intə'misiv] uavbrutt, med mellomrom.
intermit [intə'mit] avbryte, stanse, la holde opp for en tid; bli avbrutt, stanse, holde opp for en tid. **intermittence** [intə'mitəns] opphør, avbrytelse, stansning. **intermittent** [intə'mitənt] som kommer med mellomrom, periodisk tilbakevendende, som kommer rykkevis, intermitterende. — **light** blinkfyr.
intern [in'tə:n] internere, holde tilbake; (amr.) ≈ (turnus)kandidat, sykehuslege.
internal [in'tə:nəl] indre, innvortes; innenlandsk; **the -s** de indre organer. — **combustion engine** forbrenningsmotor. — **medicine** indremedisin. — **porch** entré, vestibyle. — **telephone** hustelefon. — **wall** skillevegg.
international [intə'næʃənəl] person med dobbelt statsborgerskap; landskamp; internasjonal, mellomfolkelig; internasjonalen (det internasjonale arbeiderforbund).
internationale [intənæʃə'nɑ:l] internasjonalen (sosialistisk sang).
internationalize [intə'næʃənəlaiz] gjøre internasjonal.
the International Labour Organization Den internasjonale arbeidsorganisasjon (ILO). — **Monetary Fund** Det internasjonale valutafond (IMF).
interne [in'tə:n] indre.
internecine [intə'ni:sain] gjensidig ødeleggende, dødbringende. — **war** blodig krig.
internment [in'tə:nmənt] internering.
internode ['intənəud] stengelledd, stengelstykke; knokkelstykke mellom to ledd.
internuncio [intə'nʌnʃ(j)əu] internuntius, pavens representant i republikker og ved mindre hoff; kurer.
inter-office telephone hustelefon, lokaltelefon.
interpellate [in'tə:peleit] interpellere, stille spørsmål til. **interpellation** [intə:pe'leiʃən] interpellasjon. **interpellator** [in'tə:pe'leitə] interpellant.
interplay ['intəplei] samspill.
Interpol fk. f. **International Criminal Police Commission.**
interpolate [in'tə:pə(u)leit] innskyte; interpolere. **interpolation** [intə:pə(u)'leiʃən] innskyting;

innskudd, interpolasjon. **interpolator** [in'tə:pə(u)leitə] skriftforfalsker, interpolator.
interposal [intə'pəuzəl] mellomkomst. **interpose** [intə'pəuz] sette (el. legge) mellom; legge seg mellom, mekle; gå i forbønn (**on behalf of for**).
interposer [intə'pəuzə] mellommann, mekler, **interposition** [intəpə'ziʃən] stilling mellom; det å stille mellom; mellomkomst, mekling.
interpret [in'tə:prit] fortolke, tyde, forklare, utlegge; tolke; være tolk. **interpretable** [in'tə:pritəbl] som kan fortolkes. **interpretation** [intəpri'teiʃən] fortolkning, forklaring, tydning; tolkning, oversettelse. **interpretative** [in'tə:pritətiv] fortolkende, forklarende. **interpreter** [in'tə:pritə] fortolker, tolk. **interpretress** [in'tə:pritris] kvinnelig tolk.
interregnum [intə'regnəm] interregnum.
interrelationship [intəri'leiʃənʃip] innbyrdes slektskap.
interrogate [in'terəgeit] spørre; avhøre; forhøre.
interrogation [intərə'geiʃən] spørring; avhøring; spørsmål; spørsmålstegn; — **point**, **mark** el. **note** el. **sign of** — spørsmålstegn.
interrogative [intə'rɔgətiv] spørrende; spørreord. **interrogator** [in'terəgeitə] en som spør, forhørsleder. **interrogatory** [intə'rɔgətəri] spørrende; skriftlig spørsmål.
interrupt [intə'rʌpt] avbryte; forstyrre. **interrupter** [intə'rʌptə] avbryter; **interruption** [intə'rʌpʃən] driftsforstyrrelse; avbrudd, avbrytelse; forstyrrelse. **interruptive** [intə'rʌptiv] avbrytende; forstyrrende.
interseet [intə'sekt] gjennomskjære, overskjære, gjennombryte, dele. **intersection** [intə'sekʃən] gjennomskjæring; veikryss, gatekryss; — **lay-out** ≈ trafikkmaskin. **intersectional** [intə'sekʃənəl] skjærings-.
interspace ['intəspeis] mellomrom.
intersperse [intə'spə:s] strø inn, sette inn imellom (her og der), strø ut. **interspersion** [intə'spə:ʃən] innstrøing, utstrøing.
interstate ['intə-] mellomstatlig (i en forbundsstat).
interstellar [-'stelə] mellom stjernene.
interstice [in'tə:stis] mellomrom; hull. **interstitial** [intə'stiʃəl] med mellomrom, som fyller mellomrommene.
intertie ['intətai] losholt.
intertribal [-'traibl] mellom stammene. **interfeud** stammefeide.
intertropical [intə'trɔpikl] som ligger mellom vendekretsene.
intertwine [intə'twain], **intertwist** [-twist] sammenflette.
interurban [intə'rə:bən] mellombys, mellom byene, interkommunal.
interval ['intəvəl] mellomrom; mellomtid, pause; interval; frikvarter; **at -s** med visse mellomrom, nå og da.
intervale ['intəveil] (amr.) dal, lav strekning langs elv.
intervene [intə'vi:n] komme mellom; hjelpe; hindre, gripe inn, intervenere, blande seg opp i. **intervention** [intə'venʃən] mellomkomst.
interview ['intəvju:] sammenkomst, møte; intervju; ha sammenkomst med; intervjue, besøke en for å innhente opplysninger. **interviewee** [-vju'i:] den intervjuede, intervjuobjektet. **interviewer** ['intəvju:ə] intervjuer.
interwar ['intə'wɔ:] mellomkrigs-.
interweave [intə'wi:v] veve sammen; innblande.
interzonal [intə'zəunəl] intersone-.
intestable [in'testəbl] uberettiget til å gjøre testament. **intestacy** [in'testəsi] mangel på testament. **intestate** [in'testit] død uten å ha gjort testament.
intestinal [in'testinəl] innvolls-, tarm-. **intestine** [in'testin] indre, innvortes; tarm; **the large** — tykktarmen; **the small** — tynntarmen; **-s** (plur.) innvoller, tarmer.

inthral [in'θrɔ:l] gjøre til trell, trelke. **inthralment** [-mənt] trelking; trelldom.

intimacy ['intiməsi] intimitet, fortrolighet, fortrolig forhold. **intimate** ['intimit] fortrolig. intim, inderlig; fortrolig venn, bestevenn, **intimate** ['intimeit] gi å forstå, ymte om, antyde, tilkjennegi, melde, bebude. **intimately** ['intimitli] fortrolig; nøye, inngående. **intimation** [inti'meiʃən] antydning, melding, ymt, vink; tilkjennegivelse.

intimidate [in'timideit] gjøre forskrekket, skremme, true. **intimidation** [intimi'deiʃən] skremming, intimidasjon.

into ['intu (foran vokallyd), 'intə (foran konsoantlyd)] inn i; ut i, ut på, på; opp i; ned i; over i; til; **translate** — **English** oversette til engelsk; **go** — **the park** gå inn i parken; **grow** — **a habit** bli en vane; **flatter him** — **doing it** ved smiger få ham til å gjøre det; **far** — **the night** langt ut på natten.

in-toed ['in'təud] med tærne innad, bjørneføtt.

intolerable [in'tɔl(ə)rəbl] utålelig. **intolerance** [in'tɔlərəns] intoleranse, utålsomhet; mangel på evne til å kunne tåle. **intolerant** [-ənt] intolerant, utålsom (**of, towards** like overfor). **intoleration** [intɔlə'reiʃən] se **intolerance.**

intonate ['intəneit] istemme, intonere; la tone; synge eller spille skala; messe; resitere, si fram syngende. **intonation** [intə'neiʃən] intonering, toneangivelse; modulasjon; messing. **intone** [in'təun] istemme, intonere; angi tonen; messe.

intorsion, intortion [in'tɔ:ʃən] dreining, vridning, innoverbøyning.

in toto [in'təutəu] fullstendig, aldeles; under ett.

intoxicant [in'tɔksikənt] berusende middel el. drikk, rusdrikk.

intoxicate [in'tɔksikeit] beruse, ruse, drikke full; **-d** with beruset av. **intoxication** [intɔksi-'keiʃən] beruselse, rus; forgiftning.

intr. fk. f. intransitive.

intractability [intræktə'biliti] uregjerlighet, umedgjørlighet, stridighet. **intractable** [in'træktəbl] vanskelig å behandle, uregjerlig, umedgjørlig, ustyrlig, stridig, stri, vrang.

intramural [intrə'mjuərəl] som finnes el. foregår innenfor murene, intern.

intransigent [in'trænsidʒənt] uforsonlig.

intransitive [in'trænsitiv, -trɑ:n-] intransitiv.

intrant ['intrənt] inntredende; tiltredende.

intravenous [intrə'vi:nəs] intravenøs.

in-tray brevkurv for inngående post (el. saker).

intrench [in'trenʃ] forskanse; gjøre inngrep i. **intrenchment** [-mənt] forskansning; inngrep (**on** i).

intrepid [in'trepid] uforferdet, uredd, uforsagt, ikke skjelven. **intrepidity** [intre'piditi] uforferdethet, dristighet.

intricacy ['intrikəsi] forvikling, floke, forvirring; innviklet beskaffenhet. **intricate** ['intrikit] innviklet, forvirret, floket, vrien, utspekulert.

intrigue [in'tri:g] intrige, renke; elskovsforhold; intrigere; smi renker; stå i forhold; interessere, oppta, fengsle. **intriguer** [in'tri:gə] intrigant renkesmed.

intrinsic [in'trinsik] indre, vesentlig, reell. — **value** egenverdi, indre verdi.

introcession [intrə'seʃən] innsynkning.

introd. fk. f. introduction.

introduce [intrə'dju:s] innføre; presentere; bringe på bane; markedsføre; forestille (**to** for); innbringe; innlede. **introducer** [-'dju:sə] innfører; innleder. **introduction** [-'dʌkʃən] innførelse; forestilling, presentasjon; anbefaling; innledning; **letter of** — anbefalingsbrev. **introductory** ['-dʌktəri] innledende, innlednings-. **introductorily** innledningsvis.

introit [in'trəuit] inngang; gudstjenestens begynnelse; inngangssalme, introitus.

intromission [intrə'miʃən] innsending; innføring; innkalling. **intromit** [-'mit] sende inn; slippe inn.

introspect [intrə'spekt] se inn i, studere, analysere, prøve. **introspection** [intrə'spekʃən] innblikk, selviakttakelse. **introspectionist** [intrə'spekʃənist] selviakttaker. **introspective** [intrə'spektiv] som ser innover, selvgranskende.

introvert [intrə'və:t] vende innover.

intrude [in'tru:d] trenge (seg) inn; falle til besvær, klenge seg på; forstyrre, gjøre inngrep; — **oneself** trenge (klenge) seg inn på. **intruder** [-də] påtrengende menneske, ubuden gjest. **intrusion** [in'tru:ʒən] inntrenging; påtrengenhet; inngrep. **intrusionist** [-ʒənist] påtrengende menneske; talsmann for patronatsretten (i Skottland). **intrusive** [in'tru:siv] påtrengende.

intrust [in'trʌst] betro (**sth. to sb.** en noe).

intuit [in'tju:it] oppfatte (el. vite) noe umiddelbart. **intuition** [intju'iʃən] intuisjon, anskuelse, umiddelbar oppfattelse. **intuitive** [in'tju:itiv] intuitiv, umiddelbart erkjennende.

intumesce [intju'mes] svulme opp, heve seg, hovne, trutne, svelle. **intumescence** [-'mesəns] svulming, hevelse, trutning.

inturbidate [in'tə:bideit] gjøre mørk, plumre. **inumbrate** [in'ʌmbreit] kaste skygge på, skygge over.

inunction [in'ʌŋkʃn] salving, inngnidning av salve (olje).

inundate ['inʌndeit] oversvømme, flomme. **inundation** [inʌn'deiʃən] oversvømmelse, flom.

inure [in'juə] herde (**to** mot), venne (**to** til); komme til anvendelse, tre i kraft, tjene til beste. **inurement** [-mənt] vane, vanthet, herdethet, øvelse.

inurn [in'ə:n] legge i urne, begrave, jordfeste.

inutility [inju'tiliti] unyttighet, nytteløshet.

invade [in'veid] overfalle, falle inn i, trenge seg inn i, gjøre innfall i, krenke, overfalle; tilrive seg, rane til seg. **invader** [in'veidə] en som faller inn i, angriper, inntrengende fiende, voldsmann; en som gjør inngrep i.

invalid [in'vælid] ugyldig.

invalid ['invəli:d] syk, ufør, kronisk syk, svak, helseløs; vanfør; pasient; sette på sykelisten, fjerne fra aktiv tjeneste som tjenesteudyktig, bli tjenesteudyktig. — **chair** rullestol.

invalidate [in'vælideit] avkrefte; gjøre ugyldig, forkaste, kassere. **invalidation** [invæli'deiʃən] ugyldiggjøring. **invalidism** ['invəlidizm] sykelighet, tjenesteudyktighet. **invalidity** [invə'liditi] ugyldighet; tjenesteudyktighet. **invalid port** fin portvinstype.

invaluable [in'vælju(ə)bl] uvurderlig, kostelig; verdiløs.

invariability [invɛəriə'biliti] uforanderlighet. **invariable** [in'vɛəriəbl] uforanderlig; ufravikelig, gjengs; (i matematikk) konstant.

invasion [in'veiʒən] invasjon, innfall, angrep; inngrep. **invasive** [in'veisiv] angripende; angreps-.

invective [in'vektiv] hån, hånsord, invektiv, skjellsord.

inveigh [in'vei] bruke seg (**against** på), rase mot, skjelle.

inveigle [in'vi:gl] forlede, narre, forlokke (**into** til). **inveiglement** [-mənt] forledelse, forlokkelse. **inveigler** [in'vi:glə] forleder, forfører.

invendible [in'vendibl] uselgelig.

invent [in'vent] oppfinne; finne på; dikte opp. **invention** [in'venʃən] oppfinnelse; oppdikting; løgn; oppfinnsomhet; **necessity is the mother of** — ≈ nød lærer naken kvinne å spinne. **inventive** [in'ventiv] oppfinnsom. **inventiveness** [-nis] oppfinnsomhet. **inventor** [in'ventə] oppfinner.

inventory ['inventri] inventarliste, katalog; fortegnelse over; **make el. take el. draw up an** — ta opp en fortegnelse.

inventress [in'ventris] oppfinnerske.

Inverness [invə'nes]; ermeløs mannskappe med løst slag.

inverse [in'və:s] omvendt, snu om på. — **ratio,** — **proportion** omvendt forhold.

inversion [in'və:ʃən] omstilling; inversjon, omvendt ordstilling.

invert [in'və:t] vende, vende opp ned på; **vrenge**; homoseksuell; ≈ avviker. **-ed commas** anførselstegn, gåseøyne; **-ed pleat** wienerfold.

invertebral [in'və:tibrəl] virvelløs. **invertebrate** [-brit] virvelløs; holdningsløs; vinglet, lealaus.

invest [in'vest] investere, anbringe, sette (money in penger i); spandere på seg selv, flotte seg med, innsette (i embete); utstyre, skjenke, gi; innhylle, beleire, omringe; ikle.

investigable [in'vestigəbl] som kan oppspores, som kan utforskes. **investigate** [in'vestigeit] oppspore, utforske, etterforske, undersøke. **investigation** [investi'geiʃən] utforskning, undersøkelse, etterforsking, gransking. **investigative** [in'vestigətiv] forskende. **investigator** [in'vestigeitə] forsker, gransker; undersøker; detektiv. **investigatory** [in'vestigətəri] forskende.

investiture [in'vestitʃə, -tjuə] innsetting (i et embete); investitur, innsettingsrett.

investment [in'vestmənt] investering, pengeanbringelse, kapitalanlegg; disposisjon; anbrakt kapital; beleiring. — **banker** finansieringsinstitutt. — **funds** startkapital. — **trust** investeringsselskap. **investor** [in'vestə] innsetter; en som har penger å anbringe el. har anbrakt penger i noe.

inveteracy [in'vetərəsi] inngroddhet, hardnakkethet; inngrodd hat, agg. **inveterate** [in'vet(ə)rit] inngrodd; kronisk, vanskelig å helbrede; forherdet; **an** — **drunkard** en uforbederlig dranker; **an** — **foe** en erkefiende.

inviability [invaiə'biliti] manglende levedyktighet.

invidious [in'vidjəs] odiøs; vanskelig, lei, uheldig, urettferdig, slem; **an** — **affair** en betenkelig sak. **invidiousness** [-nis] noe av ubehagelig (el. betenkelig) art.

invigilate [in'vidʒileit] inspisere ved eksamen, føre tilsyn, overvåke.

invigilation [-'leiʃn] eksamensinspeksjon, tilsyn. **invigilator** (eksamens)inspektør, (eksamens)tilsyn.

invigorate [in'vigəreit] gi kraft, styrke, stramme opp. **invigoration** [invigə'reiʃən] styrking, ny kraft.

invincibility [in'vinsi'biliti] uovervinnelighet. **invincible** [in'vinsibl] uovervinnelig.

inviolability [in'vaiələ'biliti] ukrenkelighet; ubrødelighet. **inviolable** [in'vaiələbl] ukrenkelig; ubrødelig. **inviolacy** [in'vaiələsi] ukrenkelighet; ubrødelighet.

invisibility [in'vizi'biliti] usynlighet. **invisible** [in'vizibl] usynlig; **make oneself** — gjøre seg usynlig.

invitation [invi'teiʃən] innbydelse, invitasjon; anmodning.

invite [in'vait] invitasjon, invitt.

invite [in'vait] innby, invitere; oppfordre, be, anmode om; oppfordre til; innbydelse; påkalle (seg), utsette seg for; — **to dinner** innby til middag; — **to dine** innby til å spise til middag; **invitee** [invai'ti:] innbudt gjest. **inviting** innbydende, fristende.

inviter [in'vaitə] innbyder.

invocate ['invəkeit] påkalle. **invocation** [invə'keiʃən] påkalling. **invocatory** [in'vɔkətəri; 'invə-] påkallende.

invoice ['invɔis] faktura; (amr.) tollfortegnelse; fakturere, utferdige faktura over. — **-book** fakturabok.

invoke [in'vəuk] påkalle, anrope, påberope seg; nedkalle; besverge.

involucre ['invəlju:kə] svøp, sporegjemme (i planter).

involuntarily [in'vɔləntəri] ufrivillig, tvungen; uvilkårlig. **involuntary** [in'vɔləntəri] ufrivillig; uvilkårlig.

involution [invə'l(j)u:ʃən] innvikling, innrulling; innfiltrethet, forvikling, floke; bedekning, hylster; potensering; involusjon; innskyting av et setningsledd mellom subjektet og verbet.

involve [in'vɔlv] innvikle, stå på spill; være implisert i; føre med seg; innhylle, inneholde; medføre; potensere; **-d and enigmatical** innviklet og gåtefull; **-d in debt** forgjeldet; **a quantity -d to the third power** en størrelse i tredje potens. **involvement** [-'vɔl-] engasjement.

invulnerability [invʌlnərə'biliti] usårlighet. **invulnerable** [in'vʌlnərəbl] usårlig, uangripelig.

inward ['inwəd] indre, innvendig, innvortes; inn(ad)gående; innad; innetter; indre; (i plur.) innvoller; — **correspondence** inngående korrespondanse.

inwardly ['inwədli] innvendig, i ens stille sinn; **her heart bled** — hjertet blødde i henne.

inwardness ['inwədnis] indre tilstand; fortrolighet; egentlig betydning, dypere mening (el. sammenheng); åndelig natur; inderlighet.

inwards ['inwədz] innad, innover, innetter; ens indre.

inwrap [in'ræp] se **enwrap**.

inwrought ['inrɔ:t] innvevd, innvirket; nøye forbundet med.

Io ['aiəu].

io ['aiəu] gledesrop; hei! hurra!

iodate ['aiədeit] jodsurt salt, jodat; jodbehandle. **iodic** [ai'ɔdik] jodholdig. **iodid(e)** ['aiəd-(a)id] jodforbindelse; — **of potassium** jodkalium; — **of sodium** jodnatrium. **iodine** ['aiəd(a)in] jod; — **lamp** jodlampe; **-d salt** jodsalt. **iodism** ['aiədizm] jodforgiftning. **iodize** ['aiədaiz] preparere med jod, bruke jod på. **iodoform** [ai'ɔdəfɔ:m] jodoform.

IOGT fk. f. **International Order of Good Templars.**

I. of M. fk. f. **Isle of Man.**

I. of W. fk. f. **Isle of Wight.**

Iolanthe [aiə(u)'lænθi] Iolante.

iolite ['aiəlait] iolitt.

Ionia [ai'əunjə] Jonia.

Ionian [ai'əunjən] jonisk; joner.

iota [ai'əutə] jota; bagatell, tøddel, døyt, smule.

IOU ['aiəu'ju:] (= **I owe you**) gjeldsbrev.

Iowa ['aiəuə, 'aiəwə].

ipecac ['ipikæk] fk. f. **ipecacuanha.**

ipecacuanha [ipikækju'ænə] brekkrot.

Iphigenia [ifidʒi'naiə].

Ipswich ['ipswitʃ].

IQ, I.Q. ['ai'kju:] fk. f. **intelligence quotient** intelligenskvotient.

Ir. fk. f. **Irish.**

I.R.A. fk. f. **Irish Republican Army.**

Irak ['irɑ:k] Irak, Mesopotamia.

Iran [i'rɑ:n] Iran, Persia. **Irani, Iranian** [ai-'reinjən] iransk, persisk.

Iraq [i'rɑ:k] Irak. **Iraqi** iraker; irakisk.

irascibility [ai'ræsi'biliti] bråsinne, ilske, hissighet. **irascible** [ai'ræsibl] bråsint, ilsk, hissig, brå. **irate** [ai'reit] vred, sint.

I. R. B. fk. f. **Irish Republican Brotherhood.**

I.R.B.M. fk. f. **intermediate range ballistic missile.**

I.R.C. fk. f. **International Red Cross.**

ire [aiə] vrede, harme, forbitrelse; vredes. **ireful** ['aiəf(u)l] vred, forbitret, harm, sint.

Ireland ['aiələnd].

Irene [ai'ri:ni].

irestone ['aiəstəun] hard stein.

Iricism ['aiərisizm] irsk språkegenhet.

iridal ['airidəl] regnbue-. **iridectomy** [iri'dektəmi] utskjæring av en del av iris. **iridescence** [iri'desəns] spill i regnbuens farger, fargespill.

iridescent [iri'desənt] spillende i regnbuens farger. **iridian** [ai'ridiən] iris-, regnbuehinne-. **iridium** [ai'ridiəm] iridium. **iridize** ['iridaiz] iridisere.

Iris ['airis].

iris ['airis] regnbue; iris, regnbuehinne; sverdlilje. **irisated** ['airiseitid] regnbuefarget; regnbueaktig.

Irish ['airiʃ] irsk; (fig.) uforskammet; dum; irsk (språket); **the — irlendingene, irere; — apricots** poteter; **— assurance** dumdristighet; **— bull** språkfeil; dum vittighet; nonsens; **— cockney** londoner av irsk opprinnelse. **— coffee** kaffe med whiskey, sukker og kremfløte. **— daisy** fivel, løvetann; **the — Free State** Den irske fristat, Eire; **— horse** salt kjøtt; **— night** en natt i 1688, da man i London og andre engelske byer fryktet for at irlendingene ville myrde protestantene; **— stew** en rett som lages av sauekjøtt med poteter og løk; **— theatre** arrestlokale. **Irishism** ['airiʃizm] irisisme, irsk (språk)eiendommelighet. **Irishman** ['airiʃmən] irlending, ire. **Irishry** ['airiʃri] irsk befolkning. **Irishwoman** ['airiʃwumən] irsk kvinne.

iritis [ai'raitis] iritt, regnbuehinnebetennelse.

irk [ə:k] ergre; trette; kjede; smerte.

irksome ['ə:ksəm] trettende; lei, kjedsommelig, irriterende.

I.R.O. fk. f. **Inland Revenue Office.**

iron ['aiən] jern; (fig.) kraft, styrke; hardhet, grusomhet; strykejern; skytejern, skytevåpen; golfkølle; av jern; fast, urokkelig; hard, grusom; frekk, uforskammet; legge i lenker; kle med jern; stryke (med strykejern), presse, perse; **-s** lenker; **put in -s** legge i lenker; **stand on hot -s** stå som på glør; **the I. Duke** et tilnavn til Wellington; **the — entered his soul** noe gikk istykker i ham; **strike while the — is hot** smi mens jernet er varmt; **he wants an — rod over him** han må tas hardt. **— band** jernband; jernbeslag. **— bar** jernstang. **— blue** prøyssisk blå. **-bound** jernbeslått; fjell-lendt, bratt; hard, ubøyelig. **-clad** pansret; panserskip. **— curtain** jernteppe.

ironer ['aiənə] en som stryker.

iron | filings jernfilspon; **— foundry** jernstøperi.

ironical [ai'rɔnikl] ironisk.

ironing ['aiəniŋ] strykning; pressing, persing. **— board** strykebrett. **— cloth** strykeklede.

ironist ['airənist] ironiker.

iron liquor ['aiənlikə] jernsverte, jernbeis.

ironmaster ['aiən'mɑ:stə] jernverkseier, jernvarehandler.

iron|monger ['aiənmʌŋgə] jernvarehandler. **-mongery** [-mʌŋgəri] jernvarer, isenkram; jernvarehandel. **— mould** [məuld] rustflekk (på tøy), **— ore** jernmalm. **— plate** [-pleit] jernplate, jernblikk. **— rod** [-rɔd] jernstang. **— safe** [-seif] jernskap. **— scrap** [-skræp] skrapjern.

ironside ['aiənsaid] panserskip; tapper kriger; **the Ironsides** jernsidene, srl. brukt om Cromwells tropper.

ironsmith (grov)smed.

ironstone ['aiənstəun] jernmalm.

iron-tipped jernskodd.

iron|ware ['aiən wɛə] jernvarer. **— work** smijernsarbeid, jernarbeid; jernbeslag; i pl. jernverk.

irony ['aiəni] jernhard; jern-; jernholdig.

irony ['airəni] ironi; ironisering.

Iroquoian [irə'kwɔiən], **Iroquois** ['irəkwɔi] irokeser; irokesisk.

irradiate [i'reidieit] bestråle, belyse; opplyse (ånden, forstanden); utbre; bringe liv i (ved varme og lys); pryde; stråle. **irradiation** [ireidi-'eiʃən] stråling, utstråling; stråleglans; (fig.) opplysning.

irrational [i'ræʃ(ə)nəl] ufornuftig, irrasjonell. **irrationality** [iræʃə'næliti] ufornuft.

irrebuttable [iri'bʌtəbl] uavviselig.

irreclaimable [iri'kleiməbl] ugjenkallelig, uforbederlig.

irrecognisable [i'rekəgnaizəbl] ugjenkjennelig.

irreconcilability [i'rekənsailə'biliti] uforsonlighet; uforenelighet. **irreconcilable** [i'rekənsailəbl] uforsonlig, uforenelig.

irrecoverable [iri'kʌv(ə)rəbl] ubotelig, uerstattelig, ikke til å få igjen.

irreeusable [iri'kju:zəbl] uavviselig.

irredeemable [iri'di:məbl] uinnløselig; ugjenkallelig; uunngåelig; uforbederlig.

irredentist [iri'dentist] forkjemper for gjenforening med moderlandet av italiensk-sinnede områder under fremmed herredømme.

irreducible [-'dju:-] ureduserbar, irreduktibel; **— minimum** absolutt minimum.

irrefragability [irefrəgə'biliti] uomstøtelighet. **irrefragable** [i'refrəgəbl] uomstøtelig, ugjendrivelig.

irrefutable [iri'fju:təbl] ugjendrivelig.

irregular [i'regjulə] uregelmessig, usedvanlig, uvanlig, uregelrett; uordentlig; pl. irregulære tropper. **irregularity** [iregju'læriti] uregelmessighet.

irrelative [i'relətiv] uten gjensidig forhold, uten forbindelse, uvedkommende; absolutt.

irrelevance [i'relivəns], **irrelevancy** [i'relivənsi] uanvendelighet, irrelevans. **irrelevant** [i'relivənt] irrelevant, uanvendelig, uvedkommende, likegyldig.

irreligion [iri'lidʒən] religionsløshet; irreligiøsitet. **irreligious** [-dʒəs] religionsløs; irreligiøs.

irremediable [iri'mi:djəbl] ulegelig, uhelbredelig, uavhjelpelig; ubotelig.

irremissible [iri'misibl] utilgivelig.

irremovability ['irimu:və'biliti] uavsettelighet; fasthet. **irremovable** [iri'mu:vəbl] uavsettelig, uoppsigelig; fast.

irreparability ['irepərə'biliti] uopprettelighet, uerstattelighet. **irreparable** [i'repərəbl] uopprettelig, ubotelig.

irrepealable [iri'pi:ləbl] ugjenkallelig.

irreplaceable [iri'pleisəbl] uerstattelig.

irrepressible [iri'presibl] ubetvingelig, ustyrlig, overstadig.

irreproachable [iri'prəutʃəbl] ulastelig, upåklagelig.

irresistance [iri'zistəns] motstandsløshet, underkastelse. **irresistibility** ['irizisti'biliti] uimotståelighet. **irresistible** [iri'zistibl] uimotståelig; **— proof** uomstøtelig bevis.

irresoluble [i'rezəljubl] uoppløselig; ubehjelpelig.

irresolute [i'rezəl(j)u:t] ubesluttsom, vinglet. **irresolution** [irezə'l(j)u:ʃən] ubesluttsomhet, tvilrådighet, vakling, vingling.

irresolvability ['irizɔlvə'biliti] uoppløselighet. **irresolvable** [iri'zɔlvəbl] uoppløselig.

irrespective [iri'spektiv] uten hensyn (**of** til); uansett.

irresponsibility ['irispɔnsi'biliti] uansvarlighet. **irresponsible** [iri'spɔnsibl] uansvarlig, ansvarsfri; lettsindig, upålitelig.

irresponsive [iri'spɔnsiv] ikke svarende; uten sympati, uten øre (**to** for).

irretentive [iri'tentiv] som ikke kan fastholde; upålitelig (f. eks. om hukommelse).

irretrievable [iri'tri:vəbl] uopprettelig, ubotelig, ugjenkallelig.

irreverence [i'rev(ə)rəns] mangel på ærbødighet (**of** for). **irreverent** [-rənt] uærbødig; pietetsløs. **irreversible** [iri'və:sibl] uomstøtelig, som ikke kan snus.

irrevocable [i'revəkəbl] ugjenkallelig.

irrigate ['irigeit] overrisle, vanne. **irrigation** [iri'geiʃən] overrisling. **— system** overrislingsanlegg. **irrigator** ['irigeitə] vanningsmaskin; irrigator, utskyllingsapparat.

irritability [irita'biliti] pirrelighet, irritabilitet, ømfintlighet. **irritable** ['iritəbl] pirrelig, irritabel, sær. **irritant** ['iritənt] irritament, pirrende; pirringsmiddel. **irritate** ['iriteit] pirre, irritere; erte, terge; egge. **irritation** [iri'teiʃən] pirring, irritasjon; oppshisselse; vrede. **irritative** ['iritətiv] pirrende, irriterende; opphissende.

irruption [i'rʌpʃən] innbrudd; overfall, plutselig innfall (el. angrep), overrumpling. **irruptive** [i'rʌptiv] som bryter seg inn.

Irving ['ə:viŋ].

Irvingite ['ə:viŋait] irvingiansk; irvingianer.

Irwell ['ə:wəl] (sideelv til Mersey).

is [iz] er, 3. p. sg. pres. av **be.**

Isaac ['aizək] Isak.

Isabel ['izəbel] Isabella. isabel ['izəbel] isabellafarge; isabellafarget hest. Isabella [izə'belə] Isabella. — -coloured [-'kʌləd] isabellafarget, grågul.

Isaiah [ai'zaiə] Esaias.

isanemone [ai'sænimə́un] isrose (på vindusruter).

ischiadic [iski'ædik] som angår hoften, hofte-; — passion el. disease hofteverk, isjias. ischiatic [iski'ætik] se ischiadic. ischion ['iskiən], ischium ['iskiəm] hoftebein.

ischury ['iskjuri] urinstansning.

Ishmael ['iʃmiəl] Ismael, (fig.) utstøtt. Ishmaelite ['iʃmiəlait] ismaelitt; utstøtt; en som er i krig med samfunnet.

isinglass ['aiziŋɡlɑ:s] gelatin; fiskelim.

Isis ['aisis] Isis; the Isis Themsen ved Oxford. Islam ['izlɑ:m] Islam. Islamic [-'læ-] islamittisk. Islamism ['izləmizm] islamisme. Islamite ['izləmait] islamitt. Islamitic [izlə'mitik] islamittisk, muhammedansk.

island ['ailənd] øy; refuge, trafikkøy for fotgjengere; isolere, omslutte; in the — på øya (om større øyer); on the — på øya (om mindre øyer). islander ['ailəndə] øybu, øyboer.

Islay ['ailei] (en av Hebridene).

isle [ail] øy (brukes især poetisk eller i navn f. eks. the Isle of Man; the Isle of Wight; the British Isles).

islet ['ailet] liten øy, småøy, holme.

Islington ['izliŋtən].

ism [izm] (ironisk) teori, lære. isn't sammentrukket av is not.

I. S. O. fk. f. Imperial Service Order.

isobar ['aisəubɑ:] isobar, liketrykkslinje.

isobathytherm [aisə'bæθiθəm] isobatyterm, linje for like varme punkter i havet, undervannskoter.

isocheim ['aisəukaim] linje for samme middeltemperatur om vinteren, vinterisoterm. isochimene [aisəu'kaimi:n] se isocheim.

isochromatic [aisəkrə'mætik] ensfarget.

isochronal [ais'ɔkrənəl] som tar like lang tid, isokron. isochronism [ai'sɔkrənizm] like lang tid, tidslikelengde. isochronous [ai'sɔkrənəs] som følges i tid.

isogonal [ai'sɔɡənəl], isogonie [aisə'ɡɔnik] likevinklet, ensvinklet.

isohyetal [aisə'haiətəl] med samme regnmengde.

isolate ['aisəleit] isolere, avsondre, avskjære, skille ut, rendyrke, innsirkle; som forekommer enkeltvis. isolation [aisə'leiʃən] isolering, avsondring, isolasjon, innsirkling; rendyrking; — hospital epidemisykehus. isolationism isolasjonisme, isolasjonspolitikk.

isometric [aisə'metrik] isometrisk, av samme mål.

isopod ['aisəpɔd] isopode, en slags ringkreps. isosceles [ai'sɔsili:z] likebe(i)nt; likebe(i)nt figur.

isotherm ['aisəθə:m] isoterm, likevarmelinje. isothermal [aisə'θə:məl] isotermisk.

isotope ['aisəutəup] isotop.

Ispahan [ispə'hɑ:n]. Ispahanee [ispə'hɑ:ni] ispahansk; ispahaner.

Israel ['izreiəl]. Israeli [iz'reili] israeler; israelsk. Israelite ['izriəlait] israelitt. Israelitic [izriə'litik], Israelitish [-'laitiʃ] israelittisk.

issuable ['iʃuəbl] som kan utstedes; som fører til avgjørelse. issuance ['iʃuəns] utstedelse. issuant ['iʃju:ənt] oppvoksende, fremvoksende. issue ['iʃju:, 'iʃu:] utgang; os, munning; avkom; resultat, utfall, følge; utstedelse, levering; utlån; utgivelse (f. eks. av en bok); utgave, opplag; nummer (av blad); kjennelse (av edsvorne); spørsmål, (sakens) kjerne, stridspunkt; uttømmelse; fontanelle (kunstig frembrakt sår); komme ut; strømme ut; stamme (from fra); ha sitt opphav i; ende (in med); føre til resultat; utlevere; utstede; utgi (f. eks. bok); at — omstridt; være under debatt; amount — det

beløp det dreier seg om; cause at — sak som skal avgjøres; raise an — reise et juridisk spørsmål, bringe et tema på bane.

isthmian ['ismiən, -stm-, -sθm-] istmisk. isthmus ['isməs, -stm-, -sθm-] istme, eid.

is-to-be ['iztəbi:] tilkommende.

Istria ['istriə].

it [it] den, det; (ubetont personlig pronomen) it is my hat det er min hatt; give it to me gi meg den; the child lost its way barnet for vill; (ubestemt, som subjekt) sjarm, it, sex appeal; who is it? hvem er det? what time is it? hva er klokka? it is two o'clock klokka er to; that's it det er riktig; that's it, give us a song det er riktig, syng litt; it seems to me jeg synes; I take it that jeg regner med at; it is natural that he should complain det er naturlig at han klager; (i upersonlige uttrykk om været etc.) it is raining det regner; it is cold det er kaldt; it looks like rain det ser ut til regn; (om avstand) it is a long way to Oxford det er langt til O.; it is 6 miles to O. det er 6 mil til O.; it is no way there det er ganske kort dit; (om tid) it is long since I saw him det er lenge siden jeg har sett ham; (ubestemt, som objekt) you are going it du slår stort på det; you'll catch it du vil få svi for det; cab it kjøre i drosje; foot it gå til fots; lord it spille herre; have done it er kommet galt av sted; we had a good time of it vi moret oss godt; gin and it gin og vermut; be it ha (være) sisten; tradition has it that tradisjonen vil ha det til at.

Italian [i'tæljən] italiensk; italiener; — hand kursivskrift; — iron pipejern; — juice lakrissaft; — store, — warehouse olje-, såpehandel; sydfrukthandel. Italianism [i'tæljənizm] italianisme, italianize [i'tæljənaiz] italienisere, spille italiener.

Italic [i'tælik] italisk; kursiv; italics [i'tæliks] kursiv. italicize [i'tælisaiz] kursivere.

Italy [i'təli] Italia.

itch [itʃ] klø; klå; klø etter; kløe, klåe; fnatt, skabb; sterk attrå; lengt; my fingers — to box his ears fingrene mine klør etter å gi ham en lusing; have an — for være ivrig etter noe.

itchy ['itʃi] fnattet, skabbet; kløende.

item ['aitəm] item, likeledes.

item ['aitəm] artikkel, punkt, post; opptegne, notere. itemize ['aitəmaiz] føre opp de enkelte poster.

iterance ['itərəns] gjentakelse. iterate ['itəreit] gjenta. iteration [itə'reiʃən] gjentakelse. interative ['itərətiv] gjentakende.

itineraney [i'tinərənsi] omflakkende virksomhet; flakking. itinerant [i'tinərənt] reisende, omvandrende; reisende; vandrer; omflakkende lærer; omreisende predikant; skreppekar. itinerary [i'tinərəri] reisende, reisebeskrivelse; rute; reisehåndbok. itinerate [i'tinəreit] reise om, vandre om; flakke.

its [its] dens, dets; sin, sitt, sine.

it's [its] sammentrukket av: it is, it has.

itself [it'self] den selv, det selv; seg selv, seg; selv, sjøl; the thing — selve tingen; he was civility — han var høfligheten selv; a house standing by — et hus som ligger for seg selv; good in — god i seg selv.

Ivanhoe ['aivənhəu].

I've [aiv] sammentrukket av: I have.

ivied ['aivid] kledd med eføy.

ivory ['aivəri] elfenben; ting av elfenben; elfenbenshvit, av elfenben, elfenbens-; ivories elefanttenner; terninger; biljardkuler; tenner. ivory|black [ai'vəri'blæk] elfenbensvart; benkull. the I. Coast Elfenbenskysten. — nut elfenbensnøtt.

ivy ['aivi] vedbend, eføy, bergflette.

I. W. fk. f. Isle of Wight.

I. W. T. D. fk. f. Inland Water Transport Department.

I. W. W. fk. f. Industrial Workers of the World.

izzard ['izəd] bokstaven z; ende; from A to — ≈ fra A til Å.

J

J, j [dʒei] J, j.
J. fk. f. **Judge; Julius; Justice.**
Ja. fk. f. **James; January.**
J|A fk. f. **joint account** felles konto. **J. A.**
fk. f. **Joint Agent; Judge Advocate.**
jab [dʒæb] støte, skubbe, slå, støte, stikke; pirke; støt; stikk.
jabber ['dʒæbə] pludre, skravle, plapre løs, sludre; pludring, skravl.
jabiru ['dʒæbiru:] slags tropisk amerikansk stork.
jabot ['dʒæbəu] halskrus, kniplingspynt på halspynt.
jacal ['dʒækl] (amr.) trehytte.
jacala ['dʒɑːkəlɑː] krokodille (hinduisk).
jacamar ['dʒækəmɑː] jakamar (en fugl).
jacaranda [dʒækə'rændə] jakaranda (et brasiliansk tre).
jacinth ['dʒeisinθ, 'dʒæsinθ] hyasint.
Jack [dʒæk] el. **jack** Ola; ung fyr; tjener, arbeidskar; hverdagsmenneske; enfoldig fyr; frekk fyr; uoppdragen fyr; matros; knekt, trumfknekt, fil (i kortspill); han (om dyr); betegnelse for forskjellige redskaper som: støvelknekt; skruestikke; kubein; donkraft; stekvender; lærflaske; hammer (i klaver); sagkrakk; trekile; vinde; regnepenger; vekselkontakt; jekk; — **up** jekke opp; heve, —, **Tom and Harry** Per og Pål; — **and Gill** (el. **Jill**) han Ola og ho Kari (mann og kone); — **fool** dumrian; — **-in-the-box** troll i eske; **every man** — hver bidige sjel, hver kjeft; — **Sprat** spirrevipp; — **in the water** bryggeslusk; **Yellow** — den gule feber; **Union Jack** det britiske unionsflagget; — **in office** storsnutet embetsmann; — **-on-both-sides** overløper; — **-of-all -trades, master of none** en som gir seg av med alt, men ikke kan noe grundig; tusenkunstner; — **-of-all-work** faktotum, altmuligmann; **play the** — **with someone** holde en for narr; **before you could say** — **Robinson** før man kunne telle til tre; **I'm all right Jack** la-skure-mentalitet sålenge en selv har det bra; **bootjack** støvelknekt; **Cheap Jack** omreisende gateselger, markskriker; **lifting-jack** donkraft; **sawing-jack** sagbukk, sagkrakk.
jack [dʒæk] jacktre, helbladet brødfrukttre.
jack [dʒæk] skrubbhøvle; løfte med donkraft.
Jack-a-dandy [dʒækə'dændi] viktigper.
jackal ['dʒækɔːl] sjakal; håndlanger.
jack-all-general [dʒækɔːl'dʒenərəl] faktotum.
jackanapes ['dʒækəneips] galfrans, apekatt, narr, spradebasse.
jackass ['dʒækæs] han-esel; (fig.) esel,i diot, naut.
Jack-at-a-pinch ['dʒækətə'pinʃ] en som hjelper i nøden.
jackboot ['dʒækbuːt] militær ridestøvel, langstøvel; **the** — **politicians of Berlin** militærpartiet i Berlin.
jack chain kjerrat.
jackdaw ['dʒækdɔː] kaie.
jacket ['dʒækit] jakke, trøye, skinnfell; (bok)-omslag; skrell (på poteter); gi jakke (el. trøye) på. **jacketing** ['dʒækitiŋ] drakt pryl.
jackfish ['dʒækfiʃ] fiske gjedde.
Jack Frost ≈ kong Vinter.
jackhammer pressluftbor, trykkluftbor.
Jackie ['dʒæki] kjælenavn for **Jack**; ofte for **Jack-Tar; the jackies** sjøguttene.
Jack-in-a-box ['dʒækinə'bɔks] esketroll.
jack-in-office byråkratisk viktigper, storsnutet embetsmann.
Jack-in-the-green ['dʒækinðə'griːn] ved løv-

kledd figur som man danser omkring ved maifesten.
Jack-in-the-water ['dʒækinðə'wɔːtə] mann som hjelper til på dampskipsbruer o. l., bryggeslusk.
Jack Ketch bøddelen, skarpretteren.
jackknife ['dʒæknaif] stor foldekniv; skjære med foldekniv; folde (el. klappe) sammen.
Jack-of-all-trades ['dʒækəv'ɔːltreidz] tusenkunstner.
Jack-o'-lantern ['dʒækə(u)'læntən] lyktemann, blålys, vettelys; gresskar skåret ut som et ansikt med lys i.
jack plane ['dʒækplein] skrubbhøvel.
jackpot stor gevinst; uventet hell.
jack pudding ['dʒæk'pudiŋ] bajas.
jackscrew ['dʒækskruː] hånddonkraft.
jack snipe ['dʒæksnaip] bekkasin, myrsnipe.
Jackson ['dʒæksən].
jack staff ['dʒækstɑːf] gjøsstake.
jackstay ['dʒækstei] strekktau.
jackstraw stråmann, nikkedukke.
Jack-tar ['dʒæk'tɑː] matros, sjøgutt.
jack towel ['dʒæktauəl] håndkle som går over en rull.
Jacky ['dʒæki] kjælenavn for **Jack**; kaie.
jacky ['dʒæki] slags skråtobakk.
Jacob ['dʒeikəb] Jakob. **Jacobean** [dʒækə-'biːən] fra Jakob 1.s tid (1603—25).
Jacobin ['dʒækəbin] jakobiner; dominikaner; jacobin parykkdue.
Jacobite ['dʒækəbait] jakobitt; tilhenger av Jakob 2. og hans sønn.
Jacob's ladder ['dʒeikəbz'lædə] fjellflokk, fjellfnokk (plante); vantleider (på skip), taustige; jakobsstige, himmelstige; ribbestykket på slakt.
Jacobus [dʒə'kəubəs] jakobus; gullmynt preget under Jakob 1.
jaconet ['dʒækənet] jakonett, en slags fint bomullstøy.
jacquerie [ʒækə'riː] bondeoppstand, bondereisning.
jactation [-'tei-] **jactitation** [dʒækti'teiʃn] skryt; jaktasjon.
jade [dʒeid] skottgamp, fillemerr; tøs, galnehele, vilkatt; utmatte, mase ut, slite ut; utmattes.
jade [dʒeid] jade (en slags grønn stein).
jadish ['dʒeidiʃ] ondskapsfull; løs (på tråden).
jaeger ['jeigə] jäger (slags fint ullstoff).
jag [dʒæg] takk; tagg, spiss, tann, skår, hakk; rangel, turing, (narkotika)rus; gjøre takket.
jagger ['dʒægə] kakejern, bakkelsspore.
jaggy ['dʒægi] sagtakket.
jaguar ['dʒægwɑ, 'dʒægjuə] jaguar.
Jahve ['jɑːvei] Jahve, Jehova.
jail [dʒeil] fengsel; fengsle, sette fast, arrestere; **to break** — flykte fra fengselet. **-bird** fange, en som ofte har vært i fengsel, vaneforbryter, fengsesfugl, «gammel kjenning av politiet». — **delivery** utlevering av anholdte personer til assiseretten; frigivelse av fangene. **jailer** [dʒeilə] slutter fangevokter. **jail-keeper** = **jailer**.
jake [dʒeik] grønnskolling; penger, gryn; finfin bondsk.
jalap ['dʒæləp] jalaprot.
jalopy [dʒə'lɔpi] (amr.) gammel bil, skrangle kjerre.
jalousie [dʒælu(ː)ziː] sjalusi; persienner.
jam [dʒæm] trengsel, stim, stimmel, mølje trykke, presse, klemme, kile fast; sitte fast forstyrre (med støysender); **be in a** — være i en knipe.
jam [dʒæm] syltetøy.
Jamaica [dʒə'meikə]; rom.

jamb [dʒæm] vindusstolpe, dørstolpe; vange.
jamboree [dʒæmbə'ri:] drikkelag, lystighet; peiderstevne.
James [dʒeimz] Jakob.
jampot ['dʒæmpɔt] syltekrukke.
jam session sammenkomst av jazz-musikere, vor man spiller eller improviserer for egen for- øyelse.
Jan. fk. f. **January.**
Jane [dʒein]. **Janet** ['dʒænit].
Janeiro [dʒə'niərəu].
jangle ['dʒæŋgl] skurre, skramle; kime med klokker); skravle; kives, kjekle; la skurre; rasle ned; kjekl; strid; rasling.
janitor ['dʒænitə] portner, vaktmester, pedell; torvakt.
janizary ['dʒænizəri] janitsjar.
jankers ['dʒænkəz] arrest, kakebu.
jant se **jaunt.**
January ['dʒænjuəri] januar.
Janus-faced ['dʒeinəs-] med janushode; svike- ull.
Jap [dʒæp] japaner; japansk. **Japan** [dʒə'pæn] japan; japansk; japansk arbeid; lakkere (på apansk vis). **Japanese** ['dʒæpə'ni:z] japansk; apaner. **japanned** [dʒə'pænd] lakkert. **japanner** dʒə'pænə] lakkerer.
jape [dʒeip] spøk, gjøn; spøke, gjøne, skjemte.
jar [dʒɑ:] skurre i ørene på en, irritere; dishar- nonere; knirke; være uenig, kives, kjekle, skurre; :jøre falsk; forstyrre, ryste, skake, bringe mis- yd i; skurring, mislyd, strid; it **jarred upon my ears** det skurret i ørene mine; **every nerve was arring** hver nerve dirret; — **upon** (el. **with,** igainst) skrape mot.
jar [dʒɑ:] leirkrukke, steinkrukke; pakke ned i krukke; **tobacco** — tobakksdåse (av krukkeform).
jar [dʒɑ:]; **on the** — på gløtt (**ajar**).
jardiniere [ʒɑ:din'jɛə] blomsterstativ, oppsats.
jargon ['dʒɑ:gən] kråkemål, sjargong.
jargonelle [dʒɑ:gə'nel] keiserinnepære.
jarnut ['dʒɑ:nʌt] jordnøtt.
jarring ['dʒɑ:riŋ] skurrende, disharmonisk, grell; rystende, irriterende.
jarvey ['dʒɑ:vi] (irsk) kusk, vognmann.
jasmine ['dʒæsmin] sjasmin.
jasper ['dʒæspə] jaspis.
JATO, jato fk. f. **jet-assisted take-off** hjelpe- akettmotor til start av fly.
jaundice ['dʒɔ:ndis] gulsott; misunnelse; sja- usi. **jaundiced** [-st] gulsottig; misunnelig, sjalu, nistenksom.
jaunt [dʒɔ:nt] gjøre utflukter, streife om; **take** a **jaunt** ta en tur; tur, utflukt.
jauntily ['dʒɔ:ntili] muntert, flott. **jauntiness** -tinis] munterhet, flotthet, flyktighet, lettfer- tighet. **jaunty** ['dʒɔ:nti] munter, flott, spretten.
Java ['dʒɑ:və]. **Javanese** ['dʒæəvə'ni:z] avaneser, javaner; javanesisk, javansk.
javelin ['dʒævlin] kastespyd; **throwing the** — oydkast.
jaw [dʒɔ:] kjeve, kjake, munn, gap, kjeft; kravl, skjelling, praling; kjefte (om), bruke jeften (på); **the -s of death** dødens gap; **is** — **dropped** han ble lang i ansiktet (el. maska); **his -s were set** han bet tennene sammen hadde et uttrykk av sammenbitt energi); **hold our** — hold munn; **there is too much** — **about im** han snakker for mye; **give us none of your** — hold opp med den kjeftingen din; **I gave her a** **it of my** — jeg ga henne ordentlig beskjed; **on't you** — **me in that way** plag meg ikke med tet snakket ditt. **-bation** moralpreken, tirade.
bone kjevebein, kjakebein. **-breaker** langt ord om er vanskelig å uttale; steinknuser. **-tooth** zinntann, jeksel.
jay [dʒei] nøtteskrike; skravlebøtte, fjols. — **walker** rågjenger (som ikke ser seg for).
jazz [dʒæz] jazz; bråk; jazze (spille el. danse .); bråkende; gloret; — **up** sette fart i, sprite pp; **and all that** — og alt det der(re).

J. B. fk. f. **John Bull.**
J. C. fk. f. **Jesus Christ; Julius Caesar; juris consult; justice clerk.**
jealous ['dʒeləs] årvåken, årvak, var, mistenk- som (**of** overfor, med hensyn til); nidkjær, sjalu, skinnsyk, avindsyk (**of** på); verne om.
jealousy ['dʒeləsi] (skinnsyk) årvåkenhet; sjalusi, skinnsyke; nidkjærhet; sjalusi, persi- enner.
jeans [dʒi:nz] dongeribukser, olabukser.
jeer [dʒiə] håne, spotte; hån, spott. **jeerer** ['dʒiərə] spotter. **jeeringly** ['dʒiəriŋli] hånlig.
Jehu ['dʒi:hju:] Jehu; kusk som kjører vilt.
jejune [dʒi'dʒu:n] tørr, åndløs; skrinn, mager.
Jekyll ['dʒi:kil].
jell [dʒel] stivne til gelé, ta fast form.
jellied ['dʒelid] klebrig, geléaktig, lagt ned i gelé.
jelly ['dʒeli] gelé; tykk saft; **beat a person into** a — slå en til plukkfisk. — **babies** seimenn.
jellyfish ['dʒelifiʃ] manet; (fig.) vaskeklut.
Jem [dʒem] = **James.**
jemimas [dʒə'maiməz] springstøvler, botforer.
jemmy ['dʒemi] brekkjern, kubein.
jennet ['dʒenit] liten spansk hest; eselhoppe.
jenneting ['dʒenitiŋ] tidlig sommereple.
Jenny ['dʒeni]; **jenny** løpekran; spinne- maskin; gjerdesmutt. — **ass** hunesel.
jeopard ['dʒepəd] våge, risikere, sette på spill. **jeopardize** ['dʒepədaiz] våge. **jeopardous** ['dʒe- pədəs] farlig, vågelig, vågal. **jeopardy** ['dʒepədi] fare, risiko; **put one's life in** — sette livet på spill.
Jer. fk. f. **Jeremiah.**
jerboa [dʒə:'bəuə] ørkenspringrotte.
jeremiad [dʒeri'maiəd] jeremiade, klagesang. **Jeremiah** [dʒeri'maiə] Jeremias.
Jericho ['dʒerikəu] Jeriko; **go to** —! gå pokker i vold, reis og ryk; **I wish you were in (at)** — gid du satt på Blokksberg.
jerk [dʒə:k] støte (plutselig), rykke, kaste, trive, kyle, slenge, kippe, gjøre et rykk; plutselig støt; rykk, (krampe)trekning, puff, kast; original, tosk; **by jerks** rykkevis.
jerkin ['dʒə:kin] jakke, korttrøye, vams.
jerky ['dʒə:ki] støtvis.
Jerome ['dʒerəm] Hieronymus; [dʒə'rəum] Jerome (etternavn).
jerque [dʒə:k] tollvisitere; også **jerk. jerquer** ['dʒə:kə] tollbetjent.
Jerry ['dʒeri] = **Jeremy;** tysker, tysk soldat. **jerry** nattpotte; ølstue.
jerriean [dʒerikæn] flat bensinkanne, jerri- kanne.
jerry-builder ['dʒeribildə] byggespekulant. **jer- ry-built** bygd på spekulasjon, skrøpelig.
Jersey ['dʒə:zi]. **jersey** jerseyku; fint ullgarn; jerseyliv.
Jerusalem [dʒi'ru:sələm]; — **oak** eikemelde. — **pony** esel.
jessamine ['dʒesəmin] sjasmin.
jest [dʒest] spøke, si i spøk; spøk, skjemt, morsomhet, vits; **in** — i spøk; **take a** — forstå spøk. — **book** anekdotesamling. **jestee** [dʒe'sti:] den som er gjenstand for spøken.
jester ['dʒestə] spøkefugl; hoffnarr, **jestingly** ['dʒestiŋli] i spøk. **jesting-stock** = **jestee.**
Jesuit ['dʒezjuit, -zuit] jesuitt. **Jesuitic(al)** [dʒezju'itik(l), -zu-] jesuittisk.
Jesus ['dʒi:zəs].
jet [dʒet] jett, gagat (slags fint steinkull). — **black** kullsvart.
jet [dʒet] springe fram, spy ut, sprøyte ut; sprute, strømme, velle; stråle, sprut, sprøyt; spreder, munnstykke, tut; innløpstapp (ved støpning); gassbrenner; gassbluss; jetfly. — **engine** motor. — **fighter** jetjager. — **plane** jetfly. — **-propelled** reaksjonsdrevet. — **propulsion** reaksjonsdrift. — **set** uttrykk brukt om aktive, moteriktige, velstående personer som reiser mye, er med der ting skjer; ≈ sossen.

jetsam ['dʒetsəm], jetson ['dʒetsən] strandings-gods, vrakgods.

jettison ['dʒetisn] utkasting, dumping av last; kvitte seg med.

jetty ['dʒeti] gagatlignende, kullsvart.

jetty ['dʒeti] framspringende kant på en bygning, framskott, utbygning, utbygg; demning, molo, landingsplass.

Jew [dʒu:] jøde; jødisk, jøde-; the Wandering — den evige jøde.

jew lure, snyte; være hard i forretningssaker; — down prute.

Jew-baiting jødeforfølgelse.

jewel ['dʒu:il; -əl] juvel, edelstein; klenodie, smykke; skatt; smykke med juveler; mock — uekte edelstein; -led juvelbesatt; her richly -led hand hennes hånd som var besatt med prektige ringer. — case juvelskrin; smykkeskrin. — juveller ['dʒu:ilə] juvelér, gullsmed. jewellery, jewelry ['dʒu:ilri] edelsteiner, kostbarheter; smykker.

Jewess ['dʒu:is] jødinne.

jewfish kjempehavåbor.

Jewish ['dʒu:iʃ] jødisk; jødeaktig. jewishness [-nis] jødisk vesen, jødisk utseende. Jewry ['dʒu-əri] jødene, jødedom; jødekvarter, ghetto.

jew's-ear ['dʒu:ziə] judasøre (en soppart).

jew's-harp munnharpe.

Jezebel ['dʒezibl] Jesabel; arrig, frekk kvinne.

J. F. K., JFK fk. f. John Fitzgerald Kennedy.

jib [dʒib] sky (at for); bli sta, tverrstanse; slå seg vrang; steile, protestere.

jib [dʒib] klyver, fokk; jibb; jibbe.

jibber ['dʒibə] sky hest, sta hest.

jiff [dʒif] øyeblikk; in a — i en fei, håndvending; wait a — vent et lite øyeblikk.

jiffy = jiff.

jig [dʒig] jigg (musikkstykke og dans); etterspill ved de gamle skuespill, oppført av narren; pilk; sprette, danse, hoppe, huske seg; pilke; harpe (i vann); the — is up spillet er ferdig; det er forbi med en; — one's legs sparke med bena. jig-elog tresko til å danse jigg med. jigger ['dʒig] jigg-danser.

jigger ['dʒigə] skreddertalje; brennevinsmål (ca. 4,5 cl); dram; dings, sak, tingest; pottemakerskive; (amr.) liten hestesporvogn uten konduktør; prisviser (på børs); arrestlokale; pilk (fiskeredskap); hoppe, rykke; — oneself free sprelle seg fri (om fisk). — mast papegøyemast.

jiggery-pokery ['dʒigəri'pəukəri] hokuspokus, juks, svindel, trick.

jiggle ['dʒigl] hoppe omkring; huske, dingle, vippe.

jig saw ['dʒigsɔ] svingsag, løvsag. — puzzle puslespill.

jihad [dʒi'ha:d] hellig krig.

Jill [dʒil] Julie; ung pike; Jack and Jill Ola og Kari. — -flirt lettferdig pike.

jilt [dʒilt] lettferdig kvinne, kokette; bedra (i kjærlighet), slå opp med, narre for en dans.

Jim [dʒim] fk. f. James. — Crow rasediskriminering; — Crow car negerjernbanevogn.

jimjams ['dʒimdʒæmz] dilla, «hetta».

jimmy ['dʒimi] brekkjern, kubein; bryte opp.

jimp [dʒimp] nett, slank; knapp, utilstrekkelig.

jims [dʒimz] delirium, dilla.

jingle ['dʒiŋgl] klirre, single, rasle; la klirre, rasle med; klirring, rasling; remse, regle, rispe; rangle.

jingo ['dʒiŋgəu] (muligens forvanskning av Jesus); by (the living) — Guds død, død og pine; økenavn for en krigsbegeistret konservativ. -ism [-izm] kraftpatriotisme.

jink [dʒiŋk] fare, sette, sprette, smette unna; sprett, skvett, bråkast; jinks moro, leven, bråk, heisafest.

jinrik(i)sha [dzin'rik(i)ʃə] japansk tohjulsvogn som trekkes av en el. to personer.

jitney ['dʒitni] (amr.) cent(stykke); billigbuss; billig.

jitter ['dʒitə] ryste, skjelve, dirre; skjelvin dirring. jitterbug ['dʒitəbʌg] jitterbug. jitte ['dʒitəri] nervøs, skjelvende, dirrende.

jiu-jitsu se jujitsu.

jive [dʒaiv] prat, prek; en jazzform; narr erte, lure.

jn. fk. f. junction.

Joan [dʒəun] — of Arc Jeanne d'Arc.

Job [dʒəub]; -'s comfort dårlig trøst.

job [dʒɔb] slag, støt, stikk; bestemt stykke a beid, akkordarbeid, (tilfeldig) arbeid, slit, kj sjau, jobb, forretning; affære, greie, histor aksidensarbeid (i boktrykkerspråk); korrupsjc nepotisme; occasional — tilfeldig arbeid; odd tilfeldige jobber; a soft — et makelig arbei en smal-sak; what a — det er jo til å fortv over; give it up as a bad — oppgi det som hå løst; work by the — arbeide på akkord. j [dʒɔb] slå, støte, stikke; pikke; rykke (i tø mene); arbeide (på akkord); sette bort på akkor leie, hyre; spekulere, jobbe, handle med aksje mele sin egen kake, sko seg; ågre. job [dʒɔ leie-; — carriage leievogn; — goods partivar -holder fast ansatt; statsansatt; — horse lei hest; — lot en slump varer (blandet og ofte dårlig kvalitet); rotebutikk, blandet selskap.

jobber ['dʒɔbə] akkordarbeider, daglønn leiekar, lauskar; børsspekulant, jobber; mello mann; sliter. — in bills vekselrytter.

jobbery ['dʒɔbəri] spekulering, jobbing; m bruk av politisk makt til egen fordel.

joc. fk. f. jocose; jocular.

jockey ['dʒɔki] jockey, rideknekt; hestehan ler; bedrager; ri; ta ved nesen; snyte; lirke lure seg fram; — a person out of his mon narre pengene av en; — boots ridestøvler. club jockeyklubb. jockeyism ['dʒɔkiizm] jocke vesen. jockeyship ['dʒɔkiʃip] ridekunst.

jocko ['dʒɔkəu] sjimpanse; apekatt.

jockstrap ['dʒɔk-] suspensorium.

jocose [dʒə'kəus] munter, spøkefull. jocul ['dʒɔkjulə] spøkefull. jocularity [dʒɔkju'læri munterhet. jocularly ['dʒɔkjuləli] i spøk.

jocund ['dʒɔkənd] lystig. jocundity [dʒə'kʌ diti] lystighet.

Joe [dʒəu]; — Miller forfatter av en b med vittigheter; a — Miller en gammel vittigh forslitt vits.

jog [dʒɔg] ryste, skumpe (om en vogn); pir på; nugge i; dilte, rusle, jogge, lunke; støt, skub puff; give his memory a — få en til å huske noe.

joggle ['dʒɔgl] skubbe, støte; riste opp skumpe; riste; bli skubbet; støt.

jog trot ['dʒɔgtrɔt] dilt; gammel slendrian.

Johannesburg [dʒə(u)'hænisbə:g].

john [dʒɔn] do.

John [dʒɔn] Johannes, Jon; — Bull al navn på engelskmannen (tilsvarer Ola Nor mann); St. John's day sankthansdag, jonsokda — Doe Peder Ås (juridisk). — Law politiman purk.

Johnny ['dʒɔni] fyr, kar; spjert, sprett. Raw nybegynner, jypling.

Johnson ['dʒɔnsən]. Johnsonese ['dʒɔnsə'ni johnsonsk (etter dr. Samuel Johnson).

join [dʒɔin] forbinde, forene, skjøte, samme føye; slutte seg til, slå lag med, være med, fore seg; what God hath -ed together, let no ma put asunder hva Gud har sammenføyd, sk mennesken ikke atskille; — battle begyn slag; — hands ta hverandre i hånden; — inter with gjøre felles sak med, holde med; — t army tre inn i hæren; let us — the ladies la oss inn til damene; — in delta, bli med, stemme — up melde seg frivillig (som soldat). jo [dʒɔin] sammenføyning, skjøt.

joinder ['dʒɔində] forbindelse.

joiner ['dʒɔinə] snekker. joinering ['dʒɔinəri joinery ['dʒɔinəri] snekkerarbeid.

joint ['dʒɔint] sammenføyning, skjøt, fug

:dd; stek, stykke (av slakteskrott); kneipe; pisested, bule, sted; marihuanasigarett; **dinner ïï (from) the** — middag med en hel stek på ordet; **put out of** — vri av ledd; **set into** — ette i ledd; **the time is out of** — tiden er av lage.
joint [dʒɔint] forent, felles, sams; **on (for)** — account på felles konto; — **concern** interessent- elskap. — **filler** fugemasse, mørtel. — **owner** redeier, medinnehaver. — **ownership** sameie.
joint [dʒɔint] sammenpasse, felle el. skjøte ammen, forbinde; passe inn i. **jointed** ['dʒɔintid] rbundet; leddet.
jointer ['dʒɔintə] skotthøvel, kanthøvel.
jointly ['dʒɔintli] felles, sams, solidarisk. — nd severally en for alle og alle for en.
joint-stock ['dʒɔint'stɔk] aksjekapital; — **com-** any aksjeselskap.
joke [dʒəuk] spøk, skjemt, vittighet, vits; pøke, spøke med, skjemte, vitse; **in** — for spøk; **ear (take) a** — forstå spøk; **crack (cut) a** — ve av seg en vittighet; **play a practical** — upon im ha ham grovt til beste; — **it off** slå det bort spøk.
joker ['dʒəukə] spøkefugl, spasmaker; fyr, kar; forutsett vanskelighet.
joking ['dʒəukiŋ] spøk; **there is no** — **with** im han forstår ikke spøk; — **apart** ett spøk, t annet alvor; spøk til side. **jokingly** [-li] for spøk.
jole, joll [dʒəul] se **jowl.**
jollification [dʒɔlifi'keiʃən] lystighet, moro, est, heisalag, muntert lag. **jollify** lage fest, feste.
jollily ['dʒɔlili] muntert. **jolliness** ['dʒɔlinis], **jollity** ['dʒɔliti] lystighet, munterhet.
jolly ['dʒɔli] livlig, munter, lystig, glad, pussa; eilig, trivelig; meget, temmelig; **it was a** — name det var en stor skam; **we had a** — **spree,** — lark vi moret oss storartet; **we had a** — **bad** me of it vi hadde det temmelig vondt; **he is a** - **good fellow** han er en kjekk kar.
jolly-boat ['dʒɔlibəut] jolle.
Jolly Roger sjørøverflagg.
jolt [dʒəult] støt; sjokk; skake, skrangle, riste; sting, skumpling.
jolterhead ['dʒəultəhed] dumrian, naut, kjøtt- ue.
Jonah ['dʒəunə] Jonas.
Jonathan ['dʒɔnəθən] Jonatan; **Brother** — lm. navn på en amerikaner.
Jones ['dʒəunz] —.
Jordan ['dʒɔ:dn]. **Jordanian** [-'dei-] jordaner; ordansk.
jorum ['dʒɔ:rəm] stor drikkebolle, skål.
Joseph ['dʒəuzif] (forkortet: **Jos.**) Josef.
josh [dʒɔʃ] småerte, ha moro med.
joskin ['dʒɔskin] bondeslamp.
joss [dʒɔs] kinesisk gudebilde. — **house** kinesisk empel. — **stiek** røkelsespinne.
jostle ['dʒɔsl] skubbe, støte, dunke.
jot [dʒɔt] jota; prikk, punkt, minste grann; otere, opptegne; rable ned; **not a** — ikke det inste grann; — **down** rable ned. **jottings** notater. **otting-book** notisbok.
jounce [dʒauns] humpe, skake, riste.
journal ['dʒə:nəl] journal, protokoll, dagbok; (agblad, tidsskrift; (aksel-)tapp. **journalize** ['dʒə:- əlaiz] journalisere, føre inn i dagbok, bokføre; rive bladvirksomhet. **journalism** ['dʒə:nəlizm] ournalistikk. **journalist** [-list] journalist, blad- iann. **journalistic** [dʒə:nə'listik] journalistisk; agblads-.
journey ['dʒə:ni] reise, ferd (mest til lands); eise; **business** — forretningsreise; **a pleasant** — god tur; **go (make) a** — foreta en reise. **jour- eyer** ['dʒə:niə] reisende.
journeyman ['dʒə:nimən] gesell; håndverks- venn. **journeymen's school** håndverkerskole.
joust [dʒu:st, dʒaust] turnering; dyst; turnere.
Jove [dʒəuv] Jupiter; **by** — min santen; san- elig.
jovial ['dʒəuvjəl] munter, gladlyndt, hyggelig. **Jovial** som hører til planeten Jupiter.

joviality [dʒəuvi'æliti] munterhet, gemyttlig- het.
jowl [dʒaul, dʒəul] kjake, kinn, kjeve; dobbelt- hake; hode (på fisk); **cheek by** — i fortrolig nærhet, side om side, kinn mot kinn.
joy [dʒɔi] glede, fryd, lykke; **wish him** — ønske ham til lykke. **joyful** ['dʒɔiful] lystig, glad. **joyfully** med glede. **joyfulness** [-nis] glede. **joy house** gledeshus, bordell. **joyless** ['dʒɔlis] gledeløs, uglad. **joyous** [dʒɔiəs] glad, munter; gledelig. **joyousness** [-nis] glede. **joy| ride** fornøyel- sestur, heisatur. — **smoke** marihuana. — **stiek** styrestikke (i fly).
J. P. ['dʒei'pi:] fk. f. **Justice of the Peace** fredsdommer.
Jr. fk. f. **junior.**
juba ['dʒu:bə] livlig negerdans med rytme- klapping.
jube ['dʒu:bi] pulpitur (mellom skip og kor).
jubilance ['dʒu:biləns] triumfering, jubling.
jubilant ['dʒu:bilənt] jublende. **jubilee** ['dʒu:- -bili:] jubileum, jubelfest, jubelår; jubel.
Judaic [dʒu:'deiik] jødisk.
Judaism ['dʒu:daizm] jødedom.
Judas ['dʒu:dəs] Judas. — **coloured** rød. — **kiss** judaskyss.
judder ['dʒʌdə] risting, skaking; riste, skake.
judge [dʒʌdʒ] dommer; skjønner, kunstkjen- ner; sakkyndig; **Book of Judges** Dommernes bok; **be a** — **of pictures** ha forstand på malerier; **sober as a** — klinkende edru.
judge [dʒʌdʒ] dømme; felle dom; bedømme, anse for; dømme etter; slutte; — **for yourself** du kan selv dømme; — **not that ye be not judged** døm ikke, at I ikke selv skal dømmes; **you may** — **(of) my astonishment** De kan tenke Dem min forundring. **judgment** ['dʒʌdʒmənt] dom; mening; dømmekraft; skjønn, forstand; **day of judgment** dommedag. — **sampling** stikkprøver. — **seat** dommersete.
judicatory ['dʒu:dikətəri] dømmende; rettslig; rett, domstol; rettspleie. **judicature** ['dʒu:di- kətʃə, -tjuə] rettspleie, jurisdiksjon.
judicial [dʒu:'diʃəl] rettslig; dommer-; doms-; — **murder** justismord; — **sale** tvangsauksjon.
judicially [dʒu:'diʃəli] rettslig. **judiciary** [dʒu:- 'diʃəri] dømmende; dømmende myndighet, dom- stol. **judicious** [dʒu'diʃəs] klok, skjønnsom. **judici- ousness** [-nis] forstandighet, klokskap, innsikt.
Judith ['dʒu:diθ] **Judy** ['dʒu:di] Judy, Mr. Punchs hustru i dukkekomedien.
judo ['dʒu:dəu] judo.
judy ['dʒu:di] jente, pikebarn.
jug [dʒʌg] mugge, krukke; fengsel, kakebu; koke i vannbad.
Juggernaut ['dʒʌgənɑ:t] indisk avgud.
juggins ['dʒʌginz] dust, fe, tosk.
juggle ['dʒʌgl] gjøre tryllekunster; narre; tryllekunst; — **people out of their money** narre pengene fra folk. **juggler** ['dʒʌglə] tryllekunstner, taskenspiller. **jugglery** ['dʒʌgləri] taskenspiller- kunst; bedrageri.
Jugo-Slav, Jugoslav ['ju:gə(u)'slɑ:v] jugoslav, jugoslavisk. **Jugo-Slavia, Jugoslavia** Jugoslavia.
jugular ['dʒʌgjulə] hals-; halsåre.
jugulate [dʒu:gjuleit] stanse en sykdom med hestekur; kvele, skjære halsen over på.
juice [dʒu:s] saft; væske; (sl.) guffe, bensin el. elektrisk kraft til maskin. **juiceless** [-lis] saftløs. **juiciness** ['dʒu:sinis] saftfullhet. **juicy** ['dʒu:si] saftfull, saftig.
jujitsu [dʒu:'dʒitsu:], **jujutsu** [dʒu:dʒət'su:] jiujitsu.
jujube ['dʒu:dʒu:b] brystbær; brystbærdråper; pastill, sukkertøy.
jukebox ['dʒu:kbɔks] jukeboks, plateautomat.
julep ['dʒu:lip] søt drikk, sri. som skal gjøre det lettere å ta besk medisin; (amr.) krydret pjolter.
Julia ['dʒu:ljə]. **Julian** ['dʒu:ljən] juliansk; — **account** juliansk tidsregning. **Juliet** ['dʒu:ljət] Julie. **Julius** ['dʒu:ljəs].

July [dʒu:'lai, dʒu'lai] juli; — **flower** gyllenlakk, hagenellik.

jumble ['dʒʌmbl] kaste sammen, rote sammen, blande sammen; blanding; virvar, røre, rot. — **sale** salg av forskjellige billige ting på basar, loppemarked.

jumbo ['dʒʌmbəu] stor klosset person; kjempe-.

jumbo(e)k ['dʒʌmbʌk] (australsk) sau.

jump [dʒʌmp] hoppe, bykse, springe, sprette; skvette, kvekke, støkke, sprang (eks. høyde-, lengde-); la springe; kaste seg over, slå under seg, tilegne seg. **hop, skip** (el. **step) and** — tresteg. — **the queue** snike i køen; — **at** gripe til (el. etter) med begge hender; — **at conclusions** dra forhastede slutninger; — **up** fare i været, springe opp; — **with** stemme overens med; — **for joy** danse av glede. **jump** [dʒʌmp] hopp, byks; skvett, støkk; dilla. **jumper** ['dʒʌmpə] gammelt økenavn på metodister; løstsittende lang trøye, kittel, busserull; jumper. **jumping jack** sprellemann, hallingmann. — **rope** hoppetau. — **spark** overslag(sgnist). **jumpy** ['dʒʌmpi] hoppende, urolig, nervøs.

jun., junr. fk. f. **junior.**

junction ['dʒʌŋkʃən] forening, forbindelse; møtested; stasjon hvor jernbanelinjer møtes og forenes; knutepunkt for jernbanen; trafikkmaskin, stort veikryss; forbindelsesstykke, kopling. — **box** koplingsboks.

juncture ['dʒʌŋktʃə] sammenføyning; forening; tidspunkt, øyeblikk, kritisk øyeblikk.

June [dʒu:n] juni.

jungle ['dʒʌŋgl] jungel, krattskog; (fig.) rot, villnis. **jungly** ['dʒʌŋgli] tettvokst med kratt.

junior ['dʒu:njə] yngre, yngst, junior; **he is my** — **by some years** han er noen år yngre enn jeg. — **college** (amr.) college som bare har den første el. de to første av de fire vanlige klasser. — **high school** (amr.) skoleavdeling som omfatter 7—9 skoleår.

juniority [dʒu:ni'ɔriti] yngre alder, ungdom.

juniper ['dʒu:nipə] brisk, einer.

junk [dʒʌŋk] gammelt tauverk; skrap, filler; salt kjøtt; narkotika; kassere, kaste.

junk [dʒʌŋk] djunke (kinesisk fartøy).

junket ['dʒʌŋkit] landtur, utflukt; lystighet, fest, kalas; feste.

junkie [dʒʌŋki] (amr.) narkotiker, stoffmisbruker.

Juno ['dʒu:nəu]. **Junonian** [dʒu'nəunjən] junonisk.

junta ['dʒʌntə] (politisk) klikk, junta, sammensvergelse; rådsforsamling.

junto ['dʒʌntəu] hemmelig forsamling.

Jupiter ['dʒu:pitə].

juridical [dʒu'ridikl] juridisk, rettslig. **jurisdiction** [dʒuəris'dikʃən] jurisdiksjon, rettsområde.

jurisprudence [-'pru:dəns] lovkyndighet, rett lære. **jurisprudent** [-'pru:dənt] lovkyndig. **juris** ['dʒuərist] jurist, rettslærd. **juristic** [dʒu'ristil juridisk.

juror ['dʒuərə] edsvoren, jurymann, lagrettes mann, domsmann.

jury ['dʒuəri] jury; samtlige medlemmer av e jury, lagrette; **grand** — anklagejury (som avgje om det er grunn til å reise anklage), anklage myndighet; **petty** — eller **common** — lagret (av inntil 12 medlemmer, for hvem saken føres. **the** — **brought him in guilty** lagretten fant ha skyldig; **be (sit) on the** — være medlem av juryer **-man** jurymann, lagrettemann.

jury-mast ['dʒuərima:st] nødmast.

just [dʒʌst] rettskaffen, rettvis, rettferdig; re delig; riktig; tilbørlig; just, nettopp, kun, bare — **you wait!** bare vent! **it is** — **the thing for yo** det er nettopp noe for Dem; — **now** nettopp nå — **by** like ved, tett ved; (ofte oversettes det ikke — **shut the door will you?** (å) lukk døren, er d snill; — **tell me** si meg engang. — **about** sån omtrent; — **as well** like (så) godt; — **on** prak tisk talt; **only** — bare såvidt; — **the same** like vel.

just [dʒu:st] turnering; holde turnering.

justice ['dʒʌstis] rettferdighet, rett, rett o skjel; billighet; dommer; **the** — **of his claim** det berettigede i hans krav; **do** — la vederfare rettferdighet; **bring to** — anklage, påføre prosess **Justice of assize** lagdommer; uten juridisk ut dannelse); **Lord Chief J.** rettspresident (fo Queen's Bench division). **justiceship** ['dʒʌstisʃip dommerembete; dommerverdighet. **justifiabl** [dʒʌsti'faiəbl] forsvarlig; bevislig. **justificatio** [dʒʌstifi'keiʃən] rettferdiggjøring, forsvar. **just fier** ['dʒʌstifaiə] forsvarer. **justify** ['dʒʌstifai rettferdiggjøre, forsvare; berettige; bevise.

justle ['dʒʌsl] skubbe, se **jostle.**

justly ['dʒʌstli] med rette, med god grunn rettferdig.

justness ['dʒʌstnis] rettferdighet, rettferd; rik tighet.

jut [dʒʌt] rage fram, springe fram; fremspring framskott, utskott, nov.

jute [dʒu:t] jute, jutehamp.

Jute [dʒu:t] jyde. **Jutish** ['dʒu:tiʃ] jysk.

Jutland ['dʒʌtlənd] Jylland; jysk. **Jutlande** ['dʒʌtləndə] jyde.

juveneseence [dʒu:və'nesns] ungdoms(tid); opp vekst.

juvenile ['dʒu:vinail] ungdommelig; ungdoms- — **delinquency** ungdomsforbrytelse. — **lea** elskerrolle; skuespiller som spiller elskerroller.

juxtapose [dʒʌkstə'pəuz] sidestille, sammen stille. **juxtaposition** [dʃʌkstəpə'ziʃən] sidestilling sammenstilling.

K

K, k [kei] K, k; fk. f. **karat; carat; kilo; king; knight.**

Kabyle [kə'bail] kabyler.

Kaffir ['kæfə] kaffer.

kail [keil] se **kale.**

kailyard ['keiljɑ:d] kålhage, kjøkkenhage; **the Kailyard School** el. **the kailyard novelists,** en skotsk forfattergruppe.

kainite ['keiinait] kainitt.

Kaiser ['kaizə] tysk keiser.

kakhi ['kɑ:ki] se **khaki.**

kale [keil] kål, srl. grønnkål; (amr.) penger.

kaleidoscope [kə'laidəskəup] kaleidoskop. **kaleidoscopic** [kəlaidə'skɔpik] kaleidoskopisk.

kali ['keil(a)i, 'kɑ:li] salturt.

kalium ['keiliəm] kali.

kamikaze [kɑ:mi'kɑ:zi:] angrep av (japanske selvmordsflygere; selvmordsflyger.

kanehil ['kɑ:ntʃil] dverghjort.

kangaroo [kæŋgə'ru:] kenguru. — **court** (amr. selvbestaltet domstol.

Kans. fk. f. **Kansas** ['kænzəs].

kaolin ['keiəlin] kaolin, porselensleire.

kapok ['keipɔk] plantedun (til putefyll).

kaput [kə'put] kaputt, ødelagt, ferdig.

karma ['kɑ:mə] gjerninger som avgjør ens skjebne etter døden; skjebne.

kar(r)oo [kə'ru:] tørr høyslette (i Sør-Afrika).

kaross [kə'rɔs] slengkappe av skinn (i Sør-Afrika).

Kate [keit]. Katharine ['kæθərin].

katsup = ketchup.

katydid ['keitidid] amr. skoggresshoppe.

kauri ['kauri] et slags bartre på New Zealand.

kava ['kɑ:və] slags rusdrikk, laget av en poly-nesisk plante.

kavass [kə'væs] tyrkisk politisoldat.

kayak ['kaiæk] kajakk.

kayo ['kei'əu] slå ut, slå knockout.

K. B. fk. f. Knight of the Bath; King's Bench.

K. C. B. E. fk. f. Knight Commander of the Order of the British Empire.

K. C. fk. f. King's Counsel; King's College.

K. C. B. fk. f. Knight Commander of the Bath.

K. C. I. E. fk. f. Knight Commander of the Order of the Indian Empire.

K. C. M. G. fk. f. Knight Commander of the Order of St. Michael and St. George.

K. C. S. I. fk. f. Knight Commander of the Order of the Star of India.

K. C. V. O. fk. f. Knight Commander of the Victorian Order.

kea ['keiə] slags grønn papegøye på New Zealand.

Keble ['ki:bl] (personnavn).

keck [kek] ville brekke seg.

kedge [kedʒ] varpanker; varpe, kjekke.

kedgeree [kedʒə'ri:] indisk rett av kokt ris, fisk og egg.

keel [ki:l] kjøl; lekter, kullpram; kjegle; on an even — på rett kjøl; false — senkekjøl; from the — to the truck fra kjøl til flaggknapp; ra øverst til nederst. keel [ki:l] forsyne med kjøl; seile; vende kjølen i været, kappseise; -haul kjølhale, en ordentlig overhaling; — over kulleile. keelage ['ki:lidʒ] havneavgift. keeler ['ki:lə] lektermann.

keelman ['ki:lmən] lektermann.

keen [ki:n] heftig, ivrig; skarp; kvass; bitende, karpsindig, gjennomtrengende; nøye; punktlig; skjerpe, kvesse; be — on være ivrig etter. keen-yed ['ki:naid] skarpsynt. keenness [-nis] ivrig-het; skarphet; — of sight skarpsynthet.

keen [ki:n] irsk klagesang.

keep [ki:p] holde (beholde, bevare det man har), beholde, besitte; underholde, forsørge; overholde; holde ved like; gjemme; ha liggende, ta vare på, bevare, oppbevare; føre; holde (sitt ord, løfte); holde seg; bli ved med; — one's bed holde senga; — dark about it holde det hemmelig; — hold of (on) holde fast på; — good (bad) hours komme tidlig (sent) hjem; — pace with holde tritt med; — the peace holde seg i ro; — silent være stille; — a term være et semester ved universitetet; — time holde takt; — the country leve på landet; — money with a banker ha penger stående hos en bankier; — the cash øre kassen, være kasserer; — aloof holde seg borte; — down trykke ned; holde i lav pris; — in holde inne; la sitte igjen; — in money forsyne ned penger; — up appearances bevare skinnet; how long did you — it up last night hvor lenge holdt dere ut i går kveld; — up with holde tritt, holde skritt med; she kept crying hun fortsatte ned å gråte.

keep [ki:p] tilstand; forfatning; bevaring; omsorg; forpleining; slottsfengsel; fangetårn.

keeper ['ki:pə] en som besitter, holder osv.; bevarer, vokter; fangevokter, slutter; bokholder; K. of the Great Seal, Lord K. storseglbevarer. K. of the Rolls statsarkivar.

keeping ['ki:piŋ] det å beholde; forvaring; besittelse; underhold; overensstemmelse, samsvar; be in — with stemme overens med; be in good — være i godt hold.

keepsake ['ki:pseik] erindring, minne, souvenir; by way of —, as a — til minne.

keg [keg] kagge, dunk.

kelly ['keli] (amr.) skalk, stivhatt.

kelp [kelp] tang, tare; tangaske.

kelson ['kelsn] kjølsvin.

Kelt [kelt] se Celt.

kemps stikkelhår, dødhår (i ull).

ken [ken] vite, kjenne; kjennskap; synskrets.

Kenilworth ['kenilwə:θ].

kennel ['ken(ə)l] rennestein.

kennel ['ken(ə)l] hundehus, hule, hi; koppel; oppholde seg i hule; holde i hundehus.

Kensal ['kensəl] Green kirkegård i London.

Kensington ['kenziŋtən] del av London.

Kent [kent] grevskap i det sørøstlige England.

Kentish ['kentiʃ] kentisk, fra Kent.

kentledge ['kentledʒ] ballastjern.

Kentucky [ken'tʌki]. — bluegrass engrapp (planten).

kept [kept] imperf. og perf. pts. av keep.

kerb [kə:b] fortaukant. -side som foregår (finnes) på gaten. -stone ['kə:bstəun] kantstein, fortaustein. — weight bilens vekt i kjøreklar stand.

kerchief ['kə:tʃif] hodeplagg, tørkle, lomme-tørkle.

kerf [kə:f] skår, (økse)hogg, fure.

kermes ['kə:mi:z] kermes, rødt fargestoff.

kermis ['kə:mis] marked (i Nederland); (vel-dedighets)basar (amr.).

kern [kɑ:n] fotsoldat i den gamle irske hær.

kern [kɑ:n] håndkvern; kjerne.

kernel ['kə:n(ə)l] kjerne; sette kjerne.

kerosene, kerosine ['kerəsi:n] petroleum, para-fin.

kersey ['kə:zi] slags ulltøy, kjersi.

kerseymere ['kə:simiə] kasjmir.

kestrel ['kestrəl] tårnfalk.

Keswick ['kezik].

ketch [ketʃ] ketsj.

ketchup ['ketʃəp] ketchup.

kettle ['ketl] kjele, gryte; jettegryte. a fine (pretty) — of fish fine greier, en nydelig suppe-(dass).

kettledrum ['ketldrʌm] pauke. -mer pauke-slager.

kettle holder ['ketlhəuldə] gryteklut.

kettlemender ['ketlmendə] kjelflikker.

kevel ['kevl] kryssholt.

Kew [kju:].

key [ki:] nøkkel (også i overført bet.); tast; tangent; klaff; toneart; splint, kile; kai; keep under lock and — holde under lås og lukke, gjemme omhyggelig; he has the — of the street han har ikke noen gatedørsnøkkel; han må bli på gaten; the House of Keys underhuset på øya Man; and much more to the same — og så videre i samme duren; off — falsk; — of voice tone, stemme.

key [ki:] feste, kile fast; stemme, stille; — up stemme (instrument); stramme opp, gjøre anspent, ta seg sammen.

keyage ['ki:idʒ] havnepenger.

key|board ['ki:bɔ:d] tangenter; klaviatur, tastatur. -board proficiency fingerferdighet. — bugle ['ki:bju:gl] klaffhorn. — diagram oversikts-diagram. -hole nøkelhull. -man nøkkelperson. -note grunntone. — plate låsskilt, nøkleskilt. — ring nøklering. -stone ['ki:stəun] sluttsteini) bue); hovedprinsipp.

K. G. fk. f. Knight of the Garter.

kg fk. f. kilogramme.

K. G. C. B. fk. f. Knight of the Grand Cross of the Bath (storkors av Bathordenen).

khaki ['kɑ:ki] kakitøy (brukt til militære uni-former).

khan [kɑ:n, kæn] herberge; kan (fyrste).

Khartum [kɑ:'tu:m].

Khedive [ki'di:v] visekonge av Egypt.

kibble ['kibl] jerntønne (til å heise malm opp med); grovhogge (stein).

kibe [kaib] frostsvull, frostsår.

kibitzer ['kibitsə] (amr.) ugle, uønsket tilskuer til sjakkspill, kortspill osv., som kommenterer spillet; en som kommer med uønskede råd.

14. Engelsk—Norsk

kibosh [ki'bɔʃ] vrøvl, vås, tøv; **put the — on** gjøre det av med.

kick [kik] sparke, spenne, slå (om hester); spenne (om geværer); slå bakut; moro, spenning; futt, smell; akselerasjonskraft; — **the beam** bli veid og funnet for lett; — **up a row** gjøre bråk; — **the bucket** krepere. **kick** [kik] spark, spenn.

kickback ['kikbæk] tilbakeslag; slå tilbake; returnere (tyvegods); betale tilbake, gi returprovisjon.

kickdown automatisk nedgiring ved å gi full gass.

kickoff utspill fra senter, avspark.

kickshaw ['kikʃɔ:] lekkerbisken; bagatell.

kid [kid] narre, spøke; narreri.

kid [kid] kje; barn; unge. — **brother** lillebror. **-glove** tertefin; **-s** glacéhansker. — **skin** kjeskinn.

kidnap ['kidnæp] stjele, røve barn; med list verve folk, huke, slå kloa i. **kidnapper** ['kidnæpə] barnerøver, bortfører. **kidnapping** barnerov, bortføring.

kidney ['kidni] nyre; art, slags; **all of a —** alle av samme kaliber.

kill [kil] drepe; slakte, slå i hjel; tilintetgjøre, ødelegge; få til å stanse; felle, veide, skyte; drap (av vilt); **in for the —** gi dødsstøtet. — **two birds with one stone** ≈ to fluer i ett smekk. **killer** ['kilə] drapsmann. — **whale** spekkhugger. **killing** ['kiliŋ] drepende, morderisk; drap.

Killarney [ki'lɑ:ni].

killer ['kilə] morder, drapsmann; slakter; hardhendt bokser, brutal slåsskjempe; godt agn; spekkhugger.

kill-joy ['kildʒɔi] hengehode, lyseslokker.

kiln [kil(n)] badstue; tørkeovn; kullmile. **-brick** ildfast stein. — **-dried** ovntørket.

kilo ['ki:ləu] kilo. **kilogramme** ['kiləgræm] kilogram. **kilometer, kilometre** ['kiləmi:tə] kilometer. **kilowatt** ['kiləwɔt] kilowatt.

kilt [kilt] skottenes skjørt; kilte opp, brette opp.

kimbo ['kimbəu] bøyd, krum; **arms a-** med hendene i siden.

kimono [ki'məunəu] kimono.

kin [kin] slektskap, slekt, ætt, skyldfolk; art; beslektet; **are you any — to him?** er De i slekt med ham? **the next of —** de nærmeste slektninger.

kinchin ['kintʃin] barn, unge; — **lay** det å stjele fra barn.

kind [kaind] art, slags; naturlig tilstand; skikkelse; **these (those) — of things** denne (den) slags ting; **the human —** menneskeslekten; **pay in —** betale i varer; betale med samme mynt; **taxes paid in —** avgifter betalt in natura; **nothing of the —** aldeles ikke, på ingen måte, var det likt; **what — of thing is this** hva er dette for noe; **he is a — of fool** han er noe narraktig; **that is — of good** det er temmelig godt; **it kinder (kind of) seemed to me** det forekom meg nesten; **I — of expected that** det hadde jeg nærmest ventet.

kind [kaind] god, snill, vennlig, kjærlig; velvillig; velment; **he so — as to, be — enough to** være så vennlig; **with — regards, yours affectionately** med vennlig hilsen, din hengivne; **send one's — regards to** sende vennlig hilsen til.

kindergarten ['kindəgɑ:tn] barnehage.

kind|-hearted ['kaindhɑ:tid] godhjertet, kjærlig, vennlig. — **-heartedness** [-nis] godmodighet, godhjertethet.

kindle ['kindl] (an)tenne, sette fyr på; oppflamme; gjennomgløde; tennes, fenge.

kindliness ['kaindlinis] vennlighet, blidhet.

kindling ['kindliŋ] opptenningsved; oppnæring. — **temperature** antenningstemperatur.

kindly ['kaindli] vennlig, kjærlig; **take — to** føle en naturlig interesse for. **kindness** ['kaindnis] vennlighet, godhet; velgjerning.

kindred ['kindrid] slektskap, skyldskap, slektninger, skyldfolk; ætt; likhet; beslektet.

kine [kain] kyr. **-pox** [-pɔks] kukopper.

kinema ['kinimə] kinematograf, kino, teater.

kinematograph [kaini'mætəgrɑ:f] kinematograf, kino. **kinescope** ['kinəskəup] billedrør (på fjernsyn).

king [kiŋ] konge; dam (i damspill); **the King** Kongenes bok; **King's Bench Division** overrettens hovedavdeling; **King's Counsel** kongelig advokat, kongelige advokater (it utvalg av baristers); **cotton —, iron —** stor bomulls-, jernfabrikant; — **of diamonds, hearts** ruter-, hjerterkonge; **King's Cross** jernbanestasjon i London; **King's (Queen's) evidence** (kronvitne som tic ligere ved å angi sine medskyldige ble fri fc straff); — **(Queen's) English** standardengelsk; anerkjent språkbruk; **a — of a beggar** alt elle intet; **there spoke a —** det var kongelige ord; **God save the —** Gud bevare kongen (nasjonalsangen). **king** [kiŋ] gjøre til konge; — **it** spill konge. **kingcraft** regjeringskunst; kongelis **kingdom** ['kiŋdəm] kongedømme, kongerike. — **come** himmelen, det hinsidige. **kingly** ['kiŋl] kongelig. **kingmaker** ['kiŋmeikə] innflytelsesrik person som bringer en annen til makten. **king's cushion** ['kiŋzkuʃən] gullstol. **kingpin** kingbol styrebolt; anfører; **he is the —** of it all han er leder (el. krumtappen). **king's evil** ['kiŋz'i:və] kjertelsvakhet, skrofulose. **kingship** ['kiŋʃiŋ] kongeverdighet.

kink [kiŋk] kink (bukt på tau), krøll; grill knep, fiff; slå bukter, danne krøller på; skrul ling.

kinkajou ['kiŋkədʒu:] viklebjørn.

kinky ['kiŋki] full av bukter, tettkruset; fu av griller, sær, skrullet.

kinsfolk ['kinzfəuk] slektninger, skyldfolk. **kin ship** ['kinʃip] slektskap, skyldskap. **kinsma** ['kinzmən] slektning, frende. **kinswoman** kvin nelig slektning, frenke.

kiosk ['ki:ɔsk] kiosk.

Kipling ['kipliŋ].

kipper ['kipə] flådd røykesild; salte og røyke

Kirghiz ['kə:giz] kirgiser.

kirk [kə:k] (skotsk) kirke.

kirkman ['kə:kmən] medlem av den skotske kirke (**Kirk of Scotland**).

kirk session (skotsk) menighetsråd.

kismet ['kismet] skjebne.

kiss [kis] kysse, kysse hverandre; — **eu** dårelokk; — **of life** munn til munn metoden — **the dust** bite i graset; — **the rod** kysse riset underkaste seg en straff. **kiss** [kis] kyss. **kisse** ['kisə] kysser, trut, fjes. **kissing** ['kisiŋ] kyssing — **-me-quick** stor hatt el. kyse.

kit [kit] kar, butt, ambar, holk; greier, sake utstyr, (især soldats) utrustning, klær, vadsekk **in civilian —** sivilkledd.

kit [kit] utstyre; innrette.

kitchen ['kitʃin] kjøkken; kabyss. — **app** matreple. — **boy** kjøkkengutt.

kitchener ['kitʃənə] komfyr.

kitchenette [kitʃi'net] tekjøkken.

kitchen | garden ['kitʃin'gɑ:dən] kjøkkenhage **-maid** kjøkkenpike. — **midden** kjøkkenmødding avfallsdynge, skjelldynge. — **range** komfyr. – **stairs** kjøkkentrapp (ned fra the hall). — **step** kjellertrapp; gardintrapp. **-ware** kjøkkentøy.

kite [kait] glente; drage (leketøy); rytterveksel proformaveksel; **as the —** flies bent fram; **fly** — leke med drake; sette en drake til værs; send opp en prøveballong; **go fly a —!** ryk og rei **fly the —** ri på veksler; drive vekselrytteri **kiting transactions** vekselrytteri. **kiteflier** veksel rytter. **kite-flying** vekselrytteri.

kith [kiθ] bekjentskap; slektskap; — **and ki** slekt og venner. **kithless** ['kiθlis] frendeløs, som står alene i verden.

kitten ['kitn] kattunge; få kattunger; **have —** fly i flint, få fnatt av.

kittle ['kitl] farlig, vanskelig; kile, kildre.

kittlish ['kitliʃ] kilen; vanskelig.

kittiwake ['kitiweik] krykkje.

kitty ['kiti] kattunge; pus.

kleenex ['kli:neks] (varemerke) renseserviett, papirlommetørkle.
klaxon ['klæksn] (varemerke) bilhorn.
kleptomania [kleptə'meiniə] kleptomani. **kleptomaniae** [kleptə'meinjæk] kleptoman.
K. L. I. fk. f. **King's Light Infantry.**
Klondike eller **Klondyke** ['klɔndaik].
km fk. f. **kilometre.**
knaek [næk] nips, leketøy; ferdighet, knep, håndlag; **you must know the — of** it du må kjenne knepet: **he has no —** in him han har ikke det rette grepet; **have a — of** ha det med å, ha en egen evne til å.
knaeker ['nækə] utslitt hest; hestehandler; hesteslakter; en som kjøper gamle hus til nedriving (el. biler, skip etc. til hogging).
knag [næg] knast, knort, knute; idelig skjenne på. **knaggy** ['nægi] knortet.
knap [næp] slå, smekke; brekke, knuse, skravle; bakkekam, klett.
knapsaek ['næpsæk] ransel, skreppe, vadsekk, ryggsekk.
knar [na:] knort, kvist, knute.
knave [neiv] knekt, fil (i kortspill); slyngel, kjeltring; **he is more — than fool** han er mer slu enn en tror. **knavery** ['neiv(ə)ri] kjeltringstrek. **knavish** ['neiviʃ] kjeltringaktig, slyngelaktig. **knavishness** [-nis] kjeltringaktighet.
knead [ni:d] elte, kna deig. **-ing trough** ['ni:diŋtrɔf] deigtrau.
knee [ni:] kne; fang; kneledd; vinkel; **go on one's -s** falle på kne; **housemaid's —** betennelse i kneskjellet, vann i kneet; **in-kneed** kalvbeint; **out-kneed** hjulbeint.
knee joint ['ni:dʒɔint] kneledd.
kneel [ni:l] knele. **kneeler** ['ni:lə] knelebenk.
knee pad knebeskytter.
knee pan ['ni:'pæn] kneskjell.
knell [nel] klemting, likringing; ringe, klemte.
Knickerbocker ['nikəbəkə] new-yorker (især av gammel hollandsk familie); **knickerbocker glory** skiftevis lag av iskrem og frukt i et høyt glass. **knickerbockers** [-z], **knickers** ['nikəz] knickers, knebukser.
kniek-knaek ['niknæk] leketøy; nips.
knife [naif] kniv; **war to the — krig på kniven; erasing —** raderkniv; **play a good — and fork** spise godt; **— it!** hold opp! **-board** pussebrett; benk på taket av buss. **— -edge** knivsegg; knivskarp kant; nypresset. **— grinder** slipestein; skjærsliper. **— rest** knivbukk (til å legge kniver på for å skåne duken).
knight [nait] ridder; nå en som har rang nærmest under baronett og rett til tittelen **Sir;** springer, hest (i sjakkspill); slå til ridder, utnevne til ridder; **— of the brush** maler; skopusser; skorsteinsfeier; **— of the napkin** oppvarter; **— of the wheel** syklist; **— of the whip** kusk.
knight-errant ['nait'erənt] vandrende ridder.
knighthood ['naithud] ridderskap.
knightly ['naitli] ridderlig.
Knightsbridge ['naitsbridʒ] distrikt i London.
Knight Templar ['nait'templə] tempelherre.
knit [nit] knytte, binde, strikke; knytte sammen, forene; rynke; strikking; **— the brows** rynke brynene. **knitter** ['nitə] en som strikker. **knitting** strikking, strikketøy. **knitting needle** strikkepinne. **knitwear** trikotasje, strikkevarer.
knob [nɔb] knopp; knute; knott, dørhåndtak; slå knuter på, knope; **press the —** trykke på knappen. **knobby** ['nɔbi] knudret; knutet; knubbet, trassig.
knock [nɔk] banke, hamre, slå, dunke; kakke; **somebody -s** det banker; **— about** drive (el. reke) omkring, slenge; maltraktere, mishandle; **what -s me is** hva som forbløffer meg er; **— baek** tylle i seg; koste (om penger); **— down** slå til jorda; slå til, gi tilslag på (på en auksjon); **— off** slå av; få unnagjort. **— it off!** slutt med det der! slutt å tulle! **— over** velte; **— up** vekke ved å banke på døra; jule opp, banke; slag, støt; dunk,

banking; **— on the door** banke på døra; **there is a — at the door** det banker; **double —** kort dobbeltslag med dørhammeren; **single —** enkeltslag (av arbeidere, tjenere o. l.). **-about hat** bulehatt. **-about work** løsarbeid. **-down** demonterbar, sammenleggbar.
knockdown ['nɔkdaun] slagsmål; kraftig slag; sterk drink. **— price** minstepris.
knocker ['nɔkə] en som banker; dørhammer; **muffled —** omviklet dørhammer (til tegn på at det er en syk i huset). **knocking** ['nɔkiŋ] banking.
knock|-kneed ['nɔk'ni:d] kalvbeint. **— -off time** fritid, fyrabend; **— -out drops** bedøvende middel (i en drink).
knoll [nəul] haug; koll; fjellknaus.
knoll [nəul] ringe, klemte; ringing, klemting.
knot [nɔt] knute; løkke, sløyfe; knop, stikk; gruppe, klynge, samling; knort; kvist; ledd; klump; knop, knot, (hastigheten en nautisk mil mil (1852 m) i timen); knytte; slå knute på; forvikle; knope; rynke (brynene). **knotted** ['nɔtid] knutet, knortet. **knottiness** ['nɔtinis] knudrethet, forvikling, vanskelighet. **knotty** ['nɔti] knudret, innviklet, floket, vanskelig.
knout [naut] knutt, russisk pisk.
know [nəu] vite, kjenne, kjenne til, vite om, kjenne igjen; få vite, bli kjent med; forstå seg på; **— a person by sight** kjenne en av utseende; **come to —** få greie på; **— better** vite bedre; **there is no -ing** en kan ikke vite; **— of** kjenne til; **— a lesson** kunne en lekse. **knowable** ['nəuəbl] som kan vites. **know-all** ['nəu:ɔ:l] allvitende, person som tror han vet alt. **knower** ['nəuə] kjenner; som vet. **know-how** ['nəuhau] sakkunnskap, teknisk dyktighet, ekspertise. **knowing** ['nəuiŋ] kyndig, erfaren; gløgg; slu; **a knowing one** en kjenner. **knowingly** [-li] forstandig.
knowledge ['nɔlidʒ] kunnskap, kjennskap, erfaring; **to my —** så vidt jeg vet; **much —** mange kunnskaper; **— of** kjennskap til.
knowledgeable ['nɔlidʒəbl] velinformert, kyndig.
know-nothing ['nəunʌθiŋ] ignorant, uvitende person.
Knox [nɔks].
Knt. fk. f. **knight.**
knuckle ['nʌkl] knoke; skank (av en kalv); kjøttknoke; ledd; banke, slå med knokene. **— -bones** en slags spill el. leik med bein. **-duster** jernknoke, slåsshanske.
kobold ['kɔbəuld] nisse, dverg.
Kohinoor ['kəui'nuə] (en diamant).
kohlrabi ['kəul'ra:bi] kålrot, kålrabi.
kop [kɔp] haug, kolle, topp.
kopje ['kɔpi] = **kop.**
Koran [kɔ'ra:n, kə'ra:n, kɔ:'ra:n] the — koranen.
K. O. S. B. fk. f. **King's Own Scottish Borderers.**
kosher ['kəuʃə] koscher, (fra jødedommen om kjøtt som er rituelt behandlet); helt i orden, helt riktig, pålitelig.
kotow ['kəutau] kaste seg nesegrus (kinesisk hilsen); ligge på maven, smiske for.
K. O. Y. L. I. fk. f. **King's Own Yorkshire Light Infantry.**
K. P. fk. f. **Knight of St. Patrick.**
kraal [kra:l] kra(a)l, sørujeikansk landsby.
kraken ['kra:kən] krake (fabeldyr i sjøen).
K-ration (amr.) stridsrasjon.
kraut [kraut] tysker.
Kremlin ['kremlin] the — Kreml.
K. R. R. fk. f. **King's Royal Rifles.**
K. T. fk. f. **Knight of the Thistle.**
Kt. fk. f. **knight.**
Ku Klux Klan ['kju:'klʌks'klæn] Kukluxklan (hemmelig selskap i sørstatene med det oppr. hovedformål å holde negrene nede).
Kurd [kə:d] kurder(inne); kurdisk. **Kurdistan** [kə:dis'ta:n] Kurdistan.
Ky. fk. f. **Kentucky.**

L

L, l [el] L, l. **L.** fk. f. **libra** ɔ: pound(s) sterling, pund i penger (f. eks. £ 25).

the three L's (lead blylodd; **latitude** breddegrad; **lookout** utkik), som er av betydning for sjømannen. **L.** fk. f. **Lake; Latin; Learner** skolebil; **Left; Liberal.** l. fk. f. **large; latitude; length; litre(s);** pound(s) (penger).

l. a. fk. f. **last account** siste regning.

L. A. fk. f. **Law Agent; Los Angeles.**

laager ['lɑːgə] leir, srl. vognborg; sette vognborg.

Lab. fk. f. **Labrador, Labour (Party).**

lab [læb] fk. f. laboratorium.

labefaction [læbi'fækʃn] ødeleggelse, svekking.

label ['leibl] seddel, merkelapp, adresselapp, merke, etikett; tillegg til dokument, kodisill; stykke papir som seglet henges ved; merke; etikettere, sette merkelapp på; rubrisere; sette i bås.

labial ['leibiəl] leppe-; labial; leppelyd. **-ize** [-aiz] labialisere, runde.

labiodental ['leibiə(u)'dentl] labiodental, leppetannlyd.

laboratory [læ'bɔrətəri, 'læb(ə)rətəri] laboratorium.

laborious [lə'bɔːriəs] møysommelig; slitsom, strevsom, arbeidsom. **laboriousness** [-nis] besværlighet; arbeidsomhet.

labour ['leibə] arbeid; anstrengelse, besvær, strev, slit; fødselssmerter, fødselsveer; arbeiderne, arbeiderklassen; arbeidskraft; arbeid; streve, slite, stri med; arbeide på, bearbeide; **Labour** arbeiderpartiet; **Labor Day** (amr.) arbeidets dag (første mandag i september); **labour exchange** arbeidsanvisningskontor; — **leaders** arbeiderførere (især fagforeningsførere). — **-marked** arbeidsmarked. — **of Hercules** kjempearbeid. — **of love** kjært arbeid. **Knights of Labour** arbeidets riddere (amerikansk arbeiderforening). — **party** arbeiderparti; **hard** — tvangsarbeid; **lost** — spilte anstrengelser; — **at a thing** arbeide på noe; — **on the way** arbeide seg framover veien; — **under** lide under, ha å kjempe med; streve med; — **under difficulties** kjempe med vanskeligheter; **you** — **under a strange mistake** De befinner Dem i en merkelig misforståelse.

labourage ['leibəridʒ] arbeidspenger.

laboured ['leibəd] kunstlet, anstrengt, forseggjort, omhyggelig utarbeidet.

labourer ['leibərə] arbeider, arbeidskar; håndlanger.

labour exchange arbeidsformidling(skontor).

labourite ['leibərait] medlem av arbeiderpartiet, sosialdemokrat.

labour union fagforening.

Labrador ['læbrədɔː].

laburnum [lə'bəːnəm] gullregn.

labyrinthic ['læbirinθ] labyrint. **labyrinthic** [læbi'rinθik] labyrintisk. **labyrinthine** [læbi'rinθain] labyrintisk.

lac [læk] gummilakk; 100 000 rupier.

lace [leis] snor; lisse; tresse; distinksjoner; kniplinger, blonder; snøre; kante, sette tresser el. kniplinger på; snøre; snøre seg; blande i brennevin, sprite opp; — **into** overfalle; skjelle ut. **-d boots** snørestøvler. **-d coffee** kaffedoktor.

lace pillow ['leis'piləu] kniplingspute.

lacerate ['læsəreit] rive sund, flerre, rive opp. **laceration** [læsə'reiʃən] oppflenging; rift, flerre.

laches ['lætʃiz] forsømmelse.

lachrymal ['lækriməl] tåre-; — **duct** tåregang; — **gland** tårekjertel.

lachrymatory ['lækrimətəri] tåreflaske (fra antikke graver); — **shell** tåregassbombe.

lachrymose ['lækriməus] tårefull; begredelig; be — være en tåreperse.

lacing ['leisiŋ] snorer, snøreband, lisser; border, tresser; omgang juling.

lack [læk] mangel, skort, trang, nød; vante, mangle, lide mangel på; skorte; **there was no** — **of** det skortet ikke på; **for** — **of** av mangel på; be **-ing** in mangle.

lackadaisical [lækə'deizikl] søtlaten, affektert (overlegen, fin, sart); blasert.

lackadaisy ['lækə'deizi], **lackaday** ['lækədei] akk!

lackey ['læki] se **lacquey.**

Lackland ['læklænd], **John** — Johan uten land.

lacklustre ['læklʌstə] glansløs, matt; glansløshet, dimme.

laconic [lə'kɔnik] lakonisk; kort og fyndig.

laconically [lə'kɔnikəli] lakonisk.

lacquer ['lækə] lakkferniss, lakkering; fernissere, lakkere; lakkarbeider. **lacquerer** ['lækərə] lakkerer.

lacquey ['læki] lakei; være tjener, oppvarte.

lacrosse [lə'krɔs] lakrosse (et ballspill).

lactate ['lækteit] melkesurt salt; gi die.

lactation [læk'teiʃən] diegivning.

lacteal ['læktiəl] melke-, lymfe-; — **fever** melkefeber; — **vessel** lymfekar.

lactescent [læk'tesənt] melkaktig; som skiller ut melk.

lactic ['læktik] melke-.

lactometer [læk'tɔmitə] melkeprøver.

lactose ['læktəus] melkesukker.

lacuna [lə'kjuːnə] lakune, hull, tomrom.

lacustrine [lə'kʌstrin, lə'kʌstrain] innsjø-; — **dwelling** pælebygning.

lacy ['leisi] kniplingaktig.

lad [læd] unggutt, gutt; kjekkas; (skotsk) kjærest.

ladder ['lædə] stige; trapp; leider; raknet maske (om strømper); **companion** — kahyttstrapp. **-proof** raknefri.

laddie ['lædi] gutt, smågutt; kjæreste.

lade [leid] laste, belesse; besvære; øse.

laden ['leidn] perf. pts. av **lade**; belesset med, neddynget i.

la-di-da ['lɑːdi'dɑː] affektert person som vil spille fin; tilgjort.

lading ['leidiŋ] ladning, last; lass.

ladle ['leidl] sleiv, potageskje, øse, støpeskje; skovl (på møllehjul); øse.

ladrone ['lædrən] (skotsk) skarv, fark, fant. **ladrone** [lə'drəun] røver, tyv.

lady ['leidi] tittel for damer av en viss rang; frue; husfrue, matmor, hustru, dame; **Our Lady** vår frue, jomfru Maria; **a young** — en ung dame, frøken; **boarding school for young ladies** pensjonatskole for unge piker; **court** — hoffdame; **ladies and gentlemen** mine damer og herrer; **she is quite the** — hun er fullendt dame; **old** — **of Threadneedle Street** (spøkefullt) navn for Bank of England; — **author** forfatterinne.

lady|bird, — **bug** marifly, marihøne.

lady chair gullstol; **carry in a** — bære på gullstol.

Lady|-chapel Maria-stuke, Maria-kapell. — **Day** Maria budskapsdag, marimess (25. mars).

ladylike ['leidilaik] fin, kvinnelig, stilig. **lady-love** ['leidilʌv] kjæreste. **lady bower** fruestue, jomfrubur; klematis. **lady's companion** eller **lady-companion** selskapsdame. **lady's eardrop** fuksia. **lady's** (el. **ladies'**) **man** kavalér, damenes

Jens. **lady's mantle** marikåpe (plante). **lady's slipper** marisko. **lady's smock** engkarse.
ladyship ['leidiʃip] rang som **lady; her** L. was **present** hennes nåde var til stede.
lady's maid kammerjomfru. **lady superintendent** oversøster (på sykehus).
lag [læg] som kommer baketter, etternøler; den nederste på en skole; laveste klasse; komme baketter, nøle, slunte, ligge etter, forsinkelse, forsømt arbeid.
lag [læg] tønnestav; dekke med staver.
lag [læg] forbryter, straff-fange; fakke, knipe; sette på straffarbeid; varmeisolere.
lagan ['leigən] vrakgods (som det ligger vakt over).
lager beer ['lɑːgə'biə] el. **lager** pils, pilsnerøl.
laggard ['lægəd] lat, seig, trå, doven; etternøler.
lagging ['lægiŋ] langsom, nølende; isolering, isolasjon(smateriale).
lagoon [lə'guːn] lagune, grunn vik.
laic ['leiik] lek; lekmann.
laid [leid] imperf. og perf. pts. av **lay.** — **-up** lagt vekk; i opplag (om skip); arbeidsudyktig.
lain [lein] perf. pts. av **lie.**
lair [lɛə] leie, bol, hi; sete; havn.
laird [lɛəd] godseier, herremann (i Skottland).
laissez-faire ['leisei'fɛə] det at regjeringen ikke blander seg inn i privat foretaksomhet, kreftenes frie spill, la-skure -politikk.
laity ['leiiti] lekfolk.
lake [leik] lakkfarge.
lake [leik] sjø, innsjø, fjord, kanal; **the Lake District** sjødistriktet i Nordvest-England; — **dwelling** pælebygning. L. **poet** sjødikter, forfatter av sjøskolen. **Lake School** sjøskolen (romantisk dikterskole, hvortil hører: Wordsworth, Coleridge og Southey). **Lakist** ['leikist] dikter av sjøskolen.
lam [læm] (slang) slå, denge, jule; (amr.) stikke av.
lama ['lɑːmə] lama (prest i Tibet).
lama ['lɑːmə] lama (dyr) (ogs. **llama**).
lamb [læm] lam, lammekjøtt; lamme.
lambast [læm'bæst] **lambaste** [-'beist] denge, jule; skjenne på.
lamb chop lammekotelett.
lambent ['læmbənt] slikkende, spillende (om ild), bjart; lysende, klar (om vidd, øyne).
Lambeth ['læmbeθ] del av London; — **Palace** residens i London for erkebispen av Canterbury.
lambkin ['læmkin] ungt lam, ungdom.
lamblike ['læmlaik] lamaktig; spak.
lambskin ['læmskin] lammeskinn (med ull eller som lær); slags plysj.
lamb's lettuce vårsalat.
lamb's wool ['læmzwul] lammeull.
lame [leim] lam, halt, vanfør; skrøpelig, skral; lamme, gjøre halt; utilfredsstillende, lite overbevisende; — **in** (el. **of**) **a foot** halt; — **in** (el. **of**) **one arm** med en ubrukelig arm; **a** — **duck** hjelpeløs person; insolvent person.
lamella [lə'melə] tynt blad el. plate, skive.
lamely ['leimli] spakt, usikkert, tamt.
lameness [-nis] vanførhet; halting.
lament [lə'ment] jamre, klage, syte, beklage seg; beklage; gråte for; klage, jamring; klagesang; **lamented** avdød, salig, **lamentable** ['læmintəbl] beklagelig, ynkelig. **lamentably** ['læmintəbli] sørgelig; jammerlig. **lamentation** [læmin'teiʃən] klage. **lamenter** [lə'mentə] klager, syter.
lamina ['læminə] tynn plate, tynn hinne.
laminate ['læmineit] valse ut, kløyve i skiver. ['læminit] lagdannet; laminat. **laminated glass** splintfritt glass. **lamination** [læmi'neiʃən] utvalsing; laminering; lagdannelse.
lamish ['leimiʃ] noe halt, noe vanfør.
Lammas ['læməs] en fest for brød av den nye høst; 1. august; **at latter** — (for spøk) = aldri; **lamp** [læmp] lampe, (faststående) lykt; ex-

tinguish (put out) **a** — slokke en lampe; **light a** — tenne.
lamp|black ['læmp'blæk] kjønrøk, lampesot. — **chimney** lampeglass. — **cotton** lampeveke.
lamplight ['læmplait] lampelys, kunstig lys, kveldslys.
lamplighter ['læmplaitə] lyktetenner.
lampoon [læm'puːn] smededikt, satirisk skrift. **lampooner** [læm'puːnə] smededikter.
lamppost ['læmppəust] lyktestolpe.
lamprey ['læmpri] niøye.
lamp | shade ['læmpʃeid] lampeskjerm. — **socket** lampeholder. — **standard** lysmast, lyktestolpe. — **wick** lampeveke.
Lancashire ['læŋkəʃə].
Lancaster ['læŋkəstə].
lance [lɑːns] lanse, spyd; lansedrager; gjennombore. — **corporal** visekorporal. **lancer** ['lɑːnsə] lansenér; i plur. **the lancers** lanciers (en dans).
lancinating ['lænsineitiŋ] borende el. jagende smerte.
Lancs. fk. f. **Lancashire.**
land [lænd] land, landjord; åkerteig; land, folk, rike; jord, jordsmonn; gods; **lord of lands** jorddrott; **go by** — reise til lands; **native** — hjemland; — **of promise** det forjettede land; **see how the** — **lies** se hvorledes sakene står. **for the** —'**s sake!** himmel og hav! **land** [lænd] bringe i land, landsette; losse; sette av (en vogn); lande, havne; **landed** grunneier-, som eier grunn, grunn-; — **gentry** landadel; — **proprietor** godseier. **land agent** eiendomsmekler; gårdsbestyrer. **landbreeze** fralandsbris, landgule. **landfall** ['lændfɔːl] jordras; landkjenning. **land forces** landtropper. **landgrabber** en som krafser til seg jord på ulovlig vis; (i Irland) en som tar land etter bortjagd leilending.
land|grave ['lændgreiv] landgreve. **-gravine** ['lændgrəviːn] landgrevinne. **-holder** ['lændhəuldə] jordeier, grunneier; forpakter.
landing ['lændiŋ] landing; landgang; stø, landingsplass; trappegang, trappeavsats. — **charges** omkostninger ved ilandbringing. — **place** landgangssted; trappeavsats. — **stage** brygge. — **strip** (mindre) rullebane. — **surveyor** tolloppsynsmann.
land|lady ['lændleidi] vertinne (som leier ut værelser el. har gjestgiveri el. pensjonat). **-laws** jordlover. **-lead** råk. **-locked** ['lændlɔkt] omgitt av land. **-loper** ['lændləupə] landstryker. **-lord** ['lænlɔːd] godseier; vert (især husvert el. hotellvert). **-lordism** ['lændlɔːdizm] godseiersystemet. **-lubber** ['lændlʌbə] landkrabbe. **-mark** ['lændmɑːk] dele, grensemerke; landmerke, landkjenning; milepæl. — **mine** landmine. **-owner** grunneier, godseier. — **plaster** kalkgjødning. — **reclamation** land(inn)vinning. — **reform** fordreform. **Land|Register** tingbok; matrikkel. — **Registry** tinglysingskontor; sorenskriverkontor, byskriverkontor.
landscape ['lændskeip] landskap. — **gardening** hagearkitektur. — **painting** landskapsmaleri.
Landseer ['lænsiə].
Land's End ['lændz'end] sørvestligste odde av England, i Cornwall.
landslide ['lændslaid] jordskred, skred; (fig.) valgskred.
landsman ['lændzmən] landkrabbe.
land steward ['lænd'stjuːəd] godsforvalter.
land survey, surveying landmåling.
land tax ['lændtæks] grunnskatt.
landward ['lændwəd] mot land, land-.
lane [lein] smal vei (mellom gjerder e. l.), kjørefil, kjørefelt; geil, strede, smal gate; gang; espalier; råk; **climbing** — krabbefelt.
lang syne [læŋ'sain] (skotsk) for lenge siden.
language ['læŋgwidʒ] språk, mål, tunge; **in a** — på et språk; **finger** — fingerspråk; — **of flowers** blomsterspråk; — **qualifications** språkkunnskaper, språklige kvalifikasjoner; — **of signs** tegnspråk; **teacher of -s** språklærer; **use bad** — banne; **strong** — kraftuttrykk, eder.

languid ['læŋgwid] treg, matt, trett, slapp, blasert; flau; **trade is in a very — state** handelen er meget flau.

languish ['læŋgwiʃ] bli matt, sykne bort, dovne, slakne, sløves; smekte, vansmekte. **languishing** [-iŋ] smektende; hensyknende, hendøende. **languishment** [-mənt] matthet, slapphet; smekting. **languor** ['læŋgə] matthet, kraftløshet, vanmakt.

lank [læŋk] tynn, skrinn, mager, slank; slapp, hengslet, leålaus; matt. **lankish** ['læŋkiʃ] noe slank, hengslet, ulenkelig, noe slapp. **lankly** ['læŋkli] slunkent, slapt. **lankness** [-nis] tynnhet, magerhet. **lanky** ['læŋki] mager, tynn, skranten, skranglet, oppløpen.

lanner ['lænə] slagfalk (hunnen). **lannert** ['læ-] (hannen).

lanolin(e) ['lænəlin] lanolin, ullfett.

lansquenet ['lɑ:nskənet] landsknekt, leiesoldat.

lantern ['læntən] lanterne, lykt, fyrlykt; lyskaster; **dark —** blendlykt. **— -jawed** hulkinnet. **— slides** lysbilder. **— views** lysbilder.

lanyard ['lænjəd] taljereip; flettet fløytesnor; avtrekkersnor.

Laos [lauz, 'lɑ:ɔs]. **Laotian** [lɑ:'əuʃiən] laotisk.

lap [læp] lepje, slikke, sleike, skvulpe, skvalpe; skvalping, skval, skvip, søl.

lap [læp] flik, flak, snipp; fang, skjød; overlegning; etappe, runde. **— of the ear** øreflipp; **everything falls in her —** hun kommer sovende til alt; **in the — of luxury** i rikdommens skjød.

lap [læp] folde, brette, vikle, tulle omkring; **— over** ligge over, være brettet over. **lapdog** skjødehund. **lap-eared** med hengeører.

lapel [lə'pel] frakkeoppslag; **-led** med oppslag.

lapidary ['læpidəri] kjenner av edelsteiner; steinskjærer; lapidar, hogd i stein; kort og treffende, fyndig. **lapidify** [lə'pidifai] forsteine, forsteines.

lapis lazuli [læpis'læzjulai] lapislasuli.

Lapland ['læplænd] Lappland. **Laplander** ['læplændə] lapplending. **Lapp** [læp] lapp, finn, lappekvinne; lappisk. **lappet** ['læpit] flik, snipp, flak; brett; ørelapper. **Lappish** ['læpiʃ] lappisk.

lapse [læps] fall; feil, mistak, forsømmelse; feiltrinn; lapsus; forløp (av tid); forfall; gå gradvis av bruk; henfalle til; falle, gli; begå en feil; bli ugyldig; **— of memory** feilerindring; **a long — of time** et langt tidsrom.

lapwing ['læpwiŋ] vipe.

larboard ['lɑ:bəd] babord, babords- (nå avløst av ordet **port**).

larceener ['lɑ:sinə], **larcenist** ['lɑ:sinist] tyv. **larcenous** ['lɑ:sinəs] tyv-, tyvaktig. **larceny** ['lɑ:sni] tyveri; **petty — nasking; simple —** simpelt tyveri; **— by finding** ulovlig omgang med hittegods.

larch [lɑ:tʃ] lerketre.

lard [lɑ:d] flesk, smult; spekke, stappe. **larder** ['lɑ:də] spiskammer. **larderer** ['lɑ:dərə] proviantmester. **larding** ['lɑ:diŋ] spekking. **— bacon** stappeflesk. **— pin** spekkenål.

lardy ['lɑ:di] full av fett, smult-.

lardy-dardy ['lɑ:di'dɑ:di] affektert.

large [lɑ:dʒ] stor, bred, brei, tykk; utstrakt, vidtrekkende, vid, rommelig; raust, gjev; omfattende; tallrik; skrytende, brautende; storsinnet; **by and —** i det store og hele; **as — as life** i legemsstørrelse; **on a — scale** i stor målestokk; **be in a — way (of business)** drive forretning i stor stil; **go at —** gå fritt omkring, på frifot. **set at —** frigi; **talk at —** tale vidt og bredt; **the world at —** hele verden; **sail —** gå for en slør. **— -featured** med grove trekk. **— -hearted** edel, gjev, høysinnet. **— intestine** tykktarm. **— -limbed** sværlemmet. **largely** [-li] i stor utstrekning, overveiende. **— -minded** storsinnet, vidsynt. **largeness** [-nis] betydelig størrelse, stor utstrekning, størrelse. **large-scale** [lɑ:d͡ʒskeil] storstilet, i stor målestokk. **largess** rundhåndethet.

largish ['lɑ:dʒiʃ] stor, stor av seg.

lariat ['læriət] lasso, renneløkke; fange med lasso.

lark [lɑ:k] lerke; fange lerker; **rise with the —** ≈ stå opp med solen.

lark [lɑ:k] moro, leven; holde moro el. leven; **they were up to their -s** de var ute med sine gale streker; **wasn't that a —** var det ikke moro.

larkspur ['lɑ:kspə:] torskemunn; ridderspore.

larum ['lærəm] larmsignal; vekkerur.

larva ['lɑ:və], plur. **larvae** ['lɑ:vi] larve, åme.

laryngal [lə'riŋgl], **laryngeal** [lə'rind͡ʒiəl] strupe-. **laryngitis** [lærin'd͡ʒaitis] laryngitis, strupekatarr.

laryngoscope [lə'riŋgəskəup] strupespeil.

larynx ['læriŋks] strupehode.

lascar ['læskə] indisk sjømann.

lascivious [lə'sivjəs] lysten, vellystig; lidderlig; eggende.

laser ['leisə] fk. f. **light amplification by stimulated emission of radiation** laser; **— beam** laserstråle.

lash [læʃ] piskeslag; smekk; snert; svepe; rapp, slag; øyehår; piske; snerte; gjennomhegle; surre; **— at** lange ut etter; **— out** slå seg løs; sparke bakut. **lasher** ['læʃə] en som pisker; skyllregn. **lashing** ['læʃiŋ] piske, pisk, omgang; surring. **-s of** massevis av, i massevis.

lass [læs] pike, jente. **lassie** ['læsi] ung pike, småjente.

lassitude ['læsitju:d] utmattelse, tretthet.

lasso ['læsəu] lasso, rennesnare; fange med lasso.

last [lɑ:st] lest; **stick to one's —** bli ved sin lest.

last [lɑ:st] sist, ytterst, nest foregående, forrige; det siste; ende; **at long —** langt om lenge; **— of all** aller sist; **— but one** nest sist; **— but two** tredje sist; **our — respects** vår siste skrivelse; **—, (but) not least** sist, men ikke minst; ikke å forglemme; **— night** i går kveld; **— week** forrige uke; **the week before —** forrige uke; **— year** i fjor; **at — til** sist, endelig; **breathe one's —** dra sitt siste sukk, dø; **to the very — til** det aller siste; **this time — year** i fjor på denne tiden; **the — importance** den største viktighet; **the — thing** in siste nytt (el. skrik) i, det nyeste på et område.

last [lɑ:st] vare, vedvare, leve, holde seg; varighet, holdbarhet, utholdenhet; **he cannot — much longer** han kan ikke holde ut stort lenger.

lasting ['lɑ:stiŋ] varig; holdbar; varighet; **lasting** (slags tøy). **lastingly** [-li] varig; **lastingness** [-nis] varighet.

lastly ['lɑ:stli] endelig, til sist (i oppregning).

lat. fk. f. **latitude.**

latch [lætʃ] klinke, slå; smekklås; lukke med klinke.

latchet ['lætʃit] skoreim.

latchkey ['lætʃki:] gatedørsnøkkel, entrénøkkel; **— children** nøkkelbarn.

late [leit] sen, sein; for sen; forsinket; forhenværende; nylig; avdød, salig; **be (too) — komme** for sent; **keep — hours** bli lenge oppe, komme sent hjem; **the — Mr. N.** avdøde herr N.; **of — nylig,** for kort tid siden; **of — years** i de senere år; **it is —** klokka er mange; **sit up —** sitte lenge oppe; **sit — at dinner** sitte lenge til bords.

late-comer etternøler; nykommer.

lateen [lə'ti:n]; **— sail** latinerseil.

lately ['leitli] nylig; i den senere tid.

lateness ['leitnis] senhet, sen tid.

latency ['leitənsi] latens.

latent ['leitənt] skjult; latent, bunden.

late pass nattpermisjon, utstrakt landlov.

later ['leitə] senere, nyere; **— on** senere.

lateral ['lætərəl] side-; sideskudd, sideknopp.

laterally ['lætərəli] sidelengs.

latest ['leitist] senest, sist, nyest; **at — senest; — fashion** nyeste mote.

latex ['leitəks] latex, saft av gummitreet.

lath [lɑ:θ] lekte; forskalingsbord; slå lekter over.

lathe [leið] dreiebenk; slagbom (i vevstol); pottemakerhjul.

lather ['læːðə] skumme: såpe inn; bli skumsvett; skumming, skum; såpeskum; skumsvette.

Latin ['lætin] latin, latiner; latinsk. **Latinism** ['lætinizm] latinsk uttrykk. **Latinist** ['lætinist] latiner. **Latinity** [lə'tiniti] (korrekt) latin.

latitude ['lætitjuːd] bredde; breddegrader, polhøyde; frihet, spillerom, utstrekning. **latitudinarian** ['lætitjuːdi'nɛəriən] frisinnet, frilynt, tolerant. -ism [-izm] toleranse.

latten [lætn] messing. — **brass** messingblikk.

latter ['lætə] sist (av to), senere, nyere, sistnevnte; the — (motsatt **former**) denne, dette, disse; **the — end** slutningen. — **-day** nåtids-; **the Latter-day Saints** de siste dagers hellige, mormonene. **latterly** [-li] i den senere tid; nylig.

lattice ['lætis] gitter; forsyne med gitter; — **window** gittervindu; blyinnfattet vindu. **-d window** gittervindu; blyinnfattet vindu. **-work** gitterverk.

Latvia ['lætviə] Latvia. **Latvian** ['lætviən] latvier; latvisk.

laud [lɔːd] prise, lovprise; pris, lovprising. **laudable** ['lɔːdəbl] rosverdig; godartet. **laudanum** ['lɔːdənəm] opiumsdråper. **laudation** [lɔ'deijən] lov, pris, ros, lovprising. **laudatory** ['lɔːdətəri] lovprisende, rosende.

laugh [lɑːf] le; smile; si leende; latter; — **at** le av; le ut; — **in one's sleeve** le hemmelig, le i skjegget; — **to scorn** le ut, gjøre til latter; — **out** le av full hals; **he -s best who -s last** den som ler sist, ler best; **have the — of** triumfere over; **the — was turned against her** latteren vendte seg mot henne; **break out into a loud —** le høyt. **laughable** ['lɑːfəbl] latterlig. **laugher** ['lɑːfə] en som ler. **laughing** ['lɑːfiŋ] latter; **this is no — matter** dette er ikke noe å le av. — **gas** lystgass. **-stock** skive for latter. **laughter** ['lɑːftə] latter, munterhet. **-loving** lattermild. **-provoking** lattervekkende.

launch [lɔːn(t)ʃ, lɑːn(t)ʃ] slynge ut, kaste ut; lansere, sende ut; begynne; skyte ut, sende opp (rakett); sette på vannet, la gå av stabelen, sjøsette; utbre seg vidløftig; gå i gang med, legge i vei; avløpning; barkasse; (større) motorbåt; **the — into life** første skritt ut i livet. **launcher** ['lɔː-] utskytningsapparat, utskytningsrampe. **launching** ['lɔːn(t)ʃiŋ, 'lɑːn(t)ʃiŋ] utskytning; avløpning. — **pad** utskytningsrampe, startrampe. — **site** utskytningsbase.

launder ['lɔːndə] vaske (og rulle el. stryke). **laundress** ['lɔːndris] vaskekone. **launderette** [lɔːndə'ret] vaskeriautomat, selvbetjeningsvaskeri. **laundry** ['lɔːndri] vask, vasking; vaskeri. **-man** vasker. **-works** vaskeri.

laureate ['lɔːriit] laurbærkronet el. -kranset; kronet; krone, kranse med laurbær; tildele grad ved universitet; utnevne til hoffdikter; **poet —** hoffdikter. **-ship** stilling som hoffdikter.

laurel ['lɔrəl] laurbær, laurbærtre; krone med laurbær; **gain -s** høste laurbær. — **wreath** laurbærkrans.

lava [lɑːvə] lava. **lavabo** [lə'veibəu] håndvask (i kirke el. kloster); vaskefat.

lavaret ['lævərət] sik (fisk).

lavatory ['lævətəri] toalett, W. C., do, vaskerom.

lavement ['leivmənt] utskylling.

lavender ['lævəndə] lavendel; lavendelfarget; parfymere med lavendel; **lay up in —** legge bort (tøy) med lavendel; gjemme omhyggelig.

lavish ['læviʃ] ødsel; raust; råflott, overdådig, rundhåndet; ødsle med, sløse med. **lavishly** ['læviʃli] med ødsel hånd. **lavishment** ['læviʃmənt] sløsing. **lavishness** [-nis] ødselhet, sløseri.

law [lɔː] jøss!

law [lɔː] lov, lovsamling, rett, prosess; retts-

vitenskap, jus; **-s catch flies but let hornets go free** ≈ de små tyvene henger man, de store lar man gå; **necessity has no —** nød bryter alle lover; **be at —** føre prosess; **go to the —** studere jus; **go to — with** anlegge sak, anklage; **have the — of** anklage; **civil —** sivilrett; **ten minutes — ti** minutters forsprang; **give — to a person** gi en en frist; **in —** etter loven, lovformelig; keep **within the —** holde seg innen lovens ramme, følge loven; **lay down the —** uttale seg autoritativt; gi klar beskjed. **law|-abiding** ['lɔːəbaidiŋ] lovlydig. **-agent** (skotsk) sakfører, prokurator. **-breaker** lovovertreder. — **court** rettslokale, i plur.: justisbygning. **lawful** ['lɔːf(u)l] lovlig, rettmessig; **reach — age** bli myndig. **lawfully** ['lɔːfuli] lovlig. **lawfulness** ['lɔːf(u)lnis] lovlighet, rettmessighet.

law giver ['lɔːgivə] lovgiver.

lawless ['lɔːlis] ulovlig; lovløs.

law | lord ['lɔːlɔːd] juridisk kyndig medlem av overhuset. **-maker** lovgiver.

law merchant handelslovgivning, handelsrett.

lawn [lɔːn] lawn (en slags fint lerret), lawnermer (på biskops ornat), bispeembete.

lawn [lɔːn] åpen gressflekk i skogen; gressplen. — **mower** plenklipper (maskin).

lawn sleeves ['lɔːnsliːvz] lawnermer, bispeembete.

lawn sprinkler ['lɔːn'spriŋklə] plenvanner, spreder.

lawn swing hammock, hengesofa.

lawn tennis ['lɔːn'tenis] lawntennis.

lawny ['lɔːni] jevn, jamn, plenaktig.

law office (amr.) advokatkontor.

law suit ['lɔːsjuːt] prosess, rettssak, søksmål.

lawyer ['lɔːjə] jurist, sakfører, advokat.

lax [læks] løs, slapp, slakk. **laxative** ['læksətiv] avførende; avførende middel. **laxity** ['læksiti] slapphet, slumt. **laxness** [-nis] slapphet.

lay [lei] legge, sette, stille; legge i bakken, få til å legge seg; dempe; døyve; — **the table, —** **the cloth** dekke bordet; **I'll — ten to one** jeg holder 10 mot 1; — **about one** slå om seg; — **aside** legge til side, legge av; — **the blame on** legge skylden på; — **by** legge bort; legge opp; — **down the law** legge ut, forklare loven; — **in** forsyne **seg** med, ta inn, hauge opp, samle; — **off** avlegge; legge fra land; holde seg unna, la være med; — **on** legge på, legge inn, anlegge; **slå, banke**; — **out** legge fram; legge ut; anlegge; legge på likstrå; slå i bakken, slå flat; gi ut (penger); — **up** legge opp, samle; stenge inne, tvinge til å holde sengen.

lay [lei] imperf. av **lie** i betydningen «ligge».

lay [lei] lag; retning, stilling; lott; lur, søvn; fag, spesialitet; arbeid, jobb, yrke.

lay [lei] sang, kvad, dikt, vise.

lay [lei] lek, ulærd; lekmanns-; — **habit** verdslig drakt; — **lords** ikke-juridiske lorder i parlamentet; — **brother** lekbror.

lay-by møteplass, parkeringsfil.

lay-day ['leidei] liggedage.

layer ['leiə] en som legger; verpehøne; deltager i veddemål.

layer ['leiə] lag, stratum, leie, flo; avlegger.

layette [lei'et] babyutstyr (komplett sett).

lay figure ['leifigə] trefigur med bevegelige ledd til å henge draperier på; stråmann, nikkedokke, marionett.

layman ['leimən] lekmann.

lay-off avskjedigelse, permittering av arbeidere; pause, stille periode.

layout ['leiaut] anlegg, plan, innretning; oppsetning, utstyr, (bok)tilrettelegging, satsskisse, uttegning.

layover opphold, stans (underveis).

lazar ['læzə] spedalsk.

lazaretto [læzə'retəu] lasarett.

Lazarus ['læzərəs].

laze [leiz] late seg, dovne seg. **lazily** ['leizili] dovent. **laziness** ['leizinis] dovenskap.

lazuli ['læzjulai] lasurstein.

lazy ['leizi] doven, lat. -bones dovenpels, lathans. — tongs gripetang (innretning av siksaktenger til å nå fjerne ting med).

lazzarone [læzə'rəuni] lasaron.

lb. [paund] fk. f. libra pund.

lbs. [paundz] plur. av lb.

L. B. J., LBJ fk. f. Lyndon Baines Johnson.

L. C. C. ['el si:'si:] fk. f. London County Council.

L. C. J. fk. f. Lord Chief Justice.

L. C. M. fk. f. lowest common multiple.

L.-Cpl. fk. f. lance corporal.

Ld. fk. f. Lord; limited.

Ldp. fk. f. Lordship.

L. D. S. fk. f. Licentiate in Dental Surgery.

lea [li:] eng, mark, voll, slette.

leach [li:tʃ] væte, fukte; filtrere; utvaske, utlute; barkekar, lutekar.

lead [led] bly; blylodd; blysøkke; grafitt, blyantstift; tekke, overtrekke med bly.

lead [li:d] føre, lede, anføre; spille ut (i kortspill); ha utspillet, munne ut; gå foran; — astray føre vill, forlede; — by the hand lede, føre ved hånden; — up the garden path ta ved nesen, lure; — the way gå først; — a life føre (leve) et liv.

lead [li:d] forrang, forsprang; forhånd; førelse; ledelse; hovedrolle; anførsel, rettledning; råk.

leaded ['ledid] blyinnfattet, blykledd, blytekt.

leaden ['ledn] bly-, blygrå, blytung.

leader ['li:də] fører, anfører; lederartikkel.

leaderette [li:də'ret] kort lederartikkel.

leadership ['li:dəʃip] lederskap, førerskap, ledelse.

lead-in ['li:din] innføring, innledning.

leading ['li:diŋ] ledende, førende, herskende; hoved-, viktigste; — article leder (i avis); — fashion herskende mote; — hand forhånd; — lady primadonna; — man første elsker; — motive ledemotiv; — part hovedrolle; — question suggestivt spørsmål, hvorved man søker å fremkalle et bestemt ønsket svar; brennende spørsmål.

leading ['lediŋ] blykledning, blyovertrekk, blyinnfatning.

leading | screw ['li:diŋskru:] ledeskrue (i dreiebenk). — strings ledebånd.

lead pencil ['led'pensil] blyant.

lead poisoning blyforgiftning.

leadsman ['ledzmən] loddkaster.

leaf [li:f] blad, løv; blad (i en bok); fløy, dørfløy; klaff, bordlem; a — out of the same book alen av samme stykke; take a — out of his book etterligne ham; turn over a new — ta skjeen i en annen hånd, begynne et nytt og bedre liv; fall of the — løvfall. leaf [li:f] få blad; springe ut.

leafage ['li:fidʒ] løv, lauv, løvverk, blad. leafiness ['li:finis] løvrikdom. leafing ['lifiŋ] løvsprett. leafless ['liflis] bladløs. leaflet ['li:flit] lite blad; piece; brosjyre; seddel.

leafy ['li:fi] bladrik, bladlignende; løvkledd.

league [li:g] mil; 3 engelske sjømil.

league [li:g] forbund, liga; inngå i forbund, slå seg sammen; forene; L. of Nations Folkeforbundet.

leaguer ['li:gə] forbundsmedlem.

leak [li:k] lekk; lekkasje; indiskresjon; lekke, være lekk; spring a — springe lekk; — out sive ut, bli kjent.

leakage ['li:kidʒ] lekk; lekkasje; svinn.

leak current overledning, lekkasjestrøm.

leaky ['li:ki] lekk, utett; sladderaktig.

leal [li:l] trofast, ærlig.

lean [li:n] lene, lene seg; støtte, helle; tendere mot.

lean [li:n] mager, tynn, tørr, skrinn; det magre; you must take the — with the fat ≈ man må ta det onde med det gode.

leaning ['li:niŋ] tendens, tilbøyelighet; sympati; hellende; the Leaning Tower of Pisa det skjeve tårn i Piza.

leanness ['li:nnis] magerhet.

leant [lent] imperf. og perf. pts. av lean.

leap [li:p] springe, bykse, hoppe; sprang; — at an excuse gripe en unnskyldning begjærlig; by -s and bounds med forbausende hurtighet, med rasende fart.

leapfrog ['li:pfrəg] det å hoppe bukk; øke sprangvis; play — hoppe bukk.

leapt [lept] imperf. og perf. pts. av leap (ogs. leaped).

leap year ['li:pjə:] skuddår; — proposal en dames frieri til en mann.

learn [lə:n] lære, få vite, få greie på, erfare, høre; — from lære av, ta lærdom av. learned ['lə:nid] kyndig, lærd; the — de lærde. learner ['lə:nə] lærling, elev; to be a slow (quick) — ha tungt (lett) for å lære; — car skolebil. learning ['lə:niŋ] lærdom, erfaring, kyndighet.

lease [li:z] sanke aks.

lease [li:s] leie, forpaktning, bygsel, feste; leiekontrakt, bygselbrev; forpaktningstid; frist; a long — på langt åremål; — for life leie for livet; take a new — of life forynges, gi (få) nytt livsmot.

lease [li:s] leie bort, bygsle bort, forpakte, feste.

leasehold ['li:should] bygsel, feste; leid, forpaktet. leaseholder leier, forpakter, bygselmann.

leash [li:ʃ] koppel; reim, line, snor; lisse; tre stykker (av jakthunder, harer osv.); binde sammen; hold in — beherske; holde i tømme.

least [li:st] minst, ringest; at — i det minste; not in the — ikke det aller minste, aldri det grann; to say the — of it mildest talt; — said soonest mended jo mindre det sies om det, dess bedre.

leastways ['li:stweiz] i det minste.

leather ['leðə] lær, huder, skinn; kle med lær; jule, denge, peise. -dresser fellbereder. -head dumrian. leatherette [leðə'ret] kunstlær, imitert lær. leathern ['leðən] av lær; lær-. leatherneck ['leðənek] marineinfanterist. leathery ['leðəri] læraktig, seig (som lær).

leave [li:v] lov, tillatelse; permisjon; frihet; avskjed; be on — være fri, ha permisjon; — ashore landlov; sick — sykepermisjon; ask — be om lov; take — of si farvel til.

leave [li:v] forlate, etterlate, gå fra, glemme igjen, la ligge, la være; utsette; overlate; opphøre, holde opp; forlate et sted, reise bort; (i biljard) den stilling som en spiller etterlater kulene i; — much to be desired la mye tilbake å ønske, være langt fra fullkommen; six from seven -s one seks fra sju er én; — alone la være (i fred); he was nicely left stå igjen med skjegget i postkassen, narret; — behind etterlate seg; ha etter seg; legge tilbake etter seg; glemme (igjen); he left off smoking han vente seg av med å røyke, han sluttet å røyke; — out utelate; forbigå; — for reise til.

leaved [li:vd] med blad, -bladet. — door fløydør.

leaven [levn] surdeig; syre; gjennomsyre.

leaves [li:vz] plur. av leaf.

leave-taking ['li:vteikiŋ] avskjed, farvel.

leaving | certificate avgangsbevis; vitnemål. — examination avgangseksamen.

leavings ['li:viŋz] levninger, rester.

Lebanon ['lebənən] Libanon. Lebanese [lebə'ni:z] libaneser; libanesisk.

lecher ['letʃə] vellysting. lecherous ['letʃərəs] utuktig; vellystig; lidderlig. lechery ['letʃəri] utukt, lidderlighet, vellyst.

lectern ['lektən] lesepult, pult, kateter, talerstol.

lection ['lekʃən] lektie (forelest stykke av Bibelen).

lecture ['lektʃə] foredrag, forelesning; lekse, tekst, straffepreken; holde forelesning; holde straffepreken. — list forelesningskatalog. lecturer ['lektʃərə] foredragsholder, lektor; dosent; hjelpeprest. lectureship ['lektʃəʃip] lektorat; dosentur; stilling som hjelpeprest.

led [led] impf. og perf. pts. av **lead.**
ledge [ledʒ] kant, fremspring, avsats, hylle; rand; klippeavsats, bergskår.
ledger ['ledʒə] hovedbok. — **line** bilinje, hjelpelinje.
lee [li:] ly, le, livd; **under the** — **of** i le av; **on the** — **beam** tvers i le.
leech [li:tʃ] igle; blodsuger; (gammelt) lege; sette igler på; **sticks like a** — suger seg fast som en igle, er ikke til å riste av.
Leeds [li:dz].
leek [li:k] purre(løk); **eat the** — ete i seg, bite i seg en fornærmelse.
leer [liə] sideblikk, (ondt el. uanstendig) øyekast, skjele el. gløtte (ondskapsfullt el. uanstendig; **at** til), skotte; kope, måpe.
leery ['liəri] gløgg, ful, slu.
lees [li:z] berme; bunnfall av vin; **drain to the** — tømme til siste dråpen.
leeward ['ljuəd, 'li:wəd] le; i le.
leeway ['li:wei] avdrift; spillerom, tid.
left [left] venstre; **to the** — til venstre; **right and** — til høyre og venstre. — **-handed** keivhendt, klosset, tvilsom, venstrehånds-.
left [left] forlatt, latt tilbake (imperf. og perf. part. av **leave**); **to be** — **till called for** til avhenting, poste restante.
left|ish venstreorientert. **-ist** venstrepolitiker.
left-luggage office (reisegods)oppbevaring.
left-overs levninger, (mat)rester.
left wing venstre fløy.
leg [leg] ben, bein, lår; sauelår; baut; ramme i beinet; **he is all -s** det er bare ben på hele gutten; **fetch a very long** — ta en stor omvei; **fall on his -s** komme ned på beina; slippe heldig fra det; **pull one's** — holde en for narr, drive gjøn med; — **it** bruke bena. ta bena fatt; **take to one's -s** ta bena på nakken.
legacy ['legəsi] legat, gave, arv. — **hunter** arvejeger.
legal ['li:gəl] lovlig, rettsgyldig, rettmessig, lovfestet; lovbestemt. — **adviser** juridisk rådgiver, advokat; — **aid** fri rettshjelp; — **force** rettskraft, lovs kraft; — **tender** lovlig betalingsmiddel. **legality** [li'gæliti] lovgyldighet. **legalization** [li:gəlai'zeiʃən] legalisering. **legalize** ['li:gəlaiz] legalisere, gjøre lovgyldig. **legally** ['li:gəli] lovgyldig, i samsvar med loven.
legate ['legit] legat, sendebud, sendemann, utsending. **legatee** [legə'ti:] arving. **legateship** ['legitʃip] legatpost. **legation** [li'geiʃən] sending, misjon; sendebud; legasjon; gesandtskapsbolig. **legator** [li'geitə] testator.
legend ['ledʒənd] legende, sagn, overlevering, fabel, myte; tegnforklaring; innskrift, inskripsjon; **the** — **says; it is in the** — sagnet forteller. **legendary** ['ledʒəndəri] fabelaktig, legendarisk, sagnaktig; legendesamling.
leger ['ledʒə] hovedbok.
legerdemain [ledʒədə'mein] taskenspillerkunst; jugl; knep.
legged [legd] -beint (i smstn.).
legging ['legiŋ] legging; lang gamasje.
legginettes [-'nets] overtrekksbukser (til småbarn), gamasjebukser.
leggy ['legi] langbeint, pipestilker; stolprende.
Leghorn ['leg'hɔ:n] Livorno.
legibility [ledʒi'biliti] leselighet.
legible ['ledʒibl] leselig, tydelig.
legion ['li:dʒən] legion; mengde; **their name is** — deres tall er legio; **foreign** — fremmedlegion (avdeling av fremmede frivillige i moderne hær); **the L. of Honour** æreslegionen.
legionary ['li:dʒənəri] legionær, legions-.
legislate ['ledʒisleit] gi lover. **legislation** [ledʒis'leiʃən] lovgivning. **legislative** ['ledʒisleitiv] lovgivende. **legislator** ['ledʒisleitə] lovgiver. **legislature** ['ledʒisleitʃə] lovgivningsmakt.
legist ['li:dʒist] lovkyndig.
legitimacy [li'dʒitiməsi] legitimitet; rettmessighet; ektefødsel; ekthet; berettigelse.

legitimate [li'dʒitimit] rettmessig; lovlig; ektefødt; berettiget.
legitimate [li'dʒitimeit] gjøre lovlig, erklære ekte.
legitimation [lidʒiti'meiʃən] legitimasjon, gyldighetserklæring, forsvar, rettferdiggjøring.
leguminous [le'gju:minəs] belg-; — **plants** belgplanter.
Leicester ['lestə].
Leics. fk. f. Leicestershire.
Leighton ['leitən].
Leinster ['lenstə].
leister ['li:stə] lyster; lystre (for å fange fisk).
leisure ['leʒə] fritid, tid, leilighet, ro; **be at** — ha tid; **at his** — når han får tid; — **hour** ledig stund; — **time** fritid. **leisured** ['leʒəd] som har god tid, makelig, rolig; økonomisk uavhengig. **leisurely** ['leʒəli] makelig; i ro og mak.
Leith [li:θ].
leman ['lemən] elsker(inne).
lemma ['lemə] logisk premiss, hjelpesetning; emne; devise; note; glose.
lemming ['lemiŋ] lemen.
lemon ['lemən] sitron; gjenstand el. produkt som er behæftet med mange feil, men som kan se fin ut; sitrongul.
lemonade [lemə'neid] limonade, brus.
lemon|-coloured ['lemənkʌləd] sitrongul. — **drop** sitrondrops. — **juice** sitronsaft. — **peel** sitronskall. — **sole** ising, sandflyndre. — **squash** lemonsquash, presset sitron med sukker og vann. — **squeezer** sitronpresser.
lemony ['leməni] sitronaktig (farge el. smak).
lemur ['li:mə] lemur, maki (slags halvape).
lend [lend] låne ut, låne til; — **an ear** låne øre; — **a hand** el. — **a helping hand** hjelpe, støtte, rekke en hjelpende hånd; — **oneself to** vie seg til; egne seg for. **lender** ['lendə] långiver; **money** — pengeutlåner. **lending** ['lendiŋ] lån; — **library** leiebibliotek. **the Lend-Lease Act** Låne- og leieloven.
length [leŋθ] lengde, strekning, varighet; **at** — i hele sin lengde; utførlig, omsider; langt om lenge; **at full** — i legemsstørrelse; **at great** — meget utførlig, uttømmende, inngående; **ten feet in** — 10 fot i lengden; **win by three -s** vinne med tre hestelengder; **go the** — **of saying** gå så vidt at man sier; **she gave him the** — **of her tongue** hun gav ham ordentlig inn; **I cannot go that** — **with you** jeg kan ikke være enig med deg i det; **go the whole** — ta skrittet fullt ut; **for some** — **of time** i lengre tid; **throughout its** — i hele sin lengde.
lengthen ['leŋθən] forlenge, utvide; bli lengre; **lengthened** ['leŋθnd] lengre, langvarig.
lengthways ['leŋθweiz], **lengthwise** [-waiz] på langs; — **and crosswise** på langs og på tvers.
lengthy ['leŋθi] vidløftig, langdryg, langtrukken, omstendelig.
lenience, leniency ['li:njənsi] mildhet, lemfeldighet. **lenient** ['li:njənt] formildende, mild; lemfeldig, skånsom.
Leningrad ['leningrɑ:d].
lenity ['leniti] mildhet, lemfeldighet.
lens [lenz] linse; **burning** — brennglass. — **aperture** objektivåpning. — **attachment** forsatslinse. — **cap** linsebeskytter, objektivlokk.
Lent [lent] faste, fastetid.
Lenten ['lentən] faste-; — **fare** tarvelig kost.
lenticular [-'tikjulə] linseformet, linse-.
lentil ['lentil] linse (frukt).
Leo ['li:əu]; stjernebildet Løven.
Leonard ['lenəd].
leonine ['li:ən(a)in] løve-, løveaktig.
leopard ['lepəd] leopard.
leper ['lepə] spedalsk. **lepered** ['lepəd] spedalsk. **leprosy** ['leprəsi] spedalskhet. **leprous** ['leprəs] spedalsk.
Lerwick ['lə:wik, 'lerik; på stedet 'lerwik] by på Shetlandsøyene.

Lesbian ['lezbiən] lesbisk; lesbisk kvinne.
lese-majesty ['li:z'mædʒisti] majestetsforbrytelse; høyforræderi.
lesion ['li:ʒən] skade, lesjon.
less [les] mindre, ringere; minus; **none the —** ikke desto mindre; **no — than £ 100** hele 100 pund. **not — than £ 100** minst 100 pund. **-less** (suffiks) -løs, uten; eks. **moneyless** uten penger.
lessee [le'si:] leier, forpakter, leilending.
lessen ['lesn] forminske, nedsette; minke, avta, redusere, bli svakere.
lesser ['lesə] mindre, ringere; **the — evils of life** livets små ubehageligheter; **the — prophets** de små profeter.
lesson ['lesn] lektie; bibelstykke; lekse; leksjon; lærdom, undervisningstime, time; irettesetting, lærepenge, skjennepreken; undervise, belære; lese teksten; **take lessons from** (el. **of** el. **with**) **somebody** ta timer hos en, lære av.
lessor [le'sɔ:, 'le'sɔ:] jorddrott, grunneier; utleier, bortforpakter.
lest [lest] for at ikke, for at (etter fryktsverber).
-let [-lit] diminutivending, liten, små- (**piglet**).
let [let] hindring, hinder, hefte; (gammelt) hindre; **without — or hindrance** uten minste hindring.
let [let] la (tillate, bevirke); forpakte bort, leie ut, sette bort; **apartments to (be) —** værelser til leie; **— alone** la være i fred; oppgi, utelate; ikke tale om; for ikke å tale om: **— by** slippe forbi; **— down** senke ned, fire ned; la slippe; svikte, skuffe, la i stikken; **— him down as easily as you can** døm ham så mildt som mulig; **— fly at** slå løs på; gå løs på; **— go** slippe løs, la gå; slippe tanken på; **— on** sladre, røpe, innrømme; **— in** lukke inn; snyte, la i stikken; **— into a secret** innvie i en hemmelighet; **— loose** løslate; slippe løs; **— off** la slippe fra det, slippe løs; fyre av; **— out** lukke ut; rope; **he — it all out** han røpet alt; **he knew what rents the houses — at** han visste til hvilke priser husene ble utleid.
letdown ['letdaun] nedsettelse av tempoet; tilbakegang, nedgang.
lethal ['li:θəl] dødelig; dødbringende.
lethargic [li'θɑːdʒik] døsig; tung; sovesyk; dvalelignende. **lethargy** ['leθədʒi] sovesyke; døsighet; dvale; apati.
Lethe ['li:θi]; (fig.) glemsel; død.
let-off kalas, fest; det å forspille en sjanse.
Lett [let] latvier, letter.
letter ['letə] utleier.
letter ['letə] bokstav; brev, skriv; skrift; **-s** vitenskap, litteratur. **letter** forsyne med bokstaver; sette tittel på ryggen av en bok; **to the —** bokstavelig, til punkt og prikke; **— of credit** kreditiv; **man of -s** litterat, lærd; **the world of -s** den litterære verden. **— bag** brevsekk. **— book** kopibok, korrespondansemappe. **— box** brevkasse, postkasse. **— card** brevkort. **— carrier** brevbud. **— case** brevmappe.
lettered ['letəd] merkt, med ryggtittel; boklærd, litterær.
letter|file brevordner. **— packet** brevsending. **— paper** brevpapir. **— -perfect** sikker i sin rolle. **— postage** prevporto. **— press** kopipresse.
letterpress ['letəpres] trykte ord, tekst.
letter | weight brevpresse, brevholder; brevvekt. **— writer** brevskriver, brevbok.
Lettish ['letiʃ] latvisk, lettisk.
lettuce ['letis] salat (planten).
let-up, letup stans, opphold, (hvile)pause.
leuk(a)emia [lju'ki:miə] leukemi.
levant [li'vænt] stikke av, fordufte.
Levant [li'vænt] Østen, Levanten.
levee ['levi] kur, morgenoppvartning.
levee ['levi] kai; landingssted; demning, dam; floddike.
level ['levl] jevn, jamn, like, flat, vannrett; jevngod, jamgod, jevnhøy, jevnstilt; planere, jevne, jamne, jevne med jorda, rette mot, sikte, legge an på; plan, vannrett linje; nivå; volum,

lydstyrke; lik; monoton flate, slette; jevnhøyde; siktelinje; vaterpass; **one — teaspoonful** en strøket teskje; **do one's — best** gjøre sitt aller beste; **— against** el. **at** sikte på; **above the —** **of the sea** over havet; **on a —** **with** på høyde med. **— crossing** planovergang.
level-headed ['levlhedid] sindig, stø, vettig.
leveller ['levlə] planerer, nivellør. **levelling** ['levliŋ] planering, utjevning, utjamning.
lever ['li:və] vektstang; brekkjern, håndspak, handspik; pinsebein; løftestang; håndtak. **lever** ['li:və] løfte. **— watch** ankergangsur.
leviable ['levjəbl] som kan utskrives, som kan beskattes.
leviathan [li'vaiəθən] leviatan, uhyre.
levigate ['levigeit] pulverisere; blande grundig; polere, pusse.
levitate ['leviteit] lette, løfte; løfte seg. **levitation** [levi'teiʃən] letting, løfting; (spiritistisk) det å sveve bort.
Levite ['li:vait] levitt.
Leviticus [li'vitikəs] Tredje Mosebok.
levity ['leviti] letthet; flyktighet; lettsindighet, lettsinn, overfladiskhet; munterhet.
levy ['levi] pålegge; reise (en hær); utskrive (skatter el. soldater); oppkreve (avgifter); oppbud, reisning, utskrivning; oppkreving; **— in** **mass** alminnelig mobilisering, masseutkalling.
lewd [l(j)u:d] utuktig, stygg, grisete. **lewdness** [-nis] utuktighet; utsvevelse.
Lewis ['l(j)u:is].
lexical ['leksikl] leksikalsk, ordboks-.
lexicographer [leksi'kɔgrəfə] ordboksforfatter; **the Great L.** om dr. Samuel Johnson. **lexicon** ['leksikən] leksikon, ordbok (mest om gresk, hebraisk, syrisk el. arabisk, ellers brukes **dictionary**).
Leyden ['leidn]; **— jar** leydenerflaske.
L. F. fk. f. **low frequency.**
L. G. fk. f. **Low German; Life Guards.**
L. G. B. fk. f. **Local-Government Board.**
L. I. fk. f. **Light Infantry.**
liability [laiə'biliti] ansvarlighet, skyld, ansvar; utsatthet; ulempe, belastning (fig.), hemsko; tilbøyelighet; forpliktelse; **criminal — straffeansvar; assets and liabilities** aktiva og passiva. **— insurance** ansvarsforsikring. **liabilities** forpliktelser; passiver, gjeld.
liable ['laiəbl] ansvarlig, bunden, forpliktet; skyldig; utsatt for; tilbøyelig; **— to duty** tollpliktig.
liaise [li'eiz] være el. tjenstgjøre som forbindelsesoffiser.
liaison [li'eizən, li'eizɔ:(ŋ)] illegitimt forhold; samband, samarbeid, overføring (av konsonant til ord som begynner med vokal); **— officer** forbindelsesoffiser, sambandsoffiser.
liana [li'ɑ:nə] lian.
liar ['laiə] løgner, løgnerske.
Lib. fk. f. **Liberal; Liberia.**
libation [lai'beiʃən] drikkoffer.
libber ['libə] nyfeminist.
libel ['laibl] æreskrenkelse, injurier, bakvaskelse, smedeskrift, nidskrift; klageskrift; skrive smedeskrift; injuriere; innstevne. **— action** injuriesøksmål.
liberal ['lib(ə)rəl] fribåren, frisinnet; frilynt; edel; gjev, gavmild, raus, rundhåndet; liberal, demokrat, venstremann; **the — arts** de frie (skjønne) kunster; **— education** allmenndannelse; **L.** Unionists de som i 1886 skilte seg ut fra det liberale parti i Homerulepolitikken («frisinnede unionsvenner»).
liberalism ['lib(ə)rəlizm] frisinn, liberalisme.
liberality [libə'ræliti] gavmildhet; frisinnethet; fordomsfrihet. **liberalize** ['lib(ə)rəlaiz] frigjøre; liberalisere; gjøre frilynt. **liberate** ['libəreit] frigi, sette i frihet. **liberation** [libə'reiʃən] frigivelse, befrielse. **liberationist** [libə'reiʃənist] tilhenger av statskirkens opphevelse. **liberator** ['libəreitə] befrier. **liberee** [-'ri] befridd krigsfange.

Liberia [lai'biəriə]; **Liberian** liberier, liberiansk.

libertarian [libə'tɛəriən] (en) som tror på den fri vilje; tilhenger av frihetsprinsippet.

libertine ['libətain] fri, tøylesløs, utsvevende; frigiven; utsvevende menneske, vellysting, libertiner. **libertinism** ['libətinizm] ryggesløshet.

liberty ['libəti] frihet, privilegium; **at** — fri, ledig; **på frifot; take the** — **to** ta seg den frihet å; — **of speech** talefrihet. — **day** fridag. — **man** landlovgast.

Liberty's ['libətiz] (forretning i London).

libidinous [li'bidinəs] vellystig, lidderlig.

Lib-Lab fk. f. **Liberal-Labour**.

libra ['laibrə] pund; pund sterling (£); skålpund (lb).

librarian [lai'brɛəriən] bibliotekar; **assistant** — underbibliotekar, bibliotekassistent.

library ['laibrəri] bibliotek, boksamling, lesesal, arkiv, platesamling; lesesalong (undertiden: herreværelse); **circulating** — leiebibliotek.

librate ['laibreit] veie, holde i likevekt; balansere, sveve. **libration** [lai'breiʃən] veiing; likevekt, balansering.

libretto [li'bretəu] liten bok; operatekst.

lice [lais] lus (pl. av **louse**).

licence, license ['laisəns] bevilling, tillatelse, løyve; skjenkerett, rett, samtykke; kjørekort, førerkort, sertifikat, lisens; frihet, tøylesløshet; autorisere, gi bevilling til; gi løyve til; tillate, tåle; **marriage** — kongebrev; — **plate** registreringsnummer, nummerskilt; **letter of** — tillatelse av kreditorer til å fortsette en forretning, akkord; — **to practise medicine** licentia practicandi, tillatelse til å praktisere som lege. **licensed** ['laisənst] autorisert, privilegert, med skjenkerett. **licensee** [laisən'si:] innehaver av et privilegium, en som har løyve. **licenser** ['laisənsə] utsteder av et privilegium, en som gir løyve. **licentiate** [lai-'senʃiit] licentiat; autorisert utøver av en virksomhet.

licentious [lai'senʃ(i)əs] fri, frekk, tøylesløs; uanstendig, lidderlig. **licentiousness** [-nis] tøyles løshet.

lichen ['laikən] lav; ringorm.

licit ['lisit] lovlig, tillatt.

lick [lik] slikke, slikke på; vinne over (i sport); smiske, sleske for; pryle, smøre opp, banke; slikk; anelse, grann (om mengde); slag; — **the dust** bite i gresset; **it -s me** det går over min forstand; **give it a** — **and a promise** kattevask, fare over med en harelabb.

licker ['likə] slikker; **that's a** — **to me** det går over min forstand.

lickerish ['likəriʃ] kresen; fristende, lekker.

licking ['likiŋ] slikking; juling.

licking stone saltstein.

lickspittle ['lik'spitl] spyttslikker.

licorice ['likəris] lakris.

lictor ['liktə] liktor.

lid [lid] lokk; deksel; øyelokk; **put the** — **on** sette en stopper for; sette prikken over i-en. **-less** [-lis] udekt; uten øyelokk.

lie [lai] løgn, usannhet, skrøne; lyve; — **with a hatchet** lyve åpenlyst; **white** — nødløgn; **give the** — **to** gjøre til løgner; fornekte; **tell -s** lyve.

lie [lai] ligge; **how -s the land?** hvordan står sakene?; **her talents do not** — **that way** hennes anlegg går ikke i den retning; — **about** ligge og flyte; **the choice -s between** valget står mellom; — **by** ligge unyttet, hvile, være vanfør, være i nærheten; — **down** legge seg (ned); legge seg; **take something lying down** finne seg i noe uten å kny; — **in** ligge i barselseng; ligge lenge om morgenen; — **low** ligge syk; holde seg skjult; — **off** ta en pause; holde seg unna; — **over** ikke bli honorert ved forfall (veksler); stå hen; utsettes; — **to** ligge bi (om skip); — **up** gå til sengs, holde seg inne, gå i dokk; — **with** ligge med; pålegge, stå til.

lie [lai] leie; beliggenhet; **lie-abed** sjusover; **the** — **of the land** situasjonen.

lie-by ['lai'bai] elskerinne.

lie detector løgndetektor.

lief [li:f] gjerne, heller, helst; **I would as** — **go as not** jeg kan gjerne gå.

liege [li:dʒ] håndgangen, tro; lens-; vasall, lensmann; fyrste, lensherre. **-man** [-mən] vasall, undersått.

lien ['li:ən] retensjonsrett; krav.

lieu [l(j)u:]: **in** — **of** i stedet for.

Lieut. Col. fk. f. **lieutenant-colonel.**

lieutenancy [lef'tenənsi] løytnantsgrad, løytnantsrang. **lieutenant** [lef'tenənt] løytnant; stattholder; varamann. — **-colonel** oberstløytnant. — **-general** generalløytnant. **Lord L.** tittel på visekongen i Irland. **the L. of the Tower** kommandanten i Tower.

Lieut. Gen. fk. f. **lieutenant-general.**

Lieut. Gov. fk. f. **lieutenant-governor.**

life [laif] liv, levetid, levnet, levesett, livsførsel; levnetsbeskrivelse; **choice of** — valg av livsstilling; **the** — **to come** det kommende liv; **not for the** — **of me** ikke for alt i verden; **for** — på harde livet; på livstid; **many lives were lost** mange mennesker strøk med; **as large as** — i legemsstørrelse; **by the** — etter naturen; **come to** — livne opp igjen, komme til seg selv; **bring to** — bringe til live igjen, få liv i igjen; live opp igjen; **to the** — aldeles livaktig; **at my time of** — i min alder; **high** — den fornemme verden; **such is** — slik er livet; — **is not all jam** livet er ikke bare dans på roser; **true to** — livsnær, realistisk; **for dear** — for bare livet, som om det gjaldt livet. **life | annuitant** en som nyter livrente. — **annuity** livrente. — **belt** livbelte. **-blood** hjerteblod. **-boat** livbåt. — **buoy** livbøye. — **estate** eiendom på livstid. — **expectancy** antatt levealder. **-guard** livgarde; livvakt. — **insurance** livsforsikring, livstrygding. — **interest** livrente.

lifeless ['laiflis] livløs. **-ness** [-nis] livløshet, livløyse.

lifelike ['laiflaik] livaktig, realistisk, naturtro. **-ness** [-nis] livaktighet.

lifelong ['laifləŋ] hele livet, livsvarig.

life | office livsforsikringsselskap. — **peerage** adelskap for livet, ikke arvelig. — **preserver** livbergingsapparat; blytamp, totschläger.

life|r ['laifə] en som er dømt på livstid, livsslave. — **raft** redningsflåte. — **rent** livrente. — **saver** livredder; livsnødvendighet. — **sentence** livsvarig fengsel. — **size** legemsstørrelse; i legemsstørrelse. **-time** levetid; menneskealder. — **vest** redningsvest. — **weary** livstrett.

lift [lift] løfte, heve, lette; stjele; ta opp (poteter); lette (tåke); frakte; løft; løfting, hevning; oppheve (f. eks. en restriksjon); oppdemme; vekt; elevator, heis; **give (lend) a person a** — la en få støtte på; gi en en håndsrekning; **another** — **in life for you** leilighet til å begynne et nytt liv. **liftable** ['liftəbl] som kan løftes. **lift bridge** klaffebru, løftebru. **lifter** ['liftə] elevator; tyv.

lifting blocks taljer.

lifting jack donkraft.

lift-off utskyting (om raketter).

ligament ['ligəmənt] bånd; sene.

ligate ['laigeit] underbinde, ombinde; snøre av. **ligature** ['ligətʃə] bånd, bind; sammenbinding; ligatur, dobbelttype.

light [lait] lys; dagslys; dag; belysning; lanterne; fyr, fyrtårn; fyrstikker, fyr; opplysning; **he is no great** — ≈ han har ikke oppfunnet kruttet; **the** — **went out** lyset gikk ut; **may I trouble you for a** — tør jeg be om en fyrstikk; **in the** — **of** som; i egenskap av; **I look on him in the** — **of father** jeg betrakter ham som min far; **strike** — slå ild, tenne lys; **see** — komme til verden, se dagens lys.

light [lait] lys, blond.

light [lait] lyse; tenne, kveike, nøre; opplyse, lyse for; — **a fire** nøre opp ild, gjøre opp varme.

light [lait] stige av, komme ned, stige ned; — **on** treffe, støte på, råke på.

light [lait] lett; ringe, ubetydelig; lett (om vekt); fri, sorgløs; lettsindig; mild; — **reading** morskapslesning; — **sleeper** en som sover lett (som lett våkner); **make** — **of** ikke gjøre noe oppstyr; gjøre lite av; ta som om det ikke var noe.

lightable ['laitəbl] som kan opplyses.

light|-**alloy metal** lettmetall. — -**armed** lettbevæpnet. — **beacon** fyrlampe, lyssignal. — **beam** lysstråle, lyskjegle. — **coat** tynt strøk (maling). — **cream** (amr.) kaffeløte.

lighten ['laitn] lysne; opplyse; lyne.

lighten ['laitn] lette, oppmuntre; letne.

lighter ['laitə] tenner, fyrtøy.

lighter ['laitə] pram, lekter; føre i lekter. pramme. **lighterage** ['laitərid3] lekterpenger. **lighterman** ['laitəmən] lektermann.

light|-**fingered** ['laitfiŋgəd] langfingret. — **fittings** lysarmatur. — **flare** lysrakett, signalrakett. — -**foot(ed)** lett på foten, sprek. — -**handed** lett på hånden. — -**headed** tankeløs; fra seg, ør. — -**hearted** lett om hjertet, med lett hjerte. — **horse** lett kavaleri.

light|**house** fyr, fyrtårn. — **keeper** fyrvokter. — **intensity** lysstyrke.

lightly ['laitli] lett, lettsindig, muntert, likegyldig.

light-minded ['laitmaindid] lett, ustadig, flyktig.

lightness ['laitnis] lyshet, klarhet; letthet.

lightning ['laitniŋ] lyn, lynild; **flash of** — lynglimt; **sheet** — flatelyn (som viser seg som en utbredt lysning i skyene); **summer** — kornmo; **like** — med lynets fart. — **conductor** ['laitniŋkən-'dʌktə] lynavleder. — **rod** lynavleder. — **strike** overrumplingsstreik.

light opera operette.

lightship ['laitʃip] fyrskip.

lightsome ['laitsəm] lys, munter, glad; rask.

light source lyskilde.

light wave ['laitweiv] lysbølge.

lightweight ['laitweit] (sportsspråk) lettvekt.

ligneous ['liŋniəs] tre-, treaktig, treen.

lignite ['lignait] brunkull, lignitt.

like [laik] lik, like, liknende; i begrep med, opplagt, i rette laget; sannsynlig; **such** — den slags; **be** — ligne; **the -s of you** sånne som deg; **they are as** — **as two peas** ≈ de er så like som to dråper vann; **what is he** — ? hvordan ser han ut?; **not anything** —, **nothing** — ikke tilnærmelsesvis; **that's something** — det lar seg høre; — **hell you shall!** (nei så pokker om) du skal! **the weather looks** — **clearing up** det ser ut til å bli godt vær; **I feel** — **taking a walk** jeg har lyst til å gå en tur; **I am** — **to** jeg vil sannsynligvis. **like** [laik] liknende, samme, slikt; like; make; **I never saw the** — **of you** jeg har aldri sett din make. **like** [laik] liksom; sannsynligvis; — **a drunken man** som en beruset; som et overflødig slutningsord i daglig tale, oversettes ofte ikke; **they encouraged us** — de liksom oppmuntret oss; **frightened** — forskrekket.

like [laik] like; ønske; synes om, ville helst; **I rather** — **him** jeg liker ham ganske godt; **I** — **him** jeg synes om ham; **I** — **that!** det var ikke dårlig! det må jeg si! **I should** — **to know** jeg skulle gjerne vite; **as you** — som De ønsker.

like [laik] sympati; **likes and dislikes** sympatier og antipatier.

-**like** (ending) som like (en et), **lady**- -aktig.

likeable ['laikəbl] hyggelig, tiltalende, likendes.

likelihood ['laiklihud] sannsynlighet; **in all** — høyst sannsynlig, etter all sannsynlighet.

likely ['laikli] sannsynlig, trolig, rimelig; behagelig, tekkelig; **there is** — **to be some trouble** det blir rimeligvis en del ugreie; **he is** — **to come** han kommer sannsynligvis; **he is not a very** — **candidate** han har ikke store sjanser; **most (very)** — høyst sannsynlig.

likeminded ['laikmaindid] likesinnet.

liken ['laikən] sammenlikne, sidestille med, likne.

likeness ['laiknis] likhet; bilde; — **to** likhet med; **in the** — **of a friend** under vennskaps maske; **have one's** — **taken** bli fotografert.

likening ['laikəniŋ] sammenlikning.

likewise ['laikwaiz] likeså, likeledes, like ens.

liking ['laikiŋ] smak, behag, forkjærlighet; **to my** — etter min smak; **have a** — **for it** ha forkjærlighet for det.

lilac ['lailək] syrin; lilla, lillafarget.

Lilliput ['lilipʌt] Lilliput (i Gulliver's Travels).

Lilliputian [lili'pju:ʃiən] lilliputianer; lilliputiansk, ørliten.

lilt ['lilt] tralle, synge muntert; munter vise, rytme, liv, sving, trall, slått, tone. **lilting** melodiøs, syngende.

lily ['lili] lilje. — **iron** harpun med løs spiss. — -**livered** feig, blaut. — -**of-the-valley** liljekonvall. — -**white** liljehvit; (fig.) uskyldsren.

limb [lim] rand, kant.

limb [lim] lem; bein; tilhørende del; hovedgren, uskikkelig unge (egl. — **of the devil**); forsyne med lemmer; lemleste, sønderlemme; -**ed** -lemmet.

limber ['limbə] bøyelig, smidig, myk, sprek; myke opp, jogge.

limber ['limbə] forstell (til kanon); prosse på.

limbo ['limbəu] forgård til helvete; fengsel; glemsel.

lime [laim] lind, lindetre.

lime [laim] fuglelim; murkalk, kalk; overstryke med lim; ha kalk på; **slaked** — lesket kalk.

lime [laim] sur sitron, limett (sitron).

limejuice ['laimd3u:s] sitronsaft.

limekiln ['laimkiln] kalkovn.

limelight ['laimlait] kalklys, slags sterkt lys; rampelys, søkelys; — **views** (gl.) lysbilder; **in the** — i rampelyset.

lime mortar ['laim'mɔ:tə] murkalk, kalkmørtel.

limerick ['limərik] slags småvers på fem linjer der 1., 2. og 5. er lange og rimer, 3. og 4. er korte og rimer. (Kjent fra Lear's Book of Nonsense).

lime|**stone** ['laimstəun] kalkstein, limstein. -**wash** ['laimwɔʃ] murkalk. -**water** ['laimwɔtə] kalkvann (slags mineralvann).

limey ['laimi] (amr.) økenavn på engelsk sjømann.

limit ['limit] grense; utkant; prisgrense, limitum; toleranse; avgrense, begrense, innskrenke; **without** — grenseløs; **set -s to** begrense; **that is the** — det er toppen, nå har jeg aldri hørt på maken; — **man** deltaker i løp som får det størst mulige forsprang. **limitable** ['limitəbl] avgrensende. **limitary** ['limitəri] innskrenket, begrenset. **limitation** [limi'teiʃən] begrensning, avgrensing; frist. — **period** påtalefrist.

limited ['limitid] begrenset; med begrenset ansvar; a — **company** aksjeselskap med begrenset ansvar; — **monarchy** innskrenket monarki.

limitless ['limitlis] ubegrenset, grenseløs.

limn [lim] tegne, skildre, male.

limner ['limnə] tegner, maler.

limnology [lim'nɔlədʒi] limnologi, ferskvannsbiologi.

limonite ['limənait] limonitt, brunjernstein; myrmalm.

limousin ['limuzi:n] limousin (stor firedørs personbil).

limp [limp] hinke; halte; hinking; halting; halt.

limp ['limp] svak; slakk, blaut, kraftløs; slasket, slarket; — **cloth** bøyelig bind på bøker.

limpet ['limpit] albueskjell (dyr); en som ikke er til å riste av, en som suger seg fast; **stick like a** — holde iherdig fast (f. eks. på et embete), suge seg fast som en igle. — **mine** mine som kan festes til skipsside, sugemine.

limpid ['limpid] klar, gjennomsiktig. -**ity** [lim'piditi] klarhet, gjennomsiktighet.

limy ['laimi] klebrig; kalkholdig, kalk-.

linage ['lainidʒ] linjetall, linjebetaling.

linchpin ['lintʃpin] lunstikke (på hjul).

Lincoln ['liŋkən].

Lincs. fk. f. Lincolnshire ['liŋkənʃiə].
linden ['lindən] lind, lindetre.
line [lain] line, snor, snøre; linje, ledning; rynke, fure; rad, rekke; strek; verslinje; framgangsmåte, retning; grunnsetning; grenselinje; lodd, skjebne; bransje, fag; varesort, kvalitet; kø; **cross the** — passere linjen (ekvator); **that is hard -s** det er harde vilkår; det er uflaks; **artificial** — hjelpelinje; **dotted** — punktert linje; — **of argument** bevisførsel, argumentasjon; — **of conduct** framgangsmåte, holdning; **what** — **are you in?** hva er Deres beskjeftigelse?; **be in the cloth** — høre til klesbransjen; **that's not in my** — det ligger ikke for meg, jeg kan ikke med det; **we do nothing in that** — vi arbeider ikke i den bransjen; **drop me a** — send meg et par ord; **the** — **must be drawn somewhere** et sted må en trekke grensen; **take the -s of** gå samme vei som, følge ens eksempel; **go beyond the -s** gå over streken; **in the talking** — i retning av å tale; **a shop in the general** — en detaljhandel; **hold the** — holde stillingen; holde forbindelsen; **take a** — innta en holdning (el.) standpunkt; **toe the** — holde seg på matten.
line [lain] streke; linjere opp; stille opp på linje; rynke, fure; fôre, kle, bekle innvendig; **trees** — **the roads** trær står i rekker langs veien; — **up** stille på linje; slutte seg til.
lineage ['linjidʒ, -niidʒ] linje; slekt, ætt, avstamning, stamme.
lineal ['linjəl] linje-, som nedstammer i rett linje fra.
lineament ['linjəmənt] trekk, ansiktstrekk, drag; omriss, hovedtrekk.
linear ['linjə] linjeformig; førstegrads, lineær.
lineation [lini'eiʃən] tegning, skildring.
linen ['linin] lerret, lin, lintøy; linnet, lerrets-, hvitevarer; **wash one's dirty** — **in public** vaske skittentøy i andres påsyn (offentlig). — **closet** linnetskap, dekketøyskap. — **cloth** lerret. — **draper** hvitevarehandler. — **drapery** hvitevarer. — **press** linnetskap. — **prover** trådteller. — **thread** lintråd. — **weaver** lerretsvever.
line of action fremgangsmåte.
line of battle frontlinje, kamplinje.
line of thought tankegang.
liner ['lainə] linjeskip, rutebåt; linefisker.
linesman ['lainzmən] soldat (som står i linjen); linjemann (hjelper for dommeren i visse ballspill).
line-up oppstilling.
ling [liŋ] røsslyng, bustelyng.
ling [liŋ] lange (fisk).
linger ['liŋgə] bie, dryge; slentre, drive; trekke ut; nøle, dvele, somle; lide lenge, pines; forhale; **he lingered on for some years** han levde enda noen år. **lingerer** ['liŋgərə] nøler. **lingering** [-riŋ] langvarig; nøling.
lingerie ['læ:(n)ʒəri, 'lænʒ-] dameundertøy.
lingo ['liŋgəu] uforståelig språk, sjargong, kråkemål; kaudervelsk.
lingua ['liŋgwə] språk. — **franca** ['fræŋkə] blandingsspråk. **lingual** ['liŋgwəl] tunge-; språk-. **linguist** ['liŋgwist] lingvist, språkmann, målgransker, språklærd. **linguistic** [liŋ'gwistik] språklig, språkvitenskapelig. **linguistics** [liŋ'gwistiks] språkvitenskap.
liniment ['linimənt] tynn salve.
lining ['lainiŋ] innvendig kledning, fôr, fôring, panel, kant; **every cloud has a silver** — bakom skyene er himmelen alltid blå.
link [liŋk] ledd, ring, kjede; forbindelsesledd; bånd; kjede sammen; knytte sammen; forbindes; gå arm i arm; **-s** mansjettknapper; **the missing** — det manglende mellomledd (mellom ape og menneske).
link [liŋk] fakkel. **-boy** fakkelbærer.
link [liŋk] el. **links** [liŋks] golfterreng.
linkbuttons ['liŋkbʌtənz] mansjettknapper.
linked houses rekkehus.
Link trainer linktrener (apparat for trening i blindflyging).

linn [lin] vannfall; dam, høl, kulp; stup, juv.
linnet ['linit] irisk.
linocut ['lai-] linoleumstrykk, linoleumsnitt.
linoleum [lai'nəuljəm. li'nəuljəm] linoleum.
linotype ['lainətaip] linjesettemaskin.
linseed ['linsi:d] linfrø.
linsey ['linsi] verken. — **-woolsey** verken; verkens-.
lint [lint] charpi, især engelsk charpi; lo, trevl, dott; **shredded** — tysk charpi.
lintel ['lintl] overligger (over dør el. vindu), dekkstein.
lion ['laiən] løve; berømthet; berømt mann; sprett; severdighet; **the lion's share** brorparten; **the British** — Storbritannia; **show a person the lions and tombs** å vise en stedets severdigheter. — **ant** maurløve. **lion cub, lionel** ['laiənel] løveunge. **lioness** ['laiənis] løvinne.
lion|-hearted ['laiən'hɑ:tid] motig som en løve, **Richard the L.** Rikard Løvehjerte. — **hunter** løvejeger; en som jager etter berømte personer, som frir etter fine bekjentskaper.
lionize ['laiənaiz] gjøre stas av, fetere, være i skuddet.
lion's den løvehule.
lion's-foot ['laiənzfut] edelweiss, marikåpe.
lion's mane løvemanke.
lip [lip] leppe, lippe; kant, rand, karm; tut; grov kjeft, grovheter; kysse; synge, mulle; **upper** — overleppe; **get a fat** — få seg en på tygga el. trynet; **keep a stiff upper** — ikke fortrekke en mine, ta enhver situasjon med fatning; **lower** —, **under** — underleppe; **hang on one's -s** lytte beundrende til en; **none of your** — vær ikke uforskammet; — **a chant** synge en sang. — **-deep** bare med munnen, overfladisk, hyklersk. — **-devotion** gudsfrykt i munnen. — **-labour** munnsvær. — **-reading** munnavlesning. — **service** tomme ord, øyentjeneri, slesking. **-salve** leppesalve; smiger. **-stick** leppestift. — **wisdom** visdom i ord.
lippy ['lipi] nebbet, nesevis; snakkesalig.
liquation [lai'kweiʃən, li'-] smeltet tilstand; smelting. **liquefaction** [likwi'fækʃən] smelting; smeltet tilstand. **liquefy** ['likwifai] smelte; bli flytende, fortette til væske (om gass).
liqueur [li'kjuə] likør. — **brandy** en fin konjakktype.
liquid ['likwid] væske, flytende, smeltende; gjennomsiktig, klar. — **-cooled** væskekjølt. — **fuel** flytende brennstoff. — **gum** (gummi)solusjon. **liquidate** ['likwideit] gjøre flytende; gjøre klar; avvikle, likvidere; avgjøre. **liquidation** [likwi'deiʃən] avvikling. **liquidity** [li'kwiditi] flytende tilstand.
liquor ['likə] væske; saft; sterk drikk, brennevin; drikke; skjenke; **what's your** —? hva vil du drikke? **be in** — være beruset. — **dealer** brennevinshandler.
liquorice ['likəris] lakris. — **allsorts** lakriskonfekt. — **lozenge** lakrispastill.
lira ['liərə] lire (italiensk mynt).
Lisbon ['lizbən] Lisboa.
lisle | glove ['lail] nettinghanske. — **stocking** nettingstrømpe.
lisp [lisp] lespe; lespe fram; lesping.
lissome ['lisəm] myk, smidig, bøyelig.
list [list] liste, fortegnelse; strimmel, stripe; rulle; innrullere, verve; la seg verve; **be on the active** — stå i rullene; — **of quotations** prisliste.
list [list] skranke, kampplass; **enter the -s** tre i skranken.
list [list] krengning, slagside; krenge, ha slagside.
list [list] lyste, ha lyst til.
listen ['lisn] lytte, lye, høre etter; — **in** høre radio; — **to** lytte til. **listener** ['lisnə] tilhører, lytter; **L.s'-Choice** ønskeprogram, ønskekonsert. **good** — oppmerksom tilhører. **listening | desk** lyttebord. — **device** lytteapparat.
listless ['listlis] likegyldig, likesæl; treg, sløv,

udeltagende. **listlessness** [-nis] likegyldighet, sløvhet, ulyst.

list price katalogpris, listepris.

lit [lit] imperf. og perf. pts. av **light**; full, pussa; fk. f. **literature**.

litany ['litəni] litani.

literacy ['litərəsi] lese- og skrivekyndighet.

literal ['lit(ə)rəl] bokstavelig, ordrett; prosaisk; nøyaktig; — **translation** ordrett oversettelse; — **truth** ord for ord sannheten.

literalism ['litərəlizm] bokstav|trelldom, -tro.

literally ['litərəli] bokstavelig; — **tired to death** bokstavelig talt trett inntil døden.

literary ['lit(ə)rəri] boklig, litterær.

literate ['lit(ə)rit] en som kan lese og skrive, lese- og skrivekyndig; prest uten universitets-eksamen; boklærd; kjenner av litteratur, belest mann.

literatim [litə'reitim] bokstav for bokstav, etter bokstaven.

literature ['lit(ə)rətʃə; -tjuə] litteratur; (of el. on om et emne).

litharge ['liθɑːdʒ] glette (blyoksyd).

lithe [laið] smidig, myk, bøyelig. **-some** [-səm] smidig; lett, sprek.

lithograph ['liθəgrɑːf] litografi. **lithographer** [li'θɔgrəfə] litograf. **lithographic** [liθə'græfik] litografisk. **lithography** [li'θɔgrəfi] litografi.

lithotype ['liθətaip] litotypi.

Lithuania [liθjuˈeinjə] Litauen. **-n** [liθjuˈeinjən] litauer; litauisk.

Lit. Hum. fk. f. **literae humaniores** gammel-språklig kursus til en eksamen ved universitetet i Oxford.

litigable ['litigəbl] omtvistelig, tvilsom. **litigant** ['litigənt] stridende; proséderende part. **litigate** ['litigeit] ligge i strid om, føre prosess om; føre prosess. **litigation** [liti'geiʃən] rettsstrette, tviste-mål. **litigious** [li'tidʒəs] trettekjær; omtvistelig.

litmus ['litməs] lakmus (blått fargestoff); — **paper** lakmuspapir.

litre ['liːtə] liter.

Litt. B. fk. f. **Bachelor of Literature**.

Litt D. fk. f. **literarum doctor** (= **Doctor of Letters**).

litter ['litə] bærebår, bærestol, båre; strø, boss, halm; kull (griser o. l.); uorden, svineri, rot, av-fall, søppel, rusk, røre; strø, strø under; ligge strødd utover; strø utover, grise til, slenge ut-over; få unger (om dyr).

litter | **basket** papirkurv, avfallskurv. — **bearer** sykebærer. — **bug** person som kaster avfall i skog og mark, natursvin.

little ['litl] liten; smålig, knuslet; en smule, en tanke; **a** — **one** en liten en, et barn; **the** — **ones** barna; **a** — **litt**; — **better** than ikke stort bedre enn; **a** — **better** litt (noe) bedre; **make** — **of** ikke bry seg om; **after a** — om litt, litt etter; — **by** — litt etter litt; **by** — **and** — litt etter litt; **he** — **thought** han ante ikke; **every** — **helps** alle monner drar; **in** — i det små, i miniatyr. **Little Bear** Lillebjørn. **Little-Ease** navnet på en celle i Tower. — **Englander** ['litl'iŋgləndə] anti-imperialist. — **-go** ['litlgəu] første del av eksamen for B. A. graden i Cambridge, forberedende prøve. — **man** gutt (vennlig). — **Mary** (spøkende om) maven. **littleness** ['litlnis] litenhet. — **people** småfolket, alver, de underjordiske. — **woman** kone; sydame.

littoral ['litərəl] strand-; havstrand, kyst.

liturgic [li'təːdʒik] liturgisk.

liturgy ['litədʒi] liturgi, kirkeskikk.

live [liv] leve, være til; livberge seg; bo; klare seg; leve opp til; holde seg; føre et . . . liv; **to** — **to see** oppleve; **no boat could** — **in such a sea** ingen båt kunne greie seg i slik sjø; **he -s by himself** han bor alene; — **by one's wits** leve av å bløffe; — **to a great age** oppnå en høy alder; — **down** overvinne (med tiden); — **fast** leve sterkt; — **high** leve godt; — **up to** leve i overens-stemmelse med; — **by** livberge seg med, leve

av (**hunting, fishing**): — **on** leve av; spise; — **a roving life** leve et omstreifende liv; — **down** bringe i glemsel.

livable ['livəbl] beboelig, godt å bo i; utholde-lig; omgjengelig.

live [laiv] levende; virkelig, riktig; aktuell; strømførende. — **ammunition** skarp ammuni-sjon. — **-born** levendefødt. — **broadcast** direkte sending. — **coals** glør.

livelihood ['laivlihud] utkomme; livsopphold; levebrød.

liveliness ['laivlinis] liv, livlighet.

live load [laiv] nyttelast.

livelong ['livlɔŋ] lang; **the** — **day** hele dagen, dagen lang.

lively ['laivli] levende; livlig; livaktig, kvikk.

liven ['laivn] sette liv i, live opp.

liver ['livə] en som lever, beboer.

liver ['livə] lever. — **oil** levertran.

live rail strømførende skinne, ledeskinne.

Liverpool ['livəpuːl].

Liverpudlian [livə'pʌdliən] innbygger av Liver-pool.

livery ['livəri] overdragelse; overdragelsesdo-kument; tjenerdrakt, livré; laugsdrakt; iføre livré. **-coat** livréfrakk. **-servant** tjener. **-stables** leiestall.

lives [laivz] pl. av **life**; [livz] av v. **live**.

livestock ['laivstɔk] besetning, buskap.

livid ['livid] blyfarget, blygrå, blå (som følge av slag), blodunderløpen; likblek, gusten; sint, forbannet. **lividness** ['lividnis] blygrå farge.

living ['liviŋ] levende; liv, levnet, levesett; levebrød, livsopphold; kall; **make a** — tjene sitt brød; — **wage** lønn som en kan leve av.

living room ['liviŋruːm] dagligstue.

living space ['liviŋspeis] (brukt for å gjengi tysk Lebensraum) livsrom.

Livingstone ['liviŋstən].

Livonia [li'vəunjə] Livland.

Livy ['livi] Livius; Livia.

lixivium [lik'siviəm] lut.

lizard ['lizəd] firfisle.

lizzie boy (amr.) mammadalt.

L. J. fk. f. **Lord Justice**.

ll. fk. f. **lines**.

llama ['lɑːmə] lama (dyr).

llano ['l(j)ɑːnəu] lano, steppe (i Sør-Amerika).

LL. B. fk. f. **legum baccalaureus** (= **Bachelor of Laws**).

LL. D. fk. f. **legum doctor** (= **Doctor of Laws**).

L. L. L. fk. f. **Love's Labour's Lost**.

Lloyd [lɔid] Lloyd's, skipsassuransekontor i London; **Lloyd's List** skipsfartstidende i London; **Lloyd's Register of Shipping, Lloyd's Shipping Index** årlig alfabetisk klasseliste over skip.

L. M. S. fk. f. **London Missionary Society**.

lo! [ləu] se! — **and behold!** du store min! se hvor merkelig (pussig etc.)!

loach [ləutʃ] smerling.

load [ləud] byrde, vekt; lass, last, ladning, mengde; belastning; bæreevne; belesse, lesse på, la, laste; overlesse; **take a** — **off my mind** ta en stein fra mitt hjerte; **-s of** masser av, i hauge-vis; **-ed cane** stokk med bly i spissen (som våpen); **-ed dice** forfalskede terninger; **-ed table** bugnende bord.

loaded ['ləudid] lastet, tynget; ladd; full, påvirket; velbeslått, overmett.

loader ['ləudə] lesse- el. lasteinnretning.

loading ['ləudiŋ] byrde; last, ladning.

load line [ləudlain] lastelinje.

loadstar ['ləudstɑː] ledestjerne, srl. Polar-stjernen.

loadstone ['ləudstəun] magnetjernsten.

loaf [ləuf] masse, klump; brød; **a** — **of bread** et brød; — **of sugar** sukkertopp; **half a** — **is better than no bread** smuler er også brød; — **of cabbage, of lettuce** kålhode, salathode; **loaves and fishes** fordel, vinning.

loaf [ləuf] drive dank, gå og slenge, late seg;

lriveri, sleng. **loafer** ['ləufə] dagdriver, løsgjenger, vagabond, slusk; pl.: slengesko, mokkasiner.
loaf sugar ['ləufʃugə] toppsukker.
loam [ləum] leire; dekke med leire; fylle med leire. — **earth** leirjord. **loamy** ['ləumi] leiret; leire-.
loan [ləun] lån, utlån; låne ut; **put out to** — låne ut; **interest on** — utlånsrente; **to** — **on interest** låne mot rente. — **collection** sammenlånt billedsamling — **fund** lånekasse. — **office** lånekontor.
loath [ləuθ] uvillig, lei.
loathe [ləuð] føle motbydelighet, vemmelse for, hate, avsky, vemmes ved. **loathful** ['ləuðful] avskyelig, vemmelig. **loathing** ['ləuðiŋ] vemmelse, avsky. **loathsome** ['ləuðsəm] heslig, motbydelig.
loaves [ləuvz] pl. av **loaf**.
lob [lɔb] kloss, staur, tosk, latsekk; lunte, jogge; lobbe, høy ball (i tennis); sandmark, fjæremark; kaste langsomt, la falle (sakte); henge slapp.
lobby ['lɔbi] forværelse; korridor; forsal, foyer; avstemningskorridor (i parlamentet); **they voted (went into) the same** — stemte for samme parti. **lobbying** korridorpolitikk.
lobbyist ['lɔbiist] korridorpolitiker.
lobe [ləub] lapp, flik, snipp.
lobster ['lɔbstə] hummer; rødjakke (økenavn for en soldat). — **pot** hummerkvase; hummerteine.
local ['ləukl] stedlig, lokal, på stedet; forhåndenværende; — **government** lokalt selvstyre ≈ kommunalt selvstyre. — **government officer** kommunal tjenestemann. **Local Government Board** det ministerium som inntil 1919 hadde oppsynet med kommunalbestyrelsen. **locale** [ləˈkɑːl] lokale, sted. **localism** ['ləukəlizm] lokal natur; lokalpatriotisme; provinsialisme. **locality** [ləˈkæliti] det å høre til på et sted; beliggenhet. **localization** [ləukəlaiˈzeiʃən] lokalisering; stedfesting. **localize** ['ləukəlaiz] anbringe; stedfeste.
locate [ləˈkeit] anbringe, lokalisere, stedfeste; finne; peke ut, bestemme stedet for; bosette seg.
location [ləˈkeiʃən] lokalisering, stedfesting; plassering; anbringelse, beliggenhet; plass, sted, rom; utstikking; utleie; **on** — filmopptak på det sted hvor filmen forutsettes å foregå.
loch [lɔk] sjø, innsjø; vann; nesten lukket fjordarm.
lock [lɔk] lås, lukke; sluse; avlukke; floke, vase; lokk, hårlokk; låse, sperre, stenge; være til å låse; låse inne; binde (kapital), inneslutte; sette bremse på (hjul); **keep under** — **and key** forvare under lås og lukke, gjemme omhyggelig; **the street was closed by a** — **of carriages** gaten var sperret av (en mølje av) vogner; **the Rape of the Lock** Lokkeranet (dikt av Pope); **be -ed in prison** bli innesperret i fengsel; — **up** låse ned, låse inne.
lockable ['lɔkəbl] som kan låses. **lockage** ['lɔkidʒ] slusepenger; slusing. **lock chamber** ['lɔktʃaimbə] slusekammer.
Locke [lɔk] (engelsk filosof).
locker ['lɔkə] låsbart skap, kiste; kistebenk. — **room** garderobe, omkledningsrom.
locket ['lɔkit] medaljong, kapsel.
lock jaw ['lɔkdʒɔ:] stivkrampe.
lockkeeper ['lɔkki:pə] slusevokter.
lockout ['lɔkˈaut] lockout, arbeidsstans.
lock picker ['lɔkpikə] dirk.
locksmith ['lɔksmiθ] kleinsmed. **-up** arrest.
loco ['ləukəu] (amr.) gærn, gal; gjøre gal.
locomotion [ləukəˈməuʃən] bevegelse, befordring, befordringsmåte.
locomotive ['ləukəməutiv, ləukəˈməutiv] som kan bevege seg, bevegelig; lokomotiv.
locum ['ləukəm] vikar. — **tenens** [-ˈti:nənz] vikar.

locust ['ləukəst] gresshoppe, engsprette; johannesbrødtre.
locution [ləˈkju:ʃən] tale, talemåte, ordlag.
locutory ['lɔkjutəri] samtalerom.
lode [ləud] gang, åre; veit. **lodestar, lodestone,** se **load-**.
lodge [lɔdʒ] hytte, hus, (jakt-) villa; portnerhus; losje; leie; samling, gruppe; gi losji, anbringe; sitte fast; gi i forvaring, deponere; oppbevare; framføre (klage mot en); slå ned; losjere, bo, ta inn; **to** — **in the warehouse** ta inn på lager. — **gate** ['lɔdʒgeit] innkjørsel, hovedport (til park). — **keeper** ['lɔdʒki:pə] portner.
lodgement ['lɔdʒmənt] anbringelse, opphoping; besettelse. **lodger** ['lɔdʒə] losjerende, leier.
lodging ['lɔdʒiŋ] losji, bolig, kvarter; **live in** -s bo til leie; **take -s** leie værelser.
lodging house ['lɔdʒiŋhaus] losjihus, nattherberge.
lodgment ['lɔdʒmənt] anbringelse, innsetting, opphoping; besettelse.
loess ['ləuis] løss.
loft [lɔft] loft, loftsrom; pulpitur; galleri; dueslag, duehus.
loftily ['lɔ:ftili, 'lɔf-] høyt; stolt, overlegent; storslagent; edel. **loftiness** ['lɔftinis, 'lɔ:f-] høyde, høyhet; stolthet. **lofty** ['lɔfti] høy, anselig, opphøyd, høyreist, stolt.
log [lɔg] tømmerstokk, kloss, kubbe; logg; loggbok; felle, hogge tømmer; føre inn i loggbok; **sleep like a** — sove som en stein; **it is as easy as falling off a** — det er så lett som fot i hose.
loganberry ['ləugənberi] loganbær, en krysning av bjørnebær og bringebær.
loganstone ['lɔgənstəun] ruggestein.
logarithm ['lɔgəriθm] logaritme.
log book ['lɔgbuk] loggbok. **-cabin** [kæbin] tømmerhytte. — **carriage** sagbenk. — **chute** tømmerrenne.
loge [ləuʒ] losje.
logger ['lɔgə] tømmerhogger, skogsarbeider; kubblaster.
loggerhead ['lɔgəhed] kloss, staur, kjøtthue; **be at -s** være i tottene på hverandre; **fall to -s** komme i hårene (el. kladdene) på hverandre.
loggerheaded ['lɔgəhedid] dum, klosset.
logging ['lɔgiŋ] tømmerhogst, skogsarbeid.
log house ['lɔghaus] tømmerhus.
log hut ['lɔghʌt] tømmerhytte.
logic ['lɔdʒik] logikk. **logical** [-l] logisk.
logician [lɔˈdʒiʃən] logiker.
log line ['lɔglain] loggline.
logman ['lɔgmən] skogsarbeider, tømmerhogger.
logomachist [lɔˈgɔməkist] ordkløyver.
log-rolling ['lɔgrəuliŋ] gjensidig reklame; tømmerlunning (som arbeiderne hjelper hverandre med); politisk hestehandel, korrupsjon.
log timber skurlast, skurtømmer.
logwood ['lɔgwud] blåtre, Campêche-tre.
loin [lɔin] lend, lendestykke; **-cloth** lendklede. — **of veal** kalvenyrestek.
loiter ['lɔitə] drive, slentre, nøle; somle, gi seg god tid; slenge, reke. **loiterer** ['lɔitərə] etternøler, dagdriver. **loiteringly** [-riŋli] langsomt. **no loitering** opphold forbudt.
loll [lɔl] lene seg makelig, ligge og dovne seg; henge ut, la henge ut (om tungen).
Lollard ['lɔləd] lollard, økenavn på Wicliffs tilhengere.
lollipop ['lɔlipɔp] kjærlighet på pinne. — **kids** ≈ skolepatrulje.
lollop ['lɔləp] slenge, reke.
lolly ['lɔli] kjærlighet på pinne; grunker, gryn.
Lombard ['lʌmbəd, 'lɔmbəd] longobarder, lombarder, lombardisk; — **Street,** sentrum for Londons pengemarked. **-ic** [lɔmˈbɑːdik] lombardisk. **-y** ['lʌmbədi, 'lɔmbədi] Lombardi.
Lon., lon. fk. f. **longitude.**
London ['lʌndən] London; londoner-, londonsk. **Londoner** ['lʌndənə] londoner.

lone [ləun] enslig, ensom; stusslig. **loneliness** [-linis] ensomhet. **lonely** ['ləunli] ensom. **loner** ['ləunə] en som holder seg for seg selv; einstøing. **lonesome** ['ləunsəm] ensom.

long [lɔŋ] lang, dryg; langvarig; langtrekkende, langtskuende; omstendelig; lenge; **in the — run** i lengden; til sist; **a — time since** for lenge siden; **— ago** for lengst, for lenge siden; **before —** snart, om kort tid; **be — in** ha stor andel i (prosent av) noe; **a — way about** stor omvei; **bill at a — date** veksel på lang tid; **he is — in doing a thing** det varer lenge før han får gjort noe; **will it be —?** varer det lenge? **he won't be —** han vil ikke bli lenge borte; **a — dozen** 13 stk.; **all day —** hele dagen; **the — and the short of it** summa summarum, sannheten kort og godt.

long [lɔŋ] lengte, lenges etter, ønske; **— for, — after** lengte etter; **— to see him** lengte etter å se ham; **longed for** ønsket. **long.** fk. f. **longitude.**
Long Acre ['lɔŋeikə] gate i London.
long-acting ['lɔŋæktiŋ] langvarig, med langtidsvirkning.
longanimity [lɔŋgə'nimiti] langmod, langmodighet.
longboat ['lɔŋbəut] storbåt.
long-distance langdistanse-; rikstelefon; fjern-.
longe [lʌndʒ] støt, utfall; gjøre utfall.
longeval [lɔn'dʒiːvəl] langlivet.
longevity [lɔn'dʒeviti] høy alder, lang levetid.
Longfellow ['lɔŋfeləu].
longhand ['lɔŋhænd] vanlig skrift (mots. **shorthand**).
long-headed ['lɔŋ'hedid] langskallet; gløgg klok, snedig, dreven.
longhorn langhornfe; (amr.) person fra Texas.
longhorned beetle trebukk.
longing ['lɔŋiŋ] lengselsfull; lengsel, lengt.
longish ['lɔŋiʃ] langaktig, temmelig lenge.
longitude ['lɔŋgitjuːd] lengde. **west —** vestlig lengde. **longitudinal** [-'tjuː-] langsgående, lengde-.
longjohns ['lɔŋdʒɔːnz] (amr.) lange underbukser.
long-range ['lɔŋreindʒ] på lang avstand, langdistanse, fjern-; på lang sikt.
long-run langtids-.
long-term langsiktig.
longways ['lɔŋweiz] på langs.
long-winded [-'windid] langtekkelig, omstendelig.
longwise ['lɔŋwaiz] på langs.
loo [luː] et slags kortspill; (ute)do, dass.
looby ['luːbi] staur, kloss, fjols.
loof [luːf] lo, lovart; loffe; luffe.
loofah ['luːfɑː] frotterhanske, frottersvamp (av lufatrevler), lufa (et slags gresskar).
look [luk] se; se ut, se ut til, synes; vende ut til; **— all wonder** se ganske forbauset ut; **— black** sette opp et sørgelig fjes; **— like** ligne; **my windows — into the garden** mine vinduer vender ut mot hagen; **— about** se seg omkring, lete; **— after** se etter (følge med øynene); passe på, ta seg av; **— at** se på; betrakte; **— for** se etter; vente; forutse; **— forward to seeing** glede seg til å se (møte); **— into** undersøke (nærmere); **what are you looking for?** hva ser De etter? **not looked for** uventet; **— on** se på, se til, være tilskuer; betrakte; **— out** se ut; holde utkik; **— out there** pass på; **— over** se igjennom; se over, overse, tilgi; **— sharp** skynde seg; passe på; **— to** passe på; se hen til; lite på; **I shall — to you for the payment** jeg skal henvende meg til Dem for å få betalingen; **— up** se opp; gå opp; stige (varer); slå opp (i en ordbok); oppsøke, besøke; **he does not — his age** han ser ikke ut til å være så gammel som han er; **— daggers at a person** gjennombore en med øynene.
look [luk] blikk, øyekast, mine, utseende; **I don't like the — of it** jeg syns ikke det ser bra ut; **her good -s** hennes skjønnhet; **I can see by the — of you** jeg kan se på ansiktet ditt.

looker-on ['lukər'ɔn] tilskuer.
look-in ['luk'in] raskt blikk; kort visitt.
looking ['lukiŋ] utseende.
looking-glass ['lukiŋglɑːs] speil.
look-out ['luk'aut] utkik; vakt; utsyn; utkiksmann; **it is his own —** det får han greie selv, det blir hans sak; **be on the — for** være på utkik etter.
loom [luːm] vevstol; årelom.
loom [luːm] vise seg; utydelig omriss, heve seg i avstand, rage opp, ruve, tårne seg opp, se stor ut.
loom [luːm] teiste (fugl).
loon [luːn] lømmel, skarv, slamp.
loon [luːn] lom, imbre (fugl).
loony ['luːni] fk. f. **lunatic.**
loop [luːp] løkke, bukt; stropp; hempe; sløyfe; krumning; slå løkke på; feste med en løkke; ligge i løkke; **looping the —** sløyfekjøring (på sykkel e. l.), sløyfeflyging.
looper ['luːpə] måler (slags larve).
loophole ['luːphəul] skyteskår, skytehull; smutthull. **loopholed** ['luːphəuld] med skyteskår.
loop-line ['luːplain] sløyfespor.
loose [luːs] løse, løse opp; åpne; slippe løs.
loose [luːs] løs, vid; løstsittende; slunken, løsthengende; i løs vekt; løssloppen; løsaktig, slibrig; **at — ends** i uorden, forsømt; ledig (uten arbeid). **— -limbed** slåpen, lealaus. **loosen** [luːsn] gjøre løs, løse opp; løsne. **looseness** ['luːsnis] løshet; løsaktighet; løs mage.
loosestrife ['luːsstraif] fredløs (plante).
loot [luːt] plyndring, bytte, hærfang, rov; grunker, gryn, penger; streife om, plyndre, herje, røve.
lop [lɔp] hogge av, kappe, skjære, klippe; avhogde grener; henge slapt ned, daske; **— off** hogge av.
lop-eared ['lɔpiəd] med hengende ører.
lopper ['lɔpə] en som hogger av, kapper.
lopping ['lɔpiŋ] avkapping; kvister.
lop-sided ['lɔp'saidid] skjev, med slagside.
loquacious [lə'kweijəs] snakkesalig.
loquacity [lə'kwæsiti] snakkesalighet.
loquat ['ləukwæt] japansk mispel.
Lor [lɔː] jøsses!
Loraine [lə'rein] Lorraine.
loran ['lɔːræn] loran, radionavigasjonssystem, fk. fl. **long-range navigation.**
lord [lɔːd] herre, hersker, lensherre, overherre, lord (medlem av overhuset; tittel); ektemann; kakse; magnat; gjøre til lord, adle; gi lordtittelen; **— spiritual** geistlig medlem av overhuset; **— temporal** verdslig medlem av overhuset; **the -s of (the) creation** skapningens herrer, det sterke kjønn; **the Lord Herren, Vårherre; Lord | Chamberlain (of the Household)** hoffmarskalk. **— Chancellor** lordkansler. **— Chief Justice** rettspresident i **Queen's Bench Division of the High Court. — Justice of Appeal** dommer i ankedomstol. **— Keeper of the Great Seal** storseglbevarer. **the -'s Day** søndag; **-'s Prayer** Fadervår; **-'s Supper** alterets sakrament, nattverden; **-'s Table** alterbordet; **the day of the —** den ytterste dag; **in the year of our —** i det Herrens år; **the House of -s** overhuset; **in the -s** i overhuset; **lord it** spille herre(r).
lordlike ['lɔːdlaik] fornem.
lordliness ['lɔːdlinis] fornemhet; adelskap; høy stilling.
lordling ['lɔːdliŋ] svekling av en adelsmann.
lordly ['lɔːdli] fornem; høy, edel; hovmodig, kaut.
Lord Mayor borgermestertittel i visse større byer, srl. London.
lordship ['lɔːdʃip] rang som lord; herredømme over; herskap; **your —** Deres Eksellense, Deres Nåde; herr dommer.
lore [lɔː] lære, lærdom, vitenskap, kunnskap.
lorgnette [lɔː'n'jet] teaterkikkert; stanglorgnett.
lorgnon ['lɔːnɔŋ] lorgnett; monokkel; teaterkikkert.

loris ['lɔ:ris] lori, dovenape.
lorn [lɔ:n] forlatt, enslig, ensom.
Lorraine [lɔ'rein].
lorry ['lɔri] lastebil; (åpen) jernbanegodsvogn.
losable ['lu:zəbl] som kan mistes.
Los Angeles [lɔs'ænd͡ʒiliz, lɔs'æŋgiliz].
lose [lu:z] tape, miste, gå glipp av, fortape, gå tapt; spille, skusle bort; glemme; **be lost** komme bort; gå tapt; gå seg vill; forlise; sl. være håpløs, være helt utafor; — **oneself** gå vill; — **one's temper** bli sint, miste besinnelsen. **there is no love lost between them** de er ikke særlig begeistret for hverandre; **his anger lost him many friends** hans sinne skilte ham av med mange venner; — **the train** komme for sent til toget; **my watch -s five minutes a day** uret mitt saktner 5 minutter i døgnet; **all hands lost** hele besetningen omkommet; **the bill was lost in the Lords** lovforslaget ble forkastet i overhuset.
loser ['lu:zə] taper, tapende, en som taper.
losing ['lu:ziŋ] tapende; som bringer tap.
loss [lɔs] tap; forlis, undergang, havari; **skadebeløp**; bortgang (= død); **be at a** — være i villrede; **at a** — med tap.
lost [lɔst] tapt, mistet, bortkommet; forlist; gått glipp av; forkastet; **be** — **in thought** være i dype tanker; **they fought a** — **battle** de kjempet en forgjeves kamp; **it was** — **on him** det var spilt møye, det hadde ikke noen virkning på ham.
lot [lɔt] lodd, skjebne; parti (varer); jordstykke, tomt; masse; mengde, bråte; lodd (jordlodd; lotterilodd); tildele, fordele; **the** — alt, hele mengden, alt sammen; **-s of money** masser av penger; **such a** — for en mengde; **a** — **of harm** meget skade; **cast -s** kaste lodd; **draw -s** trekke lodd; **it fell to his** — det falt i hans lodd; **cast in one's** — **with** stå last og brast med; **sell by small -s** selge i småpartier; **a bad** — en dårlig fyr; **a poor** — en stakkar.
loth [ləuθ] uvillig; **nothing** — gjerne.
Lothian ['ləuðiən].
lotion ['ləuʃən] vasking, bading; vask, bad; hudstimulerende krem el. vann.
lottery ['lɔtəri] lotteri. — **bond** premieobligasjon. — **ticket** loddseddel. — **wheel** lykkehjul.
lotus ['ləutəs] vannlilje, lotus, lotustre.
louche ['lu:ʃ] slesk, falsk, upålitelig.
loud [laud] høy; lydelig, skrikende, høyrøstet, bråkende, larmende; høyt, lytt; grell, avstikkende; **don't speak so** — ikke tal så høyt; **who laughed -est?** hvem lo høyest? **loudly** ['laudli] tydelig; høyt og lytt. **loudmouthed** ['laudmauðd] høyrøstet. **loudness** ['laudnis] høyde, styrke. **loudspeaker** ['laud'spi:kə] høyttaler. **loudvoiced** [-vɔist] høyrøstet.
lough [lɔk] d. s. s. **loch.**
lounge [laund͡ʒ] slentre, drive omkring, reke, gå og slenge; lene seg makelig; slå tiden i hjel med å drive; driving, slentring; makelig stilling; makelig dagligstue, salong, vestibyle, hall; promenade; liggestol; sjeselong; støt, utfall (i fekting). **lounger** ['laund͡ʒə] en som driver, dagdriver. **lounging chair** ['laund͡ʒiŋtʃɛə] makelig stol.
lour [lauə] henge truende, true; formørkes. **-ing** skummel. **loury** ['lauəri] truende, mørk.
louse [laus] (pl. **lice**) lus. **louse** [lauz] luse, avluse; rote opp, ødelegge, spolere. **lousy** ['lauzi] luset; ekkel, motbydelig; møkk-, dritt-; — **with people** full av folk.
lout [laut] slamp, kloss, staur; lute seg.
loutish ['lautiʃ] slampet, klosset.
louver, louvre ['lu:və] lufthette (med persienneformede sideåpninger). — **-window** lydåpning (i klokketårn).
lovable ['lʌvəbl] elskelig; elskverdig.
love [lʌv] kjærlighet **(for, of, to** til); elsk, elskhug, elskov; elskede, kjæreste; elske, holde av, være glad i, like; **my** — vennen min, elskede; **he is an old** — han er en elskelig gammel mann; **can I help you** —**?** kan jeg hjelpe deg småen (el. snuppa, vennen min, frøken, jenta mi etc.);

for the — **of God** for Guds skyld; **marry for** — gifte seg av kjærlighet; **in** — **with** forelsket i; **fall in** — **with** forelske seg i; **make** — **to** gjøre kur til, beile; elske; **send one's** — hilse så mye; **with much** — **yours** med vennlig hilsen Deres . . . (brevslutning); **there is no** — **lost between them** de er ikke særlig begeistret for hverandre; **play for** — spille om ingen ting (uten innsats); **do it for** — gjøre det gratis; **he wouldn't do it for** — **or money** han ville ikke hverken for gode ord eller betaling; **what a** — **of a dog!** for en snill (pen) hund! **I** — **to do it** jeg liker svært godt å gjøre det.
love | affair ['lʌvəfɛə] kjærlighetsaffære. — **child** elskovsbarn, uekte barn. — **knot** kjærlighetssløyfe. — **letter** kjærlighetsbrev. **-lorn** forlatt av sin elskede; elskovssyk.
lovely ['lʌvli] yndig, deilig; storartet, vidunderlig.
love-making ['lʌvmeikiŋ] kurmakeri, erotikk; klining.
love match ['lʌvmætʃ] inklinasjonsparti, kjærlighetsparti.
love nest elskovsrede.
lover ['lʌvə] elsker, tilbeder, kjæreste. —**'s lane** kjærlighetssti.
love sick ['lʌvsik] elskovssyk.
loving ['lʌviŋ] kjærlig, øm.
loving cup ['lʌviŋkʌp] festpokal (som går fra munn til munn i et selskap), rundskål.
loving kindness ['lʌviŋ'kaindnis] kjærlig hensynsfullhet; godvilje; miskunnhet.
low [ləu] lav; lavmål, bunnrekord; grunn; lavgir, førstegir; sakte, dempet, hul; simpel, tarvelig; ydmyk, dyp; ringe; ussel; låk; **a** — **bow** et dypt bukk; **the L. Countries** Nederlandene; **reduced to a** — **condition** temmelig meget på knærne; **buy at a** — **rate** kjøpe billig; **be in** — **spirits** være i dårlig humør; **be** — **in cash** ha smått med penger; **bring** — redusere; **cut** — nedringe (på kjole); **lay** — slå ned, drepe; begrave; **play** — spille forsiktig.
low [ləu] raute (om kuer); raut(ing).
low-born ['ləu'bɔ:n] av lav ætt. — **-church** lavkirke; lavkirkelig. — **-cost** billig. — **current** svakstrøm. — **-cut** nedringet, utringet. — **date** relativt ny. — **diet** mager kost.
low-down ['ləudaun] tarvelig, simpel, gemen; kjenserrgjeringer, (fotrolige el. autentiske) opplysninger.
lower ['lauə] = **lour.**
lower ['ləuə] lavere, nedre, under-; **the Lower House** Underhuset; **the** — **orders** underklassen; **the** — **world** underverdenen.
lower ['ləuə] skule, se skummel (el. truende) ut.
lower ['ləuə] gjøre lavere, senke, senke ned, fire ned; forminske; synke, avta, minke; ydmyke.
lowermost ['ləuəməust] lavest.
lowland ['ləulənd] lavland; **the Lowlands** det skotske lavland. **Lowlander** ['ləuləndə] innbygger i det skotske lavland.
Low Latin vulgærlatin.
lowliness ['ləulinis] beskjedenhet, ringhet.
lowly ['ləuli] beskjeden, ydmyk, smålåten, beskjedent.
low-lying lavtliggende. **low-minded** lavsinnet. **low-necked** nedringet. **lowness** lavhet. **low-priced** billig. **low-spirited** ['ləu'spiritid] nedslått, nedtrykt. **low-spiritedness** nedtrykthet.
Low Sunday 1. søndag etter påske.
low tide ebbe, fjære, lavvann.
low-water ['ləu'wɔ:tə] lavvann, lavvanns-; **be in** — være i vanskeligheter, være langt nede; ha smått med penger. — **mark** lavvannsmerke.
loyal ['lɔiəl] lojal, tro (mot bestående myndigheter); trofast, redelig; lydig. **loyalist** ['lɔiəlist] lovlydig borger, regjeringsvennlig. **loyalty** ['lɔiəlti] lojalitet, trofasthet, lydighet.
lozenge ['lɔzind͡ʒ] rute, rombe (likesidet, skråvinklet firkant); drops, pastill, brystsukker.

LP fk. f. **long playing (record)**; **L. P., l. p.,** fk. f. **low pressure.**

L. R. A. M. fk. f. **Licentiate of the Royal Academy of Music.**

LRBM fk. f. **long range ballistic missile.**

L. R. C. fk. f. **London Rowing Club; Labour Representation Committee.**

L. R. C. P. fk. f. **Licentiate of the Royal College of Physicians.**

L. R. C. S. fk. f. **Licentiate of the Royal College of Surgeons.**

£ s. d. el. **l. s. d.** el. **L. S. D.** ['eles'di:] fk. f. **librae** (ɔ: pounds), **solidi** (ɔ: shillings), **denarii** (ɔ: pence); **a question of** — et pengespørsmål; **it is only a matter of** — det kan gjøres (klares), har en bare de nødvendige pengene.

L. S. E. fk. f. **London School of Economics.**

Lt. fk. f. **Lieutenant.**

L. T. A. fk. f. **London Teachers' Association.**

ltd., Ltd. fk. f. **limited.**

lubbard ['lʌbəd], **lubber** ['lʌbə] kloss, staur, slamp; dårlig sjømann, baljeskipper.

lubberly ['lʌbəli] klosset, slampet, slåpen.

lube (oil) [lu:b] (amr.) smøreolje.

Lubeck ['lu:bek] Lübeck.

lubricant ['l(j)u:brikənt] smøring, smøreolje. **lubricate** ['l(j)u:brikeit] gjøre glatt; smøre. **lubrication** [l(j)u:bri'keiʃən] smøring; — **chart** smøre-kart. **lubricating oil** maskinolje, smøreolje. **lubricator** ['l(j)u:brikeitə] smøreapparat; smøre-kopp, smørenippel. **lubricity** [l(j)u'brisiti] glatthet, smøreevne; sleiphet, slibrighet.

Lucas ['l(j)u:kəs] Lukas.

luce [l(j)u:s] gjedde.

lucent ['lju:sənt] lysende, skinnende; gjennomsiktig, klar.

lucerne [lu'sə:n] luserne (plante).

lucid ['l(j)u:sid] skinnende, klar, lys, lysende; gjennomsiktig; overskuelig. **lucidity** [lu:'siditi] klarhet, glans.

Lucifer ['l(j)u:sifə] morgenstjernen, Venus; Lucifer; satan. **lucifer** fyrstikk. **luciferous** [lu'sifərəs] lysende, lysgivende; opplysende.

luck [lʌk] tilfelle, treff, lykketreff, flaks, slumpelykke, lykke, hell; **bad** — uhell, motgang; **by** — ved et slumpetreff; **be in** — ha hell med seg; **the best of** — ! hell og lykke! **worse** —! dessverre! gid det var så vel! **that's my usual** —, **that's just my** — slik skal det alltid gå meg; **try one's** — forsøke lykken; **more** — **than judgment** lykken er bedre enn forstanden; **be down on one's** — være i vanskeligheter; **as** — **would have it** heldigvis.

luckily ['lʌkili] til alt hell, heldigvis.

luckless ['lʌklis] ulykkelig, uheldig.

luck penny ['lʌkpeni] lykkeskilling.

lucky ['lʌki] lykkelig, heldig; **a** — **hit** et lykketreff; **by a** — **chance** ved et lykketreff; — **you!** heldiggris! **second time** — bedre lykke neste gang!

lucky bag eller **lucky tub** forundrings-pakke.

lucrative ['l(j)u:krətiv] innbringende, fordel-aktig, lønnsom.

lucubrate ['l(j)u:kjubreit] studere ved lys (om natten). **lucubration** [lu:kju'breiʃən] (nattlig) studium; lærd verk.

Lucy ['lu:si].

lud [lʌd] herre (for: lord); du store tid.

luddite ['lʌdait] luddist (som søkte å hindre innføring av dampvevstoler); maskinødelegger.

ludicrous ['l(j)u:dikrəs] latterlig; pussig, mor-som.

luff [lʌf] lo, lovart; forlik (på skonnertseil); luffe.

lug [lʌg] hale, trekke, rykke, ruske; øre, øre-snipp; klakk, nakke (på takstein); tulling, fjols; **put the** — **on** presse penger av (til et formål).

luge [lju:dʒ] énmannskjelke (akesport).

luggage ['lʌgidʒ] reisegods, bagasje; føring. — **label,** — **tag** merkelapp, — **rack** bagasjebrett,

bagasjehylle. — **ticket** garantiseddel, reisegods-kvittering. — **train** godstog. — **van** bagasjevogn

lugger ['lʌgə] lugger (lite skip).

lugubrious [lu'gju:briəs] sorgfull, trist, stusslig.

Luke [l(j)u:k] Lukas.

luke, lukewarm ['l(j)u:k], ['l(j)u:kwɔ:m] lunken. **lukewarmness** [-nis] lunkenhet.

lull [lʌl] lulle, sulle, bye, bysse; berolige, roe, døyve; stilne, roe seg; stans, opphold; stille periode; døs; stille, havblikk.

lullaby ['lʌləbai] voggesang; voggevise, barne-sull, bånsull.

lulu ['lu:lu:] lekker (sak); nydelig jente.

lumachel(le) ['lu:məkel] muslingperlemor.

lumbago [lʌm'beigəu] hekseskudd, lumbago.

lumber ['lʌmbə] tømmer; skrammel, skrap, skrot, rask; fylle opp; skrangle, ramle; være skogsarbeider; **it came -ing down with a crash** det kom styrtende ned med et brak.

lumberer ['lʌmbərə] tømmerhogger, skogs-arbeider; svindler. **lumbering** ['lʌmbəriŋ] tung, klosset, sen i vendingen, langsom; ramling; skogsarbeid; tømmerhandel.

lumber|jack, -man ['lʌmbədʒæk, -mən] skogs-arbeider, tømmerhandler. — **mill** sagbruk. — **room** pulterkammer, skraploft. **-yard** trelast-handel, trelasttomt.

luminary ['l(j)u:minəri] lysende; lysende le-geme; lys; **he is no great** — ≈ han har ikke opp-funnet kruttet.

luminous ['l(j)u:minəs] lysende, strålende. — **cell** lyscelle. — **dial** selvlysende tallskive. — **hand** selvlysende viser. — **paint** selvlysende maling.

lummy ['lʌmi] prektig, herlig, grom, glup.

lump [lʌmp] klump, masse; stykke; slå sam-men; ikke synes om, mislike; **a** — **of a fellow** en stor rusk; **I felt a** — **in my throat** jeg kjente en klump i halsen; **a** — **was rising in his throat** han kunne ikke tale (av bevegelse); **sell by the** — selge rubb og stubb, selge under ett; — **the expenses** dele utgiftene; — **them all together** skjære alle over én kam; **work by the** — arbeide på akkord; **if you don't like it you can** — **it** hvis du ikke synes om det, kan du la være; — **the lighter** bli deponert; — **it down** drikke i én slurk.

lumper ['lʌmpə] bryggesjauer.

lump fish ['lʌmpfiʃ] rognkjeks, steinbit (fisk).

lumping ['lʌmpiŋ] kluntet, klosset, svær.

lumpish ['lʌmpiʃ] kluntet, svær, treg, seig.

lump sugar ['lʌmpʃugə] sukkerbit, raffinade.

lump sum ['lʌmp'sʌm] rund sum, samlet sum, erstatningssum én gang for alle.

lump work akkordarbeid.

lumpy ['lʌmpi] kluntet, klosset; krapp.

lunacy ['l(j)u:nəsi] månesyke, sinnssyke, gal-skap.

lunar ['l(j)u:nə] måne-, måneformig; distanse-observasjon. — **caustic** lapis, helvetesstein. — **halo** ring rundt månen. **-ian** måneboer. — **probe** månesonde.

lunatic ['l(j)u:nətik] sinnssyk. gal. — **asylum** sinnssykeasyl. — **fringe** ekstremister, ytterlig-gående fanatikere.

lunch [lʌn(t)ʃ] lunsj, formiddagsmat; spise lunsj. — **counter** kvikkbar, lunsjdisk. — **interval** lunsjpause; spisefrikvarter.

luncheon ['lʌn(t)ʃən] lunsj (især om en festlig el. offisiell lunsj.) **luncheonette** [lʌnʃə'net] lett lunsj; lunsjrestaurant, frokostrestaurant.

lunch | packet matpakke. **-time recess** lunsj-pause, spisefrikvarter.

lune [l(j)u:n] halvmåneformet gjenstand; halv-måne.

lunette [lu'net] lunette (slags befestningsverk); flatt urglass; halvsirkelformet hull.

lung [lʌŋ] lunge. — **cancer** lungekreft. — **fever** lungebetennelse.

lunge [lʌn(d)ʒ] støt, utfall; langtom, langreip; leie i langtom; gjøre utfall.

lunged [lʌŋd] forsynt med lunger.
lunitidal [lu:ni'taidl] tidevanns-.
lupin ['l(j)u:pin] lupin.
lupine ['lu:pain] ulvaktig; ['lu:pin] lupin.
lupus ['l(j)u:pəs] lupus.
lurch [lə:tʃ] overhaling, krengning; krenge ver; slingre, rave, tumle; **leave in the** — la i tikken; **lie upon the** — ligge på lur; lure.
lurcher ['lə:tʃə] kjeltring; krypskytterhund.
lure [l(i)uə] lokkemat, åte; tillokkelse, forlokkelse; forføre, forlokke, lokke.
lurid ['l(j)uərid] glødende, flammende; truende, kummel, uhyggelig.
lurk [lə:k] ligge på lur, lure på, lure; — **about** nike seg omkring, luske. **lurking-place** ['lə:kiŋ- əleis] skjulested, smutthull.
luscious ['lʌʃəs] søt, smektende, innbydende; otladen, vammel.
lush [lʌʃ] saftig, yppig, frodig; vammel. — **tenor** smørtenor.
lush [lʌʃ] brennevin, sterk drikk; drikke; full, drukken; fyllesvin.
lust [lʌst] lyst, begjær, lystenhet; føle begjær. **lustful** lysten, vellystig. **lustiness** lysten- net; energi, kraft.
lustration [lʌ'streiʃən] renselse, lutring.
lustre ['lʌstə] glans; prakt; berømmelse; lysekrone. — **cloth** alpakka. **lustreless** [-lis] glansløs, matt.
lustrine ['lʌstrin] lystring (slags silkestoff).
lustrous ['lʌstrəs] skinnende.
lustrum ['lʌstrəm] gammel romersk renselsesseremoni; femårsperiode.
lusty ['lʌsti] kraftig, sterk, sprek, energisk.
lute [l(j)u:t] lutt; spille på lutt.
Luther [l(j)u:θə]. **Lutheran** ['l(j)u:θərən] luthersk, lutheraner. **Lutheranism** ['lu:θərənizm] lutherdom.
luthern ['lu:θən] kvistvindu.

luxate ['lʌkseit] forvri, bringe ut av ledd. **luxation** [lʌk'seiʃən] forvridning.
luxe [luks] luksus.
Luxemburg ['lʌksəmbə:g] Luxembourg.
luxuriance [lʌg'ʒuəriəns, -gzj-], **luxurianey** [-si] yppighet, frodighet, overdådighet. **luxuriant** [lʌg'ʒuəriənt, -gzj-] yppig, fyldig, rik.
luxuriate [lʌg'ʒuərieit, gzj-] vokse frodig; fråtse **(in** i), leve i luksus.
luxuriation [lʌgʒuəri'eiʃən, -gzj-] frodig vekst.
luxurious [lʌg'ʒuəriəs, -gzj-] luksuriøs, yppig, herlig, praktfull, overdådig. **luxuriousness** [-nis] overdådighet.
luxury ['lʌkʃəri] overdådighet, luksus, behagelighet; nytelse, delikatesse, luksusartikkel; **indulge in a** — unne seg en luksus; **live in** — leve omgitt av luksus.
lyceum [lai'si:əm] lyceum; lærd skole, latinskole; (amr.) konsert- og foredragssal.
lye [lai] lut. **lye boil** kaustisk soda.
lyer-in ['laiər'in] barselkone.
lying ['laiiŋ] løgnaktig, løgn.
lying ['laiiŋ] ligging. — **day** liggedag.
lying-in ['laiiŋ'in] barsel, fødsel; **lying-in hospital** fødselsklinikk.
lymph [limf] vannaktig legemsvæske, lymfe. — **gland** lymfekjertel. **lymphatic** [lim'fætik] lymfekar, lymfatisk. lymfe-.
lyneean [lin'si:ən] gaupe-, gaupeaktig; skarp.
lyneh [linʃ] lynsje. — **law** lynsjjustis.
lynx [liŋks] gaupe.
Lyons ['laiənz] Lyon.
lyre ['laiə] lyre; notestativ.
lyric ['lirik] lyrisk; lyrisk dikt; lyrikk; — **poem** lyrisk dikt; — **poet** lyriker; **-s** lyrisk vers, visetekster, sangtekster.
lyrical ['lirikl] lyrisk.
lyrist ['lirist] lyriker; ['lairist] lyrespiller.
lysol ['laisɔl] lysol.

M

M, m [em] M, m fk. f. **madam; majesty; married; masculine; metre.**
M. fk. f. bl. a. **monsieur; Motor Way.**
'm fk. f. **madam; am.**
M' det samme som Mac (i navn).
M. A. fk. f. **Master of Arts; Military Academy.**
ma [mɑ:] mamma, mor.
ma'am [məm, mɑ:m] frue (brukt i tiltale av tjenere); Deres Majestet (ved hoffet).
Mab [mæb] Mab (fk. f. Mabel); **Queen** — alvedronningen.
Mac [mæk, mək] forstaving i skotske navn, -son, -sen, -søn.
macadam road [mə'kædəm rəud] makadamisert vei (oppkalt etter oppfinneren Mac Adam). **macadamization** [məkædəmai'zeiʃən] makadamisering. **macadamize** [mə'kædəmaiz] makadamisere.
macaroni [mækə'rouni] makaroni; (gammelt:) spradebasse, sprett, spjert; — **cheese**, en pudding med makaroni og ost.
macaronic [mækə'rɔnik] makaronisk vers (vers i blandingsspråk, f. eks. med latinske ord el. engelske ord med latinske endinger).
macaroon [mækə'ru:n] makron.
macassar [mə'kæsə] makassarolje.
Macaulay [mə'kɔ:li].
macaw [mə'kɔ:] ara (slags papegøye).
Macbeth [mək'beθ].
Mac Donald [mək'dɔnəld].
mace [meis] kølle, stav, septer; morgenstjerne, vekterstav; — **-bearer** septerbærer.
mace [meis] muskatblomme.

Macedonia [mæsi'dounjə] Makedonia.
macerate [mæsəreit] bløte, bløtgjøre; avmagre, uttære. **maceration** [mæsə'reiʃən] bløtgjøring, bløting; avmagring.
machinate ['mækineit] planlegge, klekke ut, finne på, tenke ut. **machination** [mæki'neiʃən] planlegging, renke, intrige. **machinator** ['mækineitə] renkesmed.
machine [mə'ʃi:n] maskin; arbeide på (cl. med) maskin, bearbeide, fabrikkere. **machinelike** [mə'ʃi:nlaik] maskinmessig. **machinery** [mə'ʃi:n(ə)ri] maskineri. **machine| -east** maskinstøpt. — **gun** maskingevær. — **parts** maskindeler. — **tool** verktøymaskin. **machining** maskinbearbeiding, maskinbehandling. **machinist** [mə'ʃi:nist] maskinbygger, maskinist.
Mach number [mɑ:k] mach (tall) (forholdet mellom et legemes (fly, rakett) hastighet og lydens).
mackerel ['mækərəl] makrell, pir. — **gale** sterk kuling.
mackintosh ['mækintɔʃ] mackintosh; vanntett tøy; regnfrakk; vanntett.
Maclaren [mək'lærən].
macrocosm ['mækrəkɔzəm] makrokosmos.
macula ['mækjulə] plett, flekk. **maculate** ['mækjuleit] plette, flekke. **maculation** [mækju'leiʃən] makulering, flekkdannelse, flekk.
mad [mæd] sinnssyk, avsindig, gal, rasende, fra vettet; — **with joy** ute av seg selv av glede; — **after (for, upon)** gal etter, forhippet på; — **as a March hare** sprøyte gal; — **as a hatter** splitter gal; **like** — som en gal; **drive** — gjøre gal; **go** — bli gal.

Madagascar [mædə'gæskə] Madagaskar.
madam ['mædəm] frue, frøken (i tiltale).
madame ['mædəm] fru (tittel foran utenlandsk dames navn); **Madame Tussaud's** [tu'səuz-, tə'sɔ:dz] vokskabinett i London.
madcap ['mædkæp] galfrans, galning, villstyring.
madden ['mædn] gjøre rasende, drive fra vettet; **bli gal. maddening** ['mædniŋ] voldsomt irriterende, til å bli rasende av.
madder ['mædə] krapplante; el. rød farge av denne.
madding ['mædiŋ] avsindig, rasende, vill, som oppfører seg vanvittig.
made [meid] imperf. og perf. pts. av **make**; satt sammen av, oppdiktet, konstruert; **the bed is** — sengen er oppredd. — **dishes** lapskaus, litt av hvert; **he is a** — **man** hans lykke er gjort.
Madeira [mə'diərə]; madeira (vin).
mademoiselle [mædəmə'zel] frøken (tittel brukt om fransk dame, ofte om fransk guvernante).
made-up [meid'ʌp] kunstig, laget, sminket; oppdiktet, konstruert.
madge [mædʒ] tårnugle.
madhouse ['mædhaus] sinnssykeasyl, galehus.
madman ['mædmən] sinnssyk person, gal.
madness ['mædnis] sinnssyke, galskap; raseri.
Madonna [mə'dɔnə] madonna.
Madras [mə'dræs, -ɑ:s].
madrepore ['mædripɔ:] stjernekorall.
Madrid [mə'drid].
madrigal ['mædrigəl] madrigal, elskovsdikt.
Maelstrom ['meilstrəm]: **the** — Moskenstraumen i Lofoten. **maelstrom** ['meilstrəum] malstrøm, virvel(strøm).
Mae West ['mei'west] redningsvest til å blåse opp, flytevest.
Mafeking ['mæfikiŋ].
maffick ['mæfik] juble.
mag [mæg] halvpenny; snakk, snakketøy; pludre, skravle, snakke; **hold your** — hold snavla.
magazine [mægə'zi:n] magasin, tidsskrift; depot; (film)kassett, magasinere, oppsamle. — **rifle** magasingevær. **magazinist** [-'zi:nist] medarbeider ved tidsskrift.
Magdalen ['mægdəlin]; **a m.**; en angrende synderinne; — **College** ['mɔ:dlin'kɔlidʒ] Magdalen College (i Oxford).
mage [meidʒ] mager; trollmann.
Magellan [mə'gelən]; **the Strait of** — Magellanstredet.
maggot ['mægət] larve, maddik, mark, åme; innfall, lune, grille; **just as the** — **bites her** etter som det stikker henne, helt etter innfall.
magotty ['mægəti] full av mark; lunefull.
Magi ['meidʒai] magere (plur. av **magus**); **the magi** de hellige tre konger, vismennene fra Østerland. **magian** ['meidʒən] magisk; mager.
magic ['mædʒik] tryllekunst, trolldom; magisk, forhekset, trolsk; **as if by** — som ved et trylleslag. — **carpet** flygende teppe. — **eye** trolløye. — **lantern** lysbildeapparat. — **wand** tryllestav.
magical ['mædʒikl] magisk. **magician** [mə-'dʒiʃən] tryllekunstner, trollmann.
magisterial [mædʒi'stiəriəl] øvrighets-; skolemester-, overlegen, hoven. — **court** ≈ forhørsrett. **magistracy** ['mædʒistrəsi] embetsverdighet, magistrat. **magistrate** ['mædʒistreit] øvrighetsperson; fredsdommer, politidommer.
Magna Charta ['mægnə'kɑ:tə] det store engelske frihetsbrevet fra 1215; frihetsbrev.
magnanimity [mægnə'nimiti] høymodighet, storsinnethet. **magnanimous** [mæg'næniməs] høymodig, høysinnet.
magnate ['mægneit] stormann, storkar, magnat.
magnesia [mæg'ni:ʃə] magnesia.
magnesium [mæg'ni:ziəm] magnesium; — **light** magnesiumslys.
magnet ['mægnit] magnet. — **coil** magnetspole. — **core** magnetkjerne. **magnetic** [mæg-

'netik] magnetisk; besettende, hypnotisk. — **deviation** kompassmisvisning. — **field** magnetisk kraftfelt. — **head** lydhode på båndopptaker. — **iron ore** magnetjernstein. **magnetics** [mæg'netiks] læren om magnetisme. **magnetism** ['mægnitizm] magnetisme, tiltrekningskraft. **magnetize** ['mægnitaiz] magnetisere. **magnetizer** ['mægnitaizə] magnetisør.
magneto [mæg'ni:təu] magnet (i motor).
magnification [-'kei-] forstørrelse, forstørring. **magnificence** [mæg'nifisəns] prakt, herlighet. **magnificent** [mæg'nifisənt] storartet, praktfull.
magnifier ['mægnifaiə] forstørrelsesglass, lupe, forsterker (radio).
magnify ['mægnifai] forstørre, forøke, forsterke; overdrive; lovprise. **-ing glass** ['mægnifaiiŋ'glɑ:s] forstørrelsesglass, lupe.
magniloquence [mæg'niləkwəns] svulstighet i skryt, store ord. **magniloquent** [mæg'niləkwənt] svulstig, brautende.
magnitude ['mægnitju:d] størrelse, størrelses orden; viktighet, vekt.
magnolia [mæg'nəuljə] magnolia.
magnum ['mægnəm] magnumflaske.
magnum bonum ['mægnəm 'bəunəm] magnum bonum (slags stor potet, plomme osv.).
magpie ['mægpai] skjære, skjor; skravlekopp.
magus ['meigəs] pl. **magi** [-dʒai] mager; trollmann.
Magyar ['mægjɑ:] madjar; madjarsk.
Maharaja [mɑ:hə'rɑ:dʒə] indisk fyrste.
Maharanee [mɑ:hə'rɑ:ni] indisk fyrstinne.
mahatma [mə'hætmə] stor sjel, mahatma.
Mahdi ['mɑ:di] Mahdi (muhammedansk Messias).
mahlstick ['mɑ:lstik] malerstokk.
mah-jong ['mɑ:dʒɔŋ] kinesisk spill.
mahogany [mə'hɔgəni] mahogni, mahognitre.
Mahomet [mə'hɔmit] Muhammed. **Mahometan** [mə'hɔmitən] muhammedansk; muhammedaner. **Mahometanism** [mə'hɔmitənizm] muhammedanisme.
mahout [mə'haut] elefantfører.
maid [meid] jomfru; jente, pike, hushjelp; — **-of-all-work** enepike; — **of honour** hoffdame; brudens forlover.
maiden ['meidn] jomfru, pike, jente; jomfruelig, uberørt, ren; — **name** pikenavn; — **speech** jomfrutale, et medlems første tale. — **trip** jomfrutur, første reise.
maidenhair ['meidnhɛə] burkne, murburkne; bjørnemos, romegras, venushår.
maidenhead ['meidnhed] jomfrudom, møydom.
maiden|hood ['meidnhud] jomfruelighet, jomfrustand. **-like** jomfruelig; jomfrunalsk. **maidenliness** ['meidnlinis] jomfruelighet. **maidenly** ['meidnli] jomfruelig, ærbar.
maidhood ['meidhud] = **maidenhood**.
maid in waiting hoffdame.
maidservant ['meidsə:vənt] tjenestepike, hushjelp.
mail [meil] panser, brynje; pansre; **coat of** — panserskjorte. **-ed fist** pansret neve.
mail [meil] post; postsekk, brevsekk; brevpost, sende med posten; **by to-day's** — med posten i dag; **by return of** — omgående.
mailable ['meiləbl] som kan sendes med posten.
mail|bag ['meilbæg] postsekk. **-cart** postvogn; barnevogn (for noe større barn); promenadevogn. — **coach** postvogn. — **guard** postfører.
mailing | list forsendelsesliste. — **machine** adresseringsmaskin; frankeringsmaskin. **mail|man** (amr.) postbud. — **order** postordre. — **slot** brevsprekk. — **train** posttog.
maim [meim] lemleste, skamslå, skamfere, kveste.
main [mein] kraft, makt, styrke; hovedledning; hoveddel, hovedmasse; hovedsak; hav, verdenshav; fastland, kontinent; hoved-, stor-; **with might and** — av all makt, av alle krefter, anspent; **for the** —, **in the** — for største delen; i

ovedsaken; hoved-, vesentligst, viktigst; **the —
hance** egen fordel, et godt parti; — **line** hoved-
nje (av jernbane); **the — opinion** den rådende
mening; **by — force** med makt; — **sea** rom sjø;
he — stress hovedvekten. — **brace** storbras. —
eck hoveddekk; øverste dekk. — **drain** hoved-
loakk. — **drive** drivaksel, hovedaksel. — **floor**
ørste etasje.

mainland ['mein'lænd] fastland. **mainly** ['mein-
i] hovedsakelig. **mainmast** ['meinmɑ:st] stor-
nast.

main | plot hovedhandling. — **road** hovedvei.
mains hovedledninger; lysnett. **main|sheet** stor-
kjøt. **-spring** hovedfjær, drivfjær.

maintain [men'tein, mən-, mein-] holde, opp-
etholde, bevare, håndheve, forsyne, vedlike-
olde, hevde, holde i hevd, fastholde, forsvare;
nderholde, understøtte, ernære. **maintainable**
-əbl] holdbar. **maintainer** [-'teinə] forsvarer,
.evder, forsørger. **maintenance** ['meintinəns]
.edlikehold, reparasjon; forsvar; underhold,
nderstøttelse, underholdningsbidrag, opprett-
oldelse, hevdelse. — **allowance** diett, kost-
benger. — **cost** vedlikeholdsutgifter.

main|top ['meintɔp] stormers. — **yard** [-jɑ:d]
storrå.

maize [meiz] mais; maisgult. — **meal** maismel.
— **yellow** maisgult.

Maj. fk. f. Major.

majestic [mə'dʒestik] majestetisk. **majesty**
'mædʒisti] majestet. **His Majesty** Hans Majestet.

majolica [mə'jɔlikə] majolika (slags fajanse).

major ['meidʒə] større, eldre; størst (av to);
dur (i musikk), major; fullmyndig; (temmelig)
viktig; hoved-, hovedfag; å ta hovedfag; **a —
error** en alvorlig feil; — **-domo** ['meidʒə'dəuməu]
major domus, rikshovmester; hushovmester. —
general ['maidʒe'dʒənərəl] generalmajor. — **sub-
ject** hovedfag.

Majorca [mə'dʒɔ:kə, mə'jɔ:kə].

majority [mə'dʒɔriti] stilling som major; full-
myndighet; majoritet; **have a —** være i majori-
tet, ha flertall; **join the —** gå all kjødets gang; dø.

major | league (amr. baseball) ≈ 1. divisjon. —
repair større reparasjon. — **road** hovedvei
(med forkjørsrett).

majorship ['meidʒəʃip] majors rang el. stilling.

majuscule [mə'dʒʌskju:l] majuskel, stor bok-
stav.

make [meik] gjøre; lage, fabrikere, gjøre i stand,
få til, få isammen, forferdige, skape, danne,
tilberede; la bringe til; gjøre til, utnevne til;
utgjøre, fremstille; tjene; bli; tilbakelegge (om
distanse); **made in England** engelsk fabrikat; —
the cards stokke, blande og gi kort; — **cheer**
være munter; — **good cheer** spise godt; — **head**
avansere, gå fram; — **a hit** gjøre lykke, slå igjen-
nom; — **one's mark** bli berømt; — **a mess of it**
ødelegge det hele; — **money** tjene penger, bli rik;
— **the most of** få mest mulig ut av; — **much**
of sette stor pris på, sette høyt, like godt; —
a night of it more seg hele natten; he **-s nothing
of** han regner det ikke for noe at; — **peace**
slutte fred; — **a point of** legge stor vekt på; —
reply svare; — **a speech** holde en tale; — **war**
føre krig; — **good syne**, bevise; holde, oppfylle;
virkeliggjøre, utføre, vinne inn igjen; — **good a
charge** bevise en anklage; — **oneself scarce** stikke
av; **how much does it —** ?hvor mye beløper det
seg til? — **believe** få til å tro, inbille; **I — the sum
larger than you do** jeg regner beløpet for større
enn De gjør; **what time may you —** it? hvor
mange er Deres klokke? når kan De komme?
— **friends** bli gode venner; **he will never — an
officer** han blir aldri offiser; — **out** greie, skjønne;
tyde, tolke, legge ut; få fram; få ut av; skaffe;
I cannot — him out jeg vet ikke hva jeg skal tro
om ham; **he was not able to — out the money** han
var ikke i stand til å skaffe pengene til veie; —
over overdra, avhende; — **up** utgjøre, represen-
tere; være, avfatte, oppstille, lage, oppdikte; fore-

stille; sette sammen; tilberede; få i stand; bilegge;
gjøre opp; sminke (seg); — **up for** erstatte, vinne
inn, innhente; oppveie; **we made it up** vi ble gode
venner igjen; — **up one's mind** ta en beslutning,
beslutte seg til; — **up for the lost time** innhente
det forsømte; — **for** ta retning, sette kursen for;
— **as if** late som om; — **off** skynde seg bort, løpe
bort; **he is not so bad as people —** out han er
ikke så dårlig som folk vil ha ham til.

make [meik] fabrikasjon, fabrikat, merke;
kroppsbygning, form, bygning, lag, snitt.

make [meik] (i skotsk) kamerat, felle, like.

makeable ['meikəbl] gjørlig.

make believe ['meikbili:v] skinn, påskudd; på
liksom, påtatt.

maker ['meikə] fabrikant, produsent, skaper.

makeshift ['meikʃift] nødmiddel, surrogat,
midlertidig hjelpemiddel.

make-up ['meikʌp] utstyr, ytre; maske, for-
kledning, sminke; sammensetning, beskaffenhet;
personlighet, egenart; komediespill, løgnhistorie.

makeweight ['meik-] tillegg til noe, som gis
attpå.

making ['meikiŋ] fremstilling, tilblivelse, lag-
ing, fabrikasjon; **that was the — of him** det
grunnla hans lykke; **there is the — of a good
soldier in him** det er stoff til en god soldat i ham.

making-up ferdiggjøring, klargjøring; inn-
pakking; sminking. — **price** avviklingskurs.

Malacca [mə'lækə] Malakka.

malachite ['mæləkait] malakitt (grønt mineral).

maladjustment ['mælə'dʒʌstmənt] dårlig til-
passing, dårlig ordning; miljøskade.

maladministration ['mælədmini'streiʃən] van-
styre, dårlig ledelse.

maladroit ['mælədrɔit] ubehendig, trehendt,
klønet, klosset.

malady ['mælədi] sykdom.

mala fide ['meilə'faidi] ikke i god tro.

Malagasy [mælə'gæsi] (mada)gassisk; (mada)-
gasser.

malaise [mæ'leiz] illebefinnende, utilpasshet.

malapert ['mæləpə:t] nesevis.

malaprop ['mæləprɔp] latterlig feilbruk av ord,
språkbommert. **Mrs. Malaprop** person i Sheri-
dans The Rivals som bruker ordene galt. **mala-
propism** ['mæləprɔpizm] d. s. s. **malaprop.**

malapropos ['mæl'æprəpəu] malapropos, i utide,
på urette sted.

malar ['meilə] (kinn)bein.

malaria [mə'lɛəriə] malaria, sumpfeber. **ma-
larial** [mə'lɛəriəl], **malarious** [-riəs] som hører
til malaria, usunn.

Malay [mə'lei] malayer. **Malaya** [mə'leiə].
Malayan [mə'leiən] malayisk.

Malcolm ['mælkəm].

malcontent ['mælkən'tent] misfornøyd, mis-
nøyd. **malcontented** [mælkən'tentid] misfornøyd,
misnøyd.

mal de mer sjøsyke.

male [meil] mannlig, hann-, manns-, maskulin;
child guttebarn. — (**voice**) **choir** mannskor.

malediction [mæli'dikʃən] forbannelse, våbønn.

malefactor ['mæli'fæktə] forbryter, illgjernings-
mann.

malefic [mə'lefik] ulykkesbringende.

maleficient [mə'lefisnt] ond, skadelig.

male line sverdside; mannslinje.

malevolence [mə'levələns] uvilje, ondskap.

malevolent [mə'levələnt] ondskapsfull, skade-
fro.

malfeasance [mæl'fi:zəns] mislighet, myndig-
hetsmisbruk, embetsmisbruk.

malformation [mælfɔ:'meiʃən] misdannelse.

malformed [mæl'fɔ:md] vanskapt, misdannet.

malfunction [mæl'fʌn(k)ʃən] funksjonsfeil; klik-
ke (om skytevåpen).

malice ['mælis] ondskap, hat, skadefryd; nag;
forbrytersk hensikt; **with —** overlagt.

malicious [mə'liʃəs] ondskapsfull, ondsinnet,
skadefro, sjikanøs. — **damage** hærverk.

maliferous [mə'lifərəs] ondartet, farlig.

malign [mə'lain] ondskapsfull, ond, vond; tale ille om, baktale, rakke ned på; illevarslende, skjebnesvanger; ondartet. **malignancy** [mə'lignənsi] ondskap. **malignant** [mə'lignənt] ondskapsfull; ondartet. **maligner** [mə'lainə] baktaler. **malignity** [mə'ligniti] ondskap.

malinger [mə'lingə] simulere, skulke. **malingerer** [mə'lingərə] simulant.

malism ['meilizm] pessimisme, læren at verden i grunnen er ond.

malison ['mælizən, -sən] forbannelse.

malkin ['mɔ:(l)kin] skureklut; fugleskremsel.

mall [mel, mæl] spasergang, allé; **the M.** en allé i St. James's park i London.

mall [mɔ:l] langskaftet klubbe, trehammer; banke med trehammer.

mallard ['mæləd] villandrik; villand, stokkand.

malleable ['mæljəbl] som kan smies, strekkes; bøyelig, plastisk. **malleate** ['mælieit] hamre. **malleation** [mæli'eiʃən] uthamring.

mallet ['mælit] klubbe, trehammer.

mallow ['mæləu] kattost, malva.

malmsey ['mɑːmzi] malvasier (slags vin).

malnutrition ['mælnju'triʃən] dårlig kost, ernæring, mangelfull ernæring.

malodorant [mæ'ləudərənt] illeluktende stoff; stinkende, illeluktende.

malpractice [mæl'præktis] uaktsomhet, mislighet, pliktforsømmelse.

malt [mɔ:(:)lt] malt; øl; malte, melte.

Malta ['mɔ:(:)ltə].

malt dust ['mɔ:ltdʌst] maltspirer.

Maltese ['mɔ:l'ti:z] maltesisk, malteser-; malteser.

malt floor ['mɔ:ltflɔ:] maltloft; maltlag.

malt house ['mɔ:lthaus] malteri.

Malthus ['mælθəs]. **-ian** [mæl'θju:ʒən] malthusiansk; malthusianer.

maltreat [mæl'tri:t] mishandle. **maltreatment** [-mənt] mishandling.

maltster ['mɔ:ltstə] malter. **malty** ['mɔ:lti] malt-; maltlignende.

malty ['mɔ:lti] maltaktig, som smaker av malt.

malversation [mælvə'seiʃən] slett oppførsel; utroskap; embetsforbrytelse; bestikkelighet; underslag.

Ma'm [məm] frue (i tiltale).

mam [mæm], **mama** [mə'mɑ:] se **mamma**.

mamma [mə'mɑ:] mamma.

mamma ['mæmə] spene, patte, bryst. **mammal** ['mæməl] pl. **mammalia** [mæ'meiliə] pattedyr. **mammary** bryst-. **mammilla** brystvorte.

mammon ['mæmən] mammon; penger. **mammonist** ['mæmənist], **mammonite** ['mæmənait] mammondyrker.

mammoth ['mæməθ] mammutdyr; diger, svær, kjempe-.

mammy ['mæmi] mor, mamma; negerkvinne (især om aldrende negerkvinne).

man [mæn] menneske, mann; tjener; menneskeheten; arbeider, mannskap; elsker; brikke (i spill); bemanne; manne opp; **the old** — den gamle, gamlen = faren; — **about town** levemann, herre på byen; **every** — **for himself** redde seg den som kan; — **of business** forretningsmann; — **of colour** neger; — **of letters** lærd; forfatter; — **-of-all-work** faktotum, altmuligmann, tusenkunstner; — **of many words** en som bruker mange ord; — **of his word** en som en kan stole på; **be one's own** — være sin egen herre; være ved sine fulle fem; — **of the world** verdensmann; **to a** —, **every** — **Jack** alle som én; — **and boy** fra barndommen av; **when I am a** — når jeg blir voksen; **the fall of** — syndefallet; **the rights of** — menneskerettighetene.

Man [mæn] Man; **the Isle of** — øya Man.

manacle ['mænəkl] håndjern; sette håndjern på, legge i lenker; tynge, hemme.

manage ['mænidʒ] håndtere, lede, administrere, forestå, forvalte, disponere, styre, be handle, manøvrere, klare, greie, overkomme spare på, holde hus med; temme, ride til, av rette; **I suppose it can be -d** det kan nok la se ordne; **they all -d to get out** det lyktes alle slippe ut.

manageability [mænidʒə'biliti] medgjørlighet påvirkelighet. **manageable** ['mænidʒəbl] med gjørlig.

managed currency kunstig regulert valuta.

management ['mænidʒmənt] behandling, be tjening; bestyrelse, styre, ledelse; administra sjon, direksjon, ledersjikt; takt, klokskap.

manager ['mænidʒə] leder, bestyrer, avdelings sjef, disponent, direktør; en som manøvrere med takt og klokskap; impressario, arrangør — **disease** stress, direktørsyke; hjerteinfarkt **managerial** [mæni'dʒiəriəl] bestyrelses-, styreleder-, direktør-.

manager owner ≈ selvstendig næringsdrivende

managing ['mænidʒiŋ] ledende, bestyrende **managing director** administrerende direktør.

man alive ['mænə'laiv] er du fra vettet!

man-at-arms ['mænət'ɑ:mz] krigsmann; tungt væpnet soldat.

Manchester ['mæntʃistə]; **the** — **school** ɔ: fri handelspartiet.

man-child ['mæntʃaild] guttebarn.

Manchu [mæn'tʃu:] mandsju; mandsjuisk.

Manchuria [mæn'tʃuəriə] Mandsjuria.

manciple ['mænsipl] leveringsmann, forvalter, en som skaffer forsyninger til et college osv.

mandamus [mæn'deiməs] (jur.) ordre; utstede ordrer til.

mandarin ['mændərin] mandarin.

mandatary ['mændətəri] mandatar (den som har fullmakt), fullmektig, ombudsmann.

mandate ['mændeit] mandat(område), pålegg ombud, befaling; fullmakt.

mandatory ['mændətəri] bydende; påbudt; obligatorisk; mandat-, fullmakts-.

mandible ['mændibl] kjeve, kjeve(bein).

mandolin ['mændəlin] mandolin.

mandragora [mæn'drægərə] alrune.

mandrake ['mændreik] alrune.

mandrel ['mændrəl] spindel (på dreiebenk); dor; kilhakke. — **stock** spindeldokk.

mandrill ['mændril] mandrill (slags bavian).

mandueable ['mændjukəbl] som kan tygges, spises. **manducate** ['mændjukeit] tygge; spise.

mane [mein] manke, man, faks. **-d med** manke.

man-eater ['mæni:tə] menneskeeter; menneskeetende tiger; vamp.

manege [mə'neiʒ] ridekunst; ridebane, rideskole.

manes ['meini:z] manes, de avdødes sjeler.

man Friday Robinson Crusoes innfødte tjener Fredag; (fig.) trofast tjener.

manful ['mænf(u)l] mandig, karslig, tapper.

manganese [mæŋgə'ni:z] mangan.

mange [mein(d)ʒ] skabb (utslett).

manger ['mein(d)ʒə] krybbe.

manginess ['mein(d)ʒinis] skabbethet.

mangle ['mæŋgl] lemleste, sønderrive, rive sund.

mangle ['mæŋgl] rulle, mangle (tøy); rulle. — **board** manglebrett.

mango ['mæŋgəu] mango (indisk frukt).

mangrove ['mæŋgrəuv] mangrovetre.

mangy ['mein(d)ʒi] skabbet.

manhandle ['mænhændl] mishandle, maltraktere; behandle med håndkraft, bakse med; **-d** medtatt.

manhater ['mænheitə] menneskehater.

Manhattan [mæn'hætən] Manhattan; en slags cocktail.

manhaul ['mænhɔ:l] trekke med håndkraft.

manhole ['mænhəul] mannhull (i dampkjele). — **cover** manhullslokk; kloakklokk, kumlokk.

manhood ['mænhud] menn, mannlig befolking; manndom, manndomsalder; **grow to —** okse opp til mann.

mania ['meinjə] vanvidd, galskap; mani.

maniae ['meiniæk], **maniacal** [mə'naiəkl] vanittig, gal, avsindig.

manicure ['mænikjuə] manikyr, pleie av hender og negler; manikyrere, pleie hender og negler. **manicuring** ['mænikjuəriŋ] håndpleie. **manicurist** ['mæ-] manikyrist.

manifest ['mænifest] tydelig, klar, grei, åpenbar; nøyaktig liste over skipslast, tolloppgivelse; oesifikasjon; åpenbare, tilkjennegi, legge for dagen, kunngjøre, anmelde (varer for tollvesenet). **manifestable** ['mæni'festəbl] som kan angis. **manifestant** [mæni'festənt] demonstrant. **manifestation** [mænifes'teiʃən] åpenbaring, demonstrasjon, utslag, manifestasjon, uttrykk. **manifesto** [mæni'festəu] manifest, erklæring.

manifold ['mænifəuld] mangfoldig, mangfoldiggjøre, duplisere; grenrør, samlerør; gjennomslag, .opi. **— writer** stensilmaskin, duplikator.

manikin ['mænikin] mannsling; leddedukke, stillingsfigur.

Manila [mə'nilə]; manilasigar.

manioc ['mæ-, 'mei-] maniok, kassava.

maniple ['mænipl] manipel; romersk kompani. **manipulate** [mə'nipjuleit] behandle, håndtere, føre; manipulere. **manipulation** [mənipju'leiʃən] håndtering, behandling, manipulasjon. **manipulative** som utføres med håndgrep.

Manitoba [mæni'təubə].

manitou ['mænitu:] manitu, slags guddom el. ylgje hos indianerne.

mankiller ['mænkilə] drapsmann.

mankind [mən'kaind] menneskehet, menneskelekt; [ogs. 'mænkaind] hannkjønn(et).

Manks = Manx.

manlike ['mænlaik] menneskelignende, som n mann, mannlig; mandig, karslig; mannhaftig. **manliness** ['mænlinis] mandighet.

manly ['mænli] mandig.

man-mountain ['mænmauntin] kjempe.

manna ['mænə] manna.

manned [mænd] bemannet.

mannequin ['mænikwin] mannequin. **— show** mannequinoppvisning.

manner ['mænə] manér, skikk, vis, måte, lag, framferd, sedvane, stil; **-s** oppførsel, folkeskikk, manérer; **all — of things** alle mulige ting; **by no — of means** på ingen måte, under ingen omstendigheter, slett ikke; **in a (certain) —** på en måte; **in a — of speaking** i parentes bemerket; **in this — på denne måte; he has no -s** han eier **ikke** folkeskikk; **ways and -s** skikk og bruk; **where are your -s** hvordan er det du oppfører deg; **-s please** oppfør deg ordentlig; **as to the — born** som skapt til det. **mannered** ['mænəd] med . . . seder; av . . . seder; kunstlet, affektert, tilgjort, maniert.

mannerism ['mænərizm] manér, unatur, affektasjon; manierthet. **mannerist** ['mænərist] manierist.

mannerless ['mænəlis] uoppdragen, ubehøvlet. **mannerliness** ['mænəlinis] god tone, folkeskikk. **mannerly** ['mænəli] veloppdragen, høflig.

mannikin ['mænikin] mannsling, dverg; (kunstners) leddedukke; fantom; utstillingsfigur.

mannish ['mæniʃ] maskulin, mannhaftig.

manoeuverability [-'bi-] manøvredyktighet, manøvrerbarhet. **manoeuvre** [mə'nu:və] manøver; manøvrere.

man-of-war [mænə(v)'wɔ:]krigsskip, orlogsskip. **man-of-war bird** fregattfugl.

manometer [mə'nɔmitə] trykkmåler.

manor ['mænə] landgods, hovedgård, herregård; **lord of the —** godseier. **— house** herregård. **manorial** [mə'nɔ:riəl] herskapelig, herregårds. **— dues** føydalavgift.

man power samlede menneskemateriell; arbeidskraft, håndkraft; kraftenhet = $1/8$ el. $1/10$ hestekraft.

mansard ['mænsɑ:d, -səd] el. **mansard roof** mansard-tak; brutt tak.

manse [mæns] (skotsk:) prestegård.

mansion ['mænʃən] våning, herregård, palé, herskapsbolig. **the M. House** embetsbolig i London for Lord Mayor.

manslaughter ['mænslɔ:tə] (uaktsomt) drap.

manslayer ['mænsleiə] drapsmann.

mansuetude ['mænswitju:d] mildhet.

manta ['mæntə] dekken, teppe; djevelrokke.

mantel ['mæntl] kamingesims. **-piece**, el. **-shelf** kamingesims, kaminhylle, peishylle.

mantie ['mæntik] profetisk.

mantilla [mæn'tilə] mantilje, kort silkekåpe.

mantis ['mæntis]: **praying —** kneler (insekt).

mantle ['mæntl] kappe, kåpe, teppe; glødenett (i lamper); dekke til, bedekke, innhylle; skjule. **mantlet** ['mæntlit] liten kåpe; skuddsikkert skjermtak.

man-trap ['mæntræp] fotangel, saks, felle, fallgruve.

manual ['mænjuəl] som utføres med hendene, manuell; manuelt arbeid; håndbok, lærebok, reglement. **— alphabet** fingeralfabet. **— exercise** håndgrep. **— goods** avsettelige varer. **— labour** kroppsarbeide, håndkraft. **— letters** fingeralfabet. **— operation** håndbetjening. **— training** ferdighetsfag, håndarbeidsfag.

manufactory [mænju'fæktəri] fabrikk, fabrikasjon. **manufactural** [mænju'fæktʃərəl] fabrikk-. **manufacture** [-'fækʃə] fabrikasjon, fabrikat, industri, industrivare; fabrikere, tilvirke, lage, produsere, opparbeide; finne på. **-d goods** ferdigvarer. **manufacturer** [-'fæktʃərə] fabrikant. **manufacturing industry** fabrikkindustri, industrinæring.

manumission [mænju'miʃən] frigivelse (av slave). **manumit** [mænju'mit] gi (slave) fri.

manure [mə'njuə] gjødsle; gjødning, gjødsel, møkk. **— distributor** gjødselspreder. **— heap** gjødseldynge. **manurial** [mə'njuəriəl] gjødnings-.

manuscript ['mænjuskript] håndskrevet, i manuskript; håndskrift, manuskript.

Manx [mæŋks] mansk, fra Man. **— cat** mankatt (haleløs katteart). **Manxman** ['mæŋksmən] beboer av Man.

many ['meni] mang en, mangt, mange; mengde; **this — a day, for — a long day** på lange tider; **as — again** én gang til så mange; **he is one too — for me** han er meg for sterk; **I have not seen him these — years** jeg har ikke sett ham på mange år; **six mistakes in as — lines** seks feil på seks linjer; **we were packed up like so — herrings** vi var stuet sammen som sild i en tønne; **the — flertallet**, mengden; **a good —**, **a great — en mengde. — -coloured** mangefarget. **— -cornered** mangekantet. **— -headed** ['menihedid] mangehodet. **— -sided** mangesidet; mangesidig.

Maori ['mauri] maori; maori-.

map [mæp] kart; landkart; tegne kart; kartlegge; planlegge; **it is off the — det er ute av** bildet, det er forsvunnet; avsides; **put on the —** nedtegne på kartet; gjøre kjent.

mapping ['mæpiŋ] karttegning.

maple ['meipl] lønn (tre). **— leaf** lønneblad (Canadas nasjonalsymbol). **— tree** lønn.

maquette [mæ'ket] utkast, skisse, modell i leire el. voks.

Maquis [mɑ:'ki:] betegnelse for den franske hjemmefrontbevegelse, hjemmefronten. **Maquisard** medlem av maquis'en.

mar [mɑ:] skjemme, lyte, vansire, spolere; **make or — him** bestemme hans skjebne, skape eller ødelegge hans framtid.

marabou ['mærəbu:] marabustork.

maraca [mə'rɑ:kə] maracas (rytmeinstrument).

maraschino [mærəs'ki:nəu] maraskino (en kirsebærlikør).

maraud [mə'rɔ:d] marodere, plyndre, streife om på rov; plyndretog. **marauder** [mə'rɔ:də] marodør. **marauding** [-diŋ] plyndring; plyndrende.

marble ['mɑ:bl] marmor, kunstverk av marmor; klinkekule; gravstein; marmorere; åre; **play -s** spille kuler.
marbled marmorert.
marble | slab marmorplate. — **tablet** marmortavle. — **-topped** med marmorplate.
mare [mɑ:k] mask, pulp (rester etter pressing av druer); druebrennevin.
March [mɑ:tʃ] mars; — **hare** ung hare; — **mad** sprøyte gal.
march [mɑ:tʃ] grense, grensebygd; avgrense.
march [mɑ:tʃ] marsjere, rykke fram; la bryte opp; marsjere fram med, bryte opp med; marsjgang; framskritt, utvikling; **forced** — ilmarsj; — **of events** begivenhetenes gang; **on the** — på marsj; **they -ed him off** dro (el. slepte) ham avgårde; — **on London** marsjere mot London. **steal a** — **upon** komme ubemerket i forkjøpet, snike seg til en fordel over.
marching ['mɑ:tʃiŋ] marsj-; — **-off** avmarsj; — **order** marsjordre; marsjorden; **in full** — **order** med full opp-pakning.
marchioness ['mɑ:ʃənis] markise, markifrue.
marchland grensedistrikt.
marchpane ['mɑ:tʃpein] marsipan.
march-past forbimarsj, defilering.
marconigram [mɑ:'kəunigræm] radiotelegram.
mardy ['mɑ:di] skranten, puslet.
mare [mɛə] mare, nattmare.
mare [mɛə] hoppe, merr; **money makes the** — **go** pengene regjerer verden; **the grey** — **is the better horse** det er konen som bestemmer der i gården.
mare's nest ['mɛəznest] innbilt funn, skrinet med det rare i; **find a** — få lang nese.
mare's tail ['mɛəzteil] hestehale (plante); lang fjærsky.
Margaret ['mɑ:g(ə)rit].
margarine [mɑ:dʒə'ri:n, mɑ:gə'ri:n] margarin.
Margate ['mɑ:git] engelsk havn og badested.
marge [mɑ:dʒ] rand, kant, jare, brem; (sl.) margarin.
Margery ['mɑ:dʒəri]. **Marget** ['mɑ:dʒit].
margin ['mɑ:dʒin] marg, rand, kant, bredd; spillerom, forskjell; prutningsmonn; overskudd; forskjell mellom innkjøps- og utsalgspris; forsyne med rand, begrense; sette marg; forsyne med randbemerkninger; **as per** — som anført i margen; **allow (leave) a** — levne et spillerom; £ 20 **leave a fair** — **for enjoyment** med 20 pund kan en more seg ganske bra. **marginal** ['mɑ:dʒinəl] rand-, marginal-. — **productivity** grenseproduktivitet. — **sea** ≈ territorialfarvann. — **utility** grensenytte. — **value** grenseverdi. **marginalia** [mɑ:dʒi'neiljə] randbemerkninger. **margin release** margutløser. **marginate** ['mɑ:dʒineit] forsyne med rand.
margravate ['mɑ:grəvit] markgrevskap. **margrave** ['mɑ:greiv] markgreve. **margraviate** [mɑ:-'greivjit] markgrevskap. **margravine** ['mɑ:grəvi:n] markgrevinne.
Maria [mə'raiə, mə'ri:ə].
Marian ['mɛəriən] Maria-; tilhenger av Maria Stuart.
marigold ['mærigəuld] marigull; ringblomst; — **window** rundt vindu med forsiringer.
marigram ['mærigræm] tidevannskurve, vannstandskurve.
marihuana [mæri'hwɑ:nə] marihuana.
marina [mə'ri:nə] marina, lystbåthavn.
marinade [mæri'neid] marinere; sild, kjøtt el. fisk nedlagt i eddik, vin og krydderier.
marine [mə'ri:n] som hører til havet, sjøen, saltvanns-; skips-, sjø-; hav-; flåte, marine; sjøbilde; marinesoldat, marineinfanteri; **tell it to the -s** den må du lenger ut på landet med. **the Marine Corps** (amr.) marineinfanteri (et elite; korps). — **engineer** skipsmaskinist. — **insurance** sjøforsikring. — **parade** strandpromenade. — **railway** slipp. **mercantile** (el. **merchant**) — handelsflåte.

mariner ['mærinə] matros, sjømann, sjøfarende; **master** — kaptein på handelsskip.
marine store [mə'ri:nstɔ:] et sted hvor de handles med gammelt skipsinventar; skipsproviantforretning, skipshandel.
mariolater [mɛəri'ɔlətə] mariadyrker.
mariolatry [mɛəri'ɔlətri] mariadyrking.
marionette [mæriə'net] marionett, dukke.
marish ['mæriʃ] myr; sumpig, myrlendt.
marital ['mæritəl] ektemanns-; ekteskapelig ekteskaps-.
maritime ['mæritaim] maritim, som hører til sjøen, kysten. — **law** sjørett. — **war** sjøkrig.
marjoram ['mɑ:dʒərəm] merian (plante).
mar-joy ['mɑ:dʒɔi] fredsforstyrrer.
Mark [mɑ:k] Markus.
mark [mɑ:k] merke, tegn; flekk; skramme kjennemerke; landmerke; type, modell; firma merke, fabrikkmerke, stempel, kvalitet; karakte (på skolen); betydning, viktighet; mål; **a bad** — dårlig karakter, anmerkning; **he will leave hi** — han vil vinne seg et navn; **a** — **of favou** en gunstbevisning; **get high -s** få gode karakterer **a man of** — en betydelig, fremragende mann **make one's** — skape seg et navn; **hit the** — treffe det rette; **be below the** — være unde gjennomsnittet; **be up to the** — holde mål, gjør fyldest; **fall short of the** — forfeile målet. **mark** [mɑ:k] merke, tegne, betegne, markere; ut trykke, vise; merke seg; gi karakter, sensurere legge merke til, iaktta; — **time** holde takt marsjere på stedet; — **down** nedsette (en pris) danne epoke; notere ned; — **off**, — **out** stikke ut, avmerke, tegne opp. — **book** karakterbok.
marked [mɑ:kt] merket, markert, påfallende, betydelig, utpreget. **markedly** ['mɑ:kidli] utpreget.
marker ['mɑ:kə] merker; markør; sjetong; bokmerke. — **pen** filtpenn.
market ['mɑ:kit] torg; marked, avsetning; **poor (scanty)** — dårlig forsynt marked; **slack** — flaut, dødt marked; — **for cattle** kvegmarked; **be at the** — være på markedet; **go to the** — gå på torget; **home** — innenlandsk marked; **foreign** — utenlandsk marked; **dull** — flau avsetning; **find a** — for finne avsetning for, selge, få solgt (varer); **find a ready** —, **meet with a ready** — finne god avsetning; **put on the** — by fram til salgs; **put out of the** — utkonkurrere; **be in the** — **for** være på utkikk etter, være kjøper av. **market** ['mɑ:kit] markedsføre, introdusere på et marked, sende til torgs, handle med; handle.
marketable ['mɑ:kitəbl] avsettelig, selgelig, kurant.
market accommodation torgplass. **market day** torgdag. **market | garden**(s) handelsgartneri. — **hall** torghall. **marketing** ['mɑ:kitiŋ] torghandel; torgkjøp; salgs-, avsetnings-, markedsføring. — **board** avsetningsråd. — **department** salgsavdeling. — **research** markedsundersøkelser, markedsforskning. **market | place** torgplass. — **potential** avsetningsmuligheter. — **prices** torgpriser, kurser. — **quotation** markedspris, markedsnotering. — **report** markedsmelding. — **town** kjøpstad.
marking ['mɑ:kiŋ] merking; avtegning. — **ink** merkeblekk.
marksman ['mɑ:ksmən] sikker skytter, skarpskytter. **marksmanship** [-ʃip] skyteferdighet.
markup prisforhøyelse; bruttofortjeneste.
marl [mɑ:l] mergel; mergle.
Marlborough ['mɔ:lbrə].
Marlow ['mɑ:ləu].
marmalade ['mɑ:məleid] marmelade, syltetøy (især appelsin-).
Marmora [mɑ:mərə], **the Sea of** — Marmarahavet.
marmorate ['mɑ:məreit] marmoraktig, marmorert. **marmoreal** [mɑ:'mɔ:riəl], **marmorean** [mɑ:-'mɔ:riən] marmor-, av marmor.
marmoset ['mɑ:məzet] silkeape.

marmot ['mɑ:mət] murmeldyr.

maroon [mə'ru:n] rødbrun; slags fyrverkeri.

maroon [mə'ru:n] maronneger, rømt neger; **atros** som er latt tilbake på en øy; la tilbake å et ubebodd sted; late i stikken; drive om- **ring. marooner** [mə'ru:nə] etterlatt matros; ortrømt slave.

marplot ['mɑ:plɔt] ugagnskråke, ulykkesfugl.

marque [mɑ:k] kaperbrev; kaperbåt.

marquee [mɑ:'ki:] telt, baldakin; teltdekke.

Marquesas [mɑ:'keisæs]: **the** — Marquesas- vene.

marquess ['mɑ:kwis] marki.

marquessate ['mɑ:kwisit] marki-rang.

marquetry ['mɑ:kitri] innlagt arbeid.

marquis ['mɑ:kwis] marki, markgreve.

marquisate ['mɑ:kwisit] marki-rang.

marram (grass) ['mærəm] vanlig marehalm.

marrer ['mɑ:rə] ugagnskråke.

marriage ['mærid3] giftermål, ekteskap, bryl- **ip**; nær forbindelse; — **in the eyes of God** **imvittighetsekteskap**; — **articles** ekteskaps- ontrakt; ektepakt; — **bed** brudeseng; **violate e** — **bed** begå ekteskapsbrudd. — **certificate ielsesattest**; — **guidance** ekteskapsrådgivning; - **licence** kongebrev, ekteskapstillatelse; — **por- on** medgift; **ask in** — fri til; **give in** — gifte ort.

marriageable ['mærid3əbl] gifteferdig, voksen.

married ['mærid] gift; **her** — **name** hennes ivn som hustru; **the** — **state** ektestanden.

marron ['mærən] (ekte) kastanje.

marrow ['mærəu] marg; indre kraft; fylle med iarg eller fett; **vegetable** — slags gresskar.

marrow ['mærəu] kamerat, make.

marrowbone ['mærəubəun] margbein; (i pl. iokende) kne; **bring one to his -s** få en til å gi seg.

marrowfat ['mærəufæt] slags ert, margert.

marrowless margløs. **marrowpudding** marg- idding; gresskarpudding. **marrowy** margfull.

marry ['mæri] mare, så sannelig (en ed).

marry ['mæri] vie, gifte bort; gifte seg med, **kte**; forene; — **below oneself** gifte seg under sin **and**.

Mars [mɑ:z] (krigsguden og planeten).

Marseilles [mɑ:'seilz] Marseille.

marsh [mɑ:ʃ] myrlende, myrland, myr, sump.

marshal ['mɑ:ʃl] marsjal, marskalk (amr.) olitimester; stille opp, fylke, ordne, føre i rekke. **iarshaller** ['mɑ:ʃlə] fører, en som stiller opp eller der. **marshalling** ordning, oppstilling. — **yard kiftestasjon**, rangerstasjon. **marshalship** ['mɑ:- ʃip] marskalkrang.

Marshalsea ['mɑ:ʃlsi:] fengsel i London.

marsh | **fever** sumpfeber; malaria. — **gas** sump- iss, metan. **-mallow** et slags slikkeri.

marshy ['mɑ:ʃi] sumpet, myrlendt.

marsupial [mɑ:'s(j)u:piəl] pungdyr.

mart [mɑ:t] marked, torg, markedsplass.

martello [mɑ:'teləu] **tower** lite rundt fort bygd å kysten for å hindre fiendtlig landgang.

marten ['mɑ:tin] mår.

Martha ['mɑ:θə].

martial ['mɑ:ʃl] krigs-, krigersk, morsk, mili- er-, martialsk; **court** — krigsrett. **martialize** mɑ:ʃəlaiz] gjøre krigersk.

Martian ['mɑ:ʃən] mars-, fra Mars; marsboer.

martin ['mɑ:tin] taksvale.

Martin ['mɑ:tin].

martinet [mɑ:ti'net] streng offiser; **domestic** - hustyrann.

martingale ['mɑ:tiŋgeil] springreim (på ride- est); fordobling av innsats.

martini [mɑ:'ti:ni] en vermut; en cocktail (gin g vermut).

Martinmass ['mɑ:tinməs] mortensdag, 11. no- ember.

martlet ['mɑ:tlit] taksvale.

martyr ['mɑ:tə] martyr, blodvitne; **be a** — **to** de av, være plaget av; **die a** — **to one's principles** ø som martyr for . . .; **I am quite a** — **to gout**

jeg lider fryktelig av gikt. **martyr** ['mɑ:tə] la dø som martyr, gjøre til martyr; pine. **martyrdom** [-dəm] martyrium. **martyrize** ['mɑ:tərai3] gjøre til martyr. **martyrology** [-'rɔ-] martyrhistorie, martyrfortegnelse.

marvel ['mɑ:vəl] under, underverk, vidunder; forundring, forbauselse; **bli** forundret, **bli** for- bauset, undre seg. **marvellous** ['mɑ:vələs] vidun- derlig, fantastisk, utrolig, ganske merkverdig, storslått. **marvellousness** [-nis] vidunderlighet.

Marx [mɑ:ks]. **-ian** marxist, marxistisk. **-ism** marxisme. **-ist** marxist; marxistisk.

Mary ['mɛəri].

marzipan [mɑ:zi'pæn] marsipan.

mas. fk. f. **masculine.**

mascot ['mæskət] maskott, talisman, amulett, .lykkebringende person eller ting.

masculine ['mæskjulin] mannlig, maskulin, hankjønns-; mandig, mannhaftig. **masculinity** [-'lin-] mandighet, mannhaftighet.

mash [mæʃ] knuse, mase, male i stykker, koke til en grøt, meske (malt); **-ed potatoes** potet- stappe; **be -ed on** være forelsket i. **mash** [mæʃ] blanding; røre, velling, smørje, grøt, stappe; forvirring, uorden, miskmask; skatt, kjæreste.

masher ['mæʃə] hjerteknuser, løve.

mashie ['mæʃi] slags golfkølle.

mash tub ['mæʃtʌb] meskekar.

mask [mɑ:sk] trekke (te).

mask [mɑ:sk] maske; maskerade, maskespill; skalkeskjul, påskudd; maskere; maskere seg, dekke; **-ed ball** maskerade. **masker** ['mɑ:skə] maskert person, maskeskuespiller.

maslin ['mæzlin] blandkorn.

masochism ['mæsəkizm] masochisme.

mason ['meisn] murer; steinhogger; frimurer; mure. **masonic** [mə'sɔnik] frimurer-. **masonry** ['meisnri] muring; murerhåndverk; frimureri.

masque [mɑ:sk] = **mask.**

masquerade [mæskə'reid] maskerade; komedie- spill; oppføre en maskerade; være maskert. **masquerader** [mæskə'reidə] deltager i en maske- rade, utkledd person.

mass [mæs] masse, klump, mengde; samle i masse, dynge (seg) opp.

mass [mæs] messe; **celebrate** — holde messe; **say** — lese messe.

Mass. fk. f. **Massachusetts.**

massa ['mæsə] herre (i negerspråk).

Massachusetts [mæsə'tʃu:sits].

massacre ['mæsəkə] massakre, blodbad, ned- sabling; nedsable, myrde, massakrere; **the M. of the Innocents** barnemordet i Betlehem.

massage ['mæsɑ:3] massasje; massere.

mass | **book** messebok. — **concrete** uarmert betong. — **destruction** masseødeleggelse .

masseur [mæ'sə:] massør. **masseuse** [mæ'sə:z] massøse.

massif ['mæsi:f] fjellparti, massiv.

massive ['mæsiv] massiv, svær, diger, traust.

mass meeting ['mæs'mi:tiŋ] massemøte.

massy ['mæsi] massiv, svær, tett, diger.

mast [mɑ:st] mast, stang; **before the** — forut, som simpel matros; **ship before the** — ta hyre som simpel matros.

mast [mɑ:st] eike- el. bøkenøtt.

master ['mɑ:stə] mester, herre, husbond, hers- ker; håndverksmester, leder, sjef, bestyrer; lærer, skolestyrer; kaptein, skipsfører, skipper; ung herre; magister; over-, hoved-; — **of the field** herre over slagmarken; **be** — **of oneself** beherske seg; **be one's own** — være sin egen herre; **a** — **of (in) his business** en mester i sitt fag; **the old -s** de gamle mestere; **M. of the Horse** hoffstall- mester; **M. of the Rolls** riksarkivar; **M. of Arts** ≈ magister, mag. art.; **M. of ceremonies** seremoni- mester, festarrangør, konferansier. **master** ['mɑ:- stə] mestre, makte, beherske, betvinge, få bukt med; **when once all these facts are well -ed** når en først har lært alt dette godt; — **the language** mestre språket.

master | builder ['mɑːstə'bildə] byggmester. — **clock** sentralur. — **control** blandebord, mikser- bord. — **copy** originaleksemplar. — **cylinder** hovedbremsesylinder.

masterful ['mɑːstəful] mesterlig; myndig.

master hand ['mɑːstəhænd] mesterhånd.

master | key universalnøkkel, hovednøkkel. **-less** herreløs; ustyren. **-liness** mesterlighet, mesterskap. **-ly** mesterlig, virtuosmessig; myn- dig; egenmektig. **-mind** overlegen ånd, hjernen bak det hele. **-piece** mesterverk. — **sergeant** (amr.) stabssersjant. **mastership** mesterskap; ledelse.

master | stroke mesterstykke; mesterverk. **-work** hovedverk, mesterstykke. — **workman** verks- mester; fagarbeider.

mastery ['mɑːstəri] ledelse; herredømme; beherskelse.

masthead ['mɑːsthed] mastetop.

mastic ['mæstik] mastikstre, mastiksgummi, fugekitt, fugemasse.

masticable ['mæstikəbl] som kan tygges. **ma- sticate** ['mæstikeit] tygge; knuse, mase. **masti- cation** [mæsti'keiʃən] tygging; knusing, masing.

mastiff ['mæstif, 'mɑː-s] dogg, stor engelsk hund.

mastodon ['mæstədɔn] mastodont (utdødd kjempeelefant).

mat [mæt] matte, løper, bordbrikke, underlag; binde (matter), sammenflette, sammenslynge, komme i ugreie; **-ted hair** sammenfiltret hår.

matador ['mætədɔ] matador (i tyrefektning; i kortspill).

match [mætʃ] kamerat, like, likemann; til- svarende, jevnbyrdig; make; ekteskap, parti; veddekamp, sportsstevne; **he is more than a — for you** han er deg overlegen; **he has not his —** han har ikke sin like; **it's a —** la gå; **will it be a ?—** blir det et parti ut av det? **she made a good —** hun har gjort et godt parti; **a wrestling —** en brytekamp.

match [mætʃ] forbinde, skaffe maken til; kunne måle seg med, kunne settes ved siden av; komme opp mot, avpasse, bringe i harmoni med; forenes, være par, være make, stå til hverandre, parre seg; **we tried to — a vase** vi prøvde å kjøpe en vase av samme slags; **they are ill -ed** de passer dårlig sammen; **he cannot — him** han kan ikke greie ham; **a pair of shoes that did not —** som ikke var make; som ikke passet i f. eks. stil el. farge.

match [mætʃ] fyrstikk; lunte; **strike a —** tenne en fyrstikk.

matchable ['mætʃəbl] som en kan oppdrive maken til; **not —** makeløs, uten make; som ikke kan tilpasses.

matchboard ['mætʃbɔːd] pløyd bord.

matchbox ['mætʃbɔks] fyrstikkeske.

match game (golf) avgjørende spill.

matchless ['mætʃlis] makeløs.

matchlock ['mætʃlɔk] luntebørse; luntelås.

matchmaker ['mætʃmeikə] giftekniv (en som stifter partier); fyrstikkfabrikant.

matchwood ['mætʃwud] fyrstikkved; **smash to —** slå til flis, pinneved.

mate [meit] kompis, kamerat, den ene av et par, ektefelle, make; styrmann; (mar.) mat; for- binde, forene; formæle, gifte, parre.

mate [meit] matt (i sjakk); gjøre matt, matte.

mater ['meitə] (i skoleguttspråk) mor, gamla.

material [mə'tiəriəl] stofflig, legemlig, sanselig, materiell; alvorlig, vektig; emne, materiale, stoff, tilfang. **materialism** [-izm] materialisme. **mate- rialist** [-ist] materialist. **materialistic** [mətiəriə- 'listik] materialistisk. **materialize** [mə'tiəriəlaiz] legemliggjøre, materialisere.

matériel [mətiəri'el] materiell.

maternal [mə'təːnəl] moderlig, moder-, mors-. **maternity** [mə'təːniti] moderskap, moderlighet; barsel-, fødsel-. — **bag** jordmorveske. — **dress,** — **frock** mammakjole, omstendighetskjole. —

home fødselsklinikk. — **ward** fødeavdeling. **work** fødselshjelp.

matey ['meiti] kameratslig.

math [mæθ] = **mathematics.**

mathematical [mæθə'mætikl] matematisk. **mathematician** [mæθəmə'tiʃən] matematik **mathematics** [mæθə'mætiks] matematikk. **Mathew** ['mæθjuː] Matteus, Matias. **matie** ['meiti] matjessild. **matin** ['mætin] morgen-. **matinée** ['mætinei] matiné (tidlig ettermiddag underholdning). **mating** ['meitiŋ] paring. — **colours** paring drakt. — **season** paringstid, løpetid. **matins** ['mætinz] morgengudstjeneste, ot sang, ottemesse. **matric. fk. f. matriculation. matricidal** [mætri'saidl] modermordersk. m **tricide** ['mætrisaid] modermord; modermorder. **matriculate** [mə'trikjuleit] innskrive, immat kulere. **matriculation** [mətrikju'leiʃən] innskri ing, immatrikulering; — **examination** studen eksamen, examen artium. **matrimonial** [mætri'məunjəl] ekteskapelig, e teskaps-. **matrimony** ['mætriməni] ekteskap, ekt stand. **matrix** ['meitriks, 'mæt-] livmor; moderskjø opphav; matrise, klisjé; underlag (i lokk maskin); skrumor, mutter; lim, bindemiddel. **matron** ['meitrən] gift kone, matrone; rå kone, husmor; forstanderinne, f. eks. oldfru pleiemor, oversøster. **matronly** ['meitrənli] m troneaktig, satt, verdig; matrone-. **Matt. fk. f. Matthew. matt** [mæt] mattert, mattere, matt-. **matted** ['mætid] mattert; filtret, samme filtret. **matter** ['mætə] stoff, to, emne, sak, spørsmå ting, materie; materiale; manuskript, sat anliggende, situasjon, forholdene; grunn, årsa gjenstand; puss, materie; — **of business** forre ningsanliggende; — **of consequence** viktig sa — **of course** selvfølge; — **of doubt** tvilsom sa — **of fact** kjensgjerning, realitet; **as a —** fact i virkeligheten; ja; **the — in hand** den for liggende sak; — **of joy** grunn til glede; **no —** det gjør ingenting; bry Dem ikke om det; i **no — of mine** det kommer ikke meg ved; — **opinion** smakssak; **in the — of** med hensyn t **no — what I might say** hva jeg så enn ville s **what's the — ?** hva er det i veien?; **what's the —** **with him?** hva feiler det ham? **make much —** legge stor vekt på; **he does not mince -s** h tar bladet fra munnen, legger ikke fingre imellom; **a — of seven miles** omtrent sju m **matter** ['mætə] være av betydning, ha n for seg; **it does not —** det gjør ingenting, det h ikke noe å bety; **what does it —?** hva g det? **it -ed little whether** det hadde lite å si or **not that it -s** ikke at det betyr noe; det er det samme. **matterful** ['mætəful] innholdsrik. **matterle** [-lis] innholdsløs. **matter-of-course** selvfølgel **matter-of-fact** prosaisk, nøktern, saklig; snu fornuftig. **Matthew** ['mæθjuː] Matteus. **matting** ['mætiŋ] matter; mattelaging. **mattock** ['mætək] hakke. **mattress** ['mætris] madrass. **maturate** ['mætjureit] avsondre materie, væsk modne. **maturation** [mætju'reiʃn] materiea sondring, væsking; modning. **mature** [mə'tjuə] moden, fullstendig, utvikle voksen; modne, modnes; forfalle til betaling. **maturity** [mə'tjuəriti] modenhet, forfallsti **at (on) —** på forfallsdagen. **matutinal** [mætju'tainəl] morgen-, tidlig. **maty** ['meiti] kameratslig. **Maud** [mɔːd] fk. f. **Magdalene** eller **Mathild Maudlin** ['mɔːdlin]. **maudlin** ['mɔːdlin] beruset, sentimental.

maugre ['mɔ:gə] til tross for, trass i.
maul [mɔ:l] trehammer, treklubbe; slå, skamå, pryle, mishandle, maltraktere.
maulstick ['mɔ:lstik] malerstokk.
maunch ['mɔ:nʃ] erme.
maunder ['mɔ:ndə] klynke, jamre seg; snakke sammenhengende, ørske, tulle, snakke i vilske; andre uten mål. maundering lallende; forvrøvlet.
Maundy Thursday ['mɔ:ndi 'θə:zdi] skjærtorsag.
Mauser ['mauzə], mausergevær.
mausoleum [mɔ:sə'liəm] mausoleum, gravinne.
mauve [mauv] lilla, lillafarget.
maverick ['mævərik] (amr.) umerket kalv som reifer omkring; uavhengig; partiløs; løsenger.
mavis ['meivis] måltrost.
maw [mɔ:] mage, kro, svelg; hold your —! hold unn!
mawkish ['mɔ:kiʃ] kvalmende, ekkel; søtlaten, entimental.
maw | seed valmuefrø. — worm hykler.
maxillar(y) [mæk'silə(ri)] kjeve-, kjake-.
maxim ['mæxim] maksime, sentens, grunnetning, regel.
Maxim ['mæksim] maximgevær, maskingevær.
maximize ['mæk-] maksimere, gjøre så stor om mulig.
maximum ['mæksiməm] maksimum, høyeste unkt, maksimal-, det høyeste; — price maksialpris.
May [mei] mai, mai måned; Maia.
may [mei] må, kan, kan kanskje, kunne, tør; ne young — die, but the old must barn kan dø, amle må dø; it — be kanskje; come what — - komme hva det vil; — I trouble you for some read vil De være så vennlig å rekke meg noe rød; — I never (nml. be saved el. 1.) if så sant eg lever! that they might not for at de ikke skulle.
maybe ['meibi:] kanskje, kan hende.
may|bug ['meibʌg] oldenborre. -day mayday t nødrop, nødsignal). May | Day første mai; rbeidets dag; valborgsdag. -flower maiblomst, agtorn.
may fly ['meiflai] døgnflue; vårflue.
mayhap ['meihæp] kan hende, kanskje, ruligens.
mayhem ['meihem] grov legemsbeskadigelse.
maying ['meiiŋ], go — gå ut og plukke mailomster.
May lady ['meileidi] maidronning.
May lord ['meilɔ:d] maigreve.
mayonnaise [meiə'neiz] majones.
mayor [mɛə] borgermester. mayoralty ['mɛəəlti] borgermesterembede; borgermestertid. mayress ['mɛəris] borgermesterfrue. mayorship 'mɛəʃip] borgermesterembede.
maypole ['meipəul] maistang; lang tynn person.
may queen ['meikwi:n] maidronning.
maze [meiz] labyrint; forvirring; I felt a — eg var ganske ør i hodet. maze [meiz] forvirre, orfjamse. maziness ['meizinis] forvikling, forirring, forrykthet.
mazurka [mə'zə:kə] masurka.
mazut [mə'zu:t] mazut (et oljeprodukt).
mazy ['meizi] forvirret, floket, innviklet.
M. C. fk. f. Master of Ceremonies; Member of ongress; Military Cross; Medical Corps.
McCoy [mə'kɔi], the real — ekte saker.
M. D. fk. f. Medicinae doctor (= Doctor of Iedicine) dr. med; Medical Department.
Md. fk. f. Maryland.
me [mi:, mi] meg.
Me. fk. f. Maine.
M. E. fk. f. Middle English; Mechanical Engieer; Most Excellent (i titler).
mead]mi:d] mjød; (poetisk) eng.
meadow ['medəu] eng. — bittercress engkarse.
- hay vollhøy. -sweet mjødurt; spirea. meadowy 'medəui] eng-.

meagre ['mi:gə] mager, tynn, skrinn; fattig, tarvelig. meagreness ['mi:gənis] magerhet.
meal [mi:l] måltid, mål; -s provided inklusive kosten, mat på stedet. — break spisepause. — time spisetid.
meal [mi:l] (usiktet) mel; mele; male, pulverisere. mealiness [-nis] melenhet.
meal|man ['mi:lmən] melhandler. — moth melmøll. — ticket matbillett. — tub meltønne. — worm melorm.
mealy ['mi:li] melet, melen. — -mouthed forsiktig i sin tale, lavmælt; slesk.
mean [mi:n] ringe, simpel, lav, dårlig, lurvet, ussel, tarvelig, slett, foraktelig; gnieraktig, knuslet; no — foe en motstander som ikke må undervurderes; he is a — one han er en farlig fyr, en drittsekk.
mean [mi:n] middel-, mellom-, gjennomsnittlig; mellomting, middelvei; the golden — den gylne middelvei; in the — i mellomtiden, imidlertid; in the -time, in the -while i mellomtiden, imidlertid, imens.
mean [mi:n] bety, ha i sinne, tenke, esle, mene, ville si, innebære, ha i sinne; I meant no harm jeg mente ikke noe vondt med det; you don't — it det er ikke Deres alvor; I — business det er mitt alvor; this doesn't — anything to me dette forstår jeg ikke noe av; you don't — to say De mener da vel ikke; that word -s det ordet betyr; it was -t as a surprise det skulle være en overraskelse; he -s well by you han mener det godt med deg.
mean-born ['mi:nbɔ:n] av lav ætt.
meander [mi'ændə] buktning, bukt, løkke, sving, à la grecque; slyngning; bukte seg, gjøre sidespring (i en fortelling).
mean distance middelavstand.
meaning ['mi:niŋ] betydningsfull; megetsigende.
meaning ['mi:niŋ] mening, hensikt, øyemed; betydning. meaningful betydningsfull, som har mening, relevant. meaningless [-lis] meningsløs, intetsigende. meaningly [-li] betydningsfull.
mean-looking ['mi:nlukiŋ] av simpelt utseende; ondskapsfull, ond.
meanly ['mi:nli] simpelt, tarvelig.
meanness ['mi:nnis] tarvelighet, simpelhet, lavhet, usselhet; gnieraktighet.
means [mi:nz] midler, råd, utvei, middel; formue; by all — naturligvis; så gjerne, endelig, for alt i verden; by no — på ingen måte; by any — på noen måte; the end justifies the — hensikten helliger midlet; a — to et middel til å; by (the) — of ved hjelp av; ways and — inntektskilder; live beyond one's — leve over evne (det motsatte: live up to one's —); he is a man of considerable — han har en betydelig formue.
mean-spirited ['mi:n'spiritid] feig, forsakt, smålig.
means test behovs|prøve, -undersøkelse.
meant [ment] imperf. og perf. pts. av mean.
mean time ['mi:n'taim] middel(sol)tid. meantime mellomtid, in the — imidlertid, i mellomtiden.
meanwhile ['mi:n'wail] imidlertid, i mellomtiden.
measles ['mi:zlz] meslinger; tinter; German — røde hunder. measly ['mi:zli] syk av meslinger; elendig, jammerlig.
measurable [me3(ə)rəbl] som kan måles, beregnes; ikke meget stor; within — distance of like ved, i nærheten av; i en overskuelig framtid.
measure ['me3ə] mål, målesnor, målebånd; grad; takt; forholdsregel, lovforslag; måte; versemål; greatest common — største felles mål; above the common — langt utover det vanlige; — for — like for like; — of length lengdemål; beyond all — overordentlig; over all måte; in a — til en viss grad; in good — i fullt mål, godt mål; by the — i løs vekt; coat made to — frakk sydd etter mål; frakk som passer godt; take a

person's —, **have a person's** — **taken** ta mål av en; **in** — **with** i samme grad som, side om side med; **to know one's** — kjenne sin begrensning; **take -s** ta forholdsregler.

measure ['meʒə] måle, ta mål av, holde et visst mål, avpasse, tilbakelegge; **he -d his length** han falt så lang han var; — **by one's own yard** dømme etter seg selv; — **a person for a suit of clothes** ta mål av en til en dress; — **up** bedømme, vurdere, passe med.

measured ['meʒəd] avmålt, taktfast; måteholden; gjennomtenkt.

measureless ['meʒəlis] uendelig, umåtelig.

measurelessness ['meʒəlisnis] umåtelighet, uendelighet.

measurement ['meʒəmənt] måling; mål; drektighet (om skip). — **ton** frakttonn.

measurer ['meʒərə] måler.

measuring tape ['meʒəriŋteip] målebånd.

measuring worm ['meʒəriŋwə:m] måler (larve).

meat [mi:t] kjøtt, kjøttmat; (nå bare i enkelte forbindelser) mat; **butcher's** — kjøtt; —, **game, and fish** kjøtt, vilt og fisk; — **and drink** mat og drikke; **sit down to** — sette seg til bords; **one's** — **is another's poison** den enes død den andres brød. — **ball** kjøttbolle. — **bill** (amr.) spiseseddel. — **carrier** matspann. — **chopper** [-tʃəpə] kjøttkvern, kjøtthakker. — **cube** buljongterning. — **grinder** kjøttkvern. — **loaf** forloren hare. **-man** slakter. — **pie** kjøttpostei. — **safe** matskap, flueskap. — **tenderiser** mørsalt; kjøttklubbe. **meaty** ['mi:ti] kjøttfull; kjøttliknende; svær, stor; (fig.) innholdsrik, vektig.

mechanic [mi'kænik] mekaniker, håndverker; mekanisk.

mechanical [mi'kænikl] mekanisk, maskinmessig, maskin-, maskinell; automatisk; — **engineer** maskintekniker; — **sweeper** feiemaskin; — **wood pulp** slipemasse. **mechanically** mekanisk, rent mekanisk; ved maskinkraft; automatisk. **mechanician** [mekə'niʃən] mekaniker. **mechanics** [mi'kæniks] mekanikk; (fig.) teknikk. — of **fluids** hydromekanikk. **mechanism** ['mekənizm] mekanisme, maskineri; virkemåte. **mechanist** ['mekənist] maskinbygger, mekaniker. **mechanize** ['mekənaiz] utføre mekanisk; motorisere, mekanisere.

Mechlin ['meklin] Mecheln; — **lace** Mecheln kniplinger.

med. fk. f. **medicine; medi(a)eval; medium.**

medal ['medl] medalje. — **ribbon** ordensbånd. **medalist** ['medəlist] medaljør; medaljevinner; medaljekjenner, gravør. **medallion** [mi'dæljən] medaljong.

meddle ['medl] blande seg i, legge seg opp i; — **with** (**in**) **other people's affairs** blande seg i andre folks saker; **don't** — **with him** bland deg ikke borti ham; **you are always meddling** du stikker nesen din opp i alt. **meddler** ['medlə] klåfinger, nesevis person.

meddlesome ['medlsəm] nesevis, geskjeftig, som blander seg i alt. **meddling** ['medliŋ] innblanding.

Mede [mi:d] meder. **Media** ['mi:djə]. **media** pl. av **medium.**

medial ['mi:djəl] middel-, i midten.

Median ['mi:djən] medisk.

median ['mi:djən] midt-, midtre; mellomting; (amr.) midtrabatt på flerefelts hovedvei.

mediate ['mi:djit] mellomliggende; indirekte. **mediate** ['mi:dieit] mekle, megle, være mellommann; formidle. **mediately** ['mi:djitli, -dʒ-] middelbart, indirekte. **mediation** [mi:di'eiʃən] mekling; mellomkomst; middel. **mediator** ['mi:dieitə] mekler. **mediatorial** [mi:djə'tɔ:riəl] meklende, mekler-, meklings-. **mediatorship** ['mi:dieitəʃip] meklerstilling. **mediatory** ['mi:djətəri] = **mediatorial.**

medical ['medikl] medisinsk, lege-; **we sent for our** — **man** vi sendte bud etter huslegen vår. — **attention,** — **care** legekyndig pleie, til-

syn, behandling. — **corps** ≈ hærens sanitet. - **examination** legeundersøkelse. — **jurispruden** rettsmedisin. **medically** medisinsk; fra et medisinsk syn punkt.

medicament [mə'dikəmənt] legemiddel.

medicare (amr.) lege|behandling, -tilsyn, -hjel

medicate ['medikeit] behandle med medisi preparere medisinsk; **-d bath** medisinsk ba **-d cotton wool** renset bomull; **-d waters** min ralske vann. **medication** [medi'keiʃən] medisin ring; medikament; medisinsk behandling.

medicative ['medikətiv] legende.

Medicean [medi'si:ən] medicéisk.

medicinal [mi'disinəl] legende; medisin; - **springs** sunnhetskilder; — **treatment** legeb handling.

medicine ['medsin] medisin, medisinsk vite skap, legevitenskap. — **medico** ['medikəu] medikus. **medico-legal** rett medisinsk.

medieval [medi'i:vl, mi:d-] middelalderli middelalder-; **the** — **ages** middelalderen. **medieva lism** [-izm] begeistring for middelalderen; midde alderens skikk el. ånd.

mediocre [mi:di'əukə] middelmådig. **mediocri** [mi:di'ɔkriti; med-] middelmådighet.

meditate ['mediteit] tenke over, grunne p gruble, anstille betraktninger; overlegge, ha sinne. **-d** påtenkt.

meditation [medi'teiʃən] overveielse, ette tanke, meditasjon; **book of -s** andaktsbok; **leav a person to his own -s** overlate en til hans egr betraktninger.

meditative ['mediteitiv] tenksom, spekulati

Mediterranean [meditə'reiniən] Middelhavs **the** — Middelhavet.

medium ['mi:djəm] medium; midte, mellon ting, middeltall; gjennomsnitts-; middel, mi dels-; **a** — **of communication** meddelelsesmidde hit upon the happy — treffe den gylne middelve there is a — in all things det er måte med al — **fair** mørkeblond. — **-sized** [-saizd] av midde størrelse, middelstor. — **-wave** (band) mellon bølge(bånd).

medlar ['medlə] mispel.

medley ['medli] blanding; miskmask, rør rot; håndgemeng; blandet, forvirret.

medulla [mi'dʌlə] marg. **medullar** [mi'dʌl marg-, fylt med marg.

Medusa [mi'dju:zə].

medusa [mi'dju:zə] manet, meduse.

meed [mi:d] lønn, belønning, pris.

meek [mi:k] ydmyk, spakferdig, saktmodig forknytt; godtroende. **meekness** [-nis] ydmykhe saktmodighet.

meerschaum ['miəʃəm] merskum(spipe).

meet [mi:t] passende, høvelig, egnet, skikke

meet [mi:t] møte, møtes, råke (på), tref sammen med, komme i berøring med, treffe p komme mot hverandre; passere hverandre støte sammen med; etterkomme, oppfylle (fo pliktelse); dekke, honorere (veksel); — **du protection** finne beskyttelse; bli prompte in fridd (om veksel); — **his fate** gå sin skjebn i møte; **his eyes met** hans øyne falt på; **go** — **a person** gå en i møte; **till we** — **again** gjensyn; — **with** møte tilfeldig, treffe; få, komm ut for, oppleve; — **with an accident** ha et uhel — **the ease** strekke til, være tilstrekkelig; **mak ends** — få endene til å møtes; — **his wishes** ette komme hans ønsker.

meet [mi:t] møtested, møte (ved jakt o. l.

meeter ['mi:tə] møtende.

meeting ['mi:tiŋ] møte; gjensyn; sammenlø (av elver). — **-house** bedehus, forsamlingshu — **-place** møtested.

Meg [meg] fk. f. **Margaret.**

megacycle ['megəsaikl] megacykel.

megalomania [megələ'meinjə] stormannsga skap.

megalopolis [-'lɔp-] en meget stor by.
megaphone ['megəfəun] megafon.
megaton megatonn (1 mill. engelske tonn).
megilp [me'gilp] blanding av linolje og mastiksrniss.
megrim ['mi:grim] migréne, hodepine; lune, é, innfall.
melancholia [melən'kəuljə] melankoli. **melanolie** [melən'kɔlik] melankolsk, tungsindig, nglynt. **melancholy** ['melaŋkəli] melankolsk, rgmodig, sturen, tungsindig; melankoli, tungnn.
mélange [fr.] blanding; melere.
Melba ['melbə] berømt sangerinne; **peach —** ssertrett av ferskener, iskrem og bringebærltetøy.
Melbourne ['melbən].
mêlée ['melei] håndgemeng, slagsmål; livlig batt.
melinite ['melinait] melinitt, pikrinsyre (et rengstoff).
meliorat|e ['meljəreit] forbedre, bøte, foredle. **on** [melia'reiʃən] bedring, framgang.
melliferous [me'lifərəs] som gir honning. **melie** [me'lifik] som gir honning. **mellification** [mefi'keiʃən] frambringelse, tillaging av honning. **ellifluent** [me'lifluənt], **mellifluous** [me'lifluəs] onningsøt, søtflytende; smektende.
mellow ['meləu] bløt, myk, moden, saftig; ldig, rund; hyggelig; mild; dyp, rik (om farge); ildnet (av tiden), modnet, avdempet, fin; beugget; modne, gjøre bløt, modnes; **a wellellowed meerschaum** en godt tilrøykt merskumsipe. **mellowness** [-nis] bløthet, modenhet; avempet farge, patina.
melodie [me'lɔdik] melodisk.
melodious [mi'ləudjəs] melodisk, velklingende, ngbar, melodirik. **melodiousness** [-nis] vellang; sangbarhet. **melodist** ['melədist] sanger.
elodrama [melə'dra:mə] melodrama. **melodraatie** [-drə'mætik] melodramatisk, høyttravende.
melody ['melədi] melodi, velklang, musikk.
melon ['melən] melon; **— out** dele ut.
melt [melt] smelte, bråne, mykne, tø opp; ne; skrumpe inn, forsvinne; **— away** smelte ort; svinne inn; **— down** smelte om, nedsmelte.
melting ['meltiŋ] smelting. **— point** smelteunkt. **— pot** smeltedigel.
mem. fk. f. **memento; memoir; memorandum; memorial**.
member ['membə] lem; del, ledd; medlem, epresentant (jfr. **M. P.**); **be — for** representere. **membership** ['membəʃip] medlemskap, medmmer, medlemstall. **— badge** medlemsmerke. **— ballot** avstemning blandt medlemmer. **— ard** medlemskort.
membranaceous [membrə'neiʃəs] hinneaktig.
membrane ['membrein] membran, hinne.
membraneous [mem'breinjəs] hinneaktig.
memento [mi'mentəu] memento, minnelse, påninning, minning, erindringstegn, suvenir.
memoir ['memwa:, 'memwɔ:] biografi; avandling, opptegnelse; pl.: memoarer, erindinger.
memorabilia [memərə'biliə] minneverdige beivenheter, erindringer.
memorable ['mem(ə)rəbl] minneverdig. **memorandum** [memə'rændəm] pl. **-da** [-də] anmerking, note, opptegnelse, huskeliste, memorandum. **— book** notisbok.
memorial [mi'mɔ:riəl] som vedlikeholder minnet, til minne; erindring, minne, minnesmerke; itgreiing; andragende. **Memorial Day** (i U.S.A.) ninnedag for dem som falt i krig. **memorialist** mi'mɔ:riəlist] forfatter av et andragende. **memoial park** (amr.) gravlund. **memorial volume** festkrif¹, minneskrift. **memorialize** [mi'mɔ:riəlaiz] insøke, sende søknad til. **memorize** ['meməraiz] 'este i hukommelsen, memorere, lære utenat.
memory ['meməri] hukommelse, minne, erindring; ettermæle; **from —, by —** etter hukom-

melsen; **a good —** en god hukommelse; **a bad — en dårlig hukommelse; I have no — of it** jeg har ingen erindring om det, jeg kan ikke huske det; **it is but a — det er bare et minne; to the best of my —** så vidt jeg husker; **if my — serves me right** om jeg husker rett; **slip of the —** erindringsfeil; **call to —** minnes; **in — of** til minne om; **within the — of man, within living —** i manns minne.
memory lane ≈ (gode) gamle dager.
mems [memz] opptegnelser, notiser.
memsahib ['mem'sa:ib] (indisk) européisk frue (egl. madam sahib).
men [men] (pl. av **man**) menn, mennesker.
menace ['menəs, 'menis] true; true med; trusel, trugsmål.
ménage [me'na:ʒ] menasje; husholdning.
menagerie [me'næ(d)ʒəri] menasjeri.
mend [mend] sette i stand, reparere, rette, forbedre, vøle; forbedre seg; lappe, stoppe; bedring; reparasjon, stopping; reparert sted, stopp; **we cannot — it** det er ikke noe å gjøre ved det; **matters at worst are sure to —** når nøden er størst, er hjelpen nærmest; **in the end things will — tiden leger alle sår; be on the —** være i bedring; **— one's pace** sette opp farten; **— one's ways** forbedre sin levemåte.
mendable ['mendəbl] som kan repareres.
mendacious [men'deiʃəs] løgnaktig. **mendacity** [men'dæsiti] løgnaktighet.
Mendelian [-'di:-] mendelsk. **Mendel's laws** de mendelske arvelover.
mendicancy ['mendikənsi] betleri, tigging. **mendicant** ['mendikənt] tigger; tiggermunk. **mendicity** [men'disiti] betleri, tigging.
mending ['mendiŋ] reparasjon, utbedring, stoppetøy, lappetøy. **— basket** lappe- og stoppekurv.
menfolk ['menfəulk] pl. mannfolk.
menhir ['menhiə] bautastein.
menial ['mi:njəl] leid, tjenende; tjener-, ringe, simpel; tjener; krypende person.
meningitis [menin'dʒaitis] meningitt.
men-of-war ['menə'wɔ:] pl. av **man-of-war**.
menology [mi'nɔlədʒi] månedskalender, srl. kalender med helgenbiografi i den greske kirke.
menopause ['menəpɔ:z] menstruasjonens opphør; (ofte) overgangsalder.
menses ['mensi:z] månedlig renselse, menstruasjon.
men's room herretoalett.
menstrual ['menstruəl] månedlig; menstruell, menstruasjons-. **menstruation** [menstru'eiʃən] menstruasjon.
menstruum ['men-] oppløsningsmiddel.
mensurability [menʃərə'biliti] målbarhet.
mensurable ['menʃərəbl] målbar, mensurabel.
mensuration [menʃu'reiʃən] måling, beregning.
mental ['mentəl] mental, forstands-, sinns-, ånds-, åndelig; **— arithmetic, — computation** hoderegning; **— condition** mental tilstand; **— cruelty** åndelig grusomhet; **— deficiency** åndssvakhet; **— reservation** stilltiende forbehold.
mentality [men'tæliti] mentalitet, tenkemåte, åndsvirksomhet; forstand, ånd; sjeleliv.
mentally ['men-] åndelig, mentalt.
mentation [men'teiʃən] åndsvirksomhet.
menthol ['menθɔl] mentol. **mentholated** ['menθəleitid] mentolduftende, preparert med mentol.
menticide ['mentisaid] (amr.) hjernevask.
mention ['menʃən] omtale; tale om, nevne; **don't — it** ingen årsak, ikke noe å takke for; snakk aldri om det; **above -ed** ovennevnt; **not to —** for ikke å tale om, enn si da.
mentionable ['menʃənəbl] nevneverdig.
mentor ['mentɔ:] mentor, veileder.
menu ['menju:] spiseseddel, meny.
mephitie [me'fitik] giftig, skadelig; forpestet.
mer. fk. f. **meridian**.
mercantile ['mə:kəntail] merkantil, kjøpmanns-, handels-. **— class** handelsstand. —

law handelslov. — **man** kjøpmann. — **marine** handelsflåte. — **reports** handelsberetninger. — **vessel** handelsskip. — **term** handelsuttrykk.

mercenary ['mə:sinəri] leid; salgbar; kremmeraktig, beregnende; egennyttig; vinnesyk; leiesvenn; leiesoldat; i pl. leietropper.

mercer ['mə:sə] manufakturhandler, (nå især) silkevarehandler.

mercerize ['mə:səraiz] mercerisere (gjøre bomull silkeglinsende).

mercery ['mə:səri] manufakturforretning, silkevarehandel; silkevarer, manufakturvarer.

merchandise ['mə:tʃəndaiz] varer; handle, fremme salget (av).

merchant ['mə:tʃənt] kjøpmann, handelsmann, grossist, handlende. **merchantable** ['mə:tʃəntəbl] salgbar. **merchantman** handelsskip, koffardiskip. **merchant marine** handelsflåte. **merchant ship** handelsskip.

merchant tailor ['mə:tʃənt'teilə] medlem av Merchant Taylors' Company (et laug som sydde opp stoffene de fremstilte); elev av the Merchant Taylors' School (i denne betydning vanlig a **Merchant Taylor**).

Mercia ['mə:ʃiə].

merciful ['mə:sif(u)l] barmhjertig, nådig. **-ly** barmhjertig, nådig; heldigvis, gudskjelov.

merciless ['mə:silis] ubarmhjertig.

mercurial [mə'kjuəriəl] livlig, full av liv; kvikksølvaktig; urolig, ustadig, ilter; som inneholder kvikksølv. **mercurialize** [-laiz] behandle med kvikksølvpreparat. **mercurify** [mə'kjuərifai] utvinne kvikksølv.

Mercury ['mə:kjuri] Merkur; budbringer, avis. **mercury** ['mə:kjuri] kvikksølv. — **vapour lamp** kvikksølvlampe.

Mercury's wand Merkurstav.

mercy ['mə:si] barmhjertighet, nåde, miskunn; medlidenhet; **beg for** —, **cry for** — be om nåde; — **on me: for -'s sake** barmhjertige Gud, for Guds skyld; **it is a** — **he did not . . .** det er en Guds lykke at han ikke . . .; **be at the** — **of** somebody være i ens makt.

mercy seat ['mə:sisi:t] nådestol.

mere [miə] tjern, dam, sjø.

mere [miə] grense, merkestein.

mere [miə] blott, ren, bare; **a** — **boy** bare barnet; **for the** — **purpose** ene og alene for å.

Meredith ['merədiθ, 'meridiθ].

merely ['miəli] kun, alene, bare, rett og slett.

meretricious [meri'triʃəs] skjøgeaktig; uekte, forloren; halvfin, gloret; svulstig.

merganser [mə:'gænsə] laksand.

merge [mə:dʒ] smelte sammen, flyte sammen, fusjonere, gå opp i en høyere enhet; gli over i; sammenfall; **be -d in** gå opp i, smelte sammen med. **merger** ['mə:dʒə] sammensmelting, fusjon, forening (av handelsselskaper).

merging = **merger**.

meridian [mi'ridjən] høyde, høyeste punkt; middagshøyde, meridian, lengdesirkel, lengdegrad. — **of life** kulminasjonspunkt, middagshøyde. **meridional** [mi'ridjənəl] meridian-, sørlig; søreuropeisk. **meridionality** [miridjə'næliti] kulminasjon, sørlig beliggenhet.

meringue [mə'ræŋ] marengs (slags småkaker).

merino [me'ri:nəu] merinosau; merino (slags tøy).

merit ['merit] fortjeneste, fortjenestefullhet, fortreffelighet, dyd, god side, gagn, fortrin; **-s** fortjeneste, verd; **make a** — **of, take** — **to** oneself regne seg til fortjeneste; **make a** — **of** necessity gjøre en dyd av nødvendighet; **each case is decided on its -s** hvert tilfelle bedømmes individuelt, etter fortjeneste; **ugly to a** — stygg som en ulykke.

merit ['merit] fortjene; gjøre seg fortjent, gjøre gagnsverk. — **badge** ferdighetsmerke.

meritedly ['meritidli] med rette, etter fortjeneste.

meritorious [meri'tɔ:riəs] fortjenstfull, heder-

lig, solid. **meritoriousness** [-nis] fortjenstfullhe

merit rating kvalifikasjonsbedømmelse.

merle [mə:l] svarttrost.

merlin ['mə:lin] dvergfalk, steinfalk.

mermaid ['mə:meid] havfrue.

merman ['mə:mən] havmann.

Merovingian [merə'vindʒiən] merovingisk.

merrily ['merili] lystig.

merriment ['merimənt] munterhet, gamme moro.

merry ['meri] munter, glad, livlig, spøkeful lett beruset; **make** — more seg, holde leven; **a** - **Christmas (to you)!** gledelig jul; — **dancers** nor lys; **make** — **with** ha til beste, drive gjøn mee **let things go their** — **way** la tingene gå sin skjev gang.

merry-andrew ['meri'ændru:] bajas, klov **merry-go-round** ['merigəuraund] karusell, run kjøring. **merry-making** ['merimeikiŋ] moro, leve **Merry Monday** fastelavnsmandag.

merrythought ['meriθɔ:t] gaffelbein, ønskebei nøklebein (på en fugl).

mesa ['meisə] (amr.) mesa, platå, taffellan **mésalliance** [me'zæliəns] mesalliance.

meseal ['meskəl] meksikansk drikk som inn holder meskalin.

mesdames [mei'dæm] pl. av **madame.**

mesdemoiselles [meidmwa:'zel] pl. av **mad moiselle.**

meseems [mi'si:mz] (arkaisk) meg tykkes.

mesh [meʃ] maske, nett, garn; drev; fange garn, innvikle. **meshy** ['meʃi] masket, nettforme **mesmeric** [mez'merik] mesmerisk, hypnotis suggestiv, tryllebindende. **mesmerism** ['mezmə izm] mesmerisme. **mesmerist** ['mezmərist] me merist. **mesmerize** ['mezməraiz] hypnotisere.

mesne [mi:n] (jur.) mellom-; — **lord** unde lensherre, undervasall.

Mesopotamia [mesəpə'teimjə].

mess [mes] blanding, forvirret masse, uorde røre, rot, suppe, sammensurium; **the house w in a pretty** — huset var i villeste uorden; **be** a **pretty** — sitte i en knipe ; **make a** — bringe i forvirring; søle til; **he got into a** — wi **his accounts** det var uorden i hans regnskape **mess** [mes] rote i, forplumre, ødelegge, søle t rote, klusse; — **about** gå og drive omkring, tu med noe; — **up** bringe i uorden, spolere, ødelegge

mess [mes] rett, servering, porsjon; mess spise (i samme messe); bespise; skaffe; — **pottage** rett linser; **dine at** — spise i messe **divide the men into -es** fordele mannskapet bakker (bakksvis). — **boy** messegutt. — m messemann. **-mate** messekamerat, bakkskamera — **orderly kokk. -room** messe.

message ['mesidʒ] bud, budskap; depes] telegram; **go -s** gå ærender; **send a** — **of exeu** sende avbud. — **form** telegramblankett. — l visergutt.

messenger ['mesindʒə] bud, sendebud, fo løper, kurér.

Messiah [mi'saiə] Messias.

messieurs ['mesəz] de herrer, herrer.

messing ['mesiŋ] forpleining.

Messrs. ['mesəz] fk. f. **Messieurs,** herren d'herrer.

messuage ['meswidʒ] (jur.) gård, jord, eiendor **mess-up** rot.

messy ['mesi] forvirret, rotet, sølet, griset.

mestizo [me'sti:zəu] mestis.

met [met] imperf. og perf. pts. av **meet;** fk. **meteorological; metaphor; metropolitan.**

Met. — the — fk. f. the **Metropolitan Opera.**

metabolism [me'tæbəlizm] stoffskifte.

metacarpus [metə'ka:pəs] mellomhånd.

metage ['mi:tidʒ] måling (av kull); måleavgi

metal ['metl] metall; (fig.) malm; pukk, puk stein, glassmasse; metallforhude; makadamiser kulte; **-s** skinner; **leave the** — gå av sporet.

metallic [mi'tælik] metallisk, metall-.

metalliferous [metə'lifərəs] metallholdig.

metalline ['metəlin, -ain] metallisk.
metallize ['metəlaiz] metallisere.
metalloid ['metəlɔid] metalloid.
metallurgy [me'tælədʒi] metallurgi.
metalman ['metlmən] metallarbeider.
metamorphic [metə'mɔ:fik] metamorfisk. meta-
morphose [metə'mɔ:fəuz] forvandle. metamor-
hosis [metəmɔ:'fəusis] forvandling. metaphor
'metəfə] billedlig talemåte. metaphorie(al) [me-
ə'fɔrik(l)] billedlig.
metaphysic(al) [metə'fizik(l)] metafysisk, over-
anselig. metaphysician [metəfi'ziʃən] metafysiker.
metaphysics [metə'fiziks] metafysikk.
metastasis [me'tæstəsis] metastase.
metatarsus [metə'tɑ:səs] mellomfot.
metathesis [me'tæθəsis] metatese.
mete [mi:t] måle; mål; grense, grensemerke.
metempsychosis [metempsi'kəusis] sjelevan-
dring.
meteor ['mi:tjə] meteor. meteorie [mi:ti'ɔrik]
meteorisk; kometaktig, strålende. meteorological
[mi:tjərə'lɔdʒikl] meteorologisk. meteorologist
[mi:tjə'rɔlədʒist] meteorolog. meteorology [mi:tjə-
'rɔlədʒi] meteorologi.
meter ['mi:tə] måler, måleredskap; meter;
måle. — reading måleravlesning.
metheglin [mə'θeglin] en slags mjød.
methinks [mi'θiŋks] det synes meg.
method ['meθəd] måte, framgangsmåte; plan,
metode; reduce to — sette i system. method-
e(al) [mi'θɔdik(l)] metodisk, systematisk. method-
rs [mi'θɔdiks] metodikk.
Methodism ['meθədizm] metodisme. Methodist
'meθədist] metodist; metodistisk. Methodistie
meθə'distik] metodistisk.
methodize ['meθədaiz] bringe metode i, syste-
matisere.
methought [mi'θɔ:t] det syntes meg.
Methuselah [mi'θju:zələ] Metusalem.
methyl ['meθil] metyl. methylate ['meθileit]
denaturere. methylated ['meθileitid] som inne-
holder metylalkohol; — spirits denaturert sprit.
meticulous [mi'tikjuləs] engstelig, omhyggelig,
grundig, sirlig, pirket.
métier ['metjei] metier, fag, yrke.
metonymy [me'tɔnimi] metonymi.
metre ['mi:tə] meter; metrum, versemål. me-
rie ['metrik] metrisk. metrical ['metrikl] me-
risk. metries ['metriks] metrikk.
metronome ['metrənəum] taktmåler.
metropolis [mi'trɔpəlis] hovedstad, verdensby;
the — (især) London, Stor-London.
metropolitan [metrə'pɔlitən] hovedstads-, me-
ropolitan-, londoner-; metropolitt; M. Police
London-politiet; — state moderland (for kolo-
ier).
mettle ['metl] temperament, liv, mot, fyrighet,
utt, iver; stoff, to, malm; materie; now show
our — vis nå hva du kan; put one on his — få
n til å gjøre sitt beste.
mettlesome ['metlsəm] livlig, modig, fyrig;
prek.
mew [mju:] måke, måse.
mew [mju:] myte, røyte; skifte drakt.
mew [mju:] bur (is. for falk); skjul.
mew [mju:] mjaue; mjauing.
mewl [mju:l] skrike, sutre; skrik, sutring.
mews [mju:z] stallbygninger, staller (ofte om-
ygd til garasjer el. atelierleiligheter); bakgate,
mug; (oppr. pl. av mew falkebur; men nå gjerne
rukt som singularis: a mews, pl. mewses).
Mex. fk. f. Mexico; Mexican.
Mexican ['meksikən] meksikansk; meksikaner.
Mexico ['meksikəu].
mezzanine ['mezəni:n] mesanin(etasje).
mezzotint ['metsəutint] mezzotint(trykk);
vartkunst.
mf. fk. f. mezzo forte middelssterkt.
M. G. fk. f. Order of St. Michael and St. George.
m. g. fk. f. machine gun.
mg. fk. f. milligram.

Mgr fk. f. Manager; Monseigneur.
M. I. fk. f. mounted infantry; Military Intelli-
gence.
M.I.A. fk. f. missing in action savnet under
utførelse av tjeneste.
Miami [mai'æmi].
miaow [mi'au] mjaue; mjauing.
miasma [mai'æzmə] miasme, smittestoff.
miaul [mi'ɔ:l] mjaue; mjauing.
mica ['maikə] glimmer; kråkesølv. micaceous
[mi'keifəs] glimmeraktig.
Micawber [mi'kɔ:bə], person i David Copper-
field.
mice [mais] (plur. av mouse) mus.
Mich. fk. f. Michigan.
Michael ['maikl].
Michaelmas ['miklməs] mikkelsmess, den 29.
september.
miche [mitʃ] stjele, rappe; skulke.
Michigan ['miʃigən].
mickle ['mikl] (gammelt el. dialekt) megen,
stor; mengde; many a little makes a — ≈ mange
bekker små gjør en stor å.
micky ['miki]; take the — out of erte, drive
gjøn med.
micro ['maikrəu, maikrə] mikro-.
microbe ['maikrəub] mikrobe, bakterie.
microcosm ['maikrəkɔzm] mikrokosmos, liten
verden.
microfilm mikrofilm.
micrography [mai'krɔgrəfi] beskrivelse av mi-
kroskopiske gjenstander, mikrografi.
micrometer [mai'krɔmitə] mikrometer.
micron ['maikrɔn, -rən] mikron, my.
Micronesia [maikrə'ni:ʃə] Mikronesia (visse
øygrupper i Stillehavet).
microphone ['maikrəfəun] mikrofon. — ampli-
fier mikrofonforsterker. — current mikrofonstrøm.
microscope ['maikrəskəup] mikroskop. micro-
scopic [maikrə'skɔpik] mikroskopisk, meget
liten.
microwave ['maikrəweiv] mikrobølge.
micturition [miktə'riʃən] sykelig trang til
vannlating.
mid [mid] midt-, midtre, mellom. — -flight i
flukten.
'mid; mid [mid] midt iblant, under.
Midas ['maidæs].
midday ['middei] middag, kl. 12.
midden ['midn] (dial.) mødding, gjødselhaug;
lasaron.
middle ['midl] mellom-, middel-; midje, liv;
midterst, i midten, midt-; at the — of last week
midt i siste uke; in the — of midt i; midt på;
— age alder mellom 40 og 60; the M. Ages mid-
delalderen; — article avisartikkel, som hverken
dreier seg om politikk eller litteratur; — finger
langemann; the M. Kingdom Kina.
middle-aged ['midl'eidʒd] halvgammel, mid-
delaldrende.
middle-bracket mellomsjiktet, mellomgruppen.
middle-class ['midl'klɑ:s] middelklasse, middel-
stand.
the Middle East Midt-østen.
middleman ['midlmæn] mellommann, mellom-
ledd.
middlemost ['midlməust] midterst.
middle name mellomnavn.
middle-of-the-road en som er i midten; midt-,
mellom-.
Middlesex ['midlseks].
middle[-sized middelstor. -tint mellomfarge.
— watch hundevakt. — weight mellomvekt.
middling ['midliŋ] middels, middelmådig, tem-
melig. middlings ['midliŋz] mellomkvaliteter;
annensortering; en slags grovere mel, fint hvete-
kli, kliblanding (brukt som hønsefôr).
mid-fair mørk blond.
midge [midʒ] mygg; liten mann.
midget ['midʒit] liten mygg; ørliten mann;
dverg-, lilleputt-; fotografi i minste format.

midland ['midlənd] innland; indre; **the Midlands** Midt-England.

midmost ['midməust] midterst.

midnight ['midnait] midnatt.

midriff ['midrif] mellomgulv; livstykke; todelt kjole el. badedrakt.

midship ['midʃip] midtskips. **-man** sjøkadett. **midships** ['midʃips] midtskips.

midst [midst] midte; midt, midterst; **in the —** of midt i; **in our —** midt iblant oss.

midsummer ['midʌmə] midtsommer **M. Day** sankthansdag, jonsokdag. **— holidays** sommerferie. **— madness** det glade vanvidd. **— night** sankthansnatt.

midway ['midwei] midtvei, mellomvei; midtveis, halvveis.

midwife ['midwaif] jordmor; fødselshjelper; bistå, opptre som jordmor. **midwifery** ['midw(a)ifri] jordmorkunst, -yrke.

midwinter midtvinter.

mid-year årets midte; som finner sted midt i året.

mien [mi:n] mine, lag, framferd, holdning, oppførsel.

miff [mif] fornærmelse; småkjekl; **they have had a —** det er kommet en knute på tråden.

might [mait] imperf. av **may**. **— -be** kanskje. **might** [mait] makt, kraft, evne; **by — or by sleight** ved makt eller list; **with — and main** el. **with all his —** av all makt, av alle krefter. **mightily** ['maitili] mektig, voldsomt, kraftig, svært. **mightiness** ['maitinis] høyhet, mektighet. **mighty** ['maiti] mektig, kraftig, svært, i høy grad.

mignonette [minjə'net] reseda.

migrant ['maigrənt] vandrende; trekkfugl; omstreifer, landstryker. **migrate** [mai'greit] flytte, vandre ut, trekke bort. **migration** [mai'greiʃən] utflytning, vandring.

migratory ['maigrətəri] vandrende. **— bird** trekkfugl. **— locust** vandregresshoppe.

mikado [mi'ka:dəu] mikado (keiser i Japan).

Mike [maik] fk. f. **Michael; for the love of —!** for himmelens skyld!

mike [maik] slentre, drive om; fk. f. **microphone.**

mil. fk. f. **military; militia.**

Milan ['milən, mi'læn] Milano.

milch [mil(t)ʃ] som gir melk, som melker. **— cattle** melkekuer. **-er** melkeku.

mild [maild] mild; spak; blid, saktmodig; lett; bløt. **— ale** lett øltype. **— -cured** lettsaltet (om kjøtt).

mildew ['mildju:] meldugg, mygl, jordslag; bli meldugget. **mildewy** ['mildju:i] jordslått.

mildness ['maildnis] mildhet.

mild|-spoken mild i ordene. **— -tempered** mild.

mile [mail] (engelsk) mil; (= 1609,3 m); **for -s** milevidt.

mileage ['mailidʒ] distanse i eng. mil, miletall; reisegodtgjørelse pr. mil, bilgodtgjørelse. **— recorder** odometer, ≈ kilometerteller.

milepost milepæl; ≈ kilometerstolpe.

Milesian [mai'li:ziən] irsk; irlender; milesisk.

milestone ['mailstəun] milepæl; ≈ kilometerstolpe.

Miletus [mai'li:təs] Milet.

milfoil ['milfɔil] ryllik (plante).

miliary ['miljəri] hirsekornlignende; **— fever** frisler, miliær feber.

militant ['militənt] krigersk, aggressiv, stridbar, stridende. **militarism** ['militərizm] militarisme.

military ['militəri] militær, krigersk, krigs-, militær; **— man** militær.

militate ['militeit] stri(de), kjempe, slåss; virke for.

militia [mi'liʃə] milits, landvern.

militiaman [mi'liʃəmən] militssoldat.

milk [milk] melk; melke; tappe; ha melk i; **— for babes** barnemat; **that accounts for the — in the coconut** se det forklarer saken; **— of**

---

magnesia magnesiamelk; **it is no use crying over spilt —** det nytter ikke å gråte over spilt melk; **— -and-water** kraftløs; sentimentalt vås. **— can** melkespann. **-er** melker, melkeku, melkemaskin. **— glass** melkeglass. **— grading** kvalitetskontroll av melk. **— -livered** feig. **-man** melkemann. **— powder** tørrmelk, melkepulver. **— recorder** melkekontrollør. **— round** melkerute, fast turistrute. **— run** rutineoppdrag ≈ plankjøring. **— shake** drikk av kald melk og frukt saft. **-sop** brød som er bløtt i melk; mammadalt, stakkar. **— strainer** melkesil.

milky ['milki] melkeaktig, melke-; engstelig, bløt.

mill [mil] mølle, kvern, fabrikk; male, valse ut, prege, mynte; piske; **he has been through the —** han har opplevd mye, han har selv prøvd det; **no — no meal** uten arbeid ingen mat; **-ed edges** maskinpregede kanter, opphøyde (og riflete) kanter (på mynter); **— about** farte om kring.

millboard ['milbɔ:d] tykk papp.

milldam ['mildæm] mølledam, mølledemning.

millenarian [mili'nɛəriən] tusenårig; millenarier. **millenary** ['milinəri] tusen-, tusenårs, årtusen; tusenårsfest. **millennial** [mi'lenjəl] tusenårs-. **millennium** [mi'lenjəm] årtusen; tusenårsrike.

millepede ['milipi:d] tusenbein.

miller ['milə] møller; fresemaskin.

millesimal [mi'lesiməl] tusende; tusendels-.

millet ['milit] hirse.

mill|feed fôrmel, kli. **— girl** fabrikkarbeiderske. **— hand** fabrikkarbeider.

milliard ['miljəd] milliard.

millibar ['miliba:] millibar.

milligramme ['miligræm] milligram.

millilitre ['milili:tə] milliliter.

. **millimetre** ['milimi:tə] millimeter.

milliner ['milinə] motehandler. **-'s** hatter butikk, motebutikk. **millinery** ['milinəri] motepynt, moteartikler.

milling ['miliŋ] mølledrift; valsing; fresing, stamping; real juling. **— machine** fresemaskin.

million ['miljən] million. **millionaire** ['miljə'nɛə] millionær. **millionairess** millionøse. **milliont** ['miljənθ] milliondel, millionte.

mill|owner mølleeier. **-pond** mølledam, kverndam. **-race** kvernbekk, møllevann. **-scale** glødeskall. **-stone** møllestein. **-stream** kvernbekk. **-tail** spillvann (fra møllehjulet). **— wheel** møllehjul. **-wright** kvernbygger; (amr.) montør.

milquetoast ['milktəust] (amr.) smågutt.

milt [milt] milt; melke (hos hanfisk); befrukte.

Milton ['milt(ə)n].

mime [maim] mime; slags farse; komiker.

mimeograph ['mimiəgra:f] mimeograf, duplikator; stensilere, duplisere.

mimic ['mimik] (pres. pts. **mimicking**, imperf. og perf. pts. **mimicked**) etterlignet, etterapet; mimisk; mimiker, etteraper; etterligne, etterape; herme.

mimicry ['mimikri] etterligning, etteraping.

mimosa [mi'məuzə] mimosa.

min. fk. f. **mineralogy; minimum; mining; minister; minor; minute.**

minacious [mi'neiʃəs] truende.

minaret ['minərit] minaret.

minatory ['minətəri] truende.

mince [mins] hakke smått, skjære fint; forminske, beklippe, pynte på; snakke affektert; småtrippe; hakket kjøtt; hakkemat; **not to — matters** for å ta bladet fra munnen.

mincemeat ['minsmi:t] finhakket kjøtt; **make — of you** gjøre hakkemat av dere, gjøre kål på dere.

mince pie ['mins'pai] kjøttpostei.

mincer ['minsə] kjøttkvern, hakkemaskin.

mincing ['minsiŋ] skapaktig, affektert, jålet; tertefin.

mind [maind] sinn, hug, sinnelag, gemytt; sjel, ånd; forstand, vett, mening, tanke; tilbøyelighet, mentalitet, lyst; erindring, minne; personlighet; **make up one's** — beslutte seg til; **fatte en bestemt mening; bringe det over sitt hjerte; my** — **misgives me** jeg har bange anelser; **absence of** — åndsfraværelse; **presence of** — indsnærværelse; **a dirty** — en skitten tankegang; **an open** — åpent sinn, fordomsfri; **a shallow** — å være lite dypttenkende, ikke å stikke dypt; **be of a sound** — være ved sine fulle fem; **lose one's** — miste forstanden; **change one's** — komme på andre tanker; **give a person a bit of one's** — si en sin mening; **I was in two -s about it** jeg kunne ikke bestemme meg; **be of a** — **with somebody** dele ens anskuelser; **it is not to my** — det er ikke etter mitt hode; **have a good** — **to** ha god lyst til; **I have half a** — **to** jeg kunne nesten ha lyst til; **have in** —, **bear in** — huske, ha i tankene; **bring (call) to** — erindre, minnes.

mind [maind] iaktta, ense, akte på, legge merke til; bekymre seg om, bry seg om; ha noe imot; innvende imot; huske, passe på; ha i sinne; — **one's book** passe sin lesning; — **your own business!** pass deg selv! — **a child** passe et barn; **never** — **him** bry deg ikke om ham; **never** —! bry Dem ikke om det! det gjør ikke noe; jeg ber; ingen årsak; pass Dem selv; **I don't** — **a few pounds more or less** jeg tar det ikke så nøye med et par pund mer eller mindre; **if you do not** — **it** hvis De ikke har noe imot det; **do you** — **my smoking** har De noe imot at jeg røyker; — **and come in good time** sørg for å komme i god tid; — **your eye!** pass på! — **that!** husk det; — **one's P's and Q's** være forsiktig, holde tungen rett i munnen.

minded ['maindid] til sinns; av . . . karakter; interessert; innstilt.

minder ['maində] vaktpost, utkikksmann; **-minder** (i smstn.) -vokter; -passer.

mindful ['maindf(u)l] oppmerksom, omhyggelig.

mindless ['maindlis] sjelløs; likeglad, likesæl.

mine [main] min, mitt, mine (brukt substantivisk); **the box is** — esken er min; **a friend of** — en venn av meg.

mine [main] gruve, bergverk, mine; grave gruver; drive gruver; drive bergverksdrift; minere, grave; undergrave; utvinne, drive.

mine field ['mainfi:ld] minefelt.

mine|layer ['mainleiə] mineutlegger (skip eller menneske). — **laying** [-leiiŋ] minelegging.

miner ['mainə] gruvearbeider, bergmann; minegraver, minør. **miner's elbow** hygrom i albuen.

mineral ['minərəl] mineral. — **candle** parafinvokslys. — **coal** steinkull. **mineralize** ['minərəlaiz] forvandle til mineral. **mineralogic** [minərələdʒik] mineralogisk. **mineralogist** [minə'rælədʒist] mineralog. **mineralogy** [minə'rælədʒi] mineralogi.

mineral | oil mineralolje. — **pitch** asfalt. — **spirit** white spirit, mineralterpentin. — **water** mineralvann; brus.

Minerva [mi'nɔ:və].

mine shaft gruvesjakt.

minesweeper ['mainswi:pə] minesveiper.

minever ['minivə] d. s. s. **miniver.**

mingle ['miŋgl] blande; blande seg.

miniate ['minieit] mønje, mønjemale.

miniature ['minjətʃə] miniatyr, miniatyr-, miniatyrportrett; **in** — en miniature, i miniatyr. — **railway** modelljernbane.

mini|cam miniatyrkamera. — **-cab** minidrosje. **-car** minibil, småbil.

minify ['minifai] forminske, minske, nedsette.

minikin ['minikin] yndling, kjæledegge; bitte liten.

minim ['minim] bitte liten; 0,06 milliliter; halvnote.

minimal ['miniməl] minimal, minste-.

minimise ['minimaiz] bringe ned til det minst

mulige, redusere, forminske, begrense; undervurdere.

minimum ['miniməm] lavmål, minimum; minimums-.

mining ['mainiŋ] gruvedrift, bergverksdrift, mine-.

minion ['minjən] (hånlig) yndling, favoritt, gromgutt; kreatur; kolonell (liten skriftsort).

minish ['miniʃ] forminske.

minister ['ministə] minister, statsråd; sendemann; prest (især om dissenterprest); tjener, hjelper, redskap; levere, yte, sørge for, bidra til, gi, bringe; tjene, hjelpe, behandle. — **of agriculture, fisheries and food** ≈ landbruks og fiskeriminister. — **of commerce** handelsminister. — **of defence** forsvarsminister. — **of education** undervisningsminister. — **of health** helseminister. — **of housing and local government** ≈ boligminister. — **of labour and national service** ≈ kommunal og arbeidsminister. — **of state** statsråd; visestatsråd. — **of supply** forsyningsminister. — **of transport and civil aviation** ≈ samferdselsminister.

ministerial [mini'stiəriəl] tjenende; administrativ; tjenlig; minister-, ministeriell; prestelig, geistlig. **ministerialist** [-ist] regjeringsvennlig.

ministrant ['ministrənt] tjenende, underordnet; tjener. **ministration** [mini'streiʃən] tjeneste, virksomhet; medvirkning.

ministry ['ministri] departement, ministerium; regjering, regjeringstid; geistlig stilling, presteembete, prestegjerning; virksomhet, medvirkning.

minium ['minjəm] mønje.

miniver ['minivə] gråverk; hermelin, ekornskinn.

mink [miŋk] mink.

Minn. fk. f. **Minnesota.**

Minneapolis [mini'æpəlis].

Minnesota [mini'səutə].

minnie ['mini] (skotsk) mor; minekaster.

minnow ['minəu] ørekyte, gorrkyte.

minor ['mainə] mindre, underordnet, uvesentlig, små-; bifag, bifags-; mindreårig, umyndig; moll (i musikk). — **canon** prest ved domkirke, men ikke medlem av domkapitlet. — **premise** undersetning (i slutning). **the** — **prophets** de små profeter. **Asia Minor** Lilleasia.

Minorca ['mi'nɔ:kə].

minority ['mi'nɔriti, mai-] mindreårighet, umyndighet; minoritet, mindretall; **be in a** — være i minoritet.

M. Inst. C. E. fk. f. **Member of the Institution of Civil Engineers.**

minster ['ministə] domkirke, klosterkirke.

minstrel ['minstrəl] skald, (vise)sanger, trubadur, minnesanger; negro — el. **Christy** — negersanger (el. sanger utkledd som neger). **minstrelsy** ['minstrəlsi] sang, skaldskap, trubadurpoesi.

mint [mint] mynt, myntverk; formue; utbytte; opprinnelse; **he is worth a** — **of money** han er grunnrik. **mint** [mint] mynte, slå, prege; smelte, lage; **in** — **condition** som ny.

mint [mint] mynte; peppermynte(sukkertøy); **crisped (el. curled)** — krusemynte.

mintage ['mintidʒ] mynting; mynt, penger, nylaging; myntpreg, preg; pregningskostnader **mint julep** whisky i knust is med mynte.

mintmaster ['mint'mɑ:stə] myntmester.

mint sauce ['mint'sɔ:s] krusemyntesaus (eddiksaus med hakkede krusemynteblad).

mint warden ['mintwɔ:dn] myntguardein.

minuet [minju'et] menuett.

minus ['mainəs] minustegn; minus; negativ; uten.

minuscule [mi'nʌskju:l] minuskel, liten bokstav; meget liten.

minute [mi'nju:t, mai-] ganske liten, ørliten, ubetydelig; nøyaktig, minutiøs.

minute ['minit] minutt, bueminutt; øyeblikk; notat, memorandum; opptegnelse, (især i pl.)

referat, forhandlingsprotokoll; gjøre utkast til, opptegne, protokollere; **this** — straks; **I knew him the** — **I saw him** jeg kjente ham straks, da jeg så ham; **to the** — på minuttet; **wait a** — vent et øyeblikk; **up to the** — helt à jour. — **book** forhandlingsprotokoll. — **guns** minuttskudd. — **hand** minuttviser, langviser.

minutely ['minitli] hvert minutt, hvert øyeblikk.

minutely [mi'nju:tli, mai-] nøye, minutiøst.

minuteness [mai'nju:t-] stor nøyaktighet; en svært liten størrelse.

minutiae [mai'nju:ʃii:] bagateller, småtterier.

minx [minks] villkatt, vilter pike.

miny ['maini] underjordisk; rik på miner.

miracle ['mirəkl, -rikl] mirakel, vidunder, undergjerning; mirakel-skuespill; **as if by** — som ved et under. **miraculous** [mi'rækjuləs] mirakuløs, vidunderlig, undergjørende, vidunder-.

mirage [mi'rɑ:ʒ] luftspeiling, fatamorgana; illusjon.

mire ['maiə] myr, sump; mudder, dynn, søle, gjørme; senke ned i dynn; synke ned i dynn; føre opp i uføre. **miriness** ['mairinis] det å være gjørmet.

mirk [mə:k] mørk. **mirky** ['mə:ki] mørk.

mirror ['mirə] speil; bilde; avspeile, speile. — **finish** høyglanspolering. — **image** speilbilde. — **room** speilkabinett. — **script** speilskrift.

mirth [mə:θ] munterhet, moro, lystighet, latter. **mirthful** ['mə:θf(u)l] lystig. **mirthfulness** [-nis] lystighet. **mirth-moving** [-mu:viŋ] lattervekkende.

miry ['mairi] gjørmet, mudret.

mis- [mis] (forstavelse) feil-; uriktig.

misadventure ['misəd'ventʃə] uhell; **homicide by** — uaktsomt drap.

misadvice ['misəd'vais] dårlig råd. **misadvise** ['misəd'vaiz] råde ille; vill-lede.

misalliance ['misə'laiəns] mesallianse.

misanthrope ['mizənθrəup] misantrop, menneskehater. **misanthropic** [mizən'θrɔpik] menneskefiendsk. **misanthropy** [mis'ænθrəpi] misantropi.

misapplication ['misæpli'keiʃən] misbruk, uriktig anvendelse.

misapply ['misə'plai] anvende galt, misbruke. **misapprehend** ['misæpri'hend] misforstå. **misapprehension** ['misæpri'henʃən] misforståelse, villfarelse.

misappropriation ['misəprəupri'eiʃən] urettmessig tilegnelse, uriktig anvendelse.

misbecoming ['misbi'kʌmiŋ] upassende, ukledelig.

misbegotten ['misbi'gɔtn] uekte født, født utenfor ekteskap; elendig, avskyelig.

misbehave ['misbi'heiv] oppføre seg dårlig. **misbehaviour** ['misbi'heivjə] dårlig oppførsel.

misbelief [misbi'li:f] vantro.

miscalculate ['mis'kælkjuleit] beregne feil; forregne seg. **miscalculation** ['miskælkju'leiʃən] feilregning, feilbedømmelse.

miscall [mis'kɔ:l] kalle uriktig, sette galt navn på.

miscarriage [mis'kæridʒ] dårlig utfall; uhell; misfall; ulykke; (brevs) bortkomst; for tidlig fødsel, abort. — **of justice** justismord. **miscarry** [mis'kæri] slå feil; mislykkes; være uheldig, forulykke; komme bort; nedkomme for tidlig, abortere.

miscast [mis'kɑ:st] gi en skuespiller en rolle som ikke passer for ham; besette galt.

miscegenation [misidʒə'neiʃən] raseblanding.

miscellaneous [misi'leinjəs] blandet.

miscellany [mi'seləni] blanding, samling av blandet innhold; **miscellanies** [mi'seləniz] artikler av forskjellig innhold; blandede skrifter.

mischance [mis'tʃɑ:ns] ulykke, uhell.

mischarge [mis'tʃɑ:dʒ] oppføre feilaktig; uriktig fordring.

mischief ['mistʃif] fortred, ugagn, skade; puss, rampestrek; ulykke; **get into** — komme ille opp

i det; **no** — **has happened** det er ingen skade skjedd; **he means** — han har vondt i sinne make — stifte ufred; **what the** — **are you doing** hva pokker bestiller du. — **-maker** ufredsstifter ugagnskråke. — **-making** som gjør ugagn, stifter ufred.

mischievous ['mistʃivəs] skadelig; skadefro ondskapsfull, skjelmsk, ertesyk; — **child** lite spilloppmaker.

miscible ['misibl] som kan blandes.

miscolour misfarge; (fig.) skildre tendensiøs fordreie.

misconceive ['miskən'si:v] feilbedømme, mis tyde. **misconception** ['miskən'sepʃən] misfo ståelse, mistyding.

misconduct ['mis'kɔndʌkt] uriktig oppførse tjenesteforseelse, embetsforbrytelse; utroskap feilgrep. **misconduct** ['miskən'dʌkt] lede dårlig oppføre seg dårlig.

misconjecture ['miskən'dʒektʃə] gjette fei feilgjetning.

misconstruction ['miskən'strʌkʃən] mistyding misforståelse. **misconstrue** ['miskən'stru:] mi tyde, misforstå.

miscount ['mis'kaunt] telle galt; feiltelling.

miscreant ['miskriənt] skurk, skarv; kjette vantro; gemen, lav, ussel.

misdate ['mis'deit] datere feil; feil datum.

misdeed ['mis'di:d] udåd, misgjerning.

misdelivery ['misdi'livəri] feilaktig avleverin

misdemean ['misdi'mi:n] forse seg. **misdemea nant** [-'mi:nənt] forbryter. **misdemeanour** [-'mi nə] forseelse, feil; mindre forbrytelse; simpel fo brytelse.

misdirect ['misdi'rekt] vill-lede; feiladresser **misdirection** [-'rekʃən] feilretning; vill-ledels feilaktig adressering; feilaktig anvendelse, mi bruk.

misdo ['mis'du:] feile, forse seg. **misdoer** [mis 'du:ə] en som feiler; misdeder. **misdoing** ['mi 'du:iŋ] feil, forseelse, misgjerning.

misdoubt [mis'daut] mistenke, tvile på, h mistillit til; mistanke, mistvil.

misemploy ['misim'plɔi] misbruke, nytte gal **misentry** [mis'entri]· feilaktig innføring (i e bok), feilpostering.

miser ['maizə] gnier, gjerrigknark.

miserable ['miz(ə)rəbl] elendig, ynkelig, ulyl kelig; jammerlig, ussel; — **sinner** arm synder.

miserere [mizə'riəri] miserere, botssalme.

miserly ['maizəli] gnieraktig, gjerrig, knipe misery ['miz(ə)ri] elendighet, ulykke.

misesteem ['misi'sti:m] ringeakt. **misestima** [mis'estimeit] miskjenne.

misfeasance ['mis'fi:zəns] embetsmisbruk.

misfire ['misfaiə] fusking, feiltenning.

misfit ['mis'fit] noe som ikke passer; pass dårlig; sitte dårlig; mislykket individ.

misfortunate [mis'fɔ:tʃənit] ulykkelig.

misfortune [mis'fɔ:tʃən] ulykke, uhell.

misgive [mis'giv] fylle med bange anelse engste. **misgiving** [mis'giviŋ] bange anelse, tv engstelse, uro, bekymring.

misgovern ['mis'gʌvən] regjere dårlig. mi **government** ['mis'gʌvənmənt] dårlig styre, var styre.

misguidance ['mis'gaidəns] vill-ledelse. mi **guide** ['mis'gaid] vill-lede.

mishandle ['mis'hændl] behandle dårlig, fa ille med, forkludre.

mishap ['mishæp, mis'hæp] uhell; uheld episode; bomskudd.

mishear ['mis'hiə] høre feil.

mishmash ['miʃmæʃ] sammensurium, røre, ro **misimprove** ['misim'pru:v] misbruke. **misin provement** misbruk.

misinform ['misin'fɔ:m] gi gale opplysninge feilinformere. **misinformation** ['misinfə:meifə feil underretning.

misinterpret ['misin'tə:prit] mistyde, mistolk **misinterpretation** ['misintə:pri'teiʃən] mistydin

misjudge ['mis'dʒʌdʒ] dømme feil; feilvurder-ng, undervurdere; miskjenne.
mislay [mis'lei] forlegge.
mislead [mis'li:d] forlede; villede.
mismanage ['mis'mænidʒ] administrere dårlig, 'orkludre. mismanagement [-mənt] dårlig ledelse, vanstyre.
misname [mis'neim] benevne feilaktig.
misnomer ['mis'nəumə] misvisende benevnelse.
misplace ['mis'pleis] mislegge, anbringe forkjært, feilplassere. misplacement feilplassering.
misprint [mis'print] trykke feil; ['mis(')print] trykkfeil.
misprision [mis'priʒən] lovstridig fortielse; embetsforbrytelse; hån, forakt. — of felony fortielse av forbrytelse.
misprize undervurdere, ikke vurdere etter fortjeneste.
mispronounce ['misprə'nauns] uttale galt.
mispronounciation ['misprənʌnsi'eiʃən] feilaktig uttale.
misquotation feilsitat, galt sitat.
misquote feilsitere.
misread lese feil.
misrepresent ['misrepri'zent] fremstille urik-tig, fordreie, oppgi galt el. unøyaktig; baktale.
misrepresentation ['misreprizən'teiʃən] feilaktig framstilling, fordreining; baktalelse.
misrule ['mis'ru:l] vanstyre; vanstell, uorden, forvirring.
miss, Miss [mis] frøken; the Misses Smith, the Miss Smiths frøknene Smith.
miss [mis] savne, sakne, unnvære, mangle, gå glipp av, overse, forsømme; unngå, være like ved å; feile, ta feil av, ikke treffe, bomme på; feilskudd, feilslag; fuske; — fire klikke (om gevær); — the train komme for sent til toget; — the mark skyte forbi, bomme; — out utelate; — out on (amr.) gå glipp av; — one's way gå seg vill.
Miss. fk. f. Mississippi.
missal ['misəl] messebok, missale.
misshapen ['mis'ʃeipən] vanskapt, misdannet.
missile ['misail, (amr.) 'misil] kastevåpen, prosjektil, rakettvåpen. — gap rakettforsprang.
missing ['misiŋ] forsvunnet, manglende; som savnes, savnet; fraværende; the — link det manglende mellomledd mellom ape og men-neske; be — savnes, mangle.
mission ['miʃən] misjon, sending, bud, ærend; verv, kall, oppgave; gesandtskap, sendelag, delegasjon; tokt; misjonere; misjons-, sende-ferd; on a — i en sendelse, i et ærend.
missionary ['miʃənəri] misjonær, lekpredikant; utsending.
missis ['misiz] frue, kone, matmor, madamen.
Mississippi [misi'sipi].
missive ['misiv] sende-; kaste-; sendebrev.
Missouri [mi'suəri].
misspell ['mis'spel] stave feil.
misspend ['mis'spend] forøde, kaste bort, an-vende ille; a misspent youth en forspilt ungdom.
misstate ['mis'steit] fremstille uriktig. mis-statement [-'steitmənt] uriktig fremstilling.
missus ['misəs, -əz] frue (brukt av tjenerne).
missy ['misi] jomfrunalsk, affektert; sentimen-tal; veslefrøken.
mist [mist] tåke, skodde, dis; støvregn, dusk-regn, yr.
mistake ['mis'teik] ta feil; misforstå, forveksle; feiltakelse, feil, mistak; misforståelse, forveksling I mistook him for his brother jeg forvekslet ham med hans bror; and no — det er visst og sant, det kan du ta gift på; make a — ta feil; by — ved en feiltakelse. mistaken [mis'teikn] misfor-stått; forfeilet; be mistaken ta feil.
mister ['mistə] herr; si herr til; Mr. B. herr B.
misterm [mis'tə:m] kalle feilaktig, nevne galt.
mistime [mis'taim] velge et uheldig tidspunkt til, gjøre på et galt el. uheldig tidspunkt; feiltime.
mistimed [mis'taimd] ubetimelig, ubeleilig.

mistiness ['mistinis] tåkethet.
mistitle [mis'taitl] benevne feilaktig.
mistletoe ['misltəu, 'mizltəu] misteltein.
mistook [mis'tuk] imperf. av mistake.
mistral ['mistrəl] mistral, nordvestvind (i Sør-Frankrike).
mistranslate ['mistrans'leit] oversette galt. mistranslation gal oversettelse; oversetterfeil.
mistreat [mis'tri:t] behandle dårlig.
mistress ['mistris] herskerinne; frue, husfrue, matmor; lærrinne; elskerinne, metresse; elskede, kjæreste; ekspert, mester (of i).
mistrust ['mis'trʌst] ha mistillit til, mistro. mistrustful [-f(u)l] mistroisk.
mistune ['mis'tju:n] stemme galt.
misty ['misti] tåket, skoddet, uklar, sløret; vagt, omtåket.
misunderstand ['misʌndə'stænd] misforstå. misunderstanding [-iŋ] misforståelse, uenighet.
misusage ['mis'ju:zidʒ] misbruk, mishandling.
misuse ['mis'ju:z] misbruke, mishandle; mis-bruk.
mite [mait] midd (i ost, mel).
mite [mait] liten mynt; liten smule; grann, døyt, skjerv; liten pjokk, gryn, stump; it ain't a — of use det er ikke til ringeste nytte.
mithridate ['miθrideit] motgift.
mitigant ['mitigənt] formildende; lindrende.
mitigate ['mitigeit] formilde, dempe, døyve, lin-dre. mitigation [miti'geiʃən] formildelse, lindring, formildende omstendighet. mitigator ['mitigeitə] en som formilder, lindrer.
mitrailleuse [mitrai'ə:z] mitraljøse, kulesprøyte.
mitre ['maitə] mitra, bispelue, bispeverdighet; (i snekkerspråk) gjæring (slags fugning), gjæ-ringsfuge; bekle med bispelue; gjøre til bisp; gjære sammen. — joint gjæringsfuge. — wheel konisk hjul (om tannhjul, med akse som danner en vinkel på 45°).
mitt [mit] se mitten.
mitten ['mitn] belgvott, (lo)vott, halvhanske ermebeskytter, (i pl. slang) boksehansker; hånd-jern; give the — gi en kurven, avskjedige; get the — få reisepass.
mittimus ['mitiməs] arrestordre; (slang) spar-ken.
mix [miks] blanding; røre, rot, kluss; blande, lage; blande sammen; blande seg, ha omgang, omgås; — a glass brygge et glass; he was mixed up in a conspiracy han var innviklet i en sam-mensvergelse; — with the world ferdes ute i verden.
mixable ['miksəbl] som kan blandes.
mixed [mikst] blandet, forvirret; — bathing fellesbading (for herrer og damer); — blessing blandet fornøyelse; — breed blandingsrase; — cargo blandet last, stykkgods; — company blan-det selskap; — marriage blandet ekteskap; — mathematics anvendt matematikk; — reception blandet mottakelse; — school fellesskole (for gutter og piker).
mixer ['miksə] blander; blandemaskin, mix-master, håndmikser. — tap blandebatteri (til varmt og kaldt vann). — truck betongbil.
mixing blanding; blande-, blandings-. — spade murskje.
mixture ['mikstʃə] blanding, oppblanding; mikstur.
mix-up ['miks'ʌp] rot, røre, forvirring; for-bytting; slagsmål.
mizzen ['mizn] mesan, mesanmast. — mast mesanmast. — sail mesanseil.
mizzle ['mizl] duskregne; støvregn, dusk, yr.
M.L fk. f. motor launch.
ml fk. f. millilitre.
Mlle fk. f. mademoiselle.
Mlles fk. f. mesdemoiselles.
M. M. fk. f. Military Medal; Messieurs.
mm fk. f. millimetre.
Mme fk. f. madame.
Mmes fk. f. mesdames.

mnemonic [ni'mɔnik] mnemonisk, som hjelper på hukommelsen; -s hukommelseskunst. mnemonician [nimə'niʃən] hukommelseskunstner.

Mngr fk. f. Monseigneur, Monsignor.

mo [məu] (slang) øyeblikk; wait half a — vent et lite øyeblikk.

Mo. fk. f. Missouri; Monday.

mo. fk. f. month; money order.

M. O. fk. f. Medical Officer.

moan [məun] klage, stønne, anke seg; klage, anking.

moat [məut] festningsgrav, borggrav, vollgrav; omgi med en grav.

mob [mɔb] pøbel, mobb, pakk; hjord, flokk; stimle sammen, lage oppløp, overfalle i flokk.

mobbish ['mɔbiʃ] pøbelaktig, rå.

mobcap ['mɔbkæp] nattkappe, kappe.

mobile ['məubail, 'məubil] bevegelig, mobil, transportabel; ustabil; uro (figur som henges under taket og drives rundt av luftstrømmer i rommet). mobility [mə'biliti] bevegelighet. mobilization [məubilai'zeiʃən] mobilisering. mobilize ['məubilaiz] mobilisere.

mob law ['mɔblɔ:] pøbeljustis.

mobocracy [mɔ'bɔkrəsi] pøbelherredømme.

mob rule ['mɔbru:l] pøbelvelde.

mobsman ['mɔbzmən] plattenslager, snyter, velkledd tyv.

mobster ['mɔbstə] gangster.

moccasin ['mɔkəsin] indiansersko, mokkasin.

Mocha ['məukə, 'mɔkə] Mokka; mokkakaffe.

mock [mɔk] ape etter, herme etter, gjøre latterlig, spotte over, spotte, skuffe; etterligning; spott, spe, latterliggjøring; forloren, uekte, falsk, forstilt. mocker ['mɔkə] spotter; spottefugl. mockery ['mɔkəri] etterligning, herming; spott, spe, latterliggjøring.

mocking ['mɔkiŋ] spottende, spotsk. — -bird hermekråke, spottefugl.

mock turtle ['mɔk'tɔ:tl] forloren skilpadde.

mock-up øvelsesmodell (ofte i full størrelse).

mod. fk. f. modern; moderate; modulus.

modal ['məudl] formell, modal. modality [məu'dæliti] modalitet, måte, form. mode [məud] måte, mote, vis, lag, beskaffenhet, skikk, bruk.

model ['mɔdl] mønster, modell; mannequin, (foto)modell, voksdukke; eksemplar, forbilde; mønster-, mønstergyldig; modellere, forme, anlegge, avbilde, danne; a — husband en eksemplarisk ektemann. modeller ['mɔdlə] modellør. modelling ['mɔdliŋ] modellering; form, utforming; arbeid som mannequin.

Modena [mə'deinə].

moderate ['mɔd(e)rit] måteholden, moderat, behersket; temmelig liten; tarvelig, lempelig, middelmådig; at a — price til en rimelig pris. moderate ['mɔdəreit] legge bånd på, betvinge, mildne, dempe, beherske; moderere, holde måte med; være ordstyrer ved forhandlinger, mekle. moderation [mɔdə'reiʃən] betvingelse, beherskelse; måtehold, moderasjon; sindighet; annen eksamen ved Oxford.

moderator ['mɔdəreitə] betvinger, demper; dirigent, ordstyrer, diskusjonsleder, mekler.

modern ['mɔdən] moderne, nyere, nymotens, ny, nåtids-; the -s nåtidsmenneskene; — languages nyere språk. modernism ['mɔdənizm] ny skikk, nyere smak, modernisme. modernist ['mɔdənist] beundrer av det nyere, modernist. modernity [mɔ'dɜ:niti] nyhet; det å henge ved det nye, modernitet. modernization [mɔdənai'zeiʃən] modernisering. modernize ['mɔdənaiz] modernisere, omforme.

modest ['mɔdist] beskjeden, fordringsløs, smålåten; sømmelig, anstendig, ærbar, blyg. modesty ['mɔdisti] beskjedenhet, fordringsløshet; anstendighet, ærbarhet. — -piece fichu, brystduk (over en nedringet kjole).

modicum ['mɔdikəm] liten smule, grann, minstemål, knapt mål.

modifiable ['mɔdifaiəbl] som kan forandres,

tillempes; omformelig. modification [mɔdifi'keiʃən] modifikasjon, omforming, omdanning, omlyd. modificatory ['mɔdifi'keitəri] endrende. modify ['mɔdifai] modifisere, omforme, omdanne; begrense, innskrenke, mildne, lempe; bestemme.

modish ['məudiʃ] moderne, nymotens, sveisen.

modishness [-nis] motesyke; modernitet. modist ['məudist] en som følger moten. modiste [məu'di:st] motehandlerske, dameskredderske, sydame.

mods ['mɔds] (eng.) ≈ raggarungdom.

modulate ['mɔdjuleit] avpasse (-stemme), modulere. modulation [mɔdju'leiʃən] toneskifte, modulasjon.

module ['mɔdju:l] modul, seksjon, enhet, fartøy.

modus ['məudəs] modus, måte; godtgjørelse for tiende, erstatning.

Mogul [məu'gʌl] mogul, mongol; the Great — Stormogulen. mogul stormann, kakse.

M. O. H. fk. f. Medical Officer of Health; Ministry of Health.

mohair ['məuhɛə] angoraull, mohair.

Mohammedan [məu'hæmidən] muhammedansk.

Mohawk ['məuhɔ:k] mohawkindianer.

Mohican ['məuikən] mohikaner; the last of the -s den siste mohikaner, ættens siste.

Mohock ['məuhɔk] slags londonsk pøbel.

moiety ['mɔiəti] halvdel.

moil [mɔil] søle til, flekke; slite, slepe; flekk, klatt; slit, strev.

moire [mwa:] moarering; silkemoaré.

moist [mɔist] rå, fuktig. moisten ['mɔisn] fukte, væte. moistener ['mɔisnə] fukter, fuktemiddel. moistness ['mɔistnis] fuktighet, væte. moisture ['mɔistʃə] fuktighet, væte.

moke [məuk] maske (i nett); esel; dumrian.

moky ['məuki] mørk, skummel.

molar ['məulə] som tjener til å male el. knuse; kinntann, jeksel. — tooth kinntann, jeksel.

molasses [mə'læsiz] sirup; melasse.

mold [məuld] se mould.

Moldavia [mɔl'deivjə] Moldova, Moldavia.

mole [məul] føflekk, skjønnhetsflekk.

mole [məul] molo, havnedemning, steindemning.

mole [məul] moldvarp; — out grave fram.

molecast ['məulka:st] moldvarphaug.

mole cricket ['məul'krikit] jordkreps.

molecular [mə'lekjulə] molekylar, molekylær, molekyl-.

molecule ['mɔlikju:l] molekyl, småpartikkel.

mole|hill ['məulhil] moldvarphaug; make a mountain of a — gjøre en mygg til en elefant. — plough grøfteplog.

mole rat ['məulræt] blindmus.

moleskin ['məulskin] moldvarpskinn; moleskin (slags tykt bomullstøy); (i pl.) bukser av moleskin.

molest [mə'lest] besvære, molestere, plage, bry, antaste, forulempe; be -ed li overlast.

molestation [məules'teiʃən] overlast; fortred, bry.

mole track ['məultræk] moldvarpgang.

moll [mɔl] prostituert, ludder.

mollah ['mɔlə] mollah (arabisk prestetittel).

mollient ['mɔljənt] bløtgjørende, lindrende. mollification [mɔlifi'keiʃən] bløtgjøring, lindring, stagging. mollify ['mɔlifai] lindre, bløtgjøre, myke, stagge; be mollified la seg formilde.

mollusc, mollusk ['mɔlʌsk] bløtdyr. molluscan [mɔ'lʌskən] bløtdyr.-.

Molly ['mɔli].

mollycoddle ['mɔlikɔdl] svekling, mammadalt, pyse; skjemme bort, degge med.

Moloch ['məulɔk] Molok.

molten ['məultən] smeltet; støpt.

Moluccas [mɔ'lʌkaz], the — Molukkene.

moly ['məuli] slags løk.

mom [mɔm] (amr.) mamma.

moment ['məumənt, -mint] øyeblikk, moment; drivkraft; beveggrunn; vekt, viktighet; betydning; the — I saw him straks jeg så ham; it is of no — det har ikke noe å si; a matter of — en betydningsfull sak.

momentary ['məuməntəri] øyeblikkelig, som varer et øyeblikk; forbigående, flyktig.

momently ['məuməntli] når som helst, hvert øyeblikk.

momentous [mə'mentəs] betydningsfull, viktig; kritisk, skjebnesvanger, avgjørende.

momentum [mə'mentəm] drivende kraft, kraftmoment, fremdrift, fart, bevegelse; moment, viktig punkt; vekt.

momism ['məmizm] morsdyrkelse; overdreven morskjærlighet.

monachal ['mɔnəkl] klosterlig, kloster-, munke-.

monachism ['mɔnəkizm] munkeliv, munkevesen.

Monacan ['mɔnəkən] monegasser; monegassisk.

Monaco ['mɔnəkəu].

monad ['mɔnæd] monade.

monarch ['mɔnək] monark, hersker, enevoldsherre; konge, fyrste. monarchic(al) [mɔ'nɑːkik(l)] monarkisk. monarchist ['mɔnəkist] monarkist. monarchy ['mɔnəki] monarki, kongedømme, keiserdømme.

monasterial [mɔnə'stiəriəl] klosterlig, kloster-. monastery ['mɔnəst(ə)ri] kloster. monastic [mə'næstik] klosterlig, kloster-, munke-; munk. — vow munkeløfte, ordensløfte. monasticism [mə'næstisizm] munkevesen; klosterliv.

Monday ['mʌndi] mandag.

monde [mɔ̃d, mɔnd] verden, folk; beau — den fine verden.

monetary ['mʌnitəri] mynt-, penge-. — standard myntfot.

money ['mʌni] mynt, penger, pengebeløp; much — mange penger; piece of — pengestykke; for love or — for gode ord og betaling; come into — arve penger, komme til penger; keep a person in — forsyne en med penger; keep a person out of his — la en vente på betalingen; lend (put, place) — on interest sette penger på rente; coin — prege penger; — down kontant, pengene på bordet; make — tjene penger, bli rik. money|agent vekselér. -bag pengesekk; søkkrik mann. — belt pengebelte. — bill forslag om bevilgning. — box pengeskuff, pengeskrin; sparebøsse. -broker, -changer vekselér. — drawer pengeskuff.

moneyed ['mʌnid] bemidlet, velhavende.

money | grubber pengepuger, gnier, flåer. -lender pengeutlåner, diskontør. -lending pengeutlån, diskontering. — market lånemarked, pengemarked. — order pengeanvisning; postanvisning. -monger ['mʌngə] -handler, -kremmer.

Mongol ['mɔngɔl] mongol; mongolsk. Mongolia [mɔŋ'gəuljə] Mongolia. Mongolian ['mɔŋ'gəuljən] mongol; mongolsk.

mongoose ['mʌŋguːs] mungo, mongus (slags indisk desmerdyr).

mongrel ['mʌŋgrəl] blandet, uekte, bastard, kjøter, fillebikkje.

'mongst [mʌŋst] blant.

monism ['mɔnizm] monisme. monist ['mɔnist] monist. monistic [mɔ'nistik] monistisk.

monition [mə'niʃən] advarsel, påminning.

monitor ['mɔnitə] påminner, formaner; ordensmann, monitor (betrodd elev som har oppsyn med yngre elever); monitor (slags krigsskip); overvåke. — screen (ved fjernsyn) kontrollmottaker, overvåkningsskjerm.

monitorial [mɔni'tɔːriəl] påminnende; tilsyns-; advarende, formanende; — school skole som nytter monitorsystemet.

monitoring overvåking, kontroll; avlytting (av radiostasjoner).

monitory ['mɔnitəri] advarende, formanende. monitress ['mɔnitris] kvinnelig monitor.

monk [mʌŋk] munk.

monkery ['mʌŋkəri] munkeliv, munkevesen.

monkey ['mʌŋki] ape (især laverestående ape), apekatt; spilloppmaker; rambukk, maskin til å

ramme ned peler el. drive inn bolter med; (i slang) $ 500, £ 500; herme etter, drive gjøn, drive ap; klusse med, fingre med; put his — up gjøre ham sint.

monkey | bike liten (motor)sykkel med små hjul. — board stigbrett på en omnibus til konduktøren. — boat kanalbåt. — bread apebrød. — bridge løpebru; kommandobru. — business bløff, svindel, lureri. — cap pikkololue.

monkeyism ['mʌŋkiizm] apekattstreker, ap.

monkey | jacket kort, tettsittende sjømannstrøye, pjekkert. — nut jordnøtt. — puzzle skjellgran, en slags araukaria. — suit gallauniform; selskapsantrekk. — trick apekattstrek. — wrench skiftenøkkel, universalnøkkel.

monkhood ['mʌŋkhud] munkestand.

monkish ['mʌŋkiʃ] munkaktig.

Monmouth ['mɔnməθ].

mono ['mɔnəu, 'mɔnə] mono, en-, ene-.

monochrome [-'krəum] monokrom. — television svart-hvitt fjernsyn.

monocle ['mɔnɔkl] monokkel.

monocracy [mə'nɔkrəsi] eneherredømme.

monocrat ['mɔnəkræt] enehersker.

monocular [mə'nɔkjulə] enøyd, for ett øye.

monodon ['mɔnədɔn] narhval.

monodrama ['mɔnə'drɑːmə] monodrama.

monody ['mɔnədi] sørgesang.

monogamist [mə'nɔgəmist] monogamist.

monogamy [mə'nɔgəmi] monogami.

monogram ['mɔnəgræm] monogram, navnetrekk.

monography [mə'nɔgrəfi] særavhandling, monografi, skisse.

monokini [mɔnə'kini] toppløs bikini, monokini.

monolith ['mɔnəliθ] bautastein, støtte av én stein, monolitt.

monologue ['mɔnəlɔg] monolog, enetale.

monomania [mɔnə'meinjə] monomani, fiks idé. monomaniac [mɔnə'meinjæk] en som lider av en fiks idé.

monometallism [mɔnə'metəlizm] monometallisme, enkeltmyntfot.

monophthong ['mɔnəfθɔŋ] monoftong.

monoplane ['mɔnəplein] monoplan, éndekker.

monopolist [mə'nɔpəlist] innehaver av et monopol, enehandler. monopolistic [mənɔpə'listik] monopolmessig, monopolaktig. monopolize [mə'nɔpəlaiz] få monopol på, ha enerett til; tilvende seg enehandel; kjøpe opp alt; oppta for seg alene. monopolizer [mə'nɔpəlaizə] monopolhaver, enebesitter; eneberettiget.

monopoly [mə'nɔpəli] monopol, enerett, enehandel, embetsbesittelse; have a — of ha monopol på.

monopsony [-'nɔp-] kjøpsmonopol.

monorail ['mɔnəreil] énskinnet jernbane.

monoscope monoskop, katodestrålerør.

monosodium glutamate natriumglutamat, mononosodiumglutamat; det tredje krydder.

monosyllabic [mɔnəsi'læbik] enstavings-.

monosyllable [mɔnə'siləbl] enstavingsord.

monotheism ['mɔnəθiːizm] læren om en eneste Gud, monoteisme. monotheist ['mɔnəθiːist] en som tror på en eneste Gud, monoteist.

monotone ['mɔnətəun] ensformig tone. monotonous [mə'nɔtənəs] monoton, enstonig; ensformig. monotony [mə'nɔtəni] ensformighet.

monoxide [mɔ'nɔksaid]; carbon — kullos.

monoxided kullosforgiftet.

Monroe [mən'rəu] Monroe; the — Doctrine Monroedoktrinen (ingen européisk innblanding i Amerikas forhold).

monseigneur [mɔnsen'jəː] monseigneur, Deres Nåde. monsieur [mə'sjəː] monsieur.

monsoon [mɔn'suːn] monsun (vind); regntid.

monster ['mɔnstə] uhyre, monstrum, misfoster, vanskapning; avskum; — meeting massemøte.

monstrance ['mɔnstrəns] monstrans (kapsel hvor hostien stilles ut).

monstrosity [mɔn'strɔsiti] vanskapthet; vanskapning, uhyre, monstrum; uhyrlighet, avskye-lighet.

monstrous ['mɔnstrəs] uhyre, unaturlig stor, kolossal; forferdende, avskyelig; vanskapt. **Mont. fk. f. Montana.**

montage [mɔn'tɑ:ʒ] montasje.

montane ['mɔntein] berg-, fjell-.

monte ['mɔnti] et slags kortspill.

Montenegrian [mɔnti'ni:griən] montenegrinsk; montenegriner. **Montenegrin** [mɔnti'ni:grin] montenegriner; montenegriner. **Montenegro** [mɔnti'ni:grəu] Montenegro.

month [mʌnθ] måned; **at three -'s date** 3 måneder fra dato; **for -s** i månedsvis; **that day** — en måned fra den dag; **a** — **of Sundays** en evighet. **monthly** ['mʌnθli] månedlig, månedsvis; månedsskrift.

monticle ['mɔntikl] lite fjell, knatt, haug. **Montreal** [mɔntri'ɔ:l].

monument ['mɔnjumənt] monument, minnesmerke; minnestein, gravstein; fortidsminne; skriftlig vitnesbyrd; **the Monument,** en søyle (el. et tårn) i London (til minne om brannen 1666). **monumental** [mɔnju'mentl] som hører til et monument; monumental; storslått, imponerende; enorm, kjempestor.

moo [mu:] raute, si «bø» (som en ku; brukes av barn); raut.

mooch [mu:tʃ] luske, snuse, slentre; skulke, liste seg vekk (uten å betale); være på utkik etter fordel.

moo-cow ['mu:kau] ku (i barnespråk).

mood [mu:d] modus; måte, form; toneart.

mood [mu:d] sinnsstemning, humør; lag; lune, egensindighet; **be in one's -s** være i dårlig humør; **be in drinking** — være opplagt til å drikke; **in no** — **for** ikke opplagt til; **man of -s** stemningsmenneske. **moody** ['mu:di] lunet, humørsyk; nedslått, tunglynt; gretten.

moon [mu:n] måne; måned; drømme, vandre drømmende omkring, gå og drømme; **once in a blue** — en sjelden gang, hvert jubelår; **the** — **increases (waxes)** månen tiltar; **the** — **decreases (wanes)** månen avtar; **cry for the** — forlange urimeligheter; **at full** — ved fullmåne; **promise the** — love gull og grønne skoger. **moon|beam** ['mu:nbi:m] månestråle. — **-blind** nattblind.

mooncalf ['mu:nkɑ:f] misfoster; idiot, naut.

mooner ['mu:nə] drømmer. **moon-eyed** ['mu:n-aid] dimsynt. **mooning** ['mu:niŋ] drømming, drømmeri. **moonish** ['mu:niʃ] måneaktig, ustadig. **moonless** ['mu:nlis] uten måne, månemørk.

moonlight ['mu:nlait] måneskinn; måneskinns-; månelys; begå overfall om natten; — **flitting** det å stikke av ved nattetid for å lure seg fra husleien. **-er** ['mu:laitə] en som begår overfall om natten.

moonlit ['mu:nlit] månelys, månebelyst.

moonprobe ['mu:nprəub] månesonde.

moonraker ['mu:nreikə] månerakker; dumrian; smugler.

moonrise ['mu:nraiz] måneoppgang.

moonset ['mu:nset] månens nedgang.

moonshine ['mu:nʃain] tøv, snakk, sludder; smuglersprit, hjemmebrent; **that's all** — det er ganske urimelig, bare tøv. **moonshiner** ['mu:n-ʃainə] spritsmugler, hjemmebrenner.

moonstone ['mu:nstəun] månestein (slags feltspat).

moonstruck ['mu:nstrʌk] gal; vanvittig forelsket.

moony ['mu:ni] måneaktig; drømmende; tåpelig.

Moor [mu:ə] maurer; mor, morian.

moor [muə] hei, mo, vidde.

moor [muə] fortøye, legge for anker.

moorage ['muəridʒ] fortøyningsplass, kaiplass; fortøyningsavgift.

mooreock ['muəkɔk] rypestegg. **moorfowl** ['muəfaul] lirype. **moorgame** ['muəgeim] lirype. **moorhen** ['muəhen] hunrype; sivhøne.

mooring ['muərin] fortøyning; **let go the -s** kaste fortøyningen løs. — **buoy** fortøyningsbøye. **Moorish** ['muəriʃ] maurisk. **moorish** ['muəriʃ] moaktig; myrlendt. **moorland** ['muələnd] hei, lyngmo.

moose [mu:s] amerikansk elg.

moot [mu:t] avhandle, diskutere, bringe på bane, drøfte, disputere; omstridt, omtvistet, uavgjort; diskusjon, drøfting, disputas; møte. **mootable** ['mu:təbl] omtvistelig. **moot case, moot point** oppkastet stridsspørsmål. **mooting** ['mu:tiŋ] diskusjon, drøfting.

mop [mɔp] geip, grimase; geipe.

mop [mɔp] mopp, svaber, skureklut på skaft; skrubbe, tørre, slå (av marka); **I feel all -s and brooms** jeg føler meg aldeles elendig; — **one's brow** tørke (svetten av) pannen.

mope [məup] sture, være nedfor; gjøre sturen; sette i ulag; en som sturer, daubiter; **get the -s** bli i dårlig humør.

mope-eyed ['məupaid] stærblind; nærsynt.

mopish ['məupiʃ] nedslått, sturen, sløv.

moppet ['mɔpit] tøydukke, dukkebarn (som kjælenavn).

mopping-up opprensking.

mops [mɔps] mops.

mopstick ['mɔpstik] kosteskaft.

moraine [mə'rein] morene.

moral ['mɔrəl] moralsk, dydig, sedelig; moralsk habitus, vandel; moral (i en fabel o. l.); **morals** moral, moralske grunnsetninger; **bad morals** dårlige seder.

morale [mɔ'rɑ:l] moralsk kraft (til å utholde vanskeligheter og farer), kampånd.

moral insanity varig svekkede sjelsevner.

moralist ['mɔrəlist] moralist, moralpredikant. **morality** [mə'ræliti] moralsk forhold, moral, dyd; moralitet (ɔ: gammeldags allegorisk skuespill).

moralization [mɔrəl(a)i'zeifən] moralsk betraktning. **moralize** ['mɔrəlaiz] moralisere, bruke i moralsk hensikt; utdra en moral av; snakke moral.

morally ['mɔrəli] moralsk; i moralsk henseende; praktisk talt.

morass [mə'ræs] morass, myr.

moratorium [mɔrə'tɔ:riəm] moratorium.

Moravia [mə'reivjə] Mähren, Moravia. **Moravian** [mə'reivjən] mährisk; herrnhutisk; — **Brethren** mähriske brødre, herrnhutere.

moray [mə'rei] murene.

morbid ['mɔ:bid] sykelig, syk, makaber, uhyggelig. **morbidity** [mɔ:'biditi] sykelighet, vanhelse. **morbific** [mɔ:'bifik] som forårsaker sykdom. **morbilli** [mɔ:'bilai] meslinger.

mordacious [mɔ:'deifəs] bitende, skarp, kvass. **mordacity** [-'dæsiti] skarphet. **mordant** ['mɔ:dənt] bitende; beisende; beis; beise; etse.

mordent ['mɔ:dənt] (mus.) mordent.

more [mɔ:] mer, flere, til, i tillegg; **one pound** —, **one** — **pound** et pund til; — **fool you to marry** hvordan kunne du være så dum å gifte deg; — **or less** mer eller mindre; **and** — **than that** og hva mer er; **so much the** — så meget desto mer; **the** — ... **the** — jo mer ... desto mer; — **to pay** ɔ: utilstrekkelig frankert (skrives på brev av postvesenet); **as much** — en gang til så mye; **we have not heard of him any** — **since** vi har ikke hørt noe til ham senere; **once** — en gang til; **no** — aldri mer; **I could not agree with you** — jeg kunne ikke være mer enig med deg.

moreen [mɔ'ri:n] morin, ullmoaré.

moreish ['mɔ:riʃ] som gir mersmak.

morel [mə'rel] morkel.

morello [mə'reləu] morell.

moreover [mɔ:'rəuvə] dessuten, enn videre.

Moresque [mə'resk] maurisk.

morganatic [mɔ:gə'nætik] morganatisk; **marriage** ekteskap til venstre hånd.

morgue [mɔ:g] likhus; arkiv; hovmot.
moribund ['mɔribʌnd] døende.
Morisco [mə'riskəu] = Moresque.
morling ['mɔ:liŋ] ull fra selvdød sau.
Mormon ['mɔ:mən] mormon. **Mormonism** ['mɔ:mənizm] mormonisme.
morn [mɔ:n] morgen (dikterisk).
morning ['mɔ:niŋ] morgen, formiddag; **in the — om morgenen; the morning after (the night before)** dagen derpå; **tomorrow —** i morgen tidlig; **this —** i morges, i dag tidlig; **I wish you good —, good —** to you god morgen! **one —, some fine —** en vakker dag.
morning|-afterish, feel — -afterish ha tømmermenn. **— assembly** morgensang, morgenandakt. **— call** formiddagsvisitt. **— coat** sjakett. **— dress** formiddags|kjole, -drakt. **— gift** morgengave. **— gown** morgen|kjole, -kåpe. **— help** daghjelp. **the — land** morgenlandet, Orienten. **— performance** matiné. **— prayer** morgen|bønn, -andakt. **— room** dagligstue. **— service** høymesse. **— sickness** morgenkvalme. **— star** morgenstjerne. **— tide** (poet.) morgenstund. **— watch** morgenvakt, dagvakt.
Moroccan [mə'rɔkən] marokkansk; marokkaner. **Morocco** [mə'rɔkəu] Marokko.
morocco [mə'rɔkəu] saffian, tyrkisk lær.
morose [mə'rəus] gretten, sur, sær.
Morpheus ['mɔ:fiəs, -fju:s] Morfeus.
morphia ['mɔ:fjə] morfin.
morphine ['mɔ:fi:n] morfin. **— addict** morfinist. **— addiction** morfinisme. **morphinism** ['mɔ:finizm] morfinisme. **morphi(n)omaniac** ['mɔ:fi(n)ə'meiniæk] morfinist.
morphology [mɔ:'fɔlədʒi] morfologi.
morris ['mɔris] folkedans; narredans; **nine men's —** slags møllespill.
morris ['mɔris] danse; stikke av.
morris chair lenestol (regulerbar med løse puter).
morrow ['mɔrəu] følgende dag, morgendag; **on the — of** umiddelbart etter; **to-** i morgen; **the day after to-** i overmorgen; **tomorrow morning** i morgen tidlig.
morse [mɔ:s] hvalross.
Morse [mɔ:s] morse, morsealfabet.
morsel ['mɔ:sl] bit, fragment, stykke, smule, grann; lekkerbisken.
mort [mɔ:t] bråte, stor mengde, haug.
mortal ['mɔ:tl] dødelig; dødbringende, ulivs-, bane-; menneskelig; døddrukken; dødelig; menneske; **— enemy** dødsfiende; **four — hours** fire forferdelig lange timer; **any — thing** alt mulig; **it must be — hard** det må være forferdelig tungt.
mortality [mɔ:'tæliti] dødelighet, dødeligskvotient.
mortally ['mɔ:təli] dødelig; dødsens, veldig; **— wounded** dødelig såret.
mortar ['mɔ:tə] mørtel, kalk; kalke.
mortar ['mɔ:tə] morter; bombekaster; mørser (svær kanon).
mortarboard ['mɔ:təbɔ:d] kalkbrett; (firkantet, flat) studenterlue.
mortgage ['mɔ:gidʒ] panteheftelse, pant, pantelån, pantobligasjon; prioritet; pantsette, belåne. **— bank** hypotekbank. **— deed** pantobligasjon.
mortgagee [mɔ:gi'dʒi:] panthaver. **mortgagor** ['mɔ:gədʒɔ:] pantsetter.
mortician [mɔ:'tiʃn] (amr.) bedemann; begravelsesagent.
mortification [mɔ:tifi'keiʃən] gangren, brann; koldbrann; speking; ydmyking; krenking, skuffelse, sorg; **— set in** det gikk koldbrann i såret.
mortify ['mɔ:tifai] fremkalle koldbrann i; speke; krenke, såre, ydmyke; ergre, plage; forderves; angripes, dø bort av koldbrann. **mortifying** ['mɔ:tifaiiŋ] krenkende.
mortise ['mɔ:tis] hull til en tapp; hogge ut tapphull i; tappe sammen, tappe inn. **— chisel** ['mɔ:tis'tʃizəl] hoggjern, stemjern.
mortmain ['mɔ:tmein] korporasjons besittelse

---

av uavhendelig gods; **hold in —** besitte som uavhendelig gods.
mortuary ['mɔ:tjuəri] som hører til lik eller begravelse; gravsted, begravelses-; likhus.
Mosaic [mə'zeiik] mosaisk, Mose-.
mosaic [mə'zeiik] mosaikk.
moschatel ['mɔskətel] desmerurt.
Moscow ['mɔskəu] Moskva.
moselle [mə'zel] moselvin.
Moses ['məuziz].
Moslem ['mɔzlem] muselmann; muhammedaner; muhammedansk.
mosque [mɔsk] moské.
mosquito [mə'ski:təu moskito, mygg. **— bar** moskitoramme. **— bite** myggstikk. **— craft** torpedobåt. **— deterrent** myggolje. **— net** moskitonett.
moss [mɔs] myr, torvmyr.
moss [mɔs] mose; mosekle. **— agate** dendritisk agat. **— berry** tranebær. **— -grown** mosegrodd. **-iness** ['mɔsinis] det å være mosegrodd. **— rose** moserose. **— troopers** røvere i grensedistriktene mellom England og Skottland i det 17. hundreår.
mossy ['mɔsi] mosegrodd.
most [məust] mest, mesteparten, flest, høyst; de fleste; særs, ytterst; **— people** folk flest; **make the — of** utnytte så godt som mulig, dra størst mulig nytte av; **as good as — people** slett ikke så gal; **— of all** allermest; **— willingly** hjertens gjerne; **at (the) —** i høyden; **Most Reverend, Most Eminent** høyærverdig.
mostly ['məustli] for det meste, overveiende, mest, som regel.
mot [məu] fyndord, bonmot; vits.
mote [məut] møte.
mote [məut] støvgrann, sandkorn; (bibelsk:) splint.
motel [məu'tel] bilist-hotell, motell.
motet [məu'tet] motett, flerstemmig kirkelig sang.
moth [mɔθ] møll; nattsommerfugl. **— bag** møllpose. **— ball** møllkule; in **— balls** i møllpose. **— -balled ship** (marine)skip i opplag.
moth-eaten ['mɔθi:tn] møllet, møllspist.
mother ['mʌðə] moder, mor; være mor for (til); opphav, årsak; mors-, ta seg moderlig av; **become a — føde**; bli mor; **necessity is the — of invention** nød lærer naken kvinne å spinne; **he -ed it upon her** han gav henne ansvaret for det; **Mother Carey's chicken** stormsvale; snø; **mother's help** barnefrøken; **mother's mark** føflekk; **mothers' meeting** møte for mødre; **every mother's son** hver levende sjel.
mother ['mʌðə] eddikmor (hinne på eddik), slim (i eddik).
mother | bee bidronning. **— cell** modercelle. **— church** moderkirke. **— country** fedreland. **— fixation** morsbinding.
motherhood ['mʌðəhud] moderskap, moderverdighet.
Mothering ['mʌðəriŋ] **Sunday** morsdag, den fjerde søndag i fasten, da man etter gammel skikk besøker sin mor med gaver.
mother-in-law ['mʌðərinlɔ:] svigermor; (i dialekt) stemor.
motherless ['mʌðəlis] morløs.
motherly ['mʌðəli] moderlig, mors-.
mother-of-pearl ['mʌðərəv'pə:l] perlemor.
mother's darling mammadalt, kjælegris.
mother ship moderskip (for fly etc.).
mothersill ['mʌðəsil] mothersill, et middel mot sjøsyke.
mother's son, every — — hver eneste en.
mother superior moder, abbedisse.
mother tongue ['mʌðə'tʌŋ] morsmål.
mother wit ['mʌðəwit] naturlig vidd, medfødt forstand.
motherwort ['mʌðəwə:t] løvehale, hjerteurt (planten: leonurus cardiaca).
mothery ['mʌðəri] mudret, grumset.
mothproof møllsikker, behandlet mot møll.

mothy ['mɔθi] møllett, møllspist.

motif [məu'ti:f] motiv, tema (i musikk).

motion ['məuʃən] bevegelse, rørsle, gang; rørelse; vink; forslag; andragende; avføring; verk, mekanisme; gi tegn til, vinke til; foreslå, stille forslag; **in** — i fart, i bevegelse; **of one's own** — av egen drift; **carry a** — vedta et forslag; **the** — **was withdrawn** forslaget ble tatt tilbake; **he -ed them to be taken away** han gjorde tegn til at de skulle føres bort.

motionless ['məuʃənlis] ubevegelig.

motivate ['məutiveit] motivere, tilskynde, skape interesse hos. **motivation** [məuti'veiʃən] motivering, motivasjon; beveggrunn.

motive ['məutiv] bevegende, bevegelses-, driv-, beveggrunn, hensikt, motiv; motivere, begrunne. — **force,** — **power** beveggrunn, drivkraft. **motiveless** [-lis] umotivert. **motivity** [mə'tiviti] bevegelseskraft; bevegelighet.

motley ['mɔtli] broket, spraglet, mangefarget; blandet; broket drakt; narredrakt.

motor ['məutə] motor; automobil, bil; bevegelsesmuskel; bevegende, motorisk, motor-; kjøre i bil, bile.

motorboat ['məutəbəut] motorbåt.

motor|bus ['məutəbʌs] motoromnibus, rutebil. **-cab** drosjebil. **-car** automobil, bil. **-coach** buss, rutebil. **-court** motell. **-cycle** motorsykkel. **-drome** motorveddeløpsbane.

motor|ing ['məutəriŋ] bilkjørsel, biling, bilisme. **-ist** ['məutərist] bilkjører, bilist. — **lorry** lastebil. **motor|man** ['məutəmæn] vognstyrer, lokomotivfører; sjåfør. — **nerve** bevegelsesnerve. — **road** motorvei, autostrada. — **scooter** scooter. — **ship** motorskip. — **vehicle** motorkjøretøy. — **vessel** motorskip, motorbåt. **-way** motorvei, autostrada.

mottled ['mɔtld] broket, spraglet, flekket, spettet, droplet, marmorert. **mottling** ['mɔtliŋ] marmorering.

motto ['mɔtəu] valgspråk, devise, motto.

mouch [mu:tʃ] skulke, lure seg unna; skulking.

moujik ['mu:ʒik] musjik, russisk bonde.

mould [məuld] form, støpeform; skikkelse, type, preg; skabelon; forme, danne, støpe; **to** — **candles** støpe lys.

mould [məuld] muld, mold; stoff, emne; mulde, molde.

mould [məuld] mugg, mygl; muʒne, mygle.

mouldable ['məuldəbl] plastisk, som kan formes.

mould | board formbrett; forskali igsbord; plogvelte. — **candle** formlys.

moulder ['məuldə] smuldre, smi ldre bort.

moulder ['məuldə] former.

mouldiness ['məuldinis] mugg, mɔygl.

moulding ['məuldiŋ] støping, forming, list-(verk).

mouldy ['məuldi] muggen; gammeldags, møllspist.

moult [məult] myte; skifte ham; røyte; skifte; myting; røyting, skifting.

moulter ['məultə] fugl som myter.

mound [maund] jordhaug; demning, koll, voll; stabel, bunke; hauge opp, dynge opp; demme, forskanse, beskytte med en voll.

mound rikseple.

mount [maunt] berg (især bibelsk, poetisk el. med egennavn, f. eks. Mount Etna); **the Sermon on the M.** bergprekenen.

mount [maunt] stige, klyve opp, gå opp, stige til hest; beløpe seg til, utgjøre; la stige, heve; bestige; anbringe; sette på en hest; skaffe hest til; pryde med forsiringer, besette, beslå, innfatte, skjefte, montere, klebe opp, preparere; kartong, papir (til å klebe bilder på); diasramme (til montering av lysbilder); beslag; skoning; montering; hest, ridehest; — **too high** forregne seg; bli overmodig; — **the breach** løpe storm; — an **attack** sette i verk et angrep; — **guard** troppe på vakt; — **the high horse** sette seg på den høye hest, skryte; **be -ed** være til hest; **the troops were**

miserably -ed troppene hadde elendige hester; — **a play** sette et stykke i scene; — **a gun** legge en kanon på lavett; — **a gaslight** montere et gassbluss.

mountable ['mauntəbl] som kan bestiges.

mountain ['mauntin] fjell, berg; **the M.** Berget (under den franske revolusjon); **a** — **of flesh** et kjøttberg, et meget tykt menneske; **make a** — **of a molehill** gjøre en mygg til en elefant; **it is the** — **in labour** fjellet barslet og fødte en mus; **it was a** — **on my breast** det hvilte tungt på meg. — **ash** rogn, rognetre. — **chain** fjellkjede, fjelldrag. — **climber** bergbestiger, tindebestiger. — **dew** (skotsk) whisky; (ofte) hjemmebrent. — **eagle** kongeørn.

mountaineer [maunti'niə] fjellbonde; fjellklatrer, tindestiger; være tindebestiger.

mountain | goat fjellgeit, snøgeit. — **guide** fjellfører. — **lion** fjelløve, puma, kuguar.

mountainous ['mauntinəs] berglendt, fjelllendt.

mountain | range fjellkjede. — **slide** fjellskred.

mountebank ['mauntibæŋk] markskrike; jukse, narre; kvaksalver; storskryter. **mountebankery** [-əri] kvaksalveri; markskrikeri.

mounted ['mauntid] ridende; innfattet; med beslag; oppstilt, montert, oppklebet.

mountie ['maunti] kanadisk ridende politi.

mounting ['mauntiŋ] montering, oppklebing, innfatning, beslag; armatur, sokkel; stigende, økende.

mourn [mɔ:n] sørge; sørge over, gråte for; — **for** bære sorg for, sørge for; — **over** sørge over.

mourner ['mɔ:nə] sørgende; som hører til likfølget; **the chief** — den som går like etter kisten, nærmeste pårørende.

mournful ['mɔ:nf(u)l] sorgfull, sørgmodig, sørgelig.

mourning ['mɔ:niŋ] sorg, sørgedrakt; sørgende, sørge-; **year of** — sørgeår; **public** — landesorg; **be in** — **for a person** gå i sorg for en; **put on** —, **take to** — anlegge sorg; **put off** — kaste sorgen; **an eye in** — et blått øye, blåveis.

mouse [maus] mus; (sl.) blått øye, blåveis; **when the cat's away, the mice will play** når katten er ute, danser musene på bordet; **a man or a** — alt eller intet; **as poor as a church** — så fattig som en kirkerotte.

mouse [mauz] fange mus; — **out** snuse opp.

mouse|-coloured ['maus'kʌləd] musgrå, musblakk. — **hawk** musvåk. — **hunt** musejakt; musefanger. **mouser** ['mauzə] musefanger. **mouse-trap** musefelle. **mousing** ['mauziŋ] musejakt.

mousseline [mu:s'li:n] musselin.

moustache [mu'sta:ʃ] mustasje, bart. **moustached, moustachioed** med mustasjer.

mousy ['mausi] liten mus; musaktig; redd, forskremt; trist, kjedelig, grå.

mouth [mauθ] munn; mule, kjeft; munning, utløp, os; hals; åpning; stemme, mæle; halsing; los; grimase, geip; **big -ed** storkjeftet, svær i munnen; **by word of** — muntlig; **roof of the** — gane; **be down in the** — være nedfor, henge med hodet; **from the horse's** — noe man får vite direkte fra kilden; **make up one's** — **with a thing** mele sin egen kake; **give it** —! ut med det, snakk høyere; **make -s at** geipe til; **out of the full heart the** — speaks hva hjertet er fullt av, løper munnen over med.

mouth [mauð] deklamere, ta i munnen, bite på; sladre; snakke affektert, kysse; skjære ansikter, geipe.

mouther ['mauðə] som deklamerer affektert.

mouthful ['mauθful] munnfull; **give him a** — gi ham ren beskjed, snakke rett fra leveren.

mouth harmonica ['mauθha:m'ɔnikə] munnspill.

mouthing ['mauðiŋ] svulst; svulstig.

mouth organ ['mauθ'ɔ:gən] munnspill.

mouthpiece ['mauθpi:s] munnstykke, pipespiss; telefonrør; talerør.

mouth|wash gurglevann, munnvann. — **-watering** som får tennene til å løpe i vann.

mouthy ['mauði] fraseaktig, svulstig.

movable ['mu:vəbl] bevegelig, rørlig; **-s** rørlig gods, løsøre.

move [mu:v] flytte, bevege; sette i gang; drive; bevege seg, flytte seg, lee på seg; røre på seg; røre; forflytte; foreslå; sette fram forslag, gjøre framlegg om; **things began to** — det ble fart i sakene; — **a person from his purpose** bringe en bort fra hans forsett; **I am -d to tears** jeg er dypt beveget; **I -d him in your favour** jeg fikk ham gunstig stemt for Dem; **black is to** — svart skal trekke (i sjakk); **it is well -d** det er et godt forslag; **I — we go** jeg foreslår at vi går; **to** — **an amendment** stille et endringsforslag; — **along!** — **on!** gå videre, ikke stå stille (politiordre); — **in** flytte inn; — **for** ansøke om, begjære; — **up** slutte opp, rykke sammen.

move [mu:v] bevegelse, flytning, forflyttelse; trekk (i sjakk o.l.); **a wrong** — feiltrekk; et misgrep; **make a** — gjøre mine til; **be on the** — være i bevegelse; være på farten; **is always on the** — har kvikksølv i blodet; **be up to every** —, **be up to a** — **or two, know every** — kjenne knepene, ikke være for katten. **moveless** ['mu:vlis] ubevegelig.

movement ['mu:vmənt] bevegelse, rørsle, gang, tempo; tendens; retning; **watch a person's -s** holde øye med en; **upward** — kursstigning; **party of** — fremskrittsparti. — **cure** sykegymnastikk. — **power** ['mu:və] bevegelseskraft, drivkraft; flyttemann; forslagsstiller; en som beveger, tilskynder; **prime** — primus motor.

movie ['mu:vi] film. **the -s** filmverdenen; kino. — **camera** filmkamera. **-goer** kinogjenger. — **star** filmstjerne. — **theatre** kino.

moving ['mu:viŋ] som rører seg, driv-, driv-ende; stemningsfull, betagende, gripende.

mow [məu] grimase, geip; geipe.

mow [məu] høystakk, høyballe, kornstakk; høyloft.

mow [məu] slå, meie, skjære, klippe (om plenen). **mower** ['məuə] slåttekar; slåmaskin, gressklipper. **mowing** ['məuiŋ] slått.

mown [məun] slått.

moxie ['mɔksi] pågangsmot, mot.

M. P. ['em'pi:] fk. f. **Member of Parliament; Metropolitan Police; Military Police.**

mp. fk. f. **mezzo piano** middels svakt; **melting point.**

mph, m. p. h. fk. f. **miles per hour.**

M. P. D. fk. f. **maximum permissible dose** største tillatte dose.

M. P. S. fk. f. **Member of the Pharmaceutical Society.**

M. R. fk. f. **Master of the Rolls; Midland Railway.**

Mr. ['mistə] herr (foran egennavn og noen titler); — **Jones** herr Jones, (i hustrus omtale) min mann; — **President** herr president.

M. R. A. fk. f. **Moral Re-armament.**

M. R. B. M. fk. f. **medium range ballistic missile.**

M. R. C. P. fk. f. **Member of the Royal College of Physicians.**

M. R. C. S. fk. f. **Member of the Royal College of Surgeons.**

M. R. C. V. S. fk. f. **Member of the Royal College of Veterinary Surgeons.**

Mrs. ['misiz] fru (foran gift kvinnes navn, vanligvis etternavn); — **Jones** fru J.; — **Henry Jones** el. **Mrs. Henry,** Henry Jones's hustru.

M/S fk. f. **motor ship.**

MS., ms. fk. f. **manuscript.**

M.Sc. fk. f. **Master of Science.**

M.Sgt. fk. f. **Master Sergeant.**

MSS. fk. f. **manuscripts.**

Mt. fk. f. **Mount.**

M. T. B. fk. f. **motor torpedo boat.**

Mt. Rev. fk. f. **Most Reverend.**

much [mʌtʃ] megen, meget, mye; en stor del; **he is too** — **for me** han er for slu for meg; jeg orker ham ikke; **he said as** — det var akkurat det han sa; **I feared as** — det var det jeg var redd for; **I thought as** — jeg tenkte det nok; **as** — **as to say** som om man ville si; **as** — **more** én gang til så mye; **he did not as** — **as offer us a dinner** han ikke engang så mye som tilbød oss middag; **so** — **the better** så mye desto bedre; **so** — **for the present** det er tilstrekkelig for øyeblikket; **how** — **is it?** hva koster det, hvor mye er det? **how** — **is it to . . .?** hva koster det til . . .? (sier man til drosjesjåføren); — **to my regret** til min store beklagelse; — **too fast** altfor fort; **make** — **of** gjøre mye av, sette høyt, gjøre stas av; **nothing** — ikke videre, ikke mye. **much-** mye, meget, høyt. — **-loved** høyt elsket. — **-advertised** oppreklamert. **muchness** ['mʌtʃnis] kvantum, mengde. **it is much of a** — det kan komme ut på ett, det er omtrent det samme.

mucid ['mju:sid] slimet, muggen. **mucidness** [-nis] slim, mugg.

mucilage ['mju:silidʒ] slim, planteslim.

muck [mʌk] møkk, gjødsel, skitt, lort, søle; penger; gjødsel; grise til; klusse med, ødelegge; **the nasty little** — den vemmelige skittungen; **it's all** — det er det rene vrøvl; — **about** rote omkring; — **in with** dele rom og mat med; **to** — **out** måke; plukke, ribbe (i spill).

muck [mʌk], **run a** — bli rasende, gå berserker-gang.

mucker ['mʌkə] fall (i søla); bølle, ramp; drittsekk; **come a** — dette over ende.

muck heap ['mʌkhi:p] mødding, møkkdynge.

muckle ['mʌkl] stor, meget.

mucky ['mʌki] møkket, skitten; motbydelig.

mucous ['mju:kəs] slimet, seig; — **membrane** slimhinne. **mucus** ['mju:kəs] slim.

mud [mʌd] mudder, gjørme, dynn, søle, gytje; begrave i dynd, søle til, skitne; **as clear as** — klart som blekk; **his name is** — jeg orker ham ikke, han er uønsket. — **-and-straw brick** murstein av leire og strå.

mud|bath ['mʌdbɑ:θ] gytjebad. — **boat** mudderpram.

muddiness ['mʌdinis] gjørme, grumsethet.

muddle ['mʌdl] rot, røre, søl, ugreie, uføre; grumse; gjøre omtåket; sløve; forplumre, beruse; rote i søla, røre, slarke i vei; — **about** reke omkring; — **along** holde det gående på et vis; — **through** hangle igjennom. — **drawer** roteskuff. — **-headed** vrøvlet, uklar.

muddler ['mʌdlə] tulling, rotekopp; røreskje.

muddy ['mʌdi] mudret, tykk, gjørmet, sølet; mørk, dunkel, forvirret; dum; søle til, grumse, formørke, omtåke.

mud|engine muddermaskin. — **flap** skvett-lapp. **-guard** skjerm, skvettskjerm. **-head** vrøvle-hode.

Mudie's ['mju:diz], et leiebibliotek.

mud|lark ['mʌdlɑ:k] gateutt, rennesteins-unge, en som roter i strand- el. kloakkgjørma etter brukbare gjenstander. **-lighter** mudderpram. **-pie** sølekake. **-slinging** nedrakking, ≈ drittkasting. — **student** landbruksskoleelev. — **wall** leirvegg, klint vegg av strå.

muezzin [mu'ez:in] muezzin (muhammedansk utroper av bedetimen).

muff [mʌf] muffe, hylse (til bekledning og som del av rør).

muff [mʌf] fe, treneve, kloss(major); forkludre, tulle bort; klusse.

muffin ['mʌfin] bolle. — **bell** klokke som «bollemannen» ringer med. **muffineer** [mʌfi'niə] fat (til boller). **muffin man** mann som selger boller.

muffle ['mʌfl] innhylle, tulle inn, dekke, svøpe; binde for øynene; omvikle for å dempe lyden; stagge, legge en demper på; **in a -d tone** i dempet tone; **he was so -d up** han var så innpakket;

be **-d up to a blind obedience** å være tvunget til blind lydighet; **-d drums** dempede trommer.
muffler ['mʌflə] lyddemper, lydpotte; slør; sjal, skjerf; vante.
mufti ['mʌfti] mufti (muhammedansk rettslærd); **in** — i sivilt antrekk.
mug [mʌg] krus, mugge; fjes, ansikt; tulling, fe; **cut -s** skjære ansikter, geipe; **make a — of oneself** gjøre seg latterlig.
mug [mʌg] slite med (for å lære), pugge; repetere, henge i med noe; overfalle, slå ned, rane; — **up** sminke seg, spjåke seg ut.
mugger ['mʌgə] (amr.) overfallsmann, voldsforbryter.
mugginess ['mʌginis] lummervarme.
muggy ['mʌgi] fuktig, tung, lummer, varm.
mugwump ['mʌgwʌmp] (amr.) viktigper, blære, kakse; politisk løsgjenger.
mulatto [mju'lætəu] mulatt.
mulberry ['mʌlb(ə)ri] morbær, morbærtre.
mulch [mʌl(t)ʃ] halvråtten, fuktig halm; talle; dekke med fuktig halm; **peat** — torvstrø.
mulet [mʌlkt] bot, mulkt; mulktere; — **of** berøve.
mule [mju:l] muldyr; bastard, blanding; tverrdriver, fe; sta person; mule (spinnemaskin). — **driver** muldyrdriver. — **-headed** sta. — **skinner** muldyrdriver. **muleteer** [mju:li'tiə] muldyrdriver.
mulish ['mju:liʃ] muldyraktig; sta, halsstarrig.
mull [mʌl] svikt; mistak; ødelegge, spolere, forkludre, forfuske; **make a — of it** spolere det hele, gjøre fiasko.
mull [mʌl] moll (slags tøy).
mull [mʌl] oppvarme, krydre (øl, vin). **-ed wine** avbrent vin, kryddervin.
mullein ['mʌlin] kongslys (plante).
mullet ['mʌlit] multefisk; mulle.
mulligan ['mʌligən] (amr.) kjøttrett med grønnsaker.
mulligatawny [mʌligə'tɔ:ni] sterkt krydret brun suppe.
mullion ['mʌljən] sprosse, post (i vindu o. l.).
mullock ['mʌlək] avfall, søppel, skitt, skrot, gruveavfall.
multangular [mʌl'tæŋgjulə] mangekantet.
multi ['mʌlti] mange- (i smstn.). **multifarious** [-'fɛəriəs] mangfoldig. **multiflorous** [mʌlti'flɔ:rəs] mangeblomstret. **multifold** ['mʌlti-] mangfoldige. **multilateral** [-'lætərəl] mangesidet, mangesidig. **multimeter** [-'tim-] universalmåleinstrument. **multimillionaire** ['mʌltimiljə'nɛə] mangemillionær. **multiped** ['mʌltiped] mangefotet.
multiple ['mʌltipl] mangfoldig, sammensatt, som består av flere deler; multiplum; **least common** — minste felles multiplum. **multiplex** ['mʌltipleks] mangfoldig. **multipliable** ['mʌlti-'plaiəbl] som kan mangedobles. **multiplicand** ['mʌltipli'kænd] multiplikand. **multiplication** ['mʌltipli'keiʃən] mangfoldiggjøring; multiplikasjon. **multiplicity** [mʌlti'plisiti] mangfoldighet. **multiplier** ['mʌltiplaiə] multiplikator. **multiply** ['mʌltiplai] forøke, formere, mangfoldiggjøre; multiplisere; vokse, formere seg.
multi-ply kryssfinér.
multitude ['mʌltitju:d] mengde, masse, vrimmel, sverm, mangfoldighet; **the** — den store hop. **multitudinous** [mʌlti'tju:dinəs] mangfoldig, tallrik, mangedobbelt; stor.
multure ['mʌltʃə] maling av korn; mølletoll.
mum [mʌm] frue, mamma (sl.).
mum [mʌm] taus, tagal, stille; hyss! spille i pantomime; **-'s the word** dette er en hemmelighet; **be** — tie stille.
mum [mʌm] mumme, slags sterkt øl.
mumble ['mʌmbl] mulle, mumle; mumle fram; mumling. — **-news** sladderhank. **mumbler** ['mʌmblə] mumler. **mumblingly** ['mʌmbliŋli] mumlende.
mumbo-jumbo ['mʌmbəu'dʒʌmbəu] busemann, medisinmann, negergud; hokus-pokus, sludder, vrøvl.

mumchance ['mʌmtʃɑ:ns] taushet; stille, taus.
mummer ['mʌmə] maskert person, pantomimiker, gjøgler; maske. **mummery** ['mʌməri] maskerade; pantomime; narrespill.
mummiform ['mʌmifɔ:m] mumieaktig.
mummify ['mʌmifai] balsamere; tørke inn, skrumpe.
mummy ['mʌmi] mumie; gummiaktig væske; podevoks; **beat to a** — mørbanke, slå sønder og sammen.
mummy ['mʌmi] (i barnespråk) mamma.
mump [mʌmp] være gretten og stille, furte.
mumpish ['mʌmpiʃ] gretten.
mumps [mʌmps] dårlig humør; kusma; **mun** [mʌn] må, måtte.
munch [mʌnʃ] maule, tygge, jafse (i seg), knaske, gumle på.
mundane ['mʌndein] verdens-, verdslig, jordisk.
munge [mʌndʒ] mimre, klynke.
mungoos ['mʌngu:s] se **mongoose.**
Munich ['mju:nik] München.
municipal [mju'nisipl] kommunal, kommune-, by-, stads-, stats-; — **town** kjøpstad. **municipalism** lokalt selvstyre; lokalpatriotisme. **municipality** [mjunisi'pæliti] by, kommune; landdistrikt; kommunal myndighet.
munificence [mju'nifisəns] gavmildhet, rundhåndethet. **munificent** [-sənt] gavmild, raus, rundhåndet.
muniment ['mju:nimənt] forsvar; festning, forsvarsmiddel; hjelpemiddel; dokument, bevis. — **house** el. — **room** arkiv.
munition [mju'niʃən] utstyre, ruste ut med våpen og ammunisjon. **munitions** krigsmateriell; våpen, ammunisjon o.l.
munnion ['mʌnjən] = **mullion.**
mural ['mjuərəl] veggmaleri, freske; mur-; loddrett, steil, stupbratt; — **crown** murkrone.
murder ['mə:də] mord, drap, mord-; myrde; tilintetgjøre; forderve, tyne, forvanske; **attempted** — mordforsøk; **get away with** — slippe heldig fra en alvorlig situasjon; — **in the first degree** (amr.) ≈ overlagt drap; **the** — **is out** hemmeligheten er oppklart. **murderer** ['mə:dərə] morder. **murderess** ['mə:dəris] morderske. **murderous** ['mə:dərəs] morderisk; uutholdelig.
mure ['mjuə] mure, innemure.
muriate ['mjuəriət] klorid; — **of soda** koksalt. **muriatic** [mjuəri'ætik] **acid** saltsyre.
murk [mə:k] mørke; mørk. **murky** [mə:ki] mørk, skummel.
murmur ['mə:mə] mumling, dur, sus, risling, brusing; mumle, knurre, bruse, risle; mulle. **murmurer** ['mə:mərə] en som knurrer; misfornøyd. **murmuring** ['mə:məriŋ] knurring. **murmurous** ['mə:mərəs] knurrende; som vekker misnøye.
murphy ['mə:fi] potet.
murrain ['mʌrin] kvegpest, krøttersyke; **a** — **upon him!** pokker ta ham!
mus. fk. f. music.
Mus. B. el. **Mus. Bac.** fk. f. **musicae baccalaureus** (= **Bachelor of Music**).
muscadel ['mʌskədəl] se **muscatel.**
muscatel [mʌskə'tel] muskatell (vin); muskatelldrue; muskatellpære; **-s and almonds** rosiner og mandler.
muscle ['mʌsl] muskel, muskelkraft; — **out** kaste ut. — **-bound** støl i musklene. — **bundle** muskelbunt. **muscled** muskuløs. **museling** ['mʌsliŋ] muskulatur.
Museovite ['mʌskəvait] moskovitt.
Museovy ['mʌskəvi] Russland; — **duck** moskusand.
muscular ['mʌskjulə] muskuløs; muskel-. **musculature** ['mʌs-] muskulatur. **muscularity** [mʌskju'læriti] muskelstyrke.
Mus. D. el. **Mus. Doc.** fk. f. **musicae doctor** (= **Doctor of Music**).
Muse [mju:z] muse (gudinne for diktekunst etc.).

muse [mju:z] grubling; studere, gruble, grunne, tenke, være fordypet i; **be in a —** sitte (stå, gå) i dype tanker. **muser** ['mju:zə] grubler, drømmer. **musing** ['mju:ziŋ] grublende, tankefull; grubling, åndsfraværelse.

museum [mju'zi:əm] museum. **— piece** museumsgjenstand; (fig.) oldsak, fortidslevning.

mush [mʌʃ] paraply; grøt, grøtet masse; sentimentalitet, klining, kjæling. **-head** tosk, grauthue.

mushroom ['mʌʃru:m] sopp; sjampinjong; paddehatt; røyksopp etter bombeeksplosjon; skyte raskt i været (som paddehatter); paraply; parveny, oppkomling; soppaktig.

mushy ['mʌʃi] grøtaktig; bløt; sentimental.

music ['mju:zik] musikk; noter; **face the —** ta støyten, ta det som det kommer; **make —** spille.

musical ['mju:zikl] musikalsk; musikal, musikkfilm, operette(film). **— box** spilledåse. **— glasses** glassharmonika, avstemte glass.

music | book notebok. **— hall** variete, revyteater; (amr.) konsertsal. **— house** musikkforlag.

musician [mju'ziʃən] musiker; komponist, musikalsk person.

music | paper notepapir. **— rest** notestol. **— stand** notestol, notehylle. **— stool** pianokrakk.

musk [mʌsk] moskus; moskusdyr. **— cat** desmerkatt. **— deer** moskushjort.

muskelunge ['mʌskələʌndʒ] gjeddeart som lever i De store sjøer.

musket ['mʌskit] gevær, muskett; ung spurvehauk. **musketeer** [mʌski'tiə] musketér. **musketproof** ['mʌskitpru:f] skuddfri, skuddfast. **musketry** ['mʌskitri] musketer, infanteri; muskettild, geværskyting.

musket shot geværskudd; geværkule. **musk | ox** moskusokse. **-rat** bisamrotte, moskusrotte. **— rose** moskusrose.

musky ['mʌski] moskusaktig, moskusduftende. **Muslim** ['mʌzlim] = **Moslem.**

muslin ['mʌzlin] musselin; ung jente. **• muss** [mʌs] (amr.) rot, uorden.

mussel ['mʌsl] blåmusling, blåskjell.

Mussulman ['mʌsəlmən] muselman, muhammedaner.

must [mʌst] må, måtte (nødvendigvis), få; absolutt nødvendig; nødvendighet; **— you go away already** skal du alt gå; **you — not smoke here** det er ikke tillatt å røyke her; **that's a case of —** det må til; **money is a —** penger er en absolutt nødvendighet.

must [mʌst] most.

must [mʌst] vill, gal, rasende; villhet.

mustache [mu'sta:ʃ] se **moustache.** **mustachio** [mʌ'stæʃiəu] se **moustache.** **mustachioed** [mʌ'stæʃiəud] med mustasjer.

mustang ['mʌstæŋ] mustang, vill præriehest.

mustard ['mʌstəd] sennep. **— plaster** sennepsplaster. **— pot** senepsskrukke. **— poultice** sennepsomslag. **— seed** sennepskorn.

mustee [mʌ'sti:] mestis.

muster ['mʌstə] mønstre, samle, reise; oppdrive; mønstring, revy, oppstilling, forsamling, fremmøte, oppbud; **— in** mønstre på; **— out** mønstre av; **-ing all his strength** med oppbydelse av alle krefter; **pass —** stå for kritikk.

muster roll ['mʌstərəul] styrkeliste, mannskapsrulle.

mustiness ['mʌstinis] muggenhet, kjedelighet; mygl.

mustn't ['mʌsnt] = **must not.**

musty ['mʌsti] muggen, jordslått, fuktig; foreldet, kjedelig.

mutability [mju:tə'biliti] foranderlighet, ustadighet. **mutable** ['mju:təbl] foranderlig, skiftende; ustadig. **mutation** [mju'teiʃən] forandring, omskiftelse; omlyd; mutasjon.

mute [mju:t] fugleskitt; skite (om fugler). **mute** [mju:t] stum, målløs; stum person; statist; betjent hos begravelsesbyrå; stum bokstav,

stum lyd; klusil; demper, sordin. **muted** [mju:-tid] dempet, med sordin; brakt til taushet. **muteness** ['mju:tnis] stumhet.

mutilate ['mju:tileit] lemleste; skamfere, ødelegge; forvanske. **mutilation** [mju:ti'leiʃən] lemlestelse, skamfering. **mutilator** ['mju:tileitə] lemlester, skamferer.

mutineer [mju:ti'niə] opprører, mytterist, opprørsstifter. **mutinous** ['mju:tinəs] opprørsk.

mutiny ['mju:tini] mytteri; gjøre mytteri; **raise a —** stifte mytteri; **quell a —** slå ned et mytteri.

mutism ['mju:tism] stumhet.

mutt [mʌt] kjøter; fjols, tosk.

mutter ['mʌtə] mumle, knurre, murre; mumling.

mutton [mʌtn] sau, får; fårekjøtt, sauekjøtt; **return to one's -s** komme tilbake til saken; **leg of —** sauelår. **— chop** ['mʌtntʃɔp] lammekotelett. **— cutlet** lammekotelett. **— fist** tykk, rød neve, kraftig neve. **— ham** spekelår. **-head** sau, tosk. **— whiskers** rundt avklippede bakkenbarter.

mutual ['mju:tʃuəl] gjensidig, innbyrdes, sams, felles; **by — consent** etter felles overenskomst. **— reaction** vekselvirkning. **mutuality** [mju:tʃu-'æliti] gjensidighet.

mutualize ['mju:-] bli (el. gjøre) gjensidig.

muzzle ['mʌzl] mule, snute; munning; munnkurv, muleband; fjes; legge munnkurv på; stenge munnen på; målbinde; kvele. **— attachment** rekylforsterker. **— cap** munningshette. **— flare** munningsild. **— loader** forladningsgevær, forladningskanon. **— velocity** utgangshastighet (av prosjektil).

muzzy ['mʌzi] tomset, omtåket, søvnig, ør, uklar, trist.

M. V. fk. f. **motor vessel.**
m. v. fk. f. **market value.**
M. V. O. fk. f. **Member of the Victorian Order.**
M. W. fk. f. **megawatt.**
M. W. B. fk. f. **Metropolitan Water Board.**
M. W. P. fk. f. **maximum working pressure.**
Mx. fk. f. **Middlesex.**
M. Y. fk. f. **motor yacht.**

my [mai] min, mitt, mine; **Oh —!** du store min!

Mylord [mai'lɔ:d, mi-] Deres Herlighet; hans herlighet (i omtale); titulere «Deres Herlighet».

Mynheer [main'hiə] (hollandsk) min herre; nederlender (i spott).

myope ['maiəup] nærsynt (person). **myopic** [mai'ɔpik] nærsynt. **myopy** ['maiəpi] nærsynthet.

myriad ['miriəd] myriade; utall; mangfoldige. **myriapod** ['miriəpɔd] tusenbein.

myrmidon ['mə:midən] (lydig) håndlanger.

myrrh [mə:] myrra. **myrrhic** ['mə:rik] av myrra.

myrtle ['mə:tl] myrt.

myself [mai'self; mi-] jeg selv, selv; meg selv, meg; **I did not believe it —, I — did not believe it** jeg trodde det ikke selv; **I wash —** jeg vasker meg; **by —** alene; **for —** på egen hånd.

mysterious [mi'stiəriəs] hemmelighetsfull, mystisk. **mysteriously** mystisk, gåtefullt.

mystery ['mistəri] mysterium, hemmelighet, gåte; hemmelighetsfullhet; mysterieskuespill, grøsser, kriminalroman; (gammelt) kunst, håndverk. **— fiction** kriminallitteratur. **— monger** hemmelighetskremmer. **— story** grøsser. **— train** spøkelsestog (på tivoli).

mystic ['mistik] mystisk, hemmelighetsfull; mystiker. **mystical [-kl] =** **mystic.** **mysticism** ['mistisizm] dunkelhet, mystikk. **mystification** [mistifi'keiʃən] mystifikasjon. **mystify** ['mistifai] narre, mystifisere. **mystique** [mi'sti:k] mystikk, aura, underlig tiltrekningskraft.

myth [miθ] myte. **mythic** ['miθik] mytisk. **mythical** ['miθikl] mytisk; oppdiktet. **mythological** [miθə'lɔdʒikl] mytologisk. **mythologist** [mi'θɔlədʒist] mytolog. **mythology** [mi'θɔlədʒi] mytologi; sagnlære.

myxoedema [miksi'di:mə] myxødem.

N

N, n [en] N, n. **raise to the nth power** opphøye i n'te potens.
N. fk. f. **National; Nationalist; New; North.**
n. fk. f. **name; neuter; noon; number; noun; nominative.**
N. A. fk. f. **North America; National Academy.**
N. A. A. F. I. fk. f. **Navy Army and Air Force Institutes** bet. for organisasjon til underholdning og forpleining av soldatene; **Naafi** ≈ forsvarets velferdsorganisasjoner.
nab [næb] trive, nappe; knipe; fakke; — **the rust** bli fornærmet.
nab [næb] bergnabb, fjelltopp; haug.
nabob ['neibɔb] nabob; stattholder; rikmann som har samlet seg en formue i India.
nacarat ['nækəræt] oransjerød farge.
nacelle [nə'sel] motorcelle; gondol.
nacre ['neikə] perlemor. **nacreous** ['neikriəs] perlemors-.
nadir ['neidiə] nadir, lavpunkt.
naffy ['næfi] kantine under Naafi (s. d.).
nag [næg] liten hest, pony, hest, øk; kjæreste, elsker.
nag [næg] skjenne, plage, gnage på; skjenne på. **nagging** sippet, sutrende, sytende; nagende (om følelse).
naiad ['naiæd] najade, vann-nymfe.
nail [neil] negl, klo; nagle, spiker, stift, søm; nagle, spikre; holde fast, fange, gripe, slå fast; **on the** — på stedet; **pay on the** — betale på flekken; **hit the** — **on the head** treffe spikeren på hodet; — **(down) a lie** avsløre en løgn; — **in one's coffin** pinne til ens likkiste; **-s in mourning** «sørgerand», svarte negler; — **up** spikre til, spikre ned. **nailbrush** ['neilbrʌʃ] neglebørste.
nailer ['neilə] spikersmed; kjernekar, kløpper, storartet eksemplar.
nailery ['neiləri] spikerfabrikk, spikerverk.
nail file ['neilfail] neglefil.
nailing ['neiliŋ] første klasses; — **good** storartet.
nail | parings avklipte negler. — **polish,** — **varnish** neglelakk.
naive, naïve [nai'i:v, na:'i:v] godtroende, naiv; naturlig; likefrem, endefram. **naïveté, naivety** [nai'i:vtei, na:'i:vti] naivitt; naturlighet.
naked ['neikid] naken, blottet, snau, bar; ubevæpnet; **the** — **eye** det blotte øye; — **flame** åpen flamme; — **light** bart lys; **the** — **truth** den nakne sannhet. **nakedness** [-nis] nakenhet.
namable ['neiməbl] som kan nevnes.
namby-pamby ['næmbi'pæmbi] affektert, smektende, klisset, sentimental; søtlatenhet, kliss.
name [neim] navn; rykte, berømmelse; **to call -s** skjelle ut, kalle; **give a bad** — bringe i miskreditt; **by** — ved navn; **by the** — **of** ved navn; **Christian** (el. **first el. given**) — fornavn; **family** — etternavn; **maiden** — pikenavn; **his** — **has escaped me, has slipped from my memory** jeg husker ikke navnet på ham; **how in the** — **of fortune** hvordan i all verden; **send in one's** — la seg melde; **take in one's** — melde; **what's your** — hva heter De? **my** — **is** jeg heter; **a man of (great)** — en berømt mann; **he hasn't got a penny to his** — han eier ikke en rød øre. **name** [neim] benevne, kalle, oppnevne, utnevne, døpe, navngi, oppkalle. **-able** ['neiməbl] som kan nevnes. — **day** navnedag. — **-dropper** en som ved å slå om seg med kjente navn gir inntrykk av å kjenne mange betydningsfulle personer. **nameless** ['neimlis] navnløs; unevnelig; uberømt. **namely** ['neimli] nemlig, det vil si.
name part ['neimpa:t] tittelrolle.

namesake ['neimseik] navne, navnebror.
Nancy ['nænsi].
nancy ['nænsi] homoseksuell; feminin mann, mammadalt.
nankeen [næŋ'ki:n] nanking; **-s** nankingsbukser.
nanny ['næni] barnepike, dadda; bestemor. **nanny goat** (hun) geit.
nap [næp] nappe, gripe; trive; kvarte.
nap [næp] lur, liten blund; blunde, dorme, sove; **have a** — **after dinner** ta seg en middagslur; **catch napping** gripe i uaktsomhet, komme uforvarende på.
nap [næp] slags kortspill; **go** — **by** seg til å ta alle stikkene, melde napoleon.
nap [næp] lo (på tøy); dun (på planter).
napalm ['næpɑ:m] napalm.
nape [neip] nakke; — **of the neck** nakkegrop.
napery ['neip(ə)ri] dekketøy.
nap hand opplagt sjanse.
naphtha ['næfθə, 'næpθe] nafta; **cleaners** — (amr.) rensebensin. **-lene** [-li:n], **-line** [-lin] naftalin.
napkin ['næpkin] serviett. — **ring** serviettring.
Naples ['neiplz] Napoli.
napless ['næplis] glatt, slett, loslitt.
Napoleon [nə'pəuljən].
napoleon [nə'pəuljən] napoléond'or, tjuefrancstykke.
Napoleonic [nəpəuli'ɔnik] napoleonsk.
napoo [nɑ:'pu:] (slang i hæren) ferdig, forbi, kaputt (av: il n'y en a plus).
nappy ['næpi] flosset, loet.
nappy ['næpi] bleie.
nappy ['næpi] berusende; omtåket.
narcissus [nɑ:'sisəs] narsiss, nå især; pinselilje.
narcomaniae [nɑ:kə'meiniæk] narkoman. **narcosis** [nɑ:'kəusis] bedøvelse, narkose. **narcotic** [-'kɔtik] bedøvende; bedøvelsesmiddel, narkotikum. **narcotism** ['nɑ:kətizm] bedøvelse. **narcotize** [-'taiz] bedøve.
nard [nɑ:d] narde, nardus; nardussalve.
narghile ['nɑ:gili] nargile, tyrkisk vannpipe.
nark [nɑ:k] angiver, spion; lyseslokker; angi; skvaldre, sladre, klage; jamre, irritere, erte.
narrate [næ'reit] fortelle, melde, berette. **narration** [næ'reiʃən] fortelling. **narrative** ['nærətiv] fortellende, berettende; fortelling, beretning. **narrator** [næ'reitə] forteller, kommentator.
narrow ['nærəu] snever, smal, trang, liten, snau; snevring; innsnevre; innsnevres; — **down** innskrenke; innsnevre; **he had a** — **escape** han slapp unna med nød og neppe; **a** — **fortune** en liten, ubetydelig formue; — **margin** knepent. — **-breasted** ['nærəu'brestid] trangbrystet. — **-gauge** ['nærəugeidʒ] smalsporet. — **hearted** ['nærəu'hɑ:tid] tranghjertet.
narrowing innsnevring.
narrowly ['nærəuli] snevert, nøye; **escape** — slippe fra det med nød og neppe; **examine** — undersøke nøyaktig.
narrow|-minded — ['nærəu'maindid] smålig, trangsynt, sneversinnet. — **-mindedness** smålighet. **narrowness** ['nærəunis] smalhet, sneverhet; smålighet. **narrow-suled** sneverhjertet.
narwhal ['nɑ:wəl] narhval.
NASA ['nɑ:sə] fk. f. **National Aerodynamics and Space Administration.**
nasal ['neizl] nese-, nasal; neselyd. **nasality** [nə'sæliti] nasalitet. **nasalization** [neizəlai'zeiʃən] nasalering. **nasalize** ['neizəlaiz] nasalere, tale gjennom nesen.

nascency ['næsənsi] tilblivelse, fødsel.
nascent ['næsənt] begynnende, voksende, vordende, in spe.
Naseby ['neizbi].
nastiness ['nɑ:stinis] ekkelhet, vemmelighet.
nasty ['nɑ:sti] ekkel, vemmelig, motbydelig, ubehagelig; **a — affair** en stygg historie; **he is a — piece of work** (sl.) han er en gemen fyr, drittsekk.
natal ['neitl] fødsels-, føde-.
natant ['neitənt] svømmende. **natation** [nei-'teiʃən] svømming. **natatores** [neitə'tɔ:riz] svømmefugl. **natatorial** [-'tɔ:riəl] svømme-. **natatory** ['neitətəri] svømme-.
natheless ['neiðəlis], **nathless** ['neiðlis; 'næθ-] (gammelt) ikke desto mindre.
nation ['neiʃən] nasjon, folk, folkeslag.
national ['næʃənəl] nasjonal, folke-, fedrelandsk; **the — anthem** nasjonalsangen (God save our gracious King el. Queen; **— assembly** nasjonalforsamling; **— assistance** sosialhjelp, (folke)-trygd; **— church** folkekirke; **— convention** nasjonalkonvent; **— debt** statsgjeld; **N. Gallery** Nasjonalgalleriet i London; **N. Guard** (amr.) ≈ heimevern; **N. Health Service** det offentlige helsestellet (i England); **N. Insurance** folketrygd, folkeforsikring (tvungen forsikring mot sykdom og arbeidsløshet).
nationality [næʃə'næliti] nasjonalitet. **nationalization** [næʃənəlai'zeiʃən] nasjonalisering. **nationalize** ['næʃənəlaiz] nasjonalisere, gjøre folkelig, gjøre til folkeeie. **national | register** folkeregister. **— service** verneplikt. **— superannuation scheme** folketrygdordning. **the National Trust** (eng.) institusjon som tar seg av naturvern og gamle (historiske) bygninger.
nation-wide landsomfattende.
native ['neitiv] føde-; naturlig, medfødt, innfødt, som hører naturlig sammen med; **— country** fedreland; **a —** el en mann (kvinne) fra.
nativity [nə'tiviti] fødsel; **calculate (cast) his —** stille hans horoskop; **the Nativity** Kristi fødsel; juledag.
NATO ['neitəu] NATO (fk. f. **North Atlantic Treaty Organization.)**
natter ['nætə] prate, vrøvle, diskutere.
natty ['næti] nett, fin, fiks, smart, netthendt.
natural ['nætʃərəl] naturlig, natur-; **a — child** et uekte (el. kjærlighets)barn; **— history** naturhistorie; **— philosophy** fysikk; **— science** naturvitenskap; **die a — death** dø en naturlig død; **it does not come — to me** det faller meg ikke naturlig. **naturalism** ['nætʃərəlizm] naturtilstand; naturalisme. **naturalist** [-list] naturforsker; naturalist. **naturalistic** [nætʃərə'listik] naturalistisk.
naturalization [nætʃərəlai'zeiʃən] naturalisering. **naturalize** ['nætʃərəlaiz] naturalisere; gjøre naturlig; gi borgerrett, akklimatisere.
naturally ['nætʃərəli] naturlig, naturligvis.
naturalness ['nætʃərəlnis] naturlighet.
nature ['neitʃə] natur, naturen, art, slags, beskaffenhet, egenskap; **beside —** unaturlig; **beyond —** overnaturlig; **by —** av naturen; **draw from —** tegne etter naturen; **in the — of things** ifølge tingenes natur; **it has become part of his —** det er gått ham i blodet; **die in the course of —** dø av alderdom; **in the order of —** etter naturens orden; **fall out to relieve —** tre av på naturens vegne; **in a state of —** i dypeste neglisjé, naken; **imitate to —** etterligne livaktig. **— conservation** naturvern. **-natured** ['neitʃəd] (i smstn.) av . . . natur.
naught [nɔ:t] ingenting, intet; null; **put (set) at —** redusere til ingenting, ringeakte; **come to — mislykkes,** bli til ingenting.
naughtiness ['nɔ:tinis] uskikkelighet.
naughty ['nɔ:ti] slem, uskikkelig.
nausea ['nɔ:sjə] kvalme, sjøsyke; vemmelse, motbydelighet; **ad -m** til kjedsommelighet.
nauseate ['nɔ:sieit] være sjøsyk, ha kvalme; vemmes ved; gjøre sjøsyk, gjøre kvalm. **nauseous**

['nɔ:sjəs] kvalm; vemmelig. **nauseousness** [-nis] vammelhet, vemmelighet.
nautch [nɔ:tʃ] slags ballettforestilling av indiske danserinner.
nautical ['nɔ:tikl] nautisk; sjø-, sjømanns-. — **chart** sjøkart, draft.
nautilus ['nɔ:tiləs] nautil, papirsnekke.
naval ['neiv(ə)l] flåte-, orlogs-, marine-, skips-, sjø-. — **academy** sjøkrigsskole. — **architect** skipsingeniør — **army** krigsflåte. — **officer** sjøoffiser. — **staff** admiralstab. — **yard** marineverft.
nave [neiv] skip (i en kirke), midtskip.
nave [neiv] hjulnav.
navel ['neiv(ə)l] navle; midte. — **string** navlestreng.
navicular [nə'vikjulə] båtformet.
navigability [nævigə'biliti] seilbarhet, farbarhet. **navigable** ['nævigəbl] seilbar. **navigate** ['nævigeit] seile, fare; seile på el. over, befare; navigere. **navigation** [nævi'geiʃən] seilas, fart, skipsfart; navigasjon. **navigator** ['nævigeitə] sjømann; navigatør.
navy ['nævi] anleggsarbeider, slusk, rallar.
navy ['neivi] flåte; krigsflåte, marine; marineblå; **the British** (el. **Royal**) — den britiske marine.
nawab [nə'wɔ:b] nabob, indisk stattholder.
nay [nei] nei (i denne betydning sjelden); ja, ja endog; **my — is just as good as your ay** mitt nei er likså godt som ditt ja.
Nazarean [næzə'riən] nasareisk. **Nazarene** [-'ri:n] nasareer. **Nazareth** ['næzəriθ] Nasaret.
naze [neiz] nes; **the Naze** Neset, Lindesnes.
Nazi ['nɑ:tsi] nazi, nasjonalsosialist. **Nazism** ['nɑ:tsizəm] nazisme, nasjonalsosialisme.
N. B. fk. f. **North Britain** (ɔ: Skottland); **North British; New Brunswick; nota bene.**
n. b. fk. f. **no ball.**
N. B. C. fk. f. **National Broadcasting Company.**
N. b. E. fk. f. **North by East.**
N. b. W. fk. f. **North by West.**
N. C. fk. f. **North Carolina.**
N. C. B. fk. f. **National Coal Board.**
N. C. O. fk. f. **non-commissioned officer.**
N. D. fk. f. **Nuclear Disarmament.**
N C machinery fk. f. **numerical control machinery** numerisk kontrollert (el. datastyrt) maskin.
n. d. fk. f. **no date** udatert.
N. Dak. fk. f. **North Dakota.**
N. E. fk. f. **North-east.**
neap [ni:p] nipptid; — **tide** nippflo. **neaped** [ni:pt] komme på grunn ved flotid; som ligger tørt.
Neapolitan [niə'pɔlitən] neapolitansk; neapolitaner.
near [niə] nær; nærliggende; nærstående, kjær; nærme seg; gjerrig; **lose all that is — and dear to one** miste en som står en nærmest; **the -est way** den korteste vei; **you are very —** du er en gnier; **a — old fellow** en gnier; **the -est price** den nøyaktigste pris; **have a — escape** slippe fra det med nød og neppe (også: **have a — shave**); **— side** nærmeste side, venstre side; **far and — vidt** og bredt; **come — to** omtrent beløpe seg til; **it will go — to ruin him** det vil nesten ruinere ham; **I lost — upon twenty pounds** jeg mistet omtrent tjue pund; **we were -ing land** vi nærmet oss land.
near- (som forstavelse om noe som nesten er det det det følgende ord betegner. Eks. **— -leather.**)
near-beer ['niəbiə] (amr.) avholdsøl, alkoholfritt øl.
near-by ['niəbai] nærliggende, tilstøtende.
nearly ['niəli] nesten; nær; bortimot; **not — ikke** på langt nær.
near-miss ['niəmis] bombe som treffer nær nok til å skade målet.
nearness ['niənis] nærhet; nært forhold, nært slektskap; smålighet, påholdenhet. **near-sighted** ['niə'saitid] nærsynt. **near-sightedness** [-nis] nærsynthet.
neat [ni:t] nett, ren, pen, proper, fiks, elegant;

nydelig; netto; bar; **drink brandy** — drikke ublandet konjakk.
neat [ni:t] kveg, hornkveg, storfe, naut. — **cattle** hornkveg.
'neath [ni:θ] under.
neat-handed ['ni:thændid] nevenyttig, netthendt.
neatherd ['ni:thə:d] gjeter, hyrde.
neatness ['ni:tnis] netthet, orden.
neb [neb] nebb, tut.
N. E. b. E. fk. f. **North-east by East.**
N. E. b. N. fk. f. **North-east by North.**
Nebraska [ni'bræskə].
nebula ['nebjulə] tåkeplett, stjernetåke; flekk på hornhinnen. **nebular** ['nebjulə] tåket. **nebulosity** [nebju'lɔsiti] tåkethet. **nebulous** ['nebjuləs] tåket, skoddet.
necessarily ['nesisərili, -'serili] nødvendigvis.
necessariness ['nesisərinis] nødvendighet.
necessary ['nesisəri, 'nesesri] nødvendig, påkrevd, fornøden; fornødenhet, nødtørft, nødvendighetsartikkel; **be without the necessaries of life** unnvære livets alminneligste fornødenheter; **if** — om nødvendig, i nødsfall.
necessitarian [nisesi'tɛəriən] determinist.
necessitate [ni'sesiteit] nødvendiggjøre.
necessitous [ni'sesitəs] nødlidende, trengende.
necessitousness [-nis] nød; nødtørft.
necessity [ni'sesiti] nødvendighet, nødtørft, fornødenhet; **there is no** — **for** (**of**) det er absolutt ikke nødvendig å . . .; **find oneself under the** — **of** se seg tvunget til; **make a virtue of** — gjøre en dyd av nødvendighet; — **has no law** nød bryter alle lover; — **is the mother of invention** nød lærer naken kvinne å spinne; **in case of** — i nødsfall.
neck [nek] hals; halsstykke, halsutringning; — **by** — side om side; — **and crop el.** — **and heels** med hud og hår; **go** — **and heels into a thing** gi seg i kast med noe med liv og sjel; — **or nothing** halsbrekkende, dumdristig; koste hva det vil; **he rides** — **or nought** han rir alt det remmer og tøy kan holde; **on the** — **of** umiddelbart etter; **one mischief comes on the** — **of the other** en ulykke kommer sjelden alene; **break one's** — **brekke** nakken; **break the** — **of the business** få unnagjort det meste (det grøvste); **he is a pain in the** — han er en plage; **win by a** — vinne med en halslengde; **tread on the** — **of a person** sette foten på nakken av en; **save one's** — redde livet.
neck [nek] kline, kjæle, kysse og klemme.
neckband ['nekbænd] halslinning.
neckcloth ['nekklɔθ] halsduk.
neckerchief ['nekətʃif] halstørkle.
neck-handkerchief ['nekhæŋkətʃif] halstørkle.
necking ['nekiŋ] halstørkle; klining, (erotisk) kjæling. **neckinger** ['nekindʒə] halstørkle. **necklace** ['neklis] halsbånd, halskjede. **necklet** ['neklit] halsbånd. **neckline** ['neklain] nedringning, halsutskjæring. **necktie** ['nektai] slips. **neckwear** ['nekwɛə] fellesbetegnelse for snipper, slips, halstørklær o. l. **neckweed** hamp.
necky ['neki] uforskammet, frekk.
necrological [nekrə'lɔdʒikl] nekrologisk. **necrologist** [ne'krɔlədʒist] nekrologforfatter. **necrology** [ne'krɔlədʒi] nekrolog.
necromancer ['nekrəmænsə] åndemaner, trollmann. **necromancy** ['nekrəmænsi] åndemaning, trolldom. **necromantic** [nekrə'mæntik] trolldoms-, besvergende; besvergelse, tryllemiddel.
necropolis [ne'krɔpəlis] begravelsesplass, kirkegård.
necropsy ['ne-] nekropsi, obduksjon.
necrosis [ne'krəusis] nekrose, vevsvinn, bortfall av vev.
nectar ['nektə] nektar, gudedrikk. **nectareal** [nek'tɛəriəl] nektar-. **nectarean** [-riən] nektarsøt, liflig. **nectared** ['nektəd] nektarblandet. **nectareous** [nek'tɛəriəs] nektarsøt.
nectarine ['nektərin] nektarin.

nectarous ['nektərəs] nektarsøt, liflig.
nectary ['nektəri] honninggjemme (i blomst).
Ned [ned] Ned, Edward.
N. E. D. fk. f. **New English Dictionary.**
neddy ['nedi] esel, asen.
née [nei] født (foran gift kvinnes pikenavn); **Mrs. A. née B.** fru A. født B.
need [ni:d] nødvendighet; nød, mangel, savn, trang; nødvendighetsartikkel; behov; **at** — når det trengs; **if** — **be** i nødsfall; **in case of** — i nødsfall; **be (stand) in** — **of, have** — **of** behøve, trenge til; **there's no** — **for you to go** du behøver ikke å gå; **what** — **of hesitating** hvorfor nøle; **a friend in** — **is a friend indeed** i nøden skal man kjenne sine venner.
need [ni:d] (imperf.: **needed** el. **need**) behøve, måtte, trenge, trenge til, ha bruk for; **it** — **ed doing** det var på tide det ble gjort; **it -s not to go** there det er ikke nødvendig å gå dit; **it -s but to become known** det trengs bare à bli kjent; **I** — **not have walked** jeg behøvde ikke à ha gått.
needfire ['ni:dfaiə] signalild, varde, bål.
needful ['ni:df(u)l] nødvendig, fornøden; **the one thing** — det ene fornødne; kontante penger; **show the** — komme fram med kontantene.
neediness ['ni:dinis] trang, nød, armod.
needle ['ni:dl] nål, synål, magnetnål, grammofonstift, (instrument)nål (el. viser), strikkepinne; nut, tind, horn; obelisk; **I have pins and -s in my foot** foten min sover; **hit the** — treffe spikeren på hodet; **navigate by the** — styre etter kompasset; **cop the** — føle seg krenket; **have the** — være opphisset.
needle ['ni:dl] ergre, plage; smyge seg fram; sy; danne krystaller som nåler; sprite opp, gjøre sterkere.
needle|bar nålestang (i symaskin). — **bath** hard dusj. **-book** nålebrev. **-case** nålehus. — **clamp** nåleholder (på symaskin). **-fish** horngjel. — **gun** tennålsgevær. — **lace** sydde kniplinger. — **point** nålespiss; strameibroderi. — **scratch** nålesus (grammofonplate). **-shell** kråkebolle.
needless ['ni:dlis] unødvendig, unødig. **-ly** i utrengsmål.
needle | telegraph nåletelegraf. — **thread** overtråd (i symaskin). **-woman** syerske. **-work** håndarbeid, sytøy.
needments ['ni:dmənts] nødvendighetsartikler.
needs [ni:dz] nødvendigvis, endelig, plent; (bare i forbindelsen) **needs must** eller **must needs; if it needs must** be når det endelig skal være; **men must needs be laughing** menn skal absolutt le; — **must when the devil drives** nød lærer naken kvinne å spinne, i nøden spiser fanden fluer.
needy ['ni:di] trengende, nødlidende.
ne'er [nɛə] aldri.
ne'er-do-well ['nɛəduwel] døgenikt.
nefarious [ni'fɛəriəs] avskyelig, skjendig, forbrytersk.
negate [ni'geit] benekte, nekte; omgjøre, oppheve.
negation [ni'geiʃən] nektelse, nekting, benektelse.
negative ['negətiv] nektende; negativ; nektelse, nekting, avslag, forbud; **reply in the** — svare benektende; svare med nei, avslå; nektende svar.
negativeness ['negətivnis], **negativity** [negə'tiviti] negativitet.
neglect [ni'glekt] forsømme, neglisjere, tilsidesette, ringeakte; vanvøre; forsømmelse, vanstell, likegyldighet, etterlatenhet; **fall into** — forsømmes.
neglectable [ni'glektəbl] som kan tilsidesettes.
neglectedness [ni'glektidnis] vanrøkt, forsømmelse; liten etterspørsel. **neglectful** [ni'glektf(u)l] forsømmelig, likegyldig. **neglection** [ni'glekʃən] forsømmelse.
négligé [negli:ʒei] morgendrakt, morgenkjole.
negligence ['neglidʒəns] forsømmelighet, skjødesløshet; — **clause** (merk.) ansvarsfrihetsklausul.

negligent ['neglidʒənt] forsømmelig, skjødesløs; **e** — **of** være likegyldig med.

negligible ['neglidʒibl] ganske liten, ubetydelig.

negotiability [nigəuʃiə'biliti] salgbarhet, omsettelighet; overkommelighet.

negotiable [ni'gəuʃiəbl] salgbar, omsettelig; overkommelig.

negotiate [ni'gəuʃieit] forhandle; underhandle, inge, kjøpslå; forskaffe seg, utvirke; avslutte, slutte, formidle, avhende, selge, omsette.

negotiation [nigəuʃi'eiʃən] forretninger; salg; forhandling, underhandling; avslutning (av lån, raktater). **negotiator** [ni'gəuʃieitə] underhandler, mellommann, forhandler.

negress ['ni:gris] negress, negerkvinne.

negro ['ni:grəu] neger. — **traffic** slavehandel.

negroid ['ni:grɔid] negroid.

negro minstrel negersanger, el. sanger med ansiktet svertet som neger.

negus ['ni:gəs] vintoddy, gløgg, bisp; claret-negus rødvinstoddy.

neigh [nei] knegge; knegging, vrinsk.

neighbour ['neibə] nabo, granne; sidemann, neste; være granne til, grense til, bo i nærheten; passe, stemme; **next** — nærmeste nabo, sidemann; **opposite** — gjenbo.

neighbouress ['neibəris] nabokone, grannekone.

neighbourhood ['neibəhud] naboskap, nabolag, nærhet, egn, distrikt, bydel; grannelag; grend; **in the** — **of** i omegnen av; **in our** — på våre kanter. — **unit** ≈ drabantby. **neighbouring** ['neibəriŋ] nærliggende, tilgrensende, nabo, granne-. **neighbourly** ['neibəli] som gode naboer. **neighbourship** ['neibəʃip] naboskap, granneskap.

neither ['naiðə, 'ni:ðə] ingen (av to), ingen av delene, verken den ene eller den andre; heller ikke; **I am on** — **side** jeg er nøytral; **he does not like him,** — **do I** han liker ham ikke, og det gjør ikke jeg heller; **nor that** — (vulg.) heller ikke det; — ... **nor** hverken ... eller.

nelly ['neli] **not on your** — ikke tale om, aldri.

nem. con. fk. f. **nemine contradicente** uten at noen talte imot.

nem. dis. fk. f. **nemine dissentiente** enstemmig.

Nemesis ['nemisis].

nenuphar ['nenjufɑ:] nøkkerose, tjerneblom.

neolith ['niəuliθ] neolitt. **-ic** [ni:əu'liθik] neolittisk, fra yngre steinalder.

neologism [ni:'ɔlədʒizm] neologisme, nylaging. **neon** ['ni:ɔn] neon. — **tube** neonrør, lysstoffrør. **neophyte** ['ni:əfait] nyomvendt, begynner. **neoteric** [niəu'terik] nymotens.

Nepal [ni'pɔ:l].

nephew ['nevju] nevø, brorsønn, søstersønn. **nephrite** ['nefrait] nefritt, nyrestein. **nephritis** [ni'fraitis] nyrebetennelse.

nepotism ['nepətizm] nepotisme, det å begunstige slekt og venner. **nepotist** ['nepətist] nepotist.

Neptune ['neptju:n] Neptun.

Nereid ['niəriid] nereide, havnymfe.

Nero ['niərəu].

nerve [nə:v] nerve, nerver; kraft, fasthet, mot, kaldblodighet, frekkhet; **war of -s** nervekrig; **he has not got the** — **to do it** han har ikke mot til å gjøre det; **he is getting on my -s** han går meg på nervene; **he's got a** — han er sannelig frekk, han er ikke noen reddhare.

nerve [nə:v] styrke, stålsette, gi kraft.

nerveless ['nə:vlis] kraftløs; veik.

nerver ['nə:və] oppstrammer, hjertestyrkning. **nerve-racking** ['nə:vrækiŋ] som tar hardt på nervene, enervende. — **strain** nervepress.

nervous ['nə:vəs] nerve-; nervøs, nervesliten; kraftig, kraftfull, kjernefull; — **breakdown** nervesammenbrudd; — **centre** nervesentrum; — **debility** nervesvekkelse; — **fever** tyfus, nervefeber; — **system** nervesystem; — **about** urolig for; **he was** — **of his reception** han var spent på å se hvilken mottagelse han ville få.

nervousness ['nə:vəsnis] nervøsitet.

nervy ['nə:vi] sterk, kraftig; frekk; nervesliten, som tar på nervene.

nescience ['neʃ(i)əns] uvitenhet.

nescious ['neʃ(i)əs] uvitende.

nesh [neʃ] bløt, øm, svak, forsagt.

ness [nes] nes, forberg, odde, pynt.

nest [nest] reir, rede; oppholdssted, smutthull, bolig, bo, bol; sett (av gjenstander, som kan settes inn i hverandre; skuffer, esker e. l.); bygge, reir; hekke; lete etter fuglereir; legge i reir; **feather one's own** — mele sin egen kake; — **of thieves** tyvereir; — **of vice** lastens hule; **a** — **of drawers and pigeonholes** en reol med skuffer og fag; — **of tables** settbord; — **themselves** slå seg ned.

nest egg reiregg; spareskilling. **nesting | box** rugekasse. — **chairs** stablestoler.

nestle ['nesl] ligge lunt; putte seg ned; huse, anbringe, smyge seg inntil; lune om, pleie.

nestling ['nesliŋ] nyutklekket fugleunge, dununge.

net [net] netto; innbringe netto; tjene.

net [net] nett, garn, not, vad, snare; binde, knytte; fange i garnet. — **cap** hårnett. — **capital** egenkapital. — **curtain** stores. — **fishing** garnfiske.

nether ['neðə] nedre, underste, under-; — **garments** benklær; **the** — **man** beina; **the** — **world** underverdenen, helvete.

Netherlander ['neðələndə] nederlender.

Netherlandish ['neðələændiʃ] nederlandsk.

Netherlands ['neðələndz], **the** — Nederlandene, Nederland.

netherlings ['neðəliŋz] strømper.

nethermost ['neðəməust] nederst, dypest.

netting ['netiŋ] nett, netting, nettverk; ståltrådnett; filering. — **needle** filérnål.

nettle ['netl] nesle, brennesle; brenne som en nesle, svi, irritere, ergre; **common (great eller stinging)** — stor nesle; **small** — brennesle; **blind (eller dead)** — døvnesle; **-d at** ergerlig over. — **fish** brennmanet. — **rash** neslefeber, elveblest. **-some** irriterende; stimulerende.

netty ['neti] nettaktig.

net weight egenvekt.

net-winged ['netwiŋd] nettvinget.

network ['netwə:k] nettverk; nett, filering; kjede av radiostasjoner; **aerial** — antenneanlegg.

neural ['njuərəl] nerve-, som hører til nervesystemet. **neuralgia** [nju'rældʒə] nevralgi, nervesmerter. **neurasthenia** [njuərəs'θinjə] nevrasteni; nervesvekkelse.

neurosis [njuə'rəusis] nevrose. **neurotic** [nju'rɔtik] nerve-, nervestyrkende middel, neurotisk.

neuter ['nju:tə] nøytrum, intetkjønn, nøytrumsord; **stand** — holde seg nøytral.

neutral ['nju:trəl] nøytral, likegyldig; fri(gir); **keep (remain)** — holde seg nøytral. **neutrality** [nju'træliti] nøytralitet. **neutralization** [nju:trəl(a)i'zeiʃən] nøytralisering, motvirkning. **neutralize** ['nju:trəlaiz] nøytralisere, veie opp, uskadeliggjøre. **neutralizer** ['nju:trəlaizə] motvirkning; motvekt.

Nev. fk. f. **Nevada** [nə'vædə, nə'vɑ:də].

never ['nevə] aldri; ikke; ikke noengang; — **is a long day** man skal aldri si aldri; **he was** — **the wiser** han ble ikke klokere av det; **well, I** —! nå har jeg aldri hørt maken! — **heard of** uhørt; — **say die** si deg aldri; godt mot; — **mind** det gjør ikke noe, bry deg ikke om det; — **a one** ikke en eneste. **-ceasing** uopphørlig. **-fading** uvisnelig. **-failing** ufeilbarlig. **nevermore** ['nevə'mɔ:] aldri mer, aldri. **the never-never** avbetalingssystemet.

never-say-die ['nevəseidai] ukuelig.

nevertheless [nevəðə'les] ikke desto mindre.

new [nju:] ny, ny-, frisk, fersk, ubrukt, moderne; nyoppdaget; — **bread** ferskt brød; — **milk** nysilt melk; **the** — **woman** den moderne kvinne; **it was** — **to him** det var nytt for ham, det var uvant for ham; **a** — **man** oppkomling;

there's nothing — under the sun det er ikke noe nytt under solen.

new-born ['nju:bɔ:n] nyfødt.

Newcastle ['nju:kɑ:sl].

new|-come [nju:kʌm] nylig kommet; nykomling. -comer nykomling.

New Deal president Franklin D. Roosevelts økonomiske gjenreisingspolitikk under verdenskrisen i 1930-årene, ny giv.

New England [nju:'iŋglənd] Ny-England (de seks nordøstlige stater i U. S. A.).

new|-fallen nyfallen. -fangled [-'fæŋgld] nyoppfunnet, nymotens. -fangledness ny smak, ny mote. — -fashioned nymotens, moderne.

Newfoundland [nju:fənd'lænd, nju'faundlənd].

Newgate ['nju:git] (tidligere fengsel i London). — bird galgenfugl.

newish ['nju:iʃ] temmelig ny.

new-laid ['nju:leid] nylagt (om egg).

new look moderne utseende, new look.

newly ['nju:li] nylig, nettopp, ny-; — married nygift; — weds nygifte, brudepar.

Newmarket ['nju:mɑ:kit] (eng. veddeløpsbane).

new|-model omforme. — -mown nyslått. newness ['nju:nis] nyhet, ferskhet.

New Orleans [nju:'ɔ:liənz, nju:ɔ:'li:nz].

news [nju:z] nyhet, nyheter; dagsnytt (i radio), tidende, blad, avis; a piece of — en nyhet; no — is good — ikke noe nytt er godt nytt; break the — to him fortelle bam (den sørgelige) nyheten; that is — to me det er nytt for meg. — agency telegrambyrå. — agent avisselger. — board oppslagstavle. -boy avisgutt. — editor nyhetsredaktør. — item nyhet. -letter flygeblad, rundskriv. -man avisbud; pressemann, journalist. -monger nyhetskremmer.

newspaper ['nju:speipə, 'nju:z-] avis, blad; — announcement pressemelding. — clipping, — cutting avisutklipp.

news|pictures billedreportasje. -print avispapir. — rag dårlig avis, lapp, blekke. -reel filmavis, ukerevy. -room avislesesal; avishandel; reportasjeavdeling. -sheet avis. -stand aviskiosk. — summary nyhetssammendrag. -talk ≈ aktuelt (i radio). — vendor avisselger. -worthy det som er godt nyhetsstoff.

newsy ['nju:zi] full av nytt, interessant.

newt [nju:t] salamander.

Newton ['nju:tən].

New Year ['nju:'jiə] nyttår, nyår; a happy — godt nyttår! new-year nyttårs-. New Year's Day nyttårsdag. New Year's Eve nyttårsaften,

New York [nju:'jɔ:k].

New Zealand [nju:'zi:lənd].

next [nekst] nærmest, nærmest, førstkommende; he is in the — room han er i værelset ved siden av; he lives — door han bor i huset ved siden av; he is — door to a fool han er ikke langt fra å være en tosk; — door but one det andre huset herfra; — to nothing nesten ingenting; — year neste år; — Monday (eller on Monday) next neste mandag; — best nestbest; he lives — to me han er min nærmeste nabo; who follows — hvem kommer så; what — nå har jeg hørt det med; the gentleman — to me at table min sidemann ved bordet.

next door ['nekstdɔ:] nærmest.

next-of-kin ['nekstəv'kin] nærmeste pårørende.

nexus ['neksəs] sammenbinding, bånd, samband, sammenheng.

N. F. fk. f. Newfoundland.

N. H. fk. f, New Hampshire.

N. H. I. fk. f. National Health Insurance.

n. h. p. fk. f. nominal horse power.

N. H. S. fk. f. National Health Service.

niacin ['naiəsin] nikotinsyre.

Niagara [nai'ægərə].

nib [nib] spiss, pennesplitt; nebb; smarting, luring; spisse, kvesse, sette spiss på.

nibble ['nibl] nippe, smånappe etter, smågnage

på; knaske, bite varsomt i; nappe, nype, kvarte; knabbe, kritisere, dadle; gnaging, napp. nibbler ['niblə] en som biter; skumler.

Nicaragua [nikə'rægjuə].

Nice [ni:s].

nice [nais] lekker, delikat; kresen, vanskelig, subtil, innviklet; omhyggelig; vakker, pen, fin, nett, nydelig, god, gild; elskverdig, tiltalende, snill; a — distinction en fin forskjell; a very — ease en meget delikat historie. how — ! det var da deilig! how — for you (ironisk) heldig for deg.

nicely pent, hyggelig; utmerket; he is doing — han klarer seg utmerket. nice Nellie dydsmønster, snerpe, sippe. niceness ['naisnis] lekkerhet; godhet; finhet, overdreven nøyaktighet; vanskelighet.

nicety ['naisiti] finhet; ømhet; delikatesse; nøyaktighet, akkuratesse, presisjon; kresenhet, vanskelighet; netthet; detalj, småtteri, finesse; to a — nøyaktig, på en prikk; niceties of words ordkløveri; stand upon niceties ta det altfor nøye.

niche [nitʃ] nisje, fordypning i muren, liten krok.

Nicholas ['nikələs] Nikolai, Nils. Nick [nik] ond ånd; Old — fanden, Gamle-Erik.

nick [nik] hakk, snitt, skår; kup, heldig kast; rette øyeblikk; fengsel, kasjott; skjære hakk i; ramme, treffe det rette øyeblikket; kvarte, knabbe, naske; he came in the — of time han kom i rette øyeblikk, i siste liten; be on the — være ute på fangst; nicker ['nikə] tyveknekt; nattlig fredsforstyrrer.

nickel ['nikl] nikkel; (amr.) femcent. nickelplate ['niklpleit] forniklc. nickel plating forlikling.

nicker pund (sterling).

nick-nack ['niknæk] leketøy; nips, nipsgjenstand; -s nips. nicknackatory ['niknækətəri] leketøybutikk.

nickname ['nikneim] økenavn, oppnavn; fortrolig forkorting; gi klengenavn; was -d hadde oppnavnet.

nicotine ['nikəti:n] nikotin. nicotinism ['nikətinizm] nikotinforgiftning.

nictate, nictitate ['nikteit, 'niktiteit] blunke med øynene.

nidering ['n(a)idəriŋ] æresløs, nedrig; nidding.

nidificate ['nidifikeit, ni'difikeit] bygge reir.

nidification [nidifi'keiʃən] reirbygging.

nidus ['naidəs] reir; utklekkingssted.

niece [ni:s] niese, brordatter, søsterdatter.

niff [nif] odør, stank; stinke.

nifty ['nifti] smart, fin, pen, deilig; kvikk bemerkning.

Niger ['naidʒə], the — Niger.

Nigeria [nai'dʒiəriə].

niggard ['nigəd] gnier; gjerrig; knipen, gnieraktig; be a — of something være knuslet med noe; play the — være gnieraktig. niggardliness [-linis] gjerrighet, niggardly [-li] gnieraktig, gjerrig.

nigger ['nigə] neger (brukt nedsettende); work like a — arbeide som en hest; there is a — in the woodpile (el. fence) det ligger noe under, det henger ikke riktig sammen, strek i regningen. where the good -s go fanden i vold. -head ['nigəhed] (amr.) grastue, myrtue; en slags skråtobakk. — heaven (amr. sl.) galleri i teater, hylla.

niggle ['nigl] pille, pusle, pirke; skrive gnidret skrift; gnidret skrift.

niggling ['nigliŋ] smålig, overdreven pertentlig, pedantisk, pirket; ubetydelig; gnidret.

nigh [nai] nær, nesten, nær ved; he was well — starved han var nesten utsultet; winter is — at hand vinteren står for døra; draw — rykke nærmere; — but nesten; — upon nesten.

night [nait] natt, natte-, aften, kveld; at (by, in the) — om natten; in the dead of (the) — i nattens mulm og mørke, midt på svarte natten; -'s lodging nattlosji; late at — sent på kvelden; last — i går kveld, i natt; make a — of it ha seg en glad aften; rangle hele natten; **the** — **before last** natten til i går; **sit up at** — våke hele natten; **a first** — première, første opp-førelse av et stykke; **the piece had a run of 100 -s** stykket gikk 100 ganger; **on the** — **of the 11th to the 12th** natten mellom den 11. og 12.; **the day after the** — **before** dagen derpå (tømmermenn etter rangel); **tonight** el. **to-night i** aften, **i** kveld, i natt.

night | bird nattfugl; natterangler. — **blindness** nattblindhet. — **cap** ['naitkæp] nattlue; natt-kappe; kveldsdrink. — **cart** renovasjonsvogn. -**dress** nattkjole, nattdrakt. — **duty** nattjeneste, nattvakt.

night | fall ['naitfɔ:l] skumring, mørkning. — **fighter** nattjager. — **fire** nattbål; lyktemann, blålys. — **glass** nattkikkert. -**gown** nattkjole. — **hawk** natthauk; natteravn, lyssky person. — **house** nattkafé.

nightie ['naiti] nattkjole; (pl.) nattøy.

nightingale ['naitiŋgeil] nattergal.

night | jar ['naitdʒɑ:] natteravn, kveldknarr. — **lamp** nattlampe. — **latch** smekklås. — **light** nattlampe. -**ly** ['naitli] nattlig, natt-; hver natt, hver aften. -**man** nattmann, renovasjonsmann. -**mare** mare, mareritt. — **owl** nattugle. — **piece** nattstykke, nattbilde. — **porter** nattportier. — **rest** nattero. — **revel** natterangel. — **reveller** natterangler. — **rule** leven om natten. — **school** aftenskole, kveldskole. -**shade** søtvier. — **shift** nattkjole; nattskift. — **shirt** nattskjorte. — **stick** (amr.) politikølle. — **stool** nattstol. — **things** nattøy. — **time** natt, nattetid. — **walk** nattevandring, aftentur. — **walker** søvngjenger(ske); gatetøs. — **watch**, — **watchman** nattvekter, nattevakt. -**wear** nattøy. -**work** nattarbeid; renovasjon. — **yard** renovasjonsplass.

nigrescent [nai'gresənt] svartaktig, svartlig, som holder på å bli svart.

nigrification [nigrifi'keiʃən] sverting.

nihilism ['nailizm] nihilisme. **nihilist** ['naiilist] nihilist. **nihilistic** [nai'listik] nihilistisk. **nihility** [nai'hiliti] intethet.

nil [nil] intet, ingenting, null.

Nile [nail]: **the** — Nilen.

nilgai ['nilgai], **nilg(h)au** ['nilgɔ:] nilgai (en slags stor indisk antilope.

nilly-willy [nili'wili] el. **nill-ye will-ye** ['nilji 'wilji] enten man (du) vil eller ei.

nimbiferous [nim'bifərəs] regnførende.

nimble ['nimbl] lett, rapp, rask, kvikk, sprek. — -**footed** rappfotet. — -**witted** kvikk i oppfatningen. **nimbleness** [-nis] hurtighet, sprekhet.

nimbus ['nimbəs] nimbus, glorie, glans.

nimiety [ni'maiiti] overmål.

niminy-piminy ['nimini'pimini] pertentlig, tertefin, jålet.

nincompoop ['ninkəmpu:p] tull, tullebukk, tosk, naut, mehe.

nine [nain] ni; nitall; **he has** — **lives like a cat** han er seiglivet; **look** — **ways** skjele; **he is up to the -s** han kjenner knepene; **be dressed up to the -s** være i puss; **the Nine** de ni muser; — **corns** en pipe tobakk. -**fold** nifoldig, av ni slags. -**pence** ['nainpəns] ni pence. -**pin** kegle; **play -pins** spille kegler; slå kegler.

nineteen ['nain'ti:n] nitten; **talk** — **to the dozen** sludre, la munnen gå som en pepperkvern. **nineteenth** ['nain'ti:nθ] nittende. **ninetieth** ['nain-tiiθ] nittiende; nittidel. **ninety** ['nainti] nitti.

ninny ['nini] tosk. -**hammer** tullebukk.

ninth [nainθ] niende, nidel; — **part of a man** en pusling el. spjæling. **ninthly** [-li] for det niende.

Niobe ['naiəbi].

nip [nip] nippe, knipe, klemme, klype, svi, bite, angripe, forderve; ødelegge (ved frost el. ild); nappe, kvarte; knip, klyp, bit, napp; av-skåret stykke; — **along** fare av sted; — **in the bud** klype av i knoppen; kvele i fødselen.

nip [nip] slurk, dram, liten støyt; smådrikke, ta seg en tår.

nipper ['nipə] fortann (på hest); frostdag; liten gutt, guttunge; knipetang, avbiter; neseklemme; klo; -**s** pinsett, lorgnett; **a pair of -s** sukkersaks.

nipple ['nipl] brystvorte; tåtesmokk; nippel; pistong. -**wort** haremat (plante).

nippy ['nipi] bitende, kald; kvikk, rapp.

nip-up (amr.) bukkehopp; **do -s** hoppe bukk.

Nirvana [niə'vɑ:nə].

nisi ['naisai] (latin, egentlig: hvis ikke); **a rule** — en kjennelse som kan påankes; **a decree** — en betinget dom (især skilsmissedom); — **prius** ['praiəs] assisrett for sivilsaker.

Nissen hut ['nisən hʌt] brakke med tønneformet bølgeblikktak.

nitrate ['naitreit] nitrat, salpetersurt salt; blande med salpeter; -**d cotton** skytebomull.

nitre ['naitə] salpeter.

nitric ['naitrik] salpetersur; salpeter; — **acid** salpetersyre.

nitrogen ['naitrədʒen, -in] nitrogen, kvelstoff.

nitroglycerine [naitrə'glisərin] nitroglyserin.

nitrous ['naitrəs] salpetersur, nitrogenholdig.

nitwit ['nitwit] tosk, idiot, fe.

nival ['naivəl] snøfull, snørik, vinter-.

nix [niks], **nixie** ['niksi] nøkk.

nix [niks] ingenting, null, niks; hysj! stille! **for** — gratis, fritt. **nixey** nei, ikke.

N. J. fk. f. **New Jersey.**

N. L. C. fk. f. **National Liberal Club.**

N. L. F. fk. f. **National Liberal Federation.**

N. Mex. fk. f. **New Mexico.**

N. N. E. fk. f. **north-north-east.**

N. N. W. fk. f. **north-north-west.**

no [nəu] nei, ikke; neistemme, avslag; ingen, ikke noe; **I can't say whether or** — jeg kan verken si ja eller nei; **he will do it whether or** — han vil gjøre det under alle omstendigheter; **is your mother** — bedre? er ikke din mor bedre? — **less than ten** intet mindre enn ti; — **more** ikke mer; — **more of your tricks** ikke flere dumheter; **that's** — **business of yours** det kommer ikke deg ved; — **such matter** absolutt ikke; **to** — **purpose** forgjeves; **there are** — **such things as . . .** det er ikke noe som heter; **the ayes and noes** stemmer (i Parlamentet) for og imot; **the noes have it** forslaget er forkastet; — **doubt** uten tvil, sikkert; — **man's land** ingenmannsland.

N. O. fk. f. **natural order; New Orleans.**

No., **no.** fk. f. **numero (number).**

no-account ubetydelig, ikke noe å ta hensyn til.

Noah ['nəuə, 'nɔ:ə] Noa; -**'s ark** Noas ark, også et slags leketøy.

nob [nɔb] storfant, bikse; adelig; **one for his** — (i cribbage, 'pukkspill') en for trumfknekt.

nob [nɔb] hode, skolt; streikebryter; gi et slag i hodet; samle inn penger, bomme for penger; **a fellow of little** — tosk, dumrian; **bob a** — en shilling pr. snute; **do a** — gå omkring med hatten (og samle inn penger).

nobble ['nɔbl] bedra, lure, jukse, dope i (hesteveddeløp); overtale, vinne for seg; stjele. **nobbler** ['nɔblə] bedrager; medvirter. **nobbly** ['nɔbli] pen, vakker.

nobby ['nɔbi] fin, staselig, elegant, grom.

Nobel Prize ['nəubel 'praiz] nobelpris.

nobilitate [nə'biliteit] adle.

nobility [nə'biliti] adel, adelstand, adelskap (som består av fem grader: **duke, marquis, earl, viscount, baron,** og hvis medlemmer har adel i overhuset); edelhet, fornemhet; **the** — **and gentry** den høyere og lavere adel; — **of soul** sjelsadel; **patent of** — adelsbrev.

noble ['nəubl] edel, stolt, gjev, herlig; adelig, adelsmann; **the Most N.** den høyedle (om hertug eller marki); — **style** opphøyd stil. — -**looking** med fornemt utseende, vesen. -**man** [-mən] adelsmann. -**minded** høysinnet. **nobleness** ['nəublnis] edelhet, fornemhet.

noblesse [nəu'bles] adel (i utlandet); — **oblige** [ə'bli:ʒ] adel forplikter, rettigheter medfører ansvar. **noblewoman** ['nəublwumən] adelsdame.

nobody ['nəubədi, -bɔdi] ingen, ikke noen; null, ubetydelighet; **a mere** — en ganske ubetydelig person.

nock [nɔk] hakk, innskjæring (i bue el. pil til buestrengen); klo (på gaffelseil).

no-confidence vote mistillitsvotum.

noctambulation [nɔktæmbju'leiʃən], **noctambulism** [nɔk'tæmbjulizm] søvngjengeri. **noctambulist** [-list] søvngjenger(ske). **nocturnal** [nɔk'tɔ:nl] nattlig, natte-. **nocturne** ['nɔktɔ:n] nokturne, nattstemning (om maleri eller musikkstykke).

nod [nɔd] nikke, duppe; nikke med; nikke til; nikk, dupp; vink; — **one's assent** nikke bifallende; **go to the land of N.** falle i søvn; **it -s to a fall** den truer med å falle.

N. O. D. fk. f. **Naval Ordnance Department.**

nodal ['nəudl] knutet; knute-.

noddle ['nɔdl] hode, skolt; kasse; **cracked in the** — skjør i knollen.

noddy ['nɔdi] tosk, fe, dumrian; havsule.

node [nəud] knute, knutepunkt; bladfeste; floke, vase. **nodose** ['nəudəus] knutet, leddet. **nodosity** [nə'dɔsiti] knutethet. **nodular** ['nɔdjulə] knuteformet. **nodule** ['nɔdjul] liten knute. **nodulous** ['nɔdjuləs] småknutet.

Noel [nəu'el] jul.

nog [nɔg] **(eggnog)** ≈ eggepunsj.

nog [nɔg] lite krus, trekanne; trenagle; kloss, klamp.

noggin ['nɔgin] lite krus.

nogging ['nɔgiŋ] (skillerom av) bindingsverk.

no-go, no go (sl.) ikke gjennomførbart, umulig.

nohow ['nəuhau] på ingen måte, slett ikke; **look** — se forkommen ut.

noil [nɔil] ullfiber.

noise [nɔiz] lyd, ståk, bråk, larm, spetakkel, oppstyr, skriking; — **of feet** tramping; **hold your** — hold munn; **make a** — **at a person** skjelle en ut; **make a** — **about a thing** gjøre mye bråk; **there is a** — **abroad** det går det rykte; **this made a great** — **in the world** dette vakte stor oppsikt; — **abroad** utspre, la ryktes; **when it became -d abroad** da det ryktedes. **big** — storkar, kakse. — **abatement** støybekjempelse. **noiseless** ['nɔizlis] lydløs. **noisiness** ['nɔizinis] larm, ståk, styr, bråk.

noisome ['nɔisəm] skadelig, usunn; motbydelig, illeluktende; ekkel.

noisy ['nɔizi] bråkende.

no-life insurance skadeforsikring.

nolens volens ['nəulenz'vəulenz] enten en vil eller ei.

noli me tangere ['nəulaimi:'tændʒəri:] rør meg ikke; utilnærmelighet; springfrø; lupus (sykdommen).

no load ubelastet, tomgang.

nolt [nəult] storfe; naut.

nom. fk. f. **nominative.**

nomad ['nəumæd, 'nɔmæd] nomade. **nomadic** [nə'mædik] nomadisk. **nomadize** ['nɔmədaiz] leve som nomade, flytte omkring.

no mans' land ingenmannsland.

nom de guerre [nɔmdə'gεə] psevdonym, dekknavn.

nom de plume [nɔmdə'plu:m] psevdonym, forfatternavn.

nomenclature [nəu'menklətʃə] terminologi, nomenklatur.

nominal ['nɔminəl] substantivisk; nominell, bare av navn; pålydende; i navnet, navne-. **nominalism** ['nɔminəlizm] nominalisme (en filosofisk lære). **nominate** ['nɔmineit] nevne, kalle, utnevne, innstille, nominere.

nomination [nɔmi'neiʃən] utnevning, benevnelse; innstilling, forslag; **be in** — **for** være oppstilt som kandidat for.

nominative ['nɔm(i)nətiv] nevneform, nominativ. **nominator** ['nɔmineitə] en som utnevner. **nominee** [nɔmi'ni:] innstilt, oppstilt, kandidat.

non [nɔn] ikke. — **-ability** ['nɔnə'biliti] uskikkethet. — **-absorbent** vannavstøtende. — **-accep-**

tance ['nɔnək'septəns] manglende aksept (av veksel). — **-access** adgangsbegrensning, adgangssperre.

nonage ['nəunidʒ, 'nɔnidʒ] umyndighet. **nonagenarian** [nəunədʒi'nεəriən, nɔn-] nittiårsgammel; nittiåring.

non-aggression pact ikke-angrepspakt.

non|-appearance ['nɔnə'piərəns] uteblivelse. — **-attendance** fravær else, fravær.

nonce [nɔns] anledning, høve; **for the** — i den anledning, for den(ne) ene gangen, midlertidig. — **-word** ord laget for anledningen.

nonchalance ['nɔnʃələns] nonchalanse, skjødesløshet. **nonchalant** [-lənt] skjødesløs, likesæl.

non-com fk. f. **non-commissioned officer.**

non-combatant ['nɔn'kɔmbətənt] nonkombattant, ikke-stridende.

non-combustible ikke brennbar.

non-commissioned ['nɔnkə'miʃənd] officer underoffiser.

non|-committal ['nɔnkə'mitl] ikke bindende. — **-committed** som ikke er bundet til et bestemt parti, alliansefri. — **-compliance** vegring. — **compos** ikke ved sine fulle fem. — **-condensing** ['nɔnkəndensiŋ] **engine** høytrykksmaskin. — **-conducting** som ikke leder (varme el. elektrisitet). — **-conductor** isolator, ikke-leder. **-conforming** avvikende, dissenter-. **-conformist** utgått av statskirken, dissenter, separatist. **-conformity** avvikelse, avvik, uoverensstemmelse med statskirken, separatisme. — **-content** ['nɔnkən'tent] nei, stemme imot forslaget (i overhuset). — **-controversial** nøytral, ikke kontroversiell. — **-corrosive** rustfri, syrefast.

nondescript ['nɔndiskript] ny, ubestemmelig, ugrei, underlig, rar; allehånde; noe ubestemmelig; altmuligmann.

non-disclosure ['nɔndis'kləuʒə] fortielse.

none [nəun] (srl. i pl.) nonsmesse.

none [nʌn] ingen, intet (i forbindelse med **of** eller etter nylig nevnt substantiv); (slett) ikke (foran the, fulgt av komparativ, og foran **too**); **he is** — **of our company** han hører ikke til oss; **I will hear** — **of it** jeg vil ikke høre snakk om det; **here are** — **but friends** her er bare venner; **it is** — **of your business** det kommer ikke deg ved; **I am** — **the wiser for it** jeg er ikke det plukk klokere; — **the less** ikke desto mindre; — **too soon** ikke et minutt for tidlig. — **too well** mindre godt; — **but** bare, ingen andre enn.

non-electric ['nɔni'lektrik] uelektrisk (legeme).

nonentity [nɔn'entiti] ikke-tilværelse; intet, ingenting, null, intetsigende person.

non-essential ['nɔni'senʃəl] uvesentlig (ting). **nonesuch** ['nʌnsʌtʃ] enestående, makeløs.

non|-execution misligholdelse. — **-existence** ikke-eksistens. — **-existing** som ikke eksisterer. — **-fiction** ≈ faglitteratur. — **-flammable** flammesikker. — **-fulfilment** misligholdelse. — **-interference** ikke-innblanding. — **-intervention** ikke-intervensjon. — **-intoxicant** alkoholfri. — **-iron** strykefri. — **-juring** som ikke har svoret troskap (nml. til William og Mary), jakobittisk. — **-juror** [nɔn'dʒu:rə] jakobitt. **-member** ikke-medlem.

nonpareil ['nɔnpərel] uforlignelig, makeløs, uten like; uforlignelighet; nonpareille (slags epler); mindre skrifttype (typografi).

non|-parishioner en som ikke bor i sognet. — **-payment** uteblivelse med betaling. — **-performance** forsømmelse, misligholdelse.

nonplus ['nɔn'plʌs] rådvillhet, forlegenhet, knipe; forbløffe; gjøre opprådd; **he was at a** — han var helt paff; **catch a person on the** — overraske en.

nonprofit uten fortjeneste. **non-proliferation** ikke-spredning.

non|-residence fravær else fra det sted hvor man burde oppholde seg, fra embetskrets, eiendom; det å bo og arbeide på forskjellige steder. — **-resident** fraværende; ≈ utenbysboende. **-resistance** ikke-motstand; blind lydighet. —

-resisting som ikke gjør motstand, som viser blind lydighet.

nonsense ['nɔnsəns] vas, vås, tøv, tøys, nonsens; narrestreker. **I shall stand none of your —** jeg vil ikke høre på det vrøvlet ditt. **nonsensical** [nɔn'sensikl] urimelig, tåpelig.

non|-sensitive ufølsom. **— -sexual** kjønnsløs. **— -skid** sklisikker (f. eks. bildekk). **— -smoker** ikke-røyker. **— -society** som ikke hører til noen fagforening. **— -sparing** ubarmhjertig. **— -stop** uten opphold; direkte; uten mellomlanding. **— -success** manglende hell.

nonsuch ['nʌnsʌtʃ] se **nonesuch.**

non-suit ['nɔn's(j)uːt] avvisning av en prosess; avvise.

non-U fk. f. **non-Upper Class** det som ikke passer innen en overklasse.

non-user ['nɔnjuːzə] ikke-bruker; (jur.) ikke-benyttelse, vanhevd, forsømmelse.

non-violence ikke-vold.

non-volatile tungtflyktig.

noodle ['nuːdl] tosk, naut, kjøtthue; knoll, hue. **noodles** ['nuːdls] nudler (om små deigfigurer).

nook [nuk] krok, hjørne; avkrok.

noon [nuːn] non; middag; blomstring, blomstringstid; hvile middag. **-day** middag; middagshøyde, høyeste. **-tide** middagstid.

noose [nuːs] løkke, strikke, rennesnare; fange med snare, lage til rennesnare; fange.

no-par value (merk.) uten pålydende verdi.

nor [nɔː] (etter nekting, især **neither**) eller; (i andre tilfelle) heller ikke, og heller ikke og . . . ikke; (vulgært) enn (**than**); **neither gold — silver** verken gull eller sølv; **she has no money, — has** he hun har ikke penger, og det har ikke han heller; **I thought of him, — did I forget you** jeg tenkte på ham, og jeg glemte ikke deg heller.

Nordic ['nɔːdik] nordisk.

Norfolk ['nɔːfək]. **— jacket** sportsjakke med belte.

norm [nɔːm] norm, mønster, rettesnor.

normal ['nɔːməl] normal, regelmessig, naturlig; vinkelrett, loddrett; **— school** lærerskole, seminar. **normality** [-'mæ-] normalitet, normale forhold. **normalization** [nɔːməlai'zeiʃən] normering. **normalize** ['nɔːməlaiz] normere, normalisere.

Norman ['nɔːmən] normannisk, normanner; **— architecture** normannisk bygningsstil (rundbuestil). **Normandy** ['nɔːməndi] Normandie.

Norn [nɔːn] norne.

Norse [nɔːs] gammelnorsk, norrøn; norsk; **-man** nordbo, nordmann.

north [nɔːθ] nord; nord-, nordlig; **the wind is at** (el. **in**) **the —** vinden er nordlig; **in the — of England** i det nordlige England; **to the —** mot nord; **— by east** nord til øst.

Northampton ['nɔː'θæmtən].

Northants. fk. f. **Northamptonshire.**

North Atlantic Treaty Organization Atlanterhavspakten, A-pakten, NATO.

northbound nordgående.

North Britain Skottland.

Northcliffe ['nɔː'θklif].

northcock ['nɔː'θkɔk] snøspurv.

the North Country ['nɔːθkʌntri] Nord-England; nordengelsk.

northeast ['nɔː'θi:st] nordøst; nordøst-, nordost, nord-østlig. **-erly** [-əli] nordøstlig, nordøst-.

northerly ['nɔːðəli] nordlig, mot nord.

northern ['nɔːðən] nordisk, nordlig. **— hemisphere** nordlige halvkule. **— lights** nordlys. **the -most point** det nordligste punkt.

northerner ['nɔːðənə] nordbo, nordlending; beboer i Nordstatene.

Northman ['nɔːθmən] nordbo; nordmann.

northmost ['nɔːθməust] nordligst.

north-north-east ['nɔːθnɔː'θi:st] nord-nordost nord-nordøst (**of** for).

north-north-west ['nɔːθnɔː'θ'west] nord-nordvest (**of** for).

north-polar ['nɔːθ'pəulə] nordpols-, arktisk.

north pole nordpol.

the North Sea ['nɔː'θ'si:] Nordsjøen.

the North Star ['nɔː'θ'stɑː] Nordstjernen.

Northumberland [nɔː'θʌmbələnd]. **Northumbrian** [nɔː'θʌmbriən] northumbrisk.

northward(s) ['nɔː'θwəd(z)] mot nord, nordetter.

northwest [nɔːθ'west, nɔː'west] nordvest. **the N. Passage** Nordvestpassasjen.

northwind ['nɔː'θwind] nordavind.

Norton ['nɔːtn].

Norway ['nɔːwei] Norge. **Norwegian** [nɔː'wi:dʒən] norsk; nordmann; norsk (språket). **-ize** [nɔː'wi:dʒənaiz] fornorske. **— pony** fjording (hest). **the — Sea** Norskehavet.

nor'wester nordvestvind; dram, hivert; sydvest (regnluen).

Norwich ['nɔridʒ].

Nos. nos. ['nʌmbəz] fk. f. **numbers.**

nose [nəus] nese, snute; luktesans; lukt; spion, angiver; **bleeding at the —** neseblod; **bridge of the —** neserygg; **blow one's —** pusse nesen; **lead by the —** lede etter sin egen vilje, ha i lommen, vikle om fingeren; **put a person's — out of joint** utkonkurrere en; **speak through the —** snøvle, snakke i nesen; **pay through the —** betale i dyre dommer; **bite off his —** (fig.) avbryte ham (bryskt); **count -s** telle ja-stemmer.

nose [nəuz] lukte, være, få teften av; snuse; angi (for politiet); **— out** snuse opp; snøvle fram.

nose | bag ['nəuzbæg] mulepose, fôrpose. **-band** ['nəuzbænd] nesereim (på hestegrime). **— cone** ['nəuz kəun] forpart, nese, rakettspiss.

nosed [nəuzd] -neset.

nose dive ['nəuzdaiv] det at flyet dukker ned, stup.

nosegay ['nəuzgei] bukett.

noseless ['nəuzlis] neseløs.

noser ['nəuzə] sterk motvind; nesestyver.

nose | pipe ['nəuzpaip] dyse. **— rag** ['nəuzræg] (i slang) snytefille. **— ring** ['nəuzriŋ] nesering. **— warmer** nesevarmer (en kort pipe).

no show uteblivelse, manglende fremmøte.

nosing ['nəuziŋ] tilspisset framspring (i arkitektur); trappebeslag.

nostalgia [nɔ'stældʒiə] sykelig hjemlengsel; sentimental lengsel.

nostril ['nɔstril] nesebor.

nostrum ['nɔstrəm] arkanum, vidundermedisin.

nosy ['nəuzi] storneset; nysgjerrig, nærgående; duftende. **N. Parker** nysgjerrigper. **— -parkering** snusing.

not [nɔt] ikke; **— yet** ennå ikke; **— at all** aldeles ikke, på ingen måte; **I could —** but jeg kunne ikke annet enn; **— in the least** ikke det minste; aldri det grann; **— that** ikke fordi; **he had better —** det burde han helst la være; **I think —** jeg mener nei.

nota bene ['nəutə'bi:ni] nota bene, vel å merke.

notability [nəutə'biliti] merkelighet, notabilitet.

notable ['nəutəbl] merkelig, bemerkelsesverdig, merkbar; tydelig; bekjent, kjent, vidgjeten; notabilitet, størrelse. **notably** ['nəutəbli] særlig, især.

notarial [nə'tεəriəl] notarial, utferdiget av en notarius. **notary** ['nəutəri] notarius. **— public** ['pʌblik] notarius publicus.

notation [nə'teiʃən] betegnelse, notering, tegnsystem, opptegnelse; **the decimal —** desimalsystemet.

notch [nɔtʃ] innsnitt, skåre, hakk; skår; skar, gjøre innsnitt, karve, skjære skår i; lafte.

notching ['nɔtʃiŋ] innsnitt, hakk, skår; lafting.

note [nəut] tegn, merke; særdrag; tonetegn, note, tone; notis, opptegnelse; lite brev; seddel, bevis; banknote, pengeseddel; regning; anseelse, betydning, viktighet; merke, bemerke, legge merke til, ta notis av, merke seg, skrive opp; forsyne med merknader; **he changed his —** han talte i en annen tone; **compare -s** utveksle erfaringer; **make -s** notere (seg), ta notater; **a man**

of — en ansett mann; **speak without** -s tale uten forberedelse, uten manus; — **of conjunction** binde-tegn; — **of exclamation** utropstegn; — **of inter-rogation** spørsmålstegn; **as per** — ifølge nota; **cause a bill (of exchange) to be** -d la en veksel protestere. — **book** notisbok. — **ease** seddelbok, lommebok.

noted ['nəutid] bekjent.

noteless ['nəutlis] ubekjent, ubemerket. **note-paper** ['nəutpeipə] brevpapir i lite format. **note-worthy** ['nəutwə:ði] verd å legge merke til.

nothing ['nʌθiŋ] intet, ikke noe, ingenting; ubetydelighet; null; **a mere** — en ren bagatell; **for** — gratis; **next to** — nesten ingenting; — but ikke noe annet enn, bare; — **doing** (i slang) det blir det ikke noe av, neitakk, den gikk ikke; **that's** — **to me** det kommer ikke meg ved, det raker ikke meg; **he is** — **to us** han er oss like-gyldig; **there's** — **in it** det har ikke noe for seg; **come to** — ikke bli noe av; **make** — **of** ikke bry seg om, ikke gjøre noe av; **I can make** — **of it** jeg kan ikke bli klok på det; — **like** ikke til-nærmelsesvis; — **loath** ikke uvillig; — **short of** intet mindre enn; **think** — **of** ikke ta seg nær av; regne for uvesentlig.

nothingness ['nʌθiŋnis] intethet, tomhet, be-tydningsløshet; småting.

no-thoroughfare ['nəu'θʌrəfɛə] blindvei, blind-gate.

notice ['nəutis] iakttagelse, bemerkning; un-derretning, varsel, oppslag, melding, bekjent-gjørelse, kunngjøring, notis; oppsigelse; opp-merksomhet, høflighet; **bring into** — henlede oppmerksomheten på; **come into** — vekke opp-merksomhet; **pay** — **to** være oppmerksom på, bry seg om; **the child takes** — barnet begynner å kunne skjønne; **this is to give** — that hermed bekjentgjøres; **at six months'** — med seks måne-ders oppsigelse; **give a person** — å si en opp; **until further** — inntil nærmere ordre, inntil videre; **without** — uten oppsigelse; **attract** — vekke oppmerksomhet; **he took no** — **of us** han tok ingen notis av oss, vørte oss ikke.

notice ['nəutis] bemerke, vøre, legge merke til, merke seg; skjønne; ta hensyn til.

noticeable ['nəutisəbl] verd å legge merke til, bemerkelsesverdig, merkelig.

notice board oppslagstavle.

notifiable ['nəutifaiəbl] meldepliktig.

notification [nəutifi'keiʃən] kunngjøring, under-retning, melding, bekjentgjørelse, varsel. **notify** ['nəutifai] bekjentgjøre, kunngjøre, varsle (om); berette.

notion ['nəuʃən] begrep, forestilling, tanke; nykke, innfall, idé, lune; (amr.) småting, srl. i pl.: kortevarer, småartikler; **he hasn't a** — **of doing it** det faller ham ikke inn å gjøre det; **form a true** — of danne seg en riktig forestilling om; **I had no** — **of it** jeg hadde ikke noen anelse om det; **I've got a** — jeg har en idé; **the horse has** -s hesten har nykker; **put** -s **into her head** sette griller i hodet på henne. **-al** ['nəuʃənəl] tenkt, innbilt, spekulativ, imaginær, abstrakt; fantastisk; lunefull. **-ist** ['nəuʃənist] fantast.

notions department kortevareavdeling.

notoriety [nəutə'raiəti] vitterlighet; berøm-melse, navnkundighet; beryktethet; berømt personlighet.

notorious [nə'tɔ:riəs] alminnelig bekjent, åpen-bar, vidgjeten, vitterlig, notorisk; beryktet; **become** — komme då folkemunne; **a** — **ease** en celeber sak. **notoriously** [-'tɔ:-] åpenbart, notorisk, opplagt. **notoriousness** [-nis] vitterlighet; be-ryktethet.

Nottingham ['nɔtiŋəm].

Notts. fk. f. **Nottinghamshire.**

notwithstanding [nɔtwið'stændiŋ] uansett, trass i, til tross for; dessuaktet, ikke desto mindre; uaktet, enskjønt.

nougat ['nu:gɑ:] nougat (en slags sukkertøy med mandler).

nought [nɔ:t] intet; ingenting, null (sifret leses oftest slik; jfr. **naught**); **set at** — ringeakte slå bort. **noughts and crosses** tripp, trapp, tresk (spillet).

noun [naun] substantiv, nomen, navnord. — **clause** substantivisk bisetning, at-setning.

nourish ['nʌriʃ] nære, gi næring, føde, styrke ernære, underholde; ale opp, ale fram, fostre — **a hope** nære håp om. **nourishable** ['nʌriʃəb som kan næres. **nourisher** ['nʌriʃə] ernærer næringsmiddel. **nourishing** nærende. **nourish ment** ['nʌriʃmənt] næring.

nous [naus] (sunn) fornuft, vett, omløp.

Nov. fk. f. **November.**

Nova Scotia ['nəuvə'skəuʃə].

novel ['nɔv(ə)l] ny, ualminnelig, uvanlig, hitt ukjent; roman; **a** — **departure** noe ganske nyt **novelese** [nɔvə'li:z] romanstil.

novelette [nɔvə'let] novellette, liten fortelling **novelist** ['nɔv(ə)list] romanforfatter.

novelty ['nɔv(ə)lti] nyhet; **have the charm o** — ha nyhetens interesse. — **fabrics** motestoffer — **value** nyhetsverdi.

November [nəu'vembə].

novice ['nɔvis] novise; nybegynner; uøvd. **no viciate, novitiate** [nə'viʃiit] prøvetid.

now [nau] nå; — **and again** nå og da, i ny o ne; **before** — tidligere, før; **but** — nettopp nå **he will be here just** — han er her straks; **now . . now** snart . . ., snart; — **that** nå da; — **then** nå da! nå! se så!

nowadays ['nauədeiz] nåtildags, nå for tiden **noway(s)** ['nəuwei(z)] på ingen måte, slet ikke.

nowhence ['nəuhwens] ingenstedsfra. **nowhere** ['nəuwɛə] ingensteds; **be** — (i en konkurranse situasjon) falle helt igjennom, komme til kort **that will get you** — det (der) er nytteløst. **no whither** ['nəuhwiðə] ingenstedshen. **nowise** ['nəu waiz] på ingen måte, slett ikke.

noxious ['nɔkʃəs] skadelig, usunn.

nozzle ['nɔzl] tut, trut; nese, spiss, munn stykke, dyse, forstøver.

N. P. fk. f. **Notary Public.**

n. p. fk. f. **new paragraph.**

n. p. or d. fk. f. **no place or date.**

N. R. A. fk. f. **National Rifle Association.**

N. S. fk. f. **Nova Scotia. N/S** fk. f. **nuclea propelled ship.**

n. s. fk. f. **not sufficient.**

N. S. A. fk. f. **National Skating Association.**

N. S. P. C. A. (C.) fk. f. **National Society for Prevention of Cruelty to Animals (Children).**

N. S. W. fk. f. **New South Wales.**

N. T. fk. f. **New Testament.**

-**n't** [-nt] fk. f. **not** (især etter hjelpeverber).

nt. wt. fk. f. **net weight.**

nuance [nju:'ãns, nju'ɑ:ns] nyanse.

nub [nʌb] klump, stykke; knute; poeng (i en fortelling); sigarettstump.

nubbly ['nʌbli] knutet, klumpet; i småklumper.

nubile ['nju:bil] gifteferdig, i gifteferdig alder.

nuciferous [nju'sifərəs] som bærer nøtter. **nuciform** ['nju:sifɔ:m] nøtteformet.

nuclear ['nju:kliə] som hører til kjernen, kjerne, kjerneær. — **energy** atomenergi. — **fission** kjerne-deling; kjernespalting. — **physics** kjernefysikk. — **powered** atomdrevet. — **power station** atom-kraftverk. — **test ban treaty** kjernefysisk prøve-stansavtale.

nucleus ['nju:kliəs] kjerne; grunnstamme; — **of a screw** skruespindel.

nudation [nju'deiʃən] blottelse.

nude [nju:d] naken, blottet; ikke lovformelig, ugyldig; akt (i kunst); **in the** — naken. **nudeness** [-nis] nakenhet.

nudge [nʌdʒ] skubbe, dulte (med albuen); puff.

nudification [nju:difi'keiʃən] blottelse.

nudism ['nju:dizm] nudisme, nakenkultur.

nudist ['nju:dist] nudist.

nudity ['nju:diti] nakenhet.

nugacity [nju'gæsiti] intetsigenhet, betydningsøshet; bagatell, ubetydelighet. **nugatory** ['nju:gəˌəri] betydningsløs, gagnløs.

nugget ['nʌgit] klump, gullklump.

nuisance ['nju:səns] uvesen, uting, onde, plagsom person, besværlighet, plage, ulempe, ubehagelighet; **that's a — det er kjedelig; don't be a —** ikke plag meg da; **a public — en lande-plage, pestilens; commit no —** urenslighet forbudt; **inspector of -s** sunnhetsinspektør; **necessary -s** nødvendige onder.

null [nʌl] null; ugyldig, intetsigende; **— and void** (jur.) ugyldig, død og maktesløs.

nullification [nʌlifi'keiʃən] opphevelse. **nullify** ['nʌlifai] oppheve, gjøre ugyldig, annullere.

nullity ['nʌliti] ugyldighet, intethet, null; **— suit** søknad om å få et ekteskap erklært ugyldig.

numb [nʌm] forfrossen, valen, nummen, stiv; gjøre stiv, følelsesløs; **-ed** stivfrossen.

number ['nʌmbə] tall, nummer, antall, mengde numerisk styrke; versemål; telle, nummerere; **a back — et gammelt nummer** (av f. eks. avis), noe som er gammeldags; **plural — flertall; even — like tall; odd — ulike tall, oddetall; take care of — one sørge godt for seg selv; out of —, without — utallig, talløs; opposite — person i tilsvarende stilling annetsteds; -s of times atter og atter; double the — det dobbelte antall; come in -s velkomne heftevis; -s rytmer; he is -ed among** han regnes blant.

numberless ['nʌmbəlis] utallig, talløs.

Numbers ['nʌmbəz] Numeri, fjerde mosebok.

numerable ['nju:mərəbl] som kan telles.

numeral ['nju:mərəl] som angår, består av tall, tall-; tallord, talltegn, tall. **numerary** ['nju:mərəri] som angår et visst nummer. **numerate** ['nju:məreit] nummerere; telle, regne. **numeration** [nju:mə'reiʃən] telling; tall, antall; tallesning. **numerator** ['nju:məreitə] teller (også i brøk). **numeric(al)** [nju'merik(l) numerisk, tall-, som hører til eller inneholder tall. **numerically** [-'me-] tallmessig, numerisk.

numerous ['nju:mərəs] tallrik, mannsterk, omfattende. **numerousness** [-nis] tallrikhet, mengde.

numismatic [nju:mis'mætik] numismatisk, myntvitenskapelig; **-s** numismatikk, myntvitenskap.

nummary ['nʌməri] mynt-, penge-.

nummy ['nʌmi] dosmer.

numskull ['nʌmskʌl] treskalle, fe, dåsemikkel.

nun [nʌn] nonne; blåmeise.

nun buoy spissbøye, spisstønne.

nuncupative ['nʌnkjupeitiv, nʌnkju:'peitiv] muntlig.

nuncio ['nʌnʃiəu] nuntius, pavelig sendebud.

nundinal ['nʌndinəl] torg-, markeds-.

nunnery ['nʌnəri] nonnekloster. **nunnish** ['nʌniʃ] nonneaktig.

nuptial ['nʌpʃəl] brude-, bryllups-; **-s** bryllup; **— coloration** paringsdrakt. **nuptiality** [-'æl-] ekteskapsprosent.

Nuremberg ['njuərəmbə:g] Nürnberg; **the — trials** Nürnbergprosessen(e).

nurse [nə:s] barnepleierske, sykepleier(ske), amme; våkekone; fostre; nære, amme opp, die, gi bryst; pleie, passe; nære, framelske; **assistant —** hjelpepleier; **male —** sykepleier; **trained** (eller **hospital) —** (hospitalsutdannet) sykepleierske; **wet — amme; be at — være i pleie; put to — gi,** sette i pleie; **— one's wrath** nære sin vrede. **— child** pleiebarn. **— maid** barnepike. **— pond** fiskedam for fiskyngel. **nurser** ['nə:sə] en som underholder (eller ernærer, pleier).

nursery ['nə:s(ə)ri] barneværelse; barneparkering; arnested, utklekningsanstalt, planteskole. **— garden** planteskole. **— governess** lærerinne for små barn. **— house** drivhus. **— jingle** barnerim. **— maid** barnepike. **— man** handelsgartner. **— rhyme** barnerim, barneregle. **— school** barnehage. **— tale** barneeventyr.

nurses' orderly (amr.) vaskehjelp, vaskepike. **nursing** sykepleie, barnepleie; diegivende. **— bottle** tåteflaske. **— home** klinikk, pleiehjem.

nursling ['nə:sliŋ] pleiebarn, fosterbarn; (fig.) kjælebarn.

nurture ['nə:tʃə] næring; oppfostring, oppdragelse; nære, ernære; oppfostre, oppdrag; opptukte; **nature passes —** naturen går over opptuktelsen.

nut [nʌt] nøtt; hasselnøtt; mutter, skrumor, møtrik, nøttekull; vanskelig problem; hode; skolt; moderne laps; (amr.) tulling, dumrian; vanskelig person; plukke nøtter; **be off one's — være gal; not for -s** ikke tale om; **-s to you!** ryk og reis! **a hard — to crack** en hard nøtt å knekke; **I have a — to crack with him** jeg har en høne å plukke med ham; **it is -s to him** det er vann på hans mølle; **be -s on a person** være sterkt forelsket i en.

N. U. T. fk. f. **National Union of Teachers.**

nut-brown ['nʌtbraun] nøttebrun.

nutcracker ['nʌtkrækə] nøtteknekker.

nutgall ['nʌtgɔ:l] galleple.

nuthatch ['nʌthætʃ] nøttvekke, spettmeis.

nuthouse galehus.

nutlet liten nøtt.

nutmeg ['nʌtmeg] muskat, muskatnøtt.

nut oil ['nʌtɔil] valnøttolje kinesisk treolje.

nutria ['nju:triə] beverrotte, sumpbever.

nutrient ['nju:triənt] nærende; næringsstoff.

nutriment ['nju:trimənt] næring, ernæring. **nutrimental** [nju:tri'mentəl] nærende. **nutrition** [nju-'triʃən] ernæring. **nutritional** [nju'triʃinəl] ernærings-. **nutritionist** [nju'triʃənist] ernæringsfysiolog. **nutritious** [nju'triʃəs] nærende. **nutritive** ['nju:tritiv] nærende; nærings-, ernærings-. **— value** næringsverdi.

nuts [nʌts] sprø, tullet; sludder! være helt vill etter.

nutshell ['nʌtʃel] nøtteskall; **in a — sammentrengt, i få ord, kort sagt.**

nutting ['nʌtiŋ] nøttesanking, nøtteplukking.

nut tree ['nʌtri:] nøttetre, hasselbusk.

nutty ['nʌti] rik på nøtter, med nøttesmak. nøtteaktig; idiotisk, gal; **— on være gæern etter,** ha dilla med.

nut wood nøttetre.

N. U. W. S. S. fk. f. **National Union of Women's Suffrage Societies.**

nuzzle ['nʌzl] anbringe; ligge lunt; grave seg godt ned; snuse, rote i jorda; presse snuten (nesen) mot.

N. W. fk. f. **north-west.**

N. W. b. N. fk. f. **north-west by north.**

N. W. b. W. fk. f. **north-west by west.**

N. W. T. fk. f. **North-west Territories.**

N. Y. fk. f. **New York.**

N. Y. C. fk. f. **New York City.**

nylghau ['nilgɔ:] indisk antilope.

nylon ['nailən, 'nailɔn] nylon; **-s** nylonstrømper.

nymph [nimf] nymfe, hulder, kjei; puppe. **nymphal** ['nimfəl] nymfe-. **nymphlike** ['nimflaik] nymfelett.

nymphomania [nimfə'meiniə] nymfomani, sykelig kjønnsdrift hos kvinner. **nymphomaniac** [-'meinjæk] nymfoman; mannfolkgal.

N. Z. fk. f. **New Zealand.**

O

O, o [əu] O, o.
O [əu] null, 0.
O [əu] å! o! akk! **O the rich reward!** å, hvilken rik belønning!
O' [əu, o] forstavelse i irske navn: sønn av.
o' [ə] fk. f. **of** eller **on**.
O. fk. f. Ohio; oxygen.
o. a. fk. f. on account of.
oaf [əuf] bytting; tomsing, tosk, idiot, slamp.
oafish ['əufiʃ] dum, nauten, stupid.
oak [əuk] eik, eiketre; ytterdør (for studentenes værelse i et kollegium); **heart of** — hel ved. av eik; traust kar, fast karakter; kjernekar; **sport his** — stenge ytterdøra og frabe seg visitter. — **apple** galleple. — **bark** eikebark. **-en** ['əukən] av eiketre, eike-. — **gall** ['əukgɔ:l] galleple. **oakling** ['əukliŋ] ung eik.
Oaks [əuks] sted ved Epsom i Surrey; **the** — veddeløp ved Oaks.
oakum ['əukəm] drev (opplukket tauverk). — **picker** drevplukker(ske). — **-picking** drevplukking.
oar [ɔ:] åre; roer; robåt; **put in one's** —, **shove in an** — blande seg i andre folks saker; **rest upon one's -s** hvile seg på sine laurbær. **-age** åreslag, roing. **oared** [ɔ:d] -året, forsynt med årer. **oarlock** åregaffel. **oarsman** roer. **oarswoman** roerske.
O. A. S. fk. f. on active service. OAS fk. f. Organization of American States.
oases [əu'eisi:z] pl. av **oasis** [əu'eisis] oase.
oast [əust] kjone, badstue, tørkeovn.
oat [əut] havre. **-bread** havrebrød. **-cake** ['əutkeik] havrekjeks, havrelefse. **oaten** [əutn] havre-, av havre.
oath [əuθ] ed; banning; **take an** — avlegge ed; **on** —, **under** — under ed. — **breaking** edsbrudd. **oaths** [əuðz] pl. av **oath.**
oatmeal ['əutmi:l] havremel; havregryn; havregrøt. — **porridge** havregrøt. — **towel** krepphåndkle.
oats ['əuts] havre; **wild** — floghavre; **sow one's wild** — rase ut, renne horna av seg.
ob. fk. f. oblit døde.
obduracy ['ɔbdjurəsi] hardhet, forstokkethet.
obdurate ['ɔbdjurit] hard, forherdet, forstokket; stiv, stri, strilyndt, umedgjørlig.
O. B. E. fk. f. Officer of the (Order of the) British Empire.
obeah ['əubiə] negertrolldom, svart magi.
obedience [ə'bi:djəns] lydighet (**to** mot). **obedient** [ə'bi:djənt] lydig (**to** mot).
obeisance [ə'bei(i)səns, -'bi:s-] reverens, bukk. **obeisant** ærbødig, servil.
obelisk ['ɔbilisk] obelisk, støtte; kors.
Oberon ['əubərən].
obese [ə'bi:s] korpulent, svær, tykk, feit. **obesity** [ə'bi:siti] fettsyke, korpulense.
obey [ə'bei] adlyde, lyde, lystre; **I will be -ed** jeg forlanger lydighet. — **implicitly** lystre blindt.
obfuscate ['ɔbfʌskeit] formørke, forvirre. **obfuscation** [ɔbfʌs'keiʃən] formørkelse.
obiit [ɔ'biit] død; — **1970** død 1970.
obit ['əubit, 'ɔbit] begravelseshøytideligheter, minnegudstjeneste; nekrolog.
obitual [ɔ'bitjuəl] som angår død, døds-. — **days** dødsdager. **obituary** [ɔ'bitjuəri] nekrologisk; nekrolog, fortegnelse over dødsfall.
obj. fk. f. object.
object ['ɔbʒikt, -ekt] objekt, gjenstand, hensikt, mål, øyemed, tanke; **salary no** — lønnsspørsmålet er underordnet; **money no** — prisen spiller ingen rolle; **the** — **of my wishes** mine ønskers mål.

object [əb'dʒekt] innvende, gjøre motleg **(that** at; **to** el. **against** imot); protestere, ha no å innvende (**to** imot); **if you don't** — hvis d ikke har noe imot det; **I** — **to that** jeg mislike det, jeg motsetter meg det.
objection [əb'dʒekʃən] innvending, innsigels motlegg; motmæle; **I have no** — **to your goin** jeg har ikke noe imot at du går.
objectionable [əb'dʒekʃənəbl] ubehagelig, uhe dig, upassende, anstøtelig, lei, forkastelig.
objective [əb'dʒektiv, ɔb-] objektiv; akkusativ mål, formål, angrepsmål. — **case** akkusativ **objectivity** [ɔbdʒik'tiviti] objektivitet. **objectles** ['ɔbdʒiktlis] hensiktsløs, fånyttig. **objector** [əb 'dʒektə, ɔb-] innsiger, motsiger, motmann, oppo nent.
object lens (kamera)objektiv.
object lesson anskuelsesundervisning.
objurgation [ɔbdʒə:'geiʃən] skjenn, irretteset ting, skrape, bebreidelse, straffetale.
oblate ['ɔbleit] person viet til munkeliv e religiøst liv el. arbeid.
oblate ['ɔbleit, ɔ'bleit] flattrykt ved polene.
obligant ['ɔbligənt] forpliktet. **obligate** ['ɔbli geit] forplikte. **obligation** [ɔbli'geiʃən] forplik telse, skyldnad. **obligatory** [əb'ligətəri] bindende tvingende, tvungen, obligatorisk.
oblige [ə'blaidʒ] binde, nøde, tvinge, forplikte forbinde, gjøre forbunden el. takksskyldig, tjene gjøre en tjeneste; **I was -d to do it** jeg måtte gjør det; **I am -d to you for it** jeg er Dem takknemli for det; **an answer by return of post will** — **me D** bes vennligst svare meg omgående; **will an gentleman** — **a lady** er det en av herrene som vi overlate plassen sin til en dame; — **me by leavin the room** vær så vennlig å forlate værelset; h **-d to** være nødt til; **I am much -d to you** je er Dem meget takknemlig, jeg skylder Dem stor takk, mange takk. **obligedly** [ə'blaidʒidli yours** Deres forbindtligst (i brev).
obligee [ɔbli'dʒi:] fordringshaver.
obliging [ə'blaidʒiŋ] forbindtlig, forekommende, tjenstvillig. **obligingness** [-nis] imøtekommen het, tjenstvillighet.
obligor [ɔbli'gɔ:] skyldner.
oblique [ə'bli:k] hellende; skrå, skakk, skjev; indirekte, forblommet; uredelig; bevege seg skjevt, skråne; — **angle** skjev vinkel; — **speech** indirekte tale; **in** — **terms** i forblommede uttrykk; — **angled** skjev-vinklet.
obliquity [ə'blikwiti] skjevhet; uredelighet.
obliterate [əb'litəreit] utslette, stryke ut, tilintetgjøre. **obliterating paint** dekkfarge. **obliteration** [əblitə'reiʃən] utsletting, tilintetgjøring. **obliterative** [əb'litərətiv] utslettende, tilintetgjørende.
oblivion [ə'bliviən] forglemmelse, glemsel; ettergivelse, amnesti; **fall (pass) into** — gå i glemme; gå i glemmeboka; **save from** — bevare for etterverdenen.
oblivious [ə'bliviəs] som får til å glemme; glemsom, glemsk. **obliviousness** [-nis] glemsomhet.
oblong ['ɔblɔŋ] avlang, langaktig; avlang figur; rektangel. **oblongish** [-iʃ] noe avlang.
obloquy ['ɔbləkwi] daddel, lastord, bebreidelse.
obnoxious [əb'nɔkʃəs] forkastelig, daddelverdig, forhatt, ubehagelig, anstøtelig, upopulær; **make oneself** — gjøre seg forhatt, vekke anstøt. **obnoxiousness** [nis] straffskyldighet; forhatthet.
obnubilate [ɔb'nju:bileit] fordunkle.
oboe ['əubəu] obo. **oboist** ['əubəuist] oboist.
O'Brien [ə(u)'braiən].
obs. fk. f. observation; obsolete.

obscene [ɔb'si:n] obskøn, smussig, heslig, fæl, anstendig, utuktig, svinsk. **obscenity** [ɔb'si:niti] mussighet, utuktighet, uanstendighet.

obscurant [ɔb'skjuərənt] opplysningsfiende, mørkemann. **obscurantism** [-izn] obskurantisme, rsskyhet. **obscuration** [ɔbskju'reiʃən] formørkelse.

obscure [ɔb'skjuə] mørk, dunkel, uklar, ugrei; kjult, ubemerket, ringe, ubekjent; fordunkle, ɔrmørke; **be of — origin** av ringe herkomst, av kjent opprinnelse; **he lives an — life** han fører t tilbaketrukket liv; **in some — locality** på et ler annet ukjent sted.

obscurity [ɔb'skjuəriti] mørke, dunkelhet, dimne, uklarhet; ubemerkethet, utydelighet, ubeɔmthet; **obscurities** ukjente personer.

obsecration [ɔbsi'kreiʃən] besvergelse, trygling, nntrengende bønn.

obsequial [ɔb'si:kwiəl] begravelses-; grav-. **obsequies** ['ɔbsikwiz] begravelse, likferd.

obsequious [ɔb'si:kwiəs] servil, underdanig, rypende. **obsequiousness** [-nis] underdanighet.

observable [əb'zə:vəbl, ɔb-] som kan (el. må) verholdes, merkbar, iakttakelig, bemerkelseserdig; som kan observeres.

observance [əb'zə:vəns, ɔb-] oppmerksomhet, egel, praksis, skikk; **according to old —** etter ;ammel vedtekt.

observant [əb'zə:vənt, ɔb-] oppmerksom, iaktakende, omhyggelig, lydig, underdanig.

observation [ɔbzə'veiʃən] iakttakelse, bemerking; observasjon; **keep a person under —** holde n under oppsikt. **observational** [ɔbzə'veiʃənəl] bservasjons-. **observator** ['ɔbzəveitə] observator. **bservatory** [əb'zə:vətəri, ɔb-] iakttakelses-; observatorium.

observe [əb'zə:v, ɔb-] iaktta, observere, måle, emerke; høytideligholde, holde, overholde, følge; kjøre en bemerkning, si. **observer** [əb'zə:və, ɔb-] akttaker, observatør, betrakter, en som overholder (en lov, skikk); observator. **observing** əb'zə:viŋ, ɔb-] oppmerksom, våken.

obsess [ɔb'ses] besette, beleire; idelig plage. **bsession** [ɔb'seʃən] plage, tvangsforestilling, anektelse, besettelse, fiks idé.

obsolescence [ɔbsə'lesns] foreldethet, det å gå v bruk, foreldelse. **obsolescent** [-snt] som holler på å gå av bruk, bli foreldet. **obsolete** ['ɔbɔli:t] gått av bruk, foreldet, gammeldags. **bsoleteness** [-nis] foreldethet.

obstacle ['ɔbstəkl] hindring; **put -s in the way** egge hindringer i veien. **— race** hinderløp.

obstetric(al) [ɔb'stetrik(əl)] som hører til fødselsvitenskapen, obstetrisk-. **obstetrician** [ɔbsti'triʃən] *fødselshjelper, fødselslege.

obstinacy ['ɔbstinəsi] gjenstridighet, egensindighet, hårdnakkethet, stridighet. **obstinate** ['ɔbstinit] hårdnakket, stri(lyndt), vrang, lei, egensindig, ubøyelig.

obstipation [ɔbsti'peiʃən] forstoppelse.

obstreperous [ɔb'strepərəs] bråkende, støyende, larmende, uregjerlig. **obstreperousness** [-nis] ståk, bråk, larm.

obstriction [ɔb'strikʃən] forpliktelse.

obstruct [ɔb'strʌkt] sperre, stenge, sjenere, forstoppe, stoppe til; hindre; forsinke, sinke. **obstruction** [ɔb'strʌkʃən] sperring, tilstopping, hindring, forsinkelse; obstruksjon, hindringspolitikk. **obstructionist** [-ist] en som driver obstruksjon; obstruksjonistisk. **obstructive** [ɔb'strʌktiv] sperrende, stoppende, hindrende, forsinkende. **obstruent** ['ɔbstruənt] forstoppende, hindrende.

obtain [əb'tein, ɔb-] erholde, få, oppnå, vinne, utvirke, skaffe, forskaffe, skaffe seg, skaffe til veie; holde seg, bestå, gjelde, herske, være i bruk, ha framgang; **this rule -s in most cases** denne regel gjelder i de fleste tilfelle. **obtainable** [əb'teinəbl, ɔb-] oppnåelig, erholdelig; som kan erholdes, fås, utvirkes. **obtainer** [əb'teinə, ɔb-] en som oppnår. **obtainment** [-mənt] oppnåelse, erholdelse.

obtest [ɔb'test] påkalle som vitne, anrope, bønnfalle; protestere; forsikre. **obtestation** [ɔbtes'teiʃən] påberopelse, forsikring, erklæring.

obtrude [əb'tru:d, ɔb-] påtrenge, påtvinge, pånøde; trenge seg inn, være påtrengende. **obtruder** [əb'tru:də, ɔb-] påtrengende person. **obtrusion** [əb'tru:ʒən, ɔb-] påtrengenhet, påtvinging. **obtrusive** [əb'tru:siv, ɔb-] påtrengende.

obtund [ɔb'tʌnd] dulme, dempe, døyve.

obturate ['ɔbtju(ə)reit] stoppe til, stoppe. **-ion** [ɔbtju(ə)'reiʃən] tilstopping. **-or** tetningsmiddel.

obtuse [ɔb'tju:s] sløv, stump, dump. **obtuseness** [-nis] sløvhet, avstumpethet. **obtusion** [ɔb'tju:-ʒən] sløvelse, avstumping, sløvhet.

obverse [ɔb'və:s] omvendt, som smalner mot grunnen (om bladform). **obverse** ['ɔbvə:s] avers, forside av 'en mynt; motstykke; med forsiden opp; motsvarende. **obversion** [ɔb'və:ʃən] vending.

obvert [ɔb'və:t] vende fram.

obviate ['ɔbvieit] møte; forebygge, avvende, rydde av veien, få bort. **obviation** [ɔbvi'eiʃən] forebygging, avvending, fjerning.

obvious ['ɔbviəs] åpenbar, umiskjennelig, iøynefallende, tydelig, grei, innlysende, klar, opplagt, selvfølgelig, likefram, endefram. **obviousness** [-nis] tydelighet, evidens.

Oc. fk. f. **Ocean.**

O/C fk. f. **officer in charge** ansvarshavende.

ocarina [ɔkə'ri:nə] okarina, leirgjøk (instrument).

occasion [ək'keiʃən, ɔ-] tilfelle, (gunstig) leilighet, anledning, høve, tilhøve, gang; begivenhet, festlig anledning; foranledning, (ytre) årsak, (ytre) grunn; trang, bruk, behov; foranledige, forårsake, gi anledning til, bevirke; **we met him on a former —** vi har truffet ham ved en tidligere anledning, før en gang; **if — offers** hvis leiligheten byr seg; **on that —** ved den leilighet, ved det høve, den gang; **profit by the —** benytte anledningen; **equal to the —** situasjonen voksen; **there is no — for you to speak English** De behøver ikke å snakke engelsk; **for this —** for tilfellet; **on some slight —** for en ubetydelig årsaks skyld.

occasional [ə'keiʒənəl, ɔ-] leilighetsvis; tilfeldig; tilveiebrakt ved en viss leilighet, leilighets-, slenge-, slumpe-. **occasionally** [-i] leilighetsvis, av og til.

Occident ['ɔksidənt], **the —** Vesten, Oksidenten. **occidental** [ɔksi'dentəl] vestlig, vesterlandsk, vestlending. **occidentally** [-təli] i vest; etter solen.

occipital [ɔk'sipitəl] bakhode-, nakke-. **occiput** ['ɔksipʌt] bakhode, nakke.

occlude [ɔ'klu:d] stenge, dytte, stenge inne el. ute; absorbere, suge i seg. **occlusion** [ɔ'klu:ʒən] lukking, tillukking.

occult [ɔ'kʌlt] skjult, hemmelig, mystisk, magisk. **occultation** [ɔkəl'teiʃən] formørkelse, fordølgelse; okkultasjon. **occulted** [ɔ'kʌltid] tildekket, gjemt; occulting okkulterende; **— light** blinklys, blinkfyr. **occultism** ['ɔkʌltizm] okkultisme. **occultness** [-nis] skjulthet, hemmelighet.

occupancy ['ɔkjupənsi] det å ta i besittelse; okkupasjon, tilegnelse; besittelse. **occupant** [-pənt] en som tar i besittelse, okkupant, besitter, innehaver, beboer.

occupation [ɔkju'peiʃən] det å ta i besittelse, bemektigelse, inntakelse, okkupasjon; besittelse; stilling, sysselsetting, yrke, beskjeftigelse, arbeid. **— bridge** forbindelsesbru over en vei el. en jernbane. **occupational** [ɔkju(:)'peiʃənl] yrkes-, faglig, beskjeftigelses-. **— disease** yrkessykdom. **— risk** yrkesrisiko. **— therapist** arbeidsterapeut. **occupied** opptatt, besatt, ikke ledig, bebodd, okkupert. **occupier** ['ɔkjupaiə] besitter, innehaver. **occupy** ['ɔkjupai] ta i besittelse, innta, okkupere, oppta, besette; besitte, sitte inne med; bebo; beskjeftige, sysselsette.

occur [ə'kə:] forekomme, bære til, hende, skje; inntreffe; komme i tankene, falle inn, komme for en; **this never -red to me** det har aldri falt meg inn; **what has -red?** hva har hendt? **occur-**

renee [ə'kʌrəns] hendelse, hending, tilfelle, forekomst.

ocean ['əuʃən] osean, hav, verdenshav; uhyre utstrekning; **he has got -s of money** han har masser av penger. — **greyhound** hurtiggående oseandamper.

Oceania [əuʃi'einjə] Oceania. **oceanic** [əuʃi'ænik] osean,- hav;- stor som et osean.

ocean liner (stor) passasjerdamper.

ocelot ['əusilɔt] ozelot.

ochre ['aukə] oker, gult fargestoff.

o'clock [ə'klɔk] klokka; **at five** — klokka fem; **it is five** — klokka er fem; **what** — **is it?** hva er klokka?

Oct. fk. f. **October.**

octagon ['ɔktəgən] åttekant. **octagonal** [ɔk-'tægənəl] åttekantet. **octant** ['ɔktənt] oktant. **octave** ['ɔkteiv] åtte; oktav. **octavo** [ɔk'teivəu] oktav, bok i oktav. **octennial** [ɔk'tenjəl] åtteårig, åtteårlig.

October [ɔk'təubə] oktober.

octogenarian [ɔktəudʒi'nɛəriən] åttiårs, på åtti år; åttiåring.

octopod ['ɔktəpɔd] åttearmet blekksprut. **octopus** ['ɔktəpʌs] blekksprut (åttearmet); (oldtidens) polypp; mangearmet uhyre.

octoroon [ɔktə'ru:n] oktoron, avkom av hvit og kvartneger.

octosyllable [ɔktə'siləbl] ord med åtte stavelser. **oetroi** ['ɔktrwa:] oktra; aksise (betjent).

ocular ['ɔkjulə] øye-, syns-; okulær; som avhenger av øyet, som man ser med sine egne øyne, øyensynlig; — **demonstration** synlig bevis, syn for saken; — **witness** øyenvitne; — **intercourse** øyenspråk. **oculiform** ['ɔkjulifɔ:m] øyeforming. **oculist** ['ɔkjulist] øyenlege.

odalisque ['əudəlisk] odalisk (haremskvinne).

odd [ɔd] ulike; umake, parløs; overskytende; ekstra, reserve; noen få; enkelt; sær; underlig, besynderlig, snurrig, rar; slem; — **number** ulike tall; **play at** — **or even** spille par eller odde (en gjetteleik); **eighty** — **years** noen og åtti år; — **jobs** tilfeldig arbeid; **ten pounds** — **money** 10 pund og derover; **there is some** — **money** der er enda noen penger til overs; **an** — **glove** en umake hanske; **an** — **volume** et enkelt bind av et verk; **how** — hvor besynderlig; **an** — **kind of man** en rar mann; **in an** — **sort of way** på en merkelig måte, tilfeldig. **-ball** (amr.) raring, pussig fyr. **-boy** reservegutt, visergutt.

Odd Fellow ['ɔdfeləu] Odd Fellow, medlem av Odd Fellow Ordenen.

oddish ['ɔdiʃ] underlig av seg, litt rar.

oddity ['ɔditi] særhet, besynderlighet, raritet; raring, pussig fyr. **oddities** merkelige innfall.

odd-jobber løskar, altmuligmann.

odd-looking ['ɔdlukiŋ] merkelig, rar, som ser underlig ut. **oddman** ['ɔdmæn] reservemann, ekstramann; reserveroer; en som kan brukes til alt mulig på en gård e. l., altmuligmann; oppmann.

oddment ['ɔdmənt] overskudd, rest, slump; ubetydelighet; især i pl.: rester.

odds [ɔdz] forskjell, skilnad, ulikhet, (tilstått) fordel, begunstigelse, største utsikt; uenighet, strid; ulike vilkår; fordel, overlegenhet, overmakt; sjansjer; **what's (where's) the** —? hvordan står vi? hvordan ligger det an? **it is no** — det betyr ikke noe; **it's no** — **of mine** meg kan det være det samme; **I'll lay you any** — jeg vedder hva som helst på at; **make** — **even** ulikne forskjellen; **at heavy** — mot stor overmakt, på ulike vilkår; **it is within the** — det er en mulighet for det; **the** — **are on his side** han har fordelen på sin side, han har de beste sjanser; **be at** — with **somebody** ligge i strid med en; **split the** — møtes på halvveien; — **and ends** stumper og stykker, småterier, likt og ulikt. — **and sods** gud og hvermann, kreti og pleti.

ode [əud] ode.

odeum ['əudi(:)əm] konsertlokale.

odious ['əudiəs, 'əudjəs] hatet, forhatt; odiøs hatefull; avskylig, motbydelig. **odiousness** [-nis forhatthet; avskylighet.

odium ['əudjəm] hat, motvilje, uvilje, skam.

odontie [əu'dɔntik] tann-.

odorator ['əudəreitə] dusj. **odoriferous** [əudə 'rifərəs] velluktende, duftende. **odorous** ['əudərəs duftende. **odour** ['əudə] lukt, duft, vellukt (fig. snev, anstrøk. **odourless** [-lis] uten duft, luktfri

Odysseus [ə'disju:s] Odyssevs. **Odyssey** ['ɔdis Odysséen.

O. E. fk. f. **Old English.**

O. E. D. fk. f. **Oxford English Dictionary.**

OEEC fk. f. **Organization for European Economic Cooporation.**

oestrum ['i:strəm], **oestrus** ['i:strəs] brunst parringslyst.

o'er [əuə] fk. f. **over.**

of [ɔv, əv, ə] (preposisjon) av, fra, i; **the works** — **Shakespeare** Shakespeares verker (genitiv); **the children** — **your uncle and aunt** barna til din onkel og tante; **a boy** — **ten years** en gutt på 10 år; — **an afternoon** om ettermiddagen; e ettermiddag; — **late i** det siste; — old fra gam mel tid; — **the name** — ved navn; **a wall** — six **feet high** en mur 6 fot høy; **be all** — **a tremble** skjelve over hele kroppen; — **necessity** nødvendigvis; **be** — **the party** høre til selskapet; — al **things** framfor alt; **all** — **them alle**; **the three** — you dere tre; **tall** — **one's age** høy etter alderen **the Queen** — **England** dronningen av England; **the King** — **Norway** Norges konge; **the town** — N. byen N; **a glass** — **water** et glass vann.

O. F. fk. f. **Old French.**

off [ɔ:f, ɔf] avlyse; — **it pigge** av, stikke av.

off [ɔ:f, ɔf] (adverbium el. adjektiv) bort, av sted, av gårde, vekk, borte, fri; ikke å forstå, ikke med på notene; (om hest) som går på høyre side av vogn el. plog; av; ut for, på høyden av; — **street** sidegate; — **and on, on and** — av og til, med avbrytelser, til forskjellige tider; **I must be** — jeg må av sted; **be** — være hevet, være forbi; sove; **he is completely** — han skjønner ikke noe, han er helt utenfor; **he was fast** — han sov fast; **he badly** — være ille ute; **be well** — være velstående; **a great way** — et langt stykke borte; — **one's guard** uoppmerksom; **finish him** — drepe ham, gi ham nådestøtet; **throw a person** — **his guard** avlede en persons oppmerksomhet; **the ship is** — **hire** befrakterne betaler ikke noen leie for skipet; **my watch is** — klokken min går galt; **he was not** — **the horse** **the whole day** han var ikke av hesten hele dagen; — **-stage** utenfor scenen, i kulissen; **day** — fridag; **a little parlour** — **his bedroom** en liten dagligstue ved siden av soveværelset hans; **I'm** — smoking jeg har sluttet å røyke.

offal ['ɔfəl] avfall; åtsel; skrap, søppel.

off-and-on ['ɔ(:)fən(d)'ɔn] vankelmodig, vegelsinnet, vinglet; i ny og ne, nå og da.

off-beam ['ɔf'bi:m] avsporet, som er på villspor.

offbeat ['ɔf'bi:t] usedvanlig; ukonvensjonell.

offcast ['ɔf'ka:st] avlagt, kassert, makulert.

off-chance ['ɔf'tʃɑ:ns] svak mulighet, liten sjanse.

off-colour ['ɔf'kʌlə] nedfor, uopplagt, uvel; misfarget.

off day fridag; uheldig dag; dag hvor man ikke er på høyde med situasjonen.

off duty fri, tjenestefri, fritids-.

offence [ə'fens, ɔ-] fornærmelse, krenking, forbrytelse, forseelse; forargelse; vrede, sinne; **take** — **at** ta anstøt av; **no** — det var ikke ment som noen fornærmelse; **give** — vekke anstøt, fornærme.

offend [ə'fend, ɔ-] fornærme, krenke, støte, støte mot, fortørne; synde, feile; angripe; forse seg; støte an. **-ed** [-did] fornærmet, støtt (**at** over; **with** på). **-er** [ə'fendə, ɔ-] fornærmer, overtreder, synder; **-s will be prosecuted** overtredelse medfører straffansvar.

offensive [ə'fensiv] offensiv, angreps-; fornær-
elig, anstøtelig, sårende; motbydelig, utålelig;
kadelig, besværlig, lei; offensiv, angrep, angreps-
tilling; **act on the** — gå angrepsvis fram, ta
ffensiven. **-ness** offensiv beskaffenhet; anstøte-
ghet; motbydelighet.

offer ['ɔfə] by fram, tilby, gi, inngi, innlevere;
ppstille, utsette, utlove; forsøke; tilby seg, frem-
y seg; ofre; tilbud, bud; forsøk; **this -s few**
dvantages dette byr bare på få fordeler; **this**
/as the sacrifice -ed dette var det offer som ble
itt; **if an occasion -s itself** hvis leilighet byr seg;
1e -ed to strike me han gjorde mine til å slå meg;
— **resistance** yte motstand; — **of marriage** ekte-
kapstilbud; **wool on** — tilbud på ull, offerert ull;
s **and demand** tilbud og etterspørsel. **offerable**
'ɔf(ə)rəbl] som kan tilbys. **offerer** ['ɔfərə] en som
ilbyr, tilbyder, tilbydende; ofrer, ofrende. **offer-**
ng ['ɔfəriŋ] offer, gave; presentasjon, produkt.
ffertory ['ɔfətəri] offersang, offertorium.

offgrade ['ɔf'greid] sekunda, dårlig kvalitet.

off guard ['ɔf'gɑ:d] ubevoktet, uoppmerksom.

offhand ['ɔf'hænd] på stedet, på flekken, uten
orberedelse, improvisert, rask, kjapp, snøgg, ikke
jennomtenkt; skjødesløs, nonchalant. **off-horse**
orteste hesten.

office ['ɔfis] bestilling, forretning, tjeneste,
erv, embete, yrke, kall, gjerning, ombud, post;
:ontor, ekspedisjon; ministerium; gudstjeneste,
itual; **-s** kjøkken og ytre rom, uthus; **the Govern-**
ment in — den sittende regjering; **be in** (el. **hold**
n) — bekle et embete, være minister; **resign** —
gå av (som minister); **take** — overta en minister-
ost; **Foreign O.** utenriksdepartementet; **in virtue**
f my — i kraft av min stilling; **good** —
/ennetjeneste. — **bearer** embetsmann. — **block**
:ontorbygning. — **boy** kontorbud, visegutt. —
lerk kontorist. — **haek** kontorslave. — **head**
:ontorsjef. — **hours** kontortid.

officer ['ɔfisə] betjent, bestillingsmann, funk-
jonær, tjenestemann, rettsbetjent, politikonsta-
»el; tillitsmann, styremedlem; styrmann; offiser;
orsyne med offiserer; kommandere, føre; **the**
egiment is well **-ed** regimentet har dyktige
»ffiserer; **chief** —, **first** — førstestyrmann, over-
tyrmann. **office seeker** embetsansøker, embets-
eger.

official [ə'fiʃəl, ɔ-] som hører til et embete,
mbets-, offisiell; tjenestemann, bestillingsmann,
mbetsmann; offisial (biskops vikar i rettssaker).
fficialese [əfiʃə'li:z] kansellistil, departements-
pråk, departemental stil. **officialism** [ə'fiʃəlizm]
»yråkratisme. **officially** [ə'fiʃəli, ɔ-] på embets
/egne, offisielt. **officiate** [ə'fiʃieit] fungere, utøve
»n bestilling, forrette, gjøre tjeneste; vikariere.
officina [ɔfi'sainə] verksted. **officinal** [ɔ'fisinəl]
som har ferdig på et apotek; lægende. **officious**
ə'fiʃəs, ɔ-] tjenstaktig; geskjeftig, påtrengende.
fficiousness [-nis] tjenstaktighet; påtrengenhet.

offing ['ɔ(:)fiŋ] rom sjø; **gain** (el. **get**) **an** —
:omme ut i rom sjø; **in the** — under oppseiling.
tand for the — stå til sjøs.

offish ['ɔ:fiʃ] fornem, stiv, kald.

off key ['ɔf'ki:] falsk (om musikk).

off licence ['ɔ(:)flaisens] skjenkerett.

off-night ['ɔfnait] friaftan.

offprint ['ɔfprint] særtrykk; særtrykke.

offsaddle ['ɔf'sædl] ta salen av.

off|scourings [ɔf'skauəriŋz] avfall, utskudd.
-seum skum, slagg, avfall, skrap, smuss. — **season**
tid utenfor sesongen, lavsesong.

offset ['ɔ(:)fset] boktrykk ved hjelp av avsmit-
ting (overføring) fra gummiduk; rotskudd, ren-
ning, avlegger; forgrening; avsats, terrasse, pall;
:rok, kne (på rør); hjelpelinje; motkrav (fordring
som går opp mot en annen sum); vederlag, mot-
vekt. **offset** ['ɔ(:)f'set] balansere, oppveie, utligne;
trykke i offset; forskjorvet; oppveid, kontrastert.

offshoot ['ɔfʃu:t] utløper, sidegrein.

offshore ['ɔfʃɔ:] fra land; ikke langt fra land;
utaskjærs; fralands-; utenlandsk, oversjøisk.

offside ['ɔfsaid] høyre side (av hest el. kjøre-
tøy); borteste side; offside (i fotball).

offspring ['ɔfspriŋ] avkom, slekt, etterkommere.

off-stage ['ɔf'steidʒ] bak scenen, i kulissene.

off-the-shelf fra lager, umiddelbart tilgjengelig.

O. F. S. fk. f. **Orange Free State.**

oft [ɔ(:)ft] ofte, titt.

often ['ɔ(:)fn, 'ɔ(:)ften] ofte, titt; **as** — **as not**
ikke så sjelden; **more** — than not som oftest.
oftenness [-nis] hyppighet. **oftentimes** [-taimz] ofte,
mangen gang.

ogee ['əudʒi:, əu'dʒi:] karniss, listverk formet
som en S; ark; S-formet.

ogival [əu'dʒaivəl] spissbueformet, gotisk; spiss
(på spisskule). **ogive** ['əudʒaiv, əu'dʒaiv] spiss-
bue; anordning (i dreiebenk).

ogle ['əugl] skotte, gløtte, bruke øynene, gi øye-
kast, kokettere (med), gjøre forelskede blikk på,
betrakte, mønstre; øyekast, sideblikk; forelsket
blikk. **ogler** ['əuglə] en som ser med forelskede
blikk. **ogling** ['əugliŋ] ømme blikk, øyekast.

ogre ['əugə] troll, utyske, menneskeeter. **ogreish**
['əugəriʃ] menneskeetende, skrekkinnjagende,
trollaktig. **ogress** ['əugris] gyger, trollkjerring.

Oh! [əu] o! å! akk!; **oh, me!** å jøye meg! **oh, no**
nei selvfølgelig; —, **yes** ja visst.

ohm [əum]

O.H.M.S. fk. f. **on His** (el. **Her**) **Majesty's Ser-**
vice.

Ohio [ə'haiəu].

oho [əu'həu] åhå!

oil [ɔil] olje; bomolje; petroleum; oljemaling,
oljemaleri; smøre, olje, overstryke med olje;
smigre; **mineral** — petroleum; **whale** — tran;
sweet — olivenolje; **strike** — finne olje, bli plut-
selig rik; **-ed canvas** voksduk; **-ed paper** oljepapir.
oil | bag ['ɔilbæg] oljekjertel, oljepose (på dyr)
— **bearing** oljeførende. — **box** smørekopp. **-cake**
oljekake. — **can** oljekanne, smørekanne. — **cellar**
smøregrav. **-cloth** ['ɔilklɔθ] voksduk; oljetøy.
oil|colour ['ɔilkʌlə] oljefarge. — **derrick** bore-
tårn. — **drain** oljetapping. — **drum** oljefat.
oiler ['ɔilə] oljehandler; smørekopp, oljekanne;
tankskip. **-ery** ['ɔiləri] oljehandel.
oil | field ['ɔilfi:ld] oljefelt. — **fuel** brenselolje.
— **gauge** oljemåler. — **hole** smørehull. — **level**
oljenivå, oljestand. — **line** oljeledning. **-man**
['ɔilmən] oljehandler; arbeider i oljefabrikk;
smører. **-meal** ['ɔilmi:l] oljekakemel. — **mill** olje-
fabrikk, oljeraffineri. — **nut** avlang valnøtt.
— **paint** oljefarge; maling. — **painting** olje-
maling; oljemaleri. — **passage** oljekanal. — **pan**
bunnpanne, oljesump. **-paper** oljepapir, olje-
maleri. — **poppy** opiumsvalmue. — **pressure** olje-
trykk. — **refinery** trankokeri; oljeraffineri, **-skin**
['ɔilskin] oljelerret; i pl. oljeklær, oljehyre. —
slick oljeflekk (på vann). — **slip** brynestein.
oilstone ['ɔilstəun] oljestein, fin slipestein.
oil | strike oljefunn. — **tanning** fettgarving.
— **water** spillolje. — **well** ['ɔilwel] oljekilde, olje-
brønn.

oily ['ɔili] oljet oljeaktig, oljeglatt, slesk, sleip
ointment ['ɔintmənt] salve; **a fly in the** — et
skår i gleden.

O. K. ['əu'kei] fiks og ferdig, fin, alt i orden.

Okie ['əuki] omreisende gårdsarbeider uten fast
bopel.

old [əuld] gammel; fiffig, dreven, klok; — **age**
høy alder, alderdom; — **bachelor** gammel ung-
kar; — **maid** gammel jomfru, peppermøy; —
song gammel sang; lav pris; **give for an** — **song**
for en ubetydelighet; **my** — **man** gamle venn,
gammer'n; **of** —, **in times of** —, **in days of** — i
gamle dager, fordum; **grow** — eldes.
old-age pension alderdomsunderstøttelse, al-
derstrygd, alderspensjon.
old-clothes man ['əuld'kləuðzmən] en som
handler med gamle klær, marsjandisehandler.
olden ['əuldn] fordums, gammel; eldes; elde.
older ['əuldə] eldre. **oldest** ['əuldist] eldst.
old|-established ['əuldi'stæbliʃt] gammel, hevd-

vunnen. — -familiar ['əuldfə'miljə] gammelkjent. — -fangled ['əuld'fæŋgld], — -fashioned [-'fæʃənd] gammeldags; en cocktail. — -fogeyism [-'fəugiizm] stokkonservatisme. Old Glory stjernebanneret. old hat gammeldags, foreldet, avlegs, antikvert, forslitt. oldish ['əuldiʃ] gammelaktig, aldrende. old-line konservativ, hevdvunnen, gammel. oldness ['əuldnis] elde, alderdom. Old Nick Gamle-Erik, fanden. old salt sjøulk. oldster ['əuldstə] eldre, veteran.

old|-time ['əuldtaim] gammeldags, gammel. — -timer veteran; gammeldags person. — wives' tale kjerringprek, eventyr. — womanish ['əuld-'wuməniʃ] kjerringaktig. — -world ['əuldwə:ld] fra gammel tid, gammel, gammeldags.

oleander [əuli'ændə] oleander, nerium.
oleiferous [əuli'ifərəs] oljeførende.
oleomargarine ['əuliəmɑ:dʒə'ri:n] margarin.
O level fk. f. ordinary level.
olfactory [əl'fæktəri] luktesans, lukte-.
oligarch ['əligɑ:k] oligark. oligarchy ['əligɑ:ki] oligarki, fåmannsstyre.
olio ['əuliəu] lapskaus, ruskomsnusk, blanding.
olive ['əliv] oliventre, oljetre, oliven; oliven-grønn. the Mount of Olives Oljeberget. — branch olivengrein, oljegrein; fredssymbol; i pl. (til dels) barn. — drab olivenfarget, uniformsfarget. — oil olivenolje.
Olive ['əliv].
olived ['əlivd] prydet med oljetrær.
Oliver ['əlivə]. Olivia [ə'livjə].
ologies ['ələdʒiz]: the — vitenskapene.
Olympia [əu'limpjə]. Olympiad [-piæd] olym-piade. Olympian [-pjən] olympisk.
Olympic [əu'limpik] olympisk; — games olymp-iske leker. Olympus [-pəs] Olymp.
O. M. fk. f. Order of Merit.
ombre ['əmbə] l'hombre.
ombudsman ['əmbədzmən] ombudsmann.
omega ['əumigə] omega.
omelet ['əmlit] omelett, eggekake; savoury — omelett med grønnsaker; cannot make — without breaking eggs ≈ hensikten helliger midlet.
omen ['əumen] omen, varsel; varsle (om).
ominous ['əminəs] varslende, varsels-; ille-varslende, illespående, uhellsvanger, nifs.
omissible [ə'misibl] som kan unnlates, som kan utelates.
omission [ə'miʃən] unnlatelse, utelatelse, for-sømmelse; sins of — unnlatelsessynd.
omit [ə'mit] unnlate, forsømme; utelate, springe over, glemme; — to lock the door glemme å låse døren; omittance [ə'mitəns] unnlatelse.
omnibus ['əmnibəs] omnibus, rutebil. — clause generalklausul. — train somletog.
omnifarious [əmni'fɛəriəs] av alle slags, ymse.
omnipotence [əm'nipətəns] allmakt.
omnipotent [əm'nipətənt] allmektig.
omnipresence [əmni'prezəns] allestedsnærvæ-relse. omnipresent [-zənt] allestedsnærværende.
omniscience [əm'niʃ(i)əns] allvitenhet. omniscient [-ʃ(i)ənt] allvitende.
omnium gatherum ['əmniəm'gæðərəm] sam-mensurium, broket blanding.
omnivorous [əm'nivərəs] altetende.
omphalos ['əmfələs] navle; skjoldknapp; midt-punkt.
on [ən] på; om; over; ved; videre, framover, tett innpå; (om tid) straks etterpå, ved, på, om; keen — ivrig etter; mad — gal etter; — the earth på jorden; — earth i all verden; — foot til fots; — hand på hånden, på lager; I lay — the red jeg holder på rødt; — her arrival ved hennes ankomst; — the first of April den første april; — Friday sist fredag, om fredagen, på fredag; — Friday next på fredag; — Friday last sist fredag; — this occasion ved denne leilighet, ved dette høve; — a sudden plutselig, uventet, brått; live — bread and cheese leve av brød og ost; — business i forretninger; act — principle handle etter faste prinsipper; — purpose med forsett, med vilje;

he is sweet — her han er forelsket i henne; svermer for henne; — my word på mitt ord; — the whole i det hele tatt, egentlig; be — f være i brann; discourse — avhandling om; I a — la gå; he is neither — nor off han vet ikke h han selv vil; that really turns me — det får m i fyr og flamme, det hisser meg opp; read — te videre; get — gjøre fremskritt; sette i gang; le — gå i forveien; and so — og så videre; on (også onto) (opp eller ned, over, ut, inn) på; and — i det uendelige; — reaching the river han nådde elven.

O. N. fk. f. Old Norse.
onager ['ɔnədʒə] villesel.
onanism ['əunənizm] onani.
once [wʌns] en gang; engang; en eneste gan at — straks; på én gang (samtidig); all at — med ett, plutselig; — upon a time det var en gan — more en gang til, enda en gang; — again gang til; enda en gang; — and again gjentat ganger; for — for en gangs skyld, unntagelsesvi this — denne gang; — for all en gang for al — or twice et par ganger; — he was roused one could stop him når han først var blitt tirre kunne ingen stanse ham.
oncome ['ɔnkʌm] nedbør, regn, snøfall, sn kave; begynnelse; tur; utbrudd.
oncoming som nærmer seg, møtende, kon mende.
oncost ['ɔnkɔ(:)st] utgift, ekstrautgift. -s gen ralkostnader.
on-dit [ɔŋ'di:] rykte, forlydende.
one [wʌn] én, ett, eneste; en, noen, man; — another hverandre; — and all alle og enhver, a som én; you're — too many for me du er me overlegen; — fine morning en vakker dag; large dog and a little — en stor hund og en lite little -s de små, barn; it is all — to me det ganske det samme for meg, det er meg likegyldig go — by — gå en for en; be at — with var enig med; make — of the party være med; li — o'clock så det står etter; I for — jeg for mi vedkommende.
O'Neal [əu'ni:l].
one-armed bandit en slags spilleautomat.
one-eyed ['wʌn'aid] enøyd; (sl.) ubillig.
one-horse ['wʌn'hɔ:s] enspenner; liten.
O'Neil(l) [əu'ni:l].
one-legged ['wʌn'legd] med ett bein; (fig halvhjertet.
one-man ['wʌn'mæn] enmanns-.
oneness ['wʌnnis] enhet; ensartethet.
oner ['wʌnə] enestående, ener; avgjørende sla a — en kløpper, kjernekar, grepa kar.
onerous ['ɔnərəs] byrdefull, besværlig, tung.
oneself [wʌn'self] seg, seg selv, selv, en sel by — alene; of — av seg selv; to do right — the great thing det viktigste er at en selv gj det som er rett.
one-sided ['wʌnsaidid] ensidig.
one-time forhenværende; tidligere.
one-track ensporet, ensrettet.
one-upmanship det å skulle være bedre er noen annen.
one-way street gate med enveiskjøring.
onfall ['ɔnfɔ:l] angrep, åtak.
ongoing ['ɔŋgəuiŋ] fortsettelse, fremme.
onion ['ʌnjən] løk; knoll, kuppel, hode.
on-licence skjenkerett.
onlooker ['ɔnlukə] tilskuer. onlooking so står og ser på.
only ['əunli] 1. adj.: eneste. 2. adv.: kun, blot bare, alene; først, ikke før, ennå, ikke leng siden enn. 3. konjunksjon; unntagen å, bare Eksempler: 1. adj.: an — child et eneste bar enebarn; the — instances de eneste eksemple — bill solaveksel. 2. adv.: — you can gue el. you — can guess bare du kan gjette; y can — guess du kan bare gjette (ikke gje annet); I not — heard it, but saw it jeg ik bare hørte det, jeg så det; if — hvis bare, gi

e came — yesterday han kom først i går.

, konjunksjon: **he makes good resolutions,** — **aat he never keeps them** han tar gode beslutinger; det er bare det at han aldri holder dem; **– too pleased** meget glad.

onomatopoeia [ɔnəmætə'pi:jə] onomatopoietion. **onomatopoeic** [ɔnəmætə'pi:ik] onomatopoietik, lydmalende.

onrush ['ɔnrʌʃ] fremstøt.

onset ['ɔnset] angrep, anfall; begynnelse.

onslaught ['ɔnslɔ:t] anfall, stormløp.

onto ['ɔntu, -tə] på, opp på, bort på.

ontology [ɔn'tɔlədʒi] ontologi, læren om tingnes vesen.

onus ['əunəs] byrde, plikt, ansvar, skyldnad.

onward ['ɔnwəd] fram, fremover, fremad; 'emadgående, fremrykket. **onwards** ['ɔnwəd(z)] 'am, fremover, videre fram.

onyx ['ɔniks, 'əuniks] onyks.

oodles [u:dlz] haugevis, massevis.

oof [u:f] (sl.) penger, mynt, gryn.

ooze [u:z] sige; sive igjennom, flyte tregt, piple 'am, tyte; dynn, gjørme, slam, mudder; garver-ıt; **the secret -d out** hemmeligheten sivet ut.

oozy ['u:zi] mudret, dyndet.

O. P. fk. f. **opposite prompt side.**

o. p. fk. f. **out of print; overproof.**

op. fk. f. **opus; operator.**

opacity [ə'pæsiti] ugjennomsiktighet.

opal ['əupəl] opal. **opalesce** [əupə'les] spille i egnbuefarger, opalisere. **opalescence** [əupə'lesəns] ırgespill. **opalescent** [-ənt] som spiller i regnbuearger.

opaque [ə'peik] ugjennomsiktig; treg, sløv. — olour dekkfarge.

ope [əup] åpne; åpen.

O.P.E.C. fk. f. **Organization of Petroleum Ex-** orting Countries.

open ['əupn] åpen, rom, grissen; utbredt, fri, dekt, ubeskyttet, utsatt; åpenbar, klar, åpenlys; ffentlig; øyensynlig; fritt uttalt, åpenhjertig; kke avgjort, åpenstående; — **question** et åpent pørsmål; — **verdict** jurys uttalelse at de ikke er ommet til et enig resultat; **keep** — **house** holde pent hus, være gjestfri; **in the** — **air** i fri luft; **am** — **to** jeg er tilbøyelig til; **in the** — **ute**, i det ri, under åpen himmel; noe som alle vet.

open ['əupn] åpne, lukke opp, vide ut, begynne, penbare, fortolke, forklare; åpnes, åpne seg, egynne; springe ut; — **a credit** åpne en kreditt; **he exchange -ed very flat** børsen åpnet meget aut; — **on** vende ut til; — **out on** vende ut til; — **up** gjøre tilgjengelig.

open-air ['əupn'ɛə] ute–, frilufts-; — **games** riluftsleker; — **theatre** friluftsteater.

opencast ['əupnkɑ:st] dagbrudd.

opener ['əupnə] en som åpner, innleder.

open|-eyed ['əupn'aid] med åpne øyne, vak, rvåken, årvak; — **-faced sandwich** smørbrød; — **-handed** rundhåndet, gavmild, raus; — hearted åpenhjertig, åpen, grei.

opening ['əupniŋ] åpnings-, begynnelses-; førte; premiere, innledning, begynnelse; åpning, lugge, hull; glenne; sjanse, lovende mulighet, god nledning, utvei, råd. — **hymn** inngangssalme.

open|-minded [əupn'maindid] fordomsfri. — -mouthed ['əupn'mauðd] med åpen munn; flåt-skjeftet. -ness ['əupnnis] åpenhet. — **shop** arbeids-lass der både organiserte og ikke-organiserte r ansatt. — **work** gjennombrutt arbeid.

opera ['ɔpərə] verker; opera. — **cloak** teaterkåpe, slags lett aftenkåpe. — **girl** ballettdansernne — **glasses** teaterkikkert. — **hat** chapeau claque, flosshatt. — **house** opera, operabygning.

operate ['ɔpəreit] virke; operere; bevirke; drive, jennomføre, utføre, sette i gang; betjene (en naskin); — **on him** operere ham; — **a type**-vriter skrive på skrivemaskin.

operatie [ɔpə'rætik] opera-.

operating drifts-, betjenings-; operasjons-. — nstructions bruksanvisning.

operation [ɔpə'reiʃən] virksomhet, operasjon, drift, gang; utførelse, virkning; fremgangsmåte; **the act comes in** — **this day** loven trer i kraft i dag; **watch his -s** holde øye med hva han foretar seg; **perform an** — utføre en operasjon; **undergo an** — underkaste seg en operasjon; la seg operere.

operative ['ɔp(ə)rətiv] virkende, virksom, effektiv, virkningsfull, kraftig; praktisk, utøvende; operasjons-; arbeider, svenn; håndverker. **operator** ['ɔpəreitə] virkende; virkemiddel; operatør; spekulant; telegrafist, telefonist.

operculum [ə'pə:kjuləm] lokk, gjellelokk.

operetta [ɔpə'retə] operette, kort opera.

operose ['ɔpərəus] besværlig, tung; travel, flittig.

Ophelia [ə'fi:ljə] Ofelia.

ophthalmia [ɔf'θælmiə; ɔp-] øyenbetennelse. **ophthalmic** [ɔf'θælmik; ɔp-] øyen-. **ophthalmologist** [ɔfθæl'mɔlədʒist] øyenlege. **ophthalmology** [-'mɔlədʒi] oftalmologi. **ophthalmy** [ɔf'θælmi; ɔp-] øyenbetennelse.

opiate ['əupiit] sovemiddel, opiumsholdig middel. **opiated** ['əupieitid] opiumholdig; bedøvet med opium.

opine [ə'pain] holde for, mene, formode.

opinion [ə'pinjən] mening, oppfatning; bedømmelse, skjønn, syn; god mening, anskuelse; rykte, godt navn, vørnad; **if I were to give my real** — hvis jeg skulle uttale min virkelige mening; **in my** — etter min mening; **give an** — gi et sakkyndig skjønn; si sin mening; **it is a matter of** — det er en skjønnssak; **public** — den offentlige mening; **received** — alminnelig antatt mening; **be of an** — være av den mening, mene; **I have no** — of jeg nærer ikke høye tanker om.

opinionaire [əpinjə'nɛə] meningsmåling; spørreskjema.

opinionated [ə'pinjəneitid] påståelig, stri. **opinioned** [ə'pinjənd] stivsinnet; innbilsk. **opinionist** [ə'pinjənist] stivsinnet menneske.

opinion poll meningsmåling.

opium ['əupjəm] opium. — **addict** opiumslave, en som er henfallen til opium. — **eater** opiumsspiser. — **fiend** = **addict.** — **master** opiumsvert. — **poppy** opiumsvalmue.

opossum [ə'pɔsəm] opossum, virginsk pungrotte; **play** — (eller **possum**) forstille seg, ligge død.

opp. fk. f. **opposed; opposite.**

oppidan ['ɔpidən] elev i Eton, som bor utenfor skolen, skolesøkende elev.

opponent [ə'pəunənt] motstander, motmann, motspiller.

opportune ['ɔpətju:n] betimelig, beleilig, høvelig, opportun. **opportunism** ['ɔpətju:nizm] opportunisme. **opportunist** ['ɔpətju:nist] opportunist. **opportunity** [ɔpə'tju:niti] (gunstig) leilighet, el. høve; beleilig tid; **at the first** — ved første leilighet; **I have little** — **of speaking English** jeg har bare liten anledning til å snakke engelsk; **take** el. **seize the** — gripe leiligheten, nytte høvet; **miss** (el. **lose**) **the** — la leiligheten gå fra seg.

opposable [ə'pəuzəbl] motvirkende, som kan stilles imot, som kan anføres imot.

oppose [ə'pəuz, ɔ-] sette imot, stille imot; motstå, gjøre motstand mot, bekjempe, ta til motmæle; motsette seg, gjøre innvendinger, opponere; **several members -d the bill** flere medlemmer bekjempet lovforslaget. **opposed** [-d] motstilt, motsatt, stridende, fiendtlig.

opposer [ə'pəuzə, ɔ-] fiende, motstander, opponent. **opposing** [ə'pəuziŋ, ɔ-] motsatt, stridende.

opposite ['ɔpəzit] motsatt, som ligger bent overfor, på den motsatte side; overfor; motsetning; **on the** — **side of the river** på den andre siden av elven; — **angles** motstående vinkler.

opposition [ɔpə'ziʃən] motstand; det å stå bent overfor; strid, motstrid; motsetningsforhold, opposisjon; motparti, opposisjonsparti; motparti, motforslag; **start an** — **shop** åpne en konkurrerende forretning; **make** — gjøre motstand; drive opposisjon.

oppositionist [ɔpə'ziʃənist] opposisjonsmann.

oppress [ə'pres, ɔ-] trykke, trykke ned, tynge på, undertrykke, knuge, overvelde. **oppression** [ə'preʃən, ɔ-] trykk, undertrykkelse; fortrykthet, nedtrykthet, tyngsel, byrde.

oppressive [ə'presiv, ɔ-] trykkende, hard, tung; **the air is very** — luften er meget trykkende.

oppressor [ə'presə, ɔ-] undertrykker.

opprobrious [ə'prəubriəs] forsmedelig, vanærende; skammelig; æreløs, vanæret. **opprobrium** [ə'prəubriəm] vanære, skam, ukvemsord.

oppugn [ə'pju:n] bekjempe; angripe; reise tvil om, bestride.

opt [ɔpt] velge; — for velge.

optative ['ɔptətiv] optativ, ønske-, som uttrykker et ønske.

optic ['ɔptik] syns-, optisk, synsorgan, øye. **optician** [ɔp'tiʃən] optiker, instrumentmaker. **optics** ['ɔptiks] optikk (læren om lyset).

optimates [ɔpti'meiti:z] optimater, stormenn, aristokrati. **optime** ['ɔptimi] (ved Cambridge universitet) en som går i annen klasse (**senior** —) eller tredje klasse (**junior** —) mots. **wrangler**. **optimism** ['ɔptimizm] optimisme. **optimist** ['ɔptimist] optimist. **optimistic** [ɔpti'mistik] optimistisk. **optimize** ['ɔptimaiz] være optimist.

option ['ɔpʃən] valg, valgrett; ønske; kallsrett; opsjon; **it is at your** — **to do the one or the other** det står deg fritt å gjøre det ene eller det andre; **if he had been allowed an** — hvis han hadde fått valget; — **to purchase** kjøpsrett, forkjøpsrett; **at** — etter eget valg. **optional** ['ɔpʃənəl] overlatt til ens valg; valgfri; frivillig.

opulence ['ɔpjuləns] velstand, rikdom. **opulent** [-lənt] velstående, rik; overdådig; yppig, frodig.

opus ['əupəs] opus, arbeid, verk.

opuscle [ə'pʌsl], **opuseule** [ə'pʌskjul], **opusculum** [-kjuləm] opuskel, mindre arbeid el. verk.

or [ɔ:, ə] eller; ellers; **white** — **black** hvit eller svart; **either white** — **black** enten hvit eller svart; **one** — **two** en à to; **two** — **three** to-tre; **hurry** — **you will be late** skynd deg, ellers kommer du for sent.

or [ɔ:] gull; gull-.

O. R. fk. f. **Orderly Room**.

oracle ['ɔrəkl, 'ɔrikl] orakel, orakelsvar; gi orakelsvar, tale i gåter. **oracular** [ə'rækjulə] orakelmessig, gåtefull.

oral ['ɔːrəl] muntlig; muntlig eksamen; munn-.

orang [ə'ræŋ] orangutang.

Orange ['ɔrin(d)ʒ] Orania; **the House of** — huset Orania; — **River** Oranjeelven; — **Free State** Oranje-Fristaten.

orange ['ɔrin(d)ʒ] oransje, pommerans, appelsin, appelsintre; appelsinfarget, oransje.

orangeade ['ɔrindʒeid] appelsinsaft.

orange | blossom ['ɔrindʒblɔsəm] oransjeblomst; oransjeblomster (som bruden pyntes med til bryllup liksom hos oss med myrt). — **-coloured** oransjegul. — **lead** blymønje.

Orangeman ['ɔrindʒmən] orangist (medlem av et protestantisk gruppe i Irland).

orange man ['ɔrindʒmən] appelsinhandler.

orange peel ['ɔrindʒpi:l] appelsinskall.

orangery ['ɔrindʒəri] oransjeri.

oranges and lemons barnelek, ≈ bro, bro, brille.

orange stick oransjepinne, neglepinne.

orange tree ['ɔrindʒtri:] orangetre.

Orangist ['ɔrin(d)ʒist] se **Orangeman**.

orang-outan ['ɔːrəŋ'u:tæn], **orang-utang** [-tæŋ] orangutang.

orate [ə'reit] holde tale(r), tale oration [ə'reiʃən] tale (høytidelig). **orator** ['ɔrətə] taler. **oratorical** [ɔrə'tɔrikl] oratorisk, taler-. **oratorio** [ɔrə'tɔ:riəu] oratorium, slags bibelsk musikkdrama. **oratory** ['ɔrətəri] talekunst, veltalenhet, svada; bedekammer, bedehus.

orb [ɔ:b] klode, kule, runding, sfære; rikseple; krets, hjul, ring, sirkel; himmellegeme; øye;

kretsløp, kretsbane, periode; omringe, omkrans omgi; **the bright -s of heaven** de strålende himme legemer. **orbed** [ɔ:bd] klodeformig, kuleforme ringformet, -rund, kuledannet; måneformet. **o -fish** pinnsvinfisk. **orbicular** [ɔ:'bikjulə], **orb culate** [ɔ:'bikjulit] = **orbed**.

orbit ['ɔ:bit] bane; øyehule. **orbital** ['ɔ:bit bane-. — **velocity** omløpshastighet.

ore [ɔ:k] spekkhogger, staurhval; havuhyre.

Oreades ['ɔ:kədi:z] Orknøyene. **Oreadian** [ɔ:'k djən] orknøyisk; orknøying.

orchard ['ɔ:tʃəd] frukthage, hage. — **gra** hundegras. — **house** drivhus til frukttræ **orcharding** [-iŋ] fruktavl. **orchardist** [-ist] fruk dyrker.

orchestra ['ɔ:kəstrə] orkester; musikktribun orkesterplass. **orchestral** [ɔ:'kestrəl] orkester **orchestrate** ['ɔ:kəstreit] instrumentere. **orchestra tion** [ɔ:kəst'reiʃən] instrumentering.

orchestrion [ɔ:'kestriən] spilledåse.

orchid ['ɔ:kid] orkidé.

orchis ['ɔ:kis] marihånd.

ord. fk. f. **order; ordinary; ordnance.**

ordain [ɔ:'dein] ordne, innrette, forordne, fas sette, bestemme; beskikke, ordinere, prestevi **ordainable** [ɔ:'deinəbl] som kan ordnes, ord neres. **ordainer** [ɔ:'deinə] som ordner, besten mer; en som innsetter, ordinant. **ordainme** [ɔ:'deinmənt] ordning, anordning, bestemmelse ordinasjon.

ordeal [ɔ:'diəl, -'di:l] gudsdom, uskyldsprøv prøve; ildprøve, ilddåp, prøvelse; — **by fir** ildprøve, jernbyrd; — **by water** vannprøve — **of the bier** båreprøve; — **of the combat** gud dom ved tvekamp.

order ['ɔ:də] orden, ro; skikk; ordning, a ordning, rekkefølge, oppstilling; stand, ran klasse, lag; ordenstegn, orden; anvisning, fo skrift, befaling; ordre, bestilling, tinging; fr billett, adgangskort; anvisning til utbetaling postanvisning (også: **money order, postal orde post-office order**); **out of** — i uorden, i ulag, ufu kommen; upasselig; utenfor tur; **the higher -s** **society** samfunnets øverste klasser; **be in (holy) -** tilhøre den geistlige stand; **take -s** inntre i de geistlige stand; **bli ordinert**; — **of the day dag** befaling; **marching** — marsjordre; **in** — **tha** **in** — **to** for at; **for å**; **get out of** — komme uorden; **on doctor's** — etter legens forskrift; **to -** etter bestilling; **call to** — kalle til orden.

order ['ɔ:də] ordne, bestemme, befale, dømm dekretere, forordne, ordinere; bestille, ting foreskrive; — **about** kommandere hit og dit — **the coach** la vognen spenne for, kjøre fram bestille vognen; — **away** sende bort.

order book ['ɔ:dəbuk] ordrebok. **orderer** ['ɔ dərə] ordner, styrer; befalende. **order form** be stillingsblankett. **Order in Council** kunngjøring (kongelig) resolusjon. **ordering** ['ɔ:dəriŋ] ordning anordning; bestyrelse. **orderless** ['ɔ:dəlis] uor dentlig; mot reglene.

orderliness ['ɔ:dəlinis] god orden.

orderly ['ɔ:dəli] ordentlig, velstelt, grei, still rolig; tjenstgjørende; ordonnans; gatefeier; syke passer; portør. — **book** vaktjournal. — **ma** ordonnans. — **officer** jourhavende offiser. -**room** kompanikontor. — **sergeant** ordonnans.

order | paper dagsorden (i parlamentet). — **shee** ordreseddel. — **slip** bestillingsseddel.

ordinal ['ɔ:dinəl] ordens-, ordenstall.

ordinance ['ɔ:dinəns] forordring, bestemmelse anordning; kirkeskikk.

ordinarily ['ɔ:dinərili] ordinært, vanligvis, regelen.

ordinary ['ɔ:dinəri] ordinær, ordentlig, rege messig, regelrett, fast; alminnelig, vanlig, sed vanlig; tarvelig, enkel, uberlig, middelmådi ordinær dommer; middagsstevne, spisekvarte spisesal; dagens rett, table-d'hôte; en slag heraldisk figur; ritualbok; **in** — ordinær, orden lig, regelmessig, hoff-, liv- (motsatt: **extraordinary**

kalt, eller **honorary**, titulær); **physician in** — **the King** kongens livlege; **ambassador in** — rdentlig gesandt; **chaplain in** — hoffpredikant; **rofessor in** — professor ordinarius; **in** — **life** l daglig. — **-looking** ubetydelig (ordinært) ut--ende. — **sailor** (el. **seaman**) lettmatros, jung-ann, halvbefaren matros, menig (i marinen). — are stamaksje, ordinær aksje. — **-sized** av minnelig størrelse.

ordinate ['ɔ:dinət] ordinat; ordentlig, regelessig. **ordination** [ɔ:di'neiʃən] ordning; anrdning; prestvielse, ordinasjon.

ordnance ['ɔ:dnəns] tungt skyts, artilleri; åpenteknisk materiell; **a piece of** — kanon. **Corps** ≈ hærens våpentekniske korps. — etory våpenfabrikk. — **map** generalstabsart. — **office** tøyhusdepartement. — **survey** 'sɔ:vei] geografisk oppmåling. **Master General the** — generalfelttøymester.

ordure ['ɔ:djuə] søppel, avfall, gjødsel; sjofeleter, uanstendigheter.

ore [ɔ:] erts, malm; metall. **Ore(ɡ)**. fk. f. **Oregon**. **ore|-bearing** malmførende. — **carrier** malmbåt. – **deposit** malmleie. **ore weed** ['ɔ:wi:d] blæretang.

organ ['ɔ:gən] organ; orgel; lirekasse; **the** rotectionist -s proteksjonistiske blad; **American** -l. **cottage**) — amerikansk stueorgel (el. haronium); **barrel** — lirekasse. — **blower** belgreder. — **builder** orgelbygger. — **grinder** lire-assemann.

organdy ['ɔ:gəndi] organdi, musselin. **organic** [ɔ:'gænik] organisk. **organiculture** biogisk dyrking. **organism** ['ɔ:gənizm] organisme. rganist [-nist] organist. **organization** [ɔ:gən(a)ieiʃən] organisasjon, system, organisme. **organize** ɔ:gənaiz] organisere; innrette, legge til rette, ygge. **organizer** ['ɔ:gənaizə] organisator. **organ** pe orgelpipe. — **stop** orgelstemme.

orgasm ['ɔ:gæzm] orgasme. **orgiastic** [ɔ:dʒi'æstik] orgiastisk, vill. **orgy** ['ɔ:dʒi] orgie, vilt svirelag. **oriel** ['ɔ:riəl] karnapp, karnappvindu. **Orient** ['ɔ:riənt]; **the** — Østen, Orienten. **orient** ['ɔ:riənt] oppstående, østlig; østerlandsk; rålende; vende mot øst, vende i en spesiell etning; orientere. **oriental** [ɔ:ri'entəl] østlig, østerlandsk, orien-alsk. **Oriental** orientaler, østerlender. **orientalism** ɔ:ri'entəlizm] orientalisme. **orientalist** [-list] rientalist. **orientate** ['ɔ:riənteit] orientere. **orien-ation** [ɔ:rien'teiʃən] orientering; orienteringsevne. **rientator** ['ɔ:rienteitə] orienteringsinstrument. **orifice** ['ɔrifis] munning, åpning, munn, avløp. **orig.** fk. f. **original**; **origin**; **originally**. **origin** ['ɔridʒin] opprinnelse, herkomst, opphav; tgangspunkt; **certificate of** — opprinnelsesbevis. **original** [ə'ridʒinəl] opprinnelig, opphavlig, ori-inal; første; ekte; original, originalverk; grunnpråk; type; særlig; — **sin** arvesynd; **the** — **text** runnteksten. **originality** [əridʒi'næliti] originali-et. **originally** opprinnelig, opphavlig, fra først av. **riginate** [ə'ridʒineit] grunnlegge, skape, være kaperen av; gi anledning til, oppstå, begynne, omme fra. **origination** [əridʒi'neiʃən] skapelse, ppkomst, opprinnelse, opphav, framkomst. **riginative** [ə'ridʒinətiv] skapende, oppfinnsom. **riginator** [ə'ridʒineitə] skaper, opphavsmann, pphav; forslagsstiller.

oriole ['ɔ:riəul] pirol, gullpirol. **Orion** [ə'raiən]. **orison** ['ɔrizən] (gml.) bønn. **the Orkney Islands**, **the Orkneys** ['ɔ:kni] Orkn-yene. **Orleanist** ['ɔ:liənist] orléansk; orléanist. **Orleans** ['ɔ:liənz, -li:nz] Orléans. **orleans** kjole-øy av ull og bomull, orlean. **orlop** ['ɔ:lɔp] banjerdekk. **ormolu** ['ɔ:məlu:] gullbronse (en gull-lignende egering).

ornament ['ɔ:nəmənt] prydelse, utsmykning, smykke, krot, ornament; pryd; pryde, smykke, utsmykke, krote, dekorere. **ornamental** [ɔ:nə'mentəl] ornamental, dekorativ, som tjener til pryd; — **lake** anlagt dam (el. sjø). — **painter** dekorasjonsmaler, skiltmaler. — **writer** skiltmaler; kalligraf. **ornamentation** [ɔ:nəmən'teiʃən] utsmykking, dekorasjon, pynt. **ornate** [ɔ:'neit; 'ɔ:-] utsmykket, pyntet, snirklet. **ornery** ['ɔ:nəri] umedgjørlig, vanskelig; simpel, tarvelig. **ornithological** [ɔ:niθə'lɔdʒikl] ornitologisk. **ornithologist** [ɔ:ni'θɔlədʒist] ornitolog, fuglekjenner. **ornithology** [-dʒi] læren om fuglene. **orotund** ['ɔrətʌnd] svulmende, pompøs, stortalende, bombastisk. **orphan** ['ɔ:fən] foreldreløs, foreldreløst barn; gjøre foreldreløs, dø fra. **orphanage** ['ɔ:fənidʒ] foreldreløshet; vaisenhus. **orphanhood** ['ɔ:fən-hud] foreldreløshet. **Orpheus** ['ɔ:fju:s] Orfeus. **orpin(e)** ['ɔ:pin] smørbukk (plante). **orra** ['ɔrə] (skotsk) overflødig; tilfeldig. **orris** ['ɔris] sverdlilje; fiolrot. **orthodox** ['ɔ:θədɔks] ortodoks, rettroende. **orthodoxy** ['ɔ:θədɔksi] rettroenhet. **orthographer** [ɔ:'θɔgrəfə] ortograf, rettskriver. **orthographic** [ɔ:θə'græfik] ortografisk. **ortho-graphical** [ɔ:θə'græfikəl] ortografisk. **orthographist** [ɔ:'θɔgrəfist] rettskriver. **orthography** [ɔ:'θɔgrəfi] rettskrivning. **orthopaedy** [ɔ:θəpi:di] ortopedi. **ortolan** ['ɔ:tələn] hortulan (fugl). **os** [ɔs] bein, knokkel. **O. S.** fk. f. **old style**; **ordinary seaman**; **Ordnance Survey**. **O. S. A.** fk. f. **Order of St. Augustine**. **O. S. B.** fk. f. **Order of St. Benedict**. **Oscar** ['ɔskə] (navn); filmpris, statuett. **oscillancy** ['ɔsilənsi] svingninger fram og tilbake. **oscillate** ['ɔsileit] svinge, vibrere, pulsere. **oscillation** [ɔsi'leiʃən] oscillasjon, svingning. **oscillatory** ['ɔsilətəri] svingende, skiftende. **osculant** ['ɔskjulənt] tett sammenhengende, umiddelbart mellomliggende. **osculate** ['ɔskjuleit] kysse. **osculation** [ɔskju'leiʃən] berøring; kyssing. **osculatory** ['ɔskjulətəri] kysse-. **oscule** ['ɔskjul] liten munn; sugemunn. **osier** ['əuʒə] vidje, pil. — **basket** vidjekurv. — **bed** pilplantning. — **bottle** kurvflaske. **osiered** ['əuʒəd] dekt med vidjekratt. **osierholt** ['əuʒəhəult] vidjekratt. **osiery** ['əuʒəri] vidjeskog; kurvarbeid. **Osiris** [ə'sairis]. **osmosis** [ɔz'məusis] osmose. **osprey**, **osprey** ['ɔspri] fiskejo, fiskeørn. **ossein** ['ɔsiin] beinvev, beinbrusk. **osselet** ['ɔsilet] beinutvekst. **Ossian** ['ɔsiən]. **ossicle** ['ɔsikl] lite bein, småbein. **ossific** [ɔ'sifik] forbenende. **ossification** [ɔsifi'keiʃən] beindannelse. **ossify** ['ɔsifai] forbeine. **ossuary** ['ɔsjuəri] beinhus. **ostensibility** [ɔstensi'biliti] påviselighet, sannsynlighet. **ostensible** [ɔ'stensibl] angivelig, øyensynlig, tilsynelatende, sannsynlig; erklært. **ostensive** [ɔ'stensiv] påvisende; prunkende. **ostentation** [ɔsten'teiʃən] det å stille til skue, framsyning, praling, praleri, brask og bram. **ostentatious** [ɔsten'teiʃəs] brammende, pralende, skrytende. **osteology** [ɔsti'ɔlədʒi] osteologi, knokkellære. **ostiary** ['ɔstiəri] dørvokter. **ostium** ['ɔstiəm] elvemunning, os. **ostler** ['ɔslə] stallkar, stallgutt. **ostracism** ['ɔstrəsizm] ostrakisme, forvisning ved folkeavstemning i det gamle Aten. **ostracize** ['ɔstrəsaiz] forvise, utstøte, fryse ut. **ostraceous** [ɔs'treiʃəs] østersaktig. **ostrich** ['ɔstridʒ, -itʃ] struts. — **feather** strutsefjær.

O. T. fk. f. **Old Testament.**
O. T. C. fk. f. **Officers' Training Corps.**
Othello [ə(u)'θeləu].
other ['ʌðə] annen, annet, andre, annerledes; **the — day** forleden dag, her om dagen. **give me some book or —** gi meg en eller annen bok; **every — day** hver annen dag; **on the — hand** på den annen side, derimot; **the — place** helvete; (i parlamentsspråk): det andre huset; **no — than** ingen annen enn, ikke annerledes enn; **on the — side** på den andre siden, omstående; **if he doesn't like it he may do the — thing** hvis han ikke liker det, kan han la være; **of all -s** framfor alle; **somehow or —** på den ene eller andre måten.
otherwise ['ʌðəwaiz] annerledes, på annen måte; ellers, i motsatt fall; alias, også kalt; **unless you are — engaged** hvis De ikke er opptatt; **such as think — annerledes** tenkende; **rather than —** helst; nærmest.
otherworldly ['ʌðə'wə:ldli] livsfjern.
otiose ['əuʃiəs] ledig, lat, ørkesløs, overflødig.
otiosity [əuʃi'ɔsiti] dovenskap. **otium** ['əuʃiəm] fritid.
Ottawa ['ɔtəwə].
otter ['ɔtə] oter.
Ottoman ['ɔtəmən] osmansk, tyrkisk; osman; tyrk; ottoman, slags divan.
O. U. fk. f. **Oxford University.**
O. U. A. C. fk. f. **Oxford University Athletic Club. O. U. A. F. C.** fk. f. **Oxford University Association Football Club. O. U. B. C.** fk. f. **Oxford University Boat Club.**
oubliette [u:bli'et] (gml.) oubliette, hemmelig fengsel.
ouch [autʃ] au! æsj!
ought [ɔ:t] noe d. s. s. **aught.**
ought [ɔ:t] bør, burde; **you — to do it** du burde gjøre det; **those who — to know it** folk som absolutt skulle kjenne til det.
ounce [auns] unse (28,35 gram i alm. handelsvekt, 31,10 gram i apotekervekt); lite grann, smule.
ounce [auns] snøleopard; (gml.) gaupe.
our ['auə] (attributivt) vår, vårt, våre.
ours ['auəz] (substantivisk) vår, vårt, våre; **a friend of —** en venn av oss.
ourself [auə'self] (pluralis majestatis) vi selv, oss selv, oss.
ourselves [auə'selvz] oss selv, vi selv, vi, oss.
oust [aust] fjerne; drive ut, jage bort; utkonkurrere.
ouster ['austə] utkasting, utsetting.
out [aut] ute, ut, utenfor; umoderne; **you must have been — very late** du må ha kommet meget sent hjem; **on our way —** på veien ut; **he turned his cap inside —** han vrengte luen sin; **right —** like ut; **be —** ikke lenger være medlem av regjeringen, være ute av spillet; forstyrret, utafor, på viddene; være sloppet opp; **— of petrol** sluppet opp for bensin; **down and —** slått ut, helt på knærne; **you are — there** der tar du feil; **my dream is — min** drøm er gått i oppfyllelse; **the moon is —** det er måneskinn; **the last novel —** den nyeste roman; **she came —** hun debuterte i selskapslivet; **the murder is —** mordet er oppdaget; **the fire is —** varmen er sloknet; **— at the elbows med** hull på albuene; **his jaw is —** kjeven hans er gått av ledd; **read —** lese høyt; **be — of cash** være pengelens; **— of breath** åndeløs, andpusten; **— of this world** helt fantastisk, sensasjonell; **time — of mind** fra uminnelige tider; **— of print** utsolgt fra forlaget; **— of the ordinary** utenfor det vanlige; **— upon him** fy! han burde skamme seg; **tell him right —** si ham det som det er. **out** [aut] ta ut, ta fram, komme fram med; overvinne.
outact [aut'ækt] overgå, ta luven fra.
outage ['autidʒ] stans, stopp, avbrytelse.
out-and-out [autənd'aut] helt igjennom, ut og inn, i alle henseender; grundig, gjennomført; durkdreven; ubetinget, absolutt, ekte; fullstendig; **an — Yankee** en fullblods yankee.

out-and-outer ['autənd'autə] en som gjør ti gene grundig, storartet fyr; grepa kar.
out|balance [aut'bæləns] veie mer enn, op; veie. **-bid** [aut'bid] by over. **-board** ['autbɔ:ː utenbords. **-bound** ['autbaund] bestemt til u landet, for utgående. **-brag** [-'bræg] døyve mɛ (el. i) skryt. **-brave** overtrumfe; trosse. **-brea** utbrudd, ri; oppstand, opprør. **-breathe** pus ut; ta pusten fra. **-breeding** utavl. **-buildin** uthus(-bygning). **-burst** [-bɔ:st] utbrudd, ri. **-ca** ['autkɑ:st] forstøtt; menneskevrak.utskudd. **-ela** være av et bedre slag; vinne, utklassere, slå u **-climb** [-'klaim] klatre bedre enn. **-come** ['autkʌn utslag, resultat. **-crier** ['autkraiə] utroper. **-ei** skrik, rop, nødskrik; oppstyr. **-dated** [aut'deitiɪ foreldet, gammeldags. **-distance** [aut'distəns] di tansere, løpe fra. **-do** [-du:] overgå; stikke u **-door** ['autdɔ:] utendørs. **-doors** utendørs, utenfɪ huset, ute. **-drink** [-'driŋk] kunne drikke mɛ enn.
outer ['autə] ytre, ytter-; **an — barrister ɛ** advokat som plederer utenfor skranken; **his - man** hans ytre, utseende. **— elothes** pl. yttertøy **-most** ['autəməust] ytterst.
out|face [aut'feis] få til å slå øynene neɔ se rett i øynene; trosse, trasse. **-fall** ['autfɔ:l] u løp, avløp. **-field** utmark; (fig.) uutforsket on råde. **-fit** ['autfit] utrustning, ekvipering, utsty avdeling, gruppe. **-fitter** ekviperingshandler. **-fi ting** ekvipering, utrustning. **-flank** [aut'flæŋ omgå. **-flow** ['autfləu] utstrømning. **-fly** [aut'fla fly hurtigere enn, fly fra. **-fly** ['autflai] utflyvning utbrudd. **-foot** [aut'fut] distansere. **-general** [au 'dʒenrəl] overliste, overgå i dyktighet. **-givin** [aut'giviŋ] beretning, forlydende. **-go** ['autgoɪ utgitt, utlegg, utgifter. **-goer** ['autgouə] avgåend utgående. **-going** avgående, fratredende; avgan, fratredelse. **-goings** utlegg, utgifter. **-grow** ['au 'grəu] overgå i vekst, vokse fra. **-growth** ['au grəuθ] utvekst; (fig.) frukt, skudd. **-gua** ['autgɑ:d] forpost. **-gush** [aut'gʌʃ] strømme u **out-herod** [aut'herəd] i forb. **— Herod** overg Herodes i grusomhet; overdrive, gjøre altfɪ mye av.
outhouse ['authaus] uthus.
outing ['autiŋ] utgang, spasertur, tur; utfluk frihet; fridag; ekspedisjon.
outish ['autiʃ] lapset, pyntet, utstaffert.
out|jump [aut'dʒʌmp] hoppe bedre enn. **-jutting** [-'dʒʌtiŋ] utstikkende, framståendɪ **-kneed** ['autni:d] hjulbeint.
outlander ['autlændə] utlending, fremmed. ou landish [aut'lændiʃ] aparte, fremmedartet; ur derlig.
out|lash ['autlæʃ] utbrudd. **-last** [aut'lɑ:st] va lenger enn. **-laugh** [-'lɑ:f] le mer enn.
outlaw ['autlɔ:] fredløs, utleg; lyse utleg; gjør fredløs. **outlawry** ['autlɔ:ri] fredløshet, utlegd.
outlay ['autlei] utlegg, utgifter; legge ut.
out|let ['autlet] utløp, avløp; marked, avse ningssted; stikkontakt. **-lie** ['autlai] utestående penger. **-line** ['autlain] omriss, kontur, utkas oversikt; tegne i omriss, gi omriss av. **-liv [aut'liv; 'aut'liv] overleve; leve bedre enn.**
outlook ['autluk] utkik, utsikt; livssyn, in stilling; **be on the — for** være på utkik etter.
out|lying ['aut'laiiŋ] som ligger utenfor, fjern liggende; (fig.) uvesentlig. **-manoeuvre** [au mə'nu:və] utmanøvrere, overliste. **-mare** [-'mɑ:tʃ] marsjere fra, distansere. **-match** [-'mæt være ... overlegen, overtreffe. **-moded** forelde gammeldags. **-most** ['autməust, -məst] ytters **-number** [aut'nʌmbə] være overlegen i antall.
out-of-date ['autəv'deit] umoderne, gamme dags; ikke lenger gyldig.
out-of-door ['autəvdɔ:] utendørs. **out of gea** frakoplet, i fri(gir). **out of order** i ustand. **out-oI pocket** ['autəv'pɔkit] personlig, av sin egen lomm **out-of-the-way** usedvanlig; avsides, avsidɛ liggende. **out of this world** fantastisk. **out-of-woi** ['autəv'wə:k] arbeidsløs.

outpace [aut'peis] gå fortere enn, gå forbi.
outpatient ['autpeiʃənt] poliklinisk pasient.
-s elinie poliklinikk.
out-pensioner ['autpenʃənə] pensjonær utenfor anstalten, kostganger.
out|play ['aut'plei] spille bedre enn, slå. **-point** -'pɔint] seile høyere opp i vinden. **-port** ['aut-pɔːt] uthavn. **-post** ['autpəust] utpost. **-pour** 'autpɔː] utgyting; flom, rikdom, fylde; la renne, la flomme. **-put** ['autput] produksjon, utbytte, ytelse; effekt, utgangseffekt.
outrage ['autreidʒ, 'autridʒ] øve vold mot, voldta, forurette, fornærme, krenke; vold, grov forurettelse, fornærmelse, krenkelse; ondskap; voldshandling; voldtekt.
outrageous [aut'reidʒəs] skjendig; grov, opprørende, skandaløs; voldsom.
outraid ['autreid] tog, ekspedisjon.
outrange [aut'reindʒ] gå, skyte lenger enn.
outrank [aut'ræŋk] rangere over.
outré ['uːtrei] outrert, overdreven.
out|reach [aut'riːtʃ] strekke seg utover, nå lenger enn. **-reign** styre lenger enn. **-relief** hjemmeforsorg; hjemmehjelp. **-ride** [aut'raid] ri fra. **-ride** ['autraid] utritt. **-rider** forrider. **-rigger** ['autrigə] utlegger; utriggerbåt. **-right** ['autrait] straks, på stedet, helt og holdent, fullstendig, likefrem, direkte; **he laughed -right** han formelig lo. **-rival** [aut'raivl] ta luven fra, fordunkle, stille i skyggen. **-run** [aut'rʌn] løpe fra, løpe hurtigere enn; overgå; **-run the constable** (fig.) leve over evne. **-sail** [-'seil] seile fra. **-score** [-'skɔː] ta luven fra. **-sell** [-'sel] selge mer; selge til lavere priser. **-set** ['autset] oppbrudd, start, avreise; begynnelse; utgivelse; utkomst; medgift. — **-settlement** ['autsetlmənt] avsides koloni, utbygd. **-shine** [-'ʃain] overstråle.
outside ['aut'said] utvendig, ytterst, utenpå, utendørs, utenfra, utenfor, ovenpå, på bukken, hos kusken; utvortes; utside, ytterside; utvendig passasjer; **an — chance** en svak sjanse; **get — of** få i seg, sluke; forstå, begripe; — **and all med** hud og hår; **on the —** utenpå, utenfor, tilsynelatende. **outsider** ['aut'saidə] fremmed; utenforstående; uinnviet.
out|sit [aut'sit] sitte lenger enn. **-skirt** ['autskɔːt] grense, utkant, ytterkant; forpost; forstad. **-sleep** [aut'sliːp] sove lenger enn. **-span** ['aut-'spæn] spenne fra; slå leir; ligge i leir. **-speak** [aut'spiːk] tale mer (el. høyere) enn. **-spoken** ['aut'spəukn] frimodig, dristig; djerv, endefram. **-spokenness** frimodighet; djervhet. **-spread** [aut-'spred] utbre, utspre. **-stand** [-'stænd] stå ut, stå fram; utebli. **-standing** framtredende, fremragende; uavgjort, utestående. **-standing charges** uoppgjorte poster. **-station** utpost. **-stay** [aut'stei] bli lenger enn, bli over tiden; holde ut lenger enn. **-street** forstadsgate. **-strip** [aut'strip] distansere. **-talk** [-'tɔːk] bringe til taushet, tale i hjel. — **-tray** brevkurv til utgående post. — **-turn** ['auttəːn] utbytte, produksjon; utfall, resultat; losset mengde. **-vie** [aut'vai] overgå, overby. **-vote** [aut'vəut] overstemme, nedstemme. **-walk** [-'wɔːk] gå fra. **-wall** ['autwɔːl] yttermur.
outward ['autwəd] ytre, utvendig, utvortes, utgående; utad, utetter, ut; — **bound** for utgående (om skip); — **correspondence** utgående post; — **passage** utreise.
out|wear [aut'wɛə] slite ut; utholde; vare lenger enn. **-weather** [-'weðə] ri av, utholde. **-weigh** [-'wei] veie mer enn; gjelde mer enn. **-wit** [-'wit] overliste, narre. **-work** [-'wəːk] ta luven fra, arbeide bedre enn. **-work** ['autwəːk] utenverk; utearbeid; hjemmearbeid. **-worker** hjemmearbeider. **-worn** utslitt, nedslitt; forslitt.
ouzel ['uːzl] ringtrost, svarttrost.
ova ['əuvə] egg (pl. av **ovum**).
oval ['əuvəl] eggformig, oval; oval plass.
ovary ['əuvəri] ovarie, eggstokk; fruktknute.
ovation [ə'veiʃən] ovasjon, hyldest.
oven ['ʌvn] stekeovn, bakerovn, ovn; **Dutch —**

en slags løs stekeovn. **-tender** ['ʌvntendə] ovnpasser. **-ware** ildfaste fat.
over ['əuvə] over, utover; forbi, omme; til overs, tilbake, igjen; i koll, over ende; **all — the world** hele verden over; — **and above** dessuten, i tillegg til; — **the way** på den andre siden av gata; **-night** natten igjennom; — **again** om igjen; **twice** — to ganger, om igjen; — **and — gang på gang;** — **against** like overfor; — **here** herover; hit; — **there** der borte, derover; — **and — again** atter og atter; **it is all — with him** det er forbi med ham; **talk it** — drøfte; **knock —** velte.
over|abound [əuvərə'baund] finnes i stor mengde. **-act** [əuvə'rækt] overdrive, karikere. **-acting** karikatur. **-age** for gammel, overårig. **-all(s)** ['əuvərɔːl(z)] arbeidsbluse, kittel; ytterbukser, ytterkjole; samlet, total-. **-arch** [əuvə'rɑːtʃ] hvelve seg over. **-awe** [əuvə'rɔː] skremme, imponere, holde i age. **-bake** [-'beik] steke for mye. **-balance** [-'bæləns] veie mer enn; bringe ut av likevekt, vippe opp. **-balance** [əuvə'bæləns] overvekt, overskudd. **-bear** [-'bɛə] overvelde, nedslå, overvinne, underkue, dominere. **-bearing** [-'bɛəriŋ] overveldende, anmassende; hovmodig. **-bearingness** [-nis] anmasselse, overlegenhet, hovenhet. **-bid** [-'bid] by over. **-board** ['əuvəbɔːd] overbord; utabords; overdreven. **-boot** [-buːt] botfor, snøsokk. **-bridge** [-bridʒ] overgangsbru. **-brim** renne over, flomme over. **-burden** [-'bəːdn] overlesse, overbelaste. **-burn** [-'bəːn] forbrenne. **-east** [-'kɑːst] formørke, overskye; overtrukken, overskyet; sy med kastesting; overvurdere. **-cautious** [-'kɔːʃəs] for forsiktig. **-charge** [-'tʃɑːdʒ] overlesse, overbelaste; beregne for mye for, trekke opp. **-charge** ['əuvə'tʃɑːdʒ] for stor byrde, for stort lass; overdrevent prisforlangende. **-cloud** [əuvə'klaud] skye over. **-coat** [-kəut] overfrakk, ytterfrakk, kappe. **-come** [əuvə'kʌm] overvinne, beseire, overvelde. **-confidence** [əuvə'kɔnfidəns] overdreven (selv-)tillit. **-crow** [əuvə'krəu] triumfere over. **-crowd** [-'kraud] overlesse; overfylle, fullstappe. **-do** [-'duː] overdrive, gjøre for mye av; koke for mye; steke for mye; brenne for mye; overanstrenge. **-dose** ['əuvədəus] for stor dose. **-dose** ['əuvə'dəus] gi for stor. dose. **-draft** ['əuvədrɑːft] for stor tratte, overtrukket beløp; a **gigantic -draft upon his credulity** en for stor veksel å trekke på hans godtroenhet. **-draw** ['əuvə'drɔː] overtrekke, heve for mye (på en konto); overdrive. **-dress** [-'dres] overpynte, spjåke ut, overlesse; ['əuvədres] overkledning, overkjole; ['əuvə'dres] overlessing med pynt. **-drive** [-'draiv] overanstrenge; overgir (på bil). **-due** [-'djuː] manglende; for lenget forfallen; forsinket, for sent ute. **-eat** [əuvə'riːt] forspise seg. **-eating** forspising. **-estimate** overvurdere; overvurdering. **-excited** [-ik'saitid] overopphisset; overspent. **-exhaustion** [-ig'zɔːstʃən] overanstrengelse. **-expose** overeksponere. **-fatigue** utmatte helt, sprenge. **-feed** [-'fiːd] fø for godt, gi for mye mat. **-fish** drive rovfiske, fiske tom. **-flow** [-'fləu] flyte over; gå over sine bredder; oversvømme. **-flow** ['əuvəfləu] oversvømmelse; overflod; overskudd. **-flowing** [əuvə'fləuiŋ] overflod, overmål. **-fulfilment** overoppfyllelse. **-furnished** overmøblert. **-grow** [-'grəu] gro over, vokse over. **-grown** [-'grəun] overgrodd; oppløpen. **-hair** dekkhår. **-hand** ['əuvəhænd] med håndflaten ned; **-hand bowling** overarmkasting (ɔ: med armen over skulderen) i cricket og baseball. **-hand knot** halvstikk. **-hand stitch** kastesting. **-hang** ['əuvə'hæŋ] henge ut over, rage opp over. **-hang** ['əuvəhæŋ] utheng, overheng, fremspring. **-hanging** [-'hæŋiŋ] hengende, lutende; fremspringende; overhengende. **-haul** [əuvə'hɔːl] overhale; ettersse; mønstre nøye; seile opp, hale inn på. **-haul** ['əuvəhɔːl] overhaling, ettersyn, mønstring. **-hauling** [-hɔːliŋ] overhaling. **-head** [-'hed] over hodet, oppe, ovenpå; **-s** pl. generalomkostninger, faste utgifter; **heels -head** med beina i

været. **-head camshaft** overliggende kamaksel. **-head charges** overpris. **-head door** vippeport. **-head expenses** generelle omkostninger; overpris. **-head railway** høybane. **-head valve** toppventil. **-hear** [-'hiə] overhøre, høre (tilfeldig, ubemerket), komme til å høre; lytte til, utspionere. **-heat** [-'hi:t] overhete, gå varm. **-indulgence** svakhet; fråtsing; overdreven nytelse. **-joyed** [-'dʒɔ:id] overstadig glad. **-land** [əuvə'lænd] til lands. **-lander** ['əuvəlændə] en som reiser over land. **-lap** [əuvə'læp] delvis dekke, gripe over; overlapping. **-lay** [-'lei] belegge, bedekke, overtrekke. **-leaf** [-'li:f] omstående, på neste side. **-leap** [-'li:p] hoppe over. **-lie** [-'lai] ligge over; ligge i hjel. **-load** [-'ləud] overlesse, overbelaste; overbelastning. **-look** [-'luk] overskue, se over; gi utsikt over, dominere; se; se gjennom, gjennomgå; ha oppsyn med; overse. **-looking** med utsikt over. **-looker** oppsynsmann, inspektør. **-lord** overherre. **-man** ['əuvəmən] oppmann, voldgiftsmann; (arbeids-)formann. **-mantle** ['əuvəmæntl] kaminoppsats (dekorativ overdel). **-march** [-'ma:tʃ] overanstrenge ved marsj. **-match** [-'mætʃ] være for sterk for; overtreffe, overgå. **-match** ['əuvəmætʃ] mester. **-much** [əuvə'mʌtʃ] for mye.

overnight ['əuvə'nait] natten over; kvelden før; overnatte; natte-; som må gjøres innen 24 timer.

over|paint [əuvə'peint] male med for sterke farger, overmale, sminke for mye. **-pass** [-'pɑ:s] overse, forbigå; overskride; gå over; fotgjengerbru, veiovergang. **-pay** [-'pei] betale for mye; betale for mye for; mer enn oppnevne. **-people** [-'pi:pl] overbefolke. **-play** overspille; (fig.) drive det for langt. **-pleased** ['əuvə'pli:zd] altfor fornøyd; not — mellomfornøyd. **-plus** ['əuvəplʌs] overskudd. **-poise** ['əuvəpɔiz] overvekt. **-polish** [-'poliʃ] polere for mye. **-polite** ['əuvəpəlait] altfor forekommende. **-population** [pɔpju'leiʃən] overbefolkning. **-pour** [-'pɔ:] strømme over. **-power** ['əuvə'pauə] overvelde, overmanne; være overlegen over. **-powering** overveldende, uimotståelig. **-price** overprise. **-rate** [-'reit] overvurdere; overbeskatte, ligne for høyt. **-reach** [-'ri:tʃ] strekke seg ut over; innhente; overvinne ved list, narre, bedra. **-rent** [-'rent] betale for høy leie; forlange for høy avgift. **-ride** [-'raid] ri for hardt, skamri; ri hurtigere enn, ri forbi; trampe ned; tilsidesette, sette seg ut over; underkjenne, omstøte, oppheve; vanvøre. **-right** ['əuvərait] like overfor, tvers over. **-roast** [-'rəust] steke for mye. **-rule** [-'ru:l] beherske, råde over; overstemme; avvise, oppheve, underkjenne; herske, gå av med seieren. **-ruling** altstyrende. **-run** [-'rʌn] løpe forbi; gro over, bre seg over; oversvømme; strømme over; overskridelse. **-score** ['əuvə'skɔ:] overstreke, overstryke. **-sea** [-'si:] oversjøisk; atlanterhavs-; over havet. **-seas** over havet; oversjøisk, på den andre siden av havet. **-season** [-'si:zn] krydre for sterkt. **-see** [-si:] ha tilsyn med, etterse, tilse. **-seer** [-'siə] oppsynsmann, forvalter; en slags kommunal funksjonær (sognestyret velger to overseers og en assistant overseer, hvis arbeid bl. a. består i å ta seg av det kommunale skattevesen, men ikke mer av fattigvesenet, som ble overlatt board of guardians). **-sell** selge mer enn man kan levere; fremheve for sterkt, overbetone. **-set** [-'set] velte, rive over ende; omstyrte, kullkaste. **-set** ['əuvəset] velting; kullkasting. **-shade, -shadow** [-'ʃeid], [-'ʃædəu] overskygge, skygge for. **-shoe** ['əuvəʃu:] oversko; kalosje. **-shoot** [-'ʃu:t] skyte forbi; skyte over målet, overdrive, gå for vidt; **-shoot oneself** ta munnen for full. **-shot** drukken; **-shot wheel** overfallshjul. **-sight** ['əuvəsait] oppsyn, tilsyn; forglemmelse, uaktsomhet. **-sleep** ['sli:p] forsove seg, sove over. **-spend** bruke for mye. **-spread** [-'spred] bre seg over, strekke seg over; utbre over. **-state** [-'steit] angi for høyt; overdrive. **-stay** [-'stei] bli lenger (borte) enn. **-step** [-'step] overskride. **-stock** [-'stɔk] overfylle. **-store** [-'stɔ:] forsyne for mye, overfylle. **-strain** [-'strein] for-

strekke seg, forløfte seg; overanstrenge. **-strin** [-'striŋ] overspenne. **-strung** overnervøs. **-subscribe** [əuvəsəb'skraib] overtegne (lån osv.). **-subtle** spissfindig.

overt ['əuvət] åpen; åpenlys, åpenbar; lette — åpent brev, patent.

over|take ['əuvə'teik] innhente, nå (ta) igje overraske, overrumple, komme over, greie, klar gripe, overvelde. **-take** ['əuvəteik] overraskelse overrumpling. **-task** [-'tɑ:sk] overlesse, overar strenge; stille for store krav til. **-tax** overbeskatt overbelaste. **-throw** [-'θrəu] kaste over end velte; kullkaste, ødelegge; styrte, kaste. **-thro** ['əuvəθrəu] kullkasting, omstyrting; styrting undergang, fall. **-time** ['əuvətaim] overarbeid ekstratid, overtid, overtidsarbeid. **-tip** gi fc mye drikkepenger. **-top** [-'tɔp] rage opp over overgå; beseire. **-tower** ['-tauə] kneise over **-trade** [-'treid] ruinere ved for stor handel; driv forretninger med for lite kapital; anskaffe fc mange varer. **-trading** [-'treidiŋ] vidløftige speku lasjoner.

overture ['əuvətʃə] forslag; tilbud; ouverture forspill; **make -s** søke en tilnærmelse; tre i for handlinger, innlede underhandlinger (to med).

overturn = overthrow.

over|valuation ['əuvəvælju'eiʃən] for høy verd setting; overvurdering. **-value** [-'vælju] overvur dere. **-watched** [-'wɔtʃt] forvåket. **-ween** [-'wi:r ha for høye tanker. **-weening** anmassende, over modig; overdreven, overstadig. **-weight** ['əuvə weit] overvekt. **-weight** [-'weit] overbelaste **-whelm** [-'hwelm] overvelde; overflomme. **-win** [-'waind] trekke et ur for mye opp. **-word** [-'wə:d si med for mange ord. **-work** [-'wə:k] overar strenge. **-work** ['əuvəwə:k] ekstraarbeid, over arbeid; overanstrengelse. **-wrought** [-'rɔ:t] over anstrengt; innvirket, brodert. **-zealou** [-'zeləs] nidkjær, overivrig.

Ovid ['ɔvid].

oviform ['əuvifɔ:m] eggformet, eggrund.

ovum ['əuvəm] (pl. ova) egg.

owe [əu] skylde; være skyldig; — **him a del** eller — **a debt to him** stå i gjeld til ham; — **hin a grudge** ha et horn i siden til ham, bære na til ham.

owing ['əuiŋ] skyldig; tilgodehavende; **it is —** **to** det skyldes; det kommer av; — **to** på grun av.

owl [aul] ugle; (fig.) natteravn; **drunk as an —** full som en alke.

owl [aul] luske, snike seg; drive ulovlig handel

owler ['aulə] smughandler.

owlet ['aulit] liten ugle, ugleunge.

owlish ['auliʃ] ugleaktig; (fig.) fortnet.

owl-light ['aullait] tusmørke, skumring.

own [əun] egen, eget, egne; kjødelig; **name you** — **day** bestem selv dagen; **of its — accord** av se selv; **he cooks his — meals** han lager maten si selv; **he stands in his — light** han skygger fo seg selv; **have a reason of one's —** ha sin særlig grunn; **my ownest** min helt og holdent; **giv him his —** la ham få sin rett; **hold his —** hold stand; klare seg; **hold his — with him** hamle op med ham; **he still keeps his —** han hevder frem deles sin plass; **pay every one his —** svare hve sitt; **she has a fortune of her —** hun har priva formue; **he has no idea of his —** han har inge selvstendig mening; — **cousin to** kjødelig fette av; — **brother** kjødelig bror; helbror (motsatt **half-brother**).

own [əun] eie; anerkjenne, vedkjenne seg, st ved, kjennes ved; erkjenne, innrømme; vær eier; **it must be -ed** det må innrømmes; — **t** bekjenne, innrømme, vedkjenne seg; — **up** tilstå gå til bekjennelse; — **up to** tilstå, bekjenne.

owner ['əunə] eier; eiermann; reder, skipsreder **ownerless** ['əunəlis] herreløs. **ownership** [-ʃip eiendomsrett.

own risk selvassuranse, egenandel.

ox [ɔks] (pl. **oxen** ['ɔksn]) okse, stut, tyr.

Oxbridge fellesbetegnelse for Oxford og Cambridge.
ox-eye ['ɔks-ai] prestekrage; marigull.
Oxford ['ɔksfəd].
oxidable ['ɔksidəbl] som kan oksyderes. **oxidate** ['ɔksideit] oksydere. **oxidation** [ɔksi'deiʃən] oksydering. **oxidize** ['ɔksidaiz] oksydere.
oxlip ['ɔkslip] engelsk kusymre (eg. blanding av kusymre og marinøkkelband).
Oxon. fk. f. **Oxfordshire; of Oxford.**
Oxonia [ɔk'səunjə] Oxford. **Oxonian** [ɔk'səunjən] fra Oxford, Oxford-.
ox-tail ['ɔksteil] oksehale; — **soup** oksehalesuppe.

ox-tongue ['ɔkstʌŋ] oksetunge (også planten).
ox-welding autogensveising.
oxygen ['ɔksidʒin] oksygen, surstoff; — **-lack** oksygenmangel.
oyer ['ɔiə] forhør.
oyes [əu'jes], **oyez** [əu'jes, 'əujes, 'əujez] hør! (rettsbetjents rop for å påby stillhet).
oyster ['ɔistə] østers. — **bed** østersbanke. — **brood** østersyngel. — **catcher** tjeld (fugl). — **farm** østerspoll. — **knife** østersåpner. — **man** østershandler. — **shell** østersskall.
oz. fk. f. **ounce(s).**
ozone ['əuzəun] oson.

P

P, p [pi:] P, p; **mind** (eller **be on**) **one's P's and Q's** (eller **p's and q's**) passe godt på, være på sin post; **stand upon one's P's and Q's** (eller **p's and q's**) holde strengt på formene.
p. fk. f. **page** (side); **participle. p** fk. f. **new pence.**
P. & O. eller **P. and O.** ['pi:ənd 'əu] fk. f. **the Peninsular and Oriental Steam Navigation Company.**
Pa. fk. f. **Pennsylvania.**
p. a. fk. f. **participial adjective; per annum.**
P. A. fk. f. (the) **Press Association.**
pa [pɑ:] pappa.
P. A. A. fk. f. **Pan-American Airways.**
pabulum ['pæbjuləm] føde, mat, fôr; næring.
pace [peis] skritt, steg; gang, ganglag, fotlag; passgang, skritt; fart, tempo; **be going the** — leve lystig; **hold (keep)** — with holde tritt med; **make** — skritte ut; **at a great** — med svær fart; **put a person through his -s** få en til å vise sine kunster.
pace [peis] gå, skride, gå passgang; gå bortover, gå opp og ned, gå att og fram; skritte opp.
pace ['peisi] med tillatelse av, med all respekt for; — **the chairman** med formannens tillatelse.
paced [peist] som har en viss gang; -gående; dressert.
pacemaker ['peismeikə] pacer; leder; elektrisk drevet hjertestimulator.
pacer ['peisə] gående; passgjenger.
pacha [pə'ʃɑ:] pasja, tyrkisk stattholder.
pachyderm ['pækidə:m] tykkhudet dyr.
pachydermatous [pæki'də:mətəs] tykkhudet.
pacific [pə'sifik] fredelig, fredsstiftende, meklende, beroligende. **the Pacific** Stillehavet. **pacifically** [pə'sifikəli] på fredelig vis. **pacification** [pæsifi'keiʃən] pasifisering, mekling, beroligelse, gjenoppretting av fred. **pacificator** ['pæsifikeitə] fredsstifter. **pacificatory** [pə'sifikətəri] som stifter fred. **pacifier** ['pæsifaiə] fredsstifter; narresmokk. **pacifism** ['pæsifizm] pasifisme, fredsbevegelse. **pacifist** ['pæsifist] fredsvenn, pasifist. **pacify** ['pæsifai] stille tilfreds, roe, berolige; stemme blidere; døyve, stille; tilfredsstille; stifte fred i; forsone.
pack [pæk] pakke, balle, bylt; kløv; oppakning; kortstokk; mengde, flokk, hurv; kobbel; bande; **a** — **of thieves** en tyvebande; **a** — **of wool** 240 pund ull; **a** — **of lies** ren løgn, bare oppspinn; **in -s** flokkevis.
pack [pæk] pakke, pakke sammen, legge ned, hermetisere; stappe, stue, emballere; sende av sted, jage på porten; pakke inn, gjøre seg reiseferdig; pakke seg sammen; — **a jury** samle en jury av partiske medlemmer; — **one's traps** gjøre seg reiseferdig; **-ed up like so many herrings** stuet sammen som sild i en tønne; — **it up** slutt med det tullet, hold opp.

package ['pækidʒ] pakning, emballasje; forsendelse; pakke inn, emballere. — **deal** pakkeløsning, helhetsløsning. — **tour** ferdigpakket reise, gruppereise.
pack animal ['pækæniməl] lastdyr, kløvdyr.
pack cloth ['pækkləθ] pakklerret.
packet ['pækit] pakke, bunt; pakett; bunte sammen, bunte; sende med postbåt. — **boat** pakettbåt. — **buy** samlet kjøp. — **day** postdag. — **line** postrute.
pack | **horse** pakkhest, kløvhest; trekkdyr. — **ice** pakkis. **-ing** ['pækiŋ] pakning, emballasje; nedlegning. — **load** byrde. **-man** kramkar, skreppekar. — **saddle** pakksal; kløvsal. — **thread** seilgarn, hyssing. — **wagon** bagasjevogn.
paco ['pækəu] pako, alpakka.
pact [pækt] pakt, forbund, avtale.
pactional ['pækʃənəl] kontraktmessig.
Pad [pæd] (økenavn for) irlending.
pad [pæd] underlag, pute, valk; hynde; bløt sal; tredepute; skamfilingsmatte; blokk, tegneblokk; utskytingsplattform; stoppe ut, fylle, polstre, vattere; tråkle; beise (kattun); **-ded room** værelse med polstrede vegger (for sinnssyke).
pad [pæd] stimann; **go on the** — være landeveisrøver; **sit** —, **stand** — sitte og tigge ved veien (med plakat på brystet).
pad [pæd] betre; vandre langsomt, traske.
padder ['pædə] landeveisrøver.
padding ['pædiŋ] utstopping, stopp; fyllekalk; lettere stoff i ukeskrift.
Paddington ['pædiŋtən].
paddle ['pædl] pagai, padle, ro med en tobladet åre; plaske, vasse, susle; fingre; — **about** drive omkring; — **his own canoe** stå på egne bein. **paddle** ['pædl] tobladet åre; pagai; skovl på et vannhjul. **-board** skovl på et vannhjul. **-box** hjulkasse.
paddler ['pædlə] pagairoer, padler. **paddlers** overtrekksbukser.
paddle | **steamer** hjuldamper. — **vessel** hjulfartøy. — **wheel** skovlhjul.
paddock ['pædək] hage, gjerde, innhegning, hestehage, salplass (ved veddeløpsbane).
paddock ['pædək] (gml.) padde, frosk. — **-pipe** kjerringrokk. — **-stool** sopp.
Paddy ['pædi] Paddy (av Patrick), økenavn for irlending.
paddy ['pædi] ris (som ikke er avskallet); raseri; **get in a** — bli rasende. — **field** rismark. — **wagon** (amr.) politibil. **-whack** juling, raseri.
Padishah hersker (om sjahen av Persia, sultanen av Tyrkia, keiseren av India).
padlock ['pædlɔk] hengelås; lukke med hengelås.
padnag ['pædnæg] passgjenger.
padre ['pɑ:dri] prest, feltprest.

18. Engelsk–Norsk

pad saw stikksag.
Padua ['pædjuə]. **Paduan** ['pædjuən] paduansk;
paduaner.
paean ['piːən] festhymne; seiersang.
paedobaptism [piːdəu'bæptizm] barnedåp. **pae-
dobaptist** [piːdəu'bæptist] tilhenger av barnedåp.
pagan ['peigən] hedensk; hedning. **paganish**
['peigəniʃ] hedensk. **paganism** [-zm] hedenskap.
paganize [-aiz] gjøre hedensk; avkristne; oppføre
seg som hedning.
page [peidʒ] pasje; følge og tjene som pasje.
page [peidʒ] side (i bok); paginere.
pageant ['pædʒənt] (innholdsløst) skuespill,
forestilling, komedie; skuespillvogn; praktopptog;
prunk. **pageantry** ['pædʒəntri] skuespill; prakt-
opptog; tom prakt.
paginal ['pædʒinəl] som har sidetall, side-. **pagi-
nate** ['pædʒineit] paginere. **pagination** [pædʒi-
'neiʃən] paginering. **paging** ['peidʒiŋ] paginering.
pagoda [pə'gəudə] pagode, gudshus; gammel-
dags indisk mynt; **shake the — tree** komme
hurtig til rikdom, sope inn penger.
pah! [pɑː] **uff! fy! æsj! pytt!**
paid [peid] imperf. og perf. pts. av **pay**; betalt,
lønnet.
pail [peil] spann, bøtte, pøs. **pailful** ['peilful]
spannfull.
paillasse [pæl'jæs] se **palliasse**.
pain [pein] straff; smerte; lidelse; sorg, sut;
on (upon) — of under straff av; **put him out of
— gjøre ende på hans lidelser; he is a — in the
neck** han er en prøvelse, han er utålelig; **pains**
[peinz] smerter; fødsels-smerter, veer; umak;
møye, uleilighet, bry, flid; **take pains** gjøre seg
umak; **much pains** stor umak.
pain [pein] gjøre vondt, smerte; bedrøve. **pain-
ful** ['peinf(u)l] smertelig; pinefull; tung, besværlig,
møysommelig, slitsom; pinlig. **painkiller** smerte-
stillende middel. **painless** ['peinlis] smertefri.
painstaker ['peinzteikə] flittig arbeider.
painstaking ['peinzteikiŋ] flid, samvittighets-
fullhet; flittig, strevsom, samvittighetsfull.
paint [peint] maling, farge, sminke; mal,
sminke; skildre, fremstille, beskrive; sminke seg;
**as fresh as — så frisk som en rose; wet —! fresh
-ed!** nymalt (plakat til advarsel). **-box** maler-
kasse; fargeskrin. **-brush** malerkost, pensel. **—
enamel** emaljelakk.
painter ['peintə] maler, kunstmaler.
painter ['peintə] fangline til en båt, feste.
painting ['peintiŋ] malerkunst; maleri, maling.
paintress ['peintris] malerinne.
paintwork maling, det malte; **beautiful —**
malingen er nydelig utført.
painty ['peinti] overlesset med farger; som
hører til maling.
pair [pɛə] (oftest uforandret i pl. etter tall-
ord) par (om to sammenhørende, forskjellig fra
couple); sett, tospann; slå seg sammen to og to,
pare seg, pare; **a — of boots** et par støvler;
that's another — of sleeves (trousers, shoes)
det er en annen historie; **there's a — of them**
det er et nydelig par (ironisk); **a — of glasses**
briller; **a — of scissors** saks; **a — of stairs** en
trapp; **a two- — back (front)** et værelse i tredje
etasje til gården (til gata); **a — of steps** en (ut-
vendig) trapp, en kjøkkentrapp; **a carriage and —**
en vogn med to hester; **in pairs** to og to, parvis.
pairing ['pɛəriŋ] paring. **— season** parings-
tid. **— time** paringstid.
pajamas [pə'dʒɑːməz] (amr.) pyjamas.
Pakistan [pɑːki'stɑːn]. **Pakistani** [pɑːki'stɑːni]
pakistansk, pakistaner.
pal [pæl] (slang) kamerat, kompis; være ka-
merat med.
palace ['pæləs, -is] palass, slott; **the Palace**
ofte for **the Crystal Palace; Peoples' Palace** en
stor bygning med lokaler til underholdning, be-
læring o. l. for økonomisk dårligere stilte i Lon-
dons East-End. **— car** amr. salongvogn. **— court**
slottsrett (gml. rett, som dømte i sivile saker i 12

miles omkrets om Whitehall. **— steward** slotts-
forvalter. **— yard** slottsgård.
paladin ['pælədin] omstreifende ridder, helt
eventyrer; jevning.
palaeography [peili'ɔgrəfi, pæli-] paleografi
kunnskap om paleografi. **palaeologist** [peili-
'ɔlədʒist, pæl-] oldkyndig. **palaeology** [-dʒi] arkeo
logi, kunnskap om den gamle tiden. **palaeontology**
[pæliən'tɔlədʒi] paleontologi. **palaeotype** ['pæliə-
taip] paleotyp, oldtrykk. **palaeozoic** ['pæliəu
'zəuik] paleozoisk, urdyrs-.
palaestra [pə'lestrə] bryteplass, turnhall.
palanquin [pælən'kiːn] bærestol, palankin.
palatable ['pælətəbl] velsmakende; tiltalende,
akseptabel. **palatal** ['pælətəl] gane-, palatal;
ganelyd, palatal. **palatalize** ['pælətəlaiz] palatali-
sere. **palate** ['pælət, -it] gane.
palatial [pə'leiʃəl] palassaktig, palassmessig,
palass-; prektig, fornem.
palatinate [pə'lætinit] pfalzgrevskap: **the Pala-
tinate** Pfalz, Kur-Pfalz med biland.
palatine ['pælətain] pfalzgrevelig; gane-; **count
— pfalzgreve; the Elector Palatine** kurfyrsten av
Pfalz.
palaver [pə'lɑːvə] forhandling, forhandlings-
møte; tomt snakk; forhandle; snakke, skravle;
smigre.
pale [peil] pæl, påle, staur; grense; gjerde;
enemerke, område; sette peler el. gjerde omkring;
beyond the — of civilisation utenfor sivilisasjo-
nens grenser.
pale [peil] ble(i)k; gjøre blek; blekne, falle igjen-
nom (ved sammenligning); **turn — bli blek;
as — as death** dødblek. **— ale** en slags lyst bit-
tert øl. **paleface** blekansikt, hvit mann. **pale-
faced** hvit. **paleness** ['peilnis] blekhet. **pale fence**
stakittgjerde.
Palestine ['pælistain] Palestina. **Palestinean**
[pæli'stinjən] palestinsk; palestiner.
palestra [pə'lestrə] palestra, bryteplass; bryte-
øvelser.
paletot ['pæltəu] paletot, overfrakk.
palette ['pælit] palett. **— knife** palettkniv.
palfrey ['pɔːlfri] ridehest, især damehest.
Pali ['pɑːli] pali, palispråk.
pallification [pælifi'keiʃən] pæling, påling, pæle-
ramming, inngjerding.
palimpsest ['pælimpsest] palimpsest.
paling ['peiliŋ] pæler, påler; pæleverk, stakitt,
plankegjerde; grenser, enemerker.
palisade [pæli'seid] palisade, pæleverk, påleverk,
palisander [pæli'sændə] palisandertre.
palish ['peiliʃ] blekaktig.
pall [pɔːl] pallium, talar; likklær, sorte klær
over en kiste; innhylle i likklær, dekke til.
pall [pɔːl] dovne, miste sin kraft, svekkes,
svinne; gjøre doven; svekke, matte, gjøre motløs,
Palladian [pə'leidiən] i Palladios stil.
palladium [pə'leidjəm] palladium, bilde av
Pallas Atene; bollverk, vern, beskyttelsesmiddel,
Pallas ['pæləs] Pallas Atene.
pallbearer ['pɔːlbɛərə] sørgemarskalk, kiste-
bærer.
palett ['pælit] simpel seng, halmmadrass; pa-
lett; dreieskive (hos pottemakere); palle (for
gaffeltruck); liten pæl (i våpen); ventil (i orgel-
pipe). **— truck** gaffeltruck.
palliasse [pæl'jæs] halmmadrass.
palliate ['pælieit] smykke, pynte på, unn-
skylde; lindre, døyve. **palliation** [pæli'eiʃən] unn-
skyldning, besmykkelse; lindring. **palliative** ['pæl-
jətiv] unnskyldende; lindrende; lindrende middel,
pallid ['pælid] blek, gråblek, gusten. **pallidity**
[pə'liditi] blekhet. **pallidness** ['pælidnis] blekhet,
pallium ['pæliəm] gammel gresk kappe, filosof-
kappe; pallium.
Pall Mall ['pæl'mæl, pel'mel] (gate i London).
pall mall gammelt spill med trekule og kølle.
pallor ['pælə] blekhet.
palm [pɑːm] håndflate, håndsbredd; ankerfli;
stryke håndflaten over, berøre, beføle; gjemme i

hånden; bestikke, smøre; — **it off on him** narre det på ham; **grease his** — smøre (ɔ: bestikke) ham; — **himself off as** utgi seg for.
palm [pɑ:m] palme; **carry off the** — gå av med seieren, bære prisen.
palma ['pælmə] palme. **palmaceous** [pæl'meiʃəs] palmeaktig.
palmated [pæl'meitid] håndformet, hånddelt.
palmer ['pɑ:mə] pilegrim; sommerfugllarve.
Palmerston ['pɑ:məstən].
palmery ['pɑ:məri] palmehus.
palmetto [pæl'metəu] dvergpalme.
palmist ['pɑ:mist] en som spår i håndflaten.
palmistry [-ri] kiromanti.
palmoil ['pɑ:mɔil] palmeolje; bestikkelse; «bein».
Palm Sunday ['pɑ:m'sʌndi] palmesøndag.
palm tree ['pɑ:mtri:] palme.
palm wine ['pɑ:mwain] palmevin.
palmy ['pɑ:mi] palmevokst, palmelignende; seierrik, lykkelig, stor, velmakts-.
palp [pælp] føletråd, følehorn. **palpability** [pælpə'biliti] håndgripelighet. **palpable** ['pælpəbl] håndgripelig; merkbar, tydelig. **palpation** [pæl'peiʃən] beføling.
palpitate ['pælpiteit] banke, pikke, klappe; sitre, skjelve, beve. **palpitation** [pælpi'teiʃən] skjelving, hjertebank.
palsgrave ['pɔ:lzgreiv] pfalzgreve.
palsied ['pɔ:lzid] lam; verkbrudden; skjelvende.
palsy ['pɔ:lzi] lamhet; hjelpeløshet; lamme.
palter ['pɔ(:)ltə] være underfundig, bruke knep, fuske; fjase; misbruke ens tillit. **paltriness** ['pɔ(:)ltrinis] usselhet, lumpenhet. **paltry** ['pɔ(:)ltri] ussel, stakkarslig, lumpen.
paludal [pə'l(j)u:dəl, 'pæljudəl] sumpet, myr-.
palustral [pə'lʌstrəl] sumpet, myr-.
paly ['peili] noe blek.
pampas ['pæmpəs] pampas.
pamper ['pæmpə] overmette, stappe; gjø, fete; forkjæle, skjemme bort.
pamphlet ['pæmflit] trykksak, hefte, brosjyre; flyveskrift; skrive, gi ut en brosjyre. **pamphleteer** [pæmfli'tiə] brosjyreforfatter; skrive brosjyrer.
Pan [pæn] Pan; **a set of -'s pipes** hyrdefløyte.
pan [pæn] panne, stekepanne; saltpanne, kar, gryte, kasserolle; kolle, ringe; skalle, skolt, ansikt; vaske (gull); kritisere; **dead** — uttrykksløst ansikt.
panacea [pænə'siə] universalmiddel, mirakelråd.
panache [pə'næʃ] fjærbusk; stolt gestus.
Panama [pænə'mɑ:].
Pan-American [pænə'merikən] panamerikansk (omfattende alle stater i Nord- og Sør-Amerika).
Pan-Anglican [pæn'æŋglikən] pananglikansk (omfattende alle grener av den anglikanske kirke).
panary ['pænəri] brød-, som hører til brød.
pan balance skålvekt.
pan breeze slagg, koksgrus.
pancake ['pænkeik] pannekake; makeup, dekk-krem. **P. Tuesday** fetetirsdag (tirsdag etter faste-lavnssøndag).
pancreas ['pænkriəs] bukspyttkjertel.
pandar, se **pander**.
pandect ['pændekt], **the Pandects** pandektene, Justinians samling av rettslærdes betenkninger.
pandemic [pæn'demik] pandemisk; epidemisk.
pandemonium [pændi'məunjəm] pandemonium, de onde ånders bolig; helvete, kaos.
pander ['pændə] kobler, ruffer, hallik; koble, ruffe. **panderage** ['pændəridʒ] kobleri, rufferi.
Pandora [pæn'dɔ:rə].
Pandours ['pænduəz] slags brutale soldater.
pandy ['pændi] pandy, økenavn for en indisk soldat.
pane [pein] felt, stykke, avdeling, flate, side, tavle; rute, vindusrute. **-less** [-lis] uten ruter.
panegyric [pæni'dʒirik] overdreven lovtale. **panegyric(al)** [-l] lovprisende, rosende, smigrende.
panegyrist [pæni'dʒirist] lovpriser, lovtaler. **panegyrize** ['pænidʒiraiz] berømme, rose; holde lovtaler.

panel ['pænl] felt, fag; avdeling; speil, fylling (i dør); pute (i sal); pergamentrull, liste (især over lagrettemenn); jury, gruppe, bedømmelses-utvalg, panel; instrumenttavle; pryde med felter, panele. — **board** presspapp. — **discussion** panel-diskusjon.
panelling ['pæn(ə)liŋ] panelverk, felter, fyll-inger. **panel work** felter, fyllinger.
pang [pæŋ] smerte, kval, stikk, sting, støt, trykke, presse, trenge; pakke; **-s of conscience** samvittighetsnag.
panhandle ['pæn'hændl] stekepannehåndtak; langt smalt jordstykke; tigge, betle; **-r** tigger.
panic ['pænik] panikk; panisk skrekk; panisk, plutselig, ustyrlig (frykt). **panicky** ['pæniki] panikkaktig; panikk-, som setter støkk i folk, **panic|monger** ['pænikmʌŋgə] panikkmaker. — **-stricken** [-strikn]. **-struck** [-strʌk] vettskremt, fælen, skrekkslagen; motløs.
pannage ['pænidʒ] grisebeite, grisefôr; rett til grisebeite (i skog).
pannier ['pænjə] bærekurv, ryggkurv; sykkel-veske.
pannikin ['pænikin] metallkrus, tinnkrus.
panorama [pænə'rɑ:mə] panorama, kringsjå. **panoramic** [pænə'ræmik] panoramatisk.
panpipe panfløyte.
Panslavic ['pæn'slævik, -'slɑ:-] panslavisk.
Panslavism ['pæn'slævizm, -'slɑ:-] panslavisme.
pansy ['pænzi] stemorsblomst; homoseksuell; overdrevent feminin, affektert.
pant [pænt] trekke pusten kort og fort, puste, stønne, pese; pesing, snapping etter pusten, stønn, gisp; stormgang.
pantalet(te)s [pæntə'lets] mamelukker.
pantaloon [pæntə'lu:n] latterlig person i ko-medier og pantomimer; i pl.: benklær.
pantechnicon [pæn'teknikən] møbellager; flyt-tebil (stor).
pantheism ['pænθiizm] panteisme. **pantheist** [-ist] panteist. **pantheistic** [pænθi'istik] pante-istisk.
pantheon ['pænθiən] panteon, tempel for alle guder.
panther ['pænθə] panter. **pantherine** [-r(a)in] panteraktig, flekket.
pantie girdle ['pæntigə:dl] panty. **panties** ['pæn-tiz] truser; barnebukser.
pantile ['pæntail] takpanne, pannestein.
panto ['pæntəu] pantomime. **pantomime** ['pæn-təmaim] pantomime; slags eventyrskuespill med forvandlingsscene. **pantomimic** [pæntə'mimik] pantomimisk. **pantomimist** [pæntə'maimist] pan-tomimiker.
pantry ['pæntri] spiskammer, anretningsrom.
pants [pænts] benklær; underbenklær; **catch him with his** — **down** knipe ham på fersk gjerning.
panty hose strømpebukse.
pap [pæp] pappa; barnemat; grøt, grøtaktig masse; klister, pasta; brystvorte.
papa ['pɑ:pə, pə'pɑ:] pave; prest; pappa, far.
papacy ['peipəsi] pavedømme; paveverdighet.
papel ['peipəl] pavelig.
papaver [pə'peivə] valmue.
papaw [pə'pɔ:] melontre.
paper ['peipə] papir, papp, blad, ark; tapet; blad, avis; foredrag; avhandling, stil; nummer av et skrift; oppgave; eksamenspapir; verdi-papir, veksel; **read a** — on holde forelesning over; **on** — skriftlig, svart på hvitt; **printed -s** trykksaker; **the house is full of** — de fleste til-skuere har fribillett; **commit to** — skrive ned; **write to the -s** skrive i avisene.
paper ['peipə] kle med papir, tapetsere; legge i papir. **-back** billigbok, pocketbok. **-bag** papir-pose. **-cap** papirlue. — **carrier** avisbud. — **chase** «hares and hounds» (en slags lek). — **copy** uinn-bundet eksemplar. — **cover** papiromslag. — **cur-rency** papirpenger. — **cutter** papirkniv. — **dart** papirsvale, papirfly. — **folder** falsben; papirkniv. — **hanger** tapetserer. — **hangings** tapeter, tapet.

— **hunt, se** — **chase. papering** ['peipəriŋ] inn-pakning, emballering; tapetsering.
paper | knife ['peipənaif] papirkniv. — **maker** papirfabrikant; klutesamler. — **money** papir-penger. — **-padded** papirforet. — **pulp** papir-masse. — **reed** papyrus. — **ribbon** papirstrimmel; telegrafpapir. — **shavings** papiravfall. — **stainer** tapetfabrikant. — **tape** hullbånd. **-weight** brev-vekt. — **work** skrivebordsarbeid; pappsløyd.
papery ['peipəri] papir-, papiraktig.
papier maché ['pæpjei'mæʃei] pappmasjé.
papillote ['pæpiləut] papiljott.
papist ['peipist] papist. **papistical** [pə'pistikl] papistisk. **papistry** ['peipistri] papisteri.
papoose [pə'puːs] indianerbarn.
pappy ['pæpi] grøtaktig, bløt.
papyrus [pə'pairəs] papyrus.
par [pɑː] likhet, likestilling; pari; **be on a** — **with** være likestilt med; **put on a** — **with** likestille med; **above** — over pari; **at** — til pari; **below** — under pari; — **of exchange** myntparitet.
par fk. f. **paragraph;** avisnotis.
parable ['pærəbl] parabel, lignelse; tale, fore-drag; uttrykke ved en lignelse.
parachute ['pærəʃuːt] fallskjerm; foreta fall-skjermhopp el. -utslipp. — **flare** lysbombe.
parade [pə'reid] parade, mønstring; parole, appell; paradeplass; promenade; prakt, prunk, stas; paradere med, vise, stille til skue; la para-dere; paradere i; **make a** — **of** paradere med, prale med. — **ground** paradeplass. — **step** paradeskritt.
paradigm ['pærədaim] paradigma, mønster.
paradise ['pærədais] paradis; **live in a fool's** — tro at alt er såre godt.
paradox ['pærədɔks] paradoks; tilsynelatende motsigelse. **paradoxical** [pærə'dɔksikl] paradoksal, paradoks. **paradoxist** ['pærədɔksist] paradoks-maker. **paradoxy** ['pærədɔksi] paradoksal be-skaffenhet.
paraffin ['pærəfi(ː)n] parafin; parafinere; — **oil** parafinolje.
paragon ['pærəgɔn] mønster; — **of virtue** dyds-mønster.
paragraph ['pærəgrɑːf] paragraf, avsnitt, styk-ke, notis, artikkel (i et blad); paragrafere, behandle, omtale i en avisnotis; dele opp i av-snitt.
Paraguay ['pærəgwei, 'pærəgwai].
parakeet ['pærəkiːt] parakitt (slags papegøye).
parallax ['pærəlæks] parallakse.
parallel ['pærəlel, -ləl] parallell, likeløpende; tilsvarende; parallell; likhet; sammenlikning; sidestykke; breddegrad, parallellsirkel; trekke parallell, gjøre parallell; løpe parallell med; svare til, kunne måle seg med; komme opp mot. — **bars** skranke (turnapparat). **parallelism** ['pærəlel-izm] parallellisme, likhet, parallell; sammenlik-ning, sammenstilling. **parallelogram** [pærə'leləu-græm] parallellogram.
paralyse ['pærəlaiz] lamme; lamslå, fjetre. **paralysis** [pə'rælisis] lammelse, lamhet. **paralytic** [pærə'litik] lam.
paramount ['pærəmaunt] øverst, som står over alt annet, fremherskende; ytterst viktig; over-herre, overhode.
paramour ['pærəmuə] elsker, frille, elskerinne.
parapet ['pærəpet] brystvern; rekkverk; for-syne med brystvern.
paraphernalia [pærəfə'neiljə] parafernalier; ko-nes særeie; personlig utstyr, smykker; tilbehør, utstyr, remedier, pargas.
paraphrase ['pærəfreiz] omskrivning; omskrive.
paraphrastic [pærə'fræstik] omskrivende.
parasite ['pærəsait] parasitt, snyltegjest, snyl-ter; snylteplante, snyltedyr. **parasitic** [pærə'sitik] snyltende.
parasol [pærə'sɔl] parasoll.
para | suit ['pærəsjuːt] fallskjermdrakt. **-tactic(al)** parataktisk. **-taxis** paratakse. **-trooper** fallskjerm-soldat.

parboil ['pɑːbɔil] halvkoke, gi et oppkok, for-velle; (fig.) skålde, steke.
parcel ['pɑːsl] kvantum, parti (varer); stykke, pakke; parsell, del; fordele, stykke ut; **be part and** — **of** være ett med, inngå i; **by -s** stykkevis; **-s' delivery** pakkebefordring; **by -s' post** med pakkeposten. — **bill** følgebrev. — **frame** bæremeis. — **lift** vareheis. — **office** pakkeekspedisjon. — **post** pakkepost. — **van** vogn til utbringing av pakker; godsvogn.
pareener ['pɑːsənə] medarving.
parch [pɑːtʃ] brenne; svi, tørke bort; riste, roste. **parchedness** ['pɑːtʃidnis] avsvidd tilstand. **parching** ['pɑːtʃiŋ] brennende.
parchment ['pɑːtʃmənt] pergament.
pard [pɑːd] leopard.
pardner ['pɑːdnə] (vulgært for **partner**) kom-panjong, kamerat, kompis.
pardon ['pɑːdn] tilgi; benåde, unnskylde; til-givelse, forlatelse; benådning; — **me** unnskyld! **I beg your** — om forlatelse; hva behager; **beg** — unnskyld, hva behager; **I beg you a thousand -s** (eller **I beg your** — **a thousand times**) jeg ber tusen ganger om forlatelse.
pardonable ['pɑːdnəbl] tilgivelig.
pardoner ['pɑːdnə] (gammelt) avlatskrem-mer.
pardoning ['pɑːdniŋ] barmhjertig.
pare [[pɛə] skrelle; klippe, skave, sneie, skjære (en negl); skrape, beskjære, beklippe.
paregorie [pærə'gɔrik] smertestillende middel.
parent ['pɛərənt] far; mor; en av foreldrene; opphav, moder-; **-s** foreldre. **parentage** ['pɛərən-tidʒ] herkomst, opphav, byrd, slekt, ætt. **parental** [pə'rentəl] faderlig; moderlig; foreldre-.
parenthesis [pə'renθisis] parentes; (fig.) mellom-spill, episode. **parenthesize** [-θisaiz] skyte inn i en parentes.
parenthetic [pærən'θetik] parentetisk.
parenthood ['pɛərənthud] foreldres stilling el. verdighet, foreldrestand; **planned** — familieplan-legging.
parentless ['pɛərentlis] foreldreløs.
parer ['pɛərə] redskap til å skrelle med.
paresis ['pærisis, pə'riːsis] lettere lammelse, parese.
parget ['pɑːdʒit] mørtel, murpuss, stukkatur.
pariah ['pæriə] paria.
paring ['pɛəriŋ]. skrelling; skrell, avskraping. — **chisel** stemjern.
Paris [pæris].
parish ['pæriʃ] sogn, herred, kommune; sogne-; **go on the** — komme på forsorgen. — **clerk** degn, klokker. — **council** sognestyre. — **house** menig-hetshus.
parishioner [pə'riʃənə] som hører hjemme i sognet el. herredet; sognebarn.
parish | minister herredsting. — **minister** sogne-prest. — **officer** kommunal bestillingsmann. — **-pauper** person som underholdes av fattig-vesenet, av forsorgsvesenet. — **pay,** — **relief** fattigunderstøttelse, forsorgsbidrag. — **work** me-nighetsarbeid.
Parisian [pə'riʒən] parisisk; pariser(inne).
parisyllabie [pærisi'læbik] med like mange sta-velser.
parity ['pæriti] likhet, paritet, jevnbyrdighet; — **of exchange** myntparitet.
park [pɑːk] park; skog; anbringe i park; spa-sere i park; parkere (biler); **cars must not be -ed** parkering forbudt.
parka ['pɑːkə] parkas, anorakk.
park auntie parktante.
parking ['pɑːking] parkering. — **brake** hånd-brems. — **charge** parkeringsavgift. — **disk** par-keringsskive — **lot** parkeringsplass. — **meter** parkometer. — **ticket** ≈ rød lapp (for ulovlig parkering).
parlamentarian [pɑːləmen'tɛəriən] parlamen-tariker.
parlance ['pɑːləns] talebruk; språkbruk.

parley ['pɑːli] tale, forhandle; samtale, forhandling; underhandling.

Parliament ['pɑːləmənt] parlament, storting. **parliamentarian** [pɑːləmən'tɛəriən] parlamentarisk; på parlamentets side (i 17. årh.); parlamentariker. **parliamentarism** [pɑːlə'mentərizm] parlamentarisme. **parliamentary** [pɑːlə'mentəri] parlamentarisk; — **train** et av de tog som før 1. Verdenskrig ifølge en parlaments-lov befordret 3. klasses passasjerer til en takst av 1 penny pr. mile.

parlour, (amr.) **parlor** ['pɑːlə] taleværelse i kloster; stue, dagligstue; gjestestue; privatkontor; salong, eks. **beauty** — skjønnhetssalong. — **boarder** pensjonær som mot høyere betaling spiser ved familiens eget bord. — **car** amr. salongvogn. — **carpet** golvteppe. — **game** selskapslek. — **gun** salonggevær. — **maid** stuepike. — **pink** salongkommunist. — **skates** rulleskøyter.

parlous ['pɑːləs] (spøkende uttrykk) farlig.

Parmesan [pɑːmi'zæn] **cheese** parmesanost.

parochial [pə'rəukjəl] sogne-, herreds-, kommunal; (fig.) provinsiell, trangsynt, begrenset.

parodic(al) [pə'rɔdik(l)] parodisk, parodierende. **parodist** ['pærədist] parodiker. **parody** ['pærədi] parodi; parodiere.

parole [pə'rəul] parole, feltrop; æresord; frigi, løslate på æresord el. prøve.

paronomasia [pærənə'meiʒə] ordspill.

parotid [pə'rɔtid] ørekjertel, spyttkjertel ved øret.

paroxysm ['pærəksizm] paroksysme, anfall. **she burst into a** — **of tears** hun brast i krampegråt.

parquet [pɑː'ket, 'pɑːkei, 'pɑːkit] parkettgulv; legge inn parkettgulv, innlegge med trearbeid. — **block** parkettstav. — **flooring** parkettgulv. **parquetry** ['pɑːkitri] parkettgulv, parkettplater.

parr [pɑː] unglaks.

parricidal [pæri'saidəl] fadermordersk; modermordersk. **parricide** ['pærisaid] fadermorder, modermorder; fadermord, modermord.

parrot ['pærət] papegøye; snakke etter; etterape. **parroter** ['pærətə] ettersnakker, etteraper, skravlekopp. **parrotry** ['pærətri] etteraping.

parry ['pæri] avparere; parere, komme seg unna; parade.

parse [pɑːs] analysere (i grammatikk).

Parsee ['pɑːsiː] parser, ildtilbeder.

parsimonious [pɑːsi'məunjəs] knipen, knuslet, altfor sparsommelig. — **fare** sultekost. **parsimony** ['pɑːsiməni] påholdenhet, kniping, knussel.

parsley ['pɑːsli] persille. — **bed** persillebed.

parsnip ['pɑːsnip] pastinakk; **fat words butter no -s** det hjelper ikke med snakk.

parson ['pɑːsn] sogneprest, prest. **parsonage** ['pɑːsnidʒ] sognekall; prestegård.

parsties ['pɑːstiz] (i slang) bakverk.

part [pɑːt] del, part, stykke; andel, lut, del av et skrift, hefte, avdrag; stemme, parti; rolle; område, strøk; -s begavelse, evner; egn, kant (av landet); — **of speech** ordklasse; **the most** — de fleste; **fill one's** — mestre oppgaven; **for the most** — for størstedelen; **for my** — hva meg angår; **take in good** — oppta godt; **on his** — fra hans side; **in foreign -s** i utlandet; **do one's -s** gjøre sitt; **a man of -s** et talentfullt menneske; **don't play me any of your -s** kom ikke med dine kunster; **he would take her** — han ville ta parti for henne; **take** — **with** ta parti for; **in** — delvis.

part [pɑːt] dele; atskille; skille; dele seg, gå i stykker; revne, springe, sprenges; skilles; skille seg; **we -ed with him** vi skiltes fra ham; **our routes -ed** våre veier skiltes; **I won't** — **with my property** jeg vil ikke skille meg av med min eiendom.

part- delvis, part-, stykk; — **cargo** stykkgods.

part. fk. f. participle; particular.

partake [pɑː'teik] delta, ta del, være med; — **of** nyte, innta; besitte noe av; — **too freely of** ta for mye til seg av. **partaker** [pɑː'teikə]

deltaker. **partaking** [pɑː'teikiŋ] deltakelse; delaktighet.

parter ['pɑːtə] deler, atskiller.

parterre [pɑː'tɛə] parterre (i teater); blomsterbed (ved husvegg).

part-exchange bytte inn, skifte ut; innbytte.

Parthia ['pɑːθjə] Partia. **Parthian** [-n] partisk; parter; — **arrow** (el. **bolt** el. **shot**) partisk pil; et rammende svar avlevert idet man går.

partial ['pɑːʃəl] partiell, delvis; særskilt; partisk; **be** — **to** være partisk til fordel for; foretrekke; være inntatt i, ha en svakhet for. — **acceptance** partialaksept. **partiality** [pɑːʃi'æliti] partiell beskaffenhet; partiskhet, ensidighet; svakhet; forkjærlighet. **partially** ['pɑːʃəli] delvis, for en del.

partibility [pɑːti'biliti] delelighet. **partible** ['pɑːtibl] delelig, delbar.

participant [pɑː'tisipənt] deltaker; deltakende. **participate** [pɑː'tisipeit] delta, ta del i. **participation** [pɑːtisi'peiʃən] deltakelse. **participator** [pɑː'tisipeitə] deltaker.

participial [pɑːti'sipjəl] partisipial. **participle** ['pɑːtisipl] partisipp; **past** — perfektum partisipp; **present** — presens partisipp.

particle ['pɑːtikl] liten del; partikkel; fnugg, grann; **not a** — ikke det minste; **there wasn't a** — **of truth in it** der var ikke et grann av sannhet i det. — **board** sponplate.

parti-coloured ['pɑːti'kʌled] broket, spraglet.

particular [pə'tikjulə] særegen, særskilt; bestemt, enkelt, spesiell, viss; viktig; nøyaktig; detaljert; nøyeregnende, fordringsfull, kresen; merkelig, rar; enkelthet, detalj; spesialitet; **he is** — **in his eating** han er kresen med hva han spiser; **for a** — **purpose** i et bestemt øyemed; **they're nobody** — det er ganske alminnelige folk; **it's** — det er av viktighet; **be** — **about** være nøyeregnende med; **in** — især, i særdeleshet; **in that** — i den henseende; **(further) -s** nærmere opplysninger, utførlige opplysninger. **particularity** [pətikju'læriti] særegenhet; omstendighet; eiendommelighet. **particularize** [pə'tikjuləraiz] nevne særskilt, oppføre enkeltvis; gå i det enkelte.

parting ['pɑːtiŋ] delende, kløyvende, skillende; avskjeds-; deling, atskillelse; avdeling; avskjed; oppbrudd; skilsmisse; skill i håret. — **cup** avskjedsbeger. — **strip** midtrabatt (på vei).

partisan [pɑːti'zæn] partisan (slags hellebard). **partisan** [pɑːti'zæn] partigjenger, tilhenger; partitraver, partifanatiker; partisan, geriljasoldat. **partisanship** [pɑːti'zænʃip] partiånd; partitrav, partifanatisme; partisanvirksomhet.

partition [pɑː'tiʃən] deling; skille, skjell; skillerom, skillevegg; skar, hakk; (jur.) skifte; dele, avdele (i rom).

partitive [pɑː'titiv] delende, delings-.

partizan [pɑːti'zæn, pɑːti'zæn] se **partisan.**

partly ['pɑːtli] til dels, delvis.

partner ['pɑːtnə] deltager; parthaver, interessent, kompanjong; makker, medspiller; ektefelle; **acting (active, working)** — aktiv deltager; **silent (sleeping)** — passiv deltager; **be admitted as a** — bli opptatt som kompanjong; **take -s** engasjere. — **race** parløp. **partnership** ['pɑːtnəʃip] kompaniskap, fellesskap; firma; **enter into** — gå i kompaniskap; **limited** — kommandittselskap.

part | owner ['pɑːt'əunə] medeier, parthaver. — **payment** avdrag, nedbetaling.

partridge ['pɑːtridʒ] åkerhøne, åkerrikse; rapphøne.

part | singing ['pɑːtsiŋiŋ] flerstemmig sang. — **song** flerstemmig sang. — **-time** deltids-; — **-time job** deltidsarbeid.

parturition [pɑːtju'riʃən] fødsel.

party ['pɑːti] parti; selskap, lag; kommando, avdeling, deling; flokk, gruppe; deltaker; part, person; **the offended** — den fornærmede part; **give a** — holde et selskap; **a jolly** — et lystig lag;

go to a — gå i selskap; be of the — være med; I will be no — to this affair jeg vil ikke ha noe å gjøre med denne sak; a third — en tredjemann, en upartisk; this here — denne fyren; there will be no — (ved innbydelser) i all enkelhet; I resolved to make her a — jeg besluttet å innvie henne i saken. — card medlemskort i politisk parti, partibok. — -coloured ['pɑ:ti-kʌləd] spraglet. — end partiformål. — fence fellesgjerde. -ing selskapelighet, festing. — machine partiorganisasjon. — man partimann. — rally partikongress. — spirit partiånd. — wall skillemur, skillevegg (mellom to hus).

par value pariverdi.

pas [pɑ:] trinn, dansetrinn; fortrinn, forrang; have the — of gå foran.

paschal ['pɑ:skəl] påske-.

pash [pæʃ] svermeri; svermerisk; have a — on sverme for, være helt på knærne etter.

pasha ['pɑ:ʃə, 'pæʃə, pə'ʃɑ:] pasja.

pasquil ['pæskwil], pasquin ['pæskwin] smedeskrift. pasquinade [pæskwi'neid] smedeskrift.

pass [pɑ:s] passere (gå, komme, kjøre, dra, ri); passere forbi, gå forbi, gå over, gå hen, svinne, falle, forsvinne; bestå, greie, ta (en eksamen); vedtas (om lover); tilbringe; forbigå; la passere; anta; vedta; rekke, levere; utgi; gjennomgå, gjennomleve; — an examination bestå en eksamen; bring to — iverksette, gjennomføre; come to — hende; — by gå forbi; — on passere videre, gå videre; sende videre; — over gå hen over; gå over; forbigå; by way of -ing the time for å fordrive tiden; it -es my comprehension det går over min forstand; he -ed his hand across his eyes han strøk seg med hånden over øynene; — away fordrive tiden; dø, gå bort; — by in silence forbigå i taushet; he -ed it off as genuine han gav det ut for å være ekte; — it on sende det videre; — out besvime; dø; — through gjennomløpe, gjennomgå; he is -ing himself as an unmarried man han gir seg ut for å være ugift.

pass [pɑ:s] passasje, gang, vei, overgang; skar, pass, snevring; seddel el. brev som gir rett til å passere, fribillett; pass; abonnementsbillett; eksamensbevis; pasning, sentring; håndbevegelse; tilnærmelse, kur; krise; matters have come to a bad — det står dårlig til; be at a fine — sitte fint i det; make -es gjøre tilnærmelser.

pass. fk. f. passive.

passable ['pɑ:səbl] framkommelig, farbar; antagelig, brukbar, akseptabel, tålelig, noenlunde bra.

passacaglia [pæsə'kɑ:ljə] passacaglia.

passage ['pæsidʒ] passasje, gang, korridor; overkjørsel; overreise, overfart, gjennomreise, forbigang, forbikjørsel; vei, lei; atkomst; begivenhet, tildragelse; ordskifte, diskusjon; avsnitt, sted (i en bok); gjennomføring, vedtak, beslutning; bird of — trekkfugl; the following — is told of him følgende trekk fortelles om ham; the public have a right of — folk har fri adgang, fri ferdsel. — boat ferjebåt. — money reisepenger; frakt. -way gang, korridor, gjennomgang.

pass|-bill ['pɑ:sbil] tollpass. -book ['pɑ:sbuk] kontrabok; bankbok. -check partoutkort; adgangstegn.

passé ['pæsei] foreldet, passé, falmet.

passenger ['pæs(ə)ndʒe] passasjer, passasjer-, reisende. — accommodation passasjerbekvemmeligheter. — service passasjerbefordring. — ship passasjerskip. — train persontog.

passe-partout ['pæspɑ:tu:] hovednøkkel; bilderamme.

passer ['pɑ:sə] passerende; forbigående; forbireisende. — -by forbigående, forbipasserende. — -through gjennomreisende.

passibility [pæsi'biliti] mottagelighet. passible ['pæsibl] mottagelig. passibleness [-nis] mottagelighet.

passim ['pæsim] på forskjellige steder.

passing ['pɑ:siŋ] forbigående, forbipasserende, forbiseilende; (gml.) overordentlig, forbigående; avgang; død; vedtakelse; pasning, avlevering; — away bortgang, død. — bell likklokke.

passion ['pæʃən] lidelse; pasjon, stemning, sinnsbevegelse; vrede, sinne, forbitrelse; lidenskap; elskov, kjærlighet; be in a — være sint, være rasende; burst into a — of tears bryte ut i voldsom gråt; fly into a — bli hoppende sint. passionate ['pæʃənit] lidenskapelig; voldsom, hissig; pasjonert. passionateness [-nis] lidenskapelighet. passioned ['pæʃənd] lidenskapelig.

passion flower ['pæʃənflauə] pasjonsblomst. Passion| play ['pæʃənplei] pasjonsskuespill. — tide fasten. — Week den stille uke.

passive ['pæsiv] passiv, uvirksom; the — voice passiv (grammatisk); the — passiv.

passivity [pə'siviti] passivitet.

pass key ['pɑ:ski:] hovednøkkel.

passman ['pɑ:smæn] en som tar en gjennomsnittseksamen ved universitetet; middelhavsfarer.

passport ['pɑ:spɔ:t] pass.

pass ticket ['pɑ:stikit] fribillett; abonnement.

password ['pɑ:swɔ:d] feltrop, løsen, stikkord.

past [pɑ:st] forbigangen, forløpen, svunnen, fortidig; tidligere; fortid; forbi, over, ut over, utenom; for the — fortnight i de siste 14 dager; his — life hans fortid; the — tense fortid (i grammatikk); he is — help han står ikke til å hjelpe; — hope håpløs; he is — saving han står ikke til å redde; it is exactly 20 minutes — klokka er nøyaktig 20 minutter over.

paste [peist] masse, deig; leirmasse, pasta, kitt; klister; falsk(e) edelstein(er); klebe, klistre; mørbanke. -board ['peistbɔ:d] papp, kartong, papp-; visittkort. — pot klisterkrukke. — roller kjevle.

Pasteur [pæ'stə:]. pasteurization [pæstərai'zeiʃən] pasteurisering. pasteurize ['pæstəraiz] pasteurisere.

pastille [pə'sti:l] røkelseskule; pastill; røyke.

pastime ['pɑ:staim] tidsfordriv, morskap.

past master [pɑ:st 'mɑ:stə] forhenværende mester (især blant frimurere), mester (i sitt fag).

pastor ['pɑ:stə] hyrde, sjelesørger, prest. pastorage ['pɑ:stəridʒ] pastorat, prestekall. pastoral ['pɑ:st(ə)rəl] hyrde-; prestelig; hyrdedikt. pastorate ['pɑ:stərit] pastorat; prestekall.

pastry ['peistri] butterdeig, butterdeigskaker, konditorkaker, kaker, bakverk; Danish — wienerbrød. -board bakstebord. -cook ['peistrikuk] konditor.

pasturable ['pɑ:stʃərəbl] tjenlig til beite. pasturage ['pɑ:stjuridʒ] beiting; beiteland, hamn. pasture ['pɑ:stʃə] gress, beite, hamnegang; sette på beite, la beite; beite, gå på gress, på beite. — -land beiteland, beitesmark.

pasty ['peisti] deigaktig, klisteraktig; klisterpotte; bokbinder; kjøttpostei.

Pat [pæt] navn for en irlending, fk. f. Patrick.

pat [pæt] klappe, stryke, glatte; tromme lett, trippe; klapp; klatt, klakk; tripping, tripptrapp; fiks ferdig, parat.

pat. fk. f. patent; patented.

patch [pætʃ] lapp, bot, flikk, plaster; flekk, skjønnhetsplett; stykke i mosaikkarbeid; mosaikkstift; siktekorn; lappe, bøte, flikke; he patched up a quarrel han glattet over tretten; patched-up work hastverksarbeid, lappverk. patcher ['pætʃə] lapper, fusker.

patchouli ['pætʃuli] patchouli.

patch|pocket utvendig påsydd lomme. -work lappverk, flikkverk; -work quilt lappeteppe.

patchy ['pætʃi] lappet; gretten.

pate [peit] (i spøk) hode, knoll, skolt, skalle; (fig.) vett, forstand.

pâté [pæ'tei] postei.

patella [pə'telə] liten skål; kneskjell.

patent ['peitənt, 'pætənt] åpen, åpenbar; framtredende; klar, grei, villig; patentert; patent; patentere; gi patent på, ta patent på; —

letter patentbrev; **take out a** — løse patent. **patentable** ['peitəntəbl, 'pæt-] som lar seg patentere. **patentee** [peitən'ti:, pæt-] patenthaver. **patent| fuel** briketter. — **leather shoes** lakksko. **-ly** åpenlyst. — **right** patentrett.
pater ['peitə] opphav, far, husfar (på skole).
patera ['pætərə] utskåret rosett.
paternal [pə'tə:nəl] fader-, faderlig, fedre-, fedrene; patriarkalsk. **paternity** [pə'tə:niti] paternitet, farskap.
paternoster [pætə'nɔstə] fadervår. — **lift** paternosterheis.
path [pɑ:θ] pl. **paths** [pɑ:ðz] sti, gangsti; bane, vei.
path. fk. f. **pathology.**
pathbreaker ['pɑ:θbreikə] banebryter.
pathetic [pə'θetik] patetisk, gripende, rørende. **pathetical** [pə'θetikl] rørende. **pathetics** [pə'θetiks] det rørende; rørende opptrinn.
pathfinder ['pɑ:θfaində] stifinner; foregangsmann.
pathology [pə'θɔlədʒi] patologi, sykdomslære. **pathos** ['peiθɔs] patos, følelse, lidenskap, varme. **pathway** ['pɑ:θwei] fortau; gangsti, vei, bane. **patience** ['peiʃəns] tålmodighet, utholdenhet, langmodighet; kabal (i kort); hagesyre (planten); **I have no** — **with him** jeg kan ikke utstå ham; **be out of** — **with** være trett av; være meget sint på; **lose (one's)** — miste tålmodigheten; — **cards** kabalkort; **play** — legge kabal.
patient ['peiʃənt] tålmodig; lidende; pasient.
patois ['pætwa:] patois, folkemål; dialekt, målføre.
patrial ['peitriəl] patrial, familie-; folke-.
patriarch ['peitriɑ:k] patriark. **patriarchal** [peitri'ɑ:kl] patriarkalsk. **patriarchism** ['peitria:kizm] patriarkvelde, patriarkalsk styre. **patriarchship** [-ɑ:kʃip], **patriarchy** [-ɑ:ki] patriarkat.
patrician [pə'triʃən] patrisisk, adelig; patrisier. **patricianism** [-izm] egenskap, rang som patrisier. **patriciate** [pə'triʃiit] patrisiat, patrisiere.
patricide ['pætrisaid] fadermord, fadermorder.
Patrick ['pætrik] Patricius; **St.** — Irlands skytshelgen.
patrimonial [pætri'məunjəl] arvet (fra fedrene), arve-. **patrimony** ['pætriməni] fedrenearv.
patriot ['peitriət, 'pæt-] patriot, fedrelandsvenn; patriotisk, fedrelandssinnet, fedrelandsk. **patriotic** [pætri'ɔtik] patriotisk. **patriotism** ['pætriətizm] patriotisme, fedrelandskjærlighet.
patrol [pə'trəul] patrulje; runde; avpatruljere; patruljere, gå runden. **-man** patruljerende konstabel.
patron ['peitrən, 'pæt-] patron, beskytter, velynder; skytshelgen; fast kunde, stamgjest. **patronage** ['pætrənidʒ] beskyttelse, proteksjon, yndest, støtte; kallsrett. **patroness** ['peitrənis, 'pæt-] beskytterinne, velynder; skytshelgen. **patronize** ['pætrənaiz] beskytte, støtte, være velynder av, ynde; være kunde el. gjest hos, søke; behandle nedlatende. **patronizer** [-ə] beskytter, velynder, venn. **patron saint** skytshelgen.
patronymic [pætrə'nimik] familie-, slekts-; familienavn, etternavn, srl. laget av farsnavnet.
patroon [pə'tru:n] (amr.) grunneier (med spesielle rettigheter).
patten ['pætin] tresko; fotstykke, svillstokk.
patter ['pætə] hagle, knitre, larme, piske, tromme; la hagle, tromme; trippe; mumle, mumle fram; plapre, ramse opp; hagling, knitring, larm, larming, pisking, tromming; tripping; klapring; snakk, skravl, regle, utenatlært lekse.
pattern ['pætən] modell, mønster; prøve; slag, type; struktur, kombinasjon; forløp; forme; pryde (med et mønster); **set him a** — foregå ham med et godt eksempel; **take** — **by** ta til mønster; **of a** — **with** i smak med; **to** — etter modell, etter mønster; **a** — **young man** et eksemplarisk ungt menneske. — **card** prøvekort. — **paper** sjablonpapir.

patty ['pæti] liten postei. **-pan** kakeform.
paucity ['pɔ:siti] fåtallighet; knapphet.
Paul [pɔ:l]; **St. Paul** Paulus; **St. Paul's (Cathedral)** St. Paulskatedralen (i London).
Paulina [pɔ:'lainə, -'li:nə].
paunch [pɔ:nʃ] buk; vom; skamfilingsmatte. **-y** tykkmaget.
pauper ['pɔ:pə] fattig; fattiglem. **pauperism** [-rizm] armod, forarming, pauperisme. **pauperization** [pɔ:pərai'zeiʃen] utarming. **pauperize** ['pɔ:pəraiz] forarme.
pause [pɔ:z] stans, stansing, tankestrek; pause; betenkelighet, uvisshet; gjøre pause; betenke seg, stanse, dvele, nøle; **give** — **to** vekke til ettertanke.
pave [peiv] brulegge; bane, jevne; dekke, belegge; — **way for** (fig.) bane vei for. **pavé** ['pævei] brulagt vei.
pavement ['peivmənt] brulegning, veidekke, fortau. — **pusher** gateselger.
paver ['peivə] brulegger.
pavilion [pə'viljən] telt, paviljong, utstillingsbygning; demme med telt; gi ly, spenne sitt telt over.
paving ['peiviŋ] brulegning; brustein, heller. — **flag** fortaushelle. — **beetle** bruleggerjomfru. — **brick** brulegningsfliser. — **stone** brustein.
pavior ['peivjə] brulegger; bruleggerjomfru.
pavo ['peivəu] påfugl.
paw [pɔ:] pote, labb; hånd, neve; fot; skrape, stampe med foten; skrape, stampe på; grapse, håndfare; **keep one's -s off** holde fingrene av fatet.
pawed [pɔ:d] med poter; bredlabbet.
pawn [pɔ:n] bonde (i sjakk); brikke (i dam).
pawn [pɔ:n] pant; pantelåner; pantsette.
pawn|broker ['pɔ:nbrəukə] pantelåner. **-broking** pantelånervirksomhet. **pawnee** [pɔ:'ni:] panthaver. **pawner** ['pɔ:nə] pantsetter. **pawnshop** ['pɔ:nʃəp] pantelånerbutikk. **pawn ticket** panteseddel.
pay [pei] betale, utbetale, lønne; svare seg; avlevere; gjengjelde; avlegge (et besøk); vise, gjøre; — **a bill** el. **draft** innfri en veksel; **it did not** — **cost** det dekket ikke omkostningene; **there's the devil to** — nå er fanden løs; **it won't** — det svarer seg ikke; — **one's way** betale for seg; — **down** nedbetale (avdrag); legge ut (et beløp); **I'll** — **you off for this** det skal du nok få svi for, få igjen; — **off a loan** innfri et lån; — **for** betale for, betale; **he will** — **for it very dearly** det vil han få svi for; — **a compliment** si en kompliment; — **attention** være oppmerksom; — **home** gjengjelde fullt ut; — **a visit** avlegge et besøk.
pay [pei] betaling, lønning, gasje; sold; hyre; godtgjørelse; **draw** — heve gasje; **take into his** — ta i sin tjeneste.
payable ['peiəbl] betalbar, å betale, som kan betales; forfallen; som svarer seg; **bill** (el. **note**) — **to bearer** veksel lydende på ihendehaveren, ihendehaverveksel.
pay-as-you-earn system skatt av årets inntekt, lønnsskattsystem.
pay|bed privat pasient, betalende pasient. **-day** lønningsdag. — **desk** kasse (i forretning).
P. A. Y. E. fk. f. **pay-as-you-earn.**
payee [pei'i:] den som pengene skal betales til, mottaker, remittent. **payer** ['peiə] utbetalende, betaler. **paying** ['peiiŋ] lønnende, som svarer seg, lønnsom, rentabel, som svarer regning.
payload ['peiləud] nyttelast (om fly).
paymaster ['peimɑ:stə] kasserer; kvartermester; intendant; **take care who is your** — se til at De får pengene Deres.
payment ['peimənt] betaling, innbetaling; lønning, utbetaling; innfriing (av en veksel).
payments union betalingsunion.
payoff avregning, utbetaling; endelig resultat, utbytte, fortjeneste.
pay | office ['peiɔfis] kassekontor, hovedkasse. — **packet** lønningspose. — **phone** telefon med

myntinnkast. -roll lønningsliste. — talks lønns-forhandlinger.
P. B. fk. f. **Prayer Book.**
P. C. fk. f. **post card; police constable; Privy Council; Privy Councillor.**
p. c. fk. f. **per cent.**
pd. fk. f. **paid.**
pea [pi:] ert; **split -s** gule erter; **they are as like as two -s** de er så like som to dråper vann.
peace [pi:s] fred; fredsslutning; offentlig ro og orden; freds-; **for the sake of** — for husfredens skyld; **keep** — holde fred; **make** — stifte fred (**between** imellom), slutte fred (**with** med); **I am at** — jeg har funnet fred; **at** (by) **the** — of ved (i) freden i; **justice of the** — fredsdommer (ulønt lavere dommer uten juridisk utdanning); — **of mind** sjelefred, sinnsro.
peaceable ['pi:səbl] fredelig, fredsommelig.
peace|breaker fredsforstyrrer. — **establishment** fredsstyrke. — **footing** fredsfot.
peaceful ['pi:sf(u)l] fredelig, fredfull, stille, rolig.
peace|-loving fredelig, fredselskende. **-maker** fredsmegler, fredsstifter; revolver; **blessed are the -makers** salige er de fredsommelige. — **offering** takkoffer, sonoffer. — **officer** politietjeneste-mann. — **party** fredsparti. — **policy** fredspolitikk. **-time** fredstid, fredstids-.
peach [pi:tʃ] fersken; ferskentre; nydelig jente; fersken-.
peach [pi:tʃ] sladre, tyste; sladderhank, fisletut.
peachblow ['pi:tʃbləu] fin lyserød farge (på porselen).
peachy ['pi:tʃi] ferskenaktig, ferskenfarget.
peacoat ['pi:kəut] pjekkert.
peacock ['pi:kɔk] påfugl. **peacockery** [-kɔ:kri] overmot, overlegenhet, stolthet. **peacocky** stolt, kry, viktig.
peafowl ['pi:faul] påfugl.
pea green ['pi:'gri:n] ertegrønn.
pea hen ['pi:'hen] påfuglhøne.
pea jacket ['pi:dʒækit] pjekkert.
peak [pi:k] spiss, topp, fjelltind; lueskygge, brem; toppunkt, maksimum, topp-, maksimal-; være (el. bli) tynn, mager, se sykelig ut, skrante. — **arch** spissbue.
peaked [pi:kt] spiss, skarp, tynn. — **cap** skyggelue. — **shoe** snabelsko.
peaking ['pi:kiŋ] klynkende; krypende; klynk.
peaklet ['pi:klit] liten tinde.
peaky ['pi:ki] som løper spisst ut; mager, skrinn, spiss.
peal [pi:l] brak, drønn, skrell, skrall; klang, ringing, kiming; **a** — **of laughter** en lattersalve; **the -s of the organ** orgelbrus.
peal [pi:l] brake, drønne, skrelle, skralle, tordne; ringe, kime, bruse; la brake, ringe.
peanut ['pi:nʌt] jordnøtt, peanøtt; liten, uvesentlig; **it's only -s** det er bare blåbær el. barnemat; **the Peanuts** Knøttene (tegneserien).
pear [pɛə] pære.
pearl [pə:l] perle; hvit flekk i øyet, stær; (fig.) gullkorn; besette med perler; avskalle; **mother of** — perlemor. **-aceous** [pə:'leiʃəs] perleaktig, perlemoraktig.
pearl ash ['pə:læʃ] perleaske (slags pottaske).
pearl | barley ['pə:l'ba:li] perlegryn. — **button** perlemorsknapp. — **diver** perlefisker. — **diving** perlefiske.
pearled [pə:ld] perlebesatt, perlelignende.
pearl|-embroidered perlestukken. — **fisher** perlefisker. — **grass** bevergress. — **grey** perlegrå. — **oyster** perlemusling. — **shell** perleskjell. — **string** perlesnor. **-white** hvit sminke.
pearly ['pə:li] perlerik, perleklar; perle-.
Pears [pɛəz] **Pears' soap** Pears' såpe.
pear tree ['pɛətri:] pæretre.
peasant ['pezənt] bonde (om småbønder og landarbeidere). — **farmer** bonde. — **industries** husflidvirksomhet. — **man** bondemann. — **proprietor** odelsbonde. **peasantry** ['pezəntri] bonde-stand, bønder.

pease [pi:z] (gml.) ert. — **blossom** erteblomst. — **meal** ertemel.
pea|shell ['pi:ʃel] ertebelg. **-shooter** pusterør, blåserør, ertebøsse. — **soup** ertesuppe, gule erter. **-stick** erteris.
peat [pi:t] torv, brenntorv. — **bog** torvmyr. — **hag.** — **moss** torvmyr. — **reek** ['pi:tri:k] torvrøyk. **peaty** ['pi:ti] torvrik; torvaktig.
pebble ['pebl] liten rullestein, fjærestein, kisel-stein, stein, småstein. — **crystal** bergkrystall. — **glasses** krystallbriller.
pebbly ['pebli] full av småstein, steinet; nupret (om lær).
peccability [pekə'biliti] syndighet. **peccable** ['pekəbl] syndefull. **peccadillo** [pekə'diləu] liten synd, liten forseelse. **peccancy** ['pekənsi] synde-fullhet, forseelse. **peccant** ['pekənt] syndig, synde-full; sykelig. **peccavi** [pe'keivai] jeg har syndet, syndstilståelse, syndserkjennelse.
peck [pek] halvskjeppe, 9,087 l; mengde, haug, bråte; **be in a** — **of troubles** sitte i vanskeligheter til opp over ørene.
peck [pek] pikke, hakke, banke, knerte; pikke på; spise; arbeide; tjene sitt brød; hakk, merke; mat, føde.
peck [pek] falle, snuble.
peckage ['pekidʒ] fôr, mat.
pecker ['pekə] pikker, hakker; pikkende, hak-kende; (hakke)spett; matlyst; mot, humør; **keep up one's** — ikke miste motet. **pecket** ['pekit] pikke. **peckish** ['pekiʃ] sulten, småsulten; irri-tabel; fristende.
Pecksniff ['peksnif] salvelsesfull hykler (fra Dickens' roman Martin Chuzzlewit).
pectinate ['pektinit] kamformet.
pectination [pekti'neiʃən] kamform, kam.
pectoral ['pektərəl] bryst-; brystplate, bryst-stykke.
peculate ['pekjuleit] begå underslag, stjele av kassen. **peculation** [pekju'leiʃən] underslag, kasse-svik. **peculator** ['pekjuleitə] kassetyv.
peculiar [pi'kju:ljə] egen, eiendommelig, sær-egen; særlig; underlig, rar; særeie, særrett. **pe-culiarity** [pikju:li'æriti] egenhet, eiendommelighet, særegenhet. **peculiarly** særlig, særdeles; merkelig, underlig, påfallende.
pecuniary [pi'kju:njəri] pekuniær, penge-.
pedagogic [pedə'gɔgik, pedə'gɔdʒik] pedago-gisk. **pedagogical** [pedə'gɔgikl, -'gɔdʒikl] pedago-gisk. **pedagogics** [-iks] pedagogikk. **pedagogism** ['pedəgɔgizm] pedagogs arbeid; pedanteri. **peda-gogue** ['pedəgɔg] pedagog; pedant. **pedagogy** ['pedəgɔgi, -gɔdʒi] pedagogikk.
pedal ['pedəl, 'pi:dəl] pedal, fot-; pedal; bruke pedalen; sykle.
pedant ['pedənt] pedant. **pedantic** [pi'dæntik] pedantisk. **pedantical** [-kl] pedantisk. **pedantry** ['pedəntri] pedanteri.
peddle ['pedl] være kramkar, fare med skrep-pe, drive småhandel, høkre, reise omkring og falby. **peddler** selger, kramkar. **peddling** ['pedliŋ] høkeraktig; handel som kramkar, dørsalg, små-salg.
pedestal ['pedistəl] fotstykke, sokkel, pidestall.
pedestrian [pi'destriən] fot-; til fots; gående; fotgjenger. — **crossing** fotgjengerfelt. **-izm** fot-turisme, fotsport; snusfornuft, tørrhet. — **pre-cinct** fotgjengerstrøk, område med gågater.
pedestrianism [-izm] fotvandring; fotturer; fot-sport. **pedestrianize** [-aiz] bruke føttene; foreta fotturer; omgjøre til gågate(r). **pedestrianized street** gågate.
pedicab ['pedikæb] trehjuls sykkeldrosje.
pedicure ['pedikjuə] fotpleie, pedikyr. **-ist** fot-pleier.
pedigree ['pedigri:] stamtavle, stamtre, her-komst, ætt. — **animal** rasedyr.
pediment ['pedimənt] gavl over dør el. vindu.
pedlar ['pedlə] kramkar, skreppekar, kremmer.
pedlaress ['pedləris] kvinnelig kremmer. **pedlary** [-ri] skreppehandel; kram.

pedomiter [pi'dɔmitə] skrittmåler.
pedrail ['pedreil] larveføtter til bil (tank).
peek [pi:k] titte, kikke.
peel [pi:l] grissel, brødspade; firkantet borgtårn (i skotsk grenseområde).
peel [pi:l] skrelle, skalle, flekke, flasse av; avbarke; plyndre; kle av; la seg skrelle av; skall, skinn, skrell.
Peel [pi:l].
peeler ['pi:lə] en som skaller, skreller; røver, plyndrer.
peeler ['pi:lə] politibetjent (etter Robert Peel).
peeling ['pi:liŋ] skrell, skall; skinn; bark; avskalling, flass.
peep [pi:p] kikke, gløtte, titte fram; pipe, kvitre; pip; titting; kikk, gløtt; tilsynekomst, frambrudd; innblikk. **peep-bo** ['pi:p'bau] tittelek.
peeper ['pi:pə] spion; kikker; øye. **peep(ing) hole** kikkhull.
Peeping Tom kikker.
peep show ['pi:pʃau] perspektivkasse.
peer [piə] stirre, kikke, gløtte, speide; stirre på; komme til syne, bryte fram.
peer [piə] likemann, like; jevning; pair; adelsmann, overhusmedlem; **House of Peers** overhuset; **create him a** — opphøye ham i adelstanden. **peerage** ['piəridʒ] pairs verdighet; adelskap; adel, adelsstand; adelskalender.
peeress ['piəris] pairs frue, adelsdame.
peerless ['piəlis] uforliknelig, makeløs. **peerlessness** [-nis] uforliknelighet.
peery ['piəri] stirrende, nysgjerrig (om blikk).
peeved [pi:vd] irritert, plaget, ergerlig.
peevish ['pi:viʃ] sær, gretten. **peevishness** [-nis] grettenhet.
Peg [peg] (kjælenavn for **Margaret**).
peg [peg] pinne; nagle, tapp; plugg; knagg; holder; klesklype; skrue; konjakk og vann; shilling; nagle; plugge; binde; stikke; markere; bestemme, fastsette; arbeide ivrig; **a suit off the** — en konfeksjonssydd dress; **come down a** — slå av litt; **take him down a** — døyve ham, gjøre ham myk; **use it as a** — bruke det som middel; **move one's -s** gå bort; — **out** stikke opp, avmerke (med pinner).
pegging awl ['pegiŋɔ:l] pluggsyl.
Peggotty ['pegɔti]. **Peggy** ['pegi].
peg leg person med treben.
peg top ['pegtɔp] snurrebass.
peignoir ['peinwɑ:] peignoir, frisérkåpe.
pejorative ['pi:dʒərətiv] nedsettende; nedsettende bemerkning.
pekan ['pekən] pekan, slags mår.
Pekin [pi:'kiŋ], **Peking** [pi:'kiŋ] Peking. **pekin(g)ese** [-'i:z] pekingeser (også hunderasen); pekingesisk.
pelage ['pelidʒ] hårdrakt, hårlag.
pelagic [pi'lædʒik] pelagisk, hav-.
pelargonium [pelə'gaunjəm] pelargonium.
pelerine ['peləri:n] pelerine, skulderslag.
pelf [pelf] rikdom, mammon, mynt.
pelican ['pelikən] pelikan.
pelisse [pi'li:s] damepaletot, (skinn)kåpe.
pell [pel] skinn; pergamentrull; **clerk of the -s** bokholder i skattkammeret.
pellet ['pelit] liten kule, pille, hagl.
pell-mell ['pel'mel] hulter til bulter; forvirret.
pellucid [pe'l(j)u:sid] klar, gjennomsiktig. **pellucidity** [pel(j)u'siditi], **pellucidness** [pe'l(j)u:-sidnis] gjennomsiktighet, klarhet.
pelmet ['pelmit] gardinkappe, gardinbrett.
Peloponnesian [peləpə'ni:ʃən] peloponnesisk; peloponneser.
pelt [pelt] fell, pels, skinn med hårene på; skiferstein.
pelt [pelt] dynge over, overdenge, bombardere; kaste med; kaste, hive; piske; øse ned, hølje (om regn); kast, slag; pisking, pøsing; **set off at full** — sette av sted i fullt trav.
pelter ['peltə] kaster; angriper; skur, hagl, plaskregn, høljregn.

peltmonger ['peltmʌŋgə] pelsvarehandler.
peltry ['peltri] pelsverk, pelsvarer.
pelvie ['pelvik] bekken- (i anatomi).
pelvis ['pelvis] bekken.
pemmican ['pemikən] pemmikan (slags konservert kjøtt).
P. E. N. fk. (**International Association of Poets, Playwrights, Editors, Essayists & Novelists**) PEN-klubben.
pen [pen] kve; innelukke; sauegrind, hønsegård; avlukke, celle, fengsel; stenge inne, sperre inne; inneslutte; kvee, sette i kve; — **up the** water demme opp for vannet.
pen [pen] penn; skrivemåte, stil; skrive, føre i pennen.
penal ['pi:nəl] straffe-, kriminal; straffbar, kriminell. — **code** straffelov. — **interest** strafferente. — **servitude** straffarbeid.
penalize ['pi:nəlaiz] gjøre straffbart, sette straff for; belaste med straffepoeng; stille ugunstig.
penally ['pi:nəli] under straff.
penalty ['pen(ə)lti] straff, bot, pengebot, mulkt; handikap (i sport); **the** — **of death** dødsstraff; **impose a** — idømnfe en mulkt; **pay the** — **of** bøte for, sone; **on** — **of** under straff av. — **area** straffefelt. — **kick** straffespark. — **rate** økonomisk godtgjørelse for fare, smuss cl. støy.
penance ['penəns] bot, botsøving; pålegge bot.
pen-and-ink ['penəndiŋk] **drawing** pennetegning.
Penang [pi'næŋ]. — **nut** betelnøtt.
pen case ['penkeis] pennehus, penal.
pence [pens] pence, pl. av **penny**.
penchant [fr., 'pɑ̃:ŋʃɑ̃:ŋ] hang, tilbøyelighet.
pencil ['pensl] blyant; griffel, stift; liten pensel; male, tegne, skrive med blyant; rable ned. — **case** penal. — **drawing** blyanttegning.
pencilled ['pensld] skrevet med blyant; stråleformig. **penciller** ['penslə] veddemålsagent. **pencilling** ['pensliŋ] blyantskrift; blyantskisse. **pencil sharpener** ['pensiʃɑ:pnə] blyantspisser.
pendant ['pendənt] hengende; tilheng, tillegg; pendant; ørering; dobbe, vimpel, stander.
pendency ['pendənsi] henging (utover); det å være uavgjort; **during the** — **of the suit** mens saken står på.
pendent ['pendənt] hengende; ragende utover.
pending ['pendiŋ] hvilende, svevende, uavgjort; verserende, gående; forestående; truende; (preposisjon om tiden:) under, i løpet av; i påvente av.
pendulous ['pendjuləs] hengende; svingende.
pendulum ['pendjuləm] pendel. — **clock** pendelur. — **scales** skålevekt.
Penelope [pi'neləpi].
penetrability [penitrə'biliti] gjennomtrengelighet. **penetrable** ['penitrəbl] gjennomtrengelig; sårbar, tilgjengelig. **penetralia** [peni'treiliə] innerste; hemmeligheter, gjennomtrenging; skarphet. **penetrancy** ['penitrənsi] inntrengenhet, gjennomtrenging; skarphet. **penetrant** ['penitrənt] inntrengende, gjennomtrengende, skarp.
penetrate ['penitreit] trenge inn i, trenge igjennom, gjennomtrenge, gjennombore, røre, gjøre inntrykk på; utgrunne, gjennomskue; trenge inn, bane seg vei. **penetrating** ['penitreitiŋ] gjennomtrengende; skarp; skarpsindig; dyp. **penetration** [peni'treiʃən] inntrenging, gjennomtrenging, gjennomslag; skarpsindighet; innsikt; kløkt. **penetrative** ['penitrətiv] inntrengende, gjennomtrengende; skarp; skarpsindig. **penetrativeness** [-nis] inntrenging, skarphet.
penfold ['penfauld] kve, innhegning.
penguin ['peŋgwin] pingvin.
penholder ['penhəuldə] penneskraft.
penicillin [peni'silin] penicillin.
peninsula [pi'ninsjulə] halvøy; **the Peninsula** (især:) Pyreneerhalvøya. **peninsular** [pi'ninsjulə] halvøy-; halvøyformet; beboer av halvøy; **the P. War** Englands krig på Pyreneerhalvøya mot Napoleon 1808—14.

penitence ['penitəns] anger; sjelebot. penitent ['penitənt] angrende, angerfull, botferdig; skriftebarn. penitential [peni'tenʃəl] anger-; angrende, botferdig. penitentiary [peni'tenʃəri] bots-, pønitense-; angrende; fengsel.

penknife ['pennaif] penknniv.

penman ['penmən] skribent; kalligraf.

penmanship ['penmənʃip] skrivedyktighet.

Penn., Penna. fk. f. Pennsylvania.

pen name ['penneim] påtatt forfatternavn, psevdonym.

pennant ['penənt] vimpel, stander.

pen nib pennesplitt.

pennies ['peniz] pennyer, pennystykker.

penniform ['penifɔ:m] fjærformet.

penniless ['penilis] fattig, uten en skilling, blakk; a — beggar en fattig lus. pennilessness [-nis] fattigdom.

pennon ['penən] vinge; vimpel, vaker.

penn'orth ['penəθ] = pennyworth.

Pennsylvania [pensil'veinjə].

penny ['peni] penny, 1/100 £, tidligere 1/12 shilling, ca. 13 øre; penger, skilling; (amr.) cent; a — for your thoughts! ti øre for tankene dine; I'll bet you a — jeg skal vedde; at last the — dropped endelig gikk det et lys opp; make a — tjene penger; a pretty — en pen skilling, en pen slant; he thinks his — silver han har høye tanker om seg selv; turn an honest — tjene seg en skilling på ærlig vis; in for a —, in for a pound når man har sagt A, må man også si B; take care of the pence, and the pounds will take care of themselves! vær sparsommelig i småting! he that will not keep a — shall never have many den som ikke sparer på skillingen, får aldri daleren; a — saved is a — got penger spart er penger tjent; to spend a — å gå et visst sted (på toalettet).

penny|-a-liner ['peniə'lainə] bladneger. — bank sparebøsse. — dreadful røverroman, fillebok. — drive pennytur. — gaff fjelebodsteater; kneipe. — in-the-slot machine automat. — pig sparegris. — post pennypost. — postage pennyporto. — roll lite franskbrød. — stamp pennyfrimerke. — starver lite franskbrød. -weight et vektlodd. -wise sparsommelig i småting; be — -wise and pound-foolish spare på skillingen og la daleren gå.

pennyworth ['penəθ, 'peniwə:θ] til en verdi av en penny, så mye som fås for en penny; full verdi for pengene, godt kjøp; liten smule; have a good — of a thing få noe svært billig.

pen | pal pennevenn. — portrait pennetegning. — pusher bladsmører.

penology [pi'nɔlədʒi] straffelære.

pension ['penʃən] understøttelse, stønad, pensjon; tiendepenger; føderåd; pensjonat, pensjon; pensjonere, sette på pensjon; not for a — ikke for alt i verden; retire on a full-pay — trekke seg tilbake med sin fulle gasje i pensjon; old-age — alderdomspensjon, alderspensjon, alderstrygd.

pensionary ['penʃənəri] pensjonert; pensjons-; pensjonist; betalt; Grand P. premierminister, statssekretær.

pension|er ['penʃənə] pensjonist; føderådsmann, student av 2. klasse i Cambridge: the King's -ers kongelige æresvakt. — plan, — scheme pensjonsordning.

pensive ['pensiv] tankefull, fortenkt, tungsindig. pensiveness [-nis] tankefullhet.

penstock ['penstɔk] damluke, sluseport; renne, rørledning.

pent [pent] innelukket, innesperret.

pentacapsular [pentə'kæpsjulə] med fem rom.

pentachord ['pentəkɔ:d] femstrenget instrument.

pentagon ['pentəgən] femkant; the Pentagon (amr.) forsvarsdepartementets bygning i Washington. pentameter [pen'tæmitə] pentameter, femfotsvers. pentangular [pen'tæŋgjulə] femvinklet.

Pentateuch ['pentətju:k] de fem mosebøkene.

pentathlon [-'tæθ-] femkamp.

Pentecost ['pentikɔst] (jødenes) pinse. pentecostal ['penti'kɔstəl] pinse-.

penthouse ['penthaus] bislag, leskur; skråtak; takleilighet, ungkarsleilighet.

pent roof ['pentru:f] halvtak, skråtak.

pent-up ['pent'ʌp] innelukket, innesperret; inneklemt, innestengt, oppdemt; undertrykt.

penultimate [pi'nʌltimit] nest sist, nest siste stavelse.

penurious [pi'njuəriəs] fattig, knapp, snau, sparsom, gjerrig, skrinn. penuriousness [-nis] fattigdom, knapphet. penury ['penjuri] armod, fattigdom, trang.

pen wiper ['penwaipə] pennetørker.

Penzance [pen'zæns].

peon ['pi:ən] dagleier; leiekar; (i Mexico:) gjeldsfange; (i India:) bud, politibetjent.

peony ['pi:əni] bonderose, peon.

people ['pi:pl] folk, folkeslag; mennesker; familie; befolke; the — (amr.) påtalemyndighetene, eks. the P. versus N. N. (i rettsak); the -s of Europe Europas nasjoner; the — folket, den store masse; a man of the — en mann av folket; — of quality standspersoner; -'s democracy folkedemokrati; -'s edition folkeutgave; People's Palace, londonsk institusjon til folkeopplysning. the People's Republic of China Den kinesiske folkerepublikk.

pep [pep] kraft, mot, futt, tæl.

pepper ['pepə] pepper; stryk; pryl; pepre; (fig.) krydre; overdenge; beskyte. — -and-salt grålmelert. -box pepperbøsse. — cake pepperkake. — caster pepperbøsse. -corn pepperkorn; småting. -cress hagekarse. pepperer ['pepərə] peprer; brushode. peppering ['pepəriŋ] skarp; sint.

pepper|mint ['pepəmint] peppermynte. — pot pepperbøsse. -wort karse.

peppery ['pepəri] hissig, brå, irritabel; pepret. pep pill oppkvikkende el. stimulerende pille. pepsin ['pepsin] pepsin (stoff i mavesaften). pep talk oppmuntrende, oppeggende tale. peptic ['peptik] peptisk, fordøyelses-; lettfordøyelig; fordøyelsesmiddel.

Pepys [pi:ps, 'pepis].

per [pə:] igjennom; ved, om, pr.; — annum pro anno, for året; — bearer ved overbringer; as — account ifølge regning; — cent prosent, pr. hundre; as — usual som sedvanlig.

peradventure [pərəd'ventʃə] kan hende, kanskje; ubetinget, uten tvil.

perambulate [pə'ræmbjuleit] gjennomvandre; bereise; undersøke. perambulation [pəræmbju-'leiʃən] gjennomreise; inspeksjonsreise. perambulator [pə'ræmbjuleitə] barnevogn.

perceivable [pə'si:vəbl] kjennelig, merkbar.

perceive [pə'si:v] fornemme, merke, oppfatte, føle, se, bemerke.

per cent [pə'sent] prosent.

percentage [pə'sentidʒ] prosent, prosentsats, prosenttall; tantième; prosentvis.

perceptibility [pəsepti'biliti] det å oppfatte; merkbarhet. perceptible [pə'septibl] kjennelig, merkbar. perception [pə'sepʃən] oppfatting, erkjennelse; oppfattingsevne; nemme.

perceptive [pə'septiv] oppfattende; oppfattnings-. — faculty oppfatningsevne. perceptivity [pəsep'tiviti] oppfatningsevne; nemme.

perch [pə:tʃ] stang; pinne, vagle, hønsehjell; høy plass, høyt stade; (lengdemål) 5½ yard; (flatemål) 30¼ kvadratyard; sette seg, slå seg ned; sitte (om fugler); anbringe, sette, legge (på et høyere sted); the convent is -ed on a crag klostret ligger på en bergknaus.

perch [pə:tʃ] åbor, tryte.

perchance [pə'tʃɑ:ns] kanskje; tilfeldig.

percher ['pə:tʃə] sittefugl.

percipience [pə(:)'sipiəns] oppfatningsevne. percipient [pə'sipjənt] fornemmende, oppfattende.

percolat|e ['pə:kəleit] filtrere, perkolere; sive. -or perkolator, ≈ kaffetrakter.

percussion [pə'kʌʃən] støt, slag, sammenstøt, rystelse; — **of the brain** hjernerystelse. — **cap** fenghette, knallperle. — **igniter** tennrør. — **instrument** slagverk. — **shell** sprenggranat.

percussive [pə'kʌsiv] støt-.

per diem daglig, dag-; dagpenger.

perdition [pə:'diʃən] fortapelse, undergang.

perdu [pə:'dju:] skjult.

peregrinate ['perigrineit] vandre; leve i utlandet. **peregrination** [perigri'neiʃən] vandring, reise; opphold i utlandet.

peregrine ['perigrin] farende, flakkende; vandrefalk. — **falcon** vandrefalk.

peremptory ['perəmtəri, pə'remtəri] avgjørende, bestemt, sikker, bydende, kategorisk.

perennial [pə'renjəl] stetsevarig; uopphørlig, uuttømmelig; varig; flerårig; flerårig plante, staude. **perennity** [pə'reniti] flerårighet.

perfect ['pə:fikt] fullkommen, perfekt; total, komplett, fullstendig, formelig; **the** — perfektum; **practice makes** — øvelse gjør mester; **he's a** — **fool** han er den fullkomne idiot.

perfect [pə'fekt] fullkommengjøre, utvikle, utdanne, forbedre, utbedre; — **oneself** perfeksjonere seg, dyktiggjøre seg.

perfectation [pə:fek'teiʃən] fullkommengjøring.

perfecter [pə:fiktə, pə'fektə] utvikler. **perfectibility** [pəfekti'biliti] utviklingsevne. **perfectible** [pə'fektibl] som kan utvikles, bli fullkommen.

perfection [pə'fekʃən] fullkommenhet; ,perfeksjonering; fullkomment kjennskap; **attain** — nå det fullkomne; **in** —, **to** — fortreffelig, utmerket; **she acts to** — hennes spill er fortreffelig.

perfectionist [pə'fekʃənist] en som tilstreber fullkommenhet, perfeksjonist; være fullkommen; svermer (religiøs, politisk).

perfective [pə'fektiv] utviklende; perfektiv.

perfectly ['pə:fiktli] fullkommen, til fullkommenhet. **perfectness** ['pə:fiktnis] fullkommenhet.

perfervid [pə:'fə:vid] brennende, glødende (om følelser).

perficient [pə'fiʃənt] fullbyrder, stifter.

perfidious [pə'fidiəs] troløs, falsk; utro; gemen, tarvelig. **perfidiousness** [-nis], **perfidy** ['pə:fidi] troløshet, falskhet; svik, utroskap.

perforate ['pə:fəreit] gjennombore, perforere. **perforation** [pə:fə'reiʃən] gjennomboring, perforering. **perforator** ['pə:fəreitə] perforator, hullmaskin.

perforce [pə'fɔ:s] nødtvungen; nødvendigvis.

perform [pə'fɔ:m] gjennomføre, fullende, utføre; virke, funksjonere; oppfylle (plikt, løfte); gi til beste; opptre, komme med noe, utføre et parti, spille, synge; **he -s well** han spiller godt; — **on the piano** spille piano.

performable [pə'fɔ:məbl] gjennomførlig, gjørlig, mulig, som lar seg utføre, oppfylle.

performance [pə'fɔ:məns] utførelse; oppfyllelse; ytelse, yteevne; bedrift, prestasjon; verk, arbeid; forestilling, nummer av en forestilling. — **test** praktisk intelligensprøve.

performer [pə'fɔ:mə] utfører, opptredende, rollehavende; **be the principal -s** utføre hovedrollene.

performing [pə'fɔ:miŋ] som kan utføre; opptredende. — **artist** utøvende kunstner. — **seals** dresserte selhunder.

perfume ['pə:fju:m] duft, vellukt, parfyme; parfymere. **-r** parfymehandler, parfymeprodusent. **-ry** parfymeri, parfymeforretning.

perfunctoriness [pə'fʌŋktərinis] overfladiskhet, skjødesløshet. **perfunctory** [pə'fʌŋktəri] skjødesløs, slurvet, overfladisk, mekanisk.

pergamentaceous [pə:gəmən'teiʃəs] pergamentaktig, som pergament.

pergola ['pə:gələ] pergola (åpen løvgang).

perhaps [pə'hæps, præps] kanskje, muligens; — **so, and** — **not,** kanskje, og kanskje ikke.

peri ['piəri] peri, fe i persisk mytologi.

peri ['peri] i smstn.: omkring. **-anth** [-ænθ] blomsterdekke. **-carp** [-kɑ:p] frøgjemme.

Periclean [peri'kli:ən] perikleisk. **Pericles** ['perikli:z] Perikles.

perigee ['peridʒi:] perigeum (planetbanes el. satelitts punkt nærmest jorden).

perihelion [peri'hi:liən] perihelium (planetbanes punkt nærmest solen), solnære.

peril ['peril] fare, risiko; sette på spill, våge; **at his own** — på eget ansvar; **do it at your** —! gjør det om du tør! **be in** — **of one's life** være i livsfare.

perilous ['periləs] farlig, vågelig, vågal.

period ['piəriəd] omløp, periode; (undervisnings)time; tidsrom; slutning; slutt, ende; stans; punktum; **-s** pl. menstruasjon; **I said no,** — jeg sa nei, dermed basta; **put a** — **to** gjøre ende på; **a girl of the** — moderne pike. — **character** tidspreg. — **costume** stildrakt.

periodic [piəri'ɔdik] periodisk. **periodical** [piəri'ɔdikl] tidsskrift.

peripatetic [peripə'tetik] omvandrende; peripatetisk; vandrende, reisende; peripatetiker. **periphery** [pə'rifəri] periferi, omkrets.

periphrasis [pe'rifrəsis] perifrase, omskrivning. **periphrastic** [peri'fræstik] omskrivende.

periscope ['periskəup] periskop. **periscopic sight** periskopsikte.

perish ['periʃ] forgå, omkomme, forkomme, gå til grunne, forulykke, forlise; forderves, visne; fortapes; ødelegge; — **this ear!** pokker ta denne bilen! **perishability** [periʃə'biliti] forgjengelighet. **perishable** ['periʃəbl] forgjengelig; lett bedervelig.

perisher ['periʃə] tufs, idiot, drittsekk.

peristalsis [peri'stælsis] peristaltikk. **peristaltic** [peri'stæltik] peristaltisk.

peristyle ['peristail] peristyl, søylegård.

periton|eum [peritəu'ni:əm] bukhinne. **-itis** bukhinnebetennelse.

periwig ['periwig] parykk; gi parykk på, ta parykk på. **-ged** med parykk på.

periwinkle ['periwiŋkl] strandsnegl; gravmyrt.

perjure ['pə:dʒə] sverge falsk, gi falsk forklaring. **perjured** mensvoren, som har avgitt falsk forklaring. **perjurer** meneder, edsbryter. **perjury** ['pə:dʒəri] mened, falsk ed.

perk [pə:k] kneise, briske seg; kvikne til; stramme seg opp; pynte.

perked animert, full, pussa.

perky ['pə:ki] viktig, kry; kjekk, fiks; frekk.

perm fk. f. **permanent wave** permanent krøll.

permanence ['pə:mənəns] standhaftighet, stadighet, varighet, permanens. **permanency** [-nənsi] stadighet, varig ordning; fast stilling. **permanent** [-nənt] bestandig, blivende, fast, stadig, stødig, varig, permanent. — **disablement** livsvarig invaliditet. — **green** eviggrønn. — **post** fast stilling. — **wave** permanentkrøll. — **way** (jern)banelegeme.

permeability [-miə'bi-] permeans, gjennomtrengelig.

permeate ['pə:mieit] gjennomtrenge, gå igjennom. **permeation** [pə:mi'eiʃən] gjennomtrenging, gjennomgang.

permissible [pə'misibl] tillatelig, tillatt. **permission** [pə'miʃən] tillatelse, lov, løyve. **permissive** [pə'misiv] som tillater; tillatt; valgfri, fakultativ.

permit [pə'mit] tillate, gi lov, la. **permit** ['pə:mit] passerseddel, tollpass; tillatelse, lov. **permittee** [pəmi'ti:] en som har fått tillatelse(n).

permutable [pə'mju:təbl] ombyttelig.

permutation [pə:mju(:)'teiʃən] ombytting.

pernicious [pə'niʃəs] fordervelig, skadelig. **perniciousness** [-'nis] fordervelighet.

pernickety [pə'nikiti] småpirket, pertentlig.

pernoctation [pənɔk'teiʃən] overnatting.

peroration [perə'reiʃən] slutningsavsnitt av en tale; taleflom, tale.

peroxide [pə'rɔksaid] peroksyd; bleke med peroksyd; **-d hair** vannstoffbleket hår.

perpend [pə'pend] overveie.

perpendicular [pə:pən'dikjulə] perpendikulær, loddrett; loddrett linje; vinkelrett (**to** på). **perpendicularity** ['pə:pəndikju'læriti] loddrett stilling.

perpetrate ['pə:pitreit] iverksette, begå, forøve. perpetration [pə:pi'treiʃən] iverksetting, begåelse, forøvelse; dåd; udåd. perpetrator ['pə:pitreitə] forøver, gjerningsmann.

perpetual [pə'petjuəl] bestandig, evig, uopphørlig, stadig; fast; idelig. — calendar evighetskalender. — curate residerende kapellan. — motion perpetuum mobile, evighetsmaskin. — snow(s) evig snø. perpetuate [pə'petjueit] fortsette uavbrutt, forplante, vedlikeholde, gjøre varig; forevige. perpetuation [pəpetʃu'eiʃən] fortsettelse, forevigelse.

perpetuity [pə:pi'tju:iti] evighet, uavbrutt varighet; for a —, in — for bestandig.

perplex [pə'pleks] forvikle, gjøre innviklet, forplumre; forvirre, sette i forlegenhet; plage, ergre. perplexidly [-idli] forvirret, innviklet. perplexity [-iti] forvikling; forvirring, forlegenhet, forfjamselse.

per pro. fk. f. per procurationem pr. prokura.

perquisite ['pə:kwizit] -s pl. sportler, bifortjeneste; aksidenser, tilfeldige inntekter; privilegium.

perquisition [pə:kwi'ziʃən] etterforsking.

perruque [pə'ru:k] parykk. perruquier [pə'ru:kiə] parykkmaker.

perry ['peri] pærevin.

per se [pə: si:] i og for seg, i seg selv.

perse [pə:s] gråblå; gråblå farge.

persecute ['pə:sikju:t] forfølge (mest om religiøs forfølgelse); plage. persecution [pə:si'kju:ʃən] forfølgelse; — mania forfølgelsesvanvidd. persecutive ['pə:sikju:tiv] forfølgelses-. persecutor ['pə:sikju:tə] forfølger; plageånd.

perseverance [pə:si'viərəns] utholdenhet. persevere [pə:si'viə] vedbli, fortsette med. persevering [pə:si'viəriŋ] iherdig, utholdende.

Persia ['pə:ʃə]. Persian ['pə:ʃən] persisk; perser; angorakatt. the — Gulf Den persiske bukt. — lamb persianer.

persiennes [pə:ʃi'enz] utvendige persienner.

persiflage [pɛəsi'flɑ:ʒ] spott, erting, fjas.

persimmon [pə'simən] daddelplomme, svart daddel.

persist [pə'sist] — in vedbli, fortsette med, ture fram; fastholde. persistence [pə'sistəns], persistency [-ənsi] det å vedbli el. å fastholde, iherdighet, hårdnakkethet; fremturing. persistent [-ənt] iherdig, utholdende, hårdnakket. persistingly [-iŋli] vedblivende, iherdig, stadig.

person ['pə:s(ə)n] person, figur, individ, legemsskikkelse, ytre; in — personlig, selv. personable ['pə:s(ə)nəbl] nett, tekkelig, tiltalende. personage ['pə:s(ə)nidʒ] personlighet; figur, personasje. personal ['pə:s(ə)nəl] personlig, privat, egen, privat-. — account personlig konto. — charge oppkalingsgebyr. — estate løsøre, personlige eiendeler. personality [pə:sə'næliti] personlighet; person. personally personlig, i egen person. — maid kammerpike. — property løsøre, rørlig gods.

personate ['pə:səneit] fremstille, etterligne, utgi seg for, opptre som. personated devotion påtatt fromhet. personation [pə:sə'neiʃən] fremstilling, det å gi seg ut for. personator ['pə:s(e)neitə] fremstiller.

personification [pə'sɔnifi'keiʃən] personliggjøring, personifikasjon, legemliggjøring. personify [pə'sɔnifai] personliggjøre, levendegjøre.

personnel [pə:sə'nel] personale, personell. — director personalsjef. — management arbeidsledelse. — welfare department interessekontor.

perspective [pə'spektiv] perspektivisk; perspektiv. — drawing perspektivtegning.

perspex ['pə:speks] splintsikkert glass.

perspicacious [pə:spi'keiʃəs] skarpsynt, skarpsindig. perspicaciousness [-nis], perspicacity [pə:spi'kæsiti] skarpsynthet, skarpsindighet.

perspicuity [pə:spi'kju:iti] klarhet, anskuelighet. perspicuous [pə'spikjuəs] klar, lettfattelig.

perspirate ['pə:spireit] svette, transpirere. perspiration [pə:spi'reiʃən] svette, transpirasjon.

perspirative [pə'sp(a)irətiv] svette-, transpirasjons-. perspire [pə'spaiə] svette ut, svette; transpirere. perspiring [pə'spaiəriŋ] svett, varm.

persuade [pə'sweid] overtale, overbevise; — oneself bli overbevist; be -ed of være overbevist om. persuader [pə'sweidə] overtaler, frister, overtalingsmiddel, motiv; (i kuskespråk) pisk.

persuasion [pə'sweiʒən] overtaling, overbevisning; tro. persuasive [pə'sweisiv] overtalende, overbevisende; troverdig. persuasiveness [-nis] overtalingsevne, forhandlingsevne.

pert [pə:t] nesevis, kjepphøy, kry; nesevis person.

pertain [pə'tein] to vedrøre, tilhøre, høre til; angå.

Perth [pə:θ].

pertinacious [pə:ti'neiʃəs] hårdnakket, stiv; iherdig, seig, standhaftig. pertinaciousness [-nis]. pertinacity [pə:ti'næsiti] hårdnakkethet, stivhet; iherdighet, standhaftighet.

pertinence ['pə:tinəns] anvendelighet, relevans, passelighet. pertinent [-nənt] aktuell, som angår saken, relevant; treffende, rammende; — to vedrørende, angående.

pertness ['pə:tnis] nesevishet.

perturb [pə'tə:b] forstyrre, uroe, forurolige; bringe forstyrrelse i. perturbation [pə:tə'beiʃən] forstyrrelse, uro, sinnsbevegelse; uregelmessighet. perturbedly [pə'tə:bidli] urolig.

pertuse [pə'tju:s] gjennomhullet, hull i hull.

Peru [pə'ru:].

peruke [pə'ru:k, pi'ru:k] parykk.

perusal [pə'ru:zəl] gjennomlesning, lesning.

peruse [pə'ru:z] lese grundig igjennom.

Peruvian [pi'ru:vjən] peruaner, peruansk; — bark kinabark.

pervade [pə'veid] gå igjennom, trenge igjennom, gjennomstrømme, fylle. pervasion [pə:'veiʒən] gjennomtrenging, det å gå igjennom, gjennomstrømming. pervasive [pə:'veisiv] gjennomtrengende, gjennomgående.

perverse [pə'və:s] forvillet, fordervet; forstokket, urimelig, bakvendt, vrang, gjenstridig, trassig. perverseness [-nis] forkjærthet, fordervethet. perversion [pə'və:ʃən] forvrenging, forvansking; fordervelse, pervertering; perversjon. perversity [pə'və:siti] forvillelse, egensindighet; fordervelse, perversitet. perversive [pə'və:siv] forvrengende; fordervelig, skadelig, pervers.

pervert ['pə:və:t] frafallen, seksuelt abnorm person.

pervert [pə'və:t] forvrenge, forvanske, fordreie; forderve, forføre, pervertere, forlede. -ed unaturlig, pervers; forvridd, gal.

pervious ['pə:viəs, -vjəs] tilgjengelig, mottakelig, åpen.

pesky ['peski] (amr.) trettende, plagsom, lei, vond; vemmelig, ekkel.

pessimism ['pesimizm] pessimisme. pessimist [-mist] pessimist. pessimistic [pesi'mistik] pessimistisk.

pest [pest] sykdom, sott, plage, pestilens, skadedyr; plageånd; a — upon him! skam få han!

pester ['pestə] besvære, plage, bry, ergre.

pesticidal [pesti'said(ə)l] desinfiserende, -drepende. pesticide ['pestisaid] desinfeksjonsmiddel. pestiferous [pe'stifərəs] smitteførende, usunn; pestbefengt, pestsmittet; fordervelig. pestilence ['pestiləns] pest, smitte. pestilent [-lənt] pestaktig, skadelig, pestbringende; fordervelig; avskyelig. pestilential [pesti'lenʃəl] pestaktig, forpestende; fordervelig; avskyelig.

pestle ['pesl] støter (til morter); støte, knuse.

pet [pet] ulune, grettenskapsri; in a — i et dårlig lune; take — bli fornærmet, furte.

pet [pet] kjælebarn, kjæledegge, kjæledyr, yndling, favoritt; kjæle-, yndlings-; kjæle for, gjøre stas av, forkjæle; make a — of gjøre til sin kjæledegge; — name kjælenavn.

petal ['petəl] blomsterblad, kronblad.

peter ['pi:tə] out begynne å slippe opp, minke, forsvinne, løpe ut i sanden.

peter bylt, pakke; medikament som slår en ut momentant, knock-out-dråper.

Peter ['pi:tə]; -('s) **pence** peterspenger.

peterman ['pi:təmən] bagasjetjuv; skapsprenger.

petite ['peti] liten, mindre, fiks, nett.

petition [pə'tiʃən] bønn; ansøkning, søknad, petisjon, andragende; be; ansøke, sende en søknad til; protestere, klage; **file his** — overlevere sitt bo (til skifteretten); søke om avskjed; søke om; — **for mercy** benådningsansøkning.

petitionary [pə'tiʃən(ə)ri] bedende; bede-, bønne-. **petitioner** [pə'tiʃənəɹ] andrager, søker; klager (især i skilsmissesak).

Petrarch ['petrɑ:k, 'pi:trɑ:k] Petrarka.

petre ['pi:tə] salpeter.

petrean [pi'tri:ən] klippe-, stein-.

petrel ['petrəl] stormsvale, petrell.

petrifaction [petri'fækʃən] forsteining. **petrifactive** [petri'fæktiv] forsteinende. **petrific** [pe-'trifik] forsteinende. **petrification** [petrifi'keiʃən] forsteining. **petrify** ['petrifai] forsteine; forsteines.

petro|chemical petrokjemisk. **-glyph** helleristning.

petrol ['petrɔl, 'petr(ə)l] bensin, bensin-. **-atum** (amr.) vaselin.

petroleum [pi'trauljəm, pə'trauljəm] petroleum, jordolje. — **jelly** vaselin. — **pitch** petroleumsbek. — **spirit** lettbensin. — **spirits** mineralterpentin.

petrol station bensinstasjon.

petticoat ['petikaut] underskjørt; ta på skjørter; — **government** skjørteregimente; **Petticoat Lane** gate i London med marked hver søndag.

petties ['petiz] småting, ubetydeligheter.

pettifog ['petifɔg] bruke lovtrekkerier, lovkroker; opptre smålig el. sjikanøst. **pettifogger** [-ə] vinkelskriver, lovtrekker; rev, fuling. **pettifoggery** [-əri] lovkroker, lovtrekkerier.

pettiness ['petinis] litenhet, smålighet.

petting ['petiŋ] klining, kjæling.

pettish ['petiʃ] gretten, ergerlig. **pettishness** [-nis] lunethet, grettenhet.

pettitoes ['petitauz] griselabber.

petto ['petəu], **in** — i sitt eget bryst, i hemmelighet, for seg selv.

petty ['peti] liten, mindre, ubetydelig, smålig; mindreverdig; små-; — **-bourgeois** småborgerlig; — **cash** småbeløp; — **claims** småskader (assuranse); — **jury** mindre jury, bestående av 12 mann; — **larceny** nasking; — **offence** mindre forbrytelse; — **officer** underoffiser.

petulance ['petjuləns] grettenhet, pirrelighet.

petulant ['petjulənt] gretten, grinet, vrang, pirrelig, furten; lunefull; kåt, overgiven.

pew [pju:] kirkestol, lukket stol i en kirke.

pewit ['pi:wit] hettemåke; vipe.

pew opener ['pju:əupnə] kirketjener.

pewter ['pju:tə] tinn; legering av tinn og bly; tinnkrus, tinnfat. **pewterer** ['pju:tərə] tinnstøper. **pewtery** ['pju:təri] tinnsaker.

pf. fk. f. piano forte svakt, dernest sterkt.

Pfc fk. f. *Private First Class* ≈ visekorporal.

phaeton ['feitən] faeton, en høy, åpen, lett vogn, trille; (amr.) jaktvogn.

phalange ['fælændʒ] el. **phalanx** ['fælæŋks] falanks, fylking.

phall|ic ['fælik] fallisk. **-ieism** ['fælisizəm] fallosdyrkelse. **-us** ['fæləs] fallos.

phantasm ['fæntæzm] fantasibilde, synsbedrag, syn, drøm, hjernespinn.

phantasy ['fæntəsi] fantasi.

phantom ['fæntəm] fantasibilde, syn; gjenferd, spøkelse, vardøger, fantom. — **ship** spøkelsesskip.

Pharaoh ['fɛərəu] Farao.

pharisaic [færi'seiik] fariseisk. **pharisaical** [færi-'seiikl] fariseisk. **pharisaism** ['færiseiizm] fariseisme. **pharisee** ['færisi:] fariseer.

pharmaceutic [fɑ:mə's(j)u:tik] farmasøytisk. **pharmaceutical** [-kl] farmasøytisk. — **chemist**

farmasøyt, provisor. **pharmaceutics** [-ks] farmási. **pharmacist** ['fɑ:məsist] farmasøyt. **pharmacologist** [fɑ:mə'kɔlədʒist] farmakolog. **pharmacology** [-dʒi] farmakologi, læren om legemidler. **pharmacopoeia** [fɑ:məkə'pi:ə] farmakopø, apotekerbok. **pharmacy** ['fɑ:məsi] farmasi; apotek.

phase [feiz] fase, stadium; dele inn i faser.

phasma ['fæzmə, -s-] spøkelse.

Ph. D. fk. f. philosophiae doctor dr. philos.

pheasant ['fez(ə)nt] fasan. **pheasantry** ['fezəntri], **pheasant walk** fasangård, fasaneri.

phenacetin [fi'næsitin] fenacetin.

Phenicia [fi'niʃə] Fønikia. **Phenician** [fi'niʃən] fønikisk; føniker.

phenol ['fi:nɔl] fenol, karbolsyre.

phenomena [fi'nɔminə] fenomener. **phenomenal** [-nəl] fenomenal, enestående. **phenomenon** [fi'nɔminən] fenomen, forekomst, foreteelse.

phenotype ['fi:nəutaip] fenotype, fremtoningspreg.

phial ['faiəl] medisinflaske, flaske, ampulle; ha på glass, på flasker.

Phi Beta Kappa ['faibeitə'kæpə] (amr. akademikerforening).

Phil. fil] fk. f. Philip.

Philadelphia [filə'delfjə]. — **lawyer** (amr.) sakførerhai.

philander [fi'lændə] gjøre kur, flørte; fjase. **philandering** [-riŋ] kurmakeri, flørting, flørt. **philanthropic** [filən'θrɔpik], **philanthropical** [-kl] filantropisk, menneskekjærlig. **philanthropist** [fi-'lænθrəpist] filantrop, menneskevenn. **philanthropy** [fi'lænθrəpi] filantropi, menneskekjærlighet.

philatelic [filə'telik] filatelistisk, frimerke-. **philatelist** [fi'lætilist] frimerkesamler; filatelist. **philately** [fi'lætili] filateli.

philharmonic [fil(h)ɑ:'mɔnik] filharmonisk, musikkelskende.

Philip ['filip].

Philippian [fi'lipjən] mann el. kvinne fra Filippi.

philippic [fi'lipik] tordentale, filippika.

Philippine ['filipain, 'filipi:n], **the — Islands** el. **the Philippines** Filippinene.

philippine [fi'lipi:n] filipine, filipinegave.

philistine ['filistain] filister, spissborger.

philological [filə'lɔdʒikl] filologisk, språkvitenskapelig. **philologist** [fi'lɔlədʒist] filolog, språkgransker. **philology** [fi'lɔlədʒi] filologi, språkvitenskap.

philomel ['filəmel] (poetisk:) nattergal. **philomela** [filə'mi:lə] nattergal.

philopine [filə'pi:n] el. **philop(o)ena** [filə'pi:nə] filipine; filipinegave; **eat — with** spise filipine med.

philosopher [fi'lɔsəfə] filosof. **philosophical** [filə'sɔfikl, -zɔf-] filosofisk. **philosophism** [fi-'lɔsəfizm] sofisteri. **philosophist** [-fist] sofist.

philosophize [-faiz] filosofere.

philosophy [fi'lɔsəfi] filosofi, filosofisk system el. lære; livssyn, livsanskuelse; **moral** — etikk; **natural** — naturfilosofi; fysikk.

philter ['filtə] elskovsdrikk; trylledrikk.

phiz [fiz] fjes, ansikt, ansiktsuttrykk.

phlebitis [fli'baitis] årebetennelse.

phlegm [flem] slimvæske; flegma, koldsindighet; dorskhet, treghet. **phlegmatic** [fleg'mætik] flegmatisk, treg.

phlox [flɔks] floks (plante).

phobia ['faubjə] fobi, nevrotisk frykt. **-phobia** (som endelse) -fobi, -hat, -frykt.

phone [fəun] telefonere; telefon.

Phoenicia, Phoenician se **Phenicia, Phenician**.

phonetic [fə'netik] fonetisk, lyd-; — **spelling** lydskrift. **phonetical** [fə'netikl] lyd-. **phonetician** [fəuni'tiʃən] fonetiker. **phonetics** [fə'netiks] fonetikk.

phoney ['fəuni] mistenkelig, verdiløs, falsk, uekte; svindel; bløffmaker, svindler; jukse-, bløff-.

phonic ['fəunik] fonisk, lyd-; **the — method** lydmetoden.

phono|gram ['fəunəgræm] lydskrifttegn; grammofonopptak. **-graph** fonograf, grammofon.

phonological [fəunə'lɔdʒikəl] fonetisk. **phonologist** [fə'nɔlədʒist] fonetiker. **phonology** [fə'nɔlədʒi] fonologi.

phosphate ['fɔsfeit, -fit] fosfat.

phosfor ['fɔsfə] fosfor. **phosphorate** ['fɔsfəreit] forbinde med fosfor. **phosphoreous** [fɔs'fɔːriəs] lysende. **phosphoresce** [fɔsfə'res] fosforescere, lyse av seg selv. **phosphorescent** [-'resənt] glinsende som fosfor, selvlysende. **phosphoric** [fɔs'fɔrik] fosforaktig. **phosphorous** ['fɔsfɔrəs] fosfor-. **phossy** ['fɔsi] fosfor-, fosforaktig.

photo ['fəutəu] fotografi, fotografere. **-cell** fotocelle. **-chromy** fargefotografering. **-copy** fotokopi; fotokopiere. **-engraving** fotogravyre; klisjé. **— -finish** målfoto, fotofinish. **-flash** blitzlampe. **-genie** lysende, selvlysende; fotogen, som tar seg godt ut på bilder. **-graph** ['fəutəgrɑːf] fotografi; fotografere. **-grapher** [fə'tɔgrəfə] fotograf. **-graphy** [fə'tɔgrəfi] fotografi; fotografere. **-gravure** [fəutə-grə'vjuə] fotogravyre, dyptrykk. **-meter** lysmåler. **-montage** fotomontasje. **-stat** fotostat.

phrase [freiz] frase, forbindelse, setning, uttrykk, ordlag, vending, talemåte, ord; uttrykke, kalle, benevne; **a set —** stående vending, fast uttrykk; **empty -s** tomme talemåter; **in your own —** for å bruke Deres egne ord. **— book** parlør.

phraseologic [freiziə'lɔdʒik] fraseologisk. **phraseologist** [freizi'ɔlədʒist] fraseolog, frasesamler. **phraseology** [-dʒi] språk, fraseologi, uttrykksmåte.

phrasing ['freiziŋ] uttrykk, ordvalg, språk.

phrenetic [fri'netik] frenetisk; vanvittig, gal. **phrenologic(al)** [frenə'lɔdʒik(l)] frenologisk. **phrenologist** [fre'nɔlədʒist] frenolog. **phrenology** [-dʒi] frenologi (den lære som av kraniets ytre form vil bestemme de sjelelige evners sete i hjernen).

Phrygia ['fridʒiə] Frygia.

Phrygian ['fridʒiən] frygisk; fryger.

P. H. S. fk. f. **Public Health Service.**

phthisie ['θaisik, 'tizik] tæringssyk, tærings-. **phthisical** [-kl] tæringssyk. **phthisis** ['θaisis, 'taisis] tæring, lungeturbekulose.

phys. fk. f. **physics; physician; physiology.**

physic ['fizik] legekunst; legemiddel; medisin; behandle, pleie, lindre. **physical** ['fizikl] fysisk; legemlig; sanselig; naturvitenskapelig.

physician [fi'zifən] lege, indremedisiner, doktor.

physicist ['fizisist] fysiker.

physics ['fiziks] fysikk; naturfag.

physiognomic [fiziə'nɔmik] fysiognomisk. **physiognomies** [-s] fysiognomikk. **physiognomist** [fizi-'ɔnəmist] ansiktskjenner. **physiognomy** [fizi-'ɔnəmi] fysiognomi, ansikt, ansiktsuttrykk.

physiography [fizi'ɔgrəfi] fysisk geografi.

physiologer [fizi'ɔlədʒə] fysiolog. **physiologic(al)** [fiziə'lɔdʒik(l)] fysiologisk. **physiologist** [fizi'ɔlədʒist] fysiolog. **physiology** [fizi'ɔlədʒi] fysiologi.

physiotherapist [fiziəu'θerəpist] fysioterapeut. **physiotherapy** fysioterapi.

physique [fi'ziːk] konstitusjon, fysikk, styrke, legemsbygning, ytre.

pi [pai] pi, π (i matematikk 3,14).

piaffe [pjæf] lunke, smådilte, småtrave.

pianist [pi'ænist-, 'piənist] pianist.

piano [pi'ænəu, pi'aːnəu] piano; svakt, piano; **grand —** flygel. **— accordion** pianotrekkspill. **— duet** firhendig stykke.

pianoforte [pjænə'fɔːti] pianoforte.

pianola [piə'nəulə] pianola.

piano | lever pianotangent. **— part** klaverstemme. **— player** pianist, klaverspiller. **— wire** pianotråd.

piassava [pi:ə'sɑːvə] piassava (trevler av bladstilker på palmer, benyttet til koster).

piastre [pi'æstə] pjaster, piaster.

piazza [pi'ætzə] piazza, åpen plass; (amr.) veranda.

pibroch ['piːbrɔk] sekkepipe(musikk).

picaroon [pikə'ruːn] sjørøver, pirat.

piccadilly [pikə'dili] slags høy pipekrage.

Piccadilly [pikə'dili] gate i London.

piccolo ['pikələu] pikkolo (en fløyte).

piceous ['pisiəs, 'pifəs] beksvart; bekaktig; lett antennelig.

pick [pik] hakke, stikke, pirke i; plukke; pille, rense, ribbe, renske; velge, velge ut, plukke ut, søke ut; sanke, samle, samle opp; **— one's way** lete seg fram, kjenne seg for; fare varsomt; **I shall have to — a bone with him** jeg har en høne å plukke med ham; **— a fight** yppe til slagsmål; **— a hole in a person's coat** kritisere en sterkt, ha noe å utsette på en; **— oakum** plukke drev; sitte i forbedringsanstalten; **— a pocket** begå lommetyveri; **— weed** luke; **— and choose** velge og vrake; **— words** være kresen i valget av ord; **— off** plukke av, bort, skyte ned en for en; **— on** hakke på, slå ned på; **— out** hakke ut; finne ut; velge; velge ut, peke ut; utheve, fremheve; **— up** hakke, pikke, pille opp; plukke opp; oppta; tilegne seg; bedres, bedre seg; **he has -ed up strange acquaintances** han har gjort merkelige bekjentskaper; **he -s up a few pence now and then** han tjener noen få skillinger nå og da; **— up courage** fatte mot; **— up one's living** slå seg igjennom; **— up with** gjøre bekjentskap med.

pick [pik] spisst redskap; hake, krok; hakke; **the — of** det beste av, eliten av; **have one's —** kunne velge, velge og vrake.

pick-a-back ['pikəbæk] ri på skuldrene, på ryggen.

pickaninny ['pikəniny] negerunge.

pickaxe ['pikæks] hakke, kilhakke.

picked [pikt] utsøkt. **picker** ['pikə] plukker; liten tyv; sanker; hake, krok; hakke.

pickerel ['pikərəl] (liten) gjedde.

picket ['pikit] pæl, påle; staur, stake; tjorpåle; stakitt; tjore; blokkere; sette ut (streike)vakter; bevokte, passe på; privat demonstrasjon el. protest med plakater f. eks. foran en forretning. **— fence** pælegjerde, stakittgjerde. **— guard** pikettvakt, streikevakt.

pickings ['pikiŋz] småplukk; biinntekter.

pickle ['pikl] lake, saltlake, krydret eddik; pickles; villstyring, vill krabat; knipe, klemme; legge i lake, sylte; **be in a —** sitte fint i det; **I have a rod in — for him** det skal han komme til å unngjelde for.

pickled ['pikld] saltet, sprengt; full, brisen, stinn. **— herring** kryddersild. **— rogue** erkekjeltring.

pickling ['pikliŋ] nedlegging; sylting. **— season** syltetid. **— tub** saltetønne.

picklock ['piklɔk] dirk; innbruddstyv.

pick-me-up ['pikmiʌp] oppstrammer, hjertestyrkning, oppstiver, dram.

pickpocket ['pikpɔkit] lommetyv.

pick-up pickup (grammofon); lett varevogn, lastebil; oppsamling; tilfeldig bekjentskap; gatepike; akselerasjonsevne.

pickthank ['pikθæŋk] øyentjener.

Pickwick ['pikwik].

Pickwickian [pik'wikiən] pickwickiansk; pickwickianer; **in a — sense** i spesiell betydning.

picky ['piki] kresen.

picnic ['piknik] landtur, utflukt (med måltid i det fri); dra på landtur, gjøre utflukt.

Pict [pikt] pikter. **Pictish** ['piktif] piktisk.

pictorial [pik'tɔːriəl] maler-; billed-; malende, malerisk; illustrert; illustrert blad.

picture ['piktfə] maleri; malerkunst; lerret, bilde, skildring; film; male, avbilde; utmale; forestille seg; **the -s** kino; **animated (living** el. **moving) -s** levende bilder, film; **she is the living — of her mother** hun er sin mors uttrykte bilde; **she is as beautiful as a —** hun er billedskjønn. **— book** billedbok. **— framer** rammemaker. **— gallery** malerisamling. **— hat** stor damehatt.

(bredskygget). — **house** kino. — **palace** kino. — **poster** illustrert plakat. — **postcard** prospektkort. — **puzzle** rebus, billedgåte; fiksérbilde; billedklosser. — **rail,** — **rod** billedlist.

picturesque [piktʃəˈresk, -tjə-] malerisk; malende; naturskjønn. **picturesqueness** [-nis] maleriskhet.

picture tube billedrør (fjernsyn).

piddle [ˈpidl] slenge omkring, drive; plukke, pirke, tukle.

pidgin [ˈpidʒin]: **that's his** — det får bli hans sak; — **English** [ˈpidʒinˈiŋgliʃ] kineserengelsk, kaudervelsk.

pie [pai] skjære (fugl).

pie [pai] postei, pai, terte; hyggelig, morsom; korrupsjon; fisk (som typografuttrykk); røre, rot; **go to** — falle i fisk; **have a finger in the** — ha en finger med i spillet; — **in the sky** valgflesk, tomme løfter.

piebald [ˈpaibɔːld] broket, flekket, spraglet.

piece [piːs] stykke; lapp; fille; skjøt; bite, stump; skuespill; pengestykke; kanon; gevær; **threepence a** — tre pence stykket (pr. stykk); **work by the** — arbeide på akkord; **take to -s** ta fra hverandre; **a** — **of (domestic) furniture** et stykke innbo; møbel; **a** — **of artillery** en kanon; **a** — **of advice** et råd; **a** — **of news** en nyhet; **a** — **of information** en meddelelse, en melding; **a** — **of needlework** et håndarbeid; **a** — **of good fortune** et hell, en lykke; **give him a** — **of my mind** si ham sannheten; **by the** — stykkevis; **tear in(to) -s** rive i stykker; **of a** — av samme stykke, av samme slags; **of one** — i ett stykke.

piece [piːs] bøte, lappe, utbedre; forene, forbinde; forbinde seg, vokse sammen; — **down a** dress legge ned en kjole; — **out** legge ut (et plagg).

pièce de résistance [piːes də reˈzistɑːns] hovedrett, den solide rett, noe solid el. viktig.

piece goods [ˈpiːsgudz] metervarer. **pieceless** [ˈpiːslis] hel, som består av ett stykke. **piecemeal** [ˈpiːsmiːl] stykkevis, stykke for stykke; oppstykket; enkelt, atskilt. **piece|rate** akkordsats. — **wage** akkordlønn. **-work** akkordarbeid.

pied [paid] spraglet, flekket (især om hest).

pieman [ˈpaimən] posteibaker.

pier [piə] molo, bru, skipsbru, landingsbru, pir, brygge; brupæl, brukar; stolpe, dørstolpe. **pierage** [ˈpiəridʒ] bryggepenger.

pierce [piəs] gjennombore, gjennomtrenge; gjennomskue; bore seg inn, trenge fram. **piercer** [ˈpiəsə] noe gjennomborende; boringsredskap. **piercing** [ˈpiəsiŋ] gjennomtrengende; bitende, skarp, kvass, inntrengende. **piercingness** [-nis] skarphet.

pier | glass [ˈpiəglɑːs] konsollspeil (stort). **-head** bruhode, molohode. **-man** (amr.) bryggearbeider.

pierrot [ˈpiərəu] pjerrot, pierrot.

pier table [ˈpiəteibl] konsoll, speilbord.

pietism [ˈpaiətizm] pietisme. **pietist** [-tist] pietist. **pietistic(al)** [paiiˈtistik(l)] pietistisk.

piety [ˈpaiəti] fromhet, gudfryktighet; pietet. **pi-faced** [ˈpai-] med bedemannsfjes, gudelig.

piffle [ˈpifl] skravl, tull, sludder; vrøvle, tøve.

pig [pig] gris, svin; flesk; smeltet klump, blokk; (fig.) svinepels, gris, best; politi, purk; **-s might fly** det er jo helt umulig; **buy a** — **in a poke** kjøpe katten i sekken; **keep a** — holde gris; dele sitt losji med en annen student.

pig [pig] grise; få grisunger; ligge som griser. **pig | bank** sparegris. — **bed** svinesti. **-boat** undervannsbåt.

pigeon [ˈpidʒən] due; godtroende dust; **cock** — duestegg; **hen** — hundue; **milk a** — (bl. spillere) plukke en grønnskolling; **as fond as -s** forelsket som duer.

pigeon [ˈpidʒən] plukke (bl. spillere).

pigeon breast [ˈpidʒənbrest] duebryst; fuglebryst, fremstående brystbein.

pigeon | express [ˈpidʒəniksˈpres] duepost. — **fancier** [-ˈfænsjə] duehandler, dueelsker. —

hearted fryktsom. **-hole** hull i dueslag; fag, rom; reol; legge i særskilte rom, oppbevare, legge på hylla; forsyne med rom. — **house** dueslag. — **livered** feig, redd, med harehjerte. — **post** duepost.

pigeonry [ˈpidʒənri] duehus, dueslag.

pig-eyed [ˈpigaid] grisøyd. **piggery** [ˈpigəri] grisehus, svineri. **piggish** [ˈpigiʃ] griset, svinsk. **piggy bank** sparegris.

pig|-headed [ˈpighedid] stivsinnet. — **-headedness** stivsinnethet. — **iron** råjern. **-let** liten gris, grisunge.

pigment [ˈpigmənt] farge, fargestoff, pigment. **-ation** pigmentering, farging.

Pigmy [ˈpigmi] dverg, pygmé.

pignut [ˈpignʌt] jordnøtt.

pig|pen grisehus. **-skin** svinelær. **-sticker** svineslakter. **-sty** svinesti. **-tail** grisehale, hårpisk, museflette.

pike [paik] gjedde.

pike [paik] spyd, pigg, brodd, lanse; høygaffel; veibom; bompenger; spidde; — **along** pigge av, stikke av.

piked [paikt] pigget, pigg-, spiss.

pikeman [ˈpaikmən] bommann.

pike pole fløterhake, båtshake.

pikestaff [ˈpaikstɑːf] spydskaft; piggstav; **call a** — **a** kalle tingen med dens rette navn; **it is all as plain as a** — det er som fot i hose, soleklart, klart som blekk.

pilaster [piˈlæstə] pilaster, halvpille, (delvis i muren innbygd, firkantet pille).

pilchard [ˈpiltʃəd] småsild, sardell, sardin.

pile [pail] stabel, dynge, haug, hop, bunke; reaktor, mile; bål, likbål; bygning, bygningskompleks; **stable** (opp), dynge (opp); fylle, stappe, koble (geværene); — **of arms** geværkobbel; — **of buildings** bygningskompleks; **atomic** — atomreaktor; **funeral** — likbål.

pile [pail] grunnpæl, påle; pilotere, pæle.

pile [pail] hår, ull, lo, floss; forsyne med lo. **pile | bridge** pælebru. — **carpet** teppe med lo. — **driver** rambukk.

piles [pailz] hemorroider.

pile|-up kollisjon, kjedekollisjon. — **worm** pæleorm.

pilfer [ˈpilfə] rapse, raske, naske, småstjele. **pilferer** [ˈpilfərə] rapser, nasker. **pilfering** [-riŋ] rapseri, raskeri, nasking. **pilfery** [-ri] rapseri, raskeri, nasking.

pilgrim [ˈpilgrim] pilegrim; valfarte; **P.'s Progress** bok av Bunyan; **the** — **Fathers** de engelske puritanere som i 1620 forlot England med 'The Mayflower' for å bosette seg i Amerika.

pilgrimage [ˈpilgrimidʒ] pilegrimsferd.

piling [ˈpailiŋ] oppstabling; pilotering.

pill [pil] pille; kule; lege; gi piller; lage til piller. **the** — p-pillen.

pillage [ˈpilidʒ] plyndring, bytte, rov; plyndre, røve.

pillar [ˈpilə] pille, søyle; stolpe; støtte. — **box** postkasse anbrakt på en støtte. **pillared** [ˈpiləd] som hviler på piller; søyleformig.

pillbox [ˈpilbɔks] pilleeske; liten vogn; bunker.

pillion [ˈpiljən] baksete på motorsykkel; ridepute (som plass for en person bak rytteren).

pillory [ˈpiləri] gapestokk; sette i gapestokk.

pillow [ˈpiləu] hodepute, pute; legge på pute. — **bier** (gml.) putevar. **-case** putevar. — **slip** putevar.

pillowy [ˈpiləui] puteaktig, myk.

pilot [ˈpailət] los; rormann; flyger (— **of aeroplane**); lose, lede, føre. **pilotage** [ˈpailətidʒ] lospenger; losing, ledelse. — **authority** losvesen. — **waters** losfarvann. **pilot|balloon** prøveballong. — **bread** beskøyter. — **cloth** en slags tøy til bruk for sjømenn og til kåper og overfrakker. — **engine** et lokomotiv som sendes ut for å holde linjen klar for et tog. **-house** styrehus. — **fish** losfisk. — **jacket** pjekkert. — **lamp** kontrollampe. — **light** tennflamme, våkebluss. — **project** forsøksprosjekt; utkast. — **survey** forundersøkelse. — **whale** grindhval.

pimento [pi'mentəu] spansk pepper.

Pimlico ['pimlikəu] kvarter i London.

pimp [pimp] hallik, alfons, ruffer; drive alfonseri.

pimpernel ['pimpənel] pimpinelle; arve(plante).

pimple ['pimpl] kveise, kvise, filipens. **pimpled** ['pimpld], **pimply** ['pimpli] full av filipenser, kveiset, kviset.

pin [pin] nål (til å feste med), knappenål; stift, nudd, splint, bolt, tapp, trenagle, plugg, pinne, sinketapp; klesklype; strikkepinne, bundingstikke; kjevle; skrue (på strengeinstrument); viser (på solur); kile; (i slang) grann, dust; ben, stylter; kjegle; hefte, spidde, feste med nåler, feste med stifter; **hairpin** hårnål; **hatpin** hattenål; **broochpin** brystnål. **scarfpin** slipsnål; **safety pin** sikkerhetsnål; **curtain pin** gardinholder; **tent pin** teltplugg; **clothespin** klesklype; **rolling pin** kjevle; **I don't care a — about it** jeg bryr meg ikke det grann om det; **— him to the earth** spidde ham til jorda, holde ham fast; **— one's faith** on stole blindt på; **— down enemy forces** binde fiendtlige styrker.

pinafore ['pinəfɔ:] ermeforkle, barneforkle.

pin case ['pinkeis] nålehus.

pincenez [fr., 'pɛ̃:nsnei] pincenez, lorgnett.

pincers ['pinsəz] knipetang, tang.

pinch [pin(t)ʃ] knipe, klemme; klype; trykke, presse; pine, smerte; bringe i knipe; knappe av, nekte seg det nødvendigste, spare, spinke; stjele, kvarte; arrestere, huke; **— oneself** nekte seg det nødvendige; **every man knows best where his shoe -es ...** hvor skoen trykker; **they were -ed for room** det knep med plassen; **with the most -ing economy** med den mest knepne sparsommelighet.

pinch [pin(t)ʃ] knip, kniping, klemming; trykk; nød; klemme; pris (snus); **I see where your — lies** jeg ser hvor skoen trykker; **on (at) a —** i knipe; **if ever it comes to a —** om det skulle komme til stykket, om det skulle knipe; **take it with a —** of salt ta det med en klype salt.

pinchbeck ['pin(t)ʃbek] tambak; uekte, ettergjort.

pinch bottle klunkeflaske.

pinched [pinʃt] sammenknepen, presset, klemt; nervøs, oppspilt; tynn; forpint. **— waist** vepsetalje.

pincher ['pinʃə] gnier; brekkjern, pinsebein, spett.

pincushion ['pinkuʃən] nålepute.

Pindar ['pində] Pindar (gresk dikter).

pin drill ['pindril] tappbor.

pine [pain] nåletre, furu, furutre; ananas; **Norway —** alminnelig gran; **Scotch —** alminnelig furu; **dwarf —** dvergfuru; **(Italian) stone —** pinje.

pine [pain] tæres bort, ta av, forsmekte; fortæres av lengsel, lengte sårt **(for etter)**; **— away** tæres bort; **— for one's country** lide av hjemlengsel.

pineal ['piniəl] kongleformet; **— body** (el. **gland)** pinealkjertel (i hjernen).

pine|apple ['painæpl] ananas (planten og frukten); håndgranat. **— barren** ['pain'bærən] furumo. **— beauty** furuspinner. **— bullfinch** konglebit. **— bur, — cone** kongle. **— house** ananas-drivhus. **— marten** skogmår. **— needle** furunål.

pinery ['pain(ə)ri] ananashage; -anlegg.

pine tree ['paintri:] nåletre. **pinetum** [pai-'ni:təm] nåleskog. **pinewood** nåleskog; furuved.

piney ['paini] vegetabilsk talg.

pinfire ['pinfaiə] tenn-nåls-; **— cartridges** tenn-nåls-patroner.

ping [piŋ] visle, pipe, hvine; smell, piping.

ping pong ['piŋpɔŋ] bordtennis, ping-pong.

pinhead ['pinhed] nålehode, knappenålshode; trangsynt person, minskreket.

pinhole knappenålshull, lite hull.

pining ['painiŋ] vantreven.

pinion ['pinjən] vinge; vingespiss; drev på

---

et hjul, tannhjul; armlenke; binde vingene på; stekke vingene på; (bak)binde, lenke.

pink [piŋk] nellik; blekrød farge; fullkommehet; ideal; blekrød, lyserød, rosa; salongradikaler; gjennombore, stikke huller el. tunger i; farge rød; **the — of perfection** fullkommenheten selv; **to be in the —** være i beste velgående, i storform; **— arse** barnerumpe. **— coat** rød frakk; jegerdrakt. **— eye** ['piŋkai] lite øye. **— -eyed** småøyd; rødøyd. **pinking** ['piŋkiŋ] uthogging; tenningsbank. **— -iron** høggjern; kakejern. **pinkish** ['piŋkiʃ] blekrød, lyserød.

pinky ['piŋki] liten; rødlig, lyserød.

pin money ['pinmʌni] nålepenger; lommepenger.

pinnace ['pinis] tomastet skip; slupp.

pinnacle ['pinəkl] lite tårn, spir, tinde; topp; bygge med spisstårn; sette spir el. småtårn på.

pinnate ['pinit] fjærformet; finnet.

pinner ['pinə] nålemaker.

pinnock ['pinək] meis (fugl).

pinpoint ['pinpoint] nålespiss; bagatell; presisere, bestemme nøyaktig, sette fingeren på; presisjons-.

pinscher ['pinʃə] dobermannspinsjer.

pin-striped nålestripet, smalstripet.

pint [paint] 1/8 gallon: 0,568 liter.

pintle ['pintl] liten pinne, liten stift, rortapp.

pinto ['pintəu] blakk hest; broket.

pin-up som kan henges opp på vegg. **— girl** pin-up pike.

pinworm ['pinwə:m] barneorm.

piny ['paini] rik på nåletrær, furukledd.

piolet [paiəu'lei] ishakke, isøks.

pioneer [paiə'niə] bane, bryte vei for; være banebrytende; pionér; banebryter, foregangsmann. **— streak** utlengsel, eventyrlyst.

piony ['paiəni] peon.

pious ['paiəs] kjærlig, from, gudfryktig.

pip [pip] kvitre, pistre, pipe (om fugleunge), blipp; flott el. praktfull person el. ting.

pip [pip] kjerne, fruktkjerne; radarsignal, blipp; flott el. praktfull person el. ting.

pip [pip] pip (fuglesykdommen); **have the —** (om mennesker) være i dårlig humør.

pipe [paip] fløyte, pipe; sekkepipe, rør, ledningsrør; tobakkspipe; luftrør; lett jobb; pipe, blåse på fløyte, fløyte, plystre; legge i rør; kringkaste gjennom kabel; **— down** hisse seg ned, holde kjeft; **clear his —** kremte; **fill a —** stoppe en pipe; **the -s played** sekkepipene spilte opp; **put his — out** krysse hans planer, la det hele ryke over ende; gjøre ende på ham; **put that in your — (and smoke it)** merk Dem det! slå den! **clerk of the —** fullmektig i doménekontoret. **— bowl** pipehode.

pipeclay ['paipklei] pipeleire; rense med pipeleire, pusse; klarere, kvitte.

pipe cleaner ['paipkli:nə] piperenser.

piped [paipt] pipet, rørformet; ledet gjennom rør. **— music** musikk som overføres med kabel fra sentralanlegg ≈ musikk på boks.

pipe dream luftslott, ønskedrøm.

pipe fitter rørlegger.

pipeful ['paipful] pipefull, pipestopp.

pipe | layer ['paipleiə] rørlegger. **— laying** rørlegging. **-light** fidibus. **-line** rørledning. **-man** strålemester.

pip emma [pip'emə] (i slang) fk. f. **post meridiem** ettermiddag.

piper ['paipə] piper, spillemann; sekkepiper; knurr (fisk).

pipe | rack pipehylle. **— roll** skattkammerrull. **— shank** pipestilk. **-stem, -stick** piperør, pipemunnstykke. **— tube** piperør. **— wrench** rørtang.

piping ['paipiŋ] gråt, tuting; stikling; besetning av snorbroderi på damekjoler; **pipings** (pl.) rørledning.

pipit ['pipit] piplerke.

Pippa ['pipə] navn på en italiensk fabrikkpike i et dikt; **— Passes** (dikt av Robert Browning).

pip-pip morn, ha det, adjøs.

piquancy ['pi:kənsi] skarphet, pikant beskaffenhet, pikanteri. **piquant** ['pi:kənt] skarp, pirende; bitende; pikant.

pique [pi:k] fornærmelse, såret stolthet; pikere, såre, støte; pirre, egge; **be -d** bli støtt på nansjettene.

piquet [pi'ket] pikett (slags kortspill). **piquet** ['pikit] pikett, feltvakt, vakt.

piracy ['pairəsi] sjørøveri; ulovlig ettertrykk. **pirate** ['pairit] sjørøver, pirat, sjørøverskip; drive sjørøveri; plagiere; ettertrykke. — transmitter piratsender. **piratical** [pai'rætikl] sjøøversk, sjørøver-.

pirouette [piru'et] piruett (sving med foten i dans, vending på samme flekken).

piscary ['piskəri] fiskerett. **piscator** [pi'skeitə] fisker. **piscatorial** [piskə'tɔ:riəl] fiske-, fiskeri-. **piscatory** ['piskətəri] fiske-, fiskeri-. **pisciculture** pisi'kʌltʃə] fiskeutklekking. **pisciform** ['pisifɔ:m] v form som en fisk. **piscina** [pi'sainə] piscina vaskebekken for presten i katolsk kirke). **piscine** ['pisain] fiske-; svømmebasseng. **piscivorous** [pi'sivərəs] fiskeetende, fiskespisende.

pish [p(i)ʃ] blåse av; si pytt.

pismire ['pismaiə] pissemaur.

piss piss; pisse; **take the — out of him** latterliggjøre; **— off!** vekk! ligg unna!

pistachio [pi'sta:ʃiəu] pistasie.

pistil ['pistil] støvvei.

pistol ['pistəl] pistol; skyte ned, skyte med ³istol. — **grip** pistolgrep.

pistole [pi'stəul] pistol (spansk mynt).

piston ['pistən] stempel; ventil (på trompet). — **displacement** slagvolum. — **head** stempelhode. — **plane** fly med stempelmotor. — **rod** stempelstang. — **skirt** stempelskjørt. — **slap** stempelslark.

pit [pit] hull, grav, grop, gruve, hule; sjakt; avgrunn; fallgruve; dyregrav; armhule; hjertekule; arr, kopparr; orkestergrav; parterre; kampplass for haner; gjøre fordypninger, huller i; grave ; stille opp; hisse sammen; **have the power of — and gallows** ha makt til å dømme til døden; **a face -ted by smallpox** et kopparret ansikt.

pitapat ['pitəpæt] klapp-klapp, tikk-takk; banking, hjerteklapp.

pitch [pitʃ] bek; beke; formørke.

pitch [pitʃ] slå ned, drive ned, feste i jorda, slå (f. eks. telt, leir); stille opp i slagorden, fylke, ordne; kaste, hive, kyle; stemme, fastsette tonehøyden av; steinlegge; slå leir, stille ut, legge fram (til salgs); styrte, falle; skråne, helle; stampe, duve, gynge (omkring tverraksen); høyde, trinn, tonehøyde, tone, høydepunkt; propellstigning, tannavstand (tannhjul), skruegang; tannhjulsdeling; helling, hall, skråning (f. eks. av tak); kast, notkast; fiskested, kastested, sted, plass; **a -ed battle** et regulært slag, feltslag; — **into** skjenne på, gi en inn, «gi en på pukkelen»; — **him a tale** slå ham en plate; — **in** (into) ta fatt, sette i gang; **at its highest** — på høydepunktet; — **of a screw** skruegang; **the — of the** roof hellingen på taket; **vocal** — stemmeleie.

pitch-and-toss ['pitʃən'tɔs] kaste på stikka; kaste mynt og krone.

pitch| **angle** stigningsvinkel. — **-black** ['pitʃblæk] beksvart. **-blende** [-blend] bekblende. — **coal** ['pitʃkəul] bekkull, brunkull. — **-dark** ['pitʃdɑ:k] bekmørk, belgmørk.

pitched [pitʃt] ogs. hellende; **a high-pitched** roof et bratt tak, skråtak.

pitcher ['pitʃə] kaster osv.; gatestein; gatehandler (med fast plass).

pitcher ['pitʃə] krukke; (amr.) kanne, mugge; little -s have long ears små gryter har også ører; **the — goes so often to the well that it comes home broken at last** krukken går så lenge til vanns at den kommer hankeløs hjem.

pitch farthing ['pitʃ'fɑ:ðiŋ] klink. **pitchfork** ['pitʃfɔ:k] fork, høygaffel, greip; stemmegaffel; kaste, sende, hive.

pitchiness ['pitʃinis] bekaktighet, beksvart farge; belgmørke.

pitching ['pitʃiŋ] gatesalg, utstilling til salg; steinlegging; stamping, duving.

pitch| **pine** ['pitʃpain] bekfuru, amerikansk feitfuru. **-pole, -poll** slå kollbøtte; kollbøtte.

pitchy ['pitʃi] bekaktig, beket; harpiks-, kvae-; beksvart, belgmørkt.

pit coal ['pitkəul] steinkull.

piteous ['pitiəs, -tjəs, -tʃəs] medlidende; sørgelig; bedrøvelig; ynkelig; ussel. **piteousness** [-nis] sørgelighet.

pitfall ['pitfɔ:l] fallgruve; dyregrav, felle, snare. **pith** [piθ] marg, ryggmarg; saft og kraft, det vesentlige; styrke, kraft; kjerne.

pit head gruveåpning, gruvenedgang.

pith helmet tropehjelm.

pithy ['piθi] marg-, margfull; kraftig; fyndig.

pitiable ['pitiəbl, -tjəbl] ynkverdig, elendig.

pitiful ['pitif(u)l] medlidende; ynkverdig; jammerlig, sørgelig. **pitiless** [-lis] ubarmhjertig; hard.

pitman ['pitmən] bergmann, gruvearbeider.

pittance ['pitəns] porsjon, tilmålt del; ussel lønn; smule; almisse.

pitter ['pitə] plaske; tromme. — **-patter** klapring; klapre, klipp-klapp.

pitting korrosjon, gropdanning, gravrust.

pit work gruvearbeid.

pity ['piti] medlidenhet, medynk; barmhjertighet; **it is a** — det er skade, synd; **the — of it!** så sørgelig; **take — on** ha medlidenhet med; **for -'s sake** for Guds skyld.

pity ['piti] føle (ha) medlidenhet med; ynkes over, synes synd på, beklage, ynke.

pivot ['pivət] tapp, aksel, gjenge; hengsel; stifttann; (fig.) tapp, midtpunkt; fløymann; sette på en tapp, dreie på en tapp; svinge.

pivotal ['pivətəl] svingende, roterende; dreibar, svingbar; sentral, vesentlig, viktig.

pixie el. **pixy** ['piksi] hulder, nisse; ertekrok, skøyer; skøyeraktig, ertelysten.

pizzicato [pitsi'kɑ:təu] pizzicato.

pl. fk. f. **plate; plural.**

P. L. A. fk. f. **Port of London Authority.**

placability [plækə'biliti] forsonlighet.

placable ['plækəbl] forsonlig.

placard ['plækɑ:d] plakat, oppslag; slå opp, kunngjøre.

placate [plə'keit] mildne, blidgjøre; stoppe munnen på.

place [pleis] plass, sted, rom; stilling, post, tjeneste; stand, rang; stille, sette, legge, anbringe, plassere; **it is not my — to ...** det tilkommer ikke meg å ...; **take** — finne sted; **fall into** — ordne seg; **go -s** reise, farte omkring; **out of** — malplassert; — **confidence in** vise tillit; **in the first** — for det første; **be in his right** — være på sin rette hylle. — **card** bordkort. **-hunter** embetsjeger, levebrødspolitiker. — **-kick** (i fotball:) spark til liggende ball. **-man** funksjonær; en som har fått sin stilling ved å støtte regjeringen. **-mat** dekkeserviett. — **name** stedsnavn.

placenta [plə'sentə] morkake; blomsterbunn.

placer ['pleisə] gull-leie, gullforekomst som utvinnes ved vasking.

placid ['plæsid] stille, fredelig, blid, rolig. **placidity** [plə'siditi] blidhet, stillhet, tilfredshet.

placket ['plækit] skjørtesplitt, sliss, lomme.

plagiarism ['pleidʒiərizm] plagiat. **plagiarist** [-rist] plagiator. **plagiarize** [-raiz] plagiere. **plagiary** [-ri] plagiator; plagiat.

plague [pleig] pest; plage; landeplage, svartedauen, pestilens; plage, pine, hjemsøke; være til plage; **a — upon him** pokker ta ham! **plaguer** ['pleigə] plageånd. **plaguy** ['pleigi] forbannet, fordømt, pokkers.

plaice [pleis] rødspette.

plaid [plæd] pledd, skotskrutet stoff eller mønster; reisepledd; skotskrutet.

plain [plein] klage.

plain [plein] jevn, jamn, slett, flat, åpen;

tydelig, klar, åpenbar; usmykket, simpel, enkel; middelmådig, ordinær; glatt; ukunstlet, likefrem, endefrem, åpenhjertig, oppriktig, ærlig; tarvelig; lite pen, stygg; plan; flate, slette, jevn mark; kampplass; planere, jevne, slette, glatte, utjevne, jamne; rettstrikking; **in — clothes** i sivil. — **cooking** daglig matlaging. — **dealer** ærlig person. — **dealing** oppriktig, ærlig; oppriktighet, ærlighet, åpenhet. — **-glass** av alminnelig glass. — **Jane** en helt alminnelig jente. — **knitting** rettstrikking. — **paper** ulinjert papir. — **printing** flattrykk. — **ring** glatt ring. — **speaking** oppriktighet, åpenhet.

plaint [pleint] klage. **plaintiff** ['pleintif] sitant, saksøker, klager. **plaintive** ['pleintiv] klagende; melankolsk, sørgelig. **plaintiveness** [-nis] klagende karakter. **plaintless** .['pleintlis] klageløs.

plait [plæt] fletting; flette.

plan [plæn] plan, grunnriss, utkast, tegning; fremgangsmåte; råd; hensikt; legge planer.

planchette [plɑ:n'ʃet] plansjett, brett på støtter brukt til psykiske forsøk.

plane [plein] plan, flate, nivå; stadium, trinn; bæreplan, vinge; aeroplan, fly; høvel; plan; flat, jevn, jamn; jevne, jamne, glatte; plane (om båt); — **off** høvle. — **iron** høveljern.

planer ['pleinə] høvelmaskin; veiskrape.

planet ['plænit] planet. **planetarium** [plæni-'tɛəriəm] planetarium. **planetary** ['plænit(ə)ri] planetarisk.

plane tree ['pleintri:] platan (slags lønnetre). **planing** ['pleiniŋ] høvling.

planing | bench ['pleiniŋbenʃ] høvelbenk. — **machine** høvelmaskin.

planish ['plæniʃ] planere; jevne, glatte, slette.

plank [plæŋk] planke; plankekle, plankelegge; sette i fengsel; smelle i, smekke. — **bed** sengebenk, køye.

plant [plɑ:nt] vokster, plante; renning, stikling, avlegger; plantning; inventar; materiell; anlegg, fabrikk; spion, angiver; snare, felle; avtalt bedrageri; gjemmested for stjålne varer; plante, beplante; anlegge; grave ned, skjule; **transmission** — kraftoverføringsanlegg; **electric light** — lysanlegg; **school** — skolemateriell. **plantable** ['plɑ:ntəbl] som kan plantes (til).

Plantagenet [plæn'tædʒinet].

plantain ['plæntin] kjempe (plante); pisang.

plantation [plæn'teiʃən] plantasje, plantning, planteskole.

planter ['plɑ:ntə] plantasjeeier; planter; såredskap.

plantigrade ['plæntigreid] sålegjenger.

planting ['plɑ:ntiŋ] plantasje; beplantning.

plantless ['plɑ:ntlis] ubevokst, bar, gold.

plant | louse ['plɑ:ntlaus] bladlus. — **manager** fabrikkdirektør, fabrikkeier. — **pot** blomsterpotte.

plaque [plɑ:k] plate, plakett, minnetavle.

plash [plæʃ] flette greiner sammen, flette gjerde.

plash [plæʃ] skvette, skvalpe, plaske; plasking; dam, pytt. **plashing** ['plæʃiŋ] plasking. **plashy** ['plæʃi] våt, tilskvettet; sumpet.

plasma ['plæzmə] plasma; protoplasma, celleslim; serum.

Plassey ['plæsi].

plaster ['plɑ:stə] (mur)puss, kalk; gips; plaster; kalk; pusse; gipse; legge plaster på; klistre, klebe, lime; overdynge, overøse; **adhesive** (el. **sticking**) — heftplaster. — **of Paris** gips. — **cast** gipsavstøpning; gipsbandasje. **-ed** plastret, pusset osv.; full, beruset. **plasterer** ['plɑ:stərə] gipser, gipsarbeider. **plaster figure** gipsbilde. **plastering** ['plɑ:stəriŋ] gipsing, pussing, kalking; kalkpuss; forskalingsbord. **plaster work** gipsarbeid. **plastery** gipsaktig, gipsholdig.

plastic [plæstik] plast; formende, dannende; plastisk. — **art** plastikk. — **arts** bildende kunster. — **clay** pottemakerleire. — **dancing** plastikk.

plasticity [plæ'stisiti] formende kraft; plastisitet.

---

plastron ['plæstrən, 'plɑ:strən] brystharnisk fekters kyrass; skilpaddes bukskjold.

plat [plæt] flette; fletting.

plat [plæt] jevn, jamn, flat; flat plass; jord stykke, lapp, flekk.

plat [plɑ:] rett (på spisekart).

plate [pleit] skive, tavle, plate, metallplate skilt; fargeplansje; sølvtøy, sølv; plett, plett saker; tallerken; kuvert; premie; dekke med metallplater; pansre; plettere; hamre; **I have enough on my** — jeg har nok å streve med. **-d frigate** panserfregatt. — **armour** platerustning.

plateau ['plætəu] vidde, høyslette, platå.

plate basket ['pleitbaskit] korg (el. kasse) til kniver og gafler.

plateful ['pleitful] (en full) tallerken; **I have had my** — jeg har fått nok.

plate | glass ['pleit'glɑ:s] speilglass. — **-glazed** forsynt med speilglass, plateglittet. — **goods** plettvarer. — **iron** jernblikk. **-layer** skinnlegger. — **mark** stempel, prøvemerke. — **printer** koppertrykker. — **printing** koppertrykk. **platen** [plætn] presseplate; valse (på skrivemaskin). **plater** ['pleitə] pletterer, elektroplettlandler.

plate | rack ['pleitræk] tallerkenrekke, tallerkenhylle. — **shears** metallsaks. — **smith** kjelesmed, platesmed. — **warmer** tallerkenvarmer.

platform ['plætfɔ:m] plattform, perrong; forhøyning; talerstol; politisk program; standpunkt; oppfatning; holde tale fra plattform; **the** — styret, møtelederne. — **car** (amr.) flatvogn (jernbanevogn). — **speaker** folkemøtetaler.

plating ['pleitiŋ] panser; platekledning; ytterkledning.

platinum ['plætinəm] platina.

platitude ['plætitju:d] platthet, smakløshet; flauhet, banalitet. **platitudinize** ['plæti'tju:dinaiz] komme med flaue bemerkninger.

Plato ['pleitəu] Platon. **-nic** [plə'tɔnik] platonisk. **-ism** ['pleitənizm] platonisme.

platoon [plə'tu:n] pelotong, tropp, lag.

platter ['plætə] tretallerken, fat; grammofon el. lydbåndopptak.

platy ['pleiti] plateaktig, plate-.

plaudit ['plɔ:dit] bifallsytring.

plauditory ['plɔ:ditəri] bifalls-; bifallende.

plausibility [plɔ:zi'biliti] antagelighet, tilsynelatende riktighet; behagelig vesen. **plausible** ['plɔ:zibl] plausibel, antagelig, trolig, tiltalende.

play [plei] spille (ut); leke, fjase, spøke; fremstille, utføre en rolle, agere; sette i virksomhet, la spille; spill; bevegelse; spillerom, slark; arbeidsnedleggelse, stans; virksomhet, forlystelse, lek, spøk; skuespill; handlemåte, fremgangsmåte; — **ball** være med (på leken); — **cricket** følge spillereglene; — **hard to get** gjøre seg kostbar; — **hooky** (amr.) skulke; — **safe** holde seg på den sikre siden; — **around** tulle, tøyse; — **at whist** spille whist; **two can** — **at that** det skal vi være to om; — **down** bagatellisere; — **off on her** føre henne bak lyset; — **of colours** fargespill; — **of features** minespill; **what's the** — **to be?** hva går det på teatret? — **to the gallery** spille for galleriet; **at the** — i teatret; **fair** — ærlig spill; **foul** — uærlig spill; **cheat at** — bedra i spill.

playable ['pleiəbl] som det er råd (el. verdt) å spille.

play | -actor ['plei'æktə] skuespiller (nedsettende). — **-actress** skuespillerinne (nedsettende). **-back** avspilling. **-bill** program, plakat. **-book** tekst til teaterstykke. **-boy** spradebass, herre på byen; (velstående yngre) levemann. **-day** fridag. — **debt** spillegjeld. **-ed** kaka, utkjørt. **-ed-up** oppskrytt, overdrevent.

player ['pleiə] skuespiller; deltager i spill. **playfellow** lekekamerat. **playful** ['pleif(u)l] opplagt til lek, leken; spøkefull, gladlyndt, spøkende. **playfulness** lyst til å leke; spøkefullhet, spøk.

play | goer ['pleigəuə] teatergjenger. — **-going**

eatersøkende. **-ground** lekeplass. **-hour** leketid, ritid; spilletid.

playing ['pleiiŋ] lek, spill. — **card** spillkort. **play|mate** lekekamerat. **-night** teateraften. — **-off** omkamp. **-pen** lekegrind. **-reader** teaterkonsulent. — **right** enerett til oppførelse. **-room** ekerom. **-thing** leketøy. **-wright** skuespillforfatter.

plea [pli:] rettssak; sakførsel; forsvar; påstand; innskyldning; partsinnlegg; påskudd, bønn, oppfordring; **on the** — **that** med påberopelse av at . . ., idet man gjør gjeldende at . . .; **put in** — nedlegge innsigelse; **put in a** — **for** legge et ord inn for.

pleach [pli:tʃ] flette sammen.

plead [pli:d] tale en sak for retten; føre en sak, pledere; påberope seg, anføre som unnskyldning; be inntrengende, trygle; — **guilty** erkjenne seg skyldig etter tiltalen; — **not guilty** erklære seg ikke skyldig. **pleadable** ['pli:dəbl] som kan gjøres gjeldende. **pleader** ['pli:də] sakfører; forsvarer, talsmann, forfekter. **pleading** 'pli:diŋ] bedende, bønnlig; forsvar; innlegg; bønn, forbønn; **oral** — muntlig prosedyre.

pleasance ['plezəns] moro, behagelighet, lyst, fornøyelse, forlystelse; lysthage.

pleasant ['plezənt] behagelig; elskverdig; hyggelig; lystig, munter, gemyttlig. **pleasantness** [-nis] behagelighet.

pleasantry ['plezəntri] spøk, skjemt, vittighet, munterhet.

please [pli:z] behage, være til lags, tiltale, glede; ha lyst til, ville; — **God** om Gud vil; **to** — **him** for å gjøre ham til lags; **there's no pleasing** some folks noen mennesker er det umulig å gjøre til lags; **I am to** — **myself** jeg kan gjøre som jeg selv vil; **pass me the book,** —! vær så vennlig å rekke meg boka! **if you** — om forlatelse, unnskyld; om jeg tør be; hvis De ønsker; (**a cup of tea?**) **if you** —! ja takk! **pleased** [pli:zd] glad, tilfreds, fornøyd; **I shall be** — **to** det skal glede meg å . . ., jeg skal med glede . . . **pleasing** ['pli:ziŋ] tiltalende, behagelig, inntagende. **pleasingness** [-nis] behagelighet.

pleasurable ['pleʒərəbl] behagelig, lystbetont.

pleasure ['pleʒə] behag, velbehag, glede, fornøyelse, gammen, moro; nytelse; vilje, lyst, ønske; befaling; fornøye; behage; være til lags; **what's your** —? hva kan vi stå til tjeneste med? **have a** — in være en stor glede å . . . **I take** — **in sending** you el. **I have the** — **of sending you** jeg har den glede å sende Dem; **at** — etter behag, etter eget tykke; **a man of** — en levemann.

pleasure| **boat** lystbåt. — **craft** lystfartøy. **-ground** fornøyelsespark, folkepark. — **-seeking** fornøyelsessyk. — **resort** badested, kursted. — trip fornøyelsestur, rekreasjonsreise.

pleasuring ['pleʒəriŋ] fornøyelse, fornøyelser.

pleat [pli:t] fold, legg; folde, plissere. **-ing** folder, legg; pl. plissering.

plebeian [pli'bi:ən] plebeiisk; plebeier.

plebiscite ['plebisit] folkebeslutning, folkeavstemning. **plebs** [plebz] folket, massen.

plectrum ['plektrəm] plekter.

pledge [pledʒ] pant; pantsetting; garanti; forpliktelse; løfte; gissel; skål; pantsette, sette i pant; innestå for; forplikte, love; skåle med (el. for) en; **I was -d in** honour not to jeg var på ære forpliktet til ikke. **pledgee** [ple'dʒi:] panthaver. **pledger** ['pledʒə] pantsetter, pantstiller.

pledget ['pledʒit] dott (f. eks. vatt), kompress.

Pleiades ['plaiədi:z] pleiader (Atlas' 7 døtre i gresk mytologi); **the Pleiades** Pleiadene, Sjustjernen.

plenary ['pli:nəri] full, hel, fullstendig.

plenipotentiary [plenipə'tenʃəri] befullmektiget (utsending), som har fullmakt, fullmektig.

plenitude ['plenitju:d] overflod, rikdom.

plenteous ['plentiəs, -tjəs] overflødig, rikelig; vel forsynt, fet. **plenteousness** [-nis] overflod.

plentiful ['plentif(u)l] overflødig, rik, rikelig, fruktbar, grøderik.

plenty ['plenti] velstand, overflod, overflødighet, rikdom; nokså, temmelig, veldig; **horn of** — overflødighetshorn; — **of** ['plentjəv] fullt opp av, nok av; — **of time** god tid.

plenoasm ['pli:ənæzm] pleonasme. **pleonastic** [pliə'næstik] pleonastisk.

plesiosaurus ['pli:siə'sɔ:rəs] plesiosaurus.

plethora ['pleθərə] blodoverfylling; overflod. **plethoric** [ple'θɔrik, pli-] blodrik, blodfull; oppsvulmet.

pleurisy ['pluərisi] brysthinnebetennelse; plevritt. **pleuritic** [pluə'ritik] som har brysthinnebetennelse, som har plevritt. **pleuritis** [pluə'raitis] se **pleurisy.**

plexus ['pleksəs] nettverk, flettverk, vev, plexus.

pliability [plaiə'biliti] bøyelighet, smidighet; føyelighet, svakhet. **pliable** ['plaiəbl] bøyelig, smidig; myk; svak, ettergivende. **pliancy** ['plaiənsi] se **pliability. pliant** ['plaiənt] bøyelig; bløt; myk.

pliers ['plaiəz] nebbetang; **combination** — universaltang; **flat-nosed** — flattang.

plight [plait] løfte; love; binde, gi; sette i pant.

plight [plait] forfatning, tilstand, knipe, klemme.

Plimsoll ['plimsəl]. — **line** lastelinje.

plinth [plinθ] plint, søylesokkel.

Pliny ['plini] Plinius.

pliocene ['plaiəsi:n] pliocen formasjon; pliocen.

plod [plɔd] traske, trakke, labbe; henge i, slite i; slepe; seigt arbeid, slit. **plodder** ['plɔdə] sliter, trekkdyr; arbeidstræl, lesehest. **plodding** ['plɔdiŋ] seig, strevsom; iherdighet, tålmodig slit.

plonk [plɔŋk] falle tungt, klaske, dette ned.

plop [plɔp] plump, plask, svupp, plopp.

plosive ['pləusiv] (fonetikk) lukkelyd.

plot [plɔt] jordstykke, lapp, flekk, hageflekk, kolonihage, (gress)plen; plan, kart; gjøre et grunnriss av; kartlegge.

plot [plɔt] plan, sammensvergelse, komplott; anslag; intrige; handling, gang (i et skuespill); legge planer; smi renker, intrigere. **plottage** ['plɔtidʒ] grunnareal. **plotter** ['plɔtə] renkesmed, intrigant; planer, anslag, renker; — **paper** millimeterpapir.

plough [plau] plog, snøplog; ploghøvel, nothøvel; bokbinderhøvel; pløye; beskjære; la dumpe til eksamen, stryke; **the Plough** Karlsvogna; — **in** pløye ned; — **over again** pløye om igjen; — **up** (el. out) pløye opp, pløye opp av jorda; — **and tongue together** pløye sammen med fjær og not; **be -ed** dumpe, ryke, stryke. **ploughable** ['plauəbl] som kan pløyes. **plougher** ['plauə] pløyer. **ploughing** ['plauiŋ] pløying; våronn, plogonn.

plough| **beam** ['plaubi:m] plogås. **-boy** ploggutt; bondeslamp. **-iron** ['plauaiən] plogjern, ristel. **-land** plogland, åkerland. **-man** plogkar, landmann, bonde. **-point** skjærspiss. **-share** plogskjær, plogjern. **-wright** plogmaker, plogsmed.

plover ['plʌvə] brokkfugl; regnpiper; heilo.

pluck [plʌk] rive, nappe, trive, rykke, trekke; plukke, ribbe; rejisere, stryke; rykk, grep, tak, napp; mot, mannsmot, ben i nesen; innmat; — **up** ta mot til seg, manne seg opp. **pluckiness** ['plʌkinis] mot. **plucky** ['plʌki] modig, kjekk, tapper, djerv.

pluffy ['plʌfi] svampet, porøs; slapp; blekfet.

plug [plʌg] plugg, propp, tapp; spuns, nagle; bunnpropp; støpsel (til stikkontakt); plate av skråtobakk; plombere; proppe til, tette igjen; skyte, plaffe ned; sette i stikk-kontakt. **plug|-and-socket connection** stikkontakt. — **-hole** avløpshull, spunshull.

plum [plʌm] plomme, rosin; godbit, det beste.

plumage ['plu:midʒ] fjær, fjærkledning.

plumb [plʌm] bly, blylodd, lodd; loddrett; bent, ende, pladask; plombere; bringe i lodd; lodde; måle, lodd; være i lodd; **out of** — ute av lodd; **I had** — **forgotten** jeg hadde helt glemt.

plumbago [plʌm'beigəu] grafitt, blyant; fjærekoll (plante).

plumbean ['plʌmbiən], **plumbeous** ['plʌmbiəs] bly-, blyaktig, blyholdig.

plumber ['plʌmə] blikkenslager, blytekker; rørlegger; blykule. **plumbery** ['plʌməri] blyarbeid, blytekking; rørlegging; rørleggerverksted. **plumbic** ['plʌmbik] bly-. **plumbiferous** [plʌm'bifərəs] blyholdig, blyførende. **plumbing** ['plʌmiŋ] blyarbeid; blytekking; blikkenslagerarbeid, rørleggerarbeid.

plumb| line ['plʌmlain] loddline, loddsnor; loddrett linje. — **rule** vaterpass, loddbrett.

plum cake ['plʌmkeik] plumkake, formkake med rosiner.

plum duff ['plʌmdʌf] melpudding med rosiner. **plume** [plu:m] fjær; fjærdusk; pusse, pynte, stelle fjærene sine; plukke; ribbe; — **oneself** være stolt, briske seg, gjøre seg til.

plumelet ['plu:mlit] dunfjær.

plummet ['plʌmit] lodd; blysøkke (på fiskesnøre); loddsnor; falle brått, rase nedover.

plummy ['plʌmi] full av rosiner; utmerket, lekker, førsterangs, deilig.

plumose [plu:'məus] fjæraktig, fjær-, fjæret.

plump [plʌmp] rund, tykk, lubben, trivelig, fyldig, før; uten videre, bent ut, endefrem, bums, lukt; klump, klynge; fylle, utfylle, utvide; gjøre fyldig, gjøre lubben; utvide seg, tykne, legge seg ut; buse ut med; brått, plump, pladask.

plumper ['plʌmpə] stemmeseddel (med bare ett navn); diger løgn, diger skrøne.

plum pudding ['plʌm'pudiŋ] plumpudding.

plum tree ['plʌmtri:] plommetre.

plumy ['plu:mi] fjæret, fjærkledd.

plunder ['plʌndə] plyndre, røve; plyndring; plyndret gods; rov, bytte. **plunderer** ['plʌndərə] plyndrer.

plunge ['plʌn(d)ʒ] styrte, kaste, slenge, støte; dukke ned, kaste seg, stupe, styrte seg; plutselig fall; dukk, dukkert, dukking; styrt, renn, forlegenhet, vanskelighet, ulykke, vågestykke.

plunger ['plʌn(d)ʒə] dukker, dykker; plungerstempel; veddemålsspekulant, jobber.

pluperfect ['plu:'pə:fikt] pluskvamperfektum.

plural ['pluərəl] som inneholder flere, flertalls-; flertall. **pluralism** ['pluərəlizm] pluralisme; det å ha flere prestekall samtidig. **pluralist** [-list] pluralist. **plurality** [pluə'ræliti] pluralitet, flerhet, majoritet, flertall.

plus [plʌs] pluss; positiv; addisjonstegn.

plus fours ['plʌs'fɔ:z] lange, vide knebukser, først brukt av golfspillere, nikkers.

plush [plʌʃ] floss, plysj; meget elegant, kjempesmart.

Plutarch ['plu:ta:k] Plutark.

plute [plu:t] (amr.) kapitalist, plutokrat.

plutocracy [plu:'tɔkrəsi] plutokrati, rikmannsstyre; rikmannsaristokrati, pengeadel. **plutocrat** ['plu:təkræt] plutokrat, pengefyrste. **plutocratic** [plu:tə'krætik] plutokratisk.

Plutonian [plu:'təunjən] plutonisk (som angår Pluto); vulkansk.

Plutonic [plu:'tɔnik] plutonisk.

pluvial ['plu:vjəl] regnfull.

pluvious ['plu:vjəs] regn-, regnfull.

ply [plai] folde; bearbeide; nytte, bruke, drive på med; drive, utføre; gå løs på; henge i; gå (i rute); baute, krysse; forsyne, skaffe; lag; fold; tråd; eiendommelig utvikling, retning; tilbøyelighet; — **with questions** bombardere med spørsmål; — **with drink** få til å drikke tett, traktere flittig; **the small steamers that** — **the lake** de små dampere som går i rute på sjøen.

Plymouth ['pliməθ].

plywood ['plaiwud] kryssfinér.

P. M. fk. f. Prime Minister; Police Magistrat Postmaster; Provost Marshal.

p. m. fk. f. post meridiem, at 3 p. m. kl. 1 post mortem.

P. M. G. fk. f. Pall Mall Gazette; Paymaster General; Postmaster General.

p. m. h. fk. f. production per man-hour.

PML fk. f. probable maximum loss.

pneumatic [nju'mætik] pnevmatisk; luft trykkluft-. — **dispatch** rørpost. — **engine** luf pumpe. — **tyre** luftring, luftslange.

pneumonia [nju'məunjə] lungebetennelse. **pneumonic** [nju'mɔnik] lunge-, lungesyk.

P. O. fk. f. postal order; post office.

poach [pəutʃ] pochere (egg); trampe ned; b nedtrampet; drive krypskytteri, drive ulovli jakt (el. fiske); lure seg til en fordel (i kappløp slå ballen mens den er på medspillerens grun (i tennis); krypskytteri; **-ed eggs** forlorne eg (ɔ: kokt uten skall i vann); **-ed cod** (av)kokt torsk **poacher** ['pəutʃə] vilttyv, krypskytter. **poaching** ['pəutʃiŋ] vilttyveri, krypskytteri.

P. O. B. fk. f. Post Office Box.

Po [pəu]; **the** — **basin** Posletten.

pock [pɔk] pustel; kopparr.

pocket ['pɔkit] lomme, pose, sekk; grop, for dypning; dalsøkk; enklave, øy; tie vannreser voar; innkassere, tjene; putte eller stikke lommen; — **up** stikke til seg, skjule; tie still til, tåle, bite i seg, finne seg i. — **battleshi** lommeslagskip. **-book** lommebok; notisbok — **diary** notisbok; lommekalender. — **editio** billigutgave, pocketutgave. — **handkerchie** lommetørkle. **-knife** lommekniv. — **mone** lommepenger. — **piece** lykkemynt. — **pisto** lommepistol; lommelerke. — **-sized** i lomme format. — **slit** lommeåpning. — **state** lilleputt stat.

pock-marked ['pɔkmɑ:kt] kopparret.

pod [pɔd] belg, skjelm, skolm; flokk, (fiske) stim; skjelme, skolme.

P. O. D. fk. f. pay on delivery; Post Offic Department.

podagra ['pɔdəgrə] podagra. **podagrical** [pə'dægrikl] podagristisk.

podded ['pɔdid] velhavende, velberget.

podgy ['pɔdʒi] buttet, tykk, klumpet.

podium ['pəudjəm] podium.

Poe [pəu].

poem ['pəuim] dikt.

poesy ['pəuisi] (gml.) poesi, diktekunst, skald skap. **poet** ['pəuit, -et] dikter.

poetaster [pəui'tæstə] rimsmed, versemaker **poetess** ['pəuitis] dikterinne. **poetic** [pəu'etik dikterisk, poetisk. **poetical** [pəu'etikl] dikterisk poetisk. **poetics** [pəu'etiks] lærebok i diktekunst poetikk. **poetry** ['pəuitri] poesi, diktning, dikte kunst.

pogo ['pəugəu] el. **pogo stick** kengurustylte hoppestokk.

pogrom [pə'grɔm, 'pɔgrɔm] jødeforfølgelse.

poignancy ['pɔinənsi] skarphet, bitterhet pregnans, brodd; pirrelighet. **poignant** ['pɔinənt skarp, kvass, bitter, besk; skjærende, gjennom trengende.

poinsetta [pɔin'setə] julestjerne (planten).

point [pɔint] spiss; støt, stikk; punkt, prikk odde, nes; poeng; klarhet, skarphet; hovedsak karakteristisk el. utpreget side; viktig punkt formål, endemål; strek, kompasstrek; komma ved desimalbrøk; skilletegn, punktum, (desimal- komma; **bad** — svakhet; smakløshet; **good** — god egenskap, dyd; **full** — punktum; **the great** — hva det især kommer an på; — **of honour** æress sak; — **of view** synspunkt; **gain a** — nå sitt mål; **make a** — el legge vekt på; **miss the whole** — overse det vesentlige; **I don't see the** — jeg skjønner ikke vitsen med; **a case in** — et godt eksempel; **in** — of med hensyn til; — **of exclamation** utropstegn; **in** — **of fact** i virkeligheten; vesentlig; **on this** — hva dette angår; **be on**

the — of stå i begrep med, være på nippet til; **let us come to the** — la oss komme til saken.

point [pɔint] spisse, sette spiss på; skjerpe; sikte; peke; illustrere; sette skilletegn; poengtere; fremheve; understreke, markere.

point-blank ['pɔint'blæŋk] likefrem, rett ut; rettlinjet, uten elevasjon (om et skudd).

point duty trafikktjeneste (politibetjents arbeid med å dirigere trafikken osv. på et bestemt sted).

pointed ['pɔintid] spiss, tilspisset, spissnutet; poengtert; skarp, kvass; markant. **pointedness** [-nis] spisshet; skarphet; likefremhet.

pointer ['pɔintə] pekestokk; viser (på ur); vink, pekepinn; pointer, korthåret fuglehund.

pointing lace sydde kniplinger.

pointless meningsløs, fåfengt; kjedelig; uten spiss.

pointsman ['pɔintsmən] sporskifter.

poise [pɔiz] vekt; likevekt, holdning; naturlig likevekt; veie, sette, holde i likevekt; balansere; veie, vurdere.

poison ['pɔizn] gift; forgifte; forderve. **poisoner** ['pɔizna] giftblander; giftblanderske. **poison fang** gifttann. **poison gas** giftgass. **poisoning** ['pɔizniŋ] forgiftning; giftblanding; giftmord. **poisonous** ['pɔiznəs] giftig, gift-; skadelig. **poisonousness** [-nis] giftighet.

poke [pouk] stikke, støte, skyve, puffe, rote i, stikke fram; rote, kare, grave i; snuse (**about** omkring); stikke hodet fram; stikk, støt, dunk, dytt, dult; spark; — **one's nose into** stikke nesen sin i; — **fun ha** moro med, drive gjøn med.

poke [pouk] (gml.) pose, lomme; **buy a pig in a** — kjøpe katten i sekken.

poke [pouk] fremstående hatteskygge. — **bonnet** kysehatt. — **-cheeked** med posekinn. — **collar** fadermorder, høy, stiv snipp. — **-easy** (amr.) lathans.

poker ['poukə] poker (kortspill); ildrake, glorake; nål til brenning i tre, brannmaling; **have swallowed a** — se ut som en har slukt en linjal.

pokerwork brannmaling.

poky ['pouki] (om plass) trang, liten; (om virksomhet) ubetydelig, dau; ussel, ynkelig.

Poland ['pouland] Polen.

polar ['poulə] polar; polar-, pol-. — **bear** isbjørn. — **cap** polkalott. — **explorer** polarforsker.

polarization [poulərai'zeiʃən] polarisasjon. **polar lights** polarlys. **-oid glasses** polaroidbriller.

Pole [poul] polakk.

pole [poul] pol; stang, stake; påle; staur; målestang; stenge (f. eks. erter); stake fram (en båt); bære på påler el. stenger; **carriage** — vognstang; **fishing** — fiskestang; **curtain** — gardinstang; **flag** — flaggstang; **tent** — teltstang; **telephone** — telefonstolpe. **-axe** stridsøks. **-cat** ilder. — **jump** stavsprang.

polemic [pə'lemik] polemiker, polemisk; **polemics** polemikk.

polenta [pə'lentə] polenta, maisgrøt.

pole piece polsko. **the** — **star** Polarstjernen. — **vault(ing)** stavsprang.

police [pə'li:s] politi; føre politioppsyn med; holde orden blant, holde styr på. — **case** politisak. — **constable** politikonstabel. — **court** politirett. — **force** politistyrke. — **magistrate** dommer.

policeman [pə'li:smən] politibetjent, konstabel. **police office** politikammer. — **officer** politibetjent. — **raid** politiutrykning, razzia. — **sergeant** overbetjent. — **station** politistasjon. — **superintendent** sjef for politistasjon, avdelingssjef.

policlinic [pɔli'klinik] poliklinikk.

policy ['pɔlisi] politikk; statsvitenskap; statskløkt; fremgangsmåte; sluhet, list; **honesty is the best** — ærlighet varer lengst.

policy ['pɔlisi] polise, forsikringsbrev. — **-broker** assuransemekler. — **-holder** innehaver av en polise, forsikret.

polio ['pouliəu] polio; poliopasient. **-myelitis** poliomyelitt, barnelammelse.

Polish ['pouliʃ] polsk.

polish ['pɔliʃ] polere, blankslipe, blanke, blankskure, glatte, forfine, smykke, pryde; politur, pusse-, blankemiddel, bonevoks; glatthet; finhet; — **off** gjøre det av med en; bli ferdig i en fart. **polisher** ['pɔliʃə] polerer; sliperedskap. **polishment** politur.

polite [pə'lait] høflig, fin, dannet. — **literature** skjønne vitenskaper; skjønnlitteratur. **politeness** [-nis] forfinelse, finhet, høflighet. **politesse** [pɔli'tes] belevenhet, høflighet.

politic ['pɔlitik] politisk, stats-; fornuftig, forsiktig, klok, diplomatisk. **political** [pə'litikl] politisk, stats-; politiker, statsmann. — **economy** nasjonaløkonomi. — **science** statsvitenskap. **politician** [pɔli'tiʃən] politiker, statsmann. **politics** ['pɔlitiks] politikk, statsvitenskap; statskunst; politiske anskuelser. **polity** ['pɔliti] regjeringsform; samfunn; skipnad.

polka ['pɔlkə, 'pəulkə] polka.

poll [pɔl] skolt, haus; nakke; bakhode; manntall; manntallsprotokoll; valgprotokoll; stemmeopptelling, stemmetall; valg; valgsted; koppskatt; **Gallup** — gallupundersøkelse, rundspørring; **when the** — **was declared** da utfallet av valget ble kunngjort; **decline the** — oppgi sitt kandidatur; **come out at the head (at the bottom) of the** — få det største (det minste) stemmetall; **a** — **was demanded** det ble krevd skriftlig avstemning; **go to the -s** gå til valg.

poll [pɔul] kylle, topphogge; snauklippe, skjære av, kappe av; innskrive, innføre; avgi (sin stemme); bringe til valgurnen; foreta avstemning; oppnå, få, samle (et antall stemmer); telle opp stemmene; intervjue, foreta rundspørring.

pollack ['pɔlək] lyr; **green** — sei.

poll book manntall; manntallsprotokoll. — **clerk** valgsekretær. **polled** [pəuld] kollet.

pollen ['pɔlin] pollen, blomsterstøv; pollinere, bestøve.

poller ['pɔulə] kapper; manntallsfører; stemmeberettiget, velger; intervjuer ved rundspørring. **pollinate** ['pɔlineit] pollinere, bestøve.

polling ['pəuliŋ] avstemning; valghandling. — **booth** stemmeavlukke. — **clerk** listefører. — **day** valgdag. — **station** valgsted.

polliwog ['pɔliwɔg] rumpetroll.

poll parrot ['pɔl'pærət] papegøye; pludre. — **tax** koppskatt.

pollute [pə'l(j)u:t] forurense, skjemme; besmitte; krenke, vanære. **polluter** [-ə] besmitter; forurenser. **pollution** [pə'l(j)u:ʃən] besmittelse; forurensning, tilgrising.

polo ['pəuləu] polo.

polonaise [pɔlə'neiz] polonese.

Polonese [pəulə'ni:z] polsk.

polony [pə'launi] røkt fleskepølse.

poltroon [pɔl'tru:n] reddhare, kujon; krysteraktig, feig. **poltroonery** [pɔl'tru:nəri] feighet, kujoneri. **poltroonish** [-iʃ] krysteraktig, feig.

polygamist [pɔ'ligəmist] polygamist. **polygamy** [-mi] polygami. **polyglot** ['pɔliglɔt] som taler mange språk; som er på mange språk; polyglott.

Polynesia [pɔli'ni:zjə] Polynesia. **Polynesian** polynesier; polynesisk.

polypode tusenbein. **polypous** ['pɔlipəs] polypaktig. **polypus** ['pɔlipəs] polypp; koralldyr. **polyspermal** [pɔli'spə:məl] mangefrøet. **polysyllable** [pɔli'siləbl] flerstavelsesord. **polytechnic** [-'teknik] polyteknisk; polyteknisk skole. **polytechnics** [-ks] polyteknikk.

pomaceous [pə'meiʃəs] som består av epler, eple-.

pomade [pə'mɑ:d] pomade; pomadisere.

pomatum [pə'meitəm] pomade; pomadisere.
pome [pəum] eplefrukt, kjernefrukt. **-citron** sitroneple. **-granate** ['pɔmgrænit] granateple.
Pomerania [pɔmə'reinjə] Pommern. **-n** pommersk; pommeraner; pommersk spisshund.
pommel ['pʌməl] knapp, kule, knott, kårdeknapp; banke, rundjule, denge.
pomp [pɔmp] praktopptog; pomp, prakt, stas.
Pompeian [pɔm'pi:ən] pompeiansk.
Pompeii [pɔm'pi:ai].
Pompey ['pɔmpi] Pompeius; (i sjømannsslang:) Portsmouth.
pompom ['pɔmpɔm] maskinkanon.
pompon ['pɔmpɔn] (fr.) pompong (pyntekvast).
pomposity [pɔm'pɔsiti] praktfullhet; høytidelighet; oppblåsthet, svulstighet.
pompous ['pɔmpəs] pompøs, praktfull; høytidelig. staselig, høyttravende; viktig, hoven.
ponce [pɔns] hallik, alfons.
poncho ['pɔntʃəu] poncho (klesplagg).
pond [pɔnd] dam, tjern, vann; demme opp; **the big** — Atlanterhavet. — **lily** nøkkerose.
ponder ['pɔndə] overveie, overlegge; grunne, tenke etter. **ponderable** ['pɔndərəbl] veielig, som lar seg veie; som kan vurderes; vektig. **ponderal** ['pɔndərəl] ponderal, vekt-, veid. **pondering** ['pɔndəriŋ] grublende, ettertenksom. **ponderosity** [pɔndə'rɔsiti] tyngde, vekt. **ponderous** ['pɔndərəs] tung, diger, svær, vektig; viktig, betydningsfull. klosset, tung. **ponderousness** [-nis] tyngde, vekt.
pong [pɔŋ] stank; stinke.
poniard ['pɔnjəd] dolk; dolke, stikke.
pontage ['pɔntidʒ] brupenger, brutoll.
pontiff ['pɔntif] yppersteprest, pontifeks; pave. **pontificate** [pɔn'tifik] pontifikal; pavelig; **pontificate** [pɔn'tifikit] pontifikat; pavestol; paves embetstid. **pontify** ['pɔntifai] spille pave, late som en har greie på alt.
pontlevis [pɔnt'levis] vindebru.
pontoon [pɔn'tu:n] pongtong. — **bridge** pongtongbru.
pony ['pəuni] ponni; (i slang) £ 25; små-; lite glass, liten drink; — **up** betale, gjøre opp. — **edition** lomme-, billigutgave. — **-tail** hestehale (frisyren).
poodle ['pu:dl] puddelhund.
pooh [pu:] pytt! — **-bah** ['pu: 'bɑ:] kakse, storkar. — **-pooh** ['pu:'pu:] blåse av, blåse i, flire av.
pool [pu:l] dam, basseng; pøl, pytt; høl, kulp; **The Pool** Londons havn nedenfor London Bridge.
pool [pu:l] pulje, innsats; sammenslutning, ring, konsortium; forråd, reserve; biljardspill; forene krefter, samle, skyte sammen; **the football -s** tippetjenesten; **typist's** — skrivestue; byrå for kontorhjelp; **play the -s** tippe.
poop [pu:p] popp, hytte, bakerste opphøyde del av et skipsdekk; slå inn over (om en sjø); seile på bakfra. **pooping sea** svær sjø over akterskipet.
poor [puə] fattig, trengende, stakkars, arm, ringe; mager, skrinn; ussel; dårlig, elendig; salig, avdød. — **box** fattigbøsse. — **farm** fattiggård, pleiehjem. **-house** fattighus. — **law** fattiglov.
poorly ['puəli] tarvelig, fattig; dårlig; skral, skrøpelig. **poorness** ['puənis] fattigdom; tarvelighet, smått stell; magerhet.
poor | rate ['puəreit] fattigskatt. — **relief** fattigunderstøttelse, forsorgsbidrag. — **-spirited** forsagt; feig.
pop. fk. f. **popular; population.**
pop [pɔp] puff, smell, knall; mineralvann; stampen, onkel, pantelåner; futte, plaffe, knalle; — **the question** fri; — **in** smutte inn, komme inn; — **off** stikke av, smutte bort; avvise; dø; — **out** smutte ut; blåse ut; — **up** fare opp. **pop paff,** vips!
pop [pɔp] folkekonsert (fk. f. **popular**). **-corn** pop corn, ristet mais. — **music** popmusikk.
Pope [pəup].

pope [pəup] pave. **popedom** [-dəm] pav dømme. **popery** ['pəup(ə)ri] papisme; papistis lære.
Popeye (the Sailor) ['pɔpai] Skipper'n.
pop|eyed med utstående øyne. — **gun** lek| tøyspistol, luftgevær.
popinjay ['pɔpindʒei] papegøye; srl. papegøy til å skyte til måls på; grønnspette; innbils person.
popish ['pəupiʃ] pavelig, papistisk.
poplar ['pɔplə] poppel.
popple ['pɔpl] gynge, duve; krapp sjø; skvul| **poppy** ['pɔpi] valmue; **Flanders** — flanderr valmue (helliget minnet om dem som døde den første verdenskrigen). **-cock** tull og tøys **Poppy Day,** d. 11. nov., da det selges Flander poppies. — **seed** valmuefrø.
populace ['pɔpjuləs] almue, hop. **popular** ['pɔ pjələ, 'pɔpjulə] folke-; folkets; folkelig; popu lær; lettfattelig; folkekjær. **popularity** [pɔpju 'læriti] popularitet. **popularization** [pɔpjulær 'zeiʃən] popularisering. **popularize** ['pɔpjulæraiz popularisere.
populate ['pɔpjuleit] befolke; bo i.
population [pɔpju'leiʃən] befolkning; folke mengde, folketall. — **density** befolkningstetthe| **populous** ['pɔpjuləs] folkerik, tett befolke| **populousness** [-nis] folkerikdom, tett befolkning **porcelain** ['pɔ:slin] porselen. — **paste** porselens masse.
porch [pɔ:tʃ] portal; søylegang, buegang; bi slag, utskott, sval, veranda; forstue, hall.
porcine ['pɔ:sain] svine-, grise-, som hører ti grisefamilien.
porcupine ['pɔ:kjupain] hulepinnsvin, afri kansk pinnsvin; maurpinnsvin.
pore [pɔ:] stirre; henge over bøkene, grav| seg ned, fordype seg (**over** i).
pore [pɔ:] pore.
poriness [pɔ:'rinis] porøs beskaffenhet.
pork [pɔ:k] svinekjøtt, flesk, svin. — **barre|** (amr.) valgflesk. — **chop** svinekotelett. **porke|** ['pɔ:kə] fetesvin, slaktegris; sjøgris. **pork pie** fleskepostei. **porky** fet, fleske-.
porn [pɔ:n] porno.
pornography [pɔ:'nɔgrəfi] pornografi.
porosity [pɔ'rɔsiti] porøsitet.
porous ['pɔ:rəs] porøs.
porpoise ['pɔ:pəs] nise.
porridge ['pɔridʒ] (havre)grøt.
porringer ['pɔrindʒə] fat, skål, bolle.
port [pɔ:t] havn, sjøhavn; havneby; laste- el. losseplass; port, kanonport; by- el. festningsport; kuøye, ventil; portvin; babord; **to** — til babord; **naval** — sjøby; **free** — frihavn; — **of call** anløpssted.
portable ['pɔ:təbl] som kan bæres; transportabel, flyttbar; reise-.
portage ['pɔ:tidʒ] transportomkostninger; bærepenger.
portal ['pɔ:təl] portal; port, dør; porthvelving.
port | authority havnevesen. — **captain** havnefoged. — **charges** havneavgifter.
porterayon [pɔ:t'kreiən] blyantholder.
portcullis [pɔ:t'kʌlis] fallgitter.
Porte [pɔ:t]; **the** — el. **the Ottoman** — el. **the Sublime** — Porten (den tyrkiske regjering).
portend [pɔ:'tend] varsle, tyde på, varsle om, spå. **portent** [pɔ:'tent] varsel, forvarsel, tegn, dårlig varsel; vidunder.
portentous [pɔ:'tentəs] varslende, illevarslende; uhyre; høytidelig; imponerende.
porter ['pɔ:tə] portner, vaktmester, dørvokter; portier; (amr.) sovevognskonduktør; havnearbeider, bærer, bybud.
porter ['pɔ:tə] porter (slags øl).
porterage ['pɔ:təridʒ] bærepenger, budpenger; transport av bagasje.
portfolio [pɔ:t'fəuljəu] mappe, dokumentmappe; beholdning; portefølje.
porthole ['pɔ:thəul] port, glugge, ventil.

portico ['pɔ:tikəu] søylegang.
portion ['pɔ:ʃən] del; andel, part, lodd, porn; arvedel, arvepart; medgift; dele, dele ut, ordele; skifte ut; utstyre. **portioner** ['pɔ:ʃənə] tdeler, fordeler. **portionist** ['pɔ:ʃənist] stipendiat. **ortionless** [-lis] uten andel; uten medgift; fattig.
portliness ['pɔ:tlinis] anstand, verdighet; korulense, førhet. **portly** ['pɔ:tli] anselig, statelig; orpulent, før, svær.
portmanteau [pɔ:t'mæntəu] koffert, håndoffert, vadsekk; tøyelig, elastisk; — **word** rd dannet ved sammentrekning av to andre, eks. **smog** av **smoke** og **fog**.
port| of arrival ankomsthavn. — **of call** anopshavn. — **of destination** bestemmelseshavn. — **of discharge** lossehavn. — **of registry** reistreringshavn, hjemby.
portrait ['pɔ:trit] portrett, bilde. **portraiture** 'pɔ:tretʃə] portrett; skildring. **portray** [pɔ:'trei] vbilde, male; skildre, tegne. **portrayal** [-əl] avoilding; fremstilling, skildring. **portrayer** [-ə] oortrettmaler; fremstiller, skildrer.
portress ['pɔ:tris] portnerske, dørvokterske.
Portsmouth ['pɔ:tsmɔθ].
Portugal ['pɔ:tjugəl]. **Portuguese** [pɔ:tju'gi:z] oortugisisk; portugiser(inne); portugisisk. — **nan-of-war** blæremanet.
P. O. S. B. fk. f. **Post-Office Savings Bank**.
pose [pəuz] stilling; positur, attityde, oppstiling; påtatt egenskap; stille opp; stille seg i oositur, skape seg; sitte (modell); oppstille, fremette, postulere; målbinde, sette i forlegenhet. **oser** ['pəuzə] vanskelig spørsmål, hard nøtt; oosør, en som skaper seg, gjør seg til.
poseur [pɔ'zə:] posør, en som skaper seg.
posh [pɔʃ] fin, elegant, snobbet; — **up** pynte.
posit ['pɔzit] hevde, fastslå; plassere.
position [pə'ziʃən] stilling, standpunkt; plass, tand, posisjon; **hold the** — **of** ha stilling som.
positive ['pɔzitiv] positiv, virkelig; uttalt, utrykkelig, bestemt, grei, med rene ord; avgjørnde; direkte; uomtvistelig; sikker, viss; det oositive, virkelighet; positiv. — **clutch** kloopling. — **conductor** plussleder. **positiveness** -nis] virkelighet, positivitet, sikkerhet.
posse ['pɔsi] oppbud, manngard; mobb.
possess [pə'zes] besitte, eie, sitte inne med; oesette. **possessed** [pə'zest] fylt, behersket; besatt; oe — **of** være i besittelse av, ha forståelse av.
possession [pə'zeʃən] besittelse; eiendel, eie; overtakelse; djevlebesettelse.
possessive [pə'zesiv] eiendoms-, eie-; eiendomspronomen; genitiv; — **case** genitiv; **-ness** besittelsestrang, eielyst; — **pronoun** possessivt pronomen, eiendomspronomen.
possessor [pə'zesə] besitter, innehaver, eier.
possessory [pə'zesəri] besittelses-; besittende.
posset ['pɔsit] varm, krydret melkepunsj.
possibility [pɔsi'biliti] mulighet (**of** for).
possible ['pɔsəbl, 'pɔsibl] mulig; mulighet; **to do one's** — gjøre alt man kan.
possibly ['pɔsibli] muligens, kanskje; på noen mulig måte; **I cannot** — **do it** jeg kan umulig gjøre det.
possum ['pɔsəm] opossum, pungrotte; (act) **play** — forstille seg, hykle uvirksomhet, simulere, spille dum.
post [pəust] post; målstang, pæl, påle, stolpe; stilling; embete; bestilling; befordringsvesen; postbefordring; postbud; slå opp (plakater), kunngjøre, sette, stille; ansette, postere; føre inn poster; skrive av, overføre; poste; reise med posten; reise hurtig; ta skyss; ile, skynde seg; sende hurtig; hurtig, fort, ilsomt.
postage ['pəustidʒ] porto. — **paid** portofritt. — **rate** portotakst. — **seales** brevvekt. — **stamp** frimerke.
postal ['pəustəl] postal, post-. — **card** brevkort. — **cheque account** postgirokonto. — **parcel** postpakke. — **order** postanvisning.
post|bag ['pəustbæg] postsekk. **-boy** postiljong.

— **card** brevkort. — **chaise** ekstraskyss, postchaise. **-date** senere datum; postdatere.
posted ['pəustid] underrettet, informert; **be** — ha god greie på tingene; **keep oneself** — holde seg à jour.
post entry ['pəustentri] senere angivelse; senere innføring.
poster ['pəustə] avsender, kurér, ilbud; skysshest; plakatoppsetter; plakat.
poste-restante ['pəust'resta:nt] poste restante.
posterior [pɔ'stiəriə] senere (**to** enn); bakdel; bak, bakerst. **posteriority** [pɔstiəri'ɔriti] det à komme el. hende senere.
posterity [pɔ'steriti] etterslekt(en), ettertid(en); etterkommere; **go down to** — bevares for etterslekten.
postern ['pəustə:n, 'pəustən] bakdør, lønndør.
post|-free portofritt. **-graduate** en som driver videregående studier el. etterutdanningskurs. **-haste** straks, i hui og hast.
posthumous ['pɔstjuməs] posthum; født etter farens død; etterlatt.
postiche [pɔs'ti:ʃ] postisj, løshår; etterlikning, pastisj; uekte, påhengt.
postil ['pɔstil] randbemerkning; preken; prekensamling.
postillion [pə'stiliən] postiljong; (damehatt).
posting ['pəustiŋ] oppslag; postering.
post|man ['pəus(t)mən] postbud. **-mark** poststempel. **-master** postmester. **-master general** post- og telegrafdirektør; postminister.
postmeridian ['pəustmə'ridjən] ettermiddags-.
post meridiem ['pəust mi'ridjəm] etter middag, ettermiddag (srl. **p. m.** el. **P. M.**).
post mortem ['pəust 'mɔ:təm] etter døden. **post-mortem** obdusere; obduksjon.
post-obit ['pəust'ɔbit] gjeldsbrev med sikkerhet i en kommende arv.
post office ['pəust ɔfis] postkontor; postdepartement, poststyre; **General Post-Office** hovedpostkontoret (i London). **post-office|box** postboks. — **directory** adressekalender. — **savings bank** postsparebank.
postpaid ['pəust 'peid] frankert, franko.
postpone [pəust'pəun] utsette, oppsette, dryge med; ombestemme. **postponement** [-mənt] utsetting; ombestemmelse.
post|position ['pəustpə'ziʃən] etterhengt. **-positive** ['pəust'pɔzitiv] etterhengt, etterstilt.
postscenium [pəust'si:njəm] rom bak scenen.
postscript ['pəustskript] etterskrift.
postulant ['pɔstjulənt] ansøker (til en relig. ordenssamfunn).
postulate ['pɔstjulit] postulat, påstand; forutsetning; [-leit] påstå, postulere.
postulation [pɔstju'leiʃən] forutsetning. **postulatory** ['pɔstjulətəri] forutsatt, antatt.
posture ['pɔstʃə] stilling, holdning, positur; plassere, stille, sette; stille seg i positur, skape seg, gjøre seg til.
posy ['pəuzi] devise, inskripsjon, motto; dikt sendt med en bukett; bukett.
pot [pɔt] potte, kar, gryte, kanne, digel, krukke; pott; beger, pokal; premie; sekspence; teine; høy innsats; (sl.) marihuana, cannabis; skudd på nært hold; **keep the** — **boiling** holde gryta i kok, skaffe utkomme, holde det gående; **make -s and pans of his property** ødsle bort sin formue; **go to** — gå i hundene.
pot [pɔt] oppbevare i en krukke, sylte ned, legge ned, salte ned; legge i en gryte; skyte, plaffe.
potable ['pəutəbl] drikkelig; (i flertall) drikkevarer. **potage** [pɔ'ta:ʒ] suppe.
potash ['pɔtæʃ] pottaske.
potassium [pə'tæsjəm] kalium; **carbonate of** — pottaske; **chloride of** — klorkalium.
potation [pəu'teiʃən] drikking; drikkelag.
potato [pə'teitəu] potet. — **beetle** coloradobille. — **blight** potetsyke, tørr-råte. — **box** kjeft, gap, munn. — **cake** potetkake, lompe. — **flour**

potetmel. — **peel** potetskall. — **skin** potetskrell. — **trap** munn, brødhøl.

pot|belly ['pɔtbeli] tykk mage, vom, ølmage. **-boiler** kunstverk som er laget bare for pengenes skyld. **-boy** oppvarter, kjellersvenn.

poteen [pɔ'ti:n] (hjemmebrent) irsk whisky.

potency ['pəutənsi] kraft, makt; innflytelse; potens. **potent** ['pəutənt] sterk, mektig, innflytelsesrik.

potentate ['pəutənteit, -it] fyrste, makthaver, potentat. **potential** [pə'tenʃəl] potensiell, -evne, -kapasitet; eventuell, mulig; — **loss** spenningstap. **potentiality** [pətenʃi'æliti] mulighet.

pot|furnace digelovn. — **hanger** grytekrok. — **hat** skalk, bowlerhatt.

pothecary ['pɔθikəri] apoteker.

potheen [pɔ'θi:n] whisky, brennevin.

pother ['pɔðə] travelhet; ståk, styr; oppstyr, tumult; støvsky, røyksky; larme, ståke, bråke, plage, mase med.

pot|herbs suppegrønnsaker. **-holder** gryteklut. **-hole** hull (i vei); jettegryte. — **-hook** grytekrok. **-house** ølstue, sjappe.

potion ['pəuʃən] legedrikk, dose (medisin el. gift).

pot | **lead** grafitt. **-luck** hva som formår; slik det faller seg; **take -luck** ta til takke med hva huset formår. **-man** kjellersvenn, oppvarter. — **plant** potteplante. **-pourri** [pəu'ri(:)] pot-purri. — **roast** grytestek. **-sherd** potteskår. — **shot** skudd for å få noe i gryten; slengeskudd, skudd på måfå.

pottage ['pɔtidʒ] (gml.) kjøttsuppe; nå bare: **a mess of** — en rett linser (fra Bibelen).

potter ['pɔtə] pottemaker, keramiker.

potter ['pɔtə] arbeide så smått, pusle, somle. **pottery** ['pɔtəri] leirvarer; pottemakerindustri; leirvarefabrikk; keramikk, steintøy. — **shards** potteskår.

potting ['pɔtiŋ] sylting.

pottle ['pɔtl] kanne (mål); kurv; **play** — hoppe paradis.

potty ['pɔti] liten, uvesentlig; tullet, tosket. **pot-valour** fyllemot.

pouch [pautʃ] pose, taske; lomme; pung; stikke i lommen; bite i seg, finne seg i.

pouf [pu:f] hårvalk; puff.

poule [pu:l] innsats.

poult [pəult] (kalkun)kylling.

poulterer ['pəultərə] vilthandler, fjærfehandler.

poultice ['pəultis] grøtomslag; legge omslag på.

poultry ['pəultri] fjærfe, høns. — **farm** hønseri. — **farmer** fjærfeavler. — **house** hønsehus. **-man** fjærfehandler.

pounce [pauns] slå ned, slå kloa (**on i**).

pounce [pauns] raderpulver, pimpsteinspulver; rovfuglklo.

pound [paund] pund (vekt = 454 g); pund (= 100 pence); **in for a penny in for a** — har man sagt A, får man si B; — **weight** pundsvekt, pundlodd.

pound [paund] innhegning, kve; arrest; ta i forvaring; sette inn; få i fella.

pound [paund] banke løs på, banke, gjennompryle; støte (i en morter); hamre; støte; ri tungt.

poundage ['paundidʒ] prosenter, takst.

pounder ['paundə] (i smstn.) -punding; morter, støter; **fivepounder** fempunding.

pour [pɔːə] helle, skjenke; slå; øse, tømme ut, la strømme; strømme, styrte, øse ned; støpe, helle i støpeform; styrtregn, øsregn; støp, støping; **it never rains but it -s** en ulykke kommer sjelden alene; **she seemed to be -ed into her trousers** buksene satt som støpt, så ut som om de var spyttet på henne. **pourer** ['pɔːrə] heller, øser; øse. **pouring** ['pɔːriŋ] øsende.

pout [paut] surmule, sette trut, furte; geipe; trutmunn; surmuling; skjeggtorsk; **be in the** — surmule. **pouter** ['pautə] surmule; — (**pigeon**) kroppdue. **pouting** ['pautiŋ] surmulende, furten; surmuling.

poverty ['pɔvəti] fattigdom; — **in vitamins** vitaminmangel. — **line** sultegrense. — **-stricken** — **-struck** utarmet.

P. O. W. fk. f. **prisoner of war** krigsfange.

powder ['paudə] pulver; krutt; pudder; forvandle til pulver, pulverisere; pudre, strø, overstrø; sprenge med salt; **-ed sugar** strøsukker — **box** pudderdåse. — **cart** kruttvogn. — **charge** kruttladning. — **compact** pudderdåse. — **horn** krutthorn. **powdering** ['paudəriŋ] pudring; sprengning; salting.

powder | **magazine** ['paudəmægəzi:n] kruttmagasin. — **mill** kruttmølle. — **puff** pudderkvast. — **room** kruttkammer; damegarderobe, dametoalett. — **smoke** kruttrøyk. — **works** kruttverk. **powdery** ['paudəri] smuldret; støvet; melet; pudderaktig.

power ['pauə] makt, velde, kraft; evne; gave; begavelse; styrke; fullmakt; makthaver; krigsmakt, hær; potens (i matematikk); **be in** — ha makten, sitte med makten; **the great -s of Europe** Europas stormakter; **the** — **age** maskinalderen. **-boat** hurtiggående motorbåt. — **brake** servobrems, bremseforsterker. — **chain** saw motorsag. — **current** sterkstrøm. **powerful** [-f(u)l] mektig, kraftig, sterk. **powerless** [-lis] kraftløs; avmektig, maktesløs. **powerlessness** avmektighet, maktesløshet. **power** | **loom** maskinvevstol. — **loss** krafttap. — **mower** motorgressklipper. — **output** utgangseffekt. — **plant** kraftkilde, drivverk; kraftstasjon. — **ratio** effektforhold. — **saw** motorsag. — **-seeking** maktbegjærlig. — **shovel** gravemaskin. — **steering** servostyring. — **struggle** maktkamp.

pow-wow ['pau'wau] møte av indianere, konferanse, spetakkel, lurveleven; passiar, prat; snakke, prate; drive besvergelser.

P. P. fk. f. **parish priest**.

p. p. fk. f. **parcel post; past participle; per procuration**.

pp. fk. f. **pages; pianissimo**.

P. P. C. fk. f. **pour prendre congé** (for å ta avskjed).

p. p. m. fk. f. **parts per million**.

P. P. S. fk. f. **post postscriptum** (etter-etterskrift).

P. R. fk. f. **public relations**.

P. R. A. fk. f. **President of the Royal Academy**.

practicability [præktikə'biliti] gjørlighet, gjennomførbarhet; anvendelighet; mulighet. **practicable** gjørlig, gjennomførbar; anvendelig, brukbar.

practical ['præktikl] praktisk, anvendelig; **a** — **joke** en drøy spøk, stygg strek. **practicality** [prækti'kæliti] praktisk natur; praktisk innretning. **practically** ['præktikəli] i praksis; praktisk talt.

practice ['præktis] bruk, skikk; øvelse; anvendelse; praksis; fremgangsmåte; list, kunstgrep, knep; **he is in** — han praktiserer; **put in** —, **reduce to** — bringe til utførelse; **run into evil -s** komme på gale veier; **by way of** — til øvelse, for å få øvelse. **practician** [præk'tiʃən] praktiker.

practise ['præktis] drive, bruke, øve, utøve, sette i verk; innøve, øve seg på, i; praktisere, drive forretninger; utnytte, spekulere i. **practised** øvet, rutinert, dreven.

practitioner [præk'tiʃənə] praktiker, praktiserende lege; praktiserende jurist; **general** — almenpraktiserende lege (ikke spesialist).

pragmatic [præg'mætik] pragmatisk, saklig, nøktern; forretningsmessig; påståelig, dogmatisk; geskjeftig.

Prague [preig] Praha.

prairie ['prɛəri] eng, prærie, grassteppe.

praise [preiz] ros, pris; rose, berømme, prise. **praiseless** [-lis] urost, uten ros. **praiser** ['preizə] lovpriser, berømmer. **praiseworthy** ['preizwə:ði] rosverdig, prisverdig.

pram [præm] fk. f. **perambulator** barnevogn.

pram [prɑ:m] pram.

prance [prɑːns] danse, steile; ri stolt; spanke. **prancer** ['prɑːnsə] fyrig hest. **prancing** ['prɑːnsiŋ] dansing, steiling.

prank [præŋk] strek, spikk, skøyerstrek; krumpring; utstaffere, stase opp, spjåke til. **pranker** ['præŋkə] laps. **prankish** ['præŋkiʃ] kåt.

prate [preit] pludre, sludre; skravle, prate; **rat**; sludder; snakk. **prater** ['preitə] skravle-**.opp.**

pratfall lavkomisk effekt. **praties** ['preitiz] poteter. **prattle** ['prætl] sludre, skravle, pludre; snakk, ladder. **prattler** ['prætlə] skravlebøtte, barnslig **.ludrende** person.

prawn [prɔːn] (stor) reke.

praxis ['præksis] øvelse, eksempel; praksis.

pray [prei] be, bønnfalle, anrope; be til, be **.m**; nedbe; **I** — om jeg tør spørre. **prayer** ['preiə] **.edende.**

prayer ['prɛə] bønn; **family -s** husandakt; **say .is -s** lese (el. be) bønnene sine. — **book** bønne-**.ok.** — **meeting** bønnemøte. **praying** ['preiiŋ] **.et å be, bønn.** — **mantis** kneler (insekt).

pre- [priː] (prefiks) for-, før-, forut-.

preach [priːtʃ] kunngjøre; preke; legge ut. **preacher** ['priːtʃə] predikant, prest. **preacher-.hip** [-ʃip] presteembete. **preaching** ['priːtʃiŋ] **.reken. preachment** ['priːtʃmənt] preken; prek.

preamble ['priːæmbl, priˈæmbl] fortale, forord, **.nnledning**; (ogs.) formålsparagraf; innlede.

preapprehension ['priːæpriˈhenʃən] forutfattet nening; fordom.

prearrangement ['priːəreindʒmənt] ordning på **.orhånd**, forhåndsavtale.

prebend ['prebənd] prebende (kanniks særinn-.ekter av domkirkens gods). **prebendary** ['pre-.əndəri] prebendarius, domherre, kannik.

precarious [priˈkɛəriəs] prekær, usikker, utrygg, **.arlig**, vaklende, avhengig (av andre). **precari-.usness** [priˈkɛəriəsnis] usikkerhet.

preceast ferdigstøpt, fabrikkstøpt. **pre-cast .uilding** elementbygging, ferdighusbygging.

preeatory ['prekətəri] bedende, bønnlig.

precaution [priˈkɔːʃən] forsiktighet; forsiktig-.etsregel, forholdsregel; advare; **take -s against** .a sine forholdsregler mot. **precautionary** [-əri] **.dvarende**; forsiktighets-, verne-.

precede [priˈsiːd] gå foran, komme foran, gå **.orut** for, rangere foran. **precedence** [priˈsiːdəns, presidəns] forrang, prioritet; fortrinn. **precedency** pri'siːdənsi, 'presidənsi] forrang. **precedent** [pri-.si:dənt, 'presidənt] foregående, forutgående. **.recedent** ['president] presedens, tidligere tilfelle, .idestykke. **precedented** ['presidəntid] ikke uten .idestykke; hevdet (ved praksis).

precenter [priˈ(ː)sentə] forsanger, kantor.

precept ['priːsept] forskrift, rettesnor. **precep-.ive** [priˈseptiv] foreskrivende, bydende. **preceptor** .pri'septə] lærer. **preceptorial** [prisepˈtɔːriəl] lærer-. **precession** [priˈseʃən] forutgang; fremgang; pre-.sesjon.

precinct ['priːsiŋ(k)t] grense, distrikt; **precincts** .nemerker, område; plass, tun.

preciosity [preʃiˈɔsiti] påtatt finhet, tilgjorthet, **.orskruddhet.**

precious ['preʃəs] kostelig, dyrebar, kostbar; .ironisk:) nydelig, deilig; utstudert, affektert; .være affektert åndrik, snakke tilgjort fint; **.a — raseal** en nydelig nellik (fyr). **— metals** .edle metaller. **-ness** [-nis] kostelighet. **— stone** .edelstein.

precipice ['presipis] avgrunn, skrent, stup. **precipitance** [priˈsipitəns], **precipitancy** [-tənsi] **.råhast**; fremfusenhet; overilthet, hastverk.

precipitate [priˈsipiteit] kaste, slynge, stupe, .styrte; fremskynde; påskynde; skynde seg med; .alle, ruse, styrte; forhaste seg. **precipitant** pri'sipitənt] som kommer styrtende el. rusende, .hodekulls; brå; hastig; fremfusende; ubesindig. **.recipitation** [prisipiˈteiʃən] styrting, rusing; brå-.het, hast; fremfusenhet; ubesindighet, overilelse.

precipitous [priˈsipitəs] bratt, stupbratt, steil; hastig, brå, ubesindig, fremfusende.

précis ['preisiː] resymé; resymere.

precise [priˈsais] nøyaktig, presis, korrekt; sikker, nøyeregnende; striks, pertentlig. **-ly** nøyaktig, presis, nettopp. **precisian** [priˈsiʒən] pedant. **precision** [priˈsiʒən] nøyaktighet, presi-sjon, fin-; sikkerhet.

preclude [priˈkluːd] utelukke, forebygge, av-skjære. **preclusion** [-ˈkluːʒən] utelukking; av-skjæring. **preclusive** [-ˈkluːsiv] som stenger ute, avskjærende; forebyggende.

precocious [priˈkəuʃəs] tidlig moden, tidlig ut-viklet; veslevoksen. **precocity** [priˈkɔsiti] tidlig utvikling, fremmelighet.

precognition [priːkɔgˈniʃən] forutgående kjenn-skap, forvarsel.

precombustion [priːkəmˈbʌstʃən] forforbren-ning.

preconceive [priːkənˈsiːv] forut oppfatte; gjøre seg opp en mening på forhånd; **-d notions** forut-fattede meninger. **preconception** [-ˈsepʃən] forut-fattet mening.

preconcert [priːkənˈsəːt] avtale forut.

precondition [priːkənˈdiʃən] forhåndsbetingelse.

preconsent [priːkənˈsent] forutgående sam-tykke.

precursor [priˈkəːsə] forløper. **precursory** [-səri] forutgående; som bebuder el. varsler.

predate ['priːˈdeit] antedatere; forutdatere.

predatorily ['predətərili] plyndrende, rov-, pre-**dator** ['predətə] rovdyr; røver. **predatory** ['pre-dətəri] plyndre-, plyndrings-; plyndrende, røver-isk, rovgrisk, rov-.

predecease ['priːdiˈsiːs] avgå ved døden før; tidligere død.

predecessor [priːdiˈsesə] forgjenger; forfader.

predestinarian [priːdestiˈnɛəriən] tilhenger av læren om forutbestemmelsen. **predestinate** [pri-'destineit] predestinere, forutbestemme. **pre-destination** [pri(ː)destiˈneiʃən] forutbestemmelse.

predestine [priˈdestin] forutbestemme.

predeterminate [priːdiˈtəːminit] forutbestemt. **predetermination** [-ˈneiʃən] forutbestemmelse. **predetermine** [priːdiˈtəːmin] forutbestemme; for-utinnta.

predicability [predikəˈbiliti] det å kunne utsis. **predicable** ['predikəbl] som kan utsis; egen-skap.

predicament [priˈdikəmənt] forlegenhet; knipe; **-s** (pl.) kategori, begrepsklasse.

predicant ['predikənt] preker; prekende. **pre-dicate** ['predikeit] utsi, erklære. **predicate** ['predi-kit] predikat; predikativ. **predication** [prediˈkei-ʃən] omsagn, utsagn; påstand. **predicative** [priˈ-dikətiv] predikativ, som predikat. **predicatory** prekenaktig; offentlig fremsatt el. uttalt.

predict [priˈdikt] forutsi, spå. **prediction** [pri-'dikʃən] forutsigelse, spådom. **predictive** [pri-'diktiv] forutsigende. **predictor** [priˈdiktə] spå-mann, en som forutsier.

predilection [priːdiˈlekʃən] forkjærlighet, leg-ning, disposisjon (**for** for).

predispose ['priːdisˈpəuz] predisponere (**to** til), gjøre mottakelig. **predisposition** ['priːdispəˈziʃən] anlegg for; predisposisjon, tendens (**to** til).

predominance [priˈdɔminəns] overtak, over-makt, overvekt. **predominant** [-nənt] dominer-ende, fremherskende. **predominate** [-neit] være fremherskende; ha overhånd. **predomination** [priːdɔmiˈneiʃən] overtak, overlegenhet, over-makt.

pre-elect [priːiˈlekt] velge ut på forhånd.

pre-eminence [priˈeminəns] forrang; fortrinn. **pre-eminent** [-nənt] fremragende, fortrinnlig, grepa, framifrå. **pre-eminently** i særlig fremragen-de grad, usedvanlig.

pre-empt [priˈ(ː)empt] erverve ved forkjøps-rett; tilegne seg, okkupere. **pre-emption** [pri-'em(p)ʃən] forkjøp, forkjøpsrett.

preen [priːn] pusse, pynte (om en fugl osv.).

pre-engage [pri:in'geidʒ] forut forplikte; forutbestille. **pre-engagement** [-mənt] tidligere forpliktelse; tidligere løfte; forutbestilling.

pre-establish [pri:i'stæbliʃ] forut fastsette, innrette. **pre-establishment** [-mənt] forutgående fastsettelse, innretning.

pre-exist [pri:ig'zist] være til tidligere, finne sted forut. **pre-existence** [-stəns] preeksistens, foruttilværelse. **pre-existent** [-stənt] forut bestående; tidligere.

pref. fk. f. preference; preferred; prefix.

prefab ['pri:fæb] prefabrikkert, ferdigbygget.

prefabricate ['pri:'fæbrikeit] prefabrikkere, ferdigbygge; **-d house** ferdighus, elementhus.

preface ['prefis] forord, fortale, innledning; innlede; si noe til innledning, skrive en fortale. **prefatory** ['prefətəri] innledende.

prefect ['pri:fekt] prefekt (især: fransk fylkesmann, romersk embetsmann; skolegutt som har tilsyn med de lavere klasser). **-ure** ['pri:fektjuə, -tjə] prefektur, forstanderskap.

prefer [pri'fə:] foretrekke (**to** for), ville heller, begunstige; forfremme, befordre (**to** til); sette fram, legge fram, føre fram; — **water to wine** foretrekke vann for vin; — **working to doing nothing** foretrekke å arbeide fremfor ikke å gjøre noe; **preferred shares** preferanseaksjer; **preferred claim** privilegert fordring; **prefer a claim** fremsette et krav.

preferable ['prefərəbl] til å foretrekke, som bør ha fortrinn, bedre.

preferably ['prefərəbli] helst, fortrinnsvis.

preference ['prefərəns] forkjærlighet, svakhet; det å foretrekke; begunstigelse; fortrinn, forrang; prioritet, preferanse; **by** — heller; helst; **in** — to heller enn, fremfor. — **share** preferanseaksje. — **stock** preferanseaksjer.

preferential [prefə'renʃəl] preferanse-, fortrinnsberettiget. — **claim** privilegert fordring. **-ism** preferansetollsystem. **-ly** fortrinnsvis. — **treatment** favorisering.

preferment [pri'fə:mənt] forfremmelse, befordring, avansement; kall; forrett.

prefiguration [prifig(j)ə'reiʃən] forbilledlig betegnelse, forbilde. **prefigurative** [pri'fig(j)ərətiv] forbilledlig. **prefigure** [pri'fig(j)ə] fremstille på forhånd (ved bilde); bebude, varsle. **prefigurement** [-mənt] forbilde.

prefix ['pri:fiks] prefiks, forstavelse; foranstilt tittel; sette foran.

pregnable ['pregnəbl] inntakelig.

pregnancy ['pregnənsi] svangerskap, graviditet, fruktbarhet; pregnans; fylde, rikdom.

pregnant ['pregnənt] svanger, gravid; rik på, innholdsmettet; vektig, betydningsfull.

preheat ['pri:'hi:t] forvarme.

prehensible [pri'hensibl] som lar seg gripe. **prehensile** [pri'hensail] gripende, gripe-. **prehension** [pri'henʃən] griping; fatteevne.

prehistoric [pri:hi'stɔrik] forhistorisk.

preignition [pri:ig'niʃən] fortenning.

prejudge [pri:'dʒʌdʒ] dømme på forhånd; avgjøre på forhånd. **prejudg(e)ment** [-mənt] forhåndsdom; forhåndsavgjørelse.

prejudice ['predʒudis] fordom (**against** imot); skade; gjøre partisk; skade; **without** — uten fordom. **prejudiced** ['predʒudist] forutinntatt, fordomsfull, partisk.

prejudicial [predʒu'diʃəl] skadelig (**to** for).

prelacy ['preləsi] prelatembete; høy geistlighet; høyere prestevelde. **prelate** ['prelit] prelat.

prelect [pri'lekt] holde en forelesning. **prelection** [pri'lekʃən] forelesning. **prelector** [-ə] foreleser.

preliminary [pri'limin(ə)ri] foreløpig; innledende; forberedende. **preliminaries of peace** fredspreliminarier.

prelude ['prelju:d] preludium; innledning; danne opptakt til; innlede, være forspill til; preludere.

premarital førekteskapelig.

premature [premə'tjuə, 'pri:mə'tjuə] for tidl moden, fremkommet før tiden; forhastet. **prematureness** [-nis], **prematurity** [premə'tjuəriti] ti lig modenhet; forhastethet.

premeditate [pri'mediteit] overlegge, tenl over. **-d murder** overlagt drap. **premeditate** [-titli] med overlegg. **premeditation** [primed 'teiʃən] overlegg; forsettlighet, forsett.

premier ['premiə] først; fornemst; statsmini ter, førsteminister, ministerpresident. **premiè** ['premiɛə] premiere; primadonna. **premiersh** ['premiəʃip] stilling som statsminister.

premise [pri'maiz] forutskikke, si forut, fo utsette.

premise ['premis] premiss, forutsetning; pr mises ['premisiz] premisser; eiendom, gård, tom lokale, lokaliteter.

premiss ['premis] d. s. s. **premise.**

premium ['pri:mjəm] premie; bonus, belønning godtgjørelse, assuransepremie; mellomlag; agi overkurs; **at a** — over pari. — **annuity** livrent med suksessiv innbetaling. — **bond** premi obligasjon. — **rate** premiesats.

premonition [pri:mə'niʃən] advarsel; forvarsc tegn; forutfølelse, forutanelse.

premonitory [pri'mɔnitəri] varslende (**of** om advarende, varslende.

prenatal ['pri:'neitl] før fødselen; — **clini** klinikk for svangerskapskontroll.

prentice ['prentis] lærling, læregutt; uøvd; he — **hand** hennes uøvde hånd.

preoccupation [priɔkju'peiʃən] tidligere besi telse; opptatthet (med andre ting); åndsfra værelse, distraksjon.

preoccupy [pri'ɔkjupai] forut besette, ta i be sittelse først; oppta på forhånd, helt legge be slag på, fylle. **preoccupied** opptatt (av andr ting), fordypet (i tanker), tankefull, åndsfra værende.

preoption [pri'ɔpʃən] rett til å velge førs fortrinnsrett.

preordain ['pri:ɔ:'dein] forut bestemme.

prep. fk. f. preposition; preparation.

prep [prep] (i skoleslang:) lekselesing.

prepaid ['pri:'peid] forut betalt, franko.

preparation [prepə'reiʃən] forberedelse (**for** til tilberedelse; utrusting; tilberedning; klargjøring beredskap; (kosmetisk) preparat.

preparative [pri'pærətiv] forberedende, inn ledende. **preparatory** [pri'pærətəri] forberedende — **school** forberedelsesskole.

prepare [pri'pɛə] forberede (**for** på, til); ti berede, lage; innrette; utferdige, utarbeide; klar gjøre; forberede seg, gjøre seg ferdig, holde se beredt. **preparedness** [pri'pɛəridnis] beredthet beredskap. **preparer** [pri'pɛərə] forbereder, til bereder.

prepay ['pri:pei] betale i forveien, frankere **prepayment** [-mənt] forutbetaling, forskudd.

prepense [pri'pens] forsettlig, gjennomtenkt overlagt.

preponderance [pri'pɔndərəns] overvekt, over tak, overmakt. **preponderant** [-rənt] som ha overvekten, som veier mest; fremherskende **preponderate** [-reit] ha overtaket over; vær fremherskende.

preposition [prepə'ziʃən] preposisjon. **prepositional** ['prepə'ziʃənl] preposisjonell. **prepositive** [pri'pɔzitiv] foranstilt.

prepossess [pri:pə'zes] ta i besittelse først forutinnta; fylle, gjennomtrenge. **prepossessin** [-'zesiŋ] inntagende, vinnende; fordelaktig. **pre possession** [-'zeʃən] det å være opptatt i for veien, forutfattet mening, forkjærlighet.

preposterous [pri'pɔstərəs] bakvendt, menings løs, fullkommen absurd, latterlig, gyselig.

prepotent [pri'pəutənt] overmektig.

prep school fk. f. **preparatory school.**

Pre-Raphaelism [pri'ræf(i)əlizm] prerafaelisme (en retning i engelsk malerkunst). **Pre-Raphaelite** [pri'ræf(i)əlait] prerafaelitt, prerafaelittisk.

prerequisite ['pri:'rekwizit] forutsetning, be- ngelse, vilkår.

prerogative [pri'rɔgətiv] prerogativ, forrett. **Pres.** fk. f. **President; Presbyterian.**

pres. fk. f. **present; presidency.**

presage ['presidʒ] forvarsel, varsel; anelse.

presage [pri'seidʒ] varsle om, spå, bebude.

presbyter ['prezbitə] presbyter, kirkeforstan- er. **presbyterian** [prezbi'tiəriən] presbyteriansk; resbyterianer. **presbyterianism** [prezbi'tiəriə- izm] presbyterianisme. **presbytery** ['prezbitəri] irkeråd; prestegård (i katolske land).

prescience ['preʃiəns] forutviten.

prescient ['preʃiənt] forutvitende, fremtenkt.

prescribe [pri:'skraib] foreskrive, forordne, be- emme, ordinere; skrive resepter; foreldes; jøre krav på hevdsrett **(for på).**

prescript ['pri:skript] forskrift, forordning.

prescription [pri'skripʃən] resept; hevd; for- ldelse. **prescriptive** [pri'skriptiv] hevdvunnet; oreskrevet.

presence ['prez(ə)ns] tilstedeværelse, nærvær- lse; overværelse; audiens; audiensværelse (gam- elt); (høytstående) personlighet, overnaturlig esen, høyere makt, ånd; person; ytre; stilling; - of mind åndsnærværelse; **saving your** — rlig talt, oppriktig talt; **have a good** — være epresentativ; **usher into** (eller **admit to) the** - of gi foretrede for, stede for; **never enter my** — jain la meg aldri seg deg mer. — **chamber,** — oom audiensværelse.

present ['prez(ə)nt] nærværende, tilstedevær- nde; nåværende, denne, foreliggende; ferdig, på ede hånd; — **persons always excepted** selvsagt nakker jeg ikke om dem som er her. **the persons** — eller **those** — de tilstedeværende; **the** — nå- id, presens; **the purport of the** — **is to** ... **vi** (jeg) kriver dette for å ...; **be** — **at** være til stede ed, overvære; **at** — for nærværende; for øye- likket; **at the** — moment i øyeblikket; **for the** — or tiden, foreløpig; **in the** — nå, for tiden; **y the** — eller **by these -s** herved, ved nær- ærende skrivelse.

present ['prezənt] gave, presang; givaktstilling; nake him a — **of it** forære ham det.

present [pri'zent] forestille, presentere; frem- ette, fremstille, syne fram; overlevere, over- ekke; innbringe, innlevere; forære, gi; presen- ere (en veksel); holde fram, rette (at mot); - **arms!** presenter gevær! — **oneself** innfinne seg. - **to a living** kalle (også innstille) til et preste- mbete.

presentable [pri'zentəbl] presentabel, ansten- lig, antagelig.

presentation [prezn'teiʃən] presentasjon, frem- tilling; overlevering, overrekking; innlevering; nnstilling; fremføring, oppføring; gave, presang; nnstillingsrett; **on** — ved sikt, ved forevisning.

present-day i dag; nåtids-.

presenter [pri'zentə] innstiller; giver.

presentient [pri'senʃiənt] forutfølende. **pre- entiment** [-'sentimənt] forutfølelse, forutanelse.

presently ['prezntli] snart, om litt; umiddel- oart, straks.

presentment [pri'zentmənt] fremstilling, frem- orelse (f. eks. av skuespill); presentasjon (av veksel).

preservable [pri'zə:vəbl] holdbar.

preservation [prezə'veiʃən] bevaring; vedlike- old; fredning; vern, beskyttelse; oppbevaring; conservering, hermetisering; redning, sikkerhet. **preservative** [pri'zə:vətiv] bevarende, sikrende; conserveringsmiddel.

preserve [pri'zə:v] bevare, verne, sikre; frede; edde, berge; nedlegge, preservere, sylte; vedlike- olde; syltet frukt, syltetøy; innhegning til vilt; jame — viltreservat; **-s** syltetøy, hermetisk ned- agte matvarer. — **jar** syltekrukke.

preserver [pri'zə:və] bevarer, beskytter, red- ingsmann, frelser; bevaringsmiddel.

preserve tin [pri'zə:vtin] hermetikkboks.

preset ['pri:'set] forhåndsinnstille.

pre-shrink krympe på forhånd (om tekstiler). **preside** [pri'zaid] være møteleder, presidere.

presidency ['prezidənsi] forsete; presidentskap; presidenttid, -termin. **president** [-dənt] formann, president. **presidential** [prezi'denʃəl] formanns-, president-. **presidentship** ['prezidəntʃip] for- mannsplass; presidenttid, formannstid.

press [pres] presse, perse, trykke, kryste, klemme; presse ut; trenge på, tilskynde, tvinge, nøde; be inntrengende; presse (til krigstjeneste); haste, være presserende; presse, perse, bok- trykkerpresse; litteratur; blad; avis; journalis- ter; skap, linnetskap, klesskap; det å trenge på, jag, renn; trengsel. — **agent** pressesekretær. — **ban** sperrefrist. — **bureau** pressebyrå. — **clipping,** — **cutting** avisutklipp. — **gallery** presselosje, pressetribune.

pressing ['presiŋ] presserende, overhengende, påtrengende; pressing, press.

press|iron pressejern. — **lord** aviskonge. **-man** trykker; pressemann, journalist. — **money** håndpenger. — **release** pressemelding. — **stud** trykknapp.

pressure ['preʃə] press, trykk; travelhet, mas. — **boiler** trykkjele. — **cabin** trykkabin. — **cooker** trykkoker. — **gauge** trykkmåler. — **group** pressgruppe. — **switch** trykknappbryter.

prestidigitation ['prestididʒi'teiʃən] tasken- spilleri.

prestige [pre'sti:ʒ] prestisje, anseelse, vørnad. **presto** ['prestəu] presto, hurtig; vips!

presumable [pri'z(j)u:məbl] antakelig, ventelig. **presume** [pri'z(j)u:m] anta, formene, formode, forutsette; understå seg; gå for vidt; våge (seg for langt); ta seg friheter; **don't** —! bli ikke innbilsk! — **on** stole for mye på; trekke veksler på; misbruke.

presumedly [pri'zju:midli] formentlig, ventelig. **presumption** [pri'zʌm(p)ʃən] antakelse, forut- setning, formodning; sannsynlighet; anmasselse; innbilskhet; dristighet. **presumptive** [pri'zʌm(p)- tiv] antatt, trolig, forutsatt; **heir** — presumptiv arving (vordende arving eller forutsetning av at det ikke fødes arvelateren barn). **presumptuous** [pri'zʌm(p)tjuəs, -ʃəs] anmassende, overmodig, uvøren, dumdristig; formastelig.

presuppose [pri:sə'pəuz] forutsette, gå ut fra. **presupposition** [pri:sʌpə'ziʃən] forutsetning.

pretence [pri'tens] foregivende, påskudd; krav, fordring; **on** (eller **under**) (a) — **of** under skinn av; **under false -s** under falsk forutsetning; **make a** — **of** foregi.

pretend [pri'tend] foregi, late som om; leke; gi som påskudd; påstå; hykle; kreve; — **to gi seg** skinn av; — **to be learned** ville passere for lærd; **pretended** [-did] hyklet, falsk; foregitt, angivelig.

pretender [pri'tendə] kandidat; kongsemne; pretendent; hykler. **pretendership** [-ʃip] kandi- datur. **pretension** [pri'tenʃən] krav, fordring, pre- tensjon.

pretentious [pri'tenʃəs] fordringsfull.

preterhuman [pri:tə'hju:mən] overmenneskelig. **preterite** [pri'terit] forgangen, fortids-; imper- fektum, preteritum; **the** — **tense** imperfektum.

pretermit [pri:tə'mit] utelate, unnlate.

preternatural [pri:tə'nætʃərəl] overnaturlig, unaturlig.

pretext ['pri:tekst] påskudd, foregivende; **under** (el. **on) the** — **of** under påskudd av; **find a** — **for delay** finne et påskudd til utsettelse.

pretor ['pri:tə] pretor. **pretorial** [pri'tɔ:riəl] pretorial. **pretorian** [-riən] pretorianer.

prettiness ['pritinis] netthet, penhet, finhet.

pretty ['priti] fin, pen, nett, nydelig; temmelig. **prevail** [pri'veil] få overhånd, seire; herske, råde, rå, være herskende; gjelde, gjøre seg gjeldende; — **upon** formå til, bevege til; over- tale. **prevailing** [-iŋ] fremherskende, alminnelig, vanlig, gjeldende, rådende.

prevalence ['prevələns] alminnelig forekomst,

utbredelse el. bruk. **prevalent** [-lənt] seirende; (frem)herskende, rådende, alminnelig (utbredt); kraftig.

prevaricate [pri'værikeit] bruke utflukter, svare unnvikende. **prevarication** [priværi'keiʃən] utflukter, unnvikende svar; misbruk av tillit, det å spille under dekke. **prevaricator** [pri'værikeitə] mester i å bruke utflukter.

prevenient [pri'vi:njənt] foregående, forutgående; forebyggende.

prevent [pri'vent] hindre (**from doing** i å gjøre), forebygge; være i veien for; være til hinder.

preventable [pri'ventəbl] til å hindre.

prevention [pri'venʃən] forhindring, hindring, forebygging.

preventive [pri'ventiv] hindrende, forebyggende middel; preventiv; **Preventive Service** kystvakt; **preventive officer** tollfunksjonær.

previous ['pri:vjəs] foregående, forutgående, forrige; tidligere. **previously** ['pri:vjəsli] før, tidligere. **previousness** [-nis] det å gå forut.

prevision [pri'viʒən] forutseenhet, fremsyn; forutanelse.

prey [prei] bytte; rov; røve, plyndre; **animal of** — rovdyr; **bird of** — rovfugl; — **upon** anfalle, angripe, etterstrebe; gnage, tære på.

price [prais] pris, verd, verdi; belønning; odds; kurs, notering (aksjer); lønn; bestemme prisen, vurdere; fakturere. — **bracket** prisklasse. — **ceiling** maksimalpris. — **cut** prisnedsettelse. — **freeze** prisstopp. **-less** uvurderlig. — **level** prisnivå. — **range** prisklasse. **the Price Regulation Committee** Priskontrollen. — **rise** prisstigning. — **tag**, — **ticket** prislapp.

prick [prik] prikke, stikke; stikke fast; spore, ri på spreng; (opp)reise; prikke ut, punktere (mønster); sette merke ved, velge (til); spiss, brodd, odd, stikk; — (**up**) **his ears** spisse (el. reise) ørene; **his conscience -ed him** han hadde samvittighetsnag.

pricker ['prikə] brodd, spiss, torn, syl.

prickle ['prikl] pigg, torn; prikke, stikke.

prickliness ['priklinis] det å være tornet.

prickly ['prikli] tornet, pigget, stikkende.

pride [praid] stolthet, hovmod; prakt; flokk; **to** — **oneself on** være stolt av, bryste seg av; **in the** — **of youth** i sin fagreste ungdom; **a** — **of lions** en flokk løver.

prier ['praiə] snuser, snushane.

priest [pri:st] prest, geistlig, især katolsk prest; **high** — yppersteprest. — **craft** prestelist, prestebedrag. **priestess** ['pri:stis] prestinne. **priesthood** [-hud] presteembete, presteyrke, presteskap. **priestly** prestelig.

prig [prig] tyv; stjele, kvarte, knipe.

prig [prig] innbilsk narr, forfengelig pedant. **priggish** ['prigiʃ] innbilsk, pedantisk, narraktig, snobbet, lapset. **priggishness** [-nis], **priggism** ['prigizm] innbilskhet, selvklokskap.

prim [prim] pertentlig, tertefin, stiv, snerpet; sirlig, pen; gjøre sirlig; pynte, stramme.

primacy ['praiməsi] primat, erkebispverdighet; overlegenhet, forrang, første plass.

prima donna ['pri:mə'dɔnə] primadonna.

prima facie ['praimə'feiʃii] straks, ved første øyekast.

primage ['praimidʒ] kaplak (tillegg til frakten som tilfalt skipperen).

primal ['praiməl] først, viktigst; opphavlig.

primarily ['praimərili] for det første, opprinnelig, opphavlig, fra første ferd; først og fremst.

primary ['praiməri] første; opprinnelig, opphavlig; elementær, forberedende, lavere; størst, viktigst; hovedsak; (amr.) primærvalg. — **colours** grunnfarger. — **evidence** primært bevismateriale; dokumentbevis. — **road** hovedvei. — **school** elementærskole, forskole, grunnskole.

primate ['praimit] primas, øverste geistlig; **P. of all England** erkebiskopen av Canterbury; **P. of England** erkebiskopen av York. **-s** pl. primater.

prime [praim] først, opprinnelig, opphavlig fornemst, fremst; viktigst, hoved-; fortrinnlig prima; prim- (matematikk); beste del, beste tid velmaktsdager, blomstring, blomstrende alder opphav, begynnelse; primtall; feste tennladning på; stive opp; stramme seg opp ved drikk sette i gang, inspirere, instruere; grunne (maling) — **of the moon** nymåne; **he is in the** — **of his life** han er i sin beste alder; **past his** — over sin beste alder; — **cost** produksjonskostnader; — **minister** statsminister; — **number** primtall.

primely ['praimli] fortrinnlig, storartet.

primeness ['praimnis] fortreffelighet.

primer ['primə] slags boktrykkerskrift; ['praimə] elementærbok, begynnerbok; tennladning, tennhette; grunning (maling). — **cap** fenghette. — **composition** tennsats. **great** — tertia. **long** — korpus.

primeval [prai'mi:vəl] først, eldgammel, opphavlig, opprinnelig; ur-.

priming tennladning; grunning (maling).

primitive ['primitiv] opprinnelig, opphavlig ur-; primitiv, gammeldags, enkel, uutviklet stamord, rotord. **primitiveness** [-nis] opprinnelighet.

primness ['primnis] pertentlighet, stivhet.

primogeniture [praiməu'dʒenitʃə] førstefødsel førstefødselsrett.

primordial [prai'mɔ:djəl] først, opprinnelig opphavlig, ur-, uberørt, vill; grunnelement.

primrose ['primrəuz] kusymre, primula; **Primrose Day** primuladagen, den 19. april, Disraelis dødsdag; **Primrose League** et konservativt selskap, hvis kjennetegn er en bukett primula, Disraelis yndlingsblomst.

primula ['primjulə] primula, kusymre.

primus ['praiməs] første; primus (kokeapparat).

prince [prins] fyrste, prins; **Prince Charming** eventyrprins; **Prince Consort** [-'kɔnsət] prinsgemal (regjerende dronnings ektefelle); **Prince Regent** prinsregent; **Prince of Wales** prins av Wales, den engelske kronprins; **prince royal** monarks eldste sønn, kronprins; **Crown Prince** kronprins (utenfor England).

princedom ['prinsdəm] fyrsterang; fyrstedømme. **princelike** fyrstemessig, fyrstelig. **princely** fyrstelig, prinselig, prinse-.

princess ['prin'ses] prinsesse, fyrstinne; **Princess Royal** tittel for den engelske konges eldste datter; **Princess of Wales** prinsen av Wales's gemalinne, kronprinsesse (i England); **princess royal** monarks eldste datter, kronprinsesse; **Crown Princess** kronprinsesse (utenfor England).

principal ['prinsipl] først, hoved-, høyest, viktigst, vesentligst; hovedperson; hovedmann, bestyrer, skolebestyrer; fullmaktsgiver, mandant; hovedsum, hovedstol; kapital. — **charge** hovedanklage. — **clause** hovedsetning. **principality** [prinsi'pæliti] suverenitet; fyrstedømme.

principle ['prinsipl] kilde, opprinnelse, opphav; bestanddel, grunnsetning, prinsipp, lov; **in** — i prinsippet; **on** — av prinsipp; **-s** begynnelsesgrunner. **principled** ['prinsipld] med prinsipper.

print [print] trykke, prente, trykke av, kopiere, prege av; la trykke, utgi, offentliggjøre, få trykt; merke, søkk, avtrykk, preg, trykk; spor, far; trykt skrift, blad, avis; stikk, kopperstikk, reproduksjon; sirs; stempel, merke; **-ed circuits** trykte kretser; **-ed goods** mønstrede varer; **-ed matter** trykksaker; **coloured -s** fargetrykk; **in** — på trykk; i bokhandelen (ɔ: ikke utsolgt); i den skjønneste orden; **out of** — utsolgt fra forlaget.

printer ['printə] trykker, boktrykker; kopieringsmaskin; linjeskriver, (hurtig)skriver, fjernskriver. **-'s ink** trykksverte.

printing ['printiŋ] trykking; boktrykk; boktrykkerkunst; kopiering. — **house** trykkeri. — **ink** trykksverte. — **office** trykkeri. — **press** boktrykkerpresse.

print | seller kunsthandler. — **shop** kunsthandel; trykkeri. — **works** trykkeri; kattuntrykkeri.

prior ['praiǝ] tidligere, forrige, eldre; prior, ɔsterforstander; — **to** førenn. **priorate** ['praiǝrit] **iorat.** **prioress** [-ris] priorinne. **priority** [prai-iti] fortrinn, forrett; prioritet; forkjørsrett.
prise [praiz] bryte, brekke; brekkjern; våg.
prism [prizm] prisme.
prismatic [priz'mætik] prismatisk.
prison ['prizn] fengsel; (poetisk) fengsle. — **each,** — **-breaking** (fengsel)flukt.
prisoner ['priznǝ] fange, arrestant, anklagede kriminell sak). **-'s base** (el. egl. **bars**) en gutte-: med avmerkte fristeder og «fengsler».
prison | **house** ['priznhaus] fengselsbygning. **-like** ɩgselsaktig. — **uniform** fangedrakt. — **without-rs** åpent fengsel.
pristine ['pristain] opprinnelig, opphavlig; ube-rt; primitiv.
prithee ['priði:] (**pray thee**) jeg ber deg, kjære g, snille deg.
prittle-prattle ['pritl'prætl] snikksnakk.
privacy ['praivǝsi; 'priv-] uforstyrrethet, privat-, avsondring; ensomhet, ro, stillhet; tilflukt, **fluktssted;** hemmeligholdelse, taushet; **in** — nerom, under fire øyne.
private ['praivit] privat, stille, alene, hemmelig, **rtrolig;** menig; — **arrangement** ogs. under-ndsakkord; — **box** fremmedlosje; **in** — **clothes** rilkledd; **in** — privat.
privateer [praivǝ'tiǝ] kaperskip, kaper. **pri-teering** [-'tiǝriŋ] kapervirksomhet.
private | **eye** privatdetektiv. — **first class** (amr.) sekorporal. — **law** privatrett. — **marriage** mvittighetsekteskap. — **room** eneværelse. — **le** underhåndssalg. — **ward** enerom (på syke-ɩs).
privation [prai'veiʃǝn] savn, skort; fravær.
privative ['privǝtiv] berøvende, nektende; ne-tiv.
privet ['privit] liguster.
privilege ['privilidz] privilegium, særrett(ighet), gunstigelse; privilegere, gi forrett, frita.
privily ['privili] i all stillhet; hemmelig.
privy ['privi] privat, hemmelig, geheime-; del-ger; privet, klosett; — **council** geheimeråd; — **councillor** geheimeråd; — **seal** geheimesegl; **rd keeper of the P. seal** geheimeseglbevarer.
prize [praiz] fangst, prise; pris, premie; ge-ɩst; skatt; lønn; bestemme prisen på; sette is på, skatte, vurdere; ta som prise, oppbringe; emie-; prisbelønt, premiert.
prize [praiz] brekkjern; bryte opp.
prizeable ['praizǝbl] som fortjener å skattes.
prize | **court** priserett. — **day** årsfest, eksamens-st. — **essay** prisavhandling. — **fight** premie-mp; boksekamp. — **fighter** profesjonell bokser. — **fighting** premieboksing; profesjonell bokse-mp. — **list** premieliste, vinnerliste. — **money** isepenger. — **question** prisespørsmål; pris-pgave. — **ring** boksering. **-winner** premievinner, isvinner.
pro [prou] pro, for; **pros and cons** grunner for imot; profesjonell; en som er for, tilhenger.
pro. fk. f. procuration.
probability [prɔbǝ'biliti] sannsynlighet, rime-het, von; **in all** — etter all sannsynlighet.
probable ['prɔbǝbl] sannsynlig, rimelig, trolig.
probably ['prɔbǝbli] sannsynligvis, ventelig.
probate ['prǝubit] stadfestende (med hensyn testamente); testamentstadfesting; kopi av adfestet testamente. — **court** skifterett. — **vision** skifteavdeling. — **duty** stempelavgift av stamente, (eldre) arveavgift.
probation [prǝ'beiʃǝn] vitnemål, prov; prøve; øvetid; **be put on** — få betinget dom.
probation | **er** [prǝ'beiʃǝnǝ] person på prøve; pirant, sykepleierelev; munk. — **officer** tilsyns-rge.
probative ['prǝubǝtiv] som skal prøve; prøv-de, prøve-; beviskraftig.
probe [prǝub] sonde; sondere, prøve, under-ke.

probity ['prɔbiti] rettsindighet, redelighet.
problem ['prɔblǝm] oppgave, spørsmål, pro-blem. **problematic(al)** [prɔbli'mætik(l)] problema-tisk, tvilsom, usikker.
proboscis [prǝ'bɔsis] snabel.
procedure [prǝ'si:dʒǝ, -djuǝ] fremgangsmåte, fremferd, rettergang, forretningsorden.
proceed [prǝ'si:d] gå fremover; begi seg, legge i vei; dra videre; fortsette, vedbli; gå til verks; bære seg at, gå fram; foreta rettslige skritt, reise tiltale, anlegge sak, prosedere; ta eksamen (ved universitet).
proceeding [prǝ'si:diŋ] fremferd, fremgang, fremgangsmåte, skritt, atferd; saksanlegg, pro-sess, sak, sakførsel; forhandlingsprotokoll; **watch the -s** iaktta hva som foregår; **in -s at law** ved rettergang, for domstolene; **in the case of legal -s** om det skulle komme til sak.
proceeds ['prǝusi:dz] vinning, utbygge, avkast-ning; **gross** — bruttoutbytte; **net** — nettoutbytte.
process ['prǝuses, 'prɔses, -is] fremgang; gang; forløp; prosess, utvikling; metode; fremgangs-måte; behandling; utvekst; reproduksjon; sak, rettsforfølgelse; **in** — **of time** i tidens løp, med tiden; reise sak mot; behandle, foredle, bearbeide; sterilisere, koke; reprodusere; fremkalle (om film; **-ed cheese** smelteost. — **engraver** etser.
procession [prǝ'seʃǝn] prosesjon, ferd, tog, opp-tog; gå i prosesjon. **processional** [-ʃǝnǝl] prose-sjons-. **processive** [prǝ'sesiv] fremadskridende.
procidence ['prɔsidǝns] fremfall, nedsiging.
proclaim [prǝ'kleim] bekjentgjøre; kunngjøre; erklære, lyse, proklamere, forkynne, bebude; er-klære fredløs; — **him king** utrope ham til konge; — **the banns** lyse til ekteskap; — **war** erklære krig. **proclaimant** [-ǝnt] forkynner, utroper.
proclaimer [-ǝ] = **proclaimant.**
proclamation [prɔklǝ'meiʃǝn] bekjentgjørelse, lysing, kunngjøring; proklamasjon.
proclivity [prǝ'kliviti] tilbøyelighet, tendens, hang; nemme, anlegg (**to** for). **proclivous** [prǝ-'klaivǝs] som står på skrå, som heller.
proconsul [prǝu'kɔnsǝl] prokonsul. **proconsu-late** [prǝu'kɔnsjulit] prokonsulat.
procrastinate [prǝu'kræstineit] utsette, nøle, somle, dryge. **procrastination** [prǝukræsti'neiʃǝn] oppsetting, nøling, somling. **procrastinator** [prǝu-'kræstineitǝ] en som oppsetter, somlekopp.
procreant ['prǝukriǝnt] avlende, avle-; avler. **procreate** ['prǝukrieit] avle, frembringe. **procrea-tion** [prǝukri'eiʃǝn] avling, frembringelse. **pro-creative** ['prǝukrieitiv] avlings-; forplantnings-dyktig. **procreator** ['prǝukrieitǝ] far, stamfar, opphav.
proctor ['prɔktǝ] fullmektig; sakfører; proktor (i universitetsspråk, en **fellow,** som har oppsyn med disiplinen blant studentene).
procumbent [prǝu'kʌmbǝnt] liggende, kry-pende.
procurable [prǝu'kjuǝrǝbl] som kan fås, som det er råd å få tak i. **procuration** [prǝukju'reiʃǝn] tilveiebringelse; fullmakt, prokura. **procurator** ['prɔkjureitǝ] fullmektig, forretningsfører.
procure [prǝ'kjuǝ] skaffe, tilveiebringe; opp-drive, få tak i; forskrive; utvirke. **procurement** [-mǝnt] tilveiebringing, det å skaffe til veie. **procurer** [prǝ'kjuǝrǝ] tilveiebringer; ruffer.
prod [prɔd] pigg, brodd, spiss; stikk, støt; stikke, pirre, vekke, oppildne.
prod. fk. f. produce; product.
prodigal ['prɔdigǝl] ødeland; ødeland; **the** — **son** den fortapte sønn. **prodigality** [prɔdi'gæliti] ødsel-het, ødsling.
prodigious [prǝ'didʒǝs] vidunderlig, forbaus-ende; forbløffende; fenomenal; uhyre. **prodigy** ['prɔdidʒi] under; vidunder; uhyre, monstrum.
produce [prǝ'dju:s] føre fram; oppføre, lansere; fremstille; oppføre, fremlegge; ta fram; frem-bringe, produsere, lage, tilvirke.
produce ['prɔdju:s] frembringelser, produkter, naturprodukter; avling, utbytte; avkastning;

utvinning; resultat. **producer** [prə'dju:sə] produsent, tilvirker; programleder, produksjonsleder.
producible [prə'dju:sibl] som kan frembringes.
  product ['prɔdʌkt] frembringelse; avling, produkt, vare; resultat. — **analysis** vareanalyse.
production [prə'dʌkʃən] fremførelse; fremstilling; frembringelse, produksjon, produkt; iscenesetting. **productive** [prə'dʌktiv] produktiv, skapende, som produserer; fruktbar, rik. **productiveness** [-nis] fruktbarhet; nytte. **productivity** [prɔudʌk'tiviti] yteevne, produktivitet.
proem ['prəuem] fortale, innledning, innleiing.
profanation [prɔfə'neiʃən] profanasjon, vanhelligelse, misbruk. **profane** [prə'fein] profan, verdslig; bespottelig; profanere, vanhellige, besmitte, skjemme, krenke, bespotte; misbruke. **profaneness** [prə'feinnis] vanhellighet; bespottelighet; bespottelig tale. **profaner** [prə'feinə] vanhelliger, krenker, spotter. **profanity** [prə'fæniti] bespottelse, spott, blasfemi, banning.
profess [prə'fes] erklære, bekjenne seg til; påstå, hevde; tilstå; bevitne, forsikre; utøve, praktisere; **professed** [prə'fest] erklært; faglært; profesjonell; **a** — **nun** nonne som har avlagt løftet; **a** — **smoker** en ivrig røyker.
profession [prə'feʃən] erklæring; bekjennelse; forsikring; stilling, yrke, fag, kall, stand; **the learned** **-s** ɔ: teologi, jus, legevitenskap; **a** — **of faith** en trosbekjennelse; **a beggar by** — en profesjonell tigger.
professional [prə'feʃənəl] fagmessig, faglig, yrkes-, fag-, kalls-, profesjonell; fagmann; profesjonist; — **man** ofte: akademiker; — **secrecy** taushetsplikt.
professor [prə'fesə] bekjenner, forkynner; lærer, professor, universitetslærer. **professorial** [prɔfe'sɔ:riəl] professor-, professoral.
proffer ['prɔfə] fremføre, by fram, tilby; tilbud.
proficience [prə'fiʃəns], **proficiency** [prə'fiʃənsi] kyndighet, ferdighet; standpunkt; fremskritt. **proficient** [-ʃənt] kyndig, dyktig, vel bevandret; ekspert, sakkyndig, mester, fagmann.
profile ['prəufail] omriss, kontur, profil; tegne i omriss; — **map** topografisk kart.
profit ['prɔfit] fordel, gagn, nytte, vinning, gevinst, avanse, fortjeneste; **at a** — med fortjeneste. **profit** ['prɔfit] gagne, være til gagn for, være en vinning for; ha gagn av, vinne, profittere, tjene; — **by** dra fordel av; **excess -s tax** merinntektskatt.
profitable ['prɔfitəbl] ganglig, nyttig; fordelaktig, lønnsom, innbringende.
profit and loss vinning og tap.
profiteer [prɔfi'tiə] spekulant, krigsmillionær, jobber.
profit | **freeze** avansestopp. **-less** unyttig, fruktesløs; ufordelaktig. — **-monger** profittjeger.
profligacy ['prɔfligəsi] ryggesløshet, lastefullhet; tøylesløshet ryggesløst liv, laster. **profligate** [-git] ryggesløs, lastefull; ryggesløst menneske, ødeland.
pro forma [prəu'fɔ:mə] pro forma, fingert, for et syns skyld.
profound [prə'faund] dyp; grundig, inngående; dypsindig; dyp. **profoundness** [-nis] dybde, dyp.
profundity [prə'fʌnditi] dybde; dyp.
profuse [prə'fju:s] gavmild, raus, flus; ødsel; overdådig; overstrømmende, overvettes, rikelig. **profusely** [prə'fju:sli] voldsomt, sterkt.
profusion [prə'fju:ʒən] stor gavmildhet, ødselhet; overflod, overdådighet.
prog [prɔg] tigge, stjele (mat); matvarer.
progenitor [prə'dʒenitə] stamfar, ættefar.
progeny ['prɔdʒini] avkom; etterkommere; slekt; resultater, følger.
prognosis [prɔg'nəusis] prognose.
prognostic [prɔg'nɔstik] varslende; tegn, merke, symptom. **prognosticate** [-'nɔstikeit] forutsi, spå, varsle. **prognostication** [-nɔsti'keiʃən] forutsigelse, spådom; tegn, merke, varsel. **prognosticator** [-'nɔstikeitə] varsler; værprofet.

programme ['prəugræm] program; plan. programmert; styrt.
progress ['prəugres, 'prɔgres] det å skri(e) fram, fremgang, gang; fremrykking; fremskrit framsteg; vokster, utvikling; ferd, reise, gjest reise (især om kongers høytidelige rundreise **in** — i emning; i gang; under utarbeiding; und utgivelse; **make** — bevege seg fram; gjø fremskritt; **The Pilgrim's Progress** Pilegrim vandring (Bunyans allegori); **triumphal progre** triumftog.
progress [prə'gres] gå fram, gå, skride fram gjøre fremgang, utvikle seg; stige (om pris).
progression [prə'greʃən] det å skride fram fremgang; utvikling; progresjon; **arithmetical** - aritmetisk rekke; **geometrical** — geometris rekke.
progressional [prə'greʃənəl] fremadskridend **progressive** [prə'gresiv] progressiv, fremac skridende; tiltagende, voksende; fremskritt vennlig, fremskrittsmann; radikal; — **income** ta progressiv inntektsskatt; **-ly** i stigende grad, m og mer.
prohibit [prə'hibit] forby; hindre.
prohibition [prəuhi'biʃən] forbud.
prohibitionist [prəuhi'biʃənist] tilhenger a sterk beskyttelsestoll; forbudsmann (ɔ: tilheng av forbud mot alkoholholdige drikker). **prohib tive** [prə'hibitiv] forebyggende, hindrende, pr hibitiv. **prohibitory** [prə'hibitəri] = **prohibitiv**
project [prɔ'dʒekt] fremkaste; utkaste; tenl på, utkaste plan om; planlegge; projisere (fren stille ved tegning); rage fram, stikke ut.
project ['prɔdʒekt] plan, påhitt, prosjekt, u kast, forslag.
projectile [prə'dʒektail] fremdrivende; dreve fram; kaste-; prosjektil.
projection [prə'dʒekʃən] kasting; utslynging planlegging, plan, prosjektering; fremståend del, fremskott, utskott; projeksjon. — **machin** (film)fremviser. — **room** kinomaskinrom.
projector [prə'dʒektə] planlegger, opphavs mann; prosjektmaker; prosjektør, lyskaste (film)fremviser, lysbildeapparat.
projecture [prə'dʒektʃə] det å springe fram **prolapse** [prə'læps] fremfall.
prolegomenon [prəule'gɔminən] innledning, inr føring, forord.
proletarian [prəuli'tɛəriən] proletar. **-ism** pr letartilstand.
proletariat(e) ['prəuli'tɛəriət] proletariat; tl **dictatorship of the** — proletariatets diktatur.
prolific [prə'lifik] fruktbar, frodig, produkti **prolix** ['prɔuliks, prɔ'liks] langtrukken, om stendelig. **-ity** langtrukkenhet, omstendelighet.
prolocutor [prəu'lɔkjutə] formann, talsmanr **prologue** ['prəuləg] fortale, prolog.
prolong [prə'lɔŋ] forlenge, prolongere.
prolongation [prəuləŋ'geiʃən] forlenging, ut setting, frist. **prolonger** [prə'lɔŋə] forlenger.
prom [prɔm] fk. f. **promenade concert** prome nade konsert; skoleball, studentball.
promenade [prɔmi'na:d] spasertur; spaserve inntog; ball; publikumsfoajé (i teater); spaser promenere.
Prometheus [prə'mi:θju:s] Prometevs.
prominence ['prɔminəns] fremståenhet, betyd ning, prominens; fremspring. **prominent** [-nən fremstående; utpreget; fremragende, grepa, frem skutt.
promiscuity [prɔmis'kju:iti] promiskuitet; san menblanding; tilfeldighet. **promiscuous** [pra 'miskjuəs] promiskuøs; blandet, forvirret, broket i fleng, tilfeldig, ymse.
promise ['prɔmis] løfte, tilsagn; forjettelse love, tilsi; gi forventning om; tegne til; **of (great** — (meget) lovende; **the land of** — Det forjettet land. **promising** [-iŋ] lovende; håpefull. **promiso** ['prɔmisə] en som lover, gir løfte.
promissory ['prɔmisəri] lovende. — **note** sola veksel, promesse; egenveksel.

promontory ['prɔməntəri] forberg, odde, nes; ɔrhøyning, kul (anatomisk).

promote [prə'məut] befordre, fremme; hjelpe ɔpp el. fram; vekke; flytte opp, forfremme. **romoter** [prə'məutə] fremmer, forslagsstiller; eskytter; stifter; initiativtaker; idéskaper; arangør. **promotion** [prə'məuʃən] forfremmelse, ʋansement; fremme; befordring; opphjelp; oppytting, forfremmelse; **be on** (one's) — stå ɔr tur til forfremmelse; strebe etter å oppnå ɔrfremmelse. — **campaign** salgsfremmende kamanje. **promotive** [prə'məutiv] fremmende.

prompt [prɔm(p)t] hurtig, snar, snøgg, rask; illig; prompte; betalingsfrist; sufflering; påirke, tilskynde, inngi; sufflere; tilsi; **orders** eeeive — **attention** ordrer utføres prompte; **t two** — kl. to presis. — **book,** — **copy** sufflørok. — **date** betalingsdag.

prompter ['prɔm(p)tə] påvirker, tilskynder; ʌdgiver; sufflør. **prompting** påvirkning, tilxyndelse, råd. **promptitude** ['prɔm(p)titju:d] ʌskhet; beredvillighet.

promptness se **promptitude.**

promulgate ['prɔmɒlgeit] kunngjøre, utbre.

promulgation ['prɔmɒl'geiʃən] kunngjøring.

promulgator ['prɔmɒlgeitə] kunngjører.

pron. fk. f. **pronoun; pronounced.**

prone]prəun] liggende flat, foroverbøyd, uttrakt; skrå; tilbøyelig, ha tendens (**to** til). **roneness** [-nis] tilbøyelighet, tendens; helling.

prong [prɔŋ] spiss, brodd, odd, fork, greip, lo; tind (på en gaffel); stikke, spidde (på en lo, gaffel). **-ed** grenet, takket.

pronghorn ['prɔŋhɔːn] prærieantilope.

pronominal [prɔ'nɔminəl] pronominal.

pronoun ['prəunaun] pronomen.

pronounce [prə'nauns] uttale; avsi, felle; ɔlde; erklære; uttale seg. **pronounceable** [prəʌaunsəbl] som lar seg uttale. **pronounced** [prəʌaunst] uttalt, tydelig, grei, umiskjennelig, ʋdelig. **pronouncement** [prə'naunsmənt] utʌelse, erklæring, utsagn; dom. **pronouncing** ɔrə'naunsiŋ] uttale-.

pronto ['prɔntau] raskt, omgående.

pronunciation [prənʌnsi'eiʃən] uttale.

proof [pru:f] prøve; prov, bevis; styrke, styrkerad; (betegnelse for alkoholstyrke = 57,1 ɔlumprosent); prøvebilde, avtrykk; korrektur; ʌst, trygg, som holder stand; usvikelig; ugjenomtrengelig, skuddfri, skuddsikker; tett; **fire-** — ildfast; **water-** — vanntett; **be** — **against** unne motstå, ikke angripes av. — **charge** røveladning. — **impression** prøveavtrykk; korʌkturavtrykk. **-reading** korrekturlesning. — **heet** korrekturark.

prop. fk. f. **properly; proposition; propeller.**

prop [prɔp] støtte, støtte under, stive av, tøtte; stiver; streber, bukk; **props** gruvestøtter, rops; **prop-word:** støtteordet **one, ones,** f. eks. **the little one, his little ones.**

propaedeutic [prəupi:'dju:tik] propedevtisk, ɔrberedende; propedevtikk, forskole.

propagable ['prɔpəgəbl] som kan forplante seg, re seg. **propaganda** [prɔpə'gændə] propaganda. **propagate** ['prɔpəgeit] forplante, formere, avle, ɔre, utbre, overføre. **propagation** [prɔpə'geiʃən] ɔrplantning, utbredelse, formering.

propel [prə'pel] drive fram. **-lant** drivstoff; ʌemdriftsmiddel. **-ling power** drivkraft.

propeller [prə'pelə] propell (på fly), propell, krue (på dampbåt); skruebåt. — **shaft** mellomʌsel (i bil); propellaksel. **-ing** fremdrivende; rifts-; **-ing pencil** skrublyant.

propensity [prə'pensiti] hang, tilbøyelighet.

proper [prɔpə] egen, særegen, eiendommelig; gnet, passende, høvelig; anstendig, sømmelig; rdentlig; riktig, rett, korrekt; egentlig; — **to** ɔm passer seg; som er typisk for; — **fraction** kte brøk; — **name** egennavn; **Italy** — selve talia.

properly ['prɔpəli] egentlig, riktig, passende;

meget; do it — gjøre det riktig; **behave** — oppføre seg ordentlig; — **speaking** strengt tatt.

propertied ['prɔpətid] (eiendoms)besittende.

property ['prɔpəti] eiendom, gods, formue; eiendomsrett; egenskap; rekvisitt. — **qualification** valgsensus. — **tax** formuesskatt.

propheey ['prɔfisi] profeti, spådom. **prophesier** [-saiə] profet, spåmann. **prophesise** [-saiz] spå. **prophesy** ['prɔfisai] spå, profetere.

prophet ['prɔfit, -et] profet, spåmann.

prophetic(al) [prə'fetik(l)] profetisk.

prophylatic [prɔfi'læktik] forebyggende, beskyttende; forebyggende middel.

propinquity [prə'piŋkwiti] nærhet; slektskap.

propitiate [prə'piʃieit] forsone, formilde; stemme gunstig; bøte. **propitiation** [prəpiʃi'eiʃən] forsoning, formildelse. **propitiator** [prə'piʃieitə] forsoner. **propitiatory** [-ʃiətəri] forsonende. — **sacrifice** sonoffer.

propitious [prə'piʃəs] gunstig; nådig, heldig.

proponent [prə'pəunənt] forslagsstiller.

proportion [prə'pɔːʃən] proporsjon, forhold; del, andel; høve, samsvar; symmetri; avmåle, avpasse; danne symmetrisk. **-s** pl. omfang, dimensjoner. **proportionable** [-nəbl] som lar seg avpasse; forholdsmessig; proporsjonal. **proportional** [-nəl] forholdsmessig, symmetrisk, proporsjonal; forholdstall. **proportionality** [prəpɔːʃə'næliti] forholdsmessighet, forhold.

proposal [prə'pəuzl] forslag, framlegg; ekteskapstilbud, frieri; ansøkning.

propose [prə'pəuz] foreslå; forelegge; legge fram; ha i sinne; legge planer; tenke; fri; — **a toast** utbringe en skål; **man -s, God disposes** mennesket spår, Gud rår.

proposition [prɔpə'ziʃən] erklæring, påstand, framlegging; framlegg, forslag, tilbud; setning.

propound [prə'paund] forelegge, legge fram.

proprietary [prə'praiətəri] eier-, eiendoms-. — **articles** pl. merkevarer. — **company** holdingselskap; privat aksjeselskap. — **right** eiendomsrett.

proprietor [prə'praiitə] eier; eiendomsbesitter; **sole** — eneinnehaver. **propriety** [pro'praiiti] riktighet; berettigelse; hensiktsmessighet; anstand, velanstendighet, sømmelighet, folkeskikk; kutyme; sans for velanstendighet; **play** — agere skjermbrett.

props [prɔps] rekvisitter, kulisser (i teater).

propulsion [prə'pʌlʃən] fremdrift.

propulsive [prə'pʌlsiv] drivende, driv-.

pro rata [prəu'ra:tə] pro rata, forholdsmessig.

prorogation ['prɔrə'geiʃən, prəu-] forlenging; avbrytelse; oppløsning (ved slutten av en parlamentsamling). **prorogue** [prə'rəug] avbryte, oppløse, sende hjem.

prosaic [prə'zeiik] prosaisk, tørr, kjedelig.

proscenium [prə'si:njəm] proscenium (forreste del av scenen). — **box** orkesterlosje.

proscribe [prə'skraib] lyse fredløs, gjøre utleg, proskribere; forby, fordømme. **proscription** [prə'skripʃən] proskripsjon; fordømmelse; forbud.

prose [prəuz] prosa; skrive prosa; snakke kjedelig; være langdryg i snakket; — **works** prosaverker; **the** — of life livets prosa.

prosecute ['prɔsikju:t] forfølge, utøve, drive på med, søke å sette igjennom; saksøke, anklage; fortsette; **trespassers will be prosecuted** ≈ adgang forbudt (for uvedkommende). **prosecuting attorney** (amr.) offentlig anklager, påtalemyndighet.

prosecution [prɔsi'kju:ʃən] forfølgelse; utøvelse; saksøkning; anklage, søksmål, rettsforfølgelse; **counsel for the** — aktor.

prosecutor ['prɔsikju:tə] en som forfølger, utøver; anklager, aktor, saksøker.

proselyte ['prɔsilait] proselytt, nyomvendt, gjøre til proselytt; omvende.

proser ['prəuzə] prosaskriver; tørrpinne. **prosiness** ['prəuzinis] åndløshet, kjedsommelighet.

prosing ['prəuziŋ] langtrukken.

prosody ['prɔsədi] prosodi, verslære.

prospect ['prɔspekt] utsikt; prospekt; en mulig el. potensiell person (i en viss sammenheng, f. eks. **he is a — for this job** han er kandidat til); skjerp.

prospect [prə'spekt] søke; skjerpe (**for** etter).

prospective [prə'spektiv] fremsynt; som en har i utsikt, ventet; eventuell; fremtidig; **— bride** tilkommende; **— candidates** potensielle kandidater. **prospectively** i fremtiden, engang. **prospector** skjerper, en som leter etter mineraler.

prospectus [prə'spektəs] plan, program; brosjyre; tegningsinnbydelse.

prosper ['prɔspə] begunstige; være heldig; ha hell med seg, trives; lykkes, ha fremgang.

prosperity [prɔs'periti] hell, fremgang; gode konjunkturer; velstand, velvære.

prosperous ['prɔspərəs] heldig; velstående.

prostate ['prɔsteit] (**gland**) prostata, blærehalskjertel.

prostitute ['prɔstitju:t] prostituere, vanære; prostituert. **prostitution** [prɔsti'tju:ʃən] prostitusjon; (fig.) misbruk.

prostrate ['prɔstreit] ustrakt; ydmyket, ydmyk; som ligger i støvet; utmattet; nesegrus.

prostrate [prɔ'streit] felle, strekke til jorda, legge i bakken; kullkaste, omstyrte, ødelegge; matte, svekke, maktstjele, lamme; **— oneself** kaste seg i støvet, bøye seg dypt.

prostration [prɔ'streiʃən] nedkasting, kneling, knefall; nedtrykthet; avkrefting, utmattelse.

prosy ['prɔuzi] prosaisk, kjedelig.

protagonist [prə'tægənist] hovedperson (i skuespill o. l.); talsmann, forkjemper.

protean [prɔu'ti:ən] foranderlig, skiftende.

protect [prə'tekt] beskytte, verne; gardere (i sjakk); honorere (en veksel); **-ed cruiser** beskyttet krysser (med delvis pansring).

protection [prə'tekʃən] beskyttelse, vern; fredning; leidebrev; pansring; tollbeskyttelse, vernetoll; honorering (av veksel). **protectionist** [-ist] beskyttelses-; proteksjonist.

protective [prə'tektiv] beskyttende, vernende; **— custody** forvaring (i fengsel). **— food** sikringskost. **— tariff** vernetoll.

protector [prə'tektə] beskytter; riksforstander. **Lord P.** Cromwell's tittel. **protectoral** [-rəl] beskyttende. **protectorate** [-rit] beskyttelse, vern, protektorat. **protectorship** [prə'tektəʃip] protektorat. **protectory** barnehjem, oppdragelsesanstalt. **protégé** ['prɔuteʒei] protegé (myndling el. yndling).

protein ['prɔuti:n] protein.

pro tem. fk. f. **pro tempore** for tiden, p. t.

protest [prə'test] protestere, gjøre innsigelse, ta til motmæle, gjøre innvendinger; påstå, forsikre; protestere (en veksel). **protest** ['prɔutest] innsigelse, innvending; protest, motmæle.

Protestant ['prɔtistənt] protestantisk; protestant. **Protestantism** [-izm] protestantisme.

protestation [prɔutes'teiʃən] forsikring, erklæring; protest, motmæle, innsigelse. **protester** [prə'testə] forsikrer; protesterende.

Proteus ['prɔutju:s] Protevs (gresk gud). **proteus** [prɔutju:s] hulesalamander.

protocol ['prɔutəkɔl] protokoll; protokollere. **-ise** ['prɔutəkəlaiz] protokollere. **-ist** ['prɔutəkəlist] protokollfører.

protoplasm ['prɔutəplæzm] protoplasma, celleslim.

prototype ['prɔutətaip] forbilde, original, urtype, mønsterbilde.

protozoan [prɔutə'zəuən] urdyr, protozoa.

protract [prə'trækt] forlenge, trekke ut, forhale, trekke i langdrag. **protracted** [-id] langvarig. **protraction** [prə'trækʃən] forhaling; langvarighet. **protractive** [prə'træktiv] som forlenger, hefter, trekker i langdrag. **protractor** [prə'træktə] hefter, forhaler; vinkelmåler, transportør.

protrude [prə'tru:d] skyte fram, stikke fram. **protrusion** [-'tru:ʃən] fremskytning, fremspring. **protrusive** [-'tru:siv] fremskytende.

protuberance [prə'tju:bərəns] fremspring; hvelse, kul. **protuberant** [-rənt] fremstående.

proud [praud] stolt, kry; viktig, hovmodig; flott, storartet; **do one — hedre en; beverte ove** dådig. **— flesh** grohud (ved sår).

prov. fk. f. **provincial; provisional; provost.**

provable ['pru:vəbl] bevislig.

prove [pru:v] bevise, godtgjøre, påvise; prøv utprøve; (jur.) stadfeste; syne seg, vise se bli; **— true** slå til. **-dly** ['pru:vidli] bevislig.

proven ['pru:vən] bevist (skotsk).

provenance ['prɔvinəns] opprinnelse, oppha

provender ['prɔvəndə] fôr; fôre.

provenience [prə'vi:njəns] se **provenance**.

proverb ['prɔvə(:)b] ordspråk, ordtak, ordtøk sentens, ordspråkslek; **the Proverbs** Salomos or språk. **proverbial** [prə'və:bjəl] ordspråklig, som blitt til et ordtak, velkjent. **-ism** ordspråklig fo bindelse, talemåte.

provide [prə'vaid] sørge for, syte for, besørg skaffe, tilveiebringe; forsyne; foreskrive, beste me; ha omsorg for, ta forholdsregler, sikre se **— against** ta forholdsregler mot; **— with** u styre med; **provided** [prə'vaidid] forutsatt.

providence ['prɔvidəns] forutseenhet, omten somhet; skjebne, forsyn. **provident** [-ənt] on tenksom, forsynlig; sparsommelig, økonomisk

providential [prɔvi'denʃəl] forsynets, beste av forsynet; heldig, gunstig; **he had a — esca** det var et Guds under at han slapp unna. **providentially** [prɔvi'denʃəli] ved forsyne styrelse, ved et under.

provider [prə'vaidə] forsørger. **providing** [pr 'vaidiŋ] under forutsetning av at.

province ['prɔvins] provins, egn; område, d strikt; fag, felt. **provincial** [prə'vinʃəl] provinsie provins-. **provincialism** [-ʃəlizm] provinsialism **provincialist** [-ʃəlist] provinsmann.

proving ['pru:viŋ] prøve-, forsøks-, test-.

provision [prə'viʒən] forsorg, forsørgelse; fo anstaltning, tiltak; tilveiebringelse, anskaffels bestemmelse; (i pl.) forråd, forsyning, provian forsyne, proviantere, niste ut; **make — tref** forholdsregler (**for** for; **against** mot). **provision** [-ʒənəl] midlertidig, foreløpig; provisorisk. **pr visionary** [-ʒən(ə)ri] = **provisional. provisic dealer** kjøpmann, kolonialhandler. **provisione** [prə'viʒənə] provianthandler. **provisioning** [-iŋ proviantering.

proviso [prə'vaizəu] klausul, forbehold. **provisory** [prə'vaizəri] foreløpig; betinget.

provocation ['prɔvə'keiʃən] utfordring, utesl ing, ergrelse, irritasjon; **at small (on the slightes — ved den minste anledning, for et godt ord.

provocative [prə'vɔkativ] utfordrende, u eskende; pirringsmiddel.

provoke [prə'vɔuk] fremkalle, vekke, egg pirre; utfordre, uteske, oppirre; fornærme. **pr voking** uteskende, tirrende; ergerlig, harmelig.

provost ['prɔvəst] domprost; rektor (ved vis universitetskollegier); (skotsk) borgermester; - **sergeant** sersjant i militærpolitiet.

prow [prau] forstavn, baug.

prowess ['prauis] djervhet, manndom, tappe het; overlegen dyktighet.

prowl [praul] snuse om i; luske om, streife om røve. **— ear** (amr.) politibil, patruljebil. **prowl** ['praulə] sniktjuv; (fig.) parasitt.

prox. [prɔks] fk. f. **proximo.**

proximate ['prɔksimit] nærmest, umiddelbar.

proximity [prɔk'simiti] nærhet; **— of bloo** nært slektskap.

proximo [prɔksiməu] i neste måned.

proxy ['prɔksi] fullmakt; fullmektig, varaman stedfortreder; prokurist. **proxyship** [-ʃip] fullmel tigstilling.

P. R. S. fk. f. **President of the Royal Societ**

prude [pru:d] snerpe, dydsmønster; **play the —** spille den dydige.

prudence ['pru:dəns] klokskap, omtanke; fo siktighet; **as a matter of — for sikkerhets skyld**

prudent ['pru:dənt] klok; forsiktig, varsom.
prudential [pru(:)'denʃəl] klokskaps-; forsikighets-; forsiktig; klokskapsregel; — **committee** ådgivende utvalg.
prudery ['pru:d(ə)ri] snerperi, affektasjon.
prudish ['pru:diʃ] snerpet, tertefin, affektert.
prune [pru:n] beskjære, stusse (trær, planter).
prune [pru:n] sviske; **-s and prims** affektert snakk, overkorrekthet.
prunella [pru'nelə] brunella (ullstoff); blåkoll (plante). **pruner** ['pru:nə] beskjærer; hagekniv.
pruning knife gartnerkniv. **pruning shears** hagesaks.
prurien|**ce** ['pruəriəns] lystenhet. **-t** lysten.
Prussia ['prʌʃə] Preussen. **Prussian** ['prʌʃən] prøyssisk; prøysser. — **blue** berlinerblått.
Prussic ['prʌsik] — **acid** blåsyre.
pry [prai] snuse, speide, spionere; snusing, speiding, spionering; snushane. **prying** ['praiiŋ] snusende, nyfiken; snusing.
P. S. fk. f. **postscript; prompt side; Public School.**
ps. fk. f. **pieces. Ps.** fk. f. **psalms.**
psalm [sɑ:m] salme (især om Davids salmer); **the** (**Book of**) **Psalms** Davids salmer. **psalmist** ['sa:mist] salmist; salmedikter. **psalmody** ['sælnədi] salmesang; salmesamling.
psalter ['sɔ:(r)ltə] Davids salmer. **-y** psalter.
pseudo- ['s(j)u:dəu] i smstn.: falsk, uekte; sevdo-.
pseudonym ['s(j)u:dənim] psevdonym. **pseudonymity** [s(j)u:də'nimiti] psevdonymitet. **pseudonymous** [s(j)u:'dɔnimɔs] psevdonym.
pshaw [(p)ʃɔ:] pytt; si pytt til, blåse av (el. i).
p. s. i. fk. f. **pounds per square inch.**
psora ['sɔ:rə] skabb, fnatt.
psoriasis [sɔ'raiəsis] psoriasis (hudsykdom).
psyche ['saiki] psyke; sjel.
psychedelic [saikə'delik] psykedelisk.
psychi|**atric**(**al**) [saiki'ætrik(əl)] psykiatrisk. **-atrist** [sai'kaiətrist] psykiater. **-atry** [sai'kaiətri] sykiatri.
psycho ['saikəu] psykoanalysere; psykoanalyse; sl.) tulling, idiot; neurotiker.
psycho|**analyse**[saikəu'ænəlaiz] psykoanalysere. **-analysis** [saikəuə'næləsis] psykoanalyse.
psychologic(**al**) [saikə'lɔdʒik(l)] psykologisk. **psychologist** [sai'kɔlədʒist] psykolog. **psychology** sai'kɔlədʒi] psykologi.
Pt. fk. f. **Part; Port.**
pt. fk. f. **pint; payment; point.**
ptarmigan ['tɑ:migən] fjellrype.
PT boat fk. f. **patrol torpedo boat** motororpedobåt.
ptisan ['tizən] tisane (avkok av bygg el. legeplanter).
P. T. O. fk. f. **please turn over.**
Ptolemaic [tɔli'meiik] ptolemeisk.
ptomaine ['təumein] ptomain, likalkaloid.
pub [pʌb] fk. f. **public house** vertshus.
puberty ['pju:bəti] pubertet.
public ['pʌblik] offentlig; alminnelig; sams, elles; offentlighet, allmennhet, publikum; — **address system** høyttaleranlegg; — **conveniences** offentlige toalettrom (i regelen underjordiske); — **house** vertshus, kneipe, sjapp; — **school** 1) England brukt om visse gamle, dyre latinskoler som Eton, Rugby og Harrow; 2) i Amerika: offentlige skole (gratis og med adgang for alle).
publican ['pʌblikən] skatteforpakter; toller; vertshusholder.
publication [pʌbli'keiʃən] offentliggjøring, kunngjøring; forkynnelse; lysning; utgivelse; skrift, blad; — **price** bokhandlerpris.
public|**debt** statsgjeld. — **duty** samfunnsplikt, orgerplikt. — **feeling** folkeopinion el. -mening. — **health** folkehelse.
publicist ['pʌblisist] folkerettskyndig; politisk ournalist, publisist.
publicity [pʌ'blisiti] offentlighet, publisitet. — **agent** pressesekretær.
public|**law** statsrett, folkerett. — **office** offentlig

embete; offentlig kontor. — **opinion poll** meningsmåling. — **relations** pl. publikumskontakt, den avdeling av et firma el. forening som arbeider med forholdet til publikum, fk. PR. — **servant** offentlig funksjonær. — **-spirited** som viser samfunnsånd. — **works** offentlige arbeider.
publish ['pʌbliʃ] offentliggjøre, kunngjøre; røpe; forkynne, bekjentgjøre, gjøre kjent; utgi; utgi bøker, forlegge bøker. **publisher** ['pʌbliʃə] kunngjører, forkynner; forlegger; utgiver.
publishing ['pʌbliʃiŋ] offentliggjøring; forlagsvirksomhet. — **firm,** — **house** (bok)forlag.
puce [pju:s] rødbrun; plommefarget, loppefarget.
puck [pʌk] nisse, tunkall, tuftekall; puke; puck.
pucker ['pʌkə] rynke; snurpe, spisse munnen; rynke; spiss munn; **he is in a terrible** — han er ille stedt, i en lei knipe.
pud [pʌd] lanke, labb, pote.
puddening ['pudniŋ] vile, fender.
pudder ['pʌdə] ståhei, oppstyr; gjøre kvalm.
pudding ['pudiŋ] pudding; vile, vurst, fender. — **-faced** med månefjes. — **-headed** «tjukk i hue», grauthue. — **-sleeves** vide ermer (på prestekjole). — **-time** spisetid, middagstid (da pudding tidligere var første rett), rette øyeblikk, den ellevte time, grevens tid.
puddle ['pʌdl] pøl, sølepytt; rot, røre, virvar; rote, grumse, røre opp i; pudle (leire); elte.
puddly ['pʌdli] mudret, gjørmet.
pudgy ['pʌdʒi] buttet, tykk, klumpet.
pueblo [pu'ebləu] (indianer)landsby (med leirhus). **Pueblo** puebloindianer.
puerile ['pjuərail] barnaktig, barnslig.
puerperal [pju:'ə:pərəl] barsel-, fødsels-.
puff [pʌf] pust, vindpust, gufs, blaff; drag (av en sigar); pudderkvast; røyksopp; terte, bakkels; puff (på kjole); (ublu) reklame; puste, blåse, blaffe; pese; dampe; gjøre blest; reklamere; spile opp; rose, skryte av; gjøre reklame for; — **off** få avsatt ved god reklame. **-ball** røyksopp. — **box** pudderdåse (med kvast).
puffer ['pʌfə] markskriker, humbugmaker, reklamemaker. **puffery** overdreven ros, praling.
puffin ['pʌfin] lundefugl.
puffiness ['pʌfinis] oppspilthet.
puff|**paste** (amr.); (eng.) — **pastry** butterdeig.
puffy ['pʌfi] oppustet, oppblåst, andpusten; hoven, pløset.
pug [pʌg] blande, elte (leire); fylle.
pug [pʌg] kjælenavn for en ape; mops. — **dog** ['pʌgdɔg] mops. — **face** ['pʌgfeis] apefjes.
puggree ['pʌgri:] musselinskjerf (om hatten til beskyttelse mot solen).
pugilism ['pju:dʒilizm] nevekamp, boksing.
pugilist ['pju:dʒilist] nevekjemper, bokser.
pugnacious [pʌg'neiʃəs] stridbar, trettekjær, sta. **pugnacity** [pʌg'næsiti] stridbarhet, kamplyst.
pug-nose ['pʌgnəuz] brakknese, oppstoppernese.
puisne ['pju:ni] yngre, underordnet.
puissance ['pju(:)isns] makt, styrke. **puissant** ['pju(:)isnt] mektig.
puke [pju:k] spy, kaste opp; oppkast.
pulchritude ['pʌlkritju:d] skjønnhet.
pule [pju:l] klynke, pipe, pistre, sutre.
pull [pul] trekke, dra, hale, rive; plukke; rykke; ro; forstrekke; arrestere, fakke; trekk, rykk, tak; kamp, dyst, strid; slurk; rotur; — **faces** skjære ansikt; — **a fast one** lure, ta innersvingen på; — **wires** trekke i trådene; — **along** ro av sted; holde det gående; klare seg; — **round** klare seg igjennom; — **through** redde seg, stå det over; — **up** holde an, stanse; rykke opp; — **up one's socks** (sl.) ta fatt, gå i gang.
puller ['pulə] som trekker osv.
pullet ['pulit] ung høne; backfisch.
pulley ['puli] trinse, blokk, reimskive; **cone** — trappeskive; **single** — enkelt reimskive.
Pullman ['pulmən] Pullman; pullmanvogn.

pullulate ['pʌljuleit] spire, sprette, skyte.

pull-up ['pulʌp] rasteplass; overnattingsplass.

pulmonary ['pʌlmənəri] lunge-.

pulp [pʌlp] bløt masse; fruktkjøtt; tremasse; tannmarg, pulpa; mase, støte; **chemical** — cellulose; **mechanical** — tremasse; **-s** kiosklitteratur, kulørt presse. — **boards** trekartong.

pulpiness ['pʌlpinis] bløthet, kjøttfullhet.

pulpit ['pulpit] prekestol; predikantstand, geistligheten. **-eer** [pulpi'tiə] prekehelt, storpreker.

pulp | **mill** ['pʌlpmil] cellulosefabrikk. **-wood** tremasse; skurtømmer.

pulpous ['pʌlpəs] bløt, kjøttfull, saftig.

pulpy ['pʌlpi] bløt, kjøttfull.

pulsate ['pʌlseit] banke, dunke, pulsere, slå.

pulsation [pʌl'seiʃən] slag, banking.

pulsative ['pʌlsətiv], **pulsatory** ['pʌlsətəri] bankende, slående, pulserende.

pulse [pʌls] slag, pulsslag, puls; dunke, banke, slå, pulsere; **feel his** — føle ham på pulsen; føle ham på tennene.

pulse [pʌls] belgfrukter.

pulverization [pʌlvərai'zeiʃən] pulverisering.

pulverize ['pʌlvəraiz] finstøte, pulverisere; pulveriseres.

pumice ['pʌmis] pimpstein; polere (el. slipe) med pimpstein. — **stone** pimpstein.

pump [pʌmp] pumpe: i pl. dansesko (utringede) for menn; lense, pumpe; utspørre.

pumpkin ['pʌm(p)kin] gresskar.

pun [pʌn] ordspill; lage ordspill (**on** på).

punch [pʌnʃ] punsj (en drikk).

punch [pʌnʃ] (fk. f. Punchinello) polichinell, bajas; **a P. and Judy show** et dukketeater; **Punch** (eller **The London Charivari**) et vittighetsblad.

punch [pʌnʃ] punsj; dor, lokkedor (til å slå huller med), hulljern; neveslag, kilevink; stikke eller slå huller, gjennombore; slå, dra til; stanse ut; stemple.

punch | **bowl** ['pʌnʃbəul] punsjebolle. — **card** hullkort. — **die** stanse. — **-drunk** uklar, groggy. **-ed card machine** hullkortmaskin. **-er** lokkedor; stanser; punchedame el. **-mann**.

Punchinello [pʌnʃi'neləu] Polichinell (figur i den italienske maskekomedie).

punching | **-ball** punchingball. — **machine** hullkortmaskin. — **tool** stanseverktøy.

punctilio [pʌŋ(k)'tiliəu] finesse, overdreven punktlighet; **stand upon -s** ta det altfor nøye.

punctilious [pʌŋ(k)'tiliəs] smålig nøyaktig, ytterst nøye; stivt korrekt. **punctiliousness** [pʌŋ(k)-'tiliəsnis] nøyaktighet; smålighet.

punctual ['pʌŋ(k)tjuəl, -tʃuəl] punktlig, nøyaktig; ordentlig. **punctuality** [pʌŋ(k)tʃu'æliti, -tju-] punktlighet, nøyaktighet, orden.

punctuate ['pʌŋ(k)tjueit, -tʃu-] sette skilletegn i; poengtere. **punctuation** [pʌŋ(k)tju'eiʃən, -tʃu-] interpunksjon, tegnsetting. **punctum** ['pʌŋktəm] punkt.

puncture ['pʌŋ(k)tʃə] stikk; punktering; stikke i; stikke hull i; punktere.

pundit ['pʌndit] (egl. indisk) lærd.

pungency ['pʌn(d)ʒənsi] skarphet, bitterhet.

pungent ['pʌn(d)ʒənt] skarp, ram, skjærende.

Punic ['pju:nik] punisk, kartagisk; troløs.

puniness ['pju:ninis] litenhet.

punish ['pʌniʃ] straffe, avstraffe; gå til kraftig angrep på; legge i seg av (mat). **punishable** ['pʌniʃəbl] straffverdig; straffbar. **punishment** ['pʌniʃmənt] straff, avstraffelse; hard medfart; **capital** — dødsstraff.

punitive ['pju:nitiv] straffende; straffe-.

Punjab [pʌn'dʒɑ:b].

punk [pʌŋk] nybegynner; grønnskolling; kjeltring, slamp; skrap, tull; elendig, skral.

punster ['pʌnstə] vitsemaker, ordspillmaker.

punt [pʌnt] flatbunnet båt, lorje; stake (seg) fram; transportere i pram.

punt [pʌnt] ponto (i kort); vedde, sette innsats.

punt [pʌnt] sparke til fotballen på direkten i spark.

punter ['pʌntə] en som staker seg fram i e< flatbunnet pram; spiller.

puny ['pju:ni] bitte liten, ørliten, ubetydelig

pup [pʌp] valp; jypling; valpe, få valper.

pupa ['pju:pə], pl. **pupae**['pju:pi:] puppe

pupation [pju:'peiʃən] forpupping.

pupil ['pju:pl, -pil] pupill; myndling, elev disippel. **pupilage** ['pju:pilidʒ] læretid; umyndig het. **pupilarity** [pju:pi'læriti] umyndighet, umyn dig alder. **pupilary** ['pju:piləri] pupill-; som angå en elev. **pupil teacher** ['pju:pil ti:tʃə] praktikant hospitant, vordende lærer (som arbeider unde ledelse av en eldre lærer).

puppet ['pʌpit] dukke, marionett; stråmann **-eer** en som oppfører dukketeater. **puppetish** ['pʌpitiʃ] dukkeaktig. **puppet**|-**man**, — **-master** marionettmann. — **-play** dukkespill. **puppetry** ['pʌpitri] dukkeaktig utseende, dukkeaktighet; formaliteter; skinn **puppet-show** ['pʌpitʃəu] dukketeater, marionett teater.

puppy ['pʌpi] valp; laps, sprett; få valper **puppyhood** [-hud] valpetid; grønn ungdom **puppyish** [-iʃ] valpaktig. **puppyism** [-izm] lapset het, flabbethet.

purblind ['pə:(')blaind] stærblind, svaksynt.

purchasable ['pə:tʃəsəbl] til salgs, til kjøps.

purchase ['pə:tʃəs] kjøpe, erverve, skaffe seg bevege, hive, lette; ervervelse; kjøp, innkjøp anskaffelse; heiseverk, gein, plass (**for a stroke** til å slå ut med armen; tak. — **bok** innkjøpsbok — **deed** kjøpekontrakt. — **money** innkjøpspris — **price** innkjøpspris. **purchaser** ['pə:tʃəsə] kjøper erverver; kunde.

purchase | **tax** omsetningsavgift. — **agent** inn kjøpssjef. **purchasing power** kjøpekraft.

purdah ['pə:dɑ:] (indisk) forheng; isolering a< kvinner.

pure [pjuə] ren; klar, skjær; — **bred** raseren dyr. — **breed** fullblodsrase.

pureness ['pjuənis] renhet.

purgation [pə:'geiʃən] renselse; avføring. **pur gative** ['pə:gətiv] avførende; rensende. **purgatory** ['pə:gətəri] rensende, sonende; skjærsild.

purge [pə:dʒ] rense, skaffe avføring; lutre skylle; rensing, utrensing, utrenskning (politisk) avførende middel. **purger** ['pə:dʒə] renser; av førende middel. **purgery** ['pə:dʒəri] sukkerraffi neri. **purging** ['pə:dʒiŋ] rensing.

purification [pjuərifi'keiʃən] renselse; rettfer diggjøring. **purifier** ['pjuərifaiə] renser; rensings middel. **purify** ['pjuərifai] rense; renses.

purism ['pjuərizm] purisme, språkrensing.

purist ['pjuərist] purist, språkrenser.

Puritan ['pjuəritən] puritansk; puritaner.

puritanism ['pjuəritənizm] puritanisme.

purity ['pjuəriti] renhet.

purl [pə:l] sildre, skvulpe, risle; risl, surl.

purl [pə:l] krydderøl (med sukker og gin).

purl [pə:l] bremme, kante; strikke vrangt; bro dert kant, fold, rysj; — **and plain** vrang og rett — **row** vrangpinne.

purlieu ['pə:lju:] grensedistrikt, utkant, omegn

purloin [pə:'lɔin] tilvende seg, stjele, rapse **purloiner** [-ə] tyv; plagiator.

purple ['pə:pl] purpurfarget; fiolett, blåfiolett purpurfarge; blårødt; purpur; farge(s) rød (fiolett blå); purpurklær, (fig.) makt, høyhet. **purplish** ['pə:pliʃ] purpuraktig, blårød.

purport ['pə:pət, -pə:t] hensikt, mening, be tydning; innhold; inneholde, ha å bety, gå u på, gi seg ut for.

purpose ['pə:pəs] hensikt, formål, øyemed; for sett; målbevissthet, saken, det det gjelder om virkning, retning; ha til hensikt, akte; **on** — med forsett, med vilje; **for the sole** — **of** ene og alene for å; **for** (eller **to**) **that** — i den hensikt **to the** — saken vedkommende, på sin plass; **t< some** — med virkning; **to no** — til ingen nytte forgjeves, fåfengt; **novel with a** — tendens roman.

purposeful besluttsom, målbevisst, viktig.
purposeless ['pə:pəslis] hensiktsløs, formålsløs.
purposely ['pə:pəsli] med hensikt, forsettlig.
purr [pə:] male, surre, summe, maling (om katten).

purse [pə:s] portemoné, pung, håndveske; statskasse; penger, pengesum; gevinst, premie; rikdom, velstand; stikke i pungen; rynke; snurpe sammen; **a — was made up** det ble foretatt en innsamling; **the keeper of the national —** den bevilgende myndighet. **— penny** lykkeskilling. **— pride** pengestolthet. **— proud** pengestolt. **-r** purser, regnskapsfører. **— seine** snurpenot. **— strings, hold the — strings** stå for pengene; **tighten the — strings** knipe inn på pengene.

purslane ['pə:slin] portulakk.
pursuable [pə's(j)u:əbl] som lar seg forfølge.
pursuance [pə's(j)u:əns] utførelse, utføring; **in — of** ifølge, i medfør av.
pursuant [pə'sju:ənt] overensstemmende; **— to** i overensstemmelse med, i samsvar med.
pursue [pə's(j)u:] forfølge, sette etter; strebe etter, strebe hen til; tilstrebe; følge; drive, sysle med; fortsette.
pursuer [pə'sju:ə] forfølger; etterstreber.
pursuit [pə's(j)u:t] forfølgelse; etterstrebelse, streben; jakt; beskjeftigelse, yrke; interesse; fortsettelse. **— race** forfølgelsesritt (på sykkel).
pursuivant ['pə:swivənt] persevant, underherold (funksjonær i **College of arms).**
pursy ['pə:si] astmatisk, andpusten; oppblåst; tykk; rynket; pengesterk.
purtenance ['pə:tinəns] tilbehør; (dyrs) innvoller.
purty ['pə:ti] (dial.) = **pretty.**
purulen|ce, -cy ['pjuərulən|s, -si] (med.) materie(dannelse).
purvey [pə:'vei] forsyne; skaffe, levere; proviantere. **purveyance** [pə:'veiəns] forsyning; tilveiebringelse, leveranse; **purveyor** [pə:'veiə] leverandør; **Purveyor to His Majesty** hoffleverandør.
purview ['pə:vju:] lovtekst; bestemmelser; sfære, område.
pus [pʌs] våg, materie, verk.
push [puʃ] støte, skubbe, puffe (til), drive; trenge inn på; drive på; fremskynde; støt, skubb, puff; fremdrift; pågangsmot, driv; trykk; tak; anstrengelse; **— his fortune** slå seg opp; **— off** stikke av, gå; **— off goods** få avsatt varer; **— on** drive på; fremskynde; hjelpe fram; **at a —** når det virkelig gjelder. **-basket** trillebag. **— button eller — contact** trykkontakt, trykknapp. **-cart** håndkjerre.
pushed trett, sliten; i pengevansker.
pusher en som trenger seg fram; skyffel; narkotikaselger.
pushful ['puʃf(u)l] foretaksom, påtrengende.
pushing ['puʃiŋ] foretaksom, pågående.
push|over svak motstander; lett sak. **— pin** ['puʃpin] stift; en barnelek med knappenåler; (fig.) barnemat. **— rod** løftestang (i bilmotor). **— -up** armbøying, kroppsheving.
pusillanimity [pju:silə'nimiti] forsagthet, feighet. **pusillanimous** [pju:si'læniməs] forsagt, feig.
puss [pus] pus, pusekatt; ung jente. **— -in-the-corner** bytte sete, låne varme (lek). **Puss in Boots** ['pusin'bu:ts] Den bestøvlede katt.
pussy ['pusi] materiefylt; pusekatt; rakle, gåsunge; (ung)jente. **-foot** en som lister seg

omkring, snik; politisk luring; avholdsfanatiker; liste seg, gå på gummisåler. **— willow** gåsunger, rakle (botanikk).
pustule ['pʌstju:l] pustel, kvise, filipens.
put [put] putte, sette, stille, anbringe, stikke, legge, bringe; fremstille, sette fram, uttrykke; **to — it mildly** mildest talt; **— about** la sirkulere; utbre; gå baut, baute; plage; **— along** sette i fart; **— by** legge til side; **— down** legge fra seg; skrive ned, notere; tilskrive, gi skylden; undertrykke, nedkjempe, kue, døyve, kvele; ydmyke; bringe til taushet; **— forth** sette fram; utgi; stille fram; utstede; **— forward** forfremme, fremme, sette fram; **— in** legge inn; skyte inn; installere, montere; komme fram med; **— in for** søke om, anmode om; **— in mind of (eller that)** minne om ; **— off** legge vekk; utsette, oppsette; frastøte, virke avskremmende; **— on** legge på, sette på, ta på; **— out** legge ut, sette ut; sette fram; produsere; nedkjempe; slokke; forvri; utfolde, oppby; forvirre, forville; stikke ut; skyte (knopper, røtter); **be — out about** være ute av det over, bli brakt i forlegenhet; **— to** spenne for; **be — to it** bli nødt (til det); **— to bay** sette, stille (på jakt); **— to sea** stikke til sjøs; **— to death** avlive, drepe, la henrette; **— up** heve; gi husly; **— up to** hisse, egge, forlede; fremlegge, forelegge; **— up with** finne seg i, tåle.
put [pʌt] (gml.) staur, slamp.
putative ['pju:tətiv] antatt, formodet.
put-off ['put'ɔ(:)f] utflukt, påskudd; utsettelse.
put-on ['put'ɔn] påtatt.
putrefaction [pju:tri'fækʃən] forråtnelse. **putrefy** ['pju:trifai] forråtne, forpeste; råtne. **putrid** ['pju:trid] råtten.
puttee ['pʌti:] slags gamasjer av tøy (som vikles om leggen).
putter ['pʌtə] slags golfkølle til å slå ballen i hull med, putter.
putting ['pʌtiŋ] **the shot** kulestøt.
putty ['pʌti] kitt, sparkelmasse; sparkle, kitte.
put-up ['put'ʌp] fingert, arrangert.
puzzle ['pʌzl] forvirre, sette i forlegenhet, forbløffe; spekulere, tenke over, bry hjernen med; finne ut; gåte, knute, floke, vanskelighet, vanskelig spørsmål; puslespill. **puzzled** ['pʌzld] forlegen, rådvill, rådløs, forvirret. **puzzlement** uklarhet, forvirring. **puzzler** ['pʌzlə] gåte, knute.
P. W. D. fk. f. **Public Works Department.**
pyaemia [pai'i:miə] blodforgiftning.
pygmean [pig'mi:ən] pygmeisk; dvergaktig.
pygmy ['pigmi] dverg; pygmé; dverg-.
pyjamas [pə'dʒɑ:məz] pyjamas; **the cat's —** rosinen i pølsen, flott.
pylon ['pailən] høyspentmast, lysmast.
pyramid ['pirəmid] pyramide. **pyramidal** [pi-'ræmidəl] pyramideformet, pyramidestor.
pyre ['paiə] likbål, bål.
Pyrenean [pirə'ni:ən] pyreneisk. **the Pyrenees** ['pirəni:z] Pyreneene.
pyromania [pairəu'meinjə] pyromani. **pyromaniac** [pairəu'meinjæk] pyroman.
pyrotechnics ['pairə'tekniks] fyrverkeri.
Pythagoras [pai'θægəræs] Pytagoras.
Pythia ['piθiə] Pytia.
Pythian ['piθiən] pytisk.
python ['paiθən] pyton, kvelerslange.
pyx [piks] pyksis (sølvskål til oppbevaring av hostien); eske med prøvemynter.

Q

Q, q [kju:] Q, q.
Q. fk. f. Queen; Question.
q. fk. f. **quart; quarterly; queen; question.**
Q. B. fk. f. **Queen's Bench.**
Q. C. fk. f. **Queen's Counsel; Queen's College.**
q. e. fk. f. **quod est** (latin: som betyr).
Q. E. D. fk. f. **quod erat demonstrandum** (latin: hvilket skulle bevises).
Q. M. fk. f. **Quartermaster.**
qr. fk. f. **quarter.**
Qt., qt. fk. f. **quantity, quart.**
Q. T. fk. f. **quiet; on the Q. T.** i all hemmelighet.
qua [kwei] i egenskap av, som.
quack [kwæk] snadre, skryte; drive kvaksalveri; snadring; kvaksalver; fusker (i faget).
quackery ['kwækəri] kvaksalveri; sjarlataneri.
quackish ['kwækiʃ] kvaksalveraktig.
quacksalver ['kwæksælvə] kvaksalver.
quad [kwɔd] fk. f. **quadrat; quadrangle.**
quadragenarian [kwɔdrədʒi'nɛəriən] mellom 40 og 49 år gammel. **Quadragesima** [kwɔdrə-'dʒesimə] første søndag i fasten; faste.
quadrangle ['kwɔdræŋgl] firkant; plass, gård.
quadrangular [kwɔ'dræŋgjulə] firkantet.
quadrant ['kwɔdrənt] kvadrant.
quadrat ['kwɔdrit] kvadrat (blindtype).
quadrate ['kwɔdrit] kvadrat-, kvadratisk, firkantet; firkant, kvadrat. **quadratic** [kwɔ'drætik] kvadratisk størrelse; annengradslikning. **quadrature** ['kwɔdrətʃə] kvadratur.
quadrennium [kwɔ'drenjəm] fireårsperiode.
quadrille [kwɔ'dril] kvadrilje (en turdans av 4 par; også et slags kortspill, spilt av 4 personer).
quadrillion [kwɔ'driljən] kvadrillion, (eng.) en billion billioner; (amr.) tusen billioner.
quadrisyllabie [kwɔdrisi'læbik] firstavings-.
quadroon [kwɔ'dru:n] kvarteron, barn av mulatt og hvit.
quadruped ['kwɔdruped] firbeint (dyr).
quadruple ['kwɔdrupl] firedobbelt; firedoble.
quaff [kwɔ:f] drikke (ut); stor slurk.
quaggy ['kwægi] gyngende (om myr); myrlendt, sumpig. **quagmire** ['kwægmaiə] hengemyr; (fig.) farlig situasjon.
quail [kweil] synke sammen, bli forsagt, tape motet; knuse, tilintetgjøre; kue.
quail [kweil] vaktel.
quaint [kweint] gammeldags; original; eiendommelig, underlig. **quaintness** [-nis] særhet, underlighet, gammel stil.
quake [kweik] ryste, riste, skjelve, beve; skjelving, rystelse, risting.
Quaker ['kweikə] kveker. **-dom** kvekerlære, kvekersamfunn. **-ism** [-rizm] kvekertro, kvekervesen; **the — state** Pennsylvania.
quakiness ['kweikinis] skjelven, skjelving. **quaky** ['kweiki] skjelvende, dirrende, bevende.
qualifiable ['kwɔlifaiəbl] som kan modereres; som kan begrenses. **qualification** [kwɔlifi'keiʃən] dyktiggjøring; dyktighet; kvalifikasjon, skikkethet; betingelse; forutsetning, atkomst, berettigelse; omdanning; innskrenkning, modifikasjon, forbehold.
qualified ['kwɔlifaid] skikket, egnet; utdannet, faglært; berettiget; blandet; betinget, forbeholden.
qualify ['kwɔlifai] gjøre skikket, dyktiggjøre, kvalifisere, utdanne; begrense, modifisere; betegne.
qualitative ['kwɔlitətiv] kvalitativ.
quality ['kwɔliti] egenskap, beskaffenhet, karakter, rang, verdighet; stand; kvalitet; **people of —** standspersoner, fornemme folk.

qualm [kwɑ:m, kwɔ:m] kvalme, (plutselig) illebefinnende; skruppel, betenkelighet, tvil, bange anselse. **qualmish** ['kwɔ:miʃ, 'kwɑ:miʃ] syk, som føler kvalme.
quandary ['kwɔndəri, kwən'dɛəri] forlegenhet, knipe.
quant [kwɔnt] stake, båtstake; stake (seg) fram.
quantify ['kwɔntifai] bestemme mengde; taksere. **quantitative** ['kwɔntitətiv] kvantitativ.
quantity ['kwɔntiti] kvantum, mengde, kvantitet. **— discount** kvantumsrabatt.
quantum ['kwɔntəm] kvantum, viss mengde.
quarantine ['kwɔrənti:n] karantene(stasjon); sette i karantene.
quarrel ['kwɔrəl] strid, trette, kiv, uenighet; grunn til å klage, utestående sak; trette, strides, ligge i klammeri. **quarrelsome** [-səm] trettekjær, stridslysten.
quarry ['kwɔri] vilt, fangst, bytte; gjøre bytte, jage.
quarry ['kwɔri] steinbrudd; bryte stein; granske, forske.
quarry ['kwɔri] (firkantet) glassrute; firkantet steinflis.
quarryman ['kwɔrimən] steinbryter.
quart [kwɔ:t] kvart; 1/4 gallon, (eng.) 1,136 l; (amr.) 0,946 l; kvart (i fekting); forse (i kort). **-an** ['kwɔ:tn] fjerdedagsfeber.
quarter ['kwɔ:tə] kvart, fjerdel, fjerdepart; kvarter; kvartal; fjerdingår; 8 bushels = 291 l; vekt = 12,7 kg; 1/4 yard; 1/4 dollar, 25 cent; egn, strøk, verdenshjørne; kvarter, bolig, forlegning; (fig.) kant, side, hold; veikant, rabatt; nåde, pardong; låring, post, plass; dele i fire deler; innkvartere; partere, sønderlemme; kvadrere, anbringe i et (kvadrert) våpenskjold; være innkvartert hos; streife, fare hit og dit, kjøre ut og inn; vike til siden; **in the highest -s** på høyeste hold. **-age** kvartalslønn; forlegning; innkvarteringsutgifter. **— day** kvartalsdag, termin. **-deck** skanse; akterdekk. **— final(s)** kvartfinale. **quartering** ['kwɔ:təriŋ] firdeling; innkvartering; partering.
quarterly ['kwɔ:təli] fjerdels, kvartals-; kvartalsvis; kvartalsskrift.
quarter|master ['kwɔ:təmɑ:stə] kvartermester. **-master general** generalintendant. **-n** fjerdedel, fjerding. **— sessions** kvartalsting, underrett. **-staff** piggstav; fektestav (som føres med begge hender, den ene hånd en fjerdedel inne på staven). **— tone** kvarttone. **-yearly** kvartalsvis).
quartet(te) [kwɔ:'tet] kvartett.
quarto ['kwɔ:təu] kvartformat.
quartz ['kwɔ:ts] kvarts. **-iferous** [kwɔ:t'sifərəs] kvartsholdig. **-lamp** kvartslampe.
quash [kwɔʃ] annullere, omstøte; undertrykke, kue.
quasi ['kwɑ:zi(:)] kvasi, så å si, tilsynelatende.
quaternion [kwə'tə:niən] kvaternion; gruppe av fire; firstavingsord.
quatrefoil ['kætrəfɔil, 'kætəfɔil] firkløver.
quaver ['kweivə] dirre, skjelve; trille; dirring, skjelving.
quay [ki:] brygge, kai; forsyne med brygge. **quayage** ['ki:idʒ] kaiavgift; kaiplass.
quean [kwi:n] tøs, taske; jente.
queasy ['kwi:zi] som har kvalme, ille til mote; kvalmende; blasert, kresen; sart.
Quebec [kwi'bek].
queen [kwi:n] dronning; dame (i kort); nydelig jente; homoseksuell; **Q. Mab** alvedronningen;

Queen's Counsel kronjurist; **Queen's English** standardengelsk; **Queen's shilling** håndpenger (for vervet soldat); **Queen's weather** strålende vær; **queen it** spille dronning. — **bee** bidronning. — **dowager,** — **mother** enkedronning. **-hood, ship** dronningverdighet. **-like, -ly** dronningaktig.

Queensland ['kwi:nzlənd].

queer [kwiə] merkelig, underlig, rar, snodig; skummel; aparte; uekte, falsk; tvilsom; utilpass; småfull, pussa; falske penger; homoseksuell; **be in Q. street** være i knipe.

queer [kwiə] gjøre underlig; narre, forvirre; latterliggjøre, spolere; — **the pitch for** hemmelig ødelegge sjansene for.

queerish ['kwiəriʃ] litt rar.

quell [kwel] knuse, få bukt med, undertrykke; dempe, døyve, stille.

quench [kwenʃ] slokke, undertrykke, kvele, stille. **quenchable** ['kwenʃəbl] som lar seg slokke. **quencher** ['kwenʃə] slokker, slokkingsmiddel; (sl.) drink. **quenchless** ['kwenʃlis] uslokkelig, ubetvingelig.

quenelle [kə'nel] kjøttbolle.

querimonious [kweri'məunjəs] klynkende, sytende.

querist ['kwiərist] spørsmålstiller.

quern [kwə:n] kvern.

querulous ['kwer(j)uləs] klagende, klynkende, gretten. **querulousness** [-nis] klaging, klynking.

query ['kwiəri] spørsmål, forespørsel; tvil; spørsmålstegn: spørre om, undersøke, betvile.

quest [kwest] leting, søking; ønske; bønn; søke; **in** — **of** søkende, på jakt etter.

question ['kwestʃən, -tʃən] spørsmål; debatt, forhandling, undersøkelse; sak, det det dreier seg om; tvil; forhør, tortur; regnskap; spørre, spørre ut; undersøke; dra i tvil; **ask a** — stille et spørsmål; **call for the** — forlange slutt på debatten; **the matter in** — den foreliggende sak; **the person in** — vedkommende; **out of** — utenfor tvil; **out of the** — som det ikke kan være tale om.

questionable ['kwestʃənəbl] tvilsom, uviss, problematisk; mistenkelig. **questionary** [-(ə)ri] spørreskjema; spørrende, spørre-. **questioner** [-ə] spørrer, eksaminator; interpellant. **questioning** [-iŋ] spørring, spørsmål; eksaminasjon.

question | mark spørsmålstegn. **-naire** [kwestʃə-'neə] spørreskjema; meningsmåling. — **paper** eksamensoppgave.

queue [kju:] hårpisk, flette; kø; stille seg i kø.

quibble ['kwibl] spissfindighet; utflukt, ordspill, vits; bruke spissfindigheter, utflukter; — **over** henge seg opp i. **quibbler** ['kwiblə] sofist, ordkløver, flisespikker.

quick [kwik] levende; kvikk, snøgg, livlig, rask; hurtig; fin, skarp, gløgg; levende kjøtt; ømt punkt; levende hegn; hagtorn; **to the** — ned i kjøttet, til marg og bein, på det føleligste. — **-acting** hurtigvirkende. — **assets** (merk.) likvider. — **-drying** hurtigtørkende.

quicken ['kwikn] gjøre levende, gi liv, anspore, sette fart i; fremskynde, påskynde; bli levende, få liv, kvikne til.

quickening ['kwikniŋ] fremskynding, påskynding.

quick | lime ['kwiklaim] ulesket kalk. **-ly** fort, kjapt. — **march!** fremad marsj! **-sand** kvikksand. **-set** hekk, hagtornhekk. — **-setting** hurtigtørkende. — **-sighted** skarpsynt. **-silver** kvikksølv. — **-tempered** hissig, oppfarende. — **-witted** snarrådig, oppfinnsom; slagferdig.

quid [kwid] skrå, buss; (sl.) pund (**sterling**).

quiddity ['kwiditi] spissfindighet, ordkløyving; vesen, kjerne.

quidnunc ['kwidnʌŋk] nyhetskremmer.

quiescence [kwai'esəns] hvile, ro. **quiescent** [-ənt] hvilende, i ro; passiv, uvirksom.

quiet ['kwaiət] rolig, stille, fredelig; diskret, skjult; ro, fred, berolige, roe, stagge, stille; **on the** — i smug, hemmelig. **quieten** ['kwaiətn] roe, dempe, stagge. **quieter** [-ə] en som beroliger. **quietism** [-izm] kvietisme; ro. **quietness** [-nis] ro, stillhet.

quietude ['kwaiətju:d] ro, fred. **quietus** [kwai-'i:təs] befrielse, død; (fig.) nådestøt.

quiff [kwif] pannelokk.

quill [kwil] pennefjær, (fjær)penn; fjærpose; plekter; pigg (på pinnsvin); spole; tannpirker; dupp (fiskesnøre); — **driver** pennesmører, skriver. **quill** [kwil] fold (i pipekrage); pipe, kruse. **quilt** [kwilt] stukket teppe, vattert (el. dunfylt) teppe; stoppe ut, polstre, vattere. **quilting** [-iŋ] utstopping, polstring, vattering.

quina ['kwainə] kinabark.

quinary ['kwainəri] fem-.

quince [kwins] kvede (frukt).

quinine [kwi'ni:n] kinin.

Quinquagesima [kwiŋkwə'dʒesimə] fastelavnssøndag.

quinsy ['kwinzi] halsbetennelse, halsbyll.

quintessence [kwin'tesəns] kvintessens.

quintuple ['kwintjupl] femdoble, femdobbelt antall. **-t** femling; gruppe på fem.

quip [kwip] spydighet, vits, sarkasme; spotte; slå en vits.

quire ['kwaiə] bok (24 ark).

quire ['kwaiə] kor; synge i kor.

quirk [kwə:k] utflukt, spissfindighet; innfall, eiendommelighet, lune; sarkasme; kadett, nybegynner (i flyvåpenet).

quisle ['kwizl] være landsforræder, svike. **quisling** ['kwizliŋ] landsforræder, landssviker.

quit [kwit] oppgi, forlate; fratre, legge ned, nedlegge; betale, utlikne; kvitt, fri; — **cost** bære seg, svare seg; — **scores** gjøre opp, gjøre avregning; jevne ut; **give notice to** — si opp.

quite [kwait] ganske, helt, fullstendig; **when I was** — **a child** da jeg enda var barn; — **a few** ganske mange; — **the contrary** tvert imot. **quite!** ganske riktig! javisst!

quits [kwits] kvitt, skuls; **be** — være kvitt. **quittable** ['kwitəbl] som kan forlates.

quittance ['kwitəns] frigjøring (eks. fra gjeld); gjengjeld; kvittering. **quitter** ['kwitə] en som forlater halvgjort arbeid, dovenpeis, skulker.

quiver ['kwivə] kogger, pilekogger.

quiver ['kwivə] dirre, sitre, skjelve; dirring, sitring, skjelving.

Quixote ['kwiksət] Quijote. **quixotic** [kwik-'sɔtik] don-quijotisk, virkelighetsfjern, forskrudd idealisme.

quiz [kwiz] gjettekonkurranse; (amr.) prøve, tentamen; spøkefugl, spøk; raring; arrangere gjettekonkurranse; utspørre, eksaminere; gjøre narr av, spotte. **quizzical** ['kwizikl] spottende, ertende, gjønende; komisk, rar.

quizzing-glass ['kwiziŋglɑ:s] monokkel.

quod [kwɔd] (i slang) fengsel; putte i «hullet».

quoin [kɔin] hjørne, hjørnestein; kile.

quoit [kɔit] kastering; **-s** ringspill.

quondam ['kwɔndæm] fordums.

quorum ['kwɔ:rəm] beslutningsdyktig antall.

quota ['kwəutə] kvote, forholdsmessig andel. **quotable** ['kwəutəbl] som kan anføres, siteres. **quotation** [kwəu'teiʃən] anførsel, sitat; anbud, tilbud; notering. — **marks** anførselstegn.

quote [kwəut] anføre, sitere; notere; oppgi prisen å, gi tilbud; sitat. **-s** gåseøyne, anførselstegn.

quoth [kwəuθ] mælte, sa, sier.

quotidian [kwəu'tidjən] hverdags-, daglig.

quotient ['kwəuʃənt] kvotient.

q. v. fk. f. **quod vide** (= **which see**) se dette.

qy. fk. f. **query.**

R

R, r [ɑ:] R, r; **The three R's** (= **reading,** (w)riting, and (a)rithmetic), de grunnleggende skolefag.

R., r. fk. f. **Rex** (latin: konge); **Regina** (latin: dronning); **Réaumur; Republic; River; Royal; Road; retired; recipe.**

R. A. fk. f. **Royal Academy** (eller **Academician**); **Royal Artillery.**

rabbet ['ræbit] fals; (inn)false.

rabbi ['ræbai] rabbi, rabbiner. **rabbinate** ['ræbinit] rabbinerembete, rabbinerverdighet.

rabbit ['ræbit] kanin; fange kaniner; — **to-gether** klumpe seg sammen. — **breeder** kaninoppdretter. — **burrow** kaningang. — **hutch** kaninbur. — **mouth** haremunn. — **punch** håndkantslag over nakken. **-ry,** — **warren** [-wɔrən] kaningård.

rabble ['ræbl] pøbel, mobb, utskudd, pakk; berme; stimle sammen om, danne oppløp om. — **-charming** som henriver pøbelen. **-ment** [-mənt] pøbel; opptøyer. — **rouser** oppvigler, demagog.

rabid ['ræbid] rabiat, vill, gal. **-ness** (hunde-)galskap. **rabies** ['reibii:z] rabies, galskap.

R. A. C. fk. f. **Royal Automobile Club.**

raccoon [rə'ku:n] vaskebjørn.

race [reis] rase, slekt, folkeferd; rase-.

race [reis] gang, fart, løp; veddeløp; kapproing, kappseilas, kappløp; ile, jage, løpe, renne; kappløpe; drive på, sette i sterk fart. **-about** racerbiltype; kapproingsbåt. **-course** veddeløpsbane. — **cup** pokal, sportspremie. — **discrimination** rasediskriminering. — **horse** veddeløpshest.

race|r ['reisə] kappløper, kapproer; veddeløpshest, veddeløpsmaskin; kappseiler. — **riot** raseopptøyer. — **track** veddeløpsbane. **-way** vannrenne, kanal.

racial ['reiʃəl] rase. **-ism** rasisme.

racing ['reisiŋ] veddeløp, kappløp, veddeløps-.

racism ['reisizm] rasisme; rasehat.

rack [ræk] strekke, spenne, utspenne; ordne i reol; legge på pinebenken; martre, pine; — **his brains** bryte sitt hode, legge sitt hode i bløt.

rack [ræk] strekkeredskap, pineredskap; pinebenk; høyhekk; hylle, reol, nett (i kupé til lettere bagasje); rekke, stativ, henger; forrevne, drivende skyer; tannstang; **it is going to — and ruin** det går til helvete, ad undas.

racker ['rækə] strekker; bøddel.

racket ['rækit] racket (tennis); truge; spetakkel; lurveleven, huskestue; svindelforetagende, gangstervirksomhet; virksomhet, geskjeft; holde spetakkel; slå med racket; i pl.: rackets (et ballspill); brake, ståke; — **about** leve i sus og dus; **what's the** — hva er på ferde? hva nå? — **court** racketplass. **racketeer** [ræki'tiə] svindler, pengeutpresser; spetakkelmaker. **rackety** ['rækiti] vill, bråkende; løssloppen.

racking ['rækiŋ] strekking, pinsel; seising (sjøuttrykk); **a** — **headache** en dundrende hodepine.

rack|railway tannbane. — **rent** ublu avgift, skamløs leie. — **steering** tannstangstyring.

racoon [rə'ku:n] vaskebjørn.

racy [reisi] frisk i smaken, fin, aromatisk; karakteristisk; drøy, våget; — **of the soil** stedegen.

rad. fk. f. **radial; radical; radius.**

radar ['reidə] fk. f. **radio detecting and ranging** radar. — **beacon** radarfyr. **-scope** radarskjerm.

raddle ['rædl] rødkritt, mønje; sminke, kitte, male.

radiance ['reidjəns] stråleglans; utstråling.

radial ['reidiəl] radial, radiær. — **tyre,** (amr. tire) radialdekk.

radiant ['reidiənt] strålende.

radiate ['reidieit] stråle ut, skinne; bestråle; sende ut, kringkaste; stråleformet.

radiation [reidi'eiʃən] utstråling.

radiator ['reidieitə] radiator (til oppvarming); kjøler (i bil). — **apron** radiatorgardin. — **shell** kjølekappe.

radical ['rædikl] rot-; dyp, rotfestet; grundig, dyptgående, fundamental; radikal; rot (gram. og matem.), rottegn; et radikal; en radikaler. **-ism** ['rædiklizm] radikalisme. **-ize** ['rædiklaiz] gjøre radikal, bli radikal. **-ly** ['rædikəli] fra grunnen, radikalt.

radicel ['rædisəl] rottrevl, liten rot.

radio ['reidiəu] radio, kringkasting; kringkaste; behandle med radium. **-active** ['reidiəu'æktiv] radioaktiv. — **appeal** mikrofontekke. — **communication** radiosamband. — **control** radiostyring. **-gram** telegram; røntgenbilde; radiogrammofon. **-gramophone** radiogrammofon. **-jamming** støysending. **-logist** røntgenlege. — **play** hørespill. — **set** radioapparat. **-therapy** røntgenbehandling.

radish ['rædiʃ] reddik.

radium ['reidiəm] radium.

radius ['reidiəs] radius, stråle, (hjul-)eike; spolebein.

radix ['reidiks] basis, rot; (fig.) kilde.

radome ['reidəum] fk. f. **radar dome** radarkuppel.

R. A. F. (V. R.) fk. f. **Royal Air Force (Voluntary Reserve).**

raff [ræf] avfall, boss; herk, pakk; slusk.

raffia ['ræfiə] bast.

raffle ['ræfl] rafle, kaste terninger; skyte sammen til og kaste lodd om, lodde ut; lotteri; terninger; skrammel, bråte, rask.

raft [rɑ:ft] tømmerflåte, soppe; flåte; fløte.

rafter ['rɑ:ftə] takbjelke, taksperre. **rafting** tømmerfløting.

raftsman ['rɑ:ftsmən] flåtefører, tømmerfløter.

rag [ræg] klut, fille; avis, lapp, blekke; finskåret tobakk; leven, rabalder; gjøre fillet, rive i filler; plage, skjelle ut; drive gjøn med; **all in -s** helt fillet.

ragamuffin [rægə'mʌfin] fillefant, slusk.

rag|bag fillepose. — **carpet** filleteppe, fillerye.

rage [reid3] raseri; heftighet, voldsomhet; rase; grassere; **be (all) the** — være høyeste mote; gjøre furore.

rag-gatherer klutesamler, fillesamler.

ragged ['rægid] fillet, forreven, lurvet; takket, ujevn, knudret. **raggedness** [-nis] fillethet; knudrethet.

raggle-taggle lurvet, fillet.

raging ['reid3iŋ] rasende, vill, fra seg.

rag|man ['rægmən] fillehandler; skraphandler. — **mat** fillerye, lappeteppe.

ragout [rə'gu:] ragout.

rag paper ['rægpeipə] klutepapir, bøttepapir.

ragshop ['rægʃɔp] handel med gamle klær.

ragtag ['rægtæg] lurvet fyr; — **and bobtail** pøbel, ramp.

ragtime ['rægtaim] synkopert rytme (som i jazzmelodier).

rag|weed ['rægwi:d] svineblom; ambrosia. — **wheel** polérskive. **-wort** svineblom.

raid [reid] fiendtlig innfall, plutselig angrep; plyndretog, streiftog; razzia; plyndre; gjøre en razzia.

rail [reil] ribbe, tremme, gjerdestav; stakitt,

rekkverk; stang; skinne; jernbane; sette gjerde om, gjerde inn; reise med banen; skjelle ut, rase. **-back chair** pinnestol. — **gauge** sporvidde. — **haulage** jernbanetransport. **railing** ['reiliŋ] stakitt, rekkverk; reling.

railing ['reiliŋ] hånende; skjelling, grovheter, grov munn.

rail joint skinneskjøt.

raillery ['reiləri] (godmodig) spott, småerting.

railroad ['reirəud] jernbane; transportere el. reise med jernbane.

railway ['reilwei] jernbane. — **carriage** jernbanevogn. — **gauge** sporvidde. — **guide** rutebok. — **letter** fraktbrev. — **rug** reisepledd. — **yard** rangertomt.

raiment ['reimənt] drakt, kledning, skrud.

rain [rein] regne; la det regne med; regn, regnvær, regnskur; i pl.: regnbyger, regntid; **it -s cats and dogs** det øsregner.

rain|bow ['reinbəu] regnbue. **-coat** regnfrakk. **-fall** nedbør, regn, regnskur. — **gauge** [-geidʒ] regnmåler. — **gutter** takrenne.

raininess ['reininis] regnfullhet, regn.

rain|proof regntett, vanntett. — **squall** regnskyll. **-worm** meitemark.

rainy ['reini] regnfull, regn-, regnværs-; **lay by for a — day** legge til side til de dårlige tider.

raise [reiz] heve, løfte, reise; bringe på fote; vekke; forhøye; forsterke; heve; opphøye, forfremme; mane fram, vekke opp; reise, ta opp (et lån); vekke; stifte; dyrke, oppelske, oppdrette, fostre; forhøyelse, lønnsforhøyelse; støttemelding (kortspill); — **a siege** heve en beleiring; — **the alarm** slå alarm; — **hell** lage et rabalder; — **the roof** heve taket (ved bifall); slå seg løs.

raiser ['reizə] hever, løfter; oppdretter, dyrker, produsent; hevemiddel.

raisin ['reizn] rosin.

raising ['reiziŋ] hevning, løftning; oppdragelse; oppføring, bygging; gang, gjær. — **powder** bakepulver.

raison d'être ['reizɔ:n'deitr] eksistensberettigelse.

raja(h) ['rɑ:dʒə] rajah, indisk fyrste.

rake [reik] rive, rake; ildrake; rive; rake; støve gjennom, ransake; beskyte langskips; helle (om mast el. stevn); — **and scrape** sope inn, kare til seg; — **up** skrape sammen; rote opp i; — **up the fire** dekke til varmen med aske.

rake [reik] uthaler, libertiner.

raker ['reikə] river; hesterive; ildrake; skrapjern. **raking** ['reikiŋ] raking; gjennomsøking; overhaling, kjeft; skrånende, hellende; feiende, susende.

rakish ['reikiʃ] flott, kjekk; forsoffen, frekk.

Raleigh ['rɔ:li, 'rɑ:li, 'ræli].

rally ['ræli] spotte, skjemte, spøke; drive ap med, spotte over; spott, skjemt, spøk.

rally ['ræli] samle (igjen), bringe orden i; samle seg (igjen), fylke seg; bedres, komme seg; komme til krefter; møte, samling; bedring; løp, konkurranse. **-ing cry** kamprop. **-ing point** samlingssted; støttepunkt.

ram [ræm] bukk, vær; rambukk, murbrekker; ramme, støte, stappe, stampe; — **down** ramme ned, banke ned.

R. A. M. fk. f. **Royal Academy of Music.**

ramble ['ræmbl] streife om, flakke om; gjøre avstikkere; fantasere, ørske, tøve, tøyse; vokse kraftig, slynge seg; streifing, omstreifing, flakking; vandring, streiftur, tur. **rambler** ['ræmblə] vandrer; en slags slyngrose (især **crimson —**). **rambling** ['ræmbliŋ] omstreifing, streiftur; uregelmessig, spredt; usammenhengende, svevende, vidløftig.

R. A. M. C. fk. f. **Royal Army Medical Corps.**

rameous ['reimjəs] grein-; som vokser på en grein. **ramification** [ræmifi'keiʃən] forgreining, grein. **ramify** ['ræmifai] forgreine; forgreine seg, greine seg.

rammer ['ræmə] rambukk; bruleggerjomfru.

ramp [ræmp] klyve opp, klatre opp; skyte opp; springe, hoppe, steile; storme, rase, skråne; skråplan, rampe; ned-, oppkjørsel; svindel.

rampage [ræm'peidʒ] raserianfall, rasing; storme, rase, fare omkring.

rampant ['ræmpənt] oppstigende, klatrende; frodig, yppig; tøylesløs, overhåndtagende; voldsom; oppreist, stående, springende (i våpen).

rampart ['ræmpət] voll, festningsvoll; (fig.) beskyttelse; befeste med voller.

ramp boat landgangsfartøy.

ramrod ['ræmrəd] ladestokk, pussestokk.

Ramsay ['ræmzi].

ramshackle ['ræmʃækl] skrøpelig, lealaus, falleferdig.

ranch [rɑ:nʃ, rænʃ] storgård, landeiendom, bondegård; kvegfarm. **rancher** [-ə] storfarmer.

rancid ['rænsid] trå, harsk. **rancidity** [ræn-'siditi], **rancidness** ['rænsidnis] harskhet.

rancorous ['ræŋkərəs] hatsk, uforsonlig.

rancour ['ræŋkə] hat, nag, agg, bitterhet.

Rand [rænd]; **the — Witwatersrand** (distrikt i Transvaal).

random ['rændəm] slumpetreff; tilfelle; tilfeldig, uregelmessig; **at — på** slump, på måfå. **-ize** plukke ut på måfå. — **sample** stikkprøve. — **shot** slumpeskudd.

randy ['rændi] skrålende, høymælt, skjellende, liderlig, lysten; ustyrlig, vill; hespetre; fant.

ranee ['rɑ:ni] hindufyrstinne.

range [rein(d)ʒ] stille i rekke, stille opp; klassifisere, ordne; ta parti; streife om i, fare over; streife om; innstille, rette inn; variere, spenne fra ... til; rekke (om skyts), ha plass; rekke, kjede; plass; orden, vandring, omstreifing; frihet; spillerom; råderom, omfang, område; -felt, -bane; avstand; retning, rekkevidde, skuddvidde; komfyr; **-finder** avstandsmåler; — **of mountains** fjellkjede; — **of vision** synsfelt.

ranger ['rein(d)ʒə] omstreifer, vandringsmann; støver; forstassistent, skogsforvalter; parkvokter; i pl.: ridende jegerkorps; commandotropper.

rank [ræŋk] rad, rekke; geledd; grad, rang, stand; rangklasse; samfunnsklasse; stille i rekke, ordne, sette i klasse, rangere; ordnes, være ordnet; — **and file** menige; **fall in —** stille seg opp; **turn into the -s** la løpe spissrot; **reduce to the -s** degradere til menig; **taxi —** drosjeholdeplass.

rank [ræŋk] høytvoksende, frodig, yppig; fruktbar, fet; voldsom, sterk; ram, sur, stram; motbydelig; fullstendig, regelrett.

ranking ledende, fremtredende.

rankish ['ræŋkiʃ] noe ram, noe stram.

rankle ['ræŋkl] bli betent, sette verk; gnage; ete om seg; fortære, nage, svi.

rankness ['ræŋknis] for frodig vekst, yppighet; overmål; ramhet, stramhet.

ransack ['rænsæk] ransake, gjennomsøke, endevende; plyndre.

ransom ['rænsəm] løskjøping, løsepenger; løskjøpe, løse ut; **worth a king's —** meget verdifull.

rant [rænt] holde leven, gjøre spetakkel, skråle, skvaldre, deklamere, bruke store ord; kommers, spetakkel, skrål, skvalder; svulstighet, fraser. **ranter** [-ə] skråler, bråkefant; gatepredikant.

ranunculus [rə'nʌŋkjuləs] ranunkel.

rap [ræp] banke, pikke; rapp, slag, banking; kritikk, straff; **take a — få** en smekk.

rap [ræp] rive bort, føre bort; rapse, røve; henrykke, henrive.

rapacious [rə'peiʃəs] rovlysten, grisk, grådig.

rapacity [rə'pæsiti] rovlyst; griskhet, grådighet.

rape [reip] ran, rov; voldtekt; bortførelse; rane, røve; plyndre; voldta.

rape [reip] raps. — **seed** rapsfrø.

Raphael ['ræf(e)iəl] Rafael.

rapid ['ræpid] hurtig, snøgg, rask, rivende, bratt, stri; pl. elvestryk; **shoot -s** passere et stryk. — **transit** lyntransport.

rapidity [rə'piditi] hurtighet, fart, raskhet.
rapier ['reipiə, -pjə] støtkårde.
rapine ['ræpain] rov, plyndring; plyndre.
rapparee [ræpə'ri:] banditt, røver; (opphavlig:) i rsk soldat.
rapper ['ræpə] dørhammer.
rapping ['ræpiŋ] banking.
rapprochement [ræ'prɔʃmā:ŋ] tilnærming.
rapscallion [ræp'skæljən] slyngel, skurk.
rapt [ræpt] henrykt, henført.
rapture ['ræptʃə] henrykkelse; **in -s** i ekstase.
rapturous ['ræptʃərəs] henrivende; begeistret.
rare [rɛə] tynn, enkel, sparsom; sjelden; usedvanlig; kostbar, fortreffelig; **on — occasions** en sjelden gang; **a — kettle of fish** en nydelig historie; **— done steak** lettstekt (nesten rå) biff.
rarebit ['rɛəbit], **Welsh —**, ost kokt i øl og krydret med spansk pepper på ristet brød.
raree show ['rɛəri:ʃəu] perspektivkasse, titte-kasse, raritetskabinett; merkelig syn.
rarefaction [rɛəri'fækʃən] fortynning.
rarefy ['rɛərifai] fortynne(s); forfine(s).
rareness ['rɛənis] sjeldenhet; tynnhet.
rarity ['rɛəriti] sjeldenhet.
rascal ['rɑ:skl] skarv, kjeltring, slyngel, skurk; lumpen, ussel. **rascality** [rɑ:'skæliti] lumpenhet, nedrighet. **rascally** ['rɑ:skəli] nedrig, lumpen.
rash [ræʃ] utslett.
rash [ræʃ] ubesindig, brå, uvøren, overilt.
rasher ['ræʃə] (tynn) baconskive.
rashness ['ræʃnis] ubesindighet, tankeløshet, overilelse.
rasp [rɑ:sp] raspe, skure; skurre i; irritere; rive i, spandere.
raspberry ['rɑ:zb(ə)ri] bringebær.
rat [ræt] rotte; overløper; streikebryter; fange rotter; løpe over til fienden; **— on** svikte; angi, tyste på; **smell a —** lukte lunten. **rats!** tøys! tøv!
ratability [reitə'biliti] skatteplikt, skattbarhet; takserbarhet; forholdsmessighet.
ratable ['reitəbl] skattbar, skattepliktig; takser-bar; forholdsmessig.
ratchet ['rætʃit] sperrehake, pal.
rate [reit] forhold, målestokk, grad; takst, pris; rang, klasse; verdi; skatt, kommuneskatt; hastig-het, fart; **— of exchange** vekselkurs, valutakurs; **— of interest** rentefot; **at a cheap —** billig, til lav pris; **at a furious —** i rasende fart; **at any —** i hvert fall, under alle omstendigheter; **at the —** of med en fart av; til en pris av; **first —** første-klasses.
rate [reit] anslå, taksere; vurdere; skatte; tildele rang; rangere, ha rang, stå i klasse.
rate [reit] skjenne på, irettesette.
rate | fixing akkordsetting. **-payer** ['reitpeiə] skatteborger, skattyter.
rather ['rɑ:ðə] snarere, heller; **it's — cold** det er temmelig kaldt; **— pretty** ganske pen; **— more** atskillig mer; atskillig flere; **I had — not** jeg vil helst ikke, helst la det være.
ratification [rætifi'keiʃən] bekreftelse, stad-festing, ratifikasjon. **ratify** ['rætifai] bekrefte, stadfeste, ratifisere.
rating ['reitiŋ] skjennepreken, skjenn; bereg-ning, taksering, vurdering.
ratio ['reiʃiəu] forhold. **-cinate** [ræti'ɔsineit] resonnere logisk.
ration ['ræʃən] rasjon; rasjonere. **— cards** rasjoneringskort.
rational ['ræʃənəl] fornuft-, fornuftig, rasjonell; opplyst menneske; **— concept** fornuftsbegrep. **rationale** [ræʃə'nɑ:l] logisk forklaring. **rationalism** ['ræʃənəlizm] rasjonalisme. **rationalist** [-list] ra-sjonalist. **rationalistic** [ræʃənə'listisk] rasjonalist-isk. **rationality** [ræʃə'næliti] fornuft. **rationaliza-tion** [ræʃnəlai'zeiʃən] rasjonalisering.
Ratisbon ['rætisbɔn] Regensburg; **he is gone to —** han ligger i graven.
rat race alles kamp mot alle; vilt jag.
ratsbane ['rætsbein] rottegift; hundekjeks (plante).

rattan [rə'tæn] rotting, spanskrør.
ratten ['rætn] sabotere, skade.
ratter ['rætə] rottefanger; rottehund; over-løper; tyster.
rattle ['rætl] skrangle, skramle, klirre, ramle, klapre; bråke, skrike; ralle; gjøre usikker; **at a rattling pace** i strykende fart; **— along** skrangle avsted; **— at the door** dundre på døra; **— away** skravle i vei; **— out** plapre ut.
rattle ['rætl] klapring, skrangling, rammel, klirr; skravl, leven; (døds)ralling; (leketøys)-rangle.
rattler ['rætlə] prakteksemplar; klapperslange.
rattle|snake ['rætlsneik] klapperslange. **-trap** skranglekasse; pl. skrap, snurrepiperi.
rattling ['rætliŋ] raslende; feiende, sprek, frisk, kåt, munter; storartet.
rattrap rottefelle.
ratty ['ræti] rotteaktig, plaget av rotter; irri-tabel, gretten, grinet.
raucous ['rɔ:kəs] rusten, hes.
ravage ['rævidʒ] ødelegging, plyndring; øde-legge, plyndre, herje.
rave [reiv] tale i ørske, ørske, fantasere; rase; fantasering; vill begeistring, henførelse.
ravel ['rævl] trevle opp, rekke opp; floke; rakne opp; floke, vase; trevl. **ravelling** trevl.
ravelin ['rævlin] utenverk, skanse.
raven ['reivn] ravn; ravnsvart.
raven ['rævn] rane, rive til seg; plyndre; være grådig. **-ous** ['rævənəs] grådig, glupsk.
ravine [rə'vi:n] kløft, slukt; hulvei.
raving ['reiviŋ] rasende, vill; vilt begeistret, strålende; **— mad** splitter gal. **ravings** fanta-seringer.
ravish ['ræviʃ] rane, røve; henrykke, henrive; voldta. **ravishing** [-iŋ] henrivende. **ravishment** [-mənt] ran, rov; henrykkelse; voldtekt.
raw [rɔ:] rå; ublandet, uforfalsket; umoden, uerfaren; hudløs, sår; hudløst sted, gnagsår; **— beef** biff tatar; **— materials** råstoffer; **— produce** råprodukter; **— silk** råsilke; **touch one on the —** såre ens følelser på et særlig ømt punkt. **raw|boned** skranglet, skinnmager. **-head** buse-mann. **rawish** [-iʃ] heller rå. **rawness** [-nis] råhet, umodenhet; uøvdhet, uerfarenhet.
ray [rei] stråle, lysstråle; stråle ut.
ray [rei] rokke; **starry —** kloskate; **sting —** piggrokke.
raze [reiz] skave, skrape; slette ut; rasere, sløyfe, jevne med jorda.
razor ['reizə] barberkniv; barbermaskin. **-back** finnhval; skarprygget. **-bill** alke. **-blade** barber-blad. **— strop** el. **— strop** strykereim.
razz [ræz] erte, plage; pipe ut.
razzia ['rætsiə] razzia; røver- el. streiftog.
razzle-dazzle ['ræzl'dæzl] oppstyr, leven, ran-gel, heisafest; fantastisk.
R. B. A. fk. f. **Rifle Brigade.**
R. B. A. fk. f. **Royal Society of British Artists.**
R. C. fk. f. **Red Cross; Roman Catholic.**
rcd. fk. f. **received.**
R. C. P. fk. f. **Royal College of Physicians.**
R. C. S. fk. f. **Royal College of Surgeons.**
R. & D. fk. f. **Research & Development.**
Rd. fk. f. **Road.**
R. D. C. fk. f. **Royal Defence Corps; Rural District Council.**
re- [ri:-, ri-, re-] til å betegne gjentakelse; tilbake-, igjen, atter, på ny.
re [ri:] angående, med hensyn til; **in —** i saken.
R. E. fk. f. **Royal Engineers.**
reach [ri:tʃ] rekke, lange, levere; gi; nå; strekke seg, nå vidt; kontakte, komme i for-bindelse med; strekking, rekkevidde; grep, tak; strekning; evne, betingelse; strekk, rett strekning (i et elveløp); **above my —** over min horisont; **beyond the — of human intellect** utenfor men-neskelig fatteevne; **get out of —** komme utenfor rekkevidde; **within my —** innenfor min rekke-

vidde. **-able** ['ri:tʃəbl] tilgjengelig, oppnåelig. — **-me-downs** ferdigsydde klær, konfeksjonsklær.
react [ri'ækt] virke tilbake, reagere.
reaction [ri'ækʃən] reaksjon; tilbakevirkning, motvirkning; omslag.
reactionary ['ri'ækʃənəri] reaksjonær.
reactivate ['ri(:)'æktiveit] gjøre aktiv igjen; gjenoppstarte.
reactive [ri'æktiv] reaksjons-, tilbakevirkende.
reactor [ri:'æktə] reaktor. — **core** reaktorkjerne.
read [ri:d] lese; lese opp; oppfatte; lese i; tyde, fortolke, forstå; studere; lyde, si; kunne tydes; lesning; — **aloud** lese høyt; — **a paper** holde et foredrag; — **into a text** legge en betydning i; — **off** avlese; lese flytende (og uten forberedelse); — **out** lese ut; lese høyt; — **over a lesson** lese på en lekse; — **him through** gjennomskue ham; — **up** lese høyt; — **a bill** behandle et lovforslag; **the letter -s as follows** brevet lyder slik; **the speedometer -s 50** speedometeret står på 50.
read [red] belest; **be well** — **in** være vel bevandret i.
readable ['ri:dəbl] leselig; leseverdig.
reader ['ri:də] leser; oppleser; lesebok; universitetslektor, dosent. **readership** [-ʃip] stilling som oppleser; lektorat.
readily ['redili] hurtig, lett, beredvillig, gjerne.
readiness ['redinis] ferdighet, beredskap; hurtighet; letthet; beredvillighet, villighet.
reading ['ri:diŋ] lesende; leselysten, flittig; lesning; behandling (av et lovforslag); belesthet; opplesning; forelesning; lesemåte; lesestoff, lektyre; (instrument)utslag, måletall; fortolkning; utgave. — **book** lesebok. — **matter** lesestoff.
Reading ['rediŋ] hovedstad i Berkshire.
readjust [ri:ə'dʒʌst] endre, forandre, tilpasse.
readmission [ri:əd'miʃən] gjenopptakelse.
readmit ['ri:əd'mit] slippe inn igjen; gjenoppta.
ready ['redi] rede, beredt, ferdig, parat, klar; beredvillig; for hånden, bekvem, lett, rask; omgående. — **assets** likvide midler. — **-built** ferdigbygd. — **cash** kontanter. — **-made** ferdigsydd. — **money down** pr. kontant. — **reckoner** beregningstabell. — **-to-wear** ferdigsydd. — **-to-serve** ferdiglaget (om mat). — **-witted** slagferdig.
reafforestation ['ri:æfɔris'teiʃən] skogplanting.
real ['ri:(ə)l] reale, spansk mynt.
real ['riəl] virkelig, ekte; reell; **in** — i virkeligheten; — **estate,** — **property** fast eiendom; **the** — **thing** ekte vare. — **wages** reallonn.
realign ['ri:ə'lain] rette ut, regulere; omstille.
realism ['riəlizm] realisme. **realist** ['riəlist] realist. **realistic** [riə'listik] realistisk, naturtro.
reality [ri'æliti] virkelighet, realitet, ekthet.
realization [riəl(a)i'zeiʃən] virkeliggjøring, utførelse, iverksetting; omsetting i penger; oppfatning, forståelse.
realize ['riəlaiz] virkeliggjøre, iverksette, realisere; fatte, forestille seg, bli klar over, innse; anbringe i fast eiendom; avhende, realisere, tjene.
really ['riəli] virkelig, ordentlig; faktisk.
realm [relm] rike, verden.
realness ['riəlnis] virkelighet.
realtor ['ri:əltə] (amr.) eiendomsmekler. **realty** ['riəlti] fast eiendom.
ream [ri:m] ris papir (ɔ: 20 bøker à 24 ark); rive opp; presse saften av. **-er** sitronpresse.
reanimate ['ri(:)'ænimeit] bringe nytt liv i, gjenopplive.
reap [ri:p] meie, skjære, høste. **reaper** ['ri:pə] skurkar, skurkjerring; slåmaskin; — **and binder** selvbinder. **reaping hook** sigd. **reaping time** skuronn.
reappear [ri:ə'piə] vise seg på ny, dukke opp igjen. **reappearance** [-'piərəns] gjenopptreden.
reapply ['ri:ə'plai] anvende på nytt.

reappoint ['ri:ə'pɔint] utnevne på nytt.
rear [riə] løfte, heve, reise; dyrke, avle, ale, oppdrette; oppfostre, oppdra; fremelske; steile; kneise; reise seg på bakbeina.
rear [riə] bakerste del, bakside, rygg, hale; baktropp; bakgrunn; latrine, do; bak-; **bring up the** — danne baktroppen, komme sist; **attack the enemy in the** — angripe fienden i ryggen. — **-admiral** kontreadmiral. — **compartment** bagasjerom (i bil). — **echelon** baktropper, forsyningstropper. — **engine** hekkmotor. **-guard** baktropp; beskyttelse i ryggen.
rearm ['ri:'ɑ:m] oppruste. **-ament** gjenopprustning.
rearmost ['riəməust] bakerst.
rearrange ['ri:ə'reindʒ] ordne på ny.
reason ['ri:zn] grunn, fornuftsgrunn; fornuft; tenkeevne, forstand; årsak, rett, rimelighet; gjøre fornuftsslutninger, anstille betraktninger, resonnere, tenke, overveie, argumentere, drøfte; dømme, slutte; **by** — **of** på grunn av; **for this** — av denne grunn; **the** — **of** (eller **for**) **his going away** eller **the** — **why** (eller that) **he went away** grunnen til at han gikk bort; **as** — **was** som rimelig var; **by** — **of** på grunn av; **it stands to** — det er svært rimelig, det er greit, det er klart; **see** — komme til fornuft; **with** — med rette.
reasonable ['ri:znəbl] fornuftig, rimelig. **reasoner** ['ri:znə] tenker. **reasoning** ['ri:zniŋ] fornuftslutning, resonnement, tankegang.
reassemblage [ri:ə'semblidʒ] ny samling. **reassemble** [-'sembl] samle(s) på ny; montere på ny, remontere.
reassert ['ri:ə'sə:t] hevde el. forsikre på nytt. **-ion** ['ri:ə'sə:ʃən] gjentatt forsikring.
reassume [ri(:)ə's(j)u:m] fortsette, gjenoppta. **reassumption** [-'sʌm(p)ʃən] gjenopptakelse.
reassurance [ri:ə'ʃuərəns] gjentatt forsikring; reassuranse; beroligelse.
reassure [ri(:)ə'ʃuə] berolige; gjenforsikre.
Réaumur ['reiəmjuə].
rebate ['ri:beit, ri'beit] rabatt, avslag. **rebate** [ri'beit] slå av, gi rabatt.
rebel ['rebl] opprørsk, opprørs-; opprører.
rebel [ri'bel] gjøre opprør (**against** imot).
rebellion [ri'beljən] opprør, oppstand.
rebellious [ri'beljəs] opprørsk.
rebirth ['ri:'bə:θ] gjenfødelse.
rebound [ri'baund] prelle av, kastes tilbake; det å prelle av, sprette tilbake; tilbakeslag; omslag.
rebuff [ri'bʌf] tilbakeslag, tilbakestøt; avvisning, avslag; slå tilbake, stagge, stanse; avvise.
rebuild ['ri:'bild] gjenoppbygge; ombygge. **re-building** [-iŋ] gjenoppbygging; ombygging.
rebuke [ri'bju:k] irettesette, dadle; irettesettelse, daddel.
rebut [ri'bʌt] motbevise; avvise, avslå. **-tal** motbevis, innsigelse.
recalcitrant [ri'kælsitrənt] gjenstridig, trassig; gjenstridig person.
recall [ri'kɔ:l] kalle tilbake; si opp; tilbakekalle; minnes, tilbakekalle i erindringen; tenke tilbake på; minne om; tilbakekalling; fremkalling; **past** — ugjenkallelig.
recant [ri(:)'kænt] tilbakekalle, ta i seg, ta tilbake; ta sine ord tilbake. **recantation** [rikæn-'teiʃən] tilbakekalling, avsverging.
recap ['ri:kæp] banepålagt dekk; [-'kæp] banelegge (dekk).
recapitulate [ri:kə'pitjuleit] gjenta i korthet, oppsummere. **recapitulation** [ri:kəpitju'leiʃən] kort gjengivelse, oppsummering, sammendrag. **recapitulatory** [ri:kə'pitjulətəri] gjentakende, oppsummerende.
recapture ['ri:'kæptʃə] gjenerobre, gjenvinne; gjenerobring.
recast ['ri:'kɑ:st] støpe om; omarbeide; regne over; omstøpning; omarbeiding.
recede [ri'si:d] gå tilbake; vike tilbake; utviskes, sløres; helle bakover; falle; dale; retirere. **-ing** hellende, vikende.

receipt [ri'si:t] mottakelse; kvittering, oppskrift; inntekt; kvittere for, kvittere; **be in —** **of** ha mottatt; **on — of** ved mottakelsen av. — **book** [ri'si:tbuk] kvitteringsbok; oppskriftsbok. **receivable** [ri'si:vəbl] mottakelig; antagelig.

receive [ri'si:v] motta, få; anta, oppta, vedta, erkjenne, fatte; — **stolen goods** begå heleri.

received [ri'si:vd] alminnelig antatt, vedtatt; mottatt; **R. English** betegnelse for den uttalenorm som brukes i BBC, standardengelsk.

receiver [ri'si:və] mottaker; heler; kurator, bobestyrer; skatteoppkrever, kemner; mottakerapparat; (høre)rør, mikrofon; beholder; toalettbøtte.

receiving [ri'si:viŋ] mottakelse; heleri; mottaker-. — **house** lite postkontor, brevhus. — **office** innleveringskontor. — **ship** losjiskip.

recency ['ri:snsi] nyhet, ferskhet.

recension [ri'senʃən] revisjon (av tekst), kritikk; revidert tekst, utgave.

recent ['ri:sənt] ny, fersk, sist, nylig skjedd, nylig kommet. **recentness = recency.**

recently ['ri:səntli] nyss, nylig, i det siste.

receptacle [ri'septəkl] blomsterbunn; beholder; gjemmested.

receptibility [ri'septi'biliti] antagelighet.

receptible [ri'septibl] mottakelig, antagelig.

reception [ri'sepʃən] mottakelse; mottakerforhold; velkomst. — **hall** resepsjon, lobby. **-ist** portier; forværelsesdame. — **room** dagligstue; mottakingsværelse.

receptive [ri'septiv] mottakelig, lærenem.

receptivity [ri:sep'tiviti] opptakelsesevne, nemne, mottakelighet.

recess [ri'ses] det å tre tilbake, tilbakegang; ferie, frikvarter, fritime, pause, avbrytelse; fordypning, nisje, krok, avkrok, krå; tilflukt, tilfluktssted; dyp, fordypning, grop; kove; bukt; innskjæring.

recession [ri'seʃən] det å tre tilbake, tilbaketrekning; det å avstå; nedgang, tilbakeslag (om konjunkturer); forsenkning. **recessional hymn** [ri'seʃənəl him] ≈ utgangssalme.

recharge ['ri:'tʃɑ:dʒ] lade opp på nytt.

recharterer ['ri:tʃɑ:tərə] underbefrakter.

recherché [rə'ʃeəʃei] utsøkt, elegant; søkt.

recidivist [ri'sidivist] vaneforbryter.

recipe ['resipi] oppskrift, kokeboksoppskrift; botemiddel; resept.

recipient [ri'sipjənt] mottaker; beholder.

reciprocal [ri'siprəkl] tilsvarende, motsvarende gjensidig, innbyrdes; resiprok. **reciprocality** [ri'siprə'kæliti] gjensidighet. **reciprocate** [ri'siprəkeit] skifte, veksle; gjøre gjengjeld; gjengjelde. **reciprocation** [ri'siprə'keiʃən] veksling, skifting; gjengjeld. **reciprocity** [resi'prəsiti] vekselvirkning; gjensidighet.

recital [ri'saitəl] fremsigelse, opplesning; foredrag; fortelling, beretning; konsert. **recitation** [resi'teiʃən] resitasjon, fremsigelse, deklamasjon, opplesning. **recitative** [resitə'ti:v] resitativ.

recite [ri'sait] si fram, resitere, deklamere; berette; si fram noe; anføre, nevne. **reciter** [ri'saitə] bok med opplesningsstykker; deklamator.

reck [rek] bekymre seg om, bry seg om, ense, akte; vedrøre, angå; **it -s me not** det bryr jeg meg ikke om.

reckless ['reklis] likegyldig (for følgene, for andres mening); uvøren, skjødesløs, hensynsløs; uforsvarlig. **recklessness** [-nis] likegyldighet, hensynsløshet.

reckon ['rekən] regne, telle; beregne; anse for, holde for; regne med; anta; gjøre regnskap, bøte; — **without one's host** gjøre regning uten vert. **reckoner** ['rekənə] beregner; regner; tabell. **reckoning** ['rekəniŋ] regning, beregning; tidsregning; avregning; oppgjør; regnskap, dom; vurdering.

reclaim [ri'kleim] kalle tilbake; temme, avrette; forbedre, omvende; innvinne; drenere; tørrlegge; kreve tilbake; frelse, redning. **reclaim-**

able [ri'kleiməbl] som kan temmes, forbedres, el. gjenvinnes (fra skrap el. spill).

reclamation [reklə'meiʃən] innvinning, drenering; tørrlegging; nydyrking; forbedring, omvendelse; tilbakeføring, rehabilitering; reklamasjon, tilbakefordring; innsigelse, protest.

reclination [rekli'neiʃən] hvilende stilling.

recline [ri'klain] bøye, helle, lene tilbake; bøye seg bakover; ligge bakover, hvile. **-r** liggestol.

recluse [ri'klu:s] ensom, isolert; eneboer.

reclusion [ri'klu:ʒən] ensomhet, eneboerliv.

recognition [rekəg'niʃən] gjenkjennelse, anerkjennelse; tilståelse; påskjønnelse, erkjentlighet; besvarelse.

recognizable ['rekəg'naizəbl] gjenkjennelig; merkbar. **recognizance** [ri'kɔnizəns] (jur.) skriftlig forpliktelse; kausjon; anerkjennelse. **recognize** ['rekəgnaiz] gjenkjenne, skjelne, oppdage, vedkjenne seg, erkjenne; anerkjenne, påskjønne.

recoil [ri'kɔil, rə'kɔil] fare tilbake, vike tilbake; det å vike tilbake; tilbakeslag, rekyl, tilbakestøt.

re-collect ['ri:kə'lekt] samle igjen.

recollect [rekə'lekt] gjenkalle i minnet, huske, minnes; — **oneself** samle seg, huske, sanse seg. **recollected** [rekə'lektid] fattet, sindig. **recollection** [rekə'lekʃən] erindring, minne; fatning, konsentrasjon; **-s** pl. memoarer, minner.

recommence ['ri:kə'mens] begynne igjen, gjenoppta. **recommencement** [-mənt] begynnelse, gjenopptagelse, ny start.

recommend [rekə'mend] anbefale, rå til. **recommendable** [-'mendəbl] anbefalelsesverdig; priselig. **recommendation** [rekəmən'deiʃən] anbefaling, lovord, tilråding; framlegg, henstilling, innstilling. **recommendatory** [rekə'mendətəri] anbefalende, anbefalings-.

recommission [ri:kə'miʃən] sette i tjeneste igjen; gjeninnkalle.

recommit ['ri:kə'mit] sende tilbake (til fornyet utvalgsbehandling); betro igjen; begå igjen.

recompense ['rekəmpens] erstatte, belønne, lønne; erstatning, vederlag, belønning, lønn.

recompose ['ri:kəm'pəuz] sette sammen igjen, omordne; berolige, bilegge.

reconcilable ['rekən(')siləbl] forsonlig. **reconcile** ['rekənsail] forsone, forlike; forene, bilegge, skille; — **oneself to** forsone seg med. **reconcilement** [-mənt] forsoning. **reconciler** [-ə] forsoner. **reconciliation** [rekənsili'eiʃən] forsoning, forlikelse, forlik; forening. **reconciliatory** [rekən'siljətəri] forsonende, forsonings-.

recondite [ri'kəndait, 'rekəndait] hemmelig; skjult; dunkel, dyp, lite kjent.

recondition ['ri:kən'diʃən] bygge om, overhale, fornye.

reconnaissance [ri'kɔnisəns] rekognosering.

reconnoitre [rekə'nɔitə] rekognosere, utforske.

reconquer ['ri:'kɔŋkə] gjenerobre, ta igjen.

reconsider ['ri:kən'sidə] overveie igjen, gjenoppta. **reconsideration** [-sidə'reiʃən] fornyet overveielse, ny drøfting.

reconsign ['ri:kən'sain] omdirigere; omadressere; ombestemme.

reconstitute ['ri:'kɔnstitju:t] rekonstruere; reorganisere.

reconstruct ['ri:kən'strʌkt] gjenoppbygge, gjenreise, gjenopprette; omdanne, rekonstruere. **reconstruction** [-'strʌkʃən] ombygging, omdanning, gjenreising.

record [ri'kɔ:d] bringe i erindring; feste i minnet; opptegne, skrive ned, bokføre; protokollere; innspille, ta opp (på bånd el. plate); berette; fastslå. **record** ['rekɔ:d] opptegnelse, dokument; rulleblad; grammofonplate, innspilling, opptak; protokoll; rekord; **bear — to** bevitne, dokumentere; **he has the — of being** han har ord for å være; **travel out of the —** gå bort fra saken; **off the —** uoffisielt; **keep to the —** holde seg til saken; **worthy of —** som fortjener å opptegnes; **keeper of the -s** arkivar; **it is on —**

det står på trykk; man kan lese seg til det; det er vitterlig; **the greatest general on** — den største general historien kjenner. — **changer** plateskifter.
recorder [ri'kɔ:də] nedskriver, opptegner, opptaker; protokollfører; byrettsdommer; båndopptaker.
recording nedtegning, nedskriving; grammofon- el. båndopptak; opptaks-.
record|level opptaksnivå. — **office** offentlig arkiv. — **player** platespiller.
re-count [ri'kaunt] berette, fortelle. **recount** ['ri:'kaunt] telle om igjen; gjenopptelling.
recoup [ri'ku:p] erstatte, holde skadesløs.
recourse [ri'kɔ:s] tilflukt; regress, dekning; **have** — **to** ta sin tilflukt til; holde seg til, søke dekning hos.
re-cover ['ri:'kʌvə] dekke på ny, trekke.
recover [ri'kʌvə] få tilbake; gjenvinne; innkassere; gjenopprette; innhente, forvinne; oppnå, få; komme seg, friskne til; komme til seg selv; **-ed** restituert; — **damages** bli tilkjent erstatning; — **his breath** få pusten igjen; — **his senses** komme til bevissthet; — **himself** fatte seg.
recoverable [ri'kʌv(ə)rəbl] erholdelig; gjenopprettelig; som står til å redde, helbredelig.
recovery [ri'kʌv(ə)ri] gjenervervelse; gjenfinnelse; opptagelse; bedring, rekonvalesens; helbredelse; oppgang, stigning; **beyond** — rednings-løst fortapt. — **vehicle** kranbil, servicebil. — **ward** postoperativ avdeling.
recreancy ['rekriənsi] feighet; frafall, troløshet.
recreant ['rekriənt] feig; frafallen; kryster.
recreate ['rekrieit] kvikke opp, forfriske, opplive igjen; oppmuntre, rekreere, rekreere seg.
recreation [rekri'eiʃən] morskap, oppmuntring, atspredelse, hobby; store frikvarter (på skolen); **read for** — lese for hyggens skyld. — **centre** fritidssenter. — **ground** idrettsplass, lekeplass.
recreative ['rekriətiv] forfriskende, atspredende, hyggelig; fritids-, hobby-.
recrement ['rekrimənt] avfall.
recriminate [ri'krimineit] fremføre motbeskyldninger. **recrimination** [ri'krimi'neiʃən] motbeskyldning.
recrudescence [ri:kru'desəns] nytt frembrudd, utbrudd. **recrudescent** som bryter fram på ny.
recruit [ri'kru:t] fornye, utfylle; styrke, forfriske; forsterke; rekruttere; komme til krefter; forfriske seg; fornyelse, styrkelse; nytt medlem, rekrutt. **recruiter** [-ə] verver. **recruiting** rekruttering, verving. **recruitment** [-mənt] rekruttering.
rectangle ['rektæŋgl] rektangel. **rectangular** [rek'tæŋgjulə] rettvinklet, rektangulær.
rectifiable ['rektifaiəbl] som lar seg beriktige.
rectification [rektifi'keiʃən] beriktigelse, rettelse, retting. **rectifier** ['rektifaiə] beriktiger; likeretter.
rectify ['rektifai] beriktige, rette, korrigere; avhjelpe, bøte på. **rectitude** ['rektitju:d] rettskaffenhet.
rector ['rektə] sogneprest (i den engelske kirke, som til forskjell fra vicar får begge tiender); (i Skottland:) skolebestyrer, rektor.
rectorate ['rektərit] sognekall; rektorat.
rectorship ['rektəʃip] = **rectorate.**
rectory ['rektəri] sognekall; prestegård.
recumbence [ri'kʌmbəns] liggende stilling; hvile. **recumbent** [ri'kʌmbənt] liggende, hvilende, tilbakelent.
recuperate [ri'kju:pəreit] styrke, restituere; komme seg, komme til krefter; gjenvinne sin helse. **recuperation** [rikju:pər'eiʃən] gjenvinning; rekonvalesens, helbredelse. **recuperative** [ri'kju:-perətiv] helbredende, styrkende; spenstig, full av livskraft.
recur [ri'kə:] komme tilbake, komme igjen; dukke opp; gjenta seg. **recurrence** [ri'kʌrəns] tilbakekomst; gjentagelse; tilbakefall. **recurring** [ri'kə:riŋ] tilbakevendende, periodisk.
recusancy [ri'kju:zənsi] vegring; gjenstridighet, trass. **recusant** [ri'kju:zənt] som vegrer seg;

stribukk; dissenter; gjenstridig. **recusation** [re-kju'zeiʃən] det å forskyte; vegring.
red [red] rød; rød farge, rødt; rød radikaler; kommunist; revolusjonsmann, koppercent, rød øre; **be in the** — ha underskudd, gå med tap.
redaction [ri'dækʃən] redaksjon.
redactor [ri'dæktə] redaktør.
redan [ri'dæn] redan (festningsverk).
red|-bait (amr.) provosere, terge, erte. — **-blooded** blodfull; sterk. — **brick** teglstein, murstein; — **-brick university** nyere, moderne universitet (motsatt Oxford og Cambridge). **-cap** militærpolitisoldat; (amr.) bærer (på stasjon). — **-cheeked** rødkinnet. **-coat** rødjakke, britisk soldat. **the R. Cross** Røde Kors. — **currant** rips. **-den** rødme. **-dish** rødlig.
reddition [ri'diʃən] tilbakegivelse, tilbakelevering.
reddle ['redl] rød oker, rødkritt, rødstein, jernmønje.
redecorate ['ri:'dekəreit] pusse opp.
redeem [ri'di:m] kjøpe tilbake, løse inn; løse ut, løskjøpe; bøte for; opprette; frelse, forløse; **-ing feature** forsonende trekk. **redeemable** [ri'di:məbl] som kan løskjøpes; innløselig. **redeemer** [-mə] innløser; innfrier; **Redeemer** forløser, gjenløser, frelser.
redeless ['ri:dlis] rådløs, uklok, hjelpeløs.
redemption [ri'dem(p)ʃən] innløsning, løsning; innfriing, amortisering; løskjøping; befrielse, frelse, forsoning; **beyond** — håpløs, fortapt. **redemptive** [ri'dem(p)tiv] innløsende, innløsnings-. **redemptory** [ri'dem(p)təri] innløsende, innløsnings-.
redeploy ['ri:di'plɔi] omgruppere, omplassere.
red|eye sørv (fisk). — **-eyed** rødøyd. — **-faced** rød i ansiktet, rødmusset. **-fish** fisk med rødt kjøtt, eks. laks. — **guard** rødegardist. — **-handed** på fersk gjerning; **be caught** — **-handed** bli grepet på fersk gjerning. — **-headed** rødhåret. — **heat** rødglødhete. — **-hot** rødglødende.
redial ['ri:'daiəl] ringe opp på ny, slå nummeret igjen.
red Indian indianer.
redintegrate [re'dintigreit] gjenopprette, fornye. **redintegration** [redinti'greiʃən] fornying, gjenoppretting.
redirect ['ri:di'rekt] omadressere, omdirigere.
rediscover ['ri:dis'kʌvə] gjenoppdage.
redistribute ['ri:dis'tribjut] fordele på ny.
redistribution ['ri:distri'bju:ʃən] ny utdeling.
redivivus [redi'vaivəs] gjenoppstått.
red lead ['red'led] mønje.
red-letter ['redletə] betegne med røde bokstaver; **red-letter day** merkedag.
redness ['rednis] rød farge; glohete; rødme.
red-nosed ['rednauzd] rødneset.
redolence ['redələns] duft, ange. **redolent** ['redələnt] duftende, angende.
redouble [ri'dʌbl] fordoble, mangfoldiggjøre; mangfoldiggjøres; forsterke.
redoubt [ri'daut] lukket feltskanse, redutt.
redoubtable [ri'dautəbl] fryktelig; respektabel, formidabel.
redound [ri'daund] føre til, tilflyte, komme til gode, tjene (**to** til); **it -s to his honour** det tjener ham til ære.
redraft ['ri:'drɑ:ft] omredigere, tegne på ny; omredigering, ny tegning; returveksel, rekambioveksel.
redraw ['ri:'drɔ:] tegne om igjen, sette opp på nytt; trekke motveksel.
redress [ri'dres] rette på, se igjennom, avhjelpe, gi oppreisning, avhjelpe; rettelse, oppreisning; hjelp; **beyond** — ubotelig. **redressive** [ri'dresiv] avhjelpende.
redskin ['redskin] rødhud.
red tape ['redteip] rødt bånd til dokumentpakker; kontorpedanteri, byråkrati, papirmølle; formdyrking. **red-tape** formell, pirket, omsvøpsfull, byråkratisk.

red-tiled ['redtaild] med rødt teglsteinstak.

reduce [ri'dju:s] føre tilbake, bringe tilbake; forringe, innskrenke, sette ned, forminske; svekke; formilde, innordne, ordne; redusere; slanke seg; fortynne; — **by 5 per cent** sette ned med 5%; — **to the ranks** degradere til menig; **be -d to** være henvist til. **reduced** [ri'dju:st] forringet, forminsket; redusert, medtatt; **in — circumstances** i trange kår.

reducible [ri'djusibl] som kan reduseres. **reducing** reduserende, avmagrende, slanke-; reduksjons-.

reduction [ri'dʌkʃən] nedsettelse, nedskjæring, reduksjon, forminsking, innskrenkning, rabatt, avslag; **-s** nedsatte priser; **be allowed a** — få moderasjon; **at a** — til nedsatte priser. — **ratio** utvekslingsforhold. — **works** søppelforbrenningsanlegg.

reductive [ri'dʌktiv] tilbakeførende; innskrenkende; oppløsningsmiddel.

redundancy [ri'dʌndənsi] overflødighet, overflod, overskudd; **seasonal** — sesongmessig arbeidsløshet. **redundant** [-dənt] overflødig, flus; ordrik; vidløftig.

reduplicate [ri'dju:plikeit] fordoble; reduplisere. **reduplication** [ridju:pli'keiʃən] fordobling; redusplikasjon. **reduplicative** [ri'dju:plikətiv] fordoblende; redupliserende.

redwing ['redwiŋ] rødtrost.

redworm ['redwə:m] (alminnelig) meitemark.

re-echo ['ri:'ekəu] kaste tilbake; gjenlyde, ljome.

reed [ri:d] rør, rørfløyte; pil; (fig.) halmstrå; vevskje; munnstykke; tekke med rør. — **bed** sivkratt. — **flute** rørfløyte.

re-edit bearbeide, omarbeide; utgi på nytt. **re-edition** ny utgave.

reed|ling skjeggmeis. — **mace** dunkjevle. — **stop** rørstemme (i orgel). — **warbler** rørsanger. **-y** ['ri:di] røraktig; rørbevokst.

reef [ri:f] rev, grunne, skjær.

reef [ri:f] rev (i seil); reve; **he must take a — or two** han måtte ta rev i seilene.

reefer ['ri:fə] en som rever; pjekkert; gruvearbeider; marihuanasigarett.

reek [ri:k] røyk, damp, dunst, os, eim; dampe, dunste, ose, stinke. **reeky** ['ri:ki] røykfylt, svart, smussig; stinkende, osende.

reel [ri:l] garnvinde, rull, trommel, spole; hespel; snelle; reel (skotsk dans); haspe, vinde, spole, rulle; danse reel; rave, vakle, slingre; sjangle; — **off (out)** hespe av seg, ramse opp, lire av seg.

re-elect ['ri:i'lekt] gjenvelge. **re-election** ['ri:i-'lekʃən] gjenvalg.

re-embark ['ri:em'bɑ:k] innskipe (seg) igjen; **re-embarkation** ['ri:embɑ:'keiʃən] gjeninnskiping.

re-enact ['ri:i'nækt] beslutte, el. vedta på nytt. **re-engage** ['ri:in'geidʒ] engasjere seg på nytt; koble inn igjen.

re-enlist ['ri:in'list] la seg verve på nytt; føre inn igjen.

re-enter ['ri:'entə] komme inn igjen.

re-establish ['ri:is'tæbliʃ] gjenopprette. **re-establishment** [-mənt] gjenoppretting, rehabilitering, attføring; — **centre** attføringssenter.

reeve [ri:v] (gl.) foged.

reeve [ri:v] brushøne.

re-examination ['ri:igzæmi'neiʃən] ny undersøkelse. **re-examine** [-'zæmin] undersøke på ny.

re-exchange ['ri:eks'tʃein(d)ʒ] bytte på ny; gjenutveksling.

ref. fk. f. **reference; referred; reformed.**

ref [ref] fk. f. **referee** dommer, oppmann.

re|face ['ri:'feis] pusse opp (murhus); forsyne med nytt belegg. **-fashion** ny form, omskape.

Ref. Ch. fk. f. **Reformed Church.**

refection [ri'fekʃən] måltid, forfriskning.

refectory [ri'fektəri] spisesal, spisestue.

refer [ri'fə:] bringe tilbake; henvise; henstille, bringe inn, henføre; henvende seg til, henholde

seg; vise til, peke på, sikte til, ymte om; se etter i; omtale. **referable** [ri'fə:rəbl, 'ref(ə)rəbl] som kan henvises til.

referee [refə'ri:] voldgiftsmann; oppmann; (i sport, srl. fotball) dommer.

reference ['ref(ə)rəns] henvisning; oversending, forbindelse; hensyn; hentydning, ymting; referanse; **book of** — oppslagsbok; **with** — **to** angående, med henvisning til.

referendum [refə'rendəm] folkeavstemning.

referential [refə'renʃəl] henvisnings-.

refill ['ri:'fil] fylle igjen, etterfylle; ny påfylling, ny forsyning, refill, patron (til kulepenn o. l.).

refine [ri'fain] rense, lutre; raffinere, koke; danne, forfine, foredle; renses, la seg rense; forfines, foredles. **refined** [ri'faind] forfinet, fin; dannet; raffinert. **refinement** [ri'fainmənt] rensing, lutring; raffinering; forfinelse; foredling; dannelse; raffinement; spissfindighet. **refiner** [ri'fainə] renser, raffinør. **refinery** [ri'fain(ə)ri] raffineri.

refit ['ri:'fit] reparere, sette i stand; ruste ut på ny. **refitment** [-mənt] utbedring. **refitting** [-iŋ] reparasjon, istandsetting.

reflect [ri'flekt] kaste tilbake; reflektere, gjenspeile; tenke på; betenke; gi gjenskinn; tenke tilbake; — **on** kaste skygge på. **reflecting** som kaster tilbake, reflekterende; tenksom.

reflection [ri'flekʃən] tilbakekasting, refleksjon; betraktning, ettertake, overveielse; tenkning; tanke; kritikk; skarp bemerkning; speilbilde; refleks; **on** — ved nærmere ettertanke. — **marker** refleksmerke. — **tag** refleksbrikke.

reflective [ri'flektiv] som kaster tilbake; reflekterende, tenkende, spekulativ. **reflector** [ri'flektə] reflektor, refleksjonsspeil; refleks, kattøye; lampeskjerm.

reflex ['ri:fleks] som vender bakover; tilbakevirkende; innadvendt; refleks; speilbilde, gjenskinn; refleksbevegelse. — **camera** speilrefleks-kamera. **reflexible** som kan kastes tilbake.

reflexive [ri'fleksiv] tilbakevisende, refleksiv.

refloat ['ri:'fləut] bringe el. komme flott igjen.

refluence ['refluəns] det å flyte tilbake, tilbakeströmning, tilbakegang; fall. **refluent** [-ənt] som flyter el. strømmer tilbake; fallende.

reflux ['ri:flʌks] tilbakestrømming; **flux and** — flo og fjære.

re-form ['ri:'fɔ:m] danne på ny, lage om.

reform [ri'fɔ:m] omdanne, nydanne; forbedre, reformere, rette på; forbedre seg; omvende seg; omdanning, nydanning; forbedring; reform; omvendelse. **reformation** [refə'meiʃən] reformering, forbedring; avbjælp; omvendelse; reformasjon. **reformative** [ri'fɔ:mətiv] reformerende, reform-. **reformatory** [ri'fɔ:mətəri] reform-, forbedrende; forbedringsanstalt. — **school** forbedringsanstalt, skolehjem. **the Reformed Church** Den reformerte kirke. **reformer** [ri'fɔ:mə] reformator. **reformist** [ri'fɔ:mist] reformvenn; reformistisk.

refract [ri'frækt] bryte. **refraction** [ri'frækʃən] brytning. **refractive** [ri'fræktiv] brytende.

refractory [ri'fræktəri] gjenstridig, trassig, vrang; motstandsdyktig; ildfast.

refrain [ri'frein] omkved, etterstev, refreng.

refrain [ri'frein] holde tilbake, holde styr på; holde seg tilbake, styre seg, la være (**from** å).

refresh [ri'freʃ] forfriske, kvikke opp; leske; fornye, reparere, friske opp; forfriske seg; komme seg, kvikne til. **refresher** [ri'freʃə] oppstrammer; oppkvikker; — **course**, — **training** repetisjonskurs.

refreshing [ri'freʃiŋ] forfriskende, oppkvikkende, velgjørende.

refreshment [ri'freʃmənt] forfriskning. — **room** restaurant, buffet (på en jernbanestasjon).

refrigerant [ri'fridʒərənt] kjølende; kjølevæske.

refrigerate [-reit] avkjøle, nedkjøle, svale. **refrigerating plant** fryseanlegg. **refrigeration** [ri-

frid3ə'reiʃən] avkjøling. **refrigerator** [ri'frid3ə-reitə] kjøleapparat, isskap, kjøleskap, kjøleanlegg, frysemaskin. **refrigeratory** [ri'frid3ərətəri] kjøle-, avkjølende-.
reft [reft] imperf. og perf. pts. av **reave.**
refuel ['ri:'fjuəl] fylle drivstoff, bunkre.
refuge ['refju:d3] tilflukt, tilfluktssted, fristed; utvei; herberge; ly; refuge, øy (for fotgjengere i gata); (politisk) asyl; (fugle)reservat; **take — in** søke tilflukt i, søke ly i.
refugee [refju'd3i:] flyktning, flyktninge-; eksil-.
refulgence [ri'fʌld3əns] stråleglans.
refulgent [ri'fʌld3ənt] strålende, skinnende.
refund [ri'fʌnd] betale tilbake, refundere; tilbakebetaling, refusjon. **-ment** refundering, refusjon.
refurbish ['ri:'fə:biʃ] gjenopppusse, pynte på.
refurnish ['ri:'fə:niʃ] ommøblere; gi på nytt.
refusable [ri'fju:zəbl] som kan avslås.
refusal [ri'fju:zəl] avslag, vegring, nei; fortrinnsrett, forkjøpsrett.
refuse [ri'fju:z] avslå, avvise; nekte; vegre seg, unnslå seg; si nei.
refuse ['refju:s] kassert; avfalls-; avfall, boss, søppel, skrap, herk, utskudd. **— bin** søppelbøtte, søppeldunk. **— collection truck** renovasjonsbil. **— destructor** søppelforbrenningsanlegg. **— dump** søppelfylling. **— heap** avfallsdynge. **— iron** skrapjern. **— shoot** søppelsjakt.
refusion [ri'fju:3ən] refusjon, tilbakebetaling.
refutable ['refjutəbl, ri'fju:təbl] gjendrivelig.
refutation [refju'teiʃən] gjendrivelse, motsigelse, motbevis (of av, mot).
refute [ri'fju:t] gjendrive, motbevise, motsi.
Reg. fk. f. **Regina; Regiment.**
reg. fk. f. **regent; register(ed); regulation.**
regain [ri'gein] gjenvinne, nå tilbake til.
regal ['ri:gl] kongelig, konge-.
regale [ri'geili] kongelig rettighet.
regale [ri'geil] traktement; traktere; fryde; delikatere seg, fryde seg. **regalment** [-mənt] traktement.
regalia [ri'geiliə] regalier, kronjuveler; kongelige verdighetstegn; insignier.
regality [ri'gæliti] kongelighet.
regard [ri'gɑ:d] se på, betrakte, legge merke til; akte, ense; vedkomme; blikk; betraktning, iakttagelse, oppmerksomhet; aktelse, anseelse; hensyn, omsyn; as **-s** når det gjelder, hva angår; **in — to** med hensyn til; **with — to** med hensyn til; **in — of** i betraktning av; **-s** hilsen, hilsener; **give my -s to the family!** hils familien! **all unite in kindest -s!** alle sender deg sine beste hilsener!
regardful [ri'gɑ:df(u)l] oppmerksom (of overfor).
regarding [ri'gɑ:diŋ] med hensyn til, angående.
regardless [ri'gɑ:dlis] uten å bry seg om, likegyldig, likesæl, hensynsløs.
regatta [ri'gætə] regatta; kapproing, kappseilas.
regency ['ri:d3ənsi] regentskap; **the Regency** prins Georg av Wales' regentskap 1811—20.
regenerate [ri'd3enəreit] frembringe på ny, gjenreise, gjenskape; gjenføde. **regenerate** [-rit] fornyet; gjenfødt. **regeneration** [rid3enə'reiʃən] fornyelse; gjenfødelse. **regenerative** [ri'd3en(ə)rə-tiv] fornyende; gjenfødende. **regenerator** [ri'd3e-nəreitə] fornyer; regenerator.
regent ['ri:d3ənt] regjerende; regent, riksforstander. **regentship** ['ri:d3əntʃip] regentskap.
regicidal [red3i'saidl] kongemordersk.
regicide ['red3isaid] kongemorder; kongemord.
régie [rei'3i:] statsmonopol.
régime [re'3i:m] régime, regjering, styremåte, system, ordning.
regimen ['red3imen] (foreskrevet) diett, kur; styrelse (i grammatikk).
regiment ['red3imənt] regiment; dele inn i regimenter; grupperer, disiplinere. **regimental** [red3i'mentəl] regiments-; militær; uniforms-.
regimentals uniform. **regimentation** [red3imen-'teiʃən] organisering, disiplinering.

Regina [ri'd3ainə] dronning.
region ['ri:d3ən] strøk, egn, område, region. **regional** ['ri:d3ənəl] lokal, distrikts-, regional. **-ism** regionalisme; desentralisering.
register ['red3istə] bok, protokoll; liste; kartotek; regulator; spjeld; register; skipsliste; valgliste; nasjonalitetsbevis; telleapparat, måler; **cash — kasseapparat; the General Registers Office** folkeregistret; **parish** (eller **church) — ministerialbok, kirkebok; hotel —** gjestebok; **— ton** registertonn; **keep a — of** føre bok over; **be on the —** stå på manntallslisten; **place on the —** protokollere.
register ['red3istə] bokføre, føre inn, protokollere, føre til protokolls; innregistrere; tinglese; skrive inn (reisegods); opptegne i historien; patentere; la rekommandere; vise; registrere; uttrykke; **the thermometer -ed many degrees of frost** termometret viste mange graders kulde; **— a vow** love seg selv; **— one's vote** avgi sin stemme; **the barometer -s low** barometret står lavt.
registered ['red3istəd] innskrevet; bokført, registrert; **— company** selskap anmeldt til firmaregistret; **by — parcel** i rekommandert pakke.
register office festekontor; registreringskontor. **registership** ['red3istəʃip] registratorpost.
registrar ['red3istrə] registrator, protokollfører; underdommer; byfoged; reservelege.
registration ['red3i'streiʃən] bokføring, innregistrering; matrikulering; innrullering; tinglysing; rekommandering. **— card** legitimasjonskort. **— fee** innmeldingsgebyr. **— letter** kjenningsbokstav. **— list** valgliste.
registry ['red3istri] bokføring, innskriving, innregistrering; **— office** innskrivingskontor, dommer- el. sorenskriverkontor; **be married at a — office** la seg borgerlig vie.
Regius ['ri:d3iəs] kongelig; **— professor** kongelig professor ɔ: innehaver av et professorat opprettet av kronen.
regnant ['regnənt] regjerende, herskende.
regress [ri:d3gres] gå tilbake, snu, vende; til bakegang; regress(rett).
regression [ri'greʃən] tilbakegang.
regressive [ri'gresiv] tilbakevendende.
regret [ri'gret] beklage; savne; lengte tilbake til; **I — to tell you that jeg må dessverre si Dem at. regret** [ri'gret] beklagelse, sorg, savn, anger, lengsel. **regretful** [ri'gretf(u)l] sorgfull, angrende. **regretfully** · dessverre, beklagelsvis.
regrettable [ri'gretəbl] beklagelig, beklagelsesverdig, å beklage.
regroup ['ri:'gru:p] omgruppere.
Regt. fk. f. **regiment; regent.**
regulable ['regjuləbl] regulerbar.
regular ['regjulə] regelmessig, regelrett; fast; jevn, konstant; skikkelig; veritabel; vedtektsmessig; forsvarlig, ordentlig, dyktig; fast gjest, kunde, el. passasjer; ordensgeistlig; regulær soldat; profesjonell soldat.
regularity [regju'læriti] regelmessighet.
regularization [regulərai'zeiʃən] regularisering, ordning. **regularize** ['regjuləraiz] regularisere; legitimere, legalisere.
regulate ['regjuleit] regulere, ordne, styre.
regulation [regju'leiʃən] regulering; ordning; styring; forskrift, forordning, regel, vedtak; reglementert. **regulative** ['regjulətiv] regulerende.
regulator ['regjuleitə] regulator.
regulus ['regjuləs] småkonge; fuglekonge.
regurgitate [ri'gə:d3iteit] spy ut igjen.
rehabilitate [ri:(h)ə'biliteit] gjeninnsette i tidligere stilling el. rettighet, rehabilitere, gi oppreisning; bringe til ære og verdighet igjen; attføre. **rehabilitation** [ri:(h)əbili'teiʃən] gjeninnsetting; oppreisning, æresoppreisning, rehabilitering; attføring.
rehash ['ri:'hæʃ] lage oppkok av; oppkok.
rehearing ['ri:'hiəriŋ] (jur.) fornyet behandling.
rehearsal [ri'hə:səl] gjentagelse; fremsigelse;

fortelling; innstudering, prøve, øve; **put into** — innstudere; **full** (eller **last**) — generalprøve.
rehearse [ri'hə:s] regne opp, gjengi, si fram; øve, innstudere, holde prøve på.
reign [rein] regjering, regjeringstid; regjere, herske, styre; — **supreme** være enehersker.
reimburse ['ri:im'bə:s] tilbakebetale, refundere; amortisere; — **oneself** ta seg betalt. **reimbursement** [-mənt] tilbakebetaling, dekning.
reimport gjeninnføre, reimportere.
reimpression ['ri:im'preʃən] opptrykk (av bok).
rein [rein] tom, tøyle; tømme, tøyle; holde igjen mot; **to** — **in the horse** stoppe hesten; **keep a tight** — **on** kjøre med stramme tøyler.
reincarnate ['ri:in'kɑ:neit] legemliggjøre på ny, reinkarnere.
reindeer ['reindiə] rein, reinsdyr.
reinforce ['ri:in'fɔ:s] forsterke; **-d concrete** armert betong. **reinforcement** [-mənt] forsterkning; armering.
reins [reinz] (egl:) nyrer; nå alm.: indre, hjerte; **the** — **and the heart** hjerte og nyrer.
reinstate ['ri:in'steit] gjeninnsette. **reinstatement** [-mənt] gjeninnsetting.
reinsurance ['ri:in'ʃuərəns] reassuranse, fornyet forsikring. **reinsure** ['ri:in'ʃuə] reassurere.
reintroduce ['ri:intrə'dju:s] gjeninnføre.
reiterate ['ri:'itəreit] ta opp igjen (og opp igjen). **reiteration** ['ri:itə'reiʃən] gjentakelse.
reject [ri'dʒekt] forkaste, vrake: støte fra seg, vise bort, avslå, avvise; noe som kasseres, vrak-; **be -ed** få avslag, få kurven, forkastes. **rejectable** [ri'dʒektəbl] som kan avvises. **rejection** [ri'dʒekʃən] avvising, forkasting, vraking, kassering; avslag.
rejoice [ri'dʒɔis] glede seg, fryde seg, glede, gjøre glad. **rejoiced** glad.
rejoicings [ri'dʒɔisiŋz] jubel.
rejoin [ri'dʒɔin] igjen bringe sammen, gjenforene; igjen slutte seg til; svare; duplisere.
rejoinder [ri'dʒɔində] svar, gjenmæle, duplikk.
rejuvenate [ri'dʒu:vineit] foryage(s).
rejuvenation [ridʒu:vi'neiʃən] foryngelse.
rejuvenescence [ridʒu:və'nesəns] foryngelse.
rekindle ['ri:'kindl] tenne igjen.
rel. fk. f. **relative(ly); religion.**
relapse [ri'læps] falle tilbake; ha et tilbakefall; tilbakefall.
relate [ri'leit] fortelle, berette; sette i sammenheng, bringe forbindelse mellom; — **to** angå, vedkomme. **related** [ri'leitid] beslektet, skyldt.
relater [ri'leitə] forteller, beretter.
relation [ri'leiʃən] fortelling, beretning; forbindelse, samband, forhold; slektskap; slektning; **in** — **to** i forhold til; med hensyn til; **with** — **to** med hensyn til.
relationship [ri'leiʃənʃip] slektskap; forbindelse, forhold.
relative ['relətiv] som står i forbindelse; relativ; gjensidig, innbyrdes; pårørende, slektning; relativt pronomen; **be** — **to** vedrøre, være avpasset til. **relatively** ['relətivli] forholdsvis.
relativity [relə'tiviti] relativitet; **theory of** — relativitetsteori.
relax [ri'læks] slappe; slappes, løsne; lempe seg; være mindre streng; søke atspredelse el. hvile, slappe av, koble av.
relaxation [rilæk'seiʃən] atspredelse, avslapping; lempning; avspenning.
relaxed [ri'lækst] avslappet, slapp.
relay [ri'lei] forsyning, forråd, depot; skyss-skifte, avløsning, ny forsyning; relais (i telegrafi); stafettløp; relé (elektrisk); bringe videre; avløse; **work by -s** arbeide på skift; **re-lay** [ri:'lei] omlegge; legge om.
relay | coil reléspole. — **race** stafettløp. — **station** reléstasjon, mellomstasjon.
releasable [ri'li:səbl] som kan slippes fri; som kan ettergis. **release** [ri'li:s] slippe fri, sette i frihet, løslate; befri; utløse; offentliggjøre; sende ut på markedet; frafalle, oppgi; ettergi; fri-

givelse, løslating; frikjenning; frigjøring, befrielse; offentliggjøring, utsendelse; utløser. — **date** sperrefrist. — **lever** utløser (håndtak).
releasement [ri'li:smənt] befrielse, forløsning. **releaser** [ri'li:sə] befrier; utløser.
relegate ['religeit] fjerne, forvise, relegere; overdra, henvise; henføre.
relegation [reli'geiʃən] relegering, forvisning.
relent [ri'lent] formildes, gi etter, la seg formilde. **relenting** ogs. bløt; forsonligere stemning.
relentless [-lis] hard, stri, ubøyelig, ubarmhjertig.
relet ['ri:'let] leie ut igjen, fremleie.
relevance ['relivəns] anvendelighet, forbindelse med saken. **relevancy** = **relevance. relevant** [-ənt] anvendelig, relevant, aktuell, som vedkommer saken.
reliability [rilaiə'biliti] pålitelighet.
reliable [ri'laiəbl] pålitelig. **reliableness** [-nis] pålitelighet. **reliance** [ri'laiəns] tillit, tiltro, fortrøstning; **have** (el. **place** el. **feel**) — **upon** (el. **on** el. **in**) ha tillit til, lite på, stole på. **reliant** [ri'laiənt] tillitsfull, som stoler på.
relic ['relik] levning, rest, relikvie; erindring, minne; **relics** rester; jordiske levninger.
relict ['relikt] enke (bare med **of** (etter) eller et annet eiendomsuttrykk); levning.
relief [ri'li:f] lindring, lette, lettelse; befrielse, beroligelse, lise, trøst; avveksling; avlastning, hjelp, understøttelse; rettshjelp; fattighjelp, fattigunderstøttelse, forsorg, unnsetning; avløsning; skifte; relieff, opphøyd arbeid; hjelpe-; avløsnings-; ekstra-, reserve-; **be on** — få sosialhelp el. -stønad; **with a feeling of** — med lettet hjerte; **the hour of** — befrielsens time; **heave a sigh of** — dra et lettelsens sukk; **come to his** — komme ham til unnsetning; **bring** (eller **throw, force**) **into** — la komme skarpt fram, fremheve.
relievable [ri'li:vəbl] som kan lindres, lettes.
relieve [ri'li:v] lindre, mildne, dulme, lette, døyve; avhjelpe, hjelpe, frita, understøtte; unnsette; avløse; variere, bringe avveksling inn i; forrette sin nødtørft, tre av på naturens vegne; — **him of responsibility** frita ham for ansvar. **-d** lettet. **reliever** [ri'li:və] lindrer; hjelper; befrier; avløser.
relieving [ri'li:viŋ] lindrende. — **army** unnsetningshær. — **officer** forsorgsforstander.
relight ['ri:'lait] lyse opp igjen, tenne på ny.
religion [ri'lidʒən] religion; gudsfrykt, fromhet; klosterliv; **enter** — gå i kloster. **-ism** gudelighet. **-ist** religiøs svermer. **religiosity** [rilidʒi'ɔsiti] religiøsitet.
religious [ri'lidʒəs] religiøs; kristelig; gudfryktig, from; samvittighetsfull; bundet av munkeløfte; munk, nonne; religions-. **-ly** religiøst; omhyggelig, trofast. **religiousness** [-nis] religiøsitet.
relinquish [ri'liŋkwiʃ] slippe, oppgi, forlate; frafalle. **relinquishment** [-mənt] oppgivelse, avståelse.
reliquary ['relikwəri] relikvieskrin. **relique** [ri'li:k, 'relik] relikvie. **reliquiae** [ri'likwii:] jordiske levninger, rester.
relish ['reliʃ] finne smak i, like; sette smak på; finne glede ved; smake, smake godt, ha smak; velsmak, smak; matlyst, matglede; anelse, anstrøk; krydderi; appetittvekker; fryd, velbehag, nytelse. **relishable** ['reliʃəbl] velsmakende.
reload ['ri:'ləud] lade på ny; laste på ny. **-er** omladeapparat.
relocate ['ri:lə'keit] forflytte, omplassere; evakuere, internere.
reluctance [ri'lʌktəns] motvilje, ulyst, liten lyst.
reluctant [ri'lʌktənt] motstrebende, uvillig, tilbakeholdende; **be** — **to** nødig ville, kvie seg for.
rely [ri'lai] **on** stole på, lite på; være avhengig av.
remain [ri'mein] være igjen, bli tilbake; bli, forbli; vedbli, bestå, fortsette å være; **-s** pl. levning, rest, etterlatenskaper; jordiske rester; — **single** forbli ugift; **I** — **yours truly** (jeg forblir)

Deres ærbødige . . .; **the word -s in Essex** ordet finnes ennå i Essex; **the worst -ed to come** det verste stod ennå tilbake; **it -s with him to make them happy** det står til ham å gjøre dem lykke-lige; — **till called for** poste restante. **remainder** [ri'meində] rest, levninger, rest-opplag, restbeløp.

remaining [ri'meiniŋ] resterende, tiloversblitt. **remake** ['ri:'meik] omskape, gjenskape.

remand [ri'mɑ:nd] sende tilbake (især til vare-tekstarresten); avsi (ny) fengslingskjennelse over; varetekt, varetektsfengsling; **prisoner on** — varetektsfange. — **cell** varetektsarrest. — **centre**, — **home** skolehjem, sikringsanstalt.

remanence ['remənəns] det å bli tilbake, være tilbake, vedbli, i rest, remanens. **remanent** [-nənt] som blir el. er tilbake.

remark [ri'mɑ:k] iakttakelse, bemerkning, ytring; bemerke; iaktta; ytre; gjøre bemerk-ninger, omtale, uttale; kritisere. **remarkable** [ri'mɑ:kəbl] bemerkelsesverdig; be-tydelig; fremragende; merkelig, merkverdig, påfallende. **remarkableness** [-nis] merkverdighet. **remarriage** [ri:mærid3] nytt ekteskap. **remarry** ['ri:'mæri] gifte seg igjen.

remediable [ri'mi:djəbl] som kan rettes på, helbredelig. **remedial** [-djəl] helbredende, læg-ende; hjelpe; — **gymnastics** sykegymnastikk. **remedy** ['remidi] legemiddel; hjelpemiddel, middel, råd, hjelp, avhjelping; avhjelpe, råde bot på; **there is a** — **for everything** det er råd for alt; **in** — **of** for å avhjelpe.

remelt ['ri:'melt] smelte om.

remember [ri'membə] erindre, minnes, huske; minne om; **this will be -ed against no one** dette skal ikke komme noen til skade; — **me to him!** hils ham fra meg! **rememberable** [ri'memb(ə)rəbl] minneverdig. **rememberer** [ri'memb(ə)rə] en som husker på, minnes. **remembering** [-b(ə)riŋ] erin-dring.

remembrance [ri'membrəns] erindring, minne (ɔ: det å huske); hukommelse; støtte for erin-dringen, suvenir; (i flertall) hilsener; **in** — **of** til minne om. **remembrancer** [ri'membrənsə] på-minner; minne, erindring, huskeseddel.

remind [ri'maind] minne (**of** om, that om å); **that -s me of** det minner meg om, får meg til å tenke på. **reminder** [ri'maində] påminner, på-minning; huskeseddel; kravbrev, rykkerbrev. **remindful** [ri'maindf(u)l] som minnes; påmin-nende.

reminiscence [remi'nisəns] erindring; (i pluralis også) memoarer; reminisens, levning. **reminiscent** [-sənt] som erindrer, minnes; minnerik.

remise [ri'maiz] vognremise; leievogn; (jur.) overdragelse.

remiss [ri'mis] slapp, likeglad, doven, forsøm-melig; lunken. **remissibility** [ri'misi'biliti] til-givelighet. **remissible** [ri'misibl] tilgivelig. **re-mission** [ri'miʃən] frafall, oppgivelse; ettergivelse; tilgivelse, forlatelse; nedgang; slappelse. **remis-sive** [ri'misiv] avtagende; som frafaller; som tilgir. **remissness** [-nis] slapphet, skjøtesløshet, forsømmelighet.

remit [ri'mit] sende tilbake; oversende, inn-sende, remittere, tilstille; sette i arresten igjen; overgi, henstille; slappe, la avta, formilde, for-minske, redusere, dempe; ettergi; forlate, tilgi; avta. **remitment** [-mənt] tilbakesending, gjeninn-setting; ettergivelse, forlatelse, tilgivelse; remisse. **remittal** [ri'mit(ə)l] oversending; ettergivelse; henvisning. **remittance** [ri'mitəns] remisse. **re-mitter** [ri'mitə] ettergiver; tilgiver; avsender av remisse, avsender (av postanvisning).

remnant [ri'remnənt] rest; levning. **remodel** ['ri:'mɔdl] omdanne, omforme.

remonstrance [ri'mɔnstrəns] forestilling, ad-varsel; formaning(er), bebreidelse(r); protest, innvending; **a paper of** — en protestskrivelse. **remonstrant** [-strənt] bebreidende, advarende, protesterende; remonstrant. **remonstrate** [ri-

'mɔnstreit] forestille, gjøre forestillinger; anføre grunner; protestere, bebreide.

remontant [ri'mɔntənt] remonterende (ɔ: som blomstrer igjen samme år).

remorse [ri'mɔ:s] samvittighetsnag, anger. **remorseful** [-f(u)l] angerfull, angrende. **remorse-less** [-lis] hjerteløs, ubarmhjertig, grusom.

remote [ri'məut] fjern; fjerntliggende; avsides; vidt forskjellig; utilnærmelig. — **control** fjern-styring. **remoteness** [-nis] fjernhet; avsides be-liggenhet.

remould ['ri:'məuld] omdanne, omforme. **remount** [ri(:)'maunt] bestige igjen; skaffe nye hester; stige opp igjen; remonte(hest).

removability [ri'mu:və'biliti] flyttbarhet; av-settelighet. **removable** [ri'mu:vəbl] som kan flyt-tes; avsettelig, som kan avskjediges; utskiftbar. **removal** [ri'mu:vl] fjerning; avtakelse, forflyt-ting; avskjedigelse; flytting, overflytting, opp-flytting; det å rydde bort; bortvisning; opphe-velse; avløsning. — **van** flyttevogn.

remove [ri'mu:v] flytte, få bort, fjerne; rydde bort; forflytte; flytte opp (på skolen); avskjedige; avhjelpe; flytte seg; flytting, rett (av mat); av-stand, mellomrom, trinn, grad; årgang; oppflyt-ting. **remover** [ri'mu:və] flytter.

remuneration [ri'mju:nərə'biliti] det å være fortjenstlig. **remunerable** [ri'mju:nərəbl] for-tjenstlig. **remunerate** [-reit] lønne, gi vederlag, belønne. **remuneration** [rimju:nə'reiʃən] lønn, godtgjørelse, vederlag, belønning. **remunerative** [ri'mju:nərətiv] gjengjeldende; utbyttegivende, lønnsom, rentabel. **remuneratory** [-təri] gjen-gjeldende; lønnende.

renaissance [ri'neisəns] renessanse.

renal [ri'nəl] som angår nyrene, nyre-. **rename** ['ri:'neim] omdøpe.

renard ['renəd] Mikkel rev.

renascence [ri'næsəns] gjenfødelse, renessanse; ny glansperiode. **renascent** [-sənt] som gjenfødes; gjenfødt; gjenoppdukkende.

rencounter [ren'kauntə] møte; duell; trefning; sammenstøt; treffes, råke, støte sammen.

rend [rend] sønderrive, splintre, splitte.

render ['rendə] gi tilbake, yte, gi; gjøre; overgi, gjengi, tolke, utføre; pusse (utvendig) med sement; oversette; ytelse, avgift; (sement)-puss; — **into Norwegian** gjengi på norsk; — **me a service** gjøre meg en tjeneste.

rendering ['rendəriŋ] gjengivelse, ytelse; over-settelse; bilde; det å avlegge (**of accounts** regn-skap); grunnpuss; utsmelting.

rendezvous ['rɔndivu:, 'rɑ:ndeivu:, plur.: -z] møtested; stevnemøte, rendezvous; møtes.

rendition [ren'diʃən] overgivelse; utlevering; gjengivelse, tolking.

renegade ['renigeid] renegat, frafallen, over-løper.

renerve ['ri:'nə:v] styrke igjen.

renew [ri'nju:] fornye, skifte ut, forlenge; gjenoppta; begynne igjen. **renewable** [ri'nju:əbl] som kan fornyes, utskiftbar. **renewal** [-əl] for-nyelse, utskifting; forlengelse; — **bill** prolonga-sjonsveksel. **renewer** [-ə] fornyer.

reniform ['renifɔ:m] nyreformet.

renitent ['renitənt] oppsetsig.

rennet ['renit] løpe, kjese (osteaktig melk, kalvemage); renetteple.

renounce [ri'nauns] fornekte; oppgi, forsake, slutte med; frasi seg; avsverge; vise renons (i); renons (i kortspill). **renouncement** [ri'naunsmənt] frasigelse, avkall, oppgivelse; fornekting, for-sakelse.

renovate ['renəveit] fornye, modernisere. **renovation** [renə'veiʃən] fornyelse, modernisering. **renovator** ['renəveitə] fornyer.

renown [ri'naun] ry, berømmelse. **renowned** [ri'naund] navnkundig, berømt.

rent [rent] revne, sprekk; flerre, rift; brudd. **rent** [rent] imperf. og perf. pts. av **rend**. **rent** [rent] leie, husleie, avgift, landskyld; leie,

utleie, forpakte; bortleies; bortforpaktes. **rentable** ['rentəbl] som kan leies ut. **rental** ['rentəl] jordebok; leieinntekt.
rent | **control** husleiekontroll. **-er** leietaker, leier. — **-free** avgiftsfri. — **tribunal** husleienemnd.
renunciation [rinʌnsi'eiʃən] = **renouncement**.
reopen ['ri:'əupn] åpne igjen.
reorganization ['ri:ɔ:gənai'zeiʃən] reorganisasjon, omdanning. **reorganize** ['ri:'ɔ:gənaiz] reorganisere, omdanne; (merk.) sanere.
reorientate omskolere. **reorientation** omskolering, nyorientering.
rep [rep] rips (en slags tøy); uthaler, laban. **Rep.** fk. f. **Representative; Republic(an)**. **rep.** fk. f. **repeat; report; reporter**.
repaint male på ny; pusse opp.
repair [ri'pɛə] gå, begi seg; tilfluktssted.
repair [ri'pɛə] istandsetting; reparasjon, utbedring, vedlikehold; oppreisning; sette i stand, reparere, utbedre; opprette, avhjelpe; gjenopprette; **in good** — i god stand; **out of** — i dårlig stand. **repairable** [ri'pɛərəbl] som kan settes i stand. **repairer** [ri'pɛərə] istandsetter, reparatør, utbedrer. **repair kit** verktøykasse.
reparable ['repərəbl] som lar seg reparere; opprettelig; som kan gjøres god igjen.
reparation [repə'reiʃən] istandsetting, reparasjon; oppreisning, erstatning.
repartee [repa:'ti:] kvikt svar; slagferdighet.
repartition ['ri:pa:'tiʃən] ny fordeling.
repass ['ri:'pɑ:s] passere på ny.
repast [ri'pɑ:st] måltid.
repatriat|**e** [-'pæt-] hjemsende, repatriere. **-ion** [-'eiʃən] repatriering.
repay [ri:'pei] betale tilbake, gjengjelde; erstatte. **repayable** [ri'peiəbl] som skal betales tilbake. **repayment** [ri'peimənt] tilbakebetaling; innfriing; **interest and** — renter og avdrag.
repeal [ri'pi:l] oppheve; tilbakekalle; opphevelse; tilbakekalling. **repealable** [ri'pi:ləbl] opphevelig; tilbakekallelig. **repealer** [ri'pi:lə] opphever; unionsoppløser, en som vil oppløse unionen mellom Storbritannia og Irland.
repeat [ri'pi:t] si igjen; si fram, foredra; forsøke igjen; gjenta, repetere; gjentakelse; reprise, nyutsending; da-capo nummer; — **order** etterbestilling; **repeating rifle** repetergevær; **repeating watch** repeterur. **repeatedly** [ri'pi:tidli] gjentatte ganger, gang på gang.
repeater [ri'pi:tə] repeterur; repetergevær; vaneforbryter; periodisk desimalbrøk.
repel [ri'pel] drive tilbake; frastøte, avvise, avverge, vise tilbake. **repellent** [ri'pelənt] tilbakedrivende; frastøtende; som fordriver; -avstøtende.
repent ['ri:pənt] krypende (om plante).
repent [ri'pent] angre, trege; — **of** angre på. **repentance** [ri'pentəns] anger. **repentant** angrende, angerfull, botferdig synder.
repercussion [ripə'kʌʃən] tilbakekasting; tilbakeslag; gjenlyd; ettervirkning, etterdønning.
répertoire ['repətwɑ:] repertoar.
repertory ['repətəri] repertoar; skattkammer, forråd, magasin, samling; — **theatre** teater som baseres på et repertoar, ikke på tallrike oppførelse av enkelte kassestykker.
repetition [repi'tiʃən] gjentakelse, repetisjon; gjenpart, kopi; fremsigelse; gjengivelse; utenatlæring.
repine [ri'pain] gremme seg (**at** over), vise utilfredshet med; knurre. **repiner** [ri'painə] en som er utilfreds. **repining** ergrelse, gremmelse.
replace [ri'pleis] legge (stille, sette) tilbake; gjeninnsette; tilbakebetale; erstatte, avløse; bytte ut, skifte ut. **replacement** [-mənt] tilbakesetting; gjeninnsetting, utskifting; erstatning; erstatnings-, reserve-. — **order** suppleringsordre. — **part** reservedel.
replant ['ri:'plɑ:nt] plante igjen, omplante, plante til på ny.
replay ['ri:'plei] omkamp.

replenish [ri'pleniʃ] etterfylle, komplettere, fylle på. **replenishment** [-mənt] utfylling, påfylling; komplettering.
replete [ri'pli:t] full, oppfylt; overmett, stappfull. **repletion** [ri'pli:ʃən] overflod; **filled to** — fylt til overmål.
replevin [ri'plevin] gjenvervelse mot kausjon; klage over selvtekt; ordre om tilfølgetakelse av selvtektsklage.
replica ['replikə] kopi, avtrykk, etterlikning. **replication** [repli'keiʃən] svar; replikk; gjenlyd; reproduksjon, kopi, motstykke. **replier** [ri'plaiə] en som svarer.
reply [ri'plai] svare (**to** på; **that** at) ta til gjenmæle, imøtegå; svar; svarskriv; **in** — som svar. — **card** svarbrevkort. — **voucher** svarkupong.
repocket ['ri:'pɔkit] stikke i lommen igjen.
repolish ['ri:'pɔliʃ] polere om igjen.
report [ri'pɔ:t] rapportere, melde tilbake, innberette; melde, fortelle; avgi beretning el. betenkning; melding, rapport, opplysning, innberetning; årsberetning; innstilling; referat; rykte; omdømme; vitnesbyrd; knall, smell; — **oneself** melde seg; **by current** — etter hva det alminnelig forlyder; **know him from** — kjenne ham av omtale. — **book** rapportbok; meldingsbok. — **card** karakterkort. **-ed speech** indirekte tale.
reporter [ri'pɔ:tə] referent, journalist, reporter.
repose [ri'pəuz] hvile, hvile ut; støtte; ligge; ro, hvile, fred; — **confidence in** stole på.
reposeful [ri'pəuzful] rolig, fredfull.
reposit [ri'pɔzit] anbringe, forsvare, gjemme, legge. **reposition** ['ri:pə'ziʃən] anbringelse, forvaring; henleggelse. **repository** [ri'pɔzitəri] gjemme, gjemmested, oppbevaringssted, lager.
repossess ['ri:pə'zes] gjenvinne, bemektige seg på ny. **repossession** [-'zeʃən] fornyet besittelse, gjenerobring.
repost ['ri:'pɔst] forflytte, overføre.
repot ['ri:'pɔt] plante i ny(e) potte(r), plante om.
repoussé [rə'pu:sei] drevet, hamret; driving, drevet, hamret arbeid.
reprehend [repri'hend] laste, dadle, klandre. **reprehensible** [-sibl] lastverdig. **reprehension** [-ʃən] daddel, klander; irettesetting. **reprehensive** [-siv], **reprehensory** [-səri] dadlende.
represent [repri'zent] fremstille, sette fram igjen, forestille, bety; beskrive; representere; bemerke, anføre; stå for, bety; utgjøre. **representation** [reprizen'teiʃən] forestilling, fremstilling; beskrivelse; representasjon.
representative [repri'zentətiv] som forestiller, som fremstiller; representerende, representativ; typisk; representant; **House of Representatives** Representantenes hus i De Forente Staters kongress. **represented speech** (gram.) fri indirekte tale.
repress [ri'pres] trenge tilbake, betvinge; kue, døyve, undertrykke; holde nede; hemme, stanse; tøyle, holde styr på. **represser** [ri'presə] betvinger, underkuer, undertrykker. **repression** [ri'preʃən] undertrykkelse, tvang, bekjemping. **repressive** [ri'presiv] kuende, dempende, undertrykkende; — **measures** tvangstiltak.
reprieve [ri'pri:v] gi en frist, befri for en tid, utsette; benåde for livsstraff; frist, utsettelse; henstand; benådning for livsstraff.
reprimand [repri'mɑ:nd, 'reprimɑ:nd] irettesette, gi en skrape; irettesettelse, skrape.
reprint ['ri:'print] avtrykke igjen, trykke opp; opptrykk; billigutgave; særtrykk.
reprisal [ri'praizl] gjengjeld, represalier; **-s** gjengjeldelsestiltak, motforholdsregler; **make -s** ta represalier.
reprise [ri'praiz] reprise; gjentakelse.
reproach [ri'prəutʃ] bebreide, klandre, laste; bebreidelse, daddel; skam, skjensel; — **him with it** bebreide ham det; **without fear and without** — uten frykt og daddel. **reproachful** [-f(u)l] bebrei-

dende, dadlende; beskjemmende; skammelig, skjendig. **reproachless** [-lis] daddelfri, udadlelig, ulastelig.

reprobate ['reprǝbeit] forkaste, avvise, vrake; fordømme. **reprobate** ['reprǝbit] fordømt; fordervet, ryggesløs; fortapt. **reprobation** [reprǝ'beiʃǝn] forkasting, vraking; avsky; fordømming.

reproduce [ri:prǝ'dju:s] frembringe igjen; fremstille igjen, reprodusere, kopiere; fornye; gjengi, gjenfortelle; forplante, få avkom. **reproduction** [riprǝ'dʌkʃǝn] ny frembringelse, fremstilling; fornyelse; gjengivelse, gjenfortelling, reproduksjon, avbildning; formering, forplantning. **reproductive** [-'dʌktiv] som frembringer på ny; forplantningsdyktig, reproduksjons-.

reproof [ri'pru:f] daddel, irettesettelse, klander. **reprovable** [ri'pru:vǝbl] daddelverdig, lastverdig. **reproval** [-vǝl] daddel. **reprove** [ri'pru:v] dadle, irettesette, laste, klandre. **reprover** [-ǝ] dadler.

reptant ['reptǝnt] krypende, kryp-. **reptile** ['reptail] krypdyr; kryp; krypende (også fig.). **reptilian** [rep'tiliǝn] krypdyr-, kryp-; reptil.

republic [ri'pʌblik] republikk; **the — of letters** den lærde verden. **republican** [ri'pʌblikǝn] republikansk; republikaner; **the Republicans** det republikanske parti i USA.

republish ['ri:'pʌbliʃ] offentliggjøre på ny.

repudiate [ri'pju:dieit] forkaste; forskyte, la seg skille fra; nekte, fornekte. **repudiation** [ripju:di'eiʃǝn] forkasting; forstøtelse; fornekting, avvisning. **repudiator** [ri'pju:dieitǝ] forkaster.

repugnance [ri'pʌgnǝns] uoverensstemmelse, inkonsekvens; aversjon, uvilje, motvilje; avsky. **repugnant** [-nǝnt] motstrebende, motstridende, uforenlig; motbydelig, usmakelig, støtende.

repulse [ri'pʌls] tilbakevisning, tilbakestøt; avslag, avvisning; jage bort, drive, kaste tilbake; avvise. **repulsion** [-ʃǝn] tilbakestøt, tilbakedriving, frastøtning. **repulsive** [ri'pʌlsiv] tilbakestøtende; motbydelig, ekkel, frastøtende. **repulsiveness** [ri'pʌlsivnis] frastøtende vesen, usmakelighet.

reputable ['repjutǝbl] aktverdig, aktet, hederlig. **reputation** [repju'teiʃǝn] omdømme, rykte, reputasjon, godt navn, anseelse, vørnad; **have the — of being** ha ry (el. ord) for å være; **have a — for** ha ry for.

repute [ri'pju:t] anse for, holde for; omdømme, anseelse, godt navn. **reputedly** [-idli] etter ryktet.

request [ri'kwest] anmodning, bønn, søknad; etterspørsel, begjær; anmode, be om, utbe seg; **by —** på oppfordring, etter anmodning; **in —** etterspurt; **make a —** fremsette en anmodning; **accede to (comply with, grant) a —** innvilge, etterkomme en anmodning. **— programme** ønskekonsert, ønskeprogram. **— stop** stoppested hvor det bare stoppes på signal.

requicken ['ri:'kwikǝn] gjenopplive.

requiem ['rekwiǝm] rekviem (sjelemesse).

require [ri'kwaiǝ] forlange, kreve, behøve, fordre, trenge til; **delete as -d** stryk det som ikke passer. **requirement** [ri'kwaiǝmǝnt] krav, fordring; betingelse; behov, fornødenhet.

requisite ['rekwizit] fornøden, nødvendig; fornødenhet, nødvendighet; rekvisitt. **requisiteness** [-nis] fornødenhet, nødvendighet.

requisition [rekwi'ziʃǝn] begjæring, fordring; betingelse, vilkår; forlangende, krav; rekvisisjon; legge beslag på; anmode, kreve, forlange, rekvirere. **— form** bestillingsseddel.

requital [ri'kwaitǝl] belønning, gjengjeldelse **(of av, for)**, lønn, gjengjeld, erstatning, vederlag **(of for)**.

requite [ri'kwait] gjengjelde, lønne, erstatte.

reread ['ri:'ri:d] lese om igjen.

reredos ['riǝdɔs] reredos (en skjerm som bakgrunnsvegg bak et alter), alteroppsats, altertavle.

reroute ['ri:'ru:t] omdirigere.

rerun ['ri:'rʌn] gjenoppførelse, nyutsending (av f. eks. en film).

rescind [ri'sind] avskaffe; oppheve; omstøte, annullere. **rescindable** [ri'sindǝbl] omstøtelig. **rescission** [ri'siʒǝn] opphevelse; omstøtelse, tilbakekalling.

rescript ['ri:skript] reskript; forordning, påbud.

rescue ['reskju] frelse, redde, berge; befri, utfri **(from** fra); frelse, redning, unnsetning, hjelp; befrielse, utfrielse. **— party** redningsmannskap. **rescuer** ['reskjuǝ] redningsmann; befrier. **rescuing** ['reskjuiŋ] rednings-, unnsetnings-;

research [ri'sǝ:tʃ] undersøkelse, forskning, gransking; undersøke (eller gjennomsøke) på ny, granske; fornyet undersøkelse; **-er** forsker. **— centre** forskningssenter. **— worker** forsker.

reseat ['ri:'si:t] gjeninnsette; sette nytt sete i; sette ny bak i; sette igjen, få til å sette seg igjen.

resell ['ri:'sel] selge igjen. **-er** videreforhandler.

resemblance [ri'zemblǝns] likhet, samsvar **(between** mellom; **to** med); likhetspunkt. **resemble** [ri'zembl] ligne.

resent [ri'zent] oppta ille, anse som fornærmelse, føle seg fornærmet over, harmes over, bli fortørnet over; **he -ed my words** han ble meget sint for det jeg sa. **resentful** [ri'zentf(u)l] pirrelig; vanskelig; fornærmet, harm, fortørnet, langsint. **resentment** [ri'zentmǝnt] krenkelse, harme, bitterhet, ergrelse, vrede.

reservation [rezǝ'veiʃǝn] reservasjon, forbehold; bestilling, reservering; reservert stykke land (især amr. om land som er reservert for indianere); **mental —** stilltiende forbehold.

reserve [ri'zǝ:v] gjemme, spare, holde tilbake; bevare, forbeholde, reservere; forbeholde seg; tilbakeholdelse, bevaring, bevarelse; beholdning, reserve; forråd; unntakelse, forbehold; tilbakeholdenhet, forsiktighet; reservat. **reserved** [ri'zǝ:vd] reservert, forsiktig, tilbakeholden. **reservedness** [-vidnis] forsiktighet, reservasjon, tilbakeholdenhet.

reservist [ri'zǝ:vist] reservesoldat, reservist.

reservoir ['rezǝvwɑ:] beholder; vannreservoar forråd, lager.

reset ['ri:'set] det å sette tilbake; tilbakestillingsmekanisme; tilbakeføre; nullstille, el. sette tilbake til utgangspunkt; sette i på ny, sette i ledd igjen. **reset** [ri'set] (skotsk jur.) skjule (f. eks. tyvegods); hele.

resettle ['ri:'setl] atter anbringe, bringe til ro igjen, komme til ro igjen.

reshape ['ri:'ʃeip] forme på ny, omforme.

resheathe ['ri:'ʃi:ð] stikke i sliren (igjen).

reship ['ri:'ʃip] skipe ut igjen, omlaste.

reshipment ['ri:'ʃipmǝnt] gjenutskipet last; ny forsendelse.

reshuffle ['ri:'ʃʌfl] blande på nytt, omdanne; omdannelse, ny blanding.

reside [ri'zaid] oppholde seg, bo; holde hoff, residere; ligge, ha sitt sete.

residence ['rezidǝns] opphold, bosettelse, bosted, bolig, bopel; residens, residensby; fast opphold i distriktet. **— hall** (student)internat. **— permit** oppholdstillatelse.

residency ['rezidǝnsi] residens, residentskap.

resident ['rezidǝnt] bofast, fastboende, bosatt; innvåner, beboer, borger; embetsmann som bor i sitt distrikt; ministerresident, resident (engelsk utsending ved indisk hoff).

residential [rezi'denʃǝl] beboelses-, bosteds-, residens-; som angår fast bopel. **— area** boligstrøk. **— centre** boligsenter; drabantby. **— development** boligreising. **— unit** boligenhet.

residual [ri'zidjuǝl] tiloversblitt, tilbakeværende, rest.

residuary [ri'zidjuǝri] rest-, resterende. **residue** ['rezidju] rest; avfall, bunnfall; (jur.) dødsbo, restbo. **residuent** biprodukt, avfallsprodukt.

resign [ri'zain] overgi; avstå, legge ned; ta avskjed, melde seg ut, fratre; **— himself** overgi seg; hengi seg; **— oneself to** avfinne seg med.

resignation [rezig'neiʃən] oppgivelse, avståelse, nedlegging; avskjed, utmelding; hengivelse, resignasjon; forsakelse; **send in one's** — sende inn sin avskjedssøknad.

resigned [ri'zaind] resignert, tålmodig; **be** — **to** finne seg tålmodig i, underkaste seg.

resilience [ri'ziliəns] spenstighet. **resilient** [ri'ziliənt] spenstig, elastisk.

resin ['rezin] harpiks, kvae. **resinous** ['rezinəs] harpiksholdig, kvae-; negativ (om elektrisitet).

resist [ri'zist] motstå, sette seg imot, gjøre motstand imot; motarbeide, motvirke; være motstandsdyktig overfor; **I could not** — **asking** jeg kunne ikke la være å spørre.

resistance [ri'zistəns] motstand (**against** el. **to** imot); ledningsmotstand.

resistant [ri'zistənt] en som gjør motstand; motstandsdyktig, fast, bestandig. **resister** [ri-'zistə] en som motsetter seg. **resistibility** [ri-'zisti'biliti] motstandsdyktighet, bestandighet. **resistible** [ri'zistibl] som kan stå imot. **resistless** [ri'zistlis] uimotståelig; hjelpeløs. **resistor** motstander; (elektrisk) motstand.

resole såle igjen, halvsåle (sko).

resolute ['rezəl(j)u:t] bestemt, fast, standhaftig; djerv, kjekk, besluttsom, rådsnar, resolutt. **resoluteness** [-nis] bestemthet, rådsnarhet.

resolution [rezə'l(j)u:ʃən] oppløsning, spaltning; bestemthet, fasthet; rask opptreden, besluttsomhet; løsning, svar, resolusjon, beslutning, bestemmelse, vedtak. — **chart** prøvebilde (TV).

resolvability [rizɔlvə'biliti] oppløselighet.

resolvable [ri'zɔlvəbl] oppløselig.

resolve [ri'zɔlv] løse opp, oppløse; løse; beslutte, avgjøre, vedta, gjøre vedtak om, bestemme seg til; resolvere; løse seg opp, konstituere seg; beslutning, bestemmelse. **resolved** [-d] besluttet, bestemt. **resolvent** [-ənt] oppløsende; fordelende; oppløsningsmiddel.

resonance ['rezənəns] gjenlyd, gjenklang, resonans. **resonant** ['rezənənt] gjenlydende, klangfull.

resorb ['ri:'sɔ:b] suge opp igjen, resorbere.

resort [ri'zɔ:t] gå, begi seg, ty til, gripe til, ta sin tilflukt; søkning, besøk, tilhold, tilholdssted; oppholdssted; kursted; forlystelsessted; utvei; jurisdiksjon; instans.

resound [ri'zaund] la gjenlyde; lyde, ljome, gjenlyde; **resounding board** resonansbunn, klangbunn.

resource [ri'sɔ:s] kilde, forråd; hjelpemiddel; tilflukt, utvei, **-s** midler, pengemidler, ressurser; **natural -s** naturrikdommer. **resourceful** [-f(u)l] oppfinnsom, idérik, rådsnar. **resourcefulness** rådsnarhet, oppfinnsomhet. **resourceless** [-lis] fattig på utveier, rådløs.

resp. fk. f. respective; respectively.

respect [ri'spekt] akte, respektere, overholde; vedrøre; ta hensyn til; gjelde, vedkomme, angå; aktelse, respekt; hensyn; henseende; **I** — **his feelings** jeg respekterer hans følelser; — **oneself** ha selvaktelse; **as** — **s** hva angår; **respecting** angående, med hensyn til; **out of** — **to him** av aktelse for ham; **send one's -s to** sende sin ærbødige hilsen til; **our -s** vår skrivelse; **in many -s** i mange henseender.

respectability [ri'spektə'biliti] aktverdighet, anstendighet. **respectable** [ri'spektəbl] aktverdig, respektabel, anselig; pen, skikkelig. **respectful** [ri'spektf(u)l] ærbødig; **yours respectfully** ærbødigst (foran underskriften i brev). **respecting** med hensyn til, angående. **respective** [ri'spektiv] hver sin, respektive; **put them in their** — **places** anbringe dem hver på sitt sted. **respectively** henholdsvis.

respirable [ri'spairəbl] som kan innåndes. **respiration** ['respi'reiʃən] åndedrett. **respirator** ['respireitə] respirator. **respiratory** [ri'spairətəri, 'respi-] åndedretts-. **respire** [ri'spaiə] ånde, puste; innånde, utånde.

respite ['respit] frist, henstand, utsettelse; pusterom; gi frist, utsette.

resplendence [ri'splendəns] glans, prakt. **resplendent** [ri'splendənt] strålende, prektig.

respond [ri'spɔnd] svare (især om menighetens svar til presten); holde svartalen (**to** til); — **to** besvare med tilslutning, reagere på, følge (i handling), gjøre etter, lyde, lystre, sympatisere med; stemme med; — **with** svare med, gjengjelde med.

respondent [ri'spɔndənt] innstevnte (i skilsmissesaker); svarende (**to** til).

response [ri'spɔns] svar; menighetens svar ved gudstjenesten; svartale; positiv reaksjon; tilslutning, medhold.

responsibility [ri'spɔnsi'biliti] ansvarlighet; ansvar; ansvarsfølelse; forpliktelse, ansvarsområde. **responsible** [ri'spɔnsibl] ansvarlig; trygg, vederheftig, pålitelig; ansvarsfull; innestå for.

responsive [ri'spɔnsiv] svarende; forståelsesfull, som står i samsvar (**to** med); sympatisk. **responsory** [ri'spɔnsəri] svarende, svar-; svarsang, vekselsang.

rest [rest] hvile, hvil; ro, fred; støtte, hvilepunkt; pause; stativ, bukk; hvile, raste, holde hvil, roe seg; bygge, stole på; hvile, la hvile; **give it a** —! ta deg en pause! slutt med det der nå!

rest [rest] rest; forbli; være tilbake; **and (all) the** — **(of it)** og så videre; (i samme retning); **for the** — for resten.

restart ['ri:'stɑ:t] starte på nytt.

restate ['ri:'steit] gjenta, hevde på nytt.

restaurant ['restərənt] restaurant. — **keeper** restauratør. — **car** spisevogn.

rested ['restid] uthvilt. **restful** ['restf(u)l] rolig, beroligende, som stiller.

rest garden (amr.) gravlund.

restitution [resti'tju:ʃən] gjenoppretting, tilbakegivelse, tilbakelevering, erstatning; vederlag, skadebot.

restive ['restiv] sta, stri; hårdnakket; **be** — slå seg vrang; stritte imot.

restless ['restlis] rastløs, hvileløs; urolig, nervøs. **-ness** rastløshet.

restock ['ri:'stɔk] komplettere, fornye lagerbeholdning.

restorable [ri'stɔ:rəbl] som lar seg sette i stand, reparere el. fornye; opprettelig; helbredelig.

restoration [restə'reiʃən] istandsetting, reparasjon, restaurering; gjenoppbygging; fornying; gjenoppretting; tilbakebringelse; tilbakegivelse; tilbakelevering; utlevering; erstatning; helbredelse, restituering; **the Restoration** gjeninnsetting av Stuartene i 1660 etter republikken.

restorative [ri'stɔ:rətiv] forfriskende, styrkende; gjenopplivende (middel).

restore [ri'stɔ:] sette i stand, reparere, restaurere; fornye; gjenopprette; gjeninnføre; gjeninnsette, få tilbake; gi tilbake; utlevere; gjengi; helbrede, restituere. **restorer** [ri'stɔ:rə] gjenoppretter; tilbakebringer; konservator.

restrain [ri'strein] holde tilbake, styre, tøyle, beherske, betvinge, legge bånd på, døyve, kue; **restrainable** [-nəbl] betvingelig. **restrained** behersket. **restrainer** [-ə] betvinger, demper.

restraint [ri'streint] tvang, age, styr; innskrenkning, bånd, tilbakeholdenhet, selvbeherskelse; bundethet, ufrihet; **be under** — være under tvang; sperre inne, sikre; være tvangsinnlagt (om sinnssyk).

restrict [ri'strikt] begrense, innskrenke, holde styr på. **-ed** begrenset, avgrenset. **restriction** [ri'strikʃən] innskrenkning, begrensning, restriksjon, forbehold. **restrictive** [ri'striktiv] innskrenkende. — **practices** konkurransebegrensning.

rest room (amr.) venteværelse; toalett.

restuff ['ri:'stʌf] stoppe om (møbler).

result [ri'zʌlt] oppstå, fremgå, komme av, følge, resultere, få et utfall, ende; resultat, utslag, følge, utfall, virkning; — **from** følge av; — **in** ende med; **without** — fruktesløs.

resultant [ri'zʌltənt] resulterende; resultant.

resultless [ri'zʌltlis] fruktesløs, fåfengt.

resume [ri'z(j)u:m] ta tilbake, gjeninnta; gjenoppta, ta på seg igjen; begynne igjen, atter ta ordet, ta opp igjen tråden, fortsette.

resumé ['rezjumei] resymé, utdrag.

resumption [ri'zʌm(p)ʃən] tilbaketakelse; gjenopptakelse. **resumptive** [ri'zʌm(p)tiv] tilbaketakende, gjenopptakende.

resurface ['ri:'sə:fis] dukke opp igjen; gi ny overflatebehandling.

resurge ['ri:'sə:dʒ] gjenoppstå, dukke opp igjen. **-nce** gjenoppstandelse. **-nt** fornyet.

resurrect [rezə'rekt] kalle til live igjen, gjenopplive; grave opp igjen.

resurrection [rezə'rekʃən] oppstandelse, gjenopplivelse; rett laget av rester; likrøveri. **-ist** en som gjenoppliver; en som tror på oppstandelsen. — **man** likrøver. — **pie** rett laget av rester.

resuscitate [ri'sʌsiteit] gjenopplive; livne opp igjen. **resuscitation** [ri'sʌsi'teiʃən] gjenopplivning. **resuscitative** [ri'sʌsitətiv] gjenopplivende, opplivnings-. **resuscitator** [ri'sʌsiteitə] gjenoppliver.

ret [ret] bløte opp, bløte ut (lin, hamp etc.). **ret. fk. f. retired; returned.**

retail [ri'teil] selge i detalj, i smått; gjenfortelle, bære videre, diske opp med; småhandel, detalj-(salg); **by** — i detalj, i smått; **recommended** — **price** veiledende pris; — **dealer** detaljhandler. **retailer** [ri'teilə] detaljist; kolportør, slarvekopp.

retain [ri'tein] holde tilbake; beholde; bevare, bibeholde; anta, engasjere, sikre seg; huske. **retainable** [ri'teinəbl] som kan holdes tilbake. **retainer** [ri'teinə] tjener; klient; tilhenger; engasjement, engasjering; forskuddshonorar (til advokat); kuleholder, festeinnretning; — **pin** låsestift. **retaining fee** forskuddshonorar.

retaliate [ri'tælieit] gjengjelde. **retaliation** [ritæli'eiʃən] gjengjeld; hevn; represalier. **retaliatory** [ri'tæliətəri] gjengjeldende, hevngjerrig, straffe-, gjengjeldelses-.

retard [ri'tɑ:d] forsinke, hefte, forhale; bremse, sakne; stille tilbake (ur). **retardation** forsinkelse, forminskelse av hastighet; forhaling; hindring. **retardative** [ri'tɑ:dətiv] forsinkende, forhalende. **retarded** [ri'tɑ:did] forsinket; tilbakestående, evneveik. — **ignition** lav tenning.

retch [retʃ, ri:tʃ] brekke seg; kaste opp.

retell ['ri:'tel] gjenfortelle, gjenta

retemper ['ri:'tempə] atter herde.

retention [ri'tenʃən] tilbakeholdelse; bibehold; forvaring, hukommelse, minne; egenandel, selvassuranse. **retentive** [ri'tentiv] som beholder; som har god hukommelse.

reticence ['retisəns] taushet, fåmælthet, forbeholdenhet; diskresjon.

reticent ['retisənt] taus, fåmælt, forbeholden.

reticle [ri'tikl] nettverk; trådkors (i kikkert).

reticulate [ri'tikjulit] nettaktig, rutet. **reticulated** [ri'tikjuleitid] nettaktig. — **glass** trådglass. **reticulation** [ritikju'leiʃən] nettaktig forgrening, nettverk.

reticule ['retikju:l] pompadur (dameveske); arbeidspose.

retiform ['ri:tifɔ:m] nettformet, nettaktig.

retina ['retinə] netthinne.

retinitis [reti'naitis] betennelse i netthinnen.

retinue ['retinju] klienter; følge, suite, sveit.

retire [ri'taiə] innfri (en veksel); trekke seg tilbake; fjerne seg; fortrekke, retirere; tre tilbake, gå av, ta sin avskjed, legge opp; vike tilbake. **retired** [ri'taiəd] avsidesliggende, avsides, ensom; som har trukket seg tilbake, som lever av sine midler, pensjonert, avgått. **retirement** [ri'taiəmənt] avgang, fratredelse; ensomhet, tilbaketrukkethet, tilfluktssted; pensjonering, otium. — **age** pensjonsalder. — **pension** pensjon. **retiring** [ri'taiəriŋ] som trekker seg tilbake; fratredende; tilbakeholden, beskjeden; pensjons-. — **age** aldersgrense.

retooling ['ri:'tu:ling] anskaffelse av nytt maskineri for produksjonsforandring el. -omlegging.

retort [ri'tɔ:t] gi tilbake; svare, sende tilbake;

gjengjelde; gjengjeld, svar på tiltale, skarpt svar; retorte, kolbe.

retortion [ri'tɔ:ʃən] retorsjon, represalier.

retouch [ri'tʌtʃ] retusjere, retusj(ering); (fig.) finpusse.

retrace [ri(:)'treis] fare over igjen; spore tilbake, følge tilbake, forfølge; — **one's steps** gå samme vei tilbake.

retract [ri'trækt] trekke tilbake, trekke inn; ta tilbake, tilbakekalle, ta i seg igjen; ta sine ord tilbake. **retractable** [ri'træktəbl] som kan kalles el. trekkes tilbake. **retractation** [ri'træk'teiʃən] tilbakekalling. **retractible** [ri'træktibl] som kan trekkes tilbake. **retraction** [ri'trækʃən] tilbaketrekking; sammentrekning; dementi. **retractive** [ri'træktiv] tilbaketrekkende.

retrain ['ri:'trein] gjenopplære, omskolere.

retranslate ['ri:trɑ:ns'leit] oversette tilbake, oversette igjen. **retranslation** ['ri:trɑ:ns'leiʃən] oversettelse tilbake, fornyet oversettelse.

retreat [ri'tri:t] tilbaketog, tilbakegang; retrett; det å trekke tilbake; tappenstrek; tilflukt; tilfluktssted; pleie- el. sikringshjem (for sinnssyke); trekke seg tilbake, vike; fjerne seg; **beat the** — slå retrett; **sound the** — blåse retrett.

retrench [ri'trenʃ] skjære bort; beskjære; begrense, innskrenke; innskrenke seg. **retrenchment** [-mənt] innskrenkning; begrensning; nedskjæring, innsparing; forskansning.

retrial ['ri:'traiəl] ny saksbehandling.

retribution [retri'bju:ʃən] gjengjeldelse; straff.

retributive [ri'tribjutiv] gjengjeldende.

retributory [ri'tribjutəri] gjengjeldende.

retrievable [ri'tri:vəbl] gjenopprettelig; som kan fås igjen.

retrieval [ri'tri:vəl] det å finne igjen; gjenvinning; frelse, redning; gjenopprettelse; erstatning.

retrieve [ri'tri:v] gjenfinne; gjenvinne; vinne inn igjen; gjenopprette; råde bot på; rette på; apportere. **retriever** [ri'tri:və] støver; retriever (hunderase).

retro- ['retrəu-] tilbake-; bak-.

retroactive [retrəu'æktiv] tilbakevirkende.

retrocede [retrəu'si:d] gi tilbake; gå tilbake.

retrocession [retrəu'seʃən] avståelse på nytt.

retrogradation [retrəugrə'deiʃən] tilbakegående bevegelse. **retrograde** [retrəu'greid] i tilbakegang; gå tilbake; — **step** tilbakeskritt.

retrospect [ri'trəspekt, 'ret-] se tilbake; tilbakeblikk. **retrospective** [-'spektiv] tilbakeseende; tilbakevirkende.

retroversion [retrə'və:ʃən] retroversjon, tilbakeføring (til originalspråket); tilbakebøyning (især av livmoren).

return [ri'tɑ:n] vende tilbake, snu, komme igjen; returnere; svare; gjenta; bringe tilbake, innsende, sende tilbake; betale tilbake; innbringe, kaste av seg; betale, gjengjelde; melde tilbake, innberette, melde, deklarere; føre opp (i manntall); sende, velge (til parlamentet); tilbakevending, tilbakereise; tilbakekomst, hjemkomst; retur; tilbakelevering, returnering; betaling, remisse; gjengjeldelse, gjengjeld, erstatning; svar; (inn)-beretning, rapport, melding, valg; avkastning; utbytte; **-s** returnerte varer, returgods; — **home** vende hjem; — **a lead** besvare en invitt (i kortspill); — **a call** gjengjelde en visitt; — **thanks** takke (bl. a. for maten, om bordbønn); — **an answer** gi et svar; — **a verdict** avgi en kjennelse; **he was -ed** for han ble valgt til parlamentsmedlem for; **in** — til gjengjeld, som takk; **in** — **to** som svar på; **by** — **of post** omgående; **many happy -s of the day** til lykke med fødselsdagen; **income-tax** — selvangivelse.

returnable [ri'tə:nəbl] som kan leveres tilbake.

returner [ri'tə:nə] tilbakevender; remittent.

return game returkamp.

returning officer valgstyrer.

return key tilbaketast (på skrivemaskin). — **postage** returporto. — **ticket** returbillett.

Reuben ['ru:bin] Ruben.

reunification ['ri:ju:nifi'keiʃən] gjenforening.

reunion ['ri:'ju:njən] gjenforening; møte.

reunite ['ri:ju'nait] gjenforene; komme sammen igjen.

rev fk. f. revolution; sl. — up øke omdreiningstallet el. farten. — counter turteller.

Rev. fk. f. Revelation; Reverend.

rev. fk. f. revenue; review; revise; revision; revolution.

revaluation ['ri:vælju'eiʃən] overtakst, omtakst; omvurdering, revaluering.

reveal [ri'vi:l] avsløre, åpenbare, vise, røpe. revealable [-əbl] som kan avsløres.

reveille [ri'veli] revelje.

revel ['revəl] svire, ture, rangle, holde leven, slå seg løs; fryde seg, gotte seg (in over); kalas, turing, rangel; (i pluralis også:) moro.

revelant ['revilənt] som åpenbarer.

revelation [revi'leiʃən] avsløring, åpenbaring.

reveller ['revələ] svirebror, ranglefant.

revelry ['revəlri] turing, drikkelag, rangel.

revenge [ri'ven(d)ʒ] hevne; hevn; revansje; act of — hevnakt; — oneself upon el. be -d upon hevne seg på; have one's — få hevn; take — upon hevne seg på; give him his — gi ham revansje. revengeful [ri'ven(d)ʒf(u)l] hevngjerrig.

revenue ['revinju] inntekt, utbytte, statsinntekter, toll. — department finansdepartement. — duty fiskaltoll. — officer tollbetjent. — stamp stempelmerke. — vessel tollfartøy.

reverberate [ri'və:bəreit] kaste tilbake; kastes tilbake; gjenlyde, ljome; gi gjenklang. reverberation [rivə:bə'reiʃən] gjenlyd, gjenklang.

reverberatory [ri'və:bərətəri] tilbakekastende.

revere [ri'viə] hedre, ære, akte, holde i ære.

reverence ['rev(ə)rəns] ærefrykt, ærbødighet, pietet; reverens, kompliment; velærverdighet, ærverdighet; ære, ha ærbødighet for.

reverend ['rev(ə)rənd] ærverdig; the Rev. Amos Barton herr pastor Amos Barton; the Very Reverend hans høyærverdighet (om prost osv.); (the) Right Reverend hans høyærverdighet (om biskop); (the) Most Reverend (om erkebiskop).

reverent ['rev(ə)rənt], reverential [revə'renʃəl] ærbødig; full av ærefrykt.

reverie ['revəri] drømmerier, grubleri.

revers [ri'viə, ri'vɛə] oppslag, brett.

reversal [ri'və:səl] omstyrting, omstøting, annullering; forandring, omslag.

reverse [ri'və:s] dreie tilbake; vende om, vrenge, endevende; snu opp ned på, forandre fullstendig; omstyrte, omstøte, annullere, forkaste; reversere, rygge, bakke; motsatt side; motsetning, omslag; uhell, nederlag, motgang; bakside, revers; reversering, rygging; motsatt, omvendt; — call noteringsoverføring (telefon).

reversibility [ri'və:si'biliti] det å kunne vendes; omstøtelighet. reversible [ri'və:sibl] som kan vendes, reversibel; omstillbar; omstøtelig.

reversing key strømskifter.

reversion [ri'və:ʃən] det å vende tilbake; omvending; reversering; tilbakefall; atavisme; hjemfall; hjemfallsrett.

reversionary [ri'və:ʃən(ə)ri] hjemfalls-, arve-; senere tilfallende, fremtidig; atavistisk; — annuity oppsatt livrente; overlevelsesrente.

revert [ri'və:t] vende om, snu, vende tilbake. revertible [ri'və:tibl] hjemfallen.

revertive [ri'və:tiv] tilbakevendende, skiftende.

revet [ri'vet] kle (med murverk).

revetment [ri'vetmənt] bekledningsmur.

review [ri'vju:] gjennomgå, se igjennom, betrakte; mønstre; bedømme, anmelde; inspisere, holde mønstring over; tilbakeblikk; mønstring, betraktning, oversyn, gjennomsyn; bedømmelse, anmeldelse, melding; revy; magasin, tidsskrift.

reviewer [ri'vju:ə] anmelder, kritiker.

revile [ri'vail] forhåne, spotte, overfuse.

revisal [ri'vaizəl] gjennomsyn, revisjon.

revise [ri'vaiz] se igjennom, lese igjennom; revidere; revisjon; the Revised Version den reviderte

engelske bibeloversettelse (besørget 1870—1885) the Revised Standard Version den reviderte amerikanske bibeloversettelse (1952).

reviser [ri'vaizə] korrekturleser; bibelutgiver

revision [ri'viʒən] gjennomsyn, korrektur; revidering, retting; revidert el. korrigert utgave.

revisit ['ri:'vizit] besøke igjen; fornyet besøk.

revival [ri'vaivəl] gjenoppliving, fornyelse, gjenoppvekkelse; (religiøs) vekkelse; gjenopptakelse, reprise; the — of learning (el. letters) renessansen. revivalist [ri'vaivəlist] vekkelsespredikant. revive [ri'vaiv] livne opp igjen, få nytt liv, kvikne til; våkne, fornye, få nytt liv i, gjenopplive, vekke. reviver [ri'vaivə] gjenoppliver; oppstrammer.

revocability [revəkə'biliti] gjenkallelighet.

revocable ['revəkəbl] som kan tilbakekalles.

revocation [revə'keiʃən] tilbakekalling, opphevelse, annulering. revoke [ri'vəuk] tilbakekalle; oppheve, avskaffe; ikke følge farge (i kortspill); forsømmelse av å bekjenne farge; make a — ikke bekjenne farge.

revolt [ri'vəult] gjøre opprør; reise seg; protestere; jage på flukt; få til å gjøre opprør; opprøres, vemmes; oppstand, revolte, opprør, reisning; vemmelse, avsky. revolted [-id] opprørsk; revolting [-iŋ] opprørsk; opprørende, avskyelig.

revolution [revə'l(j)u:ʃən] omløp, rotasjon, omdreining; revolusjon, omveltning. revolutionary [revə'l(j)u:ʃən(ə)ri] revolusjons-; revolusjonær.

revolutionist [revə'l(j)u:ʃənist] revolusjonsmann.

revolutionize [revə'l(j)u:ʃənaiz] revolusjonere.

revolve [ri'vɔlv] dreie seg, rotere; dreie om; overveie, tenke over. revolver [ri'vɔlvə] revolver. revolving [-iŋ] omdreiende, roterende, svingbar. — cannon (el. gun) revolverkanon. — door svingdør. — light blinkfyr. — stage dreiescene.

revue [ri'vju:] revyteater, revy.

revulsion [ri'vʌlʃən] omslag, skifte.

revulsive [ri'vʌlsiv] avledende.

reward [ri'wɔ:d] gjengjelde, .belønne, lønne; lønn; gjengjeld, belønning; erstatning; dusør; in — for som belønning for. rewarding givende; takknemlig.

rewind ['ri:'waind] spole tilbake; vikle om.

rewrite ['ri:'rait] skrive om igjen, revidere, omskrive, omarbeide.

Rex [rex] konge.

Reynard ['renəd] the Fox Mikkel rev.

R. F. fk. f. Royal Fusiliers.

R. F. A. fk. f. Royal Field Artillery.

R. F. C. fk. f. Royal Flying Corps.

R. G. A. fk. f. Royal Garrison Artillery.

R. H. fk. f. Royal Highlanders; Royal Highness.

R. H. A. fk. f. Royal Horse Artillery.

rhapsodical [ræp'sɔdikəl] rapsodisk, høyttravende, svulstig.

Rhenish ['reniʃ] Rhin-; rhinsk; rhinskvin.

rhetoric ['retərik] retorikk, talekunst.

rhetorical [ri'tərikl] retorisk.

rheum [ru:m] snue; slim. rheumatic [ru'mætik] revmatisk, giktisk; -s revmatisme. rheumaticky [ru'mætiki] (slang) revmatisk. rheumatism ['ru:-mətizm] revmatisme.

R. H. G. fk. f. Royal Horse Guards.

rhine [rain] vanngrav, grøft, veit.

Rhine [rain]; the — Rhinen. — wine rhinskvin.

rhino ['rainəu] = rhinoceros [rai'nɔsərəs] nesehorn.

Rhodes [rəudz] Rhodos (øy og by); (Cecil) Rhodes. Rhodesia [rəu'di:zjə] Rhodesia (i Sør-Afrika).

rhododendron [rəudə'dendrən] rhododendron, alperose.

rhomb [rɔm] rombe.

rhubarb ['ru:bɑ:b] rabarbra; prek; krangel.

rhumb [rʌm] kompass-strek, strek.

rhyme [raim] rim; vers, poesi; rime; sette på rim; without — or reason helt meningsløst. -d couplet rimpar. -d epistle rimbrev. rhymeless

lis] rimfri. **rhymer** ['raimə] rimsmed. **rhymery**
raim(ə)ri] rimeri. **rhyming** ['raimiŋ] rimende.
hymester ['raimstə] rimsmed, versemaker.
rhythm [riðm] rytme, takt.
rhytmic(al) ['riðmik(l)] rytmisk; taktfast.
R. I. fk. f. **Rhode Island.**
rib [rib] ribbein, sidebein; ribbe, spant; spile;
sl.) kone; jentunge; forsyne med ribbein; ribbe,
anne med ribber; strikke rett og vrang.
ribald ['ribəld] gemen, rå, grov; råtamp.
ribaldry ['ribəldri] råskap; rått snakk.
riband ['ribənd] se **ribbon.**
ribbon ['ribən] bånd; remse, strimmel; ordens-
ånd, sløyfe; pynte med bånd; stripe; **the blue** —
losebåndsordenes ordensbånd; det blå bånd
til sjøs); **the Ribbon Society** et hemmelig
rsk samfunn; **torn to -s** revet i filler. **ribbon|
uilding** rekkebebyggelse. — **chaser** ordensjeger.
— **development** randbebyggelse. — **loom** bånd-
ev. — **saw** båndsag. — **window** blyinnfattet
indu.
R. I. C. fk. f. **Royal Irish Constabulary.**
rice [rais] ris. **-bran** riskli. — **flour** rismel. —
usk risskall. — **milk** risvelling.
rich [ritʃ] rik; rikelig; verdifull; flott; kalori-
ik, fet (om mat); fyldig, tung; varm, dyp (farge).
Richard ['ritʃəd].
riches ['ritʃiz] rikdom, rikdommer.
richly ['ritʃli] rikelig; — **deserves it** fortjener
let ærlig og redelig.
Richmond ['ritʃmənd].
richness ['ritʃnis] rikdom.
rick [rik] stakk, såte, høystakk, kornstakk;
takke.
rickets ['rikits] engelsk syke, rakitt.
rickety ['rikiti] lealaus, gebrekkelig, skrøpelig.
rickshaw ['rikʃɔ:] rickshaw.
rick|stand halmstakk. **-yard** stakkplass.
ricochet ['rikəʃet] rikosjett; rikosjettere.
rid [rid] befri, frigjøre, kvitte; fri, befridd,
hindret; **be** — **of, get** — **of** bli kvitt. **riddance**
'ridəns] befrielse; **he is a good** — det er godt
bli kvitt ham.
ridden ['ridn] perf. pts. av **ride;** **-ridden** (som
ndelse) plaget av, besatt; eks. **guilt-ridden**
kyldbetynget, se **ride.**
riddle ['ridl] grovt såld; sikte, sile; gjennomhulle.
riddle ['ridl] gåte; tale i gåter.
ride [raid] ri; kjøre; ligge til ankers; ri på;
beherske, kue, plage, hundse; ritt, ridetur;
kjøretur; seiltur; ridevei; **bed-ridden** senge-
iggende; **priest-ridden** under prestetyranni; **take**
for a — bortføre og myrde; lure, svindle; —
lown ri ned; beseire; — **easy** ta det makelig.
rideau [ri'dou] (terreng-)forhøyning.
rider ['raidə] ridende, rytter; berider(ske);
passasjer; tillegg, redaksjonell tilføyelse, hale;
forlengelse, anhang; kjørende; passasjer.
ridge [ridʒ] rygg, høydedrag, ås, kam, rabbe;
rev; plogvelte; møne, takås; toppe seg, heve
seg i rygger; pløye slik at det dannes rygger,
hyppe, fure. **-hoe** hyppejern. — **tile** mønepanne.
ridgy ['ridʒi] furet; rygget.
ridicule ['ridikju(:)l] latter, spott; latterlig-
gjøring; spotte, latterliggjøre, gjøre narr av;
turn into — spotte over; **hold up to** — gjøre lat-
terlig. **ridiculous** [ri'dikjuləs] latterlig, meningsløs.
riding ['raidiŋ] tredjedel, (administrativ inn-
deling av Yorkshire) ≈ distrikt.
riding ['raidiŋ] ridning; ridevei; ridende; ride-.
— **crop** ridepisk. — **habit** ridedrakt (for damer).
— **hood** ridehette, ridekåpe; **Little Red R.H.** lille
Rødhette. — **horse** ridehest. — **house** ridehus,
manesje. — **school** rideskole. — **whip** ridepisk.
rife [raif] hyppig, fremherskende; full (**with**
av); **be** — grassere. **rifeness** [-nis] det å være
vanlig, alminnelighet.
riffle ['rifəl] krusning; elvestryk; kruse (seg);
danne elvestryk.
riffraff ['rifræf] søppel, rusk; pakk, utskudd.
rifle ['raifl] snappe bort; rane, røve; plyndre.

rifle ['raifl] rifle, gevær; rifleskytter, skytter;
rifle, fure, rille; **-s** pl. geværtropp, geværavdeling.
— **barrel** geværløp. — **bore** geværløp; riflegang.
— **club** skytterlag. — **-green** grågrønn, mørke-
grønn. **-man** geværmann; skarpskytter. — **pit**
skyttergrav. — **range** skytebane; skuddhold.
— **shot** geværskudd; rifleskytter; børseskudd
(avstanden).
rift [rift] revne, rift, kløft; rive; risse; revne.
rig [rig] rigge, rigge til; spjåke til, stase ut;
utstyre; rigg, takkelasje; boreutstyr (for olje-
boring); utstyr, greier; redskaper; antrekk,
mundur; (amr.) langtransport-trailer.
rig [rig] puss, spikk, knep, list; svindle, fikse;
run a — fare med fantestykker.
Riga ['ri:gə].
rigger ['rigə] rigger, takler; reimskive.
rigging ['rigiŋ] rigg, takkelasje; antrekk.
riggish ['rigiʃ] kåt, utsvevende.
right [rait] rett, strak; riktig; høyre; **all** —
ganske riktig; i orden; klar, ferdig; (til en kusk)
kjør vekk; ingen årsak (som svar på en unn-
skyldning); **be** — være riktig; ha rett; **by** — **of**
i kraft av; **come** — komme i orden; gå i orden;
bli godt igjen; **make it** — klare det, få det i orden
set — sette i stand, rette; bringe på rett kjøl;
Mr. Dick sets us all — hjelper oss alle til rette;
do — **to every one** gjøre rett og skjell mot alle;
— **and left** til høyre og venstre; — **away** straks;
— **off** straks; **he could read anything** — **off**
fra bladet; — **out** like fram, rent ut, endefram.
right [rait] rett, rettighet; atkomst; høyre side;
høyre; rette, rettside; **by the** — **of the strongest**
med den sterkestes rett; **it is yours by every** —
med full rett; **be in the** — ha rett, ha retten
på sin side; **in** — **of his wife** ved sitt giftermål;
if you come to the -s of it når alt kommer til alt;
— **of way** forkjørsrett; ferdselsrett; **within one's**
-s være i sin fulle rett.
right [rait] rette; rette på; beriktige; skaffe
rett; **see him -ed** skaffe ham rett.
rightabout ['raitə'baut] **to the** — helt om;
turn to the — gjøre helt om; **send him to the** —
vise ham døra, skysse på porten, avvise ham.
right|angle rett vinkel. — **-angled** rettvinklet.
— **away** straks, med en gang. — **down** ordentlig;
i høy grad.
righteous ['raitʃəs] rettferdig, rettvis. **righte-
ousness** [-nis] rettferdighet.
righter ['raitə] retter, beriktiger; forbedrer;
beskytter, forsvarer.
rightful ['rait(u)l] rettferdig, rettvis; rett;
rettmessig, lovlig.
right-hand ['raithænd] høyre, på høyre side;
— **man** høyre sidemann; høyre hånd (uunnvær-
lig hjelper). **right-handed** ['rait'hændid] retthendt
(motsatt keivhendt); som går til høyre; høyre-
gjenget (om skrue). **right-hander** ['raithændə]
person som fortrinsvis benytter høyre hånd;
slag med høyre hånd.
right-hearted ['rait'hɑ:tid] rettsindig.
Right Honourable høyvelbåren (tittel som
brukes om adelige og medlemmer av **Privy
Council**).
right|ist ['raitist] høyreorientert, konservativ.
-less rettsløs.
rightly ['raitli] rett, riktig, med rette.
right|-minded rettsindig, rettenkende. **-ness**
['raitnis] rettskaffenhet, riktighet. **-o** ['rait'əu]
javel; javisst.
rigid ['ridʒid] stiv, hard, streng, ubøyelig.
rigidity [ri'dʒiditi] stivhet, strenghet.
rigmarole ['rigmərəul] forvirret sludder, vas,
skravl.
rigor ['raigɔ:] stivhet; — **mortis** dødsstivhet.
rigorism ['rigərizm] stivhet, strenghet. **rigorist**
['rigərist] rigorist, streng mann. **rigorous** ['rigərəs]
streng, hard. **-ness** [-nis] strenghet, skarphet.
rigour ['rigə] stivhet; strenghet, hardhet.
rig-out ['rig(')aut] utstyr, antrekk.
rile [rail] ergre.

rill [ril] liten bekk, småbekk; renne, sildre.

rim [rim] rand, kant; innfatning, felg, ring, brilleinnfatning; brem; kante, rande; innfatte.

rime [raim] rim; rimfrost; rime; dekke med rim.

rime [raim] = **rhyme**.

rimple ['rimpl] rynke, kruse; kruse seg.

rimy ['raimi] rimfrossen, rimet.

rind [raind] bark, skall, skrell, skorpe, svor.

rinderpest ['rindəpest] kvegpest, busott.

ring [riŋ] ring; bane, veddeløpsbane; sportsplass, kampplass; arena, manesje; krets, klikk; omgi med en ring, slå ring om; forsyne med en ring; omfatte; ringe.

ring [riŋ] la lyde, varsle med ringing, ringe med; ringe på; ringe; klinge, kime, ljome, lyde; gjenlyde, runge; — **false** ha en uekte klang; — **for** ringe på, ringe etter; **give me a** — slå på tråden; — **off** legge på (telefonen); — **out** lyde, ringe.

ring [riŋ] klang, lyd, ljom, ringing; gjenlyd; preg, tone; klokkespill; tonefall. **ringed** innringet, omringet; ringprydet. **ringer** ['riŋə] ringer. **ringing** ['riŋiŋ] ringende, klingende; ringing.

ringleader ['riŋli:də] anfører, hovedmann.

ringlet ['riŋlit] liten ring; lokk, krøll.

ring lock ['riŋlɔk] ringlås, bokstavlås.

ring| mail ['riŋmeil] ringbrynje. **-man** bookmaker. — **ouzel** ringtrost. — **road** ringvei. — **screw** øyeskrue. — **-shaped** ringformet.

ringworm ['riŋwə:m] ringorm.

rink [riŋk] bane; kunstig skøytebane, innendørs skøytebane, rulleskøytebane, curlingbane.

rinse [rins] skylle; skylling; skyllevann; hårtonemiddel. **rinsing** ['rinsiŋ] skylling; skyllevann.

riot ['raiət] tøyleshet, tumult, ståhei; opptøyer; leven, røre, oppløp; kjempesuksess; larme, tumle vilt; bråke, svire, leve vilt, ture, rangle; skape oppløp, lage bråk, få til oppløp; **that dress is a** — den kjolen er fantastisk; **run** — løpe grassat; slå seg løs, løpe løpsk. — **act** opprørslov. **rioter** ['raiətə] fredsforstyrrer; opprører; utsvevende person, ranglefant. **riotous** ['raiətəs] tøylesløs, opprørsk, bråkende.

rip [rip] flenge, sprette, rive; sprette opp; revne, rakne, sprekke; gå opp; rift, spjære; øk, gamp; levemann; libertiner; **let things** — la skure, la det stå til; — **into** angripe voldsomt.

R. I. P. fk. f. **Requiesea(n)t in pace** hvil i fred.

riparian [rai'pɛəriən] som hører til en elvebredd, elve-, strand-; — **rights** strandrettigheter.

rip cord utløesrsnor (fallskjerm).

ripe [raip] moden, fullvoksen; — **for** parat til, moden for. **ripen** ['raipn] modne, bli moden; utvikle seg. **ripeness** ['raipnis] modenhet. **ripening** ['raipniŋ] modning.

riposte [ri'pəust] motstøt, svar på tiltale.

ripper ['ripə] oppspretter; kjernekar, praktstykke.

ripping ['ripiŋ] makeløs, storartet, fantastisk, utrolig, svært. — **bar** brekkjern.

ripple ['ripl] kruse seg; skvulpe; risle, sildre; kruse; hekle(lin); krusning; skvulping, risling. — **cloth** heklet tøy. — **mark** bølgeslagslinje.

ripply ['ripli] kruset; skvulpende; bølgende.

rip-roaring ['riprɔ:riŋ] løssloppen.

ripsaw ['ripsɔ:] håndsag, lang vedsag.

rise [raiz] heve seg, stige, reise seg; avslutte møtet; ta ferier; komme opp, stå opp, oppstå; avansere, komme fram; løfte seg, gå, ese (om deig); heve, slutte beleiringen; svulme opp, svelle, trutne; sette seg opp imot, gjøre oppstand; sprette; tilta; stigning; lønnsøkning, pålegg; oppstandelse; utspring, opprinnelse, opphav; det å tilta, vekst, oppgang, solrenning; bakke, høyde, høgd; **give** — **to** gi anledning til; **be on the** — være i oppgang; — **to the occasion** være seg situasjonen voksen; — **against** gjøre opprør mot. **rising** ['raiziŋ] stigende; oppgående; tiltagende; stigning; oppgang; reisning, opprør; oppstandelse; hevelse.

risibility [rizi'biliti] lattermildhet. **risib**|['rizibl] lattermild; latter-.

rising ['raiziŋ] stigende, oppgående; stigning (sol)oppgang; opprør, oppstand.

risk [risk] våge, risikere, utsette for fare sette på spill; risiko, fare. — **money** tellepenge **risky** risikabel, betenkelig.

rite [rait] ritus, kirkeskikk; seremoni.

ritual ['ritjuəl] rituell, som hører til guds tjenesten; ritual; kirkeskikker.

rival ['raivl] rival, medbeiler, rivalinne; riva serende; rivalisere med; kappes med, tevle med **rivalry** ['raivlri] rivalisering; konkurranse, kappe strid, tevling.

rive [raiv] kløyve, splitte; kløvne, revne; kløf **river** ['rivə] elv, flod; **sell down the** — forråde — **bank** elvebredd. — **basin** [-beisn] elvebekken — **bed** elveleie. — **craft** elvefartøy. **-side** ['riva said] elvebredd; **by the** — ved elven. **-was** elveavleiring.

rivet ['rivit] klinknagle; nitte, klinke, nagle befeste; fastholde, fest; **-s** (sl.) grunker, skive (ɔ: penger). **-er** klinkhammer; klinker. — **hea** naglehode. **riveting** nagling, klinking. — **punel** nagledor.

rivulet ['rivjulit] bekk, liten elv.

R. M. fk. f. **Resident Magistrate; Royal Mail Royal Marines.**

R. M. A. fk. f. **Royal Marine Artillery; Roya Military Academy.**

R. M. C. fk. f. **Royal Military College.**

R. M. L. I. fk. f. **Royal Marine Light Infantry**

R. M. S. fk. f. **Royal Mail Steamer.**

R. M. S. P. fk. f. **Royal Mail Steampacket Co**

R. N. fk. f. **Royal Navy.**

R. N. A. S. fk. f. **Royal Naval Air Service.**

roach [rəutʃ] mort (fisk); kakerlakk.

road [rəud] vei; red; turné; **by** — langs veien landverts; **one for the** — avskjedsdrink; **hit the** — ta landeveien fatt; haike; **high** — hovedvei (fig.) den brede vei.

roadability [rəudə'biliti] kjøregenskaper, veiegenskaper (om bil).

road | accident trafikkulykke. — **accident insuranee** trafikkulykkesforsikring. **-bed** veilegeme. **-block** veisperring. **-book** veibok. — **cart** gigg. — **grader** veihøvel. — **haulage** veitransport. — **hog** bilbølle. **-house** veikro. **-side** veikant; landeveis-. — **sign** veiskilt.

roadsted ['rəudsted] red.

roadster ['rəudstə] skip på reden; landeveishest, skysshest; landeveissykkel, toseters sportsvogn.

road | system veinett. — **test** prøvekjøring av bil på landeveien. — **traffic act** veitrafikklov. **-way** kjørebane, veibane. **-worthy** trafikksikker.

roam [rəum] vandre om, streife om, flakke om, dra omkring; gjennomstreife. **roamer** ['rəumə] omstreifende person; vagabond.

roan [rəun] skimlet; skimmel.

roan [rəun] saueskinn garvet med sumak og brukt som bokbind; saffianlær.

roan tree ['rəuntri:] rogn (tre).

roar [rɔ:] brøle, bure, skrike, vræle, rope, gaule; larme, bruse, dure, buldre; brøl, vræl, brøling; skrik; brus, dur; brak, dunder, larm.

roarer ['rɔ:rə] brøler, buldrer, skrålhals.

roaring ['rɔ:riŋ] brøl; brølende; stormende; uordentlig, tøylesløs, vill; **do a** — **business** gjøre glimrende forretninger; — **drunk** sprøytefull; **the** — **forties** det stormfulle belte 40—50° nord og sør for ekvator.

roast [rəust] steke (på rist el. spidd); brenne, riste; stekes; spotte; stekt; stek; — **beef** oksestek; — **leg of pork** svinestek, skinkestek.

roaster ['rəustə] steker; stekerist.

roasting ['rəustiŋ] steking, risting; steke-; — **jack** stekevender. — **pan** stekepanne.

rob [rɔb] røve; plyndre; stjele fra; plyndre ut.

robber ['rɔbə] røver, tyv, ransmann.

robbery ['rɔbəri] utplyndring, tyveri, ran.

robe [rəub] galladrakt, embetsdrakt, lang **ppe**, gevant; robe, kjole; kle, ta på; iføre; ntlemen of the long — advokater, advokat- **and**, rettslærde, advokater.

Robert ['rɔbət] Robert; politimann.

robin ['rɔbin] rødstrupe, rødkjelke. **R. Good- low** nisse. — **redbreast** rødstrupe, rødkjelke.

roborant ['rɔbərənt] styrkende; styrkemiddel.

robot ['rəubɔt] maskinmenneske, robot. — **ane** førerløst fly.

Robt. fk. f. Robert.

robust [rə'bʌst] hardfør, sterk, traust, kraftig. **bustness** [-nis] hardførhet; kraft.

roe [rɔk] rokk (kjempemessig fugl i orientalske entyr), ≈ Fugl Dam.

Rochdale ['rɔtʃdeil].

Rochester ['rɔtʃistə].

rochet ['rɔtʃit] messeskjorte.

rock [rɔk] rokkehode, håndtein, rokk.

rock [rɔk] vugge, vogge, rugge, gynge, rokke, **ingre**; (fig.) bringe ut av balanse, få til å vakle; **igging**; — **to sleep** vugge i søvn; **-ed by the aves** vugget av bølgene.

rock [rɔk] klippe, berg, fjell; skjær, båe, flu; **ergart**; stein; edelstein, juvel; **be on the** — **ere** i en knipe; være pengelens. **whisky on ae -s** bar whisky med isterninger. — **basin ellgryte.** — **bed** fjellgrunn. — **bit** feisel. — **ottom** absolutt laveste, bunn-. — **candy** kandis- **kker.** — **carving** helleristning. — **crystal** berg- **rystall.** — **drill** steinbor, feisel.

rocker ['rɔkə] gyngestol; gyngehest; vugge, **ogge**; vuggemei; **he is off his** — helt spenna **ærn.** — **arm** vippearm. — **cam** vippekam.

rockery ['rɔkəri] steinhaug, steinparti (i hage).

rocket ['rɔkit] dagfiol; nattfiol.

rocket ['rɔkit] rakett, rakettmotor; overhaling, **jeft**; fare til værs; **-ry** rakettvitenskap, rakett-.

rockiness ['rɔkinis] berglende.

rocking chair ['rɔkintʃεə] gyngestol.

rocking horse ['rɔkinhɔ:s] gyngehest.

rock lobster langust. — **oil** jordolje. — **plant** **einbedsplante.** — **-ribbed** sterk, fast. — **salt** **einsalt.** — **seal** steinkobbe. **-slide** steinras, **kred.** — **wool** steinull, mineralull.

rocky ['rɔki] bergfull, berglendt; hard som **jell**; vaklevoren, ustø; **R. Mountains** el. **Rockies jellkjede** i Nord-Amerika.

rococo [rə'kaukau] rokokko.

rod [rɔd] kjepp, stav, påk; stang; målestang; **iskestang**; ladestokk; visker (til kanon); lyn- **vleder**; embetsstav; skyter, skytejern; **Black R. ongelig** overseremonimester, embetsmann i **verhuset** med svart embetsstav; **have a** — **in iekle for** ha en grundig avstraffelse i beredskap **or**; **kiss the** — kysse riset; **make a** — **for one's wn back** lage ris til sin egen bak.

rode [rəud] imperf. av **ride.**

rodent ['rəudənt] gnager (dyreart). **-icide** rəu'dentisaid] rottegift.

rodeo [rəu'deiəu] stevne, mønstring, fesjå, owboyoppvisning; innfanging av storfe.

rod mill trådvalseverk, finvalseverk.

rodomontade [rɔdəmɔn'teid] kyt, skryt; skryte.

roe [rəu] rogn; (hos fisk); **hard** — rogn; **soft** — melke (hos hannfisk).

roe [rəu] rådyr; hind. — **buck** råbukk. — **calf** åkalv.

Roehampton [rə(u)'hæm(p)tən] forstad til London.

Roentgen, roentgen ['rɔntjən] Röntgen, rønt- **zen(-).** **roentgenize** røntgen behandle. **-ogram bilde.** **-oscopy** -undersøkelse. — **ray** -stråle.

rogation [rə'geiʃən] bønn; lovforslag (i Roma); **R. days** de tre dager før Kristi himmelfartsdag; **R. Sunday** femte søndag etter påske; **R. week** himmelfartsuken.

Roger ['rɔdʒə] Roger; javel, alt i orden, opp- **fattet; Jolly R.** sjørøverflagg; **Sir R. de Coverley navnet** på en godseier i Addisons «Spectator»; **en folkedans.**

rogue [rəug] landstryker; skøyer; svindler, kjeltring. **roguery** ['rəug(ə)ri] kjeltingstreker; skøyerstreker. **rogues' galleri** forbryteralbum. **roguish** ['rəugiʃ] kjeltringaktig; skøyeraktig.

roil [rɔil] grumse; ergre, irritere.

roister ['rɔistə] larme, bråke, holde leven, skryte, braute. **roisterer** ['rɔistərə] bråker, vill- styring; svirebror.

role [rəul] rolle.

roll [rəul] rulle, trille, slingre; rulle sammen; tulle inn, pakke inn; valse, kjevle; slå tromme- virvler; gå rundt; rulle, trille av sted; rulling, slingring; rulle; rull; valse; liste, fortegnelse, protokoll, rulleblad; dundring, rummel; virvel- slag; rundstykke; (i pl.) arkiv; — **one's eyes** rulle med øynene; — **down** brette ned; — **in** gå til køys; — **on** rinne bort, lide, li (om tid); — **up** brette opp; **be on the -s** stå i rullene; **put on the -s** føre inn i rullene.

rollable ['rəuləbl] som kan valses. **-back** (amr.) prisnedsettelse (etter regjeringsvedtak). — **call** navneopprop; avstemning (ved navneopprop).

roller ['rəulə] rulle; valse; tromle, kjevle; for- binding, rullebindsel; (svær) bølge, rullesjø. — **bearing** rullelager. — **blind** rullegardin. — **coaster** berg- og dalbane. — **skate** rulleskøyte. — **towel** håndkle som går på en rulle.

rollick ['rɔlik] overstadighet; slå seg løs, leve glade dager, tumle seg. **rollicking** ['rɔlikiŋ] lystig, glad, løssloppen.

rolling ['rəuliŋ] rullende; bølgeformig; rulling; valsing. — **bearing** rullelager. — **chair** rullestol. — **door** sjalusidør. — **mill** valseverk. — **pin** kjevle. — **plant** el. — **stock** rullende materiell (på jernbane). — **-top desk** skrivebord med rulle- sjalusi.

roly-poly ['rɔuli'pəuli] innbakt frukt; rund, liten og tykk, ≈ smørbukk.

Romaic [rə'meiik] nygresk.

Roman ['rəumən] romersk; romer; romersk-katolsk; romer; romerinne. — **alphabet** latinsk alfabet. — **arch** rundbue. — **balance** bismervekt. — (el. **roman**) **letters** (el. **type**) antikva.

Romance [rə'mæns] romansk.

romance [rə'mæns] romanse, ballade, (eventyr- lig) roman; oppdikting, løgn, fabel, skrøne; romantisk opplevelse, svermeri, romantikk; skrive romaner; lyve, dikte, fable, overdrive. **romancer** [-ə] romandikter; løgner, skrønemaker.

Romanesque [rəumə'nesk] rundbuestil; bygd i rundbuestil.

Romanic [rə'mænik] romansk.

Romanish ['rəuməniʃ] romersk-katolsk. **Roma- nism** [-nizm] katolisisme; papisteri. **Romanist** [-nist] romersk katolsk. **Romanize** [-naiz] ro- manisere; konvertere til katolisismen.

Romansch [rə'mænʃ] reto-romansk (i Sveits).

romantic [rə'mæntik] romantiskaktig, romantisk; fabelaktig, fantastisk. **romanticism** [-tisizm] ro- mantikk. **romanticist** [-tisist] romantiker.

Romany ['rɔməni] sigøyner; sigøynerspråk.

Rome [rəum] Roma.

Romeo ['rəumiəu].

Romish ['rəumiʃ] (romersk-)katolsk.

romp [rɔmp] villkatt, villstyring, flokse; ståk, styr, bråk; brase seg, tumle seg, stime, hoppe, danse. **-er suit** lekedrakt. **romping** [-iŋ] over- given. **rompish** ['rɔmpiʃ] overgiven, vill av seg, kåt, forfløyen.

Röntgen ['rʌntjən, 'rɔntjən] se **Roentgen.**

rood [ru:d] (Kristi) kors, krusefiks; som mål = ½ acre teig, jordstykke. — **arch** korbue. — **loft** pulpitur. — **screen** korgitter.

roof [ru:f] tak; hvelving; bygge tak over, dekke, tekke; **— of the mouth** (den harde) gane. **roofing** ['ru:fiŋ] takmateriale; takverk, tak; — **felt** takpapp. — **nail** pappspiker, stift. — **paper** takpapp. — **slate** takskifer. — **tile** tak- stein. **roofless** ['ru:flis] uten tak; husvill. **roof | rack** takgrind (på bil). **-top** hustak. **-tree** mønebjelke. — **truss** takstol. **roofy** ['ru:fi] med tak.

rook [ruk] tårn (i sjakk); bedrager, svindler; kornkråke; svindle, bedra (i spill).

rookery ['ru:k(ə)ri] kråkelund; fuglevær, fuglefjell; fattig og overbefolket kvarter el. hus, slum; røverreir.

rookie ['ruki] nybegynner; rekrutt.

room [ru:m, rum] rom, plass, sted, værelse, stue; anledning, grunn, leilighet, høve; ha værelse; bo; **keep his** — holde seg inne; **in the** — **of** istedenfor; **in his** — i hans sted; — **and board** kost og losji. **-iness** rommelighet. **-mate** værelsekamerat.

roomy ['ru:mi] rommelig; med mange værelser.

roost [ru:st] vagle, pinne, stang (til å sitte på); hvilested; soveværelse, seng; sette seg til hvile; vagle seg; ha køyet seg; **go to** — gå til ro, gå til køys; **at** — sovende; **rule the** — dominere.

rooster ['ru:stə] hane.

root [ru:t] rot; løk, blomsterløk, knoll; **-s** pl. rotfrukter, røtter; feste rot, slå rot; rotfeste; **take** — el. **strike** — slå rot; **pull up by the -s** rykke opp med rota; **strike at the -s of** undergrave, angripe innenfra; — **and branch** grundig, med rota; — **and fibre** tvers igjennom; **square** — el. **second** — kvadratrot.

root [ru:t] rote (i jorda); rote i.

root|ball rotklump. — **beer** alkoholfri leskedrikk, rotøl. — **borer** rotgnager.

rooted ['ru:tid] rotfestet; rotfast; inngrodd.

rooter ['ru:tə] rothogger, utrydder. **rootless** ['ru:tlis] rotløs. **rootlet** [-lit] liten rot. **rootstalk** rotstengel. **rooty** ['ru:ti] full av røtter.

rope [rəup] reip, tau, line, strikke, snor; tøye seg ut i tråder, være seig; binde med reip, slå tau om; binde, tjore, fange; hale, trekke; **a** — **of sand** (fig.) svakt bånd, blendverk; **be at the end of one's** — ha løpt linen ut; **give him** — gi frie tøyler; **know the -s** kjenne sakene grundig; **ascend the high -s** sette seg på den høye hest. **-dancer** linedanser. — **end** tamp. — **ladder** taustige. **-maker** reipslager. **-making** reipslaging. — **pull** snortrekk.

roper ['rəupə] reipslager.

ropery ['rəup(ə)ri] reperbane.

rope's end ['rəups'end] tau; tamp.

rope|walk ['rəupwɔ:k] reperbane. **-walker** linedanser. **-way** taubane. **-work** tauverk. **ropily** ['rəupili] trådaktig, seigt. **ropiness** ['rəupinis] seighet.

ropy ['rəupi] klebrig, seig, tyktflytende.

rorqual ['rɔ:kwəl] finnhval, rørhval.

rosary ['rəuzəri] rosenkrans; rosebed.

rose [rəuz] rose; rosa; rosett; rosevindu; dyse, spreder; kompassrose; rosen (sykdom); gjøre rosenrød. **-ate** rosenfarget, rosa. **-bud** rosenknopp. — **bush** rosenbusk. — **colour** ['rəuz'kʌlə] rosenfarge, rosa. **-mallow** stokkrose.

rosemary ['rəuzməri] rosmarin (buskvekst).

roseola [rəu'zi:ələ] røde hunder.

rosette [rə'zet] rosett.

rose | water ['rəuzwɔ:tə] rosenvann (slags rosenparfyme); søtlatenhet, blidhet; søtladen, altfor fin. **-wood** rosentre.

rosied ['rəuzid] smykket med roser, rosenfarget.

rosin ['rɔzin] harpiks, kolofonium.

rosiness ['rəuzinis] rosenfarge.

rostrum ['rɔstrəm] talerstol, prekestol, podium.

rosy ['rəuzi] rosen-; blomstrende.

rot [rɔt] råtne; vase, sludre, vrøvle, tøve; bringe i forråtnelse; forråtnelse; vas, sludder.

rota ['rəutə] liste over personer som skal utføre visse plikter; turnus.

rotary ['rəutəri] roterende, omdreiende; dreie-; **R. Club** rotaryklubb. — **current** flerfasestrøm. — **dryer** sentrifuge. — **engine** rotasjonsmotor, wankelmotor. — **hoe** jordfreser. — **plough** snøfreser. — **press** rotasjonspresse.

rotate ['rəuteit] rotere, dreie seg, snu, svive; skifte, veksle; gå etter tur; la rotere, la gå rundt.

rotation [rə'teiʃən] rotasjon, omdreining; omgang; **by** — skiftevis; — **of crops** vekselbruk.

rotator [rə'teitə] omdreiende redskap; dre muskel; svingdør.

rotatory ['rəutətəri] roterende, omdreiende. **R.O.T.C.** fk. f. **Reserve Officers' Training Corp**

rote [rəut] rams; **by** — på rams, på pugg.

rotgut ['rɔgʌt] skvip, søl.

Rothschild ['rɔθʃaild].

rotor ['rəutə] rotor; løpehjul.

rotten ['rɔtn] råtten, bedervet, skjemt; dårli morken; skjør; svak, skrøpelig, elendig; korrup **rottenness** [-nis] råttenskap.

Rotten Row ['rɔtn'rəu] vei i Hyde Park.

rottenstone trippelstein.

rotter ['rɔtə] døgenikt, stymper, drittsekk.

rotund [rə'tʌnd] rund, avrundet, svulmend trinn; ordrik. **rotundity** [ro'tʌnditi], **rotundne** [rə'tʌndnis] rundhet.

rouble ['ru:bl] rubel.

rouge [ru:ʒ] rød sminke; sminke seg; sminke **rouge-et-noir** ['ru:ʒei'nwɑ:] rouge-et-noir ((hasardspill).

rough [rʌf] ramp, pøbel; utkast, klad ulende, område utenfor fairwayen (i golf); ujev ujamn, ru; knudret, uveisom, humpet, stein uslepet, utilhogd; uferdig; opprørt (hav); har (vær); stormende, urolig; rå, uvøren; bars grov, simpel; grovkornet; hardhendt; lurve ragget, bustet; tarvelig; omtrentlig, løseli opprinnelig, primitiv; naiv, likefrem, ukunstle djerv; hard, skarp; skurrende, skjærende, ub hagelig; uvennlig; mattslipe; skarpsko (hest fare rått fram; oppføre seg bøllete; — cop kladd; — **materials** råmaterialer; — **plan lo** henkastet skisse; **at a** — **estimate** etter et løsel overslag; **a** — **voyage** en hard overreise; **the** — i uferdig tilstand; i råstoffet; — **it le** primitivt; ta til takke med simpel kost; gå f lut og kaldt vann; — **up** maltraktere; jule opp gjøre ru.

rough-and-ready ['rʌfən'redi] formløs; impr visert; klar til bruk, parat; uvøren, likesæl.

rough-and-tumble ['rʌfən'tʌmbl] vill, ustyrlig slagsmål, brudulje.

rough | boards uhøvlede bord. — **book** kladd bok. **-cast** utkast; rapping, grovpuss; lage u kast, skissere; rappe. — **coat** grunningstrø (maling). — **draft** kladd, utkast. **-draw** skissere **roughen** ['rʌfn] gjøre ujevn; bli ujevn.

rough | estimate løselig overslag. — **file** grovfil — **gait** urent trav. — **hew** grovhogge. **-hous** leven, slagsmål; gi medfart. **-ish** ujevn, temmeli grov. **-ly** cirka, omtrent. **-neck** bølle, ramp.

roughness ['rʌfnis] ujevnhet, ruhet; opprør barskhet; råhet; skarphet; heftighet.

rough|rider ['rʌfraidə] hestetemmer; uvøre rytter; irregulær kavalerist. **-shod** skarpskodd

roulade [ru:'lɑ:d] roulade.

rouleau ['ru:ləu] rull; pengerull.

roulette [ru:'let] rulette (hasardspill).

Roumania [ru'meinjə] Romania.

Roumanian [ru'meinjən] rumener; rumensk.

round [raund] rund, lubben; hel; omfattende betydelig, dugelig, kraftig, stor, avrundet; åpen oppriktig, likefrem, ærlig; rundt om, omkring om; overalt; krets, sirkel, runding, runde, skiv ring; kule; rekke, kretsløp; runde, inspeksjon visitt; runddans; omgang; rundsang; patron skudd; salve, glatt lag; trinn (på stige), tverrtre gjøre rund, runde, avrunde; omgi, gå rundt om svinge; komplettere, avslutte; — **off** avrunde avslutte; — **on** vende seg mot, angi; — **up** saml inn; omringe, arrestere; **all the year** — hele åre rundt; **come** — komme seg; **come** — **to his wa** of thinking la seg ombestemme av ham; **to** — **th corner** dreie om hjørnet; **a** — **lie** en loddrett løgn.

round [raund] hviske; hvisking.

round about til alle kanter, rundt omkring cirka, bortimot, omtrent.

roundabout rundkjøring; omvei; rundtur utenomsnakk, omsvøp; karusell; overfrakk pjekkert; **in a** — **way** indirekte, via krokveier.

roundelay ['raundilei] rundsang, runddans.
round|head ['raundhed] rundhode, puritaner.
~ouse politiarrest; hytte (på seilskip). **roundish**
['raundiʃ] rundaktig.
roundlet ['raundlit] liten sirkel.
roundly ['raundli] rundt; likefrem, rent ut;
~rt sett, i det store og hele.
roundmeal ['raundmi:l] havregryn.
roundness ['raundnis] rundhet; runding; like-
mhet; raskhet.
round | steak lårstek. — **-table conference**
~debordskonferanse. — **the clock** døgnet
~dt. — **trip** rundreise. — **-trip ticket** retur-
~lett. **-up** drive sammen (kveg); politirazzia,
~rulling (av en politisak). — **worm** rundorm.
~ouse [rauz] vekke, vekke opp; oppmuntre;
~e opp; våkne opp, bli våken; fullt glass; gilde,
~as, drikkelag. **rouser** ['rauzə] en som vekker.
~out [raut] stort selskap; sverm; hop, flokk,
~me; oppløp; nederlag; det å slå på flukt, vill
~kt; kaste på flukt; **put to** — jage på flukt.
~oute [ru:t] vei, rute; dirigere, sende.
~outine [ru:'ti:n] alminnelige forretninger, for-
~ningsgang; ferdighet, øvelse, øving, rutine.
~ove [rouv] streife om, vandre om; gjennom-
~eife. **rover** ['rəuvə] flakker, vandrer, land-
~yker; røver, pirat; ustadig menneske. **roving**
~uvig] omflakkende, omstreifende; streifing.
~ow [rəu] rad, rekke; (strikke)omgang, pinne;
~rekke, gate. [rau] spetakkel, tumult, opp-
~er, strid, trette, slagsmål, ståk, bråk; gjøre
~otøyer, larme, ståke; **kick up a** — gjøre bråk
~er vrøvl), ta på vei, krangle.
~ow [rəu] ro; roing, rotur. **-boat** robåt.
~owan ['rəuən] rogn; — **berry** rognebær.
~owdy ['raudi] brutal, grov, voldsom; slusk,
~le, bråkmaker, slamp. **-ism** rampestreker.
~ower ['rəuə] roer.
~owlock ['rʌlɔk; 'rəulɔk] tollegang; åregaffel.
~oyal ['rɔiəl] kongelig, konge-; **R. Academy**
~ngelig kunstakademi; **R. Society** Det kon-
~ige vitenskapenes selskap. — **decree** kongelig
~olusjon; **the** — **household** hoffet.
~oyalist ['rɔiəlist] rojalistisk, kongeligsinnet;
~alist.
~oyalty ['rɔiəlti] kongelighet; kongeverdighet;
~gedømme; konge, majestet; kongelig rettig-
~; avgift, leie, tantieme, prosenter, forfatter-
~norar.
R. P. fk. f. **reply paid.**
~. p. m. fk. f. **revolutions per minute.**
pt. fk. f. **repeat; report.**
R. S. O. fk. f. **Railway sub-office.**
R. S. P. C. A. fk. f. **Royal Society for the Pre-
vention of Cruelty to Animals.**
R. S. V. P. fk. f. **répondez s'il vous plaît** svar
~es.
Rt. Hon. fk. f. **Right Honourable.**
Rt. Rev. fk. f. **Right Reverend.**
R. T. S. fk. f. **Religious Tract Society.**
~ub [rʌb] gni, gnikke, rive, skure, skrubbe,
~ke, stryke, skrape, slipe, pusse; hamre inn;
~age på; skure imot, gni seg mot, skubbe seg;
~tere, ergre; gnidning, ujevnhet, friksjon,
~dring, vanskelighet, knute; — **along** klare seg,
~det til; — **down** frottere; strigle; — **elbows**
~er **shoulders) with** være gode venner med;
~nge seg innpå; — **in** gni inn, smøre inn; gni
~ inn med skjeer, innprente; — **the wrong way**
~yke mot hårene, irritere.
~ubber ['rʌbə] en som gnir, massør, frotter-
~ndkle; pussefille, skureredskap; viskelær; gum-
~; robber (i kortspill); sarkasme, spydighet.
~band gummistrikk. — **cement** solusjon.
~cheek ugyldig sjekk, uten dekning. — **solution**
~usjon. — **stamp** gummistempel; leder uten
~en reell myndighet, nikkedukke, liksom-.
~tube gummislange.
~ubbing ['rʌbiŋ] gnidning; avtrykk; slipe-,
~lér-. — **board** vaskebrett. — **compound** slipe-
~sse.

rubbish ['rʌbiʃ] avfall, boss, søppel, grus, mur-
grus; fyll, skrammel, rask, skrot, rot; røre;
sludder, vas, vev; **talk** — sludre, vrøvle. **rubbish-
ing** ['rʌbiʃiŋ] avfalls-; skrap-.
rubble ['rʌbl] murbrokker; bruddstein, natur-
stein, kult, steinfyll. — **masonry** natursteinmur,
råkoppmur.
rubby ['rʌbi] ru, skrubbet.
rub-down ['rʌbdaun] grundig skuring; mas-
sasje; juling, bank, omgang.
rubella [ru:'belə] røde hunder.
rubeola [ru:'bi:ələ] røde hunder; meslinger.
rubescence [ru'besəns] rødming; rødme.
rubescent [ru'besənt] rødmende, rødlig.
Rubicon ['ru:bikən] Rubikon, **cross** (el. **pass**)
the — ta det avgjørende skritt.
rubicund ['ru:bikənd] rød, rødlig, rødmusset.
rubric ['ru:brik] merket eller skrevet med rødt;
rubrikk; rød overskrift; tittel; (liturgisk) for-
skrift; rød; rubrisert; rituell. **rubricate** ['ru:bri-
keit] merke med rødt; rubrisere; fastsette,
fastslå.
ruby ['ru:bi] rubin; rubinrødt; kvise; blod (i
bokserslang); slags liten skrift (typografisk).
ruche [ru:ʃ] rysj.
ruck [rʌk] rynke; krølle; folde; rynke; fold;
haug, hop, stabel; **the** — feltet (i veddeløp).
rucksack ['rʌksæk] ryggsekk, meis.
ruckus ['rʌkəs] (sl.) leven, bråk, rabalder.
ruction ['rʌkʃən] urolighet, oppstyr, vrøvl.
rud [rʌd] rødhet, rødme; rødkritt, rød oker.
rudder ['rʌdə] ror.
ruddle ['rʌdl] rødkritt.
ruddy ['rʌdi] rød, rødlett, rødmusset.
rude [ru:d] primitiv, rå, plump, upolert, simpel,
grov; uvitende; udannet, uoppdragen, ubehøvlet;
uhøflig, barsk, heftig, ubarmhjertig; grov, ube-
handlet; robust. **rudeness** [-nis] råhet, grovhet,
plumphet, uhøflighet; uvitenhet; heftighet.
rudiment ['ru:dimənt] grunnlag, begynnelse;
-s pl. elementære prinsipper. **rudimental** [ru:di-
'mentl] begynnelses-, rudimentær. **rudimentary**
[-'mentəri] = **rudimental.**
Rudyard ['rʌdjəd].
rue [ru:] angre, angre på; ynkes over, sørge
(for over); sorg, anger.
rue [ru:] rute (plante; sorgens symbol).
rueful ['ru:f(u)l] bedrøvelig, sorgfull, sørgelig.
ruff [rʌf] pipestrimmel, pipekrave, kruset hals-
krave; fjærboa; brushane; kruse, pjuske.
ruffian ['rʌfjən] brutal person, banditt, volds-
mann; brutal, rå, røver-. **ruffianism** ['rʌfjənizm]
råskap, bandittvesen.
ruffle ['rʌfl] folde, rynke, kruse, pipe; besette
med rynkede mansjetter; sette i bevegelse, opp-
røre; bringe i uorden, sette i ulag, bringe ut av
likevekt, krenke, såre, plage, erte, terge; pjuske;
ruske; bruse, kruse seg, opprøres, bli opprørt;
strimmel, rynket mansjett, kalvekryss; sammen-
støt, fektning, kamp, strid; forstyrrelse, opp-
hisselse; dempet trommevirvel.
ruffler ['rʌflə] storskryter; fredsforstyrrer.
rufous ['ru:fəs] rødbrun (hår).
rug [rʌg] grovt ullent teppe; dekken; reise-
teppe, kaminteppe, rye, sengeforlegger.
Rugby ['rʌgbi] Rugby; rugbyfotball.
rugged ['rʌgid] ru, ujevn, ulendt; knortet,
knudret, klumpet, kantet; kupert; strihåret;
krevende; grov, simpel; barsk, hard, gretten,
sur, uvennlig; robust, kraftig.
rugger ['rʌgə] rugbyfotball.
rugose ['ru:gous], **rugous** ['ru:gəs] rynket.
ruin ['ru:in] fall, ruin, undergang, ødeleggelse;
ruinere, forspille, ødelegge, gjøre ulykkelig, styrte
i fordervelse. **ruination** [ru:i'neiʃən] ødeleggelse.
ruined ['ru:ind] som er falt ned, som ligger i
ruiner; ruinert, ødelagt. **ruinous** ['ru:inəs] øde-
leggende, fordervelig; forfallen, falleferdig.
rule [ru:l] regjering, herredømme, styre; regel,
forskrift; ordensregel; linjal, tommestokk; orden,
god oppførsel; regjere, beherske, styre, prege;

avsi kjennelse, bestemme; forsyne med linjer, linjere; herske; — **out** utelukke. — **of three** reguladetri. — **of thumb** tommelfingerregel, ≈ øyemål.

ruler ['ruːlə] regent, hersker; styrer; bestyrer; linjal. **-ship** herredømme. — **-straight** snorrett.

ruling ['ruːliŋ] herskende, rådende; herredømme, regjering. — **pen** rissefjær.

rum [rʌm] rom (slags brennevin).

rum [rʌm] pussig; merkelig, snodig.

Rumania [ruːˈmeinjə] Romania.

Rumanian [ruːˈmeinjən] rumener; rumensk.

rumble ['rʌmbl] rumle, buldre, ramle, skrangle; drønne; rumling; baksete, tjenersete; bagasjerom; gateslagsmål, oppgjør. — **-bumble** smørje, rot.

rumbler ['rʌmblə] noe som ramler; drosje.

ruminant ['ruːminənt] drøvtygger. **ruminate** ['ruːmineit] tygge drøv, jorte; gruble, tenke; ruge; tenke på, tenke over. **rumination** [ruːmiˈneiʃən] jorting; drøvtygging. **ruminator** ['ruːmineitə] grubler, grublende.

rummage ['rʌmidʒ] grundig ettersyn, visitasjon; romstering; greier, saker og ting; visitere, se etter i; lete gjennom; se etter, romstere, rote. — **sale** oppryddingsauksjon, oppryddingssalg; auksjon over uavhentede saker.

rummy ['rʌmi] pussig, snodig; fyllik; rom-.

rumour ['ruːmə] rykte, folkesnakk; bære utover, spre ut; **it is -ed** man sier, det går det ord. — **-monger** ryktesmed.

rump [rʌmp] bakende, rumpe; ende, kryss, lend, lårstykke; gump; (sjelden:) slump, rest; vende ryggen, ignorere, overse; **the** — **(Parliament)** Rumpparlamentet, under Cromwell.

rumple ['rʌmpl] krølle, skrukke, ruske.

rump steak ['rʌmpsteik] isbeinstek.

rumpus ['rʌmpəs] (sl.) jubalon, bråk, leven. — **room** møtesal, festsal.

run [rʌn] renne, springe, løpe, svive; renne, flyte, strømme; væske; gå, oppføres, spilles; smelte, bråne; strekke seg; lyde; løpe sammen, blande seg, løpe ut; la løpe, løpe om kapp med; kjøre, støte, jage; drive (fabrikk, maskin); vise (film el. teaterstykke); stille som kandidat; gå i rute, gå i fart; **bills having twelve months to** — med tolv måneders løpetid; — **a bath** fylle badekaret; — **a chance** ta en sjanse; — **cold** stivne; — **mad** bli gal; **it -s in the family** det ligger til familien; — **into debt** stifte gjeld; **their income -s into four figures** deres inntekter må skrives med fire sifre, beløper seg til et tusen pund sterling og mer; — **out of** ikke ha mer igjen av, slippe opp for.

run [rʌn] løp, renn, gang; ferd, fremgangsmåte; popularitet, kurs; suksess, antall oppførelser, tilløp; sterk etterspørsel; avsetning, rift; kappløp; panikk; storm; fart, tur, reise, strekning; overfart, overreise; fri adgang; **have a** — **of a hundred nights** oppføres hundre ganger; **in the long** — i lengden; **out of the common** — utenfor det alminnelige; **have a** — **for one's money** få noe igjen for pengene.

runabout ['rʌnəbaut] omstreifer; liten lett bil.

runagate ['rʌnəgeit] flyktning; renegat.

runaway ['rʌnəwei] bortløpen; flyktning, rømling.

run-down medtatt, nedslitt, forfallen, stanset; sammendrag.

rune [ruːn] rune.

rung [rʌŋ] perf. pts. av **ring.**

rung [rʌŋ] trinn (på stige), sprosse, tverrtre, éike (i hjul).

runic ['ruːnik] rune-, beskrevet med runer. — **characters** (el. **letters**) runer. — **wand** runestav.

runnel ['rʌnəl] småbekk; rennestein.

runner ['rʌnə] løper, bud, agent; (gl.) politifunksjonær; matros (som har betaling for reisen, ikke månedshyre); smugler, blokadebryter; løper,

overstein (i kvern); drivhjul; sledemei; utløp renning (på plante); prydbønne; skyver (paraply); raknet (strømpe)maske; **be** — komme inn som nummer to, ta annenplass.

running ['rʌniŋ] veddeløps-; hurtigseilenc uavbrutt; løpende, i trekk, i sammenheng, rad; skyndsom, snøgg, flytende, lett; rynknir smugling; løp, kappløp, utholdenhet. — **boa** stigbrett (på bil). — **bowline** løpestikk. — **di** løpedager, certepartidager. — **down clause** ko sjonsansvarsklausul. — **-in** innkjøring. — **no** renneløkke. — **track** veddeløpsbane. — **tr** vannlås.

run of the mill hverdagslig, ordinær, norm **runt** [rʌnt] småkveg; misfoster; spjælir **runty** vanskapt, misdannet.

runway ['rʌnwei] startbane, rullebane, kjø bane, tilløpsbane.

rupee [ruːˈpiː] rupi, indisk mynt.

rupture ['rʌptʃə] sprengning, opphevel brudd, brist, sprekke; (underlivs-)brokk; sl sprenge, få til å briste; briste, brotne.

rural ['ruərəl] landlig, land-, landsens; bond bygde-. **ruralism** ['ruərəlizm] landlighet. **rura** [-ist] en som lever el landsens liv; landligg **rurality** [ruˈræliti] landlighet. **ruralize** ['ruərəla gjøre landlig, bli landlig. **ruralness** ['ruərəln landlighet.

ruse [ruːz] list, knep.

rush [rʌʃ] siv; (fig.) døyt.

rush [rʌʃ] fare av sted, styrte, storme, ru fremstyrting, fremrusing, jag, tilstrømning, kj mas, rush; stormangrep.

rush | candle el. — **light** (gml.) talglys; stor lykt. — **order** ekspressordre. — **work** hastver arbeid.

rushy ['rʌʃi] sivbevokst; siv-.

rusk [rʌsk] slags kavring.

Ruskin ['rʌskin].

Russell ['rʌsl].

russet ['rʌsit] rødbrun; grov, simpel, hjemn gjort; vadmels-; hjemmegjorte klær.

Russia ['rʌʃə] Russland; russelær. **Russ** ['rʌʃən] russisk; russer. — **leather** russel **-ize** russifisere.

rust [rʌst] rust; brann (på korn); **green** — i sløvhet; ruste, anløpe; sløves; gjøre rusten. **colour** rustfarge.

rustic ['rʌstik] landlig, landsens, land bondsk, grov, plump, rå, ukunstlet, likefre endefrem, enkel, ærlig, enfoldig; simpel; bon **rusticate** ['rʌstikeit] bo på landet, sende landet; relegere fra universitetet. **rusticat** [rʌstiˈkeiʃən] opphold på landet; bortvising.

rusticise ['rʌstisaiz] rustifisere.

rusticity [rʌˈstisiti] landlighet; bondskhet.

rustily ['rʌstili] rustent. **rustiness** [-nis] rust het.

rustle ['rʌsl] rasle; rasle med, knitre; (am stjele kveg. **rustler** ['rʌslə] kvegtyv.

rusty rusten; sløvet, ute av øvelse; forsør vanstelt; loslitt; hes, hås; rustfarget; mugg sur, harsk.

rut [rʌt] hjulspor; (fig.) gammel vane; dan spor i (en vei).

rut [rʌt] brunst; være brunstig, løpe.

ruth [ruːθ] medlidenhet; sorg; anger. **ruthl** ['ruːθlis] ubarmhjertig, hard, hensynsløs.

rutty ['rʌti] full av hjulspor, oppkjørt; ruti preget.

R. V. fk. f. **Revised Version.**

R. V. C. fk. f. **Rifle Volunteer Corps.**

Ry. fk. f. **Railway.**

rye [rai] rug; (amr.) rugwhisky. — **br** rugbrød. — **grass** raigress; marehalm.

ryme [raim] = **rhyme.**

ryot ['raiat] bonde, jaddyrker (i India).

rythm [riθm] = **rhythm.**

S

S, s [es] S, s.
§ tegn for **dollar(s)**.
S. fk. f. **Saint; Saturday; Scotch; Secretary;**
cialist; **South(ern)** (blant annet Londons sør-
ge postdistrikt); **Sunday; see: shilling(s); sun.**
s. fk. f. **second(s); see: shilling(s); silver;**
ngular; **sire; steamer; substantive; sun.**
Sa. fk. f. **Saturday.**
S. A. fk. f. **Salvation Army; South Africa** (el.
merica, **Australia); Society of Antiquaries;**
x **Appeal.**
Sabaoth [sæˈbeiɔθ] Sebaot; **the Lord of —**
n Herre Sebaot, hærskarenes Gud.
sabbatarian [sæbəˈtɛəriən] sabbats-, sabba-
rier, streng overholder av hviledagen. **Sabbath**
sæbəθ] sabbat. **Sabbatic, sabbatic, -al** [səˈbæ-
k(l)] som hører til sabbaten; **— year** tjenestefri
vert sjuende år. **sabbatism** [ˈsæbətizm] hellig-
ldelse av sabbaten.
sable [ˈseibl] sobel; sørgeklær; mørk, svart.
sabot [ˈsæbəu] tresko; sko, skoning; fylling.
sabotage [ˈsæbətɑːʒ] sabotasje; sabotere.
sabre [ˈseibə] ryttersabel; sable ned. **— -rattling**
belrasling. **sabretache** [ˈsæbətæʃ] sabeltaske.
saccharine [ˈsækərin] sakarin, sukker-; søt,
isset, vammel.
sacerdotal [sæsəˈdəutəl] prestelig. **-ism** [sæsə-
əutəlizm] prestevesen.
SACEUR fk. f. **Supreme Allied Commander**
urope.
sachem [ˈseitʃəm] indianerhøvding; sjef, leder.
sachet [ˈsæʃei] luktepose.
sack [sæk] sekk, pose; kappe, jakke, sekke-
ole; seng, loppekasse; utplyndring; fylle i sekk;
yndre, herje; kaste, kvitte seg med. **get the —**
avskjed; få sparken.
sackage [ˈsækidʒ] plyndring.
sack|cloth [ˈsækklɔθ] sekkestrie; **in — and**
hes i sekk og aske. **— coat** kontor(ist)jakke.
ul sekkfull. **-ing** sekkestrie. **— race** sekkeløp.
Sackville [ˈsækvil].
SACLANT fk. f. **Supreme Allied Commander**
tlantic.
sacral [ˈseikrəl] (relig.) sakral; kryssbeins-.
sacrament [ˈsækrəmənt] sakrament; **give him the**
st — gi ham den siste olje; nattverd. **sacramental**
ækrəˈmentl] sakramental; **— service** altergang·
sacred [ˈseikrid] hellig, innviet; religiøs, ånde-
g. **— cow** hellig ku. **— history** bibelhistorie;
rkehistore. **— music** kirkemusikk. **-ness** [nis]
llighet. **S. Writ** Den hellige skrift.
sacrifice [ˈsækrifais] ofre, oppofres; ofring,
fer; blot; salg til underpris, tap. **sacrificial**
ækriˈfiʃəl] offer-.
sacrilege [ˈsækrilidʒ] vanhelligelse, helligbrøde;
rkeran. **sacrilegious** [sækriˈliːdʒəs] vanhellig.
erilegist [ˈsækrilidʒist] kirkeraner.
sacring [ˈseikriŋ] vigsel. **— -bell** klokke som
t ble ringt med når alterbrød ble viet.
sacristan [ˈsækristən] kirketjener, sakristan.
sacristy [ˈsækristi] sakristi.
sacrosanct [ˈsækrəsæŋkt] sakrosankt, hellig,
krenkelig.
sad [sæd] bedrøvet, tungsindig, sturen, sørge-
g, lei, trist; mørk, avdempet, rolig (om farger).
sdden [ˈsædn] bli bedrøvet, bedrøve.
saddle [ˈsædl] sal (på hest); sete; rygg (på
akt); høvre; sale, kløvje; bebyrde. **-back** bakke-
. åskam med søkk i midten; salrygg, svairygg;
avmåke. **-backed** salrygget. **-bag** saltaske; et
ysjmønster. **— bow** [-bəu] salbue. **— cloth**
ldekken. **— gall** salgnag, salbrudd. **— horse**
dehest. **— maker** salmaker.

saddler [ˈsædlə] salmaker; ridehest.
saddlery [ˈsædləri] seletøy; salmakerforretning.
Sadducean [sædjuˈsiːən] sadduseisk.
Sadducee [ˈsædjusiː] sadduseer.
sadism [ˈseidizm] sadisme. **sadist** [ˈseidist]
sadist.
sadness [ˈsædnis] sørgmodighet; sørgelighet.
S. A. E. fk. f. **Society of Automotive Engineers.**
safe [seif] sikker, uskadd, i god behold; ufarlig;
forsiktig; betryggende, trygg, pålitelig; sikkert
gjemmested, pengeskap, flueskap, isskap. **-brea-**
ker skapsprenger. **— -conduct** fritt leide, pass.
— -deposit box bankboks. **-guard** beskyttelse,
betryggelse, vern, sikkerhetstiltak, fritt leide,
pass; beskytte, verne. **-keeping** forvaring, vare-
tekt. **-ly** sikkert, uskadd, i sikkerhet; forsiktig.
-ness [-nis] sikkerhet, pålitelighet.
safety [ˈseifti] sikkerhet, trygghet, forvaring;
sikring (på våpen). **— arch** støttebue. **— belt**
sikkerhetsbelte el. sele; livbelte. **— code** sikker-
hetsforskrifter. **— curtain** jernteppe (i teater).
— fund reservefond. **— glass** trådglass; sikker-
hetsglass. **— helmet** styrthjelm. **— hook** karabin-
krok. **— island** fotgjengerøy. **— pin** sikkerhets-
nål. **— razor** barberhøvel. **— valve** sikkerhets-
ventil. **— zone** fotgjengerfelt.
saffron [ˈsæfrən] safran, safrangul.
sag [sæg] gi seg ned, synke ned, gi seg, slakne;
ha avdrift; bli kjølsprengt; få til å synke ned;
sig, nedgang, fall; kjølsprengthet.
saga [ˈsɑːgə] saga.
sagacious [səˈgeiʃəs] skarpsindig, gløgg, klok.
sagacity [səˈgæsiti] skarpsindighet, kløkt.
sagaman [ˈsɑːgəmən] sagaforteller.
sagamore [ˈsægəmɔː] indianerhøvding.
sage [seidʒ] klok, vis; vismann; **the S. of**
Chelsea om Thomas Carlyle.
sage [seidʒ] salvie.
sageness [ˈseidʒnis] visdom.
Sagitta [səˈgitə] Pilen (stjernebildet).
sagittal [ˈsædʒitl] pilformet, pil-. **Sagittarius** Skytten.
sago [ˈseigəu] sago. **— palm** [ˈseigəupɑːm]
sagopalme.
Sahara [səˈhɑːrə]: **the —** Sahara.
Sahib [ˈsɑː(h)ib] (indisk) herre.
saic [ˈsɑːik] saike (tomastet gresk eller tyrkisk
seilfartøy).
said [sed] imperf. og perf. pts. av **say**; tid-
ligere nevnte, omtalte, eks. **the — Mr. Brown.**
sail [seil] seile, befare; seil, selskip, skip, seil-
tur; **strike —** stryke seil, gi tapt. **— cloth** seil-
duk.
sailer [ˈseilə] seiler; **a fast —** en hurtigseiler.
sailing [ˈseiliŋ] seiltur, seilas. **— barge** jakt.
— -boat seilbåt. **— master** navigasjonsoffiser.
sailor [ˈseilə] sjømann, matros; **be a good —**
være sjøsterk. **— suit** matrosdress.
saint [seint] helgen; sankt, hellig-; kanonisere,
lyse hellig.
Saint Albans [səntˈɔːlbənz].
Saint Andrews [səntˈændruːz] (skotsk by og
universitet).
sainted [ˈseintid] kanonisert; hellig; salig.
Saint George [sənˈdʒɔːdʒ] Sankt Georg.
Saint Gothard [sənˈgɔθəd] Sankt Gotthard.
Saint Helena [səntiˈliːnə] Sankt Helena (øya).
sainthood [ˈseinthud] helgenverdighet.
Saint James's Court offisiell betegnelse for det
britiske hoff.
saintlike [ˈseintlaik] helgenaktig.
saintly [ˈseintli] helgenaktig, hellig, from.
Saint Patrick [s(ə)nˈpætrik] St. Patrick (Irlands
skytshelgen).

Saint Paul [s(ə)n'pɔ:l] Paulus; **-'s (Cathedral)** St. Paulskirken.
saintship ['seintʃip] helgenverdighet; hellighet.
sake [seik] skyld, årsak; **for God's** — for Guds skyld; **for the** — of av hensyn til.
sake ['sa:ki] japansk risbrennevin.
salaam [sə'la:m] orientalsk hilsen; hilse dypt.
salacious [sə'leiʃəs] vellystig, geil, kåt; rå.
salacity [sə'læsiti] vellyst, lidderlighet; råskap.
salad ['sæləd] salat; råkost; **my** — days min grønne ungdom. — **oil** provenceolje, matolje, salatolje.
salamander [sælə'mændə] salamander; ild-sluker.
salamandrine [sælə'mændrin] salamanderaktig.
salaried ['sælərid] lønnet, fastlønnet, gasjert; — **worker** funksjonær.
salary ['sæləri] lønn, gasje; lønne.
sale [seil] salg, avsetning, utsalg; auksjon; **account of the sales** el. **account sales** salgsregning; **for** (el. **on**) — til salgs; **offer for** — fallby; — **now on** «utsalg». **-able** salgbar, kurant.
salep ['sælip] salep(rot).
saleroom ['seilru:m] auksjonslokale.
sales | **book** ['seilzbuk] salgsbok. — **clerk** ekspeditør. — **ledger** debitorreskontro. **-man** selger. — **manager** salgssjef. **-manship** selger-egenskaper. — **promotion** salgsfremmende tiltak, salgsarbeid. — **tax** omsetningsavgift. **-woman** ekspeditrise.
salicylic [sæli'silik] salisyl. — **acid** salisylsyre.
salience ['seiljəns] noe som springer fram; fremtredende egenskap.
salient ['seiljənt] fremspringende, fremtredende, fremragende; fremspring; — **point** springende punkt; **the S.** den fremskutte del av fronten ved Ypres i den første verdenskrigen.
saliferous [sə'lifərəs] saltholdig. **salification** [sælifi'keiʃən] saltdannelse.
saline [sə'lain] salt-; saltsjø, saltverk.
saliva [sə'laivə] spytt. **salival** [sə'laivəl], **salivary** ['sælivəri] spytt-. **salivate** ['sæliveit] utsondre spytt; sikle.
sallow ['sælou] selje, vidje, pil; gusten, gulblek.
sally ['sæli] utfall, kvikt påfunn, vits; eskapade; streiftog; gjøre et utfall.
salmagundi [sælmə'gʌndi] ≈ sildesalat; miskmask, sammensurium.
salmon ['sæmən] laks; laksefarge. — **fry** laks-yngel. — **leap** laksetrapp. — **trout** ørret.
saloon [sə'lu:n] salong, sal, kahyttsplass, salongvogn; (amr.) vertshus, bevertning, utskjenkingssted. — **bar** fin skjenkestue (fineste delen av en pub). — **car** (amr.) salongvogn; sedan. — **carriage** salongvogn. — **rifle** salong-gevær.
saloonist [sə'lu:nist] (amr.) vertshusholder.
salt [sɔ:lt] salt, saltkar, saltbøsse; penger; smak, vittighet, salt; salte, stikke penger til side, legge på kistebunnen; (merk.) fuske med; **below the** — nedenfor saltkaret ɔ: ved den nederste bordenden; **he is worth his** — han er sin lønn verd; **an old** — en gammel sjøulk; **take a thing with a grain of** — oppfatte noe med en klype salt (cum grano salis).
salt acid saltsyre.
saltant ['sæltənt] springende, hoppende, dansende.
saltation [sæl'teiʃən] springing, hopping, dansing; plutselig skifte; hoppe-. **saltatory** ['sæltətəri] springende, hoppende; springe, hoppe-; sprangvis. **salt**|**-bearing** saltførende. — **box** stort saltkar, saltbinge. — **castor** saltbøsse. **-cellar** saltkar.
salted ['sɔ:ltid] saltet, nedsaltet; dreven, erfaren. — **down** død.
salter ['sɔ:ltə] saltkoker, salthandler.
salt | **herring** spekesild. — **junk** salt kjøtt, saltmat. — **lick** saltstein. **-ness** salthet.
saltpetre [sɔ:ltpi:tə] salpeter. **salpetrous** [sɔ:lt-'pi:trəs] salpeterholdig.
salt | **water** saltvann, sjøvann. — **-water** saltvanns-. **-works** saltkokeri.

salty ['sɔ:lti] saltaktig, salt; bitende, skarp.
salubrious [sə'lu:briəs] sunn, helsebringende.
salubrity [sə'lu:briti] sunnhet.
salutary ['sæljutəri] sunn, helsebringende gagnlig.
salutation [sælju'teiʃən] hilsen, helsing.
salute [səl'(j)u:t] hilsen, honnør; salutt; hils gjøre honnør, saluttere.
salvage ['sælvidʒ] berging, redning; heving (a skip); bergelønn; bergegods; vrakgods; redd berge. — **corps** redningskorps. — **tug** berging fartøy, slepebåt.
salvation [sæl'veiʃən] frelse, salighet, redning **the S. Army** Frelsesarméen. **salvationism** [sæl veiʃənizm] Frelsesarméens grunnsetninger. sa **vationist** [sæl'veiʃənist] frelsessoldat.
salve [sɑ:v] salve, balsam; smiger; (fig.) plaste salve, lege.
salve [sælv] berge, redde.
salver ['sælvə] presenterbrett.
salvo ['sælvəu] forbehold; unnskyldning skuddsalve, salve; klappsalve, bifall.
sal volatile [sælvə'lætəli] luktesalt, kullsu ammoniakk.
salvor ['sælvə] berger, bergingsbåt.
S A M fk. f. **Surface-to-Air Missile.**
Sam [sæm]; **stand** — betale gildet, rive i.
Samaria [sə'mɛəriə]. **Samaritan** [sə-'mæritər samaritansk; samaritan.
same [seim] samme; **the** — **as** (eller **with**) d samme som; **one and the** — **with** en og de samme som; **the very** — den selvsamme; **all th** — like godt, likevel; **it is all the** — **to me** det akkurat det samme for meg; **I wish you the** — (el. **the** — **to you!**) i like måte; **he is the** — : ever han er den gamle; **if it is the** — **to yo** hvis De ikke har noe imot det; **it comes to the** – det kommer ut på ett.
sameness ['seimnis] ensformighet.
Samnite ['sæmnait] samnitter; samnittisk.
Samoa [sə'məuə].
samovar [sæməu'va:] samovar.
sampan ['sæmpæn] kinesisk elvebåt, husbå
sample ['sa:mpl] prøve, vareprøve, stikkprøv mønster; vise el. ta prøver av; være prøve på **sampler** ['sa:mplə] prøver; navneduk.
sample room ['sa:mplru:m] prøvelager.
sampling ['sa:mpliŋ] stikkprøveuttaking; stikl prøve.
Samuel ['sæmjuəl].
sanability [sænə'biliti] helbredelighet. **sanab** ['sænəbl] helbredelig. **sanative** ['sænətiv] he bredende, gagnlig.
sanatorium [sænə'tɔ:riəm] sanatorium, ku anstalt. **sanatory** ['sænətəri] helbredende.
sanctification [sæŋktifi'keiʃən] helliggjørels innvielse, vigsel. **sanctify** ['sæŋktifai] innvi vigsle, hellige; rettferdiggjøre; **sanctified al** skinnhellighet; **the end sanctifies the mear** hensikten helliger midlet.
sanctimonious [sæŋkti'məunjəs] skinnhelli **sanctimony** ['sæŋktiməni] skinnhellighet.
sanction ['sæŋkʃən] sanksjon, godkjennin, stadfesting; forordning; hjemmel; bestemmel om straff eller belønning knyttet til en lov sanksjonere, stadfeste, støtte, billige, bekreft **sanctity** ['sæŋktiti] hellighet, fromhet, ukrenk lighet.
sanctuary ['sæŋktʃuəri] helligdom, tilflukt sted, fristed; **bird** — fuglereservat.
sanctum ['sæŋktəm] helligdom, lønnkamme aller helligste.
sand [sænd] sand; sandbanke; (amr.) mo tak, to, karakter; (amr.) sandstein; penger, gryr dekke med sand, sandstrø, blande med sand pusse med sandpapir; plur. **-s** sandstrekning(er sandørken(er), sandstrand; timeglassets sand **sanded** ['sændid] sandet, tilsandet; **sanded pap** sandpapir.
sandal ['sændl] sandal, sandalreim. — **sanda** led iført sandaler.

sandalwood ['sændlwud] sandeltre.
sand|bag sandsekk; barrikadere med sand-
kker. — **bank** sandbanke. — **belt** slipebånd.
last sandstråle; sandblåse. **-blasting** sand-
åsing. -box sandkasse. — **-cast** sandstøpe.
- **dune** sanddyne, klitt. — **eel** småsil (fisk). **-er**
pemaskin, sandblåser. — **glass** timeglass. — **jet**
ndstråle, sandblåst. **-man** Ole Lukkøye. —
artin sandsvale. **-paper** sandpapir; slipe med
ndpapir. -piper snipe. — **pit** sandtak; stor sand-
asse. — **quarry** sandtak. — **reed** marehalm.
tone sandstein.
sandwich ['sændwidʒ, -witʃ] brødstykke, lagt
obbelt med pålegg imellom; vandrende dob-
eltskilt; annonsemann; anbringe imellom, skyte
ɪn, legge lagvis. — **course** utdannelse der teori
ɣ praktiske øvelser veksler. — **lunch** matpakke.
- **man** smørbrødselger; plakatbærer (med plakat
ɪ rygg og bryst). — **paper** matpapir.
sandy ['sændi] sandet, full av sand; sandaktig.
- **-haired** ['sændihɛəd] rødblond.
sane [sein] sunn, normal; vettig, ved sine fulle
m. — **-minded** forstandig. **-ness** [-nis] sunnhet,
regnelighet.
San Francisco [sænfrən'siskəu].
sang-froid ['sɑ:ŋ'frwa:] koldblodighet.
sanguiferous [sæŋ'gwifərəs] blodførende. **san-**
ɪification [sæŋgwifi'keiʃən] bloddanning. **san-**
ɪifier ['sæŋgwifaiə] bloddanner. **sanguify** ['sæŋ-**
wifai] danne blod. **sanguigenous** [sæŋ'gwidʒi-**
əs] bloddannende. **sanguinary** ['sæŋgwinəri]
odig, blodtørstig; røllik. **sanguine** ['sæŋgwin]
odfull; fyrig, sangvinsk; tillitsfull; blodrød;
dmusset; farge med blod. **sanguineous** [sæŋ-**
winiəs] blodfull, bloddannende, blodrød. **san-**
ɪinivorous [sæŋgwi'nivərəs] blodsugende. **san-**
ɪinolent [sæŋ'gwinələnt] blodfarget. **sanguisuge**
sæŋgwisu:dʒ] blodigle. **sanguisugent** [sæŋgwi-**
ɑ:dʒənt] blodsugende.
sanitarian [sæni'tɛriən] hygieniker; sanitær.
sanitary ['sænitəri] sanitær, sunnhets-; hy-
ene-; sanitets-. **the** — **officer** stadsfysikus. —
-**wel** sanitetsbind. — **ware** sanitærutstyr, el.
orselen. **sanitation** [sæni'teiʃən] sunnhetspleie,
ɪlsestell, renhold; sanitærinstallasjoner.
sanity ['sæniti] sunnhet, sunn sans, vett, til-
-**gnelighet**, forstandighet.
sanseulotte [sænzkju'lɔt] sanskulott.
Sanskrit ['sænskrit] Sanskrit (hinduenes gamle
ɪråk). **sanskritist** ['sænskritist] sanskritkjenner.
Santa Claus [sæntə'klɔ:z] Santa Claus, jule-
ɪssen.
Santal [sɑ:n'tɑ:l]; **the mission to the** — Santal-
ɪisjonen.
sap [sæp] saft (i plante), sevje; kraft; tosk,
ɪot; løpegrav; pugghest, slit, pugg; batong,
ɔlitikølle; tappe for saft, maktstjele, margstjele;
ɪdergrave, underminere; pugge, terpe; slå ned,
ɪerfalle.
sap | flow sevjestrøm. — **green** saftgrønn.
- **-happy** møkk full. **-head** begynnelse på løpe-
ɪav; grauthue, dust.
sapid ['sæpid] velsmakende; frisk; tiltalende.
ɪess [-nis] velsmak. **sapidity** [sə'piditi] velsmak.
sapience ['sæpiəns] visdom, klokskap. **sapient**
ɪeipjənt] vis (mest ironisk), allvitende.
sapless ['sæplis] saftløs; tørr; kraftløs.
sapling ['sæpliŋ] ungt tre; ungt menneske.
saponaceous [sæpə'neiʃəs] såpeaktig; glatt.
saponification [səpɔnifi'keiʃən] såpedannelse.
sapper ['sæpə] sappør, menig ingeniørsoldat;
ɪg.) undergraver.
sapphire ['sæfaiə] safir; safirblått; safirblå.
sapphism ['sæfizm] lesbisk kjærlighet. **Sappho**
sæfəu] Sapfo.
sapping ['sæpiŋ] (under)minering, sappering.
sapɪ y ['sæpi] saftig, sevjerik; (fig.) grønn, ung;
ɪergisk, seig; dum. **sap | rot** tørråte (i tømmer).
ɪood yte, splintved (på trær).
saraband ['særəbænd] sarabande.
Saracen ['særəsn, 'særəsin] sarasener.

sarcasm ['sɑ:kæzm] sarkasme, finte, spydighet.
sarcastic [sɑ:'kæstik] spydig, sarkastisk.
sarcophagous [sɑ:'kɔfəgəs] kjøttetende.
sarcophagus [sɑ:'kɔfəgəs] sarkofag.
sardine ['sɑ:'di:n] sardin; **like -s in a tin** som
sild i en tønne.
Sardinia [sɑ:'dinjə].
sardonic [sɑ:'dɔnik] sardonisk, spotsk.
sarge [sɑ:dʒ] = **sergeant**.
sari ['sɑ:ri(:)] (indisk kvinnedrakt) sari.
sarong [sə'rɔŋ] (malayisk klesplagg) sarong.
sartorial [sɑ:'tɔ:riəl] som hører til skredder-
faget; skredder-.
sash [sæʃ] vindusramme; skyvevindu (som glir
opp og ned i fuger); skjerf, skulderskjerf. — **bar**
vindussprosse. — **cramp** skrutvinge. — **lock**
vindushaspe, stormkrok. — **line** vindussnor.
— **saw** grindsag. — **window** skyvevindu, guillo-
tinevindu.
sassy ['sæsi] (amr.) frekk, nesevis.
sat [sæt] imperf. av **sit**.
Sat fk. f. **Saturday**.
Satan ['seitən] satan. **satanic** [sə'tænik]
satanisk. **-ical, -ically** satanisk, djevelsk.
satchel ['sætʃəl] taske, skoleveske, mappe.
Satchmo ['sætʃməu] = Louis Armstrong.
sate [sæt, seit] gml. for **sat** satt.
sate [seit] mette, tilfredsstille, overfylle.
sateen [sæ'ti:n] sateng.
satellite ['sætilait] drabant, følgesvenn, led-
sager; måne, biplanet, satelitt. — **town** drabant-
by.
satiable ['seiʃ(i)əbl] som kan mettes. **satiate**
['seiʃieit] mette, overmette. **satiation** [seiʃi'eiʃən]
metthet, mette. **satiety** [sə'taiəti] metthet, lede,
avsmak.
satin ['sætin] atlask, sateng; satinere.
satire ['sætaiə] satire. **satirical** [sə'tirikl] sa-
tirisk; kabaret el. revy med satirisk grunntema.
satirist ['sætərist] satiriker. **satirize** ['sætəraiz]
satirisere over.
satisfaction [sætis'fækʃən] tilfredsstillelse, til-
fredshet, oppreisning, fyldest, erstatning, veder-
lag.
satisfactor|y [sætis'fæktəri], **-ily** [-ili] tilfreds-
stillende, fullgod.
satisfy ['sætisfai] tilfredsstille, fyldestgjøre;
stille (sult, tørst), mette; forvisse (seg om);
godtgjøre, bevise.
satrap ['sætrəp] satrap. **satrapy** [-i] satrapi.
saturate ['sætʃəreit] mette; gjennomvæte.
saturation [sætʃu'reiʃən] metting, metning.
Saturday ['sætədi, -dei] lørdag.
Saturn ['sætə:n].
Saturnalian [sætə'neiljən] saturnalsk; vill, tøy-
lesløs. **saturnine** ['sætə:n(a)in] mørk, tung, inne-
sluttet.
satyr ['sætə] satyr. **-ic** [sə'tirik] satyraktig.
sauce [sɔ:s] saus; uforskammethet; sause,
krydre; være uforskammet el. nesevis. **-boat**
sausekål. **-box** nesevis person.
saucepan [sɔ:spən] kasserolle (med håndtak).
saucer ['sɔ:sə] skål, fat; **flying** — flygende
tallerken. — **-eyed** med tallerkenøyne.
sauce tureen ['sɔ:stəri:n] sausekål.
saucy ['sɔ:si], **saucily** [-li] uforskammet, nese-
vis. **sauciness** [-nis] uforskammethet, frekkhet.
sauna ['saunə] finsk badstue.
saunter ['sɔ:ntə] slentre, spasere, slenge, drive,
reke; spasertur. **-er** [-rə] dagdriver, flanør.
saurian ['sɔ:riən] øgle; som hører til øglene.
sausage ['sɔsidʒ] pølse; tøys, pølsevev.
savage ['sævidʒ] vill, rå, ukultivert; grusom;
voldsom; villmann, barbar. **-ness** [nis] villhet.
savagery ['sævidʒəri] vill tilstand; villskap, rå-
het, grusomhet. **savagism** ['sævidʒizm] villmanns-
tilstand.
savannah [sə'vænə] savanne.
savant ['sævənt] lærd.
save [seiv] frelse, redde, berge, bevare; verne,
trygge; spare, gjemme; spare opp; ha liggende;

rekke, nå, komme tidsnok til; unntagen, unntatt; — for hvis ikke; (God) — the mark Gud bevare oss vel, Gud bedre; med respekt å melde; a penny -d is a penny gained penger spart er penger tjent; — appearances bevare skinnet; the S. the Children Fund (organisasjonen) Redd Barna.
save-all ['seivɔl] lyssparer (løs forlengelse av lysestake med en spiss til å stikke lysstumpen på); oljespillkopp.
saveloy ['sæviloi] servelatpølse.
saver ['seivə] frelser, redningsmann; økonom; -besparende.
saving ['seiviŋ] frelsende, sparsommelig, som nettopp dekker utgiftene; unntagen, unntatt; besparelse; frelse, redning; his — angel reddende engel; a — bargain en forretning som man så vidt unngår tap på; he has no — points forsonende trekk; — clause unntaksbestemmelse; — your presence el. — your reverence med respekt å melde, bent ut sagt. -ly med sparsommelighet. -ness sparsommelighet.
savings ['seiviŋz] sparepenger. — account sparekonto. — bank sparebank. — box sparebøsse. — group spareforening.
saviour ['seivjə] frelser.
savoir faire ['sævwɑː'feə] takt, konduite.
savoir vivre ['sævwɑː'viːvr] gode manerer, folkeskikk; levemåte.
savour ['seivə] smak; lukt, dåm, duft; salvelse i prekenen; smake, lukte (of av), nyte; minne om.
savourines ['seivərinis] aroma. savourless ['seivəlis] smakløs, flau. savoury ['seivəri] velsmakende, velluktende, delikat, pikant.
Savoy [sə'vɔi] Savoia; the — hotell og teater i London. -ard [-əd] savoiard.
saw [sɔː] utsagn, sentens, ordtak, fyndord.
saw [sɔː] sag; sage, skjære; — your timber! pakk Dem, av sted! — blade [-bleid] sagblad. -bones [-bəunz] kirurg. -buck ['sɔːbʌk] sagbukk, sagkrakk. -dust ['sɔːdʌst] sagflis, sagmugg. -er ['sɔːə] sagskjærer. -fish sagfisk. -fly bladveps. -jack sagkrakk. -mill sag, sagbruk. -pit saggrop (for to menn med langsag). — tooth sagtann.
sawyer ['sɔːjə] sagskjærer.
saxatile ['sæksətil] stein-, berg-, ur-.
Saxe [sæks] Sachsen (i smstg.).
Saxe-Weimar ['sæks'vaimɑː] Sachsen-Weimar.
saxifrage ['sæksifridʒ] saksifraga, bergsildre.
Saxon ['sæksən] saksisk; sakser. -ism ['sæksənizm] saksisk språkegenhet. -ist kjenner av saksisk. Saxony ['sæksəni] Sachsen.
saxony ['sæksəni] saksoni (et slags tøy).
saxophone ['sæksəfəun] saksofon.
say [sei] prøve; probere.
say [sei] si; si fram; mene, bety; utsagn, replikk; that is to — det vil si; he is said to have been absent han skal ha vært fraværende; it -s in the New Testament that ... det heter; to — nothing of for ikke å snakke om; I —! hør her! hør nå! — on Wednesday for eksempel på onsdag; I'll — det skal være sikkert; you don't — (so) det er da vel ikke mulig! that goes without -ing det sier seg selv; I have had my — jeg har sagt hva jeg har å si; have the — ha det avgjørende ord; he has no — in this han har ikke noe med dette å gjøre; ikke noe han skal ha sagt; — grace be bordbønn; — when! si stopp! si når du har fått nok; -ing ['seiiŋ] fremsigelse; ytring; sentens, ordtak, ordtøke, ord; -ing and doing are two things ett er å love, et annet å holde. — -so påstand, utsagn.
'sblood [zblʌd] Good's blood død og pine.
seab [skæb] skorpe, ruve; skurv; skabb; streikebryter; skarv, slyngel; sette skorpe.
seabbard ['skæbəd] slire, skjede; stikke i sliren.
seabbed [skæbd] skorpet; skabbet; ussel.
seabbing ['skæbiŋ] streikebryteri.
seabby ['skæbi] se scabbed.
seabies ['skeibiiːz] fnatt, skabb.
seabrous ['skeibrəs] ru, grov, ujevn; uharmonisk; strabasiøs; uanstendig.

seads [skædz] hauger, masser; massevis.
seaffold ['skæfəld] plattform, stillas, tribune skafott; avstive, forsyne med stillas. -ing stillas stillasmaterialer; tørkestativ.
seald [skɔld] skald, dikter.
seald [skɔːld] skålde, skambrenne, koke skåldsår; a -ed cat fears cold water brent bar skyr ilden.
seald [skɔːld] hodeskurv. -berry bjørnebæ -erow alminnelig kråke. — head hodeskurv.
sealding [skɔːldiŋ] skålding; skåldhet. — tear bitre tårer.
seale [skeil] skjell, skall, flass; glødeskal tannstein; kjelestein; skalle av; dette av.
seale [skeil] stige, trapp; skala, målestok system; tariff, regulativ; bestige; klyve, storme veie, måle; -s vektskål, vekt; — down (up) ned (opp)trappe. — armour skjellpanser. — bea vektarm. -board tynn finérplate. — drawin tegning i målestokk. — insect skjoldlus. — lin delestrek, skalastrek.
sealene [skə'liːn] ulikesidet; ulikesidet trekan sealing inndeling i skala; tannrensing; kjel rensing; bestigning. — down reduksjon, ned trapping. — hammer rusthammer. — ladd ['skeiliŋlædə] stormstige; brannstige, redning stige.
seallop ['skɔləp] kammusling; harpeskjel terteskjell; utskjæring, tunge; gratengform.
seallywag ['skæliwæg] vantrivsel (om kveg slamp, døgenikt.
sealp [skælp] hodehud, skalp; skalpejege spekulant, billetthai; skalpere.
sealpel ['skælpəl] skalpell, disseksjonskniv.
sealy ['skeili] skjellet, skjellformet; lurvet.
seamp [skæmp] slubbert; sjuske, fuske me seamper ['skæmpə] slarv, slask, fusker; hod kulls flukt; flykte over hals og hode, løpe, far jage.
seampi ['skæmpi] pl. store middelhavsreker.
sean [skæn] skandere, avsøke; granske, forsk prøve nøye, se nøye på; innmstre; kikke fort p bla igjennom; — the horizon se ut over hor sonten.
Sean., Scand. fk. f. Scandinavia(n).
seandal ['skændəl] anstøt, forargelse, skandal baktalelse; baktale; give — to vekke anstøt ho talk — baktale; The School for S. Baktale sens skole (stykke av Sheridan). scandaliz ['skændəlaiz] forarge, støte, baktale. scandalou ['skændələs] forargelig, skandaløs; baktalersk.
Seandinavia [skændi'neivjə] Skandinavia (Ska dinaviske halvøy; Norden). Scandinavian skand navisk; nordisk; skandinav, nordbo.
Seania ['skeinjə] Skåne.
seanner skanderer; (radar) skanner; avsøke (TV). scanning skandering; skanning; avsøkin prøvende.
seansion ['skænʃən] skandering; avsøking.
seansorial [skæn'sɔːriəl] egnet til klatrin klatre, klyve-.
seant [skænt] knapp, snau, sparsom; knapp av, innskrenke, knipe på. -ily knapt. -ine -inis] knapphet.
seantling ['skæntliŋ] lite stykke, bete; må dimensjon, prøve, kaliber; bukk.
seanty ['skænti] knapp, snau, mager, skrinn påholden.
seape [skeip] stilk, blomsterstengel.
seape [skeip] fk. f. escape.
seapegallows ['skeipgæləuz] galgenfugl.
seapegoat ['skeipgəut] syndebukk.
seapegrace ['skeipgreis] laban, slamp, døgenik
seapula ['skæpjulə] skulderblad.
seapular ['skæpjulə] skapular, skulderklede.
sear [skɑː] skramme, flerre, arr; sette ar merke.
sear [skɑː] berg, hammer, stup, fjellskrent.
searab ['skærəb], searabee ['skærəbiː] tordive skarabé.
searamouch ['skærəmautʃ] narr, bajas.

Scarborough ['skɑːb(ə)rə].

scarce [skɛəs] knapp, sjelden, sjeldsynt; money is — det er knapt med penger; a work now very — som nå er meget sjeldent; make yourself —! forsvinn! vekk med deg! hold deg vekk!

scarcely ['skɛəsli] neppe, snaut, knapt, nesten ikke; — any nesten ingen; — when neppe før; he can — have been here han kan visst ikke ha vært her.

scarceness ['skɛəsnis] sjeldenhet.

scarcity ['skɛəsiti] knapphet, mangel, skort, sjeldenhet, dyrtid.

scare [skɛə] skremme, støkke; skrekk, støkk, forskrekkelse, panikk; — away skremme bort; — up skremme opp. — buying panikkoppkjøp.

scarecrow ['skɛəkrəu] fugleskremsel.

scarf [skɑːf] skjerf, tørkle, slips; skjøte (tre-, metall- el. lærstykker) ved å skjære endene til slik at de ligger over hverandre uten at tykkelsen forøkes; laske; skjøt, lask. -pin slipsnål. — weld lappsveising.

scarification [skɛərifi'keiʃən] riss i huden. scarificator ['skɛərifikeitə] skarifikator. scarify ['skɛərifai] risse i huden, klore; såre, kritisere sterkt, plukke i stykker.

scarlatina [skɑːlə'tiːnə] skarlagensfeber.

scarlet ['skɑːlit] skarlagenrød; skarlagen; purpur. — bean prydbønne. — fever skarlagensfeber; tilbøyelighet til å bli forelsket i (de rødkledde) soldater. — hat kardinalshatt; kardinalsverdighet. — runner prydbønne. the — woman skjøgen som er kledd i purpur og skarlagen (fra Johannes' åpenbaring).

scarp [skɑːp] bratt skråning el. brekke; eskarpe; gjøre bratt. scarper ['skɑːpə] desertere, stikke av.

scarred [skɑːd] skrammet, arret.

scary ['skɛəri] nervøs, redd; foruroligende.

seat [skæt] fordrive, skremme bort; scatsang.

scathe [skeið] skade; mén, skade. scathing bitende, skarp. scatheless ['skeiðlis] uskadd; ustraffet.

scatter ['skætə] spre, splitte, spre seg, strø. scatter-brained ['skætəbreind] atspredt, tankeløs, vimset.

scatty ['skæti] vimset, forstyrret, gal, sprø.

scavenge ['skævindʒ] tømme søppel, renovere, rydde, spyle. scavenger ['skævin(d)ʒə] gatefeier, renovasjonsarbeider, søppelkjører; -'s cart renovasjonskjerre.

scenario [si'nɑːriəu] scenarium, filmmanuskript, dreiebok.

scene [siːn] skueplass, scene (ikke teater-scene = stage), åsted; opptrinn, hending; dekorasjon, kulisse, maleri, syn; krangel, oppvask, scene; — of action sted, åsted; behind the -s bak kulissene.

scenery ['siːn(ə)ri] sceneri, kulisser; naturomgivelser, natur, landskap. scenic ['siːnik, 'senik] scenisk, teater-; naturskjønn.

scent [sent] lukte, være, ha teft av, spore; parfymere; lukt, duft, ange, spor; get — of få teften av; on the — på sporet; on the wrong — på villspor. scented ['sentid] duftende, parfymert.

sceptic ['skeptik] skeptisk; tviler. -al, -ally ['skeptikəl(i)] skeptisk. scepticism ['skeptisizm] skeptisisme.

sceptre ['septə] septer; utstyre med septer.

sceptred ['septəd] septerbærende, kongelig.

schedule ['ʃedjuːl, amr. 'skedʒul] liste, dokument, regjeringsfortegnelse, katalog, tabell; plan, ruteplan; balanse, status; sette på liste, sette opp liste over; fastsette tidspunkt, planlegge; on -d service i fast rute.

scheme [skiːm] system, plan, prosjekt, utkast, figur (i astrologi); skjema; intrige, renke; planlegge, spekulere, pønske ut; intrigere, smi renker. schemer ['skiːmə] prosjektmaker; renkesmed. scheming ['skiːmiŋ] renkefull, intrigant.

schism ['sizm] skisma, splittelse, kirkestrid.

schismatic [siz'mætik] skismatisk, splittet.

schismatical [siz'mætikl] skismatisk.

schist ['ʃist] skifer. schistose ['ʃistəus] skiferaktig, lagdelt.

schizophrenia [skitsə'friːnjə] schizofreni, ungdomssløvsinn.

scholar ['skɔlə] vitenskapsmann, lærd (srl. humanistiske fag); elev, stipendiat; a good French — flink i fransk; he is a — han har studert; my son was bred a — fikk en lærd utdannelse.

scholarly ['skɔləli] lærd, vitenskapelig.

scholarship ['skɔləʃip] lærdom; stipendium.

scholastic [skə'læstik] skolemessig, spissfindig.

scholasticism [skə'læstisizm] skolastikk, pedanteri.

scholiast ['skəuliæst] skoliast, fortolker.

scholium ['skəuliəm] randbemerkning.

school [skuːl] skole, fakultet, faggruppe, selskap (av kunstnere); (ånds)retning; eksamen; lære, opptukte, skolere; leave — slutte skolen; pass the -s ta sine eksamener; life at — skolelivet; we were boys (girls) at — together vi var skolekamerater; an edition for -s skoleutgave; go to — gå på skolen; be sent to — begynne på skolen. school [skuːl] stim (av fisk); stime.

school | attendance skolegang; fremmøte på skolen. — board skolestyre. — camp leirskole. — -example skoleeksempel (of på). — fee skolepenger. -girl skolepike. -house skole, skolebygning.

schooling ['skuːliŋ] opplæring, undervisning, skolegang; irettesetting, reprimande.

school | journey skoletur, skolevei. — -leaving age den alder da man normalt slutter skolen. -man skolemann; skolastiker. -marm (el. ma'am) skolefrøken, lærerinnetype. -master lærer; skolemester. -mate skolekamerat. -mistress lærerinne, skolefrøken. — report vitnemål, karakterkort. -room klasserom. — safety patrol skolepatrulje. -teacher lærer(inne).

schooner ['skuːnə] skonnert; (amr.) stort ølglass.

schottische [ʃɔ'tiːʃ] schottish (en dans).

sciagraph ['saiəgrɑːf] profil; skyggeriss; vertikalsnitt. sciagraphy [sai'ægrəfi] skyggetegning.

sciatic [sai'ætik] hofte-; hoftenerve. sciatica [sai'ætikə] hoftegikt, isjias.

science ['saiəns] vitenskap, fysikk; a man of — vitenskapsmann; the seven -s de sju frie kunster; Christian S. en moderne sekt som helbreder ved tro; exact — eksakt vitenskap; moral — etikk; natural — naturvitenskap. — fiction fremtidsroman.

scientific [saiən'tifik] vitenskapelig, metodisk.

scientist ['saiəntist] vitenskapsmann.

scilicet ['sailiset] nemlig.

Scilly ['sili], the — Islands Scilly(øyene).

scimitar ['simitə] krumsabel.

scintilla [sin'tilə] glimt; antydning, spor; not a — of ikke spor av.

scintillate ['sintileit] gnistre, funkle, glitre. scintillation [sinti'leiʃən] glitring.

sciolism ['saiəulizm] halvstudierthet. sciolist ['saiəulist] halvstudert person.

scion ['saiən] podekvist; avlegger, skudd; ætling.

scissor ['sizə] klippe, skjære (med saks). -ings utklipp. scissors ['sizəz] (plur.) saks; a pair of — en saks.

scissure ['siʃə] kløft, spaltning, snitt.

Sclav [sklɑːv, sklæv] se Slav.

sclerosis [skliə'rəusis] forkalkning, sklerose.

sclerotic [skliə'rɔtik] hard, inntørket, tørr; — coat senehinne.

scobs [skɔbz] sagmugg, sagflis, filspon.

scoff [skɔf] spotte, håne; spott. -er spotter.

scoffing ['skɔfiŋ] spotsk, spottende; spott.

scold [skəuld] skjelle, skjenne; skjenne på; arrig troll, kjeftause. -ing skjenn, kjeft, overhaling. -ingly med skjell og smell.

scolopendra [skɔlə'pendrə] skolopender.

sconce [skɔns] skanse; lyspipe, lampett.

scone [skəun] bolle, flat tekake; **potato** — lompe.

scoop [sku:p] øse, skuffe, øsekar; god fangst, kupp; øse, skuffe, måke, lense; hule ut; skovle; **a -ed dress** en utringet kjole; **air** — luftinntak. — **bucket** skovl. — **net** håv.

scoot [sku:t] fare, stikke av.

scooter ['sku:tə] sparkesykkel; **motor** — scooter.

scope [skəup] mål, formål; synsvidde; råderom, spillerom, frihet; (radar)skop; (mikro)skop.

scorbutic [skɔː'bjuːtik] som lider av skjørbuk; skjørbukspasient.

scorch [skɔːtʃ] svi, brenne, skålde; svi av; angripe med spott; bli svidd, bli forbrent; skyte en rasende fart; brannsår, sviing, svimerke. **-er** brennhet dag; bitende spott. **-ing** sviende, bitende, brennende.

score [skɔː] merke, skår, hakk, strek (brukt som tallregn på en karvestokk), regning; regnskap, gjeld, grunn, årsak; poengtall, poeng; kjennsgjerning; snes; partitur; filmmusikk; streke, sette streker i, gjøre hakk i, merke; avmerke med strek, notere, nedtegne, føre på regning; score, skyte, få poeng; utsette i partitur; vinne, seire (i spill); føre regnskap; **on the** — **of** på grunn av; — **out** stryke ut; **keep** — holde regnskap; **quit -s** avslutte regningen; **run up a** — ta på kreditt; **by -s** i snesevis; **long** — stor regning; **short** — liten regning; **in** — i partitur; **pay one's** — betale det man skylder; **the** — **is** 2-1 stillingen er 2-1. — **board** poengtavle.

scorer ['skɔːrə] regnskapsfører, markør; målscorer.

scoria ['skɔːriə] slagg. **scorification** [skɔːrifi-'keiʃən] slaggdannelse. **scorify** ['skɔːrifai] forvandle til slagg.

scorn [skɔːn] forakte, håne; forakt, hån; gjenstand for forakt; **put to** — beskjemme; **laugh to** — le ut; **hold up to** — vise fram til spott og spe. **scornful** ['skɔːnful] hånlig, foraktelig.

scorpion ['skɔːpiən] skorpion.

scot [skɔt] kontingent; **lot and** — skatt.

Scot [skɔt] skotte; **Mary Queen of Scots** Maria Stuart; **great** —! du store allverden!

Scotch [skɔtʃ] skotsk; skotsk whisky.

scotch [skɔtʃ] såre lett, rispe, snitte; skramme, skår, hakk.

scotch [skɔtʃ] underlag; støtte, stø under; bremse.

Scotch | bonnet, — **cap** skottelue. — **collops** bankekjøtt. — **cousin** fjern slektning. **-man** skotte; skamfilingslist. — **mist** yr, regntåke. — **tape** (varemerke) limbånd. **-woman** skotsk kvinne.

scot-free ['skɔt'friː] skattefri, avgiftsfri; helskinnet, fri for alle ulemper.

Scotland ['skɔtlənd] Skottland; — **Yard** hovedstasjonen for Londons politi; politiet.

Scots [skɔts] skoter; skotsk; skotsk språk.

Scotsman ['skɔtsmən] skotte.

Scott [skɔt] Scott; **great** —! du store allverden!

Scotticism ['skɔtisizm] skotsk uttrykk.

Scottish ['skɔtiʃ] skotsk.

scoundrel ['skaundrəl] slyngel, skurk, kjeltring. **-ism** skurkaktighet. **-ly** skurkaktig.

scour ['skauə] skure, skrubbe, rense, vaske ut, skure vekk, skrubbe av; tilintetgjøre; gjennomsøke, gjennomstreife, fare over; — **of** rense for. **-er** rensemiddel, (gryte)skrubb. **-ing** rensning.

scourge [skəːdʒ] svepe; (fig.) svøpe, plage; piske, denge, plage. **scourger** tuktemester. **scourging** [-iŋ] pisking.

scout [skaut] speider; kollegietjener (i Oxford); vakt, utkikk; speide, utspeide; **he is a good** — han er en hyggelig, ærlig fyr; **be on the** — være på utkikk.

scout [skaut] spotte, avvise med hån.

scout | camp speiderleir. — **car** oppklaringsvogn. **-ing** rekognosering, speiding. **-master** (speider)-troppsfører. — **promise** speiderløfte.

scow [skau] pram, flatbunnet båt, lorje.

scowl [skaul] skule; skumlende blikk. **-ingly** med skumlende blikk, truende.

scrabble ['skræbl] rable, klore, krafse; krabbe; rabling, rabbel, kråketær.

scrag [skræg] skrangel, beinrangel, rekel, misfoster; hals; kverke.

scraggy ['skrægi] skranglet, stranten, knoklet; lurvet.

scram [skræm] forsvinn! pigg av!

scramble ['skræmbl] krabbe, krabbe seg, klatre, klyve, skrape; gramse, krafse; løpe om kapp; kravling; slagsmål, vilt kappløp; **scrambled eggs** eggerøre; offisersdistinksjoner. **scrambling** uregelmessig, tilfeldig.

scran [skræn] mat; levninger, rester, smuler; **bad** — **to you!** pokker ta deg!.

scranch ['skrænʃ] knase mellom tennene.

scrap [skræp] stump, lapp, bete, rest, levning; glansbilde; utklipp; avfall, skrap; kassere; **a** — **of paper** papirlapp; **-s** utklipp; levninger, matrester.

scrap [skræp] slagsmål, basketak; slåss.

scrapalbum ['skræpælbəm] utklippsalbum.

scrapbook ['skræpbuk] utklippsbok.

scrape [skreip] skrape, skure, krasse, gni, radere, stryke ut; bukke og skrape; skraping, gnikking; skrapende lyd; knipe, klemme; forlegenhet, dypt bukk; barbering; **get into a sad** — komme i en lei knipe; — **through** slå seg igjennom; — **acquaintance** søke å innsmigre seg. — **-gut** gatemusikant, felegnikker. — **-penny** ['skreip'peni] gnier. **scraper** gnier, skrape (redskap).

scrap heap ['skræphiːp] avfallsdynge, søppelhaug; kaste på avfallsdyngen.

scraping ['skreipiŋ] avskraping, skuring; plur. **-s** sammenskrapte skillinger; avfall, spon; subb, berme; skrapende, skurende.

scrapper ['skræpə] brutal fyr, slåsskjempe.

scrappy ['skræpi] som består av småstykker el. rester, alleslags; planløs, rotet; — **meal** måltid av rester, «ukerevy».

scratch [skrætʃ] klore, ripe, krafse, rispe; klø, smøre (skrive fort og dårlig), rable sammen; stryke ut; kassere; avlyse, trekke tilbake, vrake; risp, rift, ripe, fure, skrubb; startstrek, mållinje; flaks, svinehell; (i pl.) mugg; **come to the** — komme bort til streken, våge seg fram; komme til stykket; **won't you come to the** —? blir det så til noe? **start from** — begynne helt forfra; **Old** — pokker, fanden. — **awl** rissefjær, rissenål **-back** kløpinne. **-eat** ondskapsfull person. **-ers** fjærfe. — **line** startstrek; planke (i lengdehopp). — **pad** kladdeblokk. — **race** kappløp med fellesstart. — **wig** parykk som bare dekker en mindre del. **-y** ujevn, nedrablet; sammenrasket, tilfeldig; skrapende (lyd).

scrawl [skrɔːl] rable, rable ned; rabbel, krusedull, smøreri. **scrawlings** ['skrɔːliŋz] kråketær, rabbel. **scrawly** ['skrɔːli] stygt skrevet, rablet.

scrawny ['skrɔːni] knoklet, skranglet.

scray [skrei] terne (fuglen).

screak [skriːk] hyle, knirke; hyl, knirk.

scream [skriːm] hvine; skrike, hvine; kollidere (om farger). **-er** morsom historie el. person; tårnsvale; bombe. **-ing** skrikende.

screech [skriːtʃ] skrike, gnelle; skrik, hvin. — **owl** tårnugle. — **thrush** duetrost.

screed [skriːd] (lang) preken, harang, tirade.

screen [skriːn] skjerm, skjermbrett, skjul; lerret (på kino); skjerme, skjule; sikte, skille ut; filmatisere, vise fram. — **door** dør med fluenetting. **-ing committee** bedømmelseskomité. **-play** (film)manus. — **test** prøvefilm. — **writer** filmforfatter.

screever ['skriːvə] fortausmaler.

screw [skruː] skruegjenge, skrue, propell; omdreining (av skrue); korketrekker; gnier; utsuger; gasje, lønn; skrue; tvinge, presse, tvinne; dreie, vri; suge ut, pine ut; spinke; — **up skru**

opp, heve; **put on the** — bli mer forsiktig; **put under the** — presse; **there is a** — loose det er noe galt; **cork-** ['kɔ:kskru:] korketrekker. — **alley** propellgang. **-ball** tulling, dust, særling. — **cap** skrukork. **-driver** skrutrekker.

serewed [skru:d] skrudd; gjenget; full, beruset, pussa; snytt, lurt.

screw | key skrunøkkel. — **nut** mutter. **-ship** propellskip. **-sman** innbruddstyv. — **spanner** skrunøkkel. — **thread** skruegjenge. — **viee** skrue-stikke.

seribble ['skribl] rable, smøre sammen; smøreri; **seribbler** ['skriblə] skribler.

seribe [skraib] skriver; skriftklok; rissestift; risse merke i.

serimmage ['skrimidʒ] klammeri, slagsmål, mølje.

serimp [skrimp] knipe på, knusle med; knipen, snau.

serimshank ['skrimʃæŋk] skulke, sluntre unna.

serip [skrip] seddel, liste, dokument, interimsbevis; (gml.) taske, veske.

seript [skript] skrift, håndskrift; skriftsystem; manus, tekst. **seriptural** ['skriptʃərəl] bibelsk. **the Seripture** ['skriptʃə] Den hellige skrift.

seriptwriter ['skriptraitə] tekstforfatter, manusforfatter.

serivener ['skriv(ə)nə] notarius; mekler.

serofula ['skrɔfjulə] kjertelsyke. **serofulous** ['skrɔfjuləs] kjertelsyk.

seroll [skrəul] rull (papir); liste, fortegnelse; snirkel, krusedull; **-ed** ['skrəuld] snirklet. — **saw** løvsag, kontursag. **-work** løvsagarbeid.

seroop [skru:p] skurre, skrape; skraping.

serounge [skraundʒ] kvarte, rappe, stjele; orge, fikse.

serub [skrʌb] skrubbe, skure; stryke, forkaste, avlyse; skrubbekost, kratt; undermåler; tufs, tass; slave, sliter.

serubbing brush ['skrʌbiŋbrʌʃ] skurebørste, skrubber.

serubby ['skrʌbi] dekke med lave busker, kratt-; forkrøplet, ussel, tufset.

seruff [skrʌf] (nakke)skinn; avfall, skitt; — **of the neek** nakke. **-y** elendig, ussel; flasset.

serumptious ['skrʌmpʃəs] storartet, førsteklasses.

serunch [skrʌnʃ] knuse, knase.

seruple ['skru:pl] tvil, skruppel; ubetydelighet, tøddel, grann; nære betenkeligheter. **serupulous** ['skru:pjuləs] engstelig, samvittighetsfull. **-ly** forsiktig, pinlig nøyaktig.

serutinize ['skru:tinaiz] utforske, granske, studere, gå etter i sømmene. **serutiny** ['skru:tini] undersøkelse, gransking, saumfaring, ransaking, fintelling (ved valg).

seud [skʌd] fare, smette, smutte; lense; ilsom flukt, drivende skyer, regnbyge, vindkast.

seuff [skʌf] sjokke, subbe, tasse; sjokking, tassing; **-s** pl. tøfler.

seuffle ['skʌfl] slagsmål, basketak; subbing, tassing; slåss; subbe, tasse.

seull [skʌl] håndåre; vrikkeåre; liten båt; ro, vrikke; **-er** ['skʌlə] liten båt, sculler.

seullery ['skʌləri] oppvaskrom, grovkjøkken.

seullion ['skʌljən] kjøkkengutt; tufs, stakkar.

seulptor ['skʌlptə] billedhogger.

seulpture ['skʌlptʃə] skulptur, billedhoggerkunst el. -arbeid; hogge ut, meisle, skjære ut.

seum [skʌm] skum; berme, avskum; skumme.

seumble ['skʌmbl] gi mattere fargetone; avdempe de skarpe linjene (i en tegning).

seummer ['skʌmə] skumsleiv. **seummy** ['skʌmi] skumdekt, skummende; sjofel, tarvelig.

seupper ['skʌpə] spygatt (på skip).

seurf [skə:f] skurv, skjell, flass. **-y** ['skə:fi] skurvet, flasset.

seurrilous ['skʌriləs] grov, plump, simpel.

seurry ['skʌri] hastverk, jag, fei; jage, fare.

seurvied ['skə:vid] som lider av skjørbuk.

seurvy ['skə:vi] skurvet; nedrig, sjofel; skjørbuk.

seut [skʌt] kort hale, halestump; stakkar, tufs.

seuteh [skʌtʃ] skake lin; ruskelin; skaketre.

seuteheon ['skʌtʃən] våpenskjold; navneplate; nøkkelskilt.

seuttle ['skʌtl] kullboks; liten luke, ventil, takluke; bore hull i, bore i senk.

seuttle ['skʌtl] pile, renne; renn, løp.

seythe [saið] ljå; meie, slå. **-man** slåttekar.

s. d. fk. f. several dates.

S. D. F. fk. f. **Social Democratie Federation.**

S. E. fk. f. **south-east.**

sea [si:] hav, sjø; sjøgang; kyst; **by** — til sjøs. — **bag** skipssekk. — **bank** strandbredd, strand. — **bed** havbunn. — **bent** marehalm. — **blubber** glassmanet. **-board** kystlinje. — **boots** sjøstøvler. — **-borne** sjøveien, sjøverts. — **eaptain** skipsfører, sjøkaptein. **-eoast** kyst. **-fare** skipskost. **-farer** sjøfarer. — **fish** saltvannsfisk. — **fishing** havfiske. — **foam** havskum; merskum. — **food** fiskemat; skalldyr. — **forees** sjøstridskrefter. — **front** strandpromenade. — **-going** havgående. — **gull** måke. — **hawk** tjuvjo. — **hog** nise. — **horse** sjøhest; havhest; hvalross.

seal [si:l] sel; drive selfangst.

seal [si:l] signet, segl; plombering; besegling, garanti; lukke, besegle, forsegle, lakke.

Sealand ['si:lənd] Sjælland.

sea lane skipsrute, seilløp, led.

sealant ['si:lənt] fugemasse, tetningsmasse.

sealed [si:ld] forseglet, tett, lufttett.

sea legs sjøbein; **find one's** — bli sjøsterk.

sealer ['si:lə] selfangstskute; selfanger; (kvist)-lakk.

sealing ['si:liŋ] selfangst; forsegling, plombering, tetting. — **compound** tetningsmasse. — **tape** isolerbånd. — **wax** segllakk.

seam [si:m] søm; fuge, sammenføyning, skjøt, nat; lag; skramme, arr; sømme, sy sammen, sammenføye, false.

sea | maid havfrue; havgudinne. **-man** matros, sjømann. **-manship** sjømannskap, sjømannsdyktighet. **-mark** sjømerke. — **mew** fiskemåke. — **mile** sjø- el. kvartmil. — **mist** havskodde.

seam | less ['si:mlis] uten søm, sømløs. — **stiteh** vrangstikking. **-stress** ['semstris] syerske, sydame. — **weld** sveiseskjøt. **-y** ['si:mi] furet, rynket; med sømmer; **on the -y side** på vrangen; (fig.) på baksiden.

séanee [seiɑ:ns] seanse; spiritistisk seanse.

sea | needle horngjel. — **nettle** manet, kobbeklyse. — **onion** strandløk. — **otter** havoter. — **ox** hvalross. — **parrot** lunde. — **pie** tjeld (fugl). **-piece** sjøbilde, marinebilde. — **pink** fjærekoll, strandnellik. **-plane** sjøfly, hydroplan.

seaport ['si:pɔ:t] havneby, havn, sjøby.

seapower ['si:pauə] sjømakt.

sear [siə] ro, avtrekkerknast (i geværlås).

sear [siə] tørr, fortørket; svi, fortørke, brenne, brennemerke; gjøre følelsesløs, forherde; **fall into the** — (poetisk) visne.

seareh [sə:tʃ] ransake, undersøke, lete, gjennomsøke, visitere, sondere, granske, prøve, forske, (i bergverksdrift) skjerpe; søking, leting, ettersøking; gransking, ransaking, gjennomsøking, visitasjon; **his house was -ed** det ble gjort husundersøkelse hos ham; — **into** undersøke; — **me** jeg har ikke peiling, spør ikke meg; — **out** søke fram; — **for** (el. after) granske etter; **in** — **of** å søke, på jakt etter; **right of** — visitasjonsrett (i krig). **-er** søker; etterforsker; skjerper (-er of mines); gjennomsøker, visitator, visiterende tollbetjent; undersøkelsesredskap.

searehing ['sə:tʃiŋ] gjennomborende, gjennomtrengende, skarp, bitende, inntrengende; **a** — **question** et inngående spørsmål. **seareh|light** søkelys, lyskaster. — **party** letemannskaper. — **warrant** ransakingsordre.

sea | risks sjørisiko. — **route** led, sjøvei. — **roŋer** sjørøver, pirat. — **serviee** sjøtjeneste. **-shore**

strand, kyst, fjære. **-sick** sjøsyk. **-sickness** sjø-
syke. **-side** kyst, kyst-.

season ['si:zn] årstid, sesong; krydre, sette
smak på; lagre; akklimatisere, venne (**to** til);
mildne; røyke inn; **close** — fredningstid; **open**
— jakttid; **in** — i rette tid.

seasonable ['si:znəbl] beleilig, betimelig, høve-
lig. **seasonal** ['si:zənəl] sesong-, sesongpreget,
periodisk. **seasoned** krydret; lagret; tilvent.

seasoning ['si:zniŋ] krydder; lagring; akklima-
tisering.

season ticket ['si:zn'tikit] abonnementskort,
sesongbillett.

sea star ['si:stɑ:] sjøstjerne (dyr); ledestjerne.

sea swallow terne (fugl).

seat [si:t] sete, benk, stol, beliggenhet, plass,
residens, landsted; plass, mandat, medlemskap;
feste, fundament; sette, anvise en plass; skaffe
plass, romme; **be -ed** sett deg! **take a** — sett
deg! sitt ned! — **belt** sikkerhetsbelte.

sea term ['si:tə:m] sjømannsuttrykk.

seating ['si:tiŋ] sete, bakdel (av klær); stol-
trekk; bordplassering; underlag, fundament, leie.

SEATO fk. f. **Southeast Asia Treaty Organization.**

Seattle [si'ætl].

sea | **urchin** sjøpinnsvin. — **valve** bunnventil.
— **wall** dike. **-ward** mot sjøen, sjøverts, fralands-.
-way sjøvei, led, seilrute; sjøgang. — **weed** tang,
tare. — **wind** pålandsvind. — **wolf** steinbitt,
havkatt; (poet.) viking. **-worthiness** sjødyktighet.

sebaceous [si'beiʃəs] feit, fettet, fett-, talg.

sec. fk. f. **secretary; second; section.**

secant ['si:kənt] skjæringslinje, sekant.

secede [si'si:d] tre ut, skille lag, løsrive.

secern [si'sə:n] sondre, skille ut; avsondre.

secession [si'seʃən] utskillelse, det å tre ut.

seclude [si'klu:d] utelukke, avsondre, isolere.
-d ensom. **seclusion** [si'klu:ʒən] avsondring, en-
somhet, avsondret sted.

second ['sekənd] annen, andre, nummer to,
neste; hjelper, sekundant, sekund; øyeblikk;
annetgir (bil); **-s** pl. sekundavarer; hjelpe, under-
støtte; **be** — **to none** være den beste; **a** — **time**
en gang til.

secondary ['sekəndəri] senere, etterfølgende (**to**
etter); underordnet, bi-; avledet. — **action** bi-
virkning. — **education** høyere skolevesen. —
industry foredlingsindustri. — **modern school** ≈
realskole. — **road** bivei. — **school** høyere skole.

second-best ['sekənd-'best] nestbest.

second-class ['sekənd'klɑ:s] av annen klasse.

second-hand ['sekənd 'hænd] annenhånds, ikke
ny, brukt; antikvarisk.

second-rate ['sekənd 'reit] annenrangs.

second | **sight** synskhet. — **sighted** synsk, frem-
synt.

second thoughts, at — — ved nærmere etter-
tanke.

secrecy ['si:krisi] hemmelighet, hemmelighol-
delse; diskresjon, det å tie med noe; hemmelig-
hetsfullhet; **I rely on your** — jeg stoler på Deres
diskresjon.

secret ['si:krit] hemmelig; hemmelighet.

secretary ['sekrətəri] sekretær, skriver; ogs.
avdelingsleder, kontorsjef; **assistant** — **full-
mektig**; — **general** generalsekretær; — **of
state** minister, riksråd, statsråd.

secrete [si'kri:t] skjule; avsondre, skille ut.

secretion [si'kri:ʃən] avsondring; det å skjule.

secretive [si'kri:tiv] taus, tagal; hemmelighets-
full; avsondrende.

sect [sekt] sekt. **-arian** [-'ɛəriən] sekterisk;
sekterer. **-arianism** [-'ɛəriənizm] sektvesen.

sectary ['sektəri] sekterer; sekterisk.

section[1] ['sekʃən] del, skjæring, oppskjæring;
bit, stykke; strekning; avdeling; snitt, utsnitt,
gjennomsnitt, (amr.) seksjon (640 acres); paragraf
(i lovtekst); avsnitt (i bok).

sectional ['sekʃənəl] gjennomsnitts, snitt-; som
består av selvstendige deler; (amr.) lokalpatrio-
tisk. **-ism** fraksjonspolitikk, særpolitikk.

section | **bar** profiljern. — **leader** lagfører, av-
delingsleder. — **mark** paragraftegn (§). — **paper**
millimeterpapir. — **plane** snittflate.

sector ['sektə] sektor, avsnitt, del, område.

sectorial [sek'tɔ:riəl] **tooth** rovtann.

secular ['sekjulə] hundreårs-, timelig, verdslig;
Russia's — **ambition** Russlands sekelgamle ær-
gjerrighet; **the** — **arm** den verdslige makt; **the**
— **clergy** den ordinerte geistlighet; — **marriage**
borgerlig ekteskap. **-ization** [sekjulərai'zeiʃən]
verdsliggjøring. **-ize** ['sekjuləraiz] sekularisere,
verdsliggjøre.

secure [si'kjuə] sikker, trygg, fast; sikre, feste,
sikre seg; — **arms** bære et gevær med munningen
ned; sikre et våpen; **-d debt** prioritetsgjeld.

security [si'kjuəriti] sikkerhet, dekning, kau-
sjon; i plur. også: verdipapirer. **the S. Council**
Sikkerhetsrådet i FN. — **measure** sikkerhets-
foranstaltning.

sedan [si'dæn] bærestol; sedan (biltype).

sedate [si'deit] sedat, rolig, sindig, satt.

sedative ['sedətiv] beroligende (middel).

sedentary ['sedntəri] stillesittende; fastsittende;
fastboende, stavnsbundet.

sederunt [si'diərənt] møte.

sedge [sedʒ] storr, starr, siv. — **bird** (— **war-
bler,** — **wren**) sivsanger. — **fly** vårflue. **sedgy**
['sedʒi] bevokst med starr, sivbevokst.

sediment ['sedimənt] bunnfall; avleiring, kjele-
stein. **-ation** [sedimən'teiʃən] dannelse av bunn-
fall, avleiring; blodsenkning.

sedition [si'diʃən] oppvigleri. **seditious** [si'diʃəs]
opprørsk, opphissende.

seduce [si'dju:s] forføre, lokke, forlede. **-ment**
forføring. **-r** forfører. **seduction** [si'dʌkʃən] for-
føring. **seductive** [si'dʌktiv] forførerisk.

sedulous ['sedjuləs] flittig, iherdig.

see [si:] bispesete; **the Holy (Apostolic, Papal)
S.** den hellige stol, pavestolen.

see [si:] se, innse, forstå, skjønne, være opp-
merksom på; forestille seg; oppleve; inspisere,
se til, sørge for, se innom til, søke, henvende
seg til, besøke, se hos seg, ta imot, følge; **see?**
forstår du? **have -n a shot fired** ha luktet kruttet;
none of us may — **the day** kanskje ingen av oss
opplever den dagen; — **a thing done** la noe
gjøre; — **after passe; they did not** — **much
of him** de så ikke mye til ham; — **to** sørge for;
— **through** gjennomskue; **Oh, I** —! nå så!

seed [si:d] sæd, såkorn, frø, settepoteter; av-
kom, ætt, slekt; spire, opphav; sette frø, frø seg,
så til, så; gå i frø. — **ball** frøkapsel. — **bed** frø-
bed; (fig.) grobunn. — **cake** krydderkake. —
ease frøhus. — **corn** såkorn. **-er** såmann; så-
maskin. — **fish** gytefisk. — **grain** såkorn. **-iness**
frørikdom; slapphet; lurvethet. **-less** frøløs,
steinfri.

seedling ['si:dliŋ] frøplante, kimplante. —
apple villeple.

seed | **pearl** frøperle (minste slags perle). — **pod**
frøhus, frøgjemme. **-sman** såmann; frøhandler.
— **vessel** frøhus, frøgjemme.

seedy ['si:di] full av frø, gått i frø; loslitt,
forkommen, lurvet; slapp, dårlig, utilpass, utidig.

seeing ['si:iŋ] synsevne, syn; — **(that)** i be-
traktning av at, siden, ettersom.

seek [si:k] søke, lete etter, forsøke, ty til
prøve, ansøke, forlange; — **out** oppsøke, finne.
-er søkende, søker, ansøker.

seem [si:m] synes, tykkes, late til; **it -s de**
synes, det ser ut til; **it -s to me** jeg synes; **—**
still — **to hear** jeg synes ennå at jeg hører. **-en**
som later: **-ing** utseende, skinn; **in all -ing**
tilsynelatende. **-ingly** tilsynelatende.

seemly ['si:mli] sømmelig, høvelig, korrekt.

seen [si:n] perf. pts. av **see.**

seep [si:p] sive, tyte. **-age** ['si:pidʒ] (gjennom)
siving, tyting.

seer [si:ə] seende; seer. **-ess** [-res] seerske.

seersucker ['siəsʌkə] stripet bomullsstoff; kre
tong.

seesaw ['si:sɔ:] vipping, husking; vippe, vippehuske, vippelek; vippe, huske; vippende, gyngende, dumpende.

seethe [si:ð] koke, syde; koking.

segment ['segmənt] del, stykke, segment; leddele, segmentere.

segrega|te ['segrigeit] utskille, isolere; innføre raseskille; utskilt, isolert. **-tion** [segri'geiʃən] utskillelse, isolasjon, isolering; raseskille; isolert del.

seigneur ['seinjə], **seignior** ['seinjə] lensherre, herremann; **the grand** — storherren, den tyrkiske sultan; fornem herre.

seine [sein] fiskegarn, not, snurrevad; fiske med not; **purse** —, — **net** snurpenot. — **-netting** snurpenotfiske. **seiner** snurpefisker.

seismograph ['saizmɔgrɑ:f] el. **seismometer** [saiz'mɔmitə] seismograf.

seizable ['si:zəbl] som kan gripes el. fattes.

seize [si:z] gripe, ta, bemektige seg, anholde, pågripe, fakke; inndra, konfiskere, beslaglegge; begripe, fatte, forstå; bendsle, surre; **be -d with** være grepet av (en lengsel); angrepet av (en sykdom); — **upon** bemektige seg.

seizure ['si:ʒə] det å gripe, grep; bemektigelse, oppbringing, anholdelse, konfiskasjon, beslaglagte varer; slagtilfelle, anfall.

seldom ['seldəm] (adv.) sjelden; — or never sjelden eller aldri.

select [si'lekt] velge ut; utvalgt, utsøkt, fin. **selection** [si'lekʃən] utvelging, valg; utvalg.

selenium [si'li:niəm] selén.

self [self] selv; jeg. — **-abandonment** selvoppgivelse. — **-abasement** selvfornedrelse. — **-abnegation** selvfornekting. — **-acquired** selverververvet. — **-acting** selvvirkende, automatisk. — **-adhesive** selvklebende. — **-appointed** selvutnevnt, selvbestaltet. — **-asserting** selvhevdende. — **-assurance** selvsikkerhet. — **-centered** selvopptatt, egosentrisk. — **-coloured** ensfarget. — **-command** selvbeherskelse. — **-conceited** innbilsk. — **-conscious** selvbevisst; genert. — **-contained** innesluttet, som er seg selv nok; komplett, uavhengig. — **-defence** nødverge, selvforsvar. — **-denial** selvfornekting. — **-determination** selvbestemmelsesrett. — **-devotion** selvoppofrelse. — **-effacement** selvutslettelse. — **-fulfilment** selvutfoldelse. — **-governing** selvstyrende. **-hood** selviskhet; individualitet, jeg-het. — **-imposed** som en har pålagt seg selv. — **-indulgence** nytelsessyke. — **-interest** egennytte.

selfish ['selfiʃ] egenkjærlig, egoistisk, selvisk. **selfless** ['selflis] uselvisk.

self-made ['selfmeid] selvgjort; — **man** selvhjulpen mann, mann som er kommet fram ved egen hjelp.

self|-opinion egensindighet; store tanker om seg selv. — **-opinionated** selvklok, egensindig. — **-ordained** selvbestaltet. — **-pity** selvmedlidenhet. — **-possessed** fattet, behersket. — **-praise** selvros; — **-praise is open disgrace** selvros stinker. — **-preservation** selvoppholdelse. — **-propelled** selvdrevet, motorisert. — **-reliance** selvtillit. — **-reproach** selvbebreidelse, skyldfølelse. — **-respect** selvrespekt. — **-restraint** selvbeherskelse. **self|same** ['selfseim] selvsamme. — **-sealing** selvtettende. — **-seeker** egoist. — **-service** selvbetjening. — **-starter** selvstarter. — **-styled** påstått, foregiven. — **-sufficient** suffisant, innbilsk. — **-supporting** selvforsørgende; selvbærende. — **-timer** selvutløser. — **-tuition** selvstudium. — **-will** egenrådighet. — **-willed** egenrådig.

sell [sel] selge, handle, selges, gå (av); ha avsetning; forråde, utlevere; — **out** selge ut; — **up** selge; — **him up** la hans eiendeler selge ved tvangsauksjon. **-er** selger, ting som går. **-ing** out utsalg. **-ing price** salgspris.

sellout ['selaut] utsalg; utsolgt forestilling; forræderi, det å la noe el. noen i stikken.

seltzer ['seltsə] selters.

selvage ['selvidʒ] kant, list, jare (på tøy).

selves [selvz] plur. av **self**.

semantics [si'mæntiks] betydningslære.

semaphore ['seməfɔ:] semafor, semaforflagg; semaforere.

semasiology [simeisi'ɔlədʒi] semasiologi.

semblance ['semblans] utseende, skikkelse, likhet, skinn; **if he made out any** — **of a case** om han tilsynelatende skaffet beviser.

semen ['si:mən] sæd; frø.

semester [si'mestə] semester, halvår.

semi- ['semi] halv-, i smstn. **-annual** halvårlig. **-annular** halvrund. **-breve** [-bri:v] helnote. **-circle** halvsirkel. **-colon** semikolon. **-conscious** halvt bevisstløs. **-detached** [semidi'tætʃt] halvveis frittstående, rekke-; **-detached house** vertikaldelt tomannsbolig. **-goods** blandet (godsog passasjer). **-lunar** [semi'lu:nə] halvmåneformet.

seminal ['seminəl] frø-, sæd-; opprinnelig.

seminarist ['seminərist] seminarist; elev ved en presteskole. **seminary** ['seminəri] seminar; presteseminar, jesuittskole.

semination [semi'neiʃən] frøspredning.

semiquaver ['semikweivə] sekstendelsnote.

Semite ['semait] semitt; semittisk. **Semitic** [si'mitik] semittisk.

semitone ['semitəun] halvtone.

semitrailer ['semi'treilə] tilhenger.

semivowel ['semi'vauəl] halvvokal.

semolina [semə'li:nə] semule(gryn).

sempiternal [sempi'tə:nəl] uendelig, evig.

sempstress ['sem(p)stris] syerske, sydame.

sen. fk. f. senate; senator; senior.

senate ['senit] senat. — **house** senat, rådhus. **senator** ['senitə] senator. **senatorial** [senə'tɔ:riəl] senator-.

send [send] sende, sende bud; gjøre; sette, stampe (om skip); stamping; **God** — **it!** Gud gi det!; **it nearly sent him crazy** det drev ham nesten fra vettet; — **him victorious** unne ham seier; — **him wild** gjøre ham rasende; — **word** sende bud; — **for** sende bud etter; — **forth,** — **out** sende ut; — **off** sende bort; — **round** la sirkulere; — **up** drive i været, dimittere, sende en elev opp til rektor til avstraffelse.

sender ['sendə] avsender; senderapparat. **send-off** avskjed, fremmøte ved reise; avskjedsfest; sending; — **notice** nekrolog.

senescence [si'nesəns] begynnende alderdom. **senescent** [si'nesənt] aldrende.

seneschal ['seniʃəl] seremonimester, hushovmester.

senile ['si:nail] oldingaktig, senil. **senility** [si'niliti] alderdomssløvhet, senilitet.

senior ['si:njə] senior, eldre, eldst. **he is my** — **by a year** er år eldre enn jeg. — **counsel** skrankeadvokat. — **high school** (amr.) gymnas (10—12 skoleår). **seniority** [si:ni'ɔriti] ansiennitet; seniorat. **the senior service** marinen (i England).

senna ['senə] sennesplante; **syrup of** — sennasirup (avføringsmiddel).

Sennacherib [se'nækərib] Sanherib.

sennight ['senit] uke.

sennit ['senit] flettet strå; platting.

senr. fk. f. senior.

sensation [sen'seiʃən] fornemmelse, følelse; røre, sensasjon; **cause (make, create) a** — vekke oppsikt. **sensational** [sen'seiʃnl] følelses-, oppsiktsvekkende, spennende. **sensationalism** [sen'seiʃənəlizm] sensasjonell karakter; sensasjonsjag.

sense [sens] fornemme, føle, sanse; sansning, erkjennelse, oppfatning, sans, forstand, vett, følelse; betydning, fornuftig mening; **the five -s** of (de fem sanser) **feeling, sight, hearing, smell, and taste; the general** — **of** (stemningen i) **the assembly; common** — sunn sans; **a** — **for economy** økonomisk sans; **a** — **of beauty** (duty; humour; locality) skjønnhetssans (plikt-følelse; humoristisk sans; stedsans) **make** — gi mening; **he lost his -s** han gikk fra forstanden; **in one's -s** ved sine fulle fem; **out of one's -s**

fra vettet, fra sans og samling. **-less** [-lis], **-lessly** [-lisli] følelsesløs, bevisstløs, urimelig, meningsløs, vettløs. **-lessness** [-lisnis] følelsesløshet, bevisstløshet, urimelighet.

sensibility [sensi'biliti] følsomhet, følelse.

sensible ['sensibl] følelig, merkbar, mottagelig; oppmerksom; fornuftig; bevisst; **no — person** ikke noe forstandig menneske; **be — of** ha en følelse av, innse, være klar over.

sensitive ['sensitiv] sanselig, sanse-; følsom, sensibel, fintfølende, fin; **— paper** (lys)følsomt papir; **— plant** følsom mimosa. **sensitivity** følsomhet **(to** overfor).

sensory ['sensəri] sanse-, føle-, sensorisk.

sensual ['senʃuəl] sanselig, sensuell. **-ism** sanselighet, sensualisme. **-ist** vellysting, sensualist. **-ity** [senʃu'æliti] sanselighet.

sensuous ['senʃuəs] sanse-, sanselig; som hører til sansene, som henvender seg til sansene.

sent [sent] imperf. og perf. pts. av **send.**

sentence ['sentəns] dom, straff; sentens, setning; ordtak; dømme; **the — of this court is** ti kjennes for rett; **— of death** dødsdom; **pass — on** domfelle; **under — of death** dødsdømt; **principal —** hovedsetning; **subordinate** (eller **accessory) —** bisetning; **subsequent —** ettersetning.

sentential [sen'tenʃəl] setningsmessig, setnings-.

sententious [sen'tenʃəs] full av ordtak, fyndig.

sentiment ['sentimənt] følelse, mening, synspunkt, skjønn, oppfatning, tanke, sentens; kort skåltale, sentimentalitet; **the general — stemn**ingen; **give a —** utbringe en skål; **national —** nasjonalfølelse el. sinnelag.

sentimental [senti'mentəl] følelsesfull, sentimental. **— value** affeksjonsverdi. **sentimentality** [sentimen'tæliti] sentimentalitet, føleri.

sentinel ['sentinl] skiltvakt; stå vakt over.

sentry ['sentri] skiltvakt. **— box** skilderhus.

sepal ['si:pəl] begerblad.

separable ['sep(ə)rəbl] atskillelig.

separate ['sepəreit] skille, skille ut, fjerne, skilles, gå fra hverandre.

separate ['sep(ə)rit] særskilt, egen, individuell; **republish separately** gi ut i særtrykk.

separation [sepə'reiʃən] atskillelse, utskillelse; skilsmisse, separasjon.

separator ['sepəreitə] separator.

sepia ['si:piə] blekksprut, sepia; sepiabrunt.

sepoy ['si:pɔi] sepoy, innfødt indisk soldat som står i en europeisk makts tjeneste.

sept [sept] ætt, klan (i Irland); avlukke.

Sept. fk. f. **September.**

septangular [sep'tæŋgjələ] sjukantet.

September [sep'tembə] september.

septennial [sep'tenjəl] sjuårig.

Septentriones [septentri'əuni:z] Karlsvognen. **septentrional** norbo; nordlig.

septic ['septik] septisk, betent, som bevirker forråtnelse, fortærende. **— tank** septiktank. **— wound** betent sår.

septuagenary [septju'ædʒinəri] som består av sytti; syttiårig.

Septuagint ['septjuədʒint] Septuaginta (en oversettelse til gresk av det gamle testamente).

septuple ['septjupl] sjudobbelt, sjudoble.

sepulchral [si'pʌlkrəl] grav-, gravlignende.

sepulchre ['seplkə] grav, gravminne; jorde, gravlegge. **sepulture** ['sepltʃə] begravelse.

sequacious [si'kweiʃəs] føyelig, smidig, svak, veik; følgeriktig, konsekvent.

sequel ['si:kwəl] fortsettelse; etterspill; følge; **in the —** i det følgende.

sequence ['si:kwəns] rekkefølge, orden; sekvens, avsnitt; **the — of events** begivenhetenes rekkefølge; **in — to** som en fortsettelse av. **— switch** trinnbryter.

sequent ['si:kwənt] følgende; følge.

sequester [si'kwestə] avsondre; beslaglegge.

sequestrate [si'kwestreit] beslaglegge, ta utlegg.

sequestration [sekwi'streiʃən] sekvestrasjon.

sequestrator ['sekwistreitə] sekvestrator.

sequin ['si:kwin] zecchino, sekin (gammel venetiansk gullmynt); paljett.

sequoia [si'kwɔiə] ekte kjempegran.

seraglio [se'rɑ:liəu] serail, harem.

seraph ['serəf] seraf (overengel); plur.: **-im. Serb** [sə:b] serbisk; serber; serbisk (språk).

Serbia ['sə:bjə]. **Serbian** serbisk; serbier.

serenade [seri'neid] serenade; synge en serenade. **serenata** [seri'nɑ:tə] serenade.

serene [si'ri:n] klar, ren, skyfri; stille, rolig, fredelig, uforstyrret, koldblodig; (som titel foran tyske fyrstenavn:) durchlauchtig, høy; **all —!** alt i orden! **Your S. Highness** Deres Høyvelbårenhet; **most —** fyrstelig. **-ly** klart, koldblodig; **-ly** beautiful opphøyd og skjønn.

serenity [si'reniti] klarhet, stillhet, sinnsro; høyhet.

serf [sə:f] livegen. **-age** el. **-dom** livegenskap.

serge [sə:dʒ] sars, sterkt ullstoff.

sergeant ['sɑ:dʒənt] sersjant; politifunksjonær, overbetjent; advokat (alminneligere: serjeant eller serjeant-at-law); **colour-—** en sersjant som har tilsyn med fanen ≈ fanejunker. **— major** [-'meidʒə] sersjantmajor, kommandersersjant.

serial ['siəriəl] rekke-, serie-, ordnet i rekke, som utkommer i hefter; føljetong, roman som går gjennom flere nummer av et blad; **-ly numbered** fortløpende nummerert. **— production** serieproduksjon.

serialize ['siəriəlaiz] sende ut heftevis.

seriate ['siərit] (ordnet) i rekkefølge.

seriatim [siəri'eitim] i rekkefølge, rekkevis.

series ['siəri(i)z] serie, rekke(følge), klasse.

serio-comic(al) ['siəriəu 'kɔmik(l)] halvt alvorlig, halvt komisk, tragikomisk.

serious ['siəriəs] alvorlig; seriøs; **I am —** det er mitt alvor; **I am quite —** det er mitt ramme alvor; **matters begin to look —** det begynner å se betenkelig ut. **-ly ill** alvorlig syk. **-ness** [-nis] alvorlighet, alvor.

Serjeant ['sɑ:dʒənt] **-at-Law** høyesterettsadvokat. **—-at-Arms** ordensmarsjall, væpnet herold (i parlamentet). **—-Surgeon** kongens livlege.

sermon ['sə:mən] preken; preke. **preach** (el. **deliver) a —** holde en preken; **the S. of the Mount** bergprekenen. **-izer** moralpredikant.

serpent ['sə:pənt] slange, orm; serpent (glt. trehorn). **-arium** slangegård.

serpentine ['sə:pəntain] slangeaktig, buktet; bukte seg; serpentin; **the S.** liten innsjø i Hyde Park, London.

serrate ['serit] sagtakket, sagtannet.

serration [sə'reiʃən] sagtakker, sagtenner.

serried ['serid] tettsluttet, tett.

serum ['siərəm] pl. **sera** serum, blodvæske.

servant ['sə:vənt] tjener, tjenestepike, hushjelp, oppasser; funksjonær, tjenestemann, embetsmann; **the -s** tjenerskapet, tjenestefolkene. **— girl** el. **— maid** tjenestepike, hushjelp; **— man** tjener, tjenestegutt. **-ry** tjenerskap.

serve [sə:v] tjene, tjene hos, betjene, greie, oppvarte, anrette, servere, ekspedere, hjelpe til, nytte, gagne, fremme; utdele, forsyne; tilføye, gjøre; behandle, rette seg etter; tjenstgjøre, gjøre tjeneste, passe, være nok, greie seg, besørge, forrette gudstjeneste, utvirke, spille ut; gå i rute; serve (i tennis); kle, sorve (tau); **— him right** (eller: **it -s him right** eller **he is rightly -d)** det har han godt av (eller: nå kan han ha det så godt); **if my memory -s** me well hvis jeg husker riktig; **Mylady is -d** Deres nåde, det er servert; **it isn't good but it will — . . .** men det kan brukes; **— a sentence** sone en fengselsstraff; **— a warrant** utføre en arrestordre; **— a summons on a person** forkynne en en stevning; **— up** sette fram, diske opp med; **— out** utlevere (proviant). **-r** messehjelper, utspiller; serveringsskje, serveringsbrett.

Servia ['sə:viə] Serbia.

Servian ['sə:viən] serber; serbisk; serbisk språk.

service ['sə:vis] tjeneste, arbeid, yrke, post,

stilling; krigstjeneste, militærtjeneste, forsvar, forsvarsgren; ettersyn, kontroll; oppvartning, betjening; tjenestetid, villighet; kundebetjening, service, bistand, hjelp, nytte, gagn; offentlig el. statstjeneste; ærbødig hilsen; gudstjeneste, ritual, kirkebønn; oppdekning, servise, stell; rute, fart; (tennis)serve, serving; -vesen, -verk; utspill; betjene, yte service til, etterse; **the civil** — det sivile embetsverk; **sanitary** — sunnhetsvesen; **a** — **of plate** et plettservise; **a** — **of peril** en farefull tjeneste; **her -s to literature** hennes innsats for litteraturen; **do (render) him a** — gjøre ham en tjeneste; **perform** — holde gudstjeneste; **I am at your** — jeg står til Deres tjeneste; **write a letter on** — **to him** skrive tjenstlig til ham.

serviceable ['səːvisəbl] nyttig; brukbar, fyllestgjørende; tjenstvillig.

service | **book** alterbok, bønnebok. — **cap** militær skyggelue. — **ceiling** operasjonshøyde (fly). — **charge** gebyr (for spesiell ytelse). **-corps** intendanturkorps. — **court** servefelt (tennis). — **door** personalinngang. — **dress** tjenesteuniform. — **fee** honorar. — **life** brukstid, levetid. **-man** soldat (i alle våpengrener). — **matter** tjenestesak. — **pipe** siderør, stikkrør. — **record** rulleblad. — **speed** marsjfart. — **trade** tjenesteyrke. — **tree** rogn (tre). — **voltage** driftsspenning.

serviette [səːviˈet] serviett.

servile ['səːvail] slave-, slavisk, krypende, servil, underdanig.

servility [səːˈviliti] servilitet, kryping.

serving ['səːviŋ] porsjon (mat). — **hatch** serveringsluke. — **pantry** anretning. — **spoon** suppeøse. — **table** anretningsbord.

servitor ['səːvitə] tjener; friplasstudent (i Oxford, måtte tidligere varte opp ved bordet).

servitude ['səːvitjuːd] slaveri, trelldom.

sesame ['sesəmi] sesam.

session ['seʃən] sete, sesjon, samling, ting; parlamentssesjon, rettssesjon, møte, studieår; menighetsråd (i Skottland); **-s of the peace** fredsdommerting; **be in** — være samlet; **remain in** — (sitter sammen) **till the end of September; Court of S.** høyesterett (i sivilsaker).

set [set] sette, feste, innfatte (en edelsten **a precious stone**), la stivne, fastsette (en tid til et møte **a time for a meeting**), bestemme, anslå, avpasse, innstille, stille (et ur etter a **clock by**), sette melodi til (— **to music**), sette i ledd, besette (med juveler **with jewels**), slipe, sette opp (en barberkniv **a razor**), gi seg til, begi seg; gå ned, synke, gla (om himmellegemer), bli fast el. stiv, størkne, jage med fuglehund; — **about to** ta fatt på; — **going** sette i gang, sette i omløp; — **a hen** legge en høne på egg; — **the land** peile landet; **she** — **her lips firmly** hun knep leppene fast sammen; — **against** stille opp imot; — **aside** tilsidesette; — **at ease** berolige; — **before oneself** foresette seg; — **down** skrive ned, notere, oppføre; — **forth** fremstille, vise, utvikle, forklare; — **forward** forfremme; — **off** utskille, fremheve, utheve; — **off** starte, dra avsted; fyre av, få til å eksplodere; utlikne, oppveie (et tap); — **off to advantage** fremheve fordelaktig; — **on** tilskynde, oppmuntre, egge; — **out** anvise, fastsette, pryde, vise, fremsette; dra avgårde, gå ut; — **to** ta fatt på; — **to work** sette i arbeid; — **up** oppføre, grunnlegge, begynne, fremsette (en ny lære **a new doctrine**), hjelpe på fote, stramme opp (en rekrutt); — **up one's back** skyte rygg; — **up a committee** nedsette en komité; — **up a cry** sette i et skrik; — **up a shop** åpne en forretning; — **him up in business** etablere ham; — **free** sette fri; — **open** lukke opp; — **right** (el. **to right**) hjelpe til rette; — **wrong** forvirre; — **oneself about arranging** gå i gang med å ordne; **the -ting sun** den nedadgående sol; — **about one's work** ta fatt på arbeidet; **darkness -s in** mørket faller på; **luck has** — **in against him** lykken har vendt ham

ryggen; — **out for London** reise til L.; — **out upon a journey** begi seg ut på en reise.

set [set] stiv, stivnet, fast, stø, satt, anbrakt; stadig (vær); bestemt, regelmessig, vel gjennomtenkt, sammensatt; fastsatt, foreskrevet, berammet; **square-** firskåren; **all** — alt klart, alt i orden; **his eyes were** — han stirret stivt fram for seg; **a** — **phrase** en stående talemåte.

set [set] synkning, nedgang, ende; sett (stoler **of chairs**), samling, stell (— **of china** porselensservise), rad, rekke, suite; garnityr; apparat (**a radio** —); parti (i tennis), lag, krets; fransese, omgangskrets, klikk, bande, gjeng; dekorasjon, kulisse; avlegger, anfall; snitt, fasong; **a** — **of rogues** en skøyerklikk, noen skøyere alle sammen; **the rise and** — **of the sun** soloppgang og solnedgang; — **of teeth** gebiss, tannsett. **-back** motstrøm, bakevje; tilbakeslag, reaksjon, nederlag, hindring, stans. — **dance** turdans. **-down** knusende svar, skrape. — **-off** ['setˈɔ(ː)f] middel til å fremheve, prydelse, pynt, motkrav, vederlag; **as a** — **-off** til gjengjeld. **-out** oppstyr; arrangement; avreise, begynnelse. **-screw** settskrue; stillskrue. — **square** vinkelhake.

sett [set] gatestein, brustein.

settee [seˈtiː] sofa, kanapé; transportfartøy i Middelhavet.

setter [setə] setter, fuglehund; stråmann; komponist. — **-forth** forkynner. — **-on** anstifter.

setting ['setiŋ] innsetning; nedgang (sol), jakt med fuglehund; ramme, innfatning, iscenesetting; bakgrunn, miljø, åsted; innstilling, justering; strømretning, vindretning; **his** — **of** hans musikk til; **the** — **of** (rammen om) **their lives**. — **board** plate for preparerte insekter. — **hammer** setthammer. — **rule** settelinje. — **screw** innstillingsskrue, settskrue. — **stick** vinkelhake (i setteri).

settle ['setl] sette, befeste, bosette, etablere, kolonisere; ordne, rette på; bunnfelle; berolige; bestemme, avgjøre, fastsette; betale (en regning **an account**), gjøre opp, gjøre det av med, ekspedere; bebygge; festne seg, komme til ro, sette seg, nedsette seg, slå seg ned, falle til ro, sette penger fast; synke, sige ned, legge seg, stilne; langbenk; — **a business** avvikle en forretning; — **a claim** avgjøre en fordring; — **the dispute** skille tretten; **that -s it** det avgjør saken; — **the land** senke (el. slippe, miste) landet; **the house was -d upon her** hun beholdt huset som særeie; — **a pension on** fastsette en pensjon for; — **down** falle til ro; komme i gjenge, ordne seg; — **down in a country** slå seg ned i et land; — **for** akseptere, avfinne seg med; — **in life** gifte seg; — **in** (el. **to**) **business** nedsette seg som forretningsmann; — **out of court** avgjøre det i minnelighet.

settled ['setld] fast, stadig; forsørget, avgjort, betalt; bebodd, kolonisert; **married and -d** gift og kommet til ro.

settlement ['setlmənt] anbringelse, nedsettelse, kolonisasjon; avgjørelse, oppgjør, avregning, utbetaling; fastsettelse av arvefølge, livrente, pensjon, forsørgelse, koloni; **act of** — tronfølgelov; **deed of** — ekteskapskontrakt; **the law of** — loven om hjemstavnsrett; — **out of court** minnelig ordning, forlik.

settler ['setlə] kolonist, nybygger.

settling ['setliŋ] kolonisasjon; endring, synkning; bilegging. — **day** forfallsdag, avregningsdag. — **price** likvidasjonskurs. **settlings** bunnfall, berme.

set-to sammenstøt, slagsmål, krangel.

set-up ['setʌp] innretning; struktur, oppbygning, arrangement; situasjon, stilling; sportskamp der resultatet er bestemt på forhånd, fikset.

seven ['sevn] sju; sjutall. **-fold** [-fəuld] sjufold, sjudobbelt. **-teen** ['sevn'tiːn] sytten. **-teenth** [-'tiːnθ] syttende. **-th** ['sevnθ] sjuende, sjuendedel. **-thly** ['sevnθli] for det sjuende. **-tieth** ['sevntiiθ] syttiende. **-ty** ['sevnti] sytti.

sever ['sevə] skille, løsrive, kløve, splitte, skjære over el. i stykker, dele.

several ['sevrəl] atskillige, flere, en del; respektive; — **more** atskillig flere; **they went their** — **ways** de gikk hver sin vei; **collective and** — **responsibility** solidarisk ansvar.

severally ['sevrəli] hver for seg, respektive.

severance ['sev(ə)rəns] atskillelse; løsriving.

severe [si'viə] streng, stri, skarp, hard, smertelig, heftig, sterk, voldsom, alvorlig, nøyaktig, kortfattet, fyndig; **a** — **loss** et følelig tap; **a** — **blow** et hardt slag; — **truths** drøye sannheter. **-ly** strengt, hardt, heftig; **the loss was -ly felt** det var et hardt tap.

severity [si'veriti] strenghet, hardhet, voldsomhet, vanskelighet; pl. **severities** strenghet, hard behandling.

sew [səu] sy; — **on a button** sy i en knapp; — **up** sy sammen.

sewage ['sju:idʒ] kloakkinnhold, kloakkvann, kloakksystem. — **disposal plant** kloakkrenseanlegg.

sewer ['səuə] syer(ske).

sewer ['sjuə] kloakk; anlegge kloakk. **-age** ['s(j)uəridʒ] kloakkanlegg; kloakkinnhold.

sewing ['səuiŋ] sying; sytøy, søm. — **bee** (amr.) syklubb, symøte, «kvinneforening». — **circle** syklubb. — **machine** symaskin. — **needle** synål. — **silk** sysilke. — **thread** sytråd.

sewn [səun] perf. pts. av **sew**.

sewn-up utmattet, beruset, medtatt.

sex [seks] kjønn; kjønnsliv; kjønns-, seksual-; **the fair** — det smukke kjønn; **the softer (sterner)** — det svake (sterke) kjønn.

sexagenary [sek'sædʒin(ə)ri] sekstiårig.

sexangular [sek'sæŋgjulə] sekskantet.

sex | appeal ['seksə'pi:l] erotisk tiltrekningskraft. — **crime** sedelighetsforbrytelse.

sexed [sekst] kjønns-, kjønnspreget.

sexennial [sek'senjəl] seksårig.

sexiness ['seksinis] erotisk tiltrekningskraft.

sexless ['sekslis] kjønnsløs.

sextant ['sekstənt] sekstant.

sexton ['sekstən] graver, kirketjener. **-ship** stilling som kirketjener.

sextuple ['sekstjupl] seksdobbelt; seksdoble.

sexual ['sekʃuəl] kjønns-, kjønnslig, seksuell. — **desire** kjønnsdrift. — **intercourse** kjønnslig omgang. **sexy** ['seksi] erotisk tiltrekkende.

Sgt, sgt fk. f. **sergeant**.

shabbiness ['ʃæbinis] loslitthet, lurvethet.

shabby ['ʃæbi] lurvet, loslitt, fattigslig, sjofel.

shabby-genteel ['ʃæbidʒən'ti:l] fattig-fornem.

shabrack ['ʃæbræk] saldekken, skaberakk.

shack [ʃæk] (amr.) hytte, koie, skur, krypinn.

shackle ['ʃækl] lenke, sjakle sammen; (fot)-lenke; metallbøyle, kjettinglås; sjakkel.

shad [ʃæd] maifisk, stamsild.

shaddock ['ʃædək] kjempesitron, pompelmus.

shade [ʃeid] skygge, skygging, skyggeside, beskyttelse, ly, skjerm; glasskuppel, (amr.) persienne, rullegardin; gjenferd; fargetone, avskygning, nyanse, lite grann; skygge, sjattere, skravere; skjule, (av)skjerme. — **card** fargekort.

shadow ['ʃædəu] skygge, slagskygge, skyggeparti (i maleri), uadskillelig ledsager, skyggebilde, gjenferd, ly; anelse, antydning; skygge (for), sjattere, beskytte, antyde, fremstille billedlig, følge som en skygge, følge og bevokte; **he is -ed** hans skritt bevoktes, han blir skygget.

shadowy ['ʃædəu i] skyggefull, skyggeaktig, mørk, døkk, dim, uvirkelig; **have a** — **existence** føre en skinntilværelse.

shady ['ʃeidi] skyggefull, kjølig; lyssky, uhederlig, tvetydig, tvilsom; **on the** — **side of forty** på den gale siden av de førti.

shaft [ʃɑ:ft] skaft, vognstang, skåk, spydskaft, pil, spir, sjakt, aksel; **drudge in the** — henge i (selen); **-ed** ['ʃɑ:ftid] med skaft. — **furnace** masovn.

shag [ʃæg] stritt hår, ragg, grov lo, plysj, shag-tobakk; gjøre ragget. — **carpet** langflosset teppe.

shaggy ['ʃægi] stri, lodden, ragget; ustelt.

shagreen [ʃə'gri:n] sjagreng (lær).

shah [ʃɑ:] sjah, konge i Persia.

Shak. fk. f. Shakespeare.

shake [ʃeik] ryste, ruske, riste; sjokkere, skake opp; vibrere, dirre, riste av, rokke, svekke; skjelve, vakle; slå triller; risting, skaking, rystelse, støt, håndtrykk, trille (i musikk); **-down** midlertidig seng, flatseng; — **hands** ta hverandre i hånden; komme til enighet; — **off** frigjøre seg for; **a fair** — en real sjanse. **shaken** sjokkert, rystet; vaklende. **shaker** cocktailshaker; strøboks f. eks. for sukker.

Shakespeare ['ʃeikspiə] Shakespeare; Shakespeare-utgave; Shakespeare-eksemplar.

Shakespearean [ʃeiks'piəriən] shakespearsk.

shako ['ʃækəu] sjako (slags militærlue).

shaky ['ʃeiki] skjelven; ustø, vinglet, usikker; sprukken.

shale [ʃeil] skiferleire, leirskifer.

shall [ʃæl], alm. uten trykk [ʃ(ə)l] skal; **I am not the first, and** — **not be the last** (og blir ikke den siste); — **you be at home to-night?** er De hjemme i aften?

shallop ['ʃæləp] sjalupp; pram.

shallot [ʃə'lɔt] sjalottløk.

shallow ['ʃæləu] grunn, overfladisk, lavbunnet; grunt vann, grunne, grunning; gjøre grunn. — **-brained** lavpannet, innskrenket. — **draught** gruntgående (båt). **-ness** [-nis] liten dybde.

shalt [ʃælt]; **thou** — (gml.) du skal.

sham [ʃæm] skinn, humbug, komediespill; imitasjon; skinn-, fingert; narre, bedra, føre bak lyset; forstille seg, hykle; **discern wrong from right, and -s** (skinn) **from realities**; — **door** blinddør; — **fight** skinnfektning; — **illness** forstilt sykdom; — **sleep** late som om man sover; — **stupid** gjøre seg dum.

shamble ['ʃæmbl] sjokke, subbe, dra benene etter seg; tassing.

shambles ['ʃæmblz] slaktehus, slakteri; kjøtttorg; rot, uorden, rotehus.

shame [ʃeim] skam, skamfølelse, skjensel; beskjemme, gjøre skam på, gjøre til skamme; gjøre skamfull, vanære, skamme seg; **for** — fy! **for very** — for skams skyld; **he is dead to all** — han har bitt hodet av all skam; **put to** — gjøre til skamme; — **on you!** skam deg! **cry** — **upon** — skamme ut, stemple som en skjendighet; **put** — **upon** gjøre ... skam; **it is a** — det er synd.

shamefaced ['ʃeimfeist] skamfull, unnselig. **-ness** [-nis] unnseelse. **shameful** ['ʃeimful] skjendig, skammelig. **shameless** ['ʃeimlis] skamløs, frekk.

shammy ['ʃæmi] pusseskinn; vaskeskinn.

shampoo [ʃæm'pu:] såpevaske og gni, sjamponere; sjampo, hårvask.

shamrock ['ʃæmrɔk] trebladet hvitkløver (irsk nasjonalmerke).

shamus ['ʃæməs] (amr.) detektiv, (politi)-konstabel.

shandrydan ['ʃændridæn] slags gammeldags vogn; skranglekjerre.

shandy(gaff) ['ʃændi(gæf)] blanding av øl og ingeferøl el. øl og limonade; (fig.) blanding.

Shanghai [ʃæŋ'hai].

shanghai [ʃæŋ'hai] sjanghaie (ɔ: drikke full og narre om bord for å tvangsforhyre), narre.

shank [ʃæŋk] skank, legg, (skinn)bein; stokk, stilk, skaft; (fig.) siste del; **ride shank's** (el **shanks'**) **mare** bruke apostlenes hester.

shan't [ʃɑ:nt] fk. f. **shall not**.

shanty ['ʃænti] brakke, hytte, skur, koie; opp sang. **-man** skogsarbeider (som bor i koie); for sanger. **-town** fattig og primitivt forstad, rønneby bølgeblikkby.

SHAPE fk. f. **Supreme Headquarters, Allied Powers in Europe.**

shape [ʃeip] skape, danne, forme, hogge til, innrette, avpasse, innrette; fasong; skap, form, skikkelse, snitt, figur; forfatning, tilstand.

shapeless ['ʃeiplis] uformelig.
shapely ['ʃeipli] velformet, velskapt.
I. **shard** [ʃɑ:d] brott, skår, potteskår, flis.
II. **shard** [ʃɑ:d] gjødsel, kuruke. — **beetle** tordivel.
share [ʃɛə] plogskjær, plogjern.
share [ʃɛə] del, andel, part; aksje; innskudd (i leilighet); dele, skifte ut, fordele; ha sammen (**with** med), ta del (**in** i); **fall to my** — falle i min lodd; **go -s** spleise (**in** til); **preferred** (el. **preference**) — preferanseaksje.
share|broker aksjemekler. — **certificate** aksjebrev. — **crop** (amr.) den delen av avlingen som forpakteren skal svare. **-holder** aksjonær, partshaver. **-holders' committee** representantskap. — **-out** fordeling, utdeling. — **warrant** ihendehaveraksje.
shark [ʃɑ:k] hai; svindler; bondefanger; snyte, flå.
sharp [ʃɑ:p] skarp, kvass, spiss; gløgg, våken; besk, bitter, ram; dyp, intens; brå, sterk; markert; lur, ful; dur, med kryss foran, en halv tone høyere; presis; skarp tone, kryss; spisst våpen; ekspert, skarping; skjerpe, snyte; **look** — passe på, skynde seg; **at five o' clock** — klokka fem presis.
sharpen ['ʃɑ:pən] skjerpe, kvesse, spisse, skjerpes; forhøye en halv tone; **pencil -er** blyantspisser.
sharper ['ʃɑ:pə] bedrager, falskspiller.
sharp-set ['ʃɑ:pset] grådig, meget sulten.
sharpshooter ['ʃɑ:pʃu:tə] skarpskytter.
shatter [ʃætə] splintre, slå i stykker, knuse, smadre, ødelegge, sprenge; gå i stykker; bryte; **-ed health** nedbrutt helse. **-brained** ['ʃætəbreind], **-pated** [-peitid] atspredt, tankeløs, skrullet. **-proof** [-pru:f] splintsikker.
shave [ʃeiv] skave, skrape, høvle, sneie, barbere, streife, plyndre; barbering; spon, flis; svindelstrek; **it was a narrow** — det knep, det var på et hengende hår, det var så vidt. **shaven** barbert; **close-** — glattbarbert.
shaver ['ʃeivə] liten knekt, pjokk; snyter; barber, barbermaskin.
shaving ['ʃeiviŋ] spon, flis; skraping; barbering. — **brush** barberkost. — **case** barberetui. — **cream** barberkrem. — **cup** (**mug, pot**) såpekopp. — **kit**, — **set** barberstell. — **stick** barbersåpe.
shawl [ʃɔ:l] sjal. **-ed** inntullet i et sjal.
shawm [ʃɔ:m] skalmeie (et musikkinstrument).
shay [ʃei] slags vogn.
she [ʃi:] hun, den, det; hunn-, kvinne-; — **-friend** venninne; — **-goat** geit.
sheaf [ʃi:f] nek, kornband; bunt, knippe; binde (korn); — **of arrows** kogger med piler; pl. **sheaves** bunker, hauger.
shear [ʃiə] klippe (is. sau); klipping; skjær, skjæreblad; **a two** — **ram** en toårs vær; **a pair of -s** en sauesaks, hagesaks. — **angle** skjæringsvinkel. **-ing-time** klippetid. **-man** klipper, overskjærer.
sheath [ʃi:θ] slir, slire, balg; hylster.
sheathe [ʃi:ð] stikke i sliren, omslutte, bekle.
sheathing ['ʃi:ðiŋ] bekledning; metallforhudning; metallhud. — **paper** takpapp.
sheave [ʃi:v] blokkskive, reimskive; bunte, samle i knipper; skåte (robåt).
sheaves [ʃi:vz] plur. av **sheaf.**
Sheba ['ʃi:bə] Saba.
shebang [ʃə'bæŋ] (amr.) greie, dings, affære; hytte, kåk.
shebeen [ʃi'bi:n] gaukesjapp, bule, kneipe.
shed [ʃed] utgyte; spre; kaste (lys), felle (løv, tenner, horn); utgytelse; skille, dele; — **a tear** felle en tåre; — **one's teeth** felle tennene.
shed [ʃed] skur, skjul, lagerskur, hangar.
she'd [ʃi:d] fk. f. **she had, she would.**
sheen [ʃi:n] skinnende, klar; skinn, glans.
sheeny ['ʃi:ni] skinnende, glansfull.
sheep [ʃi:p] sau, får, sauer; tosk; saueskinn;

a **wolf in -'s clothing** en ulv i fåreklær. **make** (el. **cast**) **-'s eyes at** sende forelskede blikk. **-cot** sauekve. **-dip** sauevask. — **dog** gjeterhund, fårehund. **-fold** sauekve. **-foot** tiriltunge (plante). **-hook** krum gjeterstav.
sheepish ['ʃi:piʃ] unnselig, sjenert, blyg, fåret.
sheep| run ['ʃi:prʌn] sauebeite (især i Australia). **-skin** saueskinn, saueskinnsfell, saueskinnsjakke; diplom, pergamentdokument. **-walk** sauebeite.
sheer [ʃiə] skjær, ren; stupbratt; rent, bent; flortynn, gjennomsiktig; **out of** — **weariness** av bare, skjære tretthet.
sheer [ʃiə] vike til siden; — **off** gå av veien.
sheet [ʃi:t] flak, flate, plate, laken, seil, ark, blad (is. i pl.), skjøt; dekke (med laken); skjøte. — **anchor** nødanker. — **copper** kopperblikk. — **film** platefilm. — **glass** maskinglass.
sheeting ['ʃi:tiŋ] lakenlerret; belegg, dekke. — **iron** jernblikk. — **lead** blyplate. — **lightning** kornmo. — **music** noter. — **sleeping bag** lakenpose.
Sheffield ['ʃefi:ld].
sheik(h) [ʃeik, ʃi:k] sjeik (arabisk høvding).
sheikdom sjeikdømme.
shekel ['ʃekl] penger, mynt (egl. en jødisk mynt).
sheldrake ['ʃeldreik] gravand, gravandrik.
shelduck ['ʃeldʌk] gravand.
shelf [ʃelf] hylle, avsats; sandbanke, grunne, båe, avsats, rev; **continental** — kontinentalsokkel; (**laid**) **on the** — lagt på hylla, avdanket, pantsatt; **get on the** — bli gammel jomfru; **set of shelves** [ʃelvz] **full of books** en reol full av bøker. **shelf | life** lagringstid, holdbarhet. — **rest** hylleknekt. — **sea** grunnbrott.
shell [ʃel] skall, skolm, belg; mantel, deksel; skjell, konkylie, musling, patronhylster (helt ut: **cartridge** —), patron, granat; (gammelt:) bombe; mellomklasse; lyre; skalle(s), pille, bombardere, beskyte.
shellac ['ʃelæk] skjellakk.
Shelley ['ʃeli].
shell|fish ['ʃelfiʃ] skalldyr. — **game** snyting, bondefangertrick. — **heap** kjøkkenmødding. — **hole** granathull.
shell | jacket ['ʃel'dʒækit] kort uniformsjakke, — **plating** platekledning. **-proof** bombesikker, splintsikker. — **shock** granat- el. bombesjokk.
shelly ['ʃeli] skall-, skallbærende; rik på muslinger; skallaktig.
shelter ['ʃeltə] ly, vern, beskyttelse, tilfluktsrom; dekke, verne, gi ly, lune, huse, søke ly. — **deck** shelterdekk. — **plant** leplante.
shelty, sheltie ['ʃelti] shetlandsponni.
shelve [ʃelv] forsyne med hyller; henlegge.
shelve [ʃelv] skråne, helle.
shelves [ʃelvz] plur. av **shelf.**
shelving ['ʃelviŋ] hyllematerialer; skråning, skrinlegging, henlegging.
Shem [ʃem] (bibelsk) Sem.
shepherd ['ʃəpəd] hyrde, sauegjeter; gjete, røkte, passe på, lede, føre.
shepherdess ['ʃepədis] hyrdinne, gjeterjente.
sherbet ['ʃə:bit] sorbett, slags halvfrossen dessert.
sherd [ʃə:d] se **shard I.**
sheriff ['ʃerif] sheriff, foged, lensmann, (i England: en ulønnet, av kongen utnevnt funksjonær, som representerer sitt grevskap ved større anledninger. De virkelige forretninger utføres av en **undersheriff;** i Skottland: grevskaps øverste dommer). — **clerk** [-klɑ:k] rettsskriver. **-'s officer** rettsbetjent.
Sherlock ['ʃə:lək].
sherry ['ʃeri] sherry. — **cobbler** [-'kɔblə] leskedrikk av sherry, sukker, sitron og is.
she's [ʃi:z] fk. f. **she is** el. **she has.**
Shetland ['ʃetlənd]: **the -s** Shetlandsøyene; shetlandsponni; shetlandsk. — **pony** shetlandsponni. — **wool** shetlandsull.

shew [ʃəu] vise (gammel stavemåte for show). -bread skuebrød.

shibboleth ['ʃibəleθ] kjenningsord, løsen.

shield [ʃi:ld] skjold, vern, forsvar, beskytter; beskytte, verge, skjerme. — -bearer [-bɛərə] skjoldbærer. — hand venstre hånd. -less forsvarsløs. — of arms våpenskjold.

shift [ʃift] skifte, omlegge, flytte på, forandre seg, forskyve seg, kle seg om, greie seg, finne utveier, bruke utflukter; skift; arbeidsskift, arbeidstid; forandring, omslag; hjelpemiddel, knep, utvei, nødhjelp, list; klesskift, ren skjorte, rent undertøy; — about vende seg om; — off søke å unndra seg, bli kvitt; he makes — to live han hangler igjennom. -er maskinmann; lurendreier. -iness foranderlighet; -ing foranderlig, ustø, vinglet; knep, kunstgrep. -ing boards slingrebrett. -ing sand flygesand. -less hjelpeløs, upraktisk.

shifty ['ʃifti] upålitelig, lumsk, ful.

shikaree [ʃi'kæri] jeger.

shillelagh [ʃi'leilə] knortekjepp.

shilling ['ʃiliŋ] shilling (12 gamle pence); take the (Queen's) King's — la seg verve, motta håndpenger. — stroke skråstrek.

shilly-shally ['ʃili'ʃæli] ikke kunne bestemme seg; ubesluttsom; ubesluttsomhet.

shimmer ['ʃimə] flimre, skinne (svakt); flimring.

shimmy ['ʃimi] serk; shimmy (dans); vibrasjon, skjelving.

shin [ʃin] skinnebein, legg, skank; klyve, klatre (opp i), sparke; — of beef okseskank; he was more -ned against than -ning han fikk flere spark enn han gav. -bone skinneben.

shindig ['ʃindig] (amr.) fest, dansemoro.

shindy ['ʃindi] huskestue, ståk, bråk, fest.

shine [ʃain] skinne, stråle, pusse; skinn, solskinn, glans; cause his face to — upon være gunstig stemt for; take the — off it ta glansen av det; — up pusse, blanke.

shiner ['ʃainə] skopusser; blåveis (blått øye).

shingle ['ʃiŋgl] takspon; grus, singel; shingel; spontekke; klippe jevnt, shingle; smi ned jern til mindre stykker. — ballas: grusballast.

shingler taktekker.

shingles ['ʃiŋglz] helvetesild (sykdom).

shingling spontak. — hammer stor hammer, et hammerverk.

shingly ['ʃiŋli] singel-, singelstrødd.

shininess ['ʃaininis] glansfullhet.

Shinto ['ʃintəu] shintoisme (jap nsk religion).

shiny ['ʃaini] skinnende, blank. elegant.

ship [ʃip] skip; luftfartøy, fly; si ne, innskipe; ta inn (last); hyre, mønstre på; — a sea få en sjø over seg; — the oars gjøre årene klar. -board skipsplanke; on -board om bord. -boy skipsgutt. -broker skipsmekler. -builder skipsbygger. — -builder's yard skipsverft. -building skipsbygging. — chandler skipshandler. -load skipslast. -master skipskaptein, skipsfører; hyrebas.

shipment ['ʃipmənt] innskiping, utskiping; transport, forsendelse; parti, sending.

ship money en skatt som tidligere blɔ pålagt til utrustning av krigsskip. -owner reder.

shipper ['ʃipə] utskiper, avskiper, eksportør, speditør.

shipping ['ʃipiŋ] skipning, forsendelse; skipsfarts-, skipsfart, antall skip, tonnasje. — articles hyrekontrakt. — business spedisjonsfirma. — charges forsendelsesomkostninger. — company rederi. — disasters sjøulykker. — exchange fraktbørs. — line (el. trade) skipsfart (især virksomhet som reder, skipsmekler eller speditør). — office rederikontor; hyrekontor; spedisjonskontor. — trade sjøfart, skipsfart.

shipshape ['ʃipʃeip] i god orden.

shipway ['ʃipwei] bedding.

shipworm ['ʃipwə:m] pæleorm.

shipwreck ['ʃiprek] skibbrudd; lide skibbrudd; gå til grunne; forlise. shipwrecked ['ʃiprekt] skibbrudden. shipwright ['ʃiprait] skipsbygger.

shipyard ['ʃipjɑ:d] verft.

shire ['ʃaiə, i smstn.: ʃiə, ʃə] grevskap, fylke.

shirk [ʃə:k] skulke unna, sluntre unna; skulker, simulant; catch him -ing gripe ham i pliktforsømmelse; — off smette unna. -y skulkesyk.

shirt [ʃə:t] skjorte; skjortebluse; fotballtrøye; gi skjorte på; a white — mansjettskjorte; keep one's — on hisse seg ned; he hasn't got a — to his back han eier ikke nåla i veggen. — of mail panserskjorte. -band halslinning. — collar snipp, skjortekrave. — frill kalvekryss. — front skjortebryst. -ing skjorter, skjortetøy, sjirting. -less skjorteløs.

shirt|sleeve ['ʃə:tsli:v] skjorteerme; in his -s i skjorteermer. -tail skjorteflak.

shirty ['ʃə:ti] sint, ergerlig.

shit [ʃit] dritt, skitt, lort; sludder, tøys; (sl.) hasjisj; skite.

shivaree [ʃivə'ri:] pipekonsert; rabaldermusikk.

shiver ['ʃivə] stump, splint; splintre.

shiver ['ʃivə] skjelve, hutre, kulse; gysing, hutring, kuldegysing; a cold — went through me det løp kaldt nedover ryggen på meg; -ing gysing. shivery ['ʃivəri] skjelven, kulsen, kald.

shivery ['ʃivəri] skjør.

shoad [ʃəud] gang (en rekke metallholdige steiner, hvorav man slutter seg til malmens gang i fjellene).

shoal [ʃəul] sverm, stim; grunne, grunning, gå i stim; være grunt (om vann). -iness ['ʃəulinis] det å være full av grunner. -y ['ʃəuli] grunn.

shock [ʃɔk] (korn)stakk; lurv, stri lugg; a — of hair en kraftig manke.

shock [ʃɔk] støt, skaking, risting, rystelse, sjokk, støkk, kvepp, forargelse; støte, ryste, sjokkere, forarge. — absorber støtdemper. — effect sjokkvirkning. — head bustehue, med tykt hår.

shocking ['ʃɔkiŋ] (adj.) rystende, forferdelig; anstøtelig; (adv. foran bad) a — bad hat en meget dårlig hatt.

shock resistant støtsikker. — therapy sjokkbehandling. — troops støttropper.

shoddy ['ʃɔdi] jernspiss, kunstull; fillekram, skrap; uekte, forloren; forarbeide til shoddi.

shoe [ʃu:] sko, lav støvel, støvlett, skoning; beslå; cast a — miste en sko (om hest); I should not like to stand in your -s jeg ville nødig være i dine bukser; another pair of -s noe helt annet; where the — pinches hvor skoen trykker; die in his -s bli hengt; stand in my -s tre i mine fotspor; slip into his -s overta hans stilling; she stole upstairs without her -s hun listet seg opp på sokkelesten. -binding nåtling. -black skopusser. -boy skopusser. -horn skohorn.

shoeing ['ʃuiŋ] skoning; skotøy.

shoe|lace skolisse. -leather skolær; skotøy; save -leather unngå å bruke beina.

shoe|maker ['ʃu:meikə] skomaker. -strap skoreim. -string skoband, -reim, -lisse; som har begrensede midler til disposisjon; we married on a -string vi hadde meget dårlig råd. — tree lest (til å stikke i sko). -vamp overlær. -vamper lappeskomaker.

shone [ʃɔn] imperf. og perf. pts. av shine.

shoo [ʃu:] husj! (utrop for å skremme bort); jage, skremme (bort).

shook [ʃuk] imperf. av shake; — up (amr.) fra seg av glede.

shoot [ʃu:t] skyte, fyre av, gå på jakt, jage; fosse, sprute; kaste (om terninger); kaste, slenge; fotografere; skyve; styrte av, lesse av, tømme; kanthøvle; passere hurtig, sprenge forbi; spire fram, fare av sted, stikke; skudd; jakt, jaktdistrikt; fylling, søppeltomt; skråbrett, tømmerrenne, stryk (i elv); — the moon flytte om natten uten å betale husleien; — at skyte på; — out rage fram.

shooter ['ʃu:tə] jeger; skytevåpen, skytter; stjerneskudd.

shooting ['ʃuːtiŋ] jakt, jaktrett; skyting; film-opptak; jagende fornemmelse, sting; — **boots** jaktstøvler. — **box** jakthytte. — **brake** stasjons-vogn. — **distance** skuddhold. — **gallery** skyte-bane. — **ground** skytebane. — **line** skytterlinje. — **match** premieskyting. — **range** skytebane. — **star** stjerneskudd. — **stick** jaktstol.

shop [ʃɔp] butikk, forretning, verksted; plass; fagprat; handle, gå i butikker, gjøre innkjøp; **come to the wrong** — gå til feil adresse; **keep a** — ha butikk; **talk** — snakke butikk. — **assistant** ekspeditør, -trise. **-bill** handlendes reklame (i vinduet). **-board** verkstedbord. — **boy** butikkgutt. **-breaker** innbruddstyv. — **committee** tillitsmannsutvalg. — **drawing** arbeidstegning. — **foreman** verksmester. **-girl** butikkdame. **-keeper** kjøpmann, butikkinnehaver; kremmer. **-lifter** butikktyv. **-like** simpel. **-man** ekspeditør; kremmer. **-ping** innkjøp. **-pish** opptatt av forretninger. **-py** ['ʃɔpi] butikk-, faglig, full av fagprat. **-soiled** skitten; (fig.) forslitt. — **steward** tillitsmann. — **union** verkstedsklubb. **-walker** ['wɔːkə] butikkinspektør. — **woman** ekspeditrise.

shore ['ʃɔː] støtte, skråstiver; stive av.

shore ['ʃɔː] kyst, strand; elvebredd; **a bold** — bratt kyst; **lee** — le land; **from** — **to** — fra strand til strand; **the wind is in** — det er pålandsvind; **on** — i land, til lands, på grunn.

shore | **battery** kystbatteri. — **bird** strandfugl. **-face** strandbelte. — **fast** fortøyning. — **leave** landlov. — **seine** landnot. **-ward** mot kysten.

shorn [ʃɔːn] perf. pts. av **shear.**

short [ʃɔːt] kort, stutt, liten av vekst; kortvarig; kortfattet; avvisende, brysk; sprø, skjør; plutselig, hurtig; mangel, manko; bruddstykke; kortslutning; kort begrep; **in** — kort sagt; — **of** som kommer til kort med, utilstrekkelig forsynt med; mindre enn; **nothing** — **of** intet mindre enn; **fall** — ikke strekke til; **go** — mangle; **stop** — stanse plutselig. **-age** ['ʃɔːtidʒ] skort, underskudd. **-bread** ['ʃɔːtbred], **-cake** mørdeigkake; — **change** for lite penger igjen. — **circuit** kortslutning. **-coming** feil, mangel, lyte, skort. — **commons** smal kost. — **current** kortslutning. — **cut** snarvei. — **-dated** kortvarig, flyktig.

shorten ['ʃɔːtn] forkorte, innskrenke, knappe av; — **sail** minske seil. **-ing** ['ʃɔːtniŋ] forkortelse; matfett.

shorthand ['ʃɔːthænd] stenografi; — **writer** stenograf.

short|**handed** ['ʃɔːt'hændid] med for få folk; **be** — ha for lite mannskap. — **haul** nærtransport.

shorthorns korthornskveg.

short-lived ['ʃɔːt'livd] kortvarig, flyktig.

shortly ['ʃɔːtli] snart, i nær fremtid; — **before** kort før; — **after** kort etter; **very** — i nærmeste fremtid. **shortness** korthet.

shorts [ʃɔːts] knebukser, idrettsbukser (rommelige vide bukser, avskåret over kneet, til løp, roing, fotball etc.).

short|**-sighted** ['ʃɔːt'saitid] nærsynt, kortsynt. — **-spoken** kort, avvisende; lakonisk. — **story** novelle. — **-tempered** oppfarende, hissig. — **-term** kortids-. — **-waisted** kort i livet. — **-winded** [-windid] kortpustet. — **-witted** [-witid] enfoldig.

shot [ʃɔt] imperf. og perf. pts. av **shoot.**

shot [ʃɔt] skudd, prosjektil(er), hagl; kule (til kulestøt); innsprøytning, sprøyte; drink, glass; sjanse; skuddvidde, rekkevidde; skytter, garnkast, notkast, garntrekning; øyeblikksfotografi; filmscene, enkeltopptak; isprengt, changeant; **a dead** — en blinkskytter; **out of** — utenfor skuddvidde; **fire with** — skyte med skarpt; **put the** — støte kule; **he made a bad** — det var dårlig gjetning; **there is no** — **in the locker** det er ikke en øre i kassen; **have a** — **at it!** gjør et forsøk!

shot [ʃɔt] regning; **stand** — betale.

shotfree ['ʃɔtfriː] helskinnet.

shotgun ['ʃɔtgʌn] haglgevær.

shotproof ['ʃɔtpruːf] skuddfast, skuddsikker.

shot put(ting) ['ʃɔtput(iŋ)] kulestøt.

shot tower ['ʃɔt'tauə] tårn til haglfabrikasjon, hagltårn.

should [ʃud] skulle (av **shall**).

shoulder ['ʃuldə] skulder, aksel, herd, bog (av slakt); avsats, veikant, bankett; ta på skuldrene; påta seg; skubbe til; **have broad -s** (ogs. fig.) ha brede skuldre; stå for en støyt; — **to** — skulder ved skulder, rygg mot rygg, side om side; **rub -s (with)** komme i nær berøring (med); **soft -s** svake veikanter; **speak straight from the** — snakke rett ut, ta bladet fra munnen; — **out** skubbe ut. — **belt** skulderskjerf; bandolær; — **blade** (eller — **bone**) skulderblad. — **strap** skulderstropp, skulderklaff.

shout [ʃaut] rop, juble; brøle; rop, brøl, skrik; — **at** rope etter; — **for** rope på; **-ing** ['ʃautiŋ] roping, skriking, brøling.

shove [ʃʌv] skubbe, skumpe, skyve; skubb; — **off** stikke av, pigge av.

shovel ['ʃʌvl] skovl, skuffe; prestehatt; skovle, måke; — **hat** (engelsk) prestehatt (med brem som er bøyd opp på sidene).

show [ʃəu] vise, syne; angi; påvise, godtgjøre; stille til skue, legge fram, vise seg; skue, utstilling, fremvising, skuespill; skinn, utseende; — **of hands** håndsopprekking; — **off** gjøre seg viktig med, glimre, vise seg; — **up** avsløre, utlevere; **good** —! bravo! — **bill** reklameplakat. — **biz** = — **business**. — **boat** teaterbåt. — **box** perspektivkasse. **the** — **business** underholdningsbransjen. **-bread** skuebrød. **-down** å vise kortene; (fig.) full åpenhet, oppgjør.

shower ['ʃəuə] fremviser.

shower ['ʃauə] byge, skur, styrtregn, strøm; dusj; massevis; la det regne, la hølje; dusje. — **bath** dusjbad. **-less** regnfri. **-y** regnfull.

showgirl ['ʃəugəːl] sparkepike, showgirl.

showing ['ʃəuiŋ] fremvisning, forevisning. — **-off** det å vise seg, blærethet.

showman ['ʃəumən] fremviser; underholdningsmann; leder av et menasjeri o. l.

showpiece utstillingsgjenstand.

showroom ['ʃəuruːm] utstillingslokale.

showy ['ʃəui] pralende, som gjerne vil vise seg, som tar seg ut.

shown [ʃəun] perf. pts. av **show.**

shrapnel ['ʃræpnəl] shrapnel, granatkardeske(r).

shred [ʃred] skjære i strimler, trevle opp; stump, remse, fille, strimmel. **-der** råkostjern; maskin som river istykker el. trevler opp, makuleringsmaskin.

shrew [ʃruː] spissmus, musskjær.

shrew [ʃruː] troll (til kvinnfolk), sint kjerring, xantippe; **The Taming of the S.** Troll kan temmes (skuespill av Shakespeare).

shrewd [ʃruːd] skarpsindig, gløgg, klok, smart, dreven; ondskapsfull; skarp, kvass. **-ness** gløgghet, skarpsindighet.

shrewish ['ʃruːiʃ] arrig.

shrewmouse ['ʃruːmaus] spissmus, musskjær. **Shrewsbury** ['ʃruːzbəri] by i Shropshire.

shriek [ʃriːk] skrik, hyl; skrike, hvine, hyle.

shrift [ʃrift] skriftemål; (brukes nå bare i forb.) **give short** — ekspedere (inn i evigheten) uten videre, gjøre det av med straks.

shrike [ʃraik] tornskrike, varsler (en fugl).

shrill [ʃril] skingrende, skarp, gjennomtrengende; hvine, gneldre.

shrimp [ʃrimp] reke; pusling, tufs; fange reker; **-er** rekefisker. **-ing** net reketrål.

shrine [ʃrain] helgenskrin, helligdom, alter; skrinlegge, bevare som en helligdom.

shrink [ʃriŋk] krympe sammen, krype, svinne inn, visne bort; kvie seg for, vike tilbake; krymping, innskrumping; det å vike tilbake. **shrinkage** ['ʃriŋkidʒ] svinn; sammenskrumping. **shrinking** ['ʃriŋkiŋ] krymping, kryping; blyghet; blyg, nølende. **shrinkproof** krympefri.

shrive [ʃraiv] skrifte.

shrivel ['ʃrivl] skrumpe inn, visne. -led rynket, skrukket.
shriven ['ʃrivn] perf. pts. av shrive.
Shropshire ['ʃrɔpʃə].
shroud [ʃraud] likskrud, liksvøp; vant (på skip), skorsteinsbardun; svøpe et lik, tilhylle, innhylle, dekke. — line fallskjermsnor.
shrove [ʃrouv] imperf. av shrive.
Shrove [ʃrouv] fastelavn; bare i sammensetninger: — Monday fastelavnsmandag. — Tuesday fetetirsdag. Shrovetide ['ʃrouvtaid] fastelavn.
shrub [ʃrʌb] busk, kratt; rense for kratt. -bery ['ʃrʌbəri] buskas, kjerr. -by ['ʃrʌbi] busket.
shrug [ʃrʌg] skyte i været; trekke på skuldrene; skuldertrekk; kort damejakke, bolero; — off riste av seg; he -ged his shoulders han trakk på skuldrene.
shrunk [ʃrʌŋk] imperf. og perf. pts. av shrink.
shrunken ['ʃrʌkən] innskrumpet (av shrink).
shuck [ʃʌk] hylster, belg, skolm, hams.
shucks [ʃʌks] tøys, tøv; fillern.
shudder ['ʃʌdə] gyse, grøsse; gysing; I — to think of it jeg gyser ved tanken på det. -ingly ['ʃʌdəriŋli] med gysing.
shuffle [ʃʌfl] blande, stokke (kort); skaffe på sett og vis, lempe (away vekk), bruke knep, søke utflukter, sjokke, tasse; dytte, skubbe; sleping, subbing; kortblanding, sammenblanding, knep, utflukt; — off frigjøre seg for, få av veien; lure seg unna; — up raske sammen. shuffler ['ʃʌflə] kortblander, lurendreier. shuffling ['ʃʌfliŋ] vinglet, ful, lur, unnvikende; slepende, subbende; utflukt, påskudd.
shun [ʃʌn] sky, unngå.
shunt [ʃʌnt] dreie av, vike til siden, skifte (ut på et sidespor), rangere, få av veien; parallellkople; rangerspor, vikespor; rangering; shunt (gren av elektrisk strømledning). -er sporskifter. -ing yard ranger el. skiftestasjon.
shut [ʃʌt] lukke, lukkes, lukke seg; lukket; lukking; sveising; — the door lukke døra; — down lukke, stanse arbeidet; — in innelukke; — off stenge av, slå av, sperre; — out utelukke; — up sperre til, få til å tie, stoppe kjeften på, holde munn. -down stans (av arbeid osv.). — -eye blund, lur. -off avsperring.
shutter ['ʃʌtə] skodde, vinduslem, lukker (i fotografiapparat); rullesjalusi (til skrivebord); lukke med vinduslemmer; put up the -s ha fyrabend, slutte med forretningene, stenge. — release lukkerutløser.
shuttle ['ʃʌtl] bevege seg fram og tilbake, pendle, gå i rutefart; skyttel. -cock [-kɔk] fjærball. — service pendelfart, rutefart.
shy [ʃai] bli sky, skvette, bli redd; sky, skvetten, fryktsom, blyg, mistenksom, upålitelig; fight — of a person søke å unngå en persons selskap; once bitten, twice — brent barn skyr ilden.
shy [ʃai] kast, hipp, utfall, forsøk; kyle, hive, kaste, gi et hipp.
Shylock ['ʃailɔk] Shylock; ågerkarl.
S. I. fk. f. Order of the Star of India; Staten Island.
Siam [sai'æm]. -ese [saiə'mi:z] siameser; siamesisk; siamesisk språk.
sib [sib] slektning; beslektet (to med).
Siberia [sai'biəriə] Sibir. Siberian [sai'biəriən] sibirer; sibirsk. — tit lappmeis.
sibilant ['sibilənt] vislende, vislelyd. sibilation [sibi'leiʃən] visling.
sibling ['sibliŋ] søster el. bror; -s søsken.
sibyl ['sibil] sibylle, volve, spåkjerring. sibylline [si'bilain] sibyllinsk.
siccative ['sikətiv] tørkemiddel; tørkende.
sice [sais] sekser (på terning).
Sicilian [si'siljən] siciliansk; sicilianer. Sicily ['sisili] Sicilia.
sick [sik] syk (i denne betydning brukes ordet på engelsk nesten bare foran substantiv, på amr.

også som predikatsord); sjøsyk, kvalm, som har kvalme; kraftesløs, matt, lei og kei (of av); sykelig, makaber; be — være kvalm, kaste opp, brekke seg; fall — bli syk; turn — få kvalme. — bay sykelugar. -bed sykeseng. — call sykebesøk. — certificate sykeattest. — chamber sykestue. — club sykekasse.
sicken ['sikn] bli syk, sykne, få kvalme, bli kvalm (at av); bli lei (at av); bli beklemt; kvalme, gjøre syk. -er noe som gjør en syk. -ing vemmelig, kvalmende; motbydelig.
sickle ['sikl] sigd, krumkniv.
sick leave ['sik'li:v] sykepermisjon.
sickliness ['siklinis] sykelighet, svakelighet; usunnhet; vammelhet; motbydelighet; matthet.
sick list ['sik'list] sykeliste.
sickly ['sikli] (adj.) sykelig, skrøpelig, svakelig; usunn; vammel, kvalmende; matt; (adv.) sykt.
sickness ['siknis] sykdom; illebefinnende; kvalme, brekning(er); matthet, kraftesløshet. — benefit sykepenger.
sick | nurse sykepleier(ske). — pay sykepenger, lønn under sykdom. — quarters sykestue. -room sykerom, sykesal.
side [said] side, kant, parti; viktighet, overlegenhet; til siden, side-; ta parti (with for), holde med; komme opp på siden av; sette til side; put on — spille overlegen. — action bivirkning. — aisle sidegang, sideskip. — arms sidevåpen. — blow sidestøt. -board [-bɔ:d] buffet, skjenk. — ccar sidelosje. -burns kinnskjegg, bakkenbarter. -ear sidevogn (til motorsykkel). — effect bivirkning. — -glance sideblikk. -light streiflys, sidelys; sidevindu, sidelanterne. -line sidelinje; sit on the -line sitte med hendene i fanget, være tilskuer. -long side-, skrå-, til siden, sidelengs, på skrå. — note randbemerkning. sider partigjenger, tilhenger.
sidereal [sai'diəriəl] stjerne-.
side | saddle damesal; på damesal. — scene (side-) kulisse. -splitting til å le seg fordervet av. -track sidespor, vikespor; rangere inn på sidespor; skubbe til side; få på avveier; komme på avveier. — view syn fra siden, profil, sideprospekt. -walk (især amerikansk) fortau. -wards ['saidwədz] til siden. -ways ['saidweiz] til siden, sidelengs. — -whiskers bakkenbarter. — wind sidevind. -winder klapperslangeart. -wise til siden.
siding ['saidiŋ] sidespor, vikespor; sidebekledning, panel, bordkledning.
sidle ['saidl] gå sidelengs, gå i skrå retning; nærme seg (el. gå) beskjeden og sjenert.
Sidney ['sidni].
siege [si:dʒ] beleiring; lay — to beleire, begynne å beleire; declare a state of — erklære beleiringstilstand; raise the — heve beleiringen.
siesta [si'estə] siesta, middagslur.
sieve [si:v] sil, dørslag, sikld, sikt; sikte, sile. — cloth sikteduk.
sift [sift] sikte; strø, drysse; undersøke, vurdere; — out sikte fra. -er sikt; strøboks, drysser. -ing sikting. -ings frasiktede deler, siktemel.
sig. fk. f. signal; signature.
sigh [sai] sukke; sukk; fetch (heave, draw) a deep — utstøte (el. dra) et dypt sukk.
sight [sait] syn, synsevne, øyne; synsvidde; sikt (om veksel), observasjon; severdighet, syn for guder; en hel mengde; sikte, siktehull, kikhull, siktemiddel, sikteskår, siktekorn på skytevåpen; utsikt, sjanse, få øye på, få i sikte; sette sikte på, sikte inn, innstille, rette (skytevåpen); forevise, presentere (veksel); observere; a — for sore eyes en fryd for øyet; know him by — kjenne ham av utseende; catch — of få øye på; get (el. gain) — of få øye på, få i sikte; it's a long — better than det er mye bedre enn; lose — of tape av syne; keep — of holde øye med; after — etter sikt (om veksler)· at — straks; ved sikt, a vista; love at first — kjærlighet ved første blikk; play at — spille fra bladet; read at — ekstemporere med letthet; in — i sikte;

for øye; **be in** — **of** ha i sikte; **come in** — **of** få i sikte; **out of** — ute av syne; **out of** —, **out of mind** ute av øye, ute av sinn; **rise in** — komme i sikte; **-ed** seende, -synt (i smstn. f. eks. shortsighted). — **bill,** — **draft** siktveksel, a vistaveksel. **-ing notch** sikteskår (på skytevåpen). **-ing shot** prøveskudd. **-less** blind, uten syn, som ingenting ser, åndsfraværende, død. **-liness** penhet. **-ly** pen, tekkelig. — **-seeing** på jakt etter severdigheter; beskuelse av severdigheter. — **-seer** ['si:ə] skuelysten, turist. — **singing** sang fra bladet. — **translation** ekstemporaloversettelse.

sigil ['sidʒil] sigill, segl.

sign [sain] tegn, merke, minnesmerke, skilt; vink, varsel; interpunksjonstegn; stjernebilde, underskrift; gjøre tegn; merke opp, merke, betegne, undertegne; — **away** gi avkall på, fraskrive seg; — **for** tegne seg for; — **on** engasjere, ansette; — **over** overdra.

signal ['signəl] signal, signal-, sambands-, meldings-; signalisere; merkelig, utmerket, eklatant, grundig, grepa. — **box** stillverk. **S. Corps** hærens sambandstjeneste.

signalize ['signəlaiz] signal(is)ere; utmerke, understreke.

signally ['signəli] særdeles, overordentlig.

signatory ['signətəri] underskriver; signatarmakt. **signature** ['signətʃə] underskrift, navnetrekk; signere.

signboard ['sainbɔ:d] skilt.

signet ['signit] signet; mindre kongelig segl.

significance [sig'nifikəns] viktighet, betydning.

significant [sig'nifikənt] betydningsfull, viktig, talende. **signification** [signifi'keiʃən] betydning. **significative** [sig'nifikətiv] betegnende.

signify ['signifai] bety, tyde, betegne, tilkjennegi; ha betydning, ha å si.

sign painter ['sainpeintə] skiltmaler.

signpost ['sainpəust] skiltstolpe; avviser, veiviser; rettledning.

Sikh [si:k] sikh (indisk sekt).

Silas ['sailəs].

silence ['sailəns] taushet, stillhet; stille!, bringe til taushet, forstumme, få til å tie, døyve; **break** — bryte tausheten; **command** (eller **order**) — slå til lyd; **keep** (eller **observe**) — tie; **put** (eller **reduce**) **to** — få til å tie; — **is consent** den som tier samtykker.

silencer ['sailənsə] lyddemper (i motor).

silent ['sailənt] stumfilm; taus, tagal, stille, fåmælt, stilltiende; stum; **be** — tie; — **as death** taus som graven; **he dropped** — han forstummet. **-ly** stilltiende. — **partner** passiv medinteressent. **-ness** [-nis] taushet.

Silesia [sai'li:ziə] Schlesien.

silhouette [silu'et] silhuett; tegne i silhuett.

silica ['silikə] silicium-dioksyd, kiselsyreanhydrid, kiseljord. **silicate** ['silikit] silikat, kiselsurt salt. **silicated** ['silikeitid] kiselsur. **siliceous** [si'liʃəs] kiselholdig.

silicon ['silikən] silisium, silikon.

silk [silk] silke, silkegarn, silketøy, silkestoff; (i plur.) silkevarer, sorter silke, silkeklær, silkestrømper; **raw-** råsilke; **refuse** — silkeavfall; **spun** — silkegarn; **sewing -s** sysilke; **take the** — få silkekappen (bli kongelig advokat). — **breeder** silkeavler. — **cotton** halvsilke; planteull. — **culture** silkeavl. **-en** silke-, av silke, silkeaktig, silkebløt, silkekledd. **-ette** [sil'ket] kunstsilke. — **gown** silkekjole. **-iness** silkeaktighet. — **mercer** silkehandler. — **moth** silkespinner (insekt). — **paper** silkepapir. — **-screen print** silketrykk. — **shag** silkeplysj. — **stocking** silkestrømpe. — **worm** silkeorm. **-y** ['silki] silkeaktig, silkebløt, silkeglinsende.

sill [sil] svill, terskel, vinduskarm, fotstykke (i mur).

sillabub ['siləbʌb] en slags rett av fløte eller melk med vin og sukker.

silliness ['silinis] dumhet.

silly ['sili] tosket, enfoldig, dum; tosk, fe. — **billy** dummepetter, (din) tosk.

silo ['sailəu] silo.

silt [silt] slam, mudder, dynn.

silvan ['silvən] skogrik, skog-.

silver ['silvə] sølv, sølvpenger; av sølv, sølvfarget; sølvblank; forsølve; **born with a** — **spoon in one's mouth** begunstiget av lykken. — **beater** sølvhamrer. — **-coated** foliert (om speil). — **cord** navlesnor. **-ed** belagt med sølv; sølvblank. — **eel** blankål. **-er** forsølver. — **fir** edelgran. — **glance** sølvglans. — **grey** sølvgrå. — **-headed** sølvhåret, med sølvhode, sølvknappet. **-iness** sølvaktighet. **-ing** forsølving. **-ise** forsølve. — **leaf** bladsølv. **-less** pengelens. — **-lining** (egl. sølvfôr), utsikt til lysere dager; **every cloud has a** — **lining** ≈ etter regn kommer sol. — **mine** sølvgruve. — **plate** plettere; forsølving; sølvplett. — **polish** sølvpuss. — **smith** sølvsmed. — **things** sølvtøy. — **touch** probering av sølv på prøvestein. **-ware** sølvtøy. — **wedding** sølvbryllup. — **wire** sølvtråd. — **works** sølvverk. **-y** sølv-, sølvklar, sølvblank.

silvicultural [silvi'kʌltʃərəl] skogbruks-, forst-. **silviculture** skogbruk, forstvitenskap.

simian ['simiən] ape-, apelignende.

similar ['similə] liknende, ens. **-ity** [simi'læriti] likhet. **-ly** ['siliəli] på liknende måte.

simile ['simili] likhet, sammenlikning.

similitude [si'militju:d] likhet, liknelse; skikkelse, bilde; sammenlikning.

similor ['similə] talmi(gull), fransk gull.

simmer ['simə] småkoke, putre; småkok, putring, surring; (fig.) ulme.

Simon ['saimən] Simon; **Simple** — dummepetter.

simony ['siməni] simoni (handel med prestekall).

simoom [si'mu:m] samum (tørr og varm ørkenvind).

simper ['simpə] smile affektert, være smørblid; fjollet smil; **-ingly** smiskende.

simple ['simpl] enkel, primitiv, klar, jevn, innlysende, lettfattelig, endefrem, grei, enfoldig, naiv, troskyldig; lægeplante; person av enkel herkomst; dumrian; ulærd person. — **equation** likning av første grad. — **fraction** ubrudden brøk. — **larceny** simpelt tyveri. — **life** fordringsløst liv (hvor det frivillig gis avkall på oppvartning og luksus). — **-hearted** troskyldig; oppriktig. — **-minded** troskyldig, enfoldig.

simpler ['simplə] plantesamler.

simpleton ['simpltən] tosk, dust, treskalle.

simplicity [sim'plisiti] enkelhet, lettfattelighet, jevnhet, likefremhet, enfoldighet.

simplification [simplifi'keiʃən] forenkling.

simplify ['simplifai] forenkle, simplifisere.

simply ['simpli] simpelthen, likefrem, bare.

simulacrum [simju'leikrəm] tom skygge, skinn; etterlikning, attrapp.

simulate ['simjuleit] simulere, hykle, fingere; — **illness** gjøre seg syk. **simulation** [simju'leiʃən] forstillelse. **simulator** ['simjuleitə] hykler, simulant; simulator.

simultaneity [siməltə'niəti] samtidighet.

simultaneous [siməl'teinjəs] samtidig. **-ly** på samme tid. **-ness** [-nis] samtidighet.

sin [sin] synd; synde (**against** imot); **deadly** (el. **mortal**) — dødssynd; **actual** — personlig synd; **original** — arvesynd; **for my -s** for mine synders skyld; **it is a** — **and a shame** det er synd og skam; **commit a** — synde; — **one's mercies** ikke skjønne på hvor godt man har det. **since** [sins] siden; ettersom; **ever** — like siden; **long** — for lenge siden.

sincere [sin'siə] oppriktig, ekte; **yours -ly** Deres hengivne (under brev). **sincerity** [sin'seriti] oppriktighet.

sine [sain] sinus (matematikk).

sine ['saini] (lat.) uten; — **die** på ubestemt tid.

sinecure ['sainikjuə] sinekyre, embete uten

forretninger. **sinecurist** ['sainikjuərist] sineky-rist.

sinew ['sinju] sene; kraft, nerve; forbinde, knytte sammen; gi fasthet el. styrke. **-less** [-lis] kraftløs. **sinewy** ['sinjui] senesterk.

sinful ['sinf(u)l] syndig. **-ness** syndighet.

sing [siŋ] synge, besynge; synges, la seg synge, (amr.) røpe, tilstå, synge ut; — **another song** (el. tune) anslå en beskjednere tone; — **the blues** jamre seg; — **out** stemme i, synge ut; — **small** stemme tonen ned, holde opp med å skryte, spakne.

singe ['sin(d)ʒ] svi; lettere brannsår; sviing.

singer ['siŋə] sanger, sangerinne.

singing ['siŋiŋ] sang; syngende. — **bird** sang-fugl. — **book** sangbok. — **kettle** fløytekjele. — **master** sanglærer. — **voice** sangstemme.

single ['siŋgl] enkelt, enkeltvis, usammensatt, eneste, enslig, ugift; alene; enkelt-; sunn, ufordervet; utvelge; **live in** — **blessedness** leve ugift. — **-breasted** enkeltknappet. — **-eyed** uegennyttig, åpen og ærlig; enøyd. — **-family house** enebolig. — **feature** helaftenstykke (teater). — **file** gåsegang, etter hverandre. — **-handed** med én hånd; uten hjelp. — **-hearted** ærlig. — **-minded** med én ting for øye, målbevisst. **-ness** [-nis] enkelthet, oppriktighet. **-t** singlet, undertrøye. **-ton** en eneste, ett kort i fargen. — **-tracked** ensporet; enkeltsporet.

singlings ['siŋgliŋz] pl. fusel.

singly ['siŋgli] enkeltvis; **misfortunes never come** — en ulykke kommer sjelden alene.

singsong ['siŋsɔŋ] ensformig; ensformig tone, messing, dur, klingklang; sammenkomst med sang.

singular ['siŋgjulə] sjelden, ualminnelig, besynderlig, utmerket, eneste; entall, singularis. **singularity** [siŋgju'læriti] særegenhet. **singularly** ['siŋgjuləli] særdeles.

Sinhalese [sinhə'li:z] singalesisk; singaleser.

sinister ['sinistə] uhellsvanger, uhyggelig, skummel, sørgelig, forkastelig, ond; (især i heraldikk) venstre, i venstre side av våpenskjold (av betrakteren ses det som høyre). — **-looking** skummel. **sinistral** ['sinistrəl] venstre; venstresnodd.

sink [siŋk] synke, søkke, senke; skråne, helle, bore i senk, gjemme, legge bort; anbringe (penger); fornedre, forminske; fordypning, søkk; avløp(srenne), vask (i kjøkken). **-er** søkke; stempelskjærer. **-ing fund** amortisasjonsfond. — **seine** synkenot.

sinless ['sinlis] syndefri. **sinner** ['sinə] synder, synderinne.

Sinn Fein ['ʃin'fein] irsk bevegelse og parti.

sin offering ['sinɔfəriŋ] sonoffer.

sinologist [si'nɔlədʒist] el. **sinologue** ['sinəlɔg] kjenner av kinesisk, sinolog.

sinology [si'nɔlədʒi] kjennskap til kinesisk.

sinter ['sintə] tuff (mineral).

sinuosity [sinju'ɔsiti] buktethet, bølgeformethet. **sinuous** ['sinjuəs] buktet, slynget.

sinus ['sainəs] bukt, fold, krumming, åpning; hule, bihule. **-itis** bihulebetennelse.

Sioux [su:] siouxindianer.

sip [sip] nippe (til); suge inn; nipp, tår, slurk.

siphon ['saifən] sifong; hevert; lede gjennom hevert; lede vekk; **plunging** — stikkhevert. — **trap** vannlås.

sippet ['sipit] brødterning.

Sir, sir [sə:, sə] herre, herr, min herre; brukes som tiltaleord til høyerestilte og foresatte, og er da oftest å gjengi med herr med navn eller tittel etter; — i formell stil, særlig brevstil, til menn av enhver stand; **Dear** — ærede herre. **Dear -s** De herrer; — også tilrettevisende til underordnede («far»): **what is that to you,** — ? Hva kommer det Dem ved? — som parlamentarisk innledning: herr president (idet enhver taler henvender seg til presidenten el. formannen); — foran en baronets el. ridders fornavn, f. eks. **Sir Walter Scott; Sir?** Hva behager?

sirdar ['sə:dɑ:] den britiske øverstkommanderende over den egyptiske hær.

sire [saiə] far, opphav, stamfar, herre konge! avle; **land of my -s** mine fedres land; **sired by** falt etter.

siren ['sairin] sirene; tåkelur. — **call** (fig.) lokketone. — **suit** ≈ overalls, kjeledress.

sirloin ['sə:lɔin] oksemørbrad.

sirocco [si'rɔkəu] sirokko (Middelhavs-vind).

sirrah ['sirə] far, (din) knekt!

sirop, sirup ['sirəp] sirup.

siskin ['siskin] sisik.

sissy ['sisi] jentegutt, mammadalt, stakkar; sippete, stakkarslig.

sister ['sistə] søster; nonne, diakonisse; sykepleierske; **the three sisters** el. **the sisters three** el. **the fatal sisters** de tre skjebnegudinner; — **of Charity** barmhjertig søster. — **country** broderland. **-hood** [-hud] søsterskap, søsterorden. — **-in-law** svigerinne. **-like, -ly** søsterlig. — **plaintiff** medsaksøkerske.

Sistine ['sistin] sikstinsk.

Sisyphean [sisi'fi:ən] sisyfos-.

Sisyphus ['sisifəs] Sisyfos.

sit [sit] sitte, ligge, ruge; passe (om klær); vare barnevakt; holde møte, hvile på; — **a horse** sitte på en hest; — **at table** sitte til bords; — **down** sette seg (ned); — **down to** (sette seg til) **the piano;** — **for one's picture** la seg male; **the parliament -s** Parlamentet er samlet; — **up** sitte oppreist, sette seg opp, sitte oppe, være oppe; — **up with a sick person** våke hos en syk; — **the coroner sat upon the body** holdt likskue over liket; **a council of war sat on them** det ble holdt krigsrett over dem; **the doctors** — **upon him** legene holder en konferanse angående hans sykdom; — **upon petitions** behandle søknader; **he lets everybody** — **upon him,** han lar seg kue av alle og enhver; — **out to** (forbli samlet til) **the end of September;** — **through** bli sittende. — **-down strike** sitdownstreik, streik hvor man forblir på arbeidsplassen.

site [sait] beliggenhet; plass, byggetomt; sted, åsted; plassere, anbringe. — **value** grunnverdi.

siting ['saitiŋ] plassering.

sitter ['sitə] (levende) modell; liggehøne; barnevakt. — **-in** blindemann (i kortspill).

sitting ['sitiŋ] sitting, seanse, rettssesjon, møte. ruging, sitteplass; **at a** — på én gang, i ett kjør. — **box** rugekasse. — **duck** lett offer, takknemlig offer. — **-room** dagligstue.

situated ['sitjueitid] beliggende; stilt, situert; **thus** — slik stilt; i den stilling.

situation [sitju'eiʃən] beliggenhet, situasjon, forhold, stilling; (forening av) omstendigheter; ansettelse, post.

sitz bath ['sitsbɑ:θ] sittebad; bidet.

six [siks] seks, sekstall; undertiden d. s. s. sixpennyworth: **two and** — to shilling og seks pence; **be at sixes and sevens** ligge hulter til bulter; helt fortumlet. **sixfold** ['siksfəuld] seksdobbelt. **sixfooter** ['siks'futə] person som er seks fot høy, kjempekar. **sixpack** kartong med seks flasker.

six|pence ['sikspəns] seks (gamle) pence. **-penny** [-pəni] sekspence; (fig.) godtkjøps, billig. **-pennyworth** ['sikspəniwəθ] så mye som kan fås for seks pence. — **-shooter** seksløper.

sixteen ['siks'ti:n] seksten. **sixteenth** ['siks'ti:nθ] sekstendel, sekstende.

sixth [siksθ] sjette, sjettedel.

sixthly [siksθli] for det sjette.

sixty ['siksti] seksti; **in the sixties** i sekstiårene.

sixtieth ['sikstiiθ] sekstiende, sekstidel.

sizable ['saizəbl] svær, dryg, anselig.

sizar ['saizə] student med fri kost ved Cambridge og Dublin universiteter, stipendiat. **-ship** stipendium.

size [saiz] størrelse, format, mål, dimensjon, nummer, avmålt porsjon; sortere (etter størrelsen), måle, avpasse, tilpasse; — **up** taksere;

justere, danne seg et bilde av. **-sized** [saizd] av størrelse; **middlesized** av middelsstørrelse.
size [saiz] lim; lime. — **colour** ['saizkʌlə] limfarge.
sizel ['sizl] sølv-avfall.
sizzle ['sizl] brase, frese, syde, putre. **sizzling** stekende.
sjambok ['ʃæmbɔk] pisk av flodhestskinn.
skate [skeit] ekte rokke; skate (fisk).
skate [skeit] skøyte, rulleskøyte; slamp; gammelt øk; løpe på skøyter; skøyte; (fig.) fare over. **skater** skøyteløper. **skating** skøyteløp. — **rink** skøytebane, (ofte) rulleskøytebane.
Skaw [skɔ:]; **the** — Skagen.
skedaddle [ski'dædl] stikke av, rømme.
skein [skein] fedd, dukke (garn).
skeletal ['skelətəl] skjelett-, bein-.
skeleton ['skelitən] skjelett, beinbygning; (fig.) beinrangel; kort utkast; **a** — **in the cupboard** ubehagelig familiehemmelighet; **worn to a** — avpillet som et skjelett. — **key** dirk; hovednøkkel. — **suit** en guttedress med benklærne knappet på trøya. **-ize** ['skelitənaiz] skissere opp.
skerry ['skeri] skjær (over vannet), flu.
sketch [sketʃ] skisse, riss, utkast, grunnriss; skissere, ta (tegne, male) en skisse av. — **book** skissebok. **-er** ['sketʃə] skisserer. **sketchy** ['sketʃi] skissert, løst henkastet, overfladisk.
skew [skju:] skjev, skakk, skrå, vind; skjevhet; skjele.
skewbald ['skju:bɔ:ld] droplet, spraglet.
skewer ['skjuə] stekespidd; sette stekespidd i, spidde; spile.
ski [ski:] ski; gå (løpe, stå) på ski.
skid [skid] hemsko; underlag; lunne; glidning, skrens(ing); bremsekloss; sette hemsko på; gli, bremse, skrense. — **chain** snøkjetting.
skiddo [ski'du:] stikke av, forsvinne.
skid | **mark** bremsespor. — **pan** glatt kjørebane. — **row** (amr.) slumkvarter.
skier ['ski:ə] skiløper(ske).
skiff [skif] jolle, pram.
skiing ['ski:iŋ] skisport.
skilful ['skilf(u)l] dyktig. **-ly** med dyktighet. **-ness** [-nis] dyktighet.
skill [skil] dyktighet, ferdighet; yrke. **skilled** [skild] dyktig, faglært, fag-, utlært.
skillet ['skilit] kasserolle, gryte, stekepanne.
skilly ['skili] tynn velling el. suppe, vassvelling (især servert i fengsler).
skim [skim] skumme, skumme av, stryke (el. fare) lett over; skum, snerk, tynt lag. **-mer** skumskje, skumsleiv. **-ed** el. — **milk** skummet melk. **-mings** skum.
skimp [skimp] knipe på, spare på, knusle med, holde knapt med; sjaske fra seg. **-ing** knuslet, knapp, snau; sjusket. **skimpy** ['skimpi] knipen, knuslet, gjerrig, gniet; knepen, snau; tynn, kort; sjusket.
skin [skin] skinn, hud, pels, hinne, overflate; svindle; flå, skrelle, dekke med hud, gro; — **and all** med hud og hår; **get under his** — gjøre ham sint, ergre ham; **by the** — **of one's teeth** med nød og neppe. — **cancer** hudkreft. — **-deep** overfladisk. — **disease** [-di'zi:z] hudsykdom. — **-diver** froskemann. — **dresser** buntmaker.
skinflint ['skinflint] gjerrigknark.
skin | **grafting** hudtransplantasjon. **-less** ['skinlis] hudløs. **-ned** [skind] -hudet. **-ner** flåer, buntmaker.
skinny ['skini] hudaktig, skrinn, skinnmager.
skip [skip] hopp, byks, sprett, spring, overspringning (i bøker); hoppe, springe, hoppe tau, springe over, hoppe over, sløyfe; lese med overspringning; kaste smutt, rikosjere; — **over** springe over, utelate.
skipjack ['skipdʒæk] hoppedokke (leketøy); oppkomling.
skipper ['skipə] skipper, kaptein, lagkaptein; føre, lede.

skipping ['skipiŋ] hopping (særl. å hoppe tau); — **rope** hoppetau.
skirl [skə:l] hvin; gnelle, skrike, hvine.
skirmish ['skə:miʃ] skjærmyssel; forpostfektning, trefning; slåss i spredt orden, småslåss. **-er** tiraljør. — **line** skytterlinje.
skirt [skə:t] skjørt, stakk, nederdel; kantning, søm, ytterkant; (frakke)skjøt; skjørt, kvinnfolk; innfatte, kante, gå langs med; være i ytterkanten; — **band** skjørtelinning. — **chaser** skjørtejeger. **skirting** skjørtetøy, kant, kanting. — **board** gulvlist.
skit [skit] sketsj el. parodi (**of, on** på); moro.
ski | **tow** skiheis. — **track,** — **trail** skispor, skiløype.
skittish ['skitiʃ] sky, skvetten, urolig, lettsindig, kipen, kåt.
skittle ['skitl] kjegle; **skittles** kjeglespill, kjegler; **beer and skittles** akkurat som fot i hose; **skittles!** vrøvl! — **alley** el. — **ground** kjeglebane.
skivvy ['skivi] tjenestepike.
skua ['skju:ə] storjo (fugl).
skulduggery [skʌl'dʌgəri] lureri, snyteri.
skulk [skʌlk] gjemme seg; snike seg, luske; skulke. **-er** lurende person; skulker.
skull [skʌl] (hode)skalle, hjerneskalle, kranium, hode. **skullcap** ['skʌlkæp] hue, lue, kalott; — **membrane** seierslue.
skunk [skʌŋk] stinkdyr; (gemen) pøbel, ramp; skunk, stinkdyrskinn; slå i spill, vinne. **-ish** stinkende.
sky [skai] himmel, luft; himmelstrøk; **in the** — på himmelen; **open** — **klar himmel.** — **-blue** himmelblå. — **-coloured** himmelblå.
Skye [skai] Skye (en av Hebridene).
skye [skai] Skye-terrier.
sky-high ['skaihai] himmelhøy(t).
skylark ['skaila:k] lerke (fugl); holde leven.
skylight ['skailait] skylight, takvindu, glugge, vindu i loftet, overlys.
skyscraper ['skaiskreipə] skyskraper, meget høyt hus.
sky-tinctured himmelblå.
skywards ['skaiwədz] til værs, opp mot himmelen.
skywriting ['skairaitiŋ] røykskrift (av et fly på himmelen).
slab [slæb] (stein)plate, helle, flis; vedski; brødblings; flislegge, dele i plater.
slabber ['slæbə] sikle, sleve.
slack [slæk] slapp, slakk, løy, langsom, treg, trå, flau; dødgang, slark, spillerom; stans, hviletid, stillstand; kullstøv, småkull; slappe, svekke, avta; **a** — **pace** et langsomt tempo; — **rope** slapp line; — **in stays** sen i vendingen. **-ed lime** lesket kalk. **-en** ['slækn] (= slack) slappe, saktne, sakke, svekke, avta, minske. **-er** lathans, dovenpels. **-ness** [-nis] slapphet.
slacks [slæks] slacks, lange benklær.
slack water stille vann (mellom flo og fjære).
slag [slæg] slagg; bli til slagg. **-ging** slaggdannelse, slagging. — **wool** mineralull.
slain [slein] perf. pts. av **slay.**
slake [sleik] leske, slokke (tørst), leske (kalk); mudder, leirvelling.
slalom ['sleiləm, 'sla:ləm] slalåm.
slam [slæm] slag, smell, slem (i whist og bridge); smelle med, smekke i (døren osv.).
slander ['sla:ndə] baktaling, ærekrenkelse; baktale. **-er** ['sla:ndərə] bakvasker. **slanderous** ['sla:ndərəs] baktalende, ærekrenkende.
slang [slæŋ] slang, sjargong, uvøren dagligtale. **-ing** skyllebøtte, skjellsord.
slangwhang ['slæŋwæŋ] skråle, skvaldre.
slangy ['slæŋi] slangaktig, simpel.
slank [slæŋk] imperf. av **slink.**
slant [sla:nt] skrå; skråning; skråne, helle, gi skrå retning, vippe. — **-eyed** skjevøyd. **-ing** skrå, skråstilt. **slantwise** ['sla:ntwaiz] på skrå.
slap [slæp] slå, klaske; slag, rapp, klask; smekk; plutselig; vips, fluksens, like lukt.

slap-bang ['slæp 'bæŋ] med brak, bums, voldsomt.
slapdash ['slæpdæʃ] forhastet, hastverks-; slurv.
slapstick ['slæpstik] grov farse, lavkomisk, bløtekakehumor.
slapping ['slæpiŋ] storartet, svær, diger.
slapup prima, høymoderne, fin.
slash [slæʃ] flenge i, skjære opp, hogge; slå vilt om seg; bevege seg hurtig; hogg, flenge, flerre, splitt, snittsår; piskeslag; nedskjæring, nedgang; kvist og kvas, glenne (i skog); -ed [slæʃt] oppskåret, oppsplittet (om klær).
slashing ['slæʃiŋ] flengende, knusende (om kritikk); drastisk, veldig; kvist og kvas.
slat [slæt] tremme, list; spile (i persienne); slå, daske.
S. lat. fk. f. south latitude.
slate [sleit] skifer, tavle, skiferhelle; skifergrått; rakke ned på, sable ned, hudflette; avtale, sette på liste; skifertekke, skrive på tavle; start with a clean — begynne på nytt, sette strek over det gamle; he has a — loose han har en skrue løs. — pencil griffel. — quarry skiferbrudd. slater ['sleitə] skifertekker.
slattern ['slætən] sjusket kvinne, sjuske.
slaty ['sleiti] skiferaktig.
slaughter ['slɔ:tə] slakting, blodbad, mannefall; myrde, nedsable. -er slakter; morder. — hog slaktegris. -house slaktehus. -ous ['slɔ:tərəs] blodtørstig.
Slav [slɑ:v] slaver; slavisk.
slave [sleiv] slave, trell; trelle; be a — to the hour følge klokkeviseren. — -born slavefødt. — dealer slavehandler. — driving menneskeplageri, slavedriving. — -like slaveaktig. — market slavemarked.
slaver ['sleivə] slavehandler; slaveskip.
slaver ['slævə] sikl; sikle, sleve.
slavery ['sleivəri] slaveri; the abolition of — avskaffelsen av slaveriet; sell into — selge som slave.
slave | ship ['sleivʃip] slavehandlerskip. — trade slavehandel.
slavey ['slævi, 'sleivi] tjenestepike.
Slavic ['slævik] slavisk (om nasjonen og språket).
slavish ['sleiviʃ] slavisk; — imitation slavisk etterlikning.
Slavonia [slə'vəunjə]. Slavonian [slə'vəunjən] slavon; slavonisk.
Slavonic [slə'vɔnik] slavisk; slavonsk.
slaw [slɔ:] råsalat av kål.
slay [slei] slå i hjel, drepe; utrydde, knuse. -er drapsmann.
sleave [sli:v] floke, flossilke; greie ut (tråder).
sleazy ['sli:zi] løs, tynn, slasket, sjusket.
sled [sled] slede, kjelke. -der sledehest. -ding sledekjøring; sledeføre. — dog sledehund.
sledge [sledʒ] slede; kjelke; ake. — apron sledeteppe.
sledge [sledʒ] eller — hammer slegge.
sleek [sli:k] glatt, glinsende; glatte, gli. -ness [-nis] glatthet. -y glatt; slesk.
sleep [sli:p] søvn; blund, lur; sove; go to — falle i søvn, sovne; in one's — i søvne; — like a log (el. top) sove som en stein; — the — of the just sove de rettferdiges søvn; — an hour away sove bort en time; — a headache away (el. off) sove av seg en hodepine.
sleeper ['sli:pə] sovende (person); sovevogn; jernbanesville; -s nattøy; I am a good (el. sound) — jeg har et godt sovehjerte; be a bad — ligge meget søvnløs; be a heavy — sove tungt; be a light — sove lett; a great — en sjusover; the seven -s (of Ephesus) sjusoverne.
sleepiness ['sli:pinis] søvnighet.
sleeping ['sli:piŋ] sovende, sove-. — accommodation soveplass. — bag sovepose. — beauty Tornerose. — car sovevogn. — carriage sovevogn. — draught sovedrikk. — partner passiv kom-

panjong. — room soveværelse. — sickness sovesyke.
sleep|less søvnløs. -lessness søvnløshet. — -walker søvngjenger.
sleepy søvnlig; — disease sovesyke.
sleet [sli:t] sludd; sludde.
sleeve [sli:v] erme; muffe, bøssing; hylse, plateomslag; laugh in one's — le i skjegget; turn up one's -s brette opp ermene; wear his heart upon his — bære tankene sine utenpå seg, være åpen; hang on the — of blindt rette seg etter; have something up his — ha noe (en overraskelse) i bakhånd. — button ermeknapp. — garter ermestrikk. -less [-lis] ermeløs; urimelig, tåpelig. — -link mansjettknapp.
sleigh [slei] slede, kane, kjelke.
sleight [slait] taskenspillerkunst, knep, list; — of hand taskenspillerkunst; to — away la forsvinne.
slender ['slendə] slank, tynn, spinkel, spe, sped svak, skral, ringe, knapp; a — rod en tynn stang; a — waist en smekker midje; — means sparsomme midler; of — parts skrøpelig begavet; with — success uten synderlig hell. -ness [-nis] tynnhet, knapphet.
slept [slept] imperf. og perf. pts. av sleep.
Sleswick ['sleswik] Slesvig.
sleuth, -hound ['slu:θ'haund] blodhund; fig. snushane. sleuth [slu:θ] (etter)spore.
slew [slu:] imperf. av slay.
slice [slais] skjære i tynne skiver, skrelle, flekke; partere, stykke ut; blings, skive; flat skje, sleiv, spatel, sparkel; — it where you like uansett hvordan man snur og vender på det. — bar brekkstang, ovnsrake. slicer skjæremaskin, kniv, ostehøvel.
slick [slik] (amr.) glatt flate; svindler; glattjern; glatte; oil — oljeflekk; — up pynte, stivpynte; glatt, sleip, fet; flott, smart; dyktig. -er svindler; glattejern.
slid [slid] imperf. og perf. psts. av slide.
slide [slaid] gli (av sted), skride, rase (ned), skli (på is), skyve, smutte vekk, fordufte, la gli, skubbe, skyve, skyte; gliding, skliing, ras, skred, glidning, gradvis overgang, glidebane, sklie, tømmerløype, tømmerskott, bakke, renne (til kulisse osv.), slede (til rappert), skyveinnretning, skyvehylse, skyvesikte, skyveglass, kulisse, glider (på dampmaskin), glidesete, bilde (til stereoskop), lysbilde, diapositiv; trekk (i basun osv.); — in smyge inn, liste inn; — over gli lett over.
slide | bolt skåte. — film billedbånd. — head support (på dreiemaskin). — lathe dreiebenk. — projector lysbildefremviser.
slider ['slaidə] skyver (glidende del).
slide | rail tunge (i pens). — rest support, slede (i dreiebenk). — rod gliderstang (på dampmaskin). — rule skyve-tommestokk, regnestav. — valve glider, sleid (på dampmaskin). — -valve engine sleidmotor. — window skyvevindu.
sliding ['slaidiŋ] glidende; glide-, skyve-; lengdedreining; sluring. — bolt skåte. — door skyvedør. — duty varierende avgift. — roof solskinnstak (på bil). — rule skyvetommestokk; regnestav. — scale glideskala (på tommestokk); varierende skala (av toll etc.). — seat glidesete (i kapproingsbåt). — throttle skyvespjeld.
slight [slait] tynn, spe, svak, spinkel, ubetydelig, ringe, lett; vise ringeakt, se ned på, vanvøre; tilsidesetting, forbigåelse, fornærmelse, ringeaktende behandling; not the -est idea of it ikke den fjerneste idé om det; some — errors noen småfeil; -ly built spinkel; — over slurve fra seg; in a -ing way på en avfeiende måte; — his offered advances overse hans tilnærming; we consider it a — upon our firm vi anser det for en hensynsløshet mot vårt firma. -ingly med forakt, avfeiende.
slim [slim] smekker, slank, skrøpelig, mager, tynn; sleip, smart; være på slankekur, slanke seg.

slime [slaim] slim, dynn, gjørme.
slimming ['slimiŋ] slankekur; slankende.
slimy ['slaimi] slimet, gjørmet.
sling [sliŋ] slynge, sprettert, kast, bind, skulderreim, stropp, (gin)toddi; slynge, kaste, henge i et bånd, slenge, heise; **carry his arm in a —** gå med armen i fatle; **— ink** være blekksmører; **— off** skjelle ut. **— backs** sko med hælrem. **— chair** fluktstol. **-shot** sprettert.
slink [sliŋk] snike seg, liste seg **(away** vekk).
slip [slip] gli, skli, skrense; smutte, smette, liste seg; feile; la gli, forsømme, la fare, løslate, slippe, smutte bort fra; skjære av; glidning, ras, feiltrinn, feil, stikling, renning, avlegger, (spedt) ungt menneske; strimmel; underkjole, overtrekk, var (til pute); utrørt leire, brynje, smal benk i en kirke (el. teater), bedding, slipp; **give the —** løpe (smutte) bort fra; **— on** fare fort (i klærne); **— up** gjøre et feiltrinn (også fig.); **a — of the tongue** en forsnakkelse; **a — of a girl** et pikebarn.
slipper ['slipə] tøffel, slipper, morgensko; (lett) sko, ballsko; hemsko; glidende person; smekke med en tøffel.
slippery ['slipəri] glatt, sleip, slibrig, fettet; falsk, upålitelig. **— slope** (fig.) skråplan.
slippy ['slipi] glatt; **look —** skynde seg.
slipshod ['slipʃɔd] som tasser i tøfler; sjusket, skjøtesløst, slurvet.
slipslop ['slipslɔp] skvip, skval; tøys, vas; slurvet, sjusket, vaset; sabbe, subbe.
slit [slit] flekke, spalte; spalte, rift, revne.
slither ['sliðə] gli; glidning, rutsjing. **-y** glatt, sleip; glidende.
sliver ['slivə] splintre; splint, flis, remse, bånd.
slob [slɔb] slamp, sjuske; krek, slusk.
slobber ['slɔbə] sikle, sleve; sikl; tøv, tøys.
sloe [sləu] slåpebær, slåpetorn.
slog [slɔg] delje, slå hardt; traske; slavearbeid.
slogan ['sləugən] slagord, motto (benyttet f. eks. i reklame); (oppr. høyskotsk) krigsrop.
sloop [slu:p] slupp, jakt, korvett.
sloosh [slu:ʃ] skvulpe; skvulping.
slop [slɔp] spille, søle; skvalpe over, skvette; sjokke, slaske; sølevann; skvip, skval; polis, purk. **— basin** spilkum.
slope [sləup] skråning, fjellskråning, hell, bakke; rømning; skrå, skråne, stige skrått opp; rømme, stikke av; holde skrått, senke, skjære skrått til; **— the standard** hilse med fanen; **— arms!** hvil gevær!
sloping ['sləupiŋ] skrå, skrånende.
slop pail ['slɔppeil] toalettbøtte.
sloppy ['slɔpi] sølet, slurvet, sjusket; søtladen.
slops [slɔps] spillvann; ferdigsydde klær.
slop shop ['slɔpʃɔp] klesmagasin.
slop water ['slɔpwɔ:tə] spillvann.
slopwork ['slɔpwə:k] ferdigsydde klær; sjuskearbeid.
slosh [slɔʃ] sørpe, slaps; skvip; subbe, vasse, plaske, skvulpe; farte omkring; skylle ned.
slot [slɔt] slå, bolt, falldør; sprekk el. åpning (i en automat), samlingsmuffe; spor, far (etter dyr). **-ting machine** ['slɔtiŋmə'ʃi:n] maskin til å hogge ut huller i metall.
sloth [sləuθ] dorskhet, lathet; dovendyr. **-ful** ['sləuθful] lat.
slot | machine ['slɔtmə'ʃi:n] (spille- el. salgs)-automat. **— telephone** telefonautomat.
slouch [slautʃ] henge slapt, lute, slentre, trykke ned (srl. om en hatt); klosset gang, subbing, slentring; klosset fyr, slamp, stymper; **-ing** slentrende, med klosset gang; **a -ed hat** en hatt med bred nedhengende brem.
slough [slau] mudderpøl, sump; myrhull.
slough [slʌf] ham, slangeham, skorpe, dødkjøtt; løsne, falle av.
sloughy ['slaui] sumpet, myret, gjørmet.
sloughy ['slʌfi] skorpeaktig, hamaktig.
sloven ['slʌvn] sjusket mannfolk, slarv, svin.
Slovene ['sləuˈvi:n] slovener.

slovenly ['slʌvnli] sjusket, svinsk.
slow [sləu] langsom, sen, tung, tungnem, treg, kjedelig, triviell; sakne, sette ned farten; **— down** saktne. **-down** nedgangsperiode; nedsatt arbeidstempo (som protestform). **— footed** som sleper seg av sted. **— match** (langsom) lunte. **— motion** sakte film. **— paced** langsom. **-poke** somlepave. **— winged** langsomt flyvende. **— -witted** treg, tungnem. **-worm** stålorm, sleve.
sloyd [slɔid] sløyd.
slubber ['slʌbə] forspinnemaskin.
slubber ['slʌbə] søle til; jaske ferdig; slubre.
sludge [slʌdʒ] gjørme, søle, snøslaps, slam. **-r** slampumpe. **— hole** renseluke. **— ship** mudderpram. **sludgy** ['slʌdʒi] sølet, gjørmet, slafset.
slue [slu:] dreie, sveive, vende, kantre; omdreining.
slug [slʌg] snegle (uten hus), naken snegle; skvett, slurk; skostift; kule; spillemynt (til automat); daustokk, lathans; dovne seg, drive. **-a-bed** sjusover.
sluggard ['slʌgəd] daustokk, dovning, lathans.
slugger ['slʌgə] en som slår hardt; råsterk fyr.
sluggish ['slʌgiʃ] doven, treg, treven, langsom.
sluice [slu:s] sluse, kanal, renne; sende inn gjennom en sluse, slippe vann, skylle over, skylle. **— gate** sluseport. **— way** sluseåpning.
slum [slʌm] slum; bakgate, fattigkvarter; misjonere i fattigkvarterene; **— clearance** slumsanering; **— officer** slumoffiser (i Frelsesarmeen); **— sister** slumsøster.
slumber ['slʌmbə] slummer; slumre, dorme. **-er** ['slʌmbərə] slumrende. **— land** drømmeland. **-ous** søvndyssende, døsig, søvnig.
slump [slʌmp] dumpe, falle; sitte sammensunket; fall, fiasko, plutselig prisfall, dårlige tider, lavkonjunktur.
slur [slə:] sjuske med, slurve, uttale utydelig, la gå i ett; synge legato; gå lett hen over, sløre til; snakke nedsettende om; plett, skamplett; legatospill, bindebue; **put a — upon** sette en plett på.
slurp [slə:p] slurpe, smatte, slafse.
slush [slʌʃ] smøre, kline til; slaps; søle; tøys.
slut [slʌt] sjuske, slurve; tøs; tispe (om hund). **-tish** [-iʃ] sjusket.
sly [slai] slu, listig, lur, lumsk; **on the — i** smug. **slyboots** ['slaibu:ts] luring, fuling.
S. M. fk. f. **sergeant major.**
smack [smæk] smake, dufte; smak, snev, antydning.
smack [smæk] smekke, smaske, kysse; smekk, smasking, smellkyss; **the -ing of whips** piskesmell; **— his face** gi ham en på øret.
smack [smæk] fiskekvase; fiskeskøyte.
smacker ['smækə] smask, smellkyss.
small [smɔ:l] liten, små, ubetydelig, sped; lavmælt; smal del; **the — of the leg** smaleggen; **the — of the back** smalryggen; **feel — føle seg** liten; **look — være forlegen; mince up — fin**hakke; **— arms** håndskytevåpen; **— beer** tynt øl; **he doesn't think — beer** (har ikke små tanker) **of himself; — hand** alminnelig håndskrift, fin håndskrift; **the — hours** de små timer; **a — matter** en bagatell, småting.
small change småpenger, skillemynt; bagateller, småsnakk.
smallclothes ['smɔ:lkləuðz] (gammeldags) knebukser; småplagg, barnetøy.
small | holder husmann. **-holding** husmannsplass. **— intestine** tyntarm.
smallish ['smɔ:liʃ] nokså liten, småvoren.
smallness ['smɔ:lnis] litenhet.
smallpox ['smɔ:lpɔks] kopper (sykdommen); **the — had set its mark on him** koppene hadde merket ham.
smalls [smɔ:lz] knebukser; småplagg, undertøy; småting, småtteri; annen eksamen (i Oxford). **smallsword** ['smɔ:lsɔ:d] kårde.
small talk ['smɔ:ltɔ:k] småsnakk, småprat.

small-toothed ['smɔ:ltu:θt] med fine tenner; **a — comb** finkam.

smallwares ['smɔ:lwɛəz] småting; kortevarer.

smalt [smɔ:lt] koboltblått.

smart [smɑ:t] smerte, svie; smerte, gjøre vondt, føle svie, lide; smertelig, bitende, skarp, vittig, dyktig; rappkjeftet; dreven, lur; oppvakt, kvikk, pyntet, nett, fiks, smart; smarting; — **under sufferings** lide; **my eyes -ed** det sved i øynene; — **aleck** en som tror han er smart, viktigper; **a — breeze** en strykende bør; **it has such a — look** det tar seg så snertent ut; — **things** kvikke innfall; **be — skynd deg.**

smarten ['smɑ:tn] pynte, fikse opp.

smart money ['smɑ:t'mʌni] løskjøpingspenger, skadeserstatning, urimelig stor skadebot; erstatning for tort og svie.

smartness ['smɑ:tnis] skarphet, netthet osv.

smash [smæʃ] slå i stykker, smadre, knuse, sprenge; slå til, bli ruinert; slag, brak, sammenstøt, katastrofe, tilintetgjøring, fallit; **a -er** noe usedvanlig stort el. fenomenalt, kjempekar. — **hit** knallsuksess. **-ing** knusende, veldig, strålende. — **-up** sammenstøt, krakk, katastrofe.

smatter ['smætə] snakke overfladisk, plapre. **-er** halvstudert. **-ing** overfladisk kunnskap; **he has (got) a -ing of Latin** han har snust litt borti latinen.

smear [smiə] smøre, søle, kline til; nedrakke, bakvaske; smøring, flekk. — **-sheet** skandaleblad. — **word** skjellsord.

smeary ['smiəri] klebrig, klisset; tilsvint.

smell [smel] lukte, dufte, stinke; spore, merke, få teft av; lukt; — **out** snuse opp, være. — **feast** ['smelfi:st] snyltegjest. **-ing** lukt(esans). **-ing bottle** lukteflaske. **-ing salts** luktesalt.

smelt [smelt] imperf. og perf. pts. av **smell.**

smelt [smelt] smelte (malm). **-er** smeltearbeider. **-ing house, -ery** smeltehytte.

smile [smail] smile; smil; **good fortune now begins to — upon** (tilsmile) **him;** — **him into good humour** få ham i godt humør ved hjelp av munterhet; — **at** smile til.

smirch [smɑ:tʃ] kline til; grise til; flekk.

smirk [smɑ:k] smiske, smile hullsalig; affektert smil, glis, flir.

smite [smait] slå, drepe, ramme, beseire, hjemsøke, straffe, gripe; slag; **his conscience smote him** han fikk dårlig samvittighet; — **terror into his mind** slå ham med redsel; — **to the heart** gå til hjertet, røre dypt; — **off** hogge av.

smith [smiθ] smed; smie. **-craft** smedhåndverk.

smithereens [smiðə'ri:nz] stumper og stykker, filler, knas.

smithery ['smiθəri] smedarbeid; smie.

smithing ['smiθiŋ] smedarbeid.

smithy ['smiði, 'smiθi] smie.

smitten ['smitn] (perf. pts. til **smite**) slått, rammet, grepet, betatt (**with** av).

smock [smɔk] serk, lerretsbluse, kittel. — **-faced** jenteaktig, jomfrunalsk. — **frock** lerretskittel. — **mill** hollandsk vindmølle.

smog [smɔg] røyktåke, røykskodde.

smoke [smouk] røyk; sigarett, blås; ryke, dampe; gyve, røyke, fare av sted, spore opp; gjennomhegle. — **abatement** røykbekjempelse. — **bonnet** røykfang. — **-dry** røyke. — **-dried ham** røykt skinke. **-house** røykeri. **-jack** selvvirkende stekevender. **-less** [-lis] røykfri. — **pall** røykteppe.

smoker ['smoukə] røyker, røykekupé; pipestativ; **a great —** en storrøyker.

smoke|stack ['smoukstæk] skorstein (på dampskip el. fabrikk). **-stand** pipestativ.

smoking ['smoukiŋ] røyking, tobakksrøyking; røykekupé; rykende, osende, røykende; **no — allowed** røyking forbudt. — **compartment** røykekupé. — **set** tobakksstell; røykestell.

smoky ['smouki] rykende, osende, tilbøyelig til å ryke; røyklignende; røykfylt, røykfarget, tilrøykt.

smooth [smu:ð] glatt, slett, jevn, jamn, bløt,

smul, mild, rolig, behagelig; glatt del, glatting; glatte, rydde, jevne, jamne, gjøre bløt, formilde, smykke, bli glatt; bli smul, stilne; **run — løpe jevnt. — -ehinned** glatthaket, skjeggløs.

smooth|e [smu:ð] glatte, jevne. — **-faced** med et glatt ansikt. — **-haired** glatthåret. **-ing iron** strykejern. **-ing plane** sletthøvel. **-ness** [-nis] glatthet, finhet, rolighet, letthet. — **-running** lettgående, lettløpende. — **-spoken** beleven.

smote [smout] imperf. av **smite.**

smother ['smʌðə] kvele, være nær ved å kvele, dempe, dekke over, dysse ned, kveles, kovne; røyk, os, kvelning; **he was -ed in gifts** han ble neddynget med gaver.

smouch [smautʃ] (gi et) smellkyss, kline; rappe, naske.

smoulder ['smouldə] ulme, ryke.

smudge [smʌdʒ] flekk; flekke, skitne.

smug [smʌg] nett, sirlig, dydsiret, selvgod; selvtilfreds, dydsmønster. — **-faced** med et glatt og falskt ansikt, dydsiret, selvtilfreds.

smuggle ['smʌgl] smugle. **smuggler** smugler.

smuggling smugling.

smut [smʌt] (sot)flekk, smuss; griseprat, svineri; brann, rust (på plante); sote, smusse.

smutty ['smʌti] smussig, skitten.

snack [snæk] matbite, lite måltid; smakebit; spise lett; dele likt. **-bar** spisested for hurtigservering av småretter, snackbar.

snaffle ['snæfl] munnbitt; styre ved munnbitt, styre.

snafu [snæ'fu:] fk. f. **situation normal all fouled up** håpløst rot, ineffektivitet; forkludre.

snag [snæg] fremstående knast, tagg, stubb, stump; vanskelighet, ulempe, hindring; rift; slump; hogge greinene av; **there is a —** det er en hake ved det, det ligger noe under.

snagged [snægd], **snaggy** ['snægi] knudret, stubbet, knortet.

snail [sneil] snegle. (med hus); **edible** (eller **great vine**) — vinbergsnegle; **move at a -'s pace** snegle seg fram. — **shell** sneglehus.

snake [sneik] snok, slange, orm; **common** (eller **ringed**) — alminnelig snok; **venomous** (eller **poisonous**) — giftslange. — **charmer** slangetemmer. **-skin** slangeskinn. **-wise** slangeaktig.

snakish ['sneikiʃ] slangeaktig.

snap [snæp] snappe, glefse, bite, bite av, smekke med, knipse med, trykke av, smelle, knalle, brekke, briste; snapping, glefs, tak, bit; knekk, smekk, knepp, smell, knips, lås, futt, fart; overilt, forhastet; — **into it!** få opp farten; — **out of it** komme ut av dårlig humør. — **bean** prydbønne.

snapdragon ['snæp'drægən] løvemunn (plante); julelek med rosiner som nappes ut av brennende konjakk.

snap| lock ['snæplɔk] smekklås. **-per** en som snapper; kastanjett; piskesnert; bitende replikk. **-pish, -pishly** ['snæpiʃ(li)] bisk, morsk. **-pishness** [-iʃnis] biskhet. **-y** rask, kvikk; smart, fiks.

snapshot ['snæpʃɔt] øyeblikksfotografi.

snare [snɛə] snare; fange i snare, lokke.

snarl [snɑ:l] floke, vase; ugreie, strid, forvirring.

snarl [snɑ:l] snerre, knurre; knurring.

snatch [snætʃ] snappe, trive, rive bort, kidnappe, kvarte, rappe, stjele, bite etter; napp, rykk, kort ri; stump, bruddstykke, glimt, tørn; **by -es** støtvis; **-es of sunshine** solblink; **a — of sleep** en blund. **-ingly** støtvis. **snatchy** rykkevis, ujevn, ujamn.

sneak [sni:k] snike seg, krype for, fisle, sladre; luske, lure; kryper, slisker, sladderhank. **-er** en som lusker; **-ers** pl. turnsko, tennissko. **-ing, -ingly** snikende, luskende; krypende, slesk; lumsk, lumpen.

sneer [sniə] rynke på nesen, kimse, ironisere (**at** over), spotte; spotsk smil, kaldflir. **-er** [-rə] spotter. **-ingly** [-riŋli] spotsk, hånlig.

sneeze [sni:z] nyse; nys; — **at** rynke på nesen av.

snell [snel] fortom (på fiskesnøre).
snick [snik] snitt, hakk; snitte, hakke.
snicker ['snikə] knise, fnise; fnis, knis.
sniff [snif] snøfte, snuse, snufse, sniffe; snøft, snufsing, snusing. **sniffle** ['snifl] snuse, snufse.
snifter ['sniftə] drink, dram; stort konjakk-glass.
snigger ['snigə] knise, kaldflire; knis, kaldflir.
snip [snip] klippe, snitt, klipp; andel, part; **go -s with** dele med. **-per** skredder.
snipe [snaip] skyte ned (fienden) en for en.
snipe [snaip] snipe, bekkasin; sigarettstump, sneip; gå på snipejakt.
sniper ['snaipə] snikskytter.
snippet ['snipit] bit, småstykke, stump. **-y** bitevis, fragmentarisk; liten, kort.
snitch [snit∫] stjele; angi, tyste; angiver, tyster.
snivel ['snivl] snott; snørr; snufsing; ha snue, snufse, sutre. **-ler** klynker. **-ling** sutring.
snob [snɔb] snobb, en som aper etter de fine; filister (ikke-student). **-bery** snobbethet. **-bish, -bishly** snobbet. **-bishness** [-i∫nis] snobbethet. **-bism** snobberi.
snook [snuk]: **cock a** — peke nese.
snooker ['snu:kə] form for biljard.
snoop [snu:p] spionere, snuse omkring. **-er** snushane, spion.
snooze [snu:z] blunde, dubbe; blund, lur.
snore [snɔ:] snorke; snorking.
snort [snɔ:t] pruste, fnyse; fnysing. **-ing** enorm, diger, veldig.
snot [snɔt] snott, snørr. **-rag** snotteklut, snyte-fille, lommetørkle. **snotty** ['snɔti] snottet, snørret, tarvelig; kadett.
snout [snaut] snute, tryne, snabel, snyteskaft; ende, tut, spiss. — **beetle** snutebille.
snow [snəu] snø, snøfall; snø (kokain); snø (verb.) **-ball** snøball; kaste snøball; vokse i om-fang. — **-blind** snøblind. **-blower** snøfreser. **-bound** innsnødd. — **-broth** snøslaps, sørpe. **-capped, -clad** snøkledd. — **chains** snøkjettinger.
Snowdon ['snəudn].
snowdrift ['snəudrift] snøfonn, snøfane.
snow|drop snøklokke. **-fall** snøfall. **-field** snø-mark. **-finch** snøfinke. **-flake** snøfnugg, snøfille. — **flurry** snøfokk, snøkave. — **limit** snøgrense. — **line** snøgrense. — **owl** snøugle. **-plough** snø-plog. **-shoe** truge. **-slide** lavine. **-storm** snøfokk, snøstorm. — **tyre** vinterdekk, snødekk. — **-white** snøhvit. S. White Snøhvit. **-y** snødekt, snøhvit, ren.
snub [snʌb] irettesetting, smekk; snute, opp-stoppernese; bite av, irettesette. — **nose** stump-nese, oppstoppernese.
snuff [snʌf] tanne, utbrent veke; snyte (et lys); — **out** ta livet av, dø. — **it** dø.
snuff [snʌf] snuse; snus; fornærmelse; **take a pinch of** — ta en pris; **up to** — ikke tapt bak en vogn. — box snusdåse. — **brown** snusfarget.
snuffer ['snʌfə] en som bruker snus; **-s** lyse-slukker; **a pair of -s** lysesaks.
snuffle ['snʌfl] snøvle, snøfte; fnuse, snøvling.
snuffles ['snʌflz] snue.
snuffy ['snʌfi] snuset, tilsølt av snus; gretten, sur.
snug [snʌg] tettsluttende, lun, nett, hyggelig, koselig; lune, ligge lunt, ligge tett inn til; **sit** — by the fire sitte der lunt og godt ved varmen; **as** — **as a bug** ≈ som plommen i egget; **fit -ly** ettersittende, som passer godt; **a** — **berth** en sikker stilling; **a** — **little party** en liten fortrolig krets; **make** — **sums** tjene pene summer.
snuggery ['snʌgəri] hyggelig sted, koselig hybel.
snuggle ['snʌgl] ligge lunt, legge tett opp til, kjæle for.
so [səu] så, således, slik, altså; når bare; — **for-tunate as to** så lykkelig å; **he felt** — **(much) hurt by** (så støtt over) **the comparison that; after an hour or** — etter en times tid; **how** —? hvorledes det? **why** —? hvorfor det? **the more** —

as så meget mer som; **even** — enda, likevel; **she was ever** — **happy** hun var hoppende glad; — **there** dermed basta; **and** — **did we** og det gjorde vi med; **I believe** — jeg tror det; **I should** — **like to see him** jeg ville så gjerne se (snakke med) ham; — **please Your Majesty** med Deres Majestets tillatelse.
soak [səuk] bløte, legge i bløt, gjennomvæte, suge inn, ligge i bløt, suge ut, drikke; pimpe, ture; slå, straffe; **-ed (through)** gjennombløtt; **water -s into the earth** det siver vann ned i jorda; **put washing to** — legge tøy i bløt. **-age** ['səukidz] utbløting. **-er** dranker. **-ing** gjennom-bløtende; oppbløting, bløtlegging. **-y** gjennom-bløtt.
so-and-so ['səuənsəu] den og den, det og det; så som så; **Mr.** — herr N. N.
soap [səup] såpe; såpe inn, smigre, smiske, bestikke; **soft** — bløt såpe; især grønnsåpe (også: **green** —); **yellow** — gul ulltøysåpe; **cake** (eller **cube** eller **tablet**) **of** — stykke såpe, såpestykke. **-boiler** såpekoker. **-box** såpekasse. **-box orator** folketaler. — **bubble** såpeboble. **-stone** kleber-stein. **-suds** såpeskum, såpevann.
soapy ['səupi] såpeaktig; glatt, slesk.
soar [sɔ:] fly høyt, sveve, heve seg, stige, fare i været (om priser); høy flukt. **-ing** ['sɔːriŋ] høytflyvende; (høy) flukt.
sob [sɔb] hulke, hikste; hulking; snøvle hulkende gråt, hikstegråt.
sobeit [səu'bi:it] når bare (gammeldags).
sober ['səubə] edru, edruelig, rolig, dempet, besindig, sindig, stø, nøktern; gjøre edru, bli edru. — **-blooded** koldblodig. — **-minded** nøk-tern, rolig. **-ness** [-nis] nøkternhet. — **-sides** alvorsmann. — **-suited** kledd i diskrete farger, i ærbar drakt.
sobriety [sə'braiiti] nøkternhet, edruelighet.
sobriquet ['səubrikei] økenavn, oppnavn.
soc. fk. f. **socialist; society.**
socage ['sɔkidʒ] arvefeste (selveiendom med avgift).
soccer ['sɔkə] (vanlig) fotball.
sociability [səuʃə'biliti] selskapelighet. **sociable** ['səuʃəbl] selskapelig, omgjengelig; holstensk vogn. **sociableness** ['səuʃəblnis] selskapelighet. **sociably** ['səuʃəbli] selskapelig.
social ['səuʃəl] sosial, selskapelig, samfunns-; — **asset** samfunnsgode. — **caseworker** sosial-arbeider. — **climber** streber. — **conventions** om-gangsformer. — **democrat** sosialdemokrat. — **evil** samfunnsonde. — **intercourse** selskapelig samkvem. — **love** nestekjærlighet. — **philosophy** statsøkonomi. — **insurance** sosialtrygd.
socialism ['səuʃəlizm] sosialisme. **socialist** ['səuʃəlist] sosialist. **socialistic** [səuʃə'listik] sosia-listisk.
sociality [səuʃi'æliti] selskapelighet.
socialize ['səuʃəlaiz] innrette selskapelig; ordne sosialistisk, sosialisere.
social | science samfunnsvitenskap. — **security** sosial sikring; (amr.) sosialtrygd. — **service** sosialomsorg, velferd. — **worker** sosialarbei-der.
society [sə'saiiti] selskap, samfunn; samfunnet; forening, sosietet, den fine verden; **mix in** — delta i selskapslivet; **a man of** — en selskaps-mann; S. of Friends kvekerne.
sociology [sausi'ɔlədʒi] samfunnslære.
sock [sɔk] en lett, lavhælet sko som de komiske skuespillere brukte, komedie; sokk, strømpe, halvstrømpe, innleggssåle; — **away money** legge seg opp penger.
sock [sɔk] slag, bank, juling; kaste, slå, treffe.
socket ['sɔkit] fordypning, grop, hulning, holder, sokkel; stikkontakt, lysepipe, øyenhule, hofteskål; tannhule. — **wrench** pipenøkkel.
socle ['səukl] sokkel, fotstykke, fotpanel.
Socrates ['sɔkrəti:z] Sokrates. **Socratic(al)** [sə'krætik(l)] sokratisk.

sod [sɔd] gresstorv; krek, stakkar, drittsekk;

homoseksuell; begrave, dekke med gresstorv. **-dy** dekket med gresstorv.

soda ['səudə] soda, natron, sodavann; **earbonate of** — soda. — **fountain** isbar, mineralvannautomat. — **lime** natronkalk.

sodality [sə'dæliti] brorskap.

soda | **pop** mineralvann, brus. — **water** mineralvann, sodavann.

sodden ['sɔdn] gjennomtrukken, vasstrukken, gjennombløt, bløt, løs, svampet, pløsen; råstekt; ordrukken, full; oppløst; slurvet, halvgod.

sodium ['səudjəm] natrium; — **bicarbonate** natriumbikarbonat; **-chloride** klornatrium, koksalt.

Sodom ['sɔdəm] Sodoma. **sodomite** ['sɔdəmait] homoseksuell, sodomitt. **sodomy** ['sɔdəmi] sodomi.

Sodor ['səudə]; **the Bishop of** — **and Man** biskopen av Suderøyene og Man.

soever [səu'evə] som helst, enn; **how great** — hvor stor enn.

sofa ['səufə] sofa; **sit on** (eller **in**) **the** — sitte i sofaen. — **bed** sovesofa. — **box** puff.

soffit ['sɔfit] soffit, underside av bjelkeloft, loftsdekorasjon (i teater).

Sofia ['səufiə].

soft [sɔ(:)ft] bløt, myk, glatt, fin, sakte, linn, mild, dempet, lett, makelig, blid, var, fryktsom, svak; godtroende, dumsnill; dum, bløt i knollen; — **goods** (or **wares**) manufakturvarer; **a** — **place** et bløtt sted, et svakt punkt; **the** — **sex** det svake kjønn; **be** — **on** være forelsket i; **go** — bli bløt. **soft** | **ball** en slags baseball. — **-boiled** bløtkokt; sentimental. — **-brained** bløt i knollen. — **drink** alkoholfri drikk.

soften ['sɔfn, sɔ:fn] bløtgjøre, mildne, lindre, døyve, myke opp, dempe, røre, forkjæle, formildes, mildne. **-er** lindrer; bløtemiddel. **-ing** bløtgjørende; formildende; hjernebløthet.

soft | **fruit** bærfrukt. — **goods** manufakturvarer. **-headed** naiv, dumsnill.

softie ['sɔfti] pyse, svekling, tosk.

soft | **iron** bløtt jern. **-ness** bløthet, mildhet, svakhet. — **-nosed bullet** dumdumkule. — **roe** melke (i fisk). — **shoulder** svak veikant. — **-solder** tinnlodde. — **-spoken** elskverdig; behagelig stemme. — **spot** svakt punkt; **have a** — **spot** være svak for. — **ware** de arbeidsinstruksjoner som er innarbeidet i en maskin, maskininstrukser for en datamaskin. **-wood** bløtt tre (gran el. furu).

soggy ['sɔgi] vasstrukken, gjennomvåt, søkkvåt; tung, treg.

Soho ['səuhəu] (bydel i London).

soil [sɔil] jord, jordbunn, jordsmonn, grunn; gjødning, gjødsel; tilgrising; smuss, søle, flekk, møkk; skitne til, søle til; gjø, fôre med grønnfôr. — **erosion** jorderosjon. — **exhaustion** jordtretthet; rovdrift.

soirée [`swɑ:rei] soare.

sojourn ['sɔdʒə:n, sʌdʒə:n] opphold; oppholde seg.

solace ['sɔləs] oppmuntre, trøste, lindre, døyve; oppmuntring, trøst; lindring. **-ment** trøst, beroligelse, lindring.

solar ['səulə] sol-; — **flowers** blomster som åpner og lukker seg daglig til visse tider; — **tables** astronomiske tabeller.

solarium [səu'lɛəriəm] solarium.

solar | **oil** solarolje. — **topee** tropehjelm.

sold [səuld] imperf. og perf. pts. av **sell**.

solder ['sɔldə, sɔ:də, 'sɔdə] lodde, sammenføye; loddemiddel. **-ing** [-riŋ] lodding; **hard** — slaglodd.

soldier ['səuldʒə] soldat, militær; være soldat; simulere, skulke; **common** (el. **private**) — menig soldat; **dead** — tomflaske; **an old** — en gammel praktikus; skulker, simulant. **go** (eller **enlist**) **for a** — la seg verve; **die a -'s death** falle på ærens mark. — **crab** eremittkreps. — **of fortune** lykkeridder.

soldiering ['səuldʒəriŋ] krigerhåndverk. **sol-**

dierlike ['səuldʒəlaik], **soldierly** ['səuldʒəli] soldatmessig. **soldiership** ['səuldʒəʃip] militær dyktighet. **soldiery** ['səuldʒəri] krigsfolk, soldater (som klasse).

sold | **note** sluttseddel. — **-out** utsolgt.

sole [səul] sjøtunge (flyndre).

sole [səul] fotsåle; skosåle; såle. — **leather** sålelær.

sole [səul] alene, eneste, utelukkende, ugift; — **agent** eneagent, enerepresentant; — **bill** solaveksel.

solecism ['sɔlisizm] språkfeil, bommert.

solecist ['sɔlisist] språkforderver.

solely ['səulli] alene, bare, utelukkende.

solemn ['sɔləm] høytidelig; (fig.) stiv. **-ity** [sə'lemniti] høytidelighet. **-ize** ['sɔləmnaiz] høytideligholde, feire. **-ly** høytidelig. **-ness** [-nis] høytidelighet.

Solent ['səulənt]; **the** — Solentkanalen.

solicit [sə'lisit] be om, anmode om; forlange, kreve; lokke, forlede. **-ant** ansøker. **-ation** anmodning, appellering.

solicitor [sə'lisitə] ansøker; (underordnet) sakfører, juridisk rådgiver; **crown** — statsadvokat. — **-general** regjeringsadvokat, riksadvokat (forkortet: **Sol. Gen., S. G.**). **-ship** sakførerstilling.

solicitous [sə'lisitəs] bekymret; ivrig; omhyggelig. **solicitude** [sə'lisitju:d] bekymring, iver, omsorg.

solid ['sɔlid] fast, traust, massiv, solid, ekte, grundig, pålitelig, alvorlig; fast legeme; **-s** pl. tørrstoff, faste deler. — **alcohol** tørrsprit.

solidarity [sɔli'dæriti] solidaritet, samfølelse. **solid** | **body** fast legeme. — **cast** helstøpt. — **-forged** helsmidd. — **fuel** fast brensel.

solidification [sɔlidifi'keiʃən] stivning, størkning. **solidify** [sɔ'lidifai] bli fast, størkne.

solidity [sɔ'liditi] tetthet, soliditet.

soliloquize [sə'liləkwaiz] snakke med seg selv. **soliloquy** [sə'liləkwi] enetale.

soliped ['sɔliped] enhovet.

solitaire [sɔli'tɛə] eneboer; solitær (edelstein som innfattes alene); enmannsspill (bl. a. brettspill for en enkelt person), kortkabal.

solitariness ['sɔlitərinis] ensomhet.

solitary ['sɔlit(ə)ri] ensom, avsides, isolert; enestående, eneste; eneboer. — **confinement** enecelle, isolat.

solitude ['sɔlitju:d] ensomhet.

solo ['səuləu] solo; — **part** soloparti. **soloist** ['səuləuist] solist.

Solomon ['sɔləmən] Salomo; **the Proverbs of** — Salomons ordspråk; **the Song of** — Salomos høysang; **-'s seal** storkonvall.

Solon ['səulən].

solstice ['sɔlstis] solverv, solvending. **solstitial** [sɔl'stiʃəl] solvervs-.

solubility [sɔlju'biliti] oppløselighet. **soluble** ['sɔljubl] oppløselig.

solus ['səuləs] alene (i sceneanvisninger).

solution [sɔ'l(j)u:ʃən] oppløsning; forklaring, løsning; solusjon.

solvability [sɔlvə'biliti] oppløselighet.

solvable ['sɔlvəbl] oppløselig.

solve [sɔlv] løse, klare, greie.

solvency ['sɔlvənsi] betalingsevne, solvens.

solvent ['sɔlvənt] solvent; oppløsningsmiddel.

somatology [səumə'tɔlədʒi] somatologi (legemslære).

sombre ['sɔmbə] mørk, trist, melankolsk, dyster.

sombrero [sɔm'brɛərəu] sombrero (bredskygget solhatt).

sombreous ['sɔmbrəs] mørk, dyster.

some [sʌm (sterk form), səm, sm (svake former)]. 1. (adj.) en eller annen, et eller annet, noe; noen, visse, somme; (foran tallord å oversette med omtrent, cirka, en; sånn). 2. (subst.) noen (personer), en del mennesker. 3. (adv.) noe, i noen grad, litt. **1. lend me** — **book** lån meg en eller annen bok; — **books** noen bøker;

this is — **book** det kan man kalle en bok, det er vel en utmerket bok; — **twenty years** et snes år; — **20 miles off** cirka 20 miles borte; — **few** noen få. **2.** — **say one thing and others another** noen sier det og andre det. **3. he was annoyed** — han var temmelig ergerlig.

somebody ['sʌmbədi] noen, en eller annen; en person av betydning; — **has been here before** her har vært noen i forveien; **think oneself to be** — innbille seg å være noe stort; **you are** — after all det er likevel noe ved deg.

somehow ['sʌmhau] på en eller annen måte, hvordan det nå er (el. var) eller ikke; **it scares me** — det gjøre meg nå redd likevel.

someone ['sʌmwʌn] noen, en eller annen.

somersault ['sʌməsɔ(:)lt] saltomortale, rundkast; **east** (eller **throw, turn**) **a** — slå en saltomortale.

Somerset ['sʌməsit] Somerset. — **House** ≈ folkeregisteret.

something ['sʌmθiŋ] noe, et eller annet; **tell me** — fortell meg noe, si meg en ting; **little, yet** — lite, men likevel noe; — **new** noe nytt; — **blue** noe blått; **there is** — **in it** det er noe (ɔ: noe sant) i det; **that is** — det er (da alltid) noe (f. eks. noen trøst); **he is** — **in the Customs** han er noe i tollvesenet; **he was made a captain or** — han ble utnevnt til kaptein eller noe slikt; — **like** ikke ulik; **it looked** — awful det så nokså forferdelig ut.

sometime ['sʌmtaim] fordum, tidligere, forhenværende; en eller annen gang.

sometimes ['sʌmtaimz] undertiden, somme tider, iblant.

somewhat ['sʌmwɔt] (adv.) noe, i noen grad; (subst.) noe; **he is** — deaf han er noe døv; **it loses** — **of its force** det mister noe av sin kraft.

somewhere ['sʌmwɛə] et eller annet sted; om lag, cirka; **he may be** — near han er kanskje etsteds i nærheten.

somnambulism [sɔm'næmbjulizm] søvngjengeri. **somnambulist** [sɔm'næmbjulist] søvngjenger.

somniferous [sɔm'nifərəs], **somnific** [sɔm'nifik] søvndyssende. **somnolence** ['sɔmnələns] søvnighet. **somnolent** ['sɔmnələnt] søvnig, døsig, dorsk.

son [sʌn] sønn; **S. of Man** Menneskesønnen. — **in-law** svigersønn. **-ship** sønneforhold.

sonar ['səunɑ:] fk. f. **sound navigation ranging** sonar.

sonata [sə'nɑ:tə] sonate.

song [sɔŋ] sang, vise; **the usual** — den gamle visen; **at a** —, **for an old** — til spottpris, for en slikk og ingenting. **-bird** sangfugl. **-book** sangbok. **-fulness** sangrikdom, lyst til å synge. **-ster** ['sɔŋstə] sanger. **-stress** ['sɔŋstris] sangerinne. — **thrush** sangtrost. **-writer** visedikter, tekstforfatter.

sonic ['sɔnik] lyd-, sonisk-. — **barrier** lydmur.

sonnet ['sɔnit] sonett. **-eer** [sɔni'tiə] sonettdikter.

sonny ['sʌni] liten gutt (især i tiltale): små'n.

sonority [sə'nɔriti] klang, klangfylde. **sonorous** [sə'nɔːrəs] klangfull, sonor. **-ness** [-nis] velklang.

sonsy ['sɔnsi] tilfreds, trivelig, pen; skikkelig.

soon [su:n] snart, tidlig; hurtig, fort; **as** — **as** så snart som; **better** — **than sorry** jo før jo heller, nå eller aldri; **I would as** — jeg ville likeså gjerne; **no -er** aldri så snart.

soot [sut] sot; sote; **-ed** sotet. **-y** sotet.

soothe [su:ð] formilde, berolige, roe, godsnakke med, smigre. **soother** ['su:ðə] narresmokk.

soothing ['su:ðiŋ] innsmigrende, beroligende. **soothsayer** ['su:θseiə] sannsier(ske), spåmann, spåkvinne.

sop [sɔp] oppbløtt stykke, lekkerbisken, trøst; valgflesk; dyppe, bløte ut; sive; — **up** suge opp, tørke opp.

Sophia [sə'faiə] Sofie; Sofia.

sophism ['sɔfizm] sofisme. **sophist** ['sɔfist] sofist. **sophistic** [sə'fistik] sofistisk. **sophisticate** [sə'fistikeit] fordreie, forfalske, vrenge, vri på.

sophisticated [sə'fistikeitid] fin, forfinet; raffinert, kunstlet, affektert. **sophistication** [sɔfisti'keiʃən] forfinelse, raffinement, kunstlethet; forfalskning.

sophistry ['sɔfistri] sofisteri.

Sophocles ['sɔfəkli:z] Sofokles.

sophomore ['sɔfəmɔː] (amr.) annet års student. **sophomoric** [sɔfə'mɔrik] umoden, overfladisk.

Sophy ['səufi] Sofie.

soporific [səupə'rifik] søvndyssende; sovemiddel.

soppy ['sɔpi] søkkvåt; tåredryppende, søtladen; pyset.

soprano [sə'prɑ:nəu] sopran.

sorb [sɔ:b] haverogn, rognebær.

sorcerer ['sɔ:sərə] trollmann. **sorceress** ['sɔ:səris] trollkvinne. **sorcery** ['sɔ:səri] trolldom.

sordid ['sɔ:did] lav, smålig; skitten, smussig; gjerrig, knuslet, luset.

sordine ['sɔ:di(:)n] sordin.

sore [sɔ:] sår, byll, svull, ømt sted; sår, øm, smertelig, hard, ømtålig, pirrelig, fornærmet, irritert; — **eyes** dårlige (el. betente) øyne; **the** — **spot** det ømme punkt; **a** — **throat** vondt i halsen; **a** — **trial** en hard prøvelse. **-head** grinebiter. **-ly** smertelig, sterkt, meget, hardt. **-ness** [-nis] ømhet, pirrelighet.

sorn [sɔ:n] tvangsgjesting, snylting; snylte.

sororal [sə'rɔ:rəl] søsterlig, søster-. **sorority** [sə'rɔriti] søsterskap; (amr.) forening for kvinnelige akademikere.

sorrel ['sɔrəl] syre, rumex; gaukesyre (plante); brunblakk, rødbrun; rødbrunt dyr.

sorrily ['sɔrili] bedrøvelig, jammerlig.

sorrow ['sɔrəu] sorg, bedrøvelse; sørge; **feel** — **for** føle sorg over. **-ful** ['sɔrəuful] sorgfull, sørgelig. **-fulness** [-nis] sørgmodighet. **-less** [-lis] sorgfri. **-stricken** ['sɔrəustrikn] sorgtynget.

sorry ['sɔri] sørgelig; bedrøvet; elendig, ussel; kjedelig, beklagelig; **a** — **customer** en dårlig makker; **a** — **horse** en skottgamp; **I am** — **to say** dessverre; **I am** — **for him** jeg har vondt av ham; **I am very** — jeg beklager meget.

sort [sɔ:t] sort, slags, stand, måte, vis, sett; sortere, ordne, stille sammen, være forent, forene seg, passe, falle ut, ende, lykkes; **all -s, kinds, and descriptions** alle mulige slags; **this** — **of dog, these -s of dogs** dette (disse) hundeslag; **he's a good** — det er en snill fyr; **he's the right** — han er den rette; **nothing of the** — aldeles ikke; **of -s** i visse retninger, i noen henseender; **a dinner of -s** et slags middag; **be out of -s** være forstemt, være i ulag; **be in -s** være i godlaget; **-able** [-əbl] som lar seg sortere, passende. **-er** sorterer.

sortie ['sɔ:ti:] utfall; enkelttokt (fly).

sortilege ['sɔ:tilidʒ] spåing ved loddtrekning.

sorting ['sɔ:tiŋ] sortering, ordning.

SOS [es əu es] nødsignal; etterlysning, SOS.

so-so ['səusəu] så som så, så middels.

sot [sɔt] drukkenbolt, fyllebøtte; drikke, supe.

sottish ['sɔtiʃ] fordrukken, forfylt.

sotto voce ['sɔtəu 'vəutʃi] dempet.

Soudan [su(:)'dæn]; **the** — Sudan.

soufflé ['su:flei] sufflé.

sough [sʌf] suse (om vinden); sus, pust, sukk.

sough [sʌf] lukket grøft, grunnveit.

sought [sɔ:t] imperf. og perf. pts. av **seek**.

soul [səul] sjel, følelse, hjerte; **keep body and** — **together** opphode livet; **heart and** — med liv og sjel. — **bell** dødsklokke. — **-doctor** sjelesørger. — **-felt** dypt følt. **-ful** sjelfull. — **-hardened** forherdet. **-less** [-lis] sjelløs. **-mass** sjelemesse. — **-searching** selvransaking. — **-sick** sjelesyk. — **-stirring** gripende.

sound [saund] sunn, frisk, ekte, sterk, trygg, traust, fast, dyp (om søvn), uforstyrret, gyldig, lovlig; rettroende; solid, skikkelig, god; **a** — **whipping** en god drakt pryl; **safe and** — i god behold; **if the calculations are** — dersom beregningene holder stikk.

sound [saund] sund; **the (Baltic) Sound** Øresund.

sound [saund] svømmeblære.

sound [saund] sonde; sondere, lodde (vannets dybde), prøve, få til å røpe.

sound [saund] lyd, klang; lyde, høres, låte, klinge, blåse, la lyde; gi signal til; — **a trumpet** blåse i en trompet; — **the charge** blåse til angrep. — **barrier** lydmur. **-board** klangbunn.

sounding ['saundiŋ] lydende, det å gi lyd; velklingende; lyd, klang.

sounding ['saundiŋ] lodding; i plur. loddskudd, (loddede) dybder, dybdeforhold; kjent farvann. **sounding board** ['saundiŋbɔːd] resonansbunn. **sounding lead** ['saundiŋled] lodd.

sound | **insulation** lydisolasjon. — **intensity** lydstyrke. **-less** lydløs; som ikke kan loddes. — **level** lydnivå. **-proof** lydtett; lydisolere. — **reproduction** lydgjengivelse. — **track** lydspor (film). — **wave** lydbølge.

soup [suːp] suppe; graut, suppe (om vær); **-up** sette fart i; **be in the** — sitte med skjegget i postkassa; — **plate** dyp tallerken; **-ed-up** trimmet (om motor); dramatisert, anspent.

sour ['sauə] sur, gretten, bitter; noe surt, syre; gjøre sur, forbitre, surne, blir bitter.

source [sɔːs] kilde, oppkomme, olle, utspring, kilde.

sour|crout ['sauəkraut] surkål. — **-faced** sur i masken. **-ish** [-riʃ] syrlig. **-ly** surt, bittert. **-ness** [-nis] surhet, bitterhet.

souse [saus] dukkert; saltlake; grisesylte; fyllik; rangel; legge ned i lake, dukke, sylte, dyppe, øse, skvette.

souse [saus] daske, delje til; slå ned (som en rovfugl).

souteneur [suːtəˈnəː] alfons, sutinør.

south [sauθ] sør, søretter, sønnavind, Syden; søndre; mot sør, fra sør.

Southampton [sauˈθæmptən].

southeast ['sauθˈiːst] sørøst, mot sørøst.

southeastern ['sauθˈiːstən] sørøstlig.

southerly ['sʌðəli] sørlig; sørfra; sønnavind.

southern ['sʌðən] sør-, sørlandsk, sørlig; **the Southern Cross** Sydkorset.

southerner ['sʌðənə] sørenglender; sydlending; sørstatsmann.

southernmost ['sʌðənməust] sørligst.

southing ['sauðiŋ] bevegelse sørpå; sørlig deklinasjon; breddeforandring sørover.

south|most sørligst. **-west** ['sauθ'west] sørvest. **-wester** [sauθˈwestə] sørveststorm; sydvest (regnlue) (= **southwest hat**). **-western** sørvestlig. **-ward** ['sauθwəd] mot sør, sørpå; sør.

Southwark ['sʌðək].

souvenir ['suːv(ə)niə] erindring(stegn), minne.

sov. fk. f. sovereign.

sovereign ['sɔvrin] høyest, suveren, kraftig; regent, hersker, sovereign (en engelsk gullmynt av verdi 1 pund sterling). **-ly** høyst. **-ty** [-ti] suverenitet, herredømme.

Soviet ['sɔvjet] Sovjet; Sovjet-; sovjetisk.

sow [sau] sugge, purke; avlang metallblokk, rujernsblokk, renne fra smelteovn til former; skrukketroll.

sow [səu] så, så til, så ut.

sower ['səuə] såmann; såmaskin.

sown [səun] perf. pts. av **sow.**

soy [sɔi] soyabønne, soya, (slags saus). **-bean** soyabønne.

spa [spɑː] mineralkilde, mineralbad, kurbad.

space [speis] rom, mellomrom, areal, plass; tidsrom; verdensrommet; stund, spatium, rubrikk; anbringe med mellomrom. — **age** romalder. — **bar** ordskiller (skrivemaskin). **-craft** romfartøy. **-port** romstasjon. — **-saving** plassbesparende. **-ship** romskip. — **suit** romdrakt. — **travelling** romfart.

spacious ['speiʃəs] vid, rommelig, utstrakt.

spaciousness ['speiʃəsnis] rommelighet.

spade [speid] gjelding; gjelk.

spade [speid] spade; spar (i kortspill); spa (opp); flense; **call a** — **a** — kalle tingen med sitt rette navn; — **graft** spadestikk; — **bone** skulderblad. — **work** grovarbeid, forarbeid.

spadiceous [spəˈdiʃəs] kastanjebrun; kolbeblomstret.

spaghetti [spəˈgeti] spaghetti.

Spain [spein] Spania.

spake [speik] poetisk imperf. av **speak.**

spall [spɔːl] splint, flis; skalle av.

spam [spæm] boksekjøtt.

span [spæn] spann, ni engelske tommer; spann (hester), spennvidde, spenn, kort tid, salstropp; spenne, spenne om, måle, surre.

spang [spæŋ] flunkende, splinter-, helt.

span [spæn] gammel imperf. av **spin.**

spangle ['spæŋgl] paljett, flitterstas; besette med paljetter, glitre, spille; **star-spangled** ['stɑːspæŋgld] oversådd med stjerner; **the Star-Spangled Banner** (amr.) stjernebanneret.

Spaniard ['spænjəd] spanjer, spanjol.

spaniel ['spænjəl] vaktelhund, fuglehund; krype for, logre.

Spanish ['spæniʃ] spansk (også om språket). — **castles** luftkasteller. — **fly** spansk flue. — **paprika** spansk pepper. — **work** svartsøm.

spank [spæŋk] daske, klaske, gi juling; denge, dask, klask.

spanker ['spæŋkə] hurtig traver; sprek hest; sveisen kar; mesan.

spanking ['spæŋkiŋ] dask, juling; rask, hurtig; feiende flott.

spanner ['spænə] skrunøkkel.

spar [spɑː] sperre, raft, rundholt; stang, stake, lekte; spat (mineral); slå ut (med armene), bokse, fekte; kjekle, krangle.

spare [spɛə] spare på, unnvære, avse, spare seg, la være, skåne, spare, forskåne for, tilstå, skjenke, leve sparsomt, være skånsom, være medlidende, unnlate; sparsom, knapp, snau, tarvelig, mager, ledig, overflødig, reserve, ekstra. — **bed** gjesteseng. — **bedroom** gjesteværelse. — **-built** spinkel. — **hours** fritimer. — **money** penger som man har til overs. — **parts** reservedeler (til maskiner). — **rib** ribbestek.

sparing ['spɛəriŋ] sparsom, sjelden, snau. **-ly** med måte, sparsomt.

spark [spɑːk] gnist; telegrafist, gnist; laps, sprade, elsker; gnistre; anspore, oppildne. — **arrester** gnistfanger. — **coil** tennspole. — **knock** tenningsbank.

sparkle ['spɑːkl] gnist, glans; gnistre, funkle, glimre, perle, sprake ut; mussere, skumme, perle.

sparklet ['spɑːklit] liten gnist; boble, perle.

sparkling ['spɑːkliŋ] funklende, livlig, sprakende; perlende, musserende.

spark|over overslag. — **plug** tennplugg; (fig.) få opp farten. — **welding** lysbuesveising.

sparring ['spɑːriŋ] treningsboksing; (fig.) forpostfektninger.

sparrow ['spærəu] spurv.

sparse [spɑːs] spredt, grissen, sparsom.

Sparta ['spɑːtə] Sparta. **Spartacist** ['spɑːtəsist] spartakist. **Spartan** ['spɑːtən] spartaner, spartansk.

spasm [spæzm] krampe(trekning). **spasmodic** [spæzˈmɔdik] krampaktig, støtvis. **spastic** ['spæstik] spastiker; spastisk.

spat [spæt] imperf. og perf. pts. av **spit.**

spat [spæt] østersyngel; stenk, skvett; yngle; skvette, stenke.

spat [spæt] gamasje (srl. i plur.); ta på gamasjer. **spatter** ['spætə] skvette (til), sprøyte (over); skvett, sprut. **-dashes** gamasjer.

spatula ['spætjulə], **spattle** ['spætl] spatel, palettkniv.

spavin ['spævin] spatt (en hestesykdom).

spawn [spɔːn] rogn, melke, egg (av fisk, frosk), gott; rotskudd, avkom; gyte, legge, yngle, avle, oppstå. **-er** rognfisk. **-ing time** gytetid.

speak [spiːk] tale, snakke, ytre, si fram, uttale, forkynne, tiltale; vitne om, røpe. — **up** snakke høyt, si sin mening. **-able** ['spi:kəbl] som kan sis, omgjengelig.

speakeasy ['spi:ki:zi] (amr.) ulovlig brennevinsutsalg, gaukesalg, smuglerbar.

speaker ['spi:kə] taler; hallomann; president i underhuset (tilt. som **Mr. Speaker**); **loud- høyt**taler.

speaking snakking, taling; talende; tale-; **be on — terms** kunne snakke med hverandre, være på talefot med hverandre; **strictly —** strengt tatt; **a — likeness** en slående likhet. **— pipe** talerør. **— trumpet** ropert. **— tube** talerør.

spear [spiə] spyd, lanse, lyster; pumpestang; spire; drepe med et spyd, spidde. **-head** spydodd; (fig.) gå i spissen for. **-man** lansedrager. **-mint** grønnmynte; peppermyntesukkertøy el. tyggegummi. **— side** sverdside, mannsside.

spec [spek] spekulasjon.

special ['speʃəl] særegen, spesiell, særdeles, ualminnelig, utmerket, sær-, ekstra-; særegenhet, ekstranummer. **— act** særlov, unntakslov. **— constable** frivillig politikonstabel.

specialist ['speʃəlist] spesialist, fagmann.

speciality [speʃi'æliti] spesialitet, særegenhet.

specialization [speʃəlai'zeiʃən] spesialisering.

specialize ['speʃəlaiz] spesialisere (seg).

specialty ['speʃəlti] særbeskjeftigelse, særstudium, spesialitet, kontrakt, gjeldsbevis.

specie ['spi:ʃi] klingende mynt, myntet metall.

species ['spi:ʃi(:)z] art, slags.

specific [spi'sifik] særegen, eiendommelig, spesifikk; spesifikt middel, særmiddel. **-ation** [spesifi'keiʃən] spesifisering. **— gravity, — weight** egenvekt, spesifikk vekt.

specify ['spesifai] spesifisere, fastsette.

specimen ['spesimən] prøve, eksemplar.

specious ['spi:ʃəs] tilsynelatende god (el. rimelig), plausibel, bestikkende, skinn-.

speck [spek] liten flekk, stenk, skvett; grann, tøddel; spekk; pl. dropler; flekke, gjøre droplet. **speckle** ['spekl] liten flekk, prikk, skvett; spette, gjøre spraglet, gjøre droplet. **speckled** ['spekld] spettet; broket.

specs [speks] pl. briller.

spectacle ['spektəkl] skue, syn, skuespill, opptog; pl. briller; **make a — of oneself** gjøre skandale; **a pair of -s** et par briller; **-d** ['spektəkld] med briller.

spectacular [spek'tækjulə] flott, praktfull, iøynefallende, betydelig; flott show, lysreklame.

spectator [spek'teitə] tilskuer.

spectral ['spektrəl] spektral; åndeaktig, spøkelses-. **— analysis** spektralanalyse.

spectre ['spektə] gjenferd, spøkelse, ånd.

spectroscope ['spektrəskəup] spektroskop.

spectrum ['spektrəm] spektrum.

specular ['spekjulə] speil-, avspeilende.

speculate ['spekjuleit] spekulere, gruble.

speculation [spekju'leiʃən] spekulasjon.

speculative ['spekjulətiv] spekulativ.

speculator ['spekjuleitə] tenker; spekulant.

speculum ['spekjuləm] speil (srl. av metall).

speech [spi:tʃ] taleevne, tale, språk, replikk; **deliver one's maiden —** holde sin jomfrutale (første tale); **make a —** holde en tale, si en replikk. **-craft** talekunst. **— day** årsavslutning, avslutningsfest. **— defect** talefeil. **-ify** holde (lange) taler. **— impediment** talevanske. **-less** målløs, taus. **-maker** (profesjonell) taler. **-way** språkvane.

speed [spi:d] ile, haste, skynde seg, fare; forsere; fremskynde, sette fart i, fremme- hjelpe, ønske lykke til, si farvel til, ekspedere; hast, hurtighet, fart; gir; lykke; løp, galopp. **— boat** racerbåt. **-er** råkjører. **-ily** hurtig, raskt. **-light** elektronblitz. **— limit** fartsgrense.

speedometer [spi'dɔmitə] speedometer, fartsmåler (i bil).

speed | restriction hastighetsbegrensning. —

skate lengdeløpsskøyte. **— skating** lengdeløp på skøyter. **— -up** fremskynde. **-walk** rullende fortau. **-way** motorbane (til hastighetsløp); (amr.) motorvei.

speedy ['spi:di] rask, hurtig, kvikk; prompte, snarlig.

spell [spel] fortrylle; stave, bokstavere, skrive, stave seg igjennom, lese dårlig; skrives, bety, mene; trylleformular, trolldom, fortryllelse.

spell [spel] avløse i arbeidet, hvile; avløsning, skift, tørn, tur, økt, hjelp, tjeneste, stund; ri, anfall; **give him a —** gi ham en håndsrekning; **by -s** skiftevis, etter tur.

spellbound ['spelbaund] fortryllet, fjetret.

spelling ['speliŋ] stavemåte, rettskrivning.

spelling book ['speliŋbuk] abc.

spelt [spelt] imperf. og perf. pts. av **spell**.

spelt [spelt] spelt (plante).

spence [spens] utlegg, kostnad; matbu, matskap.

spencer ['spensə] spencer (gammeldags kort jakke); gaffelseil.

Spencer ['spensə].

spend [spend] bruke, forbruke, gi ut, koste ut, tilbringe, øde, ødsle bort, bruke opp, spandere; utmatte; bli oppbrukt, tæres opp; **-er** øder, ødeland; storforbruker.

spending ['spendiŋ] forbruk; utgift. **— money** lommepenger. **— power** kjøpekraft.

spendthrift ['spendθrift] ødeland; ødsel.

Spenser ['spensə].

Spenserian ['spen'siəriən]; **— stanza** Spenserstrofe.

spent [spent] imperf. og perf. pts. av **spend**; utkjørt, oppbrukt.

sperm [spə:m] sæd (av mennesker og dyr). **spermaceti** [spə:mə'si:ti] spermasett, kaskelott; **— whale** kaskelott, spermasetthval.

spew [spju:] spy, brekke seg; fosse ut, velte ut, sive; spy, oppkast.

sphacelus ['sfæsələs] koldbrann.

sphere [sfiə] sfære, kule, klode, stjerne, himmellegeme, globus; virkefelt, fagområde, synskrets, fatteevne; gjøre rund, sette i en krets.

spheric ['sferik], **-al**, **-ally** sfærisk, kule-.

sphinx [sfiŋks] sfinks; aftensvermer.

spica ['spaikə] aks; spore.

spice [spais] krydderi, krydder; aroma, smak, anstrøk; krydre. **-nut** peppernøtt. **-r** speserihandler. **spicery** ['spaisəri] krydderier.

spick [spik] meis (fugl); fin, ny, smart; **— and span** splinter ny.

spicule ['spikju:l] lite aks.

spicy ['spaisi] krydret, aromatisk, pikant.

spider ['spaidə] edderkopp; stekerist, jerntrefot, stekepanne (med bein); dirk. **-like** edderkoppaktig. **— web** spindelvev. **spidery** ['spaidəri] edderkoppaktig; meget tynn.

spiel [spi:l] (amr.) historie, prat, snakk.

spiff [spif]: **— up** pynte seg. **-ed** stivpyntet, fin; småfull.

spigot ['spigət] tapp, plugg, spuns, tappekran.

spike [spaik] spiss, pigg, brodd, spiker; aks, skudd; spisse, spikre, nagle fast; **-d** [spaikt] med aks, forsynt med piss, fastnaglet. **-d helmet** pikkelhue. **-d shoe** piggsko. **-d tyre** isdekk (for isbanerace). **-let** [spaiklit] lite aks. **— nail** (lang) spiker. **-nard** [-nɑ:d] nardus, nardussalve.

spiky ['spaiki] spiss, med spisser, pigget, kvass.

spile [spail] splint, propp, spuns; spunse, tappe.

spill [spil] pinne, flis, spik; fidibus.

spill [spil] spille, søle, la renne; slå ned, ødelegge, ødsle, spre ut, strø, bli spilt, kaste av; fall (fra hest el. vogn).

spillikin ['spilikin] pinne, i plur. også: pinnespill.

spilt [spilt] imperf. og perf. pts. av **spill**. **— milk** spilt melk, et uhell som det ikke nytter å gråte over.

spin [spin] spinne, trekke, tøye (ut), forhale;

kjøre fort; gå i spinn, dreie, dreie seg, snurre rundt, surre, svive rundt, strømme hurtig, suse; hvirvling, snurring (rundt); fart, tur, svipptur; — **a yarn** spinne en ende (ɔ: fortelle en skrøne); — **out the time** trekke tiden ut.

spinach ['spinidʒ] spinat.

spinal ['spainəl] ryggrads-, spinal-. — **column** ryggsøyle. — **cord** ryggmarg.

spindle ['spindl] tein, stang, spindel, lang og tynn stengel; skyte ut i lange strengler. — **legs,** — **shanks** pipestilker, rekel.

spindrift ['spindrift] sjørokk, skumsprøyt.

spin-dry sentrifugere, tørke ved sentrifugering.

spine [spain] ryggrad; bergrygg, fjellrygg; pigg; torn. **-less** hvirvelløs, bløtfinnet; utornet; (fig.) holdningsløs, karakterløs.

spinet ['spinit] spinett.

spiniferous [spai'nifərəs] tornet.

spiniform ['spainifɔ:m] torneformet.

spinner ['spinə] spinner, spinnerske; edderkopp; propellnavkapsel. **spinning | frame** spinnemaskin. — **jenny** spinnemaskin. — **wheel** rokkehjul, rokk.

spinosity [spai'nɔsiti] tornethet.

spinous ['spainəs] tornet, besatt med pigger; formet som en torn.

spinster ['spinstə] spinnerske; ugift kvinne, gammel jomfru, peppermøy; (adj.) ugift.

spiny ['spaini] tornet; vanskelig; — **-finned** piggfinnet.

spiracle ['sp(a)irəkl] åndehull (insekter), blåsehull (hval).

spireaea [spai'ri:ə] spirea, mjødurt.

spiral ['spairəl] spiralformet, spiralsnodd; skrue, spiral.

spire ['spaiə] vinding, spiral, krøll, spiss, topp, spir; spire, skudd, gresstrå; løpe spiss opp, spire.

spired ['spaiəd] med spir.

Spires ['spaiəz] Speyer (tysk by).

spirit ['spirit] ånd; sinnelag, sinn, sinnsstemning, liv, humør, lyst, mot; spøkelse; livlighet; alkohol, sprit, spirituøs drikk; begeistre, oppmuntre, lokke; **-s** pl. spiritus, sprit, lune, humør; **the (Holy) Spirit** Den Hellige Ånd; **the** — **of the age** tidsånden; **a man of high** — en mann med æresfølelse; **in high** (el. **good**) **-s** opprømt, munter; **i godt humør; in low** (el. **bad**) **-s** nedslått, forstemt, i ulag; — **away** lokke bort, la forsvinne; — **of salt** saltsyre; — **of wine** ren sprit. **-ed** ['spiritid] åndrik, livlig, energisk, modig, djerv, sprek. **-edness** [-idnis] livlighet, mot, k**v**eik. **-ism** [-izm] spiritisme. **-ist** spiritist. — **lamp** spritlampe. **-less** [-lis] forsagt, motløs, sløv, slakk. — **level** libelle, vaterpass. — **rapping** åndebanking.

spiritual ['spiritʃuəl] åndelig, åndig, geistlig; negersalme, negro spiritual. — **court** geistlig domstol. **-ism** [-izm] spiritisme. **-ist** spiritist. **-ity** [spiritʃu'æliti] åndelighet. **-ize** ['spiritʃuəlaiz] åndeliggjøre, lutre, gi en åndelig betydning, gjøre spirituøs. **spirituel** [spiritju'el] åndrik, spirituell.

spirituous ['spiritʃuəs] spirituøs, spritholdig.

spirt [spə:t] sprute, sprøyte; anstrenge seg til det ytterste; sprut, sprøyt, stråle; plutselig anstrengelse, rykk, spurt; **put on a** — legge alle krefter i.

spiry ['spairi] spiralformet; spir-, formet som et spir; full av spir.

spissitude ['spisitju:d] tykkhet.

spit [spit] spidd, tange, odde; spidde.

spit [spit] spytte; spytt; **dead** — el. — **and image** uttrykte bilde.

spite [spait] ondskap, hat, agg, nag; gjøre ugagn, ergre, trosse, trasse, hate, fortørne; **in** — **of** til tross for, trass i, uaktet. **-ful** ondskapsfull. **-fulness** ondskap.

spitfire ['spitfaiə] sinnatagg, kruttkjerring; engelsk jagerfly.

spitting box ['spitiŋbɔks] spyttebakk.

spitting mug ['spitiŋmʌg] spyttekrus.

spittle ['spitl] spytt.

spittoon [spi'tu:n] spyttebakk.

spitz [spits] spisshund.

Spitzbergen [spits'bə:gən] Spitsbergen, Svalbard.

spiv [spiv] elegant småkjeltring, svartebørshai.

splash [splæʃ] skvette, søle til, plaske; plask, skvetting, skvett, pudder; anstrengelse, krafttak; effekt, stas; plask! **make a** — vekke sensasjon. **splash|board** ['splæʃbɔ:d] forskjerm (på vogn), skvettskjerm. — **headline** svær overskrift. — **net** kastenot.

splashy ['splæʃi] klattet, flekket, sølet; prangende; plaskende, plask-.

splay [splei] forvri, bringe av ledd, bre seg; vende ut, skrå, sneie av; skrå, bred, sprikende; skråkant, skråning. — **-footed** uttilbeins. — **-mouthed** [-mauðid] bredmunnet, breikjefta, flåkjefta.

spleen [spli:n] milt; melankoli, humørsyke; hypokondri, tungsinn, spleen, vrede, ergrelse; **vent one's** — **upon** la sitt dårlige humør gå ut over, løse sin vrede ut over.

splendent ['splendənt] strålende, lysende.

splendid ['splendid] glimrende, storartet, gild.

splendiferous [splen'difərəs] storartet, gild.

splendour ['splendə] glans, prakt.

splenetic [spli'netik] milt-; humørsyk, gretten, melankolsk; gretten person.

splice [splais] spleise, skjøte; spleising, lask.

splint [splint] splint, pinne, flis, spik, spon, spjelk, beinskinne. **-er** splint, flis, spon, beinskinne; splintre, splintres, la hvile i skinner. **-er group** utbrytergruppe, fraksjonsgruppe. **-ery** ['splintəri] splintret, fliset.

split [split] splitte, kløyve, spalte, dele, slå i stykker, slås i stykker; bli uenig (med); grunnstøtt, forlist; revne, brudd, sprekk, spalte; andel (av utbytte); liten flaske; angiver, tyster; — **one's sides with laughter** holde på å revne av latter. — **infinitive** infinitiv skilt fra **to** ved adv. — **peas** flekkede gule erter. — **pin** splittnagle, splint. — **roof** spontak. — **second** brøkdel av et sekund. — **-up** splittelse.

splodge [splɔdʒ] flekk, klatt, klyse.

splosh [splɔʃ] plask; plaske, sprute.

splotch [splɔtʃ] flekk, klatt; flekke, klatte.

splutter ['splʌtə] snakke fort, sprute; larm, spruting, oppstyr, røre.

spoffy ['spɔfi], **spoffish** ['spɔfiʃ] geskjeftig.

spoil [spɔil] bytte, rov, fangst, vinning, (amr.) politisk belønning, bein; kastet ham, oppkastet mudder el. grus; plyndre, berøve, forderve, spolere, ødelegge, bli skjemt, forkjæle; **a -t** (el. **-ed**) **child** et forkjælt barn. **-age** ['spɔilidʒ] spolering, ødeleggelse; makulatur. **-er** en som ødelegger; bremseklaff (fly, sportsbil); **-ing for a fight** kampivrig, i krigshumør.

spoilsman ['spɔilzmən] levebrødspolitiker. **spoilsport** ['spɔilspɔ:t] gledesdreper.

spoke [spəuk] eik (i hjul), trinn, knagg (på ratt); hemsko; **put a** — **in his wheel** (fig.) stikke en kjepp i hjulet for ham.

spoke [spəuk] imperf. av **speak.**

spoken ['spəukn] (perf. pts. av **speak**) talt, muntlig, -talende; **kind-spoken** vennligtalende; **civil-spoken** beleven i sin tale; — **English** det engelske dagligspråk.

spokesman ['spəuksmən] talsmann, ordfører.

spoliation [spəuli'eiʃən] plyndring.

spondaic [spɔn'deiik] spondeisk. **spondee** ['spɔndi:] spondé (versfot).

sponge [spʌn(d)ʒ] svamp; svampet masse, (æset) deig, sukkerbrød; snyltegjest; viske ut med en svamp, presse ut av (som fra en svamp), tilsnike seg, suge inn (som en svamp), snylte; **set a** — sette en deig bort for å la den heve seg; **throw up the** — erkjenne seg overvunnet, oppgi kampen; — **out** viske ut. — **bag** toalettpose. — **cake** sukkerbrødkake. **-r** snylter.

sponging house ['spʌndʒiŋhaus] (gml.) midlertidig gjeldsfengsel, ofte i rettsbetjentens hus, for å gi skyldneren leilighet til ved venners hjelp å betale sin gjeld.

spongy ['spʌn(d)ʒi] svampaktig, svampet, porøs, bløt, sugende; fordrukken.

sponsal ['spɔnsəl] bryllups-, brude-.

sponsion ['spɔnʃən] kausjon, tilsagn, løfte.

sponson ['spɔnsn] hjulkasse; plattform.

sponsor ['spɔnsə] kausjonist, garantist; annonsør, en som i radio el. fjernsyn betaler et kommersielt program; fadder, gudfar; være kausjonist, påta seg ansvaret for; stå fadder, støtte; **-ship** fadderskap, kausjon.

spontaneity [spɔntə'ni:iti] umiddelbarhet, spontanitet.

spontaneous [spɔn'teinjəs] spontan, umiddelbar, uvilkårlig, frivillig. — **combustion** selvantennelse. **-ness** [-nis] = **spontaneity**.

spoof [spu:f] hokuspokus, snyteri, juksing.

spook [spu:k] spøkelse; spøke, skremme. **-y** uhyggelig, spøkelsesaktig.

spool [spu:l] spole, rull; trådsnelle; vikle.

spoom [spu:m] skumme, lense.

spoon [spu:n] skje; skovl, grabb; hule ut, **have his — in the soup** ha en finger med i spillet; **be past the** — ha trådt sine barnesko.

spoon [spu:n] tosk; forelsket narr; forelsket, enfoldig, være forelsket (**on** i), utveksle kjærtegn; **it's a case of -s with them** de er forelsket i hverandre.

spoonerism ['spu:nərizm] det å bytte om lyd i ord som følger etter hverandre, «å bake snakkvendt», f. eks. blushing crow istf. crushing blow el. lette tremmer istf. trette lemmer.

spooney ['spu:ni] meget forelsket (**on** i).

spoonfed ['spu:nfed] matet med skje; holdt kunstig oppe; **be** — få det inn med skjeer.

spoon meat ['spu:nmi:t] skjemat, barnemat.

spoony ['spu:ni] forelsket (**on** i), vill (**on** etter); (forelsket) narr.

spoor [spuə] spor, far; forfølge spor (av).

sporadic [spɔ'rædik] sporadisk, spredt.

spore [spɔ:] spre(celle), spore.

sport [spɔ:t] atspredelse, lek, moro, fornøyelse, idrett, sport, jakt, fiske; leke, drive sport, more, spille, forestille, vise, gå med, prale med, flotte seg med; avvike, vise mutasjon (biologisk); **for** (el. **in**) — for spøk; **he is a good** — han er en real kar, en god sportsmann; **make a — of him** holde moro med, drive gjøn med; **-ful** lystig, spøkefull. **-ing** sports-, idretts-; sport, jakt; **a -ing chance** en fair sjanse; **a -ing character** en sportsmann (av fag); **-ing door** ytterdør. **-ingly** for spøk. **-ive** ['spɔ:tiv] munter, leken, overgiven. **-iveness** [-nis] munterhet. **-less** [-lis] gledesløs, sørgelig. **-sman** ['spɔ:tsmən] sportsmann, jeger. **-smanlike** sportsmannsmessig. **-smanship** god sportsånd; dyktighet som idrettsmann el. jeger. **-swoman** idrettskvinne.

spot [spɔt] flekk, plett; filipens, kvise; dråpe, smule, stenk; sted; flekke, besmitte; oppdage, bite merke i, gjenkjenne; **be in a** — være i knipe, i fare; **on the** — på stedet, straks. — **cheek** stikkprøve. — **film** reklamefilm. **-less** [-lis] plettfri. **-lessness** [-nis] plettfrihet, renhet. **-light** prosjektør, søkelys. **-ted** plettet, flekket, skjoldet. **-ted fever** flekktyfus. **-ter** pletter, besmitter; flekkrenser; observatør; detektiv, spion. **-ty** flekket, spettet, besmittet; kviset. — **welding** punktsveising.

spousal ['spauzl] bryllups-; **-s** giftermål, bryllup.

spouse [spauz] ektefelle. **-less** [-lis] ugift.

spout [spaut] tut, renne, rør, skybrudd, skypumpe; pantelånerbutikk, stampen; sprøyte, springe, deklamere, pantsette; **up the** — pantsatt. **-er** stortaler, skvadronør. **-ing** spruting; deklamasjon.

S. P. Q. R. fk. f. **senatus populusque Romanus; small profits & quick returns.**

sprag [spræg] bremsekloss; vedkubbe; grein; svær spiker; stanse, bremse.

sprain [sprein] forstrekke, forstue, vrikke (anke-len); forstuing; distorsjon.

sprang [spræŋ] imperf. av **spring.**

sprat [spræt] brisling; fiske brisling.

sprawl [sprɔ:l] ligge henslengt, ligge og strekke seg; sprelle, kravle, spre seg; **-ing** som flyter ut el. brer seg ut uregelmessig.

spray [sprei] kvist, kvister; dusk, yr, drev, sjøsprøyt, fint rokk, dusj, dusjapparat, sprøyte, sprøytevæske; overstenke, sprøyte ut, dusje; sprøytemale. **-er** sprøyter, sprøytemaler; sprøytepistol; sprayboks. — **head** sprøytedyse.

spread [spred] spre, spreie, utbre, strekke, tøye ut, fordele, dekke, spre seg, sprike, utbre seg; utstrekning, omfang, utbredelse, noe som bres som dekke, bordteppe, sengeteppe; **bread** — pålegg som smøres på brødet; — **the table** dekke bordet. — **eagle** ['spred'i:gl] ørn med utspilte vinger; stortalende, sjåvinistisk. **-er** ['spredə] spredeapparat, spreder; spredemiddel; smørekniv.

spree [spri:] lystighet, raptus, ri, moro, kalas, rangel; holde leven, ture, rangle; **on the** — på rangel.

sprig [sprig] kvist, skudd; dykkert, stift, nudd; pode, ung spire; jypling; pynte med greiner, feste med stifter. **-gy** full av kvister.

sprightly ['spraitli] munter, livlig, lystig.

spring [spriŋ] springe, sprette, bykse, springe fram; oppstå, spire, bryte fram, vokse, fly opp; slå seg (om tre); jage opp, la bryte fram, finne på med ett, sprenge, få (en lekk); sprang, hopp, sprett, kilde, opprinnelse; fjær, drivfjær, spennkraft; løvsprett, vår; skudd, plante; — **to one's feet** sprette opp og bli stående; — **a trap** smelle igjen en felle. — **bed** springfjærmadrass. **-board** springbrett. **-bok**, **-buck** springbukk, sørafrikansk gasell. — **cart** fjærvogn.

springe [sprin(d)ʒ] snare, felle; fange i snare.

springer ['spriŋə] springer; springbukk; ribbe (i buehvelv); (ark.) vederlag, motlag(stein).

spring halt ['spriŋhɔ:lt] hanesteg (en hestesykdom). **-head** kilde, oppkomme.

springing ['spriŋiŋ] bl. a. springing, utspring, (ark.) kemferlinje, kemfer (i bygning), bues fot. — **stone** kemfer.

spring lock ['spriŋlɔk] smekklås. — **mattress** springmadrass. — **steel** fjærstål. — **tide** springflod. — **washer** sprengskive, fjærskive.

sprinkle ['spriŋkl] stenke, skvette, strø, drysse, væte, dusje, bestrø; stenk, skvett, dusj. **sprinkler** stenker, sprøyte, sprøytevogn; sprinkleranlegg (til brannslokking); vievannskost. **sprinkling** stenk, skvett; snev, svakt anstrøk, dåm; vann-.

sprint [sprint] springe av all makt, spurte; spurt, kapp-. — **race** sprinterløp.

sprit [sprit] sprette, spire; spire, skudd; spristake; baugspryd.

sprite [sprait] ånd; alv, fe, nisse.

sprocket ['sprɔkit] tann på kjedehjul. — **holes** filmperforering.

sprout [spraut] spire, gro, skyte, vokse; spire; skudd; **sprouts** el. **Brussels sprouts** rosenkål.

spruce [spru:s] gran. — **beer** sirupsøl med gran-essens.

spruce [spru:s] nett, flott, fin, fjong, pyntet; pynte, fikse.

sprung [sprʌŋ] perf. pts. av **spring.**

spry [sprai] rask, livlig, kvikk.

spud [spʌd] liten spade, ugress-spade; potet; liten klump, stump.

spume [spju:m] skum; skumme. **spumous** ['spju:məs], **spumy** ['spju:mi] skummende.

spun [spʌn] imperf. og perf. pts. av **spin.**

spunk [spʌŋk] mot, mannsmot, futt; fenge; **-y** fyrig, livlig, kjekk.

spur [spə:] spore, brodd; utstikker, streber, forgreining (av en fjellkjede), spore, anspore, fremskynde, ile; **on the — of the moment** på stående fot. — **gall** [-gɔ:l] såre med sporen; sporehogg.

spurious ['spjuəriəs] uekte, falsk.

spurn [spə:n] (gml.), sparke; (nå:) avvise med forakt, forsmå, vrake; hånlig avvisning; **-er** forakter.

spurrier ['spə:riə] sporemaker.

spurt [spə:t] sprøyte; stråle, sprut, utbrudd.

spurt [spə:t] gjøre en kraftanstrengelse, spurte; kraftanstrengelse, spurt; **put on a** — ta et skippertak.

sputter ['spʌtə] spytte, sprute, snakke fort og usammenhengende, stotre; frese, sprake; spruting, spytt, larm, spetakkel.

spy [spai] speider, spion; speide, utspionere, oppdage. **-glass** lommekikkert. **-hole** kikkhull, judasøye.

sq. fk. f. **square.**

squab [skwɔb] lubben, klumpet, tykk og feit; dueunge; tykkas; stoppet pute, kanapé; dette dumpt ned, plumpe; bardus, bums, pladask; — **pie** postei (av kjøtt, løk og epler).

squabble ['skwɔbl] trette, kjekle; kjekl.

squad [skwɔd] avdeling, lag (soldater); **awkward** — (uøvet) rekruttavdeling. — **car** politipatruljebil. — **leader** lagfører.

squadron ['skwɔdrən] skvadron; eskadron, eskadre. — **leader** major i flyvåpenet.

squalid ['skwɔlid] smussig, skitten; sjofel.

squall [skwɔ:l] skrike, skråle, vræle; skrål, gaul; vindstøt, byge; (fig.) hardt vær, vanskeligheter; **be struck by a** — få en byge over seg; **look out for -s** være på sin post. **-y** bygel; støtvis.

squalor ['skwɔlə] urenslighet, smuss.

squamous ['skweiməs] skjellet, skjelldekt.

squander ['skwɔndə] ødsle bort, sløse; spre, splitte. **-er** [-rə] ødeland.

square ['skwɛə] firkantet, kvadratisk, rettvinklet, kantet, firhogd, firskåren, undersetsig, sterk; passende, ærlig, grei, real, endefram; gammeldags, dum, kantet (om person); kvitt, skuls, oppgjort (om mellomværende); firkant, kvadrat, rute, åpen plass; husblokk, kvartal; vinkelhake, vinkel; skaut, hodetørkle; orden, riktig forhold, likhet; gjøre firkantet, kvadrere, danne en rett vinkel med, tilpasse, stemme, gjøre opp, ordne, utlikne; passe, bringe overens; sette seg i forsvarsstilling; **how -s go** hvordan sakene står; **all —! alt** i orden! **act on the** — gå åpent til verks; **be on the** — **with** være likestilt med, ikke skylde noe; — **up to** by seg til å slåss med. — **brackets** hakeparenteser. — **-built** [-'bilt] firskåren. — **-head** skandinavisk innvandrer i USA; dumskalle. **-ly** rett ut, helt og holdent. — **-made** firkantet. — **mile** eng. kvadratmil. — **number** kvadrattall. — **root** kvadratrot. — **-set** firskåren. — **-toed** breisnutet (om støvler); pedantisk; gammeldags.

squash [skwɔʃ] kryste, mase, presse; knekke, kue, undertrykke; plaske, skvalpe; plask, plump, noe bløtt el. umodent; melongresskar; (frukt)drikk, saft; slags tennis; **-y** bløt, sølet, gjørmet.

squat [skwɔt] huke seg ned, sitte på huk, nedsette seg på jord hvor man ikke har hjemmel; sittende på huk, kort og tykk, undersetsig; sammenkrøpet stilling; **sit at** — sitte på huk.

squatter ['skwɔtə] australsk saueavler, nybygger, rydningsmann; en som ulovlig bebor en eiendom el. et hus.

squaw [skwɔ:] indianerkone; kvinnfolk.

squawk [skwɔ:k] gnelle, skrike; gnelt skrik. — **box** høyttaler, calling anlegg.

squeak [skwi:k] skrike, pipe, hvine, kvine; skrik, hvin, kvin. **-er** skrikhals.

squeal [skwi:l] hvine, pipe, skrike; sladre, fisle; hvin, kvin, skrik. **-er** tyster, angiver.

squeamish ['skwi:miʃ] som lett får kvalme, kresen, prippen, snerpet, fin (på det), vanskelig, ømfintlig. **-ly** med betenkeligheter. **-ness** [-nis] kvalme, vemmelse, kresenhet, ømfintlighet.

squeeze [skwi:z] presse, trykke, klemme, trenge (igjennom), trenge seg; trykk, klem, press; om-

favnelse; tilstramming; avtrykk; **it was a tight** — det var på nære nippet; — **through** hangle gjennom. — **bottle** plastflaske.

squelch [skwelʃ] knuse, tilintetgjøre, tyne, surkle, skvalpe, svuppe; tungt fall.

squib [skwib] kruttkjerring (fyrverkeri); smedeskrift; satirisere, spotte. **-bish** ['skwibiʃ] kåt.

squid [skwid] tiarmet blekksprut; antiubåtvåpen; pilk, kunstig agn; pilke.

squiffy ['skwifi] bedugget, brun, småfull.

squiggle ['skvigl] rable, kludre; krusedull.

squint [skwint] skjele, blingse; skjelende blikk; tendens, hang; skjelende. — **-eyed** skjeløyd; mistenksom, misunnelig.

squire ['skwaiə] våpendrager, væpner, følgesvenn, storbonde, godseier; ledsage, følge. **-archy** ['skwaiərɑ:ki] godseieraristokrati, storbønder.

squirm [skwə:m] vri seg, sno seg, krympe seg; klatre, klyve, entre; vridning, tvinning.

squirrel ['skwirəl] ekorn. — **cup** blåveis.

squirt [skwə:t] sprøyte; sprut, stråle; viktigper, blære, pusling. — **gun** vannpistol. **-y** liten og skittviktig.

Sr. fk. f. **senior.**

SRBM fk. f. **short range ballistic missile.**

S. S. fk. f. **screw steamer; steamship; Secret Service.**

SS. fk. f. **Saints.**

SSE fk. f. **south-southeast.**

SSW fk. f. **south-southwest.**

St. fk. f. **Saint; Street.**

st. fk. f. **stone** (om vekt).

stab [stæb] stikke, gjennombore, såre, dolke; (fig.) falle i ryggen, skade; stikk, støt, slag, sår; — **at** stikke etter. **stabber** ['stæbə] snikmorder; seilmakerpren.

stability [stə'biliti] fasthet, stabilitet. **stabilize** ['stæbilaiz] stabilisere, gjøre fast; **-r** stabilisator; haleplan (fly).

stable ['steibl] stabil, fast, stø, trygg, standhaftig.

stable ['steibl] stall; fjøs; sette på stallen. **lock the** — **door when the horse is stolen** dekke brønnen når barnet er druknet. **-boy** stallgutt. **-man** stallkar. **stabling** ['steibliŋ] det å sette på stallen; stallrom. **stables** ['steiblz] stall, stallbygning.

stablish ['stæbliʃ] se **establish.**

staccato [stə'kɑ:təu] stakkato.

stack [stæk] stabel, (korn–, høy–, torv–) stakk, hesje, dynge, haug; skorstein; haug, masse(vis) geværpyramide; sette i stakk, stable; hope opp; blande (kort) på uærlig vis; — **of arms** geværpyramide; **form -s** kople geværer; **break -s** avkople geværer. **-ing chairs** stablestoler. — **room** bokmagasin. **-yard** stakkeplass.

stadium ['steidiəm] stadion, idrettsplass.

staddle ['stædl] sette igjen (ungskogen), sette igjen ungtrærne (i en skog).

staff [stɑ:f] stukk, gipskalk.

staff [stɑ:f] pl. **staves** [steivz] stav, stang, skaft, stokk, embetsstav, støtte, notesystem; (i følgende bet. pl. **staffs**): stab, generalstab, personale, funksjonærer; forsyne med personale. — **map** generalstabskart. — **sergeant** stabssersjant. — **surgeon** stabslege.

stag [stæg] hjort, kronhjort; hann (om dyr); herreselskap; børsspekulant; jobbe; spionere på, skygge; **turn** — vitne mot sine medskyldige. — **beetle** eikehjort.

stage [steidʒ] stillas, plattform; åsted, val, skueplass, scene, teater; landgangsbrygge, stasjon, skysskifte, postvogn; etappe, stykke; standpunkt, grad; fase, stadium; foranstalte, arrangere, sette opp, vise fram på scenen; **go on the** — gå til scenen; **by short -s** med korte dagsreiser. — **box** orkesterlosje. **-coach** diligence. **-craft** sceneteknikk. — **direction** scenanvisning. — **driver** diligencekusk. — **fright** lampefeber. — **hand** scenearbeider. — **management** regi. **stager** ['steidʒə] praktikus, erfaren person.

satge | rights oppføringsrettigheter. — -struck teatergal. — whisper teaterhvisking.

stagger ['stægə] rave, sjangle, vakle, være i tvil, betenke seg, vingle, miste motet, få til å vakle, gjøre urolig, forbløffe; raving, vakling. -er hardt slag. -ingly [-riŋli] vaklende, vinglende, tvilrådig. -s svimmelhet.

stagnancy ['stægnənsi] stillstand. stagnant ['stægnənt] stillestående. stagnate ['stægneit] stagnere. stagnation [stæg'neiʃən] stagnasjon, stillstand.

stag party herreselskap, ungkarslag.

stagy ['steidʒi] teatralsk, beregnet på å gjøre inntrykk, tilgjort, uekte.

staid [steid] stø, satt, rolig, likevektig.

stain [stein] farge, beise, flekke, vanære; farge, beis, flekk, anstrøk, skam; -ed glass glassmaleri; -ed paper kulørt papir. -less [-lis] plettfri; -less steel rustfritt stål.

stair [stɛə] trappetrin; -s trapp; above -s, up -s opp, ovenpå, hos herskapet; below -s, down -s ned, i kjelleren, blant tjenerne; up one flight (eller run el. pair) of -s en trapp opp. — carpet trappeløper. -case trapp, trappegang. — rail trappegelender. -way trapp, trappegang.

staith [steiθ] anløpsbru, kai.

stake [steik] stake, påle, staur, pinne; kjetterbål, marterpæl; andel, interesse, innsats; fare, kapprenn; støtte med staker, merke med pæler; binde opp (planter); risikere, våge, sette på spill; perish at the — dø på bålet; at — på spill; omhandlet, som det gjelder. -out politivakt.

stalactite ['stæləktait] dryppstein (nedhengende).

stalagmite ['stæləgmait] stalagmitt, dryppstein (som vokser oppover).

stale [steil] bedervet, flau, doven, sur, muggen, gammelt (brød), fortersket, forslitt; surt øl; a — demand et foreldet krav; a — joke en forslitt vits.

stalemate ['steilmeit] patt (i sjakk), dødpunkt; sette patt; gå i stå.

stalk [stɔ:k] stilk, strå; -ed stilket.

stalk [stɔ:k] liste seg; spanke; stille seg, lure seg fram; stille, drive snikjakt, snikjakt. -er spanker, jeger som jager fra skjul. -ing horse jakthest, dressert til å danne skjul for jeger som «stiller»; skalkeskjul.

stalky ['stɔ:ki] stilket, stilkaktig.

stall [stɔ:l] bås, spiltau, utsalgsbu, korstol, parkettplass; hylster, smokk; sette på stallen (el. båsen), sette inn, ta inn, bo, få til å stanse, få motorstopp. -age ['stɔ:lidʒ] buavgift. — bars ribber (gymnastikk). — -feed stallfôre.

stallion ['stæljən] hingst, grahest.

stalwart ['stɔ:lwət] kraftig, djerv; solid, modig, stø, traust, kraftkar, stø partimann.

stamen ['steimin] støvdrager.

stamina ['stæminə] motstandskraft, marg, utholdenhet, tæl.

stammer ['stæmə] stamme, stotre, stamme fram. -er [-rə] stammende. -ing [-riŋ] stammende.

stamp [stæmp] stampe, trampe, stanse ut, påtrykke, frankere, innprege, stemple, prege; stamping, stempel, preg, avtrykk, frimerke, stemplet papir, karakter, slags; — out stanse ut; utrydde, knuse, få slutt på. — act stempellov. — duty stempelavgift.

stampede [stæm'pi:d] panikk, vill flukt; skremme, jage på flukt.

stamper ['stæmpə] brevstempler; stempel; stampeverk.

stamp|ing ground (amr.) enemerker, tilholdssted. -ing mill stampeverk. — machine frimerkeautomat. — mill stampeverk, pukkverk. — pad stempelpute.

stance [stæns] fotstilling; stilling, holdning.

stanch [stɑ:nʃ] stanse, stemme (blodet).

stanch [stɑ:nʃ] stigbord.

stanch [stɑ:nʃ] sterk og tett, fast, traust, stø, standhaftig, trofast, pålitelig.

stanchion ['stænʃən] strever, søyle, stiver, støtte, stender; trafikkskilt på fot; scepter.

stand [stænd] stå, stå stille, ligge (om bygning, by), innstille seg (som kandidat), befinne seg, være, måle, bero, gjelde, utstå, tåle, motstå, bestå, holde fast på, forsvare, traktere med; standplass, holdeplass, post, stansning, holdt, opphold; standpunkt, syn; vitneboks; bod, bu, kiosk; forlegenhet, motstand, stativ, oppsats; be at a — være i forlegenhet; stå i stampe; make a — holde stand; -point standpunkt; — in need of behøve; — to one's ground holde stand; — on end reise seg (om hårene); — treat spandere, traktere, rive i; — trial stå for retten; — aside gå av veien; — by være til stede, være, parat; gjøre plass, holde seg til, understøtte; — down trekke seg tilbake, vike plassen; — for stå modell for; stå for, symbolisere; trakte etter, stille seg som kandidat for; representere, holde på, gjelde for; — in være med, ta parti, koste; — off tre tilbake, holde seg på avstand, avstå fra, vegre seg, heve seg; — out rage fram, skille seg ut; holde stand; — out for forsvare, kreve, virke for; — to vedstå; — under utholde; — up reise seg, tre fram; — up for forsvare; — upon insistere på, stå på; legge vekt på; bero på, støtte seg på.

standard ['stændəd] fane, banner, merke; frittstående tre; mål, myntfot, målestokk, norm, mønster, standard; normal, mønstergyldig; — of accommodation boligstandard; — author klassisk forfatter; the — of life levestandarden; — bearer ['stændəd'bɛərə] fanebærer, bannerfører. — deviation standardavvik. — English engelsk normalspråk, riksmål. -ize ['stændədaiz] standardisere, normalisere.

standby ['stændbai] hjelper, hjelp, reserve.

stand-in stedfortreder.

standing ['stændiŋ] stående, stillestående, blivende, stadig, stø, varig, fast; stilling, anseelse, rang; varighet; — army stående hær; — jest stående vittighet; — committee stående utvalg; — conundrum uløselig gåte; quarrel of long — gammel strid. — order (merk.) løpende ordre. — room ståplass.

stand-offish ['stænd'ɔfiʃ] tilbakeholdende, reservert, sky, utilnærmelig.

standpoint ['stændpɔint] standpunkt; synspunkt.

standstill ['stændstil] stillstand, stans; be at a — stå i stampe; come to a — gå i stå.

stand-up ['stænd'ʌp] oppstående (f. eks. snipp); stående; holdbarhet, bestandighet; ordentlig, real, djerv.

stanhope ['stænəp] lett, åpen vogn.

stank [stæŋk] imperf. av stink.

stannary ['stænəri] tinngruve. stannic ['stænik] tinn-. stannum ['stænəm] tinn.

stanza ['stænzə] vers, strofe.

staple ['steipl] hefte, stifte; stift, krampe; stapelplass, hovedartikkel, råstoff, bonitet; stabel-, viktigst, fast; a — commodity en hovedartikkel. stapler, stapling machine heftemaskin, stiftemaskin.

star [stɑ:] stjerne; stråle; sette merke ved; opptre i hovedrollen; -s and garters ordensstjerner og bånd; the Stars and Stripes stjernebanneret; my good — would have it (ville) that . . .; falling —, shooting — stjerneskudd; the Star Chamber stjernekammeret, en kriminaldomstol uten jury (opphevd under Karl I); — it glimre, spille stjernerolle.

starboard ['stɑ:bəd] styrbord; styrbords; legge styrbord.

starch [stɑ:tʃ] stivelse, klister; tæl, futt; stivhet; stive. -ed shirt stiveskjorte. -edness ['stɑ:tʃidnis] stivhet. -er ['stɑ:tʃə] stiver, strykekone. -y ['stɑ:tʃi] stivelsesaktig, stiv.

stare [stɛə] stirre, glo, glane, skjære i øynene, stirring, glaning; — at stirre på; — hard stirre stivt; — him in the face se stivt på ham; ligge (snublende) nær. **-r** ['stɛərə] glaner; i pl. stang-lorgnett.

starfish ['stɑ:fiʃ] sjøstjerne, korstroll.

stargazer ['stɑ:'geizə] stjernekikker; fantast.

staring ['stɛəriŋ] stirrende; sterkt iøynefallende; grell; aldeles; **stark** — **mad** splittergal.

stark [stɑ:k] stiv, skarpt avtegnet, bar, naken, krass, ubetinget, ren, skjær, aldeles; — **lunacy** det rene vanvidd; — **blind** helt blind; — **mad** splittergal; **are you** — **staring mad** er du spikende gal, jeg tror fanden plager deg; — **naked** splitternaken.

star|let ['stɑ:let] liten stjerne; ung filmstjerne. **-light** stjerneskinn; stjerneklar. **-ling** ['stɑ:liŋ] stær (fuglen). — **part** glansrolle. — **piece** praktstykke. **-red** [stɑ:d] stjernesådd; stjerneformet.

starry ['stɑ:ri] stjerneklar; lysende som en stjerne; — **-eyed** romantisk; naiv, verdensfjern.

star-spangled ['stɑ:'spæŋgld] stjernebesatt; **the Star-Spangled Banner** stjernebanneret, De Forente Staters flagg.

start [stɑ:t] fare opp, fare sammen, støkke, skvette, stusse, dukke plutselig opp, fare til siden, bli sky, ta av sted, legge i vei, begynne (et løp), starte, gå ut (fra); forskrekke (gml. el. dial.); jage opp, komme fram med; finne på, sette i gang; løsne, gi seg; vekke, forrykke; stussing, sprett, støkk, plutselig bevegelse, sett, rykk, anfall, innfall, begynnelse, start, forsprang; startsted, startplass; **get the** — ha forsprang, komme i forkjøpet; — **for** begi seg på veien til, melde seg som ansøker til; — **off** begynne, ta fatt; — **out to** sette seg fore å; **-er** starter, startbryter, selvstarter; støver(hund). **-ing** start-, starte-; **-ing pay** begynnerlønn. **-ingly** støtvis. **-ing point** utgangspunkt.

startle ['stɑ:tl] jage opp, skremme, støkke, overraske, forskrekke.

star turn glansnummer.

starvation [stɑ:'veiʃən] sult, hunger(snød). — **line** sultegrense. — **wages** sultelønn.

starve [stɑ:v] sulte (i hjel), lide nød; la sulte, uthungre, svekke. **starved** forsulten.

starveling ['stɑ:vliŋ] forsulten (person).

stash [stæʃ] gjemme, legge bort; stanse, stoppe; gjemmested, noe som er skjult.

state [steit] tilstand, stilling, standpunkt; gods, besittelse, stat, stand, rang, samfunnsklasse; stas, prakt, høysete, trone, rangsperson, pl. riksstender; fastsette, fremsette, erklære, si, melde; festlig, høytidelig galla; **the States** De Forente Stater i Nord-Amerika; (gammelt:) Nederlandene; **lie in** — ligge på parade. — **affair** statssak. — **apartments** pl. representasjonslokaler. **-craft** statsmannskunst. **-d** ['steitid] bestemt, fast. **-ly** ['steitli] staselig, anselig, prektig, stolt, verdig. **-ment** ['steitmənt] beretning, utsagn, fremstilling, utgreiing, erklæring; (merk.) oppgjør, kontoutdrag. **-room** stasstue, salong. **-sman** ['steitsmən] statsmann. **-smanlike** diplomatisk. **-manship** statsmannskunst. — **trial** riksrett(ssak).

statie ['stætik] statisk; **-s** likevektslære, statikk.

station ['steiʃən] stasjon, stoppested, stilling, stand, standpunkt, post, embete, rang; stille, postere, anbringe. **-ary** ['steiʃən(ə)ri] stillestående, stasjonær, blivende. **-er** ['steiʃənə] papirhandler; **-ers' Hall** innregistreringskontor for bøker (til sikring av forfatterretten). **-ery** ['steiʃən(ə)ri] skrivesaker, papirvarer, brevpapir.

station| master ['steiʃənmɑ:stə] stasjonsmester. — **wagon** stasjonsvogn.

statistic [stə'tistik] statistisk. **statistician** [stæti-'stiʃən] statistiker. **statistics** [stə'tistiks] (pl.) statistikk.

statuary ['stætjuəri] billedhogger, gipshandler, billedhoggerkunst; skulpturell, statue-.

statue ['stætju] statue; stille som en statue; **-d** forsynt med statuer.

stature ['stætʃə] statur, høyde, vekst.

status ['steitəs] status, stilling, posisjon, rang. — **report** kredittopplysning.

statute ['stætjut] vedtekt, statutt. — **law** skreven) lov (motsatt: **common law**). **statutory** ['stætjutəri] lovfestet, lovbestemt, lov-. — **offence** lovbrudd.

staunch [stɔ:nʃ, stɑ:nʃ] se **stanch** III.

stave [steiv] (tønne)stav, sprosse, linjesystem (i musikk), strofe; slå i stykker, slå hull i, forsyne med staver, sette sprosser i; — **off** jage bort, forhale; utsette, avverge.

stay [stei] stanse, (for)bli, oppholde seg, bo (midlertidig); vente, avvente, stole, lite (**upon** på), hindre, berolige, støtte, vente på, oppebie, bivåne; stagvende; stans, opphold; (jur.) utsettelse; hindring, forsiktighet, varighet, standhaftighet, støtte; stag, bardun; **-s** snøreliv, korsett (**a pair of -s**); — **away** utebli, bli borte, ikke komme (i selskap, til møte etc.); — **for** vente på; — **out** bli ute, ikke komme hjem; bli lenger enn; — **till** (el. **for**) **dinner** el. — **and dine** bli til middag; — **the night** overnatte; — **put** sitte fast, bli hvor man er; **-ed** satt, rolig.

stay [stei] brille (i dreiebenk).

stay-at-home; a — **man** et hjemmemenneske.

stead [sted] sted; stå bi, hjelpe; **stand in** — være til hjelp; **be in no** — være til ingen nytte; **in** — **of** istedenfor; **in his** — i hans sted.

steadfast ['stedfəst] fast, trofast, stø, traust; **look -ly at** se ufravendt på. **-ness** fasthet.

steady ['stedi] stadig, stø, fast, jevn, solid, stabil, sikker, rolig, vedholdende; holde stille, berolige, roe; stive av, støtte; forsiktig! holdt! «steddi» så! **go** — ha fast følge.

steak [steik] biff; stekefisk i skiver.

steal [sti:l] stjele; liste, stjele seg; — **away** liste seg bort; — **upon** lure seg på; — **a march upon one** lure seg forbi en; **-ing** listende, lurende; tyveri.

stealth [stelθ]: **by** — hemmelig, i stillhet.

stealthy ['stelθi] listende, snikende, hemmelig.

steam [sti:m] damp, vanndamp, dogg, dunst; dampe, dunste, dampkoke; **let off** — avreagere. — **bath** dampbad. — **boat** dampbåt. — **boiler** dampkjel. — **engine** dampmaskin.

steamer ['sti:mə] dampskip; dampkokeapparat; dampsprøyte.

steam | kitchen ['sti:m'kitʃən] dampkjøkken. **-navigation** dampfart. — **roller** dampveivals.

steamship ['sti:mʃip] dampskip. **steam tug** slepebåt, taubåt.

steam whistle dampfløyte.

steamy ['sti:mi] dampende, dampfylt, dogget.

stearin ['stiərin] stearin.

steed [sti:d] ganger, paradehest.

steel [sti:l] stål, slipestål, våpen, sverd; hardhet; herde til stål, belegge med stål, forherde. — **band** stålbånd; calypsoband. **-ing** stålsetting; forståling. — **mill** stålverk. — **pen** stålpenn. — **wire** ståltråd. — **works** stålverk.

steely ['sti:li] stållignende, stålhard.

steelyard ['sti:lja:d] bismervekt.

steep [sti:p] steil, bratt; brå, voldsom; urimelig; skrent, stup.

steep [sti:p] dyppe, legge i bløt, bløte ut, la trekke (f. eks. te); senke ned; bad, beis.

steepen ['sti:pn] bli bratt(ere).

steeple ['sti:pl] spisstårn, kirketårn. **-chase** steeplechase, terrengritt, hinderløp. **-d** ['sti:pld] med spir.

steer [stiə] ung okse, gjeldstut; råd, vink.

steer [stiə] styre; geleide, navigere; lystre roret. **steerage** ['stiəridʒ] styring; tredje klasse (på skip), mellomdekksplass. — **passenger** dekkspassasjer.

steering | chain rorkjetting. — **column** rattstamme. — **rod** styrestang. — **wheel ratt.

steeve [sti:v] pakke tett, stue tett.

stein [stain] krus, seidel.

stellar ['stelə] stjerne-, stjernebesatt.

stem [stem] stamme, stilk, stett (på glass); stamme (i språk); befri for stilker.

stem [stem] forstavn; sette stavnen mot; vinne fram imot.

stem [stem] stoppe til; stemme, demme opp; stanse.

stench [stenʃ] stank, dunst.

stencil ['stensil] stensil; trykke med stensil, stensilere, sjablonere.

stenograph ['stenəgrɑ:f] stenografere. **stenographer** [ste'nɔgrəfə] stenograf. **stenography** [ste'nɔgrəfi] stenografi. **stenographic(al)** [stenə'græfik(l)] stenografisk.

stentorian [sten'tɔ:riən] stentor-.

step [step] trine, tre, gå, skride fram, skritte, sette (foten); steppe; komme; — **off** skritte opp; trinn, skritt, steg, fotspor, gang, trappetrinn, fremgang; **a set of -s** en trappestige; — **down** stige ned; trekke seg tilbake; — **forward** tre fram; — **in** ta affære; stige inn; — **into** tre inn i, tiltre; — **out** skritte ut, gå med lange skritt; — **up** øke gradvis, tilskynde; forfremme. **step|child** ['steptʃaild] stebarn. **-brother** stebror. **-daughter** stedatter. **-father** stefar. **-ladder** ['steplædə] trappestige, gardintrapp. **-mother** stemor. **-parent** stemor el. stefar.

steppe [step] steppe.

stepping|-stone ['stepiŋstəun] stein til å trå på, overgangsstein; (fig.) springbrett. — **up** øking, opptrapping.

stepsister ['stepsistə] stesøster. **stepson** ['stepsʌn] stesønn.

stereo ['stiəriəu] stereoskopisk, stereofonisk; stereoanlegg. **stereoscope** ['stiəriəskəup] stereoskop. **stereoscopic** ['stiəriə'skɔpik] stereoskopisk. **stereotype** ['stiəriətaip] stereotypi; stereotypere; stereotyp. **stereotyper** ['stiəriətaipə] stereotypist.

sterile ['sterail] steril, gold. **sterility** [ste'riliti] sterilitet, goldhet. **sterilize** ['sterilaiz] sterilisere.

sterling ['stə:liŋ] etter britisk myntfot, fullgod, gedigen, ekte; sterling britisk mynt.

stern [stə:n] streng, morsk, barsk, hard.

stern [stə:n] akterspeil, akterstavn, hekk. **Sterne** [stə:n].

stern|fast ['stə:nfɑ:st] akterfortøyning, aktertrosse. — **light** akterlanterne. **-most** akterst. **-post** akterstavn, akterstevn. — **shaft** propellaksel. — **sheets** akterrom, akterende.

sternum ['stə:nəm] brystbein.

sternutation [stə:nju'teiʃən] nysing, nys.

sternwards ['stə:nwədz] akter.

stertorous ['stə:tərəs] snorkende.

stet [stet] (i korrektur) ingen retting.

stethoscope ['steθəskəup] stetoskop, hørerør (til brystundersøkelse).

stevedore ['sti:vidɔ:] stuer, laste- og lossearbeider.

stew [stju:] østersplantasje, fiskedam.

stew [stju:] stue, koke, småkoke (langsomt og med lite væske); være stuet sammen; slite, svette; kokt kjøtt, frikassé, ragu; sinnsbevegelse, angst; **-ed prunes** sviskekompott; **Irish** — rett av sauekjøtt, løk og poteter; **he is in a fine** — han er gått het i spinn, mistet fatningen; **let him** — **in his own juice** la ham steke i sitt eget fett.

steward ['stjuəd] forvalter, hushovmester, intendant, økonom, hovmester; stuert, restauratør; **Lord High Steward** hoffmarskalk; **steward's mate** oppvarter; **purser's steward** proviantskriver. **stewardess** [-dis] flyvertinne, stewardess, restauratrise, trise, oppvartningspike. **stewardship** forvaltning, forvalterstilling.

stewpan ['stju:pæn] kasserolle.

St. Ex. fk. f. **Stock Exchange.**

stibium ['stibiəm] antimon.

stich [stik] vers, linje.

stick [stik] stokk, pinne, stang, stake, rør, skaft, kvist, taktstokk; mast; kloss, daustokk; stikk; pl. bohave, pistoler, et spill; klebeevne; stikke, feste, flå opp; stenge (erter osv.); anbringe, plassere, legge, putte; tåle, holde ut; besette, sitte fast, klebe, klistre, forbli, stanse, være forlegen; **he got stuck** han ble tatt ved nesen; **I'm**

stuck jeg er ferdig; — **around** holde seg i nærheten; — **at** bli stående ved, ha betenkeligheter ved; — **by** bli ved, holde fast ved; — **out** være fremstående, unndra seg; — **it out** finne seg i, tåle; — **to** holde fast ved, være trofast mot; — **up** **for** forsvare, gå i bresjen for; — **up to** opptre imot; møte (som en mann); — **upon** henge ved. **-age** klebrighet, klebing. **-er** plakatklistrer, stuemenneske; hard nøtt å knekke; klebemerke, gummiert etikett. **-iness** klebrighet. **-ing** klistring, håndarbeid, avfall, kjøttstumper. **-ing plaster** heftplaster.

stickle ['stikl] kjempe, kives, krangle, bråke. **-r** ivrig forsvarer, ivrer, pedant.

stickleback ['stiklbæk] stikling (fisk).

stick-up ['stikʌp] overfall, ran; oppklebet.

sticky ['stiki] klebrig, klissen; klam, lummer; vanskelig, treg; vrien, vrang; ømtålig, delikat, pinlig; stiv, høytidelig. — **tape** limbånd.

stiff [stif] stiv, lemster, hardnakket, stri, tvungen, unaturlig; sterk, vanskelig; stiv (pris); lik, kadaver; gjerrigknark, tverrpomp. **-en** ['stifn] gjøre stiv, stive; stivne, bli stiv. **-ish** temmelig stiv. — **-necked** ['stifnekt] hardnakket, strilyndt.

stifle ['staifl] kvele, kue, undertrykke, slå ned. **-d** kvalt, halvkvalt.

stigma ['stigmə] brennemerke, skamplett. **stigmatize** ['stigmətaiz] brennemerke.

stile [stail] klyveled, stett, dreiekors.

stiletto [sti'letəu] stilett, liten dolk; stikke.

still [stil] ennå, enda; dog; likevel.

still [stil] stille, rolig, taus; få stille, stagge, berolige, roe; stillfoto, scenebilde; — **waters run deep** stille vann har dypest grunn.

still [stil] destillasjons-; destillérkar, brenneri. **still|birth** dødfødsel; dødfødt barn. **-born** dødfødt. — **hunt** snikjakt. — **life** stilleben. **-ness** stillhet. **-room** destillasjonsrom, brenneri; (gml.) spiskammer; fatebur; **-room maid** husjomfru.

stilt [stilt] stylte; heve, oppstylte. **stilted** ['stiltid] oppstyltet, stiv, kunstlet.

Stilton ['stiltən] Stilton-ost.

stilty ['stilti] stiv, oppstyltet.

stimulant ['stimjulənt] stimulerende, pirrende; oppstiver, stimulans. **stimulate** ['stimjuleit] stimulere, pirre, egge, anspore. **stimulation** [stimju'leiʃən] tilskynding, stimulering. **stimulative** ['stimjulətiv] se **stimulant.** **stimulator** ['stimjuleitə] ansporer. **stimulus** ['stimjuləs] spore, drivfjær, stimulans.

sting [stiŋ] stikke, såre, pine, erte, brenne, svi; egge; snyte, ta overpris; brodd, nag. **-er** ['stiŋə] brodd, bitende replikk, sviende slag. **-less** broddløs.

sting ray piggrokke.

stingy ['stiŋi] stikkende, skarp.

stingy ['stin(d)ʒi] gjerrig, knuslet, knipen.

stink [stiŋk] stinke; være beryktet; stank; rabalder, bråk; skandale.

stinkard ['stiŋkəd] teledu, stinkdyr.

stint [stint] begrense, innskrenke, knipe på, spare på, avknappe; begrensning, gjerrighet, grense, andel, bestemt mål; **with no -ed hand** med rund hånd. **-er** innskrenker, påholdent menneske. **-less** uten innskrenkning, ustanselig.

stipe [staip] stengel, stilk.

stipend ['staipend] lønn, gasje, vederlag. **stipendiary** [stai'pendiəri] lønnet.

stipple ['stipl] prikke, punktere, stiple; prikking, stipling.

stipulate ['stipjuleit] fastsette, komme overens om, betinge, avtale; — **for** betinge seg. **stipulation** [stipju'leiʃən] avtale, kontrakt, overenskomst, forpliktelse, betingelse. **stipulator** ['stipjuleitə] stipulerende, kontrahent.

stir [stə:] røre, lee på, rikke, røre opp i, rote i, kare; bringe på bane; opphisse, egge, vekke oppsikt; røre seg, være i bevegelse, stå opp; røre, liv, bevegelse, støy, spetakkel, opprør; — **up** opphisse, oppvekke. **-less** ubevegelig, sakte. **-rer** ['stə:rə] tilskynder, agitator; visp; **an early -rer**

morgenfugl. **-rer-up** agitator, oppvigler. **-ring** ['stə:riŋ] gripende, betagende, bevegende, driftig, interessant, spennende.

stirrup ['stirəp] stigbøyle; pert. — **cup** glass på fallrepet, avskjedsbeger. — **leather** stigreim.

stitch [stitʃ] sy, sy sammen, hefte sammen; sting, maske (ved strikking); klut; sting, hold (i siden); — **a book** hefte en bok; — **up** sy sammen; **drop a** — miste en maske; **take up a** — ta opp en maske; **a** — (sting) **in time saves nine.**

stithy ['stiði] ambolt, ste, smie.

stiver ['staivə] styver.

stoat [stəut] hermelin, røyskatt.

stock [stɔk] levkøy.

stock [stɔk] stokk, stamme, stubbe, kubbe, blokk; klodrian, ætt, stamfar, slekt; skaft, skjefte, ankerstokk, nav, pl. stapel, bedding; halsbind; aksjer, statsobligasjoner, fonds, materiale, driftskapital; inventar, redskaper, varelager, forråd, beholdning, kreaturbesetning; gelé, buljong, kjøttkraft; strømper, pl. stokk, gapestokk; som er i stadig bruk, ferdig til enhver tid, fast, stående; skjefte, stokke, forsyne seg med, føre, ha på lager, samle, oppbevare; sette i gapestokk; — **of knowledge** kunnskapsforråd; **in** — på lager; — **in bank** bankkapital; — **in trade** handelskapital; **be in** — ha penger, ha på lager; **keep in** — føre (på lager); **on the -s** på beddingen; **take** — foreta en vareopptelling, gjøre opp status; **take** — **of one** gi nøye akt på en; — **piece** kassestykke; **dead** — inventar, innbo; — **a farm** forsyne en gård med kveg; — **a pond** forsyne en dam med fisk; — **up** supplere et lager; — **down** tilså med gressfrø.

stockade [stɔ'keid] palisade, pæleverk; militært fengsel, kakebu; befeste med palisader.

stock | book lagerprotokoll. **-breeder** feoppdretter. **-broker** børsmekler, fondsmekler. — **car** krøttervogn; standardbil, standardmodell; olabil; — **-car racing** olabilløp; billøp med standardbiler hvor det ofte er lov å dytte konkurrenten av banen. — **company** aksjeselskap. — **dove** skogdue. — **exchange** fondsbørs. **-fish** tørrfisk. **-holder** aksjonær.

Stockholm ['stɔkhəum].

stockinet [stɔki'net] trikot, glattstrikket vare.

stocking ['stɔkiŋ] lagring; strømpe, hose; sokk (på en hest); **a pair of -s** et par strømper; **in one's -s** el. **in one's stocking feet** på strømpelesten, uten sko på. — **stitch** glattstrikking.

stock-in-trade ['stɔkin'treid] varelager; driftsmidler.

stock | jobber aksjespekulant, børsjobber. **-jobbing** børsspekulasjon, børsjobbing. **-keeper** lagermann. **-man** kvegoppdretter, fjøskar; lagerarbeider. — **market** fondsbørs; børskurs. **-pile** varebeholdning, lager, forråd, haug; hamstre, samle opp. — **raising** feavl. **-room** lager. — **still** bomstille. **-taking** vareopptelling, vurdering. **-whip** kortskaftet kvegpisk.

stocky ['stɔki] undersetsig, kraftig; kompakt.

stockyard ['stɔkjɑ:d] lagertomt; krøtterinnhegning.

stodge [stɔdʒ] mat, tung kost; spise grådig.

stodgy ['stɔdʒi] tung, ufordøyelig; fullstappet.

stoic ['stəuik] stoisk filosof; stoisk; **-al** stoisk; **-ism** ['stəuisizm] stoisisme.

stoke [stəuk] fyre, fylle på brensel; fylle, proppe. **-hold, -hole** fyrrom.

stoker ['stəukə] fyrbøter.

stole [stəul] stola, romersk kvinnekjortel; hvitt skulderbånd (hos katolske prester); **Groom of the S.** første kammerherre (hos kongen av England).

stole [stəul] imperf. av **steal.**

stolen ['stəulən] perf. pts. av **steal.**

stolid ['stɔlid] tung, sløv, upåvirkelig; snusfornuftig.

stomach ['stʌmək] magesekk, mage; appetitt, lyst, vrede, stolthet; føle uvilje mot; **I can't** — **it** jeg orker ikke, tåler det ikke; **on an empty** — på

fastende hjerte. — **ache** mageknip. **-al** magestyrkende (middel).

stomacher ['stʌməkə] bryststykke, forklesmekke, stor brosje.

stomach | ic [stə'mækik] magestyrkende. — **pump** magepumpe. — **tooth** melkeundertann. — **warmer** varmebekken.

stone [stəun] stein, edelsten, en vekt (is. = 14 pd.); stein-, av stein; steine, ta steinene ut av, rense for stein, skure (med en skurestein), forherde, forsteine; **leave no** — **unturned** gjøre alt hva det er mulig å gjøre; **leave no** — **standing** ikke la stein bli tilbake på stein; **throw -s** kaste med stein. — **age** steinalder. — **-blind** stokk blind. — **bottle** steindunk. **-break** bergsildre, saxifraga. — **breaker** steinpukker, steinknuser. **-chat, -chatter** (brunstripet) skvett (fugl). — **cutting** steinhoggerarbeid. — **-dead** steindød. — **-deaf** stokkdøv. — **fruit** steinfrukt; **-d fruit** frukt som steinene er tatt ut av.

Stonehenge ['stəun'hendʒ].

stone | less ['stəunlis] steinfri. — **pit** steinbrudd. — **pitching** steinsetting. — **-rich** styrtrik. **stone's cast** el. **stone's throw** steinkast (avstand). — **-still** bomstille. **-ware** steintøy. **-work** murverk (av naturlig stein).

stony ['stəuni] steinaktig, steinet, av stein, hard.

stood [stud] imperf. og perf. pts. av **stand.**

stooge [stu:dʒ] hjelper, assistent; lokkedue; syndebukk.

stook [stuk] kornstakk, stabel av nek; stable, stakke.

stool [stu:l] taburett, krakk, feltstol, kontorstol, skammel; nattstol, avføring; kontorplass; rotskudd, grunnstamme; skyte avleggere; ha avføring. — **of humiliation** (el. **of repentance**) botsskammel. — **pigeon** lokkefugl, lokkedue; politispion, angiver.

stoop [stu:p] bøye seg, lute; slå ned (om rovfugl); gi etter, underkaste seg, nedlate seg, senke, bringe til å underkaste seg; bøyning, foroverbøyd stilling, lutende holdning, nedverdigelse, nedlatelse, nedfart, nedslag (om rovfugl); fjols, fe, tosk; gatetrapp, veranda; **-ing** foroverbøyd, lutende, rundrygget.

stop [stɔp] stoppe, holde opp, slutte, stoppe til, stanse, plombere, fylle, sparkle; få til å tie, hindre, undertrykke, gripe på (en streng); oppholde seg, bli; stans, stopp, stoppested; stopper, plugg, propp; opphør, avbrytelse, avsats, grep (i strengene), klaff, register, skilletegn; — **away** holde seg borte; — **dead** bråstoppe; — **down** redusere blenderåpningen; — **for** oppebie, bli til; — **over** gjøre opphold underveis; — **short** bråstoppe; **make a** — holde stille; **make a full** — sette punktum; **come to a** — stanse. — **cock** stoppekran. **-gap** ['stɔpgæp] fyllekalk, nødmiddel. **-less** uten stans. — **light** stopplys, bremselys. — **off** avbrudd, opphold.

stoppage ['stɔpidʒ] stans, stopping, driftsstans, arbeidsstans; trekk, lønnstrekk; blenderinnstilling; avholdelse, tilstopping, pause, avkorting; — **of payment** innstilling av betaling; — **of work** arbeidsstans; **put under** — knappe av beløpet i ens lønn.

stopper ['stɔpə] stopper, kork, propp, sparkelmasse; stoppe, korke til, sette propp i.

stopping ['stɔpiŋ] fylling, plombe; sparkling.

stopple ['stɔpl] propp, kork; proppe til, korke til.

storage ['stɔ:ridʒ] opplagring, oppbevaring; magasin; lagerrom; pakkhusleie.

store ['stɔ:] forråd, mengde, magasin, opplag, lager, depot; lagerbygning, pakkhus; (amr.) butikk; oppdynget; oppbevare, lagre, proviantere, forsyne, fylle; **set** — **by** skatte høyt; **in** — på lager; **be in** — for forestå, vente; **what the future has in** — **for us** hva fremtiden vil bringe oss. **-house** magasin, pakkhus. **-keeper** pakkhusforvalter, lagerformann. **-room** lagerrom, forråds-

kammer. — **ship** depotskip. **-r** ['stɔ:rə] inn-samler, magasinforvalter.
storey ['stɔ:ri] etasje; **1st** — annen etasje; **2nd** — tredje etasje; **one-storeyed** enetasjes.
storied ['stɔ:rid] historisk kjent, sagnomsust, prydet med historiske bilder; se **storeyed**.
stork [stɔ:k] stork. **-'s bill** storkenebb; pelargonium (plante).
storm [stɔ:m] storm, uvær, tordenvær, storm-angrep, opprør, larm; storme, angripe med storm, rase, larme. **-iness** stormfullhet, voldsomhet. — **porch** vindfang. **-y** stormfull, voldsom, heftig.
story ['stɔ:ri] se **storey; one-storied** enetasjes.
story ['stɔ:ri] historie, fortelling, anekdote, intrige, handling, eventyr, fabel, skrøne; fortelle; **stories from** (fortelling fra) **the history of England. -book** historiebok, samling av fortellinger, eventyrbok. **-teller** historieforteller, løgnhals.
stoup [stu:p] beger, staup; (relig.) kar.
stout [staut] kraftig, sterk, traust, tapper, standhaftig, stolt, hårdnakket; tykk, før; porter (sterkt øl). **-ness** styrke, fyldighet, tapperhet, stolthet, trossighet.
stove [stəuv] ovn, tørkehus, drivhus; varme opp, svette, sette i drivhus; **tiled** — kakkelovn. — **black** ovnsverte. — **pipe** ovnsrør; flosshatt.
stow [stəu] anbringe, stue sammen, pakke, gjemme. **-age** ['stəuidʒ] anbringelse, stuing, pakking, lagerrom, stuerpenger, stuegods. **-away** ['stəuəwei] blindpassasjer.
straddle ['strædl] sprike med bena, skreve, sitte overskrevs, stå med ett ben i hver leir, opptre tvetydig; bombe, skyte seg inn.
strafe [strɑ:f, (amr.) streif] intens beskytning av bakkemål fra fly, gjengjeldelsesaksjon; overhaling, skrape; beskyte, gi en overhaling.
straggle ['strægl] streife om, vandre (atspredt), skille lag, vandre sin egen vei; spre seg, vokse vilt, ligge hist og her; stå alene. **straggler** ['stræglə] ledig person, etternøler, etterligger, landstryker, vagabond, marodør, vilt skudd, forvillet eksemplar. **straggling** uregelmessig, spredt, som opptrer alene, ute uten permisjon.
straight [streit] rett, strak, rank; glatt (hår); rettlinjet, ærlig, skikkelig, pålitelig; ublandet, bar, ren; i orden, rett ut; rett linje, rett veistykke, langside, oppløpsside; **get** — bringe i orden, komme på fote; **go** — holde seg lovlydig; **keep a** — **face** holde seg alvorlig; gjøre gode miner til siste spill; **see** — se klart, holde seg til saken. — **angle** like vinkel (180°). — **away** på stående fot. **-edge** rettholt, linjal.
straighten ['streitn] rette, strekke, stramme; rydde opp i; — **out** rette opp, glatte over.
straightforward ærlig, redelig, endefram, direkte, regelrett; enkel, liketil.
straight | jet rent jetfly (uten propell). — **shooter** gjennom ærlig person. — **time** fast lønn. — **tip** riktig opplysning; stalltips. **-way** straks, direkte, rett.
strain [strein] spenne, stramme, tøye, trykke, anstrenge, røyne på, leite på, forstue, vrikke, forstrekke, overspenne, utsette for påkjenning, belaste, presse, trykke, overdrive, anstrenge seg meget, filtreres; spenning, anspennelse, belastning, press, påkjenning; tone, melodi, tonefall; deformasjon, forstrekning; stemning.
strain [strein] herkomst, rase, slag, art, sort; drag, snev, hang, karaktertrekk, anlegg.
strainer [streinə] filtrerapparat, dørslag, sil.
strait [streit] stram, snever, streng, vanskelig; knapp; sund, strede (ofte pl. **straits**), knipe, forlegenhet; **the Straits Settlements** de tidligere koloniene ved Malakkastredet; **-jacket** el. — **-waistcoat** tvangstrøye.
straiten ['streitn] snevre inn, gjøre trangere, gjøre oppråd, sette i forlegenhet; **-ed circumstances** trange kår.
straitlaced ['streit'leist] sneversynt, snerpet.
strake [streik] plankegang, hjulbeslag.

stramonium [strə'məunjəm] piggeple; stramoniumblad (middel mot astma).
strand [strænd] strand; sette på land, grunnstøte; strande; **the S.** (gate i London).
strand [strænd] streng (i snor); kordel (i tau); tråd; fiber; lokk; **-ed wire** ståltrådtau, -slått.
strange [strein(d)ʒ] underlig, merkelig, rar, besynderlig; fremmed; — **to say** rart nok. — **looking** besynderlig (av utseende). **-ness** besynderlighet.
stranger ['strein(d)ʒə] fremmed; ukjent person; **be a** — **to** være fremmed for, ikke kjenne noe til; **the little** — den lille nyfødte. **-s' gallery** tilhørergalleri i Parlamentet.
strangle ['stræŋgl] kvele, strupe, kverke; (fig.) undertrykke. **-hold** strupetak. **strangulate** ['stræŋgjuleit] kverke, kvele, stoppe. **strangulation** [stræŋgju'leiʃən] kvelning, innsnøring.
strap [stræp] stropp, reim, strykereim; slå med reim; spenne fast; stryke; arbeide strengt. **-less** stroppløs (kjole).
strapper ['stræpə] stallgutt; kraftkar; sliter.
strapping ['stræpiŋ] røslig, kraftig; remmer, heftplaster.
stratagem ['strætidʒəm] krigslist; puss, knep.
strategic [strə'ti:dʒik] strategisk. **strategy** ['strætidiʒi] krigskunst, strategi.
strath [stræθ] (skotsk) bred elvedal, dalføre.
strathspey [stræθ'spei] en skotsk dans.
stratification [strætifi'keiʃən] lagdeling. **stratify** ['strætifai] danne i lag.
stratum ['streitəm] lag (pl. **strata**).
straw [strɔ:] strå, halm, halmstrå; stråhatt; sugerør; ubetydelighet; **he doesn't care a** — (el. **two -s**) han bryr seg ikke det grann om det; **it was the last** — det fikk begeret til å flyte over; **catch** (el. **snatch**) **at a** — (el. **at -s**) gripe etter et halmstrå.
straw | berry ['strɔ:bəri] jordbær. — **colour** halmfarge. — **cutter** hakkelsmaskin. — **poll** meningsmåling, prøveavstemning. — **stack** halmstakk.
stray [strei] streife (om), fare vill, forville seg, gå seg bort, omflakking; herreløs, omflakkende, rømt, tilfeldig; forvillet dyr, rømling; villfarelse. — **dog** løsbikkje, løshund. **-er** villfarende.
streak [stri:k] strek, stripe, strime, trekk; anstrøk, snev; streke, stripe, fare, suse av sted. **-ed** [stri:kt] stripet. **-y** ['stri:ki] stripet.
stream [stri:m] strøm, elv, bekk; strømme, la strømme; øse; flagre; **-er** flagg, vimpel, (i pl.) nordlys. **-let** bekk. **-line** strømlinje. **-y** elverik, strømmende.
street [stri:t] gate (også om dem som bor i gata); folkelig, by-, gate-; **the** — (især amr.) børsen (om forretninger gjort etter lukketid); **in the** — på gata; **into the** — ut på gata; **on the** — (amr.) på gata; **be on the streets** drive gatetrafikk, være hore; **the man in the** — den alminnelige mann; **that's not up my** — det er ikke noe for meg; — **Arab** hjemløst barn, gategutt. — **band** trupp av gatemusikanter. **-car** (amr.) sporvogn. — **door** gatedør. — **lamp** gatelykt. — **organ** lirekasse. — **piteher** gatehandler, gatekunstner. — **sweeper** gatefeier, sopemaskin. — **tunes** gateviser. — **walker** gatetøs.
strength [streŋθ] styrke; krefter, krigsmakt; **turn out in** — møte mannsterkt opp; **on the** — i rullene; **on the** — **of** i kraft av, i tillit til; — **of mind** åndskraft.
strengthen ['streŋθən] styrke, befeste, bli sterk, forsterke, bestyrke. **-er** styrkemiddel.
strenuous ['strenjuəs] anstrengende, besværlig; ivrig, iherdig, kraftig.
stress [stres] trykk, ettertrykk, viktighet; spenning, belastning; stress, psykisk belastning; belaste, påvirke; fremheve, understreke; legge ettertrykk på; betone; **lay** — **upon** legge vekt på, betone; **the** — **is on** trykket ligger på.
stretch [stretʃ] strekke, tøye, spenne, blokke ut; stramme, anstrenge, overspenne, strekke seg,

overdrive; elastisitet; tidsrom, periode, strekning, utstrekning; strekk, anstrengelse, overdrivelse; (sl.) fengselsopphold; **do a** — sitte i fengsel; **at a** —, **on a** — i ett kjør, i spenning, i uavbrutt anstrengelse; — **out** hale ut på årene.
-er strekker, strammer; spile, sprosse; ambulansebåre. **-er-bearer** sykebærer.

strew [stru:] strø, bestrø, strø ut.

stria ['straiə] strime, stripe, fure. **striate** ['straiit] strimet, stripet.

stricken ['strikn] slått, rammet, hjemsøkt; — **in years** høyt oppe i årene, alderstegen; — **hour** full klokketime.

strict [strikt] stram, nøye, nøyaktig; streng, uttrykkelig. **-ly speaking** strengt tatt.

stricture ['striktʃə] kritisk bemerkning; **pass -s on** rette kritikk mot; (sykelig) forsnevring.

stride [straid] skritt; framskritt, forsprang; langt skritt, gå med lange skritt, skritte ut, skreve over; **get into one's** — komme i sving med.

strident ['straidnt] skjærende, skingrende, grell.

strife [straif] strid, ufred.

strike [straik] stryke (et flagg, et seil osv.), ta ned, slå, treffe, prege, gjøre sterkt inntrykk på, støte mot, støte på grunn, straffe, slå løs, tenne (en fyrstikk); finne, oppdage (olje, gull); angripe, gå til angrep; nappe (fisk); legge ned arbeidet, streike; arbeidsstans; streik; napp (fisk); (rikt) funn; — **a balance** (merk.) gjøre opp status. — **blind** slå en blind, blinde en; — **a blow for** slå et slag for; — **cuttings** sette stiklinger; — **dead** drepe på stedet; — **dumb** gjøre målløs, få en til å miste mål og mæle; — **a bargain** slutte en handel; — **fire** slå varme; — **a jury** velge ut en jury; — **an account** gjøre opp en regning; — **hands with** gi håndslag; — **oil** finne olje; gjøre et kupp; — **root** slå rot; — **tents** bryte leir; — **terror into** innjage skrekk; **the clock -s** klokka slår; — **work** legge ned arbeidet; — **at** slå etter, angripe; — **down** felle, legge i bakken; — **for** begi seg uoppholdelig på veien til, ile til; — **home** ramme ettertrykkelig; — **in** falle inn; — **in with** forene seg med; — **off** slette ut, hogge av; — **out** slette ut, finne på; — **up** slå i været, spille opp. — **benefit** streikebidrag. **-bound** streikerammet. **-breaker** streikebryter.

striking ['straikiŋ] påfallende, skarp; **present a** — **contrast** fremby en slående motsetning. — **hammer** storslegge. — **power** slagkraft. — **surface** riveflate (på fyrstikkeske). — **work** slagverk (i klokke).

string [striŋ] streng, snor, hyssing, lisse, reim; knippe; rekke; spenne, forsyne med strenger; stemme, stille, tre på en snor; — **of pearls** perlekjede; **have two -s to one's bow** ha mer enn én utvei; **have him on a** — ha ham i sin lomme; **put him on a** — narre ham, holde ham for narr; **with no -s attached** uten reservasjoner; — **along** narre, drive gjøn med; — **out** strekke, spenne ut; — **together** knytte sammen. — **up** klynge opp; gjøre nervøs. — **bag** bærenett, shoppingnett. — **bean** snittebønne, voksbønne. **-ed** strenge-, stryke-.

stringency ['strindʒənsi] strenghet, stringens.

stringent ['strindʒənt] bindende, streng, stram.

stringy ['striŋi] trevlet; senet; seig.

strip [strip] trekke av, flå, skrelle, kle av, blotte, demontere, skrelle; berøve, røve, plyndre, kle av seg; strimmel, remse; tegneserie; **tear to -s** rive i stykker, i sund.

stripe [straip] stripe; distinksjonstresse, distinksjoner, stilling; slag, type; gjøre stripet; **-d** stripet.

strip | iron båndjern. **-light** lysrør, rørformet lampe. **-ling** jypling; ungt menneske. **-per** stripteasedanserinne. — **poker** klespoker, plagg. — **steel** båndstål. **-tease** nakendans, avkledningsdans.

stripy ['straipi] stripet, randet.

strive [straiv] streve, anstrenge seg, gjøre seg fore, stri, kappes; — **at effect** jage etter effekt.

striving ['straiviŋ] strevende; strid. **strivingly** [-li] med anstrengelse, for alvor.

strobe [strəub] blitzlys; stroboskob.

strobile ['strəbil] kongle.

strode [strəud] imperf. (og gammel perf. pts.) av **stride.**

stroke [strəuk] slag, hogg, støt; stempelslag, slaglengde, takt (i motor); kjærtegn, strøk, penselstrøk, trekk, utslag, virkning; stroke, taktåre; klappe, stryke, glatte, formilde, smigre; **give the finishing** — **to** legge siste hånd på; **a** — **of genius** genistrek; — **of grace** nådestøt. — **oar** taktåre, den akterste åre i kapproingsbåt, den som ror den akterste åre. — **volume** slagvolum.

stroker ['strəukə] en som stryker, smigrer.

strokesman ['strəuksmən] akterste roer.

stroll [strəul] streife om, slentre, reke, vandre, spasere; omflakking, tur. **-er** landstryker, omreisende skuespiller **(strolling actor** eller **player). -ing company** omreisende skuespillerselskap.

strong [strɔŋ] sterk, kraftig, stor, god, vektig, handlekraftig, mektig, ivrig, befestet; **a 5-** — **band** et 5-manns band; — **language** grovheter; **run** — gå stri. — **-backed** med sterk rygg. — **-bodied** ['strɔŋ'bɔdid] kraftig. **-box** pengeskap, pengeskrin. — **-fisted** håndfast. — **-handed** mannsterk. **-hold** festning, tilfluktssted; (fig.) høyborg. — **-minded** viljesterk, åndskraftig. — **room** bankhvelv. **-set** undersetsig. — **-willed** viljesterk.

strop [strɔp] strykereim; stropp; stryke (en kniv).

strophe ['strəufi] strofe. **strophic** ['strɔfik] strofisk.

stropper ['strɔpə] strykereim.

strove [strəuv] imperf. av **strive.**

stroud [straud] grovt teppe, filleteppe. **strouding** [-ŋ] en slags grovt tøy.

strow [strəu] strø.

struck [strʌk] imperf. og perf. pts. av **strike.**

structural ['strʌktʃərəl] strukturell, struktur-, konstruksjons-, bygnings-. — **designer** konstruktør. — **iron** profiljern. — **timber** boks, firkant.

structure ['strʌktʃə] bygningsmåte, bygning, oppbygning, struktur.

struggle ['strʌgl] kjempe, slite, streve, baske, kave (med noe); anstrengelse, kamp, strev, basketak; **the** — **for life** kampen for tilværelsen. **-r** en som kjemper osv., strever. **struggling** kamp.

strum [strʌm] klimpre; klimpring.

strumpet ['strʌmpit] skjøge, hore, tøs.

strung [strʌŋ] imperf. og perf. pts. av **string; high** — overnervøs, anspent.

strut [strʌt] strutte, spankulere; stive av; spanking, kneising; strever, stiver; **-ter** viktig person. **-tingly** kneisende, med viktig mine.

strychnine ['strikni:n] stryknin.

Sts. fk. f. Saints.

Stuart ['stjuət].

stub [stʌb] stubb, stump; talong (i sjekkbok); grave opp, ta opp (stubber); avstubbe; stumpe (sigarett); **-bed** avstumpet, undersetsig; full av stubber. **-bedness** undersetsighet.

stubbiness ['stʌbinis] stubblende; undersetsighet.

stubble ['stʌbl] stubb, kornstubb, ljåstubb. — **-field** stubbmark.

stubborn ['stʌbən] stiv, stri, hard, gjenstridig, hårdnakket. **-ness** hårdnakkethet.

stubby ['stʌbi] full av stubber; avstumpet, kort og stiv.

stubnail ['stʌbneil] gammel hesteskosøm, avstumpet spiker.

stucco ['stʌkəu] stukk, gips, stukkatur; gipse, dekorere med stukkatur. — **pointer** stukkatør. **-work** stukk, stukkatur.

stuck [stʌk] imperf. og perf. pts. av **stick; be (get)** — sitte fast, gå i stå; **be** — **for** ikke ha, være i beit for; **be** — **on** være forelsket i.

stud [stʌd] stolpe; breihodet søm, nagle, bolt, pigg, knott, dobbeltknapp (krageknapp eller

mansjettknapp); **press-** trykknapp; beslå med små spiker, overså, fylle.
stud [stʌd] avlsdyr (hest); stutteri, stall.
studbook stutteribok, stambok (for rasehester).
studded ['stʌdid] beslått, besatt (med nagler, spiker). — **tyre** piggdekk.
student ['stju:d(ə)nt] studerende; student, elev, boklærd mann, forsker, gransker; studie-. **-ship** stipendium.
studied ['stʌdid] studert, lærd; tilstrebet, planlagt, overlagt.
studio ['stju:diəu] atelier; studio.
studious ['stju:diəs] studerende, flittig, oppmerksom, omhyggelig. **-ly** omhyggelig, med flid. **-ness** lyst til å studere, flid.
study ['stʌdi] studering, studium, fag; fundering, grubling, dype tanker, anstrengelse, studerkammer, arbeidsværelse, kontor; avhandling, studie; etyde; lese på, undersøke, studere, gruble, bestrebe seg, innstudere, være oppmerksom på; ta hensyn til; **in a brown** — i dype tanker; borte i en annen verden; **with studied** (tilstrebet eller affektert) **indifference; studied** (tilsiktet) **insult.** — **circle** studiesirkel. — **debts** studiegjeld. — **hall** lesesal.
stuff [stʌf] stoff, emne, materiale(r); saker, greier; medisin, bohave, skrammel, tøy; sludder; farse, fyll; narkotika; stappe, stoppe, fylle, stoppe ut, forstoppe, proppe seg; skrøne full, proppe full. **-ed shirt** viktigper, blære.
stuffing ['stʌfiŋ] polstring(smateriale), stopp, fyll; farse; fyllekalk.
stuffy ['stʌfi] innelukket, trykkende, kvelende; stiv, snerpet, gammeldags; dorsk, treg; hoven.
stultify ['stʌltifai] gjøre narr av, latterliggjøre; svekke troverdigheten av; erklære for sinnssyk; — oneself vrøvle; erklære seg for utilregnelig.
stum [stʌm] most, ugjæret druesaft.
stumble ['stʌmbl] snuble, trå feil, begå en feil, treffe tilfeldigvis, støte, forvirre, hindre; snubling, feiltrinn, feil. **-bum** klossmajor.
stumbling block ['stʌmbliŋblɔk], **stumbling-stone** ['stʌmbliŋstəun] anstøtsstein, vanskelighet.
stump [stʌmp] stump, stubb, stubbe, stokk, bein; improvisert talerstol; hogge av, humpe; holde valgtaler; bringe ut av fatning; **stir your -s!** ta med dog beina! — **up** rykke ut med pengene, punge ut. — **clearing** stubbebryting, nybrott. **-ed** ute av spillet, ruinert. — **oratory** valgtale.
stumpy ['stʌmpi] stumpet, stubbet.
stun [stʌn] bedøve, svimeslå, fortumle, forbause; bedøvelse, fortumlethet.
stung [stʌŋ] imperf. og perf. pts. av **sting.**
stunk [stʌŋk] imperf. og perf. pts. av **stink.**
stunner ['stʌnə] prakteksemplar, noe makeløst; svimeslag; uventet hendelse.
stunning ['stʌniŋ] overveldende, makeløs.
stunt [stʌnt] forkrøple, forkue, stanse, hemme; vantrives; vantrivsel, forkrøpling, forkrøplethet. **-ed** forkrøplet, hemmet.
stunt [stʌnt] kunststykke, særlig anstrengelse, kraftutfoldelse, trick, nummer; i plur. kunster, streker. — **flying** kunstflyging. — **man** stedfortreder (for filmskuespiller) når vanskelige el. farlige scener skal filmes.
stupe [stju:p] varmt vannsomslag.
stupefaction [stju:pi'fækʃən] bedøvelse, bestyrtelse, målløshet, forbauselse. **stupefy** ['stju:pifai] bedøve, forbløffe.
stupendous [stju:'pendəs] veldig, enorm.
stupid ['stju:pid] sløv, dum, dorsk, kjedelig; tosk, dusting, fjols.
stupidity [stju'piditi] sløvhet, dumhet.
stupor ['stju:pə] bedøvelsestilstand, sløvhet.
sturdiness ['stə:dinis] hårdnakkethet, dristighet, grovhet, fasthet, kraft. **sturdy** ['stə:di] hårdnakket, traust, staut, kraftig, sterk, robust, solid.
sturgeon ['stə:dʒən] stør.
stutter ['stʌtə] hakke, stamme; stotre; stamming. **-er** en som stammer. **-ingly** stammende.

sty [stai] grisebinge, grisehus; (fig.) svinesti; sette i grisebinge.
sty [stai] sti (på øyet).
Stygian ['stidʒiən] stygisk, mørk; ubrytelig (om ed).
style [stail] stift, griffel, viser (på et solur), grammofonstift; stil, skrivemåte, språk, framstillingsmåte, manér, måte, tittel, tidsregning; stil, mote; titulere, benevne; formgi, gi stilpreg; — **of court** rettspraksis; **in the** — stilfullt; **live in** — føre et stort hus; **be -d** bære firmanavnet.
stylet ['stailit] stilett, liten dolk.
stylish ['stailiʃ] moderne, flott, stilig.
stylist ['stailist] stilist, språkkunstner; formgiver, tegner; **hair** — ≈ frisør.
stylite ['stailait] stylitt, søylehelgen.
stylization [staili'zeiʃən] stilisering. **stylize** ['stailaiz] stilisere.
stylograph ['stailəgrɑ:f] stylograf (slags fyllepenn).
stylus ['stailəs] grammofonstift, griffel, skrivestift.
stymie ['staimi] hindre, forpurre; sette i vanskelig stilling; dekket stilling (golf).
styptic ['stiptik] blodstillende middel.
suable ['s(j)u:əbl] som kan saksøkes.
suasible ['sweisibl] som kan overtales. **suasion** ['sweiʒən] overtalelse.
suave [swɑ:v] søt, yndig, blid, forekommende, elegant, urban.
suavity ['swɑ:viti] høflighet, forekommenhet.
sub. fk. f. **subaltern; submarine; substitute.**
sub [sʌb] (srl. i smstn.) under-, underordnet, sub-, nesten, nedenfor.
subacid [sʌb'æsid] syrlig.
subaerial [sʌb'ɛəriəl] i lufta, over jorda.
subagent ['sʌb'aidʒənt] underagent.
subalpine [sʌb'ælpain] subalpin.
subaltern ['sʌbltən] lavere; underordnet; offiser under kaptein.
subaquatic [sʌbə'kwætik], **subaqueous** [sʌb-'eikwiəs] undersjøisk, undervanns-.
subaudition [sʌbɔ:'diʃən] underforståelse.
subcategory [sʌb'kætigəri] underavdeling.
subcharter ['sʌbtʃɑ:tə] subcerteparti; underbefrakte.
subcommittee ['sʌbkəmiti] underkomité.
subconciliator ['sʌbkən'silieitə] meklingsmann.
subconscious [sʌb'kɔnʃəs] underbevisst. **-ness** underbevissthet.
subcontract [sʌbkən'trækt] overta en del av kontrakten; underentreprise.
subcontrary [sʌb'kɔntrəri] i ringere grad motsatt.
subcutaneous [sʌbkju'teinjəs] underhuds-.
subcuticular [sʌbkju'tikjulə] under overhuden.
subdeacon [sʌb'di:kn] underdiakon, hjelpeprest.
subdivide [sʌbdi'vaid] dele igjen.
subdivision [sʌbdi'viʒən] underavdeling.
subduce [səb'dju:s], **subduct** [sʌb'dʌkt] ta bort, subtrahere.
subdue [səb'dju:] betvinge, undertrykke, dempe. **subdued** [səb'dju:d] kuet, dempet, stillferdig, diskret, dus.
sub-editor ['sʌb'editə] redaksjonssekretær.
subfuse ['sʌbfʌsk] mørkfallen, mørk; trist.
subheading ['sʌbhediŋ] undertittel.
subhuman ['sʌb'hju:mən] umenneskelig, som er lavere enn mennesket.
subj. fk. f. **subject, subjunctive.**
subjacent [sʌb'dʒeisənt] underliggende.
subject ['sʌbdʒikt] underlagt, undergiven, underkastet, underdanig, utsatt, ansvarlig, tilbøyelig, til grunn liggende; undersått, gjenstand, emne, tema, sak, vesen, person; statsborger; subjekt; **on the** — i denne anledning; — **to** under forutsetning av, med forbehold av; — **to confirmation** uten forbindtlighet.
subject [səb'dʒekt] underkaste, undertvinge, utsette, gjøre ansvarlig.

subjection [səb'dʒekʃən] underkastelse.
subjective [səb'dʒektiv] subjektiv. subjectivity [sʌbdʒek'tiviti] subjektivitet.
subjoin [sʌb'dʒɔin] tilføye, vedlegge; -ed vedlagt.
subjugate ['sʌbdʒugeit] undertvinge, betvinge.
subjugation [sʌbdʒu'geiʃən] undertvinging.
subjunction [səb'dʒʌŋkʃən] tilføyelse, tillegg.
subjunctive [səb'dʒʌŋktiv] konjunktiv.
sublease ['sʌb'li:s] fremleie.
sublet ['sʌb'let] fremleie, utleie på annen hånd; fremleie; -ting fremleie.
sublibrarian ['sʌblai'brɛəriən] underbibliotekar.
sublieutenant [sʌblef'tenənt] sekondløytnant.
sublimate ['sʌblimit] sublimat; sublimert.
sublimation [sʌbli'meiʃən] sublimering; rensing.
sublime [sə'blaim] opphøyd, begeistret, stolt; det opphøyde, det store; opphøye, foredle, sublimere.
sublimity [sə'blimiti] høyhet, det opphøyde; His S. hans høyhet (sultanen).
subliminal [sʌb'liminəl] underbevisst, ubevisst.
sublingual [sʌb'liŋgwəl] som er under tungen.
sublittoral [sʌb'litərəl] under kysten.
sublunary ['sʌbl(j)u:nəri] (som er) under månen, jordisk.
submachine gun maskinpistol.
submarine [sʌbmə'ri:n] undersjøisk, undervanns-; undervannsdyr (eller -plante); undervannsbåt, ubåt. — pen ubåtbunker.
submerge [səb'mə:dʒ] dukke ned, senke under vannet. submergence [səb'mə:dʒəns] nedsenking, oversvømmelse, flom. submersible [sʌb'mə:sibl] som kan senkes under vann.
submersion [sʌb'mə:ʃən] det å sette under vann, oversvømmelse; neddykking.
submission [səb'miʃən] underkastelse, underdanighet, lydighet. submissive [səb'misiv] underdanig, ydmyk, lydig, føyelig.
submit [səb'mit] underordne, underkaste, forelegge, avgi, legge fram, henstille; finne seg (to i), underkaste seg, bøye seg (to for).
submultiple ['sʌb'mʌltipl] mål, faktor.
subnormal ['sʌb'nɔ:məl] ikke helt normal; evneveik.
subocular [sʌb'ɔkjulə] under øyet.
suboffice ['sʌbɔfis] filial; underpostkontor.
subordinate [sə'bɔ:dinit] underordnet; undergiven. — clause bisetning. subordinate [sə'bɔ:dineit] underordne. subordination [səbɔ:di'neiʃən] underordning, subordinasjon, underordnet forhold.
suborn [sə'bɔ:n] bestikke; forlokke (især til falsk vitneutsagn). -ation [sʌbɔ:'neiʃən] forlokkelse, bestikkelse.
subpoena [sʌb'pi:nə] stevning; innstevne.
subquadrate [sʌb'kwɔdrit] nesten kvadratisk.
subreption [səb'repʃən] innsetting i en annens sted.
subscribe [səb'skraib] skrive under, innvilge, godkjenne, billige; subskribere, abonnere, tinge, tegne seg for, skrive seg for; tegne; — to (i, for) a book subskribere på en bok.
subscriber [səb'skraibə] underskriver, bidragsyter, subskribent, abonnent, medlem.
subscription [səb'skripʃən] underskrift, subskripsjon, abonnement, bidrag, kontingent, godkjennelse, billigelse, aksjetegning; open a — sette i gang en innsamling. — call abonnementssamtale. — library leiebibliotek.
subsection ['sʌb'sekʃən] underavdeling, avsnitt (i lovparagraf).
subsequence ['sʌbsikwəns] følge.
subsequent ['sʌbsikwənt] følgende, senere; — sentence ettersetning. -ly siden, deretter.
subserve [səb'sə:v] tjene, være til nytte for subservience [səb'sə:vjəns], subserviency [-vjənsi] tjenlighet, nytte, gagn; undergivenhet; medvirkning.
subservient [səb'sə:viənt] tjenlig, gagnlig; un-

derordnet, undergiven; underdanig; krypende; -ly til fremme (to av).
subside [səb'said] synke til bunns, senke seg, avta, stilne. subsidence [səb'saidəns] synking, nedgang, det å avta, reduksjon.
subsidiary [səb'sidjəri] hjelpende, hjelpe-, støtte-; forbundsfelle. — company datterselskap. — subject bifag. subsidiaries hjelpetropper.
subsidize ['sʌbsidaiz] understøtte med pengebidrag, subsidiere. subsidy ['sʌbsidi] pengehjelp, (stats)stønad, tilskudd, subsidie.
subsist [səb'sist] bestå, ernære seg, leve, eksistere, underholde; — on leve av.
subsistence [səb'sistəns] utkomme, tilværelse, eksistens. — allowance diett, kostpenger; forskudd. — department intendantur (amr.). — economy naturalhusholdning. — level ≈ 'eksistensminimum.
subsistent [səb'sistənt] eksisterende; iboende.
subsoil ['sʌbsɔil] undergrunn, dypere jordlag; — water grunnvann.
subsonic ['sʌb'sɔnik] under lydens hastighet, underlyds-.
subst. fk. f. substantive; substitute.
substance ['sʌbstəns] substans, stoff, vesen, hovedinnhold, kjerne, formue; in — i hovedsaken; a man of — en formuende mann.
substantial [səb'stænʃəl] vesentlig, virkelig, faktisk, håndgripelig, rikelig, solid, legemlig, sterk, kraftig, velhavende. -ity [səbstænʃi'æliti] virkelighet, legemlighet, styrke.
substantiate [səb'stænʃieit] underbygge, dokumentere, gjøre virkelig, bevise, bestyrke.
substantival [sʌbstən'taivəl] substantivisk.
substantive ['sʌbstəntiv] substantivisk, selvstendig, noe som faktisk eksisterer, vesentlig, betydelig, traust, fast; substantiv, navnord.
substitute ['sʌbstitju:t] sette istedenfor, vikariere; stedfortreder, varamann, surrogat, substitutt.
substitution [sʌbsti'tju:ʃən] innsetting i en annens sted, erstatning. -al som trer isteden. -ally som erstatning.
substratum [səb'streitəm] substrat, underlag.
substruction [sʌb'strʌkʃən], substructure [sʌb'strʌktʃə] grunnlag, underbygning.
subsume [səb's(j)u:m] innbefatte, innordne, underordne.
subtenant ['sʌb'tenənt] underforpakter; en som bor på fremleie.
subtend [səb'tend] være motstående til (om vinkler).
subterfuge ['sʌbtəfju:dʒ] utflukt, påskudd.
subterranean [sʌbtə'reinjən] under jorda; underjordisk, underjords-, undergrunns-.
subtile ['sʌtl] tynn, fin, skarp, listig, intrikat.
subtilize ['sʌtilaiz] fortynne, forfine; være spissfindig.
subtilty ['sʌtilti] finhet, listighet.
subtitle ['sʌbtaitl] undertittel; den skrevne teksten på filmen.
subtle ['sʌtl] fin, lett, spissfindig, subtil, vanskelig å gripe, skarpsindig, listig, dyktig, flink. -ty ['sʌtlti] finhet, skarpsindighet, finesse, listighet, spissfindighet.
subtopia [sʌb'təupjə] forstad, drabantby.
subtract [səb'trækt] trekke fra, subtrahere, forminske. subtraction [səb'trækʃən] fradrag, subtraksjon.
subtrahend [ˌ'sʌbtrəhend] subtrahend.
subtranslucent [sʌbtrænz'lu:snt] svakt gjennomskinnende.
subtransparent [sʌbtræns'pɛərənt] svakt gjennomsiktig.
subtropical ['sʌb'trɔpikl] subtropisk; the subtropics subtropene.
suburb ['sʌbə(:)b] forstad, drabantby.
suburban [sə'bə:bən] forstads-, omegns-. suburbanite [sə'bə:bənait] forstads-, drabantbyboer.
suburbia [sə'bə:bjə] forstedene, forsteder; drabantby-, forstads-.

subvention [səb'venʃən] understøttelse, hjelp, stønad; statstilskudd.
subversion [səb'və:ʃən] omstyrtelse, ødeleggelse.
subversive [səb'və:siv] nedbrytende, ødeleggende.
subvert [səb'və:t] kullkaste, ødelegge; omstyrte; undergrave, nedbryte. **subvertible** [səb'və:tibl] som kan kullkastes.
subway ['sʌbwei] tunnel, underjordisk gang; (amr.) undergrunnsbane.
succade [sʌ'keid] kandisert frukt, sukat.
succedaneum [sʌksi'deinjəm] erstatningsmiddel, surrogat.
succeed [sək'si:d] følge, avløse, tiltre (embete); ha suksess, få til, lykkes, være heldig, oppnå sitt ønske, la lykkes; — **to** følge etter, avløse, arve; **he -ed in coming** det lyktes ham å komme. **-er** etterfølger.
success [sək'ses] utfall, følge; godt resultat, lykke, hell. **-ful** heldig, vellykket, fremgangsrik. **-fulness** lykkelig fremgang, hell.
succession [sək'seʃən] følge, rekke, rekkefølge, arvefølge, tronfølge, slektslinje, etterkommere; **in** — etter hverandre, på rad. **-al** rekkefølge-, arvefølge-.
successive [sək'sesiv] suksessiv, som følger i orden, i trekk, på rad. **-ly** etter hverandre, i rekkefølge, suksessiv.
successor [sək'sesə] etterfølger, avløser; arving, arvtaker.
succinct [sək'siŋkt] kortfattet, fyldig.
succory ['sʌkəri] sikori.
succour ['sʌkə] understøtte, komme til hjelp, unnsette; hjelp, unnsetning, hjelper. **-less** hjelpeløs.
succulence ['sʌkjuləns] saftighet.
succulent ['sʌkjulənt] saftig.
succumb [sə'kʌm] bukke under, ligge under (to for).
succussion [sə'kʌʃən] rystelse, risting, skaking.
such [sʌtʃ] sådan, sånn, den slags, sånt noe, slik, den, det, de; — **and** — den og den, det og det, en viss, et visst; — **as** sånne som, de som; f. eks.
suchlike ['sʌtʃlaik] desslike, slike, den slags; sådant.
suck [sʌk] suge, suge inn, patte, die, suge ut; suging; melk, die, slurk; — **in** narre; — **up to** innsmigre seg hos; **give** — gi die. **-er** suger, sugerør, stempel, pumpesko; sugeskål; renning, rotskudd; tosk, naiv person, dust, gudsord fra landet; fjerne rotskudd, narre, bedra. — **-in** røre, rot; svindel, snyteri. **-ing bottle** tåteflaske. **-ing pig** pattegris.
suckle ['sʌkl] die, amme.
suckling ['sʌkliŋ] pattebarn, spedbarn.
suction ['sʌkʃən] suging; pimping; suge-, innsugnings-. — **cleaner** støvsuger.
suctorial [sʌk'tɔ:riəl] suge-.
Sudan [su'da:n], **the** — Sudan. **Sudanese** su:də'ni:z] sudanesisk, sudaneser.
sudarium [s(j)u'dɛəriəm] svetteduk.
sudatory ['s(j)u:dətəri] svette-, som får svetten at; dampbad.
sudden ['sʌdn] plutselig, brå, uventet; **all of a** — (el. sj. **on a** —) plutselig, med ett. **suddenly** 'sʌdnli] plutselig, med ett.
Sudetic [sju'detik], **the** — **Mountains** Sudetene.
sudorific [s(j)u:də'rifik] som driver ut svetten, svettemiddel. **sudoriferous** [s(j)u:də'rifərəs] svette-.
suds [sʌdz] såpeskum, såpevann, skum; **be in the** — være i knipe; **leave in the** — la i stikken.
sue [s(j)u:] følge, saksøke, anklage, anlegge søksmål mot; utvirke, be, anmode, beile til, søke å vinne; — **out** ansøke om, utvirke.
suede [sweid] semsket skinn.
suet ['s(j)u:it] nyrefett, talg. **-y** fett-.
Suez ['su:iz].
suffer ['sʌfə] lide (**from** av), utstå, bære, tåle, tillate, la, lide straff, lide skade, lide døden. **-able** utholdelig, tillatelig.

sufferance ['sʌfərəns] tålmodighet, overbærenhet, tillatelse; **on** — ved stilltiende tillatelse; på nåde.
sufferer ['sʌfərə] lidende, skadelidt, en som taper, en som får svi.
suffering ['sʌfəriŋ] lidende; lidelse.
suffice [sə'fais] være tilstrekkelig, strekke til, greie seg, tilfredsstille. **sufficiency** [sə'fiʃənsi] tilstrekkelig mengde, nøgd; brukbarhet.
sufficient [sə'fiʃənt] tilstrekkelig, tilfredsstillende, god nok, dyktig nok, gyldig; formuende.
suffix [sə'fiks] sette til (i enden av et ord).
suffix ['sʌfiks] suffiks, endelse, ending.
suffocate ['sʌfəkeit] kvele, kveles. **suffocation** [sʌfə'keiʃən] kvelning. **suffocative** ['sʌfəkətiv] kvelende.
Suffolk ['sʌfək].
suffragan ['sʌfrəgən] underbiskop.
suffrage ['sʌfridʒ] valgrett, stemmerett; menighetens bønn (i kirken); **universal** — alminnelig stemmerett; **adult** — alminnelig stemmerett for begge kjønn.
suffragette [sʌfrə'dʒet] stemmerettskvinne.
suffragist ['sʌfrədʒist] tilhenger av stemmerett for kvinner (også.: **woman suffragist**).
suffumigate [sə'fju:migeit] desinfisere med røyk.
suffuse [sə'fju:z] fylle, overgyte, overstrømme, overøse, gjennomstrømme.
suffusion [sə'fju:ʒən] overgyting, gjennomstrømming, bloduttredelse, rødming.
sugar ['ʃugə] sukker; gryn, penger; skatt, kjæreste; ha sukker i el. på, sukre, smigre. **-basin** sukkerskål. — **beet** sukkerroe. — **candy** kandis- (sukker). — **cane** sukkerrør. **-coat** dekke med sukker, glasere; (fig.) sukre. — **daddy** eldre kavaler som spanderer på jentene. **-ed** søt, sukkersøt; forbauset. — **house** sukkerfabrikk. **-loaf** sukkertopp. — **nippers** sukkersaks, sukkerklype. — **pea** sukkerert. — **plum** sukkertøy, sukkerkule, bonbon. — **refinery** sukkerraffineri. — **sifter** sukkerbøsse, strøskje. — **tongs** sukkerklype.
sugary ['ʃu:gəri] søt, altfor søt, sukkersøt; som er glad i sukker.
suggest [sə'dʒest] inngi, bibringe, la formode, foreslå, la hemmelig vite, ymte om, minne om, slå på, antyde, hentyde til, henstille, gi et vink om, gi anledning til. **-ed price** veiledende pris.
suggestible [sə'dʒestibl] suggestibel, som kan foreslås, lett påvirkelig.
suggestion [sə'dʒestʃən] forslag, idé, henstilling, vink, halvkvedet vise, foranledning; påminnelse; suggestion.
suggestive [sə'dʒestiv] som inneholder et vink, tankevekkende, stemningsvekkende, megetsigende; **be** — of kalle frem forestillinger om.
suicidal [s(j)u:i'saidəl] selvmords-, selvmorderisk. **suicide** ['s(j)u:isaid] selvmord; selvmorder.
suit [s(j)u:t] rekke, følge, sett; drakt, dress; ansøkning, frieri, bønn, saksøkning, rettssak; ordne, tilpasse, gjøre tilfreds; kle, ta på en drakt; stemme overens, høve, passe, tilfredsstille; — **to** avpasse etter; **bring a** — anlegge sak; **follow** — bekjenne farge; (fig.) følge opp; **out of** -s ikke i samsvar. **-ability** hensiktsmessighet, velegnethet. **-able** passende, høvelig, egnet, overensstemmende. **-ableness** passelig karakter, overensstemmelse, samsvar. **-ably** passende, passe.
suitcase ['sju:tkeis] (flat) håndkoffert.
suite [swi:t] følge, rekkefølge, sett, rekke; rekke værelser, suite; møblement.
suitor ['s(j)u:tə] ansøker, søker, frier; saksøker, prosederende.
sulcate ['sʌlkit] furet, spaltet.
sulk [sʌlk] furte, surmule; dårlig humør, furting; **be in the** -s være i dårlig humør.
sulky ['sʌlki] furten, gretten, mutt, olm, tverr, treven; sulky, lett enspenner (især til travkjøring).
sullen ['sʌlin] mørk, trist, utilfreds, treg, sta, tverr, muggen, gretten, uvennlig. **-ness** uvennlig-

het, utilfredshet, egensindighet, ondskapsfullhet.
Sullivan ['sʌlivən].
sully ['sʌli] søle til, besudle, flekke, plette; plettes; smuss, flekk.
sulpha ['sʌlfə] sulfa-. **sulphate** ['sʌlfeit] sulfat.
sulphur ['sʌlfə] svovel; røyke ut med svovel. **-ate** ['sʌlfəreit] svovle, svovelbleike. **-ation** svovling, svovelbleiking. **sulphureous** ['sʌl'fjuəriəs] svovlet, svovelgul. **sulphuretted** ['sʌlfjuretid] innsatt med svovel, svovlet, svovel-. **sulphuric** [sʌl'fjuərik] **acid** svovelsyre. **sulphurous** ['sʌlfjuərəs] **acid** svovelsyrling.
sultan ['sʌltən] sultan. **sultana** [sʌl'tɑ:nə] sultaninne; slags rosin. **sultanate** ['sʌltənit] sultanat.
sultriness ['sʌltrinis] lummerhet. **sultry** ['sʌltri] lummer, trykkende; grov, uanstendig.
sum [sʌm] sum, hele beløpet; regnestykke; pengesum, hovedinnhold, høyeste grad; telle sammen, summere opp, regne, sammenfatte; **do a —** regne et stykke; **set a —** gi et regnestykke til; **in —** i korthet; **— up** summere opp, resymere, fremstille kortfattet; (om dommer) gi rettsbelæring.
sumach ['su:mæk] sumak.
Sumatra [su'mɑ:trə].
summa cum laude (amr.) præceteris, utmerkelse.
summarily ['sʌmərili] i korthet, uten videre.
summarist ['sʌmərist] en som gjør et utdrag. **summarize** ['sʌməraiz] summere opp, resymere. **summary** ['sʌməri] kortfattet, summarisk; kortfattet innbegrep, kort utdrag, resymé.
summation [sʌ'meiʃən] sammenlegning, addisjon, totalsum, resymé, sammendrag.
summer ['sʌmə] en som summerer opp; bærebjelke, hovedbjelke.
summer ['sʌmə] sommer; tilbringe sommeren; **a — day** el. **a -'s day** en sommerdag; **-ite** (amr.) feriegjest; sommergjest. **— lightning** kornmo; **St. Luke's —** mild oktober. **-fallow** sommerbrakk; sommerpløye. **— house** sommerhus, lysthus. **— time** sommertid (innført som normaltid om sommeren). **-time** sommersesongen.
summing-up resymé, sammendrag; rettsbelæring.
summit ['sʌmit] topp, største høyde. **— meeting** toppmøte.
summon ['sʌmən] kalle inn, stevne, oppfordre, oppby; **— up one's courage** ta mot til seg. **-er** stevningsmann. **-s** oppfordring, kallelse, stevning.
sump [sʌmp] gruvebunn(vann); **oil —** bunnpanne, oljetrau (i bil).
sumpter ['sʌm(p)tə] lastdyr, pakkhest, kløvhest; bylt, saltaske.
sumptuary ['sʌm(p)tʃuəri] utgifts-, luksus-; **— laws** lover mot overdådighet.
sumptuous ['sʌm(p)tʃuəs] kostbar, prektig; luksuriøs; **-ness** kostbarhet, prakt.
sun [sʌn] sol; sole, sole seg. **-bath** solbad. **-beam** solstråle. **-blind** markise. **— bonnet** solhatt. **-bright** solklar. **-burnt** solbrent, solsvidd. **-clad** strålende.
Sunda ['sʌndə] Sunda; **the Strait of —** Sundastredet.
sundae ['sʌndei] iskrem med frukt.
Sunday ['sʌndi] søndag; holde søndag; søndags-, peneste; **Low —** første søndag etter påske; **— best** søndagsklær, kisteklær; **— out** frisøndag; **a month of -s** en lang tid, en hel evighet. **— driver** søndagsbilist. **— painter** amatørmaler. **— school** søndagsskole. **— supplement** søndagstillegg, -bilag.
sunder ['sʌndə] avsondre, skille, dele; deling i to stykker; **a-, in —** i sund, i stykker.
sun|dew ['sʌndju:] soldogg (plante). **-dial** solskive, solur. **-dog** parhelion, bisol; solglorie. **-down** solnedgang. **— -dried** soltørket, solsvidd.
sundry ['sʌndri] atskillige, flere; **sundries** diverse utgifter, forskjellige slags ting, diverse saker.

sunfast ['sʌnfɑ:st] lysekte, solekte.
sunflower ['sʌnflauə] solsikke, solvendel.
sung [sʌŋ] perf. pts. av **sing**.
sun|god ['sʌngɔd] solgud. **— gear** solhjul **-glasses** solbrille. **— helmet** tropehjelm.
sunk [sʌŋk] perf. pts. av **sink**.
sunken ['sʌŋkn] gammel pts. av **sink** sunken, senket, undervanns-; innsunken, innfallen; **— rock** blindskjær, båe, flu.
sun | lamp høyfjellssol. **-light** solskinn. **-lit** sol belyst. **sunny** ['sʌni] solbelyst, solfylt, strålende glad, lett, sol-; **— side** solside; **— -side up** egg (amr.) speilegg.
sun|proof lysekte; lystett. **-rash** soleksem. **-ray** solstråle. **-rise** soloppgang. **-set** solnedgang **-shade** solskjerm, markise, parasoll. **-shine** sol skinn. **-spot** solflekk. **-stroke** solstikk; heteslag **-tan** solbrenthet; **-tan lotion** solbadolje. **-up** (amr.) soloppgang. **— visor** solskjerm. **-wise** sol rett, med sola. **— worship** soldyrking.
sup [sʌp] drikke, supe, slubre i seg; spise aftens; munnfull, tår; **— on porridge** spise grau til kvelds.
sup. fk. f. **superior; supplement; supply supreme.**
super ['s(j)u:pə-] (i smstn.) over, omfram hyper-, ekstra-, til overmål, super.
super ['s(j)u:pə] statist; særlig fin, utsøkt.
superable ['s(j)u:pərəbl] overvinnelig, over kommelig. **superabound** ['s(j)u:pərə'baund] finne i overflod, være flust med, ha overflod på, myldre kry. **superabundance** [-'bʌndəns] overflod, over mål. **superabundant** ['bʌndənt] i overflod, over vettes.
superadd ['s(j)u:pər'æd] tilføye ytterligere. **-ition** ['s(j)u:pərə'diʃən] ny tilføyelse.
superannuate [s(j)u:pə'rænjueit] svekke (ved alder), la gå av med (el. sette på) pensjon, pen sjonere. **-d** avlegs, uttjent, avdanket. **superan nuation** [s(j)u:pərænju'eiʃən] alderdomssvakhet avgang, pensjonering; **national — scheme** folke pensjon, folketrygd.
superb [s(j)u'pə:b] prektig, herlig, fortrinnlig.
supercargo ['s(j)u:pəkɑ:gəu] superkargo, karga dør.
supercharge ['s(j)u:pətʃɑ:dʒ] forkomprimere overlade.
supercilious [s(j)u:pə'siljəs] overmodig, hoven hånlig.
supercriminal ['s(j)u:pəkriminəl] storforbryter **superduper** ['s(j)u:pə'd(j)u:pə] flott, finfin.
supereminent [s(j)u:pər'eminənt] særlig frem ragende, makeløs.
supererogation [s(j)u:pərerə'geiʃən] overdreve pliktoppfyllelse. **supererogatory** [s(j)u:pə're'rogə təri] som går utover den strenge plikt, overflødig **superfecundity** [s(j)u:pəfi'kʌnditi] overvette fruktbarhet.
superficial [s(j)u:pə'fiʃəl] flate-, overfladisk; **— measure** flatemål. **-ity** [s(j)u:pəfiʃi'æliti] over fladiskhet. **superficies** [s(j)u:pə'fiʃ(i)i:z] overflat **superfine** ['s(j)u:pə'fain] overordentlig fir ekstra fin, finfin.
superfluity [s(j)u:pə'flu:iti] overflod.
superfluous [s(j)u'pə:fluəs] overflødig.
superhuman [s(j)u:pə'hju:mən] overmenneske lig.
superimpose [s(j)u:pərim'pəuz] legge ovenpå **superimposition** avleiring ovenpå, påklistring.
superincumbent [s(j)u:pərin'kʌmbənt] som lig ger ovenpå, overliggende.
superinduce [s(j)u:pərin'dju:s] legge til, tilføye **superintend** [s(j)u:pərin'tend] se til, lede, før stå. **superintendence** [s(j)u:pərin'tendəns] tilsy ledelse. **superintendent** [s(j)u:pərin'tendənt] ti synshavende, bestyrer, direktør, kontrollø inspektør, avdelingssjef i politiet.
superior [s(j)u'piəriə] over-, høyere, øvers overlegen; overmann, foresatt, prior; utmerke meget fin; **be — to** være bedre enn, overgå, væ hevet over; **a — air** en overlegen mine; — **cou**

overrett. -ity [s(j)upiəri'ɔriti] overlegenhet, fortrinn, forrang.
superjacent [s(j)u:pə'dʒeisənt] som ligger ovenpå, overliggende.
superlative [sju'pə:lətiv] høyest; ypperlig, superlativ.
superman ['s(j)u:pəmæn] overmenneske.
supermarket ['s(j)u:pəmɑːkit] kjøpesenter.
supermundane [s(j)u:pə'mʌndein] overjordisk.
supernal [s(j)u'pə:nəl] høyere, overjordisk, hinsidig, himmelsk.
supernatant [s(j)u:pə'neitənt] som svømmer (el. flyter) oppå.
supernational [s(j)u:pə'næʃənəl] overstatlig, overnasjonal.
supernatural [s(j)u:pə'nætʃərəl] overnaturlig.
-ism [-izm] overnaturlighet; supranaturalisme.
supernumerary [s(j)u:pə'nju:mərəri] overkomplett, overtallig, reserve-, ekstra-; ekstraskriver, reservehest, statist; — officer offiser à la suite, surnumerær.
supernutrition [s(j)u:pənju'triʃən] overernæring.
superpose [s(j)u:pə'pəuz] legge ovenpå. super-position [s(j)u:pəpə'ziʃən] det å legge (el. ligge) ovenpå.
supersaturate [s(j)u:pə'sætʃəreit] overmette.
superscribe [s(j)u:pə'skraib] overskrive, skrive utenpå (et brev). superscription [s(j)u:pə'skripʃən] overskrift, adressering.
supersede [s(j)u:pə'si:d] erstatte, fortrenge, avløse, komme i stedet for, fjerne, avskaffe, oppheve, avskjedige, overflødiggjøre, sette ut av kraft. superseding signal signal til at kommandoen skal overgis til en annen.
supersedeas [s(j)u:pə'si:diəs] suspensjonsbefaling, ordre til å stanse rettssaken.
supersensual [s(j)u:pə'senʃuəl] oversanselig.
supersession [s(j)u:pə'seʃən] avskjedigelse, avløsning, erstatning.
supersonic ['s(j)u:pə'sɔnik] hurtigere enn lyden, overlyds-.
supersound ['s(j)u:pəsaund] ultralyd.
superstition ['s(j)u:pə'stiʃən] overtro.
superstitious [s(j)u:pə'stiʃəs] overtroisk.
superstructure ['s(j)u:pəstrʌktʃə] overbygning.
supertax ['s(j)u:pətæks] ekstraskatt.
superterrestrial [s(j)upəte'restriəl] overjordisk, himmelsk.
supervene [s(j)u:pə'vi:n] komme til, støte til, inntre, oppstå. supervention [s(j)u:pə'venʃən] det å komme til, støte til, inntreden.
supervise ['s(j)u:pəvaiz] ha oppsyn med, se til, overvåke. supervision [s(j)u:pə'viʒən] oppsyn, tilsyn, kontroll. supervisor ['s(j)u:pəvaizə] tilsynsmann, inspektør, kontrollør, forstander(inne).
supination [s(j)u:pi'neiʃən] utoverdreining. sup-ine [s(j)u'pain] liggende på ryggen, tilbakebøyd, skrå; likegyldig, makelig, lat, slakk. supine ['s(j)u:pain] supinum. supineness latskap, slapphet, makelighet.
supp. fk. f. supplement.
supper ['sʌpə] aftensmat, kveldsmat; the last — påskemåltidet i lidelsesuken; the Lord's S. den hellige nattverden. -less uten aftensmat.
supplant [sə'plɑ:nt] fortrenge, stikke ut.
supplantation [sʌplɑn'teiʃən] fortrengsel.
supple ['sʌpl] myk, bøyelig, smidig, ettergivende, krypende; gjøre smidig, bøye, bli bløt. -ness bøyelighet, smidighet.
supplement ['sʌplimənt] supplement, tillegg, bilag; supplere, utfylle. -al [sʌpli'mentəl], -ary [-'mentəri] supplerende, tilleggs-, utfyllende.
suppliant ['sʌpliənt] ydmyk, bønnlig.
supplicant ['sʌplikənt] ansøker, søker.
supplicate ['sʌplikeit] bønnfalle, be om.
supplication [sʌpli'keiʃən] bønn, trygling.
supplier [sə'plaiə] leverandør.
supply [sə'plai] utfylle, supplere, skaffe, levere, yte, forsyne, forstrekke med, erstatte; utfylling, forsyning, levering, tilførsel, tilbud, forråd, pengebevilgning; Committee of (el. on) S. finans-

utvalg (av hele underhuset) for utgiftsbudsjettet.
support [sə'pɔ:t] bære, holde oppe, understøtte, stø, utholde, spille, utføre, holde, støtte, underholde, forsørge, forsvare, opprettholde, fortsette, føre, akkompagnere, ledsage; understøttelse, underhold, forsørgelse, erverv, støtte, stønad, tilslutning. -able utholdelig, holdbar. -er [-ə] støtte, tilhenger, understøtter, skjoldbærer, fremstiller.
supposable [sə'pəuzəbl] antakelig, tenkelig.
suppose [sə'pəuz] anta, formode, gå ut fra, forutsette, [ofte: spəuz] som imperativ: sett at, hva om; I — formodentlig, vel. supposed formodet, antatt, angivelig, foregitt. supposing forutsatt at.
supposition [sʌpə'ziʃən] antakelse, forutsetning, formodning. suppositional [sʌpə'ziʃənəl] antatt, tenkt. supposititious [səpɔzi'tiʃəs] tenkt, hypotetisk, uekte, falsk, fingert. suppositive [sə'pɔzitiv] antatt, forutsatt; betingelseskonjunksjon.
suppository [sə'pɔzitəri] stikkpille, suppositorium.
suppress [sə'pres] undertrykke, dempe, kue, døyve, avskaffe, inndra, stanse, utelate, fortie, skjule, holde hemmelig. -ion [sə'preʃən] undertrykkelse, opphevelse, stansing, fortielse, utelatelse. -ive [-iv] undertrykkende. -or [-ə] undertrykker, begrenser.
suppuration [sʌpju'reiʃən] materie, puss, våg.
supranational ['sju:prə'næʃənəl] overnasjonal.
supremacy [s(j)u'preməsi] overhøyhet; overlegenhet; oath of — supremat-ed (hvorved kongens kirkelige overhøyhet erkjennes).
supreme [s(j)u'pri:m] høyest, øverst; enestående, fremragende; the S. (Being) den høyeste (det høyeste vesen, Gud); the — court høyesterett. -ly i høyeste grad.
Supt. fk. f. superintendent.
surcharge [sə:'tʃɑ:dʒ] overlesse, overlaste (et skip); ['sə:-] for stort lass, ekstrabetaling, ekstragebyr, tillegg.
surcingle ['sə:siŋgl] overgjord, belte.
surcoat ['sə:kəut] våpenkjole; kåpe; frakk.
surd [sə:d] irrasjonal; irrasjonal størrelse.
sure [ʃuə] sikker, trygg, viss, tilforlatelig, bundet ved et løfte; be — and tell him fortell ham endelig, glem må ikke å fortelle ham; — enough ganske riktig; I don't know, I'm — det vet jeg virkelig ikke; to be — uten tvil, ganske visst, ja visst, nei visst; he is — to come han kommer sikkert; be — of være sikker på; feel — of være sikker på; make — of sikre seg. —enough (amr.) ordentlig, riktig. -fire (amr.) sikker, pålitelig. — -footed stø på foten. -ly sikkert, ganske visst; javisst!
surety ['ʃuərəti] sikkerhet, visshet, kausjon, kausjonist, gissel. -ship kavering, kausjon.
surf [sə:f] brott, brenning.
surface ['sə:fis] overflate, flate; overflatebehandle, polere, pusse; dukke opp (om ubåt); plandreie; surfacing plandreining; det å søke etter gull i overflaten.
surface|-fermentation overgjæring. — plate rutteplate; planskive (på dreiebenk). — water overflatevann, flomvann.
surf|board brett, planke til surfriding. -boat brenningsbåt.
surfeit ['sə:fit] overfylle, overmette, fråtse, få for mye; bli matlei; overmetting, forspising; avsmak. -er [-ə] fråtser.
surf-riding ['sə:fraidiŋ] surfriding, ri over og langs brenningene med brett el. planke.
surge [sə:dʒ] brottsjø, båre, stor bølge; (fig.) bølge, brus; bølge, båre, bruse, stige, heve seg.
surgeon ['sə:dʒən] kirurg, sårlege, militærlege, skipslege. -ey-[-si] kirurgstilling.
surgery ['sə:dʒəri] kirurgi, operasjonsstue, konsultasjonsrom. surgical ['sə:dʒikl] kirurgisk, operativ.
surgy ['sə:dʒi] høyt svulmende.
surliness ['sə:linis] surhet, tverrhet.

surly ['sə:li] sur, gretten, tverr.

surmise [sə'maiz] formode, gjette, gisse på, tenke seg; ['sə:-] formodning, anelse, mistanke. -r [-ə] en som formoder, gjetter.

surmount [sə'maunt] overgå, overvinne, anbringe oppå; rage opp over. -able overstigelig, overkommelig.

surname ['sə:neim] tilnavn, etternavn; kalle med etternavn, gi et tilnavn.

surpass [sə'pɑ:s] overgå. -able fortreffelig. -ing fortrinnlig, framifrå. -ingly i ualminnelig grad.

surplice ['sə:plis] korkåpe, messeskjorte. -d ['sə:plist] i messeskjorte.

surplus ['sə:pləs] overskudd, overskudds-, mer-, ekstra. surplusage ['sə:pləsidʒ] overskudd, overflødighet.

surprise [sə'praiz] overraske, overrumple, forbause; overraskelse, overrumpling, forbauselse; by — ved overrumpling; in — overrasket; to my — til min overraskelse; I am -d at you det hadde jeg ikke ventet av deg (som skjenn).

surrealism [sə'rializəm] surrealisme.

surrender [sə'rendə] overgi, utlevere, gi opp, overgi seg, oppgi, avstå, overdra; overgivelse, kapitulasjon; oppgivelse; overdragelse, avståelse.

surreptitious [sʌrəp'tiʃəs] hemmelig, underfundig; uekte.

Surrey ['sʌri] Surrey. surrey lett firehjuls vogn.

surrogate ['sʌrəgit] stedfortreder, varamann, fullmektig; erstatning, surrogat.

surround [sə'raund] omringe, omgi. -ing omgivelse; -ings omgivelser, miljø.

surtax ['sə:tæks] ekstraskatt, tilleggsskatt; ekstrabeskatte.

surtout [sə:'tu:] surtout, overfrakk, kappe.

surveillance [sə'veiləns] oppsyn, overvåking.

survey [sə'vei] overskue, bese, se over, besiktige, inspisere, taksere, mønstre, ha oppsyn med, måle opp, kartlegge.

survey ['sə:vei] overblikk, besiktigelse, inspeksjon, skjønn, takst, oppmåling, kartlegging. — course oversiktskursus. — departement oppmålingsvesen.

surveyor [sə'veiə] oppsynsmann, besiktigelsesmann, inspektør; landmåler. -ship post som landmåler etc.

survival [sə'vaivəl] overleving; rudiment; the — of the fittest det at de best skikkede blir igjen.

survive [sə'vaiv] overleve, slippe fra det med livet; bli igjen.

survivor [sə'vaivə] lengstlevende, overlevende.

Susan ['su:zn].

susceptibility [səsepti'biliti] mottakelighet, følsomhet, ømfintlighet.

susceptible [sə'septibl] mottakelig, følsom.

susceptive [sə'septiv] mottakelig, ømfintlig.

suspect [sə'spekt] ha mistanke, ane, mistenke, nære mistanke til; ['sʌs-] mistenkt, mistenkelig. -edly mistenkelig.

suspend [sə'spend] henge opp, strekke, la avhenge, gjøre avhengig, la være uavgjort, avbryte, stanse, utsette, forbeholde seg; suspendere, sette ut av kraft, midlertidig oppheve; innstille sine betalinger. -ed lamp taklampe, hengelampe. -ed sentence betinget dom.

suspender [səs'pendə] strømpeholder; -s pl. bukseseler. — belt hofteholder.

suspense [sə'spens] uvisshet, spenning; oppsetting, henstand. — account (merk.) sperret konto.

suspension [sə'spenʃən] opphenging, avfjæring; utsettelse, avbrytelse, innstilling, suspensjon, tvil. — of arms våpenstillstand. — of payment innstilling av sine betalinger. — bridge hengebru. — lamp hengelampe.

suspensor [sə'spensə] suspensorium; kimtråd.

suspensory [sə'spensəri] hengende, opphengt, tvilsom, utsettende; suspensorium.

sus. per col. fk. f. suspensio per collum (= hanging by the neck).

suspicion [sə'spiʃən] mistanke; liten smule; antydning, snev.

suspicious [sə'spiʃəs] mistenksom, mistenkelig. Sussex ['sʌsiks].

sustain [sə'stein] bære, støtte, bekrefte, holde oppe, hevde, opprettholde, vedlikeholde, underholde, forsørge, hjelpe, tåle, holde ut, lide (skade). -able utholdelig. -ed vedvarende, langvarig; gjennomført. -er forsørger; opprettholder, støtte.

sustenance ['sʌstinəns] underhold, livsopphold, fødemidler, mat, matvarer.

sustentation [sʌsten'teiʃən] støtte, stønad, hjelp; opphold, forsørgelse.

susurration [sju:sə'reiʃən] mumling, hvisking.

sutler ['sʌtlə] marketenter.

suttee [sʌ'ti:] sutti, indisk enkebrenning, enke som brennes.

suttle ['sʌtl] nettovekt.

suture ['s(j)u:tʃə] syning, søm, sutur; sammenføye.

suzerain ['su:zərein] overherre. suzerainty ['su:zəreinti] overhøyhet.

svelte [svelt] slank, myk, smidig.

SW fk. f. southwest. Sw fk. f. Sweden, Swedish. S. W. fk. f. South Wales. S. W. A. fk. f. South West Africa.

swab [swɔb] vattpinne, tampong, svaber, kanonvisker; epålett; grønnskolling; skrubbe, svabre, pensle.

swabber ['swɔbə] svabergast, sjømann; tulling.

swaddle ['swɔdl] svøpe inn, sveipe, tulle, reive; svøp, reiv.

swag [swæg] knytte, tull; bytte; pikk og pakk; duving, slingring; utbytte, tjuvegods; girlande.

swagger ['swægə] skvaldre, skryte, braute, spankulere; skvalder, brauting, sprading; flott, fin. — cane pyntestokk, (offisers)stokk. -er [-rə] skryter, skvadronør. swagman (austr.) landstryker.

swain [swein] (poet.) bondegutt; elsker, frier. -ish landlig, bondsk.

swallow ['swɔləu] svale; one — does not make a summer én svale gjør ingen sommer.

swallow ['swɔləu] svelge, synke, sluke; bite i seg, finne seg i, tåle; begripe, fatte; munnfull, svelg, avgrunn; — one's words ta sine ord i seg igjen.

swallowtail ['swɔləuteil] svalehale; snippkjole, kjole (for herrer).

swam [swæm] imperf. av swim.

swamp [swɔmp] myr, sump; senke ned; fylle, bringe til å synke, overvelde, overfylle, oversvømme, styrte i uløselige vanskeligheter. -y sumpet, myrlendt.

swan [swɔn] svane; skald, dikter; — of Avon ɔ: Shakespeare; — of Ayr ɔ: Robert Burns.

swank [swæŋk] viktighet, skryt; skryte, sprade; flott, lapset.

swan|nery ['swɔnəri] svanegård. -'s down ['swɔnzdaun] svanedun. — shift svaneham. — song svanesang.

swap [swɔp] bytte, bytte til seg, bytte bort; bytting, bytte; — with him bytte med ham; — horses while crossing stream skifte hest midt i vadestedet, skifte regjering under en krise; get the — få løpepass.

sward [swɔ:d] grønnsvær, gresstorv; kle med gresstorv.

swarf [swɔ:f, swɑ:f] (metall)spon.

swarm [swɔ:m] sverm, vrimmel, mylder; sverme, myldre, yre, kry; entre, klatre, klyve.

swart [swɔ:t] svart, mørk. swarthy ['swɔ:θi] mørk, mørkhudet.

swash [swɔʃ] plasking, skvalder; plaske.

swashbuckler ['swɔʃbʌklə] storskryter.

swastika ['swɔstikə] hakekors, svastika.

swat [swɔt] klaske, smekke; slite, streve.

swatch [swɔtʃ] haug, gjeng, bande, hurv; (stoff)prøve; flekk.

swath [swɔ:θ] skåre (av gress el. korn).

swathe [sweið] svøp, forbinding; svøpe, innhylle.

swatter ['swɔtə] fluesmekker.

sway [swei] svaie, svinge, helle; ha overvekt, herske, styre, råde, beherske, heise, hive; svaiing, sving, overvekt, innflytelse, styre, makt.

swear [swɛə] sverge, ta i ed, edfeste, bekrefte ved ed, banne; — **in** edfeste; — **off drinking** avsverge drikk; — **to** sverge, banne på. **-er** en som sverger.

sweat [swet] svette, slit og slep, svettetokt; svette, svette ut, få til å svette; **no** — så lett som bare det; — **out** svette ut; vente utålmodig på.

sweater ['swetə] utbytter; sweater, slags genser.

sweating ['swetiŋ] svetting; utbytting. **sweating bath** dampbad.

sweat | shirt treningsgenser, T-skjorte. — **suit** treningsdrakt.

sweaty ['sweti] svett, møysommelig, strevsom.

Swede [swi:d] svenske. **Sweden** ['swi:dn] Sverige. **Swedish** ['swi:diʃ] svensk.

sweep [swi:p] feie, sope, måke; vinne over-veldende; fare henover, stryke langsmed, sokne langsetter, slepe, bestryke, ta et hurtig overblikk over; fare forbi, streife, jage bort; feiing, soping, sving, feiende bevegelse, streifing, strøk, øde-leggelse, feier; erobring, seier; rekkevidde, spenn-vidde, strekning, stort område; — **along** rive med; — **away** skylle, rive bort.

sweep | er ['swi:pə] feier, feiemaskin. **-ing** feiing, feiende, brusende; omfattende, drastisk. **-ings** søppel, avfall.

sweepstake(s) ['swi:psteik(s)] sweepstakes (ved-demål hvor samtlige innsatser går til den sei-rende).

sweet [swi:t] søt, duftende, velluktende, melo-disk, yndig, fersk, frisk, blid; sødme, behagelig-het, duft; elskling, skatt; søtsmak, sukkertøy, snop, konfekt; dessert; **-s** slikkeri, gotter; **be** — **on** være forelsket i; **he has a** — **tooth** han er glad i søte saker.

sweetbread ['swi:tbred] brissel, bukspyttkjertel.

sweet | briar ['swi:t'braiə] vinrose. — **chestnut** edelkastanje. — **corn** sukkermais.

sweeten ['swi:tn] gjøre søt, sukre, forsøte, mildne, formilde; parfymere; gjøre frisk, gjøre fruktbar; bli søt.

sweetheart ['swi:tha:t] kjæreste, skatt.

sweeting ['swi:tiŋ] søteple.

sweetish ['swi:tiʃ] søtlig.

sweetmeat ['swi:tmi:t] sukkertøy, snop, drops.

sweetness søthet, vellukt, ynde, mildhet.

sweet | oil olivenolje, matolje. — **pea** blomster-ert. — **roll** rulade. — **-scented** velluktende. **-shop** gotteributikk. — **stuff** søtsaker. — **-tempered** elskverdig. **sweety** sukkertøy, snop, skatten (min).

swell [swel] svulme, svelle, trutne, hovne; briske seg, være svulstig, opphisse, vokse, øke, stige, blåse opp, forsterke; svulming, trutning, forhøyning, kul, hevelse; utbuling; intensitet, kraft, terrengbølge, crescendo, matador, fin kar, staskar, stasdame, laps, smukkas; dønning; **the great -s in literature** litteraturens matadorer; — **mob** fin tyv, gentlemansforbrytere. **-ing** svulm-ende; svulming, oppblåsthet, forhøyning, opp-brusing, utbrudd. **-ism** finhet, flotthet.

swelter ['sweltə] være lummer, forsmekte, forgå, forgå av varme; ødelegge med varme, svette ut; stekende varme, hete.

swept [swept] imperf. og perf. pts. av **sweep**. — **-back wing** tilbakestrøket vinge (om fly).

swerve [swə:v] dreie til siden, bøye av, vike ut, avvike, skjene; dreining, avvikelse, sidekast.

Swift [swift].

swift [swift] hurtig, rask, snøgg; kjapp; strøm, stryk; salamander; garnvinde; slags svale; tårn-svale. — **-footed**, — **-heeled** rappføtt. **-ness** hurtighet.

swig [swig] ta slurker av; slurk.

swill [swil] tylle i seg, skylle; slurk, fyll; vasking, spyling. — **tub** skylledunk.

swim [swim] svømme, ta en svømmetur el. dukkert, flyte, drive, sveve; svimle; være over-svømmet, svømme over; svømning, svømmetur,

svømmeblære; **be in the** — være med i det som foregår. **-mer** svømmer, svømmefugl. **-ming** svømming; svimmelhet. **-mingly** svømmende, glatt, fint. **-ming pool** svømmebasseng. **-suit** badedrakt. **-wear** badetøy. **Swinburne** ['swinbə(:)n].

swindle ['swindl] svindle, bedra; svindel.

swindler ['swindlə] svindler, bedrager.

swindling ['swindliŋ] svindel, bedrageri.

swine [swain] gris, svin; griser; svine-. **-herd** svinerøkter, grisegjeter. — **pox** vannkopper. **-ry** ['swainəri] grisehus, svineri.

swing [swiŋ] svinge, vippe, dingle; sving, sleng, svingning, utslag; huske, slenghuske, huske-tur, fritt løp, frihet, gang, bevegelse, spillerom, svingdør; swing (dans); **in full** — i full gang. — **bridge** svingbru. — **chair** hengesofa, hammock. — **cot** balansevugge. — **door** svingdør.

swinge [swin(d)ʒ] piske, pryle, denge, slå. **swingeing** ['swind ʒiŋ] veldig, dundrende, enorm, uhyre, knallende.

swinger ['swindʒə] dundrende løgn, diger skrøne.

swing | er ['swiŋə] en som svinger. — **gate** stor svingdør. **-ing** ['swiŋiŋ] svingende, sving-, svinging. **-le** ['swiŋgl] skakekniv; skake (lin); slagvol. — **-over** omslag. — **seat** hengesofa, hammock. — **shift** (amr.) kveldsskift (på arbeids-plass). — **wing** fly med vinger som kan justeres etter flyets hastighet.

swinish ['swainiʃ] svinsk, dyrisk; simpel.

swipe [swaip] brønnvippe, pumpestang; stall-kar, hestepasser; slå kraftig; delje til; slag.

swipes [swaips] skvip, tynt øl.

swirl [swə:l] virvle av sted, snurre; vindsel, spole; virvar, virvel, virveldans.

swish [swiʃ] la suse, svinge, smekke, piske, slå; susing, visling, rasling, smekk, svepeslag.

Swiss [swis] sveitsisk; sveitser; (det samme i plur. som er sjelden unntagen med **the**). — **roll** swissroll, rulade.

switch [switʃ] tynn kjepp, myk påk, pisk; sporskifte, pens, rangering; (elektrisk) strøm-vender, strømbryter, veksel, velger; (løs) flette; gi av kjeppen, piske; svinge, dreie, skifte, pense, rangere; — **off** bryte, slå av (strøm), slokke (lys); — **on** slå på, sette på, tenne.

switch | back ['switʃbæk] rutsjebane, berg-og-dal bane; slyngvei. **-blade** springkniv. **-board** strømfordelingstavle; instrumentbord; sentral-bord. — **box** bryterboks. — **button** bryter-knapp.

switching fordeling, omkopling; pensing. — **track** skiftespor.

switch | man sporskifter, pensemann. — **-over** overgang, omstilling. **-yard** rangerstasjon.

Switzerland ['switsələnd] Sveits.

swivel ['swivl] virvel, bevegelig tapp; svinge, dreie seg, virvle (seg) rundt. — **chair** svingstol. — **pin** svingbolt; kingbolt (bil). — **window** vippe-vindu.

swiv(v)et ['swivit]; **in a** — oppskjørtet, helt forstyrret.

swollen, swoln ['swəuln] oppsvulmet, svullen.

swoon [swu:n] besvime, dåne; besvimelse.

swoop [swu:p] slå ned på, gripe; komme feiende; nedslag, grep, raskt angrep.

swop se **swap**.

sword [sɔ:d] sverd, sabel; **put to the** — la springe over klingen, drepe; **he kills himself on his** — han faller på sitt sverd. — **arm** høyre arm, militærmakt. — **bayonet** sabelbajonett. — **-bearer** sverddrager. **-fish** sverdfisk. — **knot** portepée, sabelkvast, kårdekvast. **-sman** fekte-mester. **-smanship** fektekunst. — **player** fekter. — **stick** kårdestokk. — **swallower** sverdsluker.

swore [swɔ:] imperf. av **swear**.

sworn [swɔ:n] perf. pts. av **swear**; svoren, edsvoren; inkarnert, uforbederlig, rendyrket.

swot [swɔt] pugghest, sliter, strev, pugging; slite med, terpe.

Sybarite ['sibərait] sybaritt. **sybaritic** [sibə-'ritik] sybarittisk, overdådig.
sycamore ['sikəmɔ:] platanlønn; morbærfikentre.
sycophancy ['sikəfənsi] spyttslikkeri.
sycophant ['sikəfənt] spyttslikker, smigrer.
sycophantic [sikə'fæntik] slesk, krypende, falsk.
Sydenham ['sidnəm].
Sydney ['sidni].
syllabic, -al [si'læbik, -l] stavelses-. **syllabi(fi)-cation** [silæbi(fi)'keiʃən] stavelsesdeling.
syllable ['siləbl] stavelse.
syllabus ['siləbəs] studieplan, pensum.
syllogism ['silədʒizm] syllogisme, slutning.
syllogize ['silədʒaiz] slutte, dra slutninger.
sylph [silf] sylfe, luftånd; nymfe. **sylphid** ['silfid] sylfide, liten sylfe.
symbol ['simbəl] symbol, sinnbilde, tegn, bekjennelse. **-ical** [sim'bɔlikl]. **-ically** [sim'bɔlikəli] symbolsk. **-ics** [sim'bɔliks] symbolsk teologi. **-ism** ['simbəlizəm] symbolikk; symbolisme. **-ize** ['simbəlaiz] symbolisere, betegne, symbolsk.
symmetrical [si'metrikl] symmetrisk.
symmetry ['simitri] symmetri.
sympathetic [simpə'θetik], **-al** [-l], **-ally** [-əli] sympatetisk, sympatisk, deltakende, medfølende. **— ink** usynlig blekk. **— strike** sympatistreik.
sympathize ['simpəθaiz] sympatisere, vise medfølelse; kondolere.
sympathy ['simpəθi] sympati, medfølelse; positiv innstilling. **— strike** sympatistreik.
symphonious [sim'fəuniəs] harmonisk. **symphonize** ['simfənaiz] harmonere. **symphony** ['simfəni] harmoni, samklang, symfoni.
symposium [sim'pəuziəm] symposium, gjestebud, vitenskaplig konferanse; samling av flere meningsuttalelser.
symptom ['sim(p)təm] symptom, tegn (**of** på).
syn. fk. f. synonym.
synagogue ['sinəgɔg] synagoge.
synchronism ['siŋkrənizm] samtidighet. **synchronize** ['siŋkrənaiz] falle sammen i tid; syn-

kronisere, samkjøre. **synchronous** ['siŋkrənəs] samtidig, synkron.
syncopate ['siŋkəpeit] synkopere, forkorte. **syncopation** [siŋkə'pəiʃən] forkorting. **syncope** ['siŋkəpi] synkope, sammentrekking av ord (ved utskyting av lyd i midten), forskyting av rytme; avmakt, besvimelse.
syndetic [sin'detik] forbindende.
syndic ['sindik] syndikus.
syndicate ['sindikit] syndikat, konsortium. **syndication** [sindi'keiʃən] danning av et konsortium. **syndicalism** ['sindikəlizm] syndikalisme. **syndicalist** ['sindikəlist] syndikalist.
syne [sain] siden; **auld lang** — for lenge siden.
synod ['sinəd] synode, kirkemøte. **synodal** ['sinədəl] synodal, synodaldekret.
synodic [si'nɔdik] synodal; forhandlet i kirkemøte.
synonym ['sinənim] éntydig ord, synonym. **synonymous** [si'nɔniməs] éntydig, synonym. **synonymy** [si'nɔnimi] éntydighet.
synopsis [si'nɔpsis] oversikt, utdrag.
syntactical [sin'tæktikl] syntaktisk.
syntax ['sintæks] syntaks, ordføyningslære.
synthesis ['sinθisis] syntese, sammensetning. **synthesizer** ['sinθisaizə] slags elektronisk musikkinstrument. **synthetic** [sin'θetik] syntetisk, sammenføyende.
syphilis ['sifilis] syfilis. **syphilitic** [sifi'litik] syfilitisk; syfilitiker.
Syria ['siriə]. **Syriac** ['siriæk] gammelsyrisk. **Syrian** ['siriən] syrisk; syrer.
syringa [si'riŋgə] syrin, uekte sjasmin.
syringe ['sirin(d)ʒ] sprøyte; sprøyte (inn).
syrinx ['siriŋks] panfløyte.
syrup ['sirəp] sukkerholdig ekstrakt, sukkersaft, sukkeroppløsning; renset sirup.
system ['sistəm] system, ordning, metode, plan. **-atic** [sistə'mætik], **-atical** [sistə'mætikl], **-atically** [sistə'mætikəli] systematisk. **-atize** ['sistəmətaiz] systematisere.
systole ['sistəli] sammentrekking (især av hjertet).

T

T, t [ti:] T; t; **cross the t's** legge siste hånd på verket; **suit to a T** passe på en prikk; fk. f. **Testament; Tuesday; telephone; temperature; time; ton(s).**
't fk. f.**'it.**
ta [tɑ:] (barnespråk og cockney) takk!
Taal [tɑ:l], **the** — Kapp-hollandsk.
tab [tæb] hempe, stropp, løs ende; distinksjon; etikett, merkelapp, (kassa)bong, lapp; (amr.) regnskap; forsyne med merkelapp. **-s** pl. ører; **keep -s on** kontrollere, notere.
tabard ['tæbəd] våpenkjole.
tabaret ['tæbərét] en slags atlask.
tabby ['tæbi] vatret, stripet; moiré; stripet katt, katte, kjette; gammel jomfru, sladrekjerring; — **cat** stripet katt.
tabefaction [tæbi'fækʃən] hentæring.
tabernacle ['tæbənækl] paulun, telt, tabernakel, avlukke i alteret, nisje; bo, holde til, gjemme.
tabes ['teibi:z] tabes, (ryggmargs)tæring.
tablature ['tæblətʃə] tabulatur (i musikk).
table [teibl] tavle, bord, taffel, kost; tabell, liste, register, innholdsfortegnelse, brettspill, platå; ordne tabellarisk, katalogisere; legge på bordet, legge fram; forelegge; utsette, henlegge; **turn the -s** vende bladet, gi saken en annen vending; **at** — til bords, under måltidet.

tableau ['tæblou] tablå.
table | beer ['teiblbiə] alminnelig øl som brukes til bords, — **bell** bordklokke. — **book** tabellverk. — **centre** bordløper, brikke. — **clearer** ryddegutt (i restaurant). — **cloth** bordduk. — **cover** bordteppe. — **d'hôte** ['tɑ:bl'dout] table d'hôte. **-land** høyslette. — **leg** bordben. — **linen** dekketøy. — **manners** bordskikk. — **mat** kuvertbrikke. — **service** bordbestikk. **-spoon** spiseskje.
tablet ['tæblit] plate, liten tavle, tablett, blokknoter.
table | talk ['teibltɔ:k] bordkonversasjon, gjengivelse av kjent persons tale ved bordet. — **tennis** bordtennis. — **top** bordplate. — **turning** borddans. **-ware** dekketøy, servise.
tabloid ['tæblɔid] tablett; avis i tabloidformat; tablett-; (fig.) konsentrert.
taboo [tə'bu:] tabu, forbud; fredlyse, forby bruken av; unevnelig, forbudt.
tabor ['teibə] (gammelt:) tromme.
tabouret ['tæbərit] taburett, broderramme.
tabu = taboo.
tabular ['tæbjulə] tavleformet, tavlet; tabell-, tabellarisk. **tabulate** ['tæbjuleit] planere; ordne i tabellform, tabulere. **tabulation** [tjæbju'leiʃən] tabulering; ordning i tabellform.
tachometer [tæ'kɔmitə] takometer, turteller.
tachygraphy [tə'kigrəfi] stenografi.

tacit ['tæsit] stilltiende; taus, uuttalt.
taciturn ['tæsitə:n] ordknapp, fåmælt.
taciturnity [tæsi'tə:niti] ordknapphet.
tack [tæk] stift, liten spiker, nudd; (mar.)
hals; baut, slag; tråklesting, nest; leiekontrakt;
politikk; feste, stifte, hefte med stifter, hefte
sammen; tilføye; endre kurs, stagvende, gå baut;
on the same — på samme baug; get on a new —
slå inn på en ny fremgangsmåte; on a wrong —
på falsk spor. -er stiftemaskin.
tacket ['tækit] skosøm.
tackiness ['tækinis] klebrighet.
tackle ['tækl] takkel, talje, rigg; redskap, greier,
utstyr; takle (i fotball); takle, feste; gi seg i
kast med, gå løs på, tikse, klare. -d ['tækld] laget
av tau. tackling ['tæklin] takkelasje, tauverk.
tacky ['tæki] klebrig; forkommen person.
tact [tækt] berøring, følelse, takt, fint skjønn,
finfølelse, grep; want of — taktløshet; -ful
taktfull.
tactic, tactical ['tæktik(l)] taktisk. tactician
[tæk'tiʃən] taktiker. tactis [tæktiks] taktikk.
tactile ['tæktail] følbar, føle-. tactility [tæk'tiliti]
følbarhet. taction ['tækʃən] berøring.
tactless ['tæktlis] taktløs. -ness taktløshet.
tactual ['tæktjuəl] følelses-, berørings-.
tadpole ['tædpəul] rumpetroll.
tael [teil] tael (kinesisk vekt- og myntenhet).
taenia ['ti:njə] bånd; bendelorm.
taffeta ['tæfitə], taffety ['tæfiti] taft.
taffrail ['tæfreil] hakkebrett (øverste flate
planke på skansekledningen akter).
Taffy ['tæfi] waliser.
tag [tæg] spiss, tipp, snipp, nebb, hempe,
stropp, dopp (på lisse), tillegg, tilheng, merkelapp,
etikett, prislapp; forslitt vending, floskel, om-
kved, moral, stikkord, refreng; pakk; pøbel,
sisten (en lek); sette (nebb, spiss etc.) på, henge
på, feste, henge etter, være påtrengende; -ger
påhefter; den som har sisten.
tagrag ['tægræg] eller tagrag and bobtail
pøbel.
Tagus ['teigəs], the — Tajo.
Tahiti [tə'hiti]. -an tahitier; tahitisk.
tail [teil] hale, svans, ende, rumpe, hestehale,
spord, pisk (i nakken); snippkjole; kø, kjoleslep,
skjorteflak; berme, bunnfall; begynnelsen (av en
løpegrav); bakside, revers (av mynt); sette hale
på, komme etter som en hale, skygge; svinne, bli
svakere; head or — mynt el. krone; get his — down
stikke halen mellom bena; — off stikke av; — in
(el. on) feste med enden i en mur; the — of the eye
øyekroken; turn — snu ryggen til, flykte bort;
twist his — irritere ham.
tail [teil] fideikommissarisk båndleggelse;
båndlagt; estate — fideikommiss.
tail|board bakfjel, baklem. — coat (snipp)-
kjole; snibel.
tailed med hale.
tail | end haletipp, bakpart, avslutning. —
feather halefjær, styrefjær. — gate rampe;
sluseport. -gate kjøre tett opp til bilen foran;
don't -gate! hold avstand! — gunner akterskytter.
— -heavy baktung.
tailing ['teilin] innmurt (mur)stein; sand,
slam.
tail | lamp baklys, baklykt. -less haleløs. —
light = — lamp.
tailor ['teilə] skredder; sy, være skredder;
avpasse (to til), skreddersy. — bird skredderfugl.
-ing [-riŋ] skredderarbeid, skredderyrke. —made
skreddersydd; skreddersydd drakt; (fig.) laget
etter ønske.
tail|piece ['teilpi:s] bakdel, endestykke; slutt-
vignett; halestump (på fele). — pipe utblåsnings-
rør; sugerør (i pumpe). — plane haleplan (fly).
tailstock ['teilstɔk] pinoldokke, bakdokke (i
dreiebenk).
taint [teint] forderve, forpeste, forgifte, smitte,
angripe, plette; bli smittet; plett, smitte, be-
smittelse, infeksjon, fordervelse, sykdom; snert,

anstrøk; a scrofulous — kjertelsykdom. -less
ubesmittet, plettfri.
take [teik] ta, gripe, fange, arrestere, fakke,
overfalle, innta, beta, oppta, treffe, ramme,
motta, ta med, bringe, føre, følge, ledsage, bruke,
anta, besørge, greie, klare, fatte, skjønne, lure,
narre, kreve; gjøre lykke, gjøre virkning, virke,
slå an, ta fatt, pådra seg; tatt mengde; fangst;
be -n ill bli syk; — (the) air trekke frisk luft;
— (up) arms gripe til våpen; — breath dra pusten;
— care være forsiktig, vise omsorg; — the chair
innta formannsplassen; — one's chance våge; —
cold bli forkjølet; — a course ta en kurs; —
delight glede seg over; — a disease bli smittet;
— effect gjøre virkning; — the field dra i felten;
— fire fenge; — heart fatte mot; — a hint
forstå en halvkvedet vise; — horse stige til
hest; — a likeness tegne et portrett; — measure
ta mål; — measures ta forholdsregler; — notice
forstå (om barn); — notice of legge merke til;
— an oath avlegge en ed; — pains gjøre seg
umak; — place finne sted; — pleasure in finne
fornøyelse i, ha moro av; — a pride in sette sin
ære i; — shame skamme seg; — a summons
ta ut en stevning; — a walk gå en tur; — the
waters ligge ved bad; — one's word for it stole
på det; — i forb. med preposisjon eller adverbium;
be -n aback by bli forbløffet over; — after etter-
likne, likne, slekte på; — along with one ta med
seg, tilegne seg; — away ta bort, berøve. — down
føre til bords; undertrykke, skrive ned; rive ned,
demontere; — from ta bort, berøve, nedsette,
forminske, svekke; — in ta inn, forminske,
omfatte, ta med, få med, anta, oppta, holde
(f. eks. et blad), oppfatte; narre, bedra; føre
til bords; — in hand ta seg for; — in vain (bib.)
ta forlengelig — off ta bort, fjerne, forminske,
slå av, holde tilbake, drikke ut, kjøpe; kopiere,
etterape; gå opp (om fly); — on ta på seg,
gjøre fordring på å være, ta seg nær av, ta på vei,
skape seg; — out ta ut; — it out on la det gå
ut over; — to gi seg til, oppofre seg for, ta til-
flukt til, gjøre bruk av; ha sympati for, like,
være glad i; — to the collar gå godt i seletøyet;
— to heart ta seg nær av; — to pieces ta fra
hverandre; — up oppta, påta seg, låne, begynne,
fortsette, underbinde, gripe, irettesette, omfatte,
samle inn; — up for beskytte; — up with være
tilfreds med, bo hos, gi seg i lag med; — upon
påta seg, tillate seg; be -en with bli betatt av.
take|down demontering; svindel, juks; leksjon.
—home pay nettolønn. — in lureri, bedrag.
-off karikatur, parodi; sats- el. startplass; start
letting (fly); utgangspunkt. -over (merk.) over-
takelse; -over bid oppkjøp av aksjemajoritet.
taker ['teikə] overtaker, kjøper, erobrer.
taking ['teikiŋ] inntagende; smittsom (også
fig.); arrest(asjon), fangst; pl.: inntekt; opp-
hisselse.
talao [tə'lau] (fra hindu) dam, reservoar.
tale [tælk] talkum.
tale [teil] beretning, fortelling, historie,
eventyr; sladder, rykte; (samlet) antall; hereby
hangs a — til dette knytter det seg en historie;
tell -s (out of school) sladre, fisle, ikke kunne
holde tett. -bearer sladderhank. -bearing slad-
ring.
talent ['tælənt] talent, anlegg, begavelse. -ed
talentfull, begavet.
tales ['teili:z] jurysuppleanter.
tale teller ['teiltelə] sladderhank; forteller.
talion ['tæljən] gjengjeldelsesrett.
taliped ['tæliped] med klumpfot, klumpfotet;
klumpfot.
talisman ['tælismən] talisman, tryllemiddel.
talk [tɔ:k] tale, snakke, fortelle, prate, skravle,
diskutere, røpe, sladre; prat, snakk, samtale,
foredrag, kåseri, konferanse, drøftelse, prek, rykte
folkesnakk, samtaleemne; be the — (of) være
på folkemunne; — big skryte; — down snakke i
senk; — him out of it snakke ham fra det, over-

tale; — **up** oppreklamere; si kraftig fra; — **shop** snakke fag, prate butikk.
talkative ['tɔ:kətiv] snakksom, pratsom.
talkee-talkee ['tɔ:ki'tɔ:ki] snakk, pjatt, skravl.
talker ['tɔ:kə] vrøvlehode, skravlebøtte; konversasjonstalent; taler, kåsør.
talkie ['tɔ:ki] lydfilm.
talking-to ['tɔ:kiŋtu:] irettesettelse, skjennepreken.
tall [tɔ:l] høy, lang, stor, svær, diger, høyttravende, eventyrlig, forbløffende, overdrevet, usannsynlig, urimelig, drøy. **-boy** dragkiste, chiffonniere. **-ness** høyde.
tallow ['tæləu] talg; talge, smøre (m. talg). — **candle** talglys. — **chandler** lysestøper. — **face** bleikfjes, bleikfis. **-er** talghandler. **-ish** talgaktig, fettet.
tallowy ['tæləui] talgaktig, fet; — **complexion** blek ansiktsfarge.
tally ['tæli] karvestokk, merke som betyr et bestemt tall, tilsvarende del, make, sidestykke, motstykke, gjenpart, merkelapp, etikett, kontrollmerke, regnskap, telling; karve, skjære merker i, tilpasse, passe sammen, telle, føre regnskap med; — **with** stemme (overens) med.
tally-ho ['tæli'həu] rop, en jegers rop til hundene; heie.
tally|man teller, regnskapsfører, kredittsalgkjøpmann. — **shop** avbetalingsbutikk.
Talmud ['tælməd] talmud, avhandlinger og forklaringer til den jødiske teologi og rett. **Talmudic** [tæl'mʌdik] talmudisk. **Talmudist** ['tælmədist] talmudist.
talon ['tælən] en rovfugls klo; talong (i kortspill).
taluk (indisk) jordegods, skattedistrikt.
talukdar (indisk) foged, godseier.
talus ['teiləs] ankelbein, vrist; skråning; ur.
tamable ['teiməbl] som kan temmes.
tamarind ['tæmərind] tamarinde.
tamarisk ['tæmərisk] tamarisk, klåved, klåris.
tambour ['tæmbuə] tromme; broderramme; tamburin-broderi; tambur; sylindrisk stein i søyle; arbeid på broderramme.
tambourine [tæmbə'ri:n] tambur in.
tame [teim] tam, spak, spakfer! ig, motfallen, matt; temme, kue. **-less** utemt. **- y** tamt, likegyldig, spakferdig. **-ness** tamhe , ydmykhet, matthet. **tamer** ['teimə] temmer.
Tammany ['tæməni] **Society** (el er **Ring** eller **Hall**), navn på en organisasjon a demokrater i New York, ofte nevnt som innb grep av politisk korrupsjon.
tam-o'-shanter [tæmə'ʃæntə] ru d skottelue.
tamp [tæmp] fylle, tette igjen (et hull); pakke, stampe, ramme ned.
tamper ['tæmpə] prøve, eksperimentere, spille under dekke med, forkludre, klisse med, gi seg av med, pille ved, klusse ved; forfalske.
tampion ['tæmpiən] propp (av tre til kanon).
tampon ['tæmpən] tampong (i sår); tamponere.
tan [tæn] garvebark, barkfarge, solbrenthet, gyllenbrunt; barke, garve, gjøre brun, gjøre solbrent; pryle. — **bed** barkbed.
tandem ['tændəm] spent etter hverandre, sittende etter hverandre; tvibeite (med den ene hesten etter den andre); tandem.
tang [tæŋ] tang, sjøtang.
tang [tæŋ] ettersmak, bismak, skarp smak.
tang [tæŋ] tange på kniv, klunk, tone; la klinge, klinge, klunke.
Tanganyika [tæŋgə'nji:kə].
tangency ['tændʒənsi] tangering, berøring.
tangent ['tændʒənt] tangent, tangens; berørings-, berørende; **go** el. **fly off at a** — ryke av sporet, slå plutselig om (i en ganske annen retning); komme plutselig ut av det. — **balance** pendelvekt. **-ial** [tæn'dʒenʃəl] tangential, tangent-; periferisk, flyktig.
tangerine [tændʒə'ri:n] liten appelsin, mandarin; dyp oransjefarget.

tangibility [tændʒi'biliti] følbarhet, håndgripelighet, påtakelighet. **tangible** ['tændʒibl] følbar, følelig, påtakelig, konkret, virkelig; — **property** rørlig gods.
tangle ['tæŋgl] sammenfiltre, floke, innvikle, besnære, være innviklet; floke, vase, ugreie; (fig.) villnis, rot. **-d** sammenfiltret, floket.
tango ['tæŋgəu] tango.
tank [tæŋk] beholder, tank, sisterne, akvarium; stridsvogn; drukkenbolt; anbringe i beholder(e), tanke, fylle opp; (anglo-indisk:) dam, sjø. **tankage** ['tæŋkidʒ] kapasitet.
tankard ['tæŋkəd] seidel, krus (med lokk).
tanker ['tæŋkə] tankbåt, tankbil.
tanner ['tænə] garver; (i slang) seks pence. **tannery** ['tænəri] garveri. **tannin** ['tænin] garvestoff, garvesyre.
tanning ['tæniŋ] barkgarving; det å bli solbrent; — **solution** garvestoffoppløsning.
tan pit ['tænpit] garvekule; barkved.
tan stove ['tænstəuv] drivhus med barkbed.
tansy ['tænzi] reinfann (plante).
tantalism ['tæntəlizm] tantaluskval. **tantalization** [tæntəli'zeiʃən] kval, pine, straff. **tantalize** ['tæntəlaiz] tantalisere, pine, erte. **tantalus** ['tæntələs] brennevinsoppsats hvor karaflene blir låst inn; tantalus (slags stork).
tantamount ['tæntəmaunt] enstydende, jevngod (**to** med).
tantivy [tæn'tivi] rasende fart; hurtig; fare.
tantrum ['tæntrəm], **fly into a** — bli rasende (illsint, anfall, lune).
tan vat ['tænvæt] barkekar.
tan yard ['tænjɑ:d] garveri.
tap [tæp] banke (lett) på, kakke, pikke, berøre; steppe (danse); dask; lett slag, banking; **there was a** — **at the door** det banket på døra.
tap [tæp] tapp, tønnetapp, vannkran, kran, ture, skjenkestue; gjengetapp, elektrisk uttak; tappe, ta hull på, anstikke; utnytte, avlytte, snappe opp (telegram el. telefonbeskjed fra ledningen); slå for penger.
tap | dance steppdans. — **-dance** steppe.
tape [teip] bendel, bånd, målesnor, papirstrimmel (i telegrafapparat), isolasjonsbånd, limbånd, lydbånd; feste med (lim)bånd, måle; **red** — byråkrati, departementalt sommel; **breast the** — bryte snora, komme inn (i mål). — **cartridge** båndkassett. **-line** målesnor. — **player** båndspiller.
taper ['teipə] vokslys, kjerte; kjegleformig, tilspisset, avsmalnende, fintformet, tynn; gradvis avta i tykkelse, løpe ut i en spiss, spisse til, smalne, avta, minke; lyse opp med vokslys.
tape|-record spille inn på bånd. — **recorder** lydbåndopptaker. — **recording** lydbåndopptak.
tapering ['teipəriŋ] tilspisset, smal, konisk.
tapestry ['tæpistri] gobelin, veggteppe, billedvev, åkle.
tapeworm ['teipwə:m] bendelorm.
tap house ['tæphaus] kneipe, bar.
tapir ['teipə] tapir.
tapis ['tæpi:] teppe; **be on the** — være på tapetet, stå på dagsordenen, være i gang.
tapper ['tæpə] bankende person; telegrafnøkkel.
tappet ['tæpit] medbringer, ventilløfter.
tapping ['tæpiŋ] avtapping, gjengeskjæring; telefonavlytting.
tap|room ['tæpru:m] skjenkestue, bar. **-root** pælerot.
tapster ['tæpstə] vintapper, øltapper.
tar [tɑ:] tjære; matros, sjøgutt; tjære, tjærebre; **an old** — en sjøulk.
taradiddle ['tærədidl] liten løgn, skrøne.
tarantella [tærən'telə] tarantella (en dans).
tarantula [tə'ræntjulə] tarantell (edderkopp).
taraxacum [tə'ræksəkəm] løvetann, medisin av løvetannrot.
tar|board tjærepapp. — **brush** tjærekost; **a touch of the** — **brush** ha litt nergerblod i årene.
tardiness ['tɑ:dinis] langsomhet.
tardy ['tɑ:di] langsom, sen, sendrektig, treg-

tare [tɛə] vikke, (bibelsk) klinte.

tare [tɛə] tara (vekt av emballasje).

target ['tɑːgit] skyteskive; gjenstand, mål, skive, målsetning; — for their scorn gjenstand for deres hån. — designation målangivelse. — practice skyteøvelse. — range skytebane.

tariff ['tærif] tariff, tolltariff, toll, takst, prisliste. — area tollområde. — barrier tollmur. — reform tollreform, (især om en) politikk som går ut på å innføre beskyttelsestoll. — war tollkrig.

tarlatan ['tɑːlətən] tarlatan (musselin).

tarmac ['tɑːmæk] tjæremakadam, asfaltvei; asfaltert startbane (fly).

tarn [tɑːn] tjern, lite fjellvann.

tarnish ['tɑːniʃ] ta glansen av, flekke, fordunkle, anløpe, falme, miste glansen.

taroc ['tærɒk] tarokk (et slags kortspill).

tarpaulin [tɑːˈpɔːlin] presenning; tjæret matroshatt, sydvest, matros; sjøgast.

tarry ['tɑːri] tjære-, tjæret, sjømannsmessig.

tarry ['tæri] (gml.) nøle, bie, dryge, dvele, vente på.

tart [tɑːt] terte; (i slang) ludder, tøyte, tøs.

tart [tɑːt] sur, skarp, bitende, bitter.

tartan ['tɑːtən] tartan, skotskrutet tøy; skotskrutet.

Tartar ['tɑːtə] tatar; tyrk, ren satan, drage; catch a — få med sin overmann å bestille, finne sin overmann, treffe den rette.

tartar ['tɑːtə] vinstein; tannstein. -ic [tɑː-ˈtærik] vinstein- -ic acid vinsyre. -ise ['tɑːtəraiz] behandle med vinstein. -ous vinsteinaktig.

Tartary ['tɑːtəri] Tataria.

tartish ['tɑːtiʃ] litt skarp, syrlig; ludderaktig.

tartlet ['tɑːtlit] liten terte.

tartness ['tɑːtnis] skarphet.

task [tɑːsk] (pålagt) arbeid, plikt, verv, lekse, oppgave, gjerning, yrke; sette i arbeid, plage, legge beslag på; take to — ta i skole. — force kampenhet; arbeidsgruppe. -master arbeidsgiver, oppsynsmann; plager. -work pliktarbeid, akkordarbeid.

Tasmania [tæzˈmeinjə].

tassel ['tæsl] dusk, kvast; merkebånd (i en bok); besette med kvaster; toppe, ta toppen(e) av.

tastable ['teistəbl] som kan smakes, velsmakende.

taste [teist] smake, prøve, ha smak, nyte, like, smake på; smak, anstrøk, snev, sans; in bad — smakløs; in good — smakfull; to my — i min smak. — bud smaksknopp. -ful velsmakende, smakfull. -less uten smak, smakløs.

taster ['teistə] prøver, smaker; munnskjenk.

tasty ['teisti] smakfull, med smak.

tat [tɔt]; tit for — like for like.

tat [tæt] slå nupereller.

ta-ta ['tæˈtɑː] (i barnespråk) morna, farvel.

Tatar ['tɑːtə] se Tartar.

Tate [teit] Gallery malerisamling i London.

tats [tæts] filler, kluter; milky — hvite kluter.

tatter ['tætə] rive i filler; fille. -demalion [-di-ˈmæljən] fillefant. -ed fillet, forrevet.

Tattersall ['tætəsɔːl] -'s hestemarked i London.

tattersall rutet, spraglet, kulørt.

tatting ['tætiŋ] nupereller, slags filering, arbeidet med å slå nupereller.

tattle ['tætl] skravle, sladre; sladder, prek.

tattler ['tætlə] pratmaker, skravlebøtte; snipe.

tattletale ['tætlteil] sladderhank.

tattling ['tætliŋ] skravlet.

tattoo [tæˈtuː] tappenstrek; militær drilloppvisning; banking, dundring; tatovering; tromme med fingrene el. føttene; slå tappenstrek; tatovere.

taught [tɔːt] imperf. og perf. pts. av teach.

taunt [tɔːnt] håne, spotte; snert, hån, spe, spott. -er spotter. -ingly hånende, spottende.

taurine ['tɔːriːn] tyreliknende, okse-.

Taurus ['tɔːrəs] Taurus; Tyren (stjernebildet).

taut [tɔːt] tott, stram, spent; ordentlig, nett, fin; haul — hale tott. -en strammes, totne.

tautological [tɔːtəˈlɒdʒikl] tautologisk, unødig gjentakende. tautology [tɔːˈtɒlədʒi] tautologi.

tautophony [tɔːˈtɔfəni] gjentakelse av samme tone, mislyd.

tavern ['tævən] gjestgiveri, vertshus, kro. -er restaurator, gjestgiver. — haunter stamgjest.

taw [tɔː] hvitgarve.

taw [tɔː] (klinke)kule, kulespill; spillelinje.

tawdriness ['tɔːdrinis] glødende farger, flitterstas. tawdry ['tɔːdri] billig, prangende, spraglet, gloret.

tawer ['tɔːə] garver, hvitgarver.

tawny ['tɔːni] brunlig, solbrent, gulbrun.

tax [tæks] skatt, byrde, krav; skattlegge, pålegge skatt, bebyrde, dadle, klandre, beskylde (with for), anstrenge; direct — direkte skatt; indirect — indirekte skatt. taxable ['tæksəbl] skattepliktig. tax arrears restskatt. taxation [tækˈseiʃən] beskatning, skattlegging, skatt.

tax cart ['tækskɑːt] lett kjerre.

tax | collector ['tækskəlektə] skatteoppkrever. — concessions pl. skattelettelser. — dodger, evader skattesnyter. — exemption skattefritak. — -free skattefri. — gatherer skatteoppkrever.

taxi ['tæksi] el. taxicab ['tæksikæb] drosje, bil (oppr. med taksameter); takse (om fly).

taxidermist ['tæksidə:mist] utstopper, preparant. taxidermy ['tæksidə:mi] utstopping.

taximeter ['tæksimi:tə] taksameter.

taxi rank drosjeholdeplass.

tax|payer ['tækspeiə] skatteborger, skatteyter. — rate skattesøre. — relief skattelettelse.

T. B. fk. f. torpedo boat; tuberculosis.

T. B. D. fk. f. torpedo-boat destroyer.

T-bone steak T-beinstek.

tbs.; tbsp. fk. f. tablespoon.

T. C. fk. f. Tank Corps; temporary constable; Trinity College.

tea [tiː] te, tebusk, ekstrakt; drikke te, traktere med te; take (or have) — drikke te; that's not my cup of — det er ikke noe for meg. — bag tepose. — board tebrett. — caddy tedåse.

teach [tiːtʃ] lære, undervise; — school undervise i skolen; go and — your grandmother egget vil lære høna å verpe. -able lærvillig, lærenem. -ableness lærvillighet, mottakelighet for undervisning. —

teacher ['tiːtʃə] lærer, lærerinne. — training lærerutdanning. teaching ['tiːtʃiŋ] undervisning; lære, teori.

tea | cloth teduk; kjøkkenhåndkle. — cosy tevarmer, tehette. -cup tekopp. — fight teselskap; hurperace. — garden terestaurant (i hage). — gown ettermiddagskjole.

teak [tiːk] teaktre.

teal [tiːl] krikkand.

team [tiːm] flokk, spann, kobbel, beite; skift, lag, mannskap, gruppe; — up danne et lag, spenne sammen. — mate lagkamerat. — spirit lagånd. -ster kusk, spannkjører; (amr.) transportarbeider. -wise lagvis. -work samvirke, samarbeid.

tea party ['tiːpɑːti] teselskap.

teapot ['tiːpɔt] tekanne.

tear [tiə] tåre; in tears grätende; shed tears gråte; burst into tears briste i gråt. — bomb tåregassbombe.

tear [tɛə] rive, rive i stykker, slite, rive bort, revne, springe, storme, styrte, fare, rase; rift, revne, spjære; rasende fart; wear and — slitasje; — along fare av sted. -er en som river, buldrebasse.

tearful ['tiəful] tårefylt; gråtende, med tårer.

tearing ['tɛəriŋ] heftig, voldsom.

tearless ['tiəlis] uten tårer.

tea|-room kondttori, tesalong. — rose terose. tear-shell ['tiəʃel] tåregassbombe el. -granat.

tear-stained ['tiəsteind] forgrätt, tårevåt.

tease [tiːz] erte, sjikanere, smärte; plage, tigge; karde; ertekrok, plageånd; vrien oppgave.

teasel ['tiːzl] karde-borre, karde-tistel; karde opp, loe opp.

teaser ['ti:zə] ertekrok, plageånd; en som egger el. pirrer; floke, vanskelig spørsmål el. arbeid.
teaspoon ['ti:spu:n] teskje.
teat [ti:t] brystvorte, spene, patte; tåtesmokk, narresutt.
tea|-things ['ti:θiŋz] testell, teservise. **-time** tetid (særl. 16—17). — **towel** kjøkkenhåndkle. — **trolley** rullebord. — **urn** temaskin, samovar.
teaze = **tease**.
tee [tek] slang for **detective**.
tech. fk. f. **technical**; **technology**.
technical ['teknikl] teknisk, fag-, fagmessig. — **paper** teknisk avhandling. — **term** faguttrykk.
technicality [tekni'kæliti] teknisk karakter, faglighet, formalitet; faguttrykk; faglig finesse.
technician [tek'nifən] tekniker; ekspert.
technicolour ['teknikʌlə] (varemerke) fargefilm.
technics ['tekniks] teknikk.
technique [tek'ni:k] teknikk, teknisk ferdighet; fremgangsmåte.
techno|chemical teknisk-kjemisk. **-cracy** [tek-'nɔkrəsi] teknokrati. **-logical** [teknə'lɔdʒikəl] teknologisk, teknisk. **-logy** [tek'nɔlədʒi] teknisk vitenskap, teknologi; fagterminologi.
tectonic [tek'tɔnik] tektonisk; bygnings-, (arki)tektonisk.
Ted [ted] fk. f. **Edward** el. **Theodore**.
ted [ted] breie (høy). **-der** høyvender.
Teddy ['tedi] fk. f. **Edward**; **Theodore**. **teddy| bear** teddybjørn, bamse. — **boy** bråkjekk, tøff ungdom, aparte kledd og ikke sjelden bråkmaker.
Te Deum [ti:'di:əm] Te Deum (den ambrosianske lovsang), takkegudstjeneste.
tedious ['ti:djəs] trettende, kjedelig, kjedsommelig, vidløftig, langtekkelig, langsom. **-ness** kjedelighet. **tedium** ['ti:djəm] kjedsommelighet.
tee [ti:] underlag for ballen i golf, hvorfra første slag gjøres, mål (i visse spill, f. eks. curling); anbringe ballen på underlaget; — **off** gjøre det første slag i golf, spille ut, begynne noe.
tee [ti:] bokstaven T; noe T-formet; **to a** — nøyaktig, på prikken;
teel [ti:l] sesamplante, sesamfrø. — **oil** sesamolje.
teem [ti:m] yngle, formere seg, bære frukt, være drektig, være full, yre, myldre, kry (**with** av) føde, frembringe; **-ing and lading** lossing og lasting. **-er** fødende. **-less** ufruktbar.
teen-ager ['ti:neidʒə] tenåring.
teens [ti:nz] alder fra og med 13 til og med 19 år; **she is in her** — hun er i tenårene.
teeny(-weeny) ['ti:ni ('wi:ni)] bitte liten, bitte små.
teeter ['ti:tə] (amr.) vippe opp og ned, huske, gynge; vipping, husking; (fig.) vakling, usikkerhet.
teeth [ti:θ] tenner (pl. av **tooth**).
teethe [ti:ð] få tenner; **teething troubles** vondt for tennene; (fig.) ha barnesykdommer.
teetotaller [ti:'tautlə] totalist, avholdsmann.
teetotalism [ti:'tautlizəm] totalavhold.
teetotum ['ti:təu'tʌm] snurrebass, «jakob», topp.
t. e. g. fk. f. **top edge gilt**.
tegular ['tegjulə] tegl-, teglsteins-, taklagt.
tehee [ti'hi:] knis; fnise, knise, le hånlig.
teil [ti:l], — **tree** lind, lindetre.
tel. fk. f. **telegram**; **telephone**.
telary ['teləri] vevd, spunnet.
tele ['teli] fk. f. **television**; fjern-, fjernsyns-. **-cast** ['telikɑ:st] sende i fjernsyn; fjernsynssending. **-control** fjernstyring. **-gram** ['teligræm] telegram.
telegraph ['teligrɑ:f] telegraf; telegrafere. — **clerk** telegrafist. **-er** telegrafist. **-ese** [teligrə'fi:z] telegramstil.
telegraphic [teli'græfik] telegrafisk, telegram-; — **bureau** telegrambyrå.
telegraphist [ti'legrəfist] telegrafist.
telegraphy [ti'legrəfi] telegrafi.
Telemachus [ti'leməkəs] Telemakhos.

teleologie(al) ['teliə'lɔdʒik(l)] teleologisk. **teleology** [teli'ɔlədʒi] teleologi (læren om verdensordenens hensiksmessighet).
telepathic [teli'pæθik] telepatisk. **telepathy** [ti'lepəθi] telepati.
telephone ['telifəun] telefon; telefonere; **ring up on the** — ringe opp; **answer the** — ta telefonen; **ring off the** — ringe av. — **booth** telefonboks el. -kiosk. — **call** telefonoppringning. — **directory** telefonkatalog. — **exchange** telefonsentral. — **operator** telefonist, telefondame. — **receiver** mikrofon, (høre)telefon. — **shower** hånddusj. **telephonic** [teli'fɔnik] telefonisk. **telephonist** [ti'lefənist] telefondame, telefonist(inne). **telephony** [ti'lefəni] telefonering.
telephotography ['telifə'tɔgrəfi] telefotografi.
teleplasma [teli'plæsmə] teleplasma.
teleprinter ['teliprintə] fjernskriver.
telescope ['teliskəup] kikkert, teleskop. **telescopic** [teli'skɔpik] teleskopisk, som kan skyves sammen, inn i hverandre. — **ladder** skyvestige. — **sight** kikkertsikte. — **umbrella** veskeparaply.
tele|vise ['telivaiz] fjernfotografere; sende el. motta i fjernsyn. **-vision** [teli'viʒən] fjernsyn. **-vision aerial** fjernsynsantenne. **-vision receiver** fjernsynsapparat.
tell [tel] la vite, fortelle; si (til), be, by, befale; sladre, fisle; avgjøre, bestemme; kjenne, oppdage, skjelne; gjøre virkning (**on** på), monne, leite, røyne, ta (**on** på), virke nedbrytende (på); **he told få vite**, få beskjed om; **who told you?** hvem har fortalt det deg? — **on** (**of**) sladre på; **you're -ing me** jasså gitt, du sier ikke det; — **me** si meg; **I cannot** — jeg vet ikke; — **off** gi en skrape, lese teksen; — **him to do it** si til ham at han skal gjøre det; **he was told to go** man bad ham om å gå, man sa til ham at han skulle gå; **every expression told** hvert ord gjorde sin virkning; **every shot -s** hver kule treffer. **-er** forteller, beretter; angiver; teller, kasserer, stemmeoppteller. **-ing** virkningsfull, treffende.
telltale ['telteil] sladderhank; telleapparat; tegn, bevis; sladderaktig, forrædersk.
tellurie [tel'juərik] jordisk.
telly ['teli] fjernsyn.
telpher ['telfə] taubane, svevebane (til varer). **telpherage** ['telfəridʒ] automatisk elektrisk taubanetransport.
temerarious [temi'rɛəriəs] ubesindig, uvøren. **temerity** [ti'meriti] overmot, dumdristighet.
temper ['tempə] blande, elte sammen, formilde, mildne, dempe, temperere, sette sammen, avpasse, stemme, anløpe, herde; (passende) blanding, herding, hardhetsgrad, legems- og sinnsbeskaffenhet, natur, sinn, lynne, gemytt, stemning, lune, fatning, sinnsro, godt humør, heftighet, sinne; **in a good** (**bad**) — i godt (dårlig) humør; **when the** — **is on him** når hissigheten løper av med ham; **have -s** lide av humørsyke.
temperament ['tempərəmənt] indre beskaffenhet, temperament, lynne, natur, konstitusjon. **temperamental** ['tempərə'mentəl] temperamentsbestemt, temperamentsfull.
temperance ['tempərəns] avhold, måtehold; edruelighet; — **hotel** avholdshotell. **temperate** ['tempərit] temperert, måteholden. **-ness** temperert beskaffenhet, måtehold.
temperature ['tempərətʃə] temperatur; **have a** — ha feber.
tempest ['tempist] storm, uvær, opprør (i sinnet). **-uous** [tem'pestjuəs] stormfull, stormende. **-uousness** [tem'pestjuəsnis] stormfullhet.
Templar ['templə] tempelherre; jurist; goodtemplar, avholdsmann.
temple ['templ] tempel; **the Temple** navnet på to bygningskomplekser i London ved den tidligere byport; **the Inner** — og **Middle** — to rettskollegier i London; **Temple Bar**, med beboelse for jurister.
temple ['templ] tinning. — **bone** tinningben.
tempo ['tempəu] tempo, fart.

temporal ['temp(ə)rəl] timelig, verdslig, jordisk; tids-, tidsmessig-; tinning-. -ity [-'ræliti] timelig velferd, verdslige inntekter, temporalier; lekfolk.

temporary ['tempərəri] midlertidig, provisorisk, kortvarig, flyktig. temporariness midlertidighet.

temporize ['tempəraiz] se tiden an, forsøke å vinne tid, forhalings-, rette seg etter tid og omstendigheter. temporizer opportunist, værhane.

tempt [temt] forlede, overtale, forføre, friste. -ation [tem'teiʃən] fristelse. -er frister. -ing fristende. -ress forførerske.

ten [ten] ti, tier; The Upper T. (thousand) spissene i samfunnet; — in the hundred ti prosent.

tenable ['tenəbl] holdbar, som kan forsvares. -ness, tenability [tenə'biliti] holdbarhet.

tenacious [ti'neiʃəs] klebrig, seig, stri, hardnakket, sikker; — of life seiglivet. tenacity [ti'næsiti] hårdnakkethet, klebrighet, seighet.

tenancy ['tenənsi] besittelse, forpakting, leie.

tenant ['tenənt] innehaver, besitter, leier, forpakter, bruker, leilending, oppsitter, beboer; forpakte, bebo, besitte, leie, sitte med; — for life bygselmann på livstid. — at will forpakter på åremål. — farmer forpakter. — in capite [-in'kæpiti] kronforpakter, kronvasall. — in-chief kronvasall. — right forpakters kontraktrettigheter. tenantry ['tenəntri] forpaktere, leilendinger.

tench [tenʃ] suder (en fisk).

tend [tend] ha en viss retning, gå i en viss retning, tendere, strebe, sikte på, tjene til; — to være tilbøyelig til, tjene til å; — towards tendere mot.

tend [tend] betjene, varte opp, passe, stelle, røkte, pleie, ledsage; — upon varte opp, pleie. -ance betjening, oppvartning, passing.

tendency ['tendənsi] tendens, retning, tilbøyelighet.

tender ['tendə] gjeter, pleier, vokter; tender (bl. a. jernbanevogn med brensel til lokomotiv); depotskip; bar- (amr.) oppvarter, bartender.

tender ['tendə] tilby, gjøre tilbud, fremføre; tilbud, anbud, forslag; put out to — legge ut til anbud; legal — lovlig betalingsmiddel.

tender ['tendə] bløt, mør, øm, mild, ømskinnet, sped, sart, fin, følsom, nennsom, var, varsom, omsorgsfull, rank; elsket; elske, sette pris på, ta hensyn til, vokte; a — strain ømme toner; a — subject et ømtålelig emne.

tenderer ['tendərə] anbudsdeltaker.

tender|foot ['tendəfut] nykomling, grønnskolling. — -footed forsiktig, fryktsom, ny (i stillingen), grønn. — -hearted bløthjertet, kjærlig. -ling kjæledegge; blauting; første horn (på rådyr). -loin ['tendələin] filet, mørbrad. -ness bløthet, følsomhet, svakhet, ømhet, nennsomhet.

tendinous ['tendinəs] senet.

tendon ['tendən] sene. — sheath seneskjede.

tendril ['tendril] slyngtråd, klatretråd.

tenebrific [teni'brifik] formørkende, skyggende.

tenebrous ['tenibrəs] mørk, skummel, dyster.

tenebrosity [teni'brɔsiti] mørke, skummelhet.

tenement ['tenimənt] leilighet, bolig; — house leiegård, boligkompleks. -al ['mentəl], -ary [-'mentəri] som kan bortforpaktes, som kan leies.

tenet ['tenit] grunnsetning, læresetning, trossetning, dogme.

tenfold ['tenfəuld] tifold, tidobbelt.

tenner ['tenə] tipundseddel; tidollarseddel.

Tennessee [tenə'si:].

tennis ['tenis] tennis. — court [-kɔ:t] tennisbane. — ground tennisplass.

Tennyson ['tenisən].

tenon ['tenən] tapp; sinke, skjære tapp(er) i, tappe sammen.

tenor ['tenə] gang, løp, forløp, måte, vesen, innhold, tendens, ånd; tenor. -violin bratsj.

tense [tens] tid, tempus (i grammatikk).

tense [tens] spent, stram, stiv, anstrengt. -ness stramhet, spenning. tensible ['tensibl],

tensile ['tensail] strekkelig, strekkbar; — strength strekkfasthet. tension ['tenʃən] spenning, stramming, anspenthet; strekk, spenn, spennkraft. tensive ['tensiv] strammende. tensor ['tensə] strekkmuskel.

tent [tent] telt, bolig; folie (under edelsteiner); ligge i telt, kampere; pitch a — slå opp et telt; strike a — bryte leir, ta ned et telt.

tent [tent] sonde, charpi; sondere, prøve.

tentacle ['tentəkl] værhår, følehorn, fangarm. tentative ['tentətiv] som prøver (seg fram), foreløpig, forsøks-, forsøksvis; (forsiktig) forsøk.

tenter ['tentə] en som ligger i telt.

tenter ['tentə] klesramme, strekke- el. tørkeramme (til tøy); spenne på en ramme.

tenterhooks ['tentəhuks] kroker på tørkestativ; on — i pinlig spenning, utålmodig, som på nåler.

tenth [tenθ] tiende; tiendedel. tenthly ['tenθli] for det tiende.

tentlike ['tentlaik] teltformet.

tentmaker ['tentmeikə] teltmaker.

tent | peg ['tentpeg] teltplugg. — skirt ≈ gresskant (nederst på teltet).

tent stitch (broderi) petit point.

tenuity [ti'nju:iti] tynnhet, finhet. tenuous ['tenjuəs] tynn, grann, fin, spinkel.

tenure ['tenjə] lensbesittelse, forpaktning, besittelse, eiendomsforhold, vilkår for forpaktning, tjenesteforhold.

tepee ['ti:pi:] indianertelt (spisst).

tepefaction [tepi'fækʃən] lunking. tepefy ['tepifai] lunke; bli lunken. tepid ['tepid] lunken, kuldslått. tepidity [te'piditi] lunkenhet.

terebrate ['teribreit] bore (gjennom).

tergiversation [tə'dʒivə'seiʃən] utflukt, vankelmodighet, vingling; frafall, svikt.

term [tə:m] grense, ende, termin, frist, periode, tid, semester, kvartal, betalingsdag; ord, vending, uttrykk, ledd; rettens sesjonstid, rettstermin, fordring, (i plur.) vilkår, betingelse, pris; (fig.) fot; benevne, kalle; come to -s with komme overens med, slutte forlik med; on equal -s på like fot; to be on good -s with å være god venn med, stå på god fot med; in -s of dollars uttrykt i dollar. -er [tə:mə] en som innfinner seg ved rettsterminer, markedsgjøgler, forpakter på åremål; straffange.

termagant ['tə:məgənt] furie, hurpe, huskors. term|inable ['tə:minəbl] begrensbar oppheve-, lig, oppsigelig. -inal ['tə:minəl] ende-; ytter-, ytterst, termin, grense-, utgangs-; avslutning, endepunkt, endestasjon, polklemme, polsko. -inal case pasient i siste stadium av en dødelig sykdom. -inate ['tə:mineit] begrense, ende, avslutte, opphøre. -ination [tə:mi'neiʃən] begrensning, ende, slutning, opphør, utløp. -inative ['tə:minətiv] avsluttende, avgjørende, endelig, absolutt. -inology terminologi, nomenklatur. terminus ['tə:minəs], pl. termini ['tə:minai] grense, endestasjon, terminal; endepunkt, mål. termitary ['tə:mitəri] termittue. termite ['tə:mait] termitt.

termless ['tə:mlis] endeløs, grenseløs; vilkårsløs. term paper tentamens|besvarelse, -oppgave. tern [tə:n] terne (fuglen).

ternary ['tə:nəri] tre-; treer, gruppe av tre.

Terpsichore [tə:p'sikəri] Terpsikhore, korsangens og dansens muse.

terrace ['teris] terrasse, avsats, flatt tak, altan, gate med én husrekke; legge terrassevis.

terra | cotta ['terə'kɔtə] terrakotta. — firma fast grunn, fastland.

terrain ['terein] terreng, lende.

terrapin ['terəpin] sumpskilpadde.

terraqueous [tə'reikwiəs] som består av land og vann.

terrene [tə'ri:n] jord-, jordisk; (fig.) verdslig.

terrestrial [ti'restriəl] jord-, jordisk; jordboer.

terrible ['teribl] fæl, forferdelig, fryktelig. -ness ['teriblnis] fryktelighet, grusomhet, gru.

terrier ['teriə] terrier; jordebok.

terrific [tə'rifik] fryktelig, skrekkinnjagende; enorm, veldig, kjempe-. terrified ['terifaid] forferdet, vettskremt. terrify ['terifai] forferde, skremme.

territorial [teri'tɔ:riəl] territorial; landvernssoldat. — waters territorialfarvann. territory ['teritəri] territorium, område.

terror ['terə] skrekk, redsel. -ism ['terərizm] terrorisme, redselsherredømme. -ist ['terərist] voldsherre, terrorist. -ize ['terəraiz] terrorisere. — -stricken, —-struck redselsslagen.

terry ['teri] løkke (i stoff); — cloth frottéstoff.

terse [tə:s] fin, enkel, fyndig, klar, rammende.

tertian ['tə:ʃən] annendagsfeber.

tertiary ['tə:ʃəri] tertiær; tredje, i tredje rekke. the T. period tertiærtiden.

tessellate ['tesileit] gjøre ternet el. rutet; innlegge med mosaikk.

tessera ['tesərə] firkant, terning, rute, billett.

test [test] prøvedigel, prøvemiddel, prøvestein; prøve, undersøkelse; probere, prøve, undersøke, kontrollere, etterprøve; take the — avlegge eden, nemlig på ikke å være katolikk; put to the — sette på prøve; stand the — bestå prøven; Test Act ['test'ækt] Testakten, forordning om religionsed (1673).

Test. fk. f. Testament.

testa ['testə] skall; frøskall. testacean [te-'steiʃən] skalldyr.

testament ['testəmənt] testament, siste vilje, the Old (New) T. Det gamle (nye) testament. -ary [testə'mentəri] testamentarisk.

testator [te'steitə] testator, arvelater.

testamur [te'steimə] eksamensbevis, eksamensvitnesbyrd, vitnemål, testimonium.

testate ['testit] (person) som har skrevet sitt testament. testator [tes'teitə] (testatrix) mannlig (kvinnelig) arvelater.

test ǀ ballot prøveavstemning. — ban treaty (atombombe) prøvestansavtale.

tester ['testə] inspektør, kontrollør, en som prøver, undersøker; prøveapparat; baldakin, sengehimmel.

testify ['testifai] bevitne, vitne, attestere, bekrefte.

testimonial [testi'məunjəl] vitnesbyrd, vitner mål-, attest; minnegave, monument; som angåvitnesbyrd.

testimony ['testiməni] vitnesbyrd, vitnemål, bevis; vitneutsagn; vitneprov, vitneerklæring.

testiness ['testinis] pirrelighet, grettenhet.

test ǀ match landskamp (cricket). — paper opptaksprøve, oppgave. — pattern (fjernsyns)-prøvebilde. — sample stikkprøve. — tube reagensglass.

testudo [tes'tju:dəu] skjoldtak, skjoldborg.

testy ['testi] arg, gretten, amper, irritabel.

tetanus ['tetənəs] stivkrampe.

tetchy ['tetʃi] pirrelig, gretten, ømtålig.

tête-à-tête ['teitɑ:'teit] samtale under fire øyne; fortrolig.

tether ['teðə] tjor; tjore, binde; be at the end of one's — ha strakt seg så langt som mulig, være ved grensen, ha nådd bunnen.

tetrarch ['tetrɑ:k] tetrark, fjerdingsfyrste.

tetter ['tetə] utslett; smitte med utslett.

Teuton ['tju:tən] teutoner, germaner; tysker. Teutonic [tju'tɔnik] teutonsk; germansk; tysk.

tew [tju:] bearbeide, banke, garve.

Tex. fk. f. Texas. Texan ['teksən] texaner; texansk.

text [tekst] tekst, utgave, versjon, emne; skriftsted. -book tekstbok, lærebok.

textile ['tekstail] vevd; vevd stoff, tekstil-(varer). — printing stofftrykk.

textual ['tekstʃuəl] tekst-, om el. i teksten; ordrett, bokstavelig. -ism tekstkritikk.

texture ['tekstʃə] vevning, vev, sammensetning, struktur.

T. F. fk. f. Territorial Force.

Th. fk. f. Thursday.

Thackeray ['θækəri].

Thalia [θə'laiə] Thalia, komediens muse.

Thames [temz], the — Temsen; he never set the — on fire han har ikke oppfunnet kruttet.

than [ðæn, alm. svakt ðən] enn; we need go no farther — (enn til) France; he showed more courage — (enn det) was to be expected.

thane [θein] than, thegn, angelsaksisk stormann.

thank [θæŋk] takke; — you! takk! no, — you! nei takk! — you very much! mange takk! — you for nothing! (nei) ellers takk; ikke noe å takke for; -s to takket være.

thankful ['θæŋkful] takknemlig.

thankless ['θæŋklis] utakknemlig.

thanks [θæŋks] takk, takksigelser; many — to you! mange takk! render — si takk.

thanksgiving ['θæŋksgiviŋ] takksigelse, takkebønn; T. (Day) (amr.) takkefest, siste torsdag i november.

thankworthy ['θæŋkwɔ:ði] påskjønnelsesverdig.

that [ðæt] 1. (påpekende pronomen) den, det, den (el. det) der, (i plur. those de); 2. [ðət] (relativt pronomen) som (nesten bare brukt i nødvendige relativsetninger); 3. [ðət] (konjunksjon) at, så at, for at; fordi; gid; 4. [ðæt] (adverbium) så. Eksempler: 1. that's a good girl så er du snill jente; that which det som, hva som; there are those who (dem, som) say that som sier det; in that idet, forsåvidt, fordi; 2. all that at hva; those that love us de som er glad i oss; the books that you lent me de bøkene som du lånte meg; 3. I know that it is so jeg vet at det forholder seg slik; I am so tired, that I cannot go on jeg er så trett at jeg ikke kan fortsette; 4. I was that tired jeg var så trett.

thatch [θætʃ] tekkehalm, halmtak; halmtekke. -er halmtekker. —-roofed halmtekt.

thaw [θɔ:] tø, tine opp; tøvær, mildvær, linne.

the [foran vokal og ofte foran [j]-lyd ði, foran konsonant ðə, med sterk betoning ði:] den, det, de; -(e)n, -(e)t, (e)ne; dess, desto, jo; — boy gutten; — big boy den store gutten; — boy who den gutten som; is he — (den kjente) Dr. Johnson? — less så meget mindre; — sooner — better jo før jo heller.

theatre ['θi(:)ətə] teater, skueplass; dramatikk; auditorium, sal, anatomisk forelesningssal. — of war krigsskueplass. —-goer teatergjenger. — sister operasjonssøster.

theatrical [θi'ætrikl] teatralsk, teater-, teatermessig; (i plur.) teatersaker, forestillinger; private -s dilettantkomedie; amatørteater, eksperimentscene.

thee [ði:] (gammelt:) deg; (i dialekt og kvekerspråk:) du.

theft [θeft] tjuveri.

their [ðɛə] deres; sin; — money deres penger. theirs [ðɛəz] deres; sin; the money is — pengene er deres.

theism ['θi:izm] teisme. theist ['θi:ist] teist (tilhenger av teismen).

them [ðem, alm. svakt ðəm] dem (etter prep. også) seg.

theme [θi:m] tema, motiv, oppgave, avhandling, stil; (i grammatikk) stamme; kjenningsmelodi.

themselves [ðəm'selvz] seg; seg selv; (dem) selv; (de) selv; they defend — de forsvarer seg.

then [ðen] da, dengang, på den tid, deretter, derpå, så, derfor, i det tilfelle; daværende; — and there på stående fot, på stedet, straks; by — da, inntil da; from — onwards fra den tid av; till — inntil da; the — (daværende) governor; in my — mood of mind i min daværende stemning; in my — state of confusion forvirret som jeg var; all right —! javel, så sier vi det! what —? hva så?

thence [ðens] derfra, derav, av det, deretter, fra den tid, derfor; from — derfra. -forth ['θens-'fɔ:θ], -forward [ðens'fɔ:wəd] fra den tid av.

theol. fk. f. **theology.**

theologian [θiə'lɔudʒien] teolog. **theologie(al)** [θiə'lɔdʒik(l)] teologisk. **theologist** [θi'ɔlədʒist] teolog. **theology** [θi'ɔlədʒi] teologi.

theorem ['θiərem] teorem, læresetning.

theoretic(al) [θiə'retik(l)] teoretisk. **theoretician** [θiərə'tiʃən] teoretiker. **theorize** ['θiəraiz] teoretisere. **theory** ['θiəri] teori.

theosophic(al) [θiə'sɔfik(l)] teosofisk. **theosophist** [θi'ɔsəfist] teosof. **theosophy** [θi'ɔsefi] teosofi.

therapeutic [θerə'pju:tik] terapeutisk, legende. **therapist** ['θerəpist] terapeut. **therapy** ['θerəpi] terapi.

there [δɛə, svakt δə] der, dit; **-'s a good boy** så er du snill; **— you are!** vær så god, se så! **— he is** der er han; **— is** det er; **— it is!** slik er det nå engang. **-about** der omkring. **-after** deretter. **-at** derved. **-by** derved. **-fore** derfor, følgelig. **-from** derfra. **-in** [δɛə'rin] deri. **-inafter** [δɛərin'ɑ:ftə] i det følgende. **-of** [δɛə'rɔv] derav. **-to** dertil. **-tofore** tidligere, inntil da. **-under** i henhold til det, derunder. **-unto** dertil. **-upon** derpå, på grunnlag av det, derfor, straks deretter. **-with** dermed. **-withal** [δɛəwi'δɔ:l] dermed.

therm [θə:m] (fysisk) varmeenhet = kilogramkalori. **-ae** ['θə:mi:] varme kilder. **-al** varme-, varm, termisk, termo-.

thermo ['θə:məu] termo-, varme-. **-dynamic** termodynamisk. **-electric(al)** termoelektrisk. **-logy** [θə'mɔlədʒi] varmelære. **-meter** [θə'mɔmitə] termometer. **-nuclear** termonukleær, kjernefysisk-. **-s (bottle)** termosflaske. **-stat** ['θə:məstæt] termostat. **-waste** spillvarme.

thesaurus [θi(:)'sɔ:rəs] skattkammer; ordbok. **these** [δi:z] disse (plur. av **this**).

thesis ['θi:sis] tese, oppgave, (doktor)avhandling.

thew [θju:] muskelkraft. **-y** ['θju:i] muskuløs. **they** [δei] de; man, en, folk.

thick [θik] tykk, tett, uklar, grumset, gjørmet; grøtet; det tykke; kjøttluse; **lay it on** — smøre tykt på; **speak** — snakke utydelig; **— of hearing** tunghørt; **be** — **with** være gode venner med; **in the** — **of** midt i; **— and fast** slag i slag, i rask rekkefølge; **— and thin** som går med i tykt og tynt, svoren, trofast.

thicken ['θikn] gjøre tykk, bli tykk, tykne, formere(s), tilta. **-ing** fortykkelse; jevning.

thicket ['θikit] tykning, kratt, skogsnar.

thick|headed ['θik:hedid] «tjukk i hue». **-ish** ['θikiʃ] nokså tykk, tykkfallen, lubben. **-ness** tykkhet, tykkelse; lag; **-ness of hearing** tunghørthet. **-set** tett besatt, rikelig utstyrt; undersetsig, firskåren. **-witted** tungmem, treg.

thief [θi:f] tyv, tjuv. **— -proof** sikker mot tyver. **thieve** [θi:v] stjele. **thieves** [θi:vz] tyver, tjuver. **thieving** tyvaktighet. **thievish** tyvaktig.

thigh [θai] lår. **— -bone** lårbein. **— boot** vadestøvel.

thill [θil] skåk, vognstang.

thimble ['θimbl] fingerbøl; kaus; bøssing. **-ful** fingerbølmål, skvett, dråpe. **-rigger** juksemaker, taskenspiller, svindler.

thin [θin] tynn, smal, skrinn; mager, fin; grissen; fortynne, tynne ut, spe, rydde opp i; bli tynnere. **— -bellied** utsultet, mager.

thine [δain] (gml.) din, ditt, dine.

thing [θiŋ] ting, sak, greie, tingest, eiendel, vesen, stakkar; **poor little** — stakkars liten; **she is a proud little** — hun er et stolt lite vesen; **I am not quite the** — jeg føler meg ikke helt vel; **have a** — **about** ha en forkjærlighet for, ha en vill idé om; **a close** — på nære nippet; **other -s being equal** under ellers like forhold; **how are -s?** står til? hvordan går det? **-s** pl. ting, greier, reisetøy; **good -s** vittigheter; god mat.

thingumabob['θiŋəməbɔb]**, thingummy**['θiŋəmi] greie, sak, tingest (om en ting som man har glemt navnet på); han (el. hun) derre, hva det nå er han (el. hun) heter; noksagt (om person).

think [θiŋk] tenke, tenke seg om, tro, ha i sinne, anse for, synes, innbille seg; **— of** tenke på, tenke om; **— on** tenke over, pønse på; **— much of** ha store tanker om; **— up** finne på; **— with** mene det samme som; **I — not** det synes jeg ikke; **I should** — så det skulle jeg tro, det kan du stole på. **-able** tenkelig. **-er** tenker. **-ing** tenksom; tenkning, tanker, mening. **— tank** hjernetrust, ekspertutvalg.

third [θə:d] tredje, tredjedel, ters. **-ly** for det tredje.

thirst [θə:st] tørst; tørste; **— for** tørste etter. **thirsty** ['θə:sti] tørst.

thirteen ['θə:ti:n] tretten. **-th** ['θə:'ti:nθ] trettende, trettendedel.

thirtieth ['θə:tiiθ] trettiende, trettidel. **thirty** ['pə:ti] tretti.

this [δis] i plur. **these** [δi:z] denne, dette, plur. disse; brukt substantivisk er **this** bare upersonlig: dette, **these** derimot også personlig; **by** — hermed, nå; **by** — **time** nå; — **morning** imorges, i formiddag; **at** — **day** (ennå) den dag i dag; — **day week** i dag åtte dager, i dag for åtte dager siden; — **(last) half-hour** i den siste halve time; **like** — således, slik, på denne måte; — **much** så meget, dette (iallfall); **leave** — dra herfra; **these forty years** nå i førti år.

thistle ['θisl] tistel.

thither ['δiδə] dit, dit bort, derhen; borteste, fjerneste; hin. **-to** inntil den tid. **-ward** dit over, dit bort.

thole [θəul] tåle.

thole [θəul] åretoll, tollepinne; **the** — **s** tollegangen.

Thomas ['tɔməs].

Thom(p)son ['tɔmsən].

thong [θɔŋ] reim, stropp, piskesnert; piske.

thorax ['θɔ:ræks] bryst-, brystkasse.

thorn [θɔ:n] torn, vedtorn, hagtorn; thorn (bokstaven þ); **a** — **in the side** en torn i øyet. **— apple** piggeple. **thorny** ['θɔ:ni] tornefull, tornet.

thorough ['θʌrə] fullstendig, inngående, gjennomgripende, grundig, real, skikkelig. **-bred** veloppdragen, fullblods, rasehest, gjennomkultivert. **-fare** gjennomgang, ferdselsåre, (hoved)gate. **-going** fullstendig, grundig. **-ly** ganske, fullkommen, grundig, gjennomført. **-ness** fullstendighet, grundighet. **-paced** grundig trenet, helt utlært; vaskekte, erke-.

Thos. fk. f. **Thomas.**

those [δɔuz] de, dem, hine (plur. av **that**).

thou [δau] (gml.) du; si du til, dutte.

though [δau] skjønt, enda, enskjønt; selv om; (sist i setningen) likevel; **as** — som om; **even** — selv om; **what** — hva om; **it is dangerous** — det er likevel farlig; **did she** — gjorde hun virkelig.

thought [θɔ:t] tanke, tenkeevne, tenkning, omtanke; en liten smule. **-ful** tankefull, hensynsfull, oppmerksom, bekymret, alvorlig. **-less** tankeløs, tanketom, atspredt, ubekymret, likegyldig. **-out** gjennomtenkt, uttenkt. **— reading** tankelesning. **— transference** tankeoverføring, telepati.

thousand ['θauz(ə)nd] tusen; **by -s** i tusenvis. **-th** ['θauz(ə)nθ] tusendel; tusende.

thraldom ['θrɔ:ldəm] trelldom, slaveri.

thrall [θrɔ:l] trell, trelldom; trelle.

thrash [θræʃ] treske; banke, jule, denge; tresker, treskeverk; revehai; **— out** gjennomdrøfte. **-er** en som denger; treskemaskin; revehai. **-ing** også: juling. **-ing floor** treskegolv. **-ing machine** treskeverk.

thread [θred] tråd, lintråd, garn; skruegjenge; træ (en nål), trenge igjennom. **-bare** loslitt, forslitt. **-ing** skjæring; gjenging; det å træ noe. **— paper** vindsel, tynn (strant). **-worm** trådorm. **-y** trådaktig, trevlet, trådtynn; klebrig, seig.

threat [θret] trusel, fare. **threaten** ['θretn] true (med). **-ing** truende.

three [θri:] tre, treer, tretall. **-fold** trefold, tredobbel. **— -foot** treføtt. **-pence** ['θri:pəns 'θrʌ-,

'θru-] tre pence. **-penny** som er verdt tre pence; juggel-, godtkjøps — **-phase** trefase(t). — **-piece** **costume** drakt og kåpe i samme stoff, komplet. **-score** seksti. — **-speed** med tre hastigheter, tregirs. — **-stage** tretrinns-.
threne [θri:n] klage. **threnode** ['θrenədi] klagesang.
thresh [θreʃ] osv. se **thrash.**
threshold ['θreʃəuld] terskel, dørstokk, svill, inngang, begynnelse.
threw [θru:] imperf. av **throw.**
thrice [θrais] tre ganger (nå mest: **three times**).
thrift [θrift] sparsommelighet, økonomi. **-iness** sparsommelighet. **-less** ødsel. — **society** spareforening. **-y** sparsommelig, velstående, kraftig.
thrill [θril], gysing, grøss, sitring, spenning; gyse, grøsse, skake, gjennombeve(s), beta, begeistre, dirre; **it sent a — of regret through me** det fikk meg til å skjelve av sorg; **a — of horror** en redselsgysing; — **to the bone** gå gjennom marg og bein. **-er** grøsser, spennende film (bok o.l.). **-ing** ogs. gjennomtrengende, spennende, gripende.
thrive [θraiv] trives, blomstre, være heldig, slå seg opp. **thriving** oppblomstrende; blomstring.
throat [θrəut] svelg, strupe, hals, trang åpning, inngang, munning; **cut a person's** — skjære halsen over på en; **have a sore** — ha vondt i halsen. — **pipe** luftrør. **-y** guttural, hes.
throb [θrɔb] banke, slå, dunke (om puls, hjerte), banke hurtig; banking, slag, pulsering; **with a -bing** (hurtig bankende) **pulse.**
throe [θrəu] kval, smerte, stikk, sting, verk, pine, fødselsvé; pines; pine.
thrombosis [θrɔm'bəusis] trombose. **thrombus** ['θrɔmbəs] blodpropp; plur.: **thrombi** ['θrɔmbai].
throne [θrəun] trone; sette på tronen, trone; **drive** (støte) **her from the** —; **place him in the** —, **place** (put, set) **him on the** — på tronen; **come to** (på) **the** —. — **room** tronsal.
throng [θrɔŋ] trengsel, skare, mengde, flokk, stim; stimle, flokkes.
throstle ['θrɔsl] trost, måltrost; **a crow among -s** en spurv i tranedans.
throttle ['θrɔtl] kvele, kveles; reguleringsspjeld, chocker, struper; **at full** — for full gass, med klampen i bånn.
through [θru:] igjennom, gjennom, i løpet av, ved, på grunn av; igjennom, til ende; — **and** — fra ende til annen; **be** — være ferdig; **carry** — gjennomføre; **get** — to få forbindelse med. — **bill of lading** gjennomgangskonossement. — **connection** gjennomgående forbindelse. **-ly** grundig, fullstendig.
throughout [θru:'aut] helt igjennom; helt.
through|road hovedtrafikkåre, gjennomgangsvei, motorvei. — **street** (amr.) forskjørsvei. — **ticket** gjennomgangsbillett.
throve [θrəuv] imperf. av **thrive.**
throw [θrəu] kaste, slynge, slenge, hive, slå, sno, tvinne, styrte, kaste av, føde, motstå; kast, terningkast, forskyvning; sjal, (senge)-teppe; — **many hands idle** gjøre mange arbeideres brødløse; — **about** slå om seg; — **away** miste, øde, forkaste; — **back** avvise, sette tilbake. — **by** kaste, legge vekk. — **down** rive over ende, styrte; — **in** kaste ut, la gå med; tilføye, innskyte; — **into** kaste inn i, bringe i, ofre på; — **off** kaste av, fordrive, henkaste, slå av (i prisen), skille seg med; — **on** velte over på, vise til; — **open** åpne på vidt gap, slå opp; — **out** sende ut, avvise, fortrenge, styrte, la falle, forvirre, distansere; — **over** kaste ut over, henge ut, legge ut, slå hånden av, oppgi; — **together** føre sammen; — **up** løfte, kaste opp, oppgi, fremheve; løfte, smelle opp (en bygning), bygge fort.
throwaway ['θrəuəwei] flygeblad, sirkulære, reklametrykksak.
throwback ['θrəubæk] tilbakeslag; hindring, motgang; atavisme, atavistisk individ (som forsvunne egenskaper dukker opp igjen hos).
thrown [θrəun] perf. pts. av **throw.**

thrum [θrʌm] grovt garn, trådende(r) (i pl.) aving(er), frynser; spekk (til matter); veve, spekke, flette, besette med frynser; klimpre, klunke; tromme; nynne, sulle.
thrush [θrʌʃ] trost, måltrost.
thrush [θrʌʃ] trøske (sykdom).
thrust [θrʌst] støte, bore, stikke, dytte, puffe; tilskynde, påtvinge, trenge, trenge seg; støt, puff, stikk, angrep, utfall, trykk, skyvkraft; — **at** stikke etter; — **on** velte over på, påtvinge.
thrustle ['θrʌsl] trost.
thru|road (amr.) motorvei. — **traffic** gjennomgangstrafikk.
Thucydides [θju(:)'sididi:z] Tukydid.
thud [θʌd] dump lyd, dump, tungt (dumpt) slag; dunke, daske, lyde dumpt, drønne, suse med dumpe støt.
thug [θʌg] røver, morder, kjeltring. **-gery** bandittvirksomhet.
thumb [θʌm] tommelfinger, tommeltott; fingre med, ta på med fingrene, tilsmusse; skitne ut; **twiddle one's -s** tvinne tommeltotter; **I have him under my** — jeg har ham i min makt; **a green** — håndlag med planter, være flink med planter; **Tom Thumb** Tommeliten; **Thumbelina** Tommelise; **by rule of** — etter øyemål, på slump; **under his** — i hans makt. **-kins** tommeskrue. — **mark** fingermerke (i bok). **-nail** tommelfingernegl; meget liten, miniatyr-. — **nut** vingemutter. **-print** tommelfingeravtrykk. **-screw** tommeskrue; vingeskrue. **-tack** tegnestift.
thump [θʌmp] dump, tungt slag; dunke, støte. **-ing** svær, tung, diger, dryg.
thunder ['θʌndə] torden, tordenbrak, bulder; tordne, dundre. **-bolt** lynstråle; bannstråle; **-bolt of excommunication** bannstråle. **-clap** tordenskrall. **-peal** tordenskrall. — **shower** tordenbyge. **-storm** tordenvær. **-struck** lynslått; måtløs.
thurible ['θjuəribl] røykelseskar.
Thursday ['θə:zdei el. 'θə:zdi] torsdag.
thus [δʌs] så(ledes), på denne måte; derfor.
thwack [θwæk] slå, daske til; slag.
thwart [θwɔ:t] på tvers; tofte; motarbeide, legge seg i veien for, hindre, krysse, forpurre; **-ing** som legger seg på tverke, motsatt, vrangvillig.
thy [δai] (gml.) din, ditt, dine.
thyme [taim] timian. **thymy** ['taimi] rik på timian, duftende.
thyroid ['θairɔid] skjoldbruskkjertel; skjoldbrusk-.
thyself [δai'self] (gml.) du selv, deg selv; (refleksivt) deg.
tiara [tai'εərə] tiara.
Tibet [ti'bet] Tibet. **-an** ti'betən] tibetaner: tibetansk.
tick [tik] blodmidd, flått; **sheep** — sauelus.
tick [tik] dynevar, putevar, sengetrekk.
tick [tik] pikke, tikke; virke, funksjonere; pikk, tikking.
tick [tik] prikk, merke; merke av, krysse av, sette prikk ved.
ticker ['tikə] børstelegraf; tambak, klokke. — **tape** telegrafstrimmel, hullbånd.
ticket ['tikit] billett, adgangskort, loddseddel, bong, seddel, merke, etikett, merkelapp, prislapp, lønnsslipp, attest; stemple, etikettere; forsyne med billett(er); **that's the** — sånn skal det være; **here's just your** — her er nettopp noe for Dem; **of leave** løslatelsespass (som gir fange friheten på betingelser); **get a** — få (rød) lapp (for feilparkering).
ticket | agency billettkontor. — **collector** billettør. — **day** dagen for avregningsdagen (på børsen). — **fine** bot. — **night** beneficeforestilling (teater). — **office** billettkontor. — **punch** billettsaks. — **tacker** billettør. — **writer** reklameplakat-maler.
ticking ['tikiŋ] dynevar, bolster, dreiel.
tickle ['tikl] kile, kildre, krisle, pirre, behage, more, være kilen. **tickler** en som kiler, ertekrok, huskelapp, forfallsbok, problem, gåte. **tickling**

kiling, pirring. **ticklish** kilen; ømskinnet; delikat, kilden, ømtålig, usikker. **ticklishness** kilenhet.

tid [tid] bløt, lekker. **-bit** lekkerbisken.

tidal ['taidəl] tidevanns. — **flow** tidevannsstrøm. — **lands** tidevannsbelte. — **waters** farvann med store tidevannsforskjeller.

tide [taid] tid; tidevann, flo og fjære; vannstand; strøm, retning, bevegelse; drive med strømmen, stige med tidevannet; **high** — flo, **low** — fjære; — **over a difficulty** komme over en vanskelighet. **-gate** sluse. **-mill** tidevannsmølle. **-sman, -waiter** tolloppsynsmann; værhane, opportunist. **-water** tidevann. **-wave** flodbølge. **-surveyor** [-sə'veiə] tollkontrollør.

tidiness ['taidinis] ordenssans, orden, pertentlighet.

tidings ['taidiŋs] tidender, etterretninger, nytt.

tidy ['taidi] nett, pen, velstelt, ordentlig; pynte, ordne, rydde opp; antimakassar, møbelskåner.

tie [tai] binde, knytte, forbinde, forplikte, stå likt med; knute, sløyfe, bånd, slips; forbindelse, hemsko, klamp, bindebue (i musikk), sville, tverrtre; likt resultat, lik stilling; **shoot -s** skyte like godt; **shoot off a** — skyte om igjen for å få et endelig resultat; **black** — smoking; **white** — snippkjole; — **up** binde opp, binde fast, forbinde, hindre; — **down** binde, forplikte.

tier [tiə] rekke, rad, lag; (fig.) klasse, lag; ordne el. arrangere i rekker, radvis.

tierce [tiəs] ters, tredelt felt.

tie | **rod** parallellstag (i styring); strekkstang. — **shoe** snøresko. — **-up** bilkø, trafikkstans; tilknytning. — **wig** (fin) parykk (bundet med sløyfe i nakken).

tiff [tif] knute på tråden, liten strid; sup, tår; være fornærmet, småkrangle; ta seg en sup.

tiffany ['tifəni] silkeflor, musselin.

tiffin ['tifin] (anglo-indisk) frokost.

tige [ti:ʒ] stengel, stilk; søyleskaft.

tiger ['taigə] tiger, jaguar, puma; (fig.) villdyr; tjener i livré, (utsvevende) banditt, fæl fant. — **moth** bjørnesommerfugl. — **shark** tigerhai. **tigress** ['taigris] huntiger. **tigrine** ['taigrin] tigeraktig. **tigrish** ['taigriʃ] tigeraktig.

tight [tait] tett, fast, stram, trang, tettsittende, knipen, påholden; full, drukken; flink, livlig; vanskelig å skaffe; **sit** — holde munn, ikke røpe seg; — **waistcoat** tvangstrøye; **money is** — det er trangt om penger; **the fellow is** — han er full; **in a** — **place** i knipe; **a -rope dancer** en linedanser(inne). **-en** tette, stramme, tetne, strammes; (fig.) skjerpe, stramme inn. **-ener** strammer. **-fisted** gjerrig, gnien. **-fitting** stramtsittende. — **-lipped** med sammenpressede lepper; ordknapp. **-ness** tetthet, fasthet, pengeknipe.

tights [taits] tettsluttende benklær; trikot, strømpebukser.

tike [taik] fillebikkje, slamp, skarv.

tilbury ['tilbəri] tilbury (tohjulet enspenner).

tile [tail] tegl, teglstein, golvflis, hatt; tegltekke, flislegge; **have a** — **loose** ha en skrue løs; **on the -s** på galeien. **tiler** ['tailə] tegltekker; dørvokter (i en frimurerlosje), tjuv.

till [til] til, inntil; — **now** inntil nå, hittil; — **then** til den tid, inntil da; **not** — ikke før, først.

till [til] pengeskuff, kassaskuff; kontanter.

till [til] dyrke, pløye, dyrke opp. **-able** dyrkbar. **-age** dyrking.

tiller ['tilə] åkerdyrker.

tiller ['tilə] rorpinne, styrvol, rorkult.

tiller ['tilə] skyte rotskudd; rotskudd, renning. **tilly-vally** ['tili'væli] snikksnakk.

tilt [tilt] presenning, kalesje, telt, regnseil; dekke, legge telt over.

tilt [tilt] helle, bikke, vippe, sette på kant, falle forover; hamre, felle, turnere, støte (med lanse), fekte, styrte fram; fare løs på; støt, turnering, dyst, helling, hell; **run a** — bryte en lanse; — **at windmills** (fig.) slåss med vindmøller. **-ed** på skrå, skråstilt, skjev. **-er** turneringsridder; dumphuske.

tilth [tilθ] oppdyrking; overgrunn; avling; dyrket land.

tiltyard ['tiltjɑ:d] turneringsplass.

timbal ['timbəl] pauke.

timber ['timbə] tømmer, tømmerskog, trelast, emne, stoff, hinder, bjelke; (fig.) type, kaliber; tømre, forsyne med tømmer; **take** — klare hinderet. **-ed** tømret, bygd; skogvokst, skogkledd.

timber | **floating** tømmerfløting. — **grapple** tømmerklo. — **head** spantetopp, pullert. — **line** tregrense. — **mill** sagbruk. — **-toed** med trebein. — **trade** trelasthandel. **-yard** trelasttomt.

timbre ['timbə] klangfarge; våpenmerke.

timbrel ['timbrəl] (gammeldags) tamburin.

time [taim] tid, klokkeslett, henstand, takt, gang; avpasse, tilpasse, regulere, ta tiden, beregne, slå takt, holde takt; **beat the** — slå takt; **it is about** — det er på tide, det er høy tid; **against** — i rasende fart, på spreng; **between -s** nå og da, stundom; **make** — ta igjen en forsinkelse; holde ruten; **speak against** — snakke for å hale ut tiden; **two at a** — to om gangen; **at this** — på denne tid; **at -s** i noen tid, en tid; **from** — **to** — fra tid til annen; **in** — til rette tid, med tiden; **in no** — i et nå, straks; **in a short** — om kort tid; **on** — presis, i rett tid; **out of** — i utide, ute av takt; — **out of mind** i uminnelige tider; **he had a bad** — **of** it han hadde det vondt, det gikk ham dårlig; — **is up** tiden er ute; det er stengetid; **what** — **is it?** el. **what is the** —? hva er klokka? **—and motion study** arbeids- el. tidsstudie. — **bill** (merk.) veksel. — **bomb** tidsinnstilt bombe. — **card** stemplingskort. — **charter** tidsbefraktning. — **-consuming** tidkrevende. — **-honoured** hevdvunnen, gammel. — **lag** tidsforskjell, tidsintervall. **-ly** betimelig, i rett tid. **-piece** klokke, ur. — **rate** timelønn. — **release** selvutløser. — **schedule** tidsplan. — **sheet** timeseddel, arbeidsseddel. — **spirit** tidsånd. **-table** timeplan, ruteplan, togtabell. — **work** timebetalt arbeid. **-worn** slitt, medtatt, gammeldags.

timid ['timid] fryktsom, forsagt, sky, redd av seg. **-ity** [ti'miditi], **-ness** ['timidnis] fryktsomhet, unnseelse.

timing ['taimiŋ] tidsberegning, innstilling, justering. — **chain** registerkjede. — **screw** innstillingsskrue.

timorous ['timərəs] fryktsom, forknytt, engstelig, redd. **-ness** fryktsomhet.

timothy ['timəθi] timotei, kjevlegras.

tin [tin] tinn, blikk, blikkboks, dåse, boks, kanne; (i slang) penger; fortinne; preservere, legge ned hermetisk; — **hat** (i slang) soldats stålhjelm; **T. Lizzie** (i slang) Fordbil, skranglekasse.

tineal ['tiŋkəl] boraks, tinkal.

tinct [tiŋkt] farge, flekk.

tinctorial [tiŋk'tɔ:riəl] farge-, fargende.

tincture ['tiŋktʃə] fargenyanser, skjær, anstrøk, snev, tinktur, essens; gi et skjær el. anstrøk, farge.

tinder ['tində] tønder, knusk. — **box** fyrtøy. **tindery** knuskaktig, lettfengelig.

tine [tain] tind (på gaffel og horn), gren, spiss. **tinfoil** ['tin'fɔil] tinnfolie, «sølvpapir».

ting [tiŋ] ringle, klinge; klang, ringing.

tinge [tindʒ] farge, blande, gi et anstrøk; fargeskjær, anstrøk, snev, bismak.

tingle ['tiŋgl] krible, dirre, suse; synge; **my ears** — det ringer for ørene mine; **his fingers -d** det kriblet i fingrene på ham.

tinhorn ['tinhɔ:n] verdiløs, ubetydelig, gloret, juglet; spradebasse, laps.

tinker ['tiŋkə] kjeleflikker, tusenkunstner, kløne, fusker; være kjeleflikker, fuske, fikle, klusse.

tinkle ['tiŋkl] klirre, klinge, ringe, ringle, single, ringe med, klimpre på; klang, klirring, skrangling, rangling.

tinman ['tinmən] blikkenslager. **-'s solder** loddetinn.

tinny ['tini] tinnaktig (især i klangen), billig, gloret, spinkel, blikk-; stinn av penger, velbeslått.
tin | **opener** bokseåpner. — **-pan** larmende, støyende. **-plate** fortinne; hvitblikk. **-pot** tinnkrus; ubetydelig, elendig. — **roof** blikktak.
tinsel ['tinsl] glitter, flitterstas; flitter-, falsk; pynte med glitter, utmaie.
tin|**smith** ['tinsmiθ] blikkenslager. — **solder** tinnlodd(ing). — **soldier** tinnsoldat.
tint [tint] farge, gi et anstrøk, tone; fargeskjær.
tintinnabulary [tinti'næbjuləri] klingende, ringende. **tintinnabulum** [-ləm] (dom)bjelle, klokke.
tinware ['tinwɛə] blikktøy, tinnvarer.
tiny ['taini] ørliten, bitte liten; **just a — bit** en bitte liten smule, bitte lite grann.
tip [tip] spiss, tipp, tupp, ende; brodd, pigg; lett slag, berøring, smikk, drikkepenger, dusør; vink, hint, råd, hemmelig underretning, nyss; vippegreie; søppelplass; beslå (i spissen), berøre, slå lett på, vippe, velte, helle, lesse av, losse, tippe, gi drikkepenger; forsyne med spiss, tupp; — **over** velte; **a straight —** pålitelig vink.
tipcart ['tipkɑ:t] tippvogn.
tipcat ['tipkæt] pinne (spillet, den pinne som brukes til det).
tipoff ['tipɔf] hint, advarsel, tipp, vink.
Tipperary [tipə'rɛəri].
tippet ['tipit] skulderslag, skinnkrage, stola.
tipple ['tipl] drikke, pimpe; (berusende) drikk. **-d** beruset, full. **-r** svirebror. **tippling** pimping.
tipsify ['tipsifai] gjøre beruset, drikke full.
tipsy ['tipsi] beruset, på en kant, ustø.
tiptoe ['tip'təu] tåspiss; **on** — på tå; spent.
tiptop ['tip'tɔp] utmerket, fin; høyeste punkt.
tirade [tai'reid] tirade, ordflom.
tire ['taiə] (amr.) hjulring, luftring; gummiring; legge ring på.
tire ['taiə] utmatte, kjede, trette, bli trett; — **out** utmatte. **tired** ['taiəd] trett, lei (**of** av). **tiredness** tretthet, kjedsommelighet. **tiresome** trettende, kjedelig, irriterende, plagsom. **tiresomeness** kjedsommelighet.
tirewoman ['taiəwumən] kammerjomfru; pyntekone, påklederske (ved teater).
tiro ['taierəu] (ny)begynner.
T-iron T-jern.
tirwhit ['tə:wit] vipe.
tisane [ti'zæn] avkok av urter, urtebrygg.
tissue ['tiʃu] spinn, vev, tøy, gull- el. sølvbrokade; silkepapir; spinne, veve; **cellular** — cellevev. — **paper** silkepapir; renseserviett, papirlommetørkle.
tit [tit] liten hest, liten pike, meis, piplerke; brystvorte, knott, knapp; — **for tat** like for like.
Titan ['taitən]. **titan** kjempe, gigant; veldig, gigantisk. **titanic** [tai'tænik] titanisk.
titbit ['titbit] lekkerbisken, godbit.
titchy ['titʃi] liten.
tithe [taið] tiendedel, tiende; få (el. gi) tiende.
tither ['taiðə] tiendetager, tiendepliktig.
titillate ['titileit] kildre, kile, pirre. **titillation** [titi'leiʃən] kiling.
titlark ['titlɑ:k] piplerke.
title ['taitl] tittel, navn, benevnelse, tekst, kapittel; fordring, rett, atkomst, hjemmel; titulere, benevne. — **deed** skjøte. — **holder** tittelinnehaver. — **page,** — **leaf** tittelblad.
titmouse ['titmaus] meis (fugl).
titter ['titə] fnise, knise; fnising.
tittle ['titl] tøddel, snev.
tittle-tattle ['titl'tætl] pjatt, skravl; skravle.
tittup ['titʌp] vilter jentunge, tøs; svanse, gjøre krumspring. **-y** kåt, vilter, sprelsk.
titular ['titjulə] tittel-, titulær, nominell; titulær innehaver. **-ity** [titju'læriti] titulær beskaffenhet. **-y** se **titular**.
tizzy ['tizi] skjelving, nervøsitet, ståhei; sekspennystykke.
T. O. fk. f. turn over; Telegraph Office; Transport Officer.
to [tu, tə] til, mot, på (om klokkeslett), i for-

hold til, i sammenligning med, for; å, for å, til å; **what — do?** hva skal man gjøre? **what — say?** hva skal man si? — **and fro** fram og tilbake, att og fram; **to-day** eller **today** [tə'dei] i dag; den dag i dag; **to-morrow** eller **tomorrow** [tə'mɔrəu] i morgen, morgendagen; **tomorrow morning** i morgen tidlig; **on the day after tomorrow** i overmorgen; **to-night** eller **tonight** [tə'nait] i natt, i aften, i kveld; denne natt, denne aften; **I would** — **God** Gud give; **here is** — **you!** skål!
toad [təud] padde. **-eater** spyttslikker. **-fish** paddefisk, marulk. **-flax** torskemunn. — **-in-a-hole** innbakt kjøtt; annonsemann. **-stool** agaricus, (flue)sopp. **-y** ['təudi] snyltegjest, spyttslikker; logre, smigre, sleske. **-yism** ['təudiism] spyttslikkeri, slesking.
toast [təust] riste, brune; skåle for, drikke for; riste brød; skål, skåltale. **-er** ['təustə] brødrister. **toasting fork** ['təustiŋfɔ:k] ristegaffel (til å riste brød på).
toastmaster ['təustmɑ:stə] seremonimester (som ordner skåltalene etc.).
toast rack ['təustræk] stativ til ristet brød.
tobacco [tə'bækəu] tobakk. **-nist** [tə'bækənist] tobakkshandler, tobakksfabrikant. — **pipe** tobakkspipe. — **pouch** tobakkspung. — **stopper** pipestopper.
to-be [tə'bi:] vordende; fremtiden, det kommende.
toboggan [tə'bɔgən] kjelke; aktetur, aking; ake på kjelke. — **chute,** — **slide** akebakke.
Toby ['təubi] Tobias; — **jug** gammeldags ølkrus formet som en mann med trekantet hatt.
toco ['təukəu] en drakt pryl, juling.
tocsin ['tɔksin] (ringing med) stormklokke.
tod [tɔd] tott, tett busk; en ullvektenhet = 28 pund; rev; avgi en viss vekt ull.
to-day, today [tə'dei] i dag, i våre dager; den dag i dag, våre dager; **from** — fra i dag av; **to-day's** dagens; **of to-day's date** av dags dato.
toddle ['tɔdl] vakle, trippe, stabbe, gå usikkert (som et barn); usikker gang. **toddler** ['tɔdlə] stump, pjokk.
toddy ['tɔdi] toddi. — **ladle** skje til å øse toddi av bollen.
to-do [tə'du: el. tu'du:] oppstyr, ståk, bråk.
tody ['təudi] todi, flatnebb (fugl).
toe [təu] tå, tåspiss, skosnute, knast, tapp; røre med tåen, sparke til; **go -s up** vende nesen i været; **on one's -s** på tærne, på tå hev; — **the mark** komme helt bort til merket. — **board** stigbrett, fotbrett. — **box** tåkappe. **-hold** fotfeste. — **-in** spissing (av forhjulene på bil). **-nail** tånegl; skråspiker i bordende.
toff [tɔf] fin herre, fin fant; laps, sprade; **the toffs** de høyere klasser.
toffee ['tɔfi] sukkertøy, karamell; — **apple** glassert eple; **not for** —! ikke tale om!
toft [tɔft] tomt, grunn, liten eiendom.
tog [tɔg] kle opp, rigge til; klesplagg.
toga ['təugə] toga.
together [tə'geðə] sammen, tilsammen, i forening, i trekk, etter hverandre, samtidig. **-ness** samhørighet(sfølelse).
toggery ['tɔgəri] klær, hyre, antrekk.
toggle ['tɔgl] ters, knevel, mothake; stropp. — **joint** kneledd. — **switch** vippebryter.
togs [tɔgz] d. s. s. **toggery.**
toil [tɔil] (især i pl.) garn, snare, nett.
toil [tɔil] slite, slepe, streve; hardt arbeid, slit, slep, strev. **-er** sliter.
toilet ['tɔilit] toalett, antrekk, påkledning; toalett, wc. — **case** toalettveske, toalettbag, reiseetui. — **roll** toalettrull. **-ry** toalettartikler. — **-table** toalettbord.
toil|**ful** ['tɔilful] slitsom, besværlig. **-some** anstrengende, slitsom. **-worn** sliten, forslitt.
Tokay [təu'kei] tokaier(vin).
token ['təukn] tegn, merke, minne, erindring, spillemynt, merke (som gjelder for penger), polett; tilkjennegivelse, bevis, symbol; **by the same —**

til og med, og dertil, enda til, à propos, siden vi snakker om det; **in — of** til tegn på; — **tax** symbolsk skatt.

toledo [tɔˈliːdəu] toledoklinge.

tolerable [ˈtɔlərəbl] tålelig, utholdelig, passabel.

tolerance [ˈtɔlərəns] toleranse, fordragelighet, tålsomhet. **tolerant** [ˈtɔlərənt] tolerant, fordragelig. **tolerate** [ˈtɔləreit] tåle, finne seg i, tolerere, være tolerant. **toleration** [tɔləˈreiʃən] toleranse, fordragelighet.

toll [təul] ringe, klemte, ringe med; klemting. **toll** [təul] avgift, toll, gebyr, rikstelefongebyr; (fig.) offer, pris; betale toll, ta toll. **-able** avgiftspliktig. **-age** betaling av avgift; avgift. — **bar** tollbom; veibom. — **call** nærtrafikksamtale; (amr.) rikstelefonsamtale. — **-free** tollfri, avgiftsfri. **-gate** tollgrind, tollbom. — **gatherer** tollforvalter. **-man** bomvokter. — **road** bomvei.

Tolstoy [tɔlˈstɔi].

Tom [tɔm] Tom; —, **Dick and Harry** Per og Pål, gud og hvermann, kreti og pleti.

tom [tɔm] han, især hankatt.

tomahawk [ˈtɔməhɔːk] tomahawk, indiansk stridsøks; drepe med tomahawk.

tomato [təˈmɑːtəu] tomat.

tomb [tuːm] grav, gravmæle.

tombac [ˈtɔmbæk] tambak.

tombola [ˈtɔmbələ] tombola.

tomboy [ˈtɔmbɔi] vilkatt, galneheie, guttejente.

tombstone [ˈtuːmstəun] gravstein.

tomcat [ˈtɔmkæt] hankatt; skjørtejeger.

tome [təum] bind, del (av et større verk).

tomfool [ˈtɔmˈfuːl] narr, dummepetter, tosk; fjollet, dumt; oppføre seg narraktig. **tomfoolery** [tɔmˈfuːləri] narrestreker, dumme streker.

Tommy [ˈtɔmi] diminutiv av **Thomas**; — el. — **Atkins** navn på den britiske soldat. **tommy** [ˈtɔmi] (i slang) mat; betaling i varer. — **gun** maskinpistol. **-master** arbeidsgiver som betaler med varer el. med anvisning til handlende. **-rot** sludder, vanvidd. — **shop** forretning som betaler med varer.

tomorrow [təˈmɔrəu] i morgen, morgendagen, fremtiden; — **morning** i morgen tidlig; **(on) the day after** — i overmorgen; — **in the morning** i morgen tidlig; — **week** i morgen om en uke.

Tom Thumb Tommeliten.

tomtit [ˈtɔmˈtit] titt, (blå)meis.

tom-tom [ˈtɔmtɔm] (primitiv) tromme, tamtam.

ton [tʌn] tonn, 2240 lb. = 1016 kg; (i U.S.A. og Canada) 2000 lb. = 907,2 kg.

ton [tɔŋ] god tone, folkeskikk; **of ton** fin.

tone [təun] tone, koral, klang: elastisitet, spennkraft, stemning, tonefall; betoning, ettertrykk, syngende tone el. tale; preg, karakter; si fram med en affektert stemme; stille, gi tone; — **down** dempe, avsvekke, mildne; — **up** forsterke, tone opp. — **arm** pickuparm. — **colour** klangfarge. **-d** med en tone, klingende. **-less** tonløs, umusikalsk.

tongs [tɔŋz] tang, ildtang; **a pair of** — en tang.

tongue [tʌŋ] tunge; tungemål, språk, mål; kolv (klokke, bjelle); pløse (sko); vogndrag, skåk; nes, landtunge; skjelle, snakke; **hold one's** — holde munn; **a person of smooth** — et glattunget menneske. — **-lashing** skrape, overhaling. **-less** uten tunge, målløs. — **-shaped** tungedannet. **-tie** gjøre målløs. — **twister** ord som er vanskelig å uttale. **-y** munnrapp, snakkesalig.

tonic [ˈtɔnik] styrkende, oppstrammende; tone-; grunntone; styrkende middel (medisin).

to-night el. **tonight** [təˈnait] i aften, i kveld; i natt.

tonnage [ˈtʌnidʒ] tonnasje, drektighet, flåte; tonnasjeavgift; ha en drektighet av. — **certificate** målebrev. — **deck** målingsdekk.

tonneau [ˈtɔnəu] baksete i (gammeldags) todelt bil.

tonsil [ˈtɔnsil] mandelkjertel, tonsill, mandel.

tonsure [ˈtɔnʃə] kronraking, tonsur; kronrake.

tony [ˈtəuni] fin, storsnutet, smart; **the** — de rike.

too [tuː] altfor, for, svært, veldig; også, tillike. **took** [tuk] imperf. av **take**.

tool [tuːl] verktøy, redskap; håndlanger, leiesvenn; stempel, forsiring av et bokbind; bearbeide, forsyne med produksjonsutstyr; forsire, siselere; **a poor** — en pjalt, klosset person; **machine** — verktøymaskin. — **box** el. — **chest** redskapskiste. — **holder**, stålholder (på dreiebenk). — **kit** verktøy|kasse, -sett. **-room** verktøybur. **-room fitter** verktøymaker. — **shed** redskapsskur.

toot [tuːt] tute, blåser; tuting, støt; fest, kalas. **-er** blåser.

tooth [tuːθ] pl. **teeth** [tiːθ] tann, tagg, tind (på en rive); bite, gnage; forsyne med tenner, tinde (en rive), la gripe inn; ha smak for; **have a sweet** — være glad i søtsaker; — **and nail** med hender og føtter, med nebb og klør; **false teeth** gebiss; **cast it in his teeth** slenge ham det opp i ansiktet; **show one's teeth** vise tenner; **by the skin of one's teeth** med nød og neppe; **in the teeth of** til tross for, trass i. **-ache** tannpine, tannverk. **-brush** tannbørste. **-comb** finkan. — **-drawer** tannlege. **-ed** med tenner; tagget. **-ed wheel** tannhjul. **-ful** dråpe, liten tår. **-less** tannløs. **-paste** tannkrem. **-pick** tannpirker. — **powder** tannpulver. **-some** velsmakende. **-y** lekker; forsluken; med utstående tenner.

tootle [ˈtuːtl] tute (svakt el. gjentagende).

top [tɔp] topp, øverste del, spiss, overside, hode, isse, hårtopp, mers, toppunkt; snurrebass; lang ullfiber; pl. skaftestøvler; øverst, først, prima; heve seg, rage opp, være fremherskende, overgå, toppe, nå til topps, stige opp til; kappe; — **off** runde av, avslutte; — **up** sette kronen på verket, fullende, fylle opp, etterfylle; **at the** — **of his voice** så høyt han kan, i villen sky; **-s and bottoms** kavringer; **blow one's** — fly i flint, eksplodere; **sleep like a** — sove som en stein.

topaz [ˈtəupæz] topas.

top | **beam** hanebjelke. — **boot** skaftestøvel, langstøvel. **the** — **brass** de høyeste offiserene. **-coat** overfrakk. — **copy** originaleksemplar. **the** — **dog** den som har overtaket; sjefen. — **-drawer** meget viktig; førsteklasses. — **-dressing** overgjødsling.

tope [təup] gråhai; lund, treklynge; relikviehus, helligdom.

tope [təup] drikke, svire; —! skål! **-er** fyllik, drikkebror.

topee [ˈtəupiː] tropehjelm.

top | **fermentation** overgjæring. — **-flight** i toppklassen. **-gallant** bakkdekk; bramstang, bram-. — **gear** høygir. **-grade** førsteklasses. — **hat** flosshatt; høy hatt. **-heavy** for tung oventil; rank, ustø; overadministrert. — **-hole** prima, super.

topiary [ˈtəupiəri] beklippet, kunstig formet.

topic [ˈtɔpik] hovedemne, emne, tema, gjenstand, lokalt legemiddel, topikk (læren om å finne bevisgrunner). **-al** lokal, aktuell; **-al evidence** sannsynlighetsbevis; **-al poem** leilighetsdikt.

topknot [ˈtɔpnɔt] topp, hårsløyfe, hårtopp, oppsatt frisyre.

top | **layer** veidekke. **-less** toppløs. **-lofty** oppblåst, storsnutet. **-mast** mersestang. **-most** høyest, øverst. **-notch** prima, best.

topographer [təˈpɔgrəfə], **topographist** [təˈpɔgrəfist] topograf, stedsbeskriver. **topographical** [tɔpəˈgræfikl] topografisk, stedsbeskrivende. **topography** [təˈpɔgrəfi] topografi, stedsbeskrivelse.

topping [ˈtɔpiŋ] fortrinnlig, finfin; toppstykke, overdel; pynt; dessert, kaker.

topple [ˈtɔpl] falle forover, ramle ned, kaste ned, vakle, velte, styrte.

top-ranking (meget) høytstående.

top rate toppris, høyeste pris, topp-.

tops [tɔps] prima, finfin, glimrende.

topsail ['tɔpsl] toppseil, mersseil.

top | **sawyer** ['tɔp'sɔːjə] den øverste av to som arbeider med en langsag; førstemann, bas, leder. — **-secret** hemmelig. — **-shaped** omvendt kjegleformet. **-sides** skipsskroget over vannlinjen. — **soil** matjord.

topsy-turvy [tɔpsi'təːvi] opp ned, på hodet, rotet, kaotisk; rot, forvirring, kaos; **turn** — vende opp ned på, endevende.

toque [təuk] toque (slags damehatt); barett.

tor [tɔː] klett, fjellknaus, nut.

torch [tɔːtʃ] fakkel, lommelykt, blåselampe. — **battery** lommelyktbatteri. **-bearer** fakkelbærer. **-light** fakkellys. **-light procession** fakkeltog.

tore [tɔː] imperf. av **tear.**

tore [tɔː] vissent gress, blomsterbunn.

toreador ['tɔriədɔː] toreador.

torment [tɔː'ment] pine, plage; vri, tvinge. ['tɔːment] kval, pinsel, plage. **-er, -or** [tɔː'mentə] plageånd, bøddel, mishandler. **-ingly** grusomt.

torn [tɔːn] perf. pts. av **tear.**

tornado [tɔː'neidəu] tornado, hvirvelstorm, skypumpe.

torpedo [tɔː'piːdəu] elektrisk rokke; torpedo; angripe med torpedo, torpedere. — **boat** torpedobåt. — **(-boat)catcher** torpedojager. — **(-boat) destroyer** torpedobåtjager, destroyer. — **tube** torpedoutskytingsrør.

torpid ['tɔːpid] stivnet, stiv, følelsesløs, sløv, treg; annen klasses kapproningsbåt. **-ity** [tɔː'piditi] dvale, følelsesløshet, sløvhet. **torpify** ['tɔːpifai] virke bedøvende på, sløve. **torpor** ['tɔːpə] dvaletilstand; sløvhet.

torque [tɔːk] vridning, vridningsmoment; halsbånd. — **converter** oljekopling, momentomformer.

torrefaction [tɔri'fækʃən] tørring; rosting.

torrefy ['tɔrifai] roste (malm); tørre, tørke inn.

torrent ['tɔrənt] strøm, foss, stryk; regnskyll, striregn. **-ial** stri, fossende, rivende.

torrid ['tɔrid] brennende het, glovarm, solstekt; **the** — **zone** den hete sone. **-ness** brennende hete.

torsion ['tɔːʃən] torsjon, dreining, vridning, tvinning. **-al** vridnings-, torsjons-.

torsk [tɔːsk] brosme.

torso ['tɔːsəu] torso.

tort [tɔːt] forvoldt skade, skadeshandling.

torticollis [tɔːti'kɔlis] med stiv nakke; halsskjevhet.

tortile ['tɔːtail] vridd, snodd.

tortilla [tɔː'tiːjɑː] maispannekake.

tortious ['tɔːʃəs] krenkende, skadevoldende.

tortoise ['tɔːtəs] skilpadde. **-shell** skilpaddeskall, skilpadde; skilpaddefarget.

tortuosity [tɔːtju'ɔsiti] slyngning, bøyning, krokethet; bukt, krok.

tortuous ['tɔːtjuəs] vridd, buktet, kroket, vridd, snirklet; innviklet. **-ness** d. s. s. **tortuosity.**

torture ['tɔːtʃə] tortur, pine, kval, lidelse; legge på pinebenken, pine, plage. **torturer** torturist, plageånd. **torturing** pinlig.

Tory ['tɔːri] tory, konservativ (nå mest erstattet av **Conservative.** **-ism** konservatisme.

tosh [tɔʃ] (slang) sludder, vas, tøv.

toss [tɔs] kaste, slenge, kaste med, kippe, svinge, kaste hit og dit, tumle om; forurolige, nage, pine; gjennomdrøfte, debattere i det vide og brede; rulle, kaste seg hit og dit, tumles om, gynge opp og ned; kast, sleng, loddkasting, omtumling, kast med nakken; — **the head** slå med nakken; — **off** stikke ut, rive av seg, lage i en fart, få unna; — **up** kaste i været, få i stand i en fart, spille mynt og krone (**for** om); — **one** spille mynt og krone med en; **argue the** — debattere i det vide og brede, krangle; **take a** — bli kastet av (om rytter).

tot [tɔt] slump, stubb, pjokk; tår, sup.

tot [tɔt] addisjonsstykke, summering, regne sammen; — **up** løse opp.

total ['tɔutəl] fullstendig, hel, total; samlet sum; beløpe seg til, utgjøre.

totalitarian [təutæli'tɛəriən] totalitær; tilhenger av et totalitært styresett. **-ism** diktatur.

totality [təu'tæliti] helhet, totalitet; **in** — i alt.

totalizator ['təutəlaizeitə] totalisator.

totalize ['təutəlaiz] fullstendiggjøre; addere, oppsummere; nytte totalisator. **totalizer** ['təutəlaizə] totalisator.

tote fk. f. **totalizator.**

tote [təut] bære, dra på; byrde.

totem ['təutəm] totembilde, stammesymbol, merke. **-ism** totemtro.

totter ['tɔtə] vakle, stavre, sjangle. **-y** vaklende.

toucan ['tuːkən] tukan (søramerikansk fugl).

touch [tʌtʃ] røre, berøre, ta på, føle på, klinke, skåle, nå, rekke, tangere, komme opp mot, krenke, såre, bevege, antyde, henkaste, skissere, spille, angå, befatte seg med; anløpe, gå innom; berøring, følelse, følesans, føling, tilknytning; hogg, strøk, anslag, penselstrøk, pennestrøk, trekk, anstrøk, drag, preg, streif, stenk; **a fourpenny** — noe til 4 pence, til en verdi av 4 pence; **he has the golden** — alt han rører ved blir til gull (lykkes); **keep in** — **with** bevare kontakten med; **put to the** — sette på prøve; — **at** anløpe; — **off** henkaste; utløse, detonere; — **on** røre ved, berøre; — **to the quick** såre (en følelser dypt); — **the bell** ringe; — **up** friske opp, rette på, restaurere, retusjere; sette fart i; — **wood** banke i bordet (for å avvende nemesis, når man har skrytt av sitt hell e. l.). — **-and-go** løs, overfladisk, lett og livlig, uvøren, upålitelig; berøring, usikkerhet, overfladiskhet, letthet. **-and-run** sisten. **-down** landing (fly). **-ed** beveget, rørt; skrullet.

toucher ['tʌtʃə] noe som er meget nær ved å skje; **a near** — el. **as near as a** — på et hengende hår.

touchhole ['tʌtʃhəul] fenghull.

touchiness ['tʌtʃinis] irritabilitet, nærtagenhet.

touch|ing ['tʌtʃiŋ] rørende; angående. — **needle** probérnål. — **paper** salpeterpapir. **-stone** probérstein, prøvestein. **-tag** sisten. — **-type** skrive på maskin etter touchmetoden. **-wood** knusk. **-y** pirrelig, nærtagende, ømfintlig, følsom; ømtålig, delikat.

tough [tʌf] seig, drøy, dryg, vanskelig, vrien, barsk, krass; bølle, gangster, hardhaus. — **buck** surt tjente penger. **-en** gjøre seig, bli seig, herde. **-ish** temmelig seig. — **luck** uflaks. — **-minded** usentimental, realistisk. **-ness** seighet, stahet, hardhet.

toupée el. **toupet** ['tuːpei] toupet, liten parykk.

tour [tuə] rundreise, reise, tur, turné; reise, dra på turné med. **-ing** ['tuəriŋ] reise omkring, rundreise; reise-, turist-. **-ist** ['tuərist] turist. **-ist agency** reisebyrå. **-ist court** motell. — **ticket** rundreisebillett.

tournament ['tuənəment] turnering.

tourney ['tuəni] turnering; turnere.

tourniquet ['tuənikei] årepresse.

tousle ['tauzl] bringe i uorden, sammenfiltre, buste, forpjuske, ruske i.

tout [taut] stå på utkikk, spionere, kapre kunder, rapportere, rope ut; agent, pågående ansøker; spion (ved hesteveddeløp).

tow [təu] stry, strie.

tow [təu] slepetau, slep, buksering; buksere, slepe, taue. **-age** ['təuidʒ] buksering; betaling for buksering.

toward ['təuəd] (gml. adj.) forestående, i annmarsj.

towards [tɔːd; tə'wɔːd] (prep.) henimot, mot.

towardly ['təuədli] (gml.) lovende, lærvillig.

towards [tɔːdz; tə'wɔːdz] henimot, i retning av, mot, til, nær ved.

tow|boat ['təubəut] slepebåt, taubåt. — **car** kranbil, servicebil.

towel ['tauəl] håndkle; bruke håndkle på, tørke, frottere; **throw in one's** — kaste håndkledet inn i ringen, gi opp. — **horse** håndkleholder. **-ling** håndklestoff.

tower ['tauə] tårn, borg, festning; vern, støtte;

høyspentmast; heve seg, kneise; a — of strength et trygt vern; the T. (of London) Tower (Londons gamle borg). — block høyhus, punkthus. — clock tårnur. -ed tårnet, tårn-. -ing tårnhøy, kneisende, overveldende. -y tårnet.

towing ['təuiŋ] buksering, tauing, sleping. — -bitts slepepuller. — boat slepebåt, taubåt. — hook slepekrok. — path trekkvei, slepevei (langs elv el. kanal). — rope buksertau, sleper.

towline ['təulain] buksertau, sleper, slepetau.

tow linen ['təulinən] strie.

town [taun] by, stad, (by)sentrum, the — hovedstaden, hovedstadens fornemme strøk, det fornemme selskap; man about — levemann. — clerk byskriver; rådmann. — council bystyre. — councillor bystyremedlem. — crier utroper. — hall rådhus. — house hus i byen, (mots. country house). -ish bymessig. -let småby. — planning byplanlegging. -ship bydistrikt; bysamfunn; kommune; (amr.) herred, areal av en viss størrelse. -sman bymann, borger, bysbarn. — talk bysnakk; gjenstand for alminnelig omtale.

tow|path ['təupɑ:θ] trekkvei, slepevei (langs elv el. kanal). -plane slepefly (som trekker seilfly). -rope buksertau, sleper, slepetau.

towse og towsle se touse og tousle.

towy ['təui] stry-, stryaktig.

toxic ['tɔksik], toxical ['tɔsikl] giftig, gift-. toxication [tɔksi'keiʃən] forgiftning. toxicology [tɔksi'kɔlədʒi] toksikologi, giftlære. toxin ['tɔksin] toksin, gift.

toxophilite [tɔk'sɔfilait] bueskytter, tilhenger av bueskyting.

toy [tɔi] leke, leketøy; bagatell, småting, små-, spøk, tøys, innfall, lune; leke, spøke, tøyse (med). — bank sparebøsse. — dog leketøyshund; skjødehund. -man leketøyshandler.

Toynbee ['tɔinbi:].

tr. fk. f. track; train; transit; translation; transport.

trace [treis] dragreim, dragtau, vognstang, skåk; antydning, snev, spor, far, fotspor, merke; spore, etterspore, følge, skjelne, tilbakelegge, gjennomvandre; tegne, markere, risse, skissere, sjablonere, kalkere, gjøre utkast til. -able som kan etterspores, påviselig.

tracer ['treisə] en som sporer, følger spor; tegner, kalkør; sporlysammunisjon. — point kalkerstift. — shell sporlysgranat.

tracery ['treisəri] steinprydelser, masverk (i gotikk), flettverk, fint mønster.

trachea [trə'kiə] luftrør. tracheal luftrørs-.

tracing ['treisiŋ] kalkering.

track [træk] spor, far, fotspor, hjulspor, tråkk; løpebane, veddeløpsbane; vei, råk, sti; skinnegang, linje; (amr.) jernbanelinje, trasé, rille (i grammofonplate), spor (på lydbånd); farvann, kjølvann; etterspore, forfølge; slepe, taue; spore, følge; plotte (en kurs); — down oppspore (og fange); double — dobbeltspor; make -s ta beina på nakken, legge på sprang. -age sleping, tauing; banenett. — athlete friidrettsmann, løper. -er forfølger, (etter)sporer, søker. -hound sporhund. -ing sporlek; sporing, målsøking. -less sporløs, uveisom. -man banearbeider. — race baneløp (sport). — shoe piggsko. — suit treningsdrakt.

tract [trækt] egn, strøk, strekning; småskrift, avhandling; organer, system.

tractability [træktə'biliti] medgjørlighet.

tractable ['træktəbl] medgjørlig, villig, lydig.

Tractarianism [træk'tɛəriənizm] traktarianisme (høykirkelig anglokatolsk retning, innledet ved noen traktater, utgitt i Oxford).

tractil ['træktail] strekkbar, tøyelig.

traction ['trækʃən] trekking, trekk, trekkraft. — engine trekkmaskin, lokomobil, traktor. — motor trekkmotor. — wheel drivhjul.

tractive ['træktiv] trekkende, trekk-.

tractor ['træktə] traktor, trekkredskap.

trad. fk. f. tradition; traditional.

trade [treid] handel, forretning, håndverk, fag, yrke, levevei, næringsvei, bransje, forretningsfolk; fart, seilas; passat; fag-, nærings-, yrkes-; bytte(handel); drive handel, handle, forhandle, bytte, utveksle; — in gi i bytte; — on benytte seg av; Board of T. handelsdepartementet; (amr.) handelskammeret. — agreement handelsavtale. — bill kundeveksel. — custom forretningsskikk. — description varefakta. — directory handelskalender. — -in gjenstand som gis i innbytte. — mark firmamerke, varemerke. — name varenavn; firmanavn. — -outlook konjunktur. — price engrospris. trader ['treidə] næringsdrivende, kjøpmann; handelsskip.

trade | school yrkesskole, fagskole. -sfolk forretningsdrivende. -sman handelsmann; håndverker. — union fagforening. — -unionist fagforeningsmedlem. — value markedsverdi. — waste industriavfall. — wind passatvind.

trading ['treidiŋ] handel; handels-.

tradition [trə'diʃən] overlevering, tradisjon, sagn. -al, -ary muntlig overlevert, tradisjonell, sagnmessig. -ally tradisjonelt.

traduce [trə'dju:s] baktale. -ment baktaling.

Trafalgar [trə'fælgə].

traffic ['træfik] handel, omsetning trafikk, ferdsel, samkvem; trafikkere; handle, avsette, omsette. -able farbar, kjørbar. — bollard trafikkfyr. — indicator blinklys (på bil). — island trafikkøy. — jam trafikkork. -ker handler. — lane kjørefelt, fil. — manager trafikkdirektør. — warden parkometervakt.

tragedian [trə'dʒi:djən] tragedieforfatter, tragisk skuespiller. tragedy ['trædʒik] tragedie, sørgespill. tragic ['trædʒik] tragisk. tragical ['trædʒikl] tragisk, sørgelig. tragicomedy ['trædʒi-'kɔmidi] tragikomedie. tragicomic ['trædʒi'kɔmik] tragikomisk.

trail [treil] slepe, trekke, uttale slepende, trekkes ut i lengden, strekke seg, dra seg, krype, etterspore, oppspore; narre, lure; hale, slep, stripe, vei, spor, slag, veifar; dorg; — arms! i hånden gevær! — blazer en som finner vei; (fig.) banebryter, pioner.

trailer ['treilə] krype- eller slyngplante, lian, hengende grein; tilhengervogn (til sporvogn), campingvogn; forfilm (på kino) om neste film.

train [trein] slepe, trekke, oppdra, lære opp, innøve, trene, eksersere, dressere, innstille, rette mot; slep, hale, kjede, rekke, rad, følge, opptog; tog, jernbane; lokkemat, felle, kruttrenne; take the — dra med jernbanen; — of artillery artilleripark; — of thoughts tankegang; in — i gang. -band borgervæpning. -bearer en som bærer slepet. -ed opplært, faglært, skolert; med slep. -ee [trei'ni:] lærling, elev, praktikant. -er trener. -ing oppdragelse, opplæring, trening, dressur. -ing college seminar, lærerskole. -ing ground ekserserplass. -ing school seminar, lærerskole. -ing ship skoleskip.

train oil ['treinɔil] tran.

trait [trei, amr. treit] trekk, ansiktstrekk, karaktertrekk.

traitor ['treitə] forræder. -ous ['treitərəs] forrædersk, troløs. -ousness forræderi, troløshet.

trajectory [trə'dʒektəri] (prosjektils) bane (planets) bane.

tram [træm] trikk, sporvogn, sporveis-; vagge, kullvogn; reise med trikk; to — it trikke.

tram [træm] tramsilke, islettsilke.

tramcar ['træmkɑ:] sporvogn, trikk.

trammel ['træməl] garn, bånd; lenke, hindring; belemre, hefte, lenke, hindre.

tramontane [trə'mɔntein] fremmed, usivilisert.

tramp [træmp] trampe, bereise til fots, vandre, traske; tramping, fottur, reise, landstryker, fant, omstreifer, farende svenn. — steamer trampbåt (ikke i fast rute); be on the — være på vandring, vagabondere.

trample ['træmpl] trampe, trå ned; trampe.

tram|rail ['træmreil] sporveisskinne. **-road** sporvei. **-way** sporvei, trikk; sporveis-.

trance [tra:ns] transe, ekstase, henrykkelsestilstand.

tranquil ['træŋkwil] rolig. **-lity** [træŋ'kwiliti] ro, rolighet, stillhet. **-lization** [træŋkwili'zeiʃən] beroligelse. **-lize** ['træŋkwilaiz] berolige. **-lizer** en som bringer ro; beroligende middel.

transact [træn'sækt, tra:n, trən-] behandle, forhandle, utføre, greie, drive, underhandle. **-ion** utførelse, forretning, begivenhet, sak, underhandling, transaksjon. **-or** leder, underhandler.

transalpine ['trænz'ælpain, 'tra:nz-] transalpinsk, nord for Alpene.

transatlantic ['trænzət'læntik, 'tra:n-] transatlantisk, atlanterhavs-.

transcend [træn'send, tra:n-] overskride, heve seg over, overgå. **-ence, -ency** transcendens, oversanselighet. **-ent** oversanselig, opphøyd, fortrinnlig. **-ental** [tra:nsən'dentəl, træn-] fortrinnlig, oversanselig, dunkel, uklar. **-entalism** [tra:nsən-'dentəlizm, træn-] transcendental filosofi.

transcontinental ['trænskonti'nentəl] (amr.) som går fra Atlanterhavet til Stillehavet.

transcribe [tra:n'skraib, træn-] skrive av, skrive ut, transkribere. **-r** avskriver. **transcript** ['tra:n-skript, 'træn-] avskrift, gjenpart, kopi; gjengivelse. **transcription** [tra:n'skripʃən, træn-] avskriving, omskrivning, transkripsjon. **transcriptively** [tra:n'skriptivli, træn-] i avskrift.

transept [trænsept, 'tra:n-] tverrskip, korsarm.

transfer [træns'fə:, tra:ns-] overføre, overdra, forflytte, forvandle; girere; avhende, overdra; skifte, bytte.

transfer ['trænsfə:, 'tra:ns-] overdraging, overføring, forflytting; overgangsbillett; avtrykk, avtrykksbilde, overføringsbilde; girering; omstigning, overgang; avståelse, avhending; overflyttet soldat; **— ticket** overgangsbillett.

transferability [trænsfə:rə'biliti, tra:ns-] det å kunne overføres; (merk.) avhendelighet, overførbarhet.

transferable [træns'fə:rəbl, tra:ns-] som kan overføres (el. overdras), omsettelig, avhendelig.

transferee [trænsfə'ri, tra:ns-] en til hvem overdragelse skjer, cesjonar.

transference ['tra:nsfərəns, 'træns-] overdraging, overføring.

transfiguration [tra:nsfigju'reiʃən, træns-] forklaring (is. som Kristus); forklaret skikkelse; forvandling. **transfigure** [-'figə] forvandle, omdanne, forklare.

transfix [tra:ns'fiks, træns-] gjennombore, stikke, nagle fast. **-ion** gjennomboring.

transform [træns'fɔ:m, tra:ns-] forvandle, omdanne, transformere, omforme, forvandle seg. **-ation** [-'meiʃən] forvandling, omskaping, omvendelse. **-ative** [-'fɔ:mətiv] forvandlende, forvandlings-. **-er** transformator.

transfuse [tra:ns'fju:z, træns-] overføre, tappe om, inngyte, fylle. **transfusible** [-'fju:zibl] som kan overføres. **transfusion** [-'fju:ʒən] omtapping, (blod)overføring, transfusjon.

transgress [tra:ns'gres, træns-] overtre, bryte, forse seg. **-ion** overtredelse, synd; overskridelse. **-ional** overtredende. **-or** overtreder, synder.

transience ['trænziəns] flyktighet, ustadighet.

transient ['trænziənt] forbigående, flyktig. **-ly** forbigående.

transistor [træn'sistə] transistor; transistorradio.

transit ['trænsit, 'tra:nsit, 'trænzit] overgang, transitt, gjennomgang, overfart, transport, gjennomreise, førselsvei, forsendelse, sending; **by rapid —** med hurtig befordring. **— duty** transitt-toll.

transition [træn'siʒən, tra:n-] overgang. **-al** overgangs-.

transitive ['tra:nsitiv, 'træn-] transitiv.

transitory ['trænsitəri, 'tra:n-] forgjengelig, kortvarig, forbigående.

translate [træns'leit, tra:ns-] overføre, forflytte, omforme, forvandle; oversette, omsette, fortolke, forklare. **translation** [tra:ns'leiʃən, træns-] overføring, forflytting; oversettelse, omsetting, opptakelse (til himmelen). **translator** [træns'leitə, tra:ns-] translatør, oversetter, omsetter. **translatory** [-'leitəri] overførings-, oversettelses-, omsettings-. **translatorese** [-'ri:z] oversettersjargong.

transliterate [trænz'litəreit] omskrive, omstave (til et annet alfabet).

translucency [tra:ns'lju:sənsi, træns-] gjennomskinnelighet, klarhet. **translucent** gjennomskinnelig.

transmarine [trænsmə'ri:n, tra:ns-] oversjøisk.

transmigrate ['trænzmai'greit, tra:nz-] utvandre, flytte; vandre over (om sjelevandring). **transmigration** [trænzmai'greiʃən, tra:n-] utvandring; sjelevandring. **transmigrator** ['trænsmaigreitə, 'tra:n-] utvandrer.

transmissible [trænz'misəbl, tra:n-] som kan oversendes, overførbar. **transmission** [trænz-'mifən, tra:n-] forsendelse, overlevering, videresending, overføring; (radio)sending, overføring; transmisjon, gir. **— belt** drivreim. **— ratio** utvekslingsforhold. **— shaft** transmisjonsaksel.

transmit [trænz'mit, tra:n-] oversende, sende, lede, kringkaste, overføre, overlevere, befordre, forplante. **transmittal** [-'mitəl] oversendelse. **transmitter** [-'mitə] oversender, senderapparat (ved telegraf og telefon). **transmittable** [-'mitəbl] som kan oversendes.

transmogrification [trænzmɔgrifi'keiʃən] forvandling, omdanning.

transmutable [trænz'mju:təbl, tra:nz-] foranderlig. **transmutation** [-mju'teiʃən] forvandling, omdanning. **transmute** ['mju:t] forvandle, omdanne. **transmuter** [-'mju:tə] forvandler.

transom ['trænsəm] tverrstykke, losholt, tverrsprosse; hekkbjelke. **— window** halvrundt vindu over dør.

transparence [træns'pɛərəns, tra:n-]. **transparency** [-si] gjennomsiktighet, transparent; lysbilde, diapositiv. **transparent** [-'pɛərənt] gjennomsiktig, klar; åpen(bar).

transpiration [trænspi'reiʃən, tra:n-] utdunsting, svette. **transpire** [træn'spaiə, tra:n-] utdunste, svette, transpirere, sive ut, forlyde, komme for dagen; (vulgært) hende.

transplant [træns'pla:nt, tra:ns-] plante om; transplantasjon. **-ation** [-pla:n'teiʃən] omplanting; transplantasjon. **-er** [-'pla:ntə] omplanter, plantemaskin.

transpontine [trænz'pɔntain] på den andre siden av brua; (i London:) fra Surreysiden; simpel, mindre fin.

transport [træns'pɔ:t, tra:n-] forsende, sende, føre, transportere, flytte, befordre; dømme til deportasjon; beta, henrykke, rive med.

transport ['trænspɔ:t, 'tra:n-] forsendelse, sending, transport, tren; henrykkelse, betatthet, anfall; transportskip el. -fly. **Transport Workers** transportarbeidere (en fagforening). **Minister of Transport** samferdselsminister.

transportable [træns'pɔ:təbl, tra:n-] transportabel, forsendelig, som kan sendes; dømt til deportasjon.

transport|ation [trænspɔ:'teiʃən, tra:ns-] forsendelse, transport; deportasjon. **-edly** [-idli] henrykt, ute av seg selv. **-er** en som overfører, transportør; varebil. **-ing** betagende, overvettes.

transposal [træns'pəuzəl, tra:ns-] omsetning, forflytting. **transpose** [træns'pəus, tra:ns-] omsette, omflytte; forvandle, omdanne; bytte om. **transposition** [trænspə'ziʃən, tra:n-] omflytting, forandring. **-al** som angår omflytting.[*]

transship [tra:ns'ʃip, træns-] laste om, skipe om. **-ment** omlasting, omskipning.

transubstantiate [trænsəb'stænʃieit, tra:n-] forvandle. **transubstantiation** [-stænʃi'eiʃən] forvandling.

transudation [trænsju'deiʃən, trɑ:ns-] transudasjon, gjennomsivning; væske som tyter ut.
transudatory [-'sju:dətəri] som tyter ut, gjennomsivende. **transude** [-'sju:d] sive igjennom.

Transvaal ['trænzvɑ:l, 'trɑ:ns-]; **the** — Transvaal.

transversal [trænz'vɜ:səl, trɑ:n-] tverr-, som går på tvers.

transverse [trænz'vɜ:s, trɑ:n-] tverr-, som går på tvers; transversal. **-ly** på tvers.

Transylvania [trænsil'veinjə, trɑ:n-] Transsylvania.

trap [træp] felle, snare, saks, teine, ruse, vannlås, fall-lem, et nordengelsk ballspill, kjøretøy (av forskjellig slags); (sl.) politi, purk; kjeft; fange, besnære, lokke (i felle), sette opp felle; stanse, holde tilbake; **be -ped** være fanget, sitte i saksen.

trap [træp] trapp; trappdannet (om basaltklipper).

trap [træp] pynte, utstaffere. **-s** saker, pakkenelliker, greier, redskaper.

trapan [trə'pæn] besnære; besnærer; felle.

trap door ['træpdɔ:] lem, luke, fall-lem, fallluke.

trapes [treips] farte, reke, slenge, traske.

trapeze [trə'pi:z] trapes (til gymnastikk).

trapezium [trə'pi:zjəm] trapes (uregelmessig firkant).

trap net bunngarn; ruse.

trapper ['træpə] pelsjeger, villdyrjeger.

trappings ['træpiŋz] staselig ridetøy, pynt, stas, utstyr, utstaffering.

Trappist ['træpist] trappist(munk).

trash [træʃ] søppel, skitt, subb, kvas, rusk, rask, avfall, herk, skrap, sludder; skrape, kaste, kassere. — **can** søppelkasse. — **heap** avfallsdynge.

trashy ['træʃi] verdiløs, unyttig.

trauma ['trɔ:mə] sår, skade, traume. **traumatie** [trɔ:'mætik] traumatisk, sår-.

travail ['træveil] ligge i fødselssmerter; arbeide tungt; slit og slep, mas, kjas; fødselssmerter.

travel ['trævl] reise (i), være på reise, gå, beferde, trafikkere, vandre, bereise, dra gjennom, tilbakelegge; (om lyd, ild etc.) fare, forplante seg; reise, reisebeskrivelse; — **third** reise på tredje klasse. — **ageney** reisebyrå. — **assoeiation** turistforening. — **bag** reiseveske. — **folder** reisebrosjyre. **-led** beferdet, bereist, bevandret.
travel|ler ['trævlə] reisende, passasjer, bereist mann, også: handelsreisende. **-ler's book** fremmedbok. **-ler's cheque** reisesjekk. **-ling** reisende, reise-. **-ling erane** løpekran. **-og(ue)** reisebeskrivelse, reiseforedrag. — **poster** turistplakat. — **siekness** reisesyke. **-worn** reisetrett.

traverse ['trævəs] på tvers, over kors; korslagt; tverr-; noe som legges på tvers, forheng, uventet hindring, strek i regningen, uhell, innsigelse, tverrskanse; krysse gjennom, dra gjennom, reise gjennom, bereise, krysse, hindre; gjendrive, benekte, bestride; gjøre sidebevegelser el. sideutfall, skråhøvle, siderette (kanon). **traversable** som kan krysses, som lar seg benekte. **traverser** benekter, forsvarer; skyvebru.

travesty ['trævisti] travestere, parodiere, kle ut i en latterlig form; travesti, parodi.

trawl [trɔ:l] trål, sopevad, bunngarn, slidenot; fiske med sopevad, tråle. **-er** ['trɔ:lə] tråler.

tray [trei] lite trau; bakke, brett, brevkurv, vektskål.

treacherous ['tretʃərəs] forrædersk, troløs.
treachery ['tretʃəri] forræderi, svik.

treacle ['tri:kl] sirup, melasse, innkokt sukkerholdig saft; smiger, søte ord.

tread [tred] tre, trå, tråkke (på), gå, vandre, betre, trampe på; trinn, skritt, gang, trappetrinn, slitebane el. -flate (skosåle, bildekk o. l.), sporvidde; fuglers parring; — **water** trå vannet.

treadle ['tredl] trøe (i vev), fotbrett, pedal.

treadmil ['tredmil] tredemølle.

treason ['tri:zn] forræderi; **high** —, el. — **felony** høyforræderi; **petit** el. **petty** — mord (begått av en kone på sin mann, av en tjener på sin husbond osv.). **-able** forrædersk.

treasure ['treʒə] skatt, klenodie, rikdommer; samle, dynge opp, gjemme på, skatte, verdsette. **treasure | house** ['treʒəhaus] skattkammer. — **chest** skattkiste. — **hunt** skattejakt.
treasurer ['treʒərə] skattmester, kemner, kvestor, kasserer; **Lord High T.** (gml.) riksskattmester. **-ship** skattmesterembete. **treasuress** kassererske.

treasure seeker ['treʒə'si:kə] skattegraver.
treasure trove ['treʒə'trəuv] skattefunn, funnet skatt, rikt funn.

treasury ['treʒəri] skattkammer, finansdepartement; **the T.** statskassen, finansdepartementet.
First Lord of the T. første skattkammerlord (nominell overfinansminister; tittelen innehas oftest av statsministeren). (amr.) **Secretary of the T.** finansminister. **the T. Beneh** ministerbenk (i underhuset). **the T. Department** (amr.) finansdepartementet.

treat [tri:t] behandle, traktere, varte opp, underhandle, forhandle, tale om, handle om, gi, traktere, spandere; noe lekkert, godbit; traktement, barneselskap; sjelden nytelse, fryd; **a rich** — en rik nytelse; **it's my** — det er min tur (til å traktere, spandere).

treatise ['tri:tiz, -is] avhandling.

treatment ['tri:tmənt] behandling, medfart.

treaty ['tri:ti] overenskomst, forhandling, traktat; **be in** — **with** ligge i underhandling med.

treble ['trebl] tredobbelt; gjøre tredobbelt, bli tredobbelt; diskant, sopran. — **elef** G-nøkkel.

tree [tri:] tre, stamtre; støvelblokk; jage opp i et tre, ta form av et tre; sette på lest, blokke (sko); **up a** — i knipe, i forlegenhet. — **frog** løvfrosk. **-nail** trenagle. — **of life** livstre. — **primrose** nattlys. — **ring** årring.

trefoil ['tri:fɔil] kløver.

trek [trek] utvandre, vandre; utvandring, vandring (i Sør-Afrika).

trellis ['trelis] gitter, traleverk, tremmeverk, sprinkelverk, espalier. **-ed** med gitter, tremme-.

tremble ['trembl] skjelve, beve, dirre; være på det uvisse, frykte; skjelving, dirring, beving, sitring. **trembling** ['trembliŋ] skjelvende, rystende, ristende; — **poplar** bevreosp.

tremendous [tri'mendəs] fryktelig, skrekkelig, veldig, voldsom; **a** — **lot** en enorm mengde.

tremor ['tremə] skjelving, risting, sitring, gys.
tremulous ['tremjuləs] skjelvende, dirrende; engstelig, redd. **-ness** skjelving.

trench [trenʃ] grøft, dike, veit, renne, løpegrav, skyttergrav; grave skyttergrav el. grøft, skjære inn i, drenere, grøfte; — **upon** gjøre inngrep i.

trenehant ['trenʃənt] skarp, bitende, avgjørende, tydelig.

trench | bomb håndgranat. — **coat** kraftig poplin regnfrakk med militært preg.

treneher ['trenʃə] spikkefjel, brødfjel. — **cap** studentlue. **-man** matkrok; snyltegjest.

trench | foot skyttergravsfot (fotlidelse). — **knife** kommandokniv. — **plough** undergrunnsplog. — **warfare** skyttergravskrig.

trend [trend] bøye, dreie, strekke seg, løpe, gå i en viss retning; retning, tendens, utviklingslinje. **-y** moderne, moteriktig,

trental ['trentəl] tretti sjelemesser, klagesang.

trepan [tri'pæn] trepan; trepanere.

trepan [tri'pæn] felle, bedrager; lokke (i felle).

trepidation [trepi'deiʃən] skjelving, angst.

trespass ['trespəs] overtre, forse seg, gå inn på annenmanns enemerker, gjøre inngrep, overskride; overtredelse, eiendomskrenking, inngrep, overgrep. **-er** overtreder, uvedkommende; **-ers will be proseeuted** uvedkommende forbys adgang; (egentlig; uvedkommende som ferdes her, vil bli anmeldt).

tress [tres] krølle, lokk, flette. **-ed** krøllet, med krøller, lokket.

tressel ['tresl], **trestle** ['tresl] bukk (av tre), understell.

tret [tret] godtgjørelse for svinn, refaksje.

trevet ['trevit] trefot.

T. R. H. fk. f. **Their Royal Highnesses.**

triable ['traiəbl] som kan forsøkes, prøves; (jur.) som kan prøves for retten.

triad ['traiəd] triade, trehet, samling av tre; treklang.

trial ['traiəl] prøve, undersøkelse, prøvelse, forsøk; hjemsøkelse; fristelse; rettslig behandling, domsbehandling, domsforhandling, behandlingsmåte, rettergang; rettsforhandling, sak, prosess; **on** — på prøve; **make a** — **of** gjøre en prøve med; **put to** (el. **on**) — sette på prøve; stille for retten; **give him a** — stille ham for retten; **he is on** — hans sak er for retten; — **by fire** ildprøve; — **by jury** jurybehandling, prosess for lagmannsretten. — **marriage** prøveekteskap. — **order** prøveordre, prøvebestilling. — **run** prøvekjøring.

triangle ['traiæŋgl] trekant, triangel, vinkel-(hake), bukk (ved prylestraff). **-d** trekantet.

triangular [trai'æŋgjulə] trekantet. **triangulate** [trai'æŋgjuleit] gjøre triangulær, dele i triangler; som består av trekanter.

tribal ['traibl] stamme-, familie-, ætt-. **tribe** [traib] stamme; ætt, slekt, folkeferd; (sl.) gjeng, skare. **tribesman** ['traibzmən] stammefrende.

tribulation [tribju'leiʃən] prøvelse, motgang, trengsel.

tribunal [tr(a)i'bju:nəl] domstol, rett; nemnd.

tribune ['tribju:n] tribun (hos romerne), talerstol. **-ship,** tribunat ['tribjunit] tribunat.

tributary ['tribjutəri] skattskyldig, betalt i skatt, underordnet, bi-; skattskyldig, bielv. **tribute** ['tribju:t] skatt, tributt, anerkjennelse, hyllest.

triear ['traika:] trehjuls kjøretøy.

trice [trais] hale opp; **in a** — i en håndvending, i en to tre. **tricing line** opphalertau.

tricennial [trai'seniəl] tredveårig, trettiårig.

tricentary [trai'sentəri] tidsrom av tre hundre år.

trichina [tri'kainə] trikin. **trichinosis** [triki-'nəusis] trikinsykdom, trikinose.

trichord ['traikɔːd] trestrenget (instrument).

trick [trik] knep, fiff, narrestrek, fantestykke, puss, behendighetskunst, list, underfundighet, kunstgrep, kunst, egenhet, lag, vane, uvane, evne; stikk (i kortspill); narre, lure, bedra, leve av bedrageri; **how's -s?** hvordan går det? — **of the trade** forretningsknep.

trick [trik] pynte, utstaffere, stase opp.

trickery ['trikəri] lurendreieri, juks, unatur.

trickish ['trikiʃ] slu, listig; kinkig, vrien.

trickle ['trikl] sildre, sile, piple, dryppe; tynn liten strøm, siving.

trickster ['trikstə] lurendreier, svindler.

tricksy ['triksi] lurendreieraktig, skøyeraktig, skjelmsk; lur, snedig, fiffig.

tricktrack ['triktræk] trikktrakk (et brettspill).

tricky ['triki] listig, slu, fiffig; vanskelig å utføre, vrien, innviklet, kinkig.

tricolour ['trikʌlə] trefarget flagg, trikolor.

tricorne ['traikɔːn] tresnutet (hatt).

tricot ['trikəu] trikot, trikotasje.

tric-trac ['triktræk] se **tricktrack.**

tricycle ['traisikl] trehjulssykkel.

trident ['traidənt] trefork, tregreinet gaffel (el. lyster).

triennial [trai'eniəl] treårig, treårlig, treårs.

triennium [trai'enjəm] treårsperiode.

trier ['traiə] kontrollør, prøver; søker (verktøy).

trifle ['traifl] bagatell, småtteri, ubetydelighet, småting, litt, slant; charlottekake; spøke, fjase; **catch at -s** henge seg i småting; — **away** fjase bort, vase bort; — **with** tøyse med, leke med. **-r** tøysekopp, narr, barnaktig person.

trifling ['traifliŋ] ubetydelig, tøvet; fjas, lek.

trifoliate [trai'fəuliit] trebladet.

triform ['traifɔːm] i tredobbelt skikkelse.

trig [trig] stanse, bremse, stoppe; bremse, stopper, bremsekloss.

trigger ['trigə] utløser, avtrekker; **pull the** — trekke av; — **off** (fig.) utløse, starte. — **guard** avtrekkerbøyle. — **-happy** skyteglad, kvikk på avtrekkeren; krigshissig.

trigonometric(al) [trigənə'metrik(l)] trigonometrisk. **trigonometry** [-'nɔmitri] trigonometri.

trigraph ['traigrɑːf] trigraf, triftong.

trilateral [trai'lætərəl] tresidet, trekantet.

trilingual [trai'liŋwəl] i tre språk, trespråklig.

trill [tril] trille, dryppe, slå triller.

trillion ['triljən] trillion; (amr.) billion.

trilogy ['trilədʒi] trilogi, rekke av tre verk.

trim [trim] trimme, bringe i orden, lempe til rette, ta seg av, pynte, pusse, stelle, staffere, telgje, frese, beskjære, klippe, stusse, gjøre i stand, innpasse, stille, rette, bringe på rett kjøl, ta ordentlig i skole, balansere, vippe, slingre, kjefte, skjelle ut; velordnet, velstelt, soignert, nett, fiks; orden, stand, form, hårklipp, trimming, utrustning, pynt, stas, drakt; — **the sails** stille seilene; **in perfect** — fiks og ferdig, i full stand. **-mer** en som ordner, pusser, lampepusser, vindusdekoratør; opportunist, værhane, vendekåpe. **-ming** klipping, beskjæring, fresing; overhaling, skyllebøtte; ordning, utstaffering, besetning, pynt; (pl.) tilbehør, garnityre. **-ness** netthet, velsoignert utseende.

trinal ['trainəl], **trine** [train] tredobbelt.

tringle ['triŋgl] gardinstang.

Trinitarian [trini'tɛəriən] treenighets-; trinitarianer.

Trinity ['triniti] treenighet, trinitatis; **Trinity College** navn på universitetskollegium i Oxford, Cambridge, London og Dublin; **Trinity House** institutt i London (som bl. a. bestyrer fyr- og losvesenet).

trinket ['triŋkit] smykke, småting, nipsgjenstand.

trio ['triəu] trio, tersett.

trip [trip] trippe, ta en tur, reise, utflukt; snuble, falle, feile, forse seg, forsnakke seg; svikte, få til å snuble, spenne bein for, fange; utløse, frigjøre; tripp, tur, utflukt, reise; beinkrok; feil, feiltagelse; — **up** snuble, gå i surr; spenne bein for en; **fetch** — ta tilløp.

tripartite [tri'pɑːtait] tredelt, tresidig, avsluttet mellom tre. — **pact** tremaktspakt. **tripartition** [traipɑː'tiʃən] tredeling.

trip | control el. — **counter** trippteller, turteller (i bil).

tripe [traip] innvoller, innmat, kallun; skitt, skrot, søppel; vrøvl, tøys.

tripetalous [trai'petələs] med tre kronblad, trebladet.

triphthong ['trifθɔŋ] triftong, trelyd. **-al** [-'θɔŋgəl] triftongisk.

triplane ['traiplein] triplan, tredekker.

triple ['tripl] tredobbelt, trefoldig; gjøre tredobbelt, utgjøre det tredobbelte av; **the T. Alliance** trippelalliansen.

triplet ['triplit] samling av tre, tre rimlinjer; triol; i plur.: trillinger.

triplicate ['triplikit] tredobbelt, trefoldig; triplikat, annen avskrift. **triplication** [tripli-'keiʃən] tredobling. **triplicity** [tri'plisiti] tredobbelthet. **triply** ['tripli] tredobbelt, tre ganger.

tripod ['traipɔd] trefot, (trebeint kamera)-stativ. **-al** ['tripədəl] trefotet, trebeint.

Tripoli ['tripəli] Tripolis.

tripoli ['tripəli] polerkritt, trippel.

tripos ['traipɔs] bakkalaureatseksamen med utmerkelse. **classical** — **examination** klassisk filologisk eksamen. — **paper** sensurliste for triposeksamen.

tripper ['tripə] turist, reisende; utløsermekanisme.

tripping ['tripiŋ] lett på foten, trippende, lett, grasiøs; utløsnings-; tripping, dansing.

triptych ['triptik] tredelt altertavle, triptykon.
tripwire ['tripwaiə] snubletråd (for å utløse en mekanisme).
trireme ['trairi:m] treradåret skip, triere.
trisect [trai'sekt] tredele.
trisection [trai'sekʃən] tredeling.
trisyllabic [traisi'læbik], **-al** trestavings-.
trisyllable [trai'siləbl] trestavingsord.
trite [trait] forslitt, fortersket, banal, hverdagslig. **-ness** forslitthet, trivialitet.
Triton ['traitən], en sjøhalvgud; **a minnow among -s** en spurv i tranedans.
trituration [tritju'reiʃən] knusing, finmaling.
triumph ['traiəmf] triumf, seier, triumfering, høydepunkt; triumfere, seire, vinne. **-al** [trai-'ʌmfəl] triumf-, triumferende. **-ant** [trai'ʌmfənt] triumferende, seirende, triumf-, seiers-.
triumvir [trai'ʌmvə] triumvir. **-ate** [trai'ʌm-virit] triumvirat.
triune ['traiju:n] treenig; treenighet, triade.
trivet ['trivit] trefot, krakk med tre bein.
trivia ['triviə] uvesentligheter, småting, bagateller. **trivial** ['trivjəl] alminnelig, hverdagslig, ubetydelig, ordinær. — name artsnavn. **-ness, -ity** [trivi'æliti] ubetydelighet, likegyldighet.
trivium ['triviəm] trivium (de tre vitenskaper: grammatikk, logikk, retorikk).
trochaic [trə'keiik] trokéisk; trokéisk vers. **trochee** ['trəuki] troké, (versfot som består av en lang (el. betont) og en kort (el. ubetont) staving.
trod [trɔd] imperf. av **tread. trodden** [trɔdn] perf. pts. av **tread.**
troglodyte ['trɔglədait] troglodytt, huleboer.
Troic ['trəuik] troisk, trojansk.
troika ['trɔikə] troika (russisk vogn), trespann.
Trojan ['trəudʒən] trojansk; trojaner.
troll [trəul] tralle, synge, skråle; fiske med sluk, fiske, dorge; dorg, sluk; allsang, kanon.
troll [trɔl] troll.
trolley ['trɔli] liten kjerre; dresin, tralle; trillebord; (amr.) trikk, trolleybuss; kontaktrulle, kontakttrinse. — **line** ['trɔlilain] elektrisk sporvogn med luftledning. — **table,** — **waiter** trillebord.
trolling ['trəuliŋ] slukfiske, dorging.
trollop ['trɔləp] slurve, sluske; gatetøs, ludder. **Trollope** ['trɔləp].
trombone [trɔm'bəum] basun, trombone; **slide** — trekkbasun.
tromp(e) [trɔmp] blåsemaskin.
troop [tru:p] tropp, flokk, skare, ryttertropp, liten eskadron, pl. tropper, krigsfolk; gå flokkevis, samle seg i flokker, stimle, marsjere, dra fort av sted; — **the colours** vaktparade for fanen. — **carrier** troppetransportfly el. -skip; pansret personellvogn.
trooper ['trupə] kavalerist, soldat; ridende el. motorisert konstabel.
troopship ['tru:pʃip] troppetransportskip.
trope [trəup] trope, billedlig uttrykk.
trophied ['trəufid] trofésmykket.
trophy ['trəufi] trofé, seierstegn, premie.
tropic ['trɔpik] vendekrets. **-al** tropisk, trope-.
trot [trɔt] trave, lunte, dilte, traske, la trave; trav, humpende gang; rolling; gammel kjerring.
troth [trəuθ] (gml.) sannhet; tro, ord; trolove.
trotter ['trɔtə] traver (om hest); fot, labb.
trotting ['trɔtiŋ] trav, travsport.
trottoir ['trɔtwɑ:] fortau.
troubadour ['tru:bəduə] trubadur.
trouble ['trʌbl] opprøre, sette i bevegelse, røre opp (vann), forstyrre, forurolige, engste, bry, plage, besvære, umake, gjøre uleilighet, uleilige seg, plage seg; forstyrrelse, uro, bekymring, sorg, besvær, kluss, trøbbel, strev, plage, bry, uleilighet, motgang; **that's just the** — det er nettopp ulykken. **-d** bekymret, engstelig, urolig. **-maker** bråkmaker. **-shoot** feilsøking. **-shooter** feilsøker, reparatør. **-some** besværlig, brysom, vidløftig. **-someness** brysomhet. — **spot** urosenter.
troublous ['trʌbləs] urolig, opprørt, forvirret; engstende.

trough [trɔf] trau, møllerenne, kanal, fordypning, bølgedal.
trounce [trauns] banke, pryle, denge.
troupe [tru:p] trupp (av skuespillere e. l.); bande, gjeng. **trouper** ['tru:pə] omreisende skuespiller.
trousering ['trauzəriŋ] buksetøy.
trousers ['trauzəz] benklær, bukser.
trousseau ['tru:səu] brudeutstyr.
trout [traut] aure, ørret; gamling, gammel stakkar; — **-coloured** ørretfarget, droplet. **-let, -ling** småaure, yngel.
trove [trəuv] funn.
trow [trəu] flatbunnet båt, trau.
trowel ['trauəl] murskje, planteskje; legge på med murskje, arbeide med murskje; **lay it on with a** — (fig.) smøre på tykt, smiske.
troy [trɔi] gull- el. sølvvekt, apotekervekt. **Troy** ['trɔi] Troja.
truancy ['tru:ənsi] skulking. **truant** ['tru:ənt] skulkende; skulker, skofter; skulke, drive; **play** — skulke skolen.
truce [tru:s] våpenstillstand, opphør, hvile, kort frist; **flag of** — parlamentærflagg.
truck [trʌk] drive tuskhandel, bytte bort, tuske; bytte, tuskhandel; skrot, skrap.
truck [trʌk] raperthjul, blokkhjul, boggi; (amr.) lastebil, tralle, transportvogn, godsvogn, tralle til bagasje og jernbaneperrong, (mar.) flaggknapp, masteknapp; (amr.) grønnsaker; kjøre med lastevogn, transportere.
truckage ['trʌkidʒ] transport; betaling for transport.
trucker ['trʌkə] lastebilsjåfør; handelsgartner.
truckle ['trʌkl] lite hjul, trinse; trille, rulle, krype, bøye seg ydmykt, logre.
truck system ['trʌk'sistəm] betaling av arbeidslønn med varer.
truculence ['trʌkjuləns] villhet, råhet, barskhet, bryskhet, fryktelig utseende. **truculent** ['trʌkjulənt] barbarisk, vill, fæl, fryktelig, barsk, brysk, gretten, krakilsk, sur.
trudge [trʌdʒ] traske; trasking.
true [tru:] tro, sann, rett, trofast, riktig, ekte, nøyaktig; **come** — gå i oppfyllelse; **it is** — sant nok, riktignok, vel; **a** — **bill** en begrunnet anklage. — **-blue** tro som gull, ekte; grunnærlig sjel. — **-born** ektefødt, ekte. **-bred** av ekte rase, gjennomdannet. — **-hearted** tro, trofast, oppriktig. **-love** inderlig elsket, hjertenskjær. **-love knot, -lover's knot** kjærlighetssløyfe. **-ness** sannferdighet, riktighet, sikkerhet.
truffle ['trʌfl] trøffel. **-d** tillaget med trøfler.
truism ['tru:izm] selvinnlysende sannhet, trivialitet, banalitet.
truly ['tru:li] sannhet, sannelig, oppriktig, forbindtligst; trofast, nøyaktig, sant, virkelig; unektelig; **I can** — say jeg kan med sannhet si; **yours** — ærbødigst (foran underskriften i et brev); — **thankful** oppriktig takknemlig.
trump [trʌmp] trumf; knupp, kjernekar; stikke med trumf, spille trumf, trumfe; **put on** el. **to the -s** drive til det ytterste; **-s may turn up** utsiktene kan lysne; — **up** finne på, dikte opp; **-ed-up** falsk, oppdiktet.
trump [trʌmp] trompet, basun, trompetstøt. **the** — **of doom** dommedagsbasunen.
trumpery ['trʌmpəri] skrap, juks; sludder; forloren, intetsigende, skarve, simpel, tarvelig.
trumpet ['trʌmpit] trompet, trakt, tut, trompetlyd; forkynne, skralle, utbasunere, trumpetere; **speaking** — talerør, ropert; **the last** — dommedagsbasunen. — **call** trompetstøt.
trumpeter ['trʌmpitə] trompeter, trompetist; **be one's own** — skryte, rose seg selv.
trumpet | flower kaprifolium. — **fly** brems (insekt). — **shell** tritonshorn. — **sounding** trompetsignal.
truncate ['trʌŋkeit] avstumpe, skjære av, avstubbe, avbryte, lemleste. **truncation** [trʌŋ-'keiʃən] avstumping, avskjæring, lemlesting.

truncheon ['trʌnʃən] (kommando)stav, politikølle.

trundle ['trʌndl] rulle, trille; rull, trinse, valse. — **head** kvernhjul.

trunk [trʌŋk] stamme, kropp, hoveddel, koffert, bagasjerom (i bil), kanal; (elefants) snabel; pl. bukser, badebukse, bukser som rekker fra livet til midt på låret. — **call** rikstelefon(samtale). — **dialling** fjernvalg. **-fish** koffertfisk. — **hose** ['trʌŋkhəuz] pludderbukser. — **line** hovedbane, hovedlinje; telefonlinje fra by til by. — **road** hovedvei, stamvei. **trunks** telefonsentral for fjernvalg.

trunnel ['trʌnil] nagle.

trunnion ['trʌnjən] sylindertapp, svingtapp; tapp (på kanon).

truss [trʌs] knippe, bunt; brokkbind; (mar.) rakke; tømmerverk; binde opp, pakke sammen, klynge opp; henge, avstive, armere. — **hoop** tønnebånd.

trust [trʌst] tillit, tiltro, trygt håp, kreditt, forvaring, varetekt, tillitsverv, tillitsforhold, plikt, bestilling; trust, ring, sammenslutning; betrodd gods, forvaltningsformue; tro, ha tillit til, stole på, lite på, gi på kreditt, betro; **I don't** — **him an inch** jeg stoler ikke på ham for fem øre; **leave in** — **to** betro ... til forvaltning; **hold in** — ha i forvaring; — **in** sette sin lit til, stole på; — **to** stole på; **I can't** — **myself** to ogs. jeg tør ikke; — **him to come late** selvfølgelig måtte han komme for sent. — **company** investeringsselskap. — **deed** forvaltningsfullmakt.

trustee [trʌ'sti:] tillitsmann, kurator, verge, bobestyrer; — **in bankruptcy** bestyrer av konkursbo. **public** — ≈ overformynder, overformynderi. **-ship** egenskap som tillitsmann, forvalter, verge. **trust|ful** ['trʌstful] tillitsfull, pålitelig. **— funds** betrodde midler, båndlagt kapital. **-less** upålitelig, troløs; mistroisk. — **territory** tilsynsområde. **-worthy** [-wə:ði] pålitelig, tilforlatelig.

trusty ['trʌsti] pålitelig, stø, trofast, tro, traust. **truth** [tru:θ] sannhet; sanndruhet, sannferdighet; troskap; riktighet; **in** — i sannhet; **to say** (el. **tell) the** — sant å si; **to say** (el. **tell**) sant å si. — **in advertising** ærlig reklame. **-ful** sannferdig, sanndru. **-fulness** sannferdighet. **-less** usann, troløs. **-lessness** usannhet, troløshet. **-telling** sanndru.

try [trai] prøve, forsøke, undersøke, avhøre, stille for en domstol, tiltale; rense (metall), smelte om (talg); sette på prøve; anstrenge, leite på, røyne på; prøve, forsøk; **give it a** —, **have a** — gjøre et forsøk; — **hard** prøve av all kraft; — **back** prøve om igjen; — **by a courtmartial** stille for en krigsrett; — **out** gjennomprøve. **trying** vanskelig, ubehagelig, plagsom. — **plane** langhøvel, sletthøvel. **try-on** prøving, prøve; forsøk på å lure. **tryout** prøveforestilling, prøve.

tryst [trist] stevnemøte, møtested; sette stevne.

tsar [za:] se ezar.

T-section T-jern.

tsetse ['tsetsi] tsetseflue.

T. S. H. fk. f. **Their Serene Highnesses.**

TSO fk. f. **town suboffice.**

tsp. fk. f. **teaspoon(s).**

T. T. fk. f. **teetotaller; teletype; tuberculin tested.**

Tu. fk. f. **Tuesday.**

T. U. fk. f. **Trade Union.**

tub [tʌb] balje, stamp, bøtte, (smør)butt (også som mål), badekar, badebalje, bad; kasse, balje, holk (båt); tykksak, tjukkas (om person); legge i tønne, sette i en balje; bade, vaske; **tale of a** — (gml.) ammestuefortelling. **-bing** sjaktfôring **-by** hultlydende, tykk og rund, tønneformet, tønnerund.

tuba ['tju:bə] tuba.

tubby ['tʌbi] tykk, tykkmaget.

tube [tju:b] rør (luft)slange, munnstykke, kikkert; kar (i dyre- el. plante-legemer); fengrør;

(farge)tube; undergrunnsbane, tunnelbane; radiorør. — **clasp** slangeklemme. — **culture** prøverørskultur.

tuber ['tju:bə] knoll, rotknoll, utvekst.

tubercle ['tju:bə:kl] knute; tuberkel.

tubercular [tju:'bə:kjulə], **tuberculous** [-ləs] småknutet, knudret; tuberkuløs. **tuberculosis** [tju(:)bə:kju'ləusis] tuberkulose.

tuberous ['tju:bərəs] knollet, knollformet, knortet. — **plant** knollvekst.

tube | set rørmottaker (radio). — **wrench** rørnøkkel.

tub-thumper ['tʌbθʌmpə] svovelpredikant.

tubular ['tju:bjulə] rørformet; rundstrikket; — **bells** rørklokker. — **boiler** rørkjele. — **scaffold** rørstillas. — **steel furniture** stålrørsmøbler.

T. U. C. fk. f. **Trades Union Congress.**

tuck [tʌk] legg (på klær), avkorting; matvarer, måltid; gotter, slikkerier; låring (båt); kraft, futt, tæl; legge opp, brette opp, plissere, folde under, putte el. stikke under, tulle inn, trekke sammen, gjemme; — **away** gjemme, anbringe; — **in** folde, stappe inn; legge i seg, gafle (mat); — **up** brette opp, tulle inn.

tuckaway ['tʌkəwei] som kan gjemmes; gjemmested.

tucker ['tʌkə] skjortebryst, løsbryst, halsrysj; mat; **in one's best bib and** — i sin fineste stas.

tucker ['tʌkə] mase, trette ut, utmase.

tucket ['tʌkit] trompetstøt, fanfare.

tuck-in ['tʌk'in] måltid; klaff, innbrett.

tuck-out ['tʌk'aut] måltid.

Tudor ['tju:də].

tuefall ['tju:fɔ:l] halvtekke, skur.

Tuesday ['tju:zdi] tirsdag.

tufa ['tju:fə] tuffstein. **tufaceous** [tju'feiʃəs] tuffaktig.

tuft [tʌft] dusk, kvast, dott; lund, treklynge; fippskjegg; utstyre med dusker, ordne i dusker; **-ed** samlet i dusker, kvastet, dottet. — **-hunter** snylter. **-y** dottet, samlet i dusker.

tug [tʌg] hale, trekke, slepe, taue, slite; trekk, rykk; bukserbåt, slepebåt; anstrengelse, baske-tak, trekkraft; — **of war** tautrekking; nappetak, styrkeprøve. **-ger** en som trekker. **-gingly** med slit og slep.

tuition [tju'iʃən] undervisning, undervisnings-honorar. **-ary** undervisnings-.

tulip ['tju:lip] tulipan.

tulle [tju:l] tyll.

tumble ['tʌmbl] tumle, rulle, falle, ramle ned, dratte ned; styrte sammen, kaste seg fram og tilbake, boltre seg, slå kollbøtter, kaste, velte, rote i, forkrølle, bringe i uorden; rundkast, fall, rot, virvar. **-bug** skarabé. — **cart** tippvogn. **-down** falleferdig, forfallen.

tumbler ['tʌmblə] akrobat, gjøgler; ogs. en slags leketøysfigur; ølglass, vannglass; (gammelt:) tumling (slags drikkeglass), ogs. tumling (en slags due); knast, kam; tørketrommel.

tumbrel ['tʌmbrəl] møkk-kjerre, ammunisjonskjerre; bøddelkjerre, rakkerkjerre; kjerre.

tumefy ['tju:mifai] hovne opp, danne svulst. **tumescence** [tju'mesəns] oppsvulming.

tumid ['tju:mid] opphovnet, svulstig. **-ity** [tju'miditi], **-ness** ['tju:midnis] hovenhet, svulstighet.

tummy ['tʌmi] mage, masse (i barnespråk).

tomour ['tju:mə] svulst. **-ed** hoven.

tumult ['tju:mʌlt] tumult, tummel, forvirring, opprør, sterk opphisselse; pl. uroligheter, opptøyer, leven; bråke, lage leven. **-uariness** [tju:-'mʌltjuərinis] tumult, opprørsk ferd. **-uary** [tju:'mʌltjuəri], forvirret, stormende, opprørsk. **-uous** [tju'mʌltjuəs] forvirret, vill, stormende, opprørt, heftig. **-uousness** forvirring, opprør, heftighet.

tumulus ['tju:mjuləs] haug, gravhaug.

tun [tʌn] tønne, (vin)fat; (som mål = 1146 l); fylle på tønner.

tuna ['tju:nə] tunfisk, makrellstørje.

tunable ['tju:nəbl] som kan stemmes, avstembar; musikalsk, harmonisk.

Tunbridge ['tʌnbridʒ].

tundra ['tʌndrə] tundra.

tune [tju:n] melodi, tone, låt, koral, stemning, lag, harmoni; stemme, avstemme, istemme, nynne; justere, fininnstille; — in stille inn (en radio); **be in** — være stemt, spille rent; **in** — **with** i samsvar med; **out of** — falsk, uopplagt. **-ful** velklingende, melodisk, musikalsk. **-less** uharmonisk, umusikalsk.

tuner ['tju:nə] stemmer; avstemmer; kanalvelger (TV).

tungsten ['tʌnstən] wolfram; wolfram-.

tunic ['tju:nik] tunika, overkjole, bluse, våpenkjole, arbeidstrøye; hinne.

tuning ['tju:niŋ] avstemming, innstilling. — **fork** stemmegaffel. — **hammer** stemmenøkkel (som brukes av pianostemmer).

Tunis ['tju:nis] (byen). **-ia** [tju(:)'niziə] (landet), **-ian** [tju(:)'niziən] tuneser; tunesisk.

tunnel ['tʌnl] tunnel; bygge en tunnel under.

tunny ['tʌni] størje, makrellstørje, tunfisk.

tup [tʌp] vær, saubukk; bedekke (sauer).

tuppence ['tʌpəns] = **twopence**.

tu quoque ['tju:'kwəukwi] svar på en beskyldning ved å beskylde anklageren for det samme: «det kan du selv være».

turban ['tə:bən] turban. **-ned** med turban.

turbary ['tə:bəri] torvmyr; torvrett.

turbid ['tə:bid] grumset, gjørmet, uklar. **-ity** uklarhet, grumsethet, gjørmethet.

turbinated ['tə:bineitid] snodd, spiralformet.

turbination [tə:bi'neiʃən] virvelløp.

turbine ['tə:bin] turbin.

turbo ['tə:bəu] turbo, turbo-.

turbot ['tə:bət] piggvar.

turbulence ['tə:bjuləns] forvirring, uro, turbulens, virvelbevegelse. **turbulent** ['tə:bjulənt] opprørt; urolig, opprørsk, ustyrlig.

Turcoman ['tə:kəmən] turkoman.

tureen [tju'ri:n] terrin.

turf [tə:f] grønnsvær, torv, gressplen, veddeløpsbane, hesteveddeløp; dekke med torv; — **it** dø; **gentlemen of the** — hestesportsmenn; veddeløpsinteresserte; **on the** — som gir seg av med veddeløp, som stryker om på gata. — **accountant** bookmaker. — **iron** torvspade.

turfite ['tə:fait] hestesportsmann, veddeløpsinteressert.

turf | moss torvmyr. — **seat** gressbenk.

turfy ['tə:fi] gressrik, rik på torv; veddeløps-, hestesports-, sports-.

turgent ['tə:dʒənt] oppsvulmende, oppsvulmet. **turgescence** [tə:'dʒesəns] oppsvulming.

turgid ['tə:dʒid] oppsvulmet, svulstig, hoven. **turgidity** [tə:'dʒiditi] oppstyltethet, hovenhet, svulst(ighet).

Turk [tə:k] tyrker; tyrkisk hest; villbasse (om barn).

Turkestan [tə:ki'stɑ:n] Turkestan.

Turkey ['tə:ki] Tyrkia; tyrkisk. **turkey** kalkun; **talk** — snakke åpent. — **buzzard** kalkungribb. — **cock** kalkunhane. — **hen** kalkunhøne. — **leather** oljegarvet lær.

Turkish ['tə:kiʃ] tyrkisk; — **bath** tyrkisk bad.

Turkoman ['tə:kəmən] turkoman.

turmoil ['tə:mɔil] opprør, ståk, uro, forstyrrelse; tumle med, forurolige.

turn [tə:n] dreie, vende, snu, svinge, passere, runde; turnere, formulere, skape, omdanne, omvende, forandre, omstemme, oversette, gjøre forrykt, gjøre sur, jage bort, omgå (en fiende), dreie (el. snu, vende) seg; forandre seg, bøye av; bli; surne, skilles; dreining, omdreining, krumning, vending, omskifting, omslag; bøyning, sving; runde, liten tur, slag; tørn; preg, form, tilbøyelighet, anlegg; tjeneste, puss, forskrekkelse, støt, rekke, tur, gjengjeld, tilfelle, leilighet, fordel; — **his brain** gjøre ham forstyrret i hodet; — **one's coat** vende kåpen etter vinden; — **the corner** dreie om hjørnet; — **his head** fordreie hodet på ham; — **the stomach** gjøre at en blir kvalm; **he had -ed sixteen years of age** han var over seksten år gammel; — **the trick** lykkes, klare å gjennomføre; — **pale** bli blek; — **away** vise bort; — **back** sende tilbake, vende tilbake; — **by** forbigå, forkaste; — **down** skru ned, dempe; forkaste, vrake; brette ned; — **in** vende inn, brette inn, legge sammen, gå til køys, gå i seng; levere inn; forråde, angi; — **off** lede bort, slokke, skru av; vise bort, oppgi, fullende, bøye av; — **on** skru på, sette på; overfalle; avhenge av; opphisse, egge; — **him loose upon the world** sende ham ut i den vide verden; — **out of doors** jage på dør; — **out** vise seg å være, få et visst utfall; kalle (vakten) ut; — **over** bla gjennom, snu, gjennomsøke, slå hånden av, overdra, overveie; avlevere, overlevere; velte; — **over a new leaf** ta skjeen i en annen hånd; — **to** vende til, bli til, ta fatt på; — **up** vende opp, trekke opp, vise seg uventet, hende, oppgi, løpe bort; **have the nose -ed up** (el. **a -ed up nose**) ha oppstoppernese; **to a** — nøyaktig, akkurat, fullkommen; **by -s** skiftevis, etter tur; **in his** — etter tur, da turen kom til ham også; **my own** — comes turen kommer til meg selv; — **for** — like for like; — **of expression** uttrykksmåte. **-about** dreining, vending; opportunist; vendbart plagg. **-around** overhaling, ettersyn; bråvending; omlastings- el. mellomlandingsopphold. **-buckle** vindushasp; strekkfisk, vantskrue. **-cap** (bevegelig) røykhette. **-coat** opportunist. **-down** avslag.

turner ['tə:nə] dreier.

turnery ['tə:nəri] dreierarbeid; dreierverksted.

turning ['tə:niŋ] dreining; omdreining, gatehjørne, sving; omgående bevegelse; pl. dreiespon. — **lathe** dreiebenk. — **plate** svingskive, dreieskive. — **point** vendepunkt. — **table** dreieskive. — **tool** dreiestål.

turnip ['tə:nip] nepe; kålrot; turnips. — **cabbage** kålrabi, kålrot. — **top** nepegress, nepekål.

turn|key ['tə:nki:] fangevokter, slutter. **-off** dreining, avkjøring, sidevei. **-out** utseende, utstyr, ekvipasje, arbeidsnedlegging, nettoinntekt, produksjon, utrykning, tilskuermengde. **-over** omsetning; vending; velting; forandring, omorganisering; **-over tax** omsetningsskatt. **-pike** veibom; bomvei; (amr.) avgiftsbelagt motorvei. **-serew** skrujern. — **-sick** svimmel; dreiesyke. **-spit** stekvender; grevlinghund. **-stile** korsbom, svingbom; telleapparat. **-table, -plate** dreieskive, platetallerken; platespiller. — **-up** oppslag, oppbrett.

turpentine ['tə:pəntain] terpentin.

turpitude ['tə:pitju:d] skjendighet, lavhet.

turquoise ['tə:kwɑ:z] turkis; turkisfarget.

turret ['tʌrit] lite tårn, kanontårn; revolverhode (i dreiebenk). **-ed** tårnformet, med tårn.

turtle ['tə:tl] havskilpadde; turteldue; **turn** — stupe kråke, velte. **green** — spiselig skilpadde. **-dove** turteldue. **-neck sweater** genser med rullekrave, høyhalset genser. — **shell** skilpaddeskall, skilpadde. — **soup** skilpaddesuppe.

Tusean ['tʌskən] toskansk; toskaner; — **order** toskansk arkitektur.

tush [tʌʃ] blås! pøh! snakk!

tusk [tʌsk] hoggtann, støttann. **-ed** med hoggel. støttenner. **tusker** ['tʌskə] voksen elefant. **tusky** ['tʌski] forsynt med hoggtenner.

Tussaud [tə'sɔ:d, 'tju:səu] Tussaud; **Madame Tussaud's (Waxworks)** vokskabinett i London.

tussle ['tʌsl] basketak, nappetak, dyst; nappes.

tussock ['tʌsək] jordtott, tust, gresstust.

tut [t, tʌt] pøh! blås! vas! hysj!

tutelage ['tju:tilidʒ] formynderskap, vergemål.

tutelar [-lə] som har formynderskap, formynder-, verge-; beskyttende, skyts-.

tutor ['tju:tə] lærer, huslærer (hovmester), manuduktør, privatlærer, kollegieforstander; undervise, lære opp, manudusere. **-ess** lærerinne, guvernante. **tutorial** [tju'tə:riəl] lærer-, hovmester-. **tutorship** ['tju:təʃip] lærerstilling, veiledning; (skotsk) formynderskap.

tu-whit, tu-whoo [tu'wit, tu'wu:] hu-hu! (ugleskrik); ule, tute.

tuxedo [tʌk'si:dəu] (amr.) smoking.

TV ['ti:'vi:] fk. f. **television** TV, fjernsyn.

TVA fk. f. **Tennessee Valley Authority.**

twaddle ['twɔdl] vrøvle, vase, tøve; sludder, vas, vrøvl. **-r** vasekopp.

twain [twein] (poet.) tvenne, to; **in** — i stykker.

twang [twæŋ] klinge, skurre, snøvle, la klinge, klirre med, klimpre på; klimpring, klunking, skarp lyd, snøvling.

twangle ['twæŋgl] klimpre; klimpring, klunking.

'twas [twɔs, twəz] det var.

twattle ['twɔtl] = **twaddle.**

tweak [twi:k] klemme, knipe, klype; knip(ing) klyp.

tweed [twi:d] tweed, en slags ullstoff.

tweedle ['twi:dl] håndtere lett, berøre, fikle med.

tweedledum and tweedledee ['twi:dl'dʌm ənd 'twi:dl'di:]; **the difference between** — en likegyldig forskjell, hipp som happ.

tweeny ['twi:ni] hjelpepike.

tweet [twi:t] kvitre; kvitring.

tweezers ['twi:zəz] nebbetang, pinsett; **a pair of** — pinsett.

twelfth [twelfθ] tolvte; tolvtedel; duodesim. **T. Day** helligtrekongersdag. **T. Night** helligtrekongersaften. **T. Tide** helligtrekongers(dag).

twelve [twelv] tolv. **-mo** ['twelvməu] el. **12 mo** duodes. **-month** år.

twentieth ['twentiiθ] tjuende; tjuendedel.

twenty ['twenti] tjue; et snes, mange. — **-four** tjuefire; ark falset i tjuefire blader.

twibill ['twaibil] hellebard; rotøks.

twice [twais] to ganger, dobbelt; — **two is four** to ganger to er fire; — **as much** dobbelt så mye; **has** — **the strength** er dobbelt så sterk; **I did not wait** (el. **have**) **to be told** — det lot jeg meg ikke si to ganger; **it's the same thing** — **over** smør på flesk. — **-told** gjentatt, forslitt.

twiddle ['twidl] snurre, dreie lekende, leke med, fikle med.

twig [twig] kvist, pinne; **prime** — i beste velgående.

twig [twig] forstå, se, skjønne, bemerke.

twiggy ['twigi] full av kvister, kvistlignende; radmager, tynn.

twilight ['twailait] tusmørke, grålysning, skumring; dunkel, halvmørk; belyse dempet.

twill [twil] vend i tøy; tøy med vend; veve el. vevd med vend.

twin [twin] tvilling, make, sidestykke; føde tvillinger, fødes som tvillinger, passe sammen, sette sammen (to og to); dobbelt. **-born** tvillingfødt. — **brother** tvillingbror.

twine [twain] sno, tvinne, omslynge, spinne, slynge seg sammen, bukte seg; sammenslyngning, ranke, tvinning, slyng, floke, seilgarn.

twin-engine(d) tomotors.

twinge [twindʒ] knipe, klype, stikke, føle en stikkende smerte; stikk, klyp, rykking, stikkende smerte, anfektelse; **my side -s** det stikker i siden på meg; **a** — **of conscience** et stikk i samvittigheten.

twinkle ['twiŋkl] blinke, blunke, blinke med, tindre, funkle, glitre; blink, blunk, øyeblikk.

twinkling ['twiŋkliŋ] blinking, øyeblikk.

twin|-screw med to propeller, dobbeltskrue. — **set** cardigansett.

twirl [twə:l] virvle, dreie seg rundt, snurre, tvinne; omdreining, virvel, vinding.

twist [twist] vri, sno, tvinne, flette, omvinde, forvri, vrikke, forvrenge, sno seg; snoing, vridning, dreining; kremmerhus; pussegarn, tvist, silketråd, snor, liten tobakksrull, tvinning, forvridning; retning, uventet vending; lune, hang,

drag, tilbøyelighet. — **drill** spiralbor. **-ed** snodd, forvridd; lur, sleip, slu. **-er** en som snor osv., repslager, skruball, ordkløver, svindler; et inn-viklet problem, nøtt.

twit [twit] erte, spøke; tullprat, erting; tosk.

twitch [twitʃ] nappe, rykke; napp, rykk, rykning, trekning.

twitter ['twitə] skjelve, beve; kvitre; skjelving, spenning, nervøsitet; kvitter, kvitring; **my heart -s** mitt hjerte bever; **be all in a** — være ganske nervøs.

'twist fk. f. **betwixt** imellom.

two [tu:] to; totall; — **bits** billig, godtkjøps; som koster 25 cent; **one or** — en eller to, to-tre; **in** — i, stykker; i to deler; **by twos** to og to, parvis; **put** — **and** — **together** stave og legge sammen; forstå sammenhengen.

two|-chamber system tokammersystem. — **-cycle** totakts-. — **-decker** todekker. — **-edged** tveegget. — **-engined** tomotors. — **-faced** med to flater, dobbeltsidig; (fig.) falsk. — **-figure** tosifret. **-fold** dobbelt. — **-handed** tohendig, tohånds. — **-minded** usikker, ubesluttsom. — **pair** annenetasjes; toetasjes. **-pence** to pence; **I don't care -pence** det gir jeg ikke fem øre for. **-penny** som koster to pence; billig, gloret, simpel. **-pennyworth** for to pence. — **-piece** todelt (om drakt el. kjole). — **-ply** dobbeltvevd, dobbelt, med to lag. — **-point** topunkts-; topolet. — **-pronged** togrenet. — **-seater** toseter (bil).

twosome ['tu:səm] par.

two|-speed togirs, med to hastigheter. — **-stage** totrinns-. — **-step** twostep (dans); dobbelttak (på ski). — **-stroke** totakts-. — **-tier bed** etasjeseng. — **-time** bedra, narre; utro. — **-way** toveis-. — **-wheeler** tohjuls-; tohjuling, tohjuler.

tycoon [tai'ku:n] finansfyrste, industrileder, kakse, pamp.

tying ['taiiŋ] presens pts. av **tie.**

tyke [taik] kjøter; slamp, simpel fyr; **Yorkshire** — Yorkshiremann.

tympan ['timpən] trommehule, trommehinne; dørfylling.

tympanum ['timpənəm] se **tympan.**

Tyne [tain]; **the** — elva Tyne; **Tyneside** Tyne-distriktet.

type [taip] type, forbilde, mønster, preg; skrift, type, sats; skrive på maskin, typebestemme, klassifisere.

typesetter ['taipsetə] setter, settemaskin.

typewrite ['taiprait] maskinskrive, skrive på maskin. **typewriter** ['taipraitə] skrivemaskin.

typhoid ['taifɔid] **fever** tyfoidfeber, tyfus.

typhoon [tai'fu:n] tyfon, virvelstorm.

typhus ['taifəs] tyfus, flekktyfus; — **recurrence** rekurrensfeber.

typical ['tipikl] typisk, karakteristisk (**of** for).

typ|ification [tipifi'keiʃən] typisk fremstilling, forbilde. **-ify** ['tipifai] fremstille typisk, være et typisk eksempel på, representere. **-ist** ['taipist] maskinskriver(ske). **-ographer** [tai'pɔgrəfə] typograf. **-ographical** [taipə'græfikəl] typografisk. **-ography** [tai'pɔgrəfi] typografi.

tyrannic [tai'rænik], **-al** tyrannisk. **tyrannicide** [tai'rænisaid] tyrann-mord, -morder. **tyrannize** ['tirənaiz] tyrannisere (**over** over). **tyranny** ['tirəni] tyranni. **tyrant** ['tairənt] tyrann.

Tyre [taiə] Tyrus.

tyre [taiə] hjulring, hjulkrans; bil-, sykkeldekk; legge på dekk. — **chain** snøkjetting. — **gauge** lufttrykksmåler (for dekk). — **pressure** lufttrykk (i dekk). — **wall** dekkside.

Tyrian [ti'riən] tyrisk, dypfiolett; tyrier.

tyro ['tairəu] (ny)begynner.

Tyrol ['tirəl, ti'rəul]; **the** — Tyrol. **Tyrolean** [ti'rəuliən] tyrolsk, tyroler. **Tyrolese** [tirə'li:z] tyrolsk; tyroler(inne).

U

U, u [ju:] U, u.
U fk. f. union; universal certificate = for alle (om film) ɔ: tillatt for barn; university.
UAR fk. f. United Arab Republic.
uberous ['ju:bərəs] fruktbar.
uberty ['ju:bəti] fruktbarhet.
Ubiquitarian [ju:bikwi'tɛəriən] ubikvitarier, hyller av læren om Kristi allestedsnærværelse.
ubiquitous [ju'bikwitəs] allestedsnærværende.
ubiquity [ju'bikwiti] allestedsnærværelse.
U-boat ['ju:bəut] undervannsbåt.
U. D. A. fk. f. Ulster Defence Association.
U. D. C. fk. f. Union of Democratic Control; Urban District Council; upper dead centre.
udder ['ʌdə] jur.
udometer [ju'dɔmitə] regnmåler.
U F O fk. f. Unidentified Flying Object (flygende tallerken etc.).
Uganda [ju(:)'gændə]. -n ugander; ugandisk.
ugh [uh, ə:h] uh, fy, uff.
ugliness ['ʌglinis] stygghet.
ugly ['ʌgli] heslig; stygg, slem, nifs; stygging, styggen; redsel; reisehette (for damer).
UHF, U. H. F. fk. f. ultrahigh frequency.
Uitlander ['eitlændə] ikke-naturalisert kolonist i Sør-Afrika, utlending.
U. K. fk. f. United Kingdom.
ukase [ju'keis] (russisk) ukas, ordre, påbud.
Ukraine [ju:'krein]; the — Ukraina.
ukulele [ju:kə'leili] ukulele.
ulcer ['ʌlsə] ulcus, magesår, åpent sår. -ate [-reit] ulcerere; sette verk i. -ation [-'reiʃən] sårdanning. -ous [-rəs] ulcerøs, angrepet av sår.
ulema ['u:limə] ulema, i Tyrkia geistlige, rettslærde og dommere.
uliginous [ju'lidʒinəs] som gror på gjørmete steder; myrlendt.
ullage ['ʌlidʒ] tomrom, manko, svinn (i vinfat).
ulmacious [ʌl'meiʃəs] almaktig, alm-.
ulna ['ʌlnə] ulna, albuebein.
Ulster ['ʌlstə] Ulster, Nord-Irland.
ulster ['ʌlstə] ulster (frakk).
ult. fk. f. ultimo forrige måned.
ulterior [ʌl'tiəriə] ytterligere, videre; fjernere; senere; skjult.
ultima ['ʌltimə] ytterst, sist; siste staving. — Thule det ytterste Thule.
ultimate ['ʌltimit] endelig, sist, ytterst, maksimal, opprinnelig, først, udelelig, grunn-.
ultimatum [ʌlti'meitəm] ultimatum, siste erklæring.
ultimo ['ʌltiməu] forrige måned, ultimo.
ultra ['ʌltrə] ekstrem, radikal, ultra-, ytterliggående, radikaler. -ism [ʌl'trəizm] radikalisme. -ist radikal. -marine ultramarin (en blå farge). -montane [ʌltrə'mɔntein] fra den andre siden av fjellene, fremmed; pavelighsinnet. -mundane utenfor denne verden. -sonic supersonisk, ultrasonisk. -sound ultralyd.
ululate [ˈju:ljuleit] hyle, tute. ululation ['ju:ljuleiʃən] hyl, tuting.
Ulysses [ju'lisi:z] Ulysses, Odyssevs.
umbel ['ʌmbəl] skjerm. -late ['ʌmbəlit] skjermblomstret, skjermformet. -lifer [ʌm'belifə] skjermplante.
umber ['ʌmbə] umbra, en brun jordart.
umbilic [ʌm'bilik] navle-. -al cord navlestreng. -ate navleformet. -us navle.
umbles ['ʌmblz] innmat av dyrevilt.
umbra ['ʌmbrə] skygge. umbrage ['ʌmbridʒ] misfornøyelse, misnøye, mistro; fornærmelse, anstøt; (poetisk) skygge; løvverk; take — fatte

mistanke, ta anstøt. umbrageous [ʌm'breidʒəs] skyggefull; mistenksom, sårbar.
umbrella [ʌm'brelə] paraply, parasoll; flybeskyttelse. — stand paraplystativ.
umlaut ['umlaut] omlyd.
ump [ʌmp] (amr.) dømme. umpirage ['ʌmpairidʒ] dommerverv. umpire ['ʌmpaiə] voldgiftsmann, meklingsmann, kampdommer, dommer.
umpteen ['ʌm'ti:n] atskillige, temmelig mange, uendelig; for the -th time for jeg vet ikke hvilken gang.
un [ʌn] forstavelse til en mengde ord; det uttales med svakt trykk, når det svarer til norsk av-, opp-, ut-, men med sterkt trykk, når det svarer til norsk u-, ikke; f. eks. undressed [ʌn'drest] avkledd, men ['ʌn'drest] upåkledd. Forstavelsen brukes 1) foran verber for å forandre deres betydning til det motsatte f. eks. unbutton knappe opp; 2) foran adj., adv. og subst. i betydn. u-, ikke, f. eks. unkind uvennlig; 3) foran verber dannet av subst. for å betegne; berøve (el. fjerne) det som subst. nevner, f. eks. unhorse kaste av hesten.
UN, U. N. fk. f. United Nations FN, De forente nasjoner.
unabashed ['ʌnə'bæʃt] uforknytt, utrettelig.
unabated ['ʌnə'beitid] usvekket, uforminsket.
unable ['ʌn'eibl] udyktig, ute av stand (to til).
unabridged ['ʌnə'bridʒd] uforkortet.
unaccented ['ʌnæk'sentid] trykkløs, ubetont.
unacceptable ['ʌnək'septəbl] uantakelig, uvelkommen.
unaccommodating ['ʌnə'kɔmədeitiŋ] umedgjørlig.
unaccomplished ['ʌnə'kɔmpliʃt] ikke gjennomført, uferdig.
unaccountability ['ʌnəkauntə'biliti] uansvarlighet, uforklarlighet. unaccountable ['ʌnə'kauntəbl] uansvarlig; uforklarlig.
unaccustomed [ʌnə'kʌstəmd] uvant (to med); uvanlig.
unacquainted ['ʌnə'kweintid] ukjent; uvitende.
unadulterated ['ʌnə'dʌltəreitid] uforfalsket, ren, ublandet.
unadvisable ['ʌnəd'vaizəbl] uklok, forhastet.
unadvised ['ʌnəd'vaizd] ubetenksom, uklok.
unaffected ['ʌnə'fektid] uberørt, uangrepet, uskrømtet, ukunstlet, uaffektert, naturlig.
unafraid ['ʌnə'freid] uredd, fryktløs.
unaided ['ʌn'eidid] uten hjelp.
unallied ['ʌn'əlaid] uten forbindelse, ubeslektet, uensartet.
unalloyed ['ʌnə'lɔid] ublandet; ulegert.
unalterable ['ʌn'ɔ:ltərəbl] uforanderlig.
unambiguous ['ʌn'bigjuəs] utvetydig, klar.
unambitious ['ʌnəm'biʃəs] ikke ærgjerrig, fordringsløs.
unamiable ['ʌn'eimjəbl] uelskverdig.
unanimated ['ʌn'ænimeitid] livløs.
unanimity [ju:nə'nimiti] enstemmighet.
unanimous [ju'næniməs] enig, enstemmig.
unanswerable ['ʌn'ɑ:nsərəbl] ubesvarlig, uimotsigelig, ugjendrivelig; ikke ansvarlig. unanswered ubesvart.
unappealable ['ʌnə'pi:ləbl] inappellabel.
unappeasable ['ʌnə'pi:zəbl] umettelig.
unappreciative ['ʌnə'pri:ʃjativ] lite takknemlig.
unapproachable ['ʌnə'prəutʃəbl] utilnærmelig, reservert; enestående.
unappropriated ['ʌnə'prəuprieitid] herreløs.
unapt ['ʌn'æpt] uskikket, udyktig; dorsk, sløv.
unargued ['ʌn'ɑ:gju:d] ubestridt.
unarmed ['ʌn'ɑ:md] ubevæpnet, forsvarsløs.

unartful ['ʌn'ɑ:tfəl] uten kløkt, simpel.
unarticulated ['ʌnɑ:'tikjuleitid] uartikulert.
unascertainable ['ʌnæsə'teinəbl] som ikke kan vites med visshet.
unashamed ['ʌnə'ʃeimd] uten skam, skamløs.
unasked ['ʌn'ɑ:skt] ikke spurt, uoppfordret.
unaspiring ['ʌnəs'paiəriŋ] fordringsløs, beskjeden.
unassailable ['ʌnə'seiləbl] uangripelig.
unassisted ['ʌnə'sistid] uten hjelp.
unassuaged ['ʌnə'sweidʒd] uformildet.
unassuming ['ʌnə's(j)u:miŋ] fordringsløs, beskjeden, jevn, liketil.
unatonable ['ʌnə'təunəbl] uforsonlig.
unattached ['ʌnə'tætʃt] ikke bundet, ikke tilknyttet, løs, ufestet, løs og ledig.
unattainable ['ʌnə'teinəbl] uoppnåelig.
unattended ['ʌnə'tendid] forlatt, ubevoktet; uten følge.
unattending ['ʌnə'tendiŋ] uoppmerksom.
unattractive [ʌnə'træktiv] uskjønn, lite pen.
unauthorized ['ʌn'ɔ:θəraizd] uten fullmakt, uautorisert; uberettiget.
unavailable ['ʌnə'veiləbl], **unavailing** ['ʌnə'veiliŋ] unyttig, fruktesløs, gagnløs, ugyldig, ubrukbar; utilgjengelig.
unavenged ['ʌnə'vendʒd] uhevnet.
unavoidable ['ʌnə'vɔidəbl] uunngåelig.
unaware ['ʌnə'wɛə] ikke oppmerksom (of på).
unawares ['ʌnə'wɛəz] uforvarende, uventet.
unbacked ['ʌn'bækt] som ikke er ridd inn (om hest); som ingen holder på (ved veddeløp); uten støtte, uten (økonomisk) dekning.
unbalanced ['ʌn'bælənst] ulikevektig; ubalansert.
unbar [ʌn'bɑ:] lukke opp, åpne.
unbashful ['ʌn'bæʃful] skamløs.
unbear [ʌn'bɛə] ta av tøylene (tømmene).
unbearable [ʌn'bɛərəbl] utålelig, ulidelig.
unbearded ['ʌn'biədid] skjeggløs.
unbearing ['ʌn'bɛəriŋ] ufruktbar.
unbeaten ['ʌn'bi:tn] uslått, uovervunnet.
unbecoming ['ʌnbi'kʌmiŋ] upassende, usømmelig, ukledelig.
unbegot ['ʌnbi'gɔt] ufødt.
unbelief ['ʌnbi'li:f] vantro, mistro (in til).
unbelieving ['ʌnbi'li:viŋ] vantro.
unbend ['ʌn'bend] spenne ned, slappe, slakke, løsne, gjøre løs; atspre; **-ing** ['ʌn'bendiŋ] stiv, ubøyelig; **-ing** ['ʌnbendiŋ] som blir slapp.
unbenign ['ʌnbinain] uvennlig.
unbent [ʌn'bent] nedspent, ikke anstrengt.
unbeseeming ['ʌnbi'si:miŋ] usømmelig.
unbiased ['ʌn'baiəst] uhildet, fordomsfri, saklig, objektiv.
unbidden ['ʌn'bidn] uoppfordret, ubuden.
unbind ['ʌn'baind] ta båndet av, løse, frigjøre.
unblamable ['ʌn'bleiməbl] ulastelig, uskyldig.
unbleached ['ʌn'bli:tʃt] ubleket.
unblemishable ['ʌn'blemiʃəbl] plettfri, uplettet.
unblessed ['ʌn'blest] uinnviet, ikke velsignet; ond, forbannet; elendig.
unblown ['ʌn'bləun] ikke utslokket, ikke blåst opp.
unblushing ['ʌn'blʌʃiŋ] uten skam, uten å rødme.
unbolt ['ʌn'bəult] åpne, skyve slåen fra.
unbooked ['ʌn'bukt] ikke innført; ledig, ureservert; ulærd.
unboot [ʌn'bu:t] ta støvlene av.
unborn ['ʌn'bɔ:n] ufødt; **as innocent as the babe — så uskyldig som barn i mors liv.
unbosom ['ʌn'buzəm, 'ʌn-] betro, åpne seg.
unbound ['ʌn'baund] ubundet, uinnbundet.
unbounded [ʌn'baundid] ubegrenset, grenseløs.
unbowel [ʌn'bauəl] sprette opp.
unbrace ['ʌn'breis] slappe, løsne.
unbreakable ['ʌn'breikəbl] ubrytelig, uknuselig.
unbred ['ʌn'bred] uoppdragen, udannet.
unbridle [ʌn'braidl] ta bisselet av. **unbridled** uten bissel, utøylet, tøylesløs, sprelsk.

unbroken ['ʌn'brəukn] uavbrutt; utemt; hel, uberørt, udelt.
unbuckle ['ʌn'bʌkl] løsne, spenne opp.
unburden [ʌn'bə:dn] lesse av, lette (of for).
unbutton [ʌn'bʌtn] knappe opp; demontere.
uncalled ['ʌn'kɔ:ld] uoppfordret, ukallet; — **for** ikke krevet, unødig, i utrengsmål, ubetimelig.
uncanny [ʌn'kæni] uhyggelig, nifs; fabelaktig.
uncared-for ['ʌn'kɛədfɔ:] upåaktet, forsømt, vanskjøttet.
uncase [ʌn'keis] blotte, utfolde.
uncashed ['ʌn'kæʃt] uinnløst (sjekk).
unceasing [ʌn'si:siŋ] uopphørlig.
unceremonious [ʌnseri'məunjəs] likefram, endefram, utvungen, uformell.
uncertain [ʌn'sə:tn] usikker, uviss, utrygg; omskiftelig. **-ty** uvisshet, tvil.
uncertificated ['ʌnsə:'tifikeitid] uten attest.
unchain [ʌn'tʃein] løse.
unchallenged ['ʌn'tʃælindʒd] upåtalt, uimotsagt.
unchangeable ['ʌn'tʃein(d)ʒəbl] uforanderlig.
unchanging ['ʌn'tʃein(d)ʒiŋ] uforanderlig, stadig.
uncharge ['ʌn'tʃɑ:dʒ] lesse av. **-d** ikke debitert; uladd; ubelastet.
uncharitable [ʌn'tʃæritəbl] umild, streng, dømmesyk.
unchaste ['ʌn'tʃeist] ukysk.
unchastity ['ʌn'tʃæstiti] ukyskhet.
unchristian ['ʌn'kristʃən] ukristelig.
unchristianize [ʌn'kristʃənaiz] avkristne.
uncivil ['ʌn'sivil] uhøflig. **-ized** rå, vill, usivilisert; ukultivert.
unclaimed ['ʌn'kleimd] uavhentet, uoppkrevd.
unclasp [ʌn'klɑ:sp] hekte opp, åpne.
uncle ['ʌŋkl] onkel (ogs. om eldre menn.) **Uncle Sam** ɔ: De Forente Stater (ved en egen tydning av U. S.); **uncle-in-law** tantes mann; hustrus onkel; manns onkel; **my watch is at uncle's** klokken min er i stampen («hos onkel»).
unclean ['ʌn'kli:n] uren.
unclench ['ʌn'klenʃ] åpne (seg).
unclog [ʌn'klɔg] befri, frigjøre, stake opp.
unclose [ʌn'kləuz] åpne, bryte, åpenbare.
uncloud [ʌn'klaud] klare opp.
unco ['ʌŋkəu] (i skotsk) ukjent, rar, underlig; unormalt, overmåte.
uncock ['ʌn'kɔk] spenne ned hanen på.
uncoffined ['ʌn'kɔfind] ikke lagt i kiste.
uncoil [ʌn'kɔil] vikle opp, rulle opp, spole av.
uncoloured ['ʌn'kʌləd] fargeløs, usminket.
uncombined ['ʌn'kəmbaind] usammensatt, fri.
uncomely [ʌn'kʌmli] utekkelig, stygg, usømmelig; tarvelig.
uncomfortable [ʌn'kʌmf(ə)təbl] ubehagelig, ubekvem, uvel, i ulag, ille til mote, trist, urolig.
uncommitted ['ʌnkə'mitid] uengasjert, uforpliktet, som står fritt, alliansefri.
uncommon ['ʌn'kɔmən] ualminnelig.
uncommunicative ['ʌnkə'mju:nikətiv] umeddelsom.
uncomplaining ['ʌnkəm'pleiniŋ] tålmodig, uten klage.
uncomplicated ['ʌn'kɔmplikeitid] enkel, ukomplisert.
uncomplimentary ['ʌnkɔmpli'mentəri] lite smigrende, ugalant.
uncomplying ['ʌnkəm'plaiiŋ] ubøyelig, stiv.
uncompromising [ʌn'kɔmprəmaiziŋ] fast, steil, kompromissløs, uforsonlig.
unconcern ['ʌnkən'sə:n] ubekymrethet, uberørthet, ro. **unconcerned** ['ʌnkən'sə:nd] uinteressert, uberørt, ubekymret.
unconditional ['ʌnkən'diʃənəl] ubetinget, betingelsesløs.
unconfined ['ʌnkən'faind] uinnskrenket, fri.
unconformable ['ʌnkən'fɔ:məbl] uoverensstemmende, som ikke kan tilpasses.
uncongenial ['ʌnkən'dʒi:njəl] utiltalende, uharmonisk; ubeslektet.

unconnected ['Ankə'nektid] uten forbindelse; usammenhengende.
unconquerable ['An'kɔŋkərəbl] uovervinnelig.
unconscientious ['Ankɔnʃi'enʃəs] samvittighetsløs.
unconscionable [ʌn'kɔnʃənəbl] urimelig; samvittighetsløs.
unconscious ['ʌn'kɔnʃəs] bevisstløs, ubevisst, intetanende; **be — of** ikke være seg bevisst, ikke merke, ikke vite om (el. til).
unconsidered ['ʌnkən'sidəd] uoverlagt, uoverveid.
unconspicuous ['ʌnkən'spikjuəs] uanselig.
unconstitutional ['ʌnkɔnsti'tjuːʃənəl] forfatningsstridig, som er mot grunnloven.
unconstrained ['ʌnkən'streind] utvungen, fri.
unconstraint ['ʌnkən'streint] utvungenhet.
uncontested ['ʌnkən'testid] uomtvistet, ubestridt.
uncontrollable ['ʌnkən'trɔuləbl] ustyrlig, uimotståelig, ubendig, grenseløs, uavvendelig. **uncontrolled** ['ʌnkən'trɔuld] ubehersket, uregulert.
unconversant ['ʌnkən'vəːsənt] ubevandret.
unconvincing ['ʌnkən'vinsiŋ] ikke overbevisende, usannsynlig.
unco-operative ikke samarbeidsvillig, passiv.
uncord [ʌn'kɔːd] løse opp.
uncork [ʌn'kɔːk] trekke opp (flaske); (fig.) gi luft for.
uncounted ['ʌn'kauntid] utallig.
uncouple [ʌn'kʌpl] kople av, kople fra, løse.
uncourteous ['ʌn'kɔːtʃəs] uhøflig.
uncourtly ['ʌn'kɔːtli] ufin, uhøvisk, grov.
uncouth [ʌn'kuːθ] besynderlig, underlig, rar, klosset, primitiv, udannet, grov.
uncover [ʌn'kʌvə] avdekke, ta lokket av, ta hatten av, blotte; avsløre, røpe; **stand -ed** stå med blottet hode; udekket.
uncrowned ['ʌn'kraund] ukronet.
unction ['ʌŋkʃən] salve, salving, salvelse; velbehag; **extreme —** den siste olje. **unctuous** ['ʌŋktʃuəs] fettet, oljeaktig; salvelsesfull.
uncultivated ['ʌn'kʌltəmd] uoppdyrket, ubearbeidet.
uncurl [ʌn'kəːl] glatte, få krøllene ut av.
uncus ['ʌŋkəs] krok, hake.
uncustomed ['ʌn'kʌstəmd] ikke fortollet.
uncut ['ʌn'kʌt] uoppskåret, ubeskåret, uslipt.
undamped ['ʌn'dæm(p)t] ikke fuktet; ufortrøden.
undated ['ʌn'deitid] udatert.
undated ['ʌndeitid] bølget.
undaunted ['ʌn'dɔːntid] uforferdet, uforsagt.
undebatable uomtvistelig, udiskutabel.
undeceive ['ʌndi'siːv] rive ut av villfarelsen, si sannheten; **be -d** få øynene opp.
undecided ['ʌndi'saidid] uavgjort, ubestemt, på det uvisse; **leave —** la stå hen.
undecipher ['ʌndi'saifə] tyde, dechiffrere. **-able** som ikke kan tydes.
undecked [ʌn'dekt] upyntet; åpen.
undefiled ['ʌndi'faild] ren.
undefinable ['ʌndi'fainəbl] ubestemmelig.
undemonstrable ['ʌndi'mɔnstrəbl] upåviselig.
undemonstrative ['ʌndi'mɔnstrətiv] tilbakeholden, tilknappet, stillfarende, reservert.
undeniable ['ʌndi'naiəbl] unektelig, ubestridelig.
undenominational ['ʌndinɔmi'neiʃənəl] bekjennelsesløs, konfesjonsløs, almenkristelig.
undependable [-'pen-] upålitelig.
under ['ʌndə] under; nede, nedenfor; underordnet, under-; — **existing conditions** under de rådende forhold; — **Elizabeth** under Elisabet, under Elisabeths regjering; — **this (day's) date** (under) dags dato; — **Heaven** under solen, her på jorden; — **the name of** under navnet; — **an oath** bundet av en ed; — **consideration** under overveielse; — **God** nest Gud; med Guds hjelp; — **age** mindreårig, umyndig; **speak —** one's **breath** snakke ganske lavt; — **his own hand** egenhendig.

under|bid ['ʌndə'bid] underby; skamby. **-body** buk; underdel, understell; underskip. **-bred** ['ʌndə'bred] halvdannet. **-build** underbygge, fundamentere. **-buy** kjøpe billigere enn reell verdi. **-carriage** understell; **-carriage treatment** understellsbehandling (mot rust). **-coat** grunning, mattering; rustbehandling. **-cover** skjult, hemmelig; **-cover man** spion. **-current** ['ʌndəkʌrənt] understrøm. **-developed** underutviklet, utviklingshemmet. **-do** ['ʌndə'duː] steke (koke) for lite. **-dog** den svake part, taper. **-done** halvrå. **-estimate** undervurdere. **-feed** sultefore. **-foot** [ʌndə'fut] under føttene; hemmelig, skjult; **the roads were dry -foot** veiene var tørre å gå på. **-go** [ʌndə'gəu] gjennomgå, utstå, lide.
under|graduate [ʌndə'grædjuit] student. **-ground** ['ʌndə'graund] underjordisk, undergrunn. **the -ground** tunnelbanen, undergrunnsbanen; **-growth** ['ʌndəgrəuθ] underskog. **-hand** ['ʌndəhænd] med hånden vendt opp, med underarmskast; hemmelig, snikende; **-hand bowling** underarmskasting. **-handed** underbemannet; hemmelig, i skjul. **-hung** fremskutt, fremstående. **-let** ['ʌndə'let] leie under verdien, fremleie. **-lie** ['ʌndə'lai] ligge under, ligge til grunn. **-line** [ʌndə'lain] understreke, utheve.
under|linen ['ʌndəlinən] undertøy, linnet. **-ling** ['ʌndəliŋ] underordnet, dårlig kar, stakkar. **-lying** bærende, grunn-. **-manned** underbemannet. **-mentioned** følgende, nedennevnt. **-mine** [ʌndə'main] underminere, undergrave, hule ut. **-most** ['ʌndəməust] underst, nederst. **-neath** [ʌndə'niːθ] (neden)under, nedentil; på bunnen. **-nourish** underernære. **-paid** underbetalt. **-part** ['ʌndəpɑːt] underordnet rolle; nederdel, underside. **-pass** fotgjengerundergang, veiundergang. **-pay** ['ʌndə'pei] betale for lite, utbytte. **-pay** ['ʌndəpei] sultelønn. **-pin** [ʌndə'pin] understøtte. **-plot** ['ʌndəplɔt] bihandling. **-powered** med for liten motor. **-price** underpris. **-privileged** forfordelt, underprivilegert. **-prize** ['ʌndə'praiz] undervurdere. **-rate** [ʌndə'reit] undervurdere. **-rate** ['ʌndəreit] spottpris. **-run** [ʌndə'rʌn] løpe under, underhale; understrøm. **-score** fremheve, understreke; fremheving. **-scrub** underskog. **-sea** undervanns-, **-seal** understellsbehandling (mot rust). **-set** [ʌndə'set] understøtte; fremleie, forpakte. **-set** ['ʌndəset] understrøm. **-shirt** ['ʌndəʃəːt] (amr.) undertrøye, ulltrøye.
undersign [ʌndə'sain] undertegne, signere.
undersized ['ʌndəsaizd] undermåls, for liten.
under|soil ['ʌndəsɔil] undergrunn. **-song** ['ʌndəsɔŋ] omkved, refreng. **-staffed** underbemannet, **-stamped** utilstrekkelig frankert.
understand [ʌndə'stænd] forstå, skjønne, innse, vite, være klar over, oppfatte, kjenne, mene, få vite, erfare, høre, underforstå; **he -s his business** han kan sine ting; **he does not — a joke** han er ikke til å spøke med; **it passes me to — how** det går over min forstand, hvorledes . . .; **he gave it to be understood** han lot seg forstå med; **it is an understood thing that** det sier seg selv at; **he can make himself understood in English** han kan gjøre seg forstått på engelsk; **we —** det forlyder, etter forlydende. **-able** forståelig. **-ably** forståelig (nok).
understanding [ʌndə'stændiŋ] forstand, vett, forståelse; dømmekraft, skjønn; betingelse, forutsetning; forståndig; **it passes all —** det overgår all forstand; **to my poor —** etter mitt ringe skjønn.
under|state [ʌndə'steit] gjøre for lite av, fremstille utilstrekkelig, bruke et svakt uttrykk. **-statement** [-'steitmənt] svakt uttrykk, mildnende betegnelse, underdrivelse. **-steer** understyring. **-strapper** [-stræpə] medhjelper; ubetydelig person. **-study** ['ʌndəstʌdi] reserveskuespiller (-inne), hjelper, vikar; en som dublerer en bestemt rolle; ['ʌndə'stʌdi] dublere, besette en teaterrolle dobbelt, med to som kan avløse hverandre. **-take** [-'teik] påta seg, foreta, overta, forplikte seg til. **-taker** ['ʌndəteikə] entreprenør; innehaver av begravelsesbyrå, bedemann; **his -taker's face**

hans bedemannsansikt. **-taking** [ʌndə'teikiŋ] foretagende, forpliktelse, garanti, løfte, tilsagn; ['ʌndəteikiŋ] begravelsesfaget. — **-the-counter** underhånds, underhånden. **-time** undereksponere. **-tone** ['ʌndətəun] dempet stemme. **-tow** ['ʌndə-təu] understrøm. **-value** ['ʌndə'vælju] undervurdere. **-wear** [-wɛə] undertøy. **-wood** ['ʌndəwud] underskog. **-work** ['ʌndə'wə:k] arbeide billigere enn, i stillhet undergrave. **-write** [ʌndə'rait] skrive under; tegne (polise, om assurandør). **-writer** ['ʌndəraitə] assurandør, sjøassurandør, tegningsgarant.

undescribable ['ʌndi'skraibəbl] ubeskrivelig.
undeserved ['ʌndi'zə:vd] ufortjent.
underserving ['ʌndi'zə:viŋ] uverdig.
undesigned ['ʌndi'zaind] uforsettlig, utilsiktet.
undesigning ['ʌndi'zainiŋ] troskyldig, ærlig, likefrem.
undesirable ['ʌndi'zairəbl] mindre ønskelig, uønsket, brysom, plagsom, i veien.
undetermined ['ʌndi'tə:mind] ubestemt, uviss, ikke fastslått; ubegrenset.
undeterred ['ʌndi'tə:d] uforknytt, fryktløs.
undeveloped ['ʌndi'veləpt] uutviklet, ubebygd.
undeviating ['ʌn'di:vieitiŋ] usvikelig, fast, stø.
undies ['ʌndiz] pl. (dame)undertøy.
undigested ['ʌndi'dʒestid] ufordøyd.
undignified ['ʌn'dignifaid] lite verdig, uverdig.
undiluted ['ʌndai'lju:tid] ufortynnet.
undiminished usvekket, uforminsket.
undimmed ['ʌn'dimd] klar (som før), ufordunklet.
undine [ʌn'di:n] undine (kvinnelig vannånd).
undirected ['ʌndi'rektid] uadressert, planløs.
undiscerning ['ʌndi'sə:niŋ] ukritisk.
undisciplined ['ʌn'disiplind] udisiplinert.
undisguised ['ʌndis'gaizd] utilslørt, uforstilt.
undisposed utilbøyelig (**to** til).
undisputed ['ʌndis'pju:tid] ubestridt.
undissembling ['ʌndi'sembliŋ] uforstilt.
undistinguishable ['ʌndi'stiŋgwiʃəbl] ukjennelig. **undistinguished** [ʌndi'stiŋgwiʃt] karakterløs, ganske alminnelig, jevn, pregløs.
undisturbed ['ʌndi'stə:bd] uforstyrret.
undivided ['ʌndi'vaidid] udelt, full, hel.
undo [ʌn'du:] oppheve, løse, åpne, omgjøre; ødelegge. **-ing** ulykke, ødeleggelse. **undone** [ʌn'dʌn] tilintetgjort; åpnet, ugjort.
undoubted [ʌn'dautid], **-ly** [-li] utvilsomt, uten tvil.
undress [ʌn'dres] kle av, ta forbinding av, kle av seg. **undress** ['ʌn'dres] hverdagsklær; neglisjé; daglig uniform. **-ed** pjusket (hår); upåkledd, sjusket; ubehandlet.
undue ['ʌn'dju:] utilbørlig, overdreven, upassende; ennå ikke forfalt (til betaling).
undulate ['ʌndjuleit] bølge, svanse, svinse, sette i bølgebevegelse, undulere.
undulation [ʌndju'leiʃən] bølgebevegelse, bølgegang; undulasjon.
unduly ['ʌn'dju:li] urimelig; ulovlig, urettferdig.
unearth [ʌn'ə:θ] grave opp, avdekke; åpenbare.
unearthly [ʌn'ə:θli] overnaturlig, uhyggelig, nifs.
uneasy ['ʌn'i:zi] ubehagelig, urolig, engstelig, usikker, ubekvem, tvungen, sjenerende.
uneatable ['ʌn'i:təbl] uspiselig.
uneconomic uøkonomisk, ikke rentabel.
unedifying lite oppbyggelig.
uneducated udannet, uvitende.
unembarrassed ['ʌnim'bærəst] utvungen; (jur.) ubeheftet; ubekymret.
unembodied ['ʌnim'bɔdid] ulegemlig.
unemotional ['ʌni'məuʃənəl] kald, prosaisk, upåvirkelig.
unemployed ['ʌnim'plɔid] arbeidsløs. **unemployment** ['ʌnim'plɔimənt] arbeidsløshet, arbeidsledighet. — **benefit** arbeidsløshets|understøttelse. — **insurance** -trygd.
unending ['ʌn'endiŋ] endeløs.

unengaged ['ʌnen'geidʒd] fri, ledig, uforlovet.
un-English ['ʌn'iŋgliʃ] uengelsk.
unenterprising ['ʌn'entəpraiziŋ] intitiativløs.
unequal ['ʌn'i:kwəl] ulike, ujevn, udyktig (til); **be — to a task** ikke makte en oppgave. **-led** uovertruffet, makeløs.
unequivocal ['ʌni'kwivəkəl] utvetydig, klar.
unerring ['ʌn'ə:riŋ] ufeilbar, usvikelig.
UNESCO fk. f. **the United Nations Educational, Scientific, and Cultural Organization.**
unessential ['ʌn'senʃəl] uvesentlig.
uneven ['ʌn'i:vn] ujevn, kupert, ru; ulike.
uneventful ['ʌni'ventful] begivenhetsløs.
unexampled ['ʌnig'za:mpld] enestående, uten like.
unexceptionable ['ʌnik'sepʃənəbl] udadlelig, ulastelig, uangripelig. **unexceptional** ['ʌnik-'sepʃənəl] alminnelig, uten unntak.
unexpected ['ʌnik'spektid] uventet.
unfadable ['ʌn'feidəbl] fargeekte, som ikke falmer.
unfailing [ʌn'feiliŋ] ufeilbar(lig); årviss; uuttømmelig.
unfair ['ʌn'fɛə] uærlig, urettferdig, partisk, urimelig, utilbørlig; ubillig, ikke pen.
unfaithful ['ʌn'feiθful] utro.
unfaltering [ʌn'fɔ:ltəriŋ] urokkelig.
unfamiliar ['ʌnfə'miljə] ukjent, uvant, fremmed. **-ity** fremmedartethet.
unfasten [ʌn'fɑ:sn] løse opp, åpne, løsne.
unfathomable ['ʌn'fæðəməbl] uutgrunnelig, bunnløs.
unfavourable ['ʌn'feivərəbl] ugunstig, uheldig.
unfeasible ['ʌn'fi:zəbl] ugjørlig, umulig.
unfeeling [ʌn'fi:liŋ] ufølsom, hardhjertet.
unfeigned [ʌn'feind] oppriktig, uforstilt.
unfetter [ʌn'fetə] løse, frigjøre, befri.
unfilial ['ʌn'filjəl] ikke sønnlig el. datterlig.
unfit ['ʌn'fit] uskikket, upassende, uhøvelig.
unfix ['ʌn'fiks] løse, ta av; forrykke.
unfixed ['ʌn'fikst] løs, vaklende, ufestet.
unflagging ['ʌn'flægiŋ] utrettelig, usvikelig.
unflattering ['ʌn'flætəriŋ] lite smigrende.
unfledged ['ʌn'fledʒd] umoden, ikke flyvedyktig.
unflinching ['ʌn'flinʃiŋ] uforferdet, djerv.
unfold [ʌn'fəuld] åpne, brette ut, rulle opp, utfolde, åpenbare, forklare, fremstille.
unforgettable uforglemmelig.
unforgiving uforsonlig.
unformed ['ʌn'fɔ:md] oppløst, uformelig, uformet.
unforseen uforutsett.
unforthright uoppriktig, uredelig.
unfortunate [ʌn'fɔ:tʃənit] uheldig, ulykkelig. **-ly** uheldigvis, dessverre.
unfounded ['ʌn'faundid] ugrunnet, løs.
unfrequent ['ʌn'fri:kwənt] sjeldnere, mindre hyppig. **-ly** sjelden, en sjelden gang.
unfriended ['ʌn'frendid] venneløs, uten venner.
unfriendly ['ʌn'frendli] uvennlig, ugunstig.
unfrock ['ʌn'frɔk] frata presteverdigheten.
unfulfilled ['ʌnful'fild] uoppfylt.
unfurl [ʌn'fə:l] utfolde, slå ut.
unfurnished umøblert.
ungainly [ʌn'geinli] klosset, kluntet, keitet, underlig, frastøtende.
ungarbled ['ʌn'gɑ:bld] likefrem, uforvansket.
ungenerous ['ʌn'dʒenərəs] lumpen, smålig.
ungenial ['ʌn'dʒi:njəl] usympatisk, umild.
ungentlemanlike ['ʌn'dʒentlmənlaik] udannet.
ugentlemanly [ʌn'dʒentlmənli] udannet.
un-get-at-able ['ʌnget'ætəbl] utilgjengelig.
ungird [ʌn'gə:d] løse gjorden av, løse, ta av.
ungladden [ʌn'glædn] bedrøve, nedslå.
unglove ['ʌn'glʌv] ta hansken(e) av.
ungodly [ʌn'gɔdli] ugudelig, gudløs.
ungovernable [ʌn'gʌvənəbl] uregjerlig.
ungraceful ['ʌn'greisful] ugrasiøs, klønet.
ungracious ['ʌn'greiʃəs] unådig, ubehagelig, uvillig, uvennlig.

ungrateful ['ʌn'greitful] utakknemlig.
ungratified utilfredsstilt; uoppfylt.
unground ['ʌn'graund] umalt, uslipt. **-ed** ubegrunnet, ukyndig; ikke jordet (ledning).
ungrudging ['ʌn'grʌdʒiŋ] villig, uforbeholden.
ungual ['ʌŋgwəl] negleaktig, med negler (klør).
unguarded ['ʌn'gɑ:did] ubevoktet, uforsiktig, uaktsom, overilt, tankeløs.
unguent ['ʌŋgwənt] salve.
unguided ikke styrt, uten ledelse.
unguis ['uŋgwis] hov, klo, negl. **ungulate** ['ʌŋgjuleit] hov-, med hover; hovdyr.
unhallowed ['ʌn'hæləud] vanhellig, profan.
unhand [ʌn'hænd] slippe, la gå.
unhandsome ['ʌn'hændsəm] uskjønn.
unhandy ['ʌn'hændi] uhendig, ubekvem.
unhang [ʌn'hæŋ] ta ned.
unhappiness ulykke. **unhappily** uheldigvis; ulykkeligvis. **unhappy** [ʌn'hæpi] ulykkelig, uheldig.
unharness ['ʌn'hɑ:nis] sele av, spenne fra.
unhealthy [ʌn'helθi] usunn, sykelig, svak.
unheard ['ʌn'hə:d] uten å bli hørt; [ʌn'hə:d] uhørt, eksempelløs. **unheard-of** [ʌn'hə:dəv] uhørt, makeløs, eksempelløs.
unheeding ['ʌn'hi:diŋ] uaktsom, tankeløs.
unhesitating [ʌn'heziteitiŋ] uten betenkning.
unhinge [ʌn'hinʒ] løfte av hengslene, rokke, forvirre, skake opp.
unhitch [ʌn'hitʃ] spenne fra, løse, løsne.
unholy [ʌn'həuli] vanhellig; ugudelig, ond.
unhook ['ʌn'huk] ta av kroken, hekte av.
unhoped-for [ʌn'həuptfɔ:] uventet.
unhorse ['ʌn'hɔ:s] kaste av hesten, styrte; spenne fra hesten.
unhung [ʌn'hʌŋ] (ennå) ikke hengt.
unhurried sindig, rolig, langsom.
unhurt ['ʌn'hə:t] uskadd, uten men.
unhusk [ʌn'hʌsk] d. s. s. **husk.**
UNICEF fk. f. **United Nations International Children's Emergency Fund.**
unicellular [ju:ni'seljulə] éncellet.
unicoloured ensfarget.
unicorn ['ju:nikɔ:n] enhjørning.
unideal ['ʌnai'diəl] prosaisk; uideell.
unidiomatic ['ʌnidjə'mætik] uidiomatisk.
unification [ju:nifi'keiʃən] forening, samling.
uniform ['ju:nifɔ:m] ensformig, ensartet, uforanderlig; uniform; gjøre ensartet, uniformere.
uniformity [ju:ni'fɔ:miti] ensartethet, overensstemmelse; **The Act of Uniformity** uniformitets-akten, en eng. kirkeanordning av 1662, hvorved en mengde geistlige ble drevet ut av folkekirken.
unify ['ju:nifai] samle, forene.
unigenous [ju:'nidʒinəs] ensartet.
unilateral ['ju:ni'lætərəl] unilateral, ensidig.
unimaginable ['ʌni'mædʒinəbl] utenkelig.
unimaginative ['ʌni'mædʒinətiv] fantasiløs.
unimpaired uskadd, usvekket, uforminsket.
unimpeachable ['ʌnim'pi:tʃəbl] uangripelig, upåklagelig, ulastelig.
unimpeded ['ʌnim'pi:did] uhindret, uhemmet.
unimportant ['ʌnim'pɔ:tənt] uviktig.
unimpressed ['ʌnim'prest] uimponert. **unimpressible** ['ʌnim'presibl] uimottagelig. **unimpressive** uanselig.
unimprovable ['ʌnim'pru:vəbl] uforbederlig.
unimproved ['ʌnim'pru:vd] uforbedret, udannet; ubebygd, ubrukt.
uninflammable ikke brennbar.
uninfluenced ['ʌn'influenst] upåvirket.
uninfluential ['ʌninflu'enʃəl] uten innflytelse.
uninformed ['ʌnin'fɔ:md] uvitende.
uninforming ['ʌnin'fɔ:miŋ] lite opplysende.
uninhabitable ['ʌnin'hæbitəbl] ubeboelig.
uninhabited ['ʌnin'hæbitid] ubebodd.
uninitiated ['ʌnin'iʃieitid] uinnvidd.
uninjured ['ʌn'indʒəd] uskadd.
uninspired ['ʌnin'spaiəd] uinspirert, åndløs.
uninsured ['ʌnin'ʃuəd] uforsikret, udekket.
uninsulated ['ʌn'insjuleitid] blank, uisolert.

unintegrated ['ʌn'intigreitid] splittet.
unintelligent ['ʌnin'telidʒənt] uintelligent, dum.
unintelligible ['ʌnin'telidʒibl] uforståelig.
unintended ['ʌnin'tendid], **unintentional** ['ʌnin'tenʃənəl] utilsiktet, uforsettlig, ufrivillig.
uninterested ['ʌn'intərestid] uegennyttig. **uninteresting** ['ʌn'intərestiŋ] uinteressant.
unintermittent ['ʌnintə'mitənt] uavbrutt.
uninterrupted ['ʌnintə'rʌptid] uavbrutt.
union ['ju:njən] forening, lag, sammenslutning, forbund, enighet, samhold, union, overensstemmelse, samband, ekteskap, giftermål; fattigdistrikt, fattighus; fagforening; **monetary** — myntkonvensjon, valutaforbund; **The Union** (om en studentforening i Oxford og Cambridge; om Englands og Skottlands forening til ett rike og Irlands med Storbritannia; om den nordamerikanske union); — **is strength** enighet gjør sterk; **Union Jack** det britiske unionsflagg. — **card** fagforeningsbok. — **contract** tariffavtale. — **dues** fagforeningskontingenter. — **flag** unionsflagg. **-ism** samfølelse, fellesskap, fagbevegelse, unionisme. **-ist** [-nist] unionist (motstander av irsk selvstyre); fagforeningsmedlem, organisert arbeider. — **rate,** — **scale** tariffsats. — **suit** (amr.) combination.
uniparous [ju:'nipərəs] som føder én unge om gangen.
unipartite [ju:ni'pɑ:tait] udelt.
unipolar [ju:ni'pəulə] énpolet, énpols-.
unique [ju'ni:k] enestående, uten sidestykke.
unisex clothes (moteretning med) klær som er like for menn og kvinner.
unison ['ju:nisən] harmoni, enighet; samklang.
unit ['ju:nit] ener, enhet, element, seksjon, avdeling, gruppe.
Unitarian [ju:ni'tɛəriən] unitar, unitarisk.
unite [ju'nait] forene, samle; forene seg; **united** [ju:naitid] forent; **the United Brethren** herrnhutene; **the United Kingdom** Det forente kongerike; Storbritannia og (Nord-)Irland; **the United Nations** De forente nasjoner; **the United States (of America)** De forente stater.
unity ['ju:niti] enhet, enighet; identitet; harmoni; overensstemmelse.
univ. fk. f. **university; universe.**
universal [ju:ni'və:sl] allmenn, alminnelig, allsidig; allmennsetning. — **agent** generalagent. **-ity** [ju:nivə'sæliti] alminnelighet, allmenngyldighet. — **partnership** formuesfelleskap. — **pliers** pl. universaltang. — **shaft** kardangaksel. — **suffrage** alminnelig stemmerett.
universe ['ju:nivə:s] univers, verden.
university [ju:ni'və:siti] universitet; akademisk; — **man** akademiker.
univocal ['ʌn'aivəkl] utvetydig, enslydende.
unjust ['ʌn'dʒʌst] urettferdig. **unjustifiable** ['ʌn'dʒʌstifaiəbl] uforsvarlig, utillatelig, uberettiget, utilbørlig.
unkempt ['ʌn'kem(p)t] ukjemt, lurvet, ustelt.
unkind ['ʌn'kaind] ukjærlig, uvennlig, hard.
unknit [ʌn'nit] trevle opp, glatte.
unknowing ['ʌn'nəuiŋ] uvitende, uavvitende.
unknown ['ʌn'nəun] ukjent, uvitterlig.
unlaboured ['ʌn'leibəd] lett, naturlig.
unlace [ʌn'leis] snøre opp, løse.
unlade [ʌn'leid] losse, lesse av, tømme.
unladylike ['ʌn'leidilaik] upassende for en dame.
unlawful ['ʌn'lɔ:ful] ulovlig, urettmessig.
unlearn ['ʌn'lə:n] glemme, viske ut av hukommelsen. **-ed** ulærd, uvitende.
unleash [ʌn'li:ʃ] løse, slippe løs.
unleavened ['ʌn'levnd] usyret.
unless [ʌn'les] medmindre, uten, hvis ikke.
unlettered ['ʌn'letəd] ulærd.
unlicensed ['ʌn'laisənst] uautorisert, uten rett.
unlicked ['ʌn'likt] grønn, umoden.
unlike ['ʌn'laik] ulik, motsatt.
unlikelihood usannsynlighet.
unlikely ['ʌn'laikli] usannsynlig, urimelig, lite lovende.

unlimited ['ʌn'limitid] ubegrenset, uinnskrenket.

unlink [ʌn'liŋk] løse opp, ta lenken av.

unliquored ['ʌn'likəd] edru.

unload [ʌn'ləud] lesse av, losse, avlaste.

unlock [ʌn'lɔk] lukke opp, låse opp, åpne.

unlocked-for [ʌn'luktfɔ:] uventet, uforutsett.

unlucky ['ʌn'lʌki] uheldig.

unm. fk. f. **unmarried.**

unmake ['ʌn'meik] tilintetgjøre; oppheve, gjøre om (igjen); styrte (en konge).

unman [ʌn'mæn] ta motet fra, nedslå, overvelde; fjerne betjeningen fra, avfolke.

unmanageable ['ʌn'mænidʒəbl] uhåndterlig, ustyrlig, gjenstridig; uten styring.

unmanful ['ʌn'mænful], **unmanlike** ['ʌn'mænlaik), **unmanly** ['ʌn'mænli] umandig.

unmanned ['ʌn'mænd] ubemannet; umandig.

unmannered ['ʌn'mænəd], **unmannerly** [ʌn'mænəli] uoppdragen, ubehøvlet.

unmanningly overveldende.

unmapped ikke kartlagt.

unmarked ['ʌn'mɑ:kt] umerket; ubemerket.

unmarred ['ʌn'mɑ:d] uskadd.

unmarried ['ʌn'mærid] ugift.

unmask [ʌn'mɑ:sk] demaskere, avsløre (seg).

unmatched ['ʌn'mætʃt] uforliknelig, enestående, uten like.

unmeaning ['ʌn'mi:niŋ] meningsløs, innholdsløs, intetsigende, tom. **unmeant** ['ʌn'ment] utilsiktet.

unmeasurable [ʌn'meʒərəbl] grenseløs, overveldende, overdreven.

unmeet ['ʌn'mi:t] uskikket.

unmentionable [ʌn'menʃənəbl] unevnelig.

unmerciful [ʌn'mə:siful] ubarmhjertig.

unmindful [ʌn'main(d)ful] som glemmer, uten tanke (**of** på), uoppmerksom, likegyldig (**of** med).

unmingled [ʌn'miŋgld] ublandet.

unmistakable ['ʌnmis'teikəbl] umiskjennelig, ufeilbarlig.

unmitigated [ʌn'mitigeitid] uformildet, uforsonlig, fullstendig, absolutt, ublandet, rendyrket, ren og skjær, absolutt.

unmixed ['ʌn'mikst] ublandet, ren.

unmodified uforandret, uendret.

unmodish umoderne.

unmolested ['ʌnmə'lestid] uantastet.

unmoor [ʌn'muə] kaste loss, løsgjøre fortøyningene.

unmounted ikke ridende; uten innfatning, uten ramme, umontert.

unmoved ['ʌn'mu:vd] ubevegelig, uanfektet.

unnamed ['ʌn'neimd] unevnt, unevnelig.

unnational ['ʌn'næʃənəl] unasjonal, ufolkelig.

unnatural unaturlig, naturstridig; umenneskelig.

unnavigable ['ʌn'nævigəbl] useilbar, ufarbar.

unnecessary ['ʌn'nesisəri] unødvendig.

unneeded ['ʌn'ni:did] unødig, uønsket.

unnerve [ʌn'nə:v] avkrefte, lamme.

unnoticed ['ʌn'nəutist] ubemerket, uomtalt.

unnumbered unummerert, uten nummer, talløs.

unobjectionable ['ʌnəb'dʒekʃənəbl] uforkastelig, uanstøtelig.

unobliging ['ʌnə'blaidʒiŋ] lite imøtekommende.

unobserved ['ʌnəb'zə:vd] ubemerket.

unobstructed ['ʌnəb'strʌktid] uhindret.

unobtainable ['ʌnəb'teinəbl] uoppnåelig.

unobtrusive ['ʌnəb'tru:siv] beskjeden, småláten. **-ness** beskjedenhet.

unoccupied ['ʌn'ɔkjupaid] ledig; ubesatt, arbeidsløs, ubeskjeftiget.

unoffending ['ʌnə'fendiŋ] uskyldig, sakesløs.

unoffensive ['ʌnə'fensiv] harmløs.

unofficial ['ʌnə'fiʃəl] ikke tjenstlig, uoffisiell.

unofficious ['ʌnə'fiʃəs] utjenstvillig.

unostentatious ['ʌnɔsten'teiʃəs] bramfri, jevn og liketil, stillfarende, fordringsløs.

unowed ['ʌn'əud] som man ikke skylder.

unowned ['ʌn'əund] herreløs; ikke tilstått.

unpack [ʌn'pæk] pakke ut (el. opp), lesse (el. kløvje) av.

unpaid ['ʌn'peid] ubetalt, ufrankert, ulønnet.

unpaint [ʌn'peint] utslette.

unpalatable [ʌn'pælətəbl] usmakelig.

unparalleled [ʌn'pærəleld] uten sidestykke.

unpardonable [ʌn'pɑ:dənəbl] utilgivelig.

unparented foreldreløs.

unparliamentary ['ʌnpɑ:li'mentəri] uparlamentarisk.

unpatriotic upatriotisk, unasjonal.

unpaved uten fast dekke, grusvei.

unpen [ʌn'pen] slippe løs.

unpeople [ʌn'pipl] avfolke.

unperceived ['ʌnpə'si:vd] ubemerket.

unperformed ['ʌnpə'fɔ:md] uoppfylt.

unperturbed ['ʌnpə(:)'tə:bd] uforstyrret.

unpick [ʌn'pik] sprette opp, plukke opp.

unpitying ['ʌn'pitiiŋ] ubarmhjertig, nådeløs.

unplaced ['ʌn'pleist] uanbrakt, uten embete, uplassert, uordnet, forvirret.

unpleasable ['ʌn'pli:zəbl] ufornøyelig. **unpleasant** [ʌn'plezənt] ubehagelig, usympatisk. **unpleased** ['ʌn'pli:zd] misfornøyd. **unpleasing** ['ʌn'pli:ziŋ] ubehagelig.

unpliable ['ʌn'plaiəbl] ubøyelig.

unpliant ['ʌn'plaiənt] ubøyelig, stiv.

unpoetic ['ʌnpəu'etik], **-al** [-ə] upoetisk.

unpoised ['ʌn'pɔizd] ute av likevekt.

unpolished upusset, upolert, uelegant.

unpolluted uforurenset, ubesmittet, ren.

unpopular ['ʌn'pɔpjulə] upopulær.

unportioned ['ʌn'pɔ:ʃənd] medgiftsløs, fattig.

unposted upostet, ikke sendt; uinformert.

unpractised uøvd, uerfaren; ikke praktisert.

unprecedented [ʌn'presidentid] uhørt, enestående, uovertruffet, makeløs.

unpredictable uberegnelig, uoverskuelig.

unprejudiced ['ʌn'predʒudist] fordomsfri, upartisk, nøytral.

unpremeditated ['ʌnpri'mediteitid] uoverlagt.

unprepared uforberedt, improvisert.

unprepossessing ['ʌnpri:pə'zesiŋ] som ser mindre godt ut, ikke inntagende, lite tiltalende.

unpresuming ['ʌnpri'zju:miŋ] beskjeden, småláten, fordringsløs.

unpretending ['ʌnpri'tendiŋ] beskjeden, småláten, fordringsløs.

unprevailing ['ʌnpri'veiliŋ] svak.

unprevalent ['un'prevələnt] sjelden.

unprincipled ['ʌn'prinsipld] prinsippløs.

unproductive ['ʌnprə'dʌktiv] ufruktbar, uproduktiv.

unprofitable ['ʌn'prɔfitəbl] ufordelaktig, ulønnsom.

unprogressive ['ʌnprə'gresiv] stillestående.

unpromising ['ʌn'prɔmisiŋ] lite lovende.

unprompted på eget initiativ, uten tilskyndelse.

unprop [ʌn'prɔp] ta bort støtten.

unpropitious ['ʌnprə'piʃəs] uheldig, ugunstig.

unprotected ['ʌnprə'tektid] ubeskyttet, ugardert.

unproved ['ʌn'pru:vd] ubevist, uprøvd.

unprovided ['ʌnprə'vaidid] uforsynt; — **for** uforsørget.

unprovoked ['ʌnprə'vəukt] uutfordret, umotivert, uprovosert.

unpublished ['ʌn'pʌbliʃt] ikke offentliggjort, utrykt.

unpunctual ['ʌn'pʌŋktʃuəl] upresis.

unpunished ['ʌn'pʌniʃt] ustraffet.

unqualified [ʌn'kwɔlifaid] udyktig, uskikket, ukvalifisert; som ikke har avlagt den ed som kreves, ubeediget; absolutt, ubetinget.

unquenchable [ʌn'kwenʃəbl] uslokkelig.

unquestionable [ʌn'kwestʃənəbl] ubestridelig, utvilsom, avgjort. **unquestioned** [ʌn'kwestʃənd] ubestridt, uomtvistelig.

unquiet [ʌn'kwaiət] urolig, opprørt, hvileløs.

unravel [ʌn'rævl] utrede, greie ut (el. opp), løse; løse seg opp.

unread ['ʌn'red] ulest, ubelest. unreadable
['ʌn'ri:dəbl] uleselig.
unready ['ʌn'redi] uferdig; rådvill, sen, somlet.
unreal ['ʌn'ri:əl] uvirkelig.
unreality ['ʌnri'æliti] uvirkelighet.
unrealizable urealiserbar, uoppfyllelig.
unreason ['ʌn'ri:zn] dumhet, ufornuft. -able
[ʌn'ri:znəbl] urimelig, overdreven. unreasoning
[ʌn'ri:zniŋ] tankeløs, kritikkløs.
unreciprocated ['ʌnri'siprəkeitid] ugjengjeldt.
unrecognizable ['ʌn'rekəgnaizəbl] ugjenkjenne-
lig.
unrecorded ['ʌnri'kɔ:did] uopptegnet; ikke
innspilt.
unredeemable ['ʌnri'di:məbl] uinnløselig, uopp-
sigelig. unredeemed ['ʌnri'di:md] uinnløst; uopp-
fylt; ufrelst.
unreel [ʌn'ri:l] hespe av, rulle av, vikle av.
unrefined uraffinert, urenset; udannet.
unreflecting ['ʌnri'flektiŋ] tankeløs, kritikkløs.
unrefuted ['ʌnri'fju:tid] ugjendrevet.
unregarded ['ʌnri'ga:did] upåaktet, forsømt.
unregardful ['ʌnri'ga:dful] uaktsom, forsøm-
melig.
unregistered urekommandert (post); uregistrert.
unregretted ['ʌnri'gretid] som ikke blir savnet
el. sørget over.
unregulated ['ʌn'regjuleitid] uregulert, uregel-
messig.
unrelated ikke beslektet; uten forbindelse.
unrelenting ['ʌnri'lentiŋ] ubøyelig, ubønnhør-
lig, uforsonlig; utrettelig.
unreliable ['ʌnri'laiəbl] uvederheftig, upålitelig.
unremitting ['ʌnri'mitiŋ] uopphørlig, utrettelig.
unremunerative ['ʌnri'mju:nərətiv] ulønnsom.
unrepaired ['ʌnri'pɛəd] ikke istandsatt.
unrepenting ['ʌnri'pentiŋ] uten anger.
unrepining ['ʌnri'painiŋ] uten klage; taus.
unreprovable ['ʌnri'pru:vəbl] ulastelig.
unrequited ulønnet; ugjengjeldt; ustraffet.
unreserve ['ʌnri'zə:v] frimodighet, uforbehol-
denhet. unreserved ['ʌnri'zə:vd] uforbeholden;
likefrem; ikke reservert.
unresisting ['ʌnri'zistiŋ] uten motstand, pas-
siv.
unresolved ['ʌnri'zɔlvd] uløst, ubesluttsom.
unrespectful ['ʌnri'spektful] uærbødig.
unresponsive som ikke reagerer, passiv.
unrest uro, røre, gjæring.
unrestrained ['ʌnri'streind] uinnskrenket, tøy-
lesløs, uhemmet, fri, ubundet.
unrestricted uinnskrenket, uhemmet, fri.
unretentive ['ʌnri'tentiv] som beholder lite,
upålitelig.
unrevenged ['ʌnri'vendʒd] uhevnet.
unrevered ['ʌnri'viəd] uæret.
unreverend ['ʌn'revərənd] ikke ærverdig.
unrewarding utakknemlig, ulønnsom.
unrhymed ['ʌn'raimd] urimet, rimfri.
unriddle [ʌn'ridl] forklare, løse, oppklare.
unrig [ʌn'rig] avtakle, rigge ned; kle av.
unrighteous [ʌn'raitʃəs] urettferdig, ond, syn-
dig. -ness [-nis] urettferdighet, ondskap, synd,
syndighet; the mammon of -ness den urette
mammon.
unrip [ʌn'rip] sprette opp.
unripe ['ʌn'raip] umoden.
unrivalled [ʌn'raivld] uten like, uforlignelig.
unrivet [ʌn'rivit] ta naglen ut, løsne, rokke.
unrobe [ʌn'rəub] kle av, ta av seg embets-
drakten.
unroll [ʌn'rəul] rulle ut (el. opp), åpne.
unroof [ʌn'ru:f] løfte taket av.
unroot [ʌn'ru:t] rykke opp.
UNRRA fk. f. United Nations Relief and
Rehabilitation Administration.
unruffle [ʌn'rʌfl] komme til ro, bli glatt.
unruffled ['ʌn'rʌfld] uforstyrret, rolig, uan-
fektet, stille (om havet).
unruled ['ʌn'ru:ld] uregjert; ulinjert.
unruly [ʌn'ru:li] uregjerlig, ustyrlig.

UNRWA fk. f. United Nations Relief and Works
Administration.
unsaddle [ʌn'sædl] sale av; kaste av salen.
unsafe ['ʌn'seif] usikker, utrygg, upålitelig,
vågsom, farlig, risikabel.
unsaid ['ʌn'sed] usagt.
unsailorly ['ʌn'seiləli] ikke sjømannsmessig.
unsalable usalgbar, ukurant.
unsalaried ['ʌn'sælərid] ulønnet.
unsalted ['ʌn'sɔ:ltid] usaltet, utvannet.
unsanitary usanitær, uhygienisk.
unsatisfactory ['ʌnsætis'fæktəri] utilfredsstil-
lende. unsatisfying ['ʌn'sætisfaiiŋ] utilfredsstil-
lende.
unsavoury ['ʌn'seivəri] usmakelig, flau, vam-
mel; ekkel, motbydelig.
unsay ['ʌn'sei] ta tilbake, ta i seg igjen; it is
said, and you cannot — it, det er sagt, og du
kan ikke ta det i deg igjen.
unscalable ['ʌn'skeiləbl] ubestigelig.
unsealy [ʌn'skeili], unsealed ['ʌn'skeild] skjell-
løs.
unscanned ['ʌn'skænd] uskandert; uoverlagt.
unscared ['ʌn'skɛəd] ikke skremt.
unscathed ['ʌn'skeiðd] uskadd.
unscattered ['ʌn'skætəd] ikke spredt.
unscholarly ['ʌn'skɔləli] uvitenskapelig, ufilo-
logisk.
unschooled ['ʌn'sku:ld] ustudert, ulærd.
unscientific ['ʌnsaiən'tifik] uvitenskapelig.
unsecured ['ʌn'skauəd] uskurt, upusset.
unscreened ['ʌn'skri:nd] ikke skjermet.
unscrew [ʌn'skru:] skru løs (el. ut, opp); ta
skruen ut.
unscriptural ['ʌn'skriptʃərəl] ubibelsk.
unscrupulous ['ʌn'skru:pjuləs] hensynsløs, sam-
vittighetsløs.
unseal [ʌn'si:l] ta seglet av el. fra, bryte,
brekke, åpne.
unseam [ʌn'si:m] sprette opp.
unsearchable [ʌn'sə:tʃəbl] uransakelig, uut-
grunnelig.
unseasonable [ʌn'si:znəbl] i utide, ubetimelig,
ubeleilig, uheldig, upassende; unormal; at an
time of night først sent på natten.
unseasoned ['ʌn'si:znd] uvant, utillaget, ukryd-
ret, ikke tørret, umoden; (fig.) uerfaren, grønn.
unseat [ʌn'si:t] berøve setet, kaste av salen;
ta stilling som tingmann fra, kaste.
unseaworthy ['ʌn'si:wə:ði] ikke sjødyktig.
unseconded ['ʌn'sekəndid] ikke understøttet.
unsecular [ʌn'sekjulə] ikke verdslig.
unsecured ['ʌnsi'kjuəd] ikke sikret; — claim
(merk.) uprioritert fordring.
unseeing [ʌn'si:iŋ] blind, som ikke ser, stir-
rende, uttrykksløs, uforskende, fraværende.
unseemliness ['ʌn'si:mlinis] usømmelighet.
unseemly [ʌn'si:mli] usømmelig, upassende.
unseen ['ʌn'si:n] usett, usynlig, ubemerket;
ekstemporal, ulest tekst.
unseized ['ʌn'si:zd] ikke tatt i besittelse.
unselfish ['ʌn'selfiʃ] uegennyttig, uselvisk.
unsent ['ʌn'sent] usendt; — for ukallet.
unserviceable ['ʌn'sə:visəbl] ubrukelig.
unset ['ʌn'set] ikke satt, ikke innfattet, ikke
gått ned, uordnet; the -ting sun midnattssolen.
unsettle [ʌn'setl] rokke ved, forrykke, forvirre,
gjøre usikker; komme av lage, bli usikker.
unsettled ['ʌn'setld] ubygd, ikke kolonisert;
ubetalt, ubefestet, ustadig, ustø, usikker.
unsevered ['ʌn'sevəd] ikke atskilt, udelt.
unsew [ʌn'səu] sprette opp.
unsex [ʌn'seks] gjøre kjønnsløs, gjøre ukvinne-
lig; — oneself bli ukvinnelig. unsexed ukvinnelig.
unshackle [ʌn'ʃækl] løse (av lenke), frigjøre.
unshaded ['ʌn'ʃeidid] uten skygge, som det
ikke blir kastet skygge på.
unshadowed ['ʌn'ʃædəud] ikke skygget, ufor-
dunklet.
unshaken ['ʌn'ʃeikn] urokket, urokkelig.
unshamed ['ʌn'ʃeimd] ubeskjemmet.

unshamefaced ['ʌn'ʃeimfeist] uforskammet, skamløs.

unshapable ['ʌn'ʃeipəbl] uformelig. unshaped ['ʌn'ʃeipt], unshapen ['ʌn'ʃeipn] vanskapt, heslig. unshapely ['ʌn'ʃeipli] ikke velskapt, stygg.

unshared ['ʌn'ʃɛəd] udelt.

unshaved ['ʌn'ʃeivd], unshaven ['ʌn'ʃeivn] ubarbert.

unsheathe [ʌn'ʃi:ð] vikle ut (av svøp), dra ut av sliren, trekke blank; — the sword begynne krigen.

unshed ['ʌn'ʃed] ikke utgytt.

unshell [ʌn'ʃel] skalle av.

unsheltered ['ʌn'ʃeltəd] ubeskyttet, udekt, utsatt.

unshielded ['ʌn'ʃi:ldid] ikke skjermet, udekt.

unshiftable ['ʌn'ʃiftəbl] ubehjelpsom, upraktisk.

unship [ʌn'ʃip] losse, landsette, avskipe, utskipe, ta av, ta inn (årene), avmønstre (mannskapet); — your oars! årene inn! he -ped his rudder han fikk roret huket av, mistet roret; — the tiller ta av rorpinnen. -ment [-ment] lossing. -ping avtaging. -shape ['ʌn'ʃipʃeip] ikke sjømannsmessig; ikke forskriftsmessig.

unshocked ['ʌn'ʃɔkt] ikke støtt, ikke fornærmet.

unshod ['ʌn'ʃɔd] uten sko, uskodd, barføtt.

unshoe ['ʌn'ʃu:] sko av, ta skoen(e) av (en hest).

unshorn ['ʌn'ʃɔ:n] uklipt, langhåret.

unshot [ʌn'ʃɔt] ta ladningen ut av; ['ʌn'ʃɔt] ikke truffet.

unshrinkable ['ʌn'ʃriŋkəbl] krympefri. unshrinking [ʌn'ʃriŋkiŋ] uforsagt, uforferdet.

unshrouded ['ʌn'ʃraudid] udekt, ubeskyttet.

unshrunk ['ʌn'ʃrʌŋk] ikke sammenkrympet.

unshut ['ʌn'ʃʌt] ikke lukket.

unsifted ['ʌn'siftid] usiktet; uprøvd, uforsøkt.

unsight ['ʌn'sait]; buy it — and unseen kjøpe det usett. -able usynlig, usiktbar. -liness mindre vakkert utseende. -ly stygg, uskjønn.

unsigned ['ʌn'saind] ikke underskrevet.

unsilt ['ʌn'silt] mudre opp (kanal).

unsilvered ['ʌn'silvəd] uforsølvet.

unsinew [ʌn'sinju] avkrefte, maktstjele.

unsinkable ['ʌn'siŋkəbl] synkefri.

urskilful ['ʌn'skilful], -ly [-li] udyktig, klosset, klønet. -ness [-nis] udyktighet.

unskilled ['ʌn'skild] ikke faglært; — labour ufaglært arbeid.

unslaked ['ʌn'sleikt] ulesket (kalk); uslokket (tørst).

unsmirched ['ʌn'smə:tʃt] uplettet (ogs. fig.).

unsociable [ʌn'səuʃəbl] uselskapelig. unsocial uselskapelig, utilnærmelig, avvisende.

unsoiled ['ʌn'sɔild] ubesudlet, ren.

unsold ['ʌn'səuld] ikke solgt.

unsolder ['ʌn'sɔ:də] løse opp (i loddingen); skille.

unsolicited ['ʌnsə'lisitid] uanmodet, spontan.

unsolved ['ʌn'sɔlvd] uløst, ikke oppklart.

unsophisticated ['ʌnsə'fistikeitid] ublandet, uforfalsket, ren, naturlig, uerfaren.

unsound ['ʌn'saund] usunn, sykelig, skrøpelig, skadd, bedervet, dårlig, ikke rettroende, uriktig, løs, uholdbar.

unsparing [ʌn'spɛəriŋ] rundhåndet, gavmild, skånselløs, streng.

unspeakable [ʌn'spi:kəbl] usigelig, ubeskrivelig.

unspecified ['ʌn'spesifaid] ikke nærmere betegnet, uspesifisert.

unspoiled, unspoilt ufordervet; ikke bortskjemt.

unspoken ['ʌn'spəukn] ikke uttalt, unevnt; — of uomtalt.

unspool vikle av, spole av.

unsporting, unsportsmanlike usportslig.

unspotted ['ʌn'spɔtid] uplettet, plettfri.

unstable ['ʌn'steibl] usikker, ustø, ustadig.

unstaid ['ʌn'steid] ustadig, flyktig.

unstained flekkfri, uplettet.

unstamped ['ʌn'stæmpt] ustemplet, ufrankert.

unsteadfast ['ʌn'stedfəst] vaklende, ikke standhaftig.

unsteady ['ʌn'stedi] ustø, ustadig, vaklende, ujevn; gjøre usikker.

unstick løsne.

unstinted [ʌn'stintid] ikke sparsom, raus, rikelig; uforbeholden.

unstitch [ʌn'stitʃ] sprette opp, pille opp.

unstop [ʌn'stɔp] åpne, klare, rydde.

unstow [ʌn'stəu] losse.

unstrained ufiltrert, usilt; naturlig, utvungen.

unstressed ['ʌn'strest] ubetont, trykkløs; ubelastet.

unstring [ʌn'striŋ] ta strengene av, spenne ned, slakke, skappe. unstrung [ʌn'strʌŋ] i ulage; uten streng.

unstudied ['ʌn'stʌdid] ikke studert, uforberedt, ukyndig; uaffektert, naturlig.

unsubmission ['ʌnsəb'miʃən] oppsetsighet, gjenstridighet. unsubmissive [-'misiv] oppsetsig, stri, gjenstridig.

unsubstantial uvesentlig, usolid, spinkel, lett, utilstrekkelig. unsubstantiated ikke bekreftet.

unsuccesful ['ʌnsək'sesful] uheldig, feilslått; return — vende tilbake med uforrettet sak.

unsuggestive ['ʌnsə'dʒestiv] uten noen antydning, lite lærerik, som sier lite.

unsuitable ['ʌn's(j)u:təbl] uskikket, upassende.

unsullied ['ʌn'sʌlid] ubesudlet, ubesmittet, fri.

unsupported ['ʌnsə'pɔ:tid] ikke understøttet.

unsure ['ʌn'ʃuə] usikker.

unsurpassed ['ʌnsə'pɑ:st] uovertruffet, uovertreffelig.

unsuspected ['ʌnsə'spektid] ikke mistenkt, uanet. unsuspecting [-tiŋ] umistenksom, intetanende, troskyldig, godtroende. unsuspicious ['ʌnsə'spiʃəs] ikke mistenksom, troskyldig, umistenkelig.

unsustainable uholdbar.

unswathe [ʌn'sweið] ta svøpet av, vikle ut.

unswear [ʌn'swɛə] tilbakekalle sin ed.

unswerving usikelig, urokkelig.

unsympathetic udeltakende, avvisende.

UNTAA fk. f. United Nations Technical Aid Agency.

untainted plettfri, lytefri, ufordervet.

untalked-of [ʌn'tɔ:ktəv] uomtalt.

untangle [ʌn'tæŋgl] greie ut, løse.

untarnished ['ʌn'tɑ:niʃt] uanløpet, med uforminsket glans, ufalmet, plettfri, uplettet.

untasked ['ʌn'tɑ:skt] uten pålagt arbeid, ledig.

untaught ['ʌn'tɔ:t] ulært, ulærd; medfødt, naturlig.

untax [ʌn'tæks] oppheve skatten på, befri for skatt.

unteach [ʌn'ti:tʃ] få til å glemme, venne av med, lære om igjen, lære noe annet.

unteam [ʌn'ti:m] spenne fra.

untell [ʌn'tel] ta tilbake (det fortalte). -able usigelig.

untemptible ['ʌn'temtibl] hevet over fristelse.

untenantable ['ʌn'tenəntəbl] ubeboelig.

untenanted ['ʌn'tenəntid] ubebodd.

untended ubevoktet, uten tilsyn, ustelt.

unthankful ['ʌn'θæŋkful] utakknemlig.

unthinkable [ʌn'θiŋkəbl] utrolig, utenkelig. -ing tankeløs, ubetenksom, kritikkløs. unthought [ʌn'θɔ:t] utenkt; — of glemt, uant, uventet.

unthread ['ʌn'θred] ta en tråd av; løse, finne vei igjennom, utrede.

unthrifty ['ʌn'θrifti] ødsel, uøkonomisk.

untidy ['ʌn'taidi] uordentlig, usoignert, ustelt.

untie ['ʌn'tai] løse opp, knytte opp.

untight utett, lekk; slakk, løs.

until [ʌn'til] inntil, til; not — ikke førenn, først da.

untile [ʌn'tail] ta teglsteinene av. -d utekket.

untimely [ʌn'taimli] altfor tidlig, ubeleilig, brå, malplassert, ubetimelig.

untirable [ʌn'tairəbl], **untiring** [-riŋ] utrettelig.
untitled ['ʌn'taitld] ubetitlet, uberettiget.
unto ['ʌntu, 'ʌntə] (især bibelsk:) til.
untold ['ʌn'təuld] ufortalt, usagt, utalt, talløs, usigelig.
untomb [ʌn'tu:m] ta opp (av grav).
untouchable som ikke må røres, urørlig; utstøtt, kasteløs.
untoward [ʌn'təuəd] forherdet, gjenstridig, vrang, klosset, upassende, lei, trassig, ubehagelig.
untraceable ['ʌn'treisəbl] som ikke lar seg følge tilbake, sporløs, uransakelig.
untrained ['ʌn'treind] uopplært, uøvd, uskolert.
untrammelled [ʌn'træməld] uhindret, ubesværet.
untranslatable ['ʌntræns'leitəbl] uoversettelig.
untravelled [ʌn'trævld] ubereist.
untreated ['ʌn'tri:tid] ubehandlet.
untried ['ʌn'traid] uforsøkt, uprøvd, uavgjort, upådømt (**case** sak).
untrim [ʌn'trim] ta pynten av, bringe i uorden. **-med** ustelt, uflidd.
untrodden ['ʌn'trɔdn] ubetrådt, ubanet.
untrue ['ʌn'tru:] usann, utro, uriktig; illojal.
untrustful ['ʌn'trʌstful] mistroisk, mistenksom, upålitelig.
untruth ['ʌn'tru:θ] usannhet; uriktighet. **-ful** usannferdig, løgnaktig.
untunable ['ʌn'tju:nəbl] falsk, uharmonisk.
untune [ʌn'tju:n] forstemme; bringe ut av justering.
untutored ['ʌn'tju:təd] ulært, ulærd, enfoldig.
untwine [ʌn'twain] løse opp, tvinne opp, rulle opp.
untwist [ʌn'twist] vikle opp, tvinne opp, løse.
unused ['ʌn'ju:zd] ubrukt, ledig; uvant.
unusual ['ʌn'ju:ʒuəl] ualminnelig, usedvanlig. **-ly** ualminnelig, særlig, i stor grad.
unutterable [ʌn'ʌtərəbl] usigelig, ubeskrivelig; **-s** unevnelige, bukser.
unvaried [ʌn'vɛərid] uforanderlig, uendret, stadig, ensformig.
unvarnished ['ʌn'vɑ:niʃt] ufernissert; usminket, usmykket.
unveil [ʌn'veil] ta sløret av, avsløre, avduke.
unveracious ['ʌnvi'reiʃəs] usannferdig.
unveracity ['ʌnvi'ræsiti] usannferdighet.
unverifiable ukontrollerbar.
unversed ukyndig, ubevandret (**in** i).
unvoice gjøre ustemt. **-d** ustemt; uuttalt. en
unwall [ʌn'wɔ:l] ta ut av muren, bryte mur fra. **-ed** åpen, uten murer.
unwanted uønsket.
unwarlike ['ʌn'wɔ:laik] ukrigersk.
unwarp [ʌn'wɔ:p] rette (ut). **-ed** uhildet, upartisk.
unwarrantable [ʌn'wɔrəntəbl] uberettiget, ubeføyd, uforsvarlig, ulovlig, uautorisert.
unwary ['ʌn'wɛəri] uforsiktig, ubesindig.
unwashed ['ʌn'wɔʃt] uvasket, skitten.
unwatched ubevoktet, uten tilsyn.
unwatered ['ʌn'wɔ:təd] uten vann; lens, tørr; skitten; ufortynnet.
unwavering [ʌn'weivəriŋ] ikke vaklende, (karakter)fast.
unwearied [ʌn'wiərid] ikke trett, utrettelig, ufortrøden. **unwearying** [ʌn'wiəriiŋ] utrettelig, iherdig.
unweave [ʌn'wi:v] trevle opp.
unwelcome [ʌn'welkəm] uvelkommen, ubehagelig.
unwell ['ʌn'wel] uvel, utilpass.
unwholesome ['ʌn'həulsəm] usunn.
unwieldy [ʌn'wi:ldi] besværlig, tung, tungvint.
unwill [ʌn'wil] oppheve, tilbakekalle. **-ing** ['ʌn'wiliŋ] uvillig, motstrebende. **-ingly** ugjerne, nødig. **-ingness** uvillighet, utilbøyelighet.
unwind [ʌn'waind] vikle av, rulle ut; greie ut.
unwise ['ʌn'waiz] uforstandig, uklok.
unwished [ʌn'wiʃt] uønsket.
unwitting [ʌn'witiŋ] uvitende, uforvarende.

unwonted [ʌn'wəuntid] uvant, ualminnelig.
unwork [ʌn'wə:k] gjøre om igjen. **-able** uhåndterlig; ugjennomførlig. **-ing** uvirksom. **-manlike** slurvet, ufagmessig.
unworldly overjordisk, ujordisk.
unworthy ['ʌn'wə:ði] uverdig.
unwrap [ʌn'ræp] vikle ut, ta dekket av, pakke ut, blotte.
unwreathe [ʌn'ri:ð] vikle opp.
unwring [ʌn'riŋ] vri av.
unwrite [ʌn'rait] tilbakekalle. **unwritten** ['ʌn-ritn] uskrevet, muntlig, ubeskrevet.
unwrought ['ʌn'rɔ:t] ubearbeidet; uforedlet, rå-.
unwrung ['ʌn'rʌŋ] ikke vridd; uskadd.
unyielding ['ʌn'ji:ldiŋ] ubøyelig, stiv, stri, steil; ikke innbringende.
unyoke [ʌn'jəuk] spenne fra (åket), atskille, løse, holde opp (med arbeidet).
unzip ['ʌn'zip] åpne glidelås.
up [ʌp] oppe, opp, oppad, oppover, opp i, oppe på, oppe i; forhøye, øke, sette opp; oppadgående, stigende; **-s and downs** medgang og motgang; **on the —— grade** på vei oppover; **— (the) country** inn el. inne i landet; **-stream** oppover strømmen; **it is all —— with him** det er ute med ham; **what's ——?** hva er det på ferde? **the game is ——** spillet er tapt; **the time is ——** tiden er utløpet, omme; **his spirit was ——** hans mot var stort; **he is —— for reelection** han stiller seg til gjenvalg; **—— in arms** under våpen; i opposisjon; **be —— to** forstå seg på, svare til, makte, spekulere på, ha fore, gjøre; **— to opp til**, bort til; **be —— with him** være på høyde med ham; **grow ——** bli voksen; **go —— to town** reise inn til London.
U. P. fk. f. **United Presbyterian; United Press.**
u. p. fk. f. **under proof.**
up|and about oppe, på beina, frisk (igjen), **— -and-coming** lovende, foretaksom. **— and doing** i full virksomhet, være frampå; **— and down** opp og ned; fram og tilbake, på kryss og tvers. **— and ——** skvær, real.
upbear [ʌp'bɛə] holde i været, løfte opp, støtte.
upbeat ['ʌpbi:t] opptakt, oppslag; (amr.) fargerik, livlig.
upbraid [ʌp'breid] bebreide, klandre, skjenne på; **— one with (for) a thing** bebreide en noe. **-er** en som bebreider. **-ing** bebreidelse.
upbringing ['ʌp'briŋiŋ] oppdragelse.
upcast ['ʌpkɑ:st] oppadvendt.
upcoming nær forestående, kommende.
update ajourføre, føre à jour.
upgrade forfremme, sette i en høyere gruppe; helling, skråning.
upheaval [ʌp'hi:vl] hevning, oppskaking, omveltning.
uphill [ʌp'hil] oppover bakke, oppadgående, besværlig, tung.
uphold [ʌp'həuld] holde oppe, vedlikeholde, støtte; godkjenne, tolerere; **— the day** holde kampen gående. **-er** støtte; forsvarer.
upholster [ʌp'həulstə] stoppe, polstre, trekke, tapetsere. **upholsterer** [ʌp'həulstərə] tapetserer (og møbelhandler). **upholstery** [ʌp'həulstəri] tapetserarbeid, tapetsering, tapeter, gardiner; innvendig trekk, salmakerarbeid (i bil); møbel-.
UPI fk. f. **United Press International.**
upkeep ['ʌpki:p] vedlikehold, pass, stell.
upland ['ʌplənd] høyland, høytliggende land; oppland, innland; høylendt, høylands-. **-er** høylender.
uplift ['ʌplift] hevning, løfting, reisning; [ʌp'lift] løfte, heve, høyne.
upmost ['ʌpməust], se **uppermost.**
upon [ə'pɔn]; **— the whole** i det hele tatt, overhodet; **live —** leve av.
upper ['ʌpə] øvre, høyere, over-; innerste, øverste; overlær; (sl.) medikament med oppstemmende effekt; **down on one's -s** (fig.) på knærne, loslitt; **he is wrong in his —— story**

han er ikke riktig i den øverste etasjen. — **bunk** overkøye. — **circle** annen losjerad. — **-class** overklasse, — **crust** skorpe; overklasse, fintfolk. — **dead centre** øvre dødpunkt, toppstilling. — **hand** overtak, overhånd, — **house** overhus. **keep a stiff — lip** bevare fatningen, ikke gi seg over. **the — ten** (**thousand**) den høyeste overklasse. **-most** øverst, herskende; **say whatever comes -most** si det som først faller en inn.
'**uppish** ['ʌpiʃ] kjepphøy, viktig, stolt.
uprear [ʌp'riə] løfte opp, reise, reise seg.
upright ['ʌprait] opprett, opprettstående, rett, rak, rank; rettskaffen, redelig. **-ness** opprett stilling, rankhet, rettskaffenhet.
uprise ['ʌpraiz] oppkomst, fremkomst, oppgang. **uprising** [ʌp'raiziŋ] oppgang, stigning; reisning, oppstand, opprør.
uproar ['ʌprɔ:] oppstyr, røre, larm, spetakkel. **uproarious** [ʌn'rɔ:riəs] larmende, stormende, voldsom.
uproot [ʌp'ru:t] rykke opp med rot; utrydde.
upset [ʌp'set] stille opprett; velte, styrte, kantre; forstyrre, bringe i uorden, forrykke; oppskjørte, forulempe.
upset ['ʌpset] velting, ubehagelighet, forstyrrelse, forvirring, uorden, oppskaking; oppsatt; — **price** oppropspris, minste pris (på auksjon).
upshot ['ʌpʃɔt] ende, slutning, resultat, utfall.
upside-down ['ʌpsaid'daun] endevendt, forkjært, bakvendt, opp ned, på hodet.
upstairs ['ʌp'stɛəz] ovenpå, oppe, opp trappen(e); overetasje.
upstanding [ʌp'stændiŋ] oppstående, rank, rak; rettskaffen, hederlig.
upstart ['ʌpstɑ:t] fersk, nybakt; oppkomling, parveny.
upstream ['ʌp'stri:m] oppover elva.
upsurge økning, oppsving; reisning, opprør.
uptake ['ʌpteik] løftning; oppfatning, begripelse; **quick in the —** snar, rask i oppfatningen.
up-to-date ['ʌptə'deit] à jour, tidsmessig, moderne.
uptown villakvarter, boligstrøk.
upturn [ʌp'tə:n] stigning; omveltning.
up-valuation oppskrivning.
upward ['ʌpwəd] oppadvendt, stigende, oppadgående. **upward** ['ʌpwəd], **-s** oppad, oppover, oventil; mer, derover; — **of** mer enn; **three years and** — tre år og mer; — **of three years** over tre år.
Ural ['juərəl], **the -s** Uralfjellene.
Urania [ju'reinjə] (astronomiens muse).
uranium [ju'reinjəm] uran, uran-. **uranous** ['juərənəs] uranholdig.
Uranus ['juərənəs].
urate ['juəret] urat (urinsurt salt).
urban ['ə:bən] by-, bymessig.
urbane [ə:'bein] beleven, dannet, kultivert. **urbanity** [ə:'bæniti] urbanitet, belevenhet, høflighet, fint vesen. **urbanization** omdanning til by, urbanisering.
urchin ['ə:tʃin] (skøyer)unge, knekt, tøs; **sea** — sjøpinnsvin.
Urdu [ə:'du:, uə'du:].
urea ['juəriə] urinstoff.
urethra [juə'ri:θrə] urinrør.
urge [ə:dʒ] drive, tilskynde, anbefale, slå til lyd for, gjøre gjeldende, bearbeide, overhenge; anmode, henstille, be innstendig, trenge seg fram, egge; bli ved, fremholde sterkt, ivre for, fremføre påstander; trang, sterk (indre) drift; — **him more closely** gå ham nærmere på klingen.
urgency ['ə:dʒənsi] press, trykk, iver, iherdighet, innstendige bønner, trygling, påtrengende viktighet, nødvendighet; **the — of the request** den innstendige anmodning. **urgent** ['ə:dʒənt] ivrig, påtrengende, inntrengende, presserende, nødvendig, som haster. — **call** ekspressamtale.
urger ['ə:dʒə] en som driver fram, en som presser på, tilskynder, talsmann, trygler.
Uriah [ju'raiə] Urias.
uric ['juərik] **acid** urinsyre.

urinal ['juərinəl] pissoar. **urinary** ['juərinəri] urin-; gjødselvannkum, landkum. **urinate** ['juərineit] late vannet, urinere. **urine** ['juərin] urin.
urn [ə:n] urne; kaffetrakter, samovar, temaskin.
ursine ['ə:sain] bjørne-, bjørneaktig.
urtica ['ə:tikə] nesle. **urtical** ['ə:tikl] nesle-. **urticant** ['ə:tikənt] brennende.
Uruguay ['urugwai, 'juərugwai]. **-an** [uru'gwaiən] uruguayansk; uruguayaner.
urus ['juərəs] urokse.
us [ʌs] oss.
U. S. fk. f. **Uncle Sam; Under-Secretary. U.S., US, United States.**
U. S. A., USA fk. f. **United States of America; United States Army.**
usable ['ju:zəbl] brukelig, brukbar, nyttig.
U.S.A.F., USAF fk. f. **United States Air Force.**
usage ['ju:zidʒ] bruk, behandling, medfart, sedvane, skikk og bruk, språkbruk.
usance ['ju:zəns] uso, (vedtatt) løpetid; **bill at** — usoveksel.
use [ju:s] bruk, benyttelse, bruksrett, anvendelighet, brukbarhet, praksis, øvelse, øving, gagn, nytte, sedvane, skikk og bruk; — **and wont** skikk og bruk; **in** — i bruk, brukelig; **make — of** gjøre bruk av; **of —** til nytte; **put to —** gjøre bruk av, utnytte.
use [ju:z] bruke, benytte, anvende, nytte, behandle, venne, søke, søke til; ha for vane, pleie (bare i fortid).
used [ju:st] (adj.) vant (**to** til); **we are not — to that** det er vi ikke vant til.
used [ju:st] pleide, var vant (imperf. av **use** pleie; brukes ofte til å fremheve noe fortidig mot noe senere); **I — to live there** jeg har bodd der før.
used [ju:zd] brukt; — **car** bruktbil; brukte, benyttet (imperf. av **use** bruke); **he — his best efforts** han gjorde sitt beste.
useful ['ju:sful] nyttig, gagnlig; **come in —** komme til god nytte. — **effect** virkningsgrad. — **load** nyttelast.
usefulness ['ju:sfulnis] nytte, gagn.
useless ['ju:slis] unyttig; nytteløs; — **request** forgjeves henvendelse. **uselessness** unyttighet.
user ['ju:zə] bruker, forbruker, konsument.
usher ['ʌʃə] dørvokter, seremonimester, rettstjener, hjelpelærer; anvise plass, være dørvakt; varsle inn, spå, være en forløper for. **-ette** plassanviserske (på kino o. l.). **-ship** seremonimesterstilling, hjelpelærerpost.
U.S.M.C., USMC fk. f. **United States Marine Corps.**
U.S.N., USN fk. f. **United States Navy.**
U.S.O., USO fk. f. **United Service Organization** soldatenes velferdstjeneste.
usquebaugh ['ʌskwibɔ:] whisky.
U. S. S. R., USSR fk. f. **Union of Soviet Socialist Republics.**
usual ['ju:ʒuəl] sedvanlig, vanlig; **as** — som sedvanlig; **more than** — mer enn alminnelig; **on the** — **terms** på vanlige vilkår.
usually ['ju:ʒuəli] sedvanligvis; **he — takes a bus** han pleier å ta buss.
usualness ['ju:ʒuəlnis] alminnelighet.
usufruct ['ju:zjufrʌkt] bruksrett; ha til bruk. **usufruetuary** [ju:zju'frʌktjuəri] brukshaver.
usurer ['ju:ʒərə] ågerkarl. **usurious** [ju'ʒuəriəs] ågeraktig, som driver åger.
usurp [ju'zə:p] rane til seg, rive til seg, usurpere. **-ation** [ju:zə'peiʃən] bemektigelse, egenmektig tilegnelse, usurpasjon, maktran. **-atory** [ju'zə:pətəri] egenmektig, urettmessig. **-er** [ju'zə:pə] usurpator, tronraner.
usury ['ju:ʒəri] åger.
Ut. fk. f. **Utah.**
Utah ['ju:tɑ:, -tə].
utensil [ju'tensil] redskap, verktøy, -ting, greier, saker; **domestic —** husgeråd; **kitchen —** kjøkkentøy.

uterine ['ju:tərain] livmor-; (jur.) født av samme mor.

uterus ['ju:tərəs] livmor.

utilitarian [ju:tili'teəriən] nytte-, bruks-; utilitarist.

utility [ju'tiliti] gagn, nytte, anvendelighet, brukbarhet; nyttegjenstand; (offentlig) institusjon, off. vesen. — aetor en som spiller alle mulige roller. — man en som er brukelig til alt mulig, altmuligmann. — tyre helårsdekk. — value bruksverdi.

utilization [ju:tilai'zeifən] utnytting. utilize ['ju:tilaiz] utnytte, bruke, benytte.

utmost ['ʌtməust] ytterst, høyest; det ytterste, det høyeste; do one's — gjøre sitt ytterste; use one's — exertions oppby alle sine krefter.

Utopia [ju'təupiə] Utopia; idealsamfunn, utopi, lykksalig drøm. Utopian [ju'təupiən] utopisk, fantastisk, innbilt; utopist, upraktisk idealist.

utter ['ʌtə] fullstendig, absolutt, ubetinget.

utter ['ʌtə] ytre, uttale, si, uttrykke; utstøte; utsende, utbre.

utter|able ['ʌtərəbl] som kan uttrykkes, som kan uttales. -anee utsending (av falske penger); uttalelse, utsagn; uttrykksmåte, ytring. -er en som sier, utgiver.

utterly ['ʌtəli] aldeles, helt, ganske, fullstendig, komplett, til det ytterste.

uttermost ['ʌtəməust] ytterst, høyest, sist. U-turn U-sving, 180° sving (med bil); hårnålssving.

uvula ['ju:vjulə] drøpel. uvular ['ju:vjulə] uvular, som hører til (el. blir frembrakt) med drøpelen.

uxorial [ʌk'sɔ:riəl] som sømmer seg for en hustru. uxorious [ʌk'sɔ:riəs] sterkt opptatt av sin kone.

V

V, v [vi:] V, v.
V. (eller v.) fk. f. Venerable; Viear; Viscount; verb; verse; versus; vide; viscount; volt(s); volume.

Va. fk. f. Virginia.
V.A. fk. f. (Royal Order of) Victoria and Albert; viee-admiral.

v. a. fk. f. verb aetive (transitivt verbum).

vaeaney ['veikənsi] tomhet, tomrom, mellomrom, ledig tid, fritid, ledig plass, ledig stilling, ledighet, vakanse, sløvhet; stare into — stirre ut i lufta.

vaeant ['veikənt] tom, ledig, yrkesløs, ubesatt, uopptatt, tanketom, intetsigende, herreløs.

vaeate [və'keit] gjøre tom el. ledig, fratre, rømme, fraflytte, oppgi; (jur.) annullere, oppheve.

vaeation [və'keifən] ferie; fratredelse; feriere. -er feriegjest.

vaeeinate ['væksineit] (koppe)vaksinere. vaeeination [væksi'neiʒən] vaksinasjon. vaeeinator ['væksineitə] vaksinatør.

vaeeine ['væksi:n] vaksine; vaksinasjons-; the — disease kukoppene.

vaeillant ['væsilənt] vaklende, ustadig, ustø. vaeillate ['væsileit] vakle. vaeillation [væsi'leifən] slingring, vakling, vingling, holdningsløshet.

vaeuity [və'kju:iti] tomhet, tanketomhet, tomrom. vaeuous ['vækjuəs] tom, intetsigende.

vaeuum ['vækjuəm] tomrom, vakuum, lufttomt rom, vakuums-, støvsuger; støvsuge. — bottle termosflaske. — brake vakuumbrems. — eleaner støvsuger. — flask termosflaske. — jug termokanne. — -paeked vakuumpakket. vade meeum ['veidi'mi:kəm] lommehåndbok. vagabond ['vægəbənd] omstreifende; landstryker, vagabond. -age [-idʒ] løsgjengeri.

vagary [və'gɛəri] grille, innfall, lune.

vagina [və'dʒainə] skjede. -l [və'dʒainəl] skjede-, skjedeaktig; livmor-.

vagraney ['veigrənsi] løsgjengeri, omstreifing. vagrant ['veigrənt] omflakkende, vandrende; andstryker, løsgjenger, loffer.

vague [veig] vag, ubestemt, svevende, usikker. -ness ubestemthet, uklarhet.

vail [veil] bøye, senke; ta av; nytte, gagne.

vain [vein] tom, hul, intetsigende, forgjeves, fåfengt, fruktesløs, forfengelig, pralende; in — forgjeves; take in — ta forfengelig. -glorious [-'glɔ:riəs] forfengelig, oppblåst, kry. -glory forfengelighet. -ness tomhet, frukteløshet.

valanee ['væləns] gardin|brett, -kappe; forheng, volang, omheng.

vale [veil] (især poet.) dal.

valediction [væli'dikfən] farvel, avskjedshilsen. valedietory [væli'diktəri] avskjeds-.

Valentine ['væləntain] Valentin; kjæreste (valgt på St. Valentins dag, den 14. februar, da etter gammel folketro fuglene begynte å parre seg).

valentine kjæreste, valentinkort, valentinbrev, elskovshilsen.

valerian [və'liəriən] baldrian, vendelrot, valeriana (plante); wild — legebaldrian.

valet ['vælit] kammertjener; være kammertjener hos.

valetudinarian ['vælitju:di'nɛəriən] skranten, sykelig; sykelig menneske, svekling, hypokonder.

valianey ['væljənsi] tapperhet. valiant ['væljənt] tapper.

valid ['vælid] gyldig, lovlig; velbegrunnet; ekte, sterk. -ate gjøre gyldig, godkjenne. -ity [və'liditi] gyldighet, holdbarhet.

valise [və'li:s] lærtaske, reiseveske, vadsekk; ransel; koffert.

valley ['væli] dal; — of tears jammerdal.

valorous ['vælərəs] tapper, modig. valour ['vælə] tapperhet, mot.

valuable ['væljuəbl] kostbar, verdifull, kjær; kostbarhet. valuation [vælju'eifən] vurdering, verdsetting, takst. valuator ['væljueitə] takstmann, verdsetter.

value ['vælju] verdi, verd, valør, valuta; vurdere, verdsette, taksere, skatte, sette pris på. Value Added Tax merverdiavgift, moms. -less verdiløs. valuer ['væljuə] takstmann, verdsetter, en som setter pris på.

valve [vælv] fløy, dørfløy; ventil, klaff, spjeld; radiorør.

valvular ['vælvjulə] ventil-, klaff-.

vamoose [və'mu:s], vamose [və'məus] stikke av, fordufte.

vamp [væmp] overlær; lapp, bot; (sl.) vampyr, forførerisk kvinne, vamp; flikke på, pusse opp, lappe sammen, pynte på; bringe i stand, få til, lage; akkompagnere etter gehør.

vamper ['væmpə] lappeskomaker, flikker.

vampire ['væmpaiə] vampyr; (fig.) blodsuger. vampirism ['væmp(a)irizm] tro på vampyrer; utsuging.

van [væn] fortropp; transportvogn, flyttevogn, varevogn, godsvogn.

van [væn] (poetisk) vinge.

Vaneouver [væn'ku:və].

Vandal, vandal ['vændəl] vandalsk; vandal. vandal|ie [væn'dælik] vandalsk. -ism ['vændəlizm] vandalisme.

vane [vein] vindfløy, værhane, vinge (på vindmølle); fane (på fjær); turbinskovl, diopter, sikte.
vanguard ['væŋgɑːd] avantgarde, fortropp.
vanilla [vəˈnilə] vanilje; — cream sauce vaniljekrem. vanillie [-ˈnil-] vanilje-.
vanish ['væniʃ] forsvinne, bli borte, la forsvinne. -ing aet forsvinningsnummer. -ing cream ≈ dagkrem. -ing point forsvinningspunkt (i perspektiv); ingenting, siste rest.
vanity ['væniti] forfengelighet, tomhet, intethet. — bag selskapsveske; kosmetikkpung. — case toalettveske. V. Fair Forfengelighetens marked (roman av Thackeray).
vanquish ['væŋkwiʃ] beseire, overvinne, gjendrive. -er overvinner.
vantage ['vɑːntidʒ] fordel; nå bare brukt i tennis og i uttrykket: — ground el. — point fordelaktig terreng, fordelaktig stilling.
vapid ['væpid] doven, flau, emmen; intetsigende, banal. -ity flauhet, emmenhet.
vapor|able ['væpərəbl] som kan fordampe. -ization [veipəraiˈzeiʃən] fordamping, forstøving. -ize ['veipəraiz] fordampe, forstøve. -ous ['veiprəs] full av damp, tåket; oppblåsende, oppblåst; luftig, tom.
vapour ['veipə] damp, eim, tåke, dunst; (fig.) fantasifoster; (plur. gml.) hypokondri; fordampe; skryte, tøve, sludre. — bath dampbad. -ings skryt, tåkeprat. — trail røykstripe, kondensstripe (etter fly). vapoury ['veipəri] dampende, dampaktig, tåket; (fig.) uklar, tåket.
vaquero [vaˈkɛərəu] (amr.) kvegpasser, cowboy.
var. fk. f. variant; variation; various.
variability [vɛəriəˈbiliti] foranderlighet. variable ['vɛəriəbl] foranderlig, ustadig, skiftende, vekslende, ujevn; variabel.
variance ['vɛəriəns] forandring, forskjell; tvist, strid, uoverensstemmelse; at — with i strid med; avvike fra.
variant ['vɛəriənt] forskjellig; avart, variant.
variation [vɛəriˈeiʃən] avvikelse, avvik, forandring, forskjell, misvisning, variasjon, avart; by way of — til en forandring.
varicella [væriˈselə] vannkopper.
varicose ['værikəus] veins åreknuter.
varied ['vɛərid] forskjelligartet, avvekslende, variert.
variegated ['vɛərigeitid] broket, mangefarget.
variegation [vɛəriˈgeiʃən] brokethet.
variety [vəˈraiiti] forskjellighet, avveksling, forandring, mangfoldighet, varietet, avart, sort; varieté(forestilling). — artist varietékunstner.
variola [vəˈraiələ] kopper, barnekopper, småkopper.
various ['vɛəriəs] forskjellig, mange forskjellige, diverse, flere, foranderlig, broket, avvekslende, avvikende; with — success med vekslende hell.
varix ['vɛəriks] pl. varices [ˈværisiːz] åreknute.
varlet ['vɑːlit] (gml.) tjener, væpner; slyngel.
varmint ['vɑːmint] (sl.) kjeltring, laban, skadedyr, utøy; (jaktslang) reven.
varnish ['vɑːniʃ] ferniss, glans; fernissere, besmykke, pynte på. -er fernisserer, besmykker.
varnishing-day fernisseringsdag (på maleriutstilling), dagen før utstillingen, vernissasje.
varsity ['vɑːsiti] (i daglig tale for university) universitet.
vary ['vɛəri] forandre, variere, bringe avveksling i; forandre seg, skifte, avvike, være forskjellig; prices — prisene varierer; with -ing success med vekslende hell.
vascular ['væskjulə] vaskulær, vaskuløs, kar-.
vase [vɑːz] vase, kar, blomsterbeger.
vaseline ['væziliːn] (varemerke) vaselin.
vassal ['væsəl] vasall, tjener; redskap. -age ['væsəlidʒ] vasallforhold, len, undergivenhet, avhengighet; trelldom.
vast [vɑːst] uhyre, veldig, umåtelig, enorm; vidstrakt flate, vidde. -ly veldig, uhyre, enormt. -ness umåtelighet, uhyre størrelse.

V.A.T., VAT fk. f. Value Added Tax moms.
vat [væt] stort kar, fat, tank, beholder, fargekjel.
Vatican ['vætikən]; the — Vatikanet.
vaticination [ˌvætisiˈneiʃən] spådom, profeti.
vaudeville ['vəudvil] vådeville, lite skuespill med sanger og danser. — theatre (amr.) varieté.
vault [vɔːlt] hvelv, hvelving, kjellerhvelving, gravhvelving, bankhvelv, boksavdeling; hopp, sprang, oversprang; hvelve, lage i form av hvelv, lage hvelv over; springe, svinge seg, hoppe over, voltigere; pole — stavsprang. -er akrobat, voltigør. -ing hopp, sprang, voltigering. -ing horse hest (gymnastikkapparat).
vaunt [vɔːnt] skryte, braute, blære seg, rose seg av; praleri, skryt, store ord. -er praler, blære. -ful, -ing pralende.
Vauxhall ['vɔksˈhɔːl].
V. C. fk. f. Vice-Chancellor; Vice-Consul; Victoria Cross.
V-cut V-utringning (på kjole), V-snitt.
V. D. fk. f. Volunteer Decoration; venereal disease. V-day = Victory Day V-dagen.
V. D. R. fk. f. video cassette recorder.
veal [viːl] kalvekjøtt; roast — kalvestek.
vector ['vektə] vektor; (fly)kurs; smittebærer; dirigere, angi kurs.
Veda ['veidə, 'viːdə] veda (hinduenes hellige bøker).
vedette [viˈdet] vedett, ridende forpost.
veer [viə] snu, vende seg (om vind); svinge, skifte standpunkt; fire, slakke; dreining, vending.
vegetable ['vedʒitəbl] plante-, vegetabilsk; plante, vokster, kjøkkenvokster; i plur. plantekost, grønnsaker og røtter; cabbage, peas, and other -s kål, erter og andre grønnsaker; — earth moldjord; the — kingdom planteriket; — marrow gresskar; — world flora. planteverden.
vegetal ['vedʒitl] plante-, vokster-, vekst-.
vegetarian [vedʒiˈtɛəriən] vegetarianer, vegetar-.
vegetate ['vedʒiteit] vokse, spire, vegetere, føre et uvirksomt liv; spise, drikke og sove. vegetation [vedʒiˈteiʃən] vegetasjon, planteliv, planter, vegeterende tilværelse. vegetative ['vedʒitətiv] vegetativ, som fremmer planteveksten, som er i vekst, vegeterende, uten høyere interesser.
vehemence ['viːiməns] heftighet, voldsomhet.
vehement ['viːimənt] heftig, voldsom.
vehicle ['viːikl] kjøretøy, vogn; bindemiddel (i maling); redskap, formidler, hjelpemiddel.
vehicular [viˈhikjulə] transport-, vogn-, som tjener til redskap (el. organ); — traffic vognferdsel.
veil [veil] slør, forheng; sløre til, sløre, tilhylle.
vein [vein] blodåre, vene, åre; nerve, åre (i tre, blad, insektvinger osv.); vannåre; stripe; anstrøk, tendens, anlegg, retning, stemning, lune; åre, gang; a — of poetry en poetisk åre; in the — i stemning, opplagt. -stone gangbergart, bergart. -y året, åresprengt.
veldt [velt] veldt, (sørafrikansk) gresslette.
velleity [veˈliːiti] tilløp til vilje, svak (begynnende) vilje, ønske.
vellum ['veləm] velin, fint pergament.
velocity [viˈlɔsiti] hastighet, fart.
velours [vəˈluə] velur; velurhatt.
velum ['viːləm] ganeseil, bløt gane; hinne.
velutinous [vilˈjuːtinəs] fløyelsaktig, fløyels-.
velvet ['velvit] fløyel; vinning, profitt; fløyels-, fløyel-; be on — ha det som plommen i egget. -een bomullsfløyel. -ing fløyelsstoffer; lo (på fløyel). -y fløyels-, fløyelsaktig.
venal ['viːnəl] som kan kjøpes, til salgs, til fals, bestikkelig, korrupt. venality [viˈnæliti] salgbarhet, bestikkelighet.
venary ['viːnəri] jakt-.
vend [vend] forhandle, selge, avsette. -ee [venˈdiː] kjøper. -er ['vendə] selger. -ible [ˈvendibl] salgbar. -ibility [vendiˈbiliti] salgbarhet. -ing machine salgsautomat. -or ['vendɔː] selger. salgsautomat.

veneer [və'niə] finere, innlegge; finér; (fig.) tynt lag, ferniss. **veneering** [və'niəriŋ] finering.
venerable ['venərəbl] ærverdig. **venerate** ['venəreit] ære, holde i ære. **veneration** [venə'reiʃən] ærbødighet, ærefrykt. **venerator** ['venəreitə] beundrer, tilbeder.
venereal [vi'niəriəl] venerisk, kjønnslig.
venery ['venəri] jakt; kjønnslig omgang.
venesection [veni'sekʃən] årelating.
Venetian [vi'ni:ʃən] venetiansk; venetianer; — **blind** persienne, sjalusi.
Venezuela [veni'zwei:lə].
vengeance ['vendʒəns] hevn; **take** — **on sb. for sth.** hevne seg på en for noe; **with a** — med fynd, så det forslår. **vengeful** ['vendʒful] hevnende, hevngjerrig.
venial ['vi:niəl] unnskyldelig, tilgivelig.
veniality [vi:ni'æliti] tilgivelighet.
Venice ['venis] Venezia.
venison ['venizən] vilt, dyrekjøtt.
venom ['venəm] gift; (fig.) ondskap; **vent one's** — spy edder og galle. **-ous** giftig. **-ousness** giftighet.
venous ['vi:nəs] venøs, vene-.
vent [vent] lufthull, trekkhull, fritt løp, luft, avløp; fenghull; splitt (i klær); gatt, tarmåpning (fisk); lage hull i; slippe ut, gi luft, utløse, uttale, offentliggjøre; **give** — **to** gi luft; **take** — unnvike, komme ut.
venter ['ventə] underliv, livmor.
venthole ['venthəul] lufthull, ventil; fenghull.
ventiduct ['ventidʌkt] luftrør.
ventilate ['ventileit] vifte, rense, lufte ut; drøfte, sette under debatt, undersøke, uttale. **ventilation** [venti'leiʃən] vifting, rensing, ventilasjon, diskusjon, uttalelse. **ventilator** ['ventileitə] ventil, ventilasjonsinnretning, vifte.
vent pipe avtrekksrør.
ventral ['ventrəl] underlivs-, buk-, mave; **fin** bukfinne.
ventricle ['ventrikl] ventrikkel; — **of the heart** hjertekammer; — **of the brain** hjernehule.
ventrilocution [ventrilə'kju:ʃən], **ventriloquism** [ven'triləkwizm] buktaling, buktalerkunst. **ventriloquist** [ven'triləkwist] buktaler. **ventriloquize** [ven'triləkwaiz] opptre som buktaler.
venture ['ventʃə] vågestykke, slumpelykke, tilfelle, sjanse, spekulasjon, risiko; våge, risikere, våge seg, løpe en risiko, satse, spekulere; **at a** — på lykke og fromme; **try the** — våge forsøket; — **at** (**on, upon**) våge, innlate seg på; — **to** tillate seg å, driste seg til å.
venturer ['ventʃərə] en som våger, spekulant.
venturesome ['ventʃəsəm] dristig, risikabel.
venturous ['ventʃərəs] dristig.
venue ['venju:] åstedets (eller hjemstedets) rettskrets, jurisdiksjon; rettssted; møtested.
Venus ['vi:nəs] Venus; aftenstjernen, morgenstjernen.
veracious [və'reiʃəs] sannferdig, sanndru. **veracity** [və'ræsiti] sannferdighet, pålitelighet.
veranda(h) [və'rændə] veranda.
verb [və:b] verb, verbum.
verbal ['və:bəl] muntlig, ord-, ordrett, verbal; verbalsubstantiv; **a** — **dispute** en strid om ord. **-ism** verbalisme, ordgyteri; uttrykk. **-ist** bokstavelig fortolker, ordkløver.
verbatim [və'beitim] ord for ord, ordrett.
verbena [və'bi:nə] verbena, jernurt.
verbiage ['və:biidʒ] ordskvalder, tomme ord. **verbose** [və:'bəus] ordrik, vidløftig. **verbosity** [və:'bɔsiti] ordrikhet, vidløftighet, ordflom.
verdancy ['və:dənsi] grønnfarge, grønske; grønnhet (ogs. fig.). **verdant** ['və:dənt] grønn- (kledd); uerfaren. **verd antique** ['və:dæn'ti:k] patina.
Verde [və:d]: **Cape** — Det Grønne Forberg; **the Cape** — **Islands** Kapverdeøyene.
verderer ['və:dərə] (gammeldags:) kongelig forstmester, skogvokter.
verdict ['və:dikt] dom, erklæring, kjennelse;

bring in (eller **deliver, give, return**) **a** — avsi en kjennelse; — **of acquittal** frikjennelse; **the jury brought in a** — **of 'not guilty'** juryen avgav kjennelsen 'ikke skyldig'.
verdigris ['və:digri:s] irr, kobberrust.
verdure ['və:dʒə] grønnfarge, grønske, grønt, grønn vegetasjon; friskhet; dekke med grønt. **verdurous** ['və:dʒərəs] grønn, frisk, grønnkledd.
verge [və:dʒ] stav, embetsstav; rand, kant, grenselinje, grense; område; **on the** — **of** på kanten (el. randen) av, på spranget til; **on the** — **of tears** gråteferdig.
verge [və:dʒ] skråne, helle, nærme seg; — **on** grense til, nærme seg.
verger ['və:dʒə] «stavbærer» (som bærer biskops embetsstav), kirketjener.
veridical [ve'ridikəl] sann, korrekt, ekte.
veriest ['veriist] sup. av **very** renest, størst, minst, verst.
verification [verifi'keiʃən] prøve, bevis, bekreftelse, stadfesting, prov. **verifier** ['verifaiə] undersøker, bekrefter. **verify** ['verifai] bevise, bekrefte, verifisere, etterprøve, justere.
verisimilitude [verisi'militju:d] sannsynlighet.
veritable ['veritəbl] sann, virkelig, veritabel. **verity** ['veriti] sannhet; **of a** — i sannhet.
verjuice ['və:dʒu:s] sur saft; (fig.) surhet.
vermicelli [və:mi'seli] vermicelli, slags tråaktig makaroni.
vermicide [və:'misaid] markmiddel.
vermicular [və:'mikjulə] ormformet, ormaktig, orm-, mark-. **vermiculation** [və:mikju'leiʃən] ormaktig bevegelse; slangeornamentikk. **vermiculous** [və:mikjuləs] full av orm, ormaktig. **vermifugal** [və:mifjugəl] markdrivende. **vermifuge** ['və:mifju:dʒ] markmiddel; markdrivende.
vermillion [və'miljən] rød farge, sinoberrødt; farge rød.
vermin ['və:min] skadedyr, utøy. **-ation** [və:mi'neiʃən] formering av utøy; lusesyke.
vermouth ['və:məθ, və:'mu:θ] vermut.
vernacular [və'nækjulə] hjemlig, fedrelands-, fedre-, folkelig, folke-; stedlig, lokal; landets språk, morsmål, målføre, dialekt, fagsjargong. **-ism** egenhet ved morsmålet. **-ly** på morsmålet.
vernal ['və:nəl] vår-, vårlig. — **equinox** vårjevndøgn.
veronal ['verənl] veronal.
Veronica [və'rɔnikə] tørkle med avbilding av Frelserens ansikt; Veronikabilde; veronika, flismegress.
verru|ca [ve'ru:kə] vorte. **-cose, -cous** vortet.
versant ['və:sənt] skråning, fall, helling.
versatile ['və:sətail] mangesidig, allsidig; åndssmidig; bevegelig, dreielig; foranderlig, ustadig. **versatility** [və:sə'tiliti] mangesidighet, allsidighet; bevegelighet, dreielighet; ustadighet.
verse [və:s] vers, verslinje, poesi; på vers, poetisk; **in** — på vers; — **oneself in** sette seg inn i; **a volume of** — en diktsamling. **versed** [və:st] bevandret, kyndig, hjemme (**in** i).
versicolor(ed) ['və:sikʌlə(d)] av forskjellige farger, broket; regnbuefarget.
versification [və:sifi'keiʃən] versekunst, versebygning, versifikasjon. **versifier** ['və:sifaiə] versemaker, dikter, versifikator. **versify** ['və:sifai] skrive vers, sette på vers.
version ['və:ʃən] vending, oversettelse, tolkning, formulering, versjon, gjengivelse, utgave, beretning.
versus ['və:səs] mot, kontra.
vert [və:t] (heraldisk:) grønt; (jur.) skogvegetasjon.
vert. fk. f. vertical.
vertebra [və:'tibrə] ryggvirvel (pl. -e). **vertebral** virvel-, ryggvirvel-; virveldyr. **vertebrate** ['və:tibrit] virveldyr.
vertex ['və:teks] spiss, topp, isse, senit.
vertical ['və:tikl] loddrett, vertikal, stående, oppreist; loddlinje.
vertiginous [və:'tidʒinəs] svimlende, svimmel.

vertigo ['vəːtigəu] svimmelhet, vertigo.

verve [vəːv] liv, kraft, begeistring, fart.

very ['veri] meget (forsterker adj. i positiv), aller (forsterker superlativ); sann; virkelig, fullkommen, riktig, selve, nettopp; — **good** meget god; — **well** meget vel; javel, så sier vi det; — **much** særdeles meget; — **easily** meget lett; a — **child** et rent barn, bare barnet; **this** — **day** ennå i dag; **for** — **joy** av lutter glede; **under his** — **nose** like for nesen på ham; **it's the** — **thing** nettopp hva vi ønsker.

vesicant ['vesikənt] blæretrekkende; trekkplaster. **vesicate** ['vesikeit] danne blærer (på); legge trekkplaster på. **vesication** [vesi'keiʃən] blæredannelse; behandling med trekkmidler.

vesicle ['vesikl] liten blære.

vesper ['vespə] aftenstjerne, aften, kveld. **-s** aftensang, vesper. **-tine** aften-.

vespiary ['vespiəri] vepsebol, vepsereir.

vessel ['vesl] kar, beholder, fat, tank, kjele; blodkar; båt, skip, fartøy.

vest [vest] undertrøye, ulltrøye; (især amr.) vest; bekle, ikle; forlene, overdra, tilfalle, være i ens besittelse; **flannel** — ulltrøye. **-ed** fast, sikker, hevdvunnen.

vesta ['vestə] voksfyrstikk.

vestal ['vestəl] vestalsk, jomfruelig, kysk. — **virgin** vestalinne.

vested kledd, iført; sikret, fast; — **interests** kapitalmakten, kapital- og grunneierinteressene.

vestibular [ves'tibjulə] som hører til en forhall, vestibyle-. **vestibule** ['vestibjuːl] forhall, entré, forgård, vestibyle. — **train** gjennomgangstog.

vestige ['vestidʒ] spor, fotefar; levning, rest. **vestment** ['vestmənt] klesplagg, kledning, klær; pl. **-s** messedrakt.

vestry ['vestri] sakristi; menighetsråd, sognestyre, kommunestyre. — **board** sognestyre. — **clerk** sekretær i sognestyret. **-man** medlem av sognestyret.

vesture ['vestʃə] kledning, drakt, bekledning. **Vesuv|ian** [vi'suːvjən] vesuviansk. **-ius** Vesuv.

vet [vet] dyrlege, veterinær; veteran; undersøke, legebehandle.

vetch [vetʃ] vikke. **-y** bevokst med vikker.

veteran ['vetərən] erfaren, stridsvant, øvd, prøvet; veteran.

veterinarian [vetəri'nɛəriən] dyrlege. **veterinary** ['vetərinəri] dyrlege-, veterinær; — **surgeon** dyrlege.

veto ['viːtəu] veto, forkastelse, forbud; forby, nedlegge veto imot.

vex [veks] ergre, irritere, uroe, plage; opprøre; **-ation** [vek'seiʃən] ergrelse, plaging, erting; sjikane; plage. **-atious** ergerlig, fortredelig, brysom, trettekjær, besværlig, sjikanøs.

vexed [vekst] foruroliget, ergerlig; omstridt; a — **question** et omstridt spørsmål.

vexil ['veksil] fane (på fjær). **-lary** [vek'siləri] fanebærer.

v. f. fk. f. **very fair.**

v. g. fk. f. **very good.**

V. H. F. fk. f. **very high frequency.**

v. i. fk. f. **verb intransitive.**

via ['vaiə] via, over.

viability [vaiə'biliti] levedyktighet. **viable** ['vaiəbl] levedyktig.

viaduct ['vaiədʌkt] viadukt, bru.

vial ['vaiəl] medisinglass, medisinflaske (liten), ampulle; **the -s of the wrath of God** (bibelsk) Guds vredes skåler.

viands ['vaiəndz] levnetsmidler, mat(varer).

viatic [vai'ætik] reise-. **viaticum** [vai'ætikəm] reisepenger, reiseproviant; viatikum, alterets sakrament til døende.

vibrate ['vaibreit] vibrere, svinge, dirre, sitre. **vibration** [vai'breiʃən] vibrasjon, svingning, dirring. **vibrative** ['vaibrətiv], **vibratory** [-təri] svingende.

viburnum [vai'bəːnəm] krossved, snøballtre.

Vic. [vik] fk. f. **Vicar; Victoria.**

vicar ['vikə] sogneprest (som har mindre tiendeinntekter enn rector); stedfortreder, vikar; — **apostolic** apostolisk vikar (katolsk misjonær). **vicarage** ['vikəridʒ] prestegård, prestekall. **vicarial** [vi'kɛəriəl] preste-. **vicariate** [vi'kɛəriit] vikariat; vikarierende. **vicarious** [vi'kɛəriəs] stedfortredende, konstituert. **vicarship** ['vikəʃip] presteembete, vikarstilling.

vice [vais] last, lyte, feil, mangel; sletthet.

vice [vais] skruestikke, skrufeste; skru fast, klemme (som) i en skruestikke.

vice ['vaisi] istedenfor; — **versa** ['vəːsə] omvendt.

vice [vais] vise- (i sammensetninger). **-gerent** ['vais'dʒerənt] konstituert; stedfortreder, varamann. **-regal** ['vais'riːgəl] visekongelig. **-roy** ['vaisrɔi] visekonge, stattholder. **-royalty** visekonges verdighet, stattholderskap.

vice squad sedelighetspoliti.

Vichy ['viːʃiː, 'viʃi].

vicinal ['visinəl] tilstøtende, lokal, nabo-. **vicinity** [vi'siniti] nærhet, grannelag, naboskap. **vicious** ['viʃəs] lastefull, lytefull, mangelfull; fordervet, slett; arrig, vrang, lei, ondskapsfull. — **circle** ond sirkel. **-ness** lastefullhet.

vicissitude [vi'sisitjuːd] omskifting, omveksling. **vicissitudinary** [vi'sisi'tjuːdinəri], **vicissitudinous** [vi'sisi'tjuːdinəs] foranderlig, skiftende.

victim ['viktim] slakteoffer, offer. **-ize** [-aiz] gjøre til sitt offer, bedra, narre, la gå ut over; diskriminere.

victor ['viktə] seierherre, seiervinner, seirende; **come off** — gå av med seieren.

Victoria [vik'tɔːriə] Viktoria. **-n** som hører til dronning Viktorias tid, viktoriansk.

victorine [viktə'riːn] skinnkrave, boa (for damer); slags fersken.

victorious [vik'tɔːriəs] seierrik, seirende, seiers-. **-ness** seier, triumf.

victory ['viktəri] seier.

victual ['vitl] i pl. **-s** levnetsmidler, matvarer, proviant; proviantere. **-ler** ['vitlə] vertshusholder, proviantleverandør; proviantskip.

vide ['vaidiː] (latin) se!

videlicet [v(a)i'diːliset] nemlig (især fork. til **viz.** som oftest leses **namely**), det vil si.

video ['vidiəu] fjernsyn; fjernsyns-, video-. **-tape** videobånd.

vie [vai] kappes, tevle (**with** med).

Vienna [vi'enə] Wien. **Viennese** [viə'niːz] wiener(-), fra Wien; mann (kvinne, folk) fra Wien.

Vietnam ['vjet'næm, -'nɑːm]. **Vietnamese** [vjetnə'miːz] vietnamesisk; vietnameser.

view [vjuː] bese, se på, betrakte; beskuelse, betraktning, syn, blikk, synsvidde, utsikt, prospekt, overblikk; mening, anskuelse, hensikt; forespeiling, forventning; **exchange of -s** meningsutveksling; **field of** — synsfelt; **point of** — synspunkt; **take a different** — of se i et annet lys; **in** — synlig, for øye; **in** — **of** med henblikk på; **on** — utstilt; **take a** — **of** bese, besiktige; **with that** — i denne hensikt. **-er** iakttaker; inspektør; fjernsynsseer. **-finder** søker (på fotografiapparat). — **halloo** ['vjuːhə'luə] «hei, se reven!» utrop på jakt når reven kommer fram. **-ing screen** billedskjerm. **-less** usynlig; uten mening. **-point** synspunkt. **-y** svermerisk, full av upraktiske idéer; pen, som tar seg (godt) ut.

vigil ['vidʒil] nattevåk, våking, nattgudstjeneste. **-ance** årvåkenhet, vaktsomhet. **-ant** våken, årvåken.

vignette [vin'jet] vignett.

vigorous ['vigərəs] sprek, sterk, kraftig. **vigour** ['vigə] kraft, styrke, livskraft; **still in the** — of life ennå i den kraftige alder.

viking ['vaikiŋ] viking.

vile ['vail] verdiløs, slett, gemen, råtten, nederdrektig, skammelig, nedrig, ekkel, sjofel. **vilification** [vilifi'keiʃən] bakvaskelse. **vilifier** ['vilifaiə] bakvasker. **vilify** ['vilifai] bakvaske.

villa ['vilə] villa; **-dom** villabeboer-mentalitet; småborgerlighet.

village ['vilidʒ] landsby; landsby-, land-. **— library** folkeboksamling. **— pond** landsbydam. **-r** ['vilidʒə] landsbyboer.

villain ['vilən] skurk, kjeltring. **villainous** ['vilənəs] slyngelaktig, elendig; grusom, fæl. **villainy** ['viləni] slyngelstrek.

villein ['villin] livegen; husmann; **— service** hoveriarbeid. **villeinage** ['vilinidʒ] livegenskap.

vim [vim] energi, kraft, futt, tæl.

viminal ['viminəl] kvist-, med bøyelige greiner.

vimineous [vi'miniəs] laget av kvister, flettet.

vinaceous [vi'neiʃəs] vin-, drue-, vinfarget.

vinaigrette [vini'gret] lukteflaske; vinaigrettesaus.

vincibility [vinsi'biliti] overvinnelighet.

vindicate ['vindikeit] forsvare, hevde, godtgjøre, forfekte, kreve, gjøre krav på, rettferdiggjøre. **vindication** [vindi'keiʃən] forsvar, hevdelse, hevding, rettferdiggjøring. **vindicative** ['vindikeitiv] forsvars-, rettferdiggjørende. **vindicator** ['vindikeitə] forsvarer, hevder. **vindicatory** ['vindikətəri] forsvarende, hevdende, gjengjeldende, straffende.

vindictive [vin'diktiv] hevngjerrig. **-ness** hevngjerrighet.

vine [vain] vinranke, vinstokk; slyngplante, klatreplante, vin. **— dresser** dyrker. **— fretter** vinlus.

vinegar ['vinigə] eddik; vinaigre; bruke eddik til, ha eddik i; (fig.) sur som eddik, pottesur. **— plant** eddiktre. **— works** eddikbryggeri. **vinegary** ['vinigəri] eddiksur.

vinery ['vainəri] drivhus for vinranker; vinhus. **vineyard** ['vinjəd] vingård, vinberg.

vinous ['vainəs] vin-, vinaktig; glad i vin.

vintage ['vintidʒ] vinhøst; årgang. **— car** veteranbil. **— race** veteranbilløp. **— wine** årgangsvin. **vintner** ['vintnə] vinhandler.

vintry ['vintri] vinlager.

viny [vaini] vinaktig, vinproduserende.

viola [vi'əulə] bratsj. ['vaiələ] fiol.

violaceous [vaiə'leiʃəs] blåfiolett, fiolettblå.

violate ['vaiəleit] krenke, overtre, bryte, misligholde, forbryte seg mot. **violation** [vaiə'leiʃən] krenking, brudd, overtredelse, skjending, voldtekt. **violator** ['vaiəleitə] krenker, overtreder.

violence ['vaiələns] voldsomhet, vold, voldshandling, oppstand. **violent** ['vaiələnt] voldsom, voldelig; kraftig.

violet ['vaiəlit] fiol; fiolett.

violin [vaiə'lin] fiolin; fiolinist. **violinist** [vaiə'linist] fiolinist, felespiller.

violoncello [vaiələn'tʃeləu] fiolonsell, cello.

VIP, V.I.P. ['vi:ai'pi:] fk. f. **very important person** høytstående, betydningsfull person, VIP.

viper ['vaipə] hoggorm, giftslange, slange. **-ine** hoggorm-, ormaktig. **-ous** ormaktig, giftig.

virago [vi'rɑ:gəu] mannhaftig kvinne; rivjern, drage, troll.

virescence [vi'resns] grønnhet; grønnfarging.

Virg. fk. f. **Virginia.**

Virgil ['və:dʒil].

virgin ['və:dʒin] jomfru, møy; jomfruelig, jomfru-; ubrukt, uberørt; **— speech** jomfrutale, en delegats første tale (i parlamentet o. l.); **the (Blessed) V.** jomfru Maria. **virginal** ['və:dʒinəl] jomfruelig, uberørt; virginal.

Virginia [və'dʒiniə] Virginia. **virginia** [və'dʒiniə] virginiatobakk.

virginity [və'dʒiniti] jomfruelighet, møydom.

Virgo ['və:gəu]; **the — Jomfruen** (astr.).

viridity [vi'riditi] grønnhet, grønske, grønn farge.

virile ['virail] manns-, mandig, viril, mannlig. **virility** [vi'riliti] manndom, mandighet, virilitet.

virtu [və:'tu:] kunstsans; kunstsaker, sjeldenheter, kuriositeter; **article of — kunstgjenstand.**

virtual ['və:tʃuəl] iboende, virkelig, faktisk. **-ly** praktisk talt, faktisk.

virtue ['və:tʃu:] dyd, ærbarhet, kraft, tapperhet, verd, fortreffelighet; **by** (el. **in**) **— of** i kraft av, i medfør av, ved hjelp av.

virtuosity [və:tju'ɔsiti] virtuositet; (overdreven) kunstinteresse. **virtuoso** [və:tju'əuzəu] kunstkjenner; virtuos, mester.

virtuous ['və:tʃuəs] dydig, ærbar, rettskaffen.

virulence ['viruləns] giftighet; ondskap, bitterhet. **virulent** [-ənt] giftig, ondartet; bitter, hatsk.

vis [vis] kraft, makt.

Vis. fk. f. **Viscount(ess).**

visa ['vi:zə] visum, påtegning på pass; visere, påtegne pass.

visage ['vizidʒ] ansikt, fjes. **-visaged med —** ansikt, eks. **sad-visaged** med trist ansikt.

vis-à-vis ['vi:zɑ:vi:] vis-à-vis, like overfor.

viscera ['visərə] innvoller. **-l** innvolls-.

viscid ['visid] klebrig, tyktflytende. **viscidity** [vi'siditi] klebrighet.

viscose ['viskəus] viskose; viskøs. **viscosity** [vis'kɔsiti] viskositet, tykkhetsgrad (om væske).

viscount ['vaikaunt] vicomte, (adelsmann i rang etter **earl**). **-ess** vicomtesse.

viscous ['viskəs] klebrig, tyktflytende, seig.

visé ['vi:zei] visum; visere. **-ing** visering, påtegning.

visibility [vizi'biliti] synlighet; sikt(barhet); synsvidde. **visible** ['vizəbl] synlig.

Visigoth ['vizigɔθ] vestgoter.

vision ['viʒən] syn, synsevne, synskrets; klarsyn, fremsynthet; visjon, drømmebilde, drøm, fantasi. **-al** som hører til et syn, syns-, fantastisk. **-ary** som har syner, svermerisk, fantastisk, urimelig; åndeseer, svermer, drømmer, fantast.

visit ['vizit] besøke, ferdes hos, visitere, inspisere, hjemsøke, avlegge besøk, vanke, gå på visitt; besøk, visitt, reise, tur, opphold, midlertidig opphold, visitering; **pay** el. **make a — avlegge et** besøk. **-able** som kan visiteres, severdig. **-ant** besøkende, gjest. **-ation** [vizi'teiʃən] besøkelse, gjesting, besøk, visitasjon, undersøkelse, hjemsøkelse. **-atorial** [vizitə'tɔ:riəl] inspeksjons-, kontrollerende.

visiting| card ['vizitiŋkɑ:d] visittkort. **— hours** besøkstid. **— housekeeper** husmorvikar. **— lecturer** gjesteforeleser. **— student** hospitant. **be on — terms** omgås, ha omgang med.

visitor ['vizitə] besøkende, gjest, fremmed, tilreisende; tilsynsmann; **visitors' book** fremmedbok, gjestebok.

visor ['vaizə] visir, hjelmgitter, lueskygge, solskjerm (i bil).

vista ['vistə] utsikt, allé.

Vistula ['vistjulə], **the — Weichsel.**

visual ['viʒuəl] syns-, synlig, synbar, visuell. **the — arts** de bildende kunster. **-ize** gjøre synlig, anskueliggjøre; danne seg et klart bilde.

vital ['vaitl] livs-, vital, nødvendig, vesentlig; **-s** livsorganer, edle deler. **-ity** [vai'tæliti] vitalitet, livskraft; nødvendighet. **-ization** [vaitəlai'zeiʃən] levendegjøring. **-ize** ['vaitəlaiz] levendegjøre, opplive, sette liv i.

vitamin ['vitəmin] vitamin. **— -deficient** vitaminfattig. **— -enriched** vitaminisert.

vitiate ['viʃieit] skjemme, forderve, ødelegge, forurense, besmitte, forvanske, gjøre ugyldig. **vitiation** [viʃi'eiʃən] fordervelse, forurens(n)ing, besmittelse; ugyldiggjørelse, ugyldighet.

viticulture ['vitikʌltʃə] vindyrking.

vitreous ['vitriəs] glass-, glassaktig. **— china** sanitærporselen. **— electricity** positiv elektrisitet. **— enamel** glassert emalje. **— humour** (el. **body**) glassvæske (i øyet). **-ness** glassaktighet.

vitrescent [vi'tresənt], **vitrescible** [vi'tresibl] som lar seg forvandle til glass. **vitrifaction** [vitri'fækʃən] forglassning.

vitriol ['vitriəl] vitriol. **-ic** [vitri'ɔlik] vitriol-; (fig.) skarp, giftig, krass.

vituline ['vitjulain] kalve-.

vituperable [vi'tju:pərəbl] daddelverdig. **vitu-**

perate [-reit] dadle, skjelle ut, klandre, kritisere. **vituperation** [vitju:pə'reiʃən] daddel. **vituperative** [vi'tju:pərətiv] dadlende, kritiserende.

Vitus ['vaitəs], **St.** — St. Veit, St. Vitus; **St. -'s dance** sanktveitsdans.

viva ['vaivə] vivat! leve! leverop; muntlig (eksamen); **have a** — være oppe til muntlig. **vivacious** [vi'veiʃəs] levende, livlig. **vivacity** [vi'væsiti] liv, livlighet.

vivandier [vi:vɑ̃:ŋdi'ei] marketenter. **vivandière** [-ɛə] marketenterske.

vivarium [vai'vɛəriəm] sted hvor man holder levende ville dyr, dyrehage.

viva voce ['vaivə'vəusi] muntlig; muntlig eksamen.

vivid ['vivid] levende, livlig, livaktig. **-ness** livlighet, liv, livaktighet. **vivify** ['vivifai] levende-gjøre; sette liv i.

viviparous [vai'vipərəs] som føder levende unger.

vivisect ['vivisekt] vivisekere. **vivisection** [vivi-'sekʃən] viviseksjon.

vixen ['viksn] revetispe; troll til kvinnfolk. **-ish** bisk, sur, krakilsk.

viz. [vi'di:liset, viz, 'neimli] fk. f. **videlicet.**

vizier [vi'ziə] vesir (tyrkisk minister).

V. L. F. fk. f. **very low frequency.**

V. O. fk. f. **Victorian Order.**

vocable ['vəukəbl] ord, glose. **vocabulary** [və'kæbjuləri] ordsamling, ordliste, ordbok, ordforråd. — **entry** oppslagsord.

vocal ['vəukl] stemme-, talende, muntlig, klingende, vokal-, sang-, melodisk, iørefallende, lydelig, stemt; — **cords** stemmebånd; — **performer** sanger(inne); — **pitch** stemmeleie. **-ize** ['vəukəlaiz] uttale, la lyde, vokalisere, merke med vokaltegn (f. eks. hebraisk), synge, gjøre stemt. **-ist** [-list] sanger, sangerinne. **-ity** taleevne, uttale, vokalisk karakter, klang, stemthet. **-ly** med stemmen, i ord, tydelig.

vocation [və'keiʃən] kallelse, kall, yrke. **vocational** [vəu'keiʃənəl] faglig, fag-, yrkes-. — **guidance** yrkesveiledning. — **school** yrkesskole, fagskole. — **study** fagstudium.

vocative ['vɔkətiv] vokativ; vokativisk.

vociferate [və'sifəreit] skråle, gaule, skrike. **vociferation** [vəsifə'reiʃən] skrål, roping. **vociferous** [və'sifərəs] skrålende, høyrøstet, høymælt, støyende. **-ness** skråling, høyrøstethet.

vogue [vəug] mote, popularitet, skikk; **be in** — være på moten, moderne, i vinden.

voice [vɔis] stemme, røst, mål, mæle, mening, medbestemmelsesrett, ord, uttrykk, (verbal)-form; uttale, uttrykke, gi uttrykk for, være et uttrykk for, stemme, regulere tonen i; **give** — **to** uttrykke; **if I have any** — hvis jeg skal ha noe å si; **be in** — være pr. stemme; **in a low** — lavt, med lav stemme; **the active** — aktiv; **the passive** — passiv. **-d** stemt. **-less** stemmeløs, ustemt, stum.

void [vɔid] tom, blottet, ledig, ugyldig; tomrom, hulrom, mellomrom; savn; tømme, tømme ut, rydde, forlate, gå fra, avsondre, gjøre ugyldig; — **of** blottet for, uten. **-able** som kan stemmes, som kan erklæres ugyldig, omstøtelig. **-ance** (jur.) annullering; ledighet. **-ness** tomhet, ugyldighet.

vol. fk. f. **volume.**

volant ['vəulənt] flyvende, lett, rapp, snar. **volar** ['vəulə] som angår håndflaten el. fotsålen.

volatile ['vɔlətail] flyktig (om væske); (fig.) livlig, flyktig. **volatility** [vɔlə'tiliti] flyktighet. **volatilize** [vɔ'lætilaiz] forflyktige, fordampe.

volcanic [vɔl'kænik] vulkansk. **volcanism** ['vɔl-kænizm] vulkansk aktivitet. **volcano** [vɔl'keinəu] vulkan.

vole [vəul] jordrotte; markmus.

vole storeslem; vinne storeslem.

volitation [vɔli'teiʃən] flyging, flukt; flygeevne. **volition** [və'liʃən] det å ville, vilje, viljesakt.

volitive ['vɔlitiv] med evnen til å ville, vilje-.

volley ['vɔli] salve, geværskudd, utbrudd, flom, strøm; tilbakeslag i flukten (av ball i tennis); fyre av, slynge ut; **-ed** utskutt med bulder, buldrende.

volplane ['vɔl'plein] glideflukt; foreta glideflukt.

vols. fk. f. **volumes** bind.

volt [vəult] volte, vending (i ridning eller fektning).

volt [vəult] volt (målingsenhet for elektrisk spenning). **-a-electric** galvanisk. **-age** spenning. **-aic** galvanisk, volta-. **-aism** ['vɔltəizm] galvanisme.

volte-face ['vɔlt'fɑ:s] omslag, kuvending.

volubility [vɔlju'biliti] tungeferdighet, veltalenhet. **voluble** ['vɔljubl] flytende, tungerapp, veltalende.

volume ['vɔljum] bind, del, bok, årgang; masse; kvantum; (radio) lydstyrke; volum; innhold, omfang; **in a way that expressed** **-s** på den mest talende måte; **volumed** i rullende masser; veldig, svær, svulmende.

voluminous [vəl'ju:minəs] bindsterk, omfangsrik, produktiv, langrukken, vidløftig.

voluntary ['vɔləntəri] frivillig, forsettlig; vilkårlig; tilhenger av frivillig system; fantasi (musikk).

volunteer [vɔlən'tiə] frivillig; tilby el. påta seg frivillig, komme av seg selv, tjene som frivillig, gå inn som frivillig.

voluptuary [və'lʌptʃuəri] vellysting. **voluptuous** [və'lʌptʃuəs] vellystig, overdådig. **-ness** vellyst, yppighet.

volution [və'lju:ʃən] spiral, vinding.

vomit ['vɔmit] kaste opp, spy (ut); brekning, oppkast, spy; brekkmiddel. **vomition** [və'miʃən] oppkasting. **vomitive** ['vɔmitiv] brekkmiddel. **vomitory** ['vɔmitari] brekkmiddel.

voodoo ['vu:du:] (vestindisk) magi, voodoo; heks, heksedoktor; voodoo-trolldom; fetisj.

voracious [və'reiʃəs] grådig, glupende, glupsk. **-ness, voracity** [və'ræsiti] grådighet.

vortex ['vɔ:teks] virvel, strømvirvel, malstrøm. **vortical** ['vɔ:tikl] virvel-, virvlende.

Vosges [vəuʒ], **the** — Vogesene.

votaress ['vəutəris] (kvinnelig form av) **votary** ['vəutəri] innviet; bundet av et løfte; tilbeder, dyrker, ivrig tilhenger.

vote [vəut] stemme, votum, stemmegivning, votering, avstemning, stemmetall, stemmeseddel, stemmerett; avstemme, stemme, vote-tere, vedta, stemme for, foreslå; — **of confidence** tillitsvotum; — **of censure** mistillitsvotum; — **of thanks** takkeadresse, takk; **cast one's** — avgi sin stemme, votere; **have a** — ha stemmerett; **pass a** — vedta en beslutning; **take a** — sette saken under avstemning; — **by ballot** stemme skriftlig; — **down** stemme ned. **voter** stemme-berettiget, velger. **voting paper** stemmeseddel.

votive ['vəutiv] votiv-, gitt ifølge et løfte.

vouch [vautʃ] kalle til vitne, bevitne, bekrefte, støtte, vitne, innestå for (for). **voucher** ['vautʃə] vitne; skriftlig bevismiddel, kvittering, bong, regnskapsbilag; anvisning.

vouchsafe [vautʃ'seif] bevilge, tillate, forunne, skjenke, verdige(s). **-ment** bevilling, nådebevisning.

vow [vau] (høytidelig) løfte, ekteskapsløfte; avlegge løfter, love (høytidelig), sverge; **take the -s** avlegge (kloster)løfte.

vowel ['vauəl] vokal, selvlyd; vokal-, vokalisk.

voyage ['vɔiidʒ] reise, sjøreise; reise, fare, be-reise. — **charter** reisebefraktning.

voyeur [vwoi'jə:] titter, kikker.

V. P. fk. f. **Vice-President.**

V. R. fk. f. **Victoria Regina** dronning Viktoria.

v. refl. fk. f. **verb reflexive.**

V. S. fk. f. **Veterinary Surgeon. vs** fk. f. **versus.**

Vt. fk. f. **Vermont. v. t.** fk. f. **verb transitive.**

Vulcan ['vʌlkən] Vulkan (romernes gud for ilden). vulcanite ['vʌlkənait] vulkanitt, ebonitt. vulcanize ['vʌlkənaiz] vulkanisere.

vulgar ['vʌlgə] alminnelig, allmenn, almue-, folkelig, folke-; simpel, tarvelig, rå, vulgær; the — den store masse, almuen, menigmann; folkespråket. — fraction alminnelig brøk. -ism simpelhet, vulgarisme, vulgært ord, vulgært uttrykk. -ity [vʌl'gæriti] plumphet, simpelhet, smakløshet, platthet. -ize ['vʌlgəraiz] alminneliggjøre, nedverdige, forsimple, forflate.

vulnerability [vʌlnərə'biliti] sårbarhet, angripelighet. vulnerable ['vʌlnərəbl] sårbar, angripelig. vulnerary ['vʌlnərəri] sårlegende; sårmiddel. vulpine ['vʌlpain] reve-, reveaktig, slu. vulture ['vʌltʃə] gribb. vulturine [-rain], vulturous gribbe-, gribbaktig, grådig. vulva ['vʌlvə] vulva. -r, -l som hører til vulva.

v. v. fk. f. vice versa.

W

W, w ['dʌblju:] W, w.
W. fk. f. Watt; Wales; Warden; Washington; West(ern); Welsh.
w. fk. f. watt; week; weight; west; wide; with.
W.A.A.C., Waac [wæk] fk. f. Women's Army Auxiliary Corps.
W.A.A.F., Waaf [wæf] fk. f. Women's Auxiliary Air Force.

wabble ['wɔbl] rave, slingre, vakle, være ustø, sjangle; riste, skake; slingrer, sjangling.
WAC, wac [wæk] (amr.) Women's Army Corps.
wacky ['wæki] (amr.) rar, snodig, original.
wad [wɔd] dott, propp; bit, klump; stopp (i klær), vattplate; forladning; (amr.) seddelbunke; lage en dott, stoppe, fôre med vatt, vattere, ha forladning i. wadding ['wɔdiŋ] vattering, vatt; forladning.
waddle ['wɔdl] vralte, vagge, rugge; subbing, stolpring, vraltende gang; -r en som vralter.
wade [weid] va, vasse, stolpre seg fram, vade over; — in, — into angripe, ta fatt, intervenere.
wader ['weidə] vader, vadefugl; i plur. vadestøvler, sjøstøvler.
wadi ['wɔdi] elveleie, periodisk elv.
wadset ['wɔdset] pant; pantsette.
WAF, Waf [wæf] (amr.) Women in the Air Force.
wafer ['weifə] oblat; hostie; iskjeks, krumkake; lukke med oblat; — -thin løvtynn.
waffle ['wɔfl] vaffel; vaffelsydd, vaflet; tull, tøv, tøys; tøyse.
waft [wɑ:ft] blåse, bære, føre (gjennom luft el. vann), vifte, sveve; vift, pust, vindgufs.
wag [wæg] bevege lett, lee på, svinge, riste på, logre med, dingle, bevege seg, lee seg, vakle av sted, skulke, gå sin vei; rugging; spøkefugl, skøyer.
wage [weidʒ] pantsette, vedde om, føre, drive; hyre, sold, (srl. i pluralis:) arbeidslønn, lønn, gasje; the -s of sin syndens sold; — war with (el. against el. (up)on) føre krig med. — bill lønnsutgifter. — bracket lønnsklasse. — contract lønnsavtale. — drift lønnsglidning. — -earner lønnsmottaker. — freeze lønnsstopp. — level lønnsnivå. — packet lønningspose.
wager ['weidʒə] innsats, veddemål; vedde, vedde om, sette på spill.
wage rate lønnssats. — scale lønnsskala. — sheet lønningsliste. — talks lønnsforhandlinger.
waggery ['wægəri] skøyeraktighet, spas, spøk.
waggish ['wægiʃ] spøkefull. -ness spøkefullhet.
waggle ['wægl] rugge, vagge, lee på seg, vralte, riste, svinge; virring, risting, rugging.
wagon ['wægən] vogn, lastevogn, arbeidsvogn, godsvogn; the — svartemarja. the W. Karlsvognen; to be on the — være på vannvogna, være avholdsmann. -age kjørepenger, vognleie. -er kjører, kjørekar, trenkusk. — -lit ['vægɔ:n'li:] sovevogn. -load vognlass. — vault tønnevelv.
wagtail ['wægteil] linerle.

waif [weif] hittegods, herreløst gods; hjemløs; -s and strays hjemløse (skapninger), hittebarn, samfunnets stebarn.
wail [weil] jamre seg, klage, jamre over; jammer, klage. -ing jamring; the Wailing Wall klagemuren.
wain [wein] vogn, lastevogn.
wainscot ['weinskət] panel(ing), eikepanel; bordkledning; panele, bordkle, eikemale.
wainwright ['weinrait] vognmaker.
waist [weist] liv, midje, beltested. -band bukselinning, livreim, belte. -cloth lendeklede. -coat vest. -ed innsvinget i livet. -line livlinje, livvidde.
wait [weit] vente, bie, se tiden an; servere, varte opp; ligge på lur, vente på, vente med; venting, ventetid, bakhold; — at table varte opp; — for vente på; — on (upon) varte opp, gjøre sin oppvartning, betjene, stå til tjeneste; lie in — ligge i bakhold, lure.
waiter ['weitə] oppvarter, tjener, kelner; presenterbrett.
waiting ['weitiŋ] ventende, oppvartende; oppvartning, tjeneste. — list venteliste, ekspektanseliste. — -maid, — -woman kammerpike. — -man tjener. — period ventetid; karenstid. — -room venteværelse.
waitress ['weitris] oppvartningspike, oppvarterske, servitør (kvinnelig).
waive|e [weiv] oppgi, la fare, frasi seg, se bort fra; utsette; -ed forlatt. -er (jur.) avkall, oppgivelse. -er clause (ass.) unntaksregel. -ing bortsett fra.
wake [weik] vekke, våkne, vakne, våke ved, være våken; våking, likvake, våkenatt, kirkefest.
wake [weik] kjølvann.
Wakefield ['weikfi:ld].
wakeful ['weikful] våken, vaken, årvåken, søvnløs. -ness våking, årvåkenhet, søvnløshet.
wakeless dyp (søvn).
waken ['weikn] vekke, vakne, vekke.
wale [weil] opphøyd stripe, opphovnet stripe (etter slag); (mar.) barkholt; merke med striper.
Wales [weilz].
walk [wɔ:k] gå, spasere, vandre, gå i skritt, gå i søvne, gå igjen, spøke, gå sin vei, gå igjennom, la gå, skaffe mosjon, bevege; gang, skrittgang, spasertur, promenade, vei, spasersti, gressgang, hamn (til dyr); livsførsel, virkekrets, ferd, oppførsel, område, bane; rute, runde; kappgang; — away from distansere (med letthet); take a — gå en tur; — into gå løs på, få bukt med, skjelle ut, ødelegge, hogge løs på, ta til seg (av mat); — off forsvinne, dra avgårde; — on him (fig.) tråkke på ham; — out nedlegge arbeidet, streike; forlate, svikte; — over tråkke på; vinne en lett seier; — over him behandle ham overlegent og hensynsløst, slå seg til ridder på ham; — the plank gå planken; bli utmanøvrert, gå til grunne, dø. -away ['wɔ:kəwei] lett seier. -er fot-

gjenger, spaserende, oppsynsmann, bud, opp-
varter, hundeoppdretter, fugl med gangføtter.
(hookey) — tøv med deg, det kan du innbille
bønder. **-er-on** statist. **-ie-talkie** transportabel
radiotelefon, walkie-talkie. **-ing** gang, spasering;
gående. **-ing gentleman** statist. **-ing-match** kapp-
gang. **-ing-on part** statistrolle. **-ing papers** (sl.)
løpepass. **-ing stiek** spaserstokk. — **tour** ['wɔ:kiŋ-
tuə] fottur.
walk|out streik. — **-over** lett seier, valg uten
motkandidat (egl. spasertur over banen, idet
man selv bestemmer farten, når det ikke er
noen dyktige konkurrenter).
wall [wɔ:l] mur, vegg, voll, gjerde, vern;
mure, omgi med mur, befeste, stå som en mur
omkring; — **off** avskjære; — **up** mure til, mure
inne; **take the** — gå nærmest husveggen, gå
foran; **drive to the** — trekke det korteste strå,
kastes til side, få i en klemme; **push to the** —
skubbe til side.
wallaby ['wɔləbi] krattkenguru; australier.
wall | bars ribbevegg (gymnastikk). **-board** spon-
plate, panelplate.
wallet ['wɔlit] seddelbok, lommebok; liten
veske; vadsekk.
wall-eye ['wɔ:lai] glassøye, blindt øye, øye med
hvit hornhinne. **wall-eyed** ['wɔ:laid] glassøyd,
blind; skjeløyd.
wall|-flower ['wɔ:lflauə] gyllenlakk; veggpryd
(dame som sitter over). — **-fruit** espalierfrukt.
-ing murmaterialer.
Walloon [wɔ'lu:n] vallon; vallonsk.
wallop ['wɔləp] juling, slag; denge, jule;
vralte, humpe, rulle. **-ing** juling; svær, diger.
wallow ['wɔləu] rulle seg, velte seg; rulling,
velting; sølehull, gjørmet sted hvor dyr velter
seg; — **in** (fig.) velte seg i, fråtse i.
wall | painting veggmaleri. **-paper** tapet. —
plate murlekte; veggplate. — **plug** stikkontakt. —
seat veggbenk. — **-sign** veggreklame. — **socket**
stikkontakt. **W. Street** gate i New York, det
amerikanske finanssentrum. — **-to-wall carpet**
heldekkende teppe, vegg-til-vegg teppe. — **tree**
espaliertre. **-wort** sommerhyll.
walnut ['wɔ:lnʌt] valnøtt, valnøtt-tre.
walrus ['wɔ:lrəs] hvalross.
waltz [wɔ:ls] vals; valse, danse vals. **-er** vals-
danser.
wampum ['wɔmpəm] vampum, indianersmyk-
ker; penger.
wan [wɔn] blek, gusten.
wand [wɔnd] vånd, stav, embetsstav, trylle-
stav, taktstokk.
wander ['wɔndə] vandre, flakke, streife om,
avvike, komme bort fra saken, komme ut på
viddene, gå vill, fantasere; **his mind -s** han taler
i ørske. **-er** ['wɔndərə] vandringsmann. **-ing**
vandrende, ustadig; usammenhengende, røret;
flakking, vandring, omstreifing, ørske, fantase-
ring; **the -ing Jew** den evige jøde, Jerusalems sko-
maker; **the -ings of a madman** en gal manns
usammenhengende snakk. **-ingly** på en ustadig
måte, usammenhengende.
wane [wein] avta, minke, synke, dale; avta-
gende, minking, nedgang, forfall; **on the** — i
avtagende, dalende, på hell.
wangle ['wæŋgl] oppnå, fikse, ordne, skaffe
seg (især ved fiffighet eller ved å simulere god
og dydig); **he -d his leave all right** han fikset
det slik at han fikk permisjon.
wanness ['wɔnnis] blekhet.
wannish ['wɔniʃ] noe blek.
want [wɔnt] mangle, trenge, behøve, ha bruk
for; savne, sakne, være opprådd for, ønske, ville,
ville ha; savnes, være borte; mangel, skort,
trang, savn, behov, nød, armod; **it -s** det trengs,
det kreves; **it wants 2 minutes to 5** klokka er
2 på 5; **be -ed** være ettersøkt (av politiet);
for — **of** i mangel av, av mangel på. — **ad**
rubrikkannonse. **-age** underskudd, mangel. **-ing**
manglende, som er borte; **he is a little -ing** han

er ikke riktig vel bevart; **that only was -ing** det
manglet bare.
wanton ['wɔntən] løs, som beveger seg løst,
lystig, kåt, vilter, overgiven, utemt, tøylesløs;
lettsindig, lettferdig, yppig, løsaktig, usedelig;
formålsløs, ansvarsløs, hensynsløs; liderlig; lett-
ferdig person; flokse, tøs; flagre, sverme, boltre
seg, tøyse, fjase, leke, spøke. **-ness** kåthet, lystig-
het, tøylesløshet.
war [wɔ:] krig, ufred, strid, uvennskap, krigs-
kunst; stride, krige, føre krig; **declare** — **on**
erklære krig mot; **make** — **on** føre krig med;
be at — ligge i krig, stå på krigsfot; **powers**
at — krigførende makter; **man of** — orlogs-
mann, krigsskip; **council of** — krigsråd; **the**
fortune of — krigslykken; — **to the knife** krig
på kniven; **W. Office** forsvarsdepartement.
warble ['wɔ:bl] knute, kul, bremsebyll; bremse-
larve, verre; oksebremse.
warble ['wɔ:bl] slå triller, synge; trille, sang.
warbler sanger(inne), sangfugl. **warbling** ['wɔ:bliŋ]
triller, sang.
war|craft krigskunst; krigsfartøy. — **crimes**
pl. krigsforbrytelser. — **crimes tribunal** krigs-
forbryterdomstol. — **cry** krigsrop.
ward [wɔ:d] bevokte, beskytte, avverge, holde
vakt, verge seg, parere; bevoktning, vakt, opp-
syn, beskyttelse, vern, forvaring; parade (fek-
ting); formynderskap, myndling, kvarter (av en
by), skogdistrikt, krets, distrikt, herred, rote; sal,
avdeling, stue (i hospital); låsgjenge; **a** — **in**
Chancery, a — **of court** en umyndig under
kanslerrettens vergemål; **private** — enerom;
casualty — legevakt; — **off** avparere.
ward (ofte brukt som etterstavelse med be-
tydningen:) vendt imot, henimot f. eks. **seaward**
el. **seawards**.
war dance ['wɔ:dɑ:ns] krigsdans.
warden ['wɔ:dn] vokter, vakt, oppsynsmann,
tilsynsmann, forstander, bestyrer, rektor; (amr.)
fengselsdirektør; **church** — kirkeverge; **game** —
skogvokter.
warder ['wɔ:də] (fange)vokter; portvakt; kom-
mandostav.
wardrobe ['wɔ:drəub] garderobe, klesskap,
klær; soveværelse. — **dealer** marsjandisehandler.
— **trunk** garderobekuffert.
ward room ['wɔ:drum] offisersmesse.
wardship ['wɔ:dʃip] formynderskap; umyndig-
het.
ware [wɛə] ta seg i akt for; var, forsiktig.
ware [wɛə] vare, varer, -tøy, -varer. **-house**
pakkhus, lager, lagerbygning; anbringe i pakk-
hus, lagre. **-house book** lagerbok. **-house charges**
pakkhusleie. **-house goods** varer på lager. **-house**
keeper lagersjef. **-houseman** eier av lager, lager-
mann, lagersjef. **-house receipt** lagerbevis. **-house**
rent lageravgift. **-house room** lagerrom.
wareroom ['wɛərru:m] magasin, lager.
war | establishment krigsstyrke, krigsoppset-
ning. **-fare** krigsførsel, krig, kamp. — **game** krigs-
spill. — **head** sprenghode, sprengladning. —
horse stridshest.
wariness ['wɛərinis] forsiktighet, varsomhet.
warlike ['wɔ:laik] krigersk, krigs-. **-ness** kri-
gersk karakter.
warlock ['wɔ:lɔk] trollmann.
war lord krigsherre, øverste krigsherre.
warm [wɔ:m] varm, lun, inderlig, varmhjertet,
lidenskapelig, ivrig, hissig, heftig, begeistret;
holden, formuende, velhavende; varme, varme
opp, gjøre ivrig, interessere, bli varm, komme i
ånde, begeistres; **you are getting** — tampen
brenner. — **-blooded** varmblodig. **-ing** juling,
bank. **-ing-pan** varmebekken; vikar.
warmonger ['wɔ:mʌŋgə] krigshisser.
warmth [wɔ:mθ] varme; begeistring.
warn [wɔ:n] advare, formane, underrette,
varsle, innkalle; — **off** holde unna, nekte ad-
gang til. **-er** advarer, formaner. **-ing** advarsel,
varsel, oppsigelse, innvarsling.

war office ['wɔːrɔfis] forsvarsdepartement.

warp [wɔːp] forvri, få til å slå seg (om tre), forkvakle, forvende, fordreie, gi en skjev retning; gjødsle ved å sette under vann; slå seg (om tre), bli skjev (el. vridd), forkvakles, forderves, virke uheldig, varpe seg, kaste (kalv); kastning, (vind-) skjevhet, rennegarn, dynn, varp, varpetrosse. **-ing** kastning, dynngjødsling.

war| paint ['wɔːpeint] krigsmaling; (i daglig tale også) full puss. **-path** ['wɔːpɑːθ] krigssti. **-plane** krigsfly, kampfly.

warrant ['worənt] bekrefte, svare for, forsikre, innestå for, garantere, hjemle, berettige, rettferdiggjøre; bekreftelse, sikkerhet, fullmakt, berettigelse, bemyndigelse, hjemmel, garanti, forsikringsbrev, lagerbevis, arrestordre; — **of attorney** fullmakt til en sakfører. **-able** forsvarlig, tillatelig, rettmessig. **-ably** med rette. **-er** en som gir fullmakt, mandant, selger. — **officer** høyeste underoffisersgrad i det brit. forsvar. **-or** garantist. **-y** garanti; berettigelse, hjemmel.

warren ['wɔrin] kanin- el. viltgård; (fig.) tettbefolket område, overfylt leiegård.

warrener ['wɔrənə] oppdretter (srl. av kaniner).

war-rich krigsprofitør, spekulant.

warring stridende, kjempende, krigførende.

warrior ['wɔriə] kriger; **the Unknown W.** (el. **Soldier**) den ukjente soldat.

Warsaw ['wɔːsɔː] Warszawa.

war| scare krigsfrykt. **-ship** krigsskip.

wart [wɔːt] vorte; **paint him with his -s** gi et bilde av ham som han er. **-ed** vortet. — **hog** [-hɔg] vortesvin. **-y** vortet.

wartime krigstid, krigs-. — **measures** krigstiltak.

war | victim krigsoffer. — **-weary** krigstrett.

Warwickshire ['wɔrikʃə].

wary ['wɛəri] forsiktig, varsom, var.

was [wɔz, wəz] imperf. av **be** (1. og 3. pers. sing.).

Wash. fk. f. Washington.

wash [wɔʃ] vaske, skylle, overskylle, spyle, overtrekke (med et tynt lag), overstryke, vaske seg, holde seg i vask, tåle vask, være vaskeekte, bestå prøven, duge; vask, vasking, vasketøy, skylling, bølgeslag, plask, skvulp, skvalp, vannerosjon; grunne, marskland, myr; tynt overtrekk, strøk (med farge); kjølvann, skumming (av båt el. propell), oppskyllet el. avsatt dynn; avfall, berme, skyller, skvip, søl, skyllevann, hårvann, tannvann, skjønnhetsmiddel, åreblad; **it won't** — det holder ikke i vask, det duger ikke; — **one's hands** gå på toalettet; — **out** vaske vekk; stryke til en eksamen; viske ut; utelukke; — **one's hands** of fralegge seg alt ansvar for; — **one's dirty linen in public** vaske sitt skittentøy i alles påsyn, bringe private uoverensstemmelser fram for offentligheten; **it will all come out in the** — alt kommer for en dag.

wash|able vaskbar. — **-basin** vaskeservant, håndvask. — **-board** vaskebrett; (mar.) skvettbord. **-bowl** vaskekum, vaskevannsfat. **-cloth** oppvaskklut. — **dirt** drivverdig grus. — **drawing** lavert tegning, akvarellmaleri.

washed-out utvasket, vassen, utvannet, trett, sliten, utkjørt.

washer vasker, en som vasker, vaskemaskin; stoppskive, pakning. **-woman** vaskekone. **-y** vaskeri.

wash | goods vaskbare stoffer. **-hand basin** vaskeservant, vaskekum. **-hand stand** vaskeservant. **-house** bryggerhus, vaskehus; vaskeri.

washing vask, vasking, vasketøy, skylling, vaske-; slemming, tynt belegg; overskylt sted. — **machine** vaskemaskin. — **powder** vaskepulver. — **soda** krystallsoda.

Washington ['wɔʃiŋtən].

washing-up oppvask; oppvask-.

wash | leather ['wɔʃleðə] vaskeskinn, pusseskinn. **-out** bortskylling (ved flom), utvasking; stryk, dumping; fiasko; bomskudd. **-room** vaskerom,

toalett. -stand vaskeservant. **-tub** vaskebalje. **-y** ['wɔʃi] vassen, fuktig, utvannet, oppspedd, tynn.

wasp [wɔsp] veps, vepse; **have his head full of -s** ha fluer i hodet. **-ish** vepseaktig, pirrelig, arrig, bisk. — **waist** vepsetalje.

wassail ['wɔsl] drikkelag; drikk av øl eller vin med tilsetninger; skåle, holde drikkelag, ture.

wast [wɔst] gml. 2. pers. sing. imperf. av **be**.

wastage ['weistidʒ] svinn, spill.

waste [weist] ødelegge, spille, forøde, herje, ødelegge, sløse, ødsle med, fortære, forminskes, gå til spille, ta av, hentæres, svinne inn, visne; øde, ødslig, vill, udyrket, ubrukt, unyttig; dårlig, avfalls-, spill-; ødelegging, unyttig anvendelse, ødselhet, sløsing, sløseri, spill, spillvann, svinn, tap, skade; avfall; øde, ørken, ødemark. **-basket** papirkurv. — **bin** søppelbøtte. — **book** kladdebok. — **disposer** avfallskvern. **-ful** ødsel. **-fulness** ødselhet. **-land** uoppdyrket land, ødeland. **-paper** makulatur. **-paper basket** papirkurv. — **pipe** avløpsrenne, spillvannsrør. **-r** forøder, ødeland; feilvare; noen som ødelegger. — **sheets** makulatur.

wastrel ['weistrəl] døgenikt, ødeland; avfallsprodukt.

watch [wɔtʃ] våking, vakt, vakthold, utkikk, oppmerksomhet; ur, lommeur, klokke; se på, se, se til, iaktta, speide, vokte, holde øye med, våke over, vareta, avvente, passe på, våke; — **after** (amr.) vareta; — **for** holde utkikk etter; — **out** passe på, se opp; **relieve the** — avløse vakten. — **below** frivakt. — **box** vaktstue. **-case** urkasse. — **chain** urkjede. **-dog** gårdshund, vakthund. — **fire** vaktild, vaktbluss. **-ful** årvåken, påpasselig, varsom. **-fulness** årvåkenhet. — **glass** urglass, klokkeglass. — **guard** urkjede, klokkekjede. — **gun** vaktskudd. — **hand** urviser. **-house** vakthus, vakt, vaktarrest, kakebu. **-maker** urmaker. **-man** vekter, vaktmann. **-tower** vakttårn. **-word** feltrop, parole. — **work** urverk.

water ['wɔːtə] vann, vann-, -vann, pl. vannmasser, farvann, tidevann, mineralsk kilde, kilde, bad; vanne, ta inn vann, spe opp, tynne ut, avsvekke, blande med vann, løpe i vann, renne, forsyne seg med vann; vatre; nominell aksjeoppskriving; **in deep** — i knipe; **get into hot** — komme i vanskeligheter; **throw cold** — on avfeie, forkaste; **ta motet fra; turn on the -s** ta til tårene; **by** — til vanns; med skip; **the teeth** — tennene løper i vann; **her eyes -ed** hun fikk tårer i øynene; **hold** — holde vann, være tett, duge til noe; stå for kritikk. **-age** ['wɔːtəridʒ] sjøveis transport. — **bearer** vannbærer; **the W. Bearer** (astr.) Vannmannen. — **bearing** vannholdig. — **bed** vannseng; vannførende jordlag. — **beetle** vannkalv. — **blister** vannklemme. — **boatman** ryggsvømmer. **-borne** vannbåren (fx av vannet; transport sjøveien. — **bottle** vannflaske, feltflaske. — **breaker** bølgebryter. **-buck** vannbukk. — **bus** elvebuss, havneferje. — **butt** vanntønne, vanntank. — **carrier** vannbærer; **the W. Carrier** (astr.) Vannmannen. — **cart** vannvogn. — **chute** vannrutsjebane. — **closet** vannklosett. — **colour** vannfarge, akvarellfarge. — **-cooled** vannavkjølt. — **-course** vassdrag, kanal. — **crane** vannkran. **-cress** vannkarse. — **crow** fossekall. — **cure** vannkur, brønnkur. — **dog** sjøulk.

watered fortynnet, utvannet; fuktig, bløt, våt. **water|fall** foss. — **flag** gul sverdlilje, iris. — **flea** vannloppe. **-fowl** sjøfugl, svømmefugl. — **front** sjøside (av by); havnestrøk. — **funk** person med vannskrekk. — **gate** sjøvei, led; sluseport. — **gauge** vannstandsmåler. — **glass** drikkeglass; vannkikkert; (kjem.) vannglass. — **gruel** vassvelling. — **haul** sjøtransport; spilt møye. — **head** kilde, utspring. **-hen** vannhøne. — **ice** vannis, fruktis. **-ing** vanning; vatring, moarering; vannings-. **-ing can** vannkanne, hagesprøyte. **-ing place** vanningssted; badested, kurbad. **-ing trough** vanningstrau. **-ish** vassen, fuktig. — **jacket** vannkappe. — **jet** vannstråle.

— level vannskorpe, vannflate; vannstand.
— lily vannlilje. — line vannlinje; strandlinje.
— -logged vasstrukken, vannfylt; myrlendt.
— main hovedvannledning. -man ferjemann;
hestevanner; roer. -mark vannstandsmerke;
vannmerke (i papir). -melon vannmelon. —
meter vannmåler. — nymph vann-nymfe; vann-
lilje; øyenstikker (insekt). — ordeal vannprøve.
— ouzel fossekall. — parting vannskille. — pipe
vannrør; vannpipe. — plane sjøfly; vannflate.
— pollution vannforurensning. — power vann-
kraft. — pox vannkopper. -proof vanntett;
impregnert stoff, regnfrakk; gjøre vanntett.
-proofing impregnering(sstoff). — rail vannrikse.
— ram hydraulisk vær. — rat vannrotte; (fig.)
havnerotte. — rights vassdragsrettigheter. -shed
vannskille. -shoot vannrenne, nedløpsrenne. -side
kyst, bredd; havne-. — -ski vannski; stå på
vannski. — snake vannsnok. — softener vann-
bløtningsmiddel. — -soluble vannoppløslig.
-spout spreder, munnstykke; skypumpe. — stain
beis. — supply vannforsyning. -way kanal, led.
-works vannverk.
watery ['wɔːtəri] vann-, vannholdig, vassen,
våt, fuktig.
watt [wɔt] watt. -age wattforbruk. — meter
wattmåler.
wattle ['wɔtl] kvist, kvistfletning, risgjerde;
hudlapp (på hane), skjegg (på fisk); omgjerde
(el. dekke) med kvistfletning, flette.
waul [wɔːl] mjaue, vræle, skrike.
wave [weiv] bølge, båre, sjø; bølge, fall (i håret);
vatring, vift, vifting, bølge, flagre, vaie, svinge,
vakle, vinke, vifte, gjøre bølgeformig, sette i
bølgebevegelse, vinke med; — aside avvise, feie
til side; — his hand vinke med hånden, slå ut
med hånden. — band bølgebånd (radio). — crest
bølgekam. — guide bølgeleder (radio). — length
bølgelengde. -less uten en bølge, stille, blank.
-let liten bølge.
waver ['weivə] spille ustadig, blafre, være
usikker, vakle. -er en som vakler, er vankel-
modig. -ing ['weivəriŋ] vaklende, tvilrådig;
vakling, slingring. -ingness vakling, vingling.
wave | surface bølgefront. — system koordinert
trafikksystem, grønn bølge. — trough bølgedal.
wavy ['weivi] bølgende, bølget, båret.
wax [wæks] hissighet, sinne.
wax [wæks] vokse, stige, tilta, bli.
wax [wæks] voks, lakk, bek; vokse, bone,
lakke, beke. -chandler vokslys-støper. — cloth
voksduk.
waxen [wæksn] voksaktig, voksbløt, voksblek.
wax | end bektråd. — vesta voksfyrstikk. -work
voksarbeid, voksfigur. -works vokskabinett. -y
voksaktig, bløt, blek; (i slang) sinna, hissig.
way [wei] vei, gate, bane, veistykke, strekning,
lei, kant, retning, gjennomgang; middel, måte,
utvei; vis, skikk, vane, manér, vesen, lune, fart,
bransje; by the — i forbigående, à propos; by —
of apology som unnskyldning; by a great —
uten sammenligning; under — i gang, under
oppseiling; come one's -s komme fram; get his
own — få sin vilje; get out of one's — gjøre seg
umak; give — vike, gi etter; she was quite
in a — about it hun tok rent på vei for det;
in a small — i all beskjedenhet; in the family —
gravid; in the — of i retning av, når det gjelder;
— of life livsform; in a — of speaking til en
viss grad, så å si; in the — i veien, til hinder;
every — i enhver henseende; no -(s) på ingen
måte; once in a — for en gangs skyld; make —
gjøre plass, gå av veien; make one's — bane seg
vei, arbeide seg fram, gjøre lykke; -s and means
måter og midler, budsjett; Committee of Ways
and Means underkommisjon, som drøfter hvor-
dan staten kan skaffe seg inntekter, finansutvalg.
way|back fjern, fjern fortid. -bill ['weibil]
fraktbrev, fraktseddel, følgebrev, borderå. -farer
veifarende. -faring veifarende. -lay ligge på lur
etter, passe opp. -layer etterstreber. — mark

avviser, veiviser. — out utgang, utvei. — post
veiviser. -side veikant. — -up (amr.) ypperlig,
finfin. -ward egensindig, lunefull. -wardness
egensindighet. -worn reisetrett.
W. C. fk. f. West Central (postdistrikt i London).
w. e. fk: f. water closet.
W. C. A. fk. f. Women's Christian Association.
we [wiː] vi.
weak [wiːk] svak, skrøpelig, sykelig, hold-
ningsløs, matt, kraftløs, veik, tynn, mager; ube-
tont; the -er sex det svake kjønn. -en svekke,
avkrefte, bli svak el. [svakere, spe opp, tynne ut.
-ener en el. noe som svekker. -ening svekkelse,
avkreftelse. — -eyed svaksynt. — -hearted frykt-
som, redd av seg. -ling svekling, stakkar. -ly
svakt, av svakhet, i et svakt øyeblikk. — -minded
innskrenket, åndssvak; viljesvak. -ness svakhet,
sykelighet.
weal [wiːl] opphovnet stripe (etter slag),
strime; merke med striper.
weal [wiːl] vel, velferd; in — and woe i gode
og onde dager; the public — det allmenne vel.
weald [wiːld] mo, åpent land, vidde; the W.
(en strekning i Kent, Surrey og Sussex).
wealth [welθ] rikdom, formue, fylde. -iness
rikdom. wealthy ['welθi] rik; — in rik på.
wean [wiːn] venne av; — from venne fra,
venne av med; (dial.:) pjokk, unge.
weapon ['wepən] våpen. -ed bevæpnet, væpnet.
-less våpenløs.
wear [wiə] demning, dam; fiskedam.
wear [wɛə] bære, ha på seg, gå med, bruke,
slite, tære på, ta på, tilbringe på en kjedelig måte,
slite ut, holde seg, være holdbar, brukes, bli slitt,
slepe seg hen (om tiden); bruk, slitasje, slit, an-
trekk, drakt, -klær, -tøy; holdbarhet; all my —
alt det jeg har på meg; — and tear slit og slep;
tidens tann; — away slite opp, fordrive; — down
slite(s) ut, slite ned; — off slites av, gå over; —
out slite ut, henslepe; — thin bli tynnslitt; —
well holde seg godt, være sterk. -ability slite-
styrke. -er en som bærer el. har på, noe som sliter.
-ing som bæres, oppslitende, slitsom; bruk,
slitasje, holdbarhet.
weariness ['wiərinis] tretthet, lede, kjedsom-
melighet; — of life livslede.
wearing | apparel ['wɛəriŋə'pærəl] gangklær.
— course veidekke, slitebane. -down ut-
mattings-.
wearisome ['wiərisəm] trettende, besværlig.
weary ['wiəri] trett, sliten, kjed, lei, utålmodig,
trettende; trette, kjede, plage, besvære, bli trett,
lengte; for such a — while i så langsommelig
tid; be wearied out of patience miste tålmodig-
heten.
weasand ['wiːzənd] (gml.) strupe, luftrør.
weasel ['wiːzl] røyskatt; snømus; beltebil, snø-
traktor; (amr.) snik, feiging.
weather ['weðə] vær, uvær (i poesi): lovart;
lo; vind-; utsette for vind og vær, tørre, værslå,
forvitre; klare, greie; overstå; gå til lovart;
— out klare, overstå; — through greie seg
gjennom; — a point klare en odde, overvinne
vanskeligheter. — bar tetningslist. — -beaten
medtatt av været, forvitret, værbitt, værslått,
barket, omtumlet. — board vindside; panelbord.
— boarding bordkledning. — -bound værfast.
— chart værkart. — cloth presenning. -cock
værhane. -glass barometer. -proof som holder
været ute, som været ikke biter på. — report
værmelding. — satellite værværslingssatelitt.
— service værvarsling. — spy værprofet. —
strip tetningslist. -tight vindtett, regntett. —
vane værhane, vindfløy. — -wise værkyndig.
-working days dager da været er slik at
skipet kan lastes eller losses.
weave [wiːv] veve, danne, lage sammen, flette,
flette inn; vev, vevnad. -r ['wiːvə] vever.
weazen ['wiːzn] vissen, tørr, skrinn, innskrum-
pet, mager.
web [web] vev, spindelvev, nett, spinn; hinne,

vev, svømmehud, fane (på fjær), papirrull (til avis). — equipment webbutstyr, (mil.) belte, stropper, anklets o. l.

webbed [webd] med svømmehud, svømme-.

webbing strimmel, bånd; mellomhud; webbutstyr.

web|foot svømmefot. — press rotasjonspresse. — saw grindsag. — wheel platehjul.

wed [wed] ekte, gifte seg med, ektevie, gifte seg, forbinde, forene; fengsle, lenke; wedded pair ektepar; her wedded life hennes ekteskap.

wedding ['wediŋ] bryllup; silver — sølvbryllup; golden — gullbryllup; diamond — diamantbryllup; be at his — være til stede ved hans bryllup. — anniversary bryllupsdag. — band (amr.) giftering. — bouquet brudebukett. — cake bryllupskake. — cards nygiftes (sammenhengende) visittkort. — celebration bryllupsfeiring. — ceremony vielse. — day bryllupsdag. — dress brudedrakt, brudekjole. — favour brudesløyfe. — ring vielsesring.

wedge [wedʒ] kile; kløve, sprenge med kile, kile fast, kile inn.

Wedgwood ['wedʒwud]; — ware Wedgwoodporselen.

wedlock ['wedlɔk] ektestand(en), ekteskap; born in (out of) — født i (utenfor) ekteskap; enter upon — tre inn i ektestanden.

Wednesday ['wenzdi] onsdag.

weds [wedz]: the newlyweds de nygifte, brudeparet.

wee [wi:] bitte liten, ørliten; smule, grann, øyeblikk; the — folk de underjordiske, haugfolk; the — hours grålysningen.

weed [wi:d] ukrutt, ugress; tynn person, spjæling; tobakk, sigar; luke, luke bort, rydde ut; ill -s grow apace ukrutt forgår ikke så lett. -er luker, lukeredskap. -ing hook lukehakke. — killer ugressdreper.

weeds [wi:dz] (enkes) sørgedrakt; sørgebånd.

weedy ['wi:di] full av ugress; dårlig, svak, skranten, skral.

week [wi:k] uke; this day — i dag om en uke; that day — åtte dager etterpå; be in by the — være ansatt for en uke; a — of Sundays lang tid, en evighet; it is worth a shilling any day of the — det er virkelig verdt en skilling; the Great Week den stille uke. -day hverdag, ukedag. — -end helg, weekend; lørdag-søndag ferie; weekend-. — -ender weekend-ferierende. -ly en gang om uken, ukentlig; ukeblad, tidsskrift.

ween [wi:n] (gml.) mene, tro.

weeny ['wi:ni] bitte liten, knøttliten.

weep [wi:p] gråte, gråte for; svette, utsondre, væske; gråt, gråteanfall; svelting, utsondring. -er gråtende; gråtekone, sørgeflor. -ing gråtende; gråt.

weevil ['wi:vil] snutebille. -led, -ly markstukken.

weft [weft] islett, veft, vev, vevning; vimpel.

weigh [wei] veie, overveie, prøve, lette anker, lette, veie, ha vekt; — one's expressions veie sine ord; — (the) anchor lette anker; — down tynge, trykke; — in bli veid (i sport). -able som lar seg veie, som selges etter vekt. -age veiepenger. -bridge bruvekt. -er veier. -ing house veiebu. -ing scale vektskål.

weight [weit] vekt, lodd, byrde, tyngde, vektklasse; betydning, viktighet, pl. vektskål; belaste, tynge; sell by the — selge etter vekt; carry — veie tungt, være viktig; lose — gå ned i vekt; put on — legge på seg; pull one's — gjøre sin del; clock — urlodd; letter el. paper — brevpresse. -iness vekt, tyngde, viktighet. -ing betydning; belastning. -less vektløs. — -lifting vektløfting. -y tung, vektig, betydningsfull.

weir [wiə] demning, dam; fiskedam.

weird [wiəd] skjebne, spådom, fortryllelse;

spåmann, sannsier; overnaturlig, trolsk, uhyggelig, selsom, underlig; latterlig, rar, artig; forutsi; the — sisters skjebnegudinnene.

Welch [welʃ], se Welsh.

welcome ['welkəm] velkommen; velkomst-(hilsen), mottakelse; by velkommen, motta (vennlig); I would — that det ville jeg sette pris på; bid — by velkommen; you are — to it De må gjerne ha det, bare ha det, det er Dem vel unt; you're — takk i like måte; ingen årsak; å, jeg ber.

weld [weld] sveise; la seg sveise; sveising, sveisefuge; — together sveise sammen. -able sveisbar. -er sveiseapparat; sveiser. -ing blowpipe sveisebrenner. -ing set (punkt)sveiseapparat. — steel sveisestål.

welfare ['welfeə] velferd, lykke, vel; -forsorg. — chiseler ≈ trygdemisbruker. — state velferdsstat.

welkin ['welkin] himmel, himmelvelv.

well [wel] kilde, ile, oppkomme, brønn, hulning, fordypning, hulrom, hull, fiskebrønn, øserom; borehull, oljekilde, minebrønn, heisesjakt, trapperom, advokatlosje (i rettssal); velle fram, strømme, springe fram, sende ut.

well [wel] (adverbium:) godt, vel, riktig, ordentlig, atskillig; (ved may:) nok; (innledende:) jaja, nåvel, nå, tja; (adjektiv, bare brukt som predikatsord, unntagen i dialekt og amerikansk:) frisk, bra, riktig; godt; be — ha det godt, være lykkelig, være i gunst; be — off være velstilt, være velstående; be — with stå seg godt med; it's all very — for you to say that det kan saktens du si; it may — be that det kan godt være at; let — alone la saken være som den er; as — as så vel som, likeså godt som, både ... og; — within an hour langt mindre enn en time.

welladay ['welə'dei] akk! å jøye meg! å jøye!

well|-advised ['weləd'vaizd] klok, velbetenkt. — -aimed velrettet. — -affected velsinnet, velvillig, hengiven. — -appointed velutrustet; velordnet. — -attended godt besøkt. — -attested vitnefast. — -balanced likevektig, avbalansert. — -behaved veloppdragen. — -being velvære. — -beloved høyt elsket. — boat brønnbåt. — borer brønnborer. — -born ['welbɔ:n] av god familie. — -bred veloppdragen, dannet; av god rase (dyr). — -conditioned dannet; sunn og frisk; elskverdig. — -conducted veloppdragen; velledet, bra. — -connected med gode forbindelser. — -cut velsittende. — -directed velrettet. — -disposed vennligsinnet. — -doer rettskaffent menneske, velgjører. — -doing rettskaffenhet, velgjørenhet; velbefinnende. — -done gjennomstekt el. -kokt. — drain sluk, uttak. — -earned velfortjent. welled [weld] forsynt med brønn.

well|-favoured ['wel'feivəd] vakker, som ser godt ut. — -fed velnært, fet. — -fitting velsittende. — -founded velfundert, velbegrunnet. — -groomed velpleid. — hatchway fiskeluke. -head kilde, oppkomme. — -informed velunderrettet, kunnskapsrik.

Wellington ['weliŋtən]; wellingtons skaftestøvler, gummistøvler.

well|-intentioned ['welin'tenʃənd] velmenende, velment. — -judged veloverveid, velberegnet. — -knit tettbygd, fast, kraftig. — -known velkjent. — -lined velspekket. — -made velgjort, velbygd. — -mannered veloppdragen. — -marked tydelig. — -meaning velmenende, velment. — -met [-'met] vel møtt! — -minded [-'maindid] veltenkt, godtenkt. — -nigh ['welnai] nesten. — -read ['wel'red] belest. — -reputed velrenommert.

well room ['welru:m] brønnsal; øserom.

well|-seasoned vellagret. — -set kraftig, tettbygd. — -spent ['wel'spent] velanvendt. — -spoken velvalgt, treffende, som taler godt, beleven. — -tasted velsmakende. — -thumbed slitt, velbrukt (om bok). — -timed som skjer i rette tid, velberegnet, betimelig. — -to-do velstående, velstilt.

— **-wisher** velynder, venn. — **-worn** forslitt, utslitt.
welsh [welʃ] bedra, snyte; **-er** bedrager.
Welsh [welʃ] som hører til Wales; walisisk; the — waliserne; a — **comb** de fem fingrer; **like a — comb** i det uendelige. -man waliser. — **rarebit** (el. **rabbit**) ristet ost og brød. — **wig** strikket lue av ull.
welt [welt] rand, kanting; kante, randsy.
welter ['weltə] rulle, velte, velte seg; velting, rulling, opprør, forvirring, røre, rot, virvar, dynn, pøl.
wen [wen] svulst, utvekst, kul, hevelse.
wench [wenʃ] pike, jente (især om tjeneste-pike, bondejente eller spøkende); tøs, tøyte; **go -ing** fly med jenter.
wend [wend] vende; (gammelt:) gå; — **one's way** vandre, begi seg, ta veien.
Wend [wend] vender.
Wendic ['wendik] vendisk (ogs. om språket).
Wendish ['wendiʃ] vendisk.
wennish ['weniʃ] svulstlignende; plaget av svulster.
went [went] gikk; imperf. av **go.**
wept [wept] imperf. og perf. pts. av **weep.**
were [wə:, wɛə, wə] var (av **be**).
were [wiə] dam, demning.
we're [wiə] fk. f. **we are.**
werewolf ['wiəwulf], **werwolf** varulv.
Wesley ['wezli]. **-an** wesleyansk; wesleyaner. **-anism** wesleyansk metodisme.
Wessex ['wesiks].
west [west] el. **West** vest; Vesten; Vesterlandene, den vestlige halvkule; vestlig, vestre, fra vest, vesta-; imot vest; **go** — gå vest, krepere, pigge av, gå dukken; **the Far W.** det fjerne Vesten (ɔ: det vestligste av U. S.); **in the** — i vest; **on the** — på vestsiden, i vest; **to the** — mot vest; **to the** — **of** vest for; **W. End** vestkanten (den finere del av London); **the** — **Wind** vestavinden; **the W. Indies** el. **W. India** Vestindia. **-bound** med kurs mot vest. — **-ender** en som bor på vestkanten. **-er** gå mot vest, (om sola:) dale. **-erliness** vestlighet. **-erly** vestlig, vestavind, vestover, vestfra.
western ['westən] vestlig, vestre, vest-; **the Western Church** den romersk-katolske kirke; **the Western Empire** det vestromerske rike; **the western front** vestfronten (i verdenskrigen krigs-skueplassen i Frankrike); **the Western Powers** vestmaktene.
westerner ['westənə] vesterlending, europeer; vestamerikaner.
westernize ['westənaiz] innføre Vestens sivili-sasjon og idéer, europeisere.
westernmost ['westənməust] vestligst.
Westminster ['westminstə]; — **School** en gam-mel public school; — **Palace** parlamentsbyg-ningen.
Westmoreland [west'mɔ:lənd].
westmost ['westməust] vestligst.
Westphalia [west'feiljə] Westfalen.
westward ['westwəd] mot vest, vestover, vest-lig, i vest; vest; — **ho!** (gml. ferjemannsrop på Themsen). **westwards** = **westward.**
wet [wet] våt, fuktig, regnfull; drikkfeldig, småfull; sentimental; (amr.) sprø, bløt; væte, nedbør, regnvær; væte, bløyte; antiforbuds-mann; — **through** gjennomvåt. — **blanket** demper, gledesdreper. — **bargain** handel av-sluttet med kjøpskål.
wether ['weðə] gjeldvær.
wet | **fish** fersk fisk. — **-grind** vannslipe. — **-nurse** amme. — **-printing** flerfarget rotasjons-trykk. — **yeast** flytende gjær.
W. G. fk. f. **Westminster Gazette.**
W. Ger. fk. f. **West Germany.**
wh. fk. f. **watt-hour.**
whack [wæk] banke, denge, pryle; (sl.) få i stand, dele; slag, bank, kilevink; del, andel; **have a — at** prøve, forsøke. **-ed** utmattet,

pumpet. **-er** juling, omgang; kjempeløgn. **-ing** juling; diger, svær.
whale [weil] hval; fange hval; **a — of a party** en kjempe(fin) fest. **-boat** hvalfanger(båt). **-bone** hvalbarde, fiskebein. **whaler** ['weilə] hvalfanger.
whaling ['weiliŋ] hvalfangst; hvalfanger-.
wham [wæm] slå hardt; (interj.) bang!
whang [wæŋ] slag, klask, kilevink; slå.
whangee [wæŋ'gi:] bambus (spaserstokk).
wharf [wɔ:f] brygge, losseplass, opplagsplass, pakkhus; forankre, legge til, losse. **-age** brygge-penger. **-ing** bryggeanlegg. **wharfinger** ['wɔ:findʒə] plassformann, bryggesjef, bryggeeier.
what [wɔt] hva, hva for en, hvilken, hvilke; hva der; noe; hvilken! **I'll tell you** — jeg skal si deg noe; **I gave him** — **money I had** jeg gav ham de pengene jeg hadde; — **he?** hva for en han? — **folly!** for en tåpelighet! — **if** hva om? tenk om? — **of him?** hva er det med ham?
and — **all** og hva vet jeg, og jeg vet ikke hva; **or** — **have you** og den slags, og alt det der(re); **I know** — jeg har en idé; so —? ja, hva så? — **though** selv om, forutsatt at; — **by force,** — **by policy** dels ved makt, dels ved smidighet; — **between** (el. **with**) **grief and illness** dels av sorg, dels av sykdom. **-ever** [-'evə] alt hva der, alt hva, alt det som, hvilken som helst som, hvilken enn; hva i all verden? (adv.) som helst.
what-not ['wɔtnɔt] etasjère; dings, greie, sak.
whatsoever [wɔtsəu'evə] alt hva der, alt det som; hvilken som helst som, hvilken enn; (adv.) som helst; **nothing** — absolut ingenting.
wheal [wi:l] blemme, kvise; opphovnet stripe.
wheat [wi:t] hvete. **-ear** steinskvett. **-en** hvete-, av hvete. — **germ** hvetekim.
wheedle ['wi:dl] lokke, smigre, sleske for, rund-snakke. **wheedler** ['wi:dlə] smigrer. **wheedling** ['wi:dliŋ] godsnakking, smiger, sleskhet.
wheel [wi:l] hjul, spinnerokk, pottemakerskive, ratt, pinebenk, omdreining, svingning, kretsløp; kjøre, trille, la svinge, rulle, dreie seg, kretse, svinge; **break upon the** — radbrekke; **grease the -s** of sette fart i, bestikke; **-s within -s** svært innviklete forhold. — **alignment** hjulinnstilling. **-barrow** trillebør. — **boat** hjulavstand. — **chair** rullestol. — **drag** hemsko.
wheeled [wi:ld] forsynt med hjul, hjul-.
wheeler ['wi:lə] kjørende, syklist; hjulmaker; stanghest; -hjuler.
wheel | **flange** hjulflens. — **horse** stanghest. **-house** styrehus. **-ing** veiforhold; kjøring; ven-ding. — **load** hjulbelastning. **-man** rorgjenger; syklist; bilist. — **nave** hjulnav. — **suspension** hjuloppghengning. — **window** rundt vindu. **-work** hjulverk. **-wright** hjulmaker.
wheeze [wi:z] puste tungt, hvese, gispe, pipe; hvesing, piping.
wheezy ['wi:zi] gispende, pipende, astmatisk.
whelk [welk] snegl; filipens, kvise, kong.
whelm [welm] overskylle, overvelde.
whelp [welp] hvalp, unge; hvalpe.
when [wen] da, når, og deretter, når? **say** —! si stopp!
whence [wens] hvorfra, hvorfor, hvorav; **from** — hvorfra. **whencesoever** [wenssəu'evə] hvorfra enn.
whenever [wen'nevə] når i all verden? når som helst enn, alltid når. **whensoever** [wensəu'evə] når som helst enn, alltid når.
where [wɛə] hvor; — **are you going?** hvor skal du hen? **near** — nær det sted hvor. **-abouts** hvor omtrent; oppholdssted, tilholdssted, belig-genhet. **-as** mens derimot, ettersom; (sjeldnere:) såsom. **-at** ['-æt] hvorover, hvorved. **-by** [-'bai] hvorved. **-fore** hvorfor; grunn. **-in** hvori. **-into** hvori. **-of** hvorav, hvorom, hvorfor. **-on** hvorpå. **-soever** hvor enn, hvorhen enn. **-through** hvor-igjennom. **-to** hvortil. **-under** hvorunder. **-upon** hvorpå, hvoretter.
wherever [wɛər'evə] hvor enn, hvor som helst, hvorhen enn, overalt hvor; hvor i all verden?

wherewith [wɛə'wið] hvormed; middel. **-al** (gml.) hvormed; (økonomiske) midler.

wherry ['weri] ferjepram, lett flatbunnet båt.

whet [wet] kvesse, skjerpe, bryne; kvessing, sliping; delikatesse, appetittvekker, dram.

whether ['weðə] enten, hva enten; om, hvorvidt.

whetstone ['wetstəun] slipestein, bryne.

whew [hwu:] (interj.) huff, uff, fy; takk skjebne.

whey [wei] valle, myse; tynn, blek. **-ey** [-i], **-ish** [-iʃ] valleaktig, myseaktig.

which [witʃ] 1. (spørrende pron. i begrensede spørsmål) hvem, hva, hvilken, (hvilket, hvilke) (av et bestemt antall); **— of you?** hvem av dere? **— remedy can help me, this one or that one?** hvilket legemiddel kan hjelpe meg, dette her eller det der? 2. (relativt pron.) hvilket, som, noe, som, hva der (i genitiv: **of which,** sjeldnere **whose); he gave he nothing, — was bad** han gav meg ingen ting, noe som var ille. **-ever** [(h)witʃ'evə] hvilken enn, hvilken som helst som; hvilken i all verden. **-soever** hvilken enn.

whicker ['wikə] vrinske; breke; fnise.

whiff [wif] pust, vift, gufs, drag (av sigar); anstrøk; lukte, puste, blåse, dampe.

whiffle ['wifl] spre (med et pust), blåse ujevnt; svinge, ombestemme, vakle, være ustø, vimre. **whiffler** ['wiflə] vimsekopp, opportunist.

Whig [wig] eng. liberal; amr. nasjonalist; whig-. **-gish** whiggisk, whig-.

while [wail] tid, stund; mens, så lenge som, selv om; fordrive; **at -s** stundom; **the —** imens, dermed; **once in a —** en gang imellom; **was this worth —?** var dette umaken verd? **— away time** fordrive tiden. **whilom** ['wailəm] (poet.) fordums.

whilst [wailst] mens.

whim [wim] grille, lune, nykke, innfall; hestegang, geipel (i gruve); **enter into the — of the scene** være med.

whimper ['wimpə] sutre, klynke; sutring, klynking. **-ing** sutrende; klynking.

whim|sey ['wimzi] lune, innfall. **-sical** ['wimzikl] lunefull, snurrig, underlig. **-sicality** [wimzi'kæliti] lunefullhet, pussighet.

whimsy ['wimzi] lune, innfall, grille.

whim-wham ['wimwæm] visvas, nonsens; lune, påfunn.

whinberry ['winbəri] blåbær.

whine [wain] jamre, klynke, sutre; klynking, hyl, klynkende tone. **whiner** ['wainə] klynker, sippe.

whinny ['wini] knegge, vrinske; knegg.

whip [wip] pisk, svepe, piskeslag; kusk; innpisker, partipolitisk fremmøteordre; møllevinge; kjøkkenvisp; (mar.) jolle; lang vimpel; piske, slå, vispe, banke, rise, hudflette, refse; neste, tråkle, kaste med flue, surre, omvikle, vikle, gripe, snappe, trive, slenge, fare, smette hurtig, springe. **— and spur** sporenstreks. **— cord** piskesnor. **— hand** høyre hånd, overtak, fordel; **get the — hand over** få under pisken. **— -lash** piskesnert. **-ed cream** (pisket) krem. **-ed running stitch** kastesøm.

whipper ['wipə] pisker, bøddel.

whipper-in ['wipə'rin] pikør; innpisker (som samler partifeller til avstemning).

whippersnapper ['wipəsnæpə] spirevipp, spjert, liten viktigper, laps, sprade.

whippet ['wipit] slags mynde; (militært) hurtig lett tank.

whipping ['wipiŋ] omgang, juling; nederlag, tap; surring, takling. **— boy** syndebukk, hoggestabbe. **— cream** kremfløte. **— post** gapestokk, kak. **— top** snurrebass. **— twine** (mar.) taklegarn.

whippoorwill ['wippuəwil] natteravn.

whip | rod surret fiskestang. **— -round** innsamling. **-saw** langsag. **-socket** svepeholk. **-ster** spirrevipp, frekkas. **-stitch** kastesting; skredder; tråkle, kaste over. **-stock** svepeskaft.

whir [wə:] snurre, svirre; snurring, svirring.

whirl [wə:l] virvle, virvle rundt, svinge, svinges, svirre; spinning, spinn, omvirvling, virvlende fart, virvel; in **-s of snow** i fykende snøvær; **set my head in a —** fikk tankene til å virvle rundt i hodet på meg. **-about** karusell; virvling. **-bone** kneskjell. **-igig** ['wə:ligig] karusell; snurrebass. **-pool** strømvirvel, malstrøm. **-wind** virvelvind.

wirr [wə:] travelhet; surring, dur; surre, dure.

whisk [wisk] visk, dott, støvekost, visp, strøk, streif, feiing; viske, feie, sope, streife, piske, slå, slenge, svinge, fare, stryke av sted. **— broom** sopelime. **-ers** børster, værhår, kinnskjegg. **-ery** med kinnskjegg.

whiskey ['wiski] (irsk el. amr.) whisky.

whiskified drukken, påvirket av whisky.

whisky ['wiski] whisky; lett gigg; **— and soda** whiskypjolter. **— jack** (amr.) hydraulisk jekk.

whisper ['wispə] hviske, kviskre, ymte om; hvisking, hemmelig vink. **-er** en som hvisker, ryktesmed. **-ing** hvisking; **dark -ings** skumlerier.

whist [wist] stille! hysj! whist (kortspillet).

whistle ['wisl] plystre, pipe, hvine, fløyte, blåse på fløyte; plystring, pipesignal, fløyte, pipe; **as clean as a —** så nydelig som dertil; **pigs and -s** pokker'n! **he must pay for his —** han må betale lærepengen; **he may — for it** det kan han skyte en hvit pinne etter. **-r** ['wislə] en som plystrer; brennevinsgauk. **— stop** lite sted, melkerampe, ubetydelig stoppested. **whistling** piping, fløyting, plystring; **— kettle** fløytekjele.

whit ['wit] smitt, smule, grann, det ringeste; **every —** alt, aldeles, fullkommen, i enhver henseende; **every — as great** i enhver henseende likså stor.

white [wait] hvit, kvit, blek, hvithåret; ren, uskyldig; (amr.) hvit, hvithet, eggehvite; renhet, uskyld; hvit (motsatt neger), flormel; gjøre hvit, hvitte. **— ant** termitt. **-bait** småsild, småfisk. **-beard** gråskjegg, gammel mann. **— book** hvitbok. **— bread** hvetebrød, loff. **-cap** skumtopp, skumskavl. **— coffee** kaffe med fløte. **-collar** hvitsnipp-. **— elephant** sjelden, men brysom eiendel. **— ensign** britisk orlogsflagg. **-faced** blek, hvit i ansiktet; med bliss (hest). **— feather** W. Feather Brigade sammenslutning av kvinner som under verdenskrigen fikk menn til å melde seg til krigstjeneste, bl. a. ved å anbringe en hvit fjær på dem. **-fish** matfisk (især hvitting, torsk, kolje, sik). W. Friars hvitebrødre, karmelittermunker. **— frost** rimfrost. **— game** fjellryper (i vinterdrakt). **— goods** hvitevarer. **-haired** hvithåret. Whitehall ['wait'hɔːl] Londongate med flere av regjeringskontorene; (fig.) regjeringen. **white|-headed** hvithåret, lyslugget. **— heat** hvitglødende hete. **a — hen** et lykkebarn, en som alltid er heldig. **— horses** skummende bølger. **-hot** hvitglødende. **the W. House** Det hvite hus (presidentboligen i U.S.A.). **— iron,** latten hvitblikk. **— lead** blyhvitt. **— lie** hvit løgn, nødløgn. **-livered** feig; sykelig blek. **— man** hvit mann; real, hederlig fyr. **— meat** hvitt, lyst kjøtt; godbit, lekkerbisken. **whiten** ['waitn] gjøre hvit, bleke, kalke; bli hvit, blekne; (fig.) hvitvaske, renvaske. **whiteness** hvithet.

whitening ['waitniŋ] bleking, hvitting, kalking; blekemiddel; slemmekritt. **white|-of-egg** eggehvite. **— rope** utjæret tauverk. W. Russia Hviterussland. W. Russian hviterusser; hviterussisk. **-scourge** tuberkulose, tæring. **— slave** offer for hvit slavehandel. **— slavery** hvit slavehandel. **— smith** blikkenslager. **— spirit** mineralterpentin. **— stone** granulitt. **— stuff** kokain, sne; krittmasse. **-tailed eagle** havørn. **-thorn** hagtorn. **-throat** tornsanger. **— tie** hvit sløyfe; kjole og hvitt.

whitewash ['waitwɔʃ] hvittekalk, kalkmaling;

(fig.) renvasking, hvitmaling; kalke, kritte; (fig.) renvaske, dekke over feil.
whither ['wiðə] (poet. eller gml.) hvorhen.
whithersoever [wiðəsəu'evə] hvorhen enn.
whiting ['waitiŋ] pussekritt; hvitting (fisken).
whitish ['waitiʃ] hvitlig, hvitaktig.
Whitley ['witli]; — council en slags industriell samarbeidskomité.
whitlow ['witləu] svullfinger, verkefinger.
Whitmonday ['wit'mʌndi] annen pinsedag.
Whitsun ['witsən] pinse. -day pinsedag. -holidays pinseferie. -tide pinse.
whittle ['witl] spikke, skjære, skrelle av, snitte; (fig.) redusere, skjære ned (down, away); slakterkniv, lommekniv.
whity ['waiti] hvit-, hvitaktig.
whiz [wiz] suse, hvisle, hvine, pipe, svirre; sus, hvin, piping; (amr.) sl. noe som er helt supert, flott. — -bang granattype.
W H O fk. f. **World Health Organization.**
who [hu:] hvem, hvem som, som, den som, enhver som; as — should say som om man ville si; liksom.
whoa [wəu] (interj.) ptro! (til hest).
whodunit [hu:'dʌnit] (amr.) sl. detektivhistorie.
whoever [hu(:)'evə] hvem som enn, enhver som, hver den som; hvem i all verden?
whole [həul] hel, fullstendig, alle, samtlige; hele, helhet; — and entire helt og holdent; the — army hele hæren; as a — under ett; upon the — i det hele tatt, overhodet, stort sett. — -grain bread helkornbrød. — -hearted (udelt) hjertelig, ubetinget, uforbeholden. — hogger en som tar skrittet fullt ut. — -length bilde i hel figur. — life insurance livsvarig livsforsikring. -meal bread helkornbrød. -ness helhet. -sale salg i det store, en gros; i fleng, for fote; selge i det store, en masse. -sale dealer grosserer. -sale murderer massemorder. wholesaler ['həulseilə] grosserer, grossist.
wholesome ['həulsəm] sunn, gagnlig.
wholly ['həulli] helt, aldeles, ganske.
whom [hu:m] hvem, som (avhengighetsform av who).
whoop [hu:p] rop, heiing, huiing, hyl; kiking (ved hoste); rope, huie, hyle; kike, hive etter pusten; not worth a — fullstendig verdiløs; — it holde leven, feste.
whoopee ['wu:pi:] hei, hoi! gøy, leven; make a — ha en real fest, slå seg løs.
whooping cough ['hu:piŋkɔf] kikhoste.
whoosh [wuʃ] suse; susing.
whoosis ['hu:zis] hva han nå heter.
whop [wɔp] banke, denge, jule. -per en diger en, en som har vasket seg, en diger skrøne. -ping veldig, diger; juling.
whore [hɔ:] hore, ludder; bedrive hor. -dom hor. -master, -monger horebukk, horkarl. -son løsunge, horunge; slyngel.
whorl [wə:l] spiral, ring, vinding; spinnehjul, svingskive; krans (om blader el. blomster); virvel. -ed med vindinger, spiralsnodd, kransstilt.
whortleberry ['wə:tlberi] blåbær; red — tyttebær.
whose [hu:z] hvis (genitiv av who eller which).
whosoever [hu:səu'evə] hvem som enn, enhver som.
why [wai] hvorfor; nå! å! jo for, vet du hva? that is — det er grunnen; —, there he is! nå, der er han jo!
W. I. fk. f. **West Indies.**
wick [wik] veke, veike.
wick [wik] i smstn. by, landsby, stad.
wicked ['wikid] ond, vond, slett, ondskapsfull, slem, skadefro. -ness ondskap, ugudelighet, ondskapsfullhet, sletthet; ertelyst.
wicker ['wikə] vidje, kurvarbeid, vidjekurv; gjort av vidjer, kurv-, korg-. — basket vidjekurv. — bed kurvseng. — bottle kurvflaske. — cradle kurvvugge. -work kurvarbeid.

wicket ['wikit] grind, led, port, halvdør, luke, sluseport, gjerde (i cricket-spill).
wide [waid] vidde, slette; vid, rommelig, bred, brei, vidstrakt, avvikende; vidt, langt; stor, omfattende; to the — helt, fullstendig; far and — vidt og bredt; his eyes were — with horror øynene hans var oppspilt av skrekk; — awake lys våken, på sin post, slu; bløt filthatt, speiderhatt; be — awake to ha åpent øye for. -ly viden om, vidt, vidt og bredt, meget. -n gjøre bredere, vide ut, vide seg ut. -ness vidde, bredde, stor utstrekning. -ning utvidelse. — -open vidt åpen. — -ranging vidtfavnende. -spread (vidt) utbredt, vidstrakt, omfattende; oppspilt.
widgeon ['widʒən] blissand, brunnakke. — grass ålegress.
widow ['widəu] enke; gjøre til enke el. enkemann; be the — of være enke etter. -er ['widəuə] enkemann. -erhood ['widəuəhud] enkemannsstand. -hood ['widəuhud] enkestand. -'s allowance enketrygd. -'s veil enkeslør.
width [widθ] vidde, bredde, spenn(vidde).
wield [wi:ld] føre, håndtere, bruke, utøve.
wife [waif] kone, hustru, kjerring, kvinnfolk, vertinne; all the world and his — alle mulige mennesker, Per og Pål. — -beating konemishandling. -hood konestand. -ly hustru-; som passer for en hustru.
wig [wig] parykk; ta på parykk; overhøvle, skjelle ut. -ged [wigd] med parykk. wigging ['wigiŋ] overhaling, irettesetting.
wiggle ['wigl] sno seg, sprelle, vagge, rugge, vrikke. wiggly sprellende.
Wight [wait].
wight [wait] fyr, menneske.
wigwag ['wigwæg] vifte (med), signalisere; vifting, signalisering.
wigwam ['wigwæm] wigwam, indianerhytte.
wild [waild] vill, udyrket, usivilisert, natur-, uberørt, stormfull, urolig, vilter, tøylesløs, ustyrlig, lettsindig, forrykt, heftig, ergerlig; villmark; play the — slå seg løs; sow one's — oats renne hornene av seg; — about gal etter; rasende over. — boar villsvin. — cat, -cat villkatt; (amr.) gaupe, kuguar; farlig person, overilt, spekulasjons-, vågsom, ulovlig. -ebeest gnu.
wilder ['waildə] føre vill, forville.
wilderness ['wildənis] villnis, ørken, virvar.
wild-eyed ['waildaid] vill i blikket, fanatisk.
wildfire ['waildfaiə] gresk ild; lynfart. -mann; rosen (sykdom); som sprer seg hurtig; like — lynsnart, som en løpeild; sell like — gå som varmt hvetebrød.
wildfowl fuglevilt, villfugler.
wild goose grågås, villgås; wild-goose chase meningsløst foretagende; vanvittig jag (after etter).
wilding ['waildiŋ] vill vekst, vill frukt, villeple; særling, original person.
wild i parsley hundekjeks (planten). — pink fjærnellik. the **W. West** Det ville vesten. -wood villskog, urskog.
wile [wail] list, knep, bedrag; narre, svindle.
wilful ['wilful] egensindig, stivsinnet, forsettlig. -ly med overlegg. -ness egensindighet, stivsinn, forsettlighet.
will [wil] vilje, viljestyrke, behag, lyst, testamente; ville, ønske, ville ha, by, pleie (ofte), testamentere; if I could work my — gikk det etter mitt hode; at — etter behag, etter eget ønske; with a — med hjertens lyst, med kraft, med fynd og klem; I — jeg vil, det skal jeg, ja.
Will [wil] fk. f. **William** ['wiljəm].
willies ['wiliz], it gives me the — det er til å få frysninger av, det går meg på nervene.
willing ['wiliŋ] villig; be — to ville, være villig til; God — om Gud vil. -ly med glede, gjerne. -ness villighet.
will-o'-the-wisp ['wiləðwisp] lyktemann, vettelys, blålys.
willow ['wiləu] pil, piletre. — herb geitrams;

mjølke. — **hoop** tønnebånd. — **tit** granmeis.
— **warbler** løvsanger. **-weed** fredløs (planten).
willowy ['wiləui] pilbevokst; pilaktig, smidig
og slank.
will power viljestyrke, viljekraft.
willy-nilly ['wili'nili] enten man vil eller ikke,
ubesluttsom, vinglet.
wilt [wilt], **thou** — du vil (gammelt av **will**).
wilt [wilt] visne, tørke inn, slappes; tørke,
bringe til å visne, slappe; visning, inntørking.
wily ['waili] listig, slu, utspekulert, lur.
wimble ['wimbl] bor, borvinde; bore.
Wimbledon ['wimbldən].
wimple ['wimpl] hodeklede, nonneslør; tilsløre,
dekke med hodeklede; falle i folder.
win [win] vinne, vinne for seg, seire, nå fram
til; seier, gevinst; — **by** vinne med; — **one's**
way (fig.) lykkes, ha suksess.
wince [wins] være urolig, støkke, skvette,
kvekke til, krympe seg; nervøst rykk, smertelig
trekning; **without wincing** uten å nøle.
wincey ['winsi] verken (tøy).
winch [winʃ] spark.
winch [winʃ] sveiv, vinde; gangspill, vinsj.
Winchester ['win(t)ʃistə].
wind [wind, poet. ofte waind] vind, vinddrag,
pust, blåst, åndedrett, vær, teft, støt i blåse-
instrument, blåseinstrumenter, tomme ord, prat,
prek; lufte, tørke, gjøre andpusten, la puste ut;
blåse i, få teften av; **have the** — **of** ha teften av;
get — **of** få nyss om, komme ut, bli kjent; **get**
the — **of** komme til lovart av; **by** (el. **on**) **the** —
bidevind; **be in (good)** — ha god pust; **be in**
the — være i gjære, under oppseiling; **between**
— **and water** i vanngangen; på det ømme punkt;
in the -'s eye stikk imot vinden; **raise the** —
oppdrive penger.
wind [waind] vinde, tvinne, sno, vikle, hespe,
flette, omslutte, omslynge, omvikle, sno seg;
bukte seg; slyng, sving, bukt; — **off** vinde av;
— **up** vinne opp, avvikle, gjøre opp, avslutte,
trekke opp (et ur), sette i gang igjen, gi ny
kraft, spenne, slutte; **my feelings were wound**
up almost to bursting jeg var på bristepunktet av
spenning.
wind|**bag** ['windbæg] skrythals, blære. — **band**
blåseorkester. — **belt** lebelte. — **-blown** forblåst.
— **-bound** værfast. **-break** lebelte; vindfang;
vindskjerm. **-breaker** vindjakke. — **-broken**
stakkåndet, astmatisk. — **cone** vindpølse, vind-
sekk. — **egg** vindegg, bløtegg.
winder ['waində] vindsel; snørevindsel, hespe-
tre, spoler, vikler, spole; vindeltrapp; slyng-
plante.
Windermere ['windəmiə].
windfall ['windfɔ:l] vindfall (nedblåst tre), ned-
blåst frukt; uventet fordel. **windfallen** ['wind-
'fɔ:ln] nedblåst.
windflower ['windflauə] anemone.
windhover ['windhʌvə] tårnfalk.
winding ['waindiŋ] omdreining, sving, bukt,
kveil, bøyning, vikling; bukt, slynget. —
engine vinsj. — **sheet** liksvøp. — **staircase**. —
stairs vindeltrapp. — **-up** avslutning, av-
vikling, likvidasjon.
wind | **instrument** blåseinstrument. **-jammer**
seilskute; skravlekjerring. **-lass** heisespill, vinsj;
ankerspill, gangspill. — **leaver** [waind] opptrekks-
arm, fremspolingsarm (fotoapparat). **-less** vind-
stille, uten vind. **-mill** vindmølle; helikopter.
window ['windəu] vindu, rute; sette vinduer i.
— **bar** vindussprosse; vindushasp; i pl. vindus-
gitter. — **box** blomsterkasse. — **decoration**
vindusdekorasjon el. -utstilling. — **display** vindus-
utstilling. — **dressing** vindusdekorasjon; (fig.)
fasade, forskjønnelse. — **envelope** vinduskonvo-
lutt. — **ledge** vinduskarm. — **pane** vindusrute.
— **sash** vindusramme. — **-shop** gå og kikke i
butikkvinduer (uten å kjøpe). — **sill** vinduspost.
windpipe ['windpaip] luftrør.
windscreen ['windskri:n] frontglass (i en bil).

— **wiper** vindusvisker. **windshield** = **windscreen.**
Windsor ['winzə].
wind-swept ['windswept] som vinden feier
igjennom, forblåst.
wind tight ['windtait] vindtett.
windward ['windwəd] på vindsiden, i lovart;
lovart, vindside; **the Windward Islands** De Små
Antillene.
windy ['windi] vindig, blåsende, forblåst,
stormende, oppblåst, tom.
wine [wain] vin; vinglass; traktere med vin,
rive i vin på. — **bag** vinsekk; fyllebøtte. — **bar**
vinstue, bodega. **-bibber** vinpimper. — **cooler** vin-
kjøler. — **merchant** vinhandler. **-ry** vingård;
vinkjeller. — **steward** kjellermester. — **vault**
vinkjeller.
wing [wiŋ] vinge, fløy, sidekulisse; (bil)skjerm;
filial; flanke; fløy, fraksjon; gi vinger, forsyne
med fløyer, fly, vingeskyte, såre; **on the** —
flyvende, i flukten, på farten, under oppseiling;
beat the — slå med vingen; **take** — fly opp, dra,
flykte. — **chair** ørelappstol. — **-clipped** stekket;
vingeskutt. — **commander** ≈ oberstløytnant
(i luftforsvaret). — **compasses** buepasser. **-ding**
(amr.) nykke, grille, innfall; anfall, ri; leven,
bråk. **-ed** vinget, vingeskutt, bevinget, opphøyd.
— **flap** vingeklaff, flap. — **-footed** rappfotet.
-less vingeløs. **-y** vinget, flyvende. — **nut** vinge-
mutter. — **quill** svingfjær. — **tip** vingespiss.
— **wall** fløymur.
wink [wiŋk] blinke, blunke, gi et vink, se
gjennom fingrene; blafre og slukke; blink, blunk,
tegn (med øynene); lur, hvil; — **his eye** at blunke
til; **I could not sleep a** — jeg kunne ikke lukke
et øye. **-er** en som blinker; skylapp.
winner ['winə] vinner, seierherre.
Winnie the Pooh ['winiðə'pu:] Ole Brum.
winning ['winiŋ] vinnende, inntagende; ge-
vinst. — **post** (i sport) dommerpæl, målstolpe;
(i videre betydning) mål.
winnow ['winəu] rense, skille (korn fra agnene),
drøfte, sikte, granske. **-er** rensemaskin (til korn).
-ing machine rensemaskin.
wino ['wainəu] vindranker, fyllik.
winsome ['winsəm] vinnende, inntagende, til-
talende; yndig. **-ness** vinnende vesen, tekkelig-
het.
winter ['wintə] vinter; overvintre, tilbringe
vinteren; vinterfôre. — **apple** vintereple. —
garden vinterhage. **-ing** overvintring. — **quarters**
vinterkvarter.
wintry ['wintri] vinter-, vinterlig; (fig.) kjølig.
winy ['waini] vinaktig, vin-; beruset (av vin).
wipe [waip] viske, tørke, gni, stryke av; pusse,
rense, narre; avtørking, irettesetting, spydighet;
slag, dask; rapp; lommetørkle; — **off** tørke
bort (el. av), avgjøre, betale; — **one of his money**
narre pengene fra en; — **out** viske ut, kvitte,
stryke, fjerne; tilintetgjøren, utslette. — **up**
tørke opp. **-r** visker, vinduspusser (bil), tørkefille,
pussegreie, håndkle.
wire ['waiə] metalltråd, ledningstråd, telegraf-
tråd, streng, trosse, bardun, kabel; telegram;
feste med ståltråd, sette ståltgjerde rundt; fange
i snare; legge inn elektriske ledninger, telegrafere;
pull the -s trekke i trådene, stå bak (og øve inn-
flytelse); **by** — pr. telegram. — **brush** ståltbørste.
— **cloth** metalldug. — **cutter** trådklipper, av-
biter. **-dancer** linedanser. **-draw** trekke tråd av
metall; trekke i langdrag, tøye ut; fordreie.
— **gauze** [-gɔ:z] metalldug. — **grating** trådgitter.
— **guard** ståltrådskjerm. **-less** trådløs; trådløs
telegraf, radio; radiotelegram; sende ut over
radio. — **netting** ståltrådnett. **-puller** marionett-
spiller, trådtrekker (bak kulissene), hemmelig på-
virker. **-pulling** marionettspill; trekking i trådene,
virke i det skjulte. — **rope** ståltrådtau, wire.
— **tack** trådstift. **-tap** avlytte telefonsamtaler;
telefonavlytting. — **wool** stålull. **-work** ståltråd-
arbeid; trådduk, trådnett. **-wove** velin-
papir; laget av trådfletting.

wiring ['waiəriŋ] ledningsnett; telegrafering. — **diagram** koplingsskjema.

wiry ['wairi] ståltråd-, som ståltråd, seig, tettbygd, (sene)sterk, utholdende.

wisdom ['wizdəm] visdom, klokskap. — **tooth** visdomstann.

wise [wais] vis, måte; (in) no — på ingen måte; in this — på denne måte.

wise [waiz] vis, forstandig, klok.

wiseacre ['waizeikə] selvklok dumrian, bedreviter; (i plur.) kloke høns, kloke hoder (ironisk).

wisecrack ['waizkræk] vittighet, kvikk bemerkning; komme med en vittig bemerkning.

wise — guy bedreviter, en som tror han har så mye bedre greie på noe, blære, smarting. — **man** vismann. — **woman** klok kone.

wish [wiʃ] ønske, begjæring, hilsen; ønske, ville gjerne, trå etter; have one's — få sitt ønske oppfylt; I — (that) jeg ville ønske at, gid; I — to God (el. Heaven) Gud gi; — for ønske, nære ønske om, lengte etter, trå etter; — on pålegge, påtvinge; — sb. st. ønske en noe; — sb. well nære gode ønsker for en. -bone ønskebein, gaffelbein (på fugl). -ful ønskende, ivrig, lengselsfull; -ful of pleasing el. -ful to please ivrig etter å behage; -ful thinking ønsketenkning. -fulness ønske, iver, lengsel. -ing cap ønskehatt.

wish-wash ['wiʃwɔʃ] søl, skvip; sprøyt. **wishy-washy** vassen, tynn; flau, falmet, vammel.

wisp [wisp] dott, visk (av høy, halm osv.); flis, strimmel, streif; sprett, spjæling (person); viske av, gni.

wistful ['wistful] taus, tankefull, lengtende, lengselsfull, forventningsfull; vemodig.

wit [wit] vite; to — nemlig, det vil si; do to — gjøre vitterlig.

wit [wit] el. pl. -s vidd, vett, forstand, klokskap, åndrikhet, vittig hode, åndrik mann, skjønnånd; ån after— is everybody's — baketter er alle kloke; be out of one's -s ikke være riktig klok; break one's small — upon gjøre til offer for sitt vidd; bought — is best av skade blir man klok; the five -s de fem sanser, den sunne sans; live by his -s leve av det som til-feldig byr seg, leve på bløff; there he was at his -'s end der stod hans forstand stille, han ante ikke sin arme råd; work his -s bruke sin forstand, bruke vettet; frighten him out of his -s skremme ham fra sans og samling, vettskremme ham.

witch [witʃ] heks, trollkjerring; forhekse, for-trylle. -craft hekseri, trolldom, tryllekunster, tryllemakt. -ery hekseri, fortryllelse. — hunt heksejakt; klappjakt, hets. -ing troll-, forhek-sende, hekse-; hekseri. — trial hekseprosess.

witenagemot ['witənəgi'məut] gammelengelsk riksforsamling.

with [wið] med, hos; tross, foruten; omfram; ved, av; live — på oss; angry — him sint på ham; tired — trett av; eat — him spise med ham; — that dermed.

withal [wi'ðɔːl] dessuten, også, tillike, dertil, trass i alt, på samme tid.

withdraw [wið'drɔː] ta tilbake, trekke bort, inndra, ta ut (penger), trekke seg tilbake, tre ut, gå av; — his glance ta øynene til seg. -al tilbakekalling, unndragelse, uttredelse, tilbake-trekning, utmelding; uttak (av penger). -er en som trekker seg tilbake. -n tilbakeholden, re-servert; avsides.

withe [wiθ el. wið] vidje, vidjebånd.

wither ['wiðə] visne, hentæres, sykne bort, forgå, la visne, tære bort, ødelegge. -ing drep-ende, knusende.

withers ['wiðəz] manke, ryggkam (på hest).

withhold [wið'həuld] holde tilbake, nekte, hindre. -er en som holder tilbake. -ing tax for-skuddstrekk (av skatt).

within [wi'ðin] innenfor, inni, innen; inn-vendig, innvortes, i sitt indre; heri; hjemme; — a few days innen i noen dager, på noen dager

nær, for noen dager siden; — this half hour for mindre enn en halv time siden; — a trifle på litt nær; from — innenfra; they left — a week of each other de reiste med en ukes mellom-rom.

without [wi'ðaut] utenfor, uten; uten at, med-mindre, utvendig, utvortes, ute; from — uten-fra; be — være foruten, mangle.

withstand [wið'stænd] motstå, motarbeide, gjøre motstand.

withy ['wiði] vidjepil, piletre; vidje-, smidig.

witless ['witlis] vettløs, uforstandig. -ness uforstandighet.

witness ['witnis] vitnesbyrd, vitneprov, vitne, vitterlighetsvitne; være vitne til, oppleve, vitne om, vise, bevitne; bear — avlegge vitnesbyrd; in — whereof og til bekreftelse på det; with a — til gagns.

witted ['witid] med forstand; srl. i smstn.; half- enfoldig, halvfjollet; quick- oppvakt, snar-tenkt.

witticism ['witisizm] vittighet, vits.

wittiness ['witinis] vittighet, vidd, åndrikhet.

witting ['witiŋ] forsettlig, bevisst. -ly med vitende (og vilje).

witty ['witi] vittig, spirituell; utspekulert.

wizard ['wizəd] trollmann, heksemester, tas-kenspiller; fantastisk (flink) person, vidunder; trollkyndig, magisk; strålende, fantastisk. -ry hekseri, trolldom, taskenspillerkunster, ene-stående dyktighet.

wizen ['wizn] vissen, tørr, innskrumpet, sam-menskrumpet, mager; skrumpe sammen, tørke inn.

wk. fk. f. week; **work.** wkly. fk. f. weekly.
W/L, w. l. fk. f. **wave length.**
Wm. fk. f. **William.**
W. N. W. fk. f. **west north-west.**
W. O. fk. f. **War Office.**
wo se **woe.**
wo! [wəu] ptro! (til hester); stopp!

wobble [wɔbl] snurre rundt, slingre, være ustø, dirre, bevre, slenge, rave, vakle; raving, vakling, slingring; usikkerhet; slark, sleng (i aksel el. hjul). **wobbly** usikker, ustø, vinglet.

Woden ['wəudn] Odin.

woe [wəu] ve, smerte, sorg, ulykke, forbannelse, pl. elendighet, ve! — is (to) me ve meg, akk dessverre; — be to ve over!

woebegone ['wəubigɔn] fortvilt, ulykkelig.

woeful ['wəuful] sørgmodig, ulykkelig, sørge-lig, elendig.

wog [wɔg] (nedsettende) snusket, liten orien-taler.

woke [wəuk] imperf. og perf. pts. av **wake.**

wold [wəuld] åpent land, snau slette.

wolf [wulf] i pl.: wolves [wulvz] ulv, skrubb, varg, gråbein; ogs. lupus (sykdommen); skjørte-jeger, løve, jentefut; sluke, kjøre i seg; gå på ulvejakt; have (el. hold) a — by the ears være i en farlig stilling; have a — in the stomach være skrubbsulten; keep the — from the door eller keep the — off livberge seg, skaffe mat til de sultne munner. — cub ulveunge. — dog ulvehund. — fish steinbitt, havkatt. -ish ulve-aktig, ulve-, grådig, glupsk. — pack ulvekoppel. wolf**sbane** ['wulfsbein] munkhette, stormhatt (plante). -'s claw ['wulfsklɔː] kråkefot (plante). — tooth ['wulftuːθ] (overtallig) kinntann (hos hest). -trap ['wulftræp] ulvesaks, glefse.

Wolsey ['wulzi].

wolverene [wulvə'riːn] jerv.

wolves [wulvz] plur. av **wolf.**

woman ['wumən] (plur. **women** ['wimin]) kvin-ne, dame, kone, kjerring, kvinnemenneske, kvinn-folk; tjenestejente; (i smstn. ofte) jente, pike; kvinne-, kvinnelig, -inne. — -chaser skjørtejeger. — -hater kvinnehater. -hood kvinnelighet, voksen (kvinnes) alder, kvinner, dameverden. -ish kvinneaktig. -ism kvinnevis. -ize gjøre til kvinne, gjøre kvinnelig; sl. gå på jakt etter

kvinner, skjørtejakt. -kind kvinnekjønn, kvinner, damer. -like kvinnelig, på kvinnevis. -liness kvinnelighet. -ly kvinnelig. — -power kvinnelig arbeidskraft. -'s magazine dameblad.
womb [wu:m] morsliv, skjød; livmor. in the — of futurity i fremtidens skjød. — -to-tomb fra vugge til grav.
women|folk(s) ['wiminfəuk(s)] kvinnfolk, kvinner. -'s lib(eration) kvinne|sak, -emansipasjon, nyfeminisme. -'s rights kvinnenes likestilling, kvinnesak. -'s wear dameklær.
wonder ['wʌndə] under, vidunder, underverk, forundring; undres, forundre seg; spekulere på; I — jeg gad vite; I — whether she will come Gud vet om hun kommer; I — whether skal tro om, mon; no — intet under, det er ikke så rart; -s never cease miraklenes tid er ikke forbi; how in the name of —! hvordan i all verden . . .! for a — underlig nok. -er en som undrer seg, forundret. — drug vidundermiddel. -ful vidunderlig, forunderlig. -ing undrende; under, undring.
wonder|land ['wʌndəlænd] vidunderland, eventyrland. -ment forundring; vidunder. -work undergjerning. — -working undergjørende.
wondrous ['wʌndrəs] vidunderlig, makeløs.
won't [wəunt] fk. f. will not.
wont [wəunt, wʌnt] vant; pleie, vane, skikk. -ed vanlig, vant.
woo [wu:] beile til, fri, be. -er beiler, frier.
wood [wud] skog, tre, tømmer, ved, trevirke; fat, tønne; treblåser; plante skog; forsyne seg med ved; in a — i forlegenhet. — anemone hvitveis, kvitsymre. — ant rød skogmaur. -bine ['wudbain] kaprifolium, vivendel. — carver billedskjærer, xylograf. — chisel hoggjern, stemjern. -chopper tømmerhogger. -chuck skogmurmeldyr. -cock rugde. -craft sløyd, snekkerhåndverk; forstvesen, skogvesen. -cut tresnitt. — cutter vedhogger, treskjærer. — cutting vedhogging, tømmerhogst, treskjæring. -ed skogvokst. -en tre-, av tre; treaktig, stiv, klosset; -en leg trebein; -en spoon treskje; -en shoes tresko. — engraver xylograf, treskjærer. — hole vedskjul. -land skoglende, skogstrøk; skog-, skogvokst. — lark trelerke. -less skogløs. — lot skogteig, skogstykke. -man forstmann, skogsarbeider, tømmerhogger, jeger. -pecker spette, hakkespett. — pigeon ringdue. -pile vedstabel. — player treblåser. — pulp tremasse. -ruff ['wudrʌf] myske. -shaving høvelspon. -shed vedskjul. -sman skogsarbeider; forstmann; skogmann. — spirit tresprit, metanol. — warbler bøksanger. -ware trevarer. -wind treblåseinstrument. — work tresløyd, snekkerarbeid. -wose satyr, faun.
woody ['wudi] skogrik, skogkledd, treaktig.
wooer ['wu:ə] frier, beiler.
woof [wu:f] islett, veft; vev. -y tettvevd, tett.
wool [wul] ull, ullgarn, ullsort, ullstoff, ullhår; dyed in the — (fig.) uforfalsket, ekte, grundig; keep your — on! ta det helt rolig! — card karde. — cuff pulsvante. — -dyed ullfarget. — fat ullfett, lanolin. -fell fell, pels. — -gathering drømmende, adspredt, distré; åndsfraværelse, drømmeri. — grease ullfett. — grower ullprodusent, saueavler. -en ullen, ull-; i pl. ullvarer, ullstoffer, ulltøy. -ly plagg av ull, ullsweater; ullen, ull-, ullaktig; (fig.) tåket, grøtet, forvirret, uklar; i pl. -lies ullundertøy, hjallis. — needle kanevasnål. — picker ullrenser (ogs. maskinen). -sack ullsekk; the -sack lordkanslerens sete i Overhuset. -sey verkenstoff. — stapler ullhandler, ullsorterer.
Woolwich ['wulitʃ].
woolwork ullbroderi; strikketøy, strikket tøy.
Woolworth ['wulwəθ].
woozy ['wu:zi] skjelvende, ør, omtåket.
wop [wɔp] (amr. sl.) degos; slask.
Worcester ['wustə]; — sauce slags skarp saus. -shire [-ʃ(i)ə].

word [wə:d] ord, glose, bemerkning, utsagn, løfte, kommando, feltrop, bud, beskjed, melding, tale, motto, Guds ord, pl. tekst; ordlegge, uttrykke med ord, avfatte, formulere; send — sende bud; bring — bringe beskjed, melde; the — is with you De har ordet; they had -s de hadde et ordskifte; say the — gi beskjed, si fra; take his — tro ham; in a — med ett ord, i korthet; by — (of mouth) muntlig; my —! du store min! -s fail me! nå har jeg ikke hørt på maken! jeg er målløs! the — went around that det gikk rykter om at; — for — ord for ord; upon my — på æresord. — -catcher ordkløyver. -iness ordrikdom. -ing uttrykksmåte, avfattelse, form, ordlyd. -less taus, stum; ubeskrivelig. — order ordstilling. -perfect ordrett, utenat. -play ordspill, ordlek. -splitting ordkløveri.
Wordsworth ['wə:dzwə(:)θ].
wordy ['wə:di] ordrik; ord-.
wore [wɔ:] imperf. av wear.
work [wə:k] arbeide, gå, virke, funksjonere, holde stikk, vise seg heldig, innvirke, være i sterk bevegelse, arbeide seg, brodere, la arbeide, arbeide med, drive, bearbeide, tilvirke, håndtere, betjene, dyrke; gjære; gjøre, utrette; forårsake, bevirke; arbeid, verk, gjerning, yrke, gang, broderi, pl. mekanisme, verk, anlegg, fabrikkanlegg, verksted, fabrikk; the -s alt, hele greia; at — i arbeid, i gang; be in — være i arbeid, ha arbeid; be in the -s være under forberedelse; — away drive på; it -s both ways det kan slå begge veier; — one's way arbeide seg fram; — harm gjøre skade; — a street gå fra hus til hus og handle; — out arbeide seg fram, gjøre seg gjeldende, vise seg; utarbeide, gjøre ferdig, utføre, regne ut; — up arbeide opp, heve, bearbeide; the dirty — grovarbeidet; get the -s få juling, få en hard medfart; nice —! flott gjort! make short — of gjøre kort prosess med.
workable ['wə:kəbl] som kan utføres; bearbeidbar, lønnende; arbeidsdyktig; påvirkelig.
workaday ['wə:kədei] hverdags-; in the — world i denne prosaiske verden.
work|bag ['wə:kbæg] arbeidspose. -basket arbeidskurv, sytøyskurv. -box syskrin. -day hverdag; hverdags-. -ed forarbeidet, bearbeidet.
worker ['wə:kə] arbeider.
work|folk(s) arbeidsfolk. — force arbeidsstokk. -girl arbeidsærke. — horse arbeidshest, sliter. -house arbeidsanstalt, fattighus.
working ['wə:kiŋ] arbeidende; arbeids-, drifts-; arbeid; drift, gang; gjæring, urolig bevegelse. — capital driftskapital. — class arbeiderklasse(n). — day arbeidsdag. — drawing arbeidstegning. — instructions arbeidsinstruks; bruksanvisning. — load arbeidsbyrde; arbeidsbelastning. -man arbeider. -out utregning, løsning, utarbeiding. — paper diskusjonsgrunnlag. — party arbeidsgjeng; arbeidsutvalg. — plant driftsmateriell. — profits driftsoverskudd. — stock driftsmateriell. — year driftsår; arbeidsår.
work|-in-progress igangværende arbeid. -less arbeidsløs.
work|man ['wə:kmən] arbeider. -manlike som ligner en arbeider, godt utført, mesterlig. -manship fagdyktighet, dyktighet, utførelse, stykke arbeid. -people arbeidere, arbeidsfolk. — permit arbeidstillatelse. -room verksted; hobbyrom; atelier. -s council bedriftsråd. -shop verksted; kurs, seminar. -s management bedriftsledelse. — stoppage arbeidsnedleggelse. — studies arbeidsstudier. -week arbeidsuke.
world [wə:ld] verden, jorden; folk; the — of Belaggio alle mennesker i B.; — without end fra evighet til evighet; not for the — ikke for alt i verden; all the riches in the — all verdens rikdom; every day in the — hver evige dag; man of the — verdensmann; she thinks a — of them hun setter dem umåtelig høyt. — -famous verdensberømt. -liness verdslighet, egennytte. -ling verdensbarn. -ly verdslig; jordisk, timelig.

-ly-minded verdsligsinnet. — **-wide** som strekker seg over hele verden, verdens-, global.

worm [wɔ:m] orm, mark, åme, larve; kryp, stakkar; snekke, skruegjenge, kjølerør; tungeorm; lirke, liste, lure, fritte ut; sno, åle, krype; — **himself into** lure seg inn i; — **a gun** ta ladningen ut av en kanon. — **east** mark-lort. — **-eaten** ormstukket, markspist; mosegrodd, utgammelt. — **gear** snekkedrev, snekkeutveksling. **-ling** liten orm. **-wood** malurt.

wormy [ˈwɔ:mi] markspist, markbefengt; ormeaktig; (fig.) ussel, krypende.

worn [wɔ:n] perf. pts. av **wear**; utslitt, forslitt, medtatt; — **-out** forslitt, utslitt.

worry [ˈwʌri] rive og slite i, rive sund, forfølge, plage, engste, bry, uroe, erte, plage seg selv, ta seg nær av alt; plage, uro, bry, mas, besvær. **worrier** [ˈwʌriə] plageånd; pessimist, en som gremmer seg.

worse [wɔ:s] verre, slettere; **the** — desto verre; noe verre; **be the** — **for** har tatt skade av, ha tapt på; **the** — **for drink** synlig beruset; **you'll not be the** — **for it** De taper ikke noe på det; **get the** — **of the talk** ligge under i konversasjonen; **none the** — ikke verre, ikke dårligere. **worsen** forverre, gjøre verre.

worship [ˈwɔ:ʃip] gudsdyrking, tilbedelse, andakt; tittel for visse øvrighetspersoner, omtrent: velbårenhet; dyrke, tilbe, ære, holde gudstjeneste. **-ful** ærverdig, tilbedelsesverdig, velbåren. **-per** tilbeder, dyrker, kirkegjenger.

worst [wɔ:st] verst (superlativ til **bad, ill, evil**); **at the** — i verste fall; **if the** — **comes to the** — i verste fall, om galt skal være; **get** (el. **have**) **the** — **of it** trekke det korteste strå; **do one's** — gjøre den skade en kan.

worst [wɔ:st] overvinne, beseire.

worsted [ˈwustid] kamgarn; **-s** pl. kamgarnsvarer. — **work** ullbroderi, kanevasbroderi.

wort [wɔ:t] plante, urt; vørter.

worth [wɔ:θ] vorde, skje; **woe** — **the man!** ve den mann!

worth [wɔ:θ] verdi, verd, gode egenskaper, fortjenester; verd, som eier, som fortjener; **all he is** — hva han eier og har, alt det han kan; **-less** verdiløs, ubrukelig, gagnløs, dårlig, karakterløs. **-lessness** verdiløshet, ubrukelighet, sletthet. — **-while** som er umaken verd, som lønner seg.

worthy [ˈwɔ:ði] verdig, bra, aktverdig, som fortjener, fortjenestfull, fortreffelig; utmerket mann, hedersmann, stormann; storhet; — **of** verdig til, som fortjener.

would [wud] ville, ville ønske, gid! pleide (se **will**); **he** — **pay us a visit** han pleide å besøke oss; **I** — **we could** gid vi kunne; — **(to) God** Gud gi. — **-be som vil være, som aspirerer til å bli, fremtidig, . . . in spe; tilstrebet, mislykket.

wound [waund] imperf. og perf. pts. av **wind**.

wound [wu:nd] sår, skade; krenkelse; såre, skade, krenke. **-er** en som sårer.

woundwort [ˈwu:ndwɔ:t] gullris; svinerot.

wove [wəuv] imperf. av **weave**.

woven [ˈwəuvn] vevd. — **board** flettgjerde. — **wire** metallduk.

wove paper velinpapir.

wow [wau] (amr.) begreistre, imponere; fulltreffer, kjempesuksess; lydgjengivelsesfeil ved avspilling av grammofon og lydbånd.

wowser [ˈwauzə] (amr.) meget puritansk person; skinnhellig person, snerpe.

W. P. fk. f. **weather permitting.**

W. P. B. fk. f. **wastepaper basket.**

W. R. fk. f. **West Riding.**

wrack [ræk] tang, havplanter; vrak(gods). — **grass** tang.

WRAF fk. f. **Women's Royal Air Force.**

wraith [reiθ] vardøger, dobbeltgjenger, (som ses kort før eller etter en persons død), ånd, gjenferd, syn.

wrangle [ˈræŋgl] kives, trette, krangle; krangel,

kjekl, trette. **-r** trettekjær person; (amr.) cowboy; ved høyere matematisk eksamen i Cambridge: senior **-r** nummer en, bestemann. **-rship** utmerkelse til matematisk eksamen.

wrangling [ˈræŋgliŋ] kjekl, krangel.

wrap [ræp] (om)vikle, svøpe, hylle inn, omgi, pakke inn; innpakning(spapir), dekke, omslag; sjal, pledd; **-ped in thought** fordypet i betraktninger; — **up** svøpe inn, hylle inn; **be -ped up in** være knyttet til, være opptatt av. **-per** en som innhyller, omslag, emballasje, overtrekk, sjal, morgenkjole. **-ping** innpakning, emballasje, hylster, drakt.

wrath [rɔθ] sinne, vrede, forbitrelse. **-ful** sint, vred, oppbrakt, rasende. **-y** sint, forbitret.

wreak [ri:k] tilfredsstille, utøve, tilføye, hevne, la gå ut over. **-ful** hevngjerrig, vred. **-less** ustraffet.

wreath [ri:θ] krans; vinding, virvel (av røyk etc); **funeral** — begravelseskrans.

wreathe [ri:ð] binde, flette, omvinde, omslutte, kranse, være sammenflettet, kranse seg, slynge seg sammen; **-d in smiles** lutter smil.

wreathy [ˈri:θi] vundet, flettet, spiral-.

wreck [rek] undergang, ødeleggelse, stranding, skibbrudd, forlis; stumper, vrak; tilintetgjøre, gjøre til vrak, ødelegge, strande, forlise, få til å strande, havarere, krasje; (fig.) ødelegge, ruinere; **be -ed** forlise, lide skibbrudd; **go to** — gå til grunne. **-age** skibbrudd, forlis; vrakgods, vrakdeler, rester, stumper. **-er** strandrøver, vrakplyndrer; bergingsfartøy, servicebil. — **master** strandfoged, vrakinspektør.

wren [ren] gjerdesmett.

wrench [renʃ] vri, rykke, bryte, brekke, rive, slite; fordreie, forvanske; rykk, vrid, skarp dreining, slit, forvridning; smerte, stikk; skrunøkkel.

wrest [rest] rykke, vriste, tvinge, fravriste; fordreie, forvanske; vri, rykk; stemmenøkkel.

wrestle [ˈresl] brytes, kjempe, slåss; brytekamp. **-r** bryter, atlet. **wrestling** [ˈrestliŋ] brytekamp, styrkeprøve, strid.

wretch [retʃ] ulykkelig menneske, stakkar, usling, niding; pusling, spjæling.

wretched [ˈretʃid] ulykkelig, stakkars, elendig, ussel, ynkelig; fryktelig, motbydelig. **these** — women disse elendige kvinnfolka. **-ness** elendighet, usselhet, fortvilelse.

wrick [rik] vrikking, forstuing; vrikke, forstue.

wriggle [ˈrigl] vrikke, vri seg, vrikke med, sno, sprelle; vrikking, snirkel, krusedull.

wright [rait] arbeider (mest i sammensetninger: **-maker**, f. eks. **wheelwright** hjulmaker).

wring [riŋ] vri, trykke, kryste, knuge, sammensnøre, pine, såre, fordreie, avpasse, vri seg; vriing, vridning, knuging; — **from** fravriste; — **out** vri opp. **-er** vrider, vrimaskin. **-ing machine** vrimaskin.

wrinkle [ˈriŋkl] rynke, skrukk, ujevnhet, vink, godt råd, vink, tipp; knep, fiff; krølle, rynke, gjøre ujevn, slå rynker, skrukke. **wrinkly** [ˈriŋkli] rynket, som lett får rynker.

wrist [rist] håndledd; mansjett, håndlinning; **bridle** — (rytters) venstre hånd. **-band** håndlinning, mansjett. **-let** bånd om håndleddet, armbånd. — **watch** armbåndsur.

writ [rit] skrift, befaling, ordre, skrivelse, stevning, valgreskript; **the Holy W.** den hellige skrift; **serve the** — **on him** forkynne ham stevningen; **take out a** — **against** ta ut stevning mot.

write [rait] skrive, innskrive, prente, bokstavere; beskrive, uttrykke; — **one's name on** innvie, være den første som bruker; — **down** skrive ned, rakke ned på, nedvurdere; — **him down a fool** gi ham attest for å være en tosk; — **off** avskrive; rable ned; — **out** utferdige, skrive ut; — **oneself** skrive seg, kalle seg.

writer [ˈraitə] skribent, forfatter, skriver, kontorist; lærebok, stilbok.

writhe [raið] vri seg; vridning.
writing ['raitiŋ] skrivning, håndskrift, innskrift, skrift, verk, dokument, stil; skrive-; in — skriftlig. — ease skrivemappe. — desk skrivepult. — master skrivelærer. — pad skriveblokk. — paper skrivepapir. — stand skrivestell. — table skrivebord.
written [ritn] perf. pts. av write; skriftlig.
WRNS fk. f. Women's Royal Naval Service.
wrong [rɔŋ] forkjært, vrang, gal, uriktig, urett, feilaktig, som har urett; (adv.) galt; urett, forurettelse, urettferdighet, rettsbrudd; krenke, forurette, gjøre urett imot; be — ha urett, ta feil; get it — ta feil, misforstå; what's —? hva er det i veien? have — lide urett; be in the — ha urett. -doer en som gjør urett, fornærmer, forbryter, brottsmann. -doing urett, uriktig forhold, forseelse, forurettelse. -er foruretter. -ful uriktig, urettmessig, urettferdig. — -headed urimelig, stridig, sta; fordreid, vrang. -ly galt, uriktig. — -minded urimelig, forskruet. — -timed ubetimelig, ubeleilig.
wrote [rəut] imperf. av write.

wroth [rəuθ, rɔ:θ] sint, vred, harm.
wrought [rɔ:t] (av work) formet, bearbeidet, forarbeidet; utsmykket, brodert; smidd; opphisset, rystet, oppskaket; he has — me to it han har brakt meg til det. — iron smijern. — steel smidd stål, sveisstål. — timber tilhogd tømmer.
wrung [rʌŋ] imperf. og perf. pts. av wring.
wry [rai] forvridd, skjev, skakk, fordreid; fordreie; ironisk, besk; make a — faee skjære ansikter. — -mouthed skjevmunnet, lite smigrende. — -necked skjevhalset. -ness skjevhet.
W. S. fk. f. Writer to the Signet.
W. S. P. U. fk. f. Women's Social and Political Union.
W. S. W. fk. f. west south-west.
wt. fk. f. weight.
w. w. days fk. f. weather-working days.
Wyandotte ['waiəndɔt] en hønserase.
Wycherley ['witʃəli].
Wyclif(fe) ['wiklif] Wiclif.
wynd [waind] (skotsk:) strede, smug, veit.
Wyndham ['windəm].

X

X, x [eks] X, x; kryss; ikke for barn under 16 år (om film); (symbol for) kyss.
xanthie ['zænθik] acid xantogensyre.
Xanthippe [zæn'θipi] Xantippe, troll til kjerring.
xanthous ['zænθəs] gusten, gul; blond (hår).
xenium ['zi:niəm] (pl. xenia) gjestegave.
xenophobe ['zenəfəub] fremmedhater. **xenophobia** [zenə'fəubjə] fremmedhat.
xerasia [zi'reiziə] tørrhet i hårbunnen.
xeromyrum [zirə'mairəm] tørr salve.
xerophagy [zi'rɔfədʒi] tørrspising (i fastetiden hos de første kristne), streng faste.
xerotes ['ziərəti:z] tørr og mager legemsbeskaffenhet.
xerox ['zi:rɔks] (varemerke) fotostatkopiere. — copy fotostatkopi.

Xerxes ['zə:ksi:z].
X-flash lukker synkronisert til elektronblitz.
xiphias ['zifiæs] sverdfisk, sverdformet komet.
X/L fk. f. exeess loss skadeeksedent.
Xmas fk. f. Christmas.
X-ray ['eks'rei] røntgenstråle; i pl. røntgenlys; røntgenfotografering; røntgenfotografere, røntgenbehandle. — emanation røntgenutstråling. — tube røntgenrør.
xylograph ['zailəgra:f] xylografi, tresnitt. -er [zai'lɔgrəfə] xylograf, treskjærer. -y [zai'lɔgrəfi] treskjærerkunst, xylografering.
xystus ['zistəs] en slags gang til gymnastiske øvelser, skyggefull hagegang.

Y

Y, y [wai] Y, y.
y. fk. f. year; yard.
yaeht [jɔt] yacht, lystjakt; drive lystseilas. -er yachtfører. -ing yacht-seilas, seilsport; -ing-eap seilerlue. — raeing regatta, kappseilas. -sman lystseiler.
yaekety-yak ['jækiti'jæk] skravling, prating; skravle, prate.
yager ['jeigə] (tysk) jeger.
yah [ja:] (interj.) uff! æsj! (amr.) ja.
Yahoo [jə'hu:] Yahoo (vemmelig vesen i Gulliver's Travels).
yak [jæk] grynteokse, jakokse.
Yale [jeil].
yam [jæm] yamsrot.
yank [jæŋk] nappe, rykke; napp, rykk.
Yankee ['jæŋki] yankee, mann fra New-England; nordamerikaner; (hist.) nordstatssoldat; amerikansk, amerikaner-, nordstats-.
yap [jæp] bjeffe (hund); skravle, vrøvle; bjeff; skravl, vrøvl; kjeft.
yard [ja:d] gård, gårdsrom, opplagsplass, tomt;

verft; (amr.) hage; the Y. = Seotland Yard; lukke inne i en gård.
yard [ja:d] rå (skipsrå).
yard [ja:d] yard, eng. lengdemål = 3 feet = 0,914 meter. -stick ≈ metermål, tommestokk.
Yarmouth ['ja:məθ].
yarn [ja:n] garn, tråd; historie, fortelling; fortelle historier, spinne en ende.
yashmak, yashmae ['jæʃmæk] jasmak (muhammedansk kvinnes slør).
yatagan ['jætəgæn] jatagan, kort tyrkisk sabel, dolk, verge.
yaw [jɔ:] gire, slingre (om båt og fly); giring, holde ustø kurs.
yawl [jɔ:l] hyle, mjaue.
yawl [jɔ:l] jolle, liten fiskerbåt; yawl.
yawn [jɔ:n] gape, være åpen, gjespe; gaping, vid åpning, avgrunn; gjesp; -ing gjespende, søvnig; gjesping.
yawp [jɔ:p] skrike, rope, kjefte; skrik, rop, kjefting.

Y. B. fk. f. Yearbook.
yd. fk. f. yard.
ye [ji:] (gammelt:) I, eðer, dere.
ye [ji: el. som the] gammelt: det samme som the.
yea [jei] ja.
yeah [jɛə] (amr.) ja, jo, jaså, javisst.
yean [ji:n] lamme, få lam. **-ling** lam, kje.
year [jiə] år; årgang, kull; **once a — en gang** om året; **this — i år; last — i fjor; in -s til års; for -s i årevis. -ling** årgammel, fjorgammel, årsunge. **-ly** årlig, ettårig.
yearn [jə:n] brenne (av lengsel), hige, lengte. **-ing** lengtende, lengselsfull; lengsel.
yeast [ji:st] gjær; skum; gå, æse, gjære. **— dough** gjærdeig. **-y** ['ji:sti] gjæraktig, skummende; overfladisk, tankeløs.
yegg(man) ['jeg(mæn)] (amr.) skapsprenger, tjuv.
yell [jel] hyle, skrike; skrik, hyl.
yellow ['jeləu] gul, gul farge; eggeplomme; feiging, kujon; skandaleblad, sensasjonspresse; gulne(s), gjøre gul; misunnelig, sjalu, melankolsk, feig, ussel. **-back** billigbok, pocketbok. **— -bellied** feig. **the — body** (med.) det gule legeme. **— dog** kjøter. **— fever** gul feber. **— flag** karanteneflagg. **— gum** (med.) barnegulsott. **— hammer** gulspurv. **-ish** gullig, gulaktig. **— streak** snev av feighet. **-weed** fargereseda (plante); gullris. **— wren** løvsanger. **-y** gulaktig.
yelp [jelp] bjeff, hyl; bjeffe, hyle.
yen [jen] yen (japansk mynt).
yen [jen] lengsel, begjær; **have a — for** være vill etter.
yeoman ['jəumən] underkammerherre, tjener; ridende frivillig, livgardist; fri bonde, selveierbonde; frivillig kavalerist; **— of the guard** kongelig livgardist. **— service** trofast, verdifull tjeneste. **-ry** selveierstand, bønder; kongelig livgarde, frivillig kavaleri.
yep [jep] (amr.) ja.
yerk [jə:k] sparke bakut, sparke; rykk, spark.
yes [jes] ja, jo; (ogs. spørrende: nå?). **-man** medløper, servil person, etterplapler.
yester ['jestə] gårs-, forrige. **-day** gårsdag(en); **i går. -night** i går kveld, i går aftes, i natt.
yestreen [jes'tri:n] (skot.) i går kveld.
yet [jet] ennå, enda, likevel, dog, allerede, nå, atter, enda; **as — ennå; not — ennå ikke; nor — heller ikke.**
yew [ju:] barlind, barlindtre.
yid [jid] jøde. **Yiddish** ['jidiʃ] jødisk, jiddisch.
yield [ji:ld] yte, gi, innbringe, bære, kaste av seg, overgi, oppgi, tillate, gi etter, bøye seg, gi tapt, vike, overgi seg; utbytte, ytelse, avkastning; det å gi etter; **— the floor** frafalle ordet; **— the hand** slappe tøylen; **— the point** gi etter; **— right of way** gi forkjørsrett; **— submission** underkaste seg; **— up utlevere; — up the ghost** oppgi ånden, dø; **— to** gi etter for, etterkomme, bukke under for, stå tilbake for. **-er** en el. noe som yter osv. **-ing** ytende, ettergivende, bøyelig, føyelig; ettergivenhet, underkastelse.

Y. M. C. A. fk. f. Young Men's Christian Association; norsk: K. F. U. M.
yob [jɔb] fyr, krabat, laban.
yodel ['jəudl] jodle; jodling.
yo-ho! [jəu'həu] halloi! hei! hal i! hivohoi!
yoke [jəuk] åk, bånd, bæretre, bærestykke (på drakt), lenke, spann, beite, par; krysshode; spenne i åk, forene, pare, bringe under åket, trekke sammen, være forent. **-fellow** felle, kamerat, ektefelle.
yokel ['jəukəl] bondetamp, idiot.
yoke line (mar.) styreline.
yokemate ['jaukmeit] felle, kamerat, ektefelle.
yolk [jəuk] eggeplomme; ullfett. **— saek** plommesekk.
yon [jɔn], **yonder** ['jɔndə] den, hin, den der, der borte, hist.
yore [jɔ:] fordum, i gamle dager; **of — fordums,** gamle dager; **in days of — i gamle dager.**
Yorkshire ['jɔ:kʃə]; **when I come into my — estates** når jeg får min store arv; **— pudding** slags bakverk, servert sammen med stek; **come — over him** snyte ham.
you [ju:] du, deg, dere, De, Dem, man, en; **— foolish thing!** din tosk! **— never can tell** en kan aldri vite.
young [jʌŋ] ung, ungdoms-, uerfaren, ny, fersk, grønn; unge; **a — one en ung, en unge; — people** unge mennesker, ungdom. **-ish** yngre, temmelig ung. **-ling** ungdommelig; ungt menneske, yngling; nybegynner. **-ster** ungt menneske, unggutt, tenåring.
your [jɔ:, juə] (alltid attributivt) din, ditt, dine, dine, deres, Deres; ens (genitiv til en, 'man), (ofte:) den velkjente, vår gode, denne hersens.
yours [jɔ:z, juəz] (alltid substantivisk) din, ditt, dine, deres, Deres; **yours truly** (el. **faithfully** el. **sincerely**) Deres hengivne, ærbødigst (foran underskrift i brev); **a friend of — en venn av** deg.
yourself [jɔ:'self, juə'self] 1) selv, sjølv (som apposisjon til **you**), du (eller deg, De, Dem) selv, sjølv; 2) (refleksivt:) deg, Dem; seg (svarende til **you** i betydningen: man, en).
yourselves [jɔ:'selvz, juə'selvz] (pl. av **yourself**) selv, sjølv; dere (Dere, De, Dem) selv; (refleksivt:) dere, Dem.
youth [ju:θ] ungdom, ungt menneske, unge mennesker, ungdommen, ungdomstiden; **a friend of my — en ungdomsvenn av meg. — centre** ungdomsklubb. **— employment officer** yrkesrettleder. **-ful** ungdoms-, ung, ungdommelig, kraftig. **-fulness** ungdommelighet. **— hostel** ungdomsherberge.
Yugoslav ['ju:gəu'sla:v] jugoslavisk; jugoslav. **Yuogslavia** ['ju:gəu'sla:vjə] Jugoslavia.
yule [ju:l] (gammelt) jul; **— log** jule-kubbe (som etter gammel skikk legges på peisen julaften). **-tide** juletid.
Y. W. C. A. fk. f. Young Women's Christian Association; norsk: K. F. U. K.

Z

Z, z [zed] Z, z.
zain [zein] ensfarget hest.
zany ['zeini] bajas, narr, tosk; tosket. **-ism** bajasstilling, narrestreker.
zeal [zi:l] iver, tjenstiver, nidkjærhet.
Zealand ['zi:lənd] Sjælland; Zeeland (hollandsk provins).
zealot ['zelət] ivrer, svermer, fanatiker. **zealotical** [zi'lɔtikl] ivrig, fanatisk. **zealotry** ['zelətri]

iver, fanatisme. **zealous** ['zeləs] ivrig, nidkjær.
zebra ['zi:brə] sebra. **— crossing** stripet fotgjengerovergang.
zebu ['zi:bju] zebu, indisk pukkelokse.
zed [zed] bokstaven z.
zemindar [zi'minda:] lensbesitter, rik godseier. **-y** len, gods.
Zenana [zi'na:nə] kvinnebolig, indisk harem.
Zend [zend] zend (det gammelpersiske språk).

zenith ['zeniθ] senit; høyde, høydepunkt.
zephyr ['zefə] sefyr, vestenvind; sefyrgarn.
Zep [zep] fk. f. **Zeppelin.**
Zeppelin ['zepəlin]; zeppeliner, zeppelinsk (stivt) luftskip.
zero ['ziərəu] null, nullpunkt, frysepunkt; — in innstille, skyte inn (et gevær). — **hour** starttid, tidspunkt for angrep.
zest [zest] (fig.) krydder, iver, lyst; — **for life** appetitt på livet.
Zeus [zju:s].
zigzag ['zigzæg] siksak- som går i siksak, gå el. løpe i siksak.
zine [ziŋk] sink; belegge med sink, galvanisere. — **blende** sinkblende. — **bloom** ['blu:m] sinkoksyd. — **coating** sinkbelegg. **-iferous** [ziŋ-'kifərəs] sinkholdig. **zinking** ['ziŋkiŋ] galvanisering. **zine|ographer** [ziŋ'kɔgrəfə] sinketser. **-ography** [-fi] sinkografi, sinketsing. — **ointment** sinksalve. **-ous** ['ziŋkəs] sink-.
zing [ziŋ] futt, pepp; hvin, fløyt.
Zion ['zaiən]. **Zionism** ['zaiənizm] sionisme. **Zionist** ['zaiənist] sionist.
zip [zip] hvin, pip, visling; glidelås; pepp, futt, kraft; hvine, pipe, visle, rase av sted; — **up** lukke (med) glidelås; holde kjeft. — **bag** veske med glidelås. — **code** postnummer(kode). — **fastener** glidelås. — **fuel** jetdrivstoff. — **-gun**

hjemmelaget skytevåpen. **-per** glidelås; spretten fyr.
zircon ['zə:kən] zirkon(iumsilikat).
zither ['ziðə] sitar.
zob [zɔb] stakkar, tufs.
zodiac ['zəudiæk], **the** — zodiaken, dyrekretsen; **sign of the** — himmeltegn.
zombie ['zɔmbi] sløv person, robot, ≈ levende lik.
zone [zəun] sone, belte, område, distrikt; inndele i soner, legge belte om.
Zoo, zoo [zu:] zoologisk hage, dyrehage.
zoographer [zəu'ɔgrəfə] dyrebeskriver. **zoography** [-fi] dyrebeskrivelse.
zoological [zəuə'lɔdʒikl] zoologisk; — **garden** zoologisk hage. **zoologist** [zəu'ɔlədʒist] zoolog. **zoology** [-dʒi] zoologi.
zoom [zu:m] stige bratt (fly), summe; lage sensasjon; bratt stigning (fly). — **lens** zoomlinse.
zoophagous [zəu'ɔfəgəs] kjøttetende.
Zoroaster [zɔrəu'æstə] Zarathustra.
Zouave [zu'ɑ:v] (fransk) suav.
zounds [zaundz] gudsdød (egl. God's wounds).
Zulu ['zu:lu:] zulukaffer; zuluspråk.
Zurich ['z(j)uərik] Zürich.
zwieback ['zwi:bæk] (amr.) kavring.
zygoma [zai'gəumə] kinnbein.
zymology [zai'mɔlədʒi] gjæringsfysiologi.

Uregelrette verb

arise *(oppstå; glm.: stå opp, reise seg)* arose, arisen
awake *(våkne)* awoke, awaked/awoke
be *(være)* was/pl were, been
bear *(bære)* bore, borne
bear *(føde)* bore, born/borne
beat *(slå)* beat, beaten
become *(bli)* became, become
beget *(avle)* begot, begotten
begin *(begynne)* began, begun
bend *(bøye)* bent, bent
bereave *(berøve)* bereaved/bereft, bereaved/bereft
beseech *(bønnfalle)* besought, besought
bet *(vedde)* betted/bet, betted/bet
bid *(by, befale)* bade, bidden
bid *(by ved auksjon)* bid, bid
bind *(binde)* bound, bound
bite *(bite)* bit, bitten
bleed *(blø)* bled, bled
blow *(blåse)* blew, blown
break *(brekke, bryte, slå i stykker)* broke, broken
breed *(avle)* bred, bred
bring *(bringe)* brought, brought
build *(bygge)* built, built
burn *(brenne)* burnt/burned, burnt/burned
burst *(briste)* burst, burst
buy *(kjøpe)* bought, bought
can *(kan)* could, (been able to)
cast *(kaste, støpe)* cast, cast
catch *(fange)* caught, caught
choose *(velge)* chose, chosen
cleave *(kløve, spalte)* cleft, cleft
cling *(klynge seg, henge ved)* clung, clung
come *(komme)* came, come
cost *(koste)* cost, cost
creep *(krype)* crept, crept
cut *(hogge, skjære)* cut, cut
deal *(handle)* dealt, dealt
dig *(grave)* dug, dug
do *(gjøre)* did, done
draw *(trekke; tegne)* drew, drawn
dream *(drømme)* dreamt/dreamed, dreamt/dreamed
drink *(drikke)* drank, drunk
drive *(kjøre; drive)* drove, driven
dwell *(dvele, bo)* dwelt, dwelt
eat *(spise)* ate, eaten
fall *(falle)* fell, fallen
feed *(fore, mate)* fed, fed
feel *(føle)* felt, felt
fight *(kjempe, slåss)* fought, fought
find *(finne)* found, found
flee *(flykte)* fled, fled
fling *(slenge)* flung, flung
fly *(fly)* flew, flown
fly *(flykte)* fled, fled
forget *(glemme)* forgot, forgotten
forsake *(svikte)* forsook, forsaken
freeze *(fryse)* froze, frozen
get *(få, bli, komme)* got, got
give *(gi)* gave, given
go *(gå, reise)* went, gone
grind *(male, knuse)* ground, ground
grow *(vokse, dyrke)* grew, grown
hang *(henge)* hung, hung
hang *(henge i galge)* hanged, hanged
have *(ha)* had, had
hear *(høre)* heard, heard
hide *(skjule)* hid, hidden/hid
hit *(ramme, slå)* hit, hit
hold *(holde, romme)* held, held
hurt *(gjøre vondt, skade)* hurt, hurt
keep *(beholde)* kept, kept
kneel *(knele)* knelt, knelt
knit *(strikke)* knitted/knit, knitted/knit
know *(vite, kunne)* knew, known
lay *(legge)* laid, laid

lead *(føre)* led, led
lean *(lene)* leaned/leant, leaned/leant
leap *(hoppe)* leaped/leapt, leaped/leapt
learn *(lære)* learnt/learned, learnt/learned
leave *(forlate, dra av sted)* left, left
lend *(låne (ut))* lent, lent
let *(la, leie ut)* let, let
lie *(ligge)* lay, lain
light *(lenne)* lit/lighted, lit/lighted
load *(laste, belesse)* loaded, loaded/laden
lose *(tape, miste)* lost, lost
make *(gjøre, fremstille)* made, made
may *(kan, må gjerne)* might, (been allowed to)
mean *(mene, ha i sinne)* meant, meant
meet *(møte)* met, met
mow *(slå (gress))* mowed, mown
must *(må)* must, (had to)
ought *(bør)* ought
pay *(betale)* paid, paid
pen *(ha i kve, stenge inne)* penned/pent, penned/pent
put *(legge, sette, stille)* put, put
read *(lese)* read, read
rend *(rive i stykker)* rent, rent
rid *(befri)* rid/ridded, rid
ride *(ri, kjøre)* rode, ridden
ring *(ringe)* rang, rung
rise *(reise seg, stå opp)* rose, risen
run *(løpe)* ran, run
say *(si)* said, said
see *(se)* saw, seen
seek *(søke)* sought, sought
sell *(selge)* sold, sold
send *(sende)* sent, sent
set *(sette, gå ned (om sola))* set, set
sew *(sy)* sewed, sewed/sewn
shake *(ryste)* shook, shaken
shall *(skal)* should, (been obliged to)
shed *(utgyte, felle (tårer))* shed, shed
shine *(skinne)* shone, shone
shoe *(sko)* shod, shod
shoot *(skyte)* shot, shot
show *(vise)* showed, shown
shrink *(krympe, krype; vike tilbake)* shrank, shrunk
shut *(lukke)* shut, shut
sing *(synge)* sang, sung
sink *(synke)* sank, sunk
sit *(sitte)* sat, sat
slay *(slå i hjel)* slew, slain
sleep *(sove)* slept, slept
slide *(gli)* slid, slid
sling *(slynge)* slung, slung
slink *(luske)* slunk, slunk
slit *(flekke, skjære opp)* slit, slit
smell *(lukte)* smelt, smelt
smite *(slå)* smote, smitten
sow *(så)* sowed, sowed/sown
speak *(snakke, tale)* spoke, spoken
speed *(ile)* sped, sped
speed up *(sette opp farten)* speeded up, speeded up
spell *(stave)* spelt/spelled, spelt/spelled
spend *(gi ut, tilbringe, bruke (penger))* spent, spent
spill *(spille)* spilt/spilled, spilt/spilled
spin *(spinne)* spun, spun
spit *(spytte)* spat, spat
split *(splitte, kløve)* split, split
spoil *(ødelegge)* spoilt/spoiled, spoilt/spoiled
spread *(spre, bre seg)* spread, spread
spring *(springe)* sprang, sprung
stand *(slå)* stood, stood
steal *(stjele)* stole, stolen
stick *(klebe, sitte fast)* stuck, stuck
sting *(stikke m. brodd)* stung, stung
stink *(stinke)* stank, stunk
strew *(strø)* strewed, strewed/strewn
stride *(skride, gå)* strode, stridden

strike *(slå)* struck, struck
string *(trekke på snor)* strung, strung
strive *(streve)* strove, striven
swear *(sverge)* swore, sworn
sweep *(feie)* swept, swept
swell *(svulme)* swelled, swollen
swim *(svømme)* swam, swum
swing *(svinge)* swung, swung
take *(ta)* took, taken
teach *(lære, undervise)* taught, taught
tear *(rive (i stykker))* tore, torn
tell *(fortelle)* told, told
think *(tenke)* thought, thought

thrive *(trives)* throve, thriven
throw *(kaste)* threw, thrown
thrust *(støte)* thrust, thrust
tread *(træ)* trod, trodden
wake *(våkne; vekke)* woke/waked, waked
wear *(bære, ha på seg)* wore, worn
weave *(veve)* wove, woven
weep *(gråte)* wept, wept
will *(vil)* would, (wanted to)
win *(vinke, oppnå)* won, won
wind *(vinde, sno)* wound, wound
wring *(vri)* wrung, wrung
write *(skrive)* wrote, written